R. N. Champlin, Ph.D.
ENCICLOPÉDIA de BÍBLIA, TEOLOGIA & FILOSOFIA

VOLUME 2   D/G

hagnos

©1991 por Russel N. Champlin

1ª edição: 1991
14ª reimpressão: abril de 2021

REVISÃO
Equipe Hagnos

CAPA
Maquinaria Studio

DIAGRAMAÇÃO
Imprensa da Fé

EDITOR
Aldo Menezes

COORDENADOR DE PRODUÇÃO
Mauro Terrengui

IMPRESSÃO E ACABAMENTO
Imprensa da Fé

As opiniões, as interpretações e os conceitos emitidos nesta obra são de responsabilidade do autor e não refletem necessariamente o ponto de vista da Hagnos.

Todos os direitos desta edição reservados à
EDITORA HAGNOS LTDA.
Av. Jacinto Júlio, 27
04815-160 — São Paulo, SP
Tel.: (11) 5668-5668

E-mail: hagnos@hagnos.com.br
Home page: www.hagnos.com.br

Dados Internacionais de Catalogação na Publicação (CIP)
Angélica Ilacqua CRB-8/7057

Champli, Russel Norman, 1933-2018.

Enciclopédia de Bíblia, Teologia & Filosofia. Vol. 2: D-G. / Russel Norman Champlin — São Paulo: Hagnos, 1991. 6 vols.

ISBN 978-85-88234-33-8

1. Bíblia – Enciclopédias 2. Teologia – Enciclopédias 3. Filosofia – Enciclopédias I. Título

21-0891   CDD 220.3

Índices para catálogo sistemático:
1. Bíblia – Enciclopédias 220.3

Editora associada à:

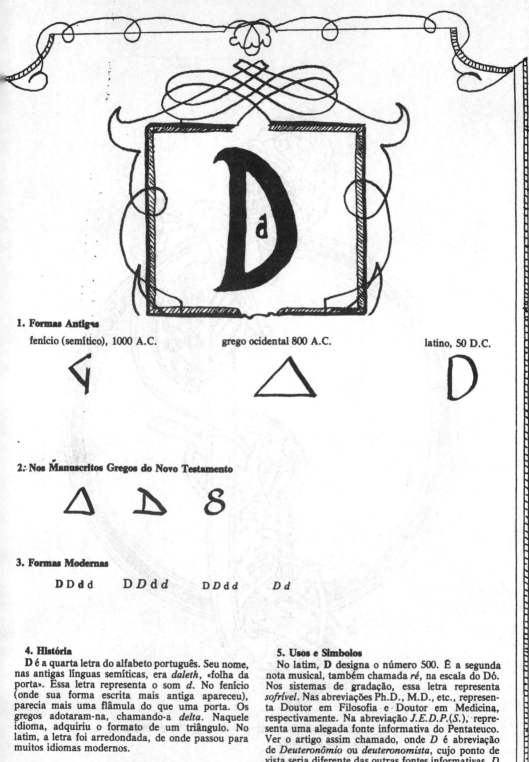

1. Formas Antigas

fenício (semítico), 1000 A.C.   grego ocidental 800 A.C.   latino, 50 D.C.

2. Nos Manuscritos Gregos do Novo Testamento

3. Formas Modernas

D D d d   D *D* d *d*   D D d d   D d

4. História

D é a quarta letra do alfabeto português. Seu nome, nas antigas línguas semíticas, era *daleth*, «folha da porta». Essa letra representa o som *d*. No fenício (onde sua forma escrita mais antiga apareceu), parecia mais uma flâmula do que uma porta. Os gregos adotaram-na, chamando-a *delta*. Naquele idioma, adquiriu o formato de um triângulo. No latim, a letra foi arredondada, de onde passou para muitos idiomas modernos.

5. Usos e Símbolos

No latim, **D** designa o número 500. É a segunda nota musical, também chamada *ré*, na escala do Dó. Nos sistemas de gradação, essa letra representa *sofrível*. Nas abreviações Ph.D., M.D., etc., representa Doutor em Filosofia e Doutor em Medicina, respectivamente. Na abreviação *J.E.D.P.(S.)*, representa uma alegada fonte informativa do Pentateuco. Ver o artigo assim chamado, onde *D* é abreviação de *Deuteronômio* ou *deuteronomista*, cujo ponto de vista seria diferente das outras fontes informativas. *D* também é usado como símbolo do *Codex Bezae*, descrito no artigo separado *D*.

Caligrafia de Darrell Steven Champlin

A Letra D decorativa — Evangelho de Mateus, Livro de Kells

D

D

Um símbolo do autor ou autores do livro de Deuteronômio, e também de uma escola de historiadores-autores-editores do século seguinte ao da publicação daquele livro (cerca de 621 A.C.), os quais empregaram o mesmo vocabulário, estilo e idéias do autor original. Essa teoria também supõe que esses editores foram os responsáveis pelas edições dos livros de Josué, Juízes, I e II Reis, Jeremias e talvez, outros livros. Suas doutrinas, constantemente ressaltadas são a centralização da adoração no templo de Jerusalém (Deut. 12:5-7), o *monoteísmo* (Deut. 6:4), a severa natureza de Deus, incluindo a exigência de guerras santas (Deut. caps. 7 e 20), o conceito de recompensa pelos atos corretos (Deu. 11:13-17), a necessidade de arrependimento absoluto, o que é devidamente recompensado (I Reis 8:48). Ver as notas sobre a teoria *J.E.D.P.(S.)*, como fontes do Pentateuco.

D (CÓDEX BEZAE)

Esse manuscrito também é chamado **Códex Cantabrigiensis**. Foi presenteado em 1581 à biblioteca da Universidade de Cambridge por Theodore Beza (o que explica o seu nome), o célebre erudito francês que esteve associado a João Calvino e foi seu sucessor como líder da igreja de Genebra. Data dos séculos V ou VI D.C., e contém a maior parte dos quatro evangelhos e do livro de Atos, com pequena porção de II João. É um manuscrito bilíngüe, com o texto grego à esquerda, e o latino à direita. O texto é do tipo ocidental, com sua típica livre adição e omissão de material. Os evangelhos trazem a ordem ocidental, a saber: Mateus, João, Lucas e Marcos. Nenhum manuscrito conhecido tem tantas e tão notáveis variantes. Alguns estudiosos supõem que o livro de Atos foi publicado em duas edições, um mais breve (o texto normal) e o outro mais longo (com as adições ocidentais). Este último é cerca de dez por cento mais longo que o texto normal. Apesar de não haver acordo quanto à natureza exata e à origem dessas adições, é certo que o material extra é estranho ao livro original de Atos, embora algumas das informações assim dadas sejam autênticas. Ver o artigo geral sobre os *Manuscritos do Novo Testamento*. (KE ME)

DÃ

No hebraico, «juiz». Consideremos os seguintes pontos a seu respeito:

1. Foi o quinto filho de Jacó, mediante sua concubina, Bila (Gên. 30:3; 35:25). Foi o cabeça e fundador da tribo israelita de Dã. Dã teve apenas um filho; mas, a despeito disso, quando os israelitas saíram do Egito, essa tribo era representada por sessenta e dois mil e setecentos homens (Núm. 1:39), o que a tornava a segunda maior tribo de Israel, quanto a números. Acerca do próprio Dã, porém, praticamente não temos qualquer informação. De acordo com a bênção proferida por Jacó, em seu leito de morte, foi declarado que ele e seus irmãos, através de esposas e concubinas de Jacó, teriam o direito legal de uma porção na herança da família.

2. A Tribo Chamada Dã. Essa tribo consistia nos descendentes do patriarca Dã, filho de Jacó e Bila, criada de Raquel e concubina de Jacó (Gên. 30:6). O trecho de Gênesis 46:23 diz-nos que Dã teve apenas um filho. Mas alguns intérpretes pensam que o nome dele, Husim, é uma forma plural, que poderia indicar toda uma família, e não apenas um indivíduo. Seja como for, essa tribo, na época do Êxodo, era a segunda mais numerosa das tribos de Israel, com sessenta e dois mil e setecentos homens (Núm. 1:39). Pela época em que Israel entrou em Canaã, esse número havia aumentado para sessenta e quatro mil e quatrocentos homens (Núm. 26:43), e continuava sendo a segunda maior tribo de Israel. Foi-lhe dado território na porção noroeste da Palestina; mas, visto que a área era muito pequena para a tribo, um grupo de danitas buscou estabelecer-se bem ao sul da Palestina. Foi assim que eles ocuparam o distrito de Lesém, que foi conquistado com relativa facilidade, em comparação com o que sucedeu no resto da Palestina (Jos. 19:47; Juí. 1:34 e cap. 18). Lesém foi rebatizada com o nome de Dã, o que veio a indicar o extremo norte do território de Israel. Ver abaixo sobre a cidade de *Dã*. O território original que Dã recebeu era fértil, ocupando parte das costas marítimas, o que deu à gente dessa tribo a oportunidade de ocupar-se do comércio e da pesca (Juí. 5:17). Importantes cidades dessa área foram Jope, Lída e Ecrom. Indivíduos importantes da tribo de Dã foram Aoliabe, filho de Aisamaque (Êxo. 31:6 *ss.*) e Sansão (Juí. 13:2 *ss*). A localização dessa tribo, perto dos filisteus, explica seu envolvimento na história que circunda o seu nome.

3. Cidade de Dã. Esse foi o nome que os danitas deram à cidade de Lesém, após sua conquista, no extremo norte de Israel. O lugar recebe vários nomes na Bíblia, como Lesém (Jos. 19:47), Laís (Juí. 18:27,28) e Lusi, nos textos egípcios de 1860-1825 A.C. e finalmente, Dã. Ficava localizada no sopé sul do monte Hermom, perto de um dos tributários do rio Jordão, chamado Nahr Leddan. Sua posição, no extremo norte do território de Israel, fez com que fosse usada como marco geográfico, de tal modo que temos a expressão «desde Dã até Berseba» (Juí. 20:1; I Sam. 3:20; II Sam. 17:11), a fim de denotar os pontos norte e sul extremos da Terra Santa. Dã (Lesém) havia pertencido aos sidônios, que viviam quietos e seguros, de tal modo que se tornara isso uma situação proverbial: viver pacificamente, em meio à abundância, equivalia a viver «segundo o costume dos sidônios» (Juí. 18:7). Não havia poderes adversos, nas proximidades. A principal cidade da região, Sidom, ficava distante demais para oferecer proteção em caso de invasão, fato que não escapou à observação dos espias de Dã, enviados para averiguar a magnitude da tarefa da conquista. Seja como for, uma vez estabelecidos ali, os membros da tribo de Dã não parecem ter sofrido qualquer tentativa de deslocamento (Juízes 18). A arqueologia tem mostrado que a área vinha sendo habitada pelo menos desde 3500 A.C., tendo-se tornado importante comercialmente falando, visto que ficava na rota comercial com a costa síria, estando mais ou menos a meio caminho entre Arã, Tiro e Sidom.

Na história mais remota do Antigo Testamento, lemos que foi nessa área que Abraão e seu grupo perseguiram o rei elamita, Quedorlaomer (Gên. 14:15). Jeroboão revoltou-se contra Reoboão e tornou-se o primeiro rei do reino norte (Israel), quando o povo israelita dividiu-se em duas nações (I Reis 11:26 — 14:20; II Crô. 10:2 — 13:20). Nesse tempo, a cidade de Dã, juntamente com Betel, tornou-se a sede de um dos dois santuários que continham um bezerro de ouro, simbolizando a adoração a Baal (I Reis 12:29), o que significa que Dã

DABRIA — DAGOM

e Betel tornaram-se centros da idolatria encabeçada por Jeroboão (II Reis 10:28-31). Dã, e outras cidades da área, finalmente foram arrasadas por Ben-Hadade (I Reis 15:20; II Crô. 16:4). Foi recapturada no tempo de Jeroboão II (II Reis 14:25). Mas o monarca assírio Tiglate-Pileser III (745-727 A.C.) reconquistou a área, e seus habitantes foram levados para o exílio. A arqueologia tem descoberto relevos de origem assíria, que retratam esse e outros eventos similares, porquanto o exílio de um povo conquistado fazia com que deixassem de ser uma ameaça. Os israelitas foram instalados nas cidades dos medos (II Reis 17:6).

Referências Extrabíblicas. Dã é mencionada em várias fontes informativas extrabíblicas, desde tão cedo quanto os anais das conquistas de Tutmés III (cerca de 1490-1436 A.C.). Josefo menciona o território como a área onde Tito, sob as ordens de seu pai, o imperador Vespasiano, esmagou a revolta dos judeus, no outono de 67 D.C. (*Guerras* 4:1 *ss*).

Localização Moderna. O local onde estava a antiga cidade agora é conhecido como o Tell el-Qadi. É mais elevado cerca de vinte metros que a região de pasto da área. Esse nome árabe significa «cômoro do juiz».

A Tribo Perdida de Dã. O nome de Dã falta nas listas das tribos, em Apocalipse 7:5-8, ou acidental ou intencionalmente. Irineu (*Adv. Haer.* 5:30,2) explica a omissão com base no fato de que se esperava que o anticristo procederia dessa tribo, com base no texto de Jerônimo 8:16, segundo a Septuaginta: «Desde Dã se ouve o resfolegar de seus rápidos cavalos», refletido bem de perto por nossa versão portuguesa. Isso seria, supostamente, uma referência às forças hostis do anticristo. Essas idéias são meras especulações, e a teoria da omissão acidental, provavelmente, está com a razão.

A Dã Moderna. Em nossos dias, os descendentes de Dã estão localizados na Alta Galiléia, perto da fronteira com a Síria. O estabelecimento foi fundado em 1939. Um pouco mais ao norte fica o Tell el-Qadi, local do antigo estabelecimento. Trata-se, essencial-mente, de uma área agrícola, havendo também a manufatura de calçados, como outra importante função.

DABRIA

Um dos cinco homens mencionados em II Esdras 14:24, aos quais foi solicitado que registrassem prontamente a visão apocalíptica de Esdras, em muitos tabletes.

DADO

Vem do latim, **datum**, particípio passado de **dare** (dar), ou seja, *algo dado*. A determinação do que é dado e de como é dado, na gnosiologia, deu origem a várias definições sobre *datum*, a saber:

1. No *realismo ingênuo* (que vide) supõe-se que o mundo, conforme ele realmente é, :nos é *dado* por nossos sentidos de percepção. Isso posto, nossos sentidos conferem-nos os verdadeiros *dados* do conhecimento.

2. No *realismo crítico* (que vide), a realidade de qualquer coisa não nos é dada pela nossa percepção, mas é apenas inferida, sendo mister um salto de fé animal para que nos pronunciemos sobre a natureza do mundo. Os nossos sentidos representam para nós o mundo, mas não conforme ele é, verdadeiramente.

3. Para Mach (que vide) o nosso mundo é a nossa própria construção, com os componentes dos dados

captados por nossos sentidos.

4. Locke (que vide) usava o termo «sensação»; Hume, «impressões»; Kant usava o termo *fenômenos*, a fim de descrever os dados de nossos sentidos de percepção.

5. Para o *idealismo*, os dados captados pelos sentidos são ilusórios, pois distorcem a realidade, apesar do que, para alguns idealistas, podem ser usados na formulação de teorias, com outras bases. Nos escritos de Platão, a forma mais inferior de conhecimento nos chega por meio dos sentidos. Porém, — acima desse tipo fraco de conhecimento, que nos expõe apenas sombras indistintas, — não realidades, e que é repleto de ilusões, temos a razão, a intuição e as experiências místicas, que nos permitem atingir as formas mais elevadas de conhecimento, nessa ordem crescente de poder. Há dados que ultrapassam aqueles captados pelos nossos sentidos.

DADOS DAS PERCEPÇÕES

Ver **Percepção dos Sentidos**.

DADU

Um dos mais chegados discípulos de Kabir (que vide), um místico hindu, que viveu em torno de 1400 D.C. Nanaque, o fundador da religião sique, foi influenciado por Kabir. A declaração de Dadu confere-nos o espírito do movimento místico ao qual ele pertencia: «Quem pode conhecer-te (Deus), ó Invisível, Inabordável, Insondável? Dadu não tem desejo para conhecer-te; fica satisfeito em ficar arrebatado com toda essa tua beleza, regozijando-se em ti». Ver o artigo geral sobre o *Hinduísmo*. Kabir e Dadu eram membros do movimento Bhakti, e foram místicos do norte da Índia.

DAFNE

Um lugar mencionado no livro apócrifo de JI Macabeus 4:33. Era uma espécie de parque ou retiro com belos templos, jardins e santuários, onde os deuses do Olimpo grego eram venerados. Finalmente, o lugar tornou-se um antro onde muitos viciados buscavam satisfazer seus desejos, de tal modo que o lugar adquiriu notoriedade mundial negativa. Gibbon, em sua obra *Declínio e Queda do Império Romano* forneceu uma boa descrição do lugar. Estava associada à decadência que contribuiu para a ruína do império romano (II, cap. 23, págs. 395,396).

DAGÃ

Uma antiqüíssima divindade masculina da Babilônia, associada a Anu (que vide) e a Ninibe, também chamado Ninurta (que vide). Dagã era identificado com Bel (que vide). Alguns eruditos dizem que o nome deve ser associado a Dagom (que vide).

DAGOM

Informações Gerais

1. O Termo e o Deus. Reflect o heb. **cereal** ou **dag** (peixe). Cereal sugere um deus da agricultura, figura associada à cultivação, ou talvez, originalmente, ele tivesse sido um deus da fertilidade e da agricultura. Seja como for, ele era um antigo deus mesopotâmico, que se tornou a principal divindade dos filisteus, muito proeminente na época de Sansão, em Gaza (Juí. 16:21-23), em Bete-Seã, nos dias de Saul e Davi

DAGOM — DÃ-JAÃ

(I Sam. 5:2-7; 31:10; I Crô. 10:10), — e em Asdode, nos dias dos Macabeus (I Macabeus 10:83-85). Dagom geralmente era apresentado como uma criatura misto de peixe com cabeça humana. Jerônimo nos deu essa informação, que foi confirmada por Kimshi, no século XIII, embora isso seja posto em dúvida por alguns eruditos modernos. A derivação da palavra «cereal», com base em «peixe», também é posta em dúvida. Entretanto, há abundante evidência que que houve um deus da agricultura na cultura assírio-babilônica. O posterior deus cananeu, *Dagom*, é descrito por Filo como deus do *cereal*, o que tem sido confirmado em textos religiosos do norte da Síria, mais precisamente, de Ras Shamra. Afirma-se que teria sido o pai do grande deus Baal. A história demonstra que, pelo menos a partir de 2500 A.C. em diante, a adoração a Dagom foi muito proeminente por toda a Mesopotâmia. Essa influência tem sido demonstrada pelos nomes próprios, pessoais ou locativos, que incorporam «Dagom», de uma maneira ou de outra. Várias cidades derivavam seus nomes desse deus, como Bete-Dagom (Jos. 15:41).

2. Esboço do Meio Ambiente Histórico. a. Desde 2500 A.C., adoração generalizada na Mesopotâmia, proeminente especialmente na região do médio Eufrates. b. O nome *amorreu* desse deus deve ter sido Dagã, — e um templo erigido em sua honra foi descoberto pelos arqueólogos, em Ugarite, com data de cerca de 2000 A.C. c. Ele era largamente adorado entre os amorreus da Mesopotâmia, na época de Hamurabi, da Babilônia, e no reino de Mari (cerca de 1850-1750 A.C.). d. Ele era venerado como deus da agricultura em Ugarite, e como pai do deus-chefe, Baal, durante o período de Amarna (cerca de 1550-1220 A.C.). e. Alguns estudiosos argumentam que seu nome (com a forma de Daguna) aparece nos tabletes lineares minoanos A, de Creta (cerca de 1500 A.C.). f. No final da era do Bronze, o nome desse deus encontra-se, sob forma composta, como substantivo próprio locativo, como Dagã-Tacala, nos tabletes de Tell El Amarna, ou como Bete-Dagom, nome de três cidades do território de Judá (Jos. 15:41), perto de Jope, mencionadas também nos anais de Senaqueribe, e no território de Aser (Jos. 19:27). g. Na época de Sansão (cerca de 1143 A.C.), Dagom era o principal deus dos filisteus (Juí. 16:21-23). A morte de Sansão está associada ao nome desse deus. h. Nos dias de Davi (1000 A.C.), as experiências ligadas à arca da aliança, em Asdode (I Sam. 5:1-7), estiveram associadas a esse deus pagão. A arca da aliança foi temporariamente guardada no templo de Dagom, em Asdode, do que resultaram todas as formas de eventos e castigos inesperados, o que, finalmente, forçou os filisteus a devolverem a arca a Israel. i. A adoração a Dagom perdurou por longo tempo, o que é demonstrado pelo fato de que até mesmo nos dias dos Macabeus, e posteriormente, essa adoração continuava (I Macabeus 10:83-85).

3. Templos de Dagom. Esse deus era quase uma divindade internacional (dentro do limitado mundo conhecido da época), o que é demonstrado pelos muitos templos construídos em sua honra. Sabe-se que ele tinha templos em Ugarite, em Bete-Seã, no norte da Síria (I Crô. 10:10), em Gaza (Juí. 16:23) e em Asdode (I Sam. 5:1-7). Os arqueólogos têm procurado encontrar um templo dedicado a Dagom, em Gaza; mas, até o momento, suas esperanças não se têm realizado. Em Bete-Seã quatro templos foram desenterrados pelos arqueólogos, os quais têm sido tentativamente reconstituídos, com a ajuda de várias evidências. Um dos maiores desses templos pertence-

ria, presumivelmente, a Dagom. Ali foi pendurada a cabeça de Saul (I Crô. 10:10). Um outro templo tem sido identificado como a causa de Astarote, onde os filisteus deixaram, em exibição, a armadura de Saul (I Crô. 10:10). É provável que a adoração a Astarote estivesse vinculada à adoração a Dagom. O templo descoberto em Ugarite tem aproximadamente as mesmas dimensões e o mesmo plano do templo de Baal. Fica apenas cerca de 52 m a leste-sudoeste do templo de Baal, e foi descoberto depois deste último. Ambos esses templos são bastante parecidos com os templos posteriores de Istar, Assur e Andrae. Uma estela demonstra que o templo foi erigido em honra a Dagom. O plano do templo de Salomão era essencialmente idêntico ao templo de Dagom, em Ugarite. Sabemos que Salomão contratou ajuda de estrangeiros, nessa construção, tanto no tocante ao planejamento como no tocante aos móveis e decorações da mesma. (MACA ND UN SCH Z)

D'AILLY, PIERRE

Suas datas foram 1350-1420. Foi bispo de Cambrai e cardeal. Tornou-se professor da Universidade de Paris, onde foi um dos mestres do conciliarista Jean Gerson (que vide). Trabalhou intensamente em favor da unificação da Igreja, durante o grande cisma ocidental. Assumiu papel de liderança quando do concílio de Constança (que vide). Ver o artigo sobre *Cisma*.

DAIMON (DAIMONION)

Isso representa a transliteração da palavra grega que significa «divindade secundária». Antes de 600 A.C., nos escritos de Homero, esse era um nome comum aplicado aos deuses ou aos poderes personificados, derivados de objetos e forças não-humanas Nos escritos de Hesíodo vemos a idéia de que a psique (alma) humana, na era áurea do passado remoto, tornou-se um *daimon*, após a morte do corpo físico. Mas Hesíodo pensava que isso não continuaria nas eras subseqüentes, como nas eras do bronze e da prata. Então o *daimon* ter-se-ia tornado um poder externo que exigia alguma espécie de respeito ou adoração. Pitágoras, após 600 A.C., referiu-se ao *daimon* como idêntico à psique humana. Heráclito pensava que era o *caráter* ou qualidades internas de um homem. Nos escritos de Platão, o *daimon* é uma divindade tutelar ou guardiã, o *nous*, conforme o mesmo se manifesta em cada pessoa. Sócrates falou sobre o *daimon* como uma entidade separada, uma espécie de espírito guardião e guia, investido de divindade. O filósofo estóico Marco Aurélio empregou o termo para aludir à compreensão e à razão humanas. No Novo Testamento, o termo sempre aparece com sentido negativo, referindo-se aos *demônios* como poderes externos malignos, embora sem nunca nos informar sobre a origem de tais seres, e nem se há mais de uma espécie ou nível deles. Ver o artigo separado sobre *Demônio*, onde se discute mais a respeito. Há sessenta referências aos demônios, nas páginas do Novo Testamento. Ver também sobre *Possessão Demoníaca*.

DÃ-JAÃ

No hebraico, «Dã toca o órgão». Outros pensam em «Juiz do propósito». A Septuaginta diz «Dan nos bosques». Alguns intérpretes pensam que essa cidade é a mesma que, algures, é chamada Dã (que vide). Nesse caso, a cidade também recebe outros nomes na

DAKHMA — DALMANUTA

Bíblia, como Lesém (Jos. 19:47), Laís (Juí. 18:27,28). Ainda outros estudiosos pensam em Danian, na região montanhosa, acima da atual Khan-en-Nakura. Essa cidade ficava ao sul de Tiro, perto de Gileade. Joabe visitou o lugar, quando Davi ordenou que se fizesse o recenseamento. da nação. Evidentemente ela ficava entre Gileade e Sidom, o que a situaria nas vizinhanças de Dã (II Sam. 24:6), se é que não fosse a própria Dã, conforme dissemos acima. Alguns estudiosos pensam que a porção final do nome dessa cidade, Jaã, pode refletir um nome pessoal, talvez cognato do ugarítico y'rn.

DAKHMA

Esse nome significa «torre do silêncio». Era uma torre construída para ali serem postos os mortos, dentro do zoroastrismo. Os cadáveres eram postos sobre uma laje de pedra, elevada no ar, a fim de que as aves de rapina os devorassem. Ver o artigo geral sobre Sepultamento, Costumes de.

DALAI LAMA

Ver o artigo geral sobre o Lamaísmo. O Dalai Lama é o principal dos dois maiores lamas (sacerdotes) do Tibete e da Mongólia. O outro lama principal chama-se Tesho Lama. O Dalai Lama também é conhecido como Grande Lama, sendo uma espécie de figura papal da religião tibetana. Os dois grandes lamas são considerados encarnações de seres celestiais. Há maiores detalhes sobre a doutrina do Grande Lama, no artigo sobre o Lamaísmo.

DALE, ROBERT WILLIAM

Suas datas foram 1829-1895. Foi um congregacional inglês. Ver o artigo sobre o Congregacionalismo. Nasceu em Birmingham. Educou-se no Spring Hill College de Birmingham. Tornou-se pastor da capela de Carr's Lane. Promoveu a educação e a liberdade religiosa. Foi forte líder denominacional, entusiasmado com o tipo de governo eclesiástico congregacional. Seu Manual of Congregational Principles esboça a doutrina. Foi presidente da União Congregacional da Inglaterra e do País de Gales, antes de atingir os quarenta anos de idade. Advogava um ministério melhor instruído. Mediante a sua influência, o Spring Hill College foi transferido para Oxford, onde se tornou o Mansfield College. Foi o primeiro inglês a dirigir as Beecher Lectures, em Yale. Conferenciava largamente e escreveu diversos livros e artigos. Suas conferências sobre a Expiação tornaram-se uma contribuição permanente à teologia, quanto a essa doutrina. Ele escreveu também uma History of English Congregationalism, bem como diversos volumes de obras homiléticas e expositivas. (AM E)

DÁLETE

Quarta letra do alfabeto hebraico. Dessa palavra hebraica é que provém o termo grego delta, quarta letra do alfabeto grego, visto que o alfabeto (que vide) tem origem semita. A nossa letra «d» deriva-se dessa letra. Em Salmos 119, a quarta porção (vss. 25—32) começa com essa letra, em cada verso. Originalmente tinha o formato de um triângulo, sem qualquer projeção para o lado esquerdo. Após o século VII A.C., essa letra, devido ao seu novo formato escrito, ficou mais facilmente confundida com o rês (o nosso «r»), embora esta última letra usualmente seja escrita com uma cauda maior. Numericamente, a letra dálete vale «quatro». Era pronunciada como o nosso «d»; mas, em tempos posteriores, passou a soar mais como o «th» inglês, na palavra «this».

DALFOM

Nome do segundo dos dez filhos de Hamã. Esse nome significa «pendente», a menos que seja um nome tipicamente persa, cujo sentido é desconhecido. Foi morto pelos judeus em Susã (Est. 9:7), no décimo terceiro dia do mês de Adar, em cerca de 510 A.C.

DALILA

No hebraico, «langor» ou «sensual». Viveu em torno de 1060 A.C. Era mulher pagã, que habitava no vale de Soreque. Foi amada por Sansão, juiz danita (Juí. 16:4-18). Conhece-se o nome de Dalila porque ela foi a tentadora e traidora de Sansão. Provavelmente pertencia ao povo filisteu. — Ela agia devido à sua lealdade a seu povo, além do desejo de prejudicar, de algum modo, o povo de Israel. Soreque, por essa altura dos acontecimentos, ficava dentro do território filisteu. Sansão sentiu-se arrebatado pela beleza física de Dalila, e passava muito tempo com ela. Gradualmente, ela conseguiu controlá-lo. — E assim, aquele que nenhum adversário era capaz de derrotar, foi derrotado por uma mulher. História antiga! Alguns escritores patrísticos pensavam que Dalila fosse esposa de Sansão, mas a opinião é por demais caridosa! Sansão começou a falar demais, e acabou revelando a Dalila o segredo de sua imensa força física. Os filisteus conseguiram comprar a lealdade de Dalila em troca de mil e cem siclos de prata (Juí. 16:5). A soma era considerável. A história terminou muito adversa para Sansão, conforme terminam quase todas as histórias dessa natureza.

DALMÁCIA

Nome de um distrito a leste do mar Adriático, uma província romana. Tito visitou essa região, conforme aprendemos em II Timóteo 4:10. Paulo pregou ali (Rom. 15:19), que ele chamou de Ilírico (que vide). A Dalmácia era um distrito na porção sul do Ilírico. As dimensões exatas não são conhecidas. A província romana foi formada pelo imperador Tibério. Estava limitada a leste pela Média, ao norte, pela Panônia. Era habitada por tribos aguerridas, que os romanos conseguiram dominar pelos meados do século II A.C. Mas sempre houve revoltas e problemas com essa região, até que Otávio conseguiu pacificar definitivamente o lugar. A paz romana foi imposta pelo seu sucessor, Tibério. A área era vital para a expansão do império romano.

DALMANUTA

Uma aldeia próxima de Magdala (Mar. 8:10; Mat. 15:39), nas praias ocidentais do mar da Galiléia, levemente ao norte de Tiberíades. O evangelho revela que Jesus e seus discípulos foram até esse lugar, após a multiplicação de pães e peixes para os quatro mil homens. O local moderno é incerto, embora seja comumente identificado com as ruínas da praia ocidental do lago, ao norte de Tiberíades, perto da moderna Mejdel (antiga Magdala).

DALMÁTICA — DAMASCO

As variantes textuais em Marcos 8:10 incluem as formas Magedan, Magdala e Malegada, além de variações sobre Dalmanuta. Essa última palavra é retida nos melhores textos gregos, com apoio dos melhores manuscritos. Dalmanuta é palavra retida por todos os manuscritos unciais, excetuando «D». Os copistas, perplexos diante dessa palavra, que não ocorre em nenhum outro trecho do Novo Testamento, substituíram-na pela mais familiar *Mageda* (com variações). O paralelo de Mateus 15:39 diz *Magadan*, no acusativo. Ver comentários sobre essa variante, em Marcos 8:10, no NTI. A derivação desse nome é incerta, e tem sido muito debatida. Uma sugestão é que a palavra é uma corrupção de Tiberíades, em combinação com um anterior nome do lugar, *Amatus*.

DALMÁTICA

Esse é o nome de uma espécie de sobretúnica bordada, usada como sinal de honra, a começar pelos diáconos de Roma, e, depois em outros lugares do Ocidente, pelos diáconos e bispos. Ver sobre *Túnica*.

DÂMARIS

Alguns eruditos bíblicos têm feito dessa mulher esposa de Dionísio, o areopagita; mas essa é apenas mais uma daquelas tradições sem fundamento, que o texto sagrado não apóia de forma alguma. Furneaux assevera que Dâmaris era uma educada cortesã, mas também não existem provas disso. Não obstante, é realmente provável que ela fosse uma aristocrata, que teria tomado o seu lugar na igreja juntamente com outras «mulheres de distinção», que se tornaram membros do movimento cristão primitivo, conforme também Lucas já nos deu a conhecer, nos trechos de Atos 16:14 e 17:4. Encontramos neste ponto a reiteração de um tema extremamente comum nos escritos de Lucas, que dá à mulher um papel tão importante dentro da tradição dos evangelhos, mais do que nos escritos dos outros autores sagrados. (Ver os comentários a esse respeito em Atos 5:14 no NTI).

E com eles outros mais, Atos 17:34. Tem-se aqui a impressão de um pequeno número de convertidos, segundo o cálculo de qualquer pessoa, em contraste com as «grandes multidões» que vieram a crer no evangelho, em Tessalônica e Beréia. Parece que Paulo jamais voltou a visitar a cidade de Atenas. Não escreveu qualquer epístola endereçada àquela cidade, e a única referência possível aos crentes dali, em seus escritos, seria aquela que a todos incluiu em sua menção geral a «...todos os santos em toda a Acaia...» (II Cor. 1:1), dos quais ele não se olvidava em suas orações.

E.H. Plumptre em Atos 17:34 apresenta uma estimativa pessimista acerca da obra de Paulo em Atenas, ao dizer: «Até parece que ele, o apóstolo Paulo, sentiu que pouco havia a ganhar por ter entrado na discussão acerca das grandes questões da teologia natural; por conseguinte, dirigiu-se a Corinto, determinado a nada saber, salvo a 'Jesus Cristo, e este crucificado' (I Cor. 2:2)».

Entretanto, R.J. Knowling (*in loc.*) mostra-se muito mais positivo em sua avaliação: «Os resultados dos esforços do apóstolo Paulo em Atenas foram diminutos, quando comparados no tocante ao número de convertidos, embora até mesmo entre eles não se deve esquecer que foi alguma coisa obter a lealdade à fé de um homem que ocupava tão alta posição como Dionísio, o areopagita. Porém, em adição a isso, tam-

bém é importante nos lembrarmos de que o apóstolo Paulo nos outorgou 'um valioso método de pregação missionária' (ver Lechler, 'Das Apost. Zeitalter', pág. 275) e que Orígenes, em sua discussão contra Celso, pôde apelar para Atenas como prova dos frutos do cristianismo... que a sua fé vacilante foi reavivada em tempos de perseguição pelo bispo Quadrato, sucessor de Públio, o bispo mártir; que foi nas escolas cristãs de Atenas que Basílio e Gregório foram treinados; e que a um filósofo ateniense, Aristides, que se convertera a Cristo, devemos a mais antiga apologia que possuímos».

Robertson (*in loc.*), a respeito dessa mesma questão, opina: «É comum dizer-se que Paulo, em I Cor. 2:1-5, faz alusão ao seu fracasso ante a filosofia de Atenas, quando não conseguiu pregar Cristo, e ele crucificado, tendo então resolvido nunca mais cair nesse equívoco novamente. Por outro lado, Paulo ficou determinado a aferrar-se à cruz de Cristo, a despeito do fato de que o orgulho intelectual e a cultura superficial dos atenienses tenham impedido um sucesso mais retumbante. E ao defrontar-se com Corinto, com o seu verniz de cultura e imitação de filosofia, uma cidade que enriquecera repentinamente, ele deu continuação à sua prédica com o mesmo evangelho da cruz, o único evangelho que Paulo conhecia e pregava. E foi grande presente ao mundo ter dado ele um sermão como aquele que pregou em Atenas».

«Paulo não teria tido razão em dizer que labutou em vão em Atenas, porque de que modo calcularemos o valor de uma única alma!?» (Matthew Henry, em Atos 17:34).

DAMASCO

Essa era a bem conhecida cidade a nordeste do monte Hermom. Esse nome também se aplica à região geográfica geral e, algumas vezes, ao estado do qual essa cidade era a capital. Ficava localizada em uma planície com cerca de 670 m de altitude. A cidade fica cercada por montes em três lados, a saber, o monte Hermom e a cadeia do Antilíbano, a oeste; uma serra que se projeta dessa cadeia, ao norte; o Jebel Aswad (monte Aswad), que a separa da fértil Haurã (bíblica Basã), ao sul. A leste, certos lagos pantanosos e colinas baixas separam a região do deserto. Ali a chuva é escassa e a irrigação é necessária para a agricultura. Ali são produzidas azeitonas, várias frutas, amêndoas, castanhas, pistácias, cereais, fumo, algodão, linho e cânhamo. A cidade tem uma longa história sendo uma das mais antigas cidades do mundo. Talvez a mais conhecida menção bíblica seja aquela referente à conversão de Saulo de Tarso. Ali vivia o crente judeu, Ananias, que ajudou a Saulo em momento de necessidade, quando ele estava cego diante do resplendor da visão, e havia sido levado para o interior de Damasco. Ananias, orientado por uma visão que teve, foi à rua chamada Direita, e ali encontrou Saulo, que estava hospedado na casa de um homem de nome Judas. Foi então que Saulo recebeu de volta a capacidade de enxergar, o que lhe serviu de tremenda lição espiritual. Foi ali que Paulo recebeu sua comissão apostólica, um fator que alterou a história do mundo, bem como as vidas de incontáveis milhares de pessoas.

Atualmente, Damasco faz parte dos domínios árabes, o que teve início no ano de 636 D.C., por ocasião da batalha de Iarmuque. Foi a capital do império Umaiada (639-744 D.C.). No século XIV,

DAMASCO — DANÇA

caiu sob o controle dos mamelucos egípcios, tendo mantido sua importância como centro político e comercial. Foi saqueada pelos invasores mongóis, em 1401. Nos tempos modernos, retém o papel de capital e principal cidade da Síria.

Damasco é uma das mais antigas cidades do mundo. Alguns estudiosos chegam mesmo a declarar ser ela a mais antiga cidade do mundo que vem sendo continuamente habitada até hoje. Porém, não há meios para alguém confirmar ou negar essa proposição. Ficava localizada cerca de duzentos e quarenta quilômetros a nordeste de Jerusalém, às margens do rio Abana, que descia do Antilíbano (que alguns chamavam de Abara) e de um outro rio denominado Farpar, que os gregos chamavam de «Chrysorrhoas», ou seja, «riacho de ouro», localizado fora das muralhas da cidade.

Era a capital da *Síria* (ver Isa. 7:8) e vinha sendo ocupada desde os tempos mais remotos, porquanto já era conhecida nos dias de Abraão (ver Gên. 15:2). Embora a cidade também tenha formas diversas nos idiomas hebraico, grego e aramaico, tendo sido encontrado em algumas antiqüíssimas inscrições, como nos escritos de Tutmoses III, Faraó do Egito e nas cartas de Amarna (século XIV A.C.), e também em inscrições feitas na escrita cuneiforme, o seu significado nos é inteiramente desconhecido hoje em dia.

Davi capturou e dotou Damasco de uma guarnição militar, depois que as tropas dessa cidade, enviadas em auxílio a Hadedezer, de Zobá (ver II Sam. 8:5), foram derrotadas. Damasco figurava com destaque entre os membros do pacto feito por Asa, rei de Judá, a fim de aliviar a pressão provocada por Baasa, de Israel (ver II Crô. 16:2). Foi na planície próxima de Damasco que o profeta Elias ungiu a Hazael, um nobre damasceno, como futuro monarca da Síria (ver I Reis 19:15). Os assírios, finalmente, capturaram e destruíram essa cidade, tendo igualmente deportado a muitos de seus habitantes. Essa cidade serviu de lição objetiva para Judá, de conformidade com os escritos de Isaías (ver Isa. 10:9 e *ss*), sobre o que pode acontecer a um povo que prefere ignorar a Deus.

Durante o período dos monarcas *selêucidas*, Damasco perdeu a sua posição de capital da Síria, embora tivesse sido, mais tarde, restaurada como capital da Celessíria, sob Antíoco IX, em 111 A.C. Damasco passou a ser cidade romana desde 64 A.C., o que continuou até 33 D.C. Nos tempos de Paulo, a cidade era governada por um etnarca, nomeado por Aretas IV (9 A.C. a 40 D.C.), que havia derrotado o seu genro, Herodes Ântipas (ver II Cor. 11:32,33).

A cidade de Damasco contava com uma numerosa população judaica e muitas sinagogas. (Ver Atos 9:2; e Josefo, «*Guerras dos Judeus*», ii.20). A população judaica de Damasco era tão numerosa, nos tempos do cristianismo primitivo, que Nero foi capaz de executar a dez mil judeus; e pode-se supor que ele não mandou matar a população judaica inteira da cidade, embora o tenha tentado. (Ver Josefo, *Guerras dos Judeus*, ii.25). O cristianismo também fez progressos extraordinários em Damasco, e, finalmente, veio a tornar-se ela conhecida como cidade cristã. No entanto, mais tarde, o islamismo foi se tornando gradualmente a religião dominante, segundo se verifica na atualidade.

A cidade moderna cobre uma área de cerca de três quilômetros por um quilômetro e meio, ao longo do rio Barada. Existe ainda a rua chamada «*Direita*» (ver Atos 9:11), que corre de nordeste para sudoeste, atravessando a cidade. Uma grande mesquita, edificada ali no século VIII D.C., ocupa declarada-mente o local do templo de Rimom (mencionado em II Reis 5:18).

O distrito de Damasco é famoso por seus pomares e jardins, porque recebe abundante suprimento de água de seus dois rios. Serve, por semelhante modo, de centro natural de comunicações, ligando as rotas de caravana que saem da costa do Mediterrâneo (cerca de cento e cinco quilômetros para o ocidente) para o Egito, para a Assíria e para a Babilônia.

Posto que essa cidade vem sendo continuamente habitada por muitos séculos, muito dela permanece por escavar, mas parte de seus muros data de tempos antigos, e restam ainda diversas portas feitas pelos romanos. A rua chamada «Direita» continua dividin-do a cidade em duas metades. Uma antiga inscrição cristã, que diz: «O teu reino, ó Cristo, é um reino eterno, e teu domínio perdura por todas as gerações», tem sido preservada na igreja de João Batista (século IV D.C.), que posteriormente foi transformada em mesquita (século VIII D.C.). Moedas existentes, vindas dos reinados de Augusto, Tibério e Nero, têm sido ali encontradas.

Bibliografia. AM ENI ND UN(1957) Z

DAMASCO, PACTO DE

Esse é o título de uma comunidade judaica que havia na região geral de Damasco (que vide). Eles compartilhavam das tradições sacerdotais dos filhos de Sadoque (que vide). A existência dessa comunida-de tornou-se conhecida através da descoberta de dois manuscritos fragmentares, escritos entre os séculos X e XII D.C. Essa descoberta foi feita em 1896 e 1897, na sinagoga Ibn-Ezra, na cidade do Cairo, no Egito. Esses documentos foram chamados *Fragmentos Sadoquitas*. Há muitas significativas afinidades entre essa comunidade e a comunidade de Qumram. Esses documentos e manuscritos do mar Morto têm expressões comuns.

DANÃ

No hebraico, «murmuração», uma cidade mencio-nada juntamente com Debir e Socó, localizada na região montanhosa de Judá (Jos. 15:49), ao sul de Hebrom. O local teria sido perto da moderna Kirjath-Sepher (antiga Debir), embora a localização exata seja desconhecida.

DANÇA

I. Observações Gerais

Dançar é movimentar continuamente o corpo, de acordo com certo ritmo, em um certo espaço. É também uma expressão das emoções, uma válvula de escape de energias em excesso. As emoções assim expressas são as mais variadas, desde a alegria até à ira, desde a devoção à sensualidade. A arqueologia e a literatura de todas as culturas demonstram que, até onde a história retrocede, os homens dançam. Alguns animais também têm certas formas de dança, desde os insetos, passando pelas aves, até os mamíferos superiores; e esses movimentos rítmicos usualmente visam à comunicação de alguma mensagem, tal como na dança humana. Há provas de que, desde a antiguidade, a dança é associada às manifestações religiosas. Os homens primitivos imaginavam poder comunicar-se com os espíritos através da dança. De fato, certas danças conseguem alterar os estados de consciência, com o aparecimento de visões e alucinações, que são consideradas comunicações com os poderes espirituais. Mas também é verdade que os

DANÇA

homens primitivos demonstravam alegria ou consternação, diante dos eventos, como nascimentos, curas, luto, a chegada das chuvas ou a tentativa de fazê-las chegar, vitórias e outros acontecimentos importantes, mediante a dança. A dança tem sido usada e continua a ser usada em ritos de fertilidade, com o propósito de exprimir ou provocar a sensualidade.

As civilizações superiores têm feito a dança se tornar uma arte formal, que usualmente acompanha as apresentações musicais ou teatrais. Desse modo, a dança também se tornou uma profissão. Porém, em muitos lugares, a dança continua sendo uma importante parcela da expressão religiosa, como no teatro grego clássico e na religião hindu.

Os elementos básicos da dança são o desenho, os passos, os gestos, os movimentos específicos, a técnica, a dinâmica e os sons. A dinâmica da dança pode variar desde a languidez à intensa vibração, desde a suavidade até os gestos bruscos. O impacto da dança sobre os dançarinos e os espectadores é obtido, principalmente, por sua dinâmica. A técnica é a habilidade que o dançarino adquire na execução da dança. Os dançarinos precisam tornar-se atletas consumados, para fazerem o que fazem, como no balé moderno. Através da técnica é que uma idéia pode ser expressa mediante a dança.

II. A Dança em Várias Culturas

a. Entre os egípcios, homens e mulheres dançavam, mas em grupos separados, com certa variedade de movimentos e gestos, tudo dependendo do propósito a ser atingido. No Egito, dançava-se por motivos religiosos ou como diversão. Os nobres usualmente não dançavam. A dança parecia limitar-se às classes inferiores e aos sacerdotes, dependendo do propósito da dança. As vestes usadas na dança usualmente eram longas, chegando ao chão e com freqüência, feitas de tecidos de alta qualidade, quase transparentes. A dança religiosa, por sua vez, era efetuada nos templos, em honra aos deuses, ou ao ar livre, em procissões. A dança popular, motivada pela alegria, era realizada quando das grandes festividades.

b. Entre os gregos encontramos a dança social e religiosa. As massas populares dançavam principalmente como recreação. No teatro, a dança foi desenvolvida ao ponto de tornar-se uma arte, sendo usada para exprimir todas as emoções que as peças teatrais tinham o intuito de transmitir. A literatura antiga informa-nos que as mulheres dançavam em entretenimentos particulares. Quando mulheres dançam diante de convivas, o intuito é óbvio. Ver Mat. 14:6. Todas as classes, entre os gregos, dançavam, o que era encorajado pelo fato de que a dança tornara-se uma parte importante do teatro, o que tinha considerável prestígio, provocando a criação de peças teatrais que têm perdurado durante séculos, sendo levadas ao palco até os nossos próprios dias.

c. Entre os romanos, há evidências de que até as classes mais elevadas dançavam. Disse Cícero: «Nenhum homem sóbrio dança, a menos que tenha enlouquecido, estando sozinho ou em companhia decente; pois a dança é a companheira do convívio devasso, da dissolução e da luxúria». Essa citação ilustra que a dança se degenerara em uma forma essencialmente sensual, tendo perdido muito do refinamento mais antigo. A dança da filha de Herodias (Salomé?), diante dos convivas de Herodes, quando da festa de seu aniversário, ilustra o que Cícero queria dizer.

d. Entre os hebreus, a dança era usada apenas como diversão (Êxo. 32:19; Ecl. 3:4). Mas também era um meio de exprimir sentímentos religiosos (Êxo. 15:20; Juí. 21:19-21). Podia ser um modo de louvar a Yahweh (Sal. 149:3; 150:4). Naturalmente, era usada na adoração idólatra. A vitória de Davi sobre os filisteus foi celebrada pelas mulheres, que saíram alegremente ao encontro dos soldados que voltavam da batalha. Isso foi acompanhado com cânticos e com instrumentos de música (I Sam. 18:6). Danças acompanhavam as festas e os festivais (Juí. 21:16-24). Alguns eruditos pensam que até a festa dos Tabernáculos incluía danças. As referências existentes nos Salmos mostram a conexão religiosa entre a religião e a dança. O trecho de Salmos 68:25 indica que os cantores e os instrumentos musicais algumas vezes estavam envolvidos de tal modo que somos levados a pensar que a música, no tabernáculo e no templo, era acompanhada por danças. Sabe-se que as sociedades pagãs da época tinham tais costumes. Baal era adorado por meio de dançarinos (I Reis 18:26). Na Babilônia, a dança estava tão intimamente ligada ao culto religioso que não há evidências de outro tipo de dança ali, apesar de que, certamente nem toda a dança dos babilônios era de cunho religioso. Os relevos egípcios retratam dançarinas que dançavam ao som de tambores e de certa variedade de instrumentos. Há a possibilidade de que a dança de Davi, registrada em II Samuel 6:16, estivesse relacionada a danças especialmente desenvolvidas na guerra, conforme se dava, igualmente, com os espartanos. Estes últimos dançavam com o acompanhamento de poemas elegíacos, compostos pelos líderes espartanos. Davi empregava a poesia a fim de inspirar e ensinar os seus soldados (II Sam. 1:18 ss), sendo possível que ele conhecesse certos tipos de danças de guerra.

e. *No Novo Testamento*. No trecho de Lucas 7:32 há uma alusão às danças das crianças, em seus folguedos. Também há a famosa dança da filha de Herodias (Mat. 14:6). Muitos pensam tratar-se da famosa Salomé. Sua dança era de natureza sensual, e culminou na execução de João Batista. A passagem de Lucas 15:26 menciona a dança como parte das celebrações devido à volta do filho pródigo à casa paterna. Podemos supor com segurança que a dança, nos dias do Novo Testamento, seguia de perto os modelos grego e romano. A referência às crianças que dançavam indica que a dança fazia parte dos costumes da sociedade, e que as pessoas dançavam por motivo de simples recreação.

III. A Dança Moderna e os Crentes

As formas e razões antigas da dança continuam nos tempos modernos. — Por essa razão, nenhuma declaração simples pode dizer se, para o crente, dançar é próprio ou impróprio. Em algumas igrejas cristãs, a dança ainda é usada como uma expressão religiosa, usualmente associada a alguma produção teatral, mas nem sempre. Cada caso precisa ser examinado em separado, porquanto a dança pode ser elevada, uma legítima forma de arte religiosa, ou então pode ser vil, ou mesmo pode ser uma mistura de elementos bons e maus. As danças sociais, que envolvem o contacto dos corpos de homens e mulheres, geralmente são condenadas pelos crentes, visto que essas danças são obviamente sensuais, apelando para os instintos mais baixos do ser humano. Mesmo as danças em que homens e mulheres nunca se abraçam, mas têm movimentos que são sexualmente sugestivos, tradicionalmente são reprovadas pelos crentes, como indignas para os seguidores do Senhor Jesus. Porém, muitos crentes participam de danças tipo folclórico, não fazendo

DANIEL

disso nenhum segredo. Tal como no caso de outras coisas que podem ser duvidosas, a consciência coletiva e individual é que deve decidir sobre essa questão. A consciência do crente individual, quando é honestamente consultada, revelará se a pessoa pode ou não envolver-se em alguma dança específica. (AM OE UN SO)

DANIEL

No hebraico, «Deus é meu juiz». Há quatro personagens com esse nome, nas páginas da Bíblia:

1. Um filho de Davi, o segundo que ele teve com Abigail, a carmelita (I Crô. 3:1). No trecho paralelo de II Samuel 3:3, ele é chamado Quileabe. Viveu em torno de 1050 A.C.

2. Um descendente de Itamar, que retornou do cativeiro babilônico em companhia de Esdras (Esd. 8:2). Viveu em torno de 456 A.C. Foi um dos signatários do pacto firmado por Esdras.

3. Um dos sacerdotes que assinou o pacto com Neemias. Quanto à sua identidade, alguns pensam tratar-se do profeta desse nome. Mas outros identificam-no com o descendente de Itamar, segundo ponto, acima. (Nee. 10:6). Viveu por volta de 456 A.C.

4. O profeta Daniel, o herói principal do livro veterotestamentário desse nome. Ver abaixo, o artigo separado sobre ele, intitulado *Daniel, o Profeta e o Livro*.

DANIEL, O PROFETA E O LIVRO

O nome é hebraico e tem o sentido de «Deus é meu juiz». Daniel foi um famoso profeta judeu do período babilônico e persa, embora isso seja posto em dúvida por muitos críticos modernos, que duvidam da cronologia a seu respeito. Ver a discussão sobre isso, mais abaixo. Tudo quanto sabemos acerca de Daniel deriva-se do livro que tem o seu nome; as tradições, como é usual, são duvidosas. Ver sobre Daniel, sob o segundo ponto, abaixo.

Esboço:

I. Características Gerais
II. O Homem Daniel e o Pano de Fundo Histórico do Livro
III. Autoria, Data e Debates a Respeito
IV. Ponto de Vista Profético
V. Proveniência e Unidade
VI. Destino e Propósito
VII. Canonicidade
VIII. Esboço do Conteúdo
IX. Acréscimos Apócrifos
X. Gráfico Ilustrativo das Setenta Semanas
XI. Bibliografia

I. Características Gerais

Esse livro aparece na terceira seção do cânon hebraico, chamada *ketubim*. Nas Bíblias em línguas vernáculas, trata-se de uma das quatro grandes composições proféticas escritas, de acordo com o cânon alexandrino. Na moderna erudição, diferem as opiniões a seu respeito. Alguns estudiosos pensam que se trata apenas de um dos melhores escritos pseudepígrafos, uma pseudoprofecia romântica, escrita essencialmente como uma narrativa, e não um livro profético. Mas outros respeitam altamente o livro, como profecia, baseando várias doutrinas sérias, a respeito dos últimos dias, ainda futuros, sobre esse livro. Seja como for, é verdade que o Novo Testamento incorpora grande parte da visão profética desse livro no Apocalipse, envolvendo temas como a grande tribulação, o anticristo, a segunda vinda de Cristo, a ressurreição e o julgamento final. As indicações cronológicas do livro de Daniel são adotadas diretamente pelo Apocalipse.

O livro foi escrito em hebraico, mas com uma extensa seção em aramaico, ou seja, Daniel 2:4b-7:28. Os eruditos liberais pensam que essa porção é um tanto mais antiga, tendo sido adaptada às pressas para seu uso, em uma revisão palestina. Temos a introdução do livro, escrita em hebraico (Dan. 1:1-2:4a), com visões adicionais (caps. 8 em diante), a respeito de coisas que tiveram lugar durante a crise sob o governo de Antíoco IV Epifânio (175-163 A.C.). Reveste-se de especial importância o material do décimo capítulo, que apresenta uma personagem «à semelhança dos filhos dos homens» (Dan. 10:16), e que os estudiosos cristãos pensam tratar-se de uma alusão ao Messias. O livro também encerra a doutrina da ressurreição dos mortos (Dan. 12:2,3), e uma angelologia típica do judaísmo posterior. Daniel é o único livro judaico de natureza apocalíptica que foi finalmente aceito no cânon palestino, ao passo que vários livros dessa natureza vieram a tornar-se parte do cânon alexandrino.

II. O Homem Daniel e o Pano de Fundo Histórico do Livro

Daniel era descendente da família real de Judá, ou pelo menos, da alta nobreza dessa nação (Dan. 1:3; Josefo, *Anti*. 10.10,1). É possível que ele tenha nascido em Jerusalém, embora o trecho de Daniel 9:24, usado como apoio para essa idéia, não seja conclusivo quanto a isso. Com a idade entre doze e dezesseis anos, ele já se encontrava na Babilônia, como cativo judeu entre todos os jovens nobres hebreus, como Ananias, Misael e Azarias, em resultado da primeira deportação da nação de Judá, no quarto ano do reinado de Jeoiaquim. Ele e seus companheiros foram forçados a entrar no serviço da corte real babilônica. Daniel recebeu o nome caldeu de Beltessazar, que significa «príncipe de Baal». De acordo com os costumes orientais, uma pessoa podia adquirir um novo nome, se as suas condições fossem significativamente alteradas, e esse novo nome expressava a nova condição (II Reis 23:34; 24:17; Est. 2:7; Esd. 5:14). A fim de ser preparado para suas novas funções, Daniel recebeu o treinamento oriental necessário. Ver Platão, *Alceb*. seção 37. Daniel aprendeu a falar e a escrever o caldeu (Dan. 1:4). Não demorou para ele distinguir-se, tornando-se conhecido por sua sabedoria e piedade, especialmente na observância da lei mosaica (Dan. 1:8-16). O seu dever de entreter a outras pessoas sujeitou-o à tentação de comer coisas consideradas impróprias pelos preceitos levíticos, problema esse que ele enfrentou com sucesso.

A educação de Daniel teve lugar durante três anos, e então tornou-se um dos cortesãos do palácio de Nabucodonosor, onde, pela ajuda divina, conseguiu interpretar um sonho do monarca, para inteira satisfação deste. Tudo em Daniel impressionava o rei, pelo que ele subiu no conceito real, tendo-lhe sido confiados dois cargos importantes, como governador da província da Babilônia e inspetor-chefe da casta sacerdotal (Dan. 2:48). Posteriormente, em um outro sonho que Daniel interpretou, ficou predito que o rei, por causa de sua prepotência, deveria ser humilhado por meio da insanidade temporária, após o que, seu juízo ser-lhe-ia restaurado (Dan. 4). As qualidades pessoais de Daniel, como sua sabedoria, seu amor e

DANIEL

sua lealdade, resplandecem por toda a narrativa.

Sob os sucessores indignos de Nabucodonosor, ao que parece, Daniel sofreu um período de obscuridade e olvido. Foi removido de suas elevadas posições, e parece ter começado a ocupar postos inferiores (Dan. 8:27). Isso posto, ele só voltou à proeminência na época do rei Belsazar (Dan. 5:7,8), que foi co-regente de seu pai, Nabonido. Belsazar, porém, foi morto quando os persas conquistaram a cidade. Porém, antes desse acontecimento, Daniel foi restaurado ao favor real, por haver conseguido decifrar o escrito misterioso na parede do salão do banquete (Dan. 5:2 e ss). Foi por essa altura dos acontecimentos que Daniel recebeu as visões registradas nos capítulos sétimo e oitavo, as quais descortinam o curso futuro da história humana, juntamente com a descrição dos principais impérios mundiais, que se prolongariam não somente até à primeira vinda de Cristo, mas exatamente até o momento da «parousia», ou segunda vinda de Cristo.

Os medos e os persas conquistaram a Babilônia, e uma nova fase da história se iniciou. Daniel mostrou-se ativo no breve reinado de Dario, o medo, que alguns estudiosos pensam ter sido o mesmo Ciaxares II. Uma das questões envolvidas foram os preparativos para a possível volta de seu povo, do exílio para a Terra Santa. Sua grande ansiedade, em favor de seu povo, para que fossem perdoados de seus pecados e fossem restaurados à sua terra, provavelmente foi um dos fatores que o ajudou a vislumbrar o futuro, até o fim da nossa atual dispensação (Dan. 9), o que significa que ele previu o curso inteiro da futura história de Israel. Daniel continuou cumprindo seus deveres de estadista, mas sempre observando estritamente a sua fé religiosa, sem qualquer transigência. Há um hino cujo estribilho diz: «Ouses ser um Daniel; ouses ficar sozinho». O caráter e os atos de Daniel despertaram ciúmes e invejas. Mediante manipulação política, Daniel terminou encerrado na cova dos leões; mas o anjo de Deus controlou a situação, e Daniel foi livrado dos leões, adquirindo um novo prestígio, uma maior autoridade.

Daniel teve a satisfação de ver um remanescente de Israel voltar à Palestina (Dan. 10:12). Todavia, sua carreira profética ainda não havia terminado, porquanto, no terceiro ano de Ciro, ele recebeu uma outra série de visões, informando-o acerca dos futuros sofrimentos de Israel, do período de sua redenção, através de Jesus Cristo, da ressurreição dos mortos e do fim da atual dispensação (Dan. 11 e 12). A partir desse ponto, as tradições e as fábulas se manifestam, havendo histórias referentes à Palestina e à Babilônia (Susã), embora não possamos confiar nesses relatos.

Pano de Fundo e Intérpretes Liberais. A moderna erudição crítica é praticamente unânime ao declarar que o livro de Daniel foi compilado por um autor desconhecido, em cerca de 165 A.C., porquanto conteria supostas profecias sobre monarcas pós-babilônicos que, mais provavelmente, são narrativas históricas, porquanto vão-se tornando mais e mais exatas, —à medida que o tempo de seu cumprimento se aproxima (Dan. 11:2-35). Para esses intérpretes o propósito do livro foi o de encorajar os judeus fiéis, em seu conflito com Antíoco IV Epifânio (ver I Macabeus 2:59,60). Por causa da tensão em que viviam, o livro de Daniel teria sido entusiasticamente acolhido, porquanto expõe uma visão final otimista da carreira de Israel no mundo. E assim, o livro teria sido recebido no cânon hebreu. Ver o artigo sobre *Apocalípticos, Livros* (*Literatura Apocalíptica*). Isso posto, temos duas posições: uma delas afirma que realmente houve um profeta chamado Daniel, que viveu a vida descrita nos parágrafos anteriores do livro, e cujas visões fazem parte indispensável do quadro profético. A outra posição diz que o livro de Daniel é uma espécie de romance-profecia, que apresenta acontecimentos históricos como se tivessem sido preditos, exatos em torno de 165 A.C., mas não tanto, à medida que se retrocede no tempo. Os vários argumentos são apresentados na terceira seção, intitulada *Autoria, Data e Debates a Respeito*, mais abaixo.

Informes Posteriores Sobre Daniel. Uma tradição rabínica posterior (Midrash Sir ha-sirim, 7:8) diz que Daniel retornou à Palestina, entre os exilados. Mas um viajante judeu, Benjamim de Tudela (século XII D.C.) supostamente teria encontrado o túmulo de Daniel em Susã, na Babilônia. Nesse caso, se o primeiro informe é veraz, então Daniel retornou mais tarde à Babilônia. Há informes sobre esse túmulo, desde o século VI D.C., embora muitos duvidem da exatidão dessas tradições, pois geralmente não passam de fantasias.

Um Daniel Antediluviano? Alguns supõem que o Daniel referido em Ezequiel 14:14 não é o Daniel da tradição profética, e, sim, uma personagem que viveu antes do dilúvio, não contemporâneo de Ezequiel, e cujo nome e caráter teriam inspirado o pseudônimo vinculado ao livro canônico de Daniel. A lenda ugarítica de *Aght* refere-se a um antigo rei fenício, *Dnil* (vocalizado como *Danel* ou *Daniel*), o que significaria que esse nome é antiqüíssimo. Ver Ezequiel 28:3, onde o profeta escarnece de Tiro porque, supostamente, era «mais sábio que Daniel». Isso poderia ser também uma referência a um antigo sábio, não contemporâneo de Daniel.

III. Autoria, Data e Debates a Respeito

Essas questões são agrupadas neste terceiro ponto por estarem relacionadas umas às outras, dentro do campo da alta crítica sobre as atividades de Daniel. Alistamos e comentamos sobre esses problemas, abaixo:

1. *Um grave erro histórico*, segundo alguns pensam, estaria contido em Dan. 6:28 e 9:1, onde o autor sagrado situa Dario I antes de Ciro, fazendo Xerxes aparecer como o pai de Dario I. Nesse caso, teríamos a ordem Xerxes, Dario e Ciro, quando a seqüência histórica é precisamente a inversa. Mas essa crítica é plenamente respondida quando se demonstra que Daniel referia-se a Dario, o medo, um governador sob as ordens de Ciro, cujo pai tinha o mesmo nome que aquele rei persa posterior. Não seria mesmo provável que um autor, que demonstrasse tão notáveis poderes intelectuais, e que contava com Esdras 4:5,6 à sua frente, pudesse ter cometido um equívoco tão crasso, especialmente em face do fato de que ele situa Xerxes como o quarto rei depois de Ciro. (Ver Dan. 11:2).

2. *O problema do cânon.* A coletânea dos profetas hebreus já estava completa por volta do século III A.C., mas essa coletânea não incluía Daniel, livro esse que foi posto na porção posterior do cânon, ou seja, entre os Escritos. O catálogo de antigos hebreus famosos, publicado em Sabedoria de Ben Siraque, também chamado Eclesiástico, publicado no começo do século II A.C., não menciona Daniel; e, no entanto, um século depois, I Macabeus alude a esse livro. Além disso, uma porção do livro foi escrita em aramaico da Palestina, não no dialeto da Mesopotâmia. O aramaico estava sendo falado na Palestina. Isso faz nossos olhos desviarem-se da Babilônia, como o lugar da composição desse livro, fixando a nossa atenção sobre a Palestina. Essa crítica é respondida

DANIEL

mediante a observação de que Daniel não era oficialmente conhecido como profeta. Antes, foi um estadista com dons proféticos (Mat. 24:15). E isso justifica o fato dele não haver sido alistado entre os profetas tradicionais. Além disso, mesmo que o livro de Daniel já tivesse sido escrito quando Ben Siraque preparou sua lista de grandes hebreus, a omissão de seu nome não deve causar surpresa, porquanto esse catálogo também deixa de lado a Jó e a todos os juízes, excetuando Samuel, Asa, Josafá, Mordecai e o próprio Esdras (Eclesiástico 44 - 49).

3. *Numerosos equívocos históricos*, com as soluções propostas. Dizem alguns que esses equívocos aparecem quando o autor aborda questões distantes da data de 165 A.C. (quando, presumivelmente, o livro de Daniel teria sido escrito), o que faria óbvio contraste com o conhecimento que o autor tinha do período grego, posterior. Os críticos, em face disso, sentem que o livro de Daniel tirou proveito de antigas lendas judaicas acerca de um sábio de nome Daniel (ver Ezequiel 14 e 28). Teria sido então constituída uma pseudoprofecia para encorajar os judeus, que sofriam sob Antíoco IV Epifânio. Esse Daniel teria sido capaz de enfrentar os mais incríveis sofrimentos, pelo que todos os israelitas estariam na obrigação de seguir o seu exemplo. Como resposta, precisamos considerar as doze considerações abaixo:

a. Quanto, aos supostos equívocos, esses parecem ter sido adequadamente respondidos no primeiro ponto, acima.

b. O suposto fato de que o tipo de aramaico usado foi da Palestina, e não da Mesopotâmia, tem uma resposta adequada, pelo menos até onde vejo as coisas. Os estudos sobre os documentos escritos em aramaico têm mostrado que a variedade de aramaico usada no livro de Daniel é bastante antiga, sendo impossível estabelecer claras distinções entre os dialetos, conforme alguns eruditos do passado chegaram a fazer. A linguagem aramaica do livro de Daniel tem fortes afinidades com os papiros elefantinos (que vide) do século V A.C. Outrossim, o hebraico usado no livro de Daniel ajusta-se ao período de Ezequiel, de Ageu, de Esdras e dos livros de Crônicas, e não ao hebraico do período helenista, posterior. Parece que melhores estudos e descobertas arqueológicas têm revertido o juízo negativo, em alguns casos significativos.

c. Escreveu Robert Pfeiffer: «Presume-se que nunca saberemos como o nosso autor aprendeu que a Nova Babilônia foi criação de Nabucodonosor (Dan. 4:30), segundo as escavações têm comprovado» (*Introduction to the Old Testament*, pág. 758).

d. O quinto capítulo de Daniel retrata Belsazar como co-regente da Babilônia, juntamente com seu pai, Nabonido. Antes, esse informe era objeto de ataques. No entanto, isso tem sido demonstrado como um fato, pelas descobertas arqueológicas (R.P. Dougherty, *Nabonidus and Belshazzar*, 1929; J. Finegan, *Light from the Ancient Past*, 1959).

e. Documentos escritos em cuneiforme, provenientes de Gubaru, confirmam a informação dada no sexto capítulo do livro de Daniel, acerca de Dario, o medo. Atualmente, não é mais possível atribuirmos a Daniel um falso conceito de um independente reino medo, entre a queda da Babilônia e o soerguimento de Ciro, segundo alguns estudiosos fizeram, erroneamente, no passado.

f. O autor sagrado também sabia o bastante sobre os costumes do século VI A.C., a ponto de ter dito que as leis da Babilônia estavam sujeitas ao rei Nabucodonosor, que podia decretar ou modificar decretos (Dan. 2:12,13,46), em contraste com a informação de que Dario, o medo, não tinha autoridade para alterar as leis dos medos e dos persas (Dan. 6:8,9).

g. Além disso, o modo de punição na Babilônia, mediante o fogo (cap. 3), ou mediante leões (cap. 6), concorda perfeitamente bem com a história. (A.T. Olmstead, **The History of the Persian Empire**, 1948, pág. 473).

h. A comparação com as evidências cuneiformes acerca de Belsazar, e aquelas informações que lemos no quinto capítulo de Daniel, demonstra que o livro de Daniel pode ter sido escrito em uma data anterior, e ser perfeitamente autêntico. Naturalmente, um autor do período dos Macabeus poderia ter usado materiais autênticos quanto aos fatos sobre os quais escrevia, e, ainda assim, poderia ter escrito seu livro em uma data posterior. Porém, o que as evidências demonstram é que a exatidão do material ali escrito pode ter tido, por motivo, o fato de que o autor sagrado foi contemporâneo de Belsazar.

i. Segundo alguns estudiosos, o livro foi escrito no tempo dos Macabeus, porque reflete melhor aquela época, mas bem menos tempos anteriores. Contra isto, podemos observar que entre os *manuscritos do mar Morto* (que vide), Daniel é representado. Isto sugere que o livro foi escrito antes daquela época, e supostamente, antes do tempo dos Macabeus. Isto, todavia, não determina *quanto* antes.

j. *Palavras gregas*. No livro de Daniel, há três nomes gregos para instrumentos musicais, a harpa, a cítara e o saltério (Dan. 3:5,10), o que poderia significar que tais palavras foram empregadas porque o autor viveu no período helenista. Mas essa crítica é rebatida mostrando-se que há provas da penetração do idioma e da cultura gregos no Oriente Médio, muito antes do tempo de Nabucodonosor. Portanto, não seria para admirar que Daniel, no século VI A.C., conhecesse alguns termos gregos para as coisas. (Ver W.F. Albright, *From the Stone Age to Christianity*, 1957, pág. 337). Também há palavras emprestadas do persa que se coadunam com uma data anterior. E o aramaico usado no livro de Daniel ajusta-se ao aramaico dos papiros elefantinos, do século V A.C.

k. O trecho de Daniel 1:1 parece conflitar com Jeremias 25:1,9 e 46:2, no tocante à data da captura de Jerusalém. Daniel declara que a cidade fora capturada no terceiro ano de Jeoaquim (605 A.C.). Jeremias, por sua vez, indica que mesmo no ano seguinte, a cidade ainda não havia sido vencida. Essa aparente discrepância envolve um período de cerca de um ano. Mesmo que fosse uma verdadeira discrepância, não anularia o livro de Daniel como uma profecia autêntica. Seja como for, os defensores do livro de Daniel ressaltam que os escribas babilônios usavam um sistema de computação segundo o ano da subida ao trono, o que significa que o ano da subida ao trono não era chamado de primeiro ano de governo, embora, na realidade, assim fosse. No entanto, os escribas palestinos não observavam essa distinção, pelo que o ano em que um monarca subia ao trono era chamado de primeiro ano de seu governo. Portanto, Daniel estava seguindo o modo babilônico de computação, ao passo que Jeremias estava usando o modo palestino. Isso quer dizer que o quarto ano mencionado em Jeremias 25:1 é idêntico ao terceiro ano de Daniel 1:1.

1. O uso do termo «caldeus», em Daniel, em sentido mais restrito, indica a classe dos *sábios*, ou então uma casta sacerdotal (o que não tem paralelo no resto do

DANIEL

Antigo Testamento). Mas, alguns críticos pensam que isso é indicação de uma data posterior do livro de Daniel. Porém, a observação de Heródoto, em suas *Guerras Persas* também exibe tal uso (séc. V A.C.), demonstrando que essa maneira de expressar é bastante antiga e não tão recente como os críticos querem dar a entender.

m. A insanidade de Nabucodonosor, de acordo com os críticos liberais, seria um dramático toque literário da parte do autor sagrado, infiel aos fatos históricos. Porém, tanto Josefo quanto um autor do século II A.C., Abideno, mencionam essa questão. Apesar desses dois terem vivido em data bem posterior, e que a informação dada por eles pode ser posta em dúvida, não parece que somente Daniel se tenha referido à questão. Três séculos mais tarde, um sacerdote babilônio, de nome Beroso, preservou uma tradição sobre esse incidente da insanidade de Nabucodonosor. O fato de que esse incidente só veio à tona tanto tempo depois de sua ocorrência, talvez se deva à crença, existente na Mesopotâmia, de que a insanidade mental resulta da possessão demoníaca; e o fato de que um monarca tenha sido assim afligido, sem dúvida, foi acobertado o máximo possível.

Acompanhar os lances do debate sobre os problemas históricos do livro de Daniel não é uma jornada fácil. Procurei expor diante do leitor apenas a essência indispensável da questão, com argumentos e contra-argumentos. Desnecessário é dizer que os dois lados não têm aceito os argumentos um do outro; pois, do contrário, já se teria chegado a um acordo. Até onde vejo as coisas, várias críticas foram devidamente respondidas, e a tendência parece ser que há explicações razoáveis para a maior parte dos supostos erros históricos de Daniel.

No entanto, quero deixar claro que o livro de Daniel poderia ser uma profecia genuína, mesmo que houvesse nele — alguns equívocos — históricos. Estamos esperando demais de qualquer livro da Bíblia, quando esperamos perfeição até sobre questões dessa natureza. A verdade profética, moral ou teológica, em nada sofre por causa de discrepâncias científicas ou erros sobre questões históricas. A própria ciência envolve inúmeras discrepâncias, mas nem por isso rejeitamos a dose de verdade que ela nos tem podido apresentar. As narrativas históricas dos melhores historiadores estão repletas de erros, mas não é por isso que dizemos que a humanidade não conta com nenhuma história. Aqueles que requerem perfeição da parte dos livros bíblicos promovem um dogma humano, porque as próprias Escrituras não declaram que não contém qualquer erro. Ver o artigo sobre a *Inspiração*, quanto a uma declaração mais detalhada sobre essa questão.

4. *A Função Profética*. — Um dos problemas superficiais criado pelos críticos, é que eles objetam à profecia de Daniel como se todas as previsões ali existentes fossem observações históricas, supostamente escritas por algum autor que viveu quando as tais predições já se tinham cumprido. Os céticos que dizem que é impossível predizer o futuro são forçados a fazer com que cada livro profético seja reduzido ou a uma pseudoprofecia (as coisas preditas ainda não aconteceram, e nem acontecerão) ou a uma narrativa histórica (as coisas preditas aconteceram, mas foram registradas após os eventos terem acontecido). Porfírio (século III A.C.) foi quem deu começo à crítica contra o livro de Daniel, e esse ponto de vista contraprofético foi ele quem promoveu. Ele supunha que o livro de Daniel teria sido composto na época de Antíoco IV Epifânio, com a finalidade de animar os

judeus que estavam sendo perseguidos; e a sua idéia é quase exatamente a mesma coisa que está sendo dita em nossos dias, contra o livro de Daniel. Os estudos no campo da parapsicologia e a experiência humana comum mostram que o conhecimento prévio é um fenômeno simples, e todas as pessoas, quando estão dormindo, possuem poderes de pré-cognição. Mas isso ainda não é o dom da profecia, embora mostre que não é um fenômeno tão estranho. Os místicos modernos têm poderes proféticos comprovados.

5. *Conceitos Religiosos Posteriores.* Os críticos partem do pressuposto que, no livro de Daniel, há reflexos de uma teologia posterior, incluindo o conceito dos anjos e a doutrina da ressurreição, idéias essas que não teriam atingido a forma apresentada no livro de Daniel senão já na época dos Macabeus. As idéias de Zoroastro, aparentemente, influenciaram a angelologia dos hebreus. Sua data de 1000 A.C., dá amplo tempo para que os judeus adquirissem certas idéias sobre os anjos, incluindo as idéias expressas no livro de Daniel, que pertence cerca de 600 A.C. *Ressurreição.* A ressurreição é claramente mencionada em Jó 19:26, e é possível que o livro de Jó seja o mais antigo livro da Bíblia, portanto, este é um conceito muito antigo.

Conclusão. Se os críticos estão com a razão, então o livro de Daniel foi escrito em cerca de 165 A.C., no período dos Macabeus. Nesse caso, tanto o livro contém uma pseudoprofecia como também pertence ao grupo de pseudepígrafas visto que o nome do autor, Daniel, teria sido artificialmente aposto ao livro. E, caso os críticos não estejam com a razão, então o livro de Daniel foi composto em cerca de 600 A.C., por Daniel, um profeta estadista. Os eventos registrados nesse livro abarcam um período de cerca de setenta anos.

IV. Ponto de Vista Profético

Aqueles que levam a sério o livro de Daniel, como uma profecia, — não concordam sobre como o esboço do livro deve ser compreendido. É claro que esse livro ser ter alguma espécie de esboço da história humana, mas é menos claro onde ficam as divisões principais desse esboço. Alguns intérpretes supõem que a grande imagem (Dan. 2:31-49), as quatro feras (Dan. 7:2-27) e as setenta semanas (Dan. 9:24-27) tinham o intuito de mostrar o que teria lugar quando da primeira vinda de Cristo. Esses intérpretes também supõem que é o Israel espiritual, que eles denominam de Igreja, que cumpriu as promessas feitas aos judeus, o antigo Israel, que foi rejeitado por Deus por causa da sua desobediência. Essa escola de interpretação nega enfaticamente que haja um tempo parentético entre as semanas sessenta e nove e setenta, e que a semana restante haverá de cumprir na futura, grande tribulação (Dan. 9:26,27). De acordo ainda com essa interpretação, a pedra que feriu a imagem (Dan. 2:34,35) tem em vista a primeira vinda de Cristo, com o subseqüente desenvolvimento da Igreja. Os dez chifres da quarta fera (Dan. 7:24) não se refeririam a reis do tempo do fim, ligados a um revivificado império romano. O pequeno chifre de Dan. 7:24 não representaria um ser humano. A morte do Messias é que poria fim ao sistema de sacrifícios dos judeus, sendo também a morte de Cristo, o abominável que desola, sem um anticristo ainda futuro. Ou então, se essa idéia for personificada, teríamos de pensar em *Tito*, o general romano, porquanto foi ele quem destruiu Jerusalém e seu culto religioso. Os amilenistas é que tomam essa ridícula posição.

Por outra parte, os pré-milenistas (ver o artigo sobre

DANIEL

o *Milênio*) afirmam que a profecia de Daniel alude ao fim dos tempos, até à *parousia* (que vide) ou segunda vinda de Cristo. Nesse caso, deve-se entender um período parentético entre a sexagésima nona semana e a septuagésima semana (Dan. 9:26,27). Esse período é de tempo indeterminado (já se prolonga por quase dois mil anos), correspondente à dispensação da graça em que vivemos. E a septuagésima semana, que duraria sete anos, seria o período da grande tribulação.

Os pré-milenistas estão divididos quanto ao momento do arrebatamento da Igreja. Este ocorreria antes ou após a tribulação? Alguns chegam a pensar que o arrebatamento dar-se-á no meio da tribulação. A questão é amplamente discutida em meu artigo sobre a *Parousia*. Ver também o artigo separado sobre as *Setenta Semanas*. Os que pensam que a Igreja será arrebatada antes da grande tribulação supõem que Israel tornar-se-á novamente proeminente na história humana e enfrentará o anticristo, sobre o qual acabará obtendo a vitória, e será inteiramente restaurado à sua terra. Mas, segundo esse esquema pré-tribulacional, Israel, embora convertido ao Senhor, não fará parte da Igreja. Por sua vez, os que pensam que a Igreja só será arrebatada depois da grande tribulação, embora admitam que Israel venha a converter-se ao Senhor, fará parte integrante e inseparável da Igreja, porquanto o ensino bíblico é que toda a pessoa que se converte, após o sacrifício expiatório de Cristo, automaticamente faz parte da Igreja. Ver Rom. 11:26 *ss*, quanto a uma afirmação de que Israel será restaurado como nação.

De acordo com o ponto de vista pré-milenista, a imagem do segundo capítulo de Daniel representa os reinos do mundo, dominados por Satanás, a saber, a Babilônia, a Média-Pérsia, a Grécia e Roma. Nos últimos dias, na época dos dez reis de Daniel 7:7, Roma será revivificada (Dan. 2:41-33 e Apo. 17:12). O poder que unificará aqueles dez reis com seus respectivos reinos será o anticristo. E será precisamente esse poder que será destruído por Cristo, quando de sua segunda vinda (Dan. 2:45; Apo. 19). Ver também Apo. 13:1,2; 17:7-17 e Dan. 2:35. O Filho do Homem é que obterá a vitória final sobre o anticristo (Dan. 7:13), quando ele vier com as nuvens do céu (Mat. 26:64 e Apo. 19:11 *ss*). O anticristo é o pequeno chifre de Daniel 7:24 *ss*. (comparar com Dan. 11:36 *ss*). Historicamente, esse chifre aponta para Antíoco IV Epifânio, mas, profeticamente, o anticristo está em vista. Ver o artigo separado sobre o *Anticristo*.

V. Proveniência e Unidade

O livro tem toda a aparência de haver sido escrito na Babilônia. Naturalmente, poderia ter sido escrito posteriormente, em Jerusalém, após o retorno dos exilados judeus. Os críticos supõem que há porções mais antigas e mais recentes, que seriam refletidas nos dois idiomas (o trecho aramaico seria o mais antigo; ver Dan. 2:4b—7:28), que teriam sido adicionadas para dar uma forma final ao livro. Os críticos também pensam que diferentes autores estiveram envolvidos nesse trabalho. É possível que a porção mais antiga tenha sido produzida na Babilônia, ao passo que a porção mais recente teria sido preparada na Palestina, a fim de que o volume total fosse publicado na Palestina. A arqueologia tem descoberto provas de que, na antiga Mesopotâmia, os escritores, algumas vezes, tomavam a porção principal de uma obra, intercalando-a entre uma introdução e uma conclusão, de natureza literária totalmente diferente. Isso pode ser visto no código de Hamurabi,

onde a parte principal é prosaica, com um prefácio e uma conclusão em forma de poema. O livro de Jó parece ter uma estrutura similar. Porém, esse argumento é fraco. Pode-se supor que outras obras assim também reflitam autores diferentes, como, por exemplo, no código de Hamurabi, onde a porção prosaica é de autoria de um ou mais autores, e a parte poética pode ter tido um ou mais autores diferentes. Nesse caso, a obra poderia ser considerada como uma compilação feita por algum editor, ao mesmo tempo em que o próprio material escrito foi produzido por um autor ou mais. Por outro lado, a maior parte das obras literárias compõe-se de compilações, embora isso não queira dizer que não haja apenas um autor das mesmas. O problema da unidade do livro de Daniel não está resolvido; e também não podemos estar certos de que apenas Daniel o escreveu. Pois ele pode ter agido como autor-editor, ou então a obra pode ter incorporado seus escritos, por parte de um outro autor-editor. Mas essa possibilidade em nada alteraria o valor profético da obra.

VI. Destino e Propósito

Já tivemos ocasião de ver que os críticos supõem que o livro de Daniel foi escrito para encorajar os judeus palestinos em meio à sua resistência ao programa de helenização de Antíoco IV Epifânio. Por outro lado, o livro pode ter tido o propósito de realizar o mesmo papel, mas em favor dos judeus exilados na Babilônia, que estariam enfrentando graves problemas, em seus preparativos para retornar a Jerusalém. Nesse caso, o livro também mostraria que Deus, embora juiz dos judeus, em vista de que deixou que fossem para o exílio, haveria de restaurá-los, por motivo de sua misericórdia. Esse segundo ponto de vista está mais em consonância com o arcabouço histórico apresentado no próprio livro. Naturalmente, o arcabouço histórico poderia ter sido utilizado pelo autor como uma lição objetiva, destinada a um povo posterior, que estivesse enfrentando um conjunto inteiramente diverso de dificuldades.

VII. Canonicidade

O livro de Daniel foi recebido no cânon do Antigo Testamento na terceira divisão, chamada *Escritos*. Ao livro de Daniel não se deu lugar junto aos livros de Isaías e Ezequiel. Ele não mediou uma revelação à comunidade teocrática, mas foi um estadista judeu, dotado de dons proféticos. Não obstante, o Talmude (*Baba Bathra* 15a) testifica sobre a grande estima que os judeus tinham por esse livro, tendo-se tornado o único livro apocalíptico a ser recebido no cânon dos escritos sagrados dos hebreus. O cânon alexandrino incluía outros livros. Na Septuaginta, o livro de Daniel aparece entre os escritos proféticos, após o livro de Ezequiel, mas antecedendo os doze profetas menores. Essa arrumação tem sido seguida pelas traduções em línguas modernas. Ver o artigo separado sobre o *Cânon*.

VIII. Esboço do Conteúdo

A. Introdução. História Pessoal de Daniel (1:1-21)

B. Visões Sobre Nabucodonosor e a História de Ciro (2:1—6:28)
   a. A imagem em seu simbolismo, e sua destruição pela pedra cortada sem mãos (2:1-49)
   b. A fornalha ardente (3:1-30)
   c. A visão da árvore, de Nabucodonosor (4:1-37)
   d. O festim de Belsazar e a queda da Babilônia (5:1-31)
   e. A cova dos leões (6:1-28)

DANITAS – DARDA

C. Várias Visões de Daniel (7:1-12:13)
  a. As quatro feras (7:1-28)
  b. O carneiro e o bode (8:1-27)
  c. As setenta semanas (9:1-27)
  d. A glória de Deus (10:1-21)
  e. Profecias sobre os Ptolomeus, os Selêucidas e acontecimentos do tempo do fim (11:1-45)
  f. A grande tribulação (12:1)
  g. A ressurreição (12:2,3)
D. Declaração Final (12:4-13)

IX. Acréscimos Apócrifos

A Septuaginta e a versão de Teodócio trazem consideráveis adições ao livro de Daniel, que não podem ser encontradas no cânon hebraico, a saber: 1. A Oração de Azarias (Dan. 3:24-51). 2. O Cântico dos Três Jovens (Dan. 3:52-90). 3. A História de Susana (Dan. 13). 4. A História de Bel e o Dragão (Dan. 14). Esse material todo foi acrescentado ao livro canônico de Daniel, para ser preservado e por causa de paralelos literários, e, sem dúvida, sob a inspiração do próprio livro. Ver o artigo separado sobre os *Livros Apócrifos*, quanto a completas descrições sobre o conteúdo e o caráter.

X. Gráfico Ilustrativo das Setenta Semanas

Ver esse gráfico no artigo sobre as **Setenta Semanas**.

XI. Bibliografia

I IB ID ND UN YOU Z

DANITAS

No hebraico, deriva-se do termo que significa «juiz» ou «julgar». Indica os descendentes de Dã, bem como aqueles que pertenciam a essa tribo (Juí. 13:2; 18:1,11; I Crô. 12:35). Ver o artigo sobre *Dã*, que alude ao homem, à tribo e à cidade desse nome.

DANOS, PROVOCADOR DE

As Escrituras ilustram muitas formas de males e de danos. Com grande freqüência, a tristeza é um resultado do pecado; mas essa é uma lição difícil de aprender. Além disso, há poderes impessoais, não-humanos, que criam confusão, desastres naturais, enfermidades, anarquia e a própria morte física. Os homens nasceram para a tribulação, tal como as fagulhas de uma fogueira sobem no ar, e essas fagulhas não sabem fazer outra coisa. Ver Sal. 5:6; 36:4; Pro. 17:4; Eze. 11:2. Há atos e esquemas iníquos que provocam muitas formas de danos (Sal. 26:10; 119:150; Pro. 10:23). Ver o artigo geral sobre o *Problema do Mal*. O maior dano de todos, porém, é a perda da vida eterna, por meio do pecado não solucionado (ver Rom. 6:23). O bem supremo consiste na restauração geral (que vide), quando Deus vier endireitar todas as coisas.

DANTE, ALIGHIERI

Suas datas foram 1265-1321. Foi poeta italiano, nascido em Florença. Autor da famosa obra *Divina Comédia*. Estudava poesia, os clássicos, a filosofia e a teologia. Esteve envolvido em uma breve mas turbulenta carreira política, em resultado do que foi exilado. Subseqüentemente, percorreu a Itália e morreu em Ravena. Terminou a *Divina Comédia* pouco antes de sua morte. Trata-se de um épico alegórico que descreve uma viagem pelo inferno, pelo purgatório e pelo céu tendo Virgílio, o poeta latino, como cicerone. Beatriz, a gloriosa dama de sua imaginação (que muito o teria influenciado), tornou-se seu guia no fim da jornada. Esse poema épico é repleto de símbolos e alusões, sendo atualmente reputado a suprema expressão do pensamento poético medieval. Outras obras de Dante incluem a *Vita Nuova*, a história de seu amor por Beatriz, escrita em italiano. Em latim, ele escreveu um tratado político, intitulado *De Monarchia*, tratados filosóficos como *Convívio* (Banquete) e *De Vulgari Eloqüentia*, várias epístolas e muitos poemas.

Idéias:

1. Seu livro, **Vita Nuova**, embora uma história de amor, contém a idéia filosófica de que o amor pode espiritualizar seu objeto.

2. Em seu *Convívio*, ele vincula todo o conhecimento às dimensões natural e espiritual.

3. Em seu livro *De Vulgari Eloqüentia* («Eloqüência na Linguagem Comum»), ele busca uma forma lingüística capaz de expressar um ideal nacional.

4. Em sua *De Monarchia* ele afirma que a Igreja e o Estado deveriam ser independentes, mas a Igreja seria mais importante que o Estado, porquanto busca o bem-estar das almas. — O governo ideal seria o da monarquia, quando um rei universal é capaz de assumir liberdade, paz universal e o cumprimento das potencialidades humanas.

5. Na *Divina Comédia*, Dante projeta a idéia de que a alma humana começa sua carreira nesta vida terrena, e exerce suas escolhas, que determinam que tipo de vida ela terá, após a morte biológica. Ele retratava nove níveis no inferno, adaptados à punição de várias modalidades de almas, que teriam adquirido o direito de viver em diferentes níveis na outra existência. No purgatório haveria sete níveis, que atuariam como lugares de preparação das almas para o paraíso. No paraíso, finalmente, uma alma vai subindo até atingir a *visão beatífica* (que vide), o verdadeiro destino do homem. (AM E P)

DANU

Nome de uma antiga deusa irlandesa, protetora do conhecimento e da cultura. Ela foi associada, na concepção popular católica romana da Irlanda a Santa Brigite (que vide), e muito do ritual pagão que antes circundava Danu foi transferido para Santa Brigite.

DARCOM

No hebraico, «suportador». Seus filhos formavam um grupo dos descendentes dos servos de Salomão, os quais retornaram, com Zorobabel e seus associados, do cativeiro babilônico (Esd. 2:56; Nee. 7:58). Viveu em torno de 536 A.C.

DARDA

No hebraico, «pérola do conhecimento». Esse era o nome de um filho de Maol (cerca de 960 A.C.), um dos quatro homens conhecidos por sua grande sabedoria, mas aos quais, segundo as Escrituras informam, Salomão ultrapassou (I Reis 4:31). Em I Crônicas 2:6, entretanto, os mesmos quatro nomes aparecem como filhos de Zera, da tribo de Judá. Ali o nome Darda tem sua forma modificada para Dara. A identidade parece muito provável, embora a questão tenha sido muito debatida pelos estudiosos. Zera poderia ter sido um antepassado remoto (chamado «pai», conforme era comum no linguajar dos hebreus), ao passo que Maol seria o verdadeiro pai dos quatro sábios.

DARDO — DARIO

DARDO

Há quatro vocábulos hebraicos e um grego, envolvidos neste verbete, a saber:

1. *Chets*, «flecha», «dardo». Palavra hebraica usada por cinqüenta vezes. Para exemplificar: Núm. 24:8; Deu. 32:23,42; I Sam. 20:20; II Reis 13:15-18; I Crô. 12:2; II Crô. 26:15; Jó. 6:4; Sal. 7:13; 11:2; 18:14; Pro. 25:18; Isa. 5:28; 7:24; Jer. 9:8; 50:9; Eze. 5:16; 21:21; Hab. 3:11; Zac. 9:14.

2. *Massa*, «míssil», «dardo», palavra que vem da raiz hebraica «enviar». Ela é usada apenas por uma vez, em Jó 41:26, onde Deus diz a Jó que o dardo de nada vale como arma contra o crocodilo.

3. *Shebet*, «cana». Palavra usada por quarenta e oito vezes com esse sentido, e mais de cento e quarenta vezes com o sentido de «tribo». Por exemplo: Êxo. 21:20; Lev. 27:32; II Sam. 7:14; Sal. 2:9; 23:4; Pro. 10:13; Isa. 9:4; Jer. 10:16; Eze. 20:37; Miq. 7:14. Joabe matou Absalão com um dardo, no hebraico chamado *shebet* (II Sam. 18:14).

4. *Shelach*, «lança», «dardo». Palavra hebraica usada por três vezes com esse sentido: II Crô. 23:10; 32:5; Nee. 4:17. — Quando Joás foi ungido rei, ainda muito jovem, o povo armou-se com esse tipo de lança, segundo se vê na segunda dessas referências. E, por ocasião da defesa dos reconstrutores da muralha de Jerusalém, na época de Neemias, os trabalhadores tinham um instrumento de trabalho em uma das mãos e uma lança (em português, uma *arma*) na outra, segundo se vê na última dessas referências.

5. *Bélos*, «míssil», «flecha». Palavra grega usada exclusivamente em Efé. 6:16, onde o português diz «...embraçando sempre o escudo da fé, com o qual podereis apagar todos os dardos inflamados do maligno». Está em foco um dardo com uma mecha acesa na ponta.

DARICO

Ver o artigo sobre **Dinheiro**. O darico era uma moeda. Na Palestina, após o retorno do cativeiro da Babilônia, circulava o darico de ouro. Esse termo deriva-se do nome do rei *Dario*, monarca persa. Foi Ciro, o Grande, quem introduziu no império persa o uso de moedas. E Dario, o Grande, tornou generalizado esse uso.

No hebraico temos à considerar duas palavras diferentes:

1. *Adarkonim*. Essa palavra aparece somente em I Crô. 29:7 e Esd. 8:27. A nossa versão portuguesa, certamente, a traduz por «darico», na primeira dessas referências, mas, erroneamente por «dracma», na segunda referência.

2. *Darkemonim*. Essa palavra figura em Esd. 2:69; Nee. 7:70-72. Também deveria ser traduzida por «daricos» (pois está no plural, como a primeira). No entanto, nossa versão portuguesa insiste em traduzi-la por «dracmas», o que já era outra moeda. Ver sobre *Dracma*.

DARIO

Há quatro homens com esse nome, de alguma maneira relacionados à narrativa bíblica, a saber:

1. **Dario I Histaspes** (521-486 A.C.). Ele foi o quarto governante do império persa, depois de Ciro, Cambises e Gaumata. As listas de Daniel, em 9:1 e 11:2, têm ocasionado muito debate quanto à fidelidade histórica desse livro, o que é discutido no artigo sobre *Daniel*, III.1. Dario I também era

chamado Dario, o Grande, título que ele adquiriu por haver restaurado o império, após o caos causado por Gaumata, o pseudo-Esmérdis, que havia usurpado o trono. O problema provocado pelo usurpador foi tão grande que o império persa poderia ter chegado ao seu fim. Mas Dario I, um dos oficiais de Cambises, filho de Histaspes, um sátrapa, e bisneto de Ariyaramnes, irmão de Ciro I, foi o salvador da pátria. O exército se pôs inteiramente a seu lado. Antes de tudo, ele executou Gaumata (522 A.C.), e, nos dois anos seguintes, derrotou a nove reis, em dezenove batalhas distintas, o que consolidou o seu poder e restaurou a dinastia acaemenida. Seus feitos ficaram registrados na inscrição cuneiforme trilíngüe (persa antigo, acádico e elamita), na supefície da rocha de Behistun.

A força sempre foi o direito entre os homens, exceto nos poucos casos nos quais o Espírito de Deus intervém nas coisas. Lemos acerca dos métodos de Dario I, no caso de um usurpador que se nomeava Nabucodonosor IV, ao qual Dario derrotou. Dario atacou a cidade da Babilônia, onde esse homem e suas tropas tinham uma fortaleza. Uma vez capturada a cidade, seguiu-se a matança mais sanguinolenta, e os principais cidadãos foram crucificados, como advertência a quaisquer outros rebeldes, para que soubessem qual tratamento esperava quem ousasse desafiar a autoridade de Dario (Heródoto III.159). Isso explica o extraordinário zelo que Tatenai exibiu, cerca de um ano mais tarde, na obediência ao decreto de Dario. Ler Esdras 6:11—13: «...todo homem que alterar este decreto, uma viga se arrancará da sua casa, e que seja ele levantado e pendurado nela; e que da sua casa se faça um monturo». Diante de um governo tão carrasco, por isso mesmo lemos que «...Tatenai, governador daquém do Eufrates, Setar-Bozenai, e os seus companheiros, assim o fizeram pontualmente, segundo decretara o rei Dario» (Esd. 6:13).

Muitas revoltas foram abafadas pela energia e pela habilidade militar de Dario I, e, por volta de 515 A.C. já tivera lugar uma completa restauração do domínio persa sobre todas as terras que Ciro e Cambises haviam subjugado. Ciro tivera por norma conceder larga autonomia aos reis conquistados, mas Dario modificou essa política, tendo abolido os reinos e principados locais, preferindo dividir o império em satrapias, no número de vinte. Sobre cada satrapia ele nomeou um governante persa, que exercia autoridade suprema e que contava com uma divisão do exército ao seu dispor, a fim de repelir qualquer ataque. Juízes também foram nomeados para as cidades, e as comunicações foram melhoradas. Dario I organizou um sistema postal similar ao Pony Express norte-americano do século XIX (ver Heródoto 8:98).

Muito interessante para a narrativa bíblica é o fato de que quando os exilados retornaram do cativeiro babilônico, eles esperavam ter um governo autônomo; mas, sob Dario I, foi estabelecida a província persa de Judá, o que importava na supervisão imperial de todas as questões, civis e religiosas. Seja como for, os estudiosos da Bíblia pensam que Dario I foi um agente de Deus para a construção do segundo templo de Jerusalém, por haver ele ajudado aos judeus nessa tarefa. Tatenai, o governador persa do aquém-Eufrates se opusera à construção do templo, mas o decreto de Dario (mencionado acima), fê-lo ajudar aos construtores, em vez de tentar impedi-los (Esd. 6:6-12). Ele providenciou substancial ajuda material aos judeus, e o templo de Jerusalém foi terminado no sexto ano do governo de Dario (fevereiro-março de 516 A.C.). Nada mais se sabe sobre essa interação

DARIO

entre Dario I e os judeus, nos trinta anos subseqüentes de seu reinado. Ver as seguintes referências: Esd. 4:5,24; 5:5-7; 6:1,12,15; Ageu 1:1; 2:10; Zac. 1:1,7 e 7:1.

2. Dario II Oxo (423-404 A.C.). Ele foi o sétimo governante do império persa. Era filho de Artaxerxes I e uma sua concubina babilônica. Ele também é chamado Notus ou Dario, o Persa (Nee. 12:22). Esse título mui provavelmente tinha o intuito de distingui-lo de Dario, o Medo. Sua esposa (e meio-irmã), a rainha Parisatis, tinha grande poder, e talvez tenha sido a verdadeira governante do império, nesse período. Ela se tornou conhecida como uma pessoa cruel e ardilosa. Grande desintegração ocorreu no tempo de Dario II, com revoltas em Sardes, na Média, em Chipre, em Cadusia e no Egito. Uma colônia judaica, em Elefantina, perdeu o seu templo, que fora construído em uma ilha do Nilo, no alto Egito. O povo dali escreveu cartas aflitas a Jerusalém e a Samaria, pedindo ajuda, — mas não foi atendido. É possível que tenha sido nesse tempo que Neemias foi a Jerusalém pela segunda vez, tendo descoberto ali muitos abusos, conforme está registrado em Neemias 12:22. Porém, outros estudiosos insistem que o rei persa envolvido foi Dario III Codomano (ver abaixo, terceiro ponto). Esses estudiosos firmam-se no fato de que esse versículo menciona um sumo sacerdote, chamado Jadua, e que Josefo fala sobre um sumo sacerdote com esse nome, em 332 A.C. (*Anti.* 11:8,4). Porém, não podemos ter certeza se está em pauta a mesma pessoa, apesar da identidade de nomes. O pai de Jadua é mencionado no papiro Elefantino, que data de cerca de 400 A.C., pelo que não é necessário supormos que o Jadua de 332 A.C. tenha sido o mesmo homem. Esse último Jadua conheceu Alexandre, o Grande, tendo-o presenteado com uma cópia do livro de Daniel. Se os dois sumos sacerdotes de nome Jadua devem ser identificados, então esse homem era extremamente idoso quando conheceu Alexandre.

Dario II faleceu em 404 A.C., tendo sido o último rei acaemenida a ser sepultado na câmara escavada na rocha, perto de Persépolis. Deixou dois filhos, Artaxerxes II e Ciro, o Moço, o qual tentou apossar-se do trono, mas sem sucesso.

3. Dario III. Este tem sido identificado, por alguns estudiosos, com o segundo desses Darios (ver acima), o qual também foi intitulado Dario, o Persa, em Neemias 12:22. Mas outros eruditos distinguem, corretamente, os dois homens. Esse terceiro Dario é também chamado Codomano. Foi o último governante acaemenida. Artaxerxes III e seu filho, Arses, foram assassinados pelo eunuco Bagoas, e isso extinguiu a família real. Em seguida, Bagoas entronizou Dario III, que era parente do monarca morto. Dario III havia servido como sátrapa da Armênia. Mas Dario III ordenou a morte de Bagoas, como vingança pelo assassinato de seus parentes reais. Em seguida, ele encetou a conquista do Egito, e obteve bom êxito. Entretanto, chegara o momento de grandes alterações históricas. Alexandre, o Grande, da Macedônia, estava em plena campanha militar. Dario reuniu uma poderosa força armada, mas foi derrotado em *Isso*, na Cilícia, em outubro de 333 A.C. Dario tentou negociar e estabelecer a paz, mas Alexandre não precisava negociar. Dario, em seguida, fugiu mais para o oriente. Alexandre prosseguiu em sua perseguição, e em julho de 330 A.C., alcançou Dario. Durante a fuga, os companheiros de Dario resolveram sacrificá-lo. Por isso, mataram-no e deixaram seu cadáver em lugar fácil de ser achado por Alexandre. Isso pôs fim ao império persa.

A história tem julgado Dario III como um poltrão e incompetente. E alguns estudiosos supõem que se outro homem estivesse ocupando o trono persa, as coisas poderiam ter sido diferentes do que foram. Porém, quem poderia ter feito parar Alexandre, o Grande, no auge de seu poder? Alexandre casou-se com uma filha de Dario, de acordo com sua política de universalização, e, provavelmente, com a esperança de induzir os seus súditos iranianos à lealdade ao seu governo.

4. Dario, o Medo. Esse homem nasceu em cerca de 600 A.C., porquanto, por ocasião da queda da cidade da Babilônia, em 539, ele tinha sessenta e dois anos de idade (Dan. 5:31). Tem havido muito debate sobre a identidade desse homem, porque não há menção clara sobre ele, fora do livro de Daniel. A alta crítica supõe que o autor do livro estava mal informado, e que teria inventado vários incidentes históricos. As inscrições cuneiformes contemporâneas não alistam um rei da Babilônia entre Nabonido (e Belsazar) e a ascensão de Ciro ao trono. Esse fato tem produzido muitas tentativas, por parte dos eruditos bíblicos, para identificar *Dario, o Medo*, com indivíduos mencionados nos textos babilônicos, tornando-o vice-governante de alguma sorte. Uma das tentativas favoritas consiste em identificá-lo com Gubaru, o vice-governador da Babilônia e da região além do rio Eufrates. Não há qualquer prova definida, porém, de que esse Gubaru tenha sido um medo, ou que tenha sido intitulado rei, com o nome de Dario, e sendo um dos filhos de Assuero. Dario, o Medo, também tem sido identificado com Ciro. Isso requer que se altere a tradução de Daniel 6:28 de modo a dizer: «...no reinado de Dario, a saber, de Ciro, o persa». Essa alteração identificaria os dois homens, mas é uma modificação extremamente duvidosa. Porquanto em parte alguma é dito que Ciro era filho de Assuero, e nem é ele identificado como um medo e sim, como um persa. As objeções a essa crítica também podem ser respondidas pela observação de que Dario, o Medo, não é retratado em Daniel como um monarca universal, mas apenas como um rei vassalo. Sua posição de subordinação a Ciro é subentendida pela declaração de Daniel 9:1: «No primeiro ano de Dario, filho de Assuero, da linhagem dos medos, o qual foi constituído rei sobre o reino dos caldeus». O reino de Belsazar foi dado aos *medos* e aos *persas* (Dan. 6:15), e ele era incapaz de alterar a lei dos medos e dos persas.

Lemos em Daniel 5:31 que Dario, o Medo, recebeu o reino, o que pode ser interpretado como informação que diz que ele foi nomeado como uma espécie de vice-governador, nunca tendo sido o imperador. Ele é melhor lembrado, pelos leitores da Bíblia, pelo fato de que se viu diante do dilema de não poder alterar o decreto que ordenava o fim de Daniel, na cova dos leões. O livro de Daniel fornece-nos maiores informações sobre esse homem do que sobre Belsazar ou Nabucodonosor. A sua parentela e nacionalidade são mencionadas, e, embora fosse apenas um vice-governador, tal como Belsazar, ele governou com maior zelo e eficiência do que o seu perdulário antecessor. Chegou mesmo a reconhecer e honrar o Deus de Daniel (Dan. 7:25-27). A detalhada descrição oferecida na Bíblia parece confirmar o ponto de vista conservador que o reputa uma autêntica personagem histórica, apesar do fato de que não há menção satisfatória ou absolutamente convincente a seu respeito, fora do livro de Daniel. (AM ND UN WHIT Z)

15

DARIO, O MEDO — DARWIN

DARIO, O MEDO

Ver sobre **Dario,** quarto ponto.

DARIO, O PERSA

Ver sobre **Dario,** terceiro ponto.

DARSHANA

Palavra sânscrita que quer dizer *conhecimento, visão* ou o *instrumento* da visão. A visão intuitiva da realidade é o alvo de todo sistema. A prática filosófica e a prática religiosa tornam-se, assim, uma unidade. O termo também é empregado para aludir a cada um dos seis sistemas ortodoxos da filosofia, que são interpretações das escrituras védicas, que pretendem dar-nos uma visão da realidade.

DARWIN, DARWINISMO

Charles Darwin, nascido em 1809 e falecido em 1882, era natural de Shrewsbury, na Inglaterra. Foi educado em Cambridge e trabalhou como naturalista. Fez uma viagem de pesquisas, em 1831, nas ilhas dos oceanos Atlântico e Pacífico. A sua teoria da evolução resultou dos informes colhidos durante essa viagem. No entanto, inspirou-se também no livro de Malthus, *Essay on Population,* que leu em 1838. E, em 1858, recebeu de Wallace um ensaio que correspondia, em muitos particulares, à sua própria teoria. Portanto, com base em suas próprias pesquisas e em idéias alheias, ele produziu sua grande obra sobre a origem das espécies, que apareceu pela primeira vez a 24 de novembro de 1859. Conforme alguns têm dito, esse livro «sacudiu o mundo». Na verdade, embora muitas de suas idéias já estejam ultrapassadas, elas ainda estão abalando o mundo. Naturalmente, entre os filósofos pré-socráticos já se falava em uma teoria evolutiva. Podemos retroceder ainda mais, chegando à filosofia religiosa da Índia. Portanto, o conceito é tão antigo quanto a civilização. No entanto, foi Darwin quem desenvolveu essa noção, conferindo-lhe um aspecto de teoria científica, com grandes implicações filosóficas e religiosas. Ver o artigo separado sobre a *Evolução,* quanto a uma completa discussão.

Idéias:

1. As espécies das coisas vivas são mutáveis e intercambiáveis. Elas vêm à existência, modificam-se e perecem.

2. A maioria das espécies (incluindo o homem) é capaz de uma multiplicação tal que, se não for impedida, em breve tornará a terra um lugar impossível de ser habitado.

3. A multiplicação é impedida mediante a competição entre as espécies e no seio de cada espécie. A luta pela sobrevivência obtém a redução numérica necessária.

4. As variações inerentes e adquiridas pelas espécies são transmitidas para os membros seguintes, por meio da herança genética.

5. As condições descritas nos pontos anteriores provêm uma *seleção natural* geral, de tal modo que as variações favoráveis sobrevivem, e as desfavoráveis perecem. Esse fator também traz à existência novas espécies, de tal modo que ocorre a sobrevivência das espécies mais aptas.

6. Darwin acreditava que a origem e a história do homem, que seria apenas uma espécie animal entre outras, podem ser explicadas por meio dessa hipótese. Por detrás da mesma, naturalmente, temos de pensar na suposição de que a matéria inanimada foi a fonte

da primeira célula viva, produzida por processos químicos. Que isso pode suceder tem sido demonstrado em muitos laboratórios ao redor do mundo. Mediante reações químicas, o homem tem sido capaz de produzir mui primitivas formas de vida, capazes de reproduzir-se. Não há como prever onde isso pode levar, e nem o grau de sofisticação que isso pode atingir.

Darwin e os Problemas em sua Teoria:

Os estudos e a teoria de Darwin levantam diversos problemas, que são mais amplamente discutidos no artigo sobre a *Evolução,* pelo que aqui damos apenas um breve sumário dos mesmos:

1. *O Darwinismo e a Ética.* Os juízos morais do homem são produtos do mesmo processo que produziu o corpo humano, pelo que não seriam diretivas divinas envolvidas em verdade e poder absolutos. A ética humana, portanto, também seria um produto da evolução. Os teólogos teístas podem argumentar que isso é verdade, embora o poder divino esteja por detrás dessa evolução ética. Mas não era isso que Darwin queria dizer. Na opinião dele, terminamos em uma ética relativa, segundo a qual os padrões se alteram à medida que se altera a biologia do ser humano. Isso retira a dimensão teísta da ética, o que representa uma posição diametralmente oposta à teologia bíblica. Devemos admitir que há alguns princípios éticos que se desenvolveram mediante um processo evolutivo; porém, é um erro reduzir o homem a meros processos terrenos. Ele tem uma dimensão superior a qualquer processo evolutivo terreno.

Outros supõem que a evolução é verdadeira, embora seja um meio divinamente determinado para a humanidade poder *atingir* sua ética apropriada, e não para o desenvolvimento da mesma. Em outras palavras, o homem está crescendo e continuará a crescer na compreensão apropriada dos princípios éticos, através de seu processo de evolução.

2. *Definição do Real.* O que é real? A resposta de Darwin era: aquilo que é físico e está em processo de evolução. Porém, essa é uma definição por demais limitada para poder satisfazer a teologia. Ademais, há boas evidências em prol de realidades não-materiais. Precisamos levar em conta a dimensão espiritual, quando falamos qualquer coisa acerca do homem, porquanto, essencialmente, ele é um ser não-material que, por algum tempo, utiliza-se de um corpo material, como seu veículo de expressão. Isso não significa que o que o homem faz com esse corpo físico, ou o ambiente no qual ele vive (este mundo físico) não sejam importantes. O homem tem uma tarefa a cumprir nesta vida terrena, bem como um destino a alcançar neste mundo físico. Mas é errado vê-lo somente por esse prisma.

3. *O Problema dos Começos.* Como cientista, Darwin não tentou explicar as origens. De fato, a ciência moderna desistiu da tentativa, devido à impossibilidade de fazer as coisas voltarem àquele estágio inicial, para serem examinadas. Darwin, pois, começou com o mundo físico já existente, e o homem como um derivado desse mundo físico. A ciência nem ao menos tenta pronunciar-se sobre como a matéria começou. Se o fizer, já terá penetrado no terreno da filosofia e da teologia. Qualquer sistema de conhecimento que apanhe o fio da meada pela metade, não tentando explicar nem o começo e nem o fim, é um sistema deficiente; e o coração humano jamais se satisfará com isso. Se quisermos explicar a origem e o destino das coisas, teremos de apelar para a filosofia e para a fé religiosa. E a alma humana precisa

DARWIN — DARWINISMO SOCIAL

depender disso. É errado os evolucionistas e os cientistas em geral tentarem reduzir a vida apenas ao que é físico e às suas potencialidades. Quando assim fazem, estão aplicando erroneamente o conhecimento que adquiriram, *limitando* o próprio conhecimento.

4. *O Verdadeiro Homem*. Darwin nunca pretendeu falar sobre a alma. Podemos presumir que ele nem acreditava na existência da alma. Isso, por sua vez, significa que ele não acreditava no *homem propriamente dito*, mas somente em seu corpo físico. Há muitas evidências sobre a existência da *alma* (ver o artigo a respeito). Há provas científicas de sua existência e sobrevivência diante da morte física. Apresentamos algumas noções sobre isso no artigo *Abordagem Científica à Crença na Alma e na sua Sobrevivência Ante a Morte Física*, que aparece sob o título a *Imortalidade da Alma*. Assim, se Darwin procurava explicar como o corpo humano veio à existência, não conseguiu perceber que nem ao menos estava falando sobre o *homem*, mas apenas sobre um de seus modos de expressão.

5. *A Teoria da Evolução Corresponde à Verdade dos Fatos?* A teologia de vários grupos cristãos tem abraçado o conceito de uma evolução divinamente orientada como o *modus operandi* do desenvolvimento do corpo humano, que se tornou um apto veículo para a manifestação do espírito humano neste mundo físico. Alguns teólogos chegam mesmo a supor que o homem *começou*, realmente, dessa maneira, porquanto, através do *traducianismo* (que vide), ou de algum ato especial criador (ver sobre *criacionismo*), o corpo humano, formado mediante evolução, veio a unir-se à alma imaterial. Outros defendem a preexistência (que vide) da alma, supondo que uma vez que o veículo físico apropriado foi formado, por meio da evolução, então Deus enviou uma alma para habitar nesse corpo. O próprio Darwin, necessário é observar, rejeitava qualquer adaptação teísta de sua teoria. Ainda outros estudiosos insistem sobre uma criação especial do corpo humano, conforme se vê no relato de Gênesis. Aqueles que conhecem a teologia dos hebreus informam-nos que a narrativa de Gênesis não é uma tentativa para informar-nos como a porção imaterial do homem veio à existência. Antes, segundo esse raciocínio, quando o homem tornou-se uma *alma viva*, isso apenas significou que o barro foi animado de tal modo que se tornou um ser vivo, e não que, *dentro* do corpo, havia uma porção imaterial residente.

De acordo com a interpretação cristã bíblica, a narrativa de Gênesis dá a entender que o homem é o imaterial dentro do material. «Então formou o Senhor Deus ao homem do pó da terra, e lhe soprou nas narinas o fôlego de vida, e o homem passou a ser alma vivente» (Gên. 2:7). Todavia, o conceito da dimensão imaterial do homem não entrou francamente na teologia dos hebreus senão já no período dos salmos e dos profetas. Sendo esse o caso, encontramos o significativo fato de que o livro de Gênesis também não se pronuncia sobre a origem da alma (embora se refira a ela), a parte imaterial do homem. Por conseguinte, nem Darwin e nem o livro de Gênesis se pronunciam sobre a origem da alma humana. Isso significa que precisamos olhar na outra direção, se quisermos descobrir a origem do homem real. Essas fontes informativas podem ser bíblicas ou extrabíblicas. As fontes bíblicas devem ser fora do livro de Gênesis. Mas, mesmo no resto da Bíblia, não obtemos informações sobre a *origem* da alma, mas apenas sobre o seu destino.

Tudo quanto foi dito até aqui permite-nos fazer a seguinte declaração: não importa muito se a evolução é verdadeira ou é falsa, exceto do ponto de vista científico. Ela não se manifesta acerca do verdadeiro homem. É de importância apenas secundária tentar explicar como o homem adquiriu um veículo físico para ele poder manifestar-se neste mundo físico. Trata-se de um assunto interessante, mas não de primária importância. Na Igreja cristã, porém, o assunto tem recebido uma importância exagerada, por causa da interpretação cristã da narrativa de Gênesis, de acordo com tal interpretação, essa narrativa diz como o *homem* começou. A grande verdade, porém, é que não há informações bíblicas sobre a origem do homem, exceto o ensino geral de que Deus é a fonte originadora de todas as formas de vida.

Orígenes e os pais alexandrinos supunham que o verdadeiro começo do homem deve ser encontrado entre os seres angelicais, na eternidade passada. Assim, o relato do livro de Gênesis falaria sobre a descida do homem ao mundo físico, e não sobre a sua origem absoluta. Penso que é enveredando por idéias assim que chegaremos à verdade da questão, embora isso nos faça penetrar no terreno da teologia especulativa. Ver o artigo geral sobre a *Alma*. Isso posto, em minha opinião, apesar de reconhecer que a controvérsia sobre a evolução é interessante (e que a mesma ainda não foi devidamente solucionada), não é de importância primária para a teologia. Portanto, os grandes debates que a teoria da evolução tem suscitado na verdade são pseudodebates, porque, afinal de contas, não importa saber de que modo o corpo físico veio a tornar-se veículo da alma eterna. Essa alma, a estrela de minha vida, teve algures e sua origem, vem de longe, vem de Deus, que é meu verdadeiro lar. «...e o espírito volte a Deus, que o deu» (Ecl. 12:7). A associação da alma ao corpo físico, embora interessante, é somente uma partícula de sua história total. É insensatez declarar guerra em torno de como essa minúscula e tão pouco importante associação começou. Em outras palavras, deixemos de debater sobre o corpo físico, e comecemos a investigar sobre a alma imortal.

Escritos de Darwin: The Origin of the Species; The Variation of Animals and Plants Under Domestication; The Descent of Man.

DARWINISMO

Em sentido mais restrito esse termo fala sobre as doutrinas ou teorias de Charles Darwin (que vide). Em um sentido mais lato, refere-se àquelas teorias que surgiram em resultado de sua influência, com adições, explicações e modificações. Os seguintes pensadores estiveram muito envolvidos nessa questão, e a leitura dos artigos desta enciclopédia sobre eles dará ao leitor outras informações úteis: A.R. Wallace, Chauncey Wright; Spencer; Stephen; T.H. Huxley; Haeckel; W.G. Sumner.

DARWINISMO SOCIAL

Esse assunto tem muitas implicações éticas, o que explica sua inclusão nesta enciclopédia.

Esboço:

  I. Caracterização
  II. Lei Natural
  III. Hedonismo
  IV. Abusos Modificadores
  V. Definições Bíblicas

I. Caracterização

DASEIN — DAVI

O *darwinismo social* é uma filosofia desenvolvida no século XIX. A principal doutrina da teoria da evolução, a *sobrevivência dos mais aptos*, tem sido tomada como a justificação das coisas *conforme elas existem*, como se aquilo que aconteceu fosse certo. A luta que leva à sobrevivência subseqüente de alguns, bem como à eliminação de outros, é considerada como uma lei natural, dando a entender que o que tem sucedido está baseado na plena justiça. Supostamente, as instituições humanas surgem através do mesmo processo. Alguns expositores dessa idéia em geral têm chegado a supor que existem algumas desigualdades naturais entre os homens, e que é eticamente correta a continuação dessas desigualdades.

II. Lei Natural

Para muitos, esse conceito substitui a idéia da lei natural estabelecida pela inteligência divina, conforme afirma o segundo capítulo da epístola aos Romanos. Portanto, todos os direitos, liberdades e poderes sociais seriam produtos da história em seu desenvolvimento evolutivo, e não direitos dados por decreto divino. O individualismo econômico também aparece como um texto de prova dessa teoria.

III. Hedonismo

Do que os homens gostam? Pelo que eles estão lutando? As respostas podem ser bastante simples: o homem gosta dos prazeres, e com um mínimo de sofrimento. Se isso exprime uma verdade, então bem podemos supor que a suposta evolução levou o homem a esses tipos de conclusões; e que, nesse caso, as suas idéias estão com a razão. Na atualidade, o maior princípio que dirige a conduta dos homens em geral é o princípio utilitarista do auto-interesse, ou do interesse do grupo, se é que esse interesse coletivo não contradiz por demais violentamente o meu próprio interesse.

IV. Abusos Modificadores

O capitalismo, juntamente com os seus abusos, baseado nesse conceito, provocou uma reação, levando os homens a buscarem conceitos mais idealistas. Dessa maneira vieram para o primeiro plano as idéias de *interesse público*, como um ideal maior do que as idéias egoístas, de auto-interesse.

V. Definições Bíblicas

Ninguém pode negar que há uma certa verdade na doutrina do darwinismo social. Porém, o que podemos e devemos negar é que seja eticamente correto que alguma coisa veio a ser corrente somente por ter sido sujeita a uma evolução histórica, mediante a sobrevivência dos mais aptos. Pois, de acordo com esse conceito, quem triunfa não é Deus. A idéia de lei natural é uma idéia verdadeira, mas isso somente porque, por detrás dela, há a mente e a providência divinas, que têm levado os homens, gradualmente, a certo tipo de crença e de conduta. Acima da lei natural há a vontade revelada de Deus, que nos é conferida através das experiências místicas, sobretudo aquelas constantes na Bíblia Sagrada.

DASEIN

M. Heidegger (que vide) usava essa palavra para referir-se à existência *humana*, conferindo a isso a noção especial de que o homem se acha neste mundo como se tivesse sido abandonado à morte, como é ensinado nas idéias existenciais básicas. Ver sobre o *Existencialismo*. A palavra é formada de dois termos alemães, *da* e *sein*, que significam «estar ali». É vocábulo contrastado com *Vorhandenheit*, que descreve as coisas *presentes e à mão*, acerca das quais não temos consciência íntima ou pessoal, e com as quais nos relacionamos apenas externamente. O que o homem conhece é a sua *presença* no mundo, e também que, algum dia, ele não mais estará *aqui*. O homem, pois, está na obrigação de tomar consciência desse tipo de existência, entrando em bons termos com ela.

DASIUS

Esse foi o nome aplicado pelos invasores arianos aos habitantes aborígenes do Punjab, na atual Índia, — que tinham tez escura. Essa palavra veio a indicar qualquer *inimigo*, e, posteriormente, os inimigos sobrenaturais, como os demônios, etc.

DATÃ

No hebraico, «fonte», «manancial». Foi o nome de um chefe rubenita, filho de Eliabe. Ele fez parte do grupo que conspirou lado a lado com Coré, um levita, em sua revolta contra Moisés, e que foi engolido por um terremoto. Viveu em torno de 1470 A.C. Seu nome é mencionado por várias vezes em Números 16, e também em Núm. 26:9; Deu. 11:6 e Sal. 106:17. Quanto a maiores detalhes sobre esse conluio contra Moisés, ver sobre *Coré*.

DATAS

Acerca de como são determinadas as datas a respeito de assuntos de interesse para o estudioso da Bíblia, ver o artigo sobre a *Cronologia*, segundo ponto. Esse artigo também procura arquitetar uma cronologia da Bíblia, envolvendo o Antigo e o Novo Testamentos.

DATEMA

Uma fortaleza mencionada no livro apócrifo de I Macabeus (5:29). Ficava localizada em Gileade, sendo lugar onde os judeus acharam refúgio das pressões sírias, até que Judas Macabeu e seu irmão, Jônatas, foram capazes de livrá-los. Não se sabe onde essa fortaleza ficava. Algumas opiniões modernas falam em Remtheh. O texto sírio de I Macabeus diz Rametha. Outros pensam em Dameh ou Athaman, a leste de el-Muzerib.

DAVI

No hebraico, «amado». Provavelmente o maior rei de Israel e Judá. Viveu em cerca de 1016 a 976 A.C. Sua época é descrita nos livros de Samuel e de I Reis. Foi homem de variegadas habilidades, tendo sido guerreiro, político, poeta e profeta. Conseguiu reunir todas as tribos de Israel em torno da nova capital, Jerusalém. Embora não tenha sido o primeiro rei de Israel, conferiu ao reino uma nova solidariedade e uma nova direção espiritual.

Esboço:

I. Relações Genealógicas. História Anterior
II. A Morte de Saul
III. O Reinado de Davi
IV. Instituições e Obras
V. Outros Eventos Notáveis
VI. Davi e a Bíblia
VII. Caráter Espiritual de Davi

I. Relações Genealógicas; História Anterior

A importância de Davi pode ser vista de pronto na posição que ele e sua família ocuparam na história de

Davi esvazia, como oferta, a água preciosa de Belém (II Sam. 23:15)

Jônatas avisando Davi do perigo
(I Sam. 20:35)

DAVI

Israel. Em um dos extremos ele tinha Boaz e Rute como antepassados (Rute 4:18-22), e, no outro extremo, Jesus Cristo foi seu descendente (Mat. 1:6; Luc. 3:31).

a. Em relação a seus antepassados, seu pai Jessé, e seus irmãos, encontramos a seguinte situação:

TABELA GENEALÓGICA DA FAMÍLIA DE DAVI

Boaz e Rute (Rute 4:18-22)

Obede

Jessé

Eliabe	Abinadabe	Samá	Netanael	Radai	Ozém	Davi	Zeruia	Abigail
I Sam.	I Sam.	I Sam.	I Crô.	I Crô.	I Crô.	I Sam.	I Crô.	I Crô.
16:6-9	16:6-9	16:6-9	2:13-16	2:13-16	2:13-16	16:6-13	2:16	2:17
ou		ou						
Eliú		Simea						Amasa
I Crô.		II Sam.						I Crô. 2:17
27:18		13:3						
		ou				Joabe	Abisai	Asael
		Simei				I Crô.	I Crô.	I Crô.
		II Sam.				2:16	2:16	2:16
		21:21						

b. Em relação às muitas esposas e descendentes de Davi, temos de acompanhar sua árvore genealógica através de suas várias mulheres, que ele teve em diferentes períodos de sua vida. Isso pode ser demonstrado através do gráfico abaixo.

ESPOSAS DE DAVI

I. *Esposas das Vagueações* (I Sam. 27:3; I Crôn. 3:1)

Abinoã de Jezreel	Abigail do Carmelo
Amom	Quileabe ou Daniel
II Sam. 3:2	II Sam. 3:3

II. *Esposas em Hebrom* (II Sam. 3:2-5; I Crô. 3:1-4)

Maaca de Gesur   Agite   Abitai   Eglá   Mical
Absalão — Tamar   Adonias   Sefatias   Itreã
3 filhos falecidos   Tamar (ou Maaca)   a Reoboão
II Sam. 14:27;   II Sam. 14:27   II Crô. 11:20
18:18   Josefo, *Anti.* 7.8,5

N.B. Houve também, neste período, 10 concubinas (II Sam. 5:13; 15:16) cujos filhos (I Crô. 3:9) não são chamados por nome.

III. *Esposas em Jerusalém* (Nomes não são dados) (II Sam. 5:13-16; I Crô. 3:5-8; 14:4-7)

Ibar	Elisama	Elifelete	Nogá	Nefegue
	II Crô. 3:6		I Crô. 3:7	
Jafia	Elisama	Eliada beliada	Elifelete	Jerimote II Crô. 11:18
		I Crô. 14:7		

Maalate a Reoboão

Bate-Seba (I Crô. 3:5)
Um morreu infante / Samua   Sobabe   Natã
II Sam. 12:15 / I Crô. 3:5
Jedídia ou *Salomão*
Maalate a Reoboão a Tamar ou Maaca (I Reis 15:2)

Abias

c. Mat. 1:6 mostra que foi justamente através da linha de *Bate-Seba* que o *Messias* nasceu. A graça de Deus venceu a situação errônea e produziu o maior dos bens.

1. *História Primitiva.* Davi era bisneto de Rute e Boaz, e o mais jovem dentre oito irmãos (I Sam. 17:12 ss). Sua responsabilidade, dentro da economia da família, era a de um pastor, ocupação essa que lhe deu chance de aprender a coragem que ele veio a usar em seus anos como guerreiro, os quais consolidaram o seu reinado (I Sam. 17:34,35). É possível que ao cuidar dos rebanhos ele tenha desenvolvido suas habilidades poéticas; e a vida nos campos também lhe deu muitas metáforas, que ele incluiu em seus salmos, principalmente no imortal Salmo 23. Davi, tal como José, muito antes dele, sofreu por causa da má vontade de seus irmãos (I Sam. 17:28). Saul tinha-se tornado rei de Israel; mas havia fatais falhas de caráter nele. O profeta Samuel começou a buscar um homem melhor, dotado de alguma espiritualidade.

2. *Relações Tempestuosas com Saul.* Saul caiu em muitos erros e a situação chegou a um ponto sem retorno. O Espírito de Deus afastou-se dele, e um espírito maligno foi mandado para perturbá-lo. Seus assessores pensavam que a música lhe faria bem em períodos de melancolia, ou quando o espírito maligno viesse atacá-lo. Davi tornara-se um excelente harpista. Foi escolhido para a tarefa de consolar a Saul, em seus maus momentos. Saul gostou imediatamente de Davi, e o nomeou seu armeiro. Davi cumpria sua tarefa de acalmador de Saul. Ver I Sam. 16:14-23.

3. *Golias.* Davi era mais do que apenas bom, era ótimo. Quando os filisteus e seu gigante, Golias, ameaçavam Israel, foi o jovem pastor, com a sua funda, quem obteve a vitória. Saul permitiu alegremente que Davi arriscasse a vida nesse episódio. Davi sabia que uma pedra lançada por meio de sua funda podia matar um animal. Por que não um homem? Em seus dias como pastor, Davi tornara-se muito hábil no uso da funda. Sua habilidade foi-lhe muito útil. Esse relato tem-se tornado uma metáfora sobre como um homem pode vencer grandes obstáculos, algumas vezes de maneiras inesperadas. Davi, pois, correu ao encontro de Golias, e o matou

DAVI

logo com a primeira pedrada. Então decepou a cabeça do gigante com a espada deste. Ver I Sam. 17:1-51. Era apenas natural que a reputação de Davi crescesse, e que a de Saul diminuísse. Pois não foi o jovem Davi quem arriscou a vida no encontro com Golias, enquanto Saul olhava? A simpatia transmutou-se em ódio; e o ódio inspirou a tentativa de assassinato. E, finalmente, Davi foi obrigado a fugir. Nem mesmo sua grande amizade com Jônatas, filho de Saul, foi capaz de amenizar o ódio de Saul contra ele, e a fuga tornou-se a única solução. Entrementes, Saul ia-se desintegrando moralmente cada vez mais. I Samuel 18:5-16. Saul empregou vários truques para trazer Davi de volta à corte. Mical, uma sua filha, foi oferecida como esposa a Davi, contanto que este trouxesse cem prepúcios de filisteus, como uma espécie de dote de casamento. Saul esperava que Davi fosse morto nessa tentativa, mas Davi conseguiu duzentos prepúcios. Naturalmente, Davi e seus homens tiveram de matar duzentos filisteus. Mas isso foi apenas um reflexo da selvageria da época. Admiramo-nos como qualquer pessoa, êm meio a tanta matança podia desenvolver alguma espiritualidade. Ver I Sam. 18:17-30.

4. *A Fuga*. A popularidade de Davi crescia a proporção que o ódio de Saul aumentava. Saul tentou fazer Jônatas voltar-se contra Davi, mas o plano não funcionou. Saul tentou mesmo matar Davi, enquanto este dormia; mas Mical o livrou, ajudando-o a escapar (I Sam. 19:1-17). Davi fugiu para a companhia de Samuel, em Ramá; e juntos, foram para Naiote. Saul enviou homens para prenderem Davi, mas uma estranha força espiritual os restringiu. Saul foi pessoalmente, e caiu sob o mesmo estranho poder (I Sam. 11:18-23). Isso posto, uma vez mais vemos a providência divina operando na vida de alguém que tenha uma missão a cumprir. E muito precisamos das atuações da providência!

5. *Vida de Fugitivo*. Esse período da vida de Davi trouxe-lhe muitos revezes, perigos e consternações. Saul continuou a persegui-lo; Mical, sua esposa, foi dada a outro homem. Davi fugia de lugar para lugar. Teve de enfrentar a possibilidade de ser morto pelas mãos de outros homens, e não só de Saul (I Sam. 21:10-15). Na região selvagem e montanhosa da caverna de Adulão, Davi foi caçado como se fosse um animal selvagem (I Sam. 22:1,2). Por mais de uma vez, Davi poderia ter morto Saul, mas sempre lhe poupou a vida. As coisas melhoraram um pouco para ele quando Aquis, rei de Gate, deu a Davi e aos seus homens a cidade de Ziclague, na fronteira com o território dos filisteus, para usarem como residência temporária (I Sam. 27:3,4,6). Mas, até mesmo ali Davi teve que enfrentar dificuldades.

Estando afastado da cidade, os amalequitas aproveitaram-se da situação e incendiaram Ziclague e levaram todas as mulheres. — Davi perseguiu-os, e alcançando-os, tomou de volta o quanto pôde.

II. A Morte de Saul

Saul sentia-se muito frustrado ante suas tentativas baldadas de matar Davi, além do que tinha de enfrentar outras dificuldades. Cada vez mais temia aos filisteus. Saul não mais contava com Samuel, para aconselhá-lo, visto que o profeta havia falecido e sido sepultado em Ramá. Por isso, Saul resolveu consultar uma feiticeira, em En-Dor. Ela fingiu que estava chamando Samuel, e foi quem mais se assustou, quando o profeta, realmente, apareceu. Na verdade, os espíritos dos mortos podem aparecer aos homens, e o fazem vez por outra. Se Deus lhes dá essa permissão, e lhes confere uma tarefa a cumprir, então

isso é o que eles fazem. Além disso, o destino eterno dos homens ainda não foi determinado, e os espíritos que estão no mundo intermediário, ou hades, com seus muitos níveis de existência, acerca dos quais os nossos dogmas não nos fornecem qualquer informação, podem entrar em contacto com os homens, sob permissão do Senhor. Fazia parte da doutrina judaica comum que isso poderia acontecer. E também que os demônios são espíritos humanos negativos, destituídos de corpos, os quais obviamente podem entrar em contacto com os homens. Contudo, não devemos fazer do contacto com os espíritos uma religião, e o Antigo Testamento proíbe claramente essa prática. Nossa busca espiritual deveria elevar-se muito acima dos «espíritos do outro lado da existência». Samuel havia predito a morte de Saul (I Sam. 28:3-25), sendo precisamente aquilo que as pessoas não querem ouvir, quando vão consultar médiuns espíritas!

No dia seguinte, em batalha contra os filisteus, Saul e seu filho, Jônatas, foram mortos. Foi mais uma daquelas matanças selvagens. Israel fugiu, deixando no campo os cadáveres de Saul e seus filhos. Os filisteus, em zombaria, penduraram seus corpos em uma muralha. Mas o povo de Jabes-Gileade, respeitosamente, arriou os corpos deles e lhes deram um sepultamento condigno. Posteriormente, Davi mostrou sua apreciação por esse ato de decência. As notícias foram enviadas a Davi, em Ziclague. O mensageiro que o trouxe a notícia pensou que seria recebido como um herói, e chegou a vangloriar-se de ter tirado a vida de Saul, ao qual teria encontrado nos estertores da morte. Davi sentiu-se consternado diante do relato, e mandou executar o mensageiro. O mensageiro era um amalequita, o que em nada o ajudou a escapar! Davi compôs uma bela lamenta͵io pela morte de Saul e seus filhos, que se lê em II Samuel 1:1-27.

III. O Reinado de Davi

1. *Primeiros Anos*. A morte de Saul e a derrota de Israel ante os filisteus deixou o povo de Israel em um estado de caos, e logo seguiu-se um período de guerra civil. Davi estabeleceu seu quartel-general em Hebrom, na região montanhosa de Judá, cerca de trinta quilômetros a sudoeste de Jerusalém. Ali ele foi ungido rei, tendo reinado por sete anos e meio sobre a tribo de Judá (II Sam. 2:1-11). O conflito entre a casa de Saul e a casa de David perdurou até o extermínio da casa de Saul; e foi somente então que Davi se tornou rei de toda a nação de Israel (II Sam. 2:8—5:5). Davi capturou a cidade jebusita de Jerusalém que se tornou capital do reino inteiro. Ela havia sido uma fortaleza que requereu considerável esforço para ser dominada. Desde então os homens têm lutado por Jerusalém. A cidade estava localizada em uma espécie de defesa natural, na fronteira futura entre Judá e Israel. E talvez isso tenha ajudado a produzir unidade entre as porções norte e sul do reino. Além disso, visto que a cidade não estava mais sob o controle dos cananeus, o comércio e a intercomunicação foi facilitada entre as duas áreas da nação.

2. *Conquista dos Estados Circunvizinhos*. Agora Israel estava bem mais forte do que antes, tendo uma nova unidade e um novo e forte homem como rei. Davi derrotou de modo decisivo os filisteus (II Sam. 5:17-25; 21:15-22; I Crô. 18:1). — Além disso, os amonitas, os idumeus, os moabitas, os arameus e os amalequitas foram subjugados (II Sam. 8:10; 12:26-31), e um império substancial foi estabelecido sob as ordens de Davi. Estendia-se desde·Ezion-Geber, no extremo sul, no golfo de Aqabah, até a

DAVI

região de Hums, perto da cidade-estado de Hamate, no extremo norte. Trechos bíblicos, como I Crônicas 22:17 até o fim, comentam sobre as habilidades diplomáticas e militares de Davi, e, ocasionalmente, há vislumbres sobre a sua espiritualidade. A arqueologia tem demonstrado que Davi empregou idéias estrangeiras em sua organização governamental, especialmente modelos egípcios e fenícios. Assim, encontramos o *mazkir* (cronista) e o *saphar* (escriba) que tinham funções importantes (II Sam. 8:16). Davi também reorganizou o exército, com uma guarda pessoal e mercenários, talvez selecionados dentre os filisteus, chamados queretitas e peletitas (II Sam. 8:18; em nossa versão portuguesa, «guarda real»). Ver sobre *Queretitas* e *Peletitas*.

IV. Instituições e Obras

a. Davi estabeleceu as cidades dos levitas, incluindo as cidades de refúgio (Núm. 35), confirmando a legislação anterior e garantindo as funções dos levitas, em lugares como Gezer, Ibleã, Taanaque, Reobe, Jocneã e Naolal. Ver Josué 21. Esses lugares só vieram a ficar sob o controle dos israelitas nos dias de Saul e Davi. As amplas conquistas militares de Davi produziram muitas das coisas que somente haviam sido planejadas na época da conquista da Terra Prometida, nos dias de Josué.

b. As *seis cidades de refúgio* (que vide) tornaram-se uma instituição funcional, devido aos esforços de Davi. Havia quarenta e oito cidades levíticas, dotadas de significativa função. Isso quer dizer que Davi foi capaz de abafar as disputas tribais e entre famílias, produzindo um grande laço de união entre o povo como um todo.

c. *Jerusalém* (que vide) tornou-se o centro religioso da nação. A arca da aliança, que estivera fora do lugar próprio, foi trazida de Quiriate-Jearim (que vide). O relato aparece em II Samuel 6:11-15 (a primeira tentativa para trazer de volta a arca, falhou) e em I Crônicas 4:5,15,19. Esse evento foi muito significativo, por haver conferido a Jerusalém a autoridade de centro da fé religiosa de Israel.

d. *Estabelecimento da Música Sacra*. Davi era um musicista consumado (I Sam. 16:14-23), e anelava por melhorar o aspecto musical do culto divino. Davi veio a ser uma espécie de patrono da hinologia judaica. Os arqueólogos têm descoberto monumentos e documentos que confirmam a importância da música em Israel e nos países em redor. Há monumentos mesopotâmicos do século XIX A.C. que provam isso. Os artífices semitas levaram instrumentos musicais com eles, quando entraram no Egito, segundo se vê nos relevos de Beni-Hasã. Esses ficam cerca de duzentos e setenta quilômetros do Cairo. A literatura religiosa épica, encontrada em Ras Shamra, fala sobre os *sharim*, «cantores», informando-nos de que eles formavam uma classe, em Ugarite, desde 1400 A.C. Portanto, nada há de anacrônico acerca da ênfase de Davi sobre a música. Os próprios salmos confirmam o ponto, pois muitos deles eram musicados e de fato, compostos como peças musicais.

e. *O Intuito de Edificar o Templo*. As qualidades religiosas de Davi transpareciam em tudo. Um de seus grandes desejos era o de construir um templo que melhor servisse de centro ao culto divino. Porém, Deus não permitiu que Davi edificasse o templo, por ser homem de guerra e ter criado muita confusão e derramado muito sangue. Na verdade, isso não recomenda um homem como construtor de templos, embora muitos grandes líderes religiosos também tenham matado muita gente. As pessoas pensam que Deus as inspira a fazer isso, sendo essa uma das várias

ilusões em que as pessoas caem. Contudo, Davi foi encorajado a fazer os preparativos para a construção, que um de seus filhos haveria de realizar (II Sam. 7; I Crô. 17). Ele reuniu material e traçou planos para a construção, mas foi Salomão, seu filho, quem erigiu o templo de Jerusalém.

V. Outros Eventos Notáveis

1. *Um Ato de Misericórdia*. — Depois que Davi estabelecera Jerusalém como a capital de seu reino, indagou se havia sobreviventes da família de Saul. Então descobriu que Mefibosete, filho de Jônatas, estava vivo. Davi devolveu a Mefibosete a herança da família de Saul, dando-lhe lugar na mesa do rei. Seus motivos foram a misericórdia e a simpatia. II Samuel 9:13.

2. *Os Grandes Pecados de Davi*. Nos países do Oriente, parte da glória de um monarca consistia no seu harém, recheado de mulheres de prestígio. O gráfico nº 1, sob o primeiro ponto, acima, ilustra o fato de que Davi praticava uma forma de franca poligamia. É difícil o homem moderno adaptar-se a certas práticas dos costumes antigos. Podemos estar certos de que Davi era admirado, em seus dias, por sua situação polígama. Seja como for, esse tipo de liberalidade sexual masculina não impedia ultrajantes casos de adultério. Assim, em momento de lazer, Davi observou Bate-Seba enquanto ela se banhava, e ele viu quão bonita ela era. Acabou sentindo que deveria tê-la como mulher. E mesmo quando, sob investigação soube que ela era casada com Urias, um militar hitita de seu exército, Davi deu prosseguimento ao seu plano. Mandou chamá-la imediatamente. Tolamente, alguns intérpretes observam que ela não resistiu aos avanços dele, fazendo-a culpada também. Mas isso ignora dois importantes fatores: em primeiro lugar, quando um *rei chamava*, a pessoa atendia. Um monarca antigo era uma autoridade absoluta, e Davi era homem violento. Em segundo lugar, as mulheres não tinham direitos, e mesmo quando as leis as protegiam, essas leis geralmente eram ignoradas.

A fim de tentar ocultar o seu pecado, Davi resolveu livrar-se de Urias, e arranjou as coisas de modo que ele fosse morto em batalha, mediante o recuo das tropas israelitas, deixando-o em uma posição indefensível. Que Davi tenha conseguido isso, comprova o que acabo de dizer sobre o poder absoluto e a brutalidade dos reis da antiguidade. Esses eram pecados que não podiam ser remidos, quanto à lei da colheita segundo a semeadura. Portanto, a partir daquele instante, a vida de Davi começou a desintegrar-se. Ele havia mandado matar um homem inocente, a fim de tentar ocultar um grave pecado. Por essa razão, nunca mais a espada afastou-se de sua família (II Sam. 12:10). Também houve o caso do estupro de sua filha, Tamar, por seu irmão mais velho, Amom. Tempos depois, Amom foi executado pelos servos de Absalão, um outro filho de Davi (II Sam. 11:13-29). Dois outros filhos rebelaram-se contra Davi, procurando arrancar dele a coroa, a saber, Absalão e Adonias.

3. *A Revolta de Absalão*. Por causa de sua irmã, Tamar, Absalão mandou executar Amom, o estuprador. Absalão, após isso, teve de fugir. Abrigou-se com Talmai, filho de Amiúde, rei de Gesur, com quem ficou três anos. Então Absalão apelou para Joabe, pedindo sua mediação diante de Davi (II Sam. 14). Conciliado com Davi, Absalão começou a aspirar ao trono. Partiu para Hebrom, a fim de tentar executar o seu propósito. Naquela cidade, Absalão cresceu em autoridade, ao ponto de Davi ser obrigado a fugir de Jerusalém (II Sam. 15:13). Davi estabeleceu

DAVI

temporariamente em Maanaim a sede de seu governo, onde também estivera, quando ainda fugia de Saul (II Sam. 17:24). Mas Davi contou com a fidelidade de muitos de seus soldados, comandados pelo poderoso Joabe, um general virtualmente invencível. Na batalha final contra Joabe, Absalão feriu-se na floresta de Efraim. Enquanto fugia, os seus cabelos ficaram presos em galhos baixos de uma árvore. Joabe alcançou-o e matou-o, estando ele pendurado no ar (II Sam. 18:1-33). Davi recuperou o seu posto, e Joabe cuidou para que os pontos rebelados restantes fossem devidamente anulados, mediante a violência e a matança.

4. O Recenseamento. O orgulho levou Davi a fazer o recenseamento, a fim de averiguar o crescimento de sua nação. Isso foi julgado por três dias de pestilência. Muita gente morreu (II Sam. 24:1-9), um total de setenta mil pessoas, desde Dã até Berseba, ou seja desde o extremo norte até o extremo sul do país.

5. A Eira de Araúna. Davi adquiriu a dinheiro esse lugar, a fim de estabelecer ali um altar em honra a Yahweh. Seu propósito era fazer cessar a praga que estava destruindo tantos, dentre o povo. Deus atendeu Davi. Esse local, posteriormente, foi o sítio onde foi erigido o templo de Jerusalém, como centro da adoração nacional. Ver II Samuel 24:18-25.

6. A Rebelião de Adonias. Esse homem, que era um dos filhos mais velhos de Davi, pensou que o reino deveria ficar com ele. Assim, declarou-se rei, antes que Bate-Seba pudesse promover Salomão, seu filho. Porém, o plano de Adonias não deu certo, e o conluio fracassou. Nessa oportunidade, a questão terminou com o arrependimento de Adonias. Porém, após a morte de seu pai, Adonias quis ficar com Abisague, a sunamita, a única virgem do harém de Davi. Porém, Salomão, a despeito da intervenção de sua mãe, Bate-Seba, em favor de Adonias, — tomou a idéia deste como uma tentativa renovada de obter o poder real. Além disso, não era direito que um filho ficasse com uma mulher que fizera parte do harém de seu próprio pai. Portanto, Salomão, o homem «pacífico», ordenou a execução de Adonias. Esse relato aparece em I Reis 1:5 ss e 2:13 ss.

7. O Rei Salomão. Quando Davi estava idoso e cada vez mais débil, deixou o governo ao encargo de seu filho, Salomão. Sob seus auspícios, Salomão foi coroado rei (I Reis 1:1-53). A avançada idade de Davi foi a causa de ter sido trazida a seu harém a bela virgem Abisague, para dormir com ele e mantê-lo aquecido. Nunca ocorreu a ninguém que uma esposa mais velha poderia ocupar-se da tarefa tão bem quanto Abisague. Depois do falecimento de Davi, seu filho, Adonias, resolveu que teria Abisague como sua esposa, o que é ventilado no sexto ponto, acima. Muitos comentadores têm feito observações sarcásticas sobre esse pequeno incidente, e com bastante razão. Parece que o idoso rei poderia ter terminado os seus dias sem ter de envolver-se em mais um caso tolo com uma mulher. No entanto, a grande verdade é que todos os livros do mundo não seriam suficientes para narrar todas as tolices que os homens têm feito por causa das mulheres, e Davi não se mostrou imune a esse drama.

8. Morte de Davi. A morte de um homem é um dos principais eventos de sua vida. É uma ocasião solene, quando a vida da pessoa passa em revista, quando se extrai o significado dos poucos anos da sua vida. As *experiências perto da morte* (que vide) informam-nos que o Ser Luminoso sujeita a pessoa a uma completa revista. Assim ela chega a entender todo o sentido de sua vida, o que não deveria ter feito, o que deixou de

fazer, o que fez de bom, enfim, a média do valor dessa vida. Dois grandes fatores na vida são o conhecimento e o cumprimento da lei do amor. Esses dois fatores são muito mais importantes que os feitos dos guerreiros ou que o bom governo de um rei. Davi faleceu com setenta anos (II Sam. 5:4) e foi sepultado em Jerusalém ou Sião, a cidade de Davi (I Reis 2:10,11). Aos turistas, hoje em dia, mostra-se o suposto túmulo de Davi, localizado na colina sul da moderna Jerusalém, comumente chamada monte Sião. Porém, o local não pode ser identificado com a localização real do túmulo de Davi, o qual, definidamente, ficava *dentro* das muralhas da cidade. Essa falsa localização vem sendo promovida desde a época das cruzadas.

VI. Davi e a Bíblia

Nenhuma pessoa é tão freqüentemente aludida na Bíblia, no tocante a fatos de sua vida, quanto Davi. Além das simples referências a ele, o seu nome veio a ser associado a várias localizações e expressões, a saber:

1. A Casa de Davi. Há dez referências no livro de Isaías, dando a entender o seu governo e a sua família real. Ver, como exemplos: Isa. 7:2,13,14 e 22:22 (onde são mencionadas as «chaves»). Essa expressão também figura em I Reis 12:19,20,26; 13:2; II Crô. 10:16,21; Nee. 12:37 e Jer. 21:12.

2. O Trono de Davi. Ver Isaías 9:7, que encerra uma profecia messiânica que mostra que o Messias seria rei segundo a linhagem e a autoridade de Davi.

3. O Tabernáculo de Davi. Ver Isaías 16:5, uma outra referência à linhagem real da qual viria o Messias.

4. A Cidade de Davi. Isaías 22:9 e I Reis 2:10,11. Está em foco a cidade de Jerusalém, porquanto Davi foi quem conquistou esse lugar dos cananeus, tornando-o a sua capital. Ver também I Reis 8:1; II Reis 8:24; 9:24; II Crô. 5:2 e 8:11. No entanto, no Novo Testamento, essa expressão indica Belém da Judéia (Luc. 2:4).

5. As Fiéis Misericórdias Prometidas a Davi. Ver Isaías 55:3. Essa promessa indica que Deus, por amor a Davi, teria misericórdia de Israel. Isso faz parte do pacto davídico. Ver também Isaías 38:5.

6. O Deus de Davi. Ver Isaías 38:5. Está em pauta o Deus de Israel, o Deus do maior monarca de Israel, e, portanto, de todos os demais reis de Israel.

7. O Trono de Davi. Ver Jeremias 13:13; 17:25; 22:2,4, etc. A expressão usada por Jeremias, acerca do reino de Israel, está baseada no fato de que os demais reis de Judá pertenciam à linhagem de Davi.

8. O Justo Renome de Davi. Ver Jeremias 23:5 e 33:15. Está em foco a descendência davídica, herdeira de seu trono, mas, especialmente, Jesus Cristo, o Rei-Messias.

9. Davi como Rei. O futuro Messias é visto como uma espécie de segundo Davi (Jer. 30:9). Alguns estudiosos supõem que o próprio Davi, por ocasião do reino milenar de Cristo, governará novamente Israel, sob as ordens do Messias. Porém, outros pensam que isso é perder de vista a implicação simbólica dessa expressão.

10. O Pacto de Davi. Ver Jeremias 33:21, onde aparecem várias garantias a respeito da linhagem e do reino de Davi.

11. O Descendente de Davi. Ver Jeremias 33:22,26, que também se refere ao descendente de Abraão, embora aludindo especificamente à linhagem real.

12. Outras Referências Notáveis do Antigo Testamento. Podemos falar em Ezequiel 34:23; 37:24,25,

DAVI — DAVI, CIDADE DE

que expõe idéias sobre o Servo-Messias; Oséias 3:5, que se refere a Davi como o Rei escatológico; Amós 6:5 e 9:11, que alude a Davi como músico e ao tabernáculo de Davi, juntamente com a esperança messiânica; Zacarias 12:7,8,10,12 e 13:1, que destaca a casa de Davi e a sua futura restauração.

13. *No Novo Testamento*. Ali encontramos Jesus como o Filho e o Herdeiro Real de Davi (Mat. 1:1; 9:29; 12:23; Mar. 10:48; 12:35; Luc. 18:38,39; 20:41). Esperava-se que o Cristo fosse descendente da linhagem de Davi (João 7:42; Mar. 11:10). Jesus pertencia à família de Davi, através de Bate-Seba (Mat. 1:20; Luc. 3:21). No Novo Testamento, a «cidade de Davi» (Luc. 2:4 e João 7:42) é Belém da Judéia, o lugar onde Jesus nasceu. Os antepassados de Davi viviam ali, onde o próprio Davi nasceu (I Sam. 16:1; II Sam. 5:4), o que explica a conexão. Jesus como *superior* a Davi é o tema de Atos 2:29,34 e 13:36. Por meio de Cristo nos são dadas as fiéis misericórdias prometidas a Davi (Atos 13:16-34). Davi foi um dos escritores sacros da Bíblia (Atos 1:16; 4:25). O tabernáculo de Davi está ligado à eleição dos gentios dentro do Novo Israel (Atos 15:16-18, que cita Amós 9:11,12). Jesus é o descendente de Davi (Rom. 1:3; II Tim. 2:8). Davi é usado como ilustração do perdão dos pecados (Rom. 4:6). Ele aparece como um dos heróis da fé (Heb. 11:32). Os Salmos 69 e 95 são especificamente atribuídos à autoria de Davi (Romanos 11:9 e Heb. 4:7). No Apocalipse, Jesus Cristo é chamado de *herdeiro de Davi* (Apo. 3:7), e as chaves estão envolvidas. Em Apocalipse 5:5 e 22:16, Jesus é denominado *raiz* e *geração* de Davi. Jesus Cristo é o cumprimento das promessas de Deus feitas a Israel e ao mundo, feitas originalmente a Davi.

VII. Caráter Espiritual de Davi

Davi pode ser usado como um quadro do que o homem é: em seu ponto mais alto e em seu ponto mais baixo. Seus salmos exibem uma espiritualidade elevada, difícil de reconciliar com sua vida de violência e pecados, como aquele que envolveu Bate-Seba. Porém, precisamos vê-lo como um representante de sua época. Então, era uma glória ser um guerreiro, matar e conquistar. Por essa razão, as mulheres de Israel entoaram a seu respeito o cântico que dizia: «Saul feriu os seus milhares, porém Davi os seus dez milhares» (I Sam. 18:7; 21:11). Temos averiguado o quanto Davi envolveu-se com mulheres (primeiro ponto); mas, de algum modo, apesar de tudo, as Escrituras dizem a seu respeito que ele era um homem segundo o coração de Deus (I Sam. 13:14; Sal. 89:20). Há também grande número de alusões bíblicas a Davi, que nos mostram que ele foi um homem do destino, um instrumento especial de Deus, a despeito de suas falhas gritantes. Davi foi um habilidoso músico e autor literário, e essas qualidades fizeram dele um digno autor, e uma parte de suas composições tornou-se porção integrante das Escrituras Sagradas.

«Davi chega ao nosso conhecimento como uma imensa mas incompreensível personalidade: corajoso, leal para com seus benfeitores, mas capaz de crueldade e de fraquezas diante de seus filhos; fiel à religião de seus antepassados; humilde diante de um profeta de Yahweh. Em suma, ele foi um homem superior, cujas qualidades intelectuais e religiosas chegaram a ser sombreadas por certa irresponsabilidade moral. Ele pertencia a uma era heróica, com sua violência e seus derramamentos de sangue, antes que padrões morais mais elevados fossem largamente reconhecidos. Os direitos da tribo ou do clã eram considerados superiores aos direitos do indivíduo,

como, de resto, na infância da maioria dos povos. No entanto, ele continuou sendo o herói ideal de todas as gerações posteriores. O Antigo e o Novo Testamentos descrevem o Messias, o *Rei Ideal* de Israel, na era vindoura, chamando-o de *Filho de Davi*». (AM)

Bibliografia. AM EUG GEO IB ID UN Z

DAVI, A RAIZ E A GERAÇÃO DE

Essa expressão aparece em Apocalipse 5:5 e 22:16 (completa, só nesta última referência). A expressão é usada metaforicamente, para indicar o Messias, como Alguém descendente de Davi e como o cumprimento das provisões do pacto davídico. Cristo é o Descendente eterno em quem todas as promessas feitas a Davi se cumprem; e isso é universalizado de modo a incluir o Novo Israel (a Igreja), e, através da Igreja, o mundo inteiro. Isso pode ser comparado ao uso da Igreja como uma *vinha*, em João 15. A raiz é a fonte da nutrição e crescimento da planta; e a vinha é o resultado desse desenvolvimento. A árvore é a árvore espiritual mediante a qual fluem e florescem as bênçãos de Deus. Cristo é a «raiz», e Jessé é o «ramo» que cresce de suas raízes. Essa é uma linguagem simbólica que indica a *descendência* de Davi, e também cumpre o ideal davídico de um monarca. Ver Isaías 11:1,10; Mateus 2:23. Isaías declarou que os gentios haveriam de buscar os benefícios dessa árvore espiritual, o que indica que a mesma é uma profecia messiânica. O Testamento de Judá 24:5 mostra que a referência de Isaías era considerada uma profecia messiânica, desde, pelo menos o primeiro século D.C.

DAVI, CIDADE DE

A localização dessa porção de Jerusalém era a mais antiga, a sudeste, sobre o original monte Sião. Porém, quando o Novo Testamento usa essa expressão, «cidade de Davi», está em foco Belém da Judéia, onde Davi nasceu (Luc. 2:11).

Esse foi o nome dado por Davi ao castelo de Sião, que ele capturou dos jebuseus, onde passou a habitar (I Crô. 11:7), e que se tornou a capital do reino unido de Israel. Em seus primeiros anos como rei, Davi governou apenas a porção sul do reino, ou Judá; mas seus feitos e conquistas trouxeram sob o seu poder todas as demais tribos de Israel. Ver a história da conquista desse lugar em II Samuel 5:6-8 e I Crônicas 11:4-8. Ficava situada em um platô cerca de 760 m acima do nível do mar Mediterrâneo, e cerca de 1.160 m acima do nível do mar Morto, o que significa que era uma altura dominante sobre toda a região em derredor.

Como fortaleza dos jebuseus, era considerada inexpugnável, por causa de suas colinas, que atuavam como defesa natural, e por causa das elevadas muralhas, dos portões e das torres com que fora construída. Tão fácil era a sua defesa que era costume dizer que até os cegos e os coxos poderiam defendê-la (II Sam. 5:6). A referência, em II Samuel 5:8, à subida por um canal subterrâneo, parece indicar que Davi e seus homens obtiveram acesso à mesma mediante uma fenda natural na rocha. Porém, investigações arqueológicas recentes demonstram que isso era impossível. Portanto, em vez de uma fenda, alguns pensam na possível tradução *gancho*, o que significaria que o acesso ao alto das muralhas era feito mediante o emprego de ganchos. (Ver Albright no artigo «Old Testament and Archeology», no seu *Old Testament Commentary*, pág. 149). Aquele canal subterrâneo era vertical, em sua seção mais elevada,

DAVI, TORRE DE — DEBIR

tornando impossível a subida por ali. A fortaleza dos jebuseus tinha uma muralha com seis metros de espessura, conforme tem sido averiguado pelos arqueólogos. As muralhas principais, que perduraram de 1800 A.C. até a queda de Jerusalém, ficavam localizadas cerca de cinqüenta metros colina abaixo. A captura de Jerusalém, por parte de Davi, ocorreu em cerca de 1003 A.C. Ver II Samuel 5:7.

Após a captura, o próprio Davi foi habitar ali. Foi construído ali um palácio para seu uso (I Crô. 15:1). Davi mandou buscar a arca da aliança, que até então estivera entre os cananeus, desde a época de Eli, para a cidade de Davi (I Crô. 15:1,29). Ela ficou ali até que Salomão a colocou no novo Templo, no monte Moriá, mais ao norte (I Reis 8:1,2; II Crô. 5:2). Salomão embelezou o lugar, construindo uma acrópole (área palaciana), com muralhas sobre a crista da cidade de Davi.

Davi foi sepultado no interior da cidade (I Reis 2:10). E isso significa que o túmulo atualmente exibido aos turistas, como o túmulo de Davi, não pode ser o dele, visto que esse fica fora das muralhas. A maioria dos reis que se seguiram, até Jotão (falecido em 736 A.C.) foram sepultados ali, como também outras figuras importantes. Algumas abóbadas de sepulturas, perto do extremo sul da cidade, poderiam ser o que restou dessas sepulturas. Ezequias fortaleceu a cidade de Davi antes do conflito com os assírios, em cerca de 701 A.C., trazendo um suprimento de água desde Giom (II Crô. 32:30). O tanque de Siloé e o jardim do Rei, no extremo sul, dentro das muralhas (Nee. 3:15; Isa. 22:9-11), foram incluídos nesse sistema. A cidade de Davi foi destruída pelos babilônios em 586 A.C. Neemias a reconstruiu, pelo menos em parte, em 444 A.C. (Nee. 3:15; 12:37). Expansões posteriores estenderam a cidade na direção oeste, e foi ali que Josefo (*Guerras* 5:4,1) localizou erroneamente o túmulo de Davi. Depois que a cidade de Davi foi abandonada, em 70 D.C., essa porção oriental tornou-se conhecida como Sião.

DAVI, TORRE DE

Essa torre é aludida somente em Cantares 4:4. Esse é o nome de uma das fortalezas de Davi, construída com pedras, e onde eram pendurados escudos. Nada se sabe, em nossos dias, sobre a sua localidade e suas condições, embora naquela referência encontremos um símbolo de poder. À chamada Torre de Davi, na Porta de Jafa, em Jerusalém, data do período medieval. Foi construída sobre alicerces da época dos Herodes.

DAVID DE DINANT

Viveu nos séculos XII e XIII D.C. Foi um filósofo escolástico, aparentemente influenciado por Erigina (que vide). Ele desenvolveu uma teologia filosófica panteísta, tendo sido condenado em 1210 por motivo de heresia, e foi exilado. — Naturalmente, seus livros foram queimados, pelo que só conhecemos as suas idéias por meio de citações feitas por Alberto Magno, Tomás de Aquino e Nicolau de Cusa. Seu principal livro foi *On Separations, that is on Divisions*.

Idéias:

1. Ele pensava que os corpos são modos de expressão da matéria, e que as almas são modos de expressão da mente. As substâncias eternas seriam modos de expressão de Deus. Porém, mente, corpo e Deus seriam idênticos.

2. Isso seria uma verdade porque nem Deus e nem a matéria possuem forma, porquanto, se a tivessem, seriam substâncias compostas. Conhecemos Deus e a matéria porque nós mesmos somos idênticos a eles. A forma de panteísmo (que vide) dele era do tipo materialista, porque a substância subjacente a tudo (Deus) emana e se torna em matéria.

DAVIDSON, ANDREW BRUCE

Suas datas foram 1831-1902. Foi professor de línguas orientais do New College, em Edimburgo, na Escócia. O seu comentário sobre o *livro* de Jó, que ele não terminou, é considerado o primeiro comentário realmente científico sobre alguma porção do Antigo Testamento, na língua inglesa. Foi membro da comissão encarregada da preparação da versão inglesa chamada Revised Version. Foi autor de vários comentários bíblicos e de certo número de outros livros, e contribuiu para várias obras de referência, como o *International Theological Library*, bem como o artigo sobre *Deus*, no Hasting's Bible Dictionary.

DEAVITAS

Adjetivo pátrio encontrado somente em Esdras 4:9, em toda a Bíblia, alusivo aos habitantes de certa porção da Assíria, regada pelo rio Daba, talvez a mesma *Daí* de Heródoto (1.125). Seriam os habitantes da moderna província de Dehistã, a leste do mar Cáspio, que foram transferidos por Salmanezer para a província de Samaria. Talvez seja uma tribo persa alistada juntamente com os elamitas e outros, que foram transferidos para Samaria, pelo rei assírio, Assurbanipal. Como se vê, a identificação não é fácil. Juntamente com outros, eles protestaram contra a reconstrução de Jerusalém. Há dois manuscritos da Septuaginta que dizem, em grego «hoi sisín», «isto é». Isso faria o texto dizer: «...susanquitas, isto é, elamitas...», onde as palavras «isto é» estão no lugar de «deavitas». Nesse caso, a tribo dos deavitas não existiria.

DEBERATE

No hebraico, «pasto». Uma cidade no território de Issacar, entregue aos levitas (Jos. 19:12; 21:28). Ficava localizada a oeste do sopé do monte Tabor, e talvez seja a mesma cidade chamada Dabarita, na grande planície, segundo diz Josefo (*Vita*, 62; *Guerras*, 2:21,3), ou então Dabira, que Eusébio e Jerônimo situaram no monte Tabor, na região de Dio-Cesaréia. É possível que esse tenha sido o lugar onde Sísera foi derrotado por Baraque. A morte de Sísera, por parte de Jael, está vinculada a todo o episódio (Josué 4). Tem sido identificada com a moderna aldeia de Deburieh.

DEBESETE

No hebraico, «corcunda». Esse era o nome de uma cidade do território de Zebulom, perto da fronteira com o território de Issacar, entre Saride e Jocneã, um tanto a leste do ribeiro Quisom (Jos. 19:11). Seu local é desconhecido, na atualidade.

DEBIR

No hebraico, **santuário**, ou seja, «lugar de um oráculo». Nas páginas do Antigo Testamento, esse é o nome de duas cidades e de um homem, a saber:

1. Uma cidade no território de Judá, a quarenta e

DÉBORA — DECÁLOGO

oito quilômetros a sudoeste de Jerusalém e a dezesseis quilômetros a oeste de Hebrom (Jos. 15:7). No décimo quinto versículo desse mesmo capítulo, temos a informação de que o nome anterior dessa cidade era Quiriate-Sefer. Foi um dos muitos lugares conquistados por Josué (Jos. 10:38 ss). Posteriormente, foi reocupado por Otniel (Jos. 15:7,15,17). O nome que os cananeus lhe davam, Quiriate-Sefer, significa «cidade do livro». Mas seu novo nome, Debir, parece sugerir que era ali que os cananeus tinham um de seus oráculos. Portanto, tanto um quanto o outro nome sugere material escrito ligado ao culto dos deuses pagãos, ali localizado. Porém, outros imaginam que a transliteração para o hebraico não preservou o intuito original do nome cananeu, pelo que a referência à idéia de escrita seria incorreta. As escavações feitas na região têm produzido muito material da época da conquista israelita. W.F. Albright e Melvin G. Kyle identificaram o lugar com Tell Mirsim. As evidências mostram que o sítio vinha sendo ocupado desde cerca de 2200 A.C. Ficaram ali artefatos de cerâmica, do trabalho de pedreiros e da indústria dos hebreus. Uma asa de jarra com a inscrição «pertencente a Eliaquim, mordomo de Yaukin (Jeoaquim)», dá a entender que o local continuou sendo habitado até imediatamente antes do cativeiro babilônico, isto é, em 598 A.C.

2. Uma cidade em Gileade, perto do Jordão (Jos. 13:26). Não ficava longe de Maanaim, tendo sido identificada por alguns estudiosos com a «Lo-Debar» de II Samuel 17:27. A família de Jônatas, filho de Saul, fugiu para esse lugar, quando Israel foi derrotado pelos filisteus, e seu filho aleijado, Mefibosete, fixou residência ali, até que Davi o convidou para vir residir no palácio real. Há alusão a Debir, em Amós 6:13; mas, uma distorção proposital do nome, faz com que este signifique «nulidade» (nossa versão portuguesa diz «Lo-Debar»), porque, mui provavelmente, na época daquele profeta o local era sede de algum culto pagão. O local moderno dessa antiga cidade é desconhecido.

3. Um rei de Eglom, membro de uma aliança de cinco reis amorreus que se opuseram a Gibeom, a convite de Adoni-Zedeque, rei de Jerusalém. Porém, alguns eruditos pensam que o nome «Debir», nesse caso, refere-se a uma fortaleza, e não a um rei. Ver Jos. 10:3,5,16,26. Os gibeonitas apelaram para Josué, pedindo ajuda militar. A batalha teve lugar no vale de Aijalom, quando ocorreu o longo dia de Josué (Jos. 10:3-39). Quanto a comentários sobre esse milagre, ver o artigo sobre a Astronomia, ponto 5b. Se Debir foi, realmente, um monarca, então ele viveu em torno de 1450 A.C.

DÉBORA

No hebraico, «abelha». Esse foi o nome de duas mulheres, cujas histórias aparecem nas páginas da Bíblia, e de uma mulher mencionada nas obras apócrifas do Antigo Testamento. As duas personagens bíblicas são as seguintes:

1. A primeira Débora da Bíblia foi criada de Rebeca, esposa do patriarca Isaque (ver Gên. 24:59 e 35:8). Ela acompanhou Rebeca desde a casa paterna desta, Betuel, quando de seu casamento com Isaque. Seu nome, porém, só aparece em conexão com seu sepultamento, sob o carvalho, perto de Betel. A partir de então, aquele carvalho passou a ser chamado Alom-Bacute (no hebraico, «carvalho da lamentação»), segundo se vê em Gênesis 35:8. Ela viveu em cerca de 1730 A.C.

2. Uma profetisa de Israel que, para nossa admiração, também tornou-se uma juíza! Era esposa de Lepidote, tendo julgado Israel em parceria com Baraque. Ver Juí. 4:4. Isso ocorreu quando Israel abandonou sua lealdade a Yahweh, e assim o Senhor os entregou ao domínio de Jabim, rei dos cananeus, pelo espaço de vinte anos. Durante esse tempo, Débora era uma profetisa que aconselhava o povo que vinha consultá-la. Ela residia à sombra de uma palmeira (chamada segundo o seu nome), entre Betel e o monte Efraim. Ela enviou uma mensagem a Baraque, dizendo que o Senhor estava pronto para livrar Israel. Baraque foi instruído a reunir um exército de dez mil homens de Naftalim e de Zebulom, estacionando-o ao pé do monte Tabor. O Senhor então faria Sísera, o general de Jabim, guerrear contra eles às margens do rio Quisom; e, segundo Débora garantiu a Baraque, Israel obteria a vitória. Baraque era de Cades de Naftali, e, provavelmente, um dos líderes do lugar. Baraque concordou com o plano de Débora, mas com a condição de que ela também se fizesse presente. Ver Juí. 4:1-24. Por causa disso, teve que dividir com *ela* os triunfos da vitória. O trecho de Hebreus 11:32 alista Baraque entre os heróis cuja fé obteve resultados positivos. Ver o artigo separado sobre *Baraque*. Quando Débora deu o sinal de atacar, o pequeno exército de Israel, tirando vantagem de uma grande tempestade que desabara sobre o local, precipitou-se contra as forças muito superiores dos cananeus. Sísera foi derrotado e Jabim ficou arruinado. A vitória foi celebrada pelo cântico de Débora, registrado em Juí. 5:2-31.

Nos dias de Sangar, filho de Anate,
nos dias de Jael, cessaram as caravanas;
e os viajantes tomavam desvios tortuosos.
Ficaram desertas as aldeias em Israel, repousaram,
até que eu, Débora, me levantei,
levantei-me por mãe em Israel (vss. 6,7).

Essa notável ode é a versão poética da narrativa em prosa do quarto capítulo do livro de Juízes. Ela é universalmente aclamada como representante da primitiva poesia dos hebreus. É notória por sua vivacidade, ilustrando muitos detalhes da vida rude e barbárica do século XII A.C., na Palestina.

A vitória de Débora garantiu quarenta anos de paz em Israel (Juí. 5:31). Ela combinava a autoridade de uma juíza com o dom profético (Juí. 4:6 e 5:7). De acordo com alguns autores, seu nome era um símbolo egípcio do poder real. Entre os gregos, esse nome era aplicado não somente aos poetas, mas também às pessoas peculiarmente castas, como as sacerdotisas de Delfos, Cibele e Ártemis. Provavelmente, ela pertencia à tribo de Efraim, embora alguns opinem que ela era da tribo de Issacar, por causa do que se lê em Juízes 5:15. Também há quem diga que há alguma ligação entre o nome Lapidote porque isso representa o termo hebraico que significa «luzes»; e, segundo dizem os rabinos, ela cuidava das lâmpadas do tabernáculo. Seu nome só é mencionado em Juízes 4 e 5. Viveu em cerca de 1120 A.C.

DECÁLOGO

Essa palavra vem do grego **deka**, «dez» e **logos**, «palavra», ou seja, «dez palavras». Esse é um título usado para indicar os Dez Mandamentos. Esses mandamentos, dados por Deus a Moisés, no monte Sinai, tornaram-se a base da legislação levítica, uma das mais duradouras legislações de todos os tempos. Em sua forma mais familiar, esses mandamentos acham-se em Êxodo 20:2-17. Uma versão diferente, especificamente designada como as «dez palavras»,

DECANO — DECÁPOLIS

aparece em Êxodo 34:28, a qual aborda festividades e oferendas. Isso teria sido escrito em uma outra tábua de pedra, depois que Moisés quebrara a primeira (ver Êxo. 20:2 *ss*, em comparação com Êxo. 31:18 e 34:1). Outras formas do decálogo aparecem em Deuteronômio 27 e Levítico 19. As várias formas do decálogo aparentemente eram tipos de leis e liturgias preliminares, mediante as quais os adoradores, em diferentes santuários e em diferentes períodos da história, reconheciam os requisitos básicos de Yahweh. A razão para o número dez aparentemente é que isso facilitava a memorização das exigências básicas da moralidade humana. Esses mandamentos têm sido usados por muitos séculos. A legislação levítica aborda detalhes, com grande complexidade de pormenores. A variedade de expressões dos mandamentos originais deixa em dúvida qual teria sido a forma original. O decálogo, conforme expresso em Êxodo 20 e em Deuteronômio 5, era usado tanto em Israel como em Judá, não havendo qualquer razão para supormos que os mandamentos básicos do judaísmo não foram originados por Moisés. Sem dúvida houve elaborações posteriores, o que é natural em qualquer sociedade.

Quanto a notas completas sobre o *Decálogo* (este artigo serve apenas de introdução ao assunto), ver o artigo intitulado *Mandamentos, os Dez*.

DECANO, DEÃO

Ambas essas palavras derivam-se do termo latino *decanus*, que indica, literalmente, o cabeça de um grupo de dez. Com o tempo, o termo, sob a forma de «deão», passou a indicar o oficial presidente de uma catedral ou de um capítulo. E daí veio a indicar o presidente de uma instituição acadêmica, ou um suboficial envolvido na administração da mesma. Um *deão rural* é um padre, usualmente nomeado por algum bispo, cuja tarefa é supervisionar um grupo de paróquias, que constituem um *deado*.

DECAPITAÇÃO

Ver **Crimes e Castigos**.

DECÁPOLIS

No grego, «dez cidades». No Novo Testamento, o termo denota uma área geográfica onde havia dez cidades próximas umas das outras, e unidas por certos costumes e por uma certa população. Quase todos os seus habitantes eram gentios, com instituições e privilégios cívicos comuns. O sentido original pode ter sido político, dando a entender uma liga de dez cidades, que se formou durante o período entre a dominação de Herodes sobre a área e a estabilização da fronteira leste romana, nos primeiros dias do domínio imperial na região. A área envolvida ficava a leste do Jordão, incluindo uma parte da Galiléia. A região incorporava a maior parte do lado oriental do mar da Galiléia, em sua extremidade norte. Uma porção da mesma, não muito longe, abaixo do lago, estendia-se até à margem ocidental do rio Jordão, onde ficava situada a cidade de Citópolis, que fazia parte de Decápolis. Porém, a porção maior ficava a leste do rio Jordão. Para o extremo sul ficava a cidade de Filadélfia, que ficava quase tanto ao norte quanto Jericó. Jericó ficava localizada quase na extremidade norte do mar Morto, e Filadélfia ficava mais para o oriente.

As Dez Cidades. Essas eram Hipos (na margem oriental do mar da Galiléia), Damasco (um pouco mais ao norte), Rafana, Canata (no extremo leste), Diom, Gadara, Citópolis (no extremo oeste), Pela, Gerasa e Filadélfia (no extremo sul). Do extremo norte ao extremo sul, a área cobria cerca de 190 km. De Dã a Berseba, os tradicionais pontos extremos norte-sul da antiga Israel, a distância era de cerca de 240 km. Portanto, Decápolis tinha quase as mesmas dimensões de Israel, a diferença sendo, essencialmente o comprimento do mar Morto.

Decápolis surgiu como um subfenômeno da dispersão do período helenizante. Houve grande imigração de gregos após as conquistas de Alexandre, o Grande. Isso significa que aquelas cidades foram construídas pelos gregos e reconstruídas pelos romanos. Duas dessas cidades, Diom e Pela, têm nomes tipicamente macedônios, sendo provável que tivessem sido erigidas por oficiais associados a Alexandre. Filadélfia ocupava o local de Rabate-Amam, do Antigo Testamento, a mesma Amam que é capital da Jordânia moderna. Era quase tão antiga quanto aquelas outras duas cidades. Gadara também era um antigo povoado grego, e essas duas cidades eram fortalezas, pelos fins do século III A.C. Gerasa tem sido amplamente confirmada, quanto aos informes bíblicos a seu respeito, pelas descobertas arqueológicas. Porém, juntamente com Hipos, não parece ter tido posição especial senão já no período da dominação romana. Damasco é uma das mais antigas cidades do mundo.

A área, desde há muito, vinha sendo controlada pelo governador da província romana da Síria, com as adaptações apropriadas ao governo romano de áreas externas ou de fronteiras. Roma protegia aquela região e paralelamente ela servia de área desértica de fronteira, servindo de proteção contra inimigos além dos limites do império, onde as grandes rotas de caravanas e estradas comerciais faziam uma curva em torno da curva interna do chamado Crescente Fértil (que vide). Cada uma dessas dez cidades servia de uma espécie de cidade-estado, pelo que as áreas ao redor eram governadas e controladas por elas, conferindo ao império romano autoridade sobre quase a totalidade do território de Israel. Essas cidades, com sua grande maioria populacional gentílica, eram cosmopolitas em sua natureza. Gadara produziu Filodemo, o filósofo epicúreo do século I A.C. Meleager, o epigramatista, nasceu ali, como também Menipo, o satirista, e Teodoro, o retórico, que foi tutor de Tibério. Gerasa tornou-se conhecida como cidade nativa de vários mestres da antiguidade bem conhecidos. A arqueologia tem demonstrado a natureza não-judaica da área, com seus templos, anfiteatros, artes, jogos atléticos e literatura. A presença desse tipo de cultura, naturalmente, influenciou e modificou a vida na Galiléia. Olhando na direção do mar da Galiléia, os agricultores judeus podiam ter uma boa visão do que era o mundo gentílico e romano. A história do filho pródigo, narrada por Jesus, ilustra como um jovem, impressionado pelo mundo grandioso ao seu derredor, e enfadado pela vida monótona dos agricultores, viajou até um *país distante*, a fim de buscar fortuna e gastar, divertidamente, o seu dinheiro.

Jesus exerceu forte impacto sobre Decápolis. No começo de seu ministério (ver Mat. 4:25), ele era seguido por grandes multidões. Jesus entrou na área de Gerasa (Mar. 5:2). Orígenes chama essa cidade de Gergesa. Essa variante é discutida no NTI, *in loc*. Ali encontramos a história dos porcos que morreram afogados. Os judeus geralmente não criavam esses animais. Quando os demônios entraram neles, a vara

DÉCIO — DECISÃO

de porcos perdeu-se inteiramente, resultando isso no fato de que os habitantes locais rogaram a Jesus que abandonasse a região. Posteriormente, Jesus tornou a visitar a região, e fez um desvio incomum através da região de Hipos, a caminho de Sidom, até às praias orientais da Galiléia (Mar. 7:31). E quando os exércitos romanos avançaram, por ocasião da primeira rebelião dos judeus, e assediaram a cidade de Jerusalém, o que resultou em sua quase completa destruição (66-70 D.C.), os cristãos retiraram-se para Pela. Dessa maneira, a comunidade cristã judaica, como um todo, foi poupada da ira dos romanos, nessa ocasião, somente tendo que enfrentá-la um pouco mais tarde.

Há algo de apropriado quanto ao fato de que a Decápolis greco-romana ficava contígua e cercava Israel, e que o Salvador dos homens ministrou tanto em Israel quanto em Decápolis. Finalmente, o apóstolo Paulo foi capaz de dizer que, em Cristo, não há tal coisa como homem e mulher, livre ou escravo, judeu ou gentio—pois todos somos *um*, em Cristo (Gál. 3:28).

DÉCIO

Suas datas foram 201-251 D.C. Foi imperador romano entre 249 e 251 D.C. Também foi soldado e administrador. Aderira à antiga fé pagã, e deu início a uma perseguição sistemática contra os cristãos, com a idéia de extingui-los totalmente.

DECISÃO

Esboço

1. Definição
2. Elementos da Decisão
3. Decisões Morais
4. Meios e Fins
5. A Decisão Existencial
6. Decisões Ligadas ao Destino
7. A Decisão em Favor de Cristo

1. Definição

Decidir é determinar, é escolher entre alternativas, é resolver, é arbitrar. Com freqüência envolve a escolha sobre o curso de pensamento ou de ação que precisa ser modificado.

2. Elementos da Decisão

Algumas decisões são fáceis e óbvias, mas outras são difíceis e complexas. Contribuem para a tomada de decisão as emoções, a racionalização, o prazer e o temor. Algumas decisões fazem as pessoas se enveredarem por caminhos partidaristas, como quando Sartre (que vide) resolveu tornar-se marxista, ou quando Paulo resolveu entregar sua vida a Cristo. A complexidade das emoções com freqüência faz as decisões tornarem-se difíceis. — Certamente, pode haver interesses conflitantes, tanto pessoais como no tocante àquelas vidas que serão modificadas pelas decisões tomadas. Dois princípios deveriam ocupar papel de destaque nas decisões importantes que fazemos: justiça e amor.

3. Decisões Morais

Um homem resolve fazer o que é certo, ou desviar-se da justiça. A maioria das decisões desse tipo é suficientemente clara porque a consciência (que vide) mostra-se bastante ativa e exata. Dispomos das normas das Escrituras, do Espírito e das experiências da vida. Rejeitamos as decisões morais relativistas, baseadas no auto-interesse. A moralidade jamais poderá ser usada para servir ao próprio eu. As decisões baseadas na *lei altruísta* do amor quase sempre estão certas. De fato, o amor é melhor do que a simples justiça, pois o oposto da injustiça não é a justiça, mas o amor. A medida da misericórdia e da graça é um fator que nos pode fazer ir além do necessário, no trato que damos ao próximo. A medida de um homem, afinal de contas, é quão generoso ele é. O evangelho ensina-nos que Cristo, em sua missão, realizou uma série inteira de coisas e obteve muitos resultados benéficos para nós, que nem merecemos. Deveríamos agir em favor do próximo conforme Cristo agiu para conosco. Há algo ainda melhor do que ser meramente justo, isto é, ser generoso e bom (Rom. 5:7,8).

4. Meios e Fins

O pragmatismo (que vide) ensina que aquilo que funciona (obtém os resultados desejados) é bom e verdadeiro. Aquilo que é prático, que nos dá aquilo que queremos, seria verdadeiro. Isso parece bom; mas nem sempre corresponde à realidade dos fatos. Todos nós gostamos de ser pragmáticos; mas as decisões que tomamos devem penetrar mais profundamente na verdade do que isso. Os *meios* devem ser *justos*, e não somente os fins, a menos que uma questão não moral esteja envolvida. O terrorismo, que defende uma causa considerada justa, tem causado imensos sofrimentos e a morte de pessoas inocentes. Sempre será errado infligir dor desnecessária, mesmo quando alguma causa justa está envolvida. Os políticos manipulam e prejudicam outras pessoas, a fim de realizarem aquilo que pensam ser bom para a sociedade. As pessoas sofrem perseguições, torturas, aprisionamento ou mesmo a morte, por causa de supostas boas obras, nas quais se envolvem os políticos; porém, ninguém precisa ser altamente inteligente para perceber a farsa. O comunismo fala em tons pios sobre as boas causas que está defendendo; mas, na vida diária e prática os líderes comunistas tomam decisões que produzem sofrimento e morte para muitas pessoas.

5. A Decisão Existencial

Está em foco alguma decisão que alguém precisa tomar com base nos requisitos *do seu próprio ser*. Há algo que alguém *precisa* fazer, algo que *precisa* ser, algo que *precisa* tentar. Há ocasiões em que alguém chega às raízes de sua própria existência ao tomar uma decisão. Talvez esteja envolvida a escolha de uma educação formal, de uma profissão, do cônjuge a ser escolhido, dos projetos que tentará realizar, da área geográfica na qual viverá, a fim de melhor desincumbir-se de suas tarefas. O destino de um homem está envolvido em decisões assim.

6. Decisões Ligadas ao Destino

O destino de um homem, — se tiver de ser devidamente cumprido, envolve certas decisões chaves ao longo de sua vida. O destino requer ou força certas decisões, dependendo delas para a sua concretização. Uma decisão ligada ao destino pode ocorrer uma vez por ano, ou talvez, uma vez a cada poucos anos. Essas decisões nunca são numerosas, mas fazem parte do próprio destino da pessoa. Essas são as coisas que precisam ser feitas. Naturalmente, algumas pessoas rejeitam essas decisões, mesmo quando elas parecem óbvias, e fazem outras decisões, assim desviando-se de seu destino, pelo menos quanto a esta vida. Porém, todas as decisões erradas podem ser reparadas, devido à graça de Deus; mas isso pode envolver muito tempo, sofrimento e reveses, até que a alma aprenda a tomar decisões corretas interessando-se pelo uso apropriado dos dons da vida. As decisões ligadas ao destino com freqüência são paralelas às decisões existenciais, pelo

DECISÃO — DECISÃO EXISTENCIAL

que esses termos são virtuais sinônimos.

7. A Decisão em Favor de Cristo

Deus requer dos homens que considerem o bem-estar eterno de suas almas. A missão de Cristo força os homens quanto a essa decisão. Falamos em aceitar a Cristo como nosso Salvador; essa é a decisão em favor de Cristo. Na Igreja cristã, há um aspecto tanto trivial quanto ritualista dessa decisão, na qual se requer que a pessoa erga uma mão ou diga uma breve oração, exprimindo o seu desejo de «aceitar a Cristo». Tudo isso pode ter apenas tanta importância quanto um batismo ritual, no qual o indivíduo pensa que muito ganhou, mas, — na realidade, ele apenas se iludiu. A verdadeira decisão em favor de Cristo envolve o movimento do Espírito sobre a alma, de acordo com o que a alma é regenerada e transformada. Nessa ocasião a pessoa começa a ser transformada segundo a imagem de Cristo, levando a pessoa regenerada a compartilhar de sua vida moral e espiritual. Sem isso, nenhuma decisão vital em favor de Cristo foi tomada.

DECISÃO, TEORIA DA

Em primeiro lugar, temos um **problema de decisão**. Em seguida, precisamos pensar nas alternativas e conseqüências que se seguirão, ao tomarmos uma decisão, e não outra. A abordagem comum à questão consiste em resolver qual decisão e ação resultante produzirão os resultados mais favoráveis. Usualmente, o princípio normativo são as conseqüências. Buscamos o máximo de utilidade, de felicidade, de senso de realização e de prazer, com o mínimo de revezes, de sofrimentos e de dor. Em alguns casos, porém, surgem problemas: 1. Nem sempre é fácil escolher alternativas que não apresentem, com clareza, as melhores conseqüências propostas. 2. Para o crente, não é bastante considerar as conseqüências. Os meios também devem ser justos e bons em si mesmos. O pragmatismo com freqüência é bom, e, algumas vezes, pode ser nosso único guia. Mas, nem sempre sucede desse modo. 3. Os filósofos têm buscado formular axiomas que nos informem sobre o que está envolvido em uma decisão racional; mas é difícil para os filósofos chegarem a uma posição de consenso quanto a isso. 4. *Acima da razão*. Pessoalmente, evito tomar importantes decisões baseadas somente na razão; mas sempre busco orientação ditada pelo discernimento intuitivo, externo ou interno. Algumas vezes, as circunstâncias chegam a dar-nos indicações; mas, quando isso não ocorre, devemos buscar — orientações intuitivas — (como nos sonhos ou nas visões), a fim de ser ajudados. Se não recebermos tal ajuda, teremos de aliar-nos aos filósofos, tomando decisões racionais. Esse método não deve ser desprezado, porque Deus, afinal de contas, foi quem nos deu nossos poderes da razão. Portanto, chego à conclusão de que também é errado tomar decisões *sempre* sobre a base de meios intuitivos ou místicos. Uma das primeiras coisas que os místicos aprendem é desconfiar de suas próprias visões. Nenhum meio informativo deixa de ter erros ou de envolver equívocos. Em conseqüência, tomar uma decisão difícil algumas vezes é como a busca da própria verdade: precisamos combinar diversos métodos e aplicar mais do que um único teste. A alternativa que surgir como a mais satisfatória, em tal método investigativo, é a que deve ser seguida. A despeito disso, sinto-me na obrigação de dizer que, em quase todas as importantes decisões que tenho tomado, foram-me dadas claras indicações que

ultrapassam à mera razão, o que me deixa profundamente admirado ante a orientação recebida. Isso faz parte da nossa herança espiritual, porquanto o Senhor mesmo disse que nunca nos deixaria e nem nos abandonaria (Mat. 28:20; Heb. 13:5). Ver o artigo geral sobre *Decisão*.

DECISÃO, VALE DA

No hebraico, temos mais o sentido de **vale da decisão estrita** ou **vale do julgamento**. A expressão encontra-se em Joel 3:14, onde é aplicada ao vale de Josafá (ver Joel 3:2,12). Aparentemente, trata-se de um nome simbólico de um vale próximo de Jerusalém, conforme é sugerido no vs. 16 daquele capítulo. Porém, o nome Josafá significa, em hebraico, «Yahweh julga», pelo que o termo pode ser simbólico, sem o intuito de identificar qualquer área geográfica. Seja como for, no vale de Bênção, cerca de vinte e cinco quilômetros de Jerusalém, o rei Josafá observou a vitória de Yahweh sobre as nações pagãs (II Crônicas 20), o que serviu de microcosmo do ainda futuro Dia de Yahwêh. A partir do século IV D.C., o vale que entra na colina do templo e o monte das Oliveiras tem sido identificado com o texto de Joel. Ele nos diz como os exércitos das nações reunir-se-ão naquele vale. Yahweh então aparecerá em tremenda glória, e julgará às nações. Porém, esse mesmo Juiz servirá de refúgio para o seu povo. Alguns estudiosos, entendendo mui literalmente o cena, supõem que o trecho de Zacarias 14:4 resolve o problema de localização. O Senhor, ao retornar ao monte das Oliveiras, em poder e grande glória, por ocasião de seu segundo advento, fará surgir um vale, mediante um terremoto que ocorrerá nas proximidades.

DECISÃO EXISTENCIAL

Uma decisão existencial é alguma atitude importante, que o indivíduo precisa assumir, a fim de ficar garantida a continuação do plano que governa a vida e a missão daquele indivíduo. Coisas que envolvem decisões dessa ordem são, para exemplificar, a vereda religiosa que deve ser seguida, questões sobre a própria educação, casamento, a escolha de uma profissão, mudanças de emprego, localização da área de trabalho, projetos importantes na vida, etc. Essas decisões mais importantes podem envolver decisões existenciais. O termo subentende que aquilo que alguém decide afeta a sua própria existência, ou ser essencial, estabelecendo diferenças em sua expressão na vida. Algumas vezes, grandes alterações não dependem de decisões existenciais válidas, nestes casos: 1. Aquilo que fica decidido envolve somente algo temporário, de importância relativa, embora, no momento da decisão, a questão seja considerada importante; o homem bom usualmente reverte essas decisões, quando são conseqüentes, em algum ponto ao longo de sua caminhada. 2. Nos casos em que os homens se envolvem em coisas que não concordam com a missão que lhes foi designada. As decisões importantes, feitas quando a pessoa está fora da vontade de Deus, não são verdadeiras decisões existenciais, porquanto não se originam nos requisitos do verdadeiro ser espiritual do homem. As pessoas que se distanciaram da verdadeira espiritualidade também não tomam decisões verdadeiramente existenciais. É possível alguém desviar-se do reto caminho. A primeira decisão existencial que essas pessoas precisam tomar é retornar à verdadeira espiritualidade.

Esse conceito repousa sobre o pressuposto de que

DECLARAÇÃO — DECRETO

Deus está interessado na vida humana, e que ele tem um plano para a mesma. Em conseqüência, há um desígnio que governa a vida; e certas decisões ajudam na perpetuação desse desígnio.

Ver sobre *Decisão*, no seu quinto ponto.

DECLARAÇÃO DE BARMEN

Está em vista a proclamação doutrinária expedida pela Igreja Confessional Alemã, quando do primeiro sínodo de Barmen, 29 e 30 de maio de 1934. Essa proclamação nega (contra os Cristãos Nacionais Alemães) a existência de revelações subordinadas, à parte da ímpar revelação de Deus, em Jesus Cristo. (C)

DECLARAÇÃO DE FÉ DA IGREJA REFORMADA FRANCESA

Ver sobre **Confissão Galicana**.

DECLARAÇÃO DE SAVÓIA

Ver **Savóia, Declaração de**.

DECRETAIS, FALSAS

Ver o artigo geral sobre os **Decretos Papais**. Pelos meados do século IX D.C., apareceram quatro coletâneas canônicas na Igreja Franca, as quais, por algum tempo, foram consideradas autorizadas, mas que atualmente são reconhecidas como documentos forjados. Essas quatro coletâneas receberam os nomes de *Hispana Augustodunensis*, *Capitula Angilramni*, *Capitula de Benedito*, o *Levita* (uma personagem fictícia) e as *Decretais de Isidoro Mercator*. Dentre essas quatro, a última é a mais importante, pelo que todas elas acabaram sendo chamadas *Decretais de Isidoro*. Um outro nome dado a essas decretais é *Decretais do Pseudo-Isidoro*. O secularismo ameaçava o poder da Igreja Católica, na França. As falsas decretais foram forjadas a fim de fortalecer a autoridade dos bispos, conferindo-lhes maior poder contra os nobres e os bispos metropolitanos. Esses documentos forjados incluíam a modificação de documentos já existentes, bem como a fabricação de novos documentos. Decretos de bispos foram transformados em decretos papais. Documentos autênticos foram unidos a documentos forjados. A obra-prima dessas falsas decretais foi a própria *Pseudo-Isidoro*. Todos os estudiosos admitem que o documento foi redigido em excelente e vívida linguagem. O autor chama a si mesmo, no prefácio, Isidoro Mercator, procurando fazer os leitores suporem que estava em foco Isidoro de Sevila (635 D.C.). Nesse documento forjado temos a chamada *Doação de Constantino*, segundo a qual o papa se tornou o governante da porção ocidental do império romano. Nessa obra, há cerca de cento e quatro textos autênticos de mistura com cem textos forjados. Parte do material diz respeito a medidas de reforma, mas outra parte é simplesmente didática. Vários autores estavam envolvidos, e produziram um dos mais famosos documentos forjados de todos os tempos.

Foram necessários séculos para detectar a plena extensão da fraude, embora já desde a época de Hincmar de Reims (faleceu em 882 D.C.) alguns trechos já vinham sendo postos em dúvida. Mas foi somente no século XVI que toda a extensão da fraude começou a ser reconhecida. Naquele tempo, os

historiadores protestantes conhecidos como os Centuriões de Magdeburg negaram a autoridade geral desse documento e, naturalmente, acusaram o papado de fraude. Os historiadores católicos romanos esforçaram-se, até ao ridículo, para estabelecer a autenticidade desses documentos. No século XVIII foram reconhecidas como forjadas as *Capitula Angilramni*. Acredita-se atualmente que vários autores, entre 847 e 865 D.C., foram os executores dessa vergonhosa fraude. Infelizmente, partes diversas das falsas decretais foram incorporadas em documentos posteriores; e dessa maneira, receberam vida permanente. (AM B)

DECRETO

Ver também **Decretos Divinos**.

Há três palavras hebraicas principais e uma palavra grega que precisam ser levadas em conta:

1. *Esar*, «laço». Palavra aramaica usada por sete vezes: Dan. 6:7-9,12,13,15.

2. *Gzerah*, «coisa decidida». Palavra aramaica usada por duas vezes: Dan. 4:17,24.

3. *Dath*, «lei», «decisão baixada». Palavra hebraica usada por vinte e duas vezes, como, por exemplo, em Est. 2:8; 3:15; 9:1,13,14; Dan. 2:9,13,15.

4. *Dogma*, «decreto». Palavra grega usada por cinco vezes: Luc. 2:1; Atos 16:4; 17:7; Efé. 2:15; Col. 2:14: O verbo, *dogmatízomai*, «decretar», é emprestado somente em Col. 2:20.

Essa palavra tem sinônimos como «lei» ou «edito», nas traduções. As decisões oficiais dos reis do Oriente eram chamadas decretos. Eram publicamente proclamados pelos arautos oficiais (Jer. 34:8,9; Jon. 3:5-7; Dan. 3:4; 5:29). Mensageiros anunciavam os decretos reais a lugares distantes, a fim de garantir o seu cumprimento (I Sam. 11:7; Esd. 1:1; Amós 4:5). Algumas vezes, os decretos eram anunciados nas portas das cidades, nos mercados ou nos lugares onde o povo costumava reunir-se. — Em Jerusalém, esses decretos eram anunciados no templo.

No Novo Testamento, estão em foco os decretos do senado romano, com o uso do termo grego *dogma* (Luc. 2:1; Atos 7:7). Em Atos 16:4 a mesma palavra é usada para indicar os decretos do concílio de Jerusalém. Os trechos de Efésios 2:15 e Colossenses 2:14 usam essa palavra para indicar as provisões da lei mosaica.

É interessante observar que essa palavra não se encontra na Bíblia no sentido teológico dos «decretos de Deus». Contudo, a idéia pode ser vista, indicando como Deus cuida providencialmente de todas as coisas e determina o próprio curso da história (Dan. 4:24 e Sal. 2:7). As leis da natureza são baixadas e se cumprem mediante os decretos divinos (Jó 28:26; Pro. 8:29; Sal. 148:6).

DECRETO APOSTÓLICO

A entrada dos gentios na primitiva Igreja cristã produziu um choque com o núcleo judaico já existente. De um lado havia costumes pagãos abomináveis para os judeus. Por outro lado, havia as doutrinas paulinas da graça e da justificação pela fé, com as quais os judeus se viam a braços.

Uma das questões, entre muitas outras, indagava se a circuncisão era necessária ou não à salvação. Podiam os gentios, sem o selo abraâmico, ser reputados membros verdadeiros do novo Israel? Os cristãos judeus apegavam-se a seus antigos caminhos (Atos 15), enquanto que as igrejas missionárias, como

DECRETO — DECRETOS DIVINOS

a de Antioquia, já estavam se afastando das raízes legalistas judaicas. A fim de tratar de problemas assim houve o primeiro concílio cristão, em Jerusalém. Ali, ficou decidido que a circuncisão não era condição para a salvação e nem era requisito para a comunhão. Deve ter sido uma decisão revolucionária para o período e condição da Igreja.— Os líderes cristãos, entretanto, julgaram de bom alvitre recomendar que os convertidos dentre os gentios se abstivessem de certas práticas, devido às suas associações idólatras, a fim de que não fossem escandalizados seus irmãos judeus, o que poderia causar a desarmonia e a divisão no seio da Igreja. A proibição decretada por esse concílio, pois, tornou-se conhecida como *Decreto Apostólico*. Tiago fez a lista dos requisitos, conforme o registro de Atos 15:29. Há uma outra alusão a essas decisões em Atos 21:25.

Há um problema textual relacionado a isso, que afeta o número das proibições. O texto alexandrino tem quatro itens: 1. Os gentios devem abster-se da polução da idolatria; 2. da imoralidade; 3. da carne de animais mortos por sufocamento; 4. da ingestão de sangue. Mas o texto ocidental omite a questão de carne de «animais sufocados», adicionando uma forma negativa da regra áurea, dizendo: «O que não queres que ocorra contigo, não o faças a outrem». Essas alterações fazem o decreto tornar-se uma espécie de instrução ética geral, mas a forma alexandrina sem dúvida é a original.

Conceitos: Abster-se das poluções idólatras sem dúvida incluía evitar carnes que sobejavam dos sacrifícios pagãos, e mui provavelmente, qualquer participação em ritos e eventos sociais vinculados à idolatria. Como é óbvio, os crentes não se envolveriam em idolatria franca, pelo que não é isso que está em pauta aqui. A proibição relativa ao sangue inclui, ou beber sangue ou comer carne ainda com seu sangue, o que é resultado inevitável do abate de animais por estrangulamento. Alguns pensam que esse preceito indica «não matarás», pelo que a proibição envolveria o homicídio, mas a idéia é ridícula. Não seria mister salientar aos crentes, mesmo gentios, que não deveriam tornar-se culpados de assassinato.

Excetuando o mandamento de abster-se da imoralidade sexual, esse decreto deve ser visto como uma concessão às sensibilidades judaicas acerca de coisas ofensivas, embora envolva algumas coisas que em si mesmas não são erradas. Se isso é verdade, o ponto leva-nos ao terreno da liberdade do crente, ventilada em Rom. 14. Há certas coisas que evitamos a fim de não escandalizarmos outros crentes, e que, se não fosse isso, poderíamos praticar. Paulo ao abordar muitos problemas existentes na igreja de Corinto, jamais apelou para esses decretos. Antes, alicerçou todos os seus argumentos sobre princípios éticos ou sobre a liberdade cristã, se estivessem envolvidas questões não-éticas. Ver I Cor. 10:23 ss. Quanto a idéias adicionais sobre os decretos, ver o NTI, introdução ao cap. 15 de Atos, e Atos 15:1,20,29. Essas notas mostram que a questão do *decreto* foi manuseada em escritos e em concílios posteriores da Igreja, além de darem uma plena exposição das próprias proibições. (B NTI)

DECRETOS DIVINOS

Esboço:

I. Caracterização Geral

II. Um Termo Coletivo

III. Alguns Decretos Divinos Específicos

I. Caracterização Geral

Essa é a expressão usada na teologia para indicar aqueles atos da vontade de Deus que: 1. representam o seu propósito; 2. estavam presentes com ele desde a eternidade passada; 3. são cumpridos por ele dentro do tempo e do contexto humano; 4. determinam o curso da história, coletiva ou individualmente; 5. determinam o destino espiritual dos homens e dos anjos.

A **teologia reformada** enfatizava a questão, ensinando que tudo quanto acontece deve-se aos eternos decretos de Deus. Os arminianos modificaram isso, supondo que os decretos divinos, apesar de reais no tocante à salvação dos homens, são condicionados pela fé e pela fidelidade previstas. Porém, a teologia calvinista insiste em que os decretos de Deus não estão condicionados a qualquer fator humano. Nesse ponto, entramos na antiga e insolúvel controvérsia acerca da relação entre o determinismo divino e o livre-arbítrio humano. Ver os artigos sobre o *Determinismo* e sobre o *Livre-Arbítrio*. Aqueles que defendem o conceito dos decretos divinos em sua forma mais radical insistem que todas as coisas sucedem em resultado do exercício da soberania de Deus. Essa doutrina despreza as causas secundárias, caindo na armadilha de fazer de Deus a *única* causa, até mesmo do mal. O nono capítulo da epístola aos Romanos reflete essa maneira de pensar, de tal modo que Deus pode fazer um homem ser mau, se isso contribui para um bom propósito, como o da glorificação de sua pessoa, ou o de fomentar o bem-estar de seu povo escolhido. Alguns reformadores, percebendo a armadilha preparada por um raciocínio simplista, rígido e sem sofisticação, começaram a falar sobre os *decretos permissivos* de Deus; mas isso envolve uma contradição de termos, porquanto aquilo que meramente permite, não decreta. É melhor admitirmos que o problema do determinismo divino versus o livre-arbítrio humano envolve-nos em um paradoxo (que vide) isto é, nos *pólos opostos* de uma idéia teológica. Ver o artigo sobre a *Polaridade*.

Quando o trecho de Atos 2:23 fala sobre como a crucificação do Filho de Deus de alguma maneira esteve envolvida no conselho de Deus, de modo algum ensina-nos como isso pode ter sucedido. Deus usa o livre-arbítrio humano sem destruí-lo, embora não saibamos dizer *como* isso possa ser. O problema inteiro do pecado permanece um mistério, envolve-nos no *Problema do Mal*, o que é longamente comentado no artigo desse nome. Talvez o máximo que podemos dizer é que Deus permitiu o pecado em sua criação porque tinha um *alvo superior* em vista, o que justifica o fato de que ele não resguardou a sua criação da entrada do mal. Parte desse alvo consistia em levar o homem a participar da natureza divina; e para que isso sucedesse, era mister que o homem fosse possuidor de livre-arbítrio genuíno, isto é, um agente no processo de transformação, com a ajuda do impulso dado pelo Espírito Santo. Esse princípio é claramente exarado em Filipenses 2:12,13. Precisamos efetuar a nossa própria salvação, com a utilização do livre-arbítrio. Porém, em última análise, é Deus quem «efetua em vós tanto o querer como o realizar, segundo a sua boa vontade». Isso posto, temos a clara enunciação do *paradoxo* de que falamos acima, embora sem qualquer tentativa para explicá-lo. É possível que, neste lado da existência, nem compreendêssemos a explicação, se ela nos tivesse sido dada. Portanto, precisamos aplicar o princípio da polaridade. Em outras palavras, algumas verdades reveladas são grandes demais para serem centralizadas em um único ponto. Essas verdades compõem-se de dois pólos bem separados. Quando Deus outorgou

DECRETOS — DECRETOS PAPAIS

livre arbítrio ao homem, deu-lhe também o *potencial* para pecar; e de acordo com a lei de Murphy, (se algo *pode* acontecer, *acontecerá*), o homem pecou. Porém, isso foi de *menor* conseqüência para o homem do que não possuir e nem poder usar de livre-arbítrio, visto que, sem esse fator, o elevado alvo da salvação jamais poderia ter sido alcançado.

Dentro dos decretos de Deus vemo-nos envolvidos nas inexcrutáveis relações existentes entre o que é eterno e o que é temporal, entre o que é divino e o que é humano, entre o que é infinito e o que é finito.

II. Um Termo Coletivo

O termo «decreto» é empregado para referir-se ao propósito divino (Efé. 1:11), ao conselho determinativo de Deus (Atos 2:23), à sua presciência (I Ped. 1:2,20), ao seu propósito eletivo (I Tes. 1:4), à sua predestinação à salvação (Rom. 8:30), à vontade divina (Efé. 1:11), e ao seu beneplácito (Efé. 1:9). Os decretos abarcam o começo e o prosseguimento inteiro da criação, incluindo tudo quanto é material e imaterial, mortal e imortal. A palavra «predestinação» aplica-se a essa ampla perspectiva, ao passo que a palavra *eleição* envolve, mais especificamente, a salvação do homem, por ser esta um subcategoria da predestinação. A «reprovação» e a «retribuição» aplicam-se ao destino dos não-eleitos.

III. Alguns Decretos Divinos Específicos

As amplas definições dadas acima naturalmente requerem a existência de muitos decretos divinos, pelo que o que se segue é apenas sugestivo:

1. *O ato criativo*. Deus é a fonte e a causa de todas as coisas (Gên. 1 e 2; Sal. 33:6; 148:5; Nee. 9:6; Atos 17:28; Rom. 11:36; I Cor. 8:6). O Novo Testamento define esse ato realizado através do Logos (o Filho de Deus) (João 1:1 *ss*; Col. 1:16,17). Deus existia desde antes de todas as coisas (Sal. 90:2; João 17:5,24). Ele possui a vida necessária, aquela que não pode não existir, da qual todas as outras vidas são dependentes. Ver o artigo separado sobre a *Criação*.

2. *A ordenação e sustentação de todas as coisas*. Isso inclui a idéia da *providência* de Deus (Deu. 30:1-10; Dan. 2:31-45; Atos 15:13-18; Rom. 11:13-29). No Novo Testamento, essa providência é definida através do Logos (Filho de Deus) (João 1:7; Col. 1:17). Conforme esta última referência diz, todas as coisas foram criadas nele, por ele e para ele; e outro tanto é dito acerca do Pai, em I Coríntios 8:6. O poder *preservador* de Deus é frisado em trechos como Nee. 9:6; Sal. 36:6; Col. 1:17 e Heb. 1,2,3. E a sua *providência* envolve todas as coisas, ativa ou passivamente (Deu. 8:2; II Crô. 32:31; Osé. 4:17; Rom. 1:24,28; cap. 9; Gên. 50:20; Sal. 76:10; Isa. 10:5; João 13:37; Atos 4:28).

3. *Eleição*. Rom. 8:29 e Efé. 1:5. Ver o artigo separado a esse respeito.

4. *Adoção*. Rom. 8:14-17. Ver o artigo separado a esse respeito.

5. *Transformação do crente segundo a imagem de Cristo*. É mediante essa transformação que o crente vem a participar da natureza divina (Rom. 8:29; II Cor. 3:18; II Ped. 1:4; Col. 2:10). Ver o artigo separado a esse respeito.

6. *Reprovação*. Rom. 8:15 *ss*. Ver o artigo separado a esse respeito.

7. *Oração eficaz*. Essa oração garante a interação da vontade divina com a vontade humana, de maneira significativa (João 14:14; Rom. 8:26,27).

8. *Milagres*. Os milagres são intervenções divinas determinadas pelos decretos de Deus (Atos 2:19; Mat. 12:38; João 2:18).

9. *Operação universal da graça*. Tito 2:11 e Efé. 2:7-10.

10. *Restauração final de todas as coisas*. Efé. 1:10,23. Ver o artigo sobre esse assunto, sob o título *Restauração*.

11. *A missão universal de Cristo*. Essa missão inclui seu ministério preencarnado, seu ministério encarnado, sua morte, sua descida ao hades, sua ressurreição e ascensão, e sua segunda vinda (João 1:1 *ss*; João 17; I Ped. 3:18-4:6; I Tes. 4:17 *ss*; I Cor. cap. 15; Rom. 8:26 *ss*; a epístola de Hebreus e Apo. caps. 21 e 22).

Conclusão. Os decretos divinos são os atos da soberana vontade de Deus que podemos distinguir. Em seu conjunto, esses decretos formam o seu propósito, o qual abarca a eternidade passada e futura, e o próprio tempo. Eles constituem a *história*, no sentido mais lato da palavra, envolvendo o destino eterno de todos os seres inteligentes, bem como a disposição dos mundos materiais. Pessoalmente, eu tenho a fé para acreditar que os homens realizam seu potencial *mais alto* por causa dos *decretos divinos*. Eles sempre funcionam segundo o *amor* de Deus, não contrariamente, para o prejuízo do homem, como o calvinismo radical ensina. (B CHA E).

DECRETOS PAPAIS

Esses decretos são de várias naturezas, a saber:

Há as *epistolae decretales*, os pronunciamentos papais, coligidos e inseridos nos livros legais da era medieval, incluídos na lei canônica (que vide), que visam a todos os cristãos, mas que usualmente são dirigidos aos oficiais eclesiásticos, cuja responsabilidade é orientar a comunhão geral dos fiéis. O termo *decretais* apareceu pela primeira vez no sínodo de Roma, de 496 D.C. De modo geral, uma decretal, tal como uma *constituição*, é uma declaração universal, visando à orientação geral dos cristãos. É contrastada como o *rescripto* (que vide) que é dado a um indivíduo para regulamentar alguma situação particular. Um rescripto, contudo, pode tornar-se universal, aplicável a coisas em geral; e, nesse caso, torna-se uma decretal. A mais antiga decretal conhecida da Igreja é a do papa Sírcio, de 385 D.C., um regulamento acerca do celibato, enviado ao bispo Himério, de Tarragona.

A *Avellana* é a mais antiga coletânea de decretais que se conhece. Há decretais autênticas e falsas. As autênticas são aquelas produzidas genuinamente pelos papas. As falsas são aquelas produzidas por usurpadores e por indivíduos não-autorizados. Ver o artigo separado sobre as *Decretais, Falsas*.

As decretais são distinguidas dos decretos dos concílios gerais (ver sobre os *Concílios Ecumênicos*), que são chamados *cânones*. Após o tempo de Graciano (que vide) o termo «decretal» adquiriu sentido mais amplo, designando qualquer coletânea de leis eclesiásticas. Importantes coletâneas medievais de decretais foram as *Compilationes Antiquae*, o *Corpus Juris Canonici*, o *Liber Sextus*, as *Clementinae*, as *Extravagantes Communes* não-oficiais, as *Extravagantes* de João XXII, o *Liber Septimus* de Clemente VIII. As coletâneas mais recentes de legislações papais denominam-se as *Bullaria*. As decretais da era medieval foram coligidas em um documento chamado *Corpus Juris Canonici*, que então deu lugar a uma nova redação, no *Codex Juris Canonici*, iniciado por Pio X e promulgado a 19 de maio de 1918, por Benedito XV. Desse modo, as antigas provisões das decretais retiveram poder e legalidade, dentro da moderna Igreja Católica Romana. (AM E)

DEDÃ – DEDICAR, DEDICAÇÃO

DEDÃ

No hebraico, **baixo**; mas outros estudiosos preferem pensar que seu sentido é incerto. Há duas pessoas e uma área geográfica com esse nome, nas páginas do Antigo Testamento, a saber:

1. Filho de Ramá, filho de Cuxe, filho de Cão (Gên. 10:7). O trecho de I Crônicas 1:9 refere-se a ele. Seu irmão era Sabá. Viveu em cerca de 2200 A.C.

2. Um filho de Jocsã, filho de Abraão e Quetura (Gên. 25:3; I Crô. 1:32). Ele se tornou fundador de tribos árabes. Viveu em torno de 1800 A.C.

3. *As Tribos*. Um oráculo concernente à Arábia menciona Dedã localizada nos bosques de palmeiras da Arábia, participante de caravanas (Isa. 21:13). Juntamente com Buz, são mencionadas como um povo que cortava as pontas dos seus cabelos (Jer. 25:23). A profecia contra Edom incluía uma advertência a Dedã, sobre um juízo divino iminente (Jer. 25:23). De modo geral, em Eze. 25:13, o termo «Edom» inclui todo o território de Temã e Dedã. O trecho de Ezequiel 27:15 tem uma referência ao nome dessa tribo. Eles negociavam com Tiro (Eze. 27:20). Além disso, Dedã é mencionada com Sabá na profecia que envolve Gogue (Eze. 38:13,14). A conclusão que se pode tirar é que eles eram tribos associadas aos habitantes da Arábia, embora sua identidade exata permaneça desconhecida. Fontes extrabíblicas referem-se a Dedã como uma *oásis* nas rotas comerciais dos povos de Sabá, Temã e Buz. Esse oásis era chamado Ed-dagã, até 1200 D.C., e tem havido algumas descobertas arqueológicas feitas na área. Talvez a moderna El-'ula seja a correta identificação do local. Fica localizada a oitenta quilômetros do mar Vermelho, na Arábia central. O nome talvez sobreviva na ilha de Dedã, nas margens do golfo Pérsico.

DEDICAÇÃO, FESTA DA

O artigo intitulado **Festividades Religiosas dos Judeus** apresenta um sumário da questão. Essa festa também era chamada festa de *Hanukkah*. Era celebrada anualmente, por um período de oito dias, a fim de comemorar a purificação do templo de Jerusalém pelos Macabeus, após o mesmo haver sido contaminado pelos sírios, sob a direção de Antíoco IV Epifânio (I Macabeus 4:52-59; II Macabeus 10:5). Judas Macabeu, o hasmoneu, foi a principal figura envolvida nessa revolta contra os sírios e na rededicação do templo, em 165 A.C., isto é, três anos depois que o mesmo fora corrompido. Antíoco mostrou-se fanático em suas tentativas de helenização dos territórios a ele sujeitos, e via na fé dos hebreus um obstáculo para os seus desígnios. Ele pensava que se pudesse corromper-lhes a fé, poderia quebrantar-lhes a resistência. Portanto, mandou erigir um altar idólatra sobre o altar dos holocaustos, no templo de Jerusalém, sobre o qual ofereceu sacrifícios pagãos. Somos informados de que ele chegou ao ponto de oferecer uma porca sobre aquele altar. Ver I Macabeus 1:41-64; II Macabeus 6:1-11; Josefo (*Anti.* 11:5,4). Os hasmoneus ergueram o grito de guerra e a revolta irrompeu por toda a parte. Finalmente, Israel foi capaz de derrotar Antíoco (Josefo, *Anti.* 12:5,4; 7,4). A festa para comemorar a vitória foi efetuada no mês de Quisleu, o nosso dezembro, embora sua celebração tenha variado quanto ao mês do ano. Josefo chama esse evento de «festa das Luzes». Foi efetuada mais ou menos segundo o estilo da festa dos Tabernáculos (II Macabeus 10:6). Sua característica mais proeminente era a iluminação mediante tochas

ou lâmpadas, o que explica seu nome alternativo. Podia ser celebrada fora de Jerusalém, nas sinagogas locais. O *Hallel* (que vide) era entoado, palmas eram levadas em cortejo, e o templo (ou as sinagogas) e as casas particulares eram iluminadas. Não se permitia lamentações de qualquer sorte. A única referência à mesma, no Novo Testamento, aparece em João 10:22,23. Jesus caminhou pelo pórtico de Salomão, nessa ocasião, e ali debateu com alguns adversários. Foi uma ocasião na qual ele asseverou a sua deidade e a sua autoridade divina. «Eu e o Pai somos um» (João 10:30).

Festa da Dedicação em Nossos Dias. A comunidade judaica atual continua celebrando essa festa religiosa. A família reúne-se; o pai acende as velas; uma oração de agradecimento a Deus é feita; o poder libertador de Deus é relembrado; presentes e algum dinheiro são distribuídos às crianças; jogos são efetuados à noitinha, com o acompanhamento de quebra-cabeças e a troca de gracejos. Na Europa, fazia parte dessa festividade o consumo de panquecas. (E EDI)

DEDICAR, DEDICAÇÃO

Duas palavras hebraicas e uma palavra grega precisam ser consideradas:

1. *Chanak*, «pressionar», «dedicar». Palavra hebraica que ocorre por cinco vezes: Deu. 20:5; I Reis 8:63; II Crô. 7:5; Pro. 22:6.

2. Qadesh, «separar», «santificar». Termo hebraico usado por cerca de cento e setenta vezes. Por exemplo: Juí. 17:3; II Sam. 8:11; II Reis 12:18; I Crô. 18:11; 26:26-28; II Crô. 2:4; Gên. 2:3; Êxo. 13:2; 15:30; Núm. 7:1; Deu. 5:12; 32:51; Jos. 7:13; Eze. 20:12; 36:28; Joel 1:14; 2:15,16.

3. *Egkainízo*, «renovar». Palavra grega usada por duas vezes: Heb. 9:18 e 10:20.

1. *Usos no Antigo Testamento*. Uma cerimônia religiosa mediante a qual alguma coisa qualquer era dedicada ou consagrada ao serviço de Deus, geralmente com os ritos apropriados: a. Moisés dedicou o tabernáculo no deserto (Êxo. 40; Núm. 7). b. Salomão dedicou o templo de Jerusalém (I Reis 8). c. Os exilados judeus que retornaram da Babilônia dedicaram o segundo templo (Esd. 6:16,17). d. Os Macabeus, tendo purificado o templo, rededicaram-no (I Macabeus 4:52-59), e uma cerimônia anual relembrava o fato ao povo. e. Lugares sagrados eram solenemente dedicados (Deu. 20:5; Sal. 30 (no título); Nee. 12:27).

2. *Idéias Centrais*. a. Separar para uso santo, seguindo o exemplo do Deus santo, o qual é separado de toda a contaminação (Isa. 6:3). b. Essa idéia é também transferida para nações (Jer. 31:40), para pessoas (Êxo. 28:3) e para coisas usadas nos ritos religiosos (Êxo. 29:37). Até no Novo Testamento encontramos a idéia de pessoas dedicadas (João 10:37), de coisas dedicadas (Atos 9:13), de lugares dedicados (Mat. 23:17). O primeiro pacto foi dedicado (Heb. 9:18), assim tornando-se um meio de conferir santidade aos homens.

3. *Idéias Neotestamentárias*. Já vimos, no contexto do Novo Testamento, a dedicação de pessoas, de coisas e de lugares. Mas também temos a dedicação, por parte de Cristo, do «novo e vivo caminho», que foi trazido à luz por meio do evangelho (Heb. 10:20). O relacionamento com Cristo produz um elevado grau de dedicação por parte dos seus seguidores, conforme é demonstrado nas vidas de seus apóstolos, que deixaram tudo a fim de segui-lo (Mat. 4:19 ss; cap. 10; Mar. 10:28). O discipulado cristão requer a total renúncia de todas as ambições meramente pessoais,

DEDO — DEDUÇÃO

além de profunda dedicação (Mat. 8:34 ss). O apóstolo Paulo deu-nos o mais brilhante exemplo de dedicação (Fil. 3:7 ss). Os crentes individuais são convocados dentre o mundo para uma singular dedicação à inquirição espiritual (Rom. 12:1,2).

4. *Outros Usos*. Os ritos de dedicação eram usados quanto a questões religiosas e seculares, igualmente. Há a iniciação de uma igreja, de um edifício, de um projeto, de uma organização, etc. Faz parte inerente desses ritos a idéia de alguma forma de *bênção* que haverá de prevalecer, visando o bem da pessoa ou coisa dedicada. Com freqüência, as dedicações eram relembradas mediante celebrações anuais.

5. *O Impulso*. O homem sente sua insignificância e temporalidade. Mediante a dedicação de coisas ou de si mesmo, o homem procura assinalar as coisas e a sua própria vida com um toque de importância e presumivelmente, com um toque de alguma forma de permanência. Jesus prometeu que isso realmente será feito àqueles que se dedicarem a ele mesmo e ao evangelho. De fato, ele ensinou que nessa dedicação está envolvida a eterna salvação da alma (Mar. 8:34,35). Não passa de um insensato aquele que dedica a sua vida a projetos terrenos, em uma atitude contrária a dos santos de Deus, que renunciam às coisas terrenas, que não podem reter, para se dedicarem àquilo que não podem perder, conforme disse, de certa feita, um mártir cristão.

DEDO

No hebraico, **etsba**, com pequena variação no aramaico (esta última forma somente em Dan. 5:5). A palavra hebraica ocorre por trinta e duas vezes. Para exemplificar, Êxo. 8:19; Lev. 4:6,17,25,30; 16:14,19; Núm. 19:4; Sal. 8:3; Pro. 6:13; Can. 5:5; Isa. 2:8; 59:3; Jer. 52:21. No grego, *dáktulos*, termo que figura por nove vezes: Mat. 23:4; Mar. 7:33; Luc. 11:20,46; 16:24; João 8:6,8; 20:25,27. Tanto a palavra hebraica quanto a palavra grega indicam tanto um dedo da mão quanto um artelho do pé, pois não havia termos diferentes para esses dois apêndices do corpo. A palavra grega também indicava a menor medida de comprimento entre os gregos, a saber, a largura de um dedo, cerca de 1,78 cm.

I. O Dedo Literal

Ver usos literais do dedo no A.T.: o sacerdote que molhava um dedo no sangue dos sacrifícios (Lev. 4:6,17,25 etc.); quando o azeite era aspergido com o auxílio dos dedos (Lev. 14:16,27). Os dedos eram usados em gesticulações, durante os diálogos entre pessoas (Pro. 6:13). Um dedo podia representar a mão inteira, como no caso de dedos manchados de sangue (Isa. 59:3; em português, dedos contaminados de iniqüidade). Em I Crô. 20:6, há menção a certa curiosidade genética de um homem com um dedo extra em cada mão e um artelho extra em cada pé. Belsazar viu uma mão que escrevia palavras enigmáticas na caiadura da parede da sala do banquete (Dan. 5:5). Jesus escreveu alguma coisa na areia, com o dedo, enquanto certos homens acusavam a mulher apanhada em adultério (João 8:6). Tomé, um dos apóstolos de Jesus foi convidado a pôr seu dedo sobre os ferimentos cicatrizados das mãos de Jesus, que haviam sido produzidos pelos cravos da cruz (João 20:25,27).

II. Usos Figurados

1. *O dedo de Deus*. Essa expressão indica *o poder de Deus* e a precisão com que ele é capaz de empregá-lo. Quando os mágicos egípcios não puderam continuar duplicando as pragas de Moisés,

reconheceram que naquilo havia *o dedo de Deus*. Em outras palavras, aquilo era algo que somente Deus era capaz de fazer, era um ato divino. O incidente provou a autoridade de Arão e Moisés. Lemos em Deu. 9:10 que os dez mandamentos foram escritos pelo dedo de Deus. Os céus foram feitos pelos dedos de Deus (Sal. 8:3). Algo tão maravilhoso como isso requereu todos os seus dedos. O poder que Jesus tinha de expulsar os espíritos malignos é referido como o dedo de Deus, em Lucas 11:20. O paralelo de Mateus diz «Espírito», sendo provável que uma coisa interprete a outra. Seja como for, o poder de Deus para fazer algo específico e de modo eficaz, está em vista.

2. O «dedo que ameaça», em Isaías 58:9, refere-se ao uso dos dedos, em gesticulação, durante alguma conversa, talvez dando a entender que alguém apontava o dedo em direção dos humildes e piedosos.

3. A grossura «de quatro dedos» indica uma medida (ver Jer. 52:21). Tal medida era tomada com a mão espalmada, na largura maior dos quatro dedos da palma da mão, sem o polegar, o que dá uma média de 7,5 cm. Ver o artigo separado sobre *Quatro Dedos*.

4. Reoboão, filho de Salomão, taxou pesadamente o povo de Israel e ainda vangloriou-se de que seu dedo mínimo (com o qual, figuradamente, exercia pressão) era mais grosso que a cintura de seu pai (I Reis 12:10).

5. Os fariseus costumavam impor pesadas cargas ao povo, mas não ajudavam a quem quer que fosse, nem com um dedo, o que aponta para a indiferença para com as exigências morais e religiosas que eles mesmos impunham (Mat. 23:4).

6. *O dedo faz parte integral da mão*, apesar de ser uma entidade separada. Por causa dessa circunstância, tenho usado a figura do dedo, no tocante à mão, na tentativa de explicar a relação entre o juízo de Deus e a mão de Deus. Essas idéias não são contraditórias, da mesma maneira que um dedo não contradiz a sua própria mão, e nem faz oposição à mesma. Consideremos esta frase: «O julgamento divino é um dedo da mão amorosa de Deus». Isso significa que o juízo é um instrumento do amor de Deus. O juízo divino haverá de realizar alguma coisa. É mister que esse juízo seja remedial, e não apenas punitivo, conforme também se aprende em I Pedro 4:6.

7. *A doutrina oriental do superego*, que supõe que o superego humano pode encarnar-se em mais de um lugar ao mesmo tempo, emprega a comparação entre um dedo e a sua mão. A mão representa o superego, a entidade espiritual humana verdadeira. Os dedos da mão representam diversas encarnações alegadas, que teriam lugar ao mesmo tempo. Porém, há uma unidade essencial entre todos os dedos e a sua respectiva mão. Portanto, o superego pode obter informações da parte de várias vidas ao mesmo tempo, enquanto preserva a sua unidade essencial, a despeito do fato de que vários corpos possam ser usados por ele, ao mesmo tempo.

8. *Os estudos clínicos sobre os sonhos* têm demonstrado que qualquer objeto pontudo, incluindo um dedo, pode representar o pênis.

DEDO DE DEUS

Ver o artigo sobre **Dedo**, II. 1.

DEDUÇÃO

Um argumento considerado válido por ser impossível asseverar as premissas e negar a conclusão, sem

DEDUÇÃO — DEFESA

se cair em contradição. Essa palavra é empregada em conexão com os silogismos de Aristóteles, embora não se confine a isso, na filosofia. Um famoso e mui usado silogismo é aquele que ilustra as deduções lógicas, a saber: «Todos os homens são mortais; Sócrates é um homem; portanto, Sócrates é mortal». A lógica filosófica, silogística, é o estudo das condições que precisam prevalecer para que um silogismo seja declarado válido, bem como quais as condições que invalidam um silogismo. Por exemplo: Todos os gatos são animais; todos os cães são animais; portanto, todos os gatos são cães. Uma pessoa que cultive a lógica pode dizer por que esse silogismo não é correto.

1. *A lógica dedutiva* de Aristóteles foi tão bem pensada que Kant afirmou que, em dois mil anos, não fora preciso alterar um só passo sequer. Naturalmente, Aristóteles foi o organizador da lógica filosófica dedutiva. Entretanto, na filosofia outros sentidos têm sido dados ao termo *dedução*.

2. Para John Stuart Mill (que vide) a *dedução* é uma transformação verbal, como no caso das inferências imediatas, ou então é uma inferência provável que, sob mais profunda análise, mostra ser uma indução (que vide).

3. Para Peirce (que vide) a dedução está vinculada à coligação ou às premissas, em termos formais.

4. O leitor precisa contrastar a dedução com a indução.

5. Dentro da *fé religiosa*, uma forma de dedução é freqüentemente utilizada. Um conjunto de textos bíblicos de prova é selecionado a fim de resolver quaisquer problemas sobre pontos teológicos. Com base nos mesmos são tiradas deduções, por meio do raciocínio, a fim de estabelecer outras idéias ou doutrinas. Esse tipo de prova, apesar de não ser inútil, depende, em *primeiro lugar*, da suposição de que os textos de prova foram devidamente escolhidos e interpretados; e em *segundo lugar*, da abrangência dos próprios textos de prova, que nos foram dados por meio da revelação. Desnecessário é dizer que esse sistema pode ser usado para provar quase qualquer coisa, o que significa que o método tem sido sujeitado a muitos abusos. Tal como outros meios de busca da verdade, trata-se de um método parcial, devendo ser empregado com cautela. (F P)

DEFENSOR DA FÉ

Vem do latim, **Fidei Defensor,** um título usado por Henrique VIII (que vide) depois que o papa Leão X (que vide) lho concedeu. Essa honra lhe foi concedida por causa de uma obra que ele havia produzido, acerca dos sete sacramentos, a fim de combater idéias de Lutero. Henrique queria glorificar-se com esse título, imitando outros, como Rex Christianissimus (França) e Rex Catholicus (Espanha). A despeito do subseqüente rompimento de Henrique com Roma, o título continua sendo usado pelos soberanos britânicos.

DEFESA, MECANISMOS DE

Todos nós temos impulsos, sentimentos e pensamentos que não podemos manusear devidamente na mente consciente. Isso posto, aplicamos os chamados mecanismos de defesa, para minimizar e/ou evitar a ansiedade dali resultante. Todas as pessoas empregam os mecanismos de defesa. Se forem usados com parcimônia, quem poderá objetar? Porém, o processo também envolve formas anormais e neuróticas. As ansiedades ameaçam a integridade da pessoa e de seu

auto-respeito. Portanto, é mister que haja certa defesa. Abaixo damos as formas comuns dessas defesas.

1. *Compensação.* Se alguém falha em uma área, poderá distinguir-se em outra área, assim preservando o seu auto-respeito. Além disso, através desse meio, a pessoa poderá tornar-se mais útil para si mesma e para o próximo. Todavia, ela poderá exagerar, tornando-se culpada de autoglorificação, mediante suas realizações.

2. *Deslocação.* Um homem sente-se frustrado e irado. Mas não é capaz de dirigir seu ressentimento contra o objeto que o deixa consternado, pelo que volta os seus sentimentos contra uma pessoa ou coisa substituta. Quantas esposas têm sofrido, por causa dessa atitude, por parte de seus maridos!

3. *Fantasia.* Uma pessoa almeja certa coisa, ou deseja realizar certa coisa, ou quer ser reconhecida, amada, etc., mas, na vida real, não consegue o que tanto quer. Então ela inventa um mundo imaginário, onde seus desejos são concretizados, e, algumas vezes, em forma bem elaborada e contínua. Os devaneios estão envolvidos nisso. Algumas vezes, a fantasia tem produzido grandes novelas, quando um autor habilidoso lança em forma escrita as fantasias que cria. Muitos filmes cinematográficos e produções teatrais têm sido produzidos com base na fantasia.

4. *Nomadismo.* Uma pessoa sente-se incapaz de enfrentar o mundo e vencê-lo. Então supõe que se pudesse mudar-se de área geográfica ou de emprego, poderia obter sucesso. Isso posto, lança-se em sua busca, indo de lugar em lugar, de emprego para emprego. Trata-se de um mecanismo de escape.

5. *Supercompensação.* Essa é a forma exagerada do primeiro desses mecanismos de defesa. Um homem falhou em determinada área, embora tenha obtido sucesso em outra área, e então fica obcecado pela idéia do sucesso naquela outra área também. Torna-se fanático em seu trabalho, como se seu trabalho o embebedasse. Apesar de que assim poderá obter muito sucesso, corre o perigo de negligenciar outras importantes áreas da vida, alienando-se de outras pessoas, porquanto em nada mais se envolve senão no seu trabalho. Por outro lado, devemos nos lembrar de que há pessoas que gostam de trabalhar arduamente, sem que isso envolva qualquer tipo de supercompensação, por mais que as pessoas se mostrem fanáticas em seu trabalho.

6. *Projeção.* A pessoa demonstra uma doentia tendência em sua personalidade. Não querendo enfrentar o fato, projeta essa tendência para outra pessoa, à qual critica acervamente. Essas tendências com freqüência não são reconhecidas pelo projetor. Muitos sermões iracundos e virulentos são feitos por pregadores que, na realidade, estão atacando seus próprios impulsos e desejos, embora mediante o mecanismo da projeção, quando atacam os vícios de uma sociedade corrupta.

7. *Racionalização.* Uma pessoa deixa-se arrastar por pensamentos, atos e qualidades de personalidade distorcidos. Não querendo enfrentar essa realidade, cria intermináveis racionalizações para justificá-la. A *ira* torna-se uma autodefesa. A *impaciência* torna-se a urgência para fazer qualquer trabalho. *Atos errados* são supostamente justificados como atos de retribuição ou mesmo como defesas da justiça. O *ódio* torna-se uma defesa da fé. A *contenção* torna-se uma luta contra as forças malignas. A *ambição pessoal* faz-se passar pelo trabalho em favor do Senhor.

8. *Formação de reações.* Um homem tem desejos socialmente inaceitáveis. Ele gostaria de praticar certas coisas questionáveis. Em reação a isso,

DEFESA — DEFINIÇÃO

desenvolve atitudes e comportamentos que contradizem esses desejos, mas que, na realidade, refletem seus sentimentos íntimos. Assim, um homem com tendências homossexuais, ou com algum outro grave problema de personalidade, pode ingressar em um seminário para tornar-se um ministro, na tentativa de corrigir sua má tendência.

9. *Regressão*. Um homem sente que está fazendo e realizando coisas que não se ajustam às condições de alguma outra porção de sua vida. Assim, ele reverte a seus caminhos anteriores, onde se sentia mais seguro e adequado. Essa regressão pode ser um mecanismo de escape, porque tal indivíduo não é capaz de cumprir aquilo que pensa que se espera dele, e assim retorna a um caminho inferior de vida, para evitar a contínua confrontação com uma situação que não sabe manusear devidamente.

10. *Repressão*. Questões que causam dor, vergonha ou senso de culpa são excluídas da mente consciente, para que não tenham de ser enfrentadas. A psicanálise especializa-se no desvendamento dessas atitudes ocultas, trazendo-as à tona, a fim de serem enfrentadas e vencidas. Se não forem enfrentadas, elas podem causar toda espécie de ansiedade e neurose.

11. *Sublimação*. Um homem tem dificuldades para satisfazer seus impulsos sexuais de uma maneira que se ajustem aos padrões da sociedade. Portanto, ele escolhe uma alternativa. Há tal coisa como *conversão biológica*, especialmente entre os indivíduos jovens. Um jovem, por exemplo, pode interessar-se profundamente pela igreja e por questões religiosas, durante a época em que sua biologia requer que ele reproduza a sua espécie. Ele freqüenta a igreja porque gosta do contacto social com as jovens que ali se acham. Sua real motivação é biológica-sexual, mas ele representa isso, para si mesmo, como se fosse um profundo interesse por questões religiosas, sendo bem possível que ele nem entenda o que está acontecendo. Mas é interessante ver, seja como for, como certos jovens, depois que se casam, quando então conseguem controlar melhor seus impulsos sexuais, perdem todo interesse pela religião.

Dentro do vocabulário da química, a palavra *sublimação* significa converter um sólido em vapor, mediante calor. Vem do termo latino que significa «elevado», com a idéia de «refinar», nos contextos comuns. Em outras palavras, uma pessoa pode elevar seus impulsos mais vis, convertendo-os em algo aceitável para si mesma e para as outras pessoas. Nessa terminologia, podemos incluir muito mais do que os impulsos sexuais. Qualquer impulso primitivo, convertido em impulso mais refinado, pode estar em foco. Alguns estudiosos pensam que a palavra latina *limen*, «verga», seja a palavra raiz envolvida, por ser essa a peça mais elevada de uma porta ou janela.

12. *Substituição*. Uma pessoa quer fazer certa coisa; mas essa coisa ou é algo que está acima de sua capacidade ou de seus recursos, ou então é algo que não é aceitável para ela mesma e para outras pessoas. Em conseqüência, ela a substitui por alguma outra coisa, assim evitando a ansiedade que o fracasso criaria. A substituição pode ter o mesmo sentido que a sublimação, mas pode incluir uma gama mais ampla de ações.

Observações. 1. Não nos livramos de atos e atitudes errados meramente porque lhes pomos um rótulo e dizemos: «Estes são meus mecanismos de defesa». Há casos em que nem nos deveríamos envolver nesse tipo de atividade. É melhor a pessoa ser uma *vencedora*. 2. Alguns desses mecanismos, contudo, são úteis,

podendo ser legitimamente usados, sendo atos legítimos que nos ajudam a aceitar a nós mesmos e a sermos úteis. 3. Alguns desses mecanismos de defesa são perversões, da maneira como são empregados, representando antigos pecados. Se empregarmos algum dos mecanismos de defesa para defender um ato moralmente errado, ou que nos faça sentir menores do que deveríamos ser, então tal ato é condenável. 4. É útil termos conhecimentos gerais sobre tudo, e o conhecimento acerca desses mecanismos pode ajudar-nos a entender melhor o que fazemos, pelo que poderemos fazer os ajustes apropriados em nossa conduta. (H)

DEFINIÇÃO

Vem do latim, **de** e **finire**, com o sentido de «limitar». Há muitos modos de limitar um conceito, uma intuição, uma experiência ou uma proposição, pelo que também há muitas idéias que estão ligadas à palavra «definição». De modo geral, podemos dizer que uma definição é um processo ou expressão que provê o sentido exato dessas coisas. Uma definição não pode estar limitada à linguagem, porque há outras maneiras de definir as coisas.

1. *Definição verbal*. Nesse caso, uma definição (definiens) corretamente feita, será logicamente equivalente à palavra ou frase definida (definiendum), de tal modo que uma pode ser substituída pela outra. A definição pode ser considerada um sentido estabelecido no presente, ou um sentido projetado para o futuro. No primeiro caso, a definição é chamada *descritiva*; no segundo, *prescritiva* ou *estipulativa*. Para exemplificar: «O homem (definiendum) é um animal racional (definiens)». Essa é uma definição descritiva porquanto trata de um sentido presente. Se formulássemos uma declaração que projetasse aquilo em que o homem poderá tornar-se, como «O homem será um espírito eterno», então teríamos uma definição prescritiva.

2. *Definição léxica e estipulativa*. As definições léxicas são as definições comuns que dizem respeito a vocábulos, desenvolvidos através da história de uma língua qualquer. Desenvolvimentos e refinamentos dessas definições são chamados *estipulativos*. Por exemplo: A temperatura é a sensação ou estado de estar quente ou frio, ou mais ou menos meio-termo (uso comum, léxico). Mas também há aquelas medições científicas da temperatura, o que já representa uma atividade estipulativa.

3. *Definição ostensiva ou elaborada*. Uma definição ostensiva é verbal, tal como aquela que envolve o uso de nomes próprios. Na *elaboração*, temos uma definição por meio da enumeração de subcategorias. A definição ostensiva salienta verbalmente as coisas, mediante termos específicos. A elaboração é uma extensão e desenvolvimento do processo.

4. *Gênero e diferença*. Em seu trabalho sobre biologia, Aristóteles descobriu a utilidade desse tipo de definição. As características comuns dão-nos a classificação dos gêneros. Porém, dentro de cada gênero, há uma classe ou categoria de coisas, como *Homo sapiens*. Porém, dentro dessa classe geral, há subclasses ou categorias que são descobertas devido às diferenças. A diferença (*differentia*) supre o fator distinguidor ou os fatores distinguidores, que separam uma entidade de uma classe geral. Quando Aristóteles referiu-se ao homem como um «animal racional», ele empregou esse tipo de definição. *Animal* é o gênero; e *racional* é o fator distinguidor, que separa o homem da classe dos animais, fazendo

DEFINIÇÃO — DEGRAU

dele uma subcategoria.

5. *Paráfrase*. Esse termo e esse modo de definição foram sugeridos por Bentham (que vide). As sentenças podem incluir matéria fictícia. Só podemos chegar a uma verdadeira definição e a um sentido verdadeiro se negarmos a validade da mesma, substituindo-a por material referente a realidades conhecidas. Muitos itens da teologia podem ser eliminados por meio desse conceito, visto que não podemos encontrar coisas, neste mundo material, correspondentes aos conceitos espirituais e às presumíveis realidades.

6. *Definições nominais*. Alguns lógicos, como J.S. Mill, supõem que as definições são apenas nomes que usamos na linguagem, dando-nos informações sobre a própria linguagem, e não sobre as realidades separadas da mesma. Quando uso a palavra «ouro», isso não me diz qualquer coisa sobre a natureza desse metal. Quando uso o termo «Deus», nem por isso estou dizendo qualquer coisa acerca da natureza divina. Posso dizer que Deus é um *espírito*, e, aparentemente, terei dito algo sobre Deus; mas, se alguém perguntar-me o que é um espírito, nada saberei adiantar. Posso falar em *matéria*, mas a ciência não sabe o que é a matéria, porquanto o próprio átomo é uma entidade misteriosa. Isso posto, nas definições terminamos essencialmente apenas com as palavras da linguagem.

7. *Definições impreditivas*. Poincaré (que vide) supunha que as definições são incapazes de descrever uma classe inteira, podendo falar somente a respeito de subcategorias. A definição que pretende falar sobre uma classe inteira chama-se definição impreditiva.

8. *Definição persuasiva*. Essa definição é feita mediante o uso de uma palavra em sentido dúbio, com o intuito de tomar por empréstimo o prestígio que aquela palavra tem, a fim de estabelecer a autoridade da coisa assim chamada. Para exemplificar: Adolfo Hitler chamava seu Socialismo Nacional de a verdadeira democracia. Os comunistas chamam seus sistemas totalitários de democracia; mas ali o povo nunca vota e os direitos do indivíduo são suprimidos. A palavra democracia é usada de modo impróprio, mas o prestígio da mesma é transferido para um conceito ou sistema político onde não há qualquer democracia. Portanto, mediante o uso de uma palavra, o povo é *persuadido* a aceitar alguma coisa. Thomas Altizer falava sobre os seus pensamentos como ateísmo cristão, ao mesmo tempo em que afirmava que Deus havia morrido. Ver o artigo sobre a *Morte de Deus*. Assim também a palavra *cristão* foi usada para persuadir as pessoas a aceitarem certa forma de ateísmo, como se correspondesse à verdade.

9. *Definição racional*. Estou olvidando, momentaneamente, o dilema do conhecimento humano, conforme foi demonstrado no sexto ponto. Ali, as definições são apenas termos da linguagem, e tentam, através da razão pura, definir algo, como, por exemplo, um termo ético. Assevero no que consiste a *sabedoria*. Obtenho minhas definições com base exclusiva na razão, supondo que o homem, como ser racional que é, possui certo conhecimento que ultrapassa a experiência e as definições verbais, mas que pode ser parcialmente expresso por meio de palavras.

10. *Definição intuitiva*. Esse tipo de definição surge dentro de mim mesmo, de alguma fonte desconhecida, de minha alma, ou de alguma fonte exterior, como o Espírito de Deus, sob a forma de *discernimento*. Posso definir isso por meio de palavras, pelo menos em parte. Porém, meu discernimento me provê uma importante definição acerca de algum aspecto da existência. Percebo o que está *certo* (conceito ético); e percebo a *permanência* do espírito, compreendendo o que é a *esperança*, etc.

11. *Definição mística*. Meus sonhos, minhas visões, minhas revelações conferem-me uma definição sobre alguma coisa. Isso pode ser subjetivo (meu próprio espírito está operando), ou pode ser *objetivo* (alguma entidade, separada de mim, está fazendo uma comunicação). Meus discernimentos podem ser parcialmente explicados por meio de palavras, embora haja certa inefabilidade acerca dessa espécie de definição. Elas entram naquela porção de nossa realidade que ainda não é bem conhecida por nós, por causa de nosso baixo estado metafísico. (F P EP MM)

DEFINIÇÃO DE ESTADO
Ver **Estado, Definição de**.

DEFINIÇÃO DE RELIGIÃO
Ver **Religião, Definição de**.

DEFINIÇÃO LÉXICA
Ver o artigo geral sobre **Definição**, segundo item.

DEFINIÇÃO REAL
Chama-se assim à definição que consegue definir a essência de alguma coisa, ou a essência da coisa em si mesma, em contraste com alguma definição meramente nominal ou verbal. — A diferença de sentido entre essas duas possibilidades é a mesma entre o *realismo* (que vide) e o *nominalismo* (que vide). Ver o artigo sobre os *universais*.

O grande problema que cerca as definições reais é que elas são capazes de capturar essências na linguagem, algo que, segundo Kant, não pode ser feito. Definimos as coisas segundo *nós somos*, e não como as próprias coisas são. Para exemplificar, as nossas definições de Deus são apenas antropomorfismos elevados. Porém, estamos limitados a esse método, visto que somente esse método de comparação reflete a nossa experiência na vida diária.

DEGRAU, GRAU (Ver também sobre **Escada**)
Há uma palavra hebraica e uma palavra grega envolvidas, a saber:

1. *Maalah*, «subida». Essa palavra hebraica é usada por quarenta e cinco vezes, com o sentido de «graus», como se vê, por exemplo, em II Reis 20:9,10,11; Salmos 120-134 (no título); Isa. 38:8.

2. *Bathmós*, «degrau», «subida». Palavra grega usada somente em I Tim. 3:13.

O Relógio de sol. Não conhecemos a natureza exata do relógio de sol de Ezequias; mas, por meio desse relógio, fazendo a sombra retroceder dez graus, o Senhor concedeu a Ezequias o prolongamento de sua vida física (II Reis 20:8-10; ver também Isa. 38:8).

Cânticos dos Degraus. Há quinze salmos (120 a 134) onde aparecem essas palavras no título de cada um deles. Contudo, a expressão é muito vaga, impedindo que os intérpretes concordem sobre o seu significado. Alguns supõem que está em foco o estilo específico com que esses salmos foram escritos. As palavras finais da sentença anterior com freqüência são reiteradas no começo da sentença seguinte, produzindo uma espécie de subida, ou degrau. Ver

DEGRAU — DEIFICAÇÃO

Sal. 121:4,5 e 124:1,2, e também os versículos 3 e 4 do mesmo salmo. Outros estudiosos supõem que a palavra *degrau* (em nossa versão portuguesa, «roma-gem») refere-se aos quinze degraus que conduziam do átrio das mulheres ao átrio dos homens, no templo de Jerusalém. Supõe-se que em cada um desses degraus era entoado um desses salmos. Ainda outros eruditos supõem que esses salmos eram usados pelos peregrinos que os entoavam enquanto subiam a Jerusalém, cada um deles assinalando, por assim dizer, um estágio da viagem. Quatro desses salmos são atribuídos a Davi, um a Salomão, enquanto que o resto é anônimo.

Justa Preeminência. Em I Timóteo 3:13 aparece essa expressão, ao passo que no grego encontramos a expressão *bathmòn kalòn*, «boa posição», «boa subida», «boa promoção». Essa expressão grega é usada para designar uma subida espiritual. O crente pode subir ou descer em sua posição espiritual. Isso depende do uso correto dos meios espirituais de desenvolvimento, que são: a leitura da Bíblia e de outros livros úteis para a iluminação espiritual. Esse método treina a mente quanto às verdades espirituais. A oração e sua irmã gêmea, a meditação. Ver os artigos separados sobre esses dois assuntos. A santificação (que vide) é um fator necessário à realização espiritual. A prática da lei do amor (o padrão de toda a espiritualidade), vinculada às boas obras, não pode ser omitida pelo homem espiritual. Além disso, há o toque místico, a possessão e o empre-go dos dons espirituais, o uso da meditação, e das experiências místicas, que iluminam e encorajam o crescimento espiritual.

DEIFICAÇÃO

Essa palavra vem do latim **deus**, «deus». Esse termo alude ao processo cerimonial, religioso ou social mediante o qual um homem, em sua doutrina, ou mediante o qual a sociedade eleva-se acima de si mesma, até à divindade. Na sociedade grega, o ceticismo e as religiões primitivas rebaixaram a tal ponto a idéia de divindade que se chegou a pensar que homens especiais, como os heróis das lendas gregas, podiam vir a participar, de alguma forma, da natureza divina. No Antigo Testamento, encontramos aquela instância na qual Satanás eleva-se, em seu orgulho, julgando-se semelhante ao Altíssimo. Essa é uma forma de deificação. Ver Isaías 14:14. Nas religiões antigas, em muitas culturas, julgava-se que o rei, de algum modo, era filho de algum deus, ou estava relacionado à linhagem dos deuses. Esse conceito pode incluir a idéia de que há certa afinidade de almas, de natureza espiritual, com os deuses, que seriam espíritos. Alexandre, o Grande, recebeu sua primeira *apoteose* (que vide) por ocasião do oráculo de Amom, no Egito; e por todo o Oriente, no auge de seu poder, ele era considerado divino. No grego, *apoteose* significa «deificação». As lendas gregas apresentavam os heróis como filhos de deuses ou de deusas. Os deuses, em cooperação com os homens ou mulheres mortais, teriam gerado os heróis. Alguns estudiosos têm pensado que o ensino bíblico do nascimento virginal de Jesus, pelo Espírito Santo, é uma manifestação dessa doutrina, tão comum na cultura grega. Antíoco IV Epifânio teve a coragem de identificar-se com Zeus, chamando-se de «deus». Sabemos que, no Egito, os monarcas eram considerados divinos, sendo perfeitamente possível que Antíoco estava adotando essa doutrina para si mesmo. Os Ptolomeus, vivos e já falecidos, eram adorados como divindades.

De Júlio César em diante, a deificação dos imperadores tornou-se parte da política de Roma. Alguns imperadores romanos levaram a sério a questão, mas nem todos. Porém, a deificação, mesmo não passando de uma farsa, servia para aumentar a autoridade dos imperadores. — Estes eram ado-rados como divindades durante toda a vida, e, por ocasião da morte, eram oficialmente deificados. É com base nesse fato que Vespasiano fez uma piada, quando estava prestes a morrer: «Penso que estou me tornando um deus». Certos imperadores loucos, como Calígula, Nero e Domiciano insistiam em receber honras divinas mesmo enquanto viviam. O movimen-to anticristão e o culto ao imperador divino chegou ao seu ponto culminante nos fins do século III D.C. Quando Constantino converteu-se ao cristianismo, cessou essa prática; mas, mesmo depois disso, continuou sendo usado o título *Divus*, aplicado aos imperadores romanos.

A deificação e as perseguições contra os cristãos. Reconhecer e jurar pelo «gênio» (presença divina) do imperador tornou-se um teste de lealdade ao império romano, e não apenas parte da religião pagã. Os cristãos, que se recusavam a participar desse pequeno ato de idolatria, eram perseguidos e mortos, segundo se aprende em Trajano, *ep.* 96; *Mart. Polycarpi.* O trecho de Apocalipse 2:10,13 reflete esse culto. A história informa-nos que essa prática nem sempre esteve localizada em Roma. Nos distritos periféricos, os governantes locais conseguiam ser — deificados —, pelo que estavam em posição de perpetuar toda espécie de erros, investidos de uma falsa autoridade.

A doutrina neotestamentária da participação do homem na natureza divina. O evangelho promete a nossa transformação segundo a imagem de Cristo (Rom. 8:29), através de muitos estágios, mediante o poder do Espírito (II Cor. 3:18). Isso ocorre por recebermos a *pleroma* (plenitude, a natureza divina com todos os seus atributos) divina (Col. 2:10). E o resultado é que chegamos a participar da própria natureza divina (II Ped. 1:4), o que nos permitirá atingir a forma de vida de Deus, a vida necessária e independente (João 5:25,26). Há um artigo separado sobre o assunto, chamado *Divindade, Participação dos Homens na.* Isso é obtido quando participamos da forma de vida do Filho de Deus, — que é o nosso irmão mais velho, o que significa que nos tornamos membros genuínos da família divina, ao fim desse processo. Essa é a mais elevada de todas as promessas do evangelho. É errado reduzirmos isso à participação moral em algumas das qualidades divinas. II Pedro e Colossenses são livros bíblicos que encerram esse ensino, no seu combate contra o gnosticismo. Os mestres gnósticos referiam-se à *pleroma* como a manifestação da natureza divina sob a forma de muitas ordens de seres angelicais, o que seria uma participação real, posto que fragmentar, na natureza de Deus, o qual se emanaria a si mesmo. Dizer que Cristo contém toda essa *pleroma* divina, segundo se lê em Col. 2:9,10, seria uma afirmação ridícula se a real participação na natureza divina não estivesse em foco. Nesse caso, o apóstolo Paulo estaria abusando do termo, embora em sentido radicalmente diferente, sem qualquer tentativa de redefinir o termo.

O que podemos dizer é que a participação dos remidos, na natureza divina, será real, em proporções crescentes, mas sempre finitas, porquanto ninguém pode tornar-se como o Deus infinito. Visto que há uma infinitude com que seremos enchidos, também deverá haver um preenchimento infinito. Em conse-qüência, a glorificação será um processo eterno, e não algo que sucederá de uma vez por todas, por ocasião

DE INESSE — DEÍSMO

de nossa morte física ou por ocasião da *parousia*, embora essas ocorrências assinalem avanços significativos. O trecho de Efésios 3:19 diz-nos que o nosso destino é sermos enchidos com *toda a plenitude* de Deus. Isso nunca será atingido, finalmente, mas estará sempre em *andamento*, em grau sempre crescente. Uma taça de chá não pode conter o oceano inteiro, mas pode ser totalmente cheia com água do oceano. Além disso, as dimensões da taça podem ir aumentando cada vez mais.

DE INESSE

Deriva-se do latim, **inesse**, «sendo em», uma expressão técnica usada pelos eruditos com dois sentidos, a saber: 1. Quando um predicado é afirmado (*est in*) ou negado (*non est in*), no tocante a alguma proposição. Usa-se a expressão de *inesse* em contraste com proposições que refletem mera possibilidade ou necessidade. 2. Visto que os acidentes das substâncias eram considerados não existentes em si mesmos (*in se*), mas em alguma outra coisa (*in alio*), dizia-se que o seu modo de ser, no tocante à substância a que pertenciam, dava-se de uma maneira *de inesse*.

DEÍSMO

Esboço:
I. Definições Básicas
II. Ateísmo Prático
III. Contribuições Principais
IV. Críticas

Ver o artigo separado sobre os *Cinco Pilares do Deísmo*. Essas cinco doutrinas foram sugeridas por Herbert Cherbury (que vide). Elas são as seguintes: 1. A existência de um Ser supremo. 2. Ele é digno de ser adorado. 3. Precisamos de santidade para nos relacionarmos com ele. 4. O arrependimento expia pelo pecado. 5. Nossas obras precisam ser galardoadas ou punidas, além da morte biológica. Popularmente, o deísmo e o teísmo algumas vezes aparecem como sinônimos; porém, no uso filosófico, esses dois conceitos são claramente distinguidos um do outro.

I. Definições Básicas

A palavra vem do latim **deus**, «deus». Os socinianos (que vide) introduziram o termo no século VI. Porém, veio a ser aplicado a um movimento dos séculos XVII e XVIII, que enfatizava que o conhecimento sobre questões religiosas e espirituais vem através da razão, e não através da revelação, que sempre aparece como suspeita e como instrumento de fanáticos e de pessoas de estabilidade mental questionável.

1. Essa circunstância outorga-nos a característica básica do *deísmo*: um conhecimento adquirido através da razão, e não através da revelação. A isso chamamos de religião *natural*, em contraste com a religião *sobrenatural*.

2. O termo *deísmo* também é usado para aludir à idéia de que existe uma *primeira causa*, que podemos chamar de *deus*, mas que não é intrinsecamente perfeita ou completa, e nem é o objeto apropriado de nossa adoração.

3. Na filosofia, o termo é usado em contraste com o *teísmo* (que vide). Nesse caso, afirma que houve um deus ou força cósmica de algum tipo que deu origem à criação, mas que, ato contínuo, abandonou a sua criação, deixando-a entregue ao controle das leis naturais. Assim sendo, Deus não teria qualquer interesse por sua própria criação, não intervindo, nem galardoando e nem castigando. Isso significa que

Deus está divorciado de sua criação. Em contraste, o teísmo ensina a presença de Deus na criação, intervindo, galardoando e punindo. O homem é responsável diante dos princípios divinos, e será devidamente galardoado ou punido, segundo suas ações; mas, de acordo com o deísmo, isso dar-se-ia por meio de leis naturais, as quais, para todos os propósitos práticos, tornam-se uma divindade substituta.

II. Ateísmo Prático

É muito difícil pensarmos nas leis naturais como uma divindade. Se elas são o nosso deus, então, apesar de existir um Ser Supremo, para todos os propósitos práticos, vivemos como ateus. Os deístas da Inglaterra, nos séculos XVII e XVIII, atacaram as chamadas *religiões reveladas*, especialmente o cristianismo. Eles asseveravam que as supostas revelações do Antigo e do Novo Testamentos são, na realidade, uma coleção de livros fabulosos e sem autenticidade. Lord Herbert de Cherbury (que vide; 1583-1648) tem sido chamado de «pai do deísmo». Apresentamos os cinco pilares ou doutrinas do deísmo, na declaração introdutória do artigo sobre o *Deísmo*. Contudo, ele era menos radical do que os deístas que se seguiram, pois ele insistia principalmente sobre a religião natural, através da *lumen naturae*, a luz da natureza, como o modo de se tomar conhecimento das verdades religiosas, em vez da revelação. — Os deístas mais extremados foram Thomas Morgan, Thomas Chubb e Thomas Woolston. É curioso que todos os três se chamassem Thomas, mas o mais provável é que tudo foi mero acaso. Outros deístas de nota foram John Toland e Matthew Tindal. Este último despertou especial atenção por causa de seus ataques contra o bispo Butler (que vide). Seus escritos mais bem conhecidos foram *Christianity as Old as the Criation* e *The Gospel, a Republication of the Religion of Nature*.

III. Contribuições Principais

Os homens que criaram o movimento deísta não foram eruditos de nome em qualquer sentido. Não obstante, prestaram um bom serviço ao exigirem a liberdade de pensamento e de expressão, bem como o direito de criticar. Sem esses elementos é muito difícil os homens crescerem intelectualmente, e a busca pela verdade é cortada pelas raízes. Há muitas mentes fechadas, muitas portas fechadas nas igrejas e denominações evangélicas. A verdade não precisa que edifiquemos cercas ao seu derredor. John Toland (que vide) argumentava em favor da natureza razoável do cristianismo, contanto que não insistamos rigidamente sobre cada uma de suas doutrinas (incluindo a doutrina da revelação), tendo declarado: «A verdade é a minha única ortodoxia». Sinto-me inclinado a apoiar essa declaração, porquanto ela demonstra um genuíno interesse pela obtenção da verdade, a despeito das limitações de busca que outras pessoas nos impõem, apesar de não concordar com a posição do deísmo.

IV. Críticas

1. Sabemos que Deus revelou-se através da natureza e da razão. A verdade chega até nós de muitas maneiras, e não apenas através da revelação. Também sabemos que a revelação, bem como todos os demais modos de comunicação da verdade, é parcial e sujeita a erro, devido aos veículos humanos empregados, porque tudo quanto passa pelo homem será eivado de imperfeições humanas. Não obstante, o cristianismo mantém-se de pé ou cai juntamente com a revelação; e outro tanto pode ser dito acerca do

DEISSMAN — DELINQUÊNCIA

judaísmo. Portanto, apesar de admitirmos outros modos de comunicação da verdade, parece insensatez sacrificar uma genuína avenida de conhecimento, como é a revelação. Outrossim, a revelação (que vide) é o principal meio de comunicação espiritual, acima da intuição, do raciocínio e dos sentidos.

2. O movimento deísta presta-se a exageros. Refere-se em termos desprezadores às Escrituras, e não podemos ver nisso qualquer sentido. Nesse ataque há um certo espírito amargo, que jamais nos poderá conduzir à verdade.

3. O deísmo produziu alguns membros radicais, como Thomas Woolston, que exagerou no uso do método alegórico de interpretação, rejeitando tanto o ofício profético quanto a realidade dos milagres. Esse tipo de ceticismo (que vide) não nos leva muito perto da verdade. O bispo Butler (que vide) defendia o elemento miraculoso da religião cristã, procurando contra-atacar o deísmo quanto a esse e a outros particulares.

4. A obra de John Toland, *Christianity not Mysterious*, mostrou ser uma espécie de meio-termo na direção do panteísmo. Alguns deístas terminam como virtuais ateus. Anthony Collins negava, de modo peremptório, a validade do cristianismo. O seu *Discourse on Free-thinking* (1713) fez a expressão «livre-pensamento» tornar-se um virtual sinônimo de ceticismo, ou mesmo de ateísmo. Mas isso é um abuso da linguagem. Precisamos de livres-pensadores no sentido positivo da palavra, que verdadeiramente, sem ceticismo e sem amargor de espírito, tenham *a verdade* como a sua única ortodoxia.

5. *Voltaire* (que vide), o deísta francês, foi muito influenciado por seus pares ingleses. Ele, como homem de eloqüência incomum que era, poderia ter comandado um exército em favor do bem. Poderia ter sido achado na frente da batalha; mas, por causa de seu ceticismo e amargor, retrocedeu ao ponto de perder-se de vista. (AM C E P WA)

DEISSMAN, ADOLF

Nasceu em 1886. A data de sua morte é desconhecida. Foi erudito do Novo Testamento, tendo-se mostrado atuante em Heidelburgo e Berlim. Foi um dos primeiros, se não mesmo o primeiro, a observar que o grego do Novo Testamento é o mesmo grego dos documentos em papiro, escritos no vernáculo do começo da era cristã, e não o grego ático dos gramáticos (o que ele afirmou em seu livro *Bibelstudien*, de 1895). Isso conduziu a uma investigação e compreensão genuínas do Novo Testamento em grego, em contraste com o grego clássico, o que resultou em melhores traduções para as línguas modernas. Deissman também chamou a atenção para o fato de que o Novo Testamento encerra cartas pessoais genuínas, como aquelas de Paulo, que fazem contraste com outros livros, como o tratado aos Hebreus, os quais, apesar de imitarem as epístolas paulinas, na verdade são tratados. Uma de suas maiores contribuições foi o estudo dos papiros e das inscrições da época do Novo Testamento, para mostrar como eles iluminam a linguagem do Novo Testamento (*Licht vom Osten*, 1908). Ele escreveu uma vívida biografia de Paulo, em 1910.

DELAÍAS

No hebraico, «liberto por Yahweh». Outros estudiosos preferem pensar no sentido «o Senhor atraiu». Há três personagens e uma tribo com esse nome, nas páginas do Antigo Testamento:

1. O pai de Semaías, filho de Meetabeel (Nee 4:10). Viveu em torno de 410 A.C.

2. Um filho de Semaías, um dos príncipes dos dias 1o rei Jeoaquim (Jer. 36:12,25). Viveu em torno de 600 A.C.

3. Um sacerdote e líder do vigésimo terceiro turno, no serviço do templo de Jerusalém (I Crô. 24:18). Viveu em torno de 1014 A.C.

4. Nome tribal dos descendentes de Delaías, que se encontravam entre aqueles que retornaram do cativeiro babilônico em companhia de Zorobabel (Esdras 2:60; Nee. 7:62). Viveu em cerca de 536 A.C. Eles encontraram certa dificuldade para provar que eram verdadeiros israelitas, por motivo de genealogias.

DELIBERAÇÃO

No campo da **ética** (que vide) essa palavra é usada para aludir ao processo mediante o qual um homem faz escolhas morais. Essas escolhas alicerçam-se sobre a consideração de *valores*; mas os valores são interpretados de muitos modos diversos e conflitantes. Perguntas como: — No que consiste o certo? No que consiste o bem?, não podem ser facilmente respondidas. Por detrás das respostas jazem as nossas crenças religiosas, filosóficas, políticas e sociais. Portanto, as nossas deliberações são muito condicionadas deste o começo. Diversas definições do *bem* fazem com que nem sempre o que é bom corresponda ao que é *certo*. Se o bem supremo de um homem é o prazer (ver sobre o *hedonismo*), poderíamos indagar se uma pessoa nada tem de melhor para fazer neste mundo do que divertir-se. Se esse bem consiste na *apatia* (estoicismo), poderíamos indagar quanta razão positiva pode estar ao lado daqueles que estão buscando evitar qualquer envolvimento emocional. Alguns têm pensado que a *consciência* é adequada para todas as definições e deliberações morais. Para os crentes, o primeiro padrão para as deliberações é o padrão espiritual. Os padrões espirituais nos são ensinados nas Sagradas Escrituras. Além destas, há a considerar a consciência, —que embora imperfeita e sujeita a distorções, usualmente serve de bom guia, mesmo nos casos questionáveis. Quanto mais espiritual for um homem, mais sensível será a sua consciência. O grande guia para distinguirmos aquilo que é bom e correto é a lei do amor, que cumpre toda a lei e os profetas (Rom. 13:8 *ss*), —que também serve de prova da espiritualidade de uma pessoa (I João 4:8 *ss*). Amamos porque Deus nos amou primeiro, pelo que o próprio amor está baseado no Ser divino (I João 4:19). O certo e o bem são inseparáveis. O amor é o solo onde são cultivadas todas as demais virtudes cristãs (Gál. 5:22,23). O amor é o nosso melhor professor acerca do que seja o certo e o bom. Ver o artigo geral sobre o *Amor*.

DELINQUÊNCIA JUVENIL

A teologia de tendências calvinistas assegura-nos que a natureza humana é inerentemente má, desde o nascimento. Aqueles que crêem na *preexistência* da alma dizem-nos que o problema da alma corrompida começou antes mesmo da união do espírito humano com o seu corpo físico. *Freud* insistia em que toda espécie de réptil horrendo oculta-se na mente até mesmo das crianças pequenas. Ele dispunha de evidências clínicas em comprovação à sua teoria. A *Bíblia* não nos apresenta um quadro muito lisonjeiro sobre a natureza humana, —que é ali descrita como decaída, desde o próprio berço (Salmos 51:5 estipula: «Eu

DELINQUÊNCIA JUVENIL

nasci na iniqüidade, e em pecado me concebeu minha mãe»): A doutrina do *pecado original* (que vide) tem sido intensamente ridicularizada nos tempos modernos, mas o problema da delinqüência juvenil, que se perpetua e aumenta cada vez mais, favorece a posição tomada pela antiga teologia sobre o pecado original.

Esboço:
 I. Definição
 II. Disciplinas Envolvidas no Estudo do Problema
 III. Causas Propostas
 IV. O Remédio Espiritual

I. Definição
A delinqüência juvenil aponta para aquele comportamento criminoso praticado por jovens adolescentes, ainda menores de idade, que geralmente inaugura uma vida inteira caracterizada pelo crime. Esse crime tem o mais variegado escopo, incluindo desde as ofensas menores até às mais graves, como furto, vadiagem, vandalismo, atos de crueldade, atos sexuais, e chegando até ao homicídio. Atualmente, alguns jovens se têm envolvido até mesmo em furtos eletrônicos, quando, através de seus computadores domésticos, invadem o sistema bancário que cada vez mais depende da computação eletrônica.

II. Disciplinas Envolvidas no Estudo do Problema
Advogados, sociólogos, psicólogos, antropólogos, psiquiatras, biólogos e teólogos todos têm participado do estudo desse problema da delinqüência juvenil. Suas causas complexas requerem grande complexidade de soluções propostas, mas que não podem ser devidamente manuseadas por qualquer disciplina em particular. Ademais, não existe uma classificação única de delinqüentes juvenis. Há aqueles delinqüentes que procedem de famílias ricas e respeitáveis, cujos motivos não são fáceis de determinar. Há aqueles outros que vêm de famílias pobres, destroçadas, e que vão engrossar os malfeitores das ruas. É fácil perceber por qual razão alguns desses delinqüentes tornaram-se tais. Mas as classificações também incluem *tipos de comportamento*, e não meramente tipos diferentes de pessoas. O jovem adolescente que chega a matar a uma pessoa por certo não tem o mesmo grau de periculosidade de um outro que furta algo de um supermercado, a fim de matar a fome. Em conseqüência, profissionais de várias profissões são necessários para encetar o combate às complexidades da delinqüência juvenil.

III. Causas Propostas
1. *Atitudes paternas* como atos, tipos de disciplina ou ausência da mesma. Essas atitudes podem exercer efeitos sobre os atos de um jovem adolescente. É verdade que Freud exagerou quanto à importância dessas causas, mas as evidências clínicas a respeito não podem ser ignoradas.

2. *Normas de subgrupos que fazem parte da sociedade*. Um jovem que tenha de enfrentar a violência das ruas talvez conte com um bom lar. Contudo, para efeito de sobrevivência e aprovação por parte de outros jovens de sua idade, ele poderá apelar para um comportamento anti-social, prejudicial. No entanto, os subgrupos também podem exercer uma influência positiva, como é o caso da Igreja, de sociedades fraternas, de clubes esportivos, etc., que podem exercer uma influência benéfica.

3. *Herança genética:* — A maior parte dos estudos sobre o campo da deliqüência juvenil tem enfatizado fatores sociais, econômicos e de meio ambiente. Todavia, alguns estudos apontam para a possibilidade da existência da *mente criminosa*, inteiramente à parte de fatores ambientais. Alguns

delinqüentes, incluindo aqueles que procedem de bons lares, têm demonstrado que, desde seus mais verdes anos, inclinaram-se para a mentira, para o engano, para o espírito de briga e para o furto, ao passo que seus irmãos permanecem jovens «normais». Nos Estados Unidos da América, cerca de metade dos criminosos não se tornou tal por razões econômicas e ambientais. Na Suécia, onde o pobre não conta como um grande fator social, os estudos têm demonstrado o aparecimento da mente criminosa, inteiramente à parte de fatores ambientais. Alguns peritos têm sugerido que esse tipo de mentalidade é provocado por defeitos no cérebro. Não há que duvidar que isso é um fator, embora não haja evidências de que se trata de um dos fatores principais.

4. *Fatores sociais*. — Conforme já se disse acima, quase todos os estudos que têm sido feitos nessa área apontam para causas ambientais, sociais e econômicas como causas do comportamento criminoso, anti-social. Muitos pensadores, entretanto, têm insistido que fatores correlatos da delinqüência não são, necessariamente, causas. De fato, em Londres, a delinqüência juvenil é muito mais um fenômeno da classe média, e não das classes sociais menos privilegiadas, economicamente falando. Apesar de poder ser demonstrado que as perturbações dos lares da classe média podem ser uma causa importante do comportamento anti-social (pois um jovem endinheirado ainda assim pode ter sua mente perturbada por brigas dos pais divorciados), ainda assim estamos falando sobre *uma* causa, e não sobre a causa dos problemas que afetam os jovens da classe média. O pior problema desses jovens da classe média parece ser a *permissividade* dos pais. Esse fator pode ser muito mais prejudicial que a pobreza. Essa permissividade geralmente ocorre em meio a uma atmosfera relaxada, quando as necessidades essenciais de uma família são supridas por recursos materiais adequados. Quando as pessoas não estão lutando pela própria sobrevivência, podem ter atitudes relaxadas, o que é refletido naquela declaração que diz «andar à vontade em Sião». Ver Amós 6:1. Uma outra declaração é aquela que diz que o diabo encontra o que fazer para as mãos que estão ociosas. Na realidade, uma causa clara do crime é a necessidade de excitação, diante da contínua monotonia. Já li, em algum livro, que uma das razões pelas quais eram executadas bruxas na fogueira, nas aldeias da Idade Média, — era a sede de excitação em que viviam muitas pessoas de então. Os jovens que têm muito tempo para gastar e muito pouco para fazer, além de muito dinheiro, acabam buscando a excitação do crime como uma válvula de escape. Essa é uma horrenda maneira de temperar a vida; mas, há ocasiões em que até bons jovens são tentados.

5. *A Dimensão do Extra-Tempo*. — Deveríamos considerar o caso da *preexistência* da alma. Muitos pais alexandrinos da Igreja supunham que o homem essencial, que é a alma, é uma entidade antiqüíssima, ao passo que a manifestação terrena, em um corpo físico, é de origem comparativamente recente. Outros, além dessa idéia, acrescentam a noção da reencarnação (que vide), e outros só pensam na idéia da reencarnação. Seja como for, uma alma já corrompida não é purificada meramente porque adquire um corpo físico como residência temporária. Muito pelo contrário, sair-se-á pior da experiência, porquanto o corpo físico é um instrumento fácil do mal. Esse fator é enfatizado no artigo desta enciclopédia *Educação Cristã*, porque os educadores evangélicos admiram-se de como crentes cuidadosamente treinados desviam-se tão facilmente, alguns

DELINQUÊNCIA JUVENIL — DELOS

deles de maneira séria, uma vez que se afastam do ambiente da escola cristã, ao passo que muitos deles desviam-se enquanto ainda estão lá dentro. Essa circunstância parece anular, em grande parte, a culpa que se costuma atribuir às questões sociais e econômicas. É que a alma humana é suficientemente má para não precisar de qualquer justificativa para praticar a maldade. Quanto a uma declaração mais ampla sobre o fator do tempo extra, ver o artigo sobre o *Desenvolvimento Humano*, seção 3. A Dimensão Extratempo; e 4. Ético e Espiritual.

Os estudos sobre a mente criminosa certamente dão a entender que estamos tratando de qualidades espirituais boas ou más, quando abordamos a questão da delinqüência juvenil, pelo menos em alguns casos. Almas pervertidas, mesmo quando parecem bem intencionadas desde que se encarnaram, não demoram a escorregar de volta a antigos hábitos pecaminosos, e se vêem envolvidas na maldade moral. É que já trazem consigo a bagagem de uma longa história da prática da maldade. A respeito do anticristo lemos na Bíblia que ele *ascenderá do hades*. (Ver Apo. 17:8). Isso significa que pelo menos algumas pessoas especialmente ímpias voltam a esta vida a fim de cumprirem alguma missão satânica. E essa condição pode ser muito mais generalizada do que ousamos pensar. A malignidade é uma condição cósmica, e não meramente pessoal; e o indivíduo com freqüência apenas acompanha e participa da rebelião cósmica.

IV. O Remédio Espiritual

O Logos foi encarregado de uma missão universal, não importando em qual esfera ele venha a encontrar-se com alguma alma corrompida. Onde estiver um espírito humano, ele tem o poder de redimi-lo, dando início àquele processo que resulta na *santificação* (que vide). A Bíblia ensina-nos que ninguém pode dominar sozinho o problema do pecado. Esse problema tem dimensões cósmicas, pelo que é mister a aplicação de um remédio cósmico. De fato, faz parte dos ofícios do Espírito Santo recuperar os homens dessa degradação. Por essa razão é que as Escrituras ensinam a salvação por meio da graça divina (que vide). O problema da delinqüência juvenil é complexo, tal como é complicado o próprio problema do pecado. Os pais têm a responsabilidade de treinar seus filhos no caminho da retidão (ver Pro. 22:6). Deve haver um esforço envidado pela família inteira, se a ética cristã tiver de prevalecer nessa esfera da conduta juvenil (ver Efé. 6:1 *ss*). No caso de jovens que tiveram a felicidade de nascer em lares evangélicos, há meios de desenvolvimento espiritual que podem ser encorajados e implementados. Ver o artigo sobre *Desenvolvimento Espiritual, Meios de.* Essa vantagem deveria proteger tais jovens de experimentarem atos criminosos. Mas, antes de terminarmos o nosso estudo, não podemos esquecer a delinqüência de certos pais. Um pai ou uma mãe que não dê bom exemplo, mesmo que não pertença ao tipo abertamente criminoso, abre o caminho para a iniqüidade atacar os seus filhos. Há três coisas que os pais devem a seus filhos: *exemplo... exemplo... exemplo*. (H)

DELITZSCH, FRANZ JULIUS

Suas datas foram 1815-1890. Hebraísta cristão, de ascendência judaica, de identificação denominacional luterana. Nasceu na Alemanha. Foi professor de teologia na Universidade de Leipzig, tendo sido um dos grandes campeões do estudo científico do Antigo Testamento. Foi notável estudante da literatura hebraica, bíblica, rabínica e medieval. Produziu muitos comentários valiosíssimos sobre o Antigo Testamento, várias obras de poesia e tratados sobre o luteranismo. Traduziu o Novo Testamento para o hebraico. Seu filho, Friedrich Delitzsch, foi um famoso assiriologista. (E)

DELOS

Essa ilha é a menor e a mais central das Cícladas, ilhas do mar Egeu. Na antiguidade teve vários nomes, como Astéria, Cinto e Ortígia. O termo Cícladas (no grego, derivado de *kíklos*, «círculo») fala sobre como as demais ilhas desse arquipélago cercam a ilha de Delos. Nem a ilha e nem o arquipélago são referidos na Bíblia, mas há vinculações à mesma no período intertestamentário, segundo veremos abaixo:

Na Mitologia. Poseidon teria erguido uma rocha do fundo do mar. As ondas levaram-na até o centro das Cícladas, e essa rocha tornou-se Delos. De acordo com a mitologia grega, foi nessa ilha que Leto (Latona) deu à luz a Apolo e Ártemis, filhos que ela teve com Zeus. Por terem nascido ali, Apolo também é chamado Délios, e Ártemis, Délia. Ambos eram adorados naquela ilha. Zeus a teria ancorado ao fundo do mar Egeu com correntes de diamantes. Hera teria sido outra esposa de Zeus e ela sentia muitos ciúmes de Leto. Recebeu então a promessa de que Leto não receberia qualquer lugar de refúgio na terra, para ter seus filhos. Mas essa ilha, trazida do fundo do mar, e por ser flutuante, não seria um lugar da terra, pelo que não estava incluída na maldição. Por isso, Apolo e Ártemis teriam nascido ali.

História. A arqueologia tem encontrado vestígios de ocupação humana, em Delos, desde o começo da era do Bronze, cerca de 2000 A.C. Em fragmentos de cerâmica há vestígios de contacto com os minoanos. Gregos micenos ocuparam a ilha em cerca de 1400 A.C. Artefatos de marfim, de alta qualidade, além de outros, datam desse período, além de evidências de um templo dedicado a Ártemis e de sepulcros micenos, que poderiam ter sido de sacerdotisas de Ártemis e Apolo. Em cerca de 700 A.C., Delos era um centro religioso pagão florescente. Em cerca de 540 A.C., a ilha caiu sob o controle de Atenas. Em 477 A.C., tornou-se o tesouro comum da liga que lutava contra a invasão persa. Posteriormente, porém, todo o dinheiro amealhado foi transferido para Atenas. Na época, Delos permaneceu membro da liga, sem ter de pagar tributos. Atenas reteve o controle da ilha até à sua desastrosa derrota diante de Esparta, já nos fins do século V A.C. Em cerca de 377 A.C., Atenas recuperou o domínio sobre a ilha. Forém, por volta de 314 A.C., com o declínio de Atenas, cessou sua influência sobre Delos. Daí por diante, passou a ser governada pelos *hieropoioi*, oficiais do governo ptolemaico, os remanescentes das conquistas de Alexandre, o Grande. Por esse tempo, Delos era uma cidade-estado independente, respeitada por sua santidade, porque ali estavam os santuários de Apolo e Ártemis. Nos tempos helênicos, Delos era um centro comercial. Porém, a sua situação modificou-se, quando Delos deu seu apoio a Perseu, da Macedônia, em sua luta contra os romanos. Atenas era aliada de Roma, pelo que quando Roma saiu-se vencedora, Delos, uma vez mais, caiu sob o domínio de Atenas (cerca de 166 A.C.). Rapidamente tornou-se um centro cosmopolita, onde eram negociados escravos. Foi um dos estados para o qual o romano Lucius Calpurnius Piso apelou, para que protegesse os interesses dos judeus, quando Antíoco VII guerreava

DEMAS — DEMÉTRIO

contra Israel (I Macabeus 15:15-24). Mitrídates do Ponto atacou Roma em 88 A.C. Seu general, Arquelau, massacrou vinte mil italianos em Delos. E essa ilha, desde esse tempo em diante, nunca mais recuperou a sua antiga importância. Atualmente é um lugar abandonado e desprezado.

Arqueologia. Foi em 1829 que arqueólogos franceses deram início ao seu trabalho na ilha de Delos. As descobertas têm sido muitas. O plano completo do recinto sagrado de Apolo foi desenterrado, juntamente com um teatro, vários templos, edifícios públicos e privados, dos tempos helênicos e romanos. Vários documentos escritos vieram à luz, sendo úteis por revelarem muitos detalhes da vida diária na ilha. Ruas, jardins e um sistema de esgotos, inscrições sagradas e profanas, artefatos de mármore, incluindo uma fileira de esplêndidos e arcaicos leões, no lago sagrado (atualmente seco) de Apolo e Ártemis, onde supostamente eles teriam nascido, aumentam o nosso conhecimento sobre a antiga Delos.

DEMAS

Só há três alusões a esse personagem, em todo o N.T., em File. 24, onde ele aparece como um dos cooperadores fiéis de Paulo e em II Tim. 4:10, que fala de sua triste retirada, ocasionada pelo fato de que «amou ao mundo». Seu nome, provavelmente, é uma forma abreviada de Demeter (contração de Demétrio), deusa da agricultura (literalmente, *mãe-terra*). Sua deserção parece ter sido ocasionada por interesses pessoais e egoístas, e não devido à covardia. Alguns estudiosos têm pensado que Demas, uma vez restaurado em sua vida espiritual, é o mesmo Demétrio, citado em III João 12, mas isso não passa de pura conjectura. O livro apócrifo de Atos de Paulo e Tecla nos fornece um retrato tenebroso a seu respeito, mas tudo não passa de uma fabricação.

DEMETER-PERSEFONE

Ver o artigo geral sobre as **Religiões Misteriosas**. Os mistérios eleusianos derivam seu nome de Eleusis, a localização de seu principal santuário, perto de Atenas. O mito acerca de Demeter e Persefone era a principal doutrina que inspirava essa fé. Esse mito aborda a sucessão das estações e o renascimento da vida por ocasião da primavera. Dali, o culto desenvolveu-se em torno do seu tema principal de renascimento pessoal. De modo geral, as religiões misteriosas caracterizavam-se pelo conhecimento esotérico, por ritos e cerimônias de iniciação, purificação e adoração, tendo em vista a final união com Deus. A maioria delas tinha, como seu ponto central, algum deus-salvador que morria e ressuscitava. Os liberais e os céticos têm procurado ligar os conceitos cristãos da morte e da ressurreição de Cristo com mitos greco-romanos das religiões misteriosas, mas a tentativa é ridícula. Porém, no coração humano, esse motivo é comum, pode afirmar que Cristo cumpriu a mais profunda necessidade humana, tornando isso uma realidade viva. (OS P)

DEMÉTRIO (Novo Testamento)

Dois homens com esse nome aparecem no Novo Testamento. A palavra grega, *Demeter*, refere-se a uma deusa pagã com esse nome, filha de Crônos e Rea. O nome dela significa *terra-mãe*. Ela era a deusa

da agricultura, ou seja, da civilização. Seu nome era largamente usado como base de nomes próprios. Demétrio significa «pertencente a Demeter».

1. Um joalheiro ou ourives de Éfeso, que fazia nichos ou santuários portáteis do famoso templo de Diana, a fim de vendê-los (presumivelmente com outros objetos de idolatria), aos visitantes da cidade (Atos 19:24) ou a pessoas envolvidas nesse culto. Sem dúvida, seu negócio incluía o fabrico de imagens da deusa Diana (Atos 19:23-27). Observando o progresso do evangelho em Éfeso, ele ficou alarmado porque seu negócio estava sendo prejudicado. Reuniu então os membros de sua guilda e avisou-os sobre o perigo. Isso produziu grande levante na cidade, até que o escrivão da cidade foi capaz de acalmar a multidão. Essa ocorrência ilustra a ameaça que o evangelho significa para a idolatria e o paganismo, com a inevitável rebelião das mentes idólatras. O dinheiro envolvido nas atividades idólatras sempre será um forte motivo para a proteção à idolatria.

2. Um discípulo de Cristo, que todos consideravam um cristão importante, segundo se lê em III João 12. Essa é a única menção que temos a ele, pelo que não dispomos de qualquer informação pormenorizada a seu respeito. Alguns conjecturam que ele é o mesmo Demas de Colossenses 4:14, o qual, finalmente, abandonou Paulo; mas isso não passa de especulação. Outros estudiosos têm tentado identificar os Demétrios um e dois como se fossem uma só pessoa, mas isso também não passa de especulação.

3. *Fora da Bíblia*, Demétrio é o nome de três reis sírios, a saber: Demétrio I Soter, que reinou por doze anos, até cerca de 175 A.C. Era filho de Seleuco IV. Seu tio foi o infame Antioco IV Epifânio, tão proeminente na história dos Macabeus, que se tornou um tipo do anticristo. Soter (Salvador) é descrito por Josefo (*Anti.* 12:10,1-4). Um outro rei com esse nome foi Demétrio II Nicator (Conquistador). Era filho de Demétrio Soter, e, por muitos anos, foi privado do trono por Alexandre Balas. Finalmente, ele recuperou o trono com a ajuda de Ptolomeu Filometer, seu sogro. Após várias vicissitudes, foi morto em cerca de 125 A.C., tendo sido sucedido por seu filho mais velho, Seleuco, que tinha um perigoso rival na pessoa de Alexandre Zebina. Josefo fala a seu respeito em *Anti.* 13:5,2,3,11. O terceiro desses reis foi Demétrio III Eucaros (Próspero, afortunado), filho de Antioco Gripo e neto de Demétrio Nicator. Teve de enfrentar uma guerra civil por ocasião do falecimento de seu pai. Dois de seus irmãos morreram durante o levante; mas um outro irmão, Filipe, ficou com uma parte da Síria, ao passo que Demétrio estabeleceu-se na Coele-Síria, tendo Damasco como capital. Ptolomeu Látiro, rei de Chipre, declarou-se em seu favor. Na Judéia, a guerra civil irrompeu entre Alexandre Janeu e seus súditos fariseus. Demétrio ajudava os fariseus, na esperança de ampliar a sua autoridade. Ele entrou na Palestina com um poderoso exército, para lidar com os judeus rebeldes, e derrotou Janeu em uma batalha em que este se feriu, perto de Siquém, conforme nos relata Josefo (*Anti.* 13 e 14; *Guerras* I, 4,5). Após várias vicissitudes, chegou o tempo dele mesmo ser derrotado. Foi tomado prisioneiro e enviado a Arsaces IX, que o confinou até a sua morte. Reinou entre 95 e 88 A.C. Ver o artigo separado sobre os *Ptolomeus*.

DEMÉTRIO, O CÍNICO

Foi um filósofo grego que viveu no século I D.C. Nasceu em Sunum. Ele traçou uma cosmologia semelhante ao modelo cosmológico dos estóicos.

DEMÉTRIO — DEMITIZAÇÃO

Enfatizava que a sabedoria só pode ser obtida mediante o esforço árduo, sem dar atenção à opinião pública e aos sistemas que homens vãos têm criado. Sem a adversidade, seria impossível a um homem tornar-se um sábio. Ele depreciava o conhecimento científico. O imperador Calígula desejava obter sua amizade, pelo que lhe mandou um presente de grande valor. Demétrio, porém, rejeitou o presente, observando que se Calígula queria suborná-lo com seriedade, deveria ter-lhe enviado a coroa imperial. Demétrio não podia ser manuseado com facilidade, pelo que foi banido por Vespasiano. Mas ele riu-se do imperador e zombou de sua ira. (E P EP)

DEMÉTRIO DE FALERO

Suas datas foram 345-283 A.C. Foi um filósofo grego, discípulo de Teofrasto (que vide) e membro do Liceu (que vide). Seus interesses eram a ética, a política, a retórica e as biografias. Foi governador de Atenas entre 319 e 307 A.C., governando em favor do rei da Macedônia. Quando foi restaurada a democracia, ele foi forçado a exilar-se. Sobrevivem até hoje alguns poucos fragmentos dos seus escritos, especificamente aqueles sobre a constituição de Atenas, sobre assuntos de retórica e sobre a vida de Sócrates.

DEMITIZAÇÃO

Esse é o nome do método de interpretação do Novo Testamento proposto pelo teólogo alemão Rudolf Bultmann (que vide), inicialmente apresentado em seu ensaio, «O Novo Testamento e a Mitologia». Ele supunha que certos trechos do Novo Testamento (e, portanto, as doutrinas ali contidas) só podem ser entendidos do ponto de vista de que houve mitos que entraram no texto, que devemos reconhecê-los, removendo-os para que cheguemos à verdadeira compreensão histórica do texto. Sua definição formal de um mito, diz: «A mitologia é o uso da linguagem pictórica para exprimir as realidades do outro mundo em termos deste mundo, o divino em termos da vida humana, as realidades do outro lado em termos deste lado». Mas, no uso real, em seus escritos, o conceito é bem mais amplo. Um mito torna-se uma espécie de termo coletivo para denotar um discurso teológico que ele reputava problemático. Por exemplo, ocasionalmente, *mito* indica *falar objetivamente sobre Deus*, como quando a divindade aparece em um discurso como um poder ou força cósmica que perturba as estruturas ordinárias e estáveis da natureza, e quando tal perturbação aparece como um evento observável publicamente. Isso significa que é *mitológico* falar sobre Deus como quem realmente intervém na história humana, digamos, como sucedeu no mar Vermelho e por ocasião do êxodo. E isso pode incluir a ressurreição de Cristo, os seus milagres, etc. Em outras palavras, o processo demitizador ataca o próprio conceito do *teísmo* (que vide) que supõe que Deus pode e realmente intervém na história humana, de maneiras publicamente observáveis. O termo *mito* também é usado para falar sobre conceitos neotestamentários que refletem idéias presumivelmente obsoletas, no campo cosmológico e teológico, como aquelas que falam sobre os anjos e os demônios. Presumivelmente, o homem moderno ultrapassou todos esses mitos. E que dizer sobre a própria encarnação? Seria realmente possível Deus encarnar-se como homem, para então vir à existência o Deus-homem, a principal doutrina da cristologia? Os autores da Bíblia, de acordo com Bultmann, tendiam a retratar as coisas de acordo com sua própria compreensão da realidade, e não objetivamente, conforme as coisas realmente são. Em outras palavras: «Eles viam o mundo conforme eles eram, e não como a realidade é». Naturalmente, isso sucede com todos nós; mas, negar o aspecto miraculoso, o misterioso e os elementos supranaturais da religião é tornar a religião uma atividade como outra qualquer, e não um contacto com a divindade.

Desnecessário é dizer, que sua teoria criou imensas controvérsias e debates. Várias objeções a ele podem ser mencionadas como típicas:

1. É claramente um erro reduzir uma religião — sobrenatural — a uma atividade meramente natural. Há nessa tentativa uma falácia, pois até hoje as intervenções divinas prosseguem, até mesmo sob a forma de milagres. Talvez os milagres não ocorram entre as paredes de uma universidade, onde teólogos e filósofos debatem e especulam sobre meras idéias. Porém, no mundo exterior, onde os homens padecem necessidades, essas intervenções continuam acontecendo. Como forte exemplo disso, o leitor pode considerar o caso de *Satya Sai Baba*. Há um grande poder no mundo que pode realizar coisas espantosas e misteriosas. Ignorar isso é ignorar uma das principais influências que têm produzido as religiões.

2. Um *mito*, mesmo quando não passa de um mito, existe porque coisas espantosas têm acontecido, as quais, de alguma maneira, vieram a ser elaboradas sob a forma de uma estória ou doutrina. O próprio mito quase sempre tem um âmago de verdade que lhe deu origem.

3. É errado interpretar a fé religiosa à luz de correntes sistemas e tendências teológicas ou filosóficas. Pois, quando uma outra década produzir outras tendências, será mister reinterpretar a fé religiosa.

4. Há *exageros* no sistema de Bultmann. Suas tentativas de *demitização* levaram-no ao ponto que o exercício tornou-se exaustivo. Ele presumia saber o que Deus pode ou não pode fazer, e até que ponto ele intervém ou não na história humana.

5. Bultmann chegou bem perto de transformar o cristianismo em apenas outra filosofia, desnudando-o de todos os fatores sobrenaturais. Mas, se alguém fizer isso, terá criado um novo cristianismo, com pouquíssima vinculação com o cristianismo bíblico e histórico.

6. O cristianismo não se ocupa apenas do elemento existencial (isto é, como Deus se relaciona com o homem), mas também enfatiza o *ontológico* (ou seja, o que Deus é em si mesmo, independente do homem). Se perdermos isso de vista, teremos anulado uma larga fatia da própria teologia.

7. Um cristianismo totalmente «*demitizado*» também perderia o seu elemento histórico. O Novo Testamento se propõe ser uma história séria e autêntica. Afirma: Isto foi o que Jesus disse; isto foi o que Jesus fez. Sua própria existência é prova de que algo de extraordinário sucedeu na vida de Jesus; de que algo de muito incomum sucedeu ali; que por detrás do mesmo havia um gigante espiritual que fez coisas extraordinárias. Esses são fatos históricos que inspiraram os homens a escrever, e que continuam a inspirar os homens. Se deslocarmos o cristianismo de suas raízes históricas, teremos furtado o mesmo de seu principal e básico elemento. Portanto, toda essa tentativa demitizadora aparece como uma falsidade, em face dos eventos miraculosos que prosseguem até hoje. Todos os milagres de Jesus têm sido reproduzidos em nossa própria época. O cristianismo deve incluir tanto os elementos ontológicos quanto os

DEMIURGO — DEMOCRACIA

históricos, que o tornam uma religião distinta. O mundo moderno tem sido secularizado e naturalizado por alguns pensadores; mas o verdadeiro mundo não é assim, tal como o mundo antigo também não o era. Somente nas mentes de alguns pensadores é que o mundo é completamente secular e natural.

8. Portanto, o que Bultmann acusa os escritores do Novo Testamento de terem feito, é o que *ele mesmo fez*. Ele força sobre o mundo a natureza que ele imagina que o mundo deve ter, em vez de reconhecer a verdadeira natureza que ele tem. Em outras palavras, ele via o mundo conforme *ele era*, e não conforme o mundo realmente é. Bultmann agia com base em suas *dúvidas* internas, em sua própria incredulidade. Ele duvidava dos milagres e das intervenções divinas; e, por esse motivo, chamou essas coisas de mitos. Mas a fé não deixa de ter confirmações, nos eventos reais. Os céticos, que têm contemplado os milagres de Satya Sai Baba, têm alterado suas crenças em questão de segundos, porquanto vêem, diante de seus olhos, coisas notáveis que realmente sucedem, mas que nenhuma teoria natural é capaz de explicar.

9. Portanto, é seguro concluir que o Novo Testamento é uma *suavização* daquilo que Jesus fez, em vez de ser uma exposição exagerada. Para cada milagre ali registrado houve dúzias de outros milagres, que não foram historiados.

10. A *imensidade da própria criação* é uma testemunha permanente do poder divino que a permeia inteiramente. A mente que duvida é embotada ao ponto de não poder reconhecer aquilo que é tão evidente. Jamais deveríamos construir teologias fundadas sobre a dúvida. O resultado é sempre lamentável e repelente.

No artigo sobre a *Crítica da Bíblia*, é apresentado material relacionado ao presente assunto. Ver sob as seções dois e três do mesmo. (BARTS BUL BULT BULT(1960) C)

DEMIURGO

Esse termo vem do vocábulo grego **demiourgós**, que significa, literalmente, «artífice». Porém, a aplicação dessa palavra, dentro da filosofia grega, é ao *artífice cósmico*, o qual, utilizando-se das idéias como modelos (as eternas realidades dos mundos imateriais), criou o mundo material, o mundo dos particulares. Encontramos uma descrição dessa doutrina no *Timeu* de Platão. Platão, ao procurar dizer-nos algo sobre como a criação veio a existir, não tentou ser exato ou dogmático, mas tão-somente chamou suas idéias de «uma história provável». O exame dessa doutrina leva-nos a crer que ela é similar, em sua natureza, à doutrina do *Logos* dos estóicos. Além disso, a função do Demiurgo seria similar àquela atribuída ao Logos (Cristo) do Novo Testamento. O *gnosticismo* (que vide) usava a idéia a fim de distanciar o Deus Altíssimo, que seria totalmente transcendental, do mundo material, de tal modo que o demiurgo seria uma espécie de poder divino intermediário, que poderia envolver-se com a matéria, ao passo que o Deus altíssimo não poderia contaminar-se com a matéria. Esse poder, algumas vezes considerado negativo ou demoníaco, era tido como cooperador com o desejo que Deus teria de destruir a existência natural. Em outras palavras, Sua introdução do mal neste mundo teria tido um bom propósito, porquanto isso armava o palco para a sua destruição.

Algumas seitas gnósticas faziam o demiurgo ser o criador supremo de todas as coisas, e não somente dos mundos materiais, embora sem negar a existência de outras divindades. Isso chama-se *henoteísmo* (que vide). Porém, a maioria deles concebia essa figura como a força que introduzira o mal no mundo; pois, de acordo com a doutrina gnóstica, quando tratamos da matéria obrigatoriamente nos envolvemos no mal, visto que a matéria é o princípio mesmo do mal, precisando ser finalmente transcendida. O *neoplatonismo* (que vide) reteve um ponto de vista similar ao do gnosticismo.

História do Vocábulo. Na antiga Ática, a população era dividida em três classes, a saber: 1. os *eupatridai*, a classe superior, formada por patrícios e pela aristocracia dona de terra; 2. os *georgoi*, fazendeiros e aldeões; 3. os *demiourgoi*, os artífices, artistas e trabalhadores manuais. Contudo, no Peloponeso esse termo também era usado para denotar os magistrados supremos. Dentro da liga acaeana, referia-se aos oficiais da assembléia daquela liga. Platão aplicou o termo ao poderoso oficial cósmico e artífice que teria criado o próprio mundo. (AM OS P)

DEMOCRACIA

Esboço:

   I. Definições
  II. Breve História e Idéias
 III. Formas Gregas e Romanas
 IV. Pseudodemocracias
  V. A Democracia e a Igreja
 VI. Alguns Ideais da Democracia

I. Definições

Esse termo vem do grego **demos** (povo) e **kratein** (governar), pelo que está em pauta um governo do povo, direto ou indireto. Na filosofia antiga, a democracia aparece alistada juntamente com a monarquia e a oligarquia como um dos tipos básicos de governo. A monarquia aponta para o governo de uma única pessoa, que governa como rei. A *olig*arquia indica o governo de uns poucos (no grego, *oligos* = pouco). Os gregos antigos empregavam o termo *democracia* a fim de aludirem ao governo do povo, em contraste com o governo por parte da aristocracia.

II. Breve História e Idéias

1. Há algumas evidências em favor de certo tipo de governo democrático nas cidades-estados da Suméria, no terceiro milênio A.C. Mas as informações a esse respeito são muito escassas, pelo que usualmente afirma-se que o aparecimento histórico da democracia ocorreu na Grécia, nos séculos VI e V A.C.

2. *Demócrito* (que vide), que viveu entre 460 e 370 A.C., apoiava o governo democrático.

3. A *democracia ateniense* executou Sócrates, obviamente de maneira injusta. Não há dúvida de que isso afetou os sentimentos de Platão acerca da democracia. Ele chamava a democracia de «feliz anarquia, por algum tempo», sentindo que essa anarquia, quase inevitavelmente, é substituída por uma tirania (uma oligarquia corrupta). Platão, na verdade, mostrava-se bastante amargo sobre a variedade de democracia que observava em Atenas, tendo-a chamado de «o pior de todos os governos legais e o melhor dos governos ilegítimos». Ele favorecia o treinamento longo e cuidadoso do rei-filósofo para ser o governante, o qual seria não somente o melhor, mais inteligente e poderoso, mas que também seria o mais justo e benévolo dos

DEMOCRACIA

governantes. Todas as outras profissões e vocações são ocupadas por indivíduos especificamente treinados. Por que a única exceção seriam os políticos? Um político, pois, teria de ser devidamente treinado para ocupar suas funções, aparecendo como alguém escolhido dentre outros, igualmente treinados, que então tornar-se-iam suboficiais e subgovernantes. Isso posto, a classe governante inteira seria uma classe devidamente treinada.

4. Para *Aristóteles*, a democracia era uma forma degenerada de governo. Haveria três dessas formas degeneradas de governo: a democracia, a tirania e a oligarquia. Dentre essas três formas, a democracia seria a mais *tolerável*. Ele preconizava um monarca devidamente treinado para governar, com uma constituição escrita para proteger os direitos dos indivíduos. Nisso, pois, temos uma espécie de democracia monárquica-constitucional. Aristóteles opunha-se à democracia popular, chamando essa forma de governo de truque político.

5. *A renascença* (que vide) encorajava a modificação nos poderes supremos, que freqüentemente terminam na tirania e na persegüição, sob os quais a liberdade é severamente prejudicada. Surgiu em cena a teoria dos contratos sociais, como garantia dos direitos individuais. Além disso, apareceu a doutrina dos direitos naturais. Essas idéias produziram monarquias limitadas (um tanto parecidas com o ideal aristotélico), que foram os fundamentos das democracias posteriores. A teoria política de John Locke (que vide) era uma forma de monarquia limitada.

6. *Spinoza* (que vide) ensinava que a democracia é superior à monarquia, mormente com base no fato de que a liberdade de indivíduos e de grupos é melhor preservada pela democracia. O ideal democrático é mais compatível com o ideal de liberdade, pelo que é o tipo preferível de governo.

7. *Montesquieu* (que vide) introduziu o conceito da separação de poderes dentro de um governo. Ele preferia a monarquia constitucional como a melhor forma de governo para atingir esse ideal. Entretanto, ele pensava que a forma ideal de governo seria a democracia clássica, edificada sobre a base das virtudes cívicas, embora também pensasse que esse ideal é impraticável neste mundo.

8. *Rousseau* (que vide) frisava os ideais da liberdade e da soberania humanas. Ao escrever sobre quais condições o homem poderia ser livre, ele contribuiu para o desenvolvimento da filosofia democrática moderna.

9. A *democracia norte-americana* estribou-se no passado e constituiu uma forma de democracia *representativa*, mediante a qual oficiais eleitos recebem o poder. Em um país de qualquer tamanho, é impossível que todas as decisões sejam feitas pelo voto direto do povo. A população desse país nada mais faria senão votar. Por conseguinte, representantes são eleitos, a fim de discutirem e decidirem as questões. Há uma constituição para proteger os direitos das minorias, cujo voto influenciará nas eleições, mas que usualmente não determina as questões mais importantes. O período de mandato dos oficiais eleitos é limitado quanto ao tempo, a fim de que a democracia não se transforme em tirania, conforme Platão declarou que sempre acaba acontecendo às democracias. Uma constituição escrita é outra salvaguarda contra a tirania. Muitos países, ao redor do mundo, têm governos similares ao norte-americano.

10. *John Stuart Mill* (que vide) ao defender o princípio da liberdade, advogou um governo democrático representativo. Ele temia a tirania da maioria, a qual também pode ferir o princípio da liberdade individual. Para evitar isso, ele sugeria que somente homens de comprovada responsabilidade recebessem as rédeas do governo, a fim de que o poder da maioria pudesse ser controlado.

11. *John Dewey* (que vide) pensava que a democracia é o único método de organização da sociedade que se coaduna com seu método de inquirição e de experiência pragmática para determinar a verdade prática.

III. Formas Gregas e Romanas

Entre os gregos, as tiranias com freqüência terminavam com alguma experiência democrática, e várias cidades-estados dos gregos experimentaram o governo democrático. A mais bem conhecida dessas cidades-estados foi Atenas. Havia a eleição anual de um magistrado principal, chamado o *árchon*. Ele presidia a assembléia de todos os cidadãos, que era a *ekklesia*. O concílio dos anciãos, que era a *gerousia*, servia de medida de segurança para evitar a tirania e controlar o poder da classe militar. Esse sistema ruiu quando da guerra de Peloponeso, entre Atenas e Esparta, e, daí por diante, foi errando de decisão em decisão. Entre esses erros houve a execução de Sócrates, que emprestou à democracia uma reputação odiosa no mundo antigo. Não obstante, certos princípios foram ali enfatizados, os quais têm inspirado os homens, desde então.

Os romanos experimentaram o governo democrático antes de Júlio César, meio século antes de Cristo. A fórmula ateniense foi seguida, com aprimoramentos, e houve a injeção de uma larga dose de pragmatismo, tão característico dos romanos. Políbio louvou o sistema assim produzido, com seus freios e contrabalanços, e enfatizou a importância do indivíduo. Os negociantes da classe média eram figuras importantes nas assembléias populares. O senado era a assembléia deliberativa do estado. As assembléias populares exerciam autoridade sobre áreas locais. Os cônsules tinham uma autoridade especial, com poder de veto uns sobre os outros (sempre havia dois cônsules em qualquer lugar). O sistema de freios e contrabalanços dos romanos inspirou várias medidas da constituição norte-americana.

IV. Pseudodemocracias

O vocábulo «democracia» tem adquirido grande prestígio em nossos dicionários e em nossas mentes. Era mesmo inevitável que certas formas de governo que nada têm de democrático, porquanto não representam o voto do povo, viessem a tomar por empréstimo essa palavra, a fim de prestigiar seus sistemas. Foi assim que o próprio Hitler chamou de democracia o seu sistema monstruoso, que incluía o genocídio. Os sistemas totalitários comunistas intitulam-se democracias populares, mas o povo jamais vota de acordo com esses sistemas, e os direitos individuais geralmente são desprezados. Porém, a palavra democracia é um vocábulo muito *persuasivo*, que empresta prestígio a tais sistemas.

V. A Democracia e a Igreja

Várias formas de governo existem na Igreja cristã universal. Há um artigo separado sobre esse assunto, que examina a autoridade e os pontos de fortaleza e de fraqueza dessas várias formas. Ver o artigo *Governo Democrático*, II. 3, *Governo Congregacional*, quanto a completas descrições.

VI. Alguns Ideais da Democracia

A separação de poderes: certo modo de obter a

45

DEMÓCRITO — DEMÔNIO

harmonia na combinação das diferenças, dentro de uma unidade; a fé na lei constitucional, com a conseqüente proteção do indivíduo e seus direitos, bem como dos direitos das minorias; o grande valor dado à liberdade; uma ampla participação da população nas decisões do governo; a necessidade de um eleitorado esclarecido, o que explica a ênfase sobre a educação em massa; a aceitação do veredito da maioria; a prevenção de poderes ditatoriais; um melhor modo de vida paralelamente a um mínimo de infração dos direitos alheios, mas salvaguardando os próprios direitos; um governo civil, e não militar. (AM E H P)

DEMÓCRITO

Suas datas foram 460-370 A.C. Foi um filósofo grego, nascido em Abdera. Foi discípulo de Leucipo, e preservou a doutrina de seu mestre. Em sua própria época, Demócrito foi tão famoso quanto Platão ou Aristóteles, e a sua teoria atômica exerceu vasta influência.

Idéias:

1. O elemento simples e indivisível, o **átomo**, é o constituinte final da natureza (no grego, *a + tome =* não cortável). Os átomos seriam sólidos, simples e homogêneos, sem espaços vazios. As divisões podem ocorrer através de espaços existentes na matéria, mas, onde não houver espaços, não poderá haver divisões. Um átomo, pois, seria infinitamente duro.

2. Os princípios da natureza seriam três: o átomo, o vazio e o movimento dos átomos, inerente à sua natureza. O vazio consiste em espaço sem átomo, e as coisas que existem se movem através desses vazios.

3. As diferenças nos átomos incluem dimensões, formato e velocidade, e todas as diferenças qualitativas derivam-se desses três fatores. Quando os átomos se movimentam, entram em colisão e assumem formatos que encorajam novos elos. Demócrito chegou a propor a idéia de que os átomos têm ganchos e ilhoses que facilitam as ligações.

4. Haveria necessidades causais que governam os arranjos e as mudanças nos átomos. Por meio de colisões, são criados vórtices que resultam na geração de mundos, e essas colisões explicam também as inevitáveis dissoluções. Portanto, os mundos estão sempre sendo criados e desintegrados.

5. Sombras e sinais lunares resultam das sombras lançadas pelos montes e elevações existentes na lua.

6. A vida desenvolveu-se da argila primeva, relacionada ao calor e ao fogo. Há átomos do fogo e da alma, similares em natureza, porém, menores e mais esféricos do que os outros tipos. Encontramos nisso o começo de uma teoria evolutiva, com base na mecânica do átomo.

7. O *pensamento* também é um tipo de movimento e criatividade na natureza, que causa movimentos em outras coisas. Isso antecipa a doutrina da parapsicologia, chamada *psicocinesia* (*PK*).

8. A consciência é uma função dos átomos da alma, difundidos no corpo todo. Inalamos e exalamos esses átomos. Uma leve perda de seu número provoca o sono. Uma perda apreciável pode provocar a perda da consciência e finalmente, a morte física.

9. A percepção é criada pelo impacto dos átomos sobre nossos aparelhos dos sentidos físicos. Os átomos que assim causam impactos aparecem sob a forma de *eídola* ou imagens.

10. No sistema de Demócrito não há sobrevivência pessoal e nem imortalidade.

11. O *hedonismo* (que vide) é a busca pelo prazer, servindo de guia para todos os atos e decisões éticos. A tarefa da ética consiste em equilibrar os elementos do prazer e da dor. A *moderação* é algo necessário, a fim de adquirirmos um equilíbrio apropriado. Buscamos um prazer imperturbado, chamado *ataraxia* (que vide).

Na filosofia grega, o *atomismo* não era resultado de experiências feitas em laboratório e mediante descobertas empíricas. Antes, ocorria como resultado do raciocínio lógico. Os homens procuravam entender as realidades finais, os elementos imutáveis, que em seus movimentos e relações uns com os outros, produzem o fluxo que observamos na natureza. Os átomos eram encarados como imutáveis, pelo que representariam a *realidade*. Porém, em seus movimentos e intercâmbios com outros átomos, ocorreriam fluxo, desenvolvimento e desintegração. As teorias atômicas eram coerentemente materialistas. Ver o artigo separado sobre o *Átomo*.

DEMOFOM

Foi um governador de certo distrito da Palestina, nos dias dos Macabeus (II Macabeus 12:2). Juntamente com Timóteo, Apolônio e Jerônimo (outros governadores), ele labutou em favor da política da helenização, promovida pelo regime dos reis selêucidas, o que produziu tantas dificuldades para os judeus. Perturbações locais foram criadas pelos atos de Demofom.

DEMONAX DE CHIPRE

Suas datas aproximadas foram 80-180 D.C. Foi um filósofo grego, discípulo de Epicteto, o estóico romano. Demonax era eclético quanto às suas idéias. Ele se opunha ao fatalismo do sistema grego estóico. Enfatizava as virtudes da moderação e da sabedoria, e embora eclético, geralmente é classificado como um filósofo cínico (ver sobre o *Cinismo*).

DEMONÍACO

Refere-se à pessoa **possuída por um demônio**, ou sob o poder de algum demônio. No grego é um verbo, *daimonízomai* (estar endemoninhado). A palavra ocorre por treze vezes no Novo Testamento: Mat. 4:24; 8:16,28,33; 9:32; 12:22; 15:22; Mar. 1:32; 5:15,16,18; Luc. 8:36; João 10:21. Damos plenas descrições do fenômeno no artigo sobre *Demônio*, *Demonologia*, sob a seção V, *Possessão Demoníaca*.

DEMÔNICO

Vem do termo grego **daimon**, que significa divindade secundária, e que deu *demônio*, em português, tantas vezes usado no Novo Testamento. Esse termo refere-se a alguma força espiritual negativa, que exerce influência sobre os homens ou se apossa deles. Ver o longo artigo sobre *Demônio*, *Demonologia*.

DEMÔNIO, DEMONOLOGIA

Esboço:

I. O Termo *Daimon* e Declaração Preliminar
II. Caracterização Geral
III. Idéias de Várias Culturas Sobre os Demônios
IV. A Demonologia no Novo Testamento e na Interpretação Cristã
V. Possessão Demoníaca

Ver o artigo separado, **Possessão Demoníaca**.

DEMÔNIO, DEMONOLOGIA

I. O Termo «Daimon» e Declaração Preliminar

Este termo era empregado no gr. clássico, às vezes, como um sinônomo de *theos* (deus). Ver seção III. Assim o usou Homero (século IX A.C.). Por outros autores, entretanto, a palavra foi utilizada para indicar certas divindades subordinadas, que inocentavam os deuses maiores da prática de muitas maldades; e é provável que por causa dessa mesma circunstância é que a palavra finalmente passou a significar alguma entidade sobrenatural cujo propósito é o de praticar a maldade. Esse termo também tem sido usado para referir-se às almas dos homens que, por ocasião da morte, são elevadas a determinados privilégios, e, posteriormente, passou a indicar os espíritos humanos em geral, partidos deste mundo. Gradualmente, esse vocábulo foi-se limitando aos espíritos malignos em geral, exclusivamente, sem qualquer definição sobre a origem ou natureza desses espíritos.

Do princípio ao fim as Escrituras comprovam a realidade do mundo dos espíritos, que tanto podem ser maus quanto bons. Os espíritos, tanto os bons quanto os maus, são apresentados como extremamente numerosos (ver Efé. 1:21; 6:12; Col. 1:16 e Mar. 5:9). Os espíritos malignos têm influência sobre os homens, e procuram ocupar os seus corpos (ver Mar. 5:8 e Mat. 12:43,44). São imundos (o que significa que tornam o indivíduo incapaz de entrar em contacto com Deus, com o culto ao Senhor e com a adoração). Algumas vezes são obstinados, com freqüência são maldosos e violentos, mas podem ser imitadores do bem, e supostamente trazem alguma luz. (Ver I Tim. 4:1-3). Sua inspiração não se limita a atos vis, mas essa perversa influência pode estar vinculada até mesmo ao ascetismo religioso. Um dos mais severos julgamentos, nos tempos do fim, consistirá da liberação de um poder demoníaco extremamente virulento neste mundo (conforme alguns consideram que ensina a passagem de Apo. 9:1-11, embora outras indicações sobre isso também existam nas Escrituras).

Nada de realmente certo se encontra sobre a origem dos demônios, nas páginas da Bíblia, ainda que muitos creiam que sejam os anjos caídos que seguiram a Satanás. (Ver Apo. 12:7-9 com Apo. 12:3,4). Mas outros estudiosos acreditam (conforme criam muitos dos antigos) que são espíritos dos mortos que ainda não entraram em qualquer estado bem determinado de transição. Outros, ainda, sustentam que os demônios pertencem a ambas essas ordens de seres. Muitos psicólogos modernos duvidam que exista realmente a possessão por meio de espíritos, mas a experiência universal com tais espíritos desaprova essas dúvidas. Alguns daqueles que se ocupam de pesquisas psíquicas, nestes últimos anos, estão convencidos da realidade do mundo dos espíritos, tanto bons como maus. É uma completa tolice pensar que simplesmente porque não podemos ver os espíritos, eles não existem—todavia, alguns *sensíveis* (pessoas psiquicamente dotadas) asseveram que podem ver ocasionalmente aos espíritos, e alguns deles vêem-nos regularmente. É fato sobejamente conhecido que os sentidos humanos são *extremamente limitados*, não percebendo muitas coisas que sabemos que realmente existem, como, por exemplo, a força chamada lei da gravidade; e assim, a maior parte deste mundo totalmente físico continua imperceptível aos nossos sentidos (e quanto mais o mundo espiritual)! Assim, pois, afirmar alguém que algo não existe simplesmente porque os seus sentidos não são aptos a captá-lo, mostra que esse alguém se deixa levar por preconceitos. Mas uma coisa que

sabemos bem é que não sabemos praticamente coisa alguma acerca do universo em que vivemos. Não obstante, existem muitas evidências inequívocas, perceptíveis até mesmo para os sentidos humanos, que confirmam a existência de um mundo dos espíritos ao nosso redor.

Era ponto *teológico comum*, entre os judeus (sendo ensinado nas escolas teológicas judaicas dos fariseus e de outros), que os demônios, capazes de possuir e de controlar um corpo vivo, são espíritos de *mortos partidos* deste mundo, especialmente aqueles de caráter vil e de natureza perversa. (Ver Josefo, *de Bello Jud*. VII. 6:3). Os gregos, os romanos e outros povos antigos compartilhavam dessa crença. Alguns dos pais da Igreja também aceitaram essa idéia, tais como Justino Mártir (150 D.C.) e Atenágoras.

Tertuliano (150 D.C.) foi o primeiro pai da igreja a começar a modificar essa idéia, e deu origem à crença de que os demônios fazem parte exclusivamente de uma ordem de anjos decaídos. Finalmente, tendo aparecido o grande comentador Crisóstomo (407 D.C.), obteve aceitação geral a idéia de que os demônios não são espíritos humanos caídos, e, sim, pertencem à ordem de anjos caídos juntamente com Satanás. Essa idéia também prevalece na teologia moderna, apesar de ainda existirem alguns que se apegam à idéia mais antiga, como Lange (do *Comentário* de Lange),—que acredita que aquilo que conhecemos pelo título de *demônio* pertence tanto à ordem de espíritos humanos que daqui partiram e que se tornaram parte de um nível mais baixo dos espíritos, como à ordem de seres angelicais caídos. Lange, portanto, aceita ambos os pontos de vista. As próprias Escrituras nada nos informam acerca da origem dos demônios, pelo menos em termos bem definidos; por isso mesmo, a sua identificação com os anjos caídos pode representar ou não a verdade. Se isso representa a verdade, mesmo assim pode *não* representar *a verdade inteira* sobre a questão. Muitos casos de possessão demoníaca parecem demonstrar que alguns demônios, pelo menos, são de fato entidades que antes eram seres humanos comuns. Pois é possível que por enquanto, pelo menos parcialmente, estejamos dentro de um intervalo de tempo, antes do julgamento, em que os espíritos não foram ainda para o seu *destino final*; embora também seja possível que exista alguma forma de comunicação entre certas dimensões espirituais (que podem até mesmo ser chamadas de *hades*) e os homens. Diversos exemplos bíblicos mostram que a comunicação com os mortos é algo que ocorre ocasionalmente. Nas Escrituras somos advertidos contra essa prática, mas não nos é dito ali que tal comunicação seja impossível. Existem evidências que parecem indicar que a posição assumida por Lange, de que os demônios pertencem a ambas as ordens; tanto espíritos humanos de mortos como seres pertencentes à ordem de anjos caídos—é a mais correta, embora nos faltem provas inequívocas quanto a isso.

Quanto a outros detalhes sobre o termo, ver sob o terceiro ponto, 1.

Esse vocábulo, usado em sentido tanto positivo quanto negativo, quase sempre traz até nós o conceito da possibilidade de um contacto real do homem com as forças espirituais, imateriais da criação, usualmente invisíveis. Assim, em certo sentido, a *demonologia* é uma extensão do conceito teísta, que diz que o homem não está sozinho no universo, havendo poderes espirituais invisíveis que precisamos levar em conta. Essas forças podem influenciar a vida humana para melhor ou para pior. A vida jamais poderá ser

47

DEMÔNIO, DEMONOLOGIA

reduzida à razão e ao empirismo. Também existem realidades místicas, de natureza positiva e negativa.

II. Caracterização Geral

Duas coisas são indiscutíveis sobre esse assunto: primeira, nem os hebreus e nem os cristãos criaram as elaboradas demonologias e angelologias que, finalmente, vieram a ser aceitas. Segunda, apesar das elaborações, exageros e elementos místicos que entraram no pensamento hebreu e cristão, no tocante aos demônios, essas noções são corretas quanto à temível realidade dos demônios e sua capacidade de influenciar e de apossar-se das pessoas.

Que os espíritos malignos existem e exercem poder sobre os homens tem sido uma idéia universalmente aceita. Essa idéia permeia todos os níveis da sociedade, podendo ser encontrada entre as tribos mais primitivas e as civilizações mais avançadas. Essa universalidade fala em favor da veracidade dessas noções, sem importar os exageros e os elementos mitológicos criados em torno do assunto. Os demônios são vistos como seres poderosos, sobre-humanos, pertencentes a vários níveis de seres. Alguns são tidos como espíritos humanos desencarnados, negativos, que ainda não chegaram ao seu destino, e que continuam tentando viver suas vidas nas vidas de outras pessoas, através de influência ou de possessão. Outras classes incluem os *elementares*, que são menos poderosos do que os espíritos humanos, como se fossem uma espécie de símios do mundo espiritual. Porém, até mesmo esses podem ser um incômodo. Então, se subirmos um pouco mais na escala, encontraremos os *anjos caídos*, os quais também pertencem a diversas categorias. Após o século V D.C., essa tornou-se a identificação mais comum dos demônios na teologia cristã, embora outras identificações não tenham sido abandonadas. Os demônios mais perigosos são aqueles que pertencem a elevadas ordens de seres espirituais; e a conexão com os anjos caídos sem dúvida está correta, pelo menos em parte. Em parte, digo, porque as evidências mostram que na influência e na possessão demoníaca há fenômenos que não podem ser explicados mediante nenhuma resposta simples. Alguns demônios são relativamente fáceis de serem expelidos, até mesmo por métodos não-religiosos, como maldições e uma linguagem obscena, que, por assim dizer, requeimam os ouvidos dos intrusos, encorajando-os a buscar habitações mais pacíficas. Porém, outros demônios são praticamente impossíveis de ser desalojados pelos exorcismos comuns. Na verdade, há pessoas que receberam o *dom* do exorcismo. Isso tem sido amplamente comprovado na prática. Essas pessoas revestem-se de uma *autoridade* espiritual que lhes torna possível ordenar às forças malignas e serem atendidas por elas. Nem todo pastor, padre ou oficial eclesiástico tem essa autoridade, e ritos exorcizadores geralmente provocam maior atividade demoníaca ainda! Bandeiras e fronteiras denominacionais parecem ter pouco a ver com essa autoridade de alguns exorcistas. O exorcismo (que vide) é realizado com sucesso por todos os grupos cristãos, por religiões não-cristãs e por pessoas não-religiosas, igualmente. Até mesmo os psicoterapeutas, em certas ocasiões, parecem ser capazes de pôr fim a casos reais de possessão demoníaca. Usualmente, porém, o exorcismo tem envolvimentos religiosos. Se isso não se dá por outra razão, é que quando alguém começa a lutar contra as forças malignas é apenas sensato invocar forças espirituais positivas, como aquelas que giram em torno da religião. Outrossim, a maior parte dos exorcistas compõe-se de ministros religiosos de alguma espécie, pelo que são homens dotados de

perspectiva espiritual.

No pensamento hebreu e cristão, tornou-se usual considerar maus todos os demônios. Esses são os espíritos que mais chamam a atenção, porquanto são perturbadores. Os cristãos primitivos levavam muito a sério a existência e o poder dos demônios, conforme é demonstrado pela freqüente menção a eles, no Novo Testamento. Males mentais e corporais eram atribuídos às atividades de espíritos invisíveis, o que ocorre na história da maioria das culturas. Jesus dava ordens aos maus espíritos, e eles lhe eram obedientes (Mar. 1:27). Eles reconheciam a autoridade espiritual dele, e não ousavam fazer-lhe oposição. Os discípulos de Jesus deram continuação ao seu ministério de curas, no tocante ao corpo e à mente, e se utilizavam da autoridade do nome de Jesus quando tratavam com os espíritos malignos (Atos 16:18; Mar. 9:38; Luc. 10:17). As culturas com as quais o cristianismo foi entrando em contacto, à medida que se propagava, já tinham suas respectivas demonologias, havendo muitas interferências demoníacas, pelo que nada de novo foi introduzido nessa área, excetuando o fato de que há aquele *Nome* que é capaz de libertar, com o qual as pessoas das culturas pagãs não estavam acostumadas.

Entre os judeus era corrente a noção que a idolatria pagã era influenciada pelos demônios, e que, algumas vezes, os demônios são o próprio alvo da adoração idólatra. Paulo compartilhava dessa crença, pois, apesar de chamar um ídolo de coisa vã, em certas ocasiões (ver I Cor. 8:4), em outras oportunidades ele afirmava que os demônios eram objetos da adoração idólatra do paganismo (I Cor. 10:20). Por volta do século III D.C. já havia surgido uma espécie de classe de exorcistas oficiais no cristianismo, usualmente constituída por ministros, e as pessoas apelavam para eles, a fim de serem ajudadas contra os demônios.

III. Idéias de Várias Culturas sobre os Demônios

1. Na Cultura Grega. As antigas lendas gregas retratam os deuses envolvendo-se com os homens, de forma comum e fácil. Nos escritos de Homero, um *daimon* era considerado uma força divina, uma espécie de divindade secundária; e, algumas vezes, essa palavra era usada como sinônimo de *théos*, «deus». Talvez a palavra fosse ocasionalmente usada como personificação de alguma força vaga e desconhecida, porém temida, embora possamos ter a certeza de que entidades verdadeiras estavam em foco. Mas, essa palavra não envolvia uma conotação negativa, a menos que a força envolvida fosse tida como negativa. Nos escritos de Hesíodo, o *daimon* algumas vezes era concebido como a alma de um homem da era áurea que conseguira estabelecer a conexão entre os deuses e os homens, quando então *theoi* e *daimones* eram confundidos como um só tipo de entidade. Essa palavra também era usada para aludir ao *gênio* ou destino do indivíduo, ou então para referir-se a um poder mal definido que controlava a vida de uma pessoa, mais ou menos como a palavra destino é usada em nossos dias. Os *fantasmas* dos heróis eram, algumas vezes, identificados com os *daimones*, o que significa que o humano era confundido com o divino. Os conceitos sobre a divindade eram assim rebaixados a tal ponto que eram confundidos com conceitos sobre demônios. Ver o artigo sobre a *Deificação*, o que ilustra o ponto.

Os gregos criam na existência de espíritos orientadores, da ordem dos anjos guardiães, pelo que um *daimon* (sem importar seu nível) algumas vezes era concebido como um desses espíritos. O diálogo de Platão, *Apologia*, mostra que Sócrates pensava que

DEMÔNIO, DEMONOLOGIA

era guiado por um *daimon*; mas não devemos pensar em qualquer espírito maligno, no seu caso. Alguns estudiosos supõem que Sócrates foi um médium psíquico, sem sabê-lo, mas esse ponto é debatível. Falava-se também sobre o espírito chamado *alastor*, que teria especiais poderes de vingança; e os espíritos humanos desincorporados seriam capazes de afligir fisicamente às suas vítimas. Os espíritos teriam poderes de possessão. Heráclito (que vide) procurou suavizar essa idéia ao observar que o *caráter* é o espírito que habita em um homem, e não uma entidade separada. Platão identificava os demônios com as almas dos mortos (*Cart.* 398), supondo que eles poderiam fazer um trabalho de mediação entre Deus (ou os deuses) e os homens (*Banquete* III, 202,203). Os estóicos contavam com uma doutrina exagerada a respeito dos demônios, misturando-os com praticamente tudo. Epicuro, por outro lado, negava a existência dos demônios. Visto que se acreditava que espíritos de vários tipos podiam transmitir sorte, doenças, etc., aos homens, desde os tempos clássicos encontramos a base da demonologia posterior. Referências em *Timeu* (partes 41,42,69,71, 75), de Platão, indicam que uma das crenças era que as almas dos homens, após a morte, podem tornar-se *daimones* negativos. Isso quer dizer que a palavra é ali usada em sentido negativo, o que, afinal, veio a ser o sentido único no Novo Testamento. Lembremo-nos, por igual modo, que os *theoi* da cultura grega algumas vezes rebaixavam-se praticando atos próprios dos demônios. Em conseqüência, o desenvolvimento de uma doutrina da demonologia, usando a palavra *daimon*, antes honrada, foi um acontecimento natural.

2. Na Mesopotâmia. Os demônios aparecem muito ativos na sociedade mesopotâmia, a julgar pela complexidade da demonologia deles. Os rios Tigre e Eufrates eram uma ameaça constante ao bem-estar dos povos daquela região do mundo. Quando aqueles rios inundavam e destruíam, muitos tinham certeza de que poderes demoníacos estavam à solta. A mitologia dos sumérios contém muitas alusões a deuses bons, *anunnaki*, e a sete espíritos maus, ou demônios, os *asakki*, que habitavam o mundo inferior e podiam exercer drásticas influências sobre a vida humana. As enfermidades eram consideradas invasões desses seres, no corpo humano, através dos orifícios do corpo. Vários ritos eram usados na tentativa de expeli-los. Brincos e colares, e outros encantamentos eram usados para tentar desviar esses demônios. As atividades dos maus espíritos triam toda espécie de infortúnio. Deuses patrocinadores eram invocados para controlar circunstâncias adversas. Ordens sacerdotais eram treinadas para exorcizar. Também se pensava que os fantasmas de pessoas mortas podiam fazer aquilo que agora atribuímos aos demônios, o que reaparece como uma crença constante em muitas culturas, incluindo a cultura dos hebreus. Esses fantasmas eram chamados *etimmu*, e os sacerdotes tinham encantamentos para proteger as pessoas dos atos maus.

Os mesopotâmicos davam nomes específicos a demônios específicos, como os *rabisu*, os «agachadores», que tinham o costume de ficar à espreita de suas vítimas, apanhando-as desprevenidas. Os sumérios salientavam o valor mágico dos nomes, e o exorcismo com freqüência incluía a idéia de que se fosse possível obter o nome de um demônio, isso ajudaria na tentativa de expeli-lo. Essa crença pode ser comparada com Mar. 5:9 e Luc. 8:30. Alguns exorcistas modernos continuam a prática de primeiro obter o nome do demônio, antes de começar o exorcismo. Os

babilônios levavam essa questão a extremos, supondo que os espíritos malignos podem penetrar nas roupas ou nas estruturas dos edifícios. Os *asakki* dos sumérios eram chamados *utukku* pelos babilônios. Havia um demônio feminino muito temido, de nome *Lamashtu*. A especialidade dela era molestar, prejudicar e matar crianças. O demônio *Namtar* tinha, à sua disposição, sessenta doenças diferentes com que prejudicar aos homens. Um amigo seu era *Irra* especialista no envio de pragas. *Lilitu* (também mencionado na literatura hebraica; ver sobre *lilith*) era um *succuba*, isto é, um demônio sensual, que tentava os homens durante o sono, com sonhos tipicamente freudianos. A *Ardat Lili* dos assírios tinha o mesmo tipo de mentalidade, e ela e seu companheiro macho não davam descanso às mulheres.

3. No Egito. Os egípcios acreditavam em muitos seres demoníacos, cuja finalidade era deixar a vida humana o mais miserável possível, embora não os classificassem de maneira elaborada como o faziam os mesopotâmios. Além disso, os demônios concebidos pelos egípcios tinham menos trabalho a fazer, porquanto os desastres naturais, como as tempestades e as enchentes, eram atribuídos aos próprios deuses, mais ou menos da ordem dos *theoi* gregos, que perturbavam continuamente os homens. No Egito, os demônios gostavam de infligir enfermidades e febres noturnas, ou alguma praga ou dor súbita. Os sacerdotes egípcios dispunham de encantamentos para proteger as pessoas. Os egípcios tinham demônios aéreos, ou seja, demônios habitantes da atmosfera terrestre. Por essa razão é que eles fumigavam periodicamente seus templos, palácios e mesmo lares, especialmente por ocasião de algum funeral, o que servia de ocasião para os demônios se ativarem de maneira extraordinária. Novamente, em consonância com a maioria das culturas, os egípcios pensavam que alguns demônios eram fantasmas ou espíritos de pessoas que já haviam morrido, mas que teimavam em ficar gravitando por este mundo a fim de molestar aqueles que ainda tinham corpos físicos, como sinal de sua mortalidade. De acordo com muitas demonologias, os egípcios também enfatizavam a necessidade de descobrir o nome do demônio, a influência de dias bons ou maus (com o uso de horóscopos), a natureza eficaz de pedras preciosas, encantamentos e ritos, para proteção e livramento. Porém, para eles as crianças estavam em segurança, porquanto não haveria demônios especializados em molestá-las.

4. No Antigo Testamento e nos Livros Apócrifos. Não há uma demonologia plenamente desenvolvida no Antigo Testamento, o que demonstra o fato de que esse foi um desenvolvimento gradual na cultura hebraica, com muitos empréstimos feitos de outras culturas. Outro tanto sucedeu no campo da angelologia. Os antigos textos hebraicos não têm uma palavra separada para indicar «demônio». As atividades negativas sobrenaturais eram efetuadas pelo *elohim*, um nome comum dado ao próprio Deus. Nisso temos um paralelo com a cultura grega, onde *theos* podia ser um deus bom ou um deus mau. *Elohim* é empregado para indicar os fenômenos extraordinários e os poderes proféticos de Balaão (Núm. 24:2), ou aqueles ligados a Saul (I Sam. 10:11; 19:20-23). As traduções dizem «Deus», mas talvez «deus» estivesse mais correto. Seja como for, o uso adjetivado da palavra *elohim* é definidamente usado em conexão com um espírito maligno, em II Sam. 16:15,16,23. Porém, até mesmo ali, alguns tradutores insistem em supor que está em foco o Deus de Israel. Em harmonia com o modo egípcio de manusear a

DEMÔNIO, DEMONOLOGIA

questão, as pragas, as enfermidades e muitas mazelas humanas são atribuídas a Deus, no Antigo Testamento, e não a espíritos malignos. Ver Êxo. 9:3; Jó 2:7; II Sam. 1:9. A *cãibra*, citada na última dessas referências, segundo supõem alguns intérpretes, indicaria um ataque de espírito maligno, mas o ponto tem sido muito debatido. Conforme tudo isso nos permite ver, as elaboradas demonologias das culturas pagãs simplesmente fazem-se ausentes no Antigo Testamento, embora ali haja alusões a tal crença. O trecho de Deuteronômio 32:17 é um exemplo disso, onde a Septuaginta diz *daimonia*. Essa referência, porém, poderia ser uma séria aceitação da natureza demoníaca dos deuses pagãos, ou seja, de certa forma de demonologia. Outras referências similares existem, como a de Levítico 17:7, aos «cabeludos», que seria uma alusão aos *sátiros*. O sentido dessa palavra é «bode»; mas, nas referências pagãs há deuses ou demônios que habitavam em lugares ermos (comparar com Isa. 13:21; 34:14). A adoração ao bode, com os ritos depravados paralelos, era comum no Baixo Egito, e o povo de Israel estava familiarizado com a mesma, desde antes do êxodo. Nessa adoração estava envolvido o culto aos sátiros, visto que essa criatura imaginária é o «cabeludo» (embora nossa versão portuguesa diga «demônio», em Lev. 17:7). Ver também II Crônicas 11:15, nessa conexão. Esses versículos provavelmente estão por detrás da declaração paulina de que a idolatria envolve a adoração de demônios (I Cor. 10:20, que parece ter Deuteronômio 32:17 especialmente em vista). Isaías alude ao demônio feminino *Lilutu*, em Isa. 34:14 (onde nossa versão portuguesa diz «fantasmas»). Esse demônio feminino viria tentar os homens, durante o sono, sendo capaz de efetuar atos sexuais com eles. Outras possíveis referências, no Antigo Testamento, às atividades demoníacas, como a *destruição* que assola ao meio-dia (Sal. 91:6) ou o *terror* da noite (Sal. 91:5), ou a *sanguessuga* (Pro. 30:15), presumíveis aflições provocadas por espíritos que causam doenças (Deu. 28:22), são um tanto mais dúbias, e, provavelmente, só envolvem expressões poéticas, sem abordar qualquer especulação demonológica.

Os Livros Apócrifos e Pseudepígrafos. Essa literatura expõe um quadro desigual sobre os demônios. Eclesiástico, Macabeus e a Sabedoria de Salomão são a base veterotestamentária, com algumas poucas referências que refletem a crença nos demônios. Sabedoria de Salomão 18:15 é uma possível exceção. O anjo vingativo que ali aparece pode ser considerado uma força demoníaca. Porém, nos apocalipses do judaísmo helenista há uma grande variedade de espíritos, bons e maus. Jubileus é livro que atribui forças naturais às atividades espirituais (Jubileus 2:2; 10:5). As tendências imorais da natureza humana seriam inspiradas pelos demônios, no Testamento dos Doze Patriarcas. Ali são mencionados sete *espíritos enganadores*. Esses espíritos primeiramente tentam os homens a pecar, então castigam-nos por causa do pecado cometido, se pudermos crer nos conceitos ali emitidos. As forças malignas alinham-se por detrás de Belial ou Satanás, o que significa que uma espécie de dualismo, por essa altura, se incorporara ao judaísmo. Todavia, isso não é tão estranho quando consideramos que, desde o princípio, no Antigo Testamento, temos o poder da serpente (um símbolo de Satanás, em tempos posteriores) e a queda de Lúcifer, em Isaías 14:12. Não obstante, um verdadeiro *dualismo* aparece na idéia da existência de um reino bom e de um reino mau, com suas respectivas forças boas e más, bem como o resultado do conflito, que aparece um tanto

duvidoso. Ver sobre o *Dualismo*. No Testamento dos Doze Patriarcas, em Aser 1:9; 6:2; Dan. 1:6,7; Judá 13:3; 14:2; Levi 19:1 ensina-se que o reino do mau será derrotado antes da inauguração da nova criação. Até então, os demônios do reino mau mostrar-se-ão ativos. Uma porção do Manual de Disciplina (parte dos manuscritos do mar Morto), — fala sobre os espíritos pervertidos (III 22-24), e sobre as forças malignas que se lançam contra os filhos da luz (IV 12,13). A era messiânica haverá de livrar o mundo desses seres malignos. Os eruditos vêem, na apresentação desse documento, a influência da demonologia iraniana.

Os livros da Sabedoria de Salomão e o Enoque Eslavônico (2:4 e 3:31, respectivamente), apresentam Satanás como o arquidemônio que encabeça todos os demônios. Isso é um desenvolvimento cultural. O livro de Enoque procura explicar a origem dos demônios. Ali eles aparecem como anjos que se rebelaram contra Deus e caíram. Então vieram ter contacto sexual com mulheres humanas, o que causou muita confusão. Alguns têm interpretado desse modo os trechos de Gênesis 6:1-4 e Ezequiel 28:13-17. Esse livro sem dúvida segue a idéia iraniana de que a própria matéria é má (um conceito incorporado no gnosticismo), e que qualquer contacto com a matéria é automaticamente corruptor. No livro de Tobias vemos a influência persa, porque o demônio *Asmodeu*, a contrapartida masculina da *succuba* babilônica é ali apresentado, o que pode ser uma variação do demônio *Aeshma*, da Pérsia. Outros eruditos pensam que o *Shamedon* palestino está em pauta. Porém, nesse livro há outros vestígios do pensamento persa, pelo que, seja como for, há uma grande mescla de idéias.

A obra pseudepígrafa que mais fala sobre os demônios é a *Ascensão de Isaías*, onde Beliar (variante de Belial) é visto tentando os homens através das suas múltiplas agências. De modo geral, pode-se dizer que a demonologia da maioria das culturas do período helenista já estava bem desenvolvida. Qualquer calamidade, enfermidade e infortúnio, pessoal ou coletivo, é ali atribuído à atividade dos demônios. Foi dentro desse contexto que o Novo Testamento veio à existência e, conforme já seria de esperar, sua demonologia é bastante ampla.

IV. A Demonologia no Novo Testamento e na Interpretação Cristã

No Novo Testamento, a designação grega usual dos demônios é *daimonino* (no singular), forma diminutiva de *daimon*, embora ambas as formas possam ser ali encontradas. Desaparece o bom *daimon* dos escritos clássicos, e somente espíritos malignos são assim referidos, por esse termo. Beelzebube (ou Belzebu) é o príncipe dos demônios (Mar. 3:22).

1. *Atividades Específicas dos Demônios, no Novo Testamento*. Os demônios afligem os homens com problemas físicos e mentais (Mar. 1:21). Eles podem possuir os homens, controlando-os completamente (Mat. 5:1-21). Inspiram doutrinas distorcidas (I Tim. 4:1). Mostram-se ativos no sistema satânico de governo mundial, com implicações cósmicas (Efé. 6:12; ver também Dan. 10:13). São os agentes por detrás da idolatria, da imoralidade e de todos os tipos de iniqüidade e perversão humanas (I Cor. 10:20; Apo. 9:20,21). Eles inspiram os falsos mestres (João 4:1,2). São capazes de prender os homens em situações desagradáveis e de longa duração (Luc. 13:11). Podem falar pela boca dos homens (Mar. 3:11; Mat. 8 e Lucas 8). Eles dialogaram com Jesus, e o Senhor lhes deu permissão para possuírem porcos. Eles reconhecem o caráter messiânico de Jesus (Mat.

DEMÔNIO, DEMONOLOGIA

8:29; ver também Luc. 4:41; Mar. 3:11; 1:34; Atos 19:13-17). Os evangelhos, bem como referências como Efésios 6:12 *ss.* aludem a um contínuo conflito espiritual entre forças boas e más. Jesus tem autoridade sobre esses espíritos malignos, e compartilhou dessa autoridade com os seus discípulos (Luc. 9:1; 10:17). O chefe dos demônios já foi julgado e receberá a sua sentença (Luc. 10:18 *ss),* o que significa que os seus ministros também estão condenados à derrota final. Ver o artigo separado sobre a *Queda de Satanás.*

2. *A Realidade dos Demônios.* É óbvio que o Novo Testamento participa no desenvolvimento da demonologia, conforme já pudemos acompanhá-la em várias culturas, segundo se vê sob o ponto III, acima. Era apenas natural que vários exageros e mitos tivessem vindo juntar-se ao assunto. Além disso, temos que admitir, desde o começo, que esse é um assunto muito vasto, acerca do qual sabemos comparativamente pouco, e acerca do qual muita coisa falsa já foi dita, e muito do que é veraz ainda precisa ser dito. Nosso conhecimento sobre o mundo dos espíritos, no tocante aos seus lados positivo e negativo, não é muito grande. É razoável supormos que o mundo dos espíritos é povoado, pelo menos, por tantas espécies quanto àquelas existentes no mundo físico, pelo que as forças espirituais, boas e más, devem existir em muitas e diferentes espécies, formando hierarquias de poder. Sem dúvida, o trecho de Efésios 6:12 alude a essa crença. A complexidade dos poderes espirituais bons é uma admirável realidade. E a complexidade dos poderes malignos é uma realidade assustadora. Contudo, não podemos dizer: «Os demônios são assim», referindo-nos a anjos caídos ou a somente um tipo específico de ser espiritual. O termo grego *daimon* é genérico, incluindo muitas espécies diferentes. Alguns deles são extremamente malignos. Outros são como nós, bons ou maus, havendo toda a variedade de gradação entre eles. Essa noção geral pode ser afirmada com base na experiência humana, porquanto ali entramos em contacto com toda a forma de poder espiritual, e não apenas com um tipo.

3. *Origem dos Demônios.* É abundantemente claro que o Novo Testamento não apresenta — qualquer informação — sobre esta questão. Josefo (*Guerras,* VII. 6.3) pensava que os demônios eram espíritos dos homens maus, que depois da morte voltariam a este mundo para — continuar — suas vidas ruins. Essa idéia era comum entre os antigos, incluindo os gregos e hebreus. Também foi a idéia de alguns dos pais da Igreja, como Justino (c. 150 D.C.) e Atenágoras. Tertuliano foi o primeiro a mudar a idéia na Igreja, promovendo o ensino de que os demônios são anjos caídos, não almas humanas. Crisóstomo (407 D.C.) rejeitou a noção de que os demônios são espíritos humanos e muitos eruditos o seguem neste ensino. A evidência indica que *alguns* demônios são espíritos humanos desencarnados, mas outros são de outras ordens de entidades, inclusive da ordem dos anjos caídos. Estudos sobre *possessão* mostram, claramente, que existem muitas formas e forças de *possessão.* É óbvio que diversas ordens de seres são envolvidas no fenômeno, inclusive espíritos elementares que são sub-humanos, e não sobre-humanos. Há muitos mistérios.

V. Possessão Demonica

Ver o artigo separado sobre este assunto.

Essa questão tem atraído a zombaria e o ridículo da parte de alguns estudiosos modernos. Os céticos na Igreja e muitos cientistas afirmam que a idéia antiga é que os demônios provocaram enfermidades e loucura,

mas que atualmente se sabe que tais espíritos não existem, pelo que, tais casos seriam tipos de enfermidades psíquicas. Os que assim dizem apresentam, freqüentemente, como parte das provas que oferecem, a observação de que hoje em dia não ocorrem mais esses casos. Isto, todavia, é uma avaliação superficial da questão.

1. **A Realidade da Possessão**

a. O N.T. ensina **inequivocamente** que os espíritos imundos são reais e não imaginários. Pelo N.T., jamais entenderíamos que demônios não existem. Efé 6:12 afirma: «...a nossa luta não é contra o sangue e a carne, e, sim, contra os principados e potestades, contra os dominadores deste mundo tenebroso, contra as forças espirituais do mal, nas regiões celestes».

b. O N.T., contudo, não ensina que *todas* as doenças e casos de loucura resultem da influência ou possessão por parte dos demônios. O trecho de Mat. 8:2,6,16 indica diversas fontes das enfermidades, uma das quais é a influência exercida pelos demônios.

c. *Não é verdade* que o fenômeno não ocorra atualmente. Em diversos lugares do mundo, os missionários narram casos que não diferem dos que são encontrados no N.T.

d. Talvez o fenômeno se multiplicasse e evidenciasse mais nos dias em que Jesus esteve entre os homens, simplesmente por causa da *oposição* à sua presença. A luta entre as forças do bem e do mal foi intensificada.

e. É insensatez dizer que não se pode crer em nada *que não se possa ver,* isto é, os anjos, os demônios, Deus, alma, etc., porquanto qualquer estudante sabe que os sentidos humanos são débeis e inexatos, sendo muito provável que não tenhamos percepção sensorial da maior parte das realidades do universo. A princípio os cientistas negaram o fenômeno dos meteoritos porque, disseram eles, *sabemos que não existem pedras no ar.* Os cientistas também negaram o fato de que os gérmens podem causar enfermidades porque é ridículo acreditar em animais tão pequenos que são invisíveis para percepção da visão. Hoje, todavia, todos sabem que eles estavam equivocados. Até mesmo coisas das mais simples e corriqueiras hoje em dia, foram negadas pela ciência humana de ontem. Precisamos nos lembrar de que os cientistas do século XXI provavelmente dirão que a nossa ciência, a do século XX, sofria de uma espécie de provincianismo. Talvez se obtenham, no futuro, provas da existência dos espíritos, tanto bons como maus. No futuro, quiçá se obtenham provas absolutas sobre a imortalidade da alma, portanto, da natureza espiritual do homem.

f. As *pesquisas psíquicas* parecem *confirmar* a existência do mundo dos espíritos, tanto bons como maus. Nota-se, com interesse, que muitas pessoas que não são religiosas, mas que estão envolvidas nos estudos psíquicos, acreditam na existência de entidades invisíveis, porque essa hipótese explica diversos fenômenos que, de outra maneira, são mais difíceis de explicar. Por quê se reputa científica a idéia de que estamos *sós* no universo? Provavelmente, o mundo invisível tem tanta variedade de seres como o mundo visível.

2. **Outras Considerações.** a. A possessão demoníaca é um fenômeno que ocorre ao redor do globo, embora varie quanto ao tipo e à intensidade. Presume-se que além da possessão demoníaca há a *influência* demoníaca, o que também não é nenhuma brincadeira. Os povos primitivos, os bruxos e os que participam das bruxarias em geral, podem ser culpados de buscar

DEMÔNIO, DEMONSTRAÇÃO

— a possessão por demônios. Isso também póde ocorrer com os médiuns psíquicos, que procuram a ajuda dos espíritos dos mortos, e assim expõem-se às influências demoníacas, que pouco conhecem, e sobre as quais exercem bem pouco controle. Nas sociedades primitivas, a possessão demoníaca é quase uma característica constante da fé religiosa. Em algumas religiões, supõe-se que os espíritos procurados são bons; mas, em outras, a ajuda de espíritos malignos é abertamente solicitada, sobretudo nos casos em que um bruxo procura prejudicar a outrem, ou então vingar-se. b. Os *espíritas* reconhecem que eles tratam com espíritos bons e maus. Tomam medidas para evitar o contacto com os maus espíritos, mas isso nem sempre é conseguido, do que pode resultar a influência ou mesmo a possessão demoníaca, devido ao estado de transe. A complexidade do mundo espiritual, em facetas positivas e negativas, não nos permite fazer um juízo universal sobre o que sucede às pessoas que buscam a cooperação e ajuda dos espíritos. Entretanto, as observações indicam que sempre há alguma possessão demoníaca envolvida nesses casos. c. Não somente isso, mas o exame dos *movimentos carismáticos* (que vide) indica que, no seio da própria Igreja há alguma atividade demoníaca. Não que tudo quanto ali ocorre seja demoníaco. Mas têm sido registrados casos de blasfêmias, proferidas em línguas, e as pessoas tomam consciência de poderes malignos que as influenciam, quando supunham exercer dons espirituais. Novamente, há manifestações boas e más, pelo que o espírito de discernimento torna-se urgentemente necessário. d. No Antigo Testamento, os médiuns que buscavam a ajuda dos espíritos eram banidos, não porque se pensasse que estivessem doentes e, sim, por serem influenciados por espíritos malignos (Lev. 10:6,27; I Sam. 16:14; 19:9). O que aqui é ditɔ sobre os médiuns espíritas pode ser aplicado a certos acontecimentos do movimento carismático. Aqueles que se franqueiam propositalmente aos poderes espirituais podem atrair poderes negativos, e não positivos. Por seus frutos haveremos de conhecê-los, embora esse reconhecimento, algumas vezes, precise de algum tempo para ser efetuado, porque Satanás nem sempre mostra o que pretende fazer em seguida. e. Ademais, se uma pessoa abre-se poderosamente ao Espírito Santo, a desobediência pode sujeitá-la, com mais facilidade do que no caso de outras pessoas, à influência ou possessão de poderes espirituais malignos, porquanto sua psique foi condicionada para tornar-se *sensível*. Portanto, aquilo que começou como algo bom, pode terminar como mau. f. Apesar de que a maioria dos psicólogos tenha eliminado a realidade da possessão demoníaca por parte de entidades espirituais separadas, muitos deles têm chegado a reconhecer a realidade dessas possessões, mediante sua própria experiência diária. Nos casos de múltipla personalidade, a maior parte dos mesmos pode ser explicada mediante a suposição de que houve a fragmentação da personalidade. Ocasionalmente, porém, a suposta fragmentação é mais do que isso: trata-se de alguma entidade separada verdadeira, com um campo de memória separado, e, com freqüência, dotada do conhecimento do que se acha no depósito cerebral da pessoa possuída. A primeira tarefa de um curador consiste em distinguir essa identidade, fazendo-a identificar-se, a fim de que deixe de ocultar-se sob a máscara da fragmentação da personalidade. Em alguns casos, parece claro que essa entidade é uma alma humana desencarnada, mas, em outros casos, alguma forma de entidade espiritual está envolvida, incluindo a temida categoria dos anjos caídos. Meus amigos, há muitos mistérios, e nosso conhecimento acerca deles é pequeno. Mas uma coisa é certa: Não estamos sozinhos neste mundo. Há entidades invisíveis que nos acompanham.

3. Predisposições que Encorajam a Possessão Demoníaca. a. Uma vida de dissipações. b. A freqüência a lugares onde os espíritos vis supostamente mostram-se ativos, como os bordéis, os concertos de rock, os teatros e cinemas que apresentam peças e filmes de má qualidade. c. A participação em ritos e práticas religiosas que encorajam o contacto com os espíritos, incluindo certos aspectos do movimento carismático. d. Ter uma «casa vazia» (Mat. 12:44,45), o que indica que um homem não está internamente preparado para protegê-lo de invasões malignas. e. O uso constante de música sensual, mormente da variedade frenética como o rock, é prejudicial. Na África, ritmos musicais similares têm sido usados para invocar os espíritos. f. A persistência na forma de vícios que debilitam nossas defesas naturais. g. Os pactos propositais com as forças malignas, com propósitos de obter vantagens egoístas. h. Uma atitude descuidada acerca da necessidade de ter discernimento quanto aos espíritos, quando a expressão religiosa de alguém inclui a busca proposital de manifestações místicas. i. A associação com o ocultismo e suas práticas, sem o conhecimento adequado. j. Há fatores que não são facilmente entendidos, e sobre os quais temos poucas informações. Parece que as próprias crianças estão sujeitas a possessão, em alguns casos, e que os espíritos de parentes mortos têm uma certa facilidade para apossar-se delas. A proteção do Espírito Santo faz-se ausente por alguma razão, porque é teoria comum que as crianças possuem uma proteção natural. Mas essa teoria rui por terra, em alguns casos. k. Há *casos especiais* de possessão, em que uma figura maligna é escolhida para cumprir alguma missão satânica, como sucederá no caso do anticristo. Assim como há instrumentos especiais do bem, há agentes especiais do mal. Isso talvez explique a imensa malignidade de algumas pessoas extraordinárias, como Hitler e outros, que foram assassinos em massa e elementos destruidores em grande escala. Há um poder maligno incomum que inspira a certos homens poderosos. Aparentemente são missionários e profetas de Satanás, por estarem trabalhando em parceria com ele por longo tempo. Ele os envia em missões especiais, da mesma forma que Deus envia os seus profetas. Alguns desses enviados de Satanás, como o anticristo, cumprem mais de uma dessas missões, segundo se vê em Apo. 11:7; 17:8,10 *ss*, no tocante ao anticristo. O anticristo já esteve vivo neste mundo, e ascenderá do hades a fim de cumprir uma outra missão diabólica. Na próxima oportunidade, ele será a própria encarnação de Satanás, uma imitação da encarnação do Logos em Jesus Cristo. Nesse fenômeno, teremos a trindade maligna do décimo terceiro capítulo do Apocalipse.

Bibliografia. AM B C E LAN UN(1952) WEA Z

DEMONSTRAÇÃO

Essa palavra significa «apontar», ou seja, «exibir», «tornar conhecido». A demonstração é formalmente feita mediante uma série de provas, com base em fatos, princípios racionais e inferências. Na *lógica*, o termo indica um sistema de raciocínio ou exibição de como e por quê certas coisas devem ser como são, com base em axiomas, postulados e deduções.

No campo da *ética*, o termo tem sido usado para aludir à ação física, em contraste com meras palavras, como um protesto contra algo ou como ato em apoio a

DENÁRIO

algo. As demonstrações públicas são conduzidas por meio de marchas, reuniões em massa, boicotes, greves, piquetes, jejuns individuais e coletivos, e em casos extremos, auto-imolação. As demonstrações são uma forma de protesto, o que tem ocorrido ao longo da história. Mas, na década de 1960, tornou-se um modo comum de expressão, especialmente dentro do movimento de direitos civis, nos Estados Unidos da América. Martin Luther King Jr., pastor negro batista, combinava os conceitos de resistência passiva, de Gandhi, com atos de demonstração pública. Ele produziu o que veio a ser conhecido como revolução negra. Os brancos reagiram mediante contrademonstrações, combatendo a integração nas escolas públicas, o direito de alugar casas em bairros de brancos e o uso de ônibus para conduzir estudantes negros para dentro ou para fora de áreas diversas, no esforço para impedir a integração pela força. Muitos líderes religiosos têm-se mostrado ativos nessas demonstrações, consideram-nos uma expressão não-violenta dos princípios democráticos. Os resultados de uma contínua demonstração têm sido eficazes na produção das mudanças almejadas. Naturalmente, há abusos, como em todos os movimentos radicais, porquanto políticos aproveitadores tiram vantagem do entusiasmo público, bem como do espírito de multidão, a fim de promoverem suas idéias radicais e, geralmente, destrutivas.

DENÁRIO

Mateus 20:2. *Ajustou com os trabalhadores o salário de um denário por dia, e mandou-os para a sua vinha.*

Um denário por dia. O denário ou dracma (*termo ático*) era a principal moeda de prata dos romanos naquela época, talvez valendo vinte centavos de dólar norte-americano, embora com muito maior poder aquisitivo do que essa quantia representa hoje em dia. Geralmente é usado para indicar um dia de salário, o que se verifica na escala de soldos dos soldados romanos. (Ver também *Tobite* 5:14). Alguns intérpretes asseveram que o salário diário original era ordinariamente menor que um denário, pelo que o oferecimento de um denário inteiro em pagamento de um dia de trabalho era um salário liberal. Lemos que os acordos verbais sobre o pagamento esperado e o trabalho a ser feito eram válidos de conformidade com a lei, isto é, as condições tinham de ser satisfeitas de ambos os lados, ou poderia haver dificuldade ante as autoridades civis. Um dia de trabalho era considerado o tempo desde o nascer do sol até o aparecimento das estrelas.

Muita discussão tem surgido em torno da interpretação do símbolo do «denário», a saber:

1. Alguns têm ensinado que indica uma recompensa *temporal* apenas, e que não deve ser tomado como indicação de «galardão» eterno, nos céus. Essa recompensa (segundo essa interpretação) significaria as diversas expressões da bondade de Deus para com todos os povos que são seus servos. O recebimento desse tipo de «recompensa» não indicaria que essas pessoas têm ou teriam a «vida eterna». No fim, quando do julgamento, cada qual verá que recebeu o seu «denário», ou seja, qualquer aprazimento que a vida porventura lhes tenha dado. Alguns bons intérpretes, como Lutero, Stier, W. Nast e Wordsworth, têm mantido essa opinião; mas o ponto de vista não se coaduna com a dignidade da parábola e é incongruente com a descrição do dia da recompensa. Pois é muito difícil vermos como, no fim da vida (do dia, segundo a parábola) um servo poderia ser recompensado com a vida que já viveu.

2. Alguns interpretam que o «denário» é um símbolo da *vida eterna*. Assim pensavam Orígenes, Agostinho (ver, por exemplo, em Sermões 343: «Denarius illevita aeterna est, quae omnibus par est»), e também Gregório I, Bernardo, Maldonato (*salus et vita aeterna*), Meyer, Lange, Alford (que achava possível que se referisse ao próprio Deus, porquanto Deus é a nossa recompensa). Alguns têm feito objeção a esse ponto de vista por que faz da vida eterna uma forma de recompensa por serviço prestado, o que evidentemente contradiz a salvação pela graça. Todavia, em outras oportunidades o próprio Jesus representou a vida eterna como uma espécie de recompensa ou soldo. Ver Mat. 5:12 («...é grande o vosso galardão nos céus...»); 10:42; Luc. 6:23,35; 10:7; João 4:36; e também Paulo, em I Cor. 3:8,14.

3. Certamente a segunda interpretação condiz melhor com a parábola do que a primeira, mas parece que podemos interpretar o sentido do *denário* à luz das idéias que nos são dadas em Mat. 20:15,16. O vs. 15 indica, de modo definido, que o «denário» é símbolo de *galardão*. Assim, pois, apesar da «vida eterna» estar em foco, esta existência terá certo caráter ou expressão para cada indivíduo. O caráter desta existência dependerá do que cada indivíduo tiver feito e tiver sido. Essa idéia, portanto, pelo menos em parte é paralela à doutrina dos galardões que serão conferidos na forma de «coroas», e que serão dados em recompensa ao serviço fielmente prestado. Por outro lado, devemos divorciar-nos de interpretações *materialistas*. Certamente que teremos posses materiais, mas as Escrituras falam mais particularmente, neste passo, da recompensa espiritual, o que deve incluir o desenvolvimento *do homem interior*, a capacidade de prestar serviço a Deus e a capacidade de ir-se desenvolvendo cada vez mais, mediante a graça divina, para que sejamos uma representação cada vez mais perfeita da imagem de Cristo. Nossa fidelidade no serviço cristão determinará o estado metafísico de nossos seres e a capacidade que teremos de prestar serviço especial e elevado a Deus. Portanto, aqui está em foco não simplesmente a «vida eterna», mas também a *nossa condição* nessa esfera. Esta passagem, pois, ensina a desigualdade daqueles que possuem a vida eterna, e isso está de acordo com todo o ensino cristão acerca dos «galardões». Seremos galardoados segundo nossas obras e nossa fidelidade; e isso não faz alusão às possessões materiais, de forma alguma. Deus tem muitas obras a serem realizadas, e essa realização envolve uma inquirição eterna. Ele disporá de instrumentos especiais para essas tarefas. Os galardões envolvem a doação de capacidade para o cumprimento dessas incumbências. Essa doação de capacidade envolve transformações metafísicas do ser, na direção da imagem de Cristo; o alvo mais elevado é a transformação total do crente, de conformidade com essa imagem. O vs. 16 (que também interpreta o sentido do «denário») mostra que nos aguardam muitas surpresas. O ponto de vista humano com freqüência é uma interpretação inadequada daquilo que Deus vê como valioso, daquilo que merece recompensa e daquilo que é digno de consideração, porquanto é verdade que nessa questão de recompensas, de posição metafísica na vida além, quer se trate de povos (nações), quer se trate de indivíduos, «...os últimos serão primeiros, e os primeiros serão últimos».

DENÁRIO

Ver sobre **Moedas.**

DENCK — DENOMINAÇÃO

DENCK, HANS

Suas datas foram 1495-1527 D.C. Foi uma controvertida figura do período da Reforma protestante. Foi reitor de uma escola da Basiléia, na Suíça, e depois em Nurembergue. Mas foi despedido por promover os pontos de vista dos anabatistas (que vide). Essa rejeição repetiu-se por outras vezes, obrigando-o a mudar-se de cidade em cidade.

DÊNIS, SÃO

Faleceu em 258 D.C. Foi o primeiro bispo de Paris. Começou a trabalhar na Gália em cerca de 250 D.C., e ficou conhecido por sua energia e piedade. — Finalmente, sofreu o martírio. Tornou-se o santo patrono da França. De acordo com certa tradição, registrada por Gregório de Tours, em sua *Historia Francorum*, ele foi um dos sete bispos enviados, durante o reinado do imperador Décio (258-259 D.C.), de Roma à Gália. Seu martírio ocorreu durante as perseguições movidas por Valeriano. Santa Genoveva edificou uma basílica sobre o alegado lugar do sepultamento de Dênis, em Catullicus, uma aldeia próxima de Paris, em 574 D.C. Posteriormente, ela foi substituída pela abadia de São Dênis, edificada pelo rei Dagoberto, em 624 D.C. São Dênis tem sido erroneamente identificado com Dionísio, o Aeropagita (Atos 17:34), e também com o autor das obras atualmente intituladas pseudodionisianas, as quais, conforme se sabe agora, pertencem a uma data muito posterior. A festa religiosa em honra a São Dênis é celebrada a 9 de outubro. (AM E)

DENNY, JAMES

Suas datas foram 1856-1917. Foi um proeminente teólogo e erudito do Novo Testamento. Pertencia à Igreja Livre Unida, da Escócia. Nasceu em Paisley. Educou-se nessa cidade e em Glasgow. Foi pastor em Broughty Ferry. Mais tarde, foi professor do Novo Testamento na faculdade da Igreja Livre Unida, em Glasgow. Foi autor de diversas obras importantes: *Studies in Theology; The Death of Christ; Jesus and the Gospel; Christian Doctrine of Reconciliation*. Também foi um dos contribuintes do comentário intitulado *Expositor's Greek Testament*.

DE NOBILI, ROBERTO

Suas datas foram 1577-1656. Foi um jesuíta italiano, missionário bem-sucidido em Madura, na Índia. Foi o primeiro europeu a tornar-se eficiente na literatura indiana, sendo melhor lembrado por sua vigorosa defesa dos costumes sociais dos indianos.

DENOMINAÇÃO

Essa palavra significa três coisas possíveis: 1. O ato de nomear. 2. A designação de uma classe. 3. Um grupo organizado, que faz parte da Igreja cristã. Historicamente, as denominações vieram à existência quando as pessoas começaram a unir-se por detrás de certas interpretações, achando impossível manter comunhão organizacional com outros cristãos, que não compartilhavam exatamente das mesmas idéias e doutrinas. Pelos fins do século II D.C., já havia mais de vinte grupos distintos dentro do cristianismo, os quais poderiam ser chamados «denominações». Dentro do próprio Novo Testamento temos os primórdios das denominações cristãs, quando os crentes escolheram como heróis, Paulo, Pedro ou Apolo, mencionados em I Coríntios 3:4 ss. Quando os homens diziam pertencer «a Paulo», e não a Cristo, uma denominação estava em formação. Assim também, vários séculos depois, os homens diziam-se «de Lutero», «de Calvino», etc., e as denominações foram surgindo. Na primeira epístola aos Coríntios, Paulo procura mostrar que uma grande variedade de opiniões pode ser mantida dentro das fronteiras da igreja. Ele não procurava excluir da Igreja aqueles que tinham idéias com as quais ele não concordava em todos os pontos. Ele criticou os filósofos por não aceitarem a sua posição referente à ressurreição, mas não causou uma divisão na Igreja, por esse motivo. Atualmente, porém, há homens que dividem denominações e seminários teológicos por causa de questões triviais, como se os dias da criação, no livro de Gênesis, devam ser entendidos como seis dias literais, de vinte e quatro horas cada um, ou não. Também há aqueles conflitos por motivo de poder, que provocam divisões, mesmo quando nenhuma questão doutrinária está em pauta. Todos nós temos consciência da praga das controvérsias, quando as mesmas geram hostilidade.

Quando as denominações são boas? Podemos pensar nestas quatro possibilidades:

1. Visto que as pessoas inclinam-se por causar divisões, e visto que suas mentes não são capazes de aceitar a pluralidade, o mal necessário das divisões pode cooperar para o bem, quando as pessoas organizam-se em grupos que funcionam eficazmente. É possível que um grande pluralismo seja impraticável pelo presente homem imperfeito, cuja mente sempre é por demais estreita em suas aplicações. Sendo esse o caso, é melhor que as pessoas que crêem nas mesmas coisas, e que favorecem certas práticas, unam-se de modo a operarem mais suavemente. É melhor que haja um pequeno grupo, com poucos membros, do que um grupo numeroso, com muitos membros, se o grupo pequeno funciona melhor do que o grupo grande.

2. A *vantagem histórica* das denominações. Têm surgido denominações que encarecem certas práticas e doutrinas que precisam ser salientadas. Desse modo, as denominações têm-se tornado mestras para benefício da Igreja inteira.

3. Um *serviço prático*. Algumas denominações têm destacado certas obras e missões, coisas que precisam ser feitas, mas que a corrente principal do cristianismo não está realizando a contento.

4. Uma *expressão universal*. As denominações podem ser vistas como membros do corpo da Igreja universal, cada denominação com sua ênfase e seu serviço especial. Uma delas, por exemplo, enfatiza o aspecto intelectual, erudito, o refinamento e a compreensão exata das doutrinas. Uma outra frisa a necessidade do toque místico na religião. Ainda uma terceira enfatiza a necessidade das obras de caridade. Uma quarta denominação mostra-se muito ativa nas missões ao estrangeiro. Quando consideradas em seu conjunto, as — denominações cristãs — formam um único corpo, mesmo que muitos não consigam reconhecer esse fato.

Quando as denominações são prejudiciais? Também há quatro pontos que precisam ser levados em conta:

1. Quando surgem devido às controvérsias baseadas na hostilidade, e a sua própria existência se deve ao espírito sectarista.

2. Quando criticam e perseguem a outras denominações, que, afinal, são da mesma natureza que elas.

3. Quando se tornam exclusivistas, e, no seu

DENOTAÇÃO — DEONTOLOGIA

orgulho, pensam que são melhores que as outras denominações, representando mais correta, ou mesmo exclusivamente a Igreja.

4. Quando aparecem pela razão de lutas pelo poder, servindo de meios para engrandecimento do homem, e não para glorificação de Cristo.

DENOTAÇÃO

Essa palavra vem do latim, **de e notare**, isto é, «notar», «marcar». Os filósofos usam esse termo de muitos modos, alguns deles conflitantes. Na lógica, em oposição ao uso comum, a denotação de uma palavra refere-se aos particulares aos quais aquela palavra pode ser corretamente aplicada. Assim, a *denotação* da palavra «mãe» é todas as mães particulares que existem, ao passo que a *conotação* é a definição abstrata, — uma *genitora* animal. Porém, no caso de seres mitológicos, como o unicórnio, não há denotação possível, embora possa haver conotação, como «um animal semelhante ao gamo, com um único chifre no centro da testa». Todavia, na linguagem comum, denotação e conotação são confundidas, podendo ser consideradas meros sinônimos. Na filosofia, o termo pode significar apenas «designar». Ou então pode ter um uso mais especializado, como sentenças usadas para descrever a relação entre o sujeito e o predicado. A denotação, assim sendo, pode significar o *predicado* de tudo quanto uma palavra pode declarar ou dar a entender. Ver também sobre *Conotação*.

DENTE(S)

No hebraico, **shen**, «dente», «marfim», «afiado». Com o sentido de *dente* aparece por quarenta e quatro vezes, incluindo as três vezes em que aparece como palavra aramaica. Para exemplificar: Gên. 49:12; Êxo. 21:24,27; Lev. 24:20; I Sam. 2:13; Jó. 4:10; 13:14; 41:14; Sal. 3:7; 35:16; Pro. 10:26; Amós 4:2; Jer. 31:29,30; Dan. 7:5,7,19; Joel 1:6; Amós 4:6; Zac. 9:7. No grego, *odoús*, «dente». Esse vocábulo é usado por onze vezes: Mat. 5:38 (citando Êxo. 21:24); 8:12; 13:42,40; 22:13; 24:51; 25:30; Mar. 9:18; Luc. 13:28; Atos 7:54; Apo. 9:8.

1. *Usos Literais*. O termo hebraico *lechi* é usado para indicar tanto o maxilar humano quanto a queixada dos animais (Sal. 3:7; do asno, Juí. 15:15-17; do leviatã, Jó 41:14). Embora *shen* fosse o termo geral para significar «dente», para indicar os molares ou os dentes de animais de maior porte, era usada uma outra palavra hebraica, a saber, *methalleoth*, conforme se vê em Jó 29:17; Sal. 47:4; Pro. 30:14; Joel 1:6.

2. *Usos Figurados*. a. A *lex talionis*, que impunha uma retribuição de acordo com a gravidade da ofensa (*talionis* significa «de tal»), é expressa na Bíblia pela expressão «Mas se houver dano grave, então darás vida por vida, olho por olho, dente por dente, mão por mão, pé por pé, queimadura por queimadura, ferimento por ferimento, golpe por golpe» (Êxo. 21:23-25; ver também Lev. 24:20; Deu. 19:21). Jesus, porém, proibiu a vingança privada, recomendando a não-resistência, em vez de se requerer a retribuição à altura da ofensa sofrida. Essa é uma lei moral à qual os homens não têm dado muita atenção, — e nem são capazes de cumpri-la por muitas vezes. b. Quando os dentes são «brancos de leite» (Gên. 49:12), isso indica abundância de leite e de provisões. c. O envio de «dentes de feras» (Deu. 32:24) aponta para uma das vinganças divinas contra a desobediência do povo. d. Os dentes «dos leõezinhos» que se quebram (Jó

4:10) apontam para a idéia de que a providência divina — falha em manter vivos os animais ferozes. e. O «ranger os dentes» (Jó 16:9; Sal. 35:16; Lam. 2:16; Mat. 8:12, etc.), indica a atitude de desespero, de sofrimentos no julgamento divino, etc. f. Tomar «a carne nos dentes» aponta para algo similar, como quem remorde a própria carne (Jó 13:14; ver também Apo. 16:10). g. A «pele dos dentes», sem dúvida, refere-se às gengivas, ou então a pele do queixo, que pode ser afetada por alguma enfermidade (Jó 19:20). h. Ter os dentes «quebrados na boca» aponta para a desgraça enviada por Deus contra seus inimigos (Sal. 58:6). i. Pode haver alusão à beleza quando se fala em dentes «como o rebanho das ovelhas recém-tosquiadas», em Can. 4:2 e 6:6. j. Ter os dentes «quebrados com pedrinhas de areia» refere-se a algum grande desapontamento ou derrota (Lam. 3:16). l. «Dentes de ferro» indica algum grande poder destruidor (Dan. 7:1,19). m. Os «dentes limpos», referidos em Amós 4:6, falam sobre a fome prolongada, por falta de víveres.

Os Dentes nos Sonhos e nas Visões

1. Dentes frouxos indicam alguma enfermidade ou dificuldade. 2. O ato de nascer os dentes indica a atividade sexual. 3. Dentes que caem são um símbolo universal da morte física. Mas, visto que os dentes de leite, da primeira dentição, caem automaticamente, dentes que caem também podem indicar o processo de amadurecimento, em que a pessoa assume maiores responsabilidades, etc. 4. A ausência de dentes (uma condição comum nas pessoas de idade avançada) indica o temor do envelhecimento, alguma enfermidade; ou, no caso de pessoas jovens, a ansiedade para atingir a idade adulta. 5. Uma mulher que sonha com gengivas inchadas está preocupada ante a possibilidade de ficar grávida. 6. Por igual modo, dentes inchados podem indicar a concepção. Nesse caso, a boca simboliza a vagina, e o estômago, o útero. 7. Dentes estragados ou cariados indicam reversões, enfermidades, perdas, perturbações, etc. (CHE UN)

DEODORO CRONOS

Filósofo grego do século IV A.C., da escola de Megara (que vide). Ele expunha o curioso argumento de que não existe tal coisa como o *possível*, porquanto tudo que é possível é real e atual. O argumento dele, chamado *kurieon* (termo de autoridade), dizia como segue: «O impossível não pode resultar do possível, e um evento passado não pode tornar-se outro, diferente do que é; mas, se um evento agora real, por um momento, tivesse sido possível, do possível teria resultado algo impossível. Portanto, o evento julgado possível na realidade é impossível». A restrição do que é possível ao mundo real aparentemente encerra uma defesa do determinismo, visto que não existem possibilidades não-atualizadas, de acordo com o ponto de vista dele.

DEONTOLOGIA

Deriva-se do grego **deon**, «necessidade», «obrigação». Está em foco a ética considerada como uma teoria de obrigações ou deveres. Ver o artigo geral sobre *Jeremy Bentham*. A *ética deontológica* indica um sistema baseado nos deveres tidos como necessários, e não sobre *resultados* que poderiam ser esperados de certo ato ou atos. Esse tipo de ética chama-se ética *teleológica*. Alguns supõem que um ato é bom quando os seus resultados são bons; ou mau, quando seus resultados são maus. A *ética deontológica* ignora os resultados quando analisa a

DEPENDÊNCIA

qualidade boa ou má. O *utilitarismo* (que vide) ressalta a utilidade prática dos atos. Naturalmente, é possível aplicarmos um variegado padrão, e assim contar com uma ética eclética. Kant defendeu uma ética deontológica quando apresentou o seu *imperativo categórico*: só deveríamos fazer aquelas coisas que admitimos poderem tornar-se uma lei universal. Desse modo, a questão do dever ocupa lugar de proeminência. O dever ocupa posição primária. Alguns atos talvez tenham de ser realizados devido ao senso de dever, sem importar as suas conseqüências. Podemos fazer coisas impulsionadas pelo senso de dever, mesmo que sejam prejudiciais para os nossos auto-interesse. Um negociante dotado de firmes convicções morais, que tenha o senso de fazer o que é certo, pode agir de tal maneira que diminua os lucros que poderia ganhar de outra maneira. Poderá despedir um bom e eficaz empregado, por causa de certas práticas questionáveis do mesmo, embora a sua empresa venha a sofrer por causa disso.

As *éticas teístas*, como aquelas que emergem da Bíblia e de outros documentos sagrados, enfatizam os deveres para com Deus, pelo que podem ser intituladas *deontológicas*. Nesse contexto, confiamos na declaração de Sócrates, que disse: «Nenhum dano pode ser sofrido por um homem bom», ainda que, temporariamente, seus atos pareçam ser-lhe prejudiciais, quando ele adere aos deveres. Mas também precisamos levar em conta o amor, a bondade e a misericórdia de Deus, que cuida do homem bom, enquanto este procura fazer o seu dever. Nisso temos a união da ética *teológica* com a ética *deontológica*. Quando alguém cumpre os seus deveres diante de Deus, a longo prazo os *resultados* lhe são favoráveis, ainda que, temporariamente, não pareça ser assim. Isso inclui a doutrina dos galardões e punições. Haverá um ajuste final de contas, que favorecerá o homem que cumpriu o seu dever. (E F P)

DEPENDÊNCIA ABSOLUTA

F.D.E. Schleiermacher (1768-1834) falava sobre o senso de dependência absoluta para indicar a *consciência das coisas*, que existe universalmente nos homens e nas religiões, pois sendo o homem um ser dependente, depende de um Poder Superior quanto à sua existência e continuação. Só Deus é independente. (C)

DEPENDÊNCIA HUMANA

Contra A Auto-suficiência

1. Só Deus é independente. Todos os demais seres são dependentes. Isso se aplica a todos os aspectos da vida humana; e quanto mais à eterna salvação!

2. A salvação vem pela graça divina por tratar-se de uma elevadíssima realidade, completamente além dos poderes humanos.

3. Nosso avanço científico tende a iludir-nos, levando-nos a imaginar que somos capazes de realizar qualquer tarefa. Porém, a ciência humana está escapando a nosso controle, e está inevitavelmente nos empurrando para a destruição atômica.

4. Deus ordena que o homem use o seu livre-arbítrio, a fim de aceitar e cultivar a sua obra divina. Dessa maneira, a vontade do homem coopera com a realização divina (e a torna possível), segundo é distintamente asseverado em Fil. 2:13. A entrada da vontade humana nesse quadro, significa que a queda é possível, conforme se aprende em I Cor. 9:27 e outros trechos bíblicos. Mas essa possibilidade de

queda é «relativa» quanto à ascensão para novos níveis espirituais, podendo caracterizar um crente por algum tempo. A restauração do tal é inevitável, entretanto, e, em razão disso, a segurança do crente é absoluta. Esse conceito é longamente comentado em Rom. 8:39 no NTI, e de modo mais sucinto em Col. 1:23.

Somente Deus pode levar a vida eterna à perfeição, conferindo-nos a salvação completa. As páginas do N.T. ensinam-nos que isso é obra de suas mãos. Podemos observar a narrativa sobre o rico que derrubou seus armazéns a fim de construir depósitos maiores. Ele era o capitão de sua própria alma. Mas uma voz superior se fez ouvir dos céus, dizendo-lhe: «Louco...» (Luc. 12:19-20). O começo e o fim do destino humano estão nas mãos de Deus. O homem não se criou a si mesmo, e nem pode salvar-se a si próprio; pois isso é uma nova criação. Tudo isso, entretanto, requer a cooperação da vontade humana; e é nesse ponto que o divino entra em contacto com o que é humano. Não obstante, o homem pode recusar-se a cooperar com a graça divina, e então a obra da salvação permanece por fazer.

As mentes modernas, insufladas pelas idéias de avanço científico, gostam de manter a noção da auto-suficiência mas até mesmo agora o próprio avanço científico serve de ameaça de destruição do homem, e não de meio de salvação. Em seu orgulho, o homem gosta de pensar que ele é «naturalmente bom»; mas toda a história da humanidade nega isso redondamente, clamando de mãos dadas com a teologia cristã verdadeira que «O homem é um ser decaído e depravado». O homem caiu para bem longe de Deus, e a estrada de retorno é extremamente longa. Todavia, o caminho de volta foi preparado na pessoa de Cristo. Alguns pensam que a bondade natural do homem é estragada pelo meio ambiente; outros pensam que ela é revertida devido a forças subconscientes ocultas; ainda outros pensam que essa bondade natural é entravada por opressões políticas e sociais, conforme dizem os psicólogos, os historiadores e os revolucionários. Mas a verdadeira resposta reside no fato de que o homem é um ser espiritual, tendo caído de sua autêntica esfera espiritual e agora precisa de ajuda divina definida, na pessoa do Filho de Deus, Jesus Cristo, para poder voltar ao seu legítimo lar. É disso que nos fala a redenção que há no Senhor Jesus.

Há de completá-la (Fil. 1:6), isto é, «há de aperfeiçoá-la». No grego temos o verbo «epiteleo», que significa «levar ao término», «terminar», «realizar completamente», «aperfeiçoar». A perfeição absoluta é o alvo da redenção humana, a participação na perfeita natureza moral e metafísica de Jesus Cristo, para que os remidos sejam o que ele é e possuam o que ele possui, da mesma natureza que um corpo humano tem a mesma natureza que sua cabeça. Isso envolve ainda a possessão de «toda a plenitude de Deus» (ver Efé. 3:19).

Completos, Mas Ainda não Completos

1. A obra divina será conduzida ao **estágio** da perfeição, — o estado completo. Somente Deus é realmente completo ou perfeito; pelo que esses termos, quando empregados às criaturas, sempre assumem sentido relativo.

2. Quando assumirmos a natureza de Cristo (ver I João 3:2), isso será a perfeição, o estado completo; e isso sucederá quando da segunda vinda de Cristo.

3. Porém, quando recebermos a imagem e a natureza de Cristo, avançaremos para *outros* estágios de perfeição fantasticamente elevados, através do

DEPOSIÇÃO — DEPRAVAÇÃO

poder transformador do Espírito (ver II Cor. 3:18). Esse processo jamais chegará a um ponto final, e nunca será absoluto, pois o seu alvo é a infinita plenitude de Deus (sua natureza e os atributos acompanhantes). Nossa participação em sua natureza, contudo, será sempre finita, embora vá crescendo constantemente, por toda a eternidade.

Deus dá início ao seu trabalho de aperfeiçoamento do crente desde o momento da conversão; e isso prosseguirá sem qualquer interrupção até à «parousia» ou segunda vinda de Cristo.

DEPOSIÇÃO

Esse vocábulo refere-se à **privação** judicial de ofícios clericais, o que é feito de acordo com a denominação cristã envolvida. Algumas vezes, um ministro que foi deposto de seu ofício retém a posição de membro leigo. Outras vezes, é excluído de sua igreja, dependendo das causas específicas de sua deposição.

DEPÓSITO

Usos Literais. Toda propriedade guardada por alguém, a pedido de seu dono, podia ser usada, contanto que, chegado o momento da devolução, ela estivesse em boas condições. Segundo a lei mosaica, essa propriedade consistia no seguinte: 1. dinheiro ou mercadorias; 2. animais, como bois, asnos, ou ovelhas (Êxo. 22:7,13; Lev. 6:5,6). Foram baixadas leis específicas para governar a questão dos depósitos. Aquele a quem alguma coisa era entregue para ser guardada como depósito, era o responsável por essa coisa. Aqueles que se mostrassem irresponsáveis quanto a isso, tinham de pagar por qualquer dano sofrido pelo proprietário.

No tesouro do templo guardava-se o dinheiro doado ao Senhor, para ser usado com propósitos sagrados. No terceiro capítulo de II Macabeus, lemos como o emissário Heliodoro, enviado por Seleuco, tentou confiscar o dinheiro existente nesse tesouro. O sumo sacerdote tentou fazê-lo mudar de idéia, salientando que muitos pobres e viúvas haviam contribuído para aquele tesouro.

Usos Figurados. Cada indivíduo recebeu certas habilidades e uma missão a cumprir. Cada pessoa tem um depósito ímpar que precisa guardar e utilizar. Ver as notas sobre Apo. 2:17, no NTI, quanto a uma explicação dessa doutrina, que ali é simbolizada pela pedrinha branca, com um novo nome inscrito. O trecho de I Timóteo 6:20 relembra Timóteo do *depósito* que ele havia recebido, uma missão a ser cumprida no ministério do evangelho.

DEPÓSITO (ADEGA)

Essa é tradução da palavra **otsar,** que aparece no Antigo Testamento hebraico por setenta e oito vezes, e que nossa versão portuguesa traduz, principalmente, como «tesouro», mas que em I Crô. 27:27, ela traduz por «adegas», embora, já no versículo seguinte, onde aparece a mesma palavra hebraica, a tradução seja «depósitos». Como estamos vendo, trata-se mais de uma interpretação do que de uma tradução. Contudo, as escavações arqueológicas em Gibeom revelaram adegas feitas na rocha, provendo um ambiente mais frio e úmido que o normal, indicando que não se tratava de um armazém comum, mas, provavelmente, de uma adega, para armazenamento de vinho.

Algumas versões, em Lucas 11:33, traduzem a palavra grega *krýpte* por «adega». Mas esse vocábulo

significa «oculto» ou «lugar escondido», conforme o faz nossa versão portuguesa. Ali, a lição espiritual é que um lugar assim escondido dificilmente é o lugar onde alguém acenderá uma lâmpada para iluminar a sua casa, dando a entender que o crente não deve ocultar a sua profissão cristã, mas antes, deve torná-la pública, para que os homens vejam sua vida correta, e assim glorifiquem a nosso Pai celestial. A vida de cada homem deveria ser como uma lâmpada. Em caso contrário, haverá algo de muito errado na sua espiritualidade.

DEPRAVAÇÃO

Esboço:
1. Definição na Teologia Cristã
2. Controvérsia Sobre a Origem e a Transmissão da Depravação
3. Modos de Transmissão da Depravação
4. O Problema do Criacionismo
5. A Total Depravação e a Questão da Salvação
6. Conseqüências da Depravação
7. A Reversão da Depravação

Quase todas as religiões reconhecem que o homem é um ser depravado; mas há diferenças de opinião quanto a estes particulares: a. como a depravação veio a instalar-se; b. até que ponto a depravação permeia a personalidade e o caráter do homem; c. como cuidar da depravação, produzindo a melhoria ou libertação; d. quais as conseqüências da depravação, tanto agora quanto no que concerne à outra vida.

1. Definição na Teologia Cristã

O estado de corrupção moral e espiritual, pecaminosidade e rebeldia tornou-se característica do ser humano, após a *queda.* Essa queda é vista como resultante do pecado original de Adão, historiado em Gênesis, e/ou ligada à queda dos anjos, se a alma humana for concebida como preexistente. Essa doutrina supõe que o homem, em certo tempo, ou no estado pré-mortal, nas esferas espirituais, ou como ser criado para habitar na terra, era inocente, e, conforme alguns, imortal, em decorrência dessa inocência.

2. Controvérsia Sobre a Origem e a Transmissão da Depravação

Debate-se quanto à *origem* e à *transmissão* da depravação humana. Os argumentos de Paulo, no quinto capítulo de Romanos, indicam que a depravação é herdada, de tal modo que os homens nascem pecadores, porquanto participam do pecado de Adão. Essa doutrina do *pecado original* (que vide) tem sido tradicionalmente aceita no cristianismo; mas alguns teólogos crêem que isso é pura alegoria piedosa, e que a *razão* da depravação humana deve ser buscada algures. Dentro do relato a respeito de Adão, o pecado originou-se do abuso da liberdade. O homem, embora ainda sem pecado, não sabia como manusear a liberdade moral, e não demorou a arruinar o seu estado sem pecado. Alguns teólogos, que aceitam a teoria da evolução, supõem que a depravação humana é a simples herança da natureza animalesca e selvagem, que é recoberta por fina camada de civilização. Essa é uma idéia interessante; mas a grande dificuldade é que os animais não são depravados, o que nos força a continuar buscando a razão da existência da depravação humana.

3. Modos de Transmissão da Depravação

De acordo com os teólogos, esses modos são os seguintes: a. *Animalescos* (como na teoria da

DEPRAVAÇÃO

evolução). b. *Biológicos*, como no *traducianismo* (que vide). Presumivelmente, visto que os pais de um ser humano são ambos físicos e não-materiais, eles produzem uma prole da mesma natureza sem a intervenção direta de Deus, —que, assim sendo, fica isentado da tarefa de criar uma nova alma para cada corpo humano que nasce (uma posição chamada *criacionismo*, que vide). Visto que os pais de um ser humano são seres de boas e más qualidades, naturalmente eles produzem filhos da mesma natureza. c. *Cósmicos*. A depravação humana deriva-se do mal proveniente das dimensões cósmicas, chamemo-las angelicais ou o que quer que mais nos agrade. A alma humana é que caiu, e essa queda ocorreu devido à contaminação no estado espiritual, antecedendo a associação da alma com o corpo. Mas isso significaria que o espírito humano não chegou inocente a este mundo, em Adão, e, sim, já depravado. Nos escritos de Platão, a depravação começou como um tipo de experiência curiosa, porque a alma que veio a associar-se ao corpo físico ficou curiosa sobre como seria a associação com a matéria. Nessa curiosidade, a alma envolveu-se na rebeldia e no mal. O Antigo Testamento lança a culpa da depravação original sobre a rebeldia cósmica, começando com a pessoa de Lúcifer (ver Isa. 14:12 ss). d. *Sociológicos*. Há quem defenda razões sociológicas, destacando a teoria ambiental. Quando o homem nasce, é puro; mas, em contacto com o mal, corrompe-se. Mas, mesmo que isso fosse verdade, não explicaria a própria origem do mal. A *psicologia em profundidade* (que vide) tem revelado como a influência dos pais (bem como da sociedade) influencia a formação do caráter básico da criança. Por outra parte, não é preciso ensinar uma criança para ela ser pecadora. Ademais, as grandes diferenças nas tendências boas e más entre as crianças com os mesmos pais e que sofrem as mesmas influências sociais, mostram-nos que há algo mais fundamental na depravação humana do que meras influências ambientais. Na verdade, há boas evidências em prol do argumento que uma criança já traz com ela o caráter de sua alma, ou seja, sua bondade ou maldade essenciais, bem como a mistura das duas tendências. Em outras palavras, o caráter essencial é a bagagem da alma, acumulada por longo tempo de existência espiritual, com ou sem a reencarnação. Nesse ponto, vemo-nos envolvidos na questão da *origem* da alma, discutida nos artigos sobre a *Alma*. e. A *reencarnação* (que vide). Essa teoria deve ser considerada uma subcategoria da explicação *cósmica*, visto que, naturalmente, deve aceitar o conceito da preexistência da alma. Essa teoria supõe que a depravação humana é, de fato, um tipo de cultivo do mal, no qual a alma se tem ocupado através de sua história, sem importar onde esteve habitando. Pressupõe que essa história inclui ao menos duas jornadas na esfera terrena. Na maioria dos sistemas, essa teoria também pressupõe que a associação da alma com o corpo físico é um castigo pela corrupção da mesma e que a alma, na verdade, não pertence a este mundo vil. Por essa razão foi que Platão, algumas vezes, chamou o corpo de sepulcro ou prisão da alma. f. No *gnosticismo*, a própria matéria aparece como o princípio da depravação, ao passo que a alma aparece como pura. Ali, a alma não seria corrompida pela depravação. Se alguém deixar cair uma moeda de ouro na lama, alguma lama apegar-se-á à superfície da moeda, mas a própria moeda continuará sendo ouro puro, podendo ser lavada facilmente da lama. Outro tanto sucederia à alma, lavada mediante a morte biológica. Assim sendo, no gnosticismo a busca pela liberação é,

ao mesmo tempo, a tentativa para livrar-se definitivamente da matéria. Finalmente, todas as coisas materiais seriam destruídas, e então os espíritos puros ficariam livres. Porém, é muito difícil entender como meros átomos, com suas partículas, girando e pulsando no espaço, podem ser depravados. Portanto, a depravação é um atributo *espiritual*, da alma, e não uma parte essencial da matéria.

4. O Problema do Criacionismo

Numericamente, os cristãos têm defendido em maior número o ensino que Deus cria uma nova alma a cada novo nascimento, uma doutrina intitulada *criacionismo*. Porém, é muito difícil reconciliar tal doutrina com a realidade e transmissão da depravação. Pois é impossível imaginarmos que Deus haveria de criar almas já corrompidas, a cada novo nascimento. Além disso, se as almas chegam puras no mundo, de que maneira se corrompem? A resposta necessária que os teólogos precisam dar a essa pergunta é a resposta social ou a resposta gnóstica, o que é extremamente inadequada. Pois, nesse caso, a alma corromper-se-ia ao entrar em contacto com a matéria, e também devido a fatores ambientais. Porém, isso de modo algum concorda com o raciocínio bíblico. Antes, é um raciocínio gnóstico e psicológico. Portanto, somos forçados a concluir que o *criacionismo* (que vide) não é a resposta para o dilema da origem da alma, e nem essa posição ajuda-nos a entender como a depravação se tem propagado. A matéria nunca é chamada má na Bíblia. A matéria é moralmente neutra. O ambiente social pode, realmente corromper, mas a resposta dada pela Bíblia é que o homem já nasce pecador. Isso nos permite ficar ou com o *traducianismo* ou com a *preexistência da alma*, como as únicas explicações possíveis para a depravação humana. E as evidências que têm aplicação ao problema da depravação humana favorecem mais a idéia da preexistência do que a idéia do traducianismo.

5. A Total Depravação e a Questão da Salvação

Até que ponto o homem é corrupto, também é uma questão teológica. O calvinismo (que vide) inclui, como um de seus *cinco pontos* fundamentais (que vide), a doutrina da *total depravação*. Isso não significa que o homem não tem qualquer bem em sua pessoa, mas que a sua tendência para o mal é tão profunda e maligna que ele é totalmente incapaz de *salvar-se* a si mesmo. Quando os discípulos indagaram de Jesus: «Sendo assim, quem pode ser salvo?» o Senhor Jesus replicou: «Isto é impossível aos homens, mas para Deus tudo é possível» (Mat. 19:25,26). Isso posto, a salvação só pode tornar-se uma realidade mediante a missão de Cristo e a graça de Deus (Efé. 2:8-10). A doutrina da total depravação não afirma que o homem não possa melhorar ou piorar em seu caráter, por meio do auto-esforço ou do condicionamento. Nem nega que algumas pessoas sejam melhores do que outras, embora todas sejam totalmente depravadas. Essa doutrina simplesmente ensina que a depravação humana é de natureza tal que o ser humano não busca a Deus, a fim de ser salvo, indicando que, para o homem, tal atitude é impossível. A iniciativa da busca é divina; e a salvação também vem de Deus. Ver Rom. 3:9 ss, quanto a um texto de prova favorito dessa doutrina. O *arminianismo* (que vide) apesar de concordar que o homem está verdadeiramente caído, ensina que ele ainda retém poderes espirituais suficientes para buscar a Deus de modo eficaz. Esse pensamento parece sugerido no segundo capítulo da epístola aos Romanos, quando fala sobre os gentios, que são uma lei para si mesmos

58

DEQUER – DESAFIO

e que buscam a Deus através da consciência, mediante as evidências da natureza e da intuição. O trecho de Filipenses 2:12,13 também sugere o modo arminiano de pensar. Grandes mistérios estão envolvidos na questão, e nenhuma declaração suficientemente boa tem sido dita para solucionar os dilemas envolvidos na interação entre a vontade divina e a vontade humana. *Pelágio* (que vide), um monge inglês, foi longe demais ao tentar negar a depravação humana. Ele asseverava o seguinte: a. O homem não é condicionado pela hereditariedade ou pelo meio ambiente. b. O homem sempre é capaz de escolher livremente, pelo que pode viver uma vida sem pecado, perfeita, se assim desejar fazê-lo. c. Ele negava a doutrina do pecado original. De modo geral, ele superestimava o homem. O calvinismo, quando extremado, subestima o homem, chegando ao ponto em que tira o valor do propósito que Deus tem para *todos* os homens. A verdade deve estar em algum ponto intermediário entre esses pontos extremos do calvinismo e do arminianismo.

6. Conseqüências da Depravação

O homem, em sua rebeldia, afasta-se de Deus (Rom. 3:12); e é forçado a receber o salário do pecado, que é a morte (Rom. 6:23). Por si mesmo, o homem é incapaz de agradar a Deus (Rom. 8:8), pois o homem está em estado de inimizade com Deus (Rom. 8:7), e a morte paira próxima, em resultado disso (Apo. 20:15 *ss*). Se um indivíduo é dotado de consciência e treinamento religiosos, então procura observar as leis de Deus; porém, fracassa nesses esforços (Rom. 8:7). Sempre que o homem entra em conflito com o pecado, sai perdedor. (Rom. 7:9-24). Há livramento em Cristo, mas nunca no próprio homem (Rom. 7:25). O homem pratica algumas boas obras, mas essas são incapazes de salvar-lhe a alma, por não terem poder expiatório. Portanto, a salvação sempre tem que depender da graça divina (Efé. 2:8-10).

7. A Reversão da Depravação

Somente a graça de Deus, através da missão salvatícia de Cristo, consegue reverter a ruína espiritual criada pela depravação humana. A salvação vem pela graça divina, mediante a fé (Efé. 2:8; Tito 3:5), o que envolve a operação do Espírito Santo. Torna-se possível devido à expiação de Cristo (Rom. 3:24,25) e é vitalizada pela sua ressurreição (Rom. 4:25). A salvação produz a santificação (Rom. 8:2,11 *ss*). A glorificação é o resultado final da salvação (Ro. 8:28 *ss*). A *restauração* (que vide) é a remoção final e universal da depravação, com todos os seus efeitos, dos níveis cósmico e terrestre (Efé. 1:10,23). Isso terá lugar na eternidade futura.

DEQUER

Ver sobre **Ben-Dequer**.

DERBE

Na Bíblia, essa cidade da Licaônia aparece somente no livro de Atos (14:6,20; 16:1 e 20:4).

O nome dessa cidade, na opinião de alguns estudiosos, deriva-se de uma palavra que significa zimbro, uma espécie vegetal bastante comum naquela região. Embora haja dúvidas quanto à sua localização exata, é certo que ficava no extremo leste da região visitada por Paulo e Barnabé, quando evangelizavam a Galácia. Se eles tivessem passado além de Derbe, teriam saído da província romana da Licaônia e teriam entrado em território de um rei vassalo (Atos

14:6,7), mas Paulo preferiu não fazer isso.

Amintas, líder da Galácia entre 39 e 25 A.C., governava a área. Mas, por ocasião de sua morte, Derbe, juntamente com outras terras por ele governadas, passaram para o domínio dos romanos. De 41 a 72 D.C., a cidade foi dignificada com o nome de Cláudia, pelo que era então chamada Cláudia Derbe. Nessa época, a cidade era uma importante cidade de fronteira. Gaio, um amigo de Paulo, que o acompanhou em algumas de suas viagens missionárias, era natural de Derbe (Atos 20:4). Mui provavelmente, ele representava as igrejas da Galácia por ocasião da doação das ofertas das igrejas gentílicas para os santos pobres de Jerusalém (I Cor. 16:1 *ss*). Derbe, cuja localização exata, repetimos, é desconhecida, fica dentro da moderna Turquia.

Ainda não foi positivamente identificada, mas acredita-se, conforme opinam alguns estudiosos, que ficava em Gudelisin, onde foi encontrado um grande cômoro, com remanescentes dos tempos romanos. Marcos romanos têm sido encontrados ao longo da rota para Derbe. Essa área foi a região localizada mais a oriente visitada por Paulo e Barnabé, quando fundaram as igrejas do sul da Galácia. Qualquer movimento ainda mais para o oriente tê-los-ia levado para fora daquela província romana, tendo-os feito entrar no reino vassalo de Antíoco. Paulo e Silas, posteriormente, visitaram esse lugar em sua viagem na direção do ocidente, ao atravessarem a Ásia Menor (ver Atos 16:1). Outro dos companheiros de Paulo, em suas viagens missionárias, de nome Gaio, era natural de Derbe (ver Atos 20:4).

Ballance (em 1956) identificou Derbe tentativamente como *Kerti Huyuk*, cerca de vinte e um quilômetros a nordeste de Carman (Larando) e cerca de noventa e sete quilômetros de Listra. Assim sendo, evidentemente o trecho de Atos 14:20b deveria ser traduzido: «...e na manhã seguinte partiu com Barnabé para Derbe». (Ver M. Ballance, *«The Site of Derbe: A New Inscription»*, Anatolian Studies, VII, 1957, págs. 147 e *s*).

DERVIXE

Essa palavra vem do persa **darvish**, «esmoler». Refere-se a um membro de certa ordem monástica islâmica, similar a certas ordens monásticas da cristandade. Esse movimento islâmico começou no século XII D.C., incluindo em seus ritos o hipnotismo e os transes extáticos, a fim de se obter as almejadas experiências religiosas.

DESABRIGO Ver sobre **Infanticídio e Nudismo**.

DESAFIO E RESPOSTA

Um princípio desenvolvido na filosofia de Arnold Toynbee (que vide). Ele argumentava que as sociedades hígidas incorporam esse princípio. Quando se tem de enfrentar qualquer problema, a *porção criadora* da sociedade mostra-se sensível para com o mesmo, e dá uma resposta apropriada, de modo a solucionar o problema. As sociedades que estão em declínio, ou já degeneradas, deixam de reagir à altura, e, em meio às queixas gerais, deixam de resolver os seus próprios problemas. Em uma sociedade hígida, entretanto, a reação da minoria criadora é respeitada pela maioria. Mas, em uma sociedade enferma, nada funciona, havendo tribulações e confusões generalizadas.

Um sinal de declínio e decadência verifica-se quando a classe operária em geral não mais mostra respeito pela minoria governante, e nem demonstra

DESARMAMENTO — DESCARTES

confiança nela. E isso porque a minoria governante não consegue solucionar os problemas, cujas promessas nunca são cumpridas. O mesmo princípio pode ser aplicado, do ponto de vista ético, a indivíduos. As pessoas moral ou espiritualmente enfermas continuamente deixam de corresponder adequadamente aos desafios da vida. Em meio aos conflitos internos, a qualidade espiritual da vida está em franco declínio. (P)

DESARMAMENTO

Os diplomatas continuam a falar, mas armas cada vez mais destrutivas também continuam a ser estocadas. Há problemas internacionais mais sérios do que a questão do *desarmamento*. Mas as principais potências mundiais simplesmente não confiam umas nas outras; e isso talvez tenha razões válidas. A história nos tem ensinado a não confiar nas palavras dos diplomatas, — e a confiar sempre nas más intenções dos homens. Nunca houve preparativos militares sem que se usasse o poder assim acumulado. É altamente provável que o contínuo desenvolvimento das armas nucleares termine levando ao uso dessa capacidade de destruição, e, finalmente, a uma guerra atômica de proporções internacionais. Sempre será verdade que o poder corrompe, e o poder absoluto corrompe de modo absoluto. Entrementes, os profetas, antigos e modernos, referem-se à nossa época como uma era em que um antigo ciclo chegará ao fim, e um novo ciclo terá começo. Isso jamais sucederá exceto com a destruição da antiga ordem das coisas. Continuaremos esperando, entretanto, que, desta vez, as coisas sejam diferentes; mas a nossa razão segreda que a velha história se repetirá.

Os *políticos* asseguram que a maioria dos problemas da humanidade são gerados pelo desequilíbrio econômico. Apesar de darmos o devido respeito a essa teoria, pensamos que a resposta *teológica* é melhor: o homem é um ser decaído e corrompido, que gosta de provocar confusões, de destruir e matar. Enquanto a alma humana não for transformada, essas atitudes continuarão a caracterizar os homens. A experiência tem ensinado, até mesmo aos diplomatas que discutem sobre a paz, que essa é a realidade dos fatos. Porém, embora saibam, em seus corações, que o homem é um ser traiçoeiro, em quem ninguém pode confiar, não querem admitir essa realidade, pois a confissão seria muito dolorosa.

Preparações. Em um mundo como o nosso, a única defesa é a retidão espiritual, é ser o que devemos ser, é estar onde devemos estar, é fazer aquilo que devemos fazer. Se, em meio a essas condições, juntamente com outras pessoas, os crentes forem destruídos, ainda assim a alma deles será beneficiada. Jesus ensinou-nos que, em última análise, isso é a única coisa que importa. Ver Mateus 10:28.

DESCANSO

Entre as diversas palavras hebraicas geralmente traduzidas por «descanso», destaca-se uma, mais comumente usada, que significa exatamente isso, «descanso». No grego temos *anápausis* e *katápausis*, «descanso», «cessação do labor», «refrigério». A Bíblia menciona com freqüência a idéia de descanso. O primeiro a dar o exemplo foi o próprio Deus, no sétimo dia da criação (ver Gên. 2:2,3). O descanso é uma recompensa dada por Deus ao homem, pelo seu trabalho. O descanso é um tônico para os cansados, um alívio do trabalho árduo. Restaura e refrigera o corpo, a mente e a alma das muitas preocupações.

1. *Descanso físico*. O descanso é uma instituição divina, uma lei natural, uma necessidade humana.

a. Deus ordenou para o homem o trabalho (Gên. 2:15) e o descanso. O ciclo dia-noite visa exatamente a isso. Além disso, Deus ordenou que o homem descansasse a cada sete dias (Êxo. 23:12 e 31:15). Isso incluía os animais e os estrangeiros que estivessem na Terra Santa. Houve até mesmo um ano sabático, ou cada sete anos, no qual a terra teria descanso (Êxo. 23:10 *s*; Lev. 25:1-7).

b. Sabemos que o descanso do sono restaura as energias e refaz os tecidos. Há muitas alusões a esse descanso físico, como o de Jacó (Gên. 28:11), o dos filhos de Israel, ainda no Egito (Êxo. 5:5), dos profetas e apóstolos (Mar. 6:31), Elias (I Reis 19:4). A mulher sunamita preparou um quarto de hóspedes especial para Eliseu (II Reis 4:11). Até acerca de Jesus é dito que ele descansou (João 4:6 e Mar. 4:38). Paulo teve momentos sem descanso (II Cor. 7:5) e momentos de descanso. Há ocasiões de descanso do trabalho (Pro. 6:9) e da vigília (Mat. 26:45).

2. *Descanso social*. As comunidades, tribos e nações também precisam descansar, como de períodos agitados, revoluções, ataques de inimigos, etc. Os israelitas desejavam descanso, na Terra Prometida, após longos anos vagueando pelo deserto e em conflitos armados (Deu. 12:9 *s*). No tempo dos Juízes, a terra descansou por dezenas de anos dos assédios de povos inimigos (Juí. 3:11,30, etc.). Davi, apesar de ser um guerreiro, obteve paz e descanso antes de morrer, e Deus prometeu-lhe que Salomão governaria em paz (I Crô. 22:8 *s*. e 18). Lemos que durante o reinado de Asa, «a terra esteve em paz dez anos» (II Crô. 14:1).

3. *Descanso espiritual*. O descanso natural é apenas um símbolo do estado final de bem-aventurança.

a. Começa por oferecimento de Jesus: «Vinde a mim todos os que estais cansados e sobrecarregados, e eu vos aliviarei. Tomai sobre vós o meu jugo, e aprendei de mim, porque sou manso e humilde de coração; e achareis descanso para as vossas almas» (Mat. 11:28,29). O próprio crente, ocasionalmente, pode sentir-se aflito, necessitado de descanso, como foi o caso de Jó, em sua miséria (Jó 3:26). Os endemoninhados não conhecem descanso (Mar. 5:1-5 e Luc. 11:24).

b. O céu é o lugar de descanso de Deus. (Atos 7:49). E o será para os remidos: «Bem-aventurados os mortos que desde agora morrem no Senhor. Sim, diz o Espírito, para que descansem das suas fadigas, pois as suas obras os acompanham» (Apo. 14:13). E, logo em seguida, temos alusão à ceifa, o arrebatamento dos salvos (Apo. 14:14-16). Acerca dos israelitas incrédulos, porém, Deus disse: «Por isso jurei na minha ira: Não entrarão no meu descanso» (Sal. 95:11). Espiritualmente, pois, a incredulidade impede o descanso; e, contrariamente, a fé nos faz entrar no descanso espiritual. «Nós, porém, que cremos, entramos no descanso...» (Heb. 4:3). Quando lemos que «resta um repouso para o povo de Deus» (Heb. 4:9), não está em pauta o descanso de um dia de sábado. Os crentes já entraram no repouso espiritual, em seus espíritos; agora falta-lhes o descanso celestial.

DESCARTES, RENÉ

Suas datas foram 1596-1650. Foi um filósofo francês. Nasceu em La Haye, na Rouraine, de família nobre. Foi educado na Escola de La Flèche, dos jesuítas, mas rebelou-se contra a educação tradicio-

DESCARTES

nal. Viajou largamente a fim de aprender no livro do mundo. Seguiu a carreira militar por alguns anos. Retornou à escolaridade, primeiramente em Paris e então na Holanda, onde preparou a maioria de seus escritos. Inventou a geometria analítica. Alguns o têm chamado de fundador da filosofia moderna. Abordava o conhecimento pela via racionalista, e não pela via empírica. Foi convidado pela rainha Cristiana da Suécia para viver em Estocolmo e tornou-se o mestre dessa rainha quanto à filosofia. Porém, o clima da Suécia era frio demais para ele. Assim, Descartes contraiu uma enfermidade dos pulmões, do que faleceu.

Idéias Principais:

1. Ele acreditava que se pode obter certa dose de conhecimentos, mas sentia que, para tanto, é mister o estudioso ultrapassar os limites do ceticismo. Seu alvo era desenvolver uma filosofia que conferisse um perfeito conhecimento e uma conduta ideal, servindo de meio para ajudar no progresso das ciências. Ele procurava criar um sistema que possuísse a certeza da matemática, e não dependesse dos sistemas escolástico e dogmático. Desconfiava do método empírico de obter conhecimentos, no que dizia respeito à obtenção da certeza no conhecimento, e preferia aplicar o *racionalismo* (que vide).

2. Alicerçado sobre o modo matemático de resolver problemas, Descartes supunha que podia desenvolver um conjunto de máximas que agiriam como guias válidos para o desenvolvimento do seu sistema. Isso lhe permitiu estabelecer os seguintes princípios gerais:

a. Ele nada aceitaria como verdadeiro que não fosse claro e certo.

b. Ele analisaria um problema, dividindo-o em partes, — então discutiria a questão parte por parte, em uma espécie de atomismo epistemológico.

c. Ele prosseguiria do simples para o complexo, e suas enumerações seriam as mais completas possíveis.

d. Ele *duvidaria de tudo* quando admitisse dúvidas, levando o ceticismo ao seu limite extremo. Somente as proposições que se mantivessem de pé diante desse exame crítico e cético seriam retidas como fundamentais, dentro do seu sistema. Por meio da *coerência* (que vide), ele arquitetaria outras proposições, com base naquelas proposições básicas, mas que também não admitissem dúvidas.

3. *Estabelecimento dos Princípios Básicos*. Se há um processo de dúvida, deve haver alguém que duvida. Com base nessa premissa fundamental ele chegou à sua famosa máxima: *Cogito ergo sum*. «Penso, portanto existo». Se há um processo de raciocínio, deve haver uma pessoa que pensa. Isso pode parecer uma tolice para aqueles que não têm treinamento filosófico; porém, devemos nos lembrar que os céticos duvidavam da própria existência do ser, supondo que a única coisa que pode ser afirmada é que há uma série de fenômenos. Mediante a fé animal, supomos que uma pessoa deve ser identificada com aquela série das percepções dos sentidos. Além disso, a filosofia analítica ensina-nos que não se pode predicar a existência. Em outras palavras, se alguém arma uma sentença e diz: «Isto existe» (no predicado, isso afirma algo sobre um sujeito), tendo afirmado isso, terá apenas construído uma sentença que afirma a existência, mas nem por isso se fez qualquer coisa vir à existência. Portanto, filósofos posteriores criticaram Descartes por ser culpado de predicar a existência quando dizia «Cogito ergo sum». No entanto, sem importar o que os lógicos possam fazer por meio de suas análises, a suposição de que para haver o processo de pensamento deve haver um

pensador, reveste-se de considerável força como declaração; e, sem importar se predica existência ou não, essa afirmativa diz uma verdade. Seja como for, Descartes pensava que sua posição era inatacável, que podia resistir a todos os assédios do ceticismo. Em conseqüência, ele havia estabelecido uma proposição que não podia ser posta em dúvida.

4. *A Descoberta de Deus*. Tendo estabelecido uma proposição inatacável, Descartes passou a buscar outras proposições. Ele raciocinou que não podia encontrar explicação para as suas próprias idéias. A inteligência reveste-se de um certo mistério. Ela inspira-nos o respeito. Parece ultrapassar a si mesma. Uma pessoa tem *idéias inatas* que surgem de seu interior, idéias com as quais ela já nasce, que não precisa desenvolver. Uma dessas idéias é a *idéia divina*, isto é, Deus, o qual é a fonte última das idéias, e com a qual a mente humana encontra uma afinidade natural. Há em nós a idéia inata de um Ser Perfeito. O próprio conceito de Deus requer que ele seja perfeito; e a sua perfeição, por sua vez, requer que ele verdadeiramente exista, porquanto se um ser existisse somente como um conceito, e não como uma realidade, então não poderia ser um ente perfeito. Quanto a esse ponto, Descartes não se mostrava original. Estava tomando por empréstimo o argumento ontológico de Anselmo. Nesta enciclopédia, o leitor poderá examinar dois artigos sobre esse assunto. Ver sobre *Argumento Ontológico*. Mediante outras idéias inatas, pois, podemos descrever Deus como um Ser infinito, eterno, imutável, independente, todo-poderoso, onisciente, criador de todas as coisas. Em outras palavras, Descartes propôs o Deus do cristianismo ortodoxo, partindo do pressuposto que a mente divina insuflou certas idéias na mente humana mediante as quais, sem a ajuda de qualquer investigação empírica, o indivíduo pode saber que Deus existe, e como ele deve ser. Descartes também aplicava o *Argumento Cosmológico* (que vide), para dar respaldo à sua idéia divina.

5. *A Descoberta do Mundo Exterior*. Agora, Descartes já possuía duas proposições inatacáveis: Deus e o próprio eu. Dessas duas podemos deduzir uma terceira, a saber, a do mundo material, exterior. Temos a idéia de que o mundo não é nossa imaginação ou sonho. Cremos que Deus não nos deixaria ficar enganados quanto a essa questão, pelo que o mundo externo realmente existe.

6. *O Dualismo*. A nossa razão segreda-nos que Deus é uma substância infinita e mental. A alma do homem deriva-se dessa substância, sendo ela uma substância que pensa. Ela é imaterial, ou *res cogitans*, uma «entidade pensante». O mundo material, em contraste, é *res extensa*, a matéria que se amplia pelo espaço e é governada pelo tempo. A matéria é uma extensão no espaço, sendo corpuscular em sua natureza (atomismo). A matéria é inteiramente distinta da mente, podendo ser definida sem se fazer qualquer alusão à mente (negação do *idealismo*). A mente pode ser definida com alusão à matéria, pois é absolutamente imaterial (idéia). Isso significa que temos um *dualismo* (que vide), que constitui a realidade. Isso posto, Descartes negava tanto o materialismo simplesmente quanto o idealismo como teorias absolutas, mutuamente exclusivas, mas aceitava ambas como verdadeiras, se fossem consideradas como descrições parciais da realidade.

7. *O Problema Corpo-Mente*. Ver o artigo separado sobre esse assunto. Descartes havia criado um dualismo radical. Tão radical, de fato, que afirmou que a mente não pode exercer efeitos sobre a

DESCIDA DE CRISTO AO HADES

matéria, e nem a matéria pode exercer efeitos sobre a mente. Como, então, uma poderia interagir com a outra? Descartes ensinava certa forma de *interacionismo* (que vide) entre a mente e o corpo, através da glândula pineal; mas as suas explicações mostram-se vagas; e ele criou com isso mais problemas do que os resolveu. A maioria dos seus seguidores, entretanto, tornou-se *ocasionalistas* (que vide). A doutrina do ocasionalismo surgiu, fazendo de Deus um intermediário. Haveria uma espécie de sistema telefônico celeste, mediante o qual o corpo enviaria mensagens a Deus, e Ele as reenviaria à mente; e a mente enviaria mensagens a Deus, que as reenviaria ao corpo físico. O problema do corpo-mente é uma das principais dificuldades enfrentadas pela filosofia, e a leitura do artigo separado, com esse nome, procura explanar a questão, apresentando as diversas teorias a respeito.

8. *Como se Comete um Erro no Campo da Gnosiologia.* Se todos contam com idéias *inatas* que se originam em Deus, como um homem pode errar naquilo que pensa? Descartes descobriu a resposta para essa pergunta em seu estudo sobre a *vontade.* A vontade do homem é livre, e, em seu entusiasmo, pode correr mais do que a razão.

9. *As Paixões da Alma.* De conformidade com Descartes, as paixões são modos de expressão da substância pensante. Haveria seis paixões básicas que constituiriam a porção emotiva do homem: admiração, amor, ódio, desejo ou apetite, felicidade e tristeza. Essas paixões dão seu colorido ao processo racional.

10. *O Problema do Mal.* Ver o artigo sobre esse assunto. Se existe um Deus todo-poderoso, perfeito em seu conhecimento, ilimitado em seu poder, como o mal conseguiu penetrar no mundo? As respostas dadas por Descartes são bastante convencionais. O mal teria entrado no mundo através da vontade pervertida do homem. Faz parte da natureza das coisas finitas errarem, e errar implica em sofrimento. Essa explicação poderia justificar o mal moral, os sofrimentos que os homens atraem contra si mesmos com seus atos maus. Sobre o *mal natural* (desastres, doenças, morte, etc.) apelava a *fé* que Deus faz tudo bem.

Escritos: Discursos sobre o Método; As Medi:.ções; Princípio da Filosofia; As Paixões da Alma; Cartas; O Mundo, ou Tratado sobre a Luz; Regras para a Direção da Mente. (AM BE E EP P MM)

DESCIDA DE CRISTO AO HADES

Cristo realizou (realiza) uma missão redentora *tridimensional:* na terra; no hades; nos céus. É uma infelicidade que a Igreja Ocidental (Católica Romana e Evangélica) tem reduzido isso a uma missão *unidimensional:* o terreno. Em contraste, a Igreja Oriental preserva uma visão mais ampla da missão de Cristo, e, de modo geral, favorece um ensino *positivo* sobre a *Descida de Cristo ao Hades.*

Ver o artigo separado intitulado, **Descida de Cristo ao Hades, Perspectiva Histórica e Citações Significantes** que oferece mais informações sobre a natureza da **Descida.**

O propósito imediato de I Ped. 3:18 *ss* é mostrar que os sofrimentos de Cristo são *benéficos,* até mesmo para almas no lugar do julgamento. Portanto, os crentes não devem ter medo de compartilhar estes sofrimentos, como nas perseguições.

Sua *misericórdia* desce ao Hades. O *amor* de Deus alcançou o inferno mais baixo. A *graça* de Deus resolve tudo.

O oposto de injustiça não é justiça — é *amor.*

Esboço

I. Os intérpretes, antigos e modernos, que admitem estar em foco a real descida ao hades.

II. Os que crêem que essa descida ao hades visou ao propósito de melhorar a condição das almas perdidas dali.

III. Os que crêem que a descida visou ao propósito de agravar a condição delas, ou, pelo menos, ajudou somente os justos, deixando de lado aos injustos.

IV. Paralelos em outros antigos escritos ou credos, judaicos e cristãos, que dão apoio à descida ao hades.

V. Os que negam toda a idéia de tal descida.

VI. Quem são os espíritos que seriam melhorados?

VII. Qual a extensão ou potencial de sua melhoria?

VIII. Não é a mesma coisa que o purgatório.

IX. Sumário do ensino da passagem.

X. Esse ensino nos comentários modernos.

XI. A *descida ao hades* na história do cristianismo.

XII. A descida no Novo Testamento.

XIII. A descida e a restauração.

I. Os intérpretes, antigos e modernos, que admitem estar em foco a real descida ao hades

Nenhum pai da igreja, credo ou tradição cristã negou a realidade da descida de Cristo ao hades antes de Agostinho, no século V. João Damasceno, no século VIII, em seu livro, «A Fonte do Conhecimento», no qual sumaria a doutrina e os ensinamentos cristãos dos pais, informa-nos que a realidade da *descida* era universalmente aceita em seus dias, e mostra que a opinião geral era que foi um oferecimento da salvação aos perdidos, além-túmulo, *ou* que, de algum modo, foi um oferecimento para *melhorar* a condição dos perdidos. Na Idade Média era um tema popular de peças teatrais, da arte e da literatura. Na Reforma, foi geralmente incluída essa idéia nas confissões e credos. Apesar de ser idéia aceita pela vasta maioria numérica dos cristãos até hoje, tem sido totalmente negada em algumas modernas denominações evangélicas.

••• ••• •••

II. Os que crêem que essa descida ao hades visou ao propósito de melhorar a condição das almas perdidas ali

Quanto à natureza exata da melhoria, há desacordo; mas que o texto de I Pedro 3 e 4 tenciona ensinar que o estado dos perdidos foi melhorado de algum modo, ou que foram eles potencialmente restaurados por meio desse ato de Cristo no mundo inferior, é idéia aceita por quase a mesma maioria descrita sob o primeiro ponto. Esse ensino necessariamente inclui a idéia de que o próprio juízo não é algo meramente retributivo, mas também restaurador, isto é, a própria retribuição é uma medida restauradora. Esse ensino, por igual modo, com freqüência inclui a idéia de que o «hades» representa um julgamento intermediário, e não o juízo final, e também que a segunda vinda de Cristo, com a eliminação do hades após o milênio, assinalará o fim do tipo intermediário de julgamento, bem como o início do estado final. Só uma pequena minoria de intérpretes tem visto nisso a justificação do «universalismo». Mesmo que a descida seja um precedente do que possa ocorrer no julgamento intermediário, isso significaria apenas que a capacidade de Cristo salvar abarca a todas as almas, de toda parte, até que seja instituído o estado final, mas não que as almas sejam forçadas a submeter-se ao senhorio de Cristo de modo a virem ser

DESCIDA DE CRISTO AO HADES

salvas. Finalmente, todas as almas terão de sujeitar-se ao *senhorio de Cristo*, que deve ser *restaurador* (Efé. 1:10), se não *redentor*. Ver o artigo sobre a *Restauração* para uma explicação da diferença. O próprio julgamento será uma medida restauradora como I Ped. 4:6 certamente indica. De qualquer maneira, a *descida*, conforme é explicada pela maioria dos pais da igreja, estende até a segunda vinda de Cristo a *oportunidade* de total salvação e isso por meio de Cristo, o *Logos*, pois ele é o *Caminho*, aqui ou em *qualquer* lugar. Ver a relação entre a *descida* e a *restauração* sob ponto 13.

Nomes específicos ligados à idéia da «melhoria», que para a maioria indica oportunidade de completa salvação:

A maioria dos pais da igreja, gregos e latinos, incluindo Justino Mártir, Pantaeno, Clemente de Alexandria, Orígenes e seus sucessores. João Damasceno, traçando o desenvolvimento da teologia da igreja antiga, sumaria a doutrina em foco como segue: «Sua alma glorificada desce ao hades a fim de que, tal como o Sol da justiça nasceu para os homens da terra, por igual modo, ele brilha sobre aqueles que, sob a terra, se assentam em trevas e na sombra da morte; a fim de que tal como ele publicou paz aos homens sobre a terra, dando livramento aos cativos e vista aos cegos e tornando-se a Causa da eterna salvação dos crentes, ao mesmo tempo que convencia de incredulidade aos desobedientes, por igual modo tratasse com os habitantes do hades, a fim de que todo joelho se prostrasse ante ele nos céus, na terra e debaixo da terra, e para que, tendo assim solto as cadeias daqueles prisioneiros há muito confinados, ele retornasse dos mortos e preparasse para nós o caminho da ressurreição».

Clemente de Alexandria expressou a crença da maioria dos pais gregos, quando disse: «Assim, para que os levasse ao arrependimento, o Senhor também pregou aos que estão no hades. Quê! As Escrituras não afirmam que o Senhor pregara aos que pereceram no dilú·'o, e não só a esses, mas a todos que estão em cadeias, e que são guardados no asilo e prisão do hades?» Sua citação passa a dizer que, nessa missão no mundo inferior, Cristo deixou exemplo, pelo que os apóstolos seguiram o exemplo de seu Senhor, e também ministraram naquele lugar. Isso quer dizer que, para esse autor, a descida do Senhor ao hades abriu o lugar como um campo missionário, ou que a missão evangelística instituída na terra foi estendida ao hades. Isso é óbvio, é conjetura, mas Efésios 1 (especialmente o vs. 23) pode apoiar tal ensino. Orígenes, (comentando sobre I Reis séc. 28, Hom. 2) expressou a crença de que os profetas do AT já haviam aberto missões de misericórdia no hades, pelo que a missão pessoal de Cristo ali foi confirmação e continuação do que os profetas do A.T. haviam iniciado. Nesse sermão particular, Orígenes ensinou que a pregação beneficiava aqueles que tinham sido preparados para o ministério (injetando um pouco da idéia de predestinação no hades), e esse ponto de vista tornou-se popular na Igreja Oriental. Mas o texto (I Ped. 3 e 4) não sugere tal limitação. O comentário de Orígenes neste lugar provavelmente foi influenciado pelo fato de que vários escritos judaico-helenistas falam de supostas missões de misericórdia de diversos profetas do A.T. ao mundo inferior.

Sob o primeiro ponto vimos que a crença na descida continuou na maioria das esferas do cristianismo moderno, embora tenha sido ignorada ou rejeitada por algumas denominações. Bloomfield, em seu comentário (citado no *Comprehensive Bible Commen-*

tary) afirma que é universal a crença na descida por parte da Igreja cristã.

«Nenhuma interpretação parece natural, ou trazer o selo da verdade, a não ser a 'comum', isto é, que Cristo foi e pregou (proclamou seu reino) aos antediluvianos no hades, interpretação essa apoiada pela autoridade unida dos antigos e pelos mais sãos de nossos modernos comentadores. As palavras certamente não envolvem dificuldade; e o sentido claro e natural não deve ser rejeitado porque contém assunto que nos admira, ou que pouco podemos apreender, com nossas atuais faculdades».

Assim também Meyer, em seu comentário, avalia o testemunho antigo e moderno, dizendo: «Essa é a opinião dos mais antigos pais da Igreja grega e latina, como também do maior número de teólogos posteriores e modernos». A *opinião* da qual ele fala é que a descida foi uma realidade, e que melhorou o estado dos perdidos. Seu próprio ponto de vista é que foi oferecida plena salvação, de tal modo, que se aceita, tal melhoria poderia redundar em completa salvação.

III. Os que crêem que a descida visou ao propósito de agravar a condição dos ímpios, ou, pelo menos, ajudou somente os justos, deixando de lado aos injustos

a. A pregação foi feita somente aos justos, e (segundo alguns) elevou-os do hades para o céu. Assim ensinaram Márcion, Tertuliano e Zwínglio. Mas o texto de I Pedro 3 mostra especificamente que foi aos «desobedientes», e não para os justos do A.T. que foi feita tal pregação.

b. A pregação foi feita aos injustos, mas para confirmar a condenação deles. Assim ensinavam Flacius, Calov, Wolf, Buddeus e Aretius. Isso labora em erro porque: 1. é contra o contexto, que aborda especificamente como os sofrimentos de Cristo são «beneficentes»; 2. dá um sentido estranho ao verbo traduzido «pregar», que em outros lugares do N.T. (61 vezes) é usado para descrever a pregação do Evangelho, embora o termo não tenha, necessariamente esse sentido. Contudo, esse é seu uso coerente no N.T. (Cf. Mat. 3:4; 4:17; Rom. 10:8,15; Gál. 2:2). 3. I Pedro 4:6 mostra que o «Evangelho» foi pregado aos mortos e não se pode duvidar de que esse parágrafo de I Ped. alude à anterior história da *descida*, no terceiro capítulo. 4. O Cristo que tão recentemente pedira ao Pai que perdoasse seus mais figadais inimigos, e que acabara de completar seu ato redentor, na cruz, se tivesse logo em seguida chegado ao hades para proclamar condenação, agravando a situação dos perdidos, teria agido de modo repugnante às sensibilidades cristãs.

c. A pregação foi feita aos penitentes de último minuto, os quais temendo o avanço das águas, subitamente deram crédito à pregação de Noé, pelo que *mereciam* algum benefício da parte de Cristo, uma vez que ele desceu ao hades. Essa interpretação é uma óbvia invencionice.

d. A pregação teve *duplo aspecto*, de consolo e progresso, para os justos do A.T., e de condenação para os perdidos. Essa idéia está sujeita às objeções alistadas sob os pontos «a» e «b», que declaram os dois lados da dupla pregação independentemente. Atanásio, Ambrósio, Erasmo e Calvino se aferraram à idéia da dupla pregação.

«Tal pregação condenatória, além de ser totalmente supérflua no caso dos espíritos já reservados à condenação (conforme Alford comenta) é um insulto ao caráter do Redentor; a consciência cristã se revolta ante o pensamento que o santo Jesus, cujas palavras,

63

DESCIDA DE CRISTO AO HADES

ao expirar, foram de perdão e amor, tivesse visitado as dimensões dos mortos e se tivesse jubilado ante a miséria dos condenados, publicando o seu triunfo, intensificando os tormentos deles e fazendo o inferno tornar-se mais inferno para eles». (Lange, em seu comentário, *in loc.* Lange foi o principal intérprete luterano de sua época).

IV. Paralelos em outros antigos escritos ou credos judaicos e cristãos, que dão apoio à descida ao hades

Na literatura judaica, temos os livros de Enoque. I Enoque 67:4-69:1,12 são trechos tão proximamente paralelos de I Pedro que alguns intérpretes têm pensado em um empréstimo direto. O Talmude tem algumas passagens que falam da descida de profetas do A.T. ao hades, em missões de misericórdia. Os Doze Patriarcas e Levi 4 trazem algo similar. Os livros apócrifos do N.T., o Evangelho de Nicodemos, o Testamento de Abraão e o Evangelho de Pedro trazem estórias de descida e comentários que mostram que a Igreja primitiva não duvidava da questão. Os primeiros pais aludem com freqüência à narrativa. Ver Irineu iii.20,4; iv.33,12; v.31,1; Márcion, em Irineu, i.27,2; Tertuliano, *de Anima*, 55; Orígenes, *Celso*, ii.43; Ignatius, *Magn.* ix.3; Justino Mártir, *Trifo*, 72. O «clima literário» da época, pois, antes e depois da composição do N.T., era favorável à narrativa da «descida». De fato, até o século V, não havia outra interpretação para I Pedro 3 e 4. Os Credos Apostólico e Atanasiano incluem a descida, refletindo a crença cristã dos primeiros séculos.

V. Os que negam toda a idéia de tal descida

Esses intérpretes pensam que Cristo pregou *por meio de Noé* em seu dia, ou «através dos apóstolos», na missão evangelística da Igreja primitiva.

A. Por meio de Noé: Essa interpretação teve início com Agostinho, no século V, e foi popularizada em algumas denominações evangélicas atuais. Além de Agostinho, Beda, Aquino, Lira, Beza, Leighton (que mais tarde mudou de idéia), Hofmann e outros a têm defendido.

Objeções a esse ponto de vista:

1. É arbitrária, apesar de alguns bons nomes que ficaram a ela associados. Arbitrária, porque as Escrituras nada dizem aqui da pregação de Noé. Nada há de mediação nessa descrição.

2. Não é gramatical:

a. O tema não é nem Noé e nem o Logos divino em algum ministério pré-encarnação, mas é Jesus, o Cristo, que tão recentemente morrera e agora tinha uma missão no hades.

b. Os objetos da pregação são os «espíritos», espíritos destituídos de corpos, e não mortais na carne, quando receberam a mensagem.

c. Não há indício, na estrutura da sentença, da declaração de que os espíritos a quem se pregou estavam vivos na carne quando ouviram a mensagem, embora agora estivessem *em prisão*, isto é, no hades. A simples leitura desses versículos mostra-nos que estavam na prisão ao ouvirem a pregação.

d. *«apeithésaisn pote»* (que em algum tempo foram desobedientes), vs. 20, obviamente são palavras que removem o tempo da desobediência a um tempo anterior ao da pregação. Isto é, a «desobediência» foi no passado remoto (antes do dilúvio) ao passo que a pregação foi feita em passado recente «por Cristo», imediatamente após sua descida ao hades, o que se seguiu à sua morte e antecedeu à sua ressurreição.

e. A expressão, «ele foi e pregou», no vs. 19, dá com clareza o sentido de «ir para outro lugar», a fim de pregar. Isso dificilmente poderia ser dito sobre Noé pois, «para onde ele se foi, a fim de pregar?» Mas *Cristo* é o sujeito. Quando de sua morte, «ele foi ao hades», a fim de pregar ali. Também não faz muito sentido dizer: «O Logos divino 'se foi' do céu, tendo descido à terra, a fim de pregar por meio de Noé». Isso é ler demais no texto, meramente para evitar uma doutrina que parece modificar, necessariamente, certos pontos de vista sobre o julgamento.

f. A pregação medianeira, por meio de Noé, ignora totalmente a antítese tencionada entre *sarki* (na carne, na qual Cristo sofreu a morte) e *pneumati*, (no estado desincorporado, «espiritual», no qual ele desceu ao hades). Além disso, isso requer a dúbia tradução de «pelo Espírito», a fim de fazer com que a pregação tivesse sido feita nos dias de Noé. Isso ignora a força normal do vocábulo «en», «em» (e não «por»), e faz o termo *anartro* «espírito» significar «o Espírito». Se o Espírito Santo estivesse em pauta, é 99 por cento certo que o artigo antecederia «pneumati». Mas Jesus, «em espírito» é que se deve entender aqui, e em «essa forma desincorporada» («na qual», vs. 19), é que ele teve essa missão no mundo inferior.

3. Essa interpretação é anti-histórica. Ignora o «meio» no qual se originou a idéia da «descida», onde eram comuns «estórias da descida», que permeavam a atmosfera do pensamento e da teologia na qual I Pedro foi escrito. Pede-nos que creiamos que era teologia comum crer na descida de profetas e heróis ao hades, a fim de efetuar missões de misericórdia, mas que quando Pedro usou expressões quase idênticas (em comparação com as do livro de Enoque, por exemplo), que ele quis dizer algo diferente.

4. Essa interpretação é anti-hermenêutica. Quer levar-nos a crer que o que era universalmente aceito na Igreja, durante quatro séculos, como algo verdadeiro, na verdade não era verdadeiro, e que Agostinho, no século V, foi o primeiro que interpretou corretamente a passagem.

5. Essa interpretação é hermeneuticamente fraca: Dá-nos um ponto de vista míope e pessimista da missão do Cristo, atribuindo-lhe pequeníssima realização, se, de fato, Deus deseja que todos sejam salvos. Requer que a mensagem e a missão de Cristo caiam essencialmente por terra, pois tudo depende do que a Igreja possa fazer, aqui e agora, e não do que Cristo, com e sem a Igreja, pode fazer onde quer que se achem as almas dos homens, aqui e no além. Ignora as elevadas revelações do primeiro capítulo de Efésios, onde lemos que Deus, «na dispensação da plenitude dos tempos», «reunirá em Cristo todas as coisas» (vs. 10), para que Cristo seja «tudo para todos», por meio da Igreja, «que é sua plenitude» (vs 23). Exige que essa «unidade» seja conseguida mediante uma *exclusão*, o que o trecho de Col. 1:16 mostra ser *impossível*, pois assim como a criação é «em» e «por», assim também deve ser *para* ele. Em outras palavras, tal como procedeu dele, deverá também retornar a ele, a fim de que seja ele «tudo em todos» e venha a «preencher a tudo em todos», ou a ser «tudo para todos». E é míope porque não deixa espaço para níveis de restauração, que são essenciais à unidade que é «o mistério da vontade de Deus», supondo que porque homens não são eleitos a missão de Cristo não se aplica a eles. Mas ele declarou: «Quando eu for levantado, atrairei todos a mim» (João 12:32). Não vê que Cristo é o grande ímã central que nada deixa fora de seu poder de atração, e que Deus é amor, e que o juízo é um dedo da mão amorosa, e que a própria retribuição é uma medida de amor. Essa interpretação é hermeneuticamente fraca porque, ao pensar

DESCIDA DE CRISTO AO HADES

honrar a Palavra de Deus, enfatizando inflexivelmente certos versículos acerca do juízo, conferindo assim um aspecto pessimista à missão salvadora do Cristo, ignora outros versículos que indicam a vasta magnitude de realização daquela missão. Sem querer degrada a obra de Cristo e limita a sua esfera de operação, ao passo que as próprias Escrituras não encerram tal limitação.

Essa interpretação é hermeneuticamente fraca porque ignora que o contexto da história da descida é o ensinamento de que «o bem pode provir do sofrimento», que visa a encorajar aos crentes que estavam sofrendo perseguição. O autor diz, na realidade: «Vede como o bem pode advir dos sofrimentos, porque Cristo, em seus sofrimentos, desceu ao hades e fez o bem às almas perdidas».

Essa interpretação é hermeneuticamente fraca porque supõe que podemos dividir a pessoa de Deus, tachando-o agora de amoroso, e depois de severo e julgador, por causa de sua justiça. Mas a verdade é que Deus não pode ser assim dividido, de tal modo que podemos dizer que ele é sempre amoroso, sempre justo, sempre severo; e todos esses fatores são simultâneos. Portanto, o amor requer julgamento, mas esse julgamento jamais consiste apenas de severidade, mas essa severidade será sempre manifestação do amor, e tem um propósito, chegando a realizar finalmente esse propósito. Ou, expressando esse conceito de modo mais simples, «o julgamento é um dedo da mão de amor».

Essa interpretação é hermeneuticamente fraca porque supõe em dividir o Logos eterno em seu propósito, limitando sua obra no que tange às almas dos homens, de modo que tal alma, enquanto está no corpo — conforme nos quer fazer acreditar — somente então pode ser alvo do ato salvador do Logos. Mas a verdade é que, conforme alguém já disse: «O que esta tradição nos ensina é que Jesus pode alcançar os homens em qualquer lugar».

Essa interpretação é hermeneuticamente fraca porque ignora o fato de que as próprias Escrituras situam o tempo das *fronteiras eternas* a serem traçadas quando da volta de Cristo, e não por ocasião da morte do indivíduo. (Ver Atos 17:31; II Tim. 1:12; 4:8; I João 4:17). «Mas em nossa passagem (I Pedro 4:6), tal como em 4:19,20, Pedro, por iluminação divina, afirma claramente que os meios da salvação divina não terminam com a vida terrena, e que o Evangelho é pregado além do sepulcro para aqueles que partiram da vida sem o conhecimento do mesmo» (Lange). E assim, se aos homens está «determinado morrerem uma vez, e depois disso (vem) o juízo» (Heb. 9:27), o «depois disso» é definido, nas próprias Escrituras, como «aquele dia», ou seja, a «parousia», o dia do aparecimento de Cristo. Por conseguinte, até aquele tempo, tal como no julgamento do hades, os homens estarão sujeitos ao poder da missão salvadora de Cristo.

6. Essa interpretação se baseia em um *preconceito a priori* sobre como deve ser o julgamento e sobre o que a missão de Cristo pode realizar, e quanto tempo haverá até ser cumprida. Esse preconceito acolhe somente todos os «versículos severos» que se aplicam ao juízo e ignora tudo mais. Em outras palavras, a fim de defender «um lado» do ensino bíblico sobre o tema, ignora ou não quer saber do outro lado, no qual a missão de Cristo é vista a triunfar, afinal, embora isso não torne em eleitos a todos os homens. Por causa desse «preconceito a priori» permite que a missão de Cristo caia por terra e aceita o absurdo que o seu poder realiza pouquíssimo, se é verdade que Deus amou ao mundo inteiro e deseja que todos sejam salvos.

7. Essa interpretação tem uma visão míope do que é a missão de Cristo e o que a mesma visa a realizar; e assim perverte as revelações constantes em I Ped. 3:18 *ss*, e 4:6, bem como em Efé. 1 e Col. 1:16. O trecho de I Ped. 4:6 declara francamente (o que aplicaríamos, pelo menos no tocante ao juízo do hades, o julgamento intermediário) que «o evangelho foi pregado também aos mortos, para que fossem julgados segundo os homens na carne, mas vivessem conforme Deus, no espírito», o que significa que o julgamento é um meio de restauração, e não apenas uma medida retributiva. Se aplicarmos isso ao julgamento final, então não se segue, necessariamente, que todos os homens por fim tornar-se-ão eleitos (embora alguns tenham usado esse ensino nesse sentido), mas segue-se que deve haver uma restauração em níveis diversos, o que produzirá a unidade de todas as coisas em torno de Cristo, e que o próprio Cristo deve ser o alvo e o propósito da vida de todo homem. Isso não significaria que muitos homens podem vir a participar da «natureza divina» (II Ped. 1:4), ou da «imagem de Cristo», mas significa muito mais do que supõe aquele que conhece apenas um lado da questão do julgamento.

8. Essa interpretação é anticronológica. O texto de I Ped. 3:18 *ss*. coloca a pregação de Cristo aos perdidos após sua morte e antes de sua ressurreição. A interpretação de que Noé é quem pregou, inspirado pelo «Espírito», faz a pregação situar-se antes da morte de Cristo, o que é distintamente contrário à cronologia da passagem.

9. Essa interpretação é uma deslocalização. Faz os homens receberem a mensagem enquanto ainda estão na terra, apesar de que agora, visto que morreram, estão «em prisão». Mas o texto de I Ped. 3:18 *ss* e 5:6 faz a mensagem ser pregada àqueles que estão «em prisão» e em «estado desincorporado».

10. Essa interpretação é antilógica. Aquilo que ignora o que a igreja dizia sobre a descida, durante quatro séculos, e o que a maioria da igreja continua dizendo, e aceita uma interpretação que data a partir do século V, sendo defendida até hoje por pequena minoria, é antilógica. Essa interpretação, que se alicerça sobre uma falácia gramatical, sendo anti-histórica, anti-hermenêutica e hermeneuticamente débil, é, igualmente, ilógica. Aquilo que se caracteriza por miopia do que a missão de Cristo pode realizar, e que transforma a fé cristã em um ponto de vista mundial pessimista, é antilógico.

Finalmente, aquilo que adere a certas Escrituras concernente à natureza do juízo, mas fá-lo mediante um «preconceito *a priori*», ignorando outras passagens bíblicas sobre o mesmo tema, é ilógico.

11. Essa interpretação é antibíblica. Visto que nega a realidade da descida de Cristo ao hades, nesta ocorrência de I Pedro, deve também negá-la em cada ocorrência sua no N.T. Deve ignorar a história de Atos 2:27,31 (Pedro também falava); Efé. 4:8-10 e Rom. 10:6-8. Também deve ignorar a antecipação profética do fato, em Sal. 16:10.

B. Medianeiramente, através dos apóstolos. Chegamos agora à segunda maneira comum de negar completamente a realidade da descida. Alguns supõem que a pregação não foi feita por Cristo, —que desceu pessoalmente ao hades, e, sim, por meio dele, isto é, «através do seu Espírito», —que teria inspirado aos apóstolos em sua missão evangelizadora, após a ressurreição. Essa interpretação tem atraído algumas pessoas de renome, como Socino, Grotius, Schottgen,

DESCIDA DE CRISTO AO HADES

Schlechting e Hensler. Mas está sujeita, de vários modos, a todas as objeções levantadas contra a interpretação que acabamos de criticar.

1. É «arbitrária», porque o sujeito é Cristo, e não os apóstolos. Nada é dito, em absoluto, sobre a missão da igreja, e nem tal idéia é ventilada.

2. É «não-gramatical», porque o sujeito é Cristo, em seu estado desincorporado, e os objetos da pregação são espíritos desincorporados, e não homens *mortais* da Judéia, da Ásia Menor ou da Grécia, os quais foram objetos da missão da igreja primitiva. Os outros pontos não-gramaticais, alistados em «d», «e» e «f» também podem ser aplicados a esta interpretação.

3. É 'anti-histórica» porque também ignora o meio ambiente literário no qual se originou a narrativa da descida.

4. É anti-hermenêutica porque ignora o que a igreja universal tem ensinado.

5. É «hermeneuticamente fraca», porque nos confere o mesmo ponto de vista *míope* sobre o que é a missão de Cristo, tal como a interpretação que acabamos de descrever.

6. Apóia-se sobre um «preconceito *a priori*», acolhendo ou rejeitando versículos sobre o julgamento de acordo com as opiniões já formadas sem darem a devida atenção ao corpo inteiro de Escrituras sobre o tema.

7. É «míope» porque limita desnecessariamente o poder e a missão de Cristo, conforme se descreveu antes.

8. Também é «anticronológica», visto que, se admite que o texto exige uma «prédica após a morte de Cristo», contudo, situa essa pregação após a ressurreição, e não entre a morte e a ressurreição de Jesus.

9. É uma «deslocalização» porque localiza a cena da pregação na terra, e não «na prisão», no mundo inferior.

10. É «antilógica», por causa de todas as observações acima.

11. É «antibíblica», porque ignora os demais trechos bíblicos que descrevem a *descida*; pois de que adiantaria aceitar a narrativa em outros «textos de prova», mas negá-la neste ponto?

Em adição a essas objeções, ainda outras podem ser levantadas.

12. Essa interpretação vê-se forçada a dizer que os «mortos» de I Pedro 4:6 são aqueles que estão «vivos na carne», mas «mortos em delitos e pecados», a fim de separar aquele versículo da história da descida. Porém, não há qualquer indício, no contexto, de que devemos entender metaforicamente a palavra «mortos». Nem faz sentido dizer que aqueles que estão «agora mortos» é que estão em foco, pois isso é injetar no texto algo que está ausente no original grego.

13. Essa interpretação também se vê forçada a ver a «prisão» como uma expressão metafórica, como a «prisão do corpo», a «prisão do pecado», o que dificilmente fica de pé sob exame.

Concordamos com Huther, que observa com razão, «...essa interpretação acumula capricho acima de capricho».

Aludindo a esses tipos de interpretações, Alford observa, *in loc.*, «cada palavra de cada cláusula protesta contra» elas.

VI. Quem são os espíritos que seriam melhorados?

a. Alguns dizem, «aqueles *agora* desincorporados, mas que eram homens mortais quando ouviram a pregação». Portanto, têm de ler I Ped. 4:6 como: «Por esta causa o Evangelho foi também pregado àqueles que *agora* estão mortos...» Mas isso é desencavar no versículo, por causa de certo ponto de vista sobre o juízo, que «o Evangelho não pode ser pregado aos mortos», algo que não se acha ali. Além disso, é ignorar o claro ensino da descida de Cristo ao hades, que ocupa o trecho de I Ped. 3:18 *ss*.

Mason, *in loc.*, refutando essa idéia, diz: «Ninguém, com mente desanuviada pode duvidar, considerando esta cláusula por si mesma, que as pessoas a quem esta pregação foi feita estavam mortas quando ouviram a pregação».

Hart, *in loc.*, diz: «No que toca aos mortos, Cristo desceu ao hades a fim de pregar ali, e nisso foi seguido por seus apóstolos. E o objetivo disso foi que embora os mortos fossem julgados como homens, no tocante à carne, pudessem viver como Deus vive, no tocante ao espírito».

Alford, *in loc.*, diz: «Se, 'o Evangelho foi pregado aos mortos' pode significar que 'o Evangelho foi pregado a alguns durante sua vida terrena, os quais agora estão mortos', a exegese não conta mais com nenhuma regra fixa, e a Escritura pode ser manuseada para provar qualquer coisa».

b. Outros pensam que esses «espíritos» são anjos caídos, que são seres espirituais. O termo grego «pneuma» pode significar qualquer tipo de «espírito», como a alma humana, a porção não-material do homem, os espíritos angelicais, os espíritos demoníacos, ou o Espírito Santo. Portanto, nada se pode provar mediante uma consideração do vocábulo, à parte do contexto. Aqueles que aqui identificam os «espíritos» como anjos caídos, provavelmente fazem-no por causa da observação que em algumas histórias de descida, na literatura judaica-helenista, está em foco a restauração de anjos caídos, e, presumivelmente, pois, a história de Pedro poderia estar descrevendo tal coisa. Mas o texto em parte alguma indica redenção de anjos, e introduzir tal coisa aqui é algo fora de lugar, mesmo que se pudesse demonstrar que esse é um dos resultados positivos dos sofrimentos de Cristo. O texto procura provar que os sofrimentos de Cristo tiveram tais resultados positivos, a fim de convencer os crentes que o bem pode advir do sofrimento. O pensamento que a descida de Cristo ao hades foi boa., de algum modo, para aliviar o sofrimento humano, seria um argumento mais poderoso do que dizer que isso fez algum bem aos anjos caídos, pelo que também o mais provável é que é àquilo que Pedro alude. Outrossim, havia amplo precedente para isso nos escritos e na teologia judaicos, e assim Pedro não estava criando no vácuo uma nova doutrina. Se ligarmos I Ped. 3:18 *ss* com 4:6, então teremos um argumento totalmente fatal à idéia de que os «anjos «caídos» são os espíritos em foco. Cristo pregou aos «mortos», isto é, a «espíritos humanos desincorporados», chamados mortos por terem deixado seus corpos mortais. O termo «mortos» jamais poderia ser aplicado a anjos caídos. Virtualmente todos os intérpretes que crêem na. descida de Cristo ao hades, ligam I Ped. 4:6 com a descrição da descida em 3:18 *ss*.

c. Outros pensam que os «mortos» são aqueles «mortos em delitos e pecados», e assim fazem esses espíritos serem os de homens mortais, mas ainda incorporados quando ouviram a pregação. Aqueles que acreditam que os apóstolos é que pregaram aos «mortos» em delitos e pecados, por inspiração do Espírito de Cristo, negam peremptoriamente a descida ao hades, conforme já vimos. Mas já mostramos, também, que essa interpretação não é válida, e isso, por meio de muitos argumentos.

DESCIDA DE CRISTO AO HADES

Portanto, não vemos como se pode entender metaforicamente a palavra «mortos», em I Ped. 4:6.

d. Os «espíritos» são *espíritos humanos desincorporados*, e, especificamente, aqueles que foram desobedientes nos dias de Noé. Mas por que a narrativa, dada em I Ped. 3:18 *ss.* limitaria os mortos só a esses? Porventura somente os antediluvianos teriam recebido o benefício da descida de Cristo? Em resposta a essas perguntas, respondemos:

1. Essa limitação surgiu por causa do fato de que o *contexto* trata da história do dilúvio. Pedro usou a narrativa do dilúvio como ilustração tanto do juízo vindouro como da salvação em meio ao juízo. Era natural, pois, que ele tivesse falado somente dos «espíritos» associados com aquele evento, pois isso concorda com o contexto de sua ilustração.

2. Esses «espíritos» representam os *mais* rebeldes e corruptos entre os espíritos; e, no entanto, a graça de Deus atingiu até eles. *Quanto mais*, pois, a implicação pode abarcar todos os espíritos, já que esses péssimos «exemplares» de maus espíritos não estavam fora da missão salvadora de Cristo.

O ensinamento é claro, portanto: Os sofrimentos de Cristo se revestem de valor imenso, mais do que a língua humana pode narrar, atingindo aos mais altos céus, mas também ao mais baixo inferno. Se fores perseguido, se estás sofrendo, lembra-te disto: Deus pode sair dentre o sofrimento.

3. I Ped. 4:6, seguindo imediatamente após a narrativa da descida, e querendo servir de comentário adicional a respeito, fala sobre os «mortos» em geral, como aqueles que receberam a visita da descida de Cristo, pelo que fica *eliminada* a limitação de I Ped. 3:18 *ss*. Se a descida de Cristo trouxe esperança aos mais rebeldes, é certo que trouxe esperança a todas as almas perdidas.

e. Ainda outros, apesar de admitirem a plena força da descida, pois é claro que Cristo pregou e ajudou às almas perdidas no hades, limitam isso a uma só ocasião, e se recusam a ver nesse acontecimento um «precedente». Isto é, crêem que Cristo foi de benefício ou ofereceu salvação plena a almas perdidas que tinham descido ao hades antes de sua missão terrena, mas não acreditam que esse ministério «continua no hades». Em outras palavras, desde a cruz, nenhum outro benefício pode ser esperado no hades da parte da anterior descida de Cristo ali. Dos dezessete comentários examinados sobre o tema, somente um toma essa posição limitada, embora treze concordem com a realidade da descida. A maioria dos intérpretes, antigos e modernos, vê um «precedente» do que sucedeu no hades. Essa tradição, pois, ensina que Jesus pode alcançar os homens em qualquer lugar, até que ele ache por bem traçar fronteiras eternas quando de sua segunda vinda, ou, conforme o caso pode ser, após o milênio, segundo Apo. 10 pode indicar. Assim é que Hunter, *in loc.* diz: «Se indagarmos que valor tem esta tradição para nós, hoje em dia, a resposta é que onde quer que estejam os homens, Cristo tem o poder de salvar». A lógica concorda com isso, pois é óbvio que o Evangelho alcança apenas poucos homens, uma minúscula porcentagem, enquanto vivem em corpos mortais, mas o amor de Cristo não permitirá que se vão devido à ignorância. Somente se chegarem a rejeitá-lo é que perderão a salvação por ele oferecida.

Que dizer sobre a justiça? Rom. cap. 1 deixa claro que Deus seria «justo» se condenasse homens ao inferno, sem importar se ouviram o Evangelho ou não. Porém, não existe tal coisa como *justiça nua*, à parte do amor e da misericórdia. Uma justiça temperada, na qual os atributos de Deus não estejam divididos e nem se choquem uns contra os outros, alia-se à razoável posição que diz que ninguém poderá perder-se finalmente sem antes ter chegado frente a frente com a verdade, conforme ela se acha em Cristo. O Logos eterno salta todo o espaço e o tempo e garante esse encontro. O que as almas fizerem com isso, dependerá delas, entretanto. Por isso, Bigg, *in loc.*, defende a idéia de que a graça de Deus, por meio de Cristo, trará, finalmente, a todos os homens o «conhecimento» do Evangelho. Ele foi levantado. Todos os homens deverão saber disso, para então se voltarem para Cristo ou rejeitarem-no. Negar isso é perder as imensas dimensões da missão de Cristo, que são subentendidas na história da «descida», bem como em outras passagens, como Efésios 1 e Colossenses 1:16.

«...o Evangelho foi pregado aos mortos com o propósito de moldar a condição deles, de tal modo que, por um lado, sendo julgados segundo a carne (estado dos mortos visto como um juízo contínuo segundo a carne), por outro lado, fossem capazes de «através do juiz (aoristo), atingir, à maneira de Deus, a vida imortal do espírito». (Wiesinger, comentando sobre I Ped. 4:6).

Deus nos considerará responsáveis! Não negam outros versículos acerca do julgamento? Antes, procuramos combinar todos os versículos que falam sobre o assunto, formando um todo harmonioso, e não negligenciamos aqueles versículos que oferecem esperança, quer seja para a salvação das almas que tenham ido para o hades, quer para a melhoria dos perdidos, uma vez que sejam traçadas as fronteiras eternas. Deus nos considerará responsáveis se diminuirmos aquilo que foi revelado, no tocante à amplitude e poder da missão de Cristo. Sem dúvida é muito sério degradar ou subestimar a sua missão. A igreja universal tem reconhecido isso, em parte, pelo menos, porquanto a vasta maioria dos intérpretes antigos e modernos tem dado à «descida» um papel importante em sua teologia. O mais provável, porém, é que todos os homens, de alguma maneira, tenham subestimado o que Cristo pode fazer e fará, visto que seu poder permeia todas as esferas, todos os mundos e todos os seres. É impossível que alguma coisa esteja fora do alcance de seu poder.

VII. Qual o potencial ou extensão de sua melhoria?

O que já foi dito até aqui produz muitos subentendidos sobre o que agora procuramos expressar, e alguma duplicação de pensamento é inevitável. Entre aqueles que acreditam que Cristo, em sua descida ao hades, fez o bem às almas perdidas, naturalmente há pontos de vista diversos.

a. A maioria dos pais gregos e latinos ensinaram que, através da descida, Cristo ofereceu aos perdidos a plena salvação. Muitos deles ensinaram que esta oferta será válida até a segunda vinda de Cristo que estabelecerá os destinos eternos.

b. Conforme se mencionou acima, alguns crêem que a descida foi um incidente isolado, e que a melhoria que isso trouxe ao estado dos perdidos, visava somente ao benefício dos antediluvianos. Esse «bem» poderia ser visto como uma oferta de plena salvação, ou como mero aprimoramento da condição dos perdidos, os quais estavam confinados à «prisão» antes do advento da Cruz. Se o «bem» consistiu da oferta de plena salvação, então alguns, poucos ou muitos, não somos informados, provavelmente se aproveitaram desse ato especial de graça; mas, de acordo ainda com essa interpretação, isso não seria possível para os perdidos que morreram desde a

DESCIDA DE CRISTO AO HADES

crucificação de Jesus. Desse modo, tal graça foi oferecida a alguns poucos, após a morte deles, e essa graça deve ser encarada como paralela à revelação de Atos 17:30: «...Deus deixou passar os tempos dessa ignorância; mas agora ordena a todos os homens de toda parte que se arrependam». Apesar de que Deus estaria plenamente justificado se condenasse a todos (ver Romanos 1), contudo, seu amor levou a missão de Cristo a beneficiar os perdidos antes da cruz. Presume-se que essa interpretação nos queira levar a crer—agora que a igreja leva avante a missão evangelizadora instituída por Cristo—que agora não se pode mais esperar o oferecimento dessa graça especial aos perdidos do hades.

Mas se a descida ao hades e a pregação do Evangelho aos mortos (I Ped. 4:6) não visava a oferecer a salvação, mas somente melhorar o estado dos perdidos; talvez lhes dando razão e propósito de um viver centralizado em Cristo, embora não a salvação, ou seja, a participação em sua natureza, então poderíamos supor que essa condição de melhoria no hades tornou-se uma regra — isto é, a dimensão dos mortos foi elevada a fim de permitir-lhes fazer parte da unidade que, finalmente, terá lugar em torno da pesso do *Logos* eterno (ver Efé. 1:10). Portanto, segundo essa idéia, a «melhoria dada numa ocasião», produziu resultados contínuos embora algo que não deva ser repetido. Homens bons e dignos intérpretes têm assumido uma ou outra dessas posições, isto é, aquela exposta no parágrafo anterior, com as modificações dadas neste parágrafo. Wordsworth parece tomar a primeira, e Ellicott a segunda posição. Ellicott supõe que essa *melhoria* seria mediada através das diferenças nas ressurreições, pois os perdidos ficariam excluídos dos benefícios do corpo ressurrecto, conforme os salvos possuirão, e, portanto, perderão o tipo de vida de que o corpo ressuscitado será o veículo. No entanto, com base em I Ped. 4:6, este autor supõe que eles terão uma expressão espiritual agradável a Deus, por ter sido dada diretamente por ele, o que não eliminará o juízo, mas será seu resultado. Conforme esse ponto de vista, pois, o juízo não será apenas retributivo, mas também restaurador, e a retribuição se tornará um meio de uma espécie de restauração para os perdidos, embora isso esteja longe da salvação descrita no N.T. O que Ellicott supõe certamente tem valor no tocante ao estado final dos perdidos, mas é quase certo que o «hades» não é o estado final. Apocalipse 20 deixa claro que haverá um juízo *além* do hades, após o milênio. O testemunho da literatura judaica e cristã sempre foi que o hades representa um «julgamento intermediário», e muitos autores têm pensado ser algo «mutável». Assim, no Testamento de Abraão, a oração intercessória prevalente do patriarca impele Deus a livrar do hades as almas perdidas; e no evangelho de Nicodemos, a descida de Cristo ao hades esvazia aquele lugar de todos os seus cativos; e na narrativa inspirada de Pedro, a base de nossa atual discussão, a descida de Cristo, de algum modo, oferece melhoria aos perdidos, ou quiçá, no mundo intermediário, até lhes ofereça salvação, pois Cristo é o Salvador de todos os mundos, em todos os mundos. E é curioso observar que o evangelho apócrifo de Pedro (escrito em cerca de 130 D.C.) fala em favor do benefício aos mortos proveniente da descida de Cristo ao hades por antecipação, pois estando ainda na cruz, a Jesus é feita a pergunta: 'Pregaste àqueles que dormiram?' A resposta dada pelo Salvador em agonia é o misericordioso 'Sim'. O autor, não Pedro, naturalmente antecipa assim a história da descida do Salvador agonizante, que beneficiou até ao próprio

hades. Mencionamos essas obras extracanônicas a fim de ilustrar atitudes cristãs dos primeiros séculos. A observação, conforme se notou acima, no evangelho apócrifo de Pedro, sem dúvida se baseou sobre o livro canônico de I Pedro, e sua história da descida, e firma-se como uma interpretação deste último. Portanto, se essas obras extracanônicas não têm autoridade como documentos inspirados, pelo menos refletem a interpretação cristã comum do livro canônico de I Pedro.

c. Fazendo o pêndulo da interpretação inclinar-se para o extremo oposto do pensamento teológico, os universalistas vêem evidências, na história da descida, de que em algum lugar, de algum modo, em algum tempo, a graça divina, por meio de Cristo, atrairá todos os homens aos lugares celestiais, como homens remidos. Os universalistas fazem a predestinação dar as mãos ao total propósito remidor, fazendo eleitos a todos os homens. A diferença entre os homens seria apenas uma questão de tempo, e não se seriam ganhos ou não pelo poder de Cristo. Os universalistas não se interessam em tentar equilibrar as Escrituras que falam sobre o juízo, e nem em contrastar versículos sobre o juízo com aqueles sobre a eleição. Eles assumem a atitude que diz que as revelações superiores ultrapassam as inferiores, e assim a salvação final (uma revelação superior) substituiria os temíveis versículos sobre a condenação eterna. É conveniente, portanto tomar a palavra «eterno» em seu sentido possível de «qualidade», e não em seu sentido de «quantidade». Em outras palavras, o juízo «pertence ao estado eterno», pelo que seria *eterno*, mas não seria «sem fim». Teólogos e filósofos estão bem cônscios do fato de que a palavra «eterno» pode aludir à «qualidade», e não à quantidade. Assim é que Deus é chamado Eterno a fim de distingui-lo do que é temporal. E *vida eterna* é um «tipo de vida», isto é, pertencente aos mundos celestiais, não-físicos. Portanto, o termo «eterno» pode indicar «espécie», e não, necessariamente «extensão». Não se pode duvidar de que no evangelho de João o vocábulo «eterno» algumas vezes pelo menos, tem o sentido de «qualidade», e não o de «extensão». A «vida eterna», pois, é a vida que pertence ao mundo além; e «julgamento eterno», é o tipo de juízo que pertence ao mundo além, embora não seja algo necessariamente «interminável». As alusões ao grego clássico apóiam esse uso «qualitativo» do termo. Porém, se pressionarmos os universalistas, dizendo que o sentido «comum» do termo «eterno» quase sempre inclui também a idéia de «extensão», e se a apresentação de muitas referências bíblicas os deixar avassalados, eles simplesmente retrucarão voltando a seu anterior argumento de que «revelações superiores» suplantam inferiores. A história da descida seria um exemplo de revelação superior, oferecendo esperança final para todos, porquanto há provas positivas de que o propósito de Cristo opera para a salvação de todas as almas até mesmo do outro lado da morte física. Se seu raciocínio for contradito, aludindo nós que é ilógico supor que uma revelação superior possa suplantar (e contradizer) uma inferior, eles simplesmente nos lembrarão de que foi exatamente isso que sucedeu em relação ao Antigo e ao Novo Testamentos, com suas respectivas mensagens. Nos mostrarão referências veterotestamentárias que falam da aplicação «eterna» da lei, com seus sacrifícios etc. Então, enquanto estamos um pouco enchidos, a arrumar os pensamentos, eles mostrarão que os rabinos do Talmude assim interpretavam sua própria revelação, pois defendiam a qualidade eterna das leis, cerimônias, sacrifícios, etc. (O judeu olhará desconfiado para nossas «inovações cristãs», perguntando

DESCIDA DE CRISTO AO HADES

como temos contradito «a revelação», abandonando os mandamentos do A.T., que naquele mesmo documento são declarados como de aplicação eternal. Se frisarmos certos textos do N.T., que falam de punição eterna, então os universalistas apontarão para outros versículos, incluindo aqueles sobre a descida de Cristo ao hades, que podem ser interpretados como se ensinassem salvação final para todos. E assim, conforme se dá com a maioria das discussões argumentativas, ambos (nós e eles), deixaremos a sala pela mesma porta que tínhamos entrado.

Nesta discussão sobre a descida, como por todo este artigo, procuramos obter bom equilíbrio na interpretação. Cremos, portanto, que por mais nobre que seja a idéia do universalismo, não preserva esse equilíbrio, comparando Escrituras com Escrituras, motivo porque é suspeito.

d. Além disso, ansiosos por preservar esse citado *equilíbrio*, rejeitamos ver nas Escrituras somente os temidos versículos de retribuição eterna. Nesses versículos, outrossim, vemos outras revelações modificadas ainda por outros versículos, que lançam maiores luzes sobre a questão do hades, projetando esperança. A fonte de água viva da cruz eleva-se acima de toda a vergonha humana e cascateia dali as doces águas da gentileza, que tombam sobre a dimensão tristonha dos antediluvianos desobedientes. Por isso, foi dito: «Ele foi pregar aos espíritos em prisão, que antes foram desobedientes... O Evangelho foi pregado aos mortos». Haverei de desistir dessas palavras de graça e benevolência eternas porque, em outro lugar, a ira ardente de Deus é vista a perseguir o pecado e o pecador com terrível luta sem quartel? Não eu! Sim, eu não, principalmente porque não ouso diminuir a missão de Cristo abaixo do que ela é vista nas Escrituras, ainda que outros homens, ignorando as mesmas, ou por terem um ponto de vista diverso das mesmas, diminuam essa missão para menos do que ela certamente é.

Oh, Cristo, Salvador de Todos os Mundos

Cristo, o Salvador de todos os mundos, em todos os mundos, até a própria beira da condenação;
Amando, buscando, sondando, salvando além do sepulcro ou túmulo.
Não decretos divinos, dogmas de homens, eras agora e então, mentes mesquinhas, embotadas pelo sentido e pelo tempo,
Podem limitar seu imutável poder salvador, uma fixa esperança sublime.

Oh, Cristo, imutável, Redentor perene, na transição dos séculos o mesmo
Constante e perpétuo é o poder reconquistador de teu nome.
Ponto do tempo chamado terra e um Jesus terreno não são tudo, não podem ser tudo,
Esferas além, mundos vindouros, o Jesus Celeste deverá fascinar.

Ponto de tempo terminado pela morte, significa para alguns, o fim da própria vida,
Para outros, o fim da esperança; ambas são visões míopes, sem dúvida.
Pois Tu, ó Cristo eterno, no tempo e fora do tempo, seguras a tudo com segurança.
Amando, buscando, sondando, salvando além do sepulcro ou túmulo.
Tu és o Cristo de todos os mundos, em todos os mundos, até à beira da condenação. Na condenação? Na condenação!

(Russell Champlin, meditando sobre I Ped. 3:18-20; 4:6).

Quão temível o caso, quão temível o pensamento, aqueles que perderam seres amados:
Os quais até à beirada seguiram aqueles a quem amam,
E sobre a limiar insuperável se postam,
Com nomes queridos reprovam sua calma muda,
E afagam por sobre o abismo sua mão não segurada.
(Tennyson).

«Ele foi e pregou aos espíritos em prisão, que antes foram desobedientes... O Evangelho foi pregado aos mortos».
O abismo é profundo demais,
Suas mãos são por demais pequenas,
No entanto, Jesus, ao lado deles,
Pode recuperar almas perdidas.
Contemplai esses homens erguidos por Cristo,
O resto permanece sem ser desvendado.
Ele não nos diz, ou algo selou
Os lábios de Pedro, o Evangelista.
(Russell Champlin, primeiro versículo; segundo, adaptado de Tennyson).

Deixe-nos ver o que o texto aqui tem a ensinar, nada mais, mas, ao mesmo tempo, nada menos. Ele pregou o Evangelho aos mortos desobedientes, sem dúvida, para estender sua missão redentora (ou melhoradora) aos mesmos, que tão recentemente havia feito na face terrestre. Primeiro Pedro 4:6 exige esta interpretação da descida, pois é um comentário breve sobre o mesmo. O resto Pedro não revela. Seus lábios estavam selados. Quantos acreditaram? Quantos zombaram? Quantos rejeitaram? Foi seu ato um precedente? Foi acontecimento único? Estas são questões importantes.

O caso para o precedente: Um pouco de reflexão nos assegurará de que aquilo feito por Cristo no hades era um precedente, isto é, «estabeleceu um modelo» para futuras missões similares, de fato, foi a abertura do hades como campo missionário. A razão e as Escrituras nos levam a isto, mesmo que o texto com o qual nos defrontamos não declara simples e diretamente esta implicação. *Tudo* que Cristo fez foi um precedente. Toda sua vida e missão foram designadas para serem precedentes de diversos tipos. Sua vida tornou-se para nós, por todos os tempos, um precedente de como a busca espiritual deve ser conduzida. Sua morte tornou-se a base da expiação por todos os tempos. **Sua ressurreição tornou-se a base** da vida, a própria fonte do princípio da vida. Em sua ascensão, também nos somos elevados aos céus. Seria deveras estranho se sua descida ao hades fosse a única ação de sua missão que tivesse aplicação de vez única, sem resultados contínuos no futuro. Seria deveras estranho se sua descida ao hades, em contraste com tudo o mais que realizou, não tivesse aplicação além do que no momento e naquele tempo ele lá conseguiu.

As Escrituras são pelo precedente: Ver as notas em Efé. 4:9,10 no NTI, que impõem sobre nós a idéia do precedente. Efé. 1:23 mostra que Cristo tornar-se-á tudo para todos, e por sua «plenitude», a igreja, pois é por intermédio de seu corpo que ele se expressa.

O que fica implícito na descida, no tocante ao estado final dos perdidos:

Esta narrativa (como dada em I Ped.) não descreve diretamente o estado final, mas antes, o juízo intermediário do hades. Contudo, seu espírito de admirável graça concorda com outras revelações que levantam ainda mais a cortina eterna, além da história da descida. Apesar de não podermos aqui defender os ensinamentos do universalismo, por

DESCIDA DE CRISTO AO HADES

razões já declaradas, contudo as Escrituras, em passagens como Efésios 1 e Col. 1:16 certamente vão além do que alguns homens ensinam acerca do estado final dos perdidos. Essas Escrituras requerem que, no estado eterno, haja uma espécie de restauração de tudo em Cristo. Esse é o mistério da vontade de Deus (ver Efésios 1:10), e todos os ciclos sucessivos (dispensações) da operação de Deus levarão, todas as coisas e todos os seres, finalmente, a ficarem em torno do Logos como sua razão de existência. Mas isso não faz com que todos os homens se tornem eleitos, embora envolva infinitamente mais do que alguns querem atribuir a essas palavras. Ver as notas sobre Efé. 4:9,10 no NTI onde a descida é ligada com o estado eterno.

A tragédia de rejeitar a Cristo depois que ele oferece aos seres humanos a sua própria natureza e vida (*salvação*), não consiste principalmente nos «sofrimentos» que os homens encontrarão; e não nos equivoquemos sobre isso, tais sofrimentos são reais. Mas a tragédia consiste muito mais do fato de que perderam sua primogenitura como homens, um direito de primogenitura que lhes cabe pelo simples fato de serem homens, pelo que, potencialmente podiam ter vindo a participar da vida e da natureza do Homem Ideal, chegando assim a participar da sua própria divindade (ver II Ped. 1:4). Tendo perdido seu direito de primogenitura, passaram por perda infinita, porquanto aquilo que poderiam ter ganho é um ganho infinito. Os perdidos, pois, estão *infinitamente perdidos*, por terem deixado de ser infinitamente salvos. Se fizermos da salvação apenas o perdão dos pecados e a mudança futura de endereço para os céus, algum dia, então não teremos compreendido o que significa ser eleito para a glória eterna. Nisso, outrossim, teremos perdido de vista o contraste gigantesco entre o que significa ser «salvo» ou ser «perdido».

Note bem

Meus amigos, há alguns anos, quando escrevi este artigo sobre a *Descida de Cristo ao Hades*, na preparação do *Novo Testamento Interpretado*, falei (como o leitor pode ver) sobre a *restauração* dos perdidos como se fosse uma *perda infinita*, em comparação com a *redenção* dos remidos. Desde aquele tempo, tenho chegado à percepção de que é *depreciador* ao caráter do Salvador-Restaurador falar sobre *qualquer* parte de sua obra como uma perda infinita. É melhor dizer que *tudo* que ele faz é *magnificente*; tudo que ele faz, ele faz *bem*, e o *total* de suas obras constituem um tapete magnífico, composto dos contrastes *necessários* de cores brilhantes e claras e escuras. Ver o artigo sobre *Restauração* que dá mais detalhes sobre estes conceitos.

O trecho de Col. 1:16 mostra que o «tudo» que Cristo criou, o que foi criado por causa de seu ser (a criação foi «nele» e «por» ele), também será «para ele», isto é, um «retorno a ele». Encontramos aqui uma «metáfora da emanação» da filosofia e da teologia antigas. O sol, o fogo central, despede seus raios, emana seus raios. Mas então o sol recolhe seus raios, que uma vez mais são absorvidos pelo sol. Autores do N.T. e primitivos cristãos normalmente evitavam a metáfora da emanação, porque se prestava a ensinar o panteísmo; mas neste ponto essa metáfora é aplicada com cautela, sem qualquer intenção de ensinar o panteísmo. Assim, a criação procede de Cristo. «O tudo» vem da parte dele, por causa dele e por meio de seu poder. Mas então, com a mesma certeza, haverá de retornar a ele, sendo por ele absorvido, o que é a mesma coisa que a *unidade* referida em Efé. 1:10. O

mesmo «tudo» que foi emanado dele, haverá de retornar a ele, pois nada pode ficar fora do magnetismo de seu poder. Em seu retorno, Cristo tornar-se-á «tudo para todos» (ver Efé. 1:23). Ele é a razão da existência de tudo, o alvo do viver de todos. Sim, isso será menos intenso no caso dos perdidos, mas é algo verdadeiro, embora com alguma limitação, o que nos admira. E assim se vê a veracidade da declaração: «Quando eu for levantado, atrairei todos a mim» (João 12:32). Isso não quer dizer que todos os homens venham a entrar na «verdadeira vida», que foi tencionada para todos, e que consiste na participação na própria forma de vida necessária e independente de Deus (ver João 5:25,26 e 6:57). Nem significa que todos compartilharão da «natureza divina» (II Ped. 1:4). Mas significa que de nenhuma forma, e por nenhum meio, poderá falhar finalmente a missão de Cristo, conforme os homens consideram isso um fracasso. Quando tudo for reunido em torno de Cristo, formando uma unidade, sua missão terá sucesso de diferentes modos, e com diferentes resultados, mas não será um fracasso. E é mesmo impossível que sua missão possa falhar, do modo como os homens descrevem um fracasso.

O vicio das teologias sistemáticas e das denominações sectaristas:

É bom termos um sistema de crenças; é bom que nos identifiquemos com algum grupo, a fim de podermos envidar um esforço comum em prol do Evangelho. As teologias sistemáticas e as denominações, porém, compartilham todas do vício de «excluir» ou «distorcer» aquilo que não se bitola dentro de sua linha de pensamento. Assim, alguns homens negam a divindade de Cristo porque não podem perceber como uma entidade pode ser, ao mesmo tempo, divina e humana. E outros, pelo mesmo motivo, negam a humanidade de Cristo. Ambos esses lados deixam de ver as doutrinas realmente grandes da fé cristã, as quais, em algum ponto, se resumem em paradoxos; não por serem realmente tais, mas porque assim nos parecem, devido ao nosso presente limitado entendimento. A «teologia» é o estudo do divino, e, portanto, como pode ser reduzido com êxito a termos humanos? Alguns rejeitam a doutrina do «livre-arbítrio», porque as Escrituras ensinam a «predestinação» e, por semelhante modo, outros rejeitam a doutrina da predestinação, porque as Escrituras ensinam o livre-arbítrio. Denominações são formadas a fim de defender este ou aquele lado de um paradoxo. As denominações fazem a verdade estacar no ponto de partida. As denominações param, mas a verdade continua; e aqueles que se põem a seguir a verdade, são tidos como quem está no trilho errado.

Nesse mesmo campo dos paradoxos deixamos os ensinamentos sobre o juízo. Existem aqueles versículos severos, incansáveis, aterrorizantes, rubros. Precisamos deles porque nos advertem sobre os resultados muito negativos do pecado. — Mas também existem aqueles versículos esperançosos, resplendentes, penetrantes, que levantam o véu da melancolia. Não se pode duvidar que não sabemos como harmonizar todas as Escrituras em um único «grande quadro», e nem podemos dar argumentos convincentes para todos. Mas incorremos em erro ao fazermos uma passagem bíblica entrar em choque com outra, negando assim a grandiosidade da revelação de Cristo, — que, finalmente, será «tudo para todos».

Ouçamos o cântico da redenção que desce dos céus, em tons divinos, o magnificente cântico dos eleitos, e que somente eles podem entoar. Mas demos ouvidos,

DESCIDA DE CRISTO AO HADES

igualmente, ao cântico da *restauração*, que ultrapassa as dimensões do juízo eterno. Esse cântico é menos imponente, mas expressa o mesmo tema, o único tema que finalmente haverá, Cristo. Ouçamos o tema do hino entoado por qualquer indivíduo ali: é Cristo. É isso que as Escrituras querem dizer quando afirmam que Cristo é o Alfa e o Ômega. Alfa, porque a criação foi efetuada «nele» e «por ele». E Ômega, porque a criação também é «para ele». Ômega, repito, e não meramente Alfa. Vede o Cristo de pé!

Foi grandioso ordenar que um mundo saísse do nada,
Mas foi maior redimir.

Foi grandioso revelar Deus a seres angelicais,
Mas foi maior dar valor ao humilde homem.

Foi grandioso habitar em favor divino exaltado,
Mas foi maior ser Salvador de homens alquebrados.
   (Russell Champlin)

Aos perdidos, entretanto, sem importar quão grande seja seu lucro final, podemos dizer as palavras de Robert Browning:

Oh, se traçarmos um círculo prematuro,
Sem nos importarmos com ganho a longo prazo,
Gananciosos por pronto lucro ou proveito, certamente
Má terá sido nossa barganha!

VIII. Não é a mesma coisa que o purgatório

O texto que ora comentamos tem sofrido várias perversões. Naturalmente, tem sido usado como texto de prova da existência do purgatório, mas desajeitadamente. Pois o purgatório envolve a noção de que os cristãos que tiverem morrido com pecados não-perdoados ou imperfeições, terão de passar um período de sofrimento e julgamento, a fim de serem purificados e aprimorados. Nosso texto, porém, fala de almas perdidas, e não das almas dos justos. Para os perdidos foi que a misericórdia foi oferecida; a eles é que o Evangelho foi pregado.

IX. Sumário do ensino da passagem

Após fazer expiação, Cristo, em seu espírito humano desencarnado, desceu ao hades, dimensão dos espíritos humanos que partiram. Ali pregou o evangelho aos desobedientes e lhes ofereceu salvação sob a condição de fé e arrependimento, preservando as mesmas condições de sua missão salvadora conforme se vê no plano terrestre, onde ele é, igualmente, o único Salvador. Nesse ato, Cristo, cremos, por implicação, estabeleceu um precedente. A Igreja, que é seu corpo, sua plenitude, por ser isso, tem a tarefa de fazer Cristo tornar-se «tudo para todos», pois o corpo é a expressão da Cabeça em todas as dimensões. Assim nos ensina Efé. 1:23 e este versículo contempla a eternidade, conforme nos mostra o contexto. Outros trechos bíblicos ensinam que fronteiras eternas serão traçadas quando da volta de Cristo, e não quando da morte de cada indivíduo; e notemos que I Ped. 4:6 demonstra isso. O texto mostra que Cristo é o Salvador cósmico, e não meramente terreno. Ele teve seu ministério sobre a terra; seus apóstolos e sua Igreja continuaram essa missão; então ele levou sua missão ao mundo inferior, para ser continuada do mesmo modo que sua missão terrena. Finalmente, ele teve sua missão nos céus, e, combinando todas essas missões, que são apenas uma grande Missão Cósmica, finalmente ele se tornará tudo para todos.

Alguns intérpretes acham que a descida deve ser ligada com tais escrituras como Efé. 1:10,23 e 4:8-10 para ensinar que esta missão de Cristo aos perdidos no hades terá o efeito de uma *restauração* dos não-eleitos, mas não a redenção dos eleitos. A restauração dará a eles uma vida de utilidade e certo nível de glória, mas será uma forma de vida infinitamente mais baixa do que a redenção.

X. Esse ensino nos comentários modernos

Conforme já se frisou aqui e ali, acima, essa interpretação é «comum» na história da igreja, embora, para alguns, possa parecer uma novidade até obnóxia, pois têm contemplado a verdade somente através dos óculos de alguma denominação particular. Este artigo tem sido compilado com base no exame de dezessete comentários diversos, além de outros livros, como dicionários, léxicos e enciclopédias, que também têm sido consultados. Dentre os dezessete comentários consultados, doze têm uma interpretação essencialmente idêntica à deste artigo. Esses doze são os seguintes: Bloomfield, no «Comprehensive Commentary»; Vincent, em «Word Studies in the New Testament»; Mason em «Ellicott's Commentary»; R. Rawson Lumby, em «The Expositor's Bible»; Lange, no «Lange's Commentary»; Bigg, no «The International Critical Commentary»; Hunter e Homrighausen no «The Interpreter's Bible»; Meyer, em «Meyer's Commentary on the New Testament». Pode-se notar que esses homens representam a herança da literatura cristã no idioma inglês, e são luteranos, anglicanos, batistas e presbiterianos. A maior parte dos batistas e presbiterianos no tocante aos modernos grupos evangélicos, precisamos admitir, não seguiu essa orientação. Dentre os cinco comentários restantes que foram consultados, John Gill, Adam Clarke e Faucett negam totalmente a narrativa da descida. Calvino admite a realidade da descida, mas não vê nenhum bem oferecido aos perdidos dali. Robertson apresenta ambos os lados da questão, mas não nos dá sua opinião pessoal. Portanto, dentre os dezessete comentários examinados sobre a questão, apenas três negam completamente a «descida», e somente quatro dão uma interpretação que não segue as linhas apresentadas neste artigo. Por «não seguem as linhas» queremos dizer que não vêem vantagem nem melhoria na descida, no tocante aos perdidos, ao passo que todos os outros comentários, de vários modos, vêem uma melhoria ou mesmo o oferecimento de plena salvação no mundo de julgamento intermediário. Esse mesmo esmagador apoio tem sido dado à narrativa da «descida» através da história da igreja (conforme já vimos no primeiro ponto deste artigo).

XI. A descida ao hades na história do cristianismo

Primeiramente, deve-se notar, que «descidas» ao mundo inferior dos espíritos, por parte de deuses e heróis, e por várias razões, como curiosidade, obtenção de algum dote pessoal, para prestar algum serviço misericordioso, etc., são comuns nos escritos dos babilônios, egípcios, gregos e romanos. Nas tradições babilônicas temos a descida de Istar; nas tradições mandeanas, a descida de Hibıl-Ziwa; nos escritos gregos, a descida de Hércules, na obra de Eurípedes, «Alcestis». E tais descidas também eram comuns nas religiões misteriosas.

As *descidas* na literatura pagã podem refletir uma intuição espiritual da parte dos homens que o estado dos mortos deve ser sujeito a modificação pela misericórdia de Deus. Na teologia judaico-helenista, tal conceito era acolhido favoravelmente, e profetas do A.T. são retratados como quem cumpria missões ao hades. (Ver o ponto quarto da discussão em prova disso). Na literatura extracanônica da igreja primitiva, a descida era doutrina importante. O Evangelho de Pedro, o Evangelho de Nicodemos e o Testamento de Abraão contêm a história. A *descida* foi referida de

DESCIDA DE CRISTO AO HADES

modo positivo pela maioria dos pais da igreja, cujos escritos porventura ventilem o tema, e isso continuou até Agostinho, no século V, que deu uma interpretação que nega totalmente a descida. A descida foi incluída nos Credos Apostólico e Atanasiano. Logo após a época de Agostinho, poucos chegaram a negá-la, embora alguns nomes respeitáveis estejam ligados a essa negação.

«Tal crença, sob uma forma ou outra, tornou-se cada vez mais comum nos primeiros séculos, e finalmente, foi geralmente aceita pela igreja, aparecendo nos Credos Apostólico e Atanasiano. Na Idade Média, tornou-se tema popular de peças teatrais sobre milagres, na arte e na literatura. Durante a Reforma, foi geralmente inclusa nas confissões e outras declarações de fé. Em tempos mais recentes, a «descida» tem-se tornado motivo de controvérsia. Contudo, continua sendo aceita, mas com variegadas interpretações, pela maior parte do cristianismo, tanto católica quanto protestante, ainda que um número crescente de denominações evangélicas a venha negando» (*Encyclopedia of Religion*, New Students' Outline Series, pág. 224).

XII. A descida no Novo Testamento

Quanto a passagens, além daquelas que ventilamos, que contêm alusões à descida de Cristo ao hades, ver Atos 2:27,31 (Pedro também falava); Efé. 4:8,10; Rom. 10:6,9.

Idéias de Efé. 4:9. Ver a exposição completa no NTI *in loc*.

Embora as referências neotestamentárias não sejam abundantes no que tange a esse acontecimento, há muitas alusões a descidas assim, na literatura não-judaica. Além disso, os primeiros escritos cristãos, e não poucos deles, contêm a narrativa da descida de Cristo ao hades. Ver uma demonstração desta declaração, com outras referências nas notas do presente artigo.

1. O significado da *descida* não é que Cristo foi ao hades a fim de pregar o juízo. Isso é contradito pelo texto de Efé. 4:9 *ss* e I Ped. 4:6. Sua descida teve o mesmo propósito que sua subida, isto é, «para que enchesse todas as coisas», ou se tornasse «tudo para todos», a mesma expressão encontrada em Efé. 1:23. Ver Efé. 4:10.

2. A maioria dos pais da igreja viam, nessa descida ao hades, a oferta de plena salvação aos perdidos que ali se encontravam. Em outras palavras, Cristo transformou o hades em um campo missionário. Ver detalhes sobre esta idéia no NTI em I Ped. 4:6.

3. Outros dentre os pais da igreja, pensavam que Cristo *melhorava* o estado dos perdidos, mas sem lhes oferecer a salvação evangélica, que é uma idéia digna de atenção, mas inferior. I Ped. 4:6 quase certamente fala de salvação. O plano de Deus de *longo* alcance (o mistério da vontade de Deus), sem dúvida, contém esta idéia de restauração, mas a descida é relacionada a uma oferta de salvação, não meramente restauração a um estado inferior.

4. Que alguma forma de restauração foi a intenção de Cristo, concorda com a mensagem de Efé. 1:10, a qual requer a formação da unidade de tudo em torno de Cristo, finalmente. Sua descida ao mundo inferior, garantiu que os lugares de julgamento não escapassem o âmbito de seus propósitos. (Ver João 14:6 no *NTI* e o artigo, *Missão Universal de Cristo*).

5. A remoção dos santos do tempo do V.T. de hades para os céus.

6. Tanto a descida quanto a subida de Cristo tiveram idêntica finalidade (ver o vs. 10), isto é, que

Cristo fosse tudo para todos. As notas que figuram em Efé. 1:10 no NTI definem para nós como isso pode ser.

7. O que indica a tradição da descida de Cristo ao hades? Indica que, sem importar onde os homens se encontrem, o Cristo pode alcançá-los em sua missão de benevolência.

«Pensemos nas regiões atravessadas pelo Senhor Jesus, o alcance das categorias de seres pelas quais ele passou, ao subir e descer, a fim de que pudesse 'encher todas as coisas'. Céus, terra, hades — e novamente hades, terra e céu, tudo se tornou dele; não apenas na forma de mero poder soberano, mas também na forma de experiência e de comunhão de vida. Cada coisa Cristo anexou ao seu domínio por motivo de habitação e devido ao direito de um amor autodevotado, quando, de esfera em esfera, ele 'viajou na grandeza do seu poder, poderoso para salvar'. Ele é o Senhor dos anjos; ainda mais, dos homens — Senhor dos vivos e dos mortos. Para aqueles que dormem no pó ele proclamou seu sacrifício realizado e o direito de julgamento universal que lhe foi dado pelo Pai... Estivera ele humilhado? Esteve humilhado no ventre da virgem e na manjedoura, envolvendo sua deidade dentro do arcabouço e do cérebro de uma criancinha; esteve humilhado em sua casa e na bancada do carpinteiro da vila; esteve humilhado devido às contradições dos pecadores com as suas zombarias; esteve humilhado devido à morte na cruz, até o abismo mais profundo, até aquele submundo populoso e sombrio para o qual olhamos estremecendo à beira da sepultura! E daquele golfo mais inferior ele subiu novamente à terra sólida e à luz do dia, este mundo de homens que respiram; e daí foi subindo e subindo, através das nuvens rasgadas e das fileiras de anjos em coro, tendo passado sob os umbrais das portas eternas até que tomou seu assento à mão direita da Majestade, nos céus» (Findlay, em Efé. 4:9,10).

XIII. A descida e a restauração

A descida ao hades e a ascensão tinham o mesmo propósito, isto é, fazer Cristo tudo para todos, (encher todas as coisas). Ver Efé. 4:9,10. É impossível pensar que a descida foi para condenar e a ascensão para salvar. Os dois têm o mesmo propósito e são elementos vitais da Restauração (que vide). Ver Efé. 1:10,22,23. A descida, portanto, não tocou somente as vidas das pessoas que viviam antes de Cristo, mas sim, todas as vidas, em todos os tempos. A descida foi uma das chaves que abriu a porta universal da oportunidade e da salvação.

Tempo e a restauração

As imensas eras da eternidade futura serão envolvidas, até que a restauração seja absolutamente completa. O *mistério da vontade de Deus* (que vide) não pode ser vencido, nem completamente, nem parcialmente, ou Deus não é Deus. Seu poder onipotente e sua predestinação garantem a realização. O amor de Deus opera em tudo, porque o próprio julgamento é um dedo da mão amorosa de Deus.

Tempo e a salvação

Faço uma diferença entre a redenção e a restauração que é explicada no artigo sobre a *Restauração*. A restauração deve ser absoluta, de todos os seres. A salvação é dos redimidos. Há uma grande diferença em nível de glória, embora tudo que o Redentor-Restaurador faça é infalivelmente grande e glorioso. Vem, então, uma pergunta importante: Os *restaurados*, afinal, podem tornar-se *redimidos?* As imensas eras da eternidade futura podem ser meios de salvação e não somente de restauração? A esta

DESCIDA DE CRISTO AO HADES

pergunta eu conjecturo *sim* na base da convicção que nenhum ato de Deus pode ser estagnado, inclusive, o ato redentor. Porém, o resultado *final* disto, é conhecido só por Deus. Antecipo o *efeito do tapete* no qual existirão muitos níveis de glória, um tapete de *muitas* cores, brilhantes e obscuras, cada uma representando um nível diferente de glória e *tipo de ser*. Acho que uma cor pode transformar-se em outra, até mesmo na cor áurea da redenção, mas antecipo que o número final do eleitos será pequeno. Somente Deus tem conhecimento destes mistérios.

Otimismo. O ponto de vista pessimista que limita o ato redentor e o ato restaurador à extensão da vida biológica de cada pessoa nos dá um evangelho negativo e impotente. Neste evangelho, a missão de Cristo falha. Isto não pode representar a verdade. Trechos do Novo Testamento como I Ped. 3:18-4:6 e Efé. cap. 1 são contra este tipo de explicação do evangelho.

CONCLUSÃO

1. É errado usar este texto ou permitir que influencie o pensamento de alguém de modo a diminuir a importância da missão evangelizadora da igreja atual. Quão absurdo seria pensar que é menos importante conduzir homens a Cristo agora, somente porque é possível que sejam levados após seu sepultamento. A mesma rebeldia que levou homens a rejeitarem a Cristo agora, facilmente pode levar homens ao estado eterno destituídos de sua salvação. Entretanto, por outro lado, nenhum zelo evangelístico no presente estado mortal deveria levar-nos a uma visão embotada acerca do *prodigioso poder* da missão de Cristo, aqui, ali ou em qualquer parte.

2. A discussão sobre a «descida», ou sobre qualquer outro ponto teológico, não deveria tornar-se pretexto para cortarmos e requeimarmos a outros, apontando-lhes dedos acusadores, usando impensadamente a palavra temível «herege».

Ó Deus! ...Que carne e sangue fossem tão baratos!
Que os homens viessem a odiar e matar,
Que os homens viessem a silvar e a decepar a outros homens,
Com línguas de vileza
 ...por causa da...
«Teologia».

 (Russell Champlin)

Ouçamos as palavras ditadas pela sabedoria:

Da covardia que teme novas verdades,
Da preguiça que aceita meias-verdades,
Da arrogância que pensa saber toda a verdade,
Ó Senhor, livra-nos!

••• •••

DESCIDA DE CRISTO AO HADES:
Perspectiva Histórica e Citações Significantes

O oposto de injustiça não é justiça — é *amor*.

Ver o artigo geral sobre *Descida de Cristo ao Hades*.

O que uma pessoa acredita sobre essa doutrina depende em muito da denominação cristã em que ela foi criada. Naturalmente, se você é leitor de comentários e obras teológicas que procedem de várias escolas de pensamento evangélicas, então está acostumado a topar com novas idéias e, assim sendo, talvez acredite em pontos doutrinários que estão fora do escopo de seu sistema teológico denominacional. Isso às vezes acontece, mas não mui freqüentemente.

Até mesmo as pessoas que vão a outros estados para estudar, usualmente freqüentam escolas que ensinam a mesma linha de pensamento que suas igrejas adotam. Poucas instituições de ensino teológico ensinam a *teologia comparada*. Isso é algo que cada um de nós precisa aprender por si mesmo. O que muitos reconhecem é que as disputas começam dentro mesmo do Novo Testamento, e não na teologia posterior. Para exemplificar, posso apresentar um bom caso em favor da doutrina da predestinação se selecionar certas passagens e negligenciar outras. E, contrariamente, também sou capaz de apresentar um bom caso contra a doutrina da predestinação (e do livre-arbítrio), se, em minha seleção, eu evitar certas passagens e incluir outras. Por semelhante modo, utilizando-me de textos de prova apropriados, posso arquitetar uma teologia que não leve em consideração as implicações da descida de Cristo ao hades. Nesse caso, o intérprete é forçado a distorcer pelo menos dois versículos do Novo Testamento. Um deles é I Pedro 3:19 que afirma especificamente que a pregação foi feita aos *desobedientes* (e não aos santos, no paraíso). E o outro é I Pedro 4:6, que afirma que o *evangelho* é que foi pregado. Ou então, o intérprete é forçado a dizer que Noé foi quem pregou, em seus próprios dias e a pessoas que *agora* estão *mortas*, mas que estavam vivas, *quando* ele pregou. Essa maneira de distorcer o texto sagrado não apareceu na teologia e na interpretação cristã senão já no século V D.C. Hoje em dia, entretanto, esse é um dos métodos preferidos na tentativa de demolir a passagem, visto ser o método que foi popularizado pela *Scofield Reference Bible* (em português traduzida com o título de *Bíblia Anotada de Scofield*). — A verdade é que Agostinho originou esta interpretação. A história nos mostra que foi por meio dele que essa interpretação passou para a Igreja Ocidental, embora a Igreja Oriental jamais a tivesse aceitado. Para melhor compreendermos o que aconteceu no que concerne à interpretação da narrativa sobre a *descida* de Cristo ao hades (ver I Pedro 3:18 — 4:6), é necessário vermos como as interpretações regionais foram-se desenvolvendo dentro da cristandade.

••• ••• •••

Observações Importantes

1. Nossa busca pela verdade *deve* ultrapassar o simples e duvidoso método de produzir textos de prova quando estamos discutindo qualquer conceito. A *verdade*, em muitos casos, não pode ser determinada desta maneira. A manipulação de textos de prova é semelhante à manipulação de estatísticas. Qualquer coisa pode ser comprovada por um manipulador hábil. Precisamos testar doutrinas com a nossa razão e intuição, não meramente através de alguma citação. A descida de Cristo ao hades tem textos de prova, mas não é o bastante citar esses textos. Devemos perguntar se esta doutrina melhora ou não o nosso entendimento do evangelho. Para mim, a resposta a esta questão é uma afirmativa enfática. Esta doutrina (juntamente com outras) salva o evangelho de um profundo pessimismo sobre os resultados potenciais da missão de Cristo que tem dominado a Igreja Ocidental.

2. Devemos ter a coragem de expandir as nossas fronteiras e incorporar doutrinas de outros sistemas quando parecem glorificar a missão de Cristo mais enfaticamente. Precisamos da teologia comparativa.

3. A teologia comparativa nos ajuda a definir algumas doutrinas, inclusive a descida de Cristo ao hades. Considere a ilustração abaixo.

DESCIDA DE CRISTO AO HADES

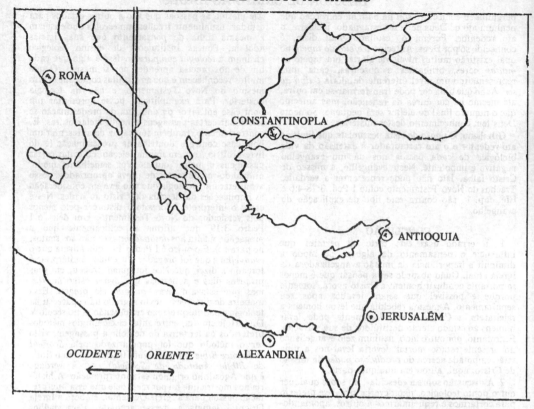

A. Fatos a Observar: uma Perspectiva Histórica

1. Em cerca do século V D.C., cinco grandes patriarcados cristãos haviam surgido, representando a Igreja em específicas áreas geográficas. Esses patriarcados ficavam nas cidades de Alexandria, Antioquia, Constantinopla, Jerusalém e Roma. Essas cidades aparecem no mapa com um pequeno círculo em redor.

2. Quatro desses patriarcados ficavam no Oriente; e apenas Roma ficava no Ocidente.

3. Nesse tempo, numericamente falando, o Oriente era muito maior do que o Ocidente. Porém, no século VI D.C., a expansão do islamismo debilitou muito o cristianismo oriental. Alguns centros cristãos importantes anteriores, como Éfeso, foram praticamente eliminados da geografia cristã. Paralelamente, a isso, no Ocidente a Igreja foi crescendo em números e em poder político.

4. O Oriente e o Ocidente defendiam diferentes pontos de vista sobre certas doutrinas, entre as quais estava a narrativa da descida de Cristo ao hades. Essa doutrina, com todas as suas implicações, era aceita pela esmagadora maioria, no Oriente; mas, gradualmente, foi sendo negada no Ocidente. Até o século VI D.C., quando a Igreja continuava numericamente mais forte no Oriente, a crença nessa doutrina era quase universal, tanto no Oriente quanto no Ocidente. Por conseguinte, os pais da Igreja que não a aceitavam, foram mencionados, nos comentários, como exceções à regra geral.

5. Gradualmente, as igrejas do Ocidente e do Oriente se foram distanciando uma da outra, com o crescimento da competição religiosa e política entre elas. A maior realização missionária do Oriente foi a cristianização da Rússia. A Igreja cristã dali tornou-se numericamente maior do que qualquer outro grupo da cristandade oriental. Mas foi então que surgiu o poder destrutivo do islamismo, que já mencionei.

6. No ano de 1054, a Igreja do Oriente separou-se oficialmente da Igreja do Ocidente. Preciso salientar aqui que as igrejas orientais nunca aceitaram o bispo de Roma como papa, mas somente como bispo de Roma. Nunca foi considerado ali como o cabeça da Igreja, embora o bispo da antiga capital do império, mui naturalmente, tivesse mais prestígio que os bispos de outras cidades.

7. No século XVI, a Igreja Ocidental foi despedaçada em várias facções, devido à Reforma Protestante. Portanto, surgiram do Ocidente as igrejas reformadas e evangélicas. Essas várias igrejas imediatamente eliminaram muitos abusos e distorções históricas da Igreja Ocidental; mas, quanto a muitos pontos doutrinários, elas simplesmente preservaram os pontos de vista ocidentais. E um desses pontos é a negação ou enfraquecimento das implicações envolvidas na narrativa sobre a descida de Cristo ao hades. Entrementes, a Igreja Oriental (que, finalmente, subdividiu-se em dezesseis grupos-membros) continuou a dar valor a essa doutrina.

8. Vínculos históricos e teológicos entre o Oriente e o Ocidente. No Ocidente, esses vínculos foram Agostinho (falecido em 430 D.C.), o papa Gregório, o Grande, (falecido em 604 D.C.) e Tomás de Aquino (falecido em 1274). Embora Tomás de Aquino tenha sido homem de brilhante intelecto e de profunda piedade pessoal, ele introduziu na Igreja Ocidental várias idéias que a distanciaram ainda mais das Sagradas Escrituras. A Reforma Protestante, pelo

DESCIDA DE CRISTO AO HADES

menos em parte, foi um retorno às idéias de Agostinho. Lutero era um monge agostiniano. A propósito, o papa Gregório, o Grande, foi o responsável pela evangelização generalizada da Inglaterra, embora, desde muito antes de seus dias, o cristianismo já tivesse chegado aos celtas. É ponto de curiosidade histórica a observação de que outro Agostinho tornou-se o apóstolo da Inglaterra, para onde foi enviado pelo papa Gregório.

No **Oriente**, por sua vez, os vínculos históricos foram Justino Mártir, Irineu, os pais alexandrinos, Basílio, o Grande, Gregório Nazianzeno e João Damasceno. O resultado disso foi o aparecimento da Igreja Grega e de outras igrejas chamadas católicas ortodoxas. Interessante é observar que a Igreja da Inglaterra (também chamada anglicana), embora produto do labor missionário do Ocidente, tem-se apegado tenazmente a alguns pontos distintivos do Oriente, incluindo o reconhecimento do valor da narrativa bíblica da descida de Cristo ao hades. É em vista dessa circunstância que a maior parte das obras de consulta, no idioma inglês, incluindo quase todos os comentários bíblicos, **dá apoio a essa doutrina** da descida de Cristo ao hades. Dentre os dezessete comentários que consultei sobre o assunto, doze defendiam ou a idéia da oferta de plena salvação, por parte de Cristo, para os espíritos desobedientes encerrados no hades, ou defendiam a idéia de que a descida de Cristo ao hades melhorou as condições dos espíritos ali encerrados. Porém, desses doze, a maioria defendia a primeira dessas alternativas. O ensino final, pois, é que Cristo tem tido três missões: a missão na terra, a missão no hades e a missão celeste. É dessa maneira que ele é o Cristo cósmico e universal, cujo poder envolve todas as regiões onde possam estar as almas humanas. E essa doutrina envolve uma grande diferença, porque se o poder de Cristo abrange todos os lugares, sem dúvida realizará alguma coisa em cada lugar.

B. Citações Antigas e Modernas

Antes de tudo, em apoio àquilo que acabo de dizer sobre a história eclesiástica, cito dois notáveis escritores cristãos do Oriente, João Damasceno e Clemente de Alexandria.

1. João Damasceno. Ele foi o maior teólogo cristão do século VIII D.C. A sua principal obra literária, intitulada *Fonte do Conhecimento*, avulta na Igreja Oriental como uma produção que marcou época. Nessa obra, entre outras coisas, João Damasceno sistematicamente coligiu e comentou sobre as doutrinas da fé cristã, de conformidade com os concílios e com os antigos pais da Igreja. Essa obra sistematiza a doutrina inteira de todo o corpo dos pais da Igreja e dos concílios, até à sua própria época. A respeito do relato bíblico sobre a descida de Cristo ao hades, ele comentou o seguinte:

«A Sua (de Cristo) alma glorificada desceu ao hades para que, assim como o Sol da justiça resplandeceu sobre os homens, *na terra*, por igual modo, brilhasse sobre aqueles que estão *debaixo da terra*, assentados em trevas e nas sombras da morte. (Isso foi feito) a fim de que, assim como ele publicou a paz aos homens da terra, dando liberdade aos cativos e vista aos cegos, tornando-se a causa da eterna salvação dos crentes (ao mesmo tempo em que convenceu os desobedientes de sua incredulidade), por semelhante modo, ele pudesse tratar com os habitantes do hades, a fim de que diante dele, todo joelho se dobrasse, daqueles que estão no céu, na terra e debaixo da terra; e a fim de que, tendo assim *solto as cadeias* daqueles

prisioneiros desde há muito confinados, ele pudesse retornar dentre os mortos e preparar para nós o caminho da ressurreição».

Em outras palavras, Cristo *abriu o hades como um campo missionário*; e a mesma regra que se aplica à vida na terra, aplica-se também ali. Cristo teve três campos missionários: o da terra, o do hades e o dos céus. Esse ensino, como é óbvio, exalta o conceito da missão de Cristo. Penso que é falha muito séria distorcer I Pedro 3:19 — 4:6, a fim de fazer com que essa pregação tenha sido efetuada no *paraíso*. Isso diminui a importância daquilo que Cristo realizou, a fim de manter um ponto de vista rígido e obsoleto sobre a natureza do julgamento.

2. Clemente de Alexandria. Citamos abaixo uma palavra proveniente do patriarcado de Alexandria:

«Portanto, a fim de levá-los também ao arrependimento, o Senhor também pregou àqueles que estavam no hades. Mas quê? Não declaram *as Escrituras* que o Senhor pregou àqueles que pereceram no dilúvio, e não somente a eles, mas também a todos quantos estão em cadeias, guardados em prisão, no hades?»

Comentando sobre o trecho de I Pedro 4:6, o mesmo escritor expressa a sua crença de que esse versículo indica a *generalização* da missão que Cristo teve no hades, de tal modo que até agora o hades é um campo missionário da Igreja, o que teria sido iniciado pelos apóstolos de Cristo.

3. Martinho Lutero. Comentando sobre a realidade da narrativa bíblica sobre a descida de Cristo ao hades, ele afirmou:

«Não se pode rejeitar essa opinião, por ter sido o que Pedro claramente afirmou» (*Werke*, Leip. vol. xii).

O próprio Lutero, a despeito disso, pareceu vacilar quanto ao assunto, segundo se pode ver por meio de seus vários comentários sobre a questão. O que nos admira é que um monge agostiniano nada tenha dito de positivo a esse respeito. No entanto, comentando sobre a passagem de João 14:6, ele afirmou que a missão salvatícia de Cristo aplica-se também às almas que estão para além da morte física, e que Cristo, destarte, é o *único* caminho, embora um *caminho* não limitado à esfera terrestre. Os luteranos, pois, acham-se divididos em torno da questão. O principal comentador bíblico luterano, João Pedro Lange, mostrava-se inflexivelmente em favor da descida de Cristo ao hades e de seu valor remidor, conforme o leitor perceberá nas citações que damos abaixo:

4. João Pedro Lange. Ele escreveu o seguinte:

«Alguns *distorcem* a pregação de Cristo como se tivesse sido a pregação medianeira feita por Noé. Outros afirmam que essa pregação, embora efetuada diretamente no reino da morte, contudo foi confinada exclusivamente aos piedosos. Steiger enumerou essas fantasias. Elas encerram em si mesmas a sua própria refutação e, todas juntas, repousam sobre embaraços dogmáticos».

Uma outra citação de Lange é aquela que assevera:

«A justiça e o amor de Deus agora aparecem diante de nós em gloriosa luz, adiando a sentença definitiva da condenação até que todos os homens tenham podido decidir, com plena consciência, o que farão com Cristo e o seu evangelho. Aqueles que, aqui na terra, não o ouviram de modo nenhum, ou não o ouviram de maneira certa, haverão de ouvi-lo *ali* (no hades). Tal como aqui, assim também além-túmulo, não haverá falta de testemunho acerca de Cristo, nem de pregadores do evangelho.

DESCIDA DE CRISTO AO HADES

E, comentando sobre a passagem de I Pedro 4:6, diz esse mesmo comentador da Bíblia:

«As Santas Escrituras em parte alguma ensinam a condenação eterna daqueles que morrerem como pagãos ou não-cristãos. Antes, em muitos trechos elas dão a entender que o perdão é possível além do sepulcro, vinculando a decisão final, não à morte física, mas ao dia de Cristo. Ver Atos 16:31; II Tim. 1:2; 4:8; I João 4:17. Mas, em nossa passagem, tal como já fizera em I Pedro 3:19,20, o apóstolo Pedro, mediante iluminação divina, claramente *afirma* que os recursos salvatícios de Deus não terminam nesta existência terrena, e que o evangelho é pregado além do sepulcro, àqueles que saíram desta vida sem terem conhecimento do mesmo. No entanto, isso não prova nem a doutrina da recuperação universal... e nem a doutrina do purgatório».

5. Richter, um escritor luterano de um comentário, escreveu:

«A doutrina dessa seção nada tem a ver com as heresias do purgatório e da recuperação universal. Contudo, ela nos fornece um lúcido exemplo do fato de que a *redenção*, uma vez feita (vs. 18), tem uma *aplicação universal*, ou seja, para *todos os homens* e para *todas as épocas*. Afeta até mesmo aos mortos, e a decisão sobre o destino eterno deles depende da relação deles para com o anúncio da morte e da ressurreição de Cristo».

6. O International Critical Commentary, manifesta-se como segue sobre essa questão:

«As palavras 'vivam no espírito segundo Deus' (I Ped. 4:6) são equivalentes a *vida bendita*. O objetivo da pregação (feita no hades) foi a salvação dos mortos. Mas o apóstolo Pedro não disse, e provavelmente nem quis dizer, que esse objetivo foi obtido sempre, em todos os casos. Antes, a idéia ali envolvida parece ser que Deus não julgará a qualquer pessoa, finalmente, enquanto a verdade inteira não lhe for revelada. Se essa interpretação está com a razão, então a *pregação* é a mesma que aparece em I Pedro 3:19; mas os ouvintes, neste caso (em I Pedro 4:6), incluem todos aqueles que morreram antes da descida de Cristo ao hades, sem importar se santos ou se pecadores. Outrossim, se aqueles que *foram desobedientes* antes do dilúvio puderam ouvir a Palavra, certamente aqueles que foram desobedientes depois do mesmo não podem ficar sem ouvi-la».

7. A.H. Hunter, comentou como segue:

«Segundo nos diz Pedro, Cristo desceu ao hades em Espírito, entre a sua morte e a sua ressurreição, a fim de oferecer a salvação aos pecadores que tinham morrido sem ouvir o evangelho, sem terem tido oportunidade de se arrependerem. Se perguntarmos que valor essa tradição tem para nós, a resposta é que, *onde quer que os homens estejam*, Cristo tem o poder de salvá-los».

«Gloriosíssimo Senhor da Vida, que neste dia Tu Triunfaste sobre a morte e o pecado,
E, tendo vencido o inferno, tiraste para fora
O cativeiro, até ali cativo, para nós vencermos».

(Spenser).

8. F.W. Bare, comentando sobre o trecho de Efésios 4:9, deixou registrado:

«É inconcebível que o senhorio de Cristo conhecesse *quaisquer* limitações. Se o Filho de Deus pôde descer ao nosso lamentável nível contaminado pelo pecado, certamente ele incluiria, na sua visita, aqueles a quem um escritor posterior do

Novo Testamento descreveu como *espírito em prisão* (I Pedro 3:19). A cláusula existente no *Credo dos Apóstolos*, «desceu ao inferno», descreve o eventò do drama da descida, que não é tão claramente retratado nas páginas das Escrituras como gostaríamos que fosse. Contudo, esse detalhe não é incoerente com o resto da admirável história. Esse detalhe tem consolado a muitas almas cristãs, torturadas por pensamentos acerca de entes queridos, que, nesta vida, não tiveram oportunidade de se encontrar com o Cristo real. O quadro sobre o senhorio de Cristo, em nossa epístola (Efésios), como 'sobre todas as coisas' (1:22), é um dos grandes tesouros da fé cristã».

9. Alford, em seu *Greek New Testament*, afirma:

«Juntamente com a *maioria* dos comentadores, antigos e modernos, compreendo que essas palavras afirmam que nosso Senhor, em seu estado desincorporado, foi até o lugar de detenção dos espíritos dos mortos e ali anunciou a sua obra remidora, pregando a salvação como um fato, aos espíritos desincorporados daqueles que se recusaram a ouvir a voz de Deus quando o juízo do dilúvio estava prestes a descarregar-se contra eles... Cabe-nos aceitar as claras palavras das Escrituras, aceitando suas revelações conforme elas nos foram transmitidas. E elas nos foram transmitidas até ao limite máximo da inferência legítima, com base em fatos revelados. A inferência que todo leitor inteligente extrairá do fato aqui anunciado não é a existência do purgatório, e nem é uma restituição universal; mas é uma inferência que lança uma *bendita luz* sobre um dos mais obscuros enigmas da justiça divina: os casos em que a condenação final parece infinitamente fora de proporção com o lapso envolvido».

Outra citação de Alford diz como segue:

«Se as palavras 'foi o evangelho pregado também a mortos' (I Pedro 4:6) podem significar 'o evangelho foi pregado a alguns durante o período de vida deles, que *agora* estão mortos', então a exegese não dispõe mais de qualquer regra fixa e as Escrituras poderão ser usadas para provar qualquer coisa».

10. J. Isidor Mombert no comentário de Lange).

Esse autor ataca a interpretação sobre a descida de Cristo ao hades que afirma que Cristo pregou a *condenação*, e não o evangelho. O comentário dele diz respeito ao trecho de I Pedro 4:6, onde ele afirma que o *evangelho* é que foi anunciado no hades:

«...uma pregação condenatória, além de ser inteiramente supérflua, no caso de espíritos já reservados para a condenação, é ofensiva ao caráter de nosso Redentor. A consciência cristã revolta-se diante do pensamento que o santo Jesus, cujas últimas palavras, na cruz, foram palavras de perdão e de amor, tivesse visitado a região dos mortos e tivesse exultado diante da miséria dos condenados, publicando o seu triunfo sobre eles, e assim tendo aumentado os tormentos deles, fazendo o inferno tornar-se ainda mais infernal para eles».

11. Wordsworth, em seu *Greek Testament*:

Wordsworth foi um dos mais respeitados eclesiásticos ingleses e escritor de comentários bíblicos do século XIX. Spurgeon elogiou e recomendou o uso de suas obras escritas: Disse Wordsworth:

«...após a morte, ele (Jesus) foi ao mundo inferior, em seu espírito desincorporado. A morte **abriu para ele uma *nova esfera* de empreendimento missionário. Ele foi e pregou aos espíritos em prisão,**

DESCIDA DE CRISTO AO HADES

aos espíritos de gerações passadas de homens, aos espíritos que tinham vivido na terra nos tempos do patriarca Noé, mais de dois mil anos antes. Dessa maneira, a malícia de Satanás ricocheteou em si mesma. Ele instigara Judas a trair a Cristo, e aos judeus a matá-lo. Mas, mediante a *morte* de Cristo, uma nova *vida* emanou Dele, e um novo consolo foi ministrado aos espíritos, aprisionados no mundo inferior até então».

12. Vários Outros Autores:
Foi com base nessa passagem de I Pedro 3:18 — 4:6 que **Cirilo** argumentou contra o alegado **atraso da** encarnação de Cristo. O argumento dele era que, embora muitos, aparentemente, tivessem sido privados dos benefícios da missão de Cristo, contudo, mediante a sua descida ao hades, esses muitos derivaram dela as misericórdias apropriadas e a graça necessária. *Hilário*, por sua vez, comentando sobre Salmos 119:82, fez observações semelhantes. E o Dr. Cranmer salientou passagens nos escritos de *Gregório Nazianzeno* (*Orat. Pasch.* 42), de *Teofilacto* e de *Ecumênio* que também se manifestavam favoravelmente à obra remidora de Cristo em sua descida ao hades.

Um dos artigos da Igreja da Inglaterra, formulados no tempo do rei Eduardo VI (falecido em 1553), declarava: «O corpo de Cristo jazia no sepulcro, até à sua ressurreição; mas o seu espírito, que ele entregou, esteve com os espíritos detidos em prisão, e ele pregou a eles, conforme testifica o texto do apóstolo Pedro. E a Igreja tem determinado *sabiamente* que essa porção da epístola de Pedro (ver I Pedro 3:17-22) seja lida como a epístola da tarde do dia da páscoa». Essa citação mostra-nos que a liturgia da Igreja da Inglaterra incorporava a narrativa da descida de Cristo ao hades, em sua celebração sobre a páscoa. A Igreja da Inglaterra, tanto antes quanto depois da Reforma Protestante, tem-se apegado firmemente ao ponto de vista oriental sobre a oportunidade de salvação além-túmulo.

13. Anotações na New American Bible:
Embora essa seja uma tradução católica romana, oficialmente aprovada pelo papa Paulo VI, e, portanto, uma tradução que segue a tradição ocidental em sua forma mais rígida, ali há notas, que aparecem em I Pedro 3:19 e 4:6, favoráveis à narrativa sobre a descida de Cristo ao hades.

Em I Pedro 3:19: «Há várias interpretações sobre esse versículo. Provavelmente refere-se ao Cristo ressurrecto, que tornou conhecida, às almas aprisionadas, a sua vitória sobre o pecado e a morte».

Em I Pedro 4:6: «O evangelho foi pregado até mesmo a mortos: isso pode referir-se à extensão dos benefícios da salvação aos espíritos em prisão (ver I Pedro 3:19), ou então a pregação do evangelho aos cristãos que desde então têm morrido».

A segunda dessas possíveis interpretações tem sido sempre uma outra maneira tipicamente *ocidental* de evitar aquilo que o texto sagrado diz claramente. Mas a primeira dessas interpretações admite a verdade da questão.

C. Uma Percepção (Arquétipo) Universal
Alguns estudiosos têm suposto que as passagens de I Pedro 3:18 — 4:6 e de Efésios 4:8-10 são apenas referências isoladas, de significado duvidoso, pelo que não poderiam ser utilizadas em formulações dogmáticas. Entretanto, isso é extrair a história da *descida* de Cristo ao hades do seu arcabouço histórico. Vários livros do período judaico intermediário (escritos entre o Antigo e o Novo Testamentos) incluem relatos de descidas que envolvem profetas do Antigo Testamen-

to. Diversas obras cristãs, posteriores a época em que o Novo Testamento foi escrito, pertencentes ao século II D.C., fazem alusões à descida de Cristo ao hades. Esse relato fazia parte do arcabouço literário e teológico da época. Exatamente por essa razão é que mais ainda não nos foi dito na Bíblia, quando a descida de Cristo ao hades foi mencionada nas páginas do Novo Testamento. Os autores sagrados, Paulo e Pedro, devem ter pensado que os seus leitores conheciam bem os detalhes dessa descida. Se eu falasse sobre a questão do *filioque*, provavelmente o leitor não reconheceria que eu estaria falando sobre uma das principais razões pelas quais a Igreja Oriental separou-se da Igreja Ocidental, isto é, porque esta última repelia a idéia envolvida na palavra *filioque*. Está ali em pauta a doutrina que diz que o Espírito Santo procedeu do Pai *e do Filho* (no latim, *filioque*). A Igreja Oriental aferrou-se à posição que o Espírito Santo procedeu somente do Pai, mas não do Filho. Por igual modo, se eu me referisse ao *cativeiro*, diante de alguém que conhecesse a narrativa do Antigo Testamento, então esse alguém compreenderia que eu estaria me referindo ou ao cativeiro assírio ou ao cativeiro babilônico. Mas, para quem desconhecesse essa narrativa do Antigo Testamento, a minha alusão pareceria ser uma vaga alusão, e tal pessoa sentir-se-ia inteiramente incapaz de entender minhas palavras.

••• ••• •••

A história da descida ao hades, por parte de patriarcas do Antigo Testamento, ou por parte de algum herói, divindade ou líder religioso, no caso de culturas não-judaicas e não-cristãs, é um motivo universal. A literatura dos babilônios, dos egípcios, dos gregos e dos romanos incluía narrativas de descidas ao hades. Outro tanto sucede no caso de modernas religiões não-cristãs. Existe algo, na consciência humana, que reconhece que Deus, de alguma maneira, em algum lugar, em algum tempo, haverá de fazer alguma coisa sobre a tragédia simbolizada pela palavra *hades*. E o Novo Testamento assegura-nos de que algo foi, realmente, feito. De fato, uma missão de Cristo ao hades foi uma de suas três missões: à terra, ao hades e aos lugares celestiais.

O trecho de Efésios 4:8-10 mostra-nos que a descida de Cristo ao hades teve o mesmo propósito que a subida de Cristo dali. Esses são os dois pólos de um mesmo propósito: fazer Cristo preencher todas as coisas, ser tudo para todos, ser a causa da vida, ser o agente da continuação da vida e ser o alvo de toda a existência.

D. Ortodoxia e Heresia
Já pude demonstrar o arcabouço histórico e a importância da doutrina da descida de Cristo ao hades, dentro da Igreja cristã. Ofereci várias citações dos escritos dos principais representantes da Igreja histórica, os quais têm destacado essa doutrina como uma importante doutrina cristã. Também mostrei que a Igreja Ocidental, gradualmente, foi abandonando ou distorcendo essa doutrina. Tornou-se claro, em minha exposição, que essa doutrina sob hipótese alguma pode ser chamada de heterodoxa ou herética. Quem a considera como tal tem uma visão bastante míope da teologia cristã. E quem continuar falando dessa maneira, após tomar conhecimento dos fatos aqui expostos, deve ser um arrogante. «Mas quê? Não declaram as Escrituras que o Senhor pregou àqueles que pereceram no dilúvio, e não somente a eles, mas também a todos quantos estão em cadeias, guardados em prisão, no hades?» (Clemente de Alexandria).

DESCRIÇÃO — DESCUIDO

Se alguém não concordar com a interpretação aqui apresentada, isso é direito de tal pessoa. Penso que tal pessoa comete um erro, quando defende as alternativas a essa posição, mas respeito o seu direito de fazê-lo. Porém, considerando a autoridade que essa doutrina tinha na Igreja histórica, e considerando que parece ser, realmente, aquilo que Pedro quis ensinar, é um ato de arrogância não reconhecer o direito de outras pessoas de crerem que Cristo teve uma missão misericordiosa no hades, e tachar essa interpretação de herética.

Essa doutrina reconhece uma esperança mais ampla no evangelho, mostrando que a missão de Cristo teve prosseguimento no hades, e então continuou no céu, sem qualquer interrupção. Certamente precisamos desse conceito da *intervenção* divina no hades. Sem isso, terminamos contando com um evangelho bastante pessimista. É questão séria diminuir a missão de Cristo, não incluindo aquilo que *as Escrituras* afirmam em sua totalidade.

E. Evidências Científicas

A doutrina bíblica da **descida** de cristo ao hades é razoável por causa de sua medida de misericórdia e demonstração óbvia do *amor* de Deus. Se não tivéssemos mais evidências, tranqüilamente, aceitaríamos esta palavra de esperança que salva o evangelho de um *pessimismo* marcante.

Felizmente, existem outras evidências que indicam a verdade do trabalho *missionário* no hades. As *Experiências Perto da Morte* (vide) têm ilustrado que nos mundos de julgamento há trabalho missionário. Estas evidências cooperam com aquelas da revelação para nos confortar. Infelizmente, algumas partes da igreja, especialmente no Ocidente, têm feito oposição às pesquisas sobre a volta da morte clínica. Estas pessoas são incentivadas por dogmas pessimistas. Algumas pessoas não esperam uma ampla missão de Cristo e ficam contentes em promover uma teologia de desespero, pelo que, pouco se faz. Por outro lado, muitos cristãos modernos estão contentes em acrescentar evidências científicas ao problema. De modo geral, podemos afirmar que as evidências são otimistas. Podemos confiar que o trabalho de Cristo na terra, no hades, e nos céus, foi amplo e efetivo, e *continua* sendo amplo e efetivo. A missão de Cristo ultrapassa grandemente a expectativa de muitos cristãos.

••• ••• •••

DESCRIÇÃO E CONHECIMENTO

Aristóteles supunha que o conhecimento vem através de um *juízo* apropriado, seguido por uma descrição plena e sem erros. Para exemplificar: defronte de mim há uma mesa. Esta mesa é... segue-se uma grande descrição, dando todas as informações concebíveis sobre a mesma, chegando até à descrição de sua estrutura atômica. Aristóteles, visto não ter conhecimento da complexidade do átomo, pensava que se pudesse oferecer uma descrição completa das coisas. Isso é um empirismo ingênuo. Visto que a natureza do átomo é essencialmente misteriosa, a despeito dos tremendos avanços da ciência moderna, sabe-se que qualquer descrição completa das coisas continua sendo impossível. Portanto, a *descrição* é útil quanto às certezas práticas, mas não quanto às certezas

teóricas. Isso quer dizer que nosso conhecimento se reduz ao nível do que é pragmático e provável. Uma das razões do desenvolvimento do racionalismo, da intuição e do misticismo, como meios de conhecimento, é que o empirismo naturalmente conduz ao *ceticismo* (que vide), o qual já abandonou a busca do conhecimento teórico, afirmando que isso jamais poderá vir a ser concretizado. Bertrand Russell afirmava que o conhecimento mediante descrição somente leva a vários graus de probabilidade; e esse ponto de vista, naturalmente, reflete a posição da ciência moderna.

DESCRITIVISMO

Esse termo foi cunhado por R.M. Hare (que vide), a fim de aludir aos juízos morais que são meramente descritivos, e não prescritivos (que vide). Podemos descrever os juízos morais, chegando ao ponto de os alistarmos e de desenvolvermos conceitos acerca dos mesmos. Porém, se os juízos fossem apenas descritivos, então não poderíamos dizer: «Faz isto»; e nem, «Não faças aquilo». Podemos aceitar um juízo moral que tenhamos descrito; mas isso, por si mesmo, não nos dá razão para agirmos desta ou daquela maneira. Hare afirmava que a função primária dos juízos morais consiste em prover a inspiração para agirmos de uma maneira ou de outra, e para evitarmos certos atos. É nesse ponto que naufragam os juízos meramente descritivos.

DESCUIDO, INCÚRIA

Trata-se de um vício de deficiência, quando aplicada à esfera das questões espirituais, sobretudo. Algumas pessoas simplesmente não se importam com as realidades e necessidades de sua própria alma. Essa atitude de indiferença leva-as a tratar com superficialidade a mensagem espiritual. Apesar de encontrarem tempo para todas as inúmeras atividades desta vida, não encontram tempo para a inquirição espiritual; e quando essa necessidade lhes sobe à mente, elas simplesmente transferem para o futuro o exame da questão.

Jesus considerava essa atitude extremamente perigosa para o bem-estar da alma. Em Lucas 10:38-42, temos o episódio das atitudes de Marta e Maria para com Jesus. A primeira «agitava-se de um lado para outro, ocupada em muitos serviços», precisamente quando sua irmã «quedava-se assentada aos pés do Senhor a ouvir-lhe os ensinamentos». Maria foi elogiada pelo Senhor, ao passo que Marta foi repreendida, posto que brandamente, devido à sua incúria: «Marta! Marta! andas inquieta e te preocupas com muitas cousas». No livro de Apocalipse, a igreja de Laodicéia (ver Apo. 3:14 *ss*), mostrou ser uma igreja *descuidada*. Seus membros preocupavam-se com o que preocuparia a qualquer pagão; mas nada havia nela que pudesse impressionar ao Senhor. O que o impressionou negativamente foi a atitude de descuido, para com as realidades espirituais, daquela igreja local: uma atitude tão antiga, mas tão moderna!

Essa atitude de embotamento para com as realidades espirituais, mesmo quando elas se impõem forçosamente, caracteriza aqueles que estão destinados à perdição. Lemos que nos últimos dias Deus fará intervenções extraordinárias neste mundo. As catástrofes multiplicar-se-ão, milhões de pessoas perecerão em meio aos desastres e flagelos. Mas, qual será a reação dos sobreviventes? «Os outros homens, aqueles que não foram mortos por esses flagelos, não se

DESDE DÃ ATÉ BERSEBA — DESEJAR

arrependeram das obras das suas mãos, deixando de adorar os demônios e os ídolos de ouro, de prata, de cobre, de pedra e de pau, que nem podem ver, nem ouvir, nem andar, nem ainda se arrependeram dos seus assassínios, nem das suas feitiçarias, nem da sua prostituição, nem dos seus furtos» (Apo. 9:20,21)!

DESDE DÃ ATÉ BERSEBA

Dã localizava-se no extremo norte do antigo Israel, enquanto que a cidade de Berseba ficava ao extremo sul, pelo que a expressão tornou-se proverbial, indicando a «extensão inteira da Terra Prometida, de norte a sul». Ver Juí. 20:1; I Sam. 3:20; II Sam. 17:11.

DESEJADO DAS NAÇÕES

Essa expressão encontra-se em Ageu 2:7. Mas, nossa versão portuguesa prefere dizer «as cousas preciosas de todas as nações», o que está alicerçado sobre a Revised Standard Version, que diz «tesouros de todas as nações», com o comentário, logo em seguida, de que Deus encheria a casa (o templo de Jerusalém) de esplendor. Nesse caso, a palavra «desejado» aponta para aquilo que é de elevado preço. O contexto refere-se a um tempo em que a glória de Israel seria maior que a do templo de Zorobabel, erigido após o cativeiro babilônico. Muitos judeus ficaram desapontados com esse templo, porquanto não podia comparar-se com o esplendor do templo de Salomão. Mas o profeta Ageu, olhando para o futuro, foi capaz de divisar uma glória maior, preciosa, que todas as nações haveriam de desejar. A referência primária parece ser a um templo futuro, ao qual os povos das nações teriam suas *oferendas*, a fim de enriquecê-lo ainda mais. O trecho de Ageu 2:22 evidentemente refere-se simbolicamente a Zorobabel, como se ele fosse o Messias, do mesmo modo que Zacarias 6:12 faz com Josué. A passagem de Ageu 2:7 provavelmente refere-se ao aparecimento dos líderes gentílicos, e não ao Messias. Seja como for, esses líderes viriam adorar durante a era messiânica, pelo que essa predição é considerada messiânica.

Outros intérpretes fazem o próprio Messias ser o «desejado», idéia que está por detrás da tradução comum desse trecho de Ageu. Mas, a tradução mais correta, segundo muitos estudiosos pensam, é aquela que fala em «tesouros», e não em um «desejado». A Septuaginta dá apoio ao plural, mas as versões Vulgata e Siríaca do Antigo Testamento retêm o singular. Os comentadores judeus dessa passagem também favorecem o singular. Tudo isso mostra que a questão é difícil de resolver.

DESEJAR Ver também **Desejo**.

Há várias palavras hebraicas e gregas envolvidas neste verbete, a saber:

1. *Avah*, «desejar». Verbo hebraico usado por vinte e seis vezes, como, por exemplo, em I Sam. 2:16; II Sam. 3:21; I Reis 11:37; Jó 23:13; Sal. 132:13,14; Pro. 21:10; Isa. 26:9; Miq. 7:1.

2. *Chamad*, «desejar», «ter prazer em». Verbo grego usado por vinte vezes, como, por exemplo, em Êxo. 34:24; Deu. 5:21; 7:25; Jó 20:20; Sal. 68:16; Pro. 12:12; Isa. 1:29; 53:2.

3. *Chapets*, «desejar», «ter prazer em». Palavra hebraica empregada por mais de setenta vezes, como em Nee. 1:11; Jó 13:3; 21:14; 33:32; Sal. 34:12; 40:6; 51:6,16; 70:2; 73:25; Jer. 42:22; Osé. 6:6.

4. *Chashaq*, «deleitar-se em», «apegar-se a». Palavra

hebraica usada por sete vezes; como, por exemplo, em I Reis 9:19; II Crô. 8:6; Deu. 7:7; Sal. 91:14.

5. *Thélo*, «querer», «desejar». Verbo grego que figura por duzentas e dez vezes, desde Mat. 1:19 até Apo. 22:17. É o verbo grego mais usado com esse sentido.

6. *Epipothéo*, «desejar muito». Verbo grego usado por nove vezes: Rom. 1:11; II Cor. 5:2; 9:14; Fil. 1:8; 2:26; I Tes. 3:6; II Tim. 1:4; Tia. 4:5; I Ped. 2:2.

7. *Orégomai*, «estender os braços para». Verbo grego usado por três vezes: I Tim. 3:1; 6:10 e Heb. 11:16.

8. *Epithuméo*, «desejar apaixonadamente». Verbo grego que figura por dezesseis vezes: Mat. 5:28; 13:17; Luc. 15:16; 16:21; 17:22; 22:25; Atos 20:33; Rom. 7:7; 13:9 (citando Êxo. 20:15,17); I Cor. 10:6; Gál. 5:17; I Tim. 3:1; Heb. 6:11; Tia. 4:2; I Ped. 1:12; Apo. 9:6. O substantivo, *epithumía*, ocorre por trinta e oito vezes, de Marc. 4:19 até Apo. 18:14.

Os desejos podem ser positivos e negativos, bons ou maus. Um desejo pode ser apenas isso, mas pode tornar-se uma paixão. O extremo desejo por bens materiais chama-se cobiça. Nesta enciclopédia há um artigo especial sobre a *Cobiça*, por tratar-se de um dos pecados cardeais. Há um tipo de desejo que provoca ciúmes, quando o objeto desejado pertence a outrem. Ver o artigo separado sobre o *Ciúme*. No hebraico usava-se uma maneira gráfica de aludir aos desejos, ou seja, como os quereres e pedidos da *nephesh*, a alma. (Ver Deu. 14:26. Na verdade, alguns desejos são tão intensos que envolvem a própria alma). O desejo pode ser um anelo da alma (II Sam. 3:21). Uma outra expressão hebraica gráfica aparece em Núm. 11:4,6, que, literalmente traduzida, diz «desejar um desejo», embora não apareça assim em nossa versão portuguesa. O décimo mandamento tem por intuito impedir esse forte tipo de desejo (Êxo. 20:17). Esses desejos descontrolados podem ser prejudiciais para uma comunidade inteira, e não apenas para um indivíduo (Jer. 6:13-15).

No Novo Testamento há várias aplicações específicas, muito instrutivas, da idéia de desejo. Sempre haverá algum problema, entre os homens, envolvendo dinheiro. Em primeiro lugar, as necessidades básicas que provocam os nossos desejos (Mat. 6:25). A *ansiedade* é um pecado, mesmo quando diz respeito às nossas necessidades mais básicas, porquanto contradiz a fé no Senhor. Jesus declarou que o homem não vive de pão somente (Mat. 4:4) e Deus sabe de todas as nossas necessidades, estando resolvido a supri-las (Mat. 6:33,34). Muitas pessoas têm mais do que o suficiente; mas vivem querendo mais e mais. Algumas pessoas cobiçam abertamente as riquezas materiais, o que é diretamente condenado, segundo se vê em I Timóteo 6:9. No vs. 10 do mesmo capítulo lemos que o «amor ao dinheiro» é raiz de todos os tipos de males. E também há o fortíssimo desejo sexual, que a Bíblia ensina ser legítimo dentro dos limites do matrimônio (I Cor. 7:2-6), mas que de outro modo é pecaminoso, como nos casos de adultério (Mat. 5:28). As paixões precisam ser crucificadas juntamente com Cristo (Col. 3:5 *ss*). Essas paixões são malignas (Pro. 21:10), impuras (Rom. 1:24), satânicas (João 8:44), escravizadoras (Tito 3:3), tentadoras (Tia. 1:14,15), pecaminosas (Rom. 13:14; I Ped. 4:2,3). A inveja e a ganância são difíceis de satisfazer (Pro. 27:20; Ecl. 5:10). No sétimo capítulo da epístola aos Romanos, Paulo descreveu graficamente como os desejos conflitantes rasgam a alma, dividindo-a em sua lealdade, voltando-se ela ora para o bem, ora para o mal.

DESEJO–DESENVOLVIMENTO

Os Bons Desejos. Há aquele desejo amoroso que se desenvolve entre duas pessoas de sexo diferente, e que realmente se amam. Esse tipo de amor é ilustrado supremamente no livro Cantares de Salomão. Esse amor é físico e espiritualmente orientado, e esses dois aspectos não são necessariamente opostos. Também há aquele hígido desejo de realizar um bom trabalho, o que faz parte da missão de uma pessoa. Salomão, ao desejar construir o templo de Jerusalém, serve de boa ilustração desse princípio. Ver I Reis 9:1. O Espírito Santo, que vem residir no crente, confere-lhe desejos espirituais que o inclinam para a piedade, que guerreia contra os desejos da natureza pecaminosa (Gál. 5:17; Rom. 8:9). O desejo expresso do Senhor é que os homens sejam inquiridores da verdade e da retidão; e Deus não quer que alguém pereça (Sal. 40:6; 51:6; Osé. 6:6; II Ped. 3:9). Deus concede aos mansos e justos o que eles desejam (Pro. 10:24; Sal. 10:17), bem como àqueles que nele se deleitam (Sal. 37:4).

DESEJO Ver também **Desejar**.

O termo grego assim traduzido é **epithumia**, «cupidez», que ocorre por trinta e oito vezes: Mar. 4:19; Luc. 22:15; João 8:44; Rom. 1:24; 6:12; 7:7,8; 24:14; Gál. 5:16,24; Efé. 2:3; 4:22; Fil. 1:23; Col. 3:5; I Tes. 2:17; 4:5; I Tim. 6:9; II Tim. 2:22; 3:6; 4:3; Tito 2:12; 3:3; Tia. 1:14,15; I Ped. 1:14; 2:11; 4:2,3; II Ped. 1:4; 2:10,18; 3:3; I João 2:16,17; Jud. 16:18; Apo. 18:14. O verbo, *epithuméo*, aparece por dezesseis vezes: Mat. 5:28; 13:17; Luc. 15:16; 16:21; 17:22; 22:15; Atos 20:33; Rom. 7:7; 13:9 (citando Êxo. 20:15,17); I Cor. 10:6; Gál. 5:17; I Tim. 3:1; Heb. 6:11; Tia. 4:2; I Ped. 1:12; Apo. 9:6.

O vocábulo grego é neutro, referindo-se a qualquer apetite legítimo, ou a qualquer desejo negativo, neste caso, geralmente com alguma conotação sexual. A palavra foi usada em sentido positivo, para exemplificar, ao aludir ao anelo que Jesus sentia por participar da última páscoa, com os seus discípulos (Luc. 22:15). Em Romanos 7:7,8, algumas traduções traduzem essa palavra por «cobiça», conforme se vê, igualmente, em nossa versão portuguesa. O termo grego refere-se a alguma forma de disposição pecaminosa, alguma perversão e exagero dos desejos. Em Col. 3:5 e I Tes. 4:5, encontramos a conotação sexual. Ver os artigos sobre a *Fornicação* e sobre o *Adultério*.

DESEMPREGO

Uma pessoa acha-se **desempregada** quando não tem um emprego por meio do qual esteja ganhando seu dinheiro. Essa definição é válida mesmo que essa pessoa tenha dinheiro para pagar aluguéis, suas contas, juros sobre empréstimos, etc. Porém, se tal pessoa tem um meio emprego e está ganhando dinheiro através de atividades que não importem em vínculo empregatício, então devemos considerá-la empregada. O desemprego não importa, necessariamente, na privação e na ausência de atividades significativas, porquanto uma pessoa que não esteja ganhando um salário, mesmo assim pode mostrar-se ativa em coisas muito significativas, tanto para si mesma como para seus semelhantes. No entanto, o termo usualmente envolve um certo tom de desespero, de privação e com freqüência, de desaprovação, de preguiça, etc. Na verdade, há muitas pessoas desempregadas meramente porque não gostam de trabalhar. Outras pessoas, embora desejem trabalhar, e embora procurem emprego com diligência, não conseguem encontrá-lo, — ou porque as condições econômicas estejam em fase de recessão, ou porque não têm as aptidões necessárias para a obtenção de emprego.

O Desemprego e os Padrões Éticos. Os governos têm o dever de prover algum tipo de seguro, mesmo temporário, contra o desemprego. Esse seguro garante aos desempregados a oportunidade de buscarem algum outro emprego, sem passarem graves necessidades. No caso daqueles que realmente são incapazes de trabalhar, o governo, a Igreja e as organizações de caridade têm o dever de prover meios de vida razoáveis. Em alguns lugares, as provisões para os desempregados são muito generosas, com o resultado que é financeiramente melhor eles permanecerem desempregados. Os governos têm o dever de desenvolver a indústria e a educação de tal maneira que o desemprego seja reduzido ao mínimo.

A Preguiça. Uma das razões pelas quais sempre teremos os pobres conosco é que há uma pobreza de espírito que domina a muitas pessoas. A preguiça é um defeito moral e espiritual. Há pessoas preguiçosas sem que isso envolva qualquer incapacidade física ou qualquer falta de instrução ou aptidão. Há pessoas educadas que são preguiçosas. Há casos em que homens fisicamente capazes e bem-educados preferem viver daquilo que suas esposas ganham, trabalhando pouco e esforçando-se ao mínimo. Escreveu Paulo: «Porque, quando ainda convosco, vos ordenamos isto: Se alguém não quer trabalhar, também não coma» (II Tes. 3:10). Portanto, Paulo reconhecia que a preguiça pode ser uma perversão moral. Paulo também exalta a indústria e o espírito trabalhador como uma virtude, porquanto trata-se de algo em que nos deveríamos ocupar ativamente. O nosso trabalho deveria ser realizado como um meio de expressarmos a lei do amor, para ajudarmos a nós mesmos e aos nossos semelhantes, fazendo algo de útil. Ver o artigo separado sobre a *Ética do Trabalho*.

DESENVOLVIMENTO ESPIRITUAL, MEIOS DO

O Uso dos Meios de Desenvolvimento Espiritual

Como podem a morte e a vida de Cristo serem realizadas em nós? Existem meios pelos quais cultivamos o desenvolvimento espiritual:

1. A oração (que vide) que é o contacto do homem com Deus.

2. A meditação, que é o contacto de Deus com o homem (ver Efé. 1:18 e *ss*).

3. A santificação (que vide). O desenvolvimento espiritual sem isso é apenas um mito.

4. A prática das boas obras, mediante o que se vive a lei do amor(ver I João 4:7,8), porquanto o amor é a prova da espiritualidade, o produto do novo nascimento.

5. O emprego dos dons espirituais, inspirado pelo amor (ver I Cor. 12 e 14 e Efé. 4:11 e *ss*), o toque místico.

6. O estudo das Escrituras, o aprendizado profundo das verdades espirituais, mediante a Bíblia e a literatura que encoraja a espiritualidade.

7. Aquele que diligentemente praticar todos esses meios, será um gigante espiritual.

DESENVOLVIMENTO HUMANO

Esboço:
1. Biológico
2. Psicológico
3. A Dimensão Extratempo
4. Ético e Espiritual

DESENVOLVIMENTO HUMANO

1. Biológico

O desenvolvimento é aquele processo do organismo humano à medida que este se desdobra e interage com o meio ambiente. O crescimento faz parte desse desenvolvimento. O desenvolvimento biológico inclui fatores básicos como o da hereditariedade e o do meio ambiente. A hereditariedade, embora conte com muitas descrições científicas, ainda está envolta em muitos mistérios. Apesar desse processo poder ser descrito em parte, as causas reais da hereditariedade estão ocultas aos olhos da ciência materialista. Há mistérios suficientes em um pé de feijão para confundir todos os ateus, quanto mais no corpo humano, em suas origens, manipulações genéticas e desenvolvimento. A idéia exposta por alguns biólogos, que falam na atuação do *acaso*, é por demais ridícula para ser levada a sério. Porém, quando começamos a falar em *desígnio*, já começamos a empregar — uma linguagem filosófica e teológica, por termos abandonado a dimensão de uma ciência que se autolimita quanto a seu escopo, e que pensa haver uma inteligência superior da parte dos céticos e/ou ateus. O desenvolvimento envolve a teologia do começo ao fim, e o ponto de interrogação que alguns cientistas põem após essa questão não é satisfatório para a alma humana.

2. Psicológico

A ciência materialista tenta encontrar a mente no cérebro, pregando uma doutrina monista. Entretanto, é impossível descrever as propriedades da mente através da descrição dos neurônios e da química do cérebro. Provemos um artigo sobre o *Problema Corpo-Mente*, onde o leitor poderá ver como os filósofos têm lutado com a questão da interação entre o corpo e a mente, discutindo as evidências que existem em prol da inteligência extracerebral. John Locke supunha que todo desenvolvimento psicológico ocorre através do acúmulo de informes colhidos pelos sentidos físicos, e que não há qualquer mente com seu fundo de idéias inatas. Ele falava em termos da *tabula rasa* (sem registros) e como a experiência diária é que deixa as suas marcas, cujo acúmulo resultaria na inteligência. Em outras palavras, o desenvolvimento psicológico seria resultante dos informes colhidos pelos sentidos físicos. No artigo desta enciclopédia sobre a *Parapsicologia*, procuramos demonstrar que o homem não pode ser reduzido a seu corpo físico, e que esse corpo físico é apenas um veículo. Portanto, quando consideramos o desenvolvimento psicológico, precisamos levar em conta a *mente* e o *corpo* físico.

3. A Dimensão Extratempo

Muitos teólogos crêem no **criacionismo** (que vide), a idéia de que Deus cria uma nova alma quando do nascimento de cada bebê. Essa idéia é muito difícil de defender, mormente se alguém tenta manter o ensino do pecado original. É possível que Deus crie uma alma que já chega corrupta neste mundo? Alguns voltam-se para as idéias gnósticas a fim de escapar desse dilema. Supõem os tais que, mediante o contacto com o corpo físico, a alma vê-se imediatamente corrompida, mas isso é um contra-senso. A matéria é eticamente *neutra*, e não pode corromper o espírito. Os escritores do Novo Testamento sabiamente nunca chamam o próprio corpo de «mau», embora pintem-no como um veículo fácil para a prática do mal, e como provocação para certos tipos de males. O *traducionismo* (que vide), por sua vez, parte da idéia de que os pais, sendo pessoas boas-más, produzem filhos bons-maus, e que a alma vem a existir como parte do processo da procriação. Alguns nomes

eminentes têm estado ligados a essa idéia; mas ela não passa de uma teoria, não havendo qualquer prova para a mesma. Essa é uma idéia melhor que a do criacionismo do ponto de vista ético; mas não encontra apoio nos fatos. A preexistência da alma é um ensino que, de alguma maneira, vem em nosso socorro. Se concebermos a alma como *preexistente*, a qual caiu, talvez por ocasião (ou ocasiões) da rebelião dos anjos, então poderemos explicar por qual motivo uma criança, desde seus mais primordiais estágios, exibe tendências pecaminosas, e logo transforma essas tendências em atos, quando chega à idade de mostrar-se ativa. Em outras palavras, a alma já chega corrupta a este mundo. Platão ensinou que essa corrupção era a razão mesma de sua encarnação, de tal maneira que o corpo tornou-se sua prisão e sepulcro. Se a idéia da *preexistência* (que vide) corresponde à realidade dos fatos, então podemos entender facilmente por qual razão as crianças diferem tanto uma da outra, mesmo quando têm os mesmos pais e são criadas no mesmo ambiente. A idéia da preexistência pode ser acompanhada ou não da *reencarnação* (que vide), o que também nos oferece possíveis discernimentos quanto à questão do desenvolvimento psicológico, ético e espiritual.

4. Ético e Espiritual

Materialistas e criacionistas (conforme são muitos crentes evangélicos) encontram alguns problemas em comum. Eles ficam perplexos sobre por que as pessoas tornam-se o que são; eles ficam perplexos sobre os problemas da perversão de crianças. Eles aplicam suas teorias sobre como as crianças devem ser treinadas, para que tudo vá bem com elas. Os educadores cristãos ficam consternados quanto à ausência de desenvolvimento moral e espiritual das crianças, embora tenham sido criadas em ambientes evangélicos *saturados*. Porém, muitas dessas crianças, uma vez que enfrentam o mundo conforme ele realmente é, tornam-se vítimas fáceis de suas próprias degradações. Então os educadores reexaminam o processo de educação e estipulam: «Onde foi que erramos?» Talvez fosse melhor perguntar: «Onde e quando esta alma errou, de modo que todos os melhores esforços falharam no seu caso?» Se acrescentarmos a dimensão *extratempo*, também estaremos acrescentando uma dimensão nova à nossa própria maneira de pensar sobre a educação e os seus resultados. Outrossim, a sociologia e a criminologia assumem uma perspectiva inteiramente nova.

Os estudos feitos sobre a mente criminosa, nos Estados Unidos da América, demonstram que somente metade dos crimes está associada a condições econômicas e sociais. Muitos criminosos exibem suas tendências anti-sociais desde o começo na vida, em meio à abastança e enquanto seus irmãos e irmãs são perfeitamente normais. Estudos feitos na Suécia confirmaram isso. Como é óbvio, alguns crimes derivam-se da pobreza e da luta pela sobrevivência; mas, grande parte dos crimes deve-se apenas a uma mentalidade pervertida. Alguns cientistas têm contendido pela tese que o crime resulta de defeitos no cérebro. Essa tese continuará sendo investigada, sendo bem provável que *alguns* crimes se derivem desse fator. A Bíblia, porém, afirma a perversão da natureza humana, e de todos os lados surgem evidências em confirmação desse fato. Aqueles que crêem na preexistência da alma salientam que a quantidade e a qualidade da perversidade dificilmente podem ser atribuídas a meros fatores ambientais, e nem esses fatores explicam a grande corrupção a que pode chegar uma alma, em pouco tempo. A maldade humana é algo maior do que isso. O sexto capítulo de

DESENVOLVIMENTO — DESERÇÃO

Efésios atribui parte do problema humano à influência de espíritos malignos; e essa explicação provavelmente tem maior validade do que a maioria dos crentes está disposta a reconhecer. Portanto, o *desenvolvimento* torna-se uma consideração extremamente complexa, não podendo ser reduzido aos atuais poucos anos de vida terrena de uma pessoa. Suas tendências boas e más devem ter evoluído em mais do que na presente experiência terrena.

Quanto ao lado bom. João Batista não precisou de muitos anos de desenvolvimento para tornar-se o que ele foi. Ele já nasceu contando com a poderosa presença do Espírito Santo (Luc. 1:15). Era impossível que ele fosse diferente do que foi. Teria sido isso uma escolha arbitrária do Espírito de Deus? Não é provável. Antes, precisamos voltar a uma antiga doutrina judaica, no sentido de que os profetas teriam mais de uma missão terrena, reaparecendo no tempo apropriado a fim de conferir a Israel uma nova liderança espiritual. Havia a idéia de que João Batista era Elias. Talvez isso indique uma realidade. Uma permanente tradição bíblica diz que Elias voltaria e teria uma missão especial relativa à «parousia». Talvez ele tenha estado entre nós, na pessoa de João Batista, na primeira «parousia», e terá uma nova missão na segunda «parousia» (ver Mat. 17:10). O próprio Jesus foi tido como um dos antigos profetas, em harmonia com a opinião popular de sua época (Mat. 16:14). O mistério da piedade é mais amplo do que uma única vida terrena, maior do que os poucos anos desta vida. Paulo praticou certas crueldades antes de sua conversão, e, até o fim de sua vida lamentou-se tristemente por esse motivo. No entanto, desde o começo ele foi uma poderosa figura religiosa, embora de zelo mal orientado. Ele afirmava ser a mais poderosa figura entre os jovens de Israel (Gál. 1:14). Ele tinha as qualidades mentais e espirituais necessárias para a tarefa. Por que ele tinha essas qualidades? Elas se derivariam da herança genética, ou meramente por causa de um zelo mais intenso que ele tinha além das outras pessoas, mediante o qual, através do *desenvolvimento*, ele se tornou melhor do que outras pessoas, *em alguns breves anos?* Paulo afirma claramente que essa não era a razão. O trecho de Gálatas 1:15 afirma que foi separado *antes de ter nascido*. Não se tornou no que foi em poucos anos, após o seu nascimento físico. A doutrina judaica o identificaria com a história passada de Israel, encontrando-o em algum ponto dessa história, já envolvido no conflito espiritual, já se distinguindo dos demais, já se tornando poderoso, espiritualmente falando. Não sei dizer se isso corresponde à verdade dos fatos, mas estou bem certo de que o que sucede a alguém, desde o nascimento físico até à maturidade, *nesta* vida terrena, é apenas um *fragmento* da espiritualidade total.

Minha alma, a estrela de minha vida, tem estado em outro lugar, e voltou para trilhar nuvens de glória, proveniente de Deus, que é o seu lar. A teologia de muitas pessoas tem escopo bem pequeno. Não conseguem divisar o quadro maior de Deus e procuram espremer tudo nesta breve vida terrena, incluindo a determinação do destino de uma alma eterna. A Igreja oriental, porém, tem-se mostrado mais sábia quanto a esse particular, percebendo que Deus opera em favor da alma desde antes do nascimento físico da pessoa, continuando a fazê-lo após a morte biológica. O plano de Deus é muito vasto e requer tempo. Deus dispõe de todo o tempo que ele quiser. As pessoas é que vivem apressadas, diminuindo assim o escopo da teologia.

O que Faz as Crianças Serem o que São? Muitos filhos desapontam os seus pais. São cuidadosamente treinados e ensinados, mas não correspondem às expectações de seus genitores. Talvez não pratiquem nenhum grande mal, mas também não se envolvem em qualquer grande bem. Mostram-se descuidados quanto às realidades espirituais. A vacinação espiritual simplesmente não pegou. Por quê? À minha frente está aberta uma enciclopédia sobre assuntos éticos, na qual um homem bom, chamado Piaget, procura informar-me sobre como os filhos devem ser educados, para que se consiga os melhores resultados possíveis. Seus argumentos são: 1. Há o estágio *refreamento*. As crianças ainda não sabem como escolher o que é bom e rejeitar o que é mau, e os pais precisam *determinar* (palavra usada por Piaget) para os *filhos* (idem) a moralidade e a ética deles. 2. Segue-se o estágio da *cooperação*, quando a criança começa a *concordar* com seus pais quanto aos padrões que foram estabelecidos. 3. Finalmente, há o estágio da *compreensão*, quando a criança passa a entender as implicações dos ideais estabelecidos para ela pelos seus pais. Nesse estágio de compreensão, a criança começa a agir por conta própria, tornando-se naquilo que seus pais esperam dela. Tudo isso é lindo, e, naturalmente, não é totalmente inútil, porque assim é que os pais deveriam agir. Mas, meus amigos, essas idéias e declarações não penetram muito fundo nos grandes mistérios da piedade e da malignidade. Há muito mais fatores envolvidos do que esses, e estou plenamente certo de que a *longa história* da alma envolve essa questão inteira. Quantos pais têm devidamente refreado, cooperado e conferido compreensão a seus filhos, somente para vê-los arrebatados pela maldade mais franca, ou estagnados na indiferença espiritual? Por outro lado, quantos poderosos homens de Deus nunca contavam com a vantagem de todos esses cuidados paternos, mas saíram em campo quais leões espirituais, rugindo contra este mundo perverso? Há mistérios da piedade e da impiedade que transcendem aos poucos anos de treinamento que um pai ou mãe podem dar a seus filhos. Isso não significa, porém, que os pais devem desistir de sua responsabilidade, em face disso. Como é patente, eles têm o sagrado dever de fazer o que possam de melhor. No entanto, o que eles fizerem, em favor do bem ou do mal, é apenas *uma peça* desse grande quebra-cabeça.

Meios do Desenvolvimento Espiritual. Quanto a isso, esta enciclopédia provê um artigo separado, intitulado *Desenvolvimento Espiritual, Meios de*.

DESERÇÃO

Esse termo é usado no campo da **ética** (que vide) para indicar o abandono com que um cônjuge trata o seu parceiro, ou um pai ou mãe que abandona seu filho ou filhos. Essa é sempre uma situação assinalada por muito sofrimento humano, usualmente com o envolvimento de algum pecado grave. Metaforicamente, a Bíblia fala sobre o homem que abandona a Deus, o que, no livro de Oséias foi ilustrado pela deserção de Gômer, a esposa do profeta. Com base nessa experiência amarga, o profeta aprendeu a seriedade do abandono dos caminhos do Senhor e da fé religiosa. Não podemos dizer que Deus se angustia, ainda que, antropomorficamente falando, há sentimentos dessa natureza por parte do Senhor. Esses termos tornam-se significativos para os homens quando eles atravessam experiências difíceis, e então tais experiências servem para ilustrar a necessidade da fidelidade espiritual. Não obstante, Deus dirige-se

DESERÇÃO – DESERTO

ternamente àqueles que se tornaram culpados de deserção espiritual (Osé. 2:14). Grande é a longanimidade e magnanimidade do Senhor; grande é a sua graça, sem a qual a vida humana seria simplesmente impossível.

As leis humanas encaram o abandono do lar com suficiente alarme, lamentando o ato de um pai ou mãe que deixa seus filhos, ou o cônjuge que abandona seu companheiro ou companheira. Tal deserção é severamente condenada pela opinião pública, embora o fato não envolva crime que mereça um termo de prisão. Perguntam as Escrituras: «Acaso pode uma mulher esquecer-se do filho que ainda mama, de sorte que não se compadeça do filho do seu ventre? Mas, ainda que esta viesse a se esquecer dele, eu, todavia, não me esquecerei de ti» (Isa. 49:15). Esse texto tem sido de muito conforto para muitos crentes recém-convertidos, alijados do convívio familiar.

Embora, usualmente, o abandono envolva algum ato de supremo egoísmo, há aqueles casos em que a deserção é forçada por motivo de extrema pobreza ou por grave enfermidade, quando então é melhor que os filhos sejam criados por outras pessoas ou que os cônjuges se separem para que o sobrevivente possa cuidar dos filhos. Todavia, esses casos não envolvem verdadeiras deserções.

O trecho de I Coríntios 7:15 trata diretamente do abandono do cônjuge crente por parte do cônjuge incrédulo. E Paulo afirma que, nesses casos, o cônjuge crente está livre para casar-se novamente. Outro tanto não é o caso quando um cônjuge crente abandona a outro cônjuge crente.

DESERTO

Nos países do Oriente, as grandes planícies geralmente estão sujeitas a prolongadas secas e conseqüentemente, à esterilidade. A esterilidade prolongada produz os desertos. Os hebreus contavam com vários vocábulos para nomear esses lugares; essas palavras são intercambiáveis, e as traduções as têm confundido de tal modo que não podemos estar certos quando está em vista, ou não, um verdadeiro deserto. Há quatro palavras hebraicas e uma palavra grega que precisam ser levadas em conta:

1. *Midbar*, «pasto». Palavra usada por duzentas e cinqüenta e sete vezes no Antigo Testamento, que tem sido traduzida como «pastagem» (Êxo. 3:1; 5:11) ou «deserto» (Gên. 14:5). Também era palavra aplicada à região entre a Palestina e o Egito, incluindo o Sinai (Núm. 9:5). Com o artigo definido temos «o deserto da Arábia» (I Reis 9:18), quando então estamos tratando com um autêntico deserto. Terras de pastagem, com circunstâncias climáticas adversas, podem tornar-se desertos, o que explica a conexão entre o vocábulo e o uso do mesmo. A idéia de esterilidade com freqüência se faz presente (Gên. 14:6; 16:7; Deu. 11:24. Ver também Deu. 32:10; Jó 24:5; Isa. 21:1 e Jer. 25:24, onde algumas versões dizem «deserto»).

2. *'Arabah*, que significa, literalmente, «esterilidade», e que com freqüência é palavra traduzida por «deserto». — Porém, parece que, originalmente, referia-se a uma planície, um extenso território. A porção plana do vale do Jordão tinha esse nome, estendendo-se até as margens do mar Vermelho (Deu. 1:1; 2:8; Jos. 12:1). Novamente, por causa de condições climáticas adversas, essas extensas planícies podiam tornar-se verdadeiros desertos, o que explica o uso dessa palavra com esse sentido. No hebraico, uma planície, um lugar estéril, um lugar ermo e um deserto podem ser referidos através da mesma palavra. Essa palavra hebraica ocorre por cinqüenta e sete vezes no Antigo Testamento. Por exemplo: Isa. 25:1,6; 40:3; 41:19; 51:3; Jer. 2:6; 17:6; 50:12; Eze. 47:8.

3. *Yeshimon*, «desolação», «solidão», palavra hebraica usada por sete vezes no Antigo Testamento: Sal. 68:7; 78:40; 106:14; 107:4; Isa. 43:19,20; Deu. 32:10. Essa palavra também podia apontar para um deserto, em vista de sua solidão e desolação. Aparece com o artigo para indicar aqueles lugares desolados de ambos os lados do mar Morto. Em Núm. 21:20 é usada como um nome próprio, como se fosse a designação de um lugar específico, em algumas traduções (nossa versão portuguesa diz «deserto»).

4. *Chorbah*, «desolação». Palavra hebraica usada por trinta vezes, como em Sal. 102:6; Isa. 48:21; Eze. 13:4. Nesses trechos, as traduções geralmente traduzem essa palavra por «deserto», mas, em Esd. 9:9; Sal. 109:10 e Dan. 9:12, está em foco aquilo que se tornou uma desolação, pelas condições climáticas adversas ou pela atuação humana.

5. No grego, *eremía* e *éremos* aparecem, respectivamente, por quatro e por quarenta e oito vezes, a saber: Mat. 15:33; Mar. 8:4; II Cor. 11:26; Heb. 11:38; Mat. 3:1,3 (citando Isa. 40:3); 4:1; 11:7; 14:13,15; 23:38; 24:26; Mar. 1:3,4,12,13,35,45; 6:31,32,35; Luc. 1:80; 3:2,4; 4:1,42; 5:16; 7:24; 8:29; 9:12; 15:4; João 1:23; 3:14; 6:31,49; 11:54; Atos 1:20 (citando Sal. 69:26); 7:30,36,38,42 (citando Amós 5:25); 7:44; 8:26; 13:18; 21:38; I Cor. 10:5; Gál. 4:27 (citando Isa. 54:1); Heb. 3:8 (citando Sal. 95:8); 3:17; Apo. 12:6,14; 17:3. Esses termos gregos significam, ambos, «deserto» ou «lugar ermo» ou seja, não somente um verdadeiro deserto, mas também um lugar desabitado ou escassamente habitado. Josefo usou essa palavra para indicar deserto, campina ou lugar ermo (*C. Ap.* 1,89). Em *Anti.* 20,169 ele usou a palavra para indicar o deserto da Arábia, e a forma verbal, *eremoo* significa «despovoar», «assolar», conforme se vê em Mat. 12:25; Luc. 11:17; Apo. 17:16; 18:16,19; I Esdras 2:17; II Esdras 12 e Josefo (*Guerras* 2.279; *Anti.* 11:24).

Uso Figurado. Idéias como solidão, tentação e perseguição são referidas por essas palavras (e seus outros possíveis usos). Ver Isa. 27:10; 33:9. As nações que se esquecem de Deus e ignoram os seus caminhos, tornam-se desertos (Isa. 32:15; 35:1), tal como sucedeu a Israel, quando abandonou o seu Deus (Isa. 40:3).

O Deserto e os Espíritos Malignos. — Supunha-se que os desertos eram os lugares de habitação apropriados para os — espíritos malignos —, os lugares onde eles manifestam mais a sua má influência (Mat. 12:43; Luc. 11:24). Porém, em todo este vasto mundo, nada há de errado com a solidão. Os sentimentos de desolação, que há nos lugares ermos e desérticos, inspiram-nos a pensar neles como lugares onde o mal manifesta-se especialmente.

O Deserto e a Vida. A ciência moderna tem demonstrado que os desertos sustentam muita vida biológica, animal e vegetal. Mas a vida animal geralmente não aparece facilmente ante os olhos dos homens, porquanto os animais que ali vivem escondem-se entre as rochas ou na areia, quando o sol está quente. Oséias percebeu o amor de Deus, expresso em favor de seu povo, no deserto (Osé. 13:5). Débora entoou louvores ao Deus do Sinai e do deserto (Juí. 5:4,5). Portanto, a graça de Deus permeia até mesmo ali. As pessoas que vivem nos desertos ou nas proximidades dos mesmos, dão um valor especial a esses lugares, em seus afetos. O autor desta

DESESPERO — DESÍGNIO

enciclopédia nasceu perto do grande deserto norte-americano. Por muitas vezes, atravessou de trem o deserto que há entre as cidades de Salt Lake e Los Angeles, durante a primavera, quando havia muita florescência, uma vista muito linda. E o tradutor não pode esquecer a quase despovoada região amazônica, onde passou sua meninice, juventude e boa parte de sua vida adulta, e onde se dá valor à vida humana, muito mais do que nos grandes centros urbanos, por ser ela tão rara. Há algo de encantador nos minúsculos riachos que conseguem sobreviver. Há algo de misterioso nas ravinas e penhascos do deserto, bem como nas florestas virgens, com muitas feras e pouquíssimos seres humanos. Há algo de místico nos lugares desérticos e despovoados do planeta, quando o sol se põe sobre as vastidões arenosas ou recobertas de florestas virgens. Saudades!

DESESPERO

Ver os artigos paralelos sob os títulos **Cinismo, Melancolia, Nihilismo e Pessimismo**. O desespero é o contrário da esperança. A idéia não figura por muitas vezes na Bíblia. Há uma palavra hebraica e uma palavra grega que precisam ser levadas em conta:

1. *Yaash*, «desesperar». Palavra hebraica usada por seis vezes: I Sam. 27:1; Ecl. 2:20; Jó 6:26; Isa. 57:10; Jer. 2:25; 18:12.

2. *Eksaporéomai*, «não ter saída». Palavra grega usada por apenas duas vezes: II Cor. 1:8 e 4:8.

O desespero é o estado onde toda a esperança se perde, quando a pessoa parece não encontrar saída para a sua situação. Embora comum à condição humana, é incompatível com a fé cristã (II Cor. 4:8, onde a palavra é traduzida, em nossa versão portuguesa, por «desanimados»). Em seu amor, Deus faz todas as coisas cooperarem juntamente para o benefício daqueles que estão sendo amoldados à imagem de seu Filho (Rom. 8:28 ss). Aproximando-se do desespero, há estados menos intensos, que poderíamos chamar de ansiedade e desânimo. O desespero é uma espécie de abandono de um alvo, quando o espírito humano não mais espera que suceda algo melhor. Por muitas vezes, o suicídio é resultado do desespero; ou então o indivíduo mergulha em condições psicóticas de profunda angústia. Há muitas pessoas que cultivam o desespero mediante o ócio habitual, a busca exagerada pelos prazeres ou o cumprimento pervertido de desejos, que deixam a pessoa vazia. Muitas igrejas pregam uma forma final de desespero quando ensinam que a morte biológica põe fim a toda oportunidade de salvação, e que, após isso, as pessoas só podem esperar um inferno em chamas. Isso representa um desespero espiritual final. Eles se esquecem de que Cristo deixou uma provisão mais ampla do que isso, para a salvação das almas. Em I Pedro 4:6 lemos que Cristo desceu ao hades (que vide), a fim de pregar aos perdidos; e, finalmente, haverá a *restauração* (posto que não a redenção) de todos os seres e coisas, conforme se aprende em Efésios 1:10,23. Ver o artigo sobre a *Restauração*. É um erro pregar um evangelho de completo desespero, embora seja perfeitamente correto pregar o juízo divino segundo sua devida perspectiva. Alguém já disse: «Sempre é cedo demais para desistir». Essa é uma grande declaração que nos ajuda a controlar as vicissitudes da vida. E também é uma grande declaração no tocante ao propósito a longo prazo da missão de Cristo.

••• ••• •••

DESFAZER

No hebraico, **machah**, «apagar». Palavra hebraica usada por trinta e duas vezes (por exemplo, Êxo. 32:32,33; Núm. 5:23; Deu. 9:14). Esse vocábulo é empregado no sentido de *obliterar, destruir, remover, desfazer*. O pecado é declarado como totalmente perdoado, ou seja, «desfeito» (Isa. 44:22). Por outra parte, o indivíduo cujo nome é apagado do Livro da Vida de Deus, é aquele que perdeu o favor divino (Êxo. 32:32; Deu. 29:20; Sal. 69:28). Podemos entender nisso a metáfora que se refere à lista de cidadãos que, como tais, haviam recebido certos direitos e privilégios, mas vieram a perdê-los. Se o nome de alguém fosse removido da lista, esse alguém perderia os seus direitos de cidadão. Moisés dispôs-se a deixar de ser um cidadão da comunidade do povo de Deus, se pudesse ser útil, com isso, aos demais cidadãos dessa comunidade.

Há a questão mais difícil de entender, de alguém ter seu nome apagado do próprio Livro da Vida (Apo. 3:5). Isso parece indicar que, em tal caso, o indivíduo perderia a sua salvação, a vida celestial e eterna, deixando de ser um cidadão da pátria celeste. A expressão contrária, «não ter o nome apagado do Livro da Vida», indica que o indivíduo é confirmado como possuidor da vida eterna, ou seja, da vida própria dos mundos luminosos, onde se participa da própria vida de Deus, — e se compartilha de sua natureza, porquanto ele é o pai dos cidadãos daquelas dimensões (II Ped. 1:4). Em Jó 31:7 e Pro. 9:7, um ato que mancha e corrompe é chamado de «mancha».

DESFAZER OS TORRÕES

Trata-se de um processo usado pelos agricultores para tratar o solo após a aragem. As técnicas agrícolas modernas não usam o método. Há duas palavras hebraicas envolvidas, a saber:

1. *Charits*, *desterroar*. Esse termo é usado por duas vezes: II Sam. 12:31 e I Crô. 20:3.

2. *Sadad*, «nivelar». Palavra que aparece por três vezes: Jó 39:10; Isa. 28:24 e Osé. 10:11.

Lê-se no livro de Jó que é o boi que faz esse trabalho de desterroamento. Em Isaías 28:44 *ss*. lê-se que o lavrador não fica «esterroando» o terreno o tempo todo. É possível que fossem arrastados ramos, após um carro puxado a bois, a fim de espalhar a semente mais por igual. Alguns estudiosos pensam estar em foco o uso de um arado tipo cruzeta. As traduções dão idéia de uma aragem simples, mas parece que um tipo de arado assim está em foco. Outros chegam a pensar em alguma máquina de *desterroar*. A moderna grade, usada pelos agricultores, é uma armação dotada de dentes ou de discos, a qual desempenha a dupla função de quebrar o solo e nivelá-lo, ao mesmo tempo. Todavia, não parece que os antigos dispunham de qualquer implemento agrícola que se assemelhasse a isso. Sabe-se, contudo, que os antigos faziam isso, embora não saibamos dizer como o faziam.

DESÍGNIO, ARGUMENTO DO

Uma das maneiras da filosofia procurar provar a existência de Deus é utilizando-se do óbvio desígnio que pode ser visto em tudo quanto existe e acontece no mundo. Esse argumento é apresentado sob o título *Argumento Teleológico*. No artigo sobre *Deus*, em certa seção, há um grande número dessas provas argumentativas.

DESIGUALDADE — DESPENSEIRO

DESIGUALDADE
Ver **Igualdade**.

DESMAMAR
Nos dias do Antigo Testamento, uma criança só era desmamada ao atingir dois ou três anos de idade. Isso torna-se claro no relato de Ana e Samuel (II Sam. 1:21-24). Outro tanto se vê no caso da mulher que viu sete de seus filhos serem mortos por Antíoco Epifânio e então exortou seu filho menor a não abandonar sua fé judaica diante das ameaças do rei, o qual procurava persuadi-lo a abjurar de suas crenças. Disse a mãe ao jovem: «Levei-te no meu ventre por nove meses e te amamentei por três anos, e te tenho criado até este ponto em tua vida, cuidando de ti» (II Macabeus 7:27). O término do período de amamentação, ou desmame, algumas vezes era celebrado por meio de uma festa (ver Gên. 21:8). Mas a palavra «desmamar» também é usada na Bíblia em sentido metafórico. Ver Sal. 131:2 e Isa. 28:9.

DESOBEDIÊNCIA CIVIL
A desobediência civil consiste em algum ato de insubordinação de um indivíduo, de vários indivíduos, ou de um grupo de pessoas, que labora contra a lei estabelecida. Algumas vezes, esses atos são espontâneos, mas, na vida moderna, quase sempre são organizados e executados propositalmente. A desobediência civil pode ter natureza pacífica, como no caso de greves proibidas, morosidade no trabalho, ausências em massa, etc. Mas também pode revestir-se de uma violência tal que se aproxime do terrorismo. A justificação apresentada é que as leis foram feitas a fim de privilegiar a alguns poucos, e que somente a desobediência proposital é capaz de modificar, em alguns casos, as leis parciais, injustas. Quando os colonos norte-americanos recusaram-se a pagar impostos à coroa britânica, lançando ao mar três tipos de mercadorias que tinham vindo da Inglaterra, isso constituiu um ato de desobediência civil. Uma ilustração bem conhecida entre nós foi quando os insurrectos de Minas Gerais planejaram não pagar à coroa portuguesa a parcela que, por lei, os mineiros deviam, em ouro. Todas as revoluções começam dessa maneira, e acabam degenerando-se para algo mais violento. Na época da escravatura, muitos cidadãos desobedeciam às leis, a fim de ajudar a proteger os escravos fugidos. Nos lugares onde as leis discriminam grupos raciais, como aqueles que designam o lugar onde os negros podem sentar-se nas conduções públicas, quais facilidades públicas podem ser freqüentadas por eles, etc., estes agem de maneira proposital, desobedecendo a tais leis, trazendo à atenção do público o fato de que leis assim precisam ser descontinuadas. Mahatma Gandhi motivou as massas indianas contra o governo britânico, efetuando campanhas de resistência passiva, daí resultando a independência da Índia. Em alguns lugares, a desobediência civil assume a forma de recusa dos jovens servirem nas forças armadas. Isso tem sucedido em muitos países ao longo dos séculos. O episódio mais conhecido foi o pacifismo de muitos jovens norte-americanos, durante a guerra do Vietnã, que não gozava de apoio popular.

A Desobediência Civil e os Cristãos. Os trechos de Romanos 13:1-12 e I Pedro 2:13 *ss.* apresentam a ordem geral de que os crentes devem obedecer às autoridades civis por terem sido ordenadas por Deus. Isso continua sendo verdadeiro enquanto essas autoridades não tentarem violentar a consciência religiosa. Neste caso, uma lei mais alta entra em

vigor, a qual diz que devemos antes obedecer a Deus do que aos homens (Atos 5:29). Existem leis injustas, pois os legisladores nem sempre agem baseados na razão, baixando leis que beneficiam a uma minoria qualquer, sobretudo àqueles que têm maior poder econômico. Leis particulares injustas podem ser desafiadas e modificadas por meios pacíficos.

Quando Ocorrem Abusos. Algumas vezes, as pessoas são insufladas à desobediência civil por parte de agitadores políticos, cujo intuito é a derrubada do governo. Nem sempre as modificações colimadas são para melhor. Até onde vejo as coisas, por exemplo, o comunismo sempre prejudica à Igreja e destrói os direitos individuais, mesmo quando esse regime é estabelecido por meios pacíficos, o que é muito raro.

DESOLAÇÃO, ABOMINÁVEL DA
Ver o artigo sobre o **Abominável da Desolação**.

DESONESTIDADE
A desonestidade é um dos vícios do espírito humano, que o leva a abandonar seu reto juízo, levando-o a dizer e realizar atos contrários à honestidade. A desonestidade é uma violação da confiança e uma perversão da verdade. É também algo fraudulento ou falso. A palavra honesto vem do latim, *honestus*, cuja raiz é *honos*, «honra». A desonestidade, pois, é a violação da honra. Ser honesto, por outro lado, é ser veraz, justo, reto e digno de confiança. Qualquer ato que negue esses conceitos é um ato desonesto. Ver II Cor. 4:2 quanto a uma referência bíblica a tais atos. A palavra grega por detrás da tradução «desonestidade» é aquilo que é *vergonhoso*, que é um opróbrio. Ver o artigo geral sobre os *Vícios*.

DESPENSEIRO
A rigor, a idéia de despenseiro aparece somente no Novo Testamento, quando o original grego usa a palavra *oikonómos*, «gerente da casa», que figura por dez vezes: Luc. 12:42; 16:1,3,8; Rom. 16:23; I Cor. 4:1,2; Gál. 4:2; Tito 1:7; I Ped. 4:10; ou quando usa a palavra *epítropos*, «encarregado», que aparece por três vezes: Mat. 20:8; Luc. 8:3; Gál. 4:2.

No hebraico temos três expressões diversas, que se aproximam da idéia, a saber: a. *Ben mesheq*, «filho de aquisição», termo que Abraão usou para referir-se a Eliezer, segundo se vê em Gên. 15:2. Nossa versão portuguesa diz ali «herdeiro». b. *Ha-ish asher al*, «homem que está acima», usada em Gên. 43:19, e que a nossa versão traduz por «mordomo». c. *Asher al bayit*, «quem está sobre a casa», que é usada em Gên. 44:4, e que a nossa versão portuguesa também traduz por «mordomo». Mais distante desse sentido é o termo hebraico *sar*, quando aparece em I Crô. 28:1, e que a nossa versão portuguesa traduz por «administrador».

O despenseiro era alguém que gerenciava uma casa ou tomava conta da propriedade ou negócio de alguém. Eliezer era o despenseiro da casa de Abraão (Gên. 15:2), o que mostra que Abraão era uma pessoa de muitas posses materiais. No Egito, José também tornou-se um administrador (Gên. 43:18; 44:1,4), uma posição importante. Os reis, naturalmente, tinham os seus administradores. Ver o caso de Davi (I Crô. 28:1), de Tirza (I Reis 16:9) e de Herodes (Luc. 8:3). O cargo envolvia confiança e responsabilidade, porquanto um homem sempre se mostra cuidadoso acerca de suas possessões; e, quando tem muito para guardar, quer que homens de plena confiança o

DESPENSEIRO — DESQUALIFICAÇÃO

façam. Um auxiliar assim alivia muito o trabalho administrativo de um proprietário, quando faz seu trabalho bem feito, de modo apropriado.

No Novo Testamento, um *oikonómos* (palavra derivada de *oíkos*, «casa», e de *nemo*, «dispensar») era um superintendente, alguém dotado de autoridade delegada para dirigir, como se vê nas parábolas dos trabalhadores da vinha e do mordomo infiel.

Usos Metafóricos e Espirituais

1. *Os ministros do evangelho* são mordomos da casa de Deus (sua esfera de atividade neste mundo, ou seja, a sua Igreja), conforme se vê em Tito 1:7. Ver também I Cor. 4:1,2.

2. Os crentes, em geral, seriam mordomos de Deus, bem como de seus dons e de sua graça (I Ped. 4:10). Se isso é uma verdade e não apenas uma bela metáfora, então é óbvio a grande responsabilidade dos ministros. Esse conceito, antes de tudo, dignifica-os; e em seguida, confere-lhes uma responsabilidade que concorda com a estatura deles.

3. Paulo recebeu uma mordomia especial em sua missão entre os gentios, que o Senhor lhe deu, a fim de dar cumprimento à Palavra de Deus (Col. 1:25). A passagem de Efésios 3:2 tem um sentido similar.

4. Todos os homens receberam missões sem-par, tanto aqui quanto no estado eterno, o que envolve mordomias especiais. Ver a exposição sobre Apo. 2:17 no *NTI* e o artigo *Novo Nome e Pedra Branca*.

5. Essas mordomias espirituais têm por finalidade fazer a mensagem de Cristo operar de maneira eficaz entre os homens, cumprindo o desígnio redentor que Deus determinou (que vide).

DESPERTAMENTO

Ver **Reavivamento**.

DESPOJOS

Uma das teorias militares é aquela que diz que um exército que avança pode sobreviver do que encontrar no trajeto, não precisando de qualquer linha de suprimentos. Em algumas campanhas militares, essa idéia funcionou bem, mas às custas do sofrimento dos povos conquistados. Na Bíblia, encontramos muitos exemplos de como conquistadores, mediante matanças maiores ou menores, apossaram-se de tudo quanto quiseram, como se isso fosse o galardão do mais forte. Ver o caso de Abraão, descrito no décimo quarto capítulo de Gênesis. Despojos foram tomados e despojos foram reconquistados, de acordo com o sabor das batalhas.

Os despojos consistiam em qualquer coisa que podia ser tomada e que os homens julgassem ter valor e utilidade. Assim, homens, mulheres e crianças foram aprisionados para serem vendidos como escravos; mas também gado, bens materiais, etc., eram tomados como despojos. Entre os israelitas, os despojos de guerra foram igualmente divididos entre os que haviam participado de alguma peleja, e aqueles que tinham ficado para trás, cuidando do acampamento, das provisões, etc. Também, havia a questão da porcentagem dos despojos entregue aos sacerdotes e levitas. Ver Núm. 31:27-47 e comparar com II Sam. 8:10 *ss* e I Crô. 26:27 *ss*. O trecho de II Macabeus 8:28-30 mostra-nos que em tempos posteriores, pelo menos, os idosos, as viúvas e os órfãos participavam dos despojos. Davi exigiu que uma parte dos despojos fosse dada aos membros do exército combatente que não foram à batalha, mas ficaram para guardar o acampamento e suas possessões (I Sam. 30:24,25). Por incrível que nos possa parecer, essa divisão dos despojos foi acompanhada de muita festividade (Isa. 9:2).

Uso Metafórico. O trecho de Efésios 4:8-11 está baseado na prática explicada acima. Cristo é retratado como quem venceu na batalha contra o mal, e como quem cativara as forças malignas, subjugando-as totalmente. Isso lhe possibilitou dar presentes (os despojos conquistados em sua vitória). Sua descida ao hades e sua ascensão aos céus estiveram ambas envolvidas nessa distribuição de presentes, enriquecendo assim o seu povo redimido. Pessoas espiritualmente dotadas fazem parte dos dons distribuídos entre os cristãos. Portanto, apóstolos, profetas, evangelistas, pastores e mestres são dons dados à Igreja. Alguns estudiosos pensam que os cativos envolvidos são aqueles que estavam no mundo intermediário ou hades (a boa parte do mesmo), que então foram transferidos para o céu. Essa interpretação é possível, mas é uma interpretação menos provável. Ver a completa exposição dessa passagem no NTI.

DESPOSADA

No hebraico, **beulah**. Nome dado à congregação judaica, referindo-se a seu desposório simbólico com Deus, daí derivando-se a sua bênção (Isa. 62:4). Ver também Eze. 16:23 e Osé. 1-3, quanto a parábola do casamento de Deus com o seu povo. Esse simbolismo retrata o estado de felicidade de Israel, após o exílio; mas a idéia estende-se ao estado final da plena restauração de Israel, que incluirá o reino milenar, quando Israel será a cabeça das nações, e não a causa. (Ver Deu. 28:13; Jer. 27:22; Dan. 9:25; etc.). Ver o artigo sobre o *Milênio*.

DESQUALIFICAÇÃO

Desqualificado, I Cor. 9:27. Muita controvérsia tem surgido sobre o significado da palavra usada por Paulo neste texto. A antiga controvérsia sobre a *segurança* do crente fica envolvida. — Este versículo tem recebido interpretações ordinárias, conforme sucede a nos versículos que provocam controvérsias. Em primeiro lugar, o próprio vocábulo *desqualificar*, significa «desaprovar», «rejeitar», «não passar no teste», «mostrar-se indigno ou vil». Era usado para definir moedas que não passavam no teste do tipo e qualidade requerida do metal, como o «refugo de prata» (ver Jer. 6:30). Porém, o conhecimento da definição de uma palavra não nos confere necessariamente o seu sentido. Somente o contexto pode fazer isso. Assim, pois:

1. Alguns estudiosos calvinistas insistem que essa palavra significa «rejeitado *pelos homens*», porquanto pensavam eles que era um pensamento inaceitável o de vir Paulo a ser rejeitado por Deus.

2. Outros calvinistas supõem que a rejeição aqui referida é apenas *hipotética*, como se fora uma advertência íntima capaz de impedir que a rejeição tome lugar. Porém, uma advertência feita contra um perigo imaginário não passaria de um truque dos filósofos sofistas. Mas podemos estar certos de que Paulo não se prestaria para esse papel.

3. Ainda outros estudiosos supõem que Paulo falou sobre o «serviço cristão» e não sobre a salvação. Assim sendo, — ele temeria falhar em sua missão apostólica, ficando desaprovado quanto ao serviço que prestava ao Senhor, embora jamais pudesse ser desqualificado quanto a si mesmo e no tocante à sua

DESQUALIFICAÇÃO — DESTINO

confiança em Cristo.

4. Ou então essa palavra significaria que ele seria rejeitado, não podendo receber algum galardão elevado e especial, depois de se ter desviado de seu propósito original. Assim falharia em atingir o alvo na direção do qual tanto se esforçava, o seu mais elevado ideal.

5. Ainda outros pensam que a salvação está em foco, porquanto o *prêmio* é aquilo que ele não receberia, se fosse «desaprovado», «desqualificado». Ele tinha entrado na corrida, mas isso não significava que ele a terminaria e receberia o «prêmio» cobiçado. Não estaria desqualificado de participar da competição, já que todos os homens têm esse direito. Mas, embora começando bem, titubearia a meio caminho, e não terminaria a corrida. Nesse caso, não receberia o «prêmio» que, no vigésimo quarto versículo, é descrito como a *vida eterna*, e, ao mesmo tempo, que é descrito como a *coroa incorruptível*, no vigésimo quinto versículo. Essa é a única interpretação que faz sentido aqui.

Sendo esse o caso, somos lançados em conflito com passagens como o oitavo capítulo da epístola aos Romanos, onde a segurança eterna dos crentes parece absoluta, o que também se dá com o décimo capítulo do evangelho de João. E isso dá início a uma das mais antigas controvérsias doutrinárias no seio do cristianismo, sendo perfeitamente possível que na igreja cristã primitiva, até mesmo entre os apóstolos, alguns aceitassem a segurança eterna, ao passo que outros admitissem a possibilidade da queda. (As notas expositivas referentes ao trecho de Rom. 8:39 no NTI discutem com amplitude de detalhes esse problema inteiro, apresentando as várias facetas possíveis da questão).

A posição tomada por este artigo é que o desvio do crente é possível, embora apenas como uma questão *relativa*. Sim, é uma questão relativa quanto ao tempo e ao espaço, isto é, a este mundo, ou mesmo ao mundo intermediário, antes da inauguração do estado eterno, sem importar que esteja envolvido o após-túmulo. Assim sendo, um crente verdadeiro poderia cair e até morrer nesse estado. Não obstante, existe aquela promessa *incondicional* de Cristo, expressa no oitavo capítulo da epístola aos Romanos e no décimo capítulo do evangelho de João. Segundo tal promessa, Deus haverá de finalmente trazer de volta todas as ovelhas desviadas, de tal modo que nenhuma delas se perca eternamente. Esse retorno pode verificar-se antes ou depois da morte do corpo físico, neste mundo ou no mundo intermediário, quando a alma encontrar-se novamente com Cristo.

DESTERRO

Temos que pensar sobre três palavras hebraicas e uma palavra grega. No hebraico temos os verbos «ser expulso», usado por cinqüenta e uma vezes no Antigo Testamento (por exemplo, II Sam. 14:13,14); o substantivo «banimento», usado apenas em Esd. 7:26, e o substantivo «causa de banimento», também usado apenas por uma vez, em Lam. 2:14. No grego temos a palavra *metoikesía*, «mudança de habitação» ou «migração», e seu cognato, *metoikízo*, «migrar». O substantivo grego aparece somente em Mat. 1:11,12, 17; o verbo em Atos 7:4 e 43 (este último versículo sendo uma citação de Amós 5:27).

O desterro era um castigo contra crimes graves, embora não legislado na lei mosaica. Entretanto, foi adotado em combinação com o confisco de propriedades, após o cativeiro babilônico. Na lei romana era uma punição comum, chamada *disportatio*, de onde vem a palavra portuguesa «deportação»; era punição reservada aos ofensores sérios, ou aos inimigos políticos perigosos. Algumas vezes incluía o confinamento no lugar para onde a pessoa era banida. O vidente João foi banido para a ilha de Patmos (ver Apo. 1:9).

No Antigo Testamento vemos casos de desterro voluntário, como quando Jacó fugiu para Harã; ou quando os réus de homicídio involuntário tinham de fugir para as cidades de refúgio (ver Núm. 35). Sara forçou Hagar a fugir (ver Gên. 16:6), embora não houvesse qualquer crime envolvido. Além disso, temos o desterro original, quando Deus expulsou Adão e Eva do jardim do Éden (ver Gên. 3:22-24). Durante o reinado de Cláudio, que era anti-semita, foram banidos de Roma todos os judeus (ver Atos 18:2). Há certas passagens veterotestamentárias que refletem a exclusão (embora não o desterro propriamente dito), para os casos em que os homens não se deixavam circuncidar (ver Gên. 17:14), ou por alguém ter ingerido sangue (ver Lev. 17:10), ou por alguém ter cometido algum pecado deliberado (ver Núm. 15:31). Ver sobre *Exclusão*.

DESTINO

Declaração Introdutória. A Bíblia nunca apresenta a idéia de destino com o sentido de sina ou sorte. No entanto, muitas pessoas preocupam-se com o destino. Os antigos inventaram complexos sistemas, segundo os quais o destino, supostamente, funcionaria. Muitos têm pensado que alguma forma de determinismo (que vide) governa este mundo. Os gregos, em suas produções teatrais, bem como em sua filosofia, muito tinham a dizer sobre um destino inexorável que agrilhoa os homens, para o bem ou para o mal. Os estóicos pensavam que o *Logos universal* é a absoluta força controladora, e que todas as coisas acontecem por necessidade e em ciclos. Muitas coisas correm erradas nesta vida, repleta de tragédias. A tradição teatral dos gregos registrava muitas tragédias, com freqüência retratando um destino cruel, que pairaria, ameaçador, sobre as cabeças dos homens, como uma nuvem escura e ameaçadora. Freud deve ter se divertido muito, analisando e aplicando esses motivos a seus pacientes.

O mistério da vida leva os homens a tentarem sondar o futuro, na esperança de que algo de bom esteja à espera deles ali. Em grande parte do pensamento contemporâneo, o destino aparece como paralelo do determinismo, em oposição à liberdade humana. Com grande freqüência, o destino aparece vinculado à inutilidade e falta de propósito. O materialismo dialético procura forçar o comunismo materialista pela goela abaixo dos homens, como se fosse o estado político final e necessário; porém, as predições bíblicas garantem que esse sistema político fracassará, juntamente com todos os demais sistemas políticos dos homens, uma vez que o poder de Cristo se manifestará no devido tempo. O sistema do comunismo já pôs fim à liberdade em muitos países, mas o verdadeiro Libertador, no devido tempo, haverá de corrigir essa situação.

Os conceitos bíblicos de «destino», em contraste com os conceitos comuns dos homens, são radiosos de esperança. Não há de que duvidar que o oitavo capítulo de Romanos mostra-nos que a redenção opera no destino dos homens; e o trecho de Efésios 1:10,23 obviamente ensina-nos que a restauração será o resultado final dos propósitos de Deus, ainda que a restauração não venha a levar os homens à redenção

87

DESTINO

gloriosa dos remidos.

O Breve Catecismo de Westminster declara: «As obras providenciais de Deus são seus atos mais sábios e santos, preservando e governando poderosamente todas as suas criaturas, em todas as suas ações». De acordo com a Bíblia, o destino das almas pode ser brilhante ou tenebroso. Basta-nos levar em conta estes dois trechos bíblicos, que sumarizam a doutrina bíblica: «Ele nos libertou do império das trevas e nos transportou para o reino do Filho do seu amor» (Col. 1:13). «...o Senhor sabe livrar da provação os piedosos, e reservar, sob castigo, os injustos, para o dia de juízo...» (II Ped. 2:9).

Esboço

   I. Elementos Básicos
  II. A Moralidade e o Destino
 III. Destino e a Providência Divina
 IV. Participação na Divindade
  V. O Destino Ímpar de Cada Indivíduo

I. Elementos Básicos

João 11:4: *Jesus, porém, ao ouvir isto, disse: Esta enfermidade não é para morte, mas para glória de Deus, para que o Filho de Deus seja glorificado por ela.*

Este capítulo encerra algumas implicações importantíssimas, a saber:

1. Que o *destino do crente* (ainda que não sejamos obrigados a limitar isso somente aos crentes) está tão intimamente ligado com o de Cristo, o homem representativo daqueles que Deus está conduzindo à glória, que os incidentes particulares da vida de uma pessoa têm uma relação direta para com a glória de Cristo. Alicerçados em outras passagens bíblicas, ficamos confirmados quanto à veracidade dessa doutrina, porquanto a glória de Cristo não ficaria completa sem aqueles que Deus está conduzindo à glória, na qualidade de filhos seus e irmãos de Cristo. Assim nos ensina o primeiro capítulo da epístola aos Efésios, em sua inteireza, bem como o oitavo capítulo da epístola aos Romanos, o segundo capítulo da epístola aos Efésios, e diversos capítulos da epístola aos Hebreus, entre os quais fica em saliência o quarto capítulo, como exemplo mais notável.

De tudo isso observamos que o destino de Cristo está *indissoluvelmente ligado ao destino dos homens.* O sucesso de seu destino, em conformidade com o plano de Deus, é uma garantia da glória final e do bem-estar dos remidos, porque aquilo que Deus fez em Cristo e através dele, faz nos homens e através deles, e da mesma maneira. E assim como ele conferiu ao Senhor Jesus, quando de sua encarnação, a «vida necessária», que é a verdadeira imortalidade, assim também Cristo a transmite a todos quantos se chegam a ele. (Assim ensinam-nos os trechos de João 5:26 e 6:57). Podemos afirmar, por conseguinte, que não há como separarmos Lázaro de Jesus Cristo. Lázaro não podia enfermar e morrer, sem afetar a Jesus; e nenhum milagre poderia ser realizado em favor de Lázaro, que não afetasse o destino de Jesus. Por si mesma, essa vinculação é uma resposta parcial ao problema do mal, posto que nos assegura a vitória final, visto que Jesus foi declarado finalmente vitorioso, por haver vencido ao mundo e à morte; pelo que também, todos quantos compartilham de sua vida, devem compartilhar, finalmente, de sua vitória.

2. Que os acontecimentos, por isso mesmo, *não ocorrem por acaso*—até mesmo uma enfermidade séria, que causa preocupação intensa, pode servir de meio para redundar em glória para a pessoa de Cristo, e, subseqüentemente, para a pessoa envolvida. Por

semelhante modo, depreendemos disso tudo que os acontecimentos, mesmo os adversos, podem ensinar-nos profundas lições espirituais, conduzindo-nos a um desenvolvimento espiritual mais profundo, que seria inteiramente impossível à parte desses acontecimentos muitas vezes incompreensíveis para nós.

3. Também aprendemos que quando *Deus está conosco,* sem importar os testes pelos quais tenhamos de passar, há um propósito e designio divinos que governam as nossas vidas, a despeito dos ultrajes que porventura nos assaltem. Essas coisas, pois, ensinam-nos a «providência de Deus», assunto esse comentado com amplitude em João 7:6 no NTI. (Ver também 2:4; 8:20; 12:23; 13:1; 17:1; 19:28).

Estes versículos lembram-nos do trecho de João 9:3, onde algo quase idêntico é dito com respeito ao *cego de nascença.*

II. A Moralidade e o Destino

Efé. 3:6: *pelas quais coisas vem a ira de Deus sobre os filhos da desobediência;*

«Ninguém vos engane com palavras vãs;...por estas cousas vem a ira de Deus sobre os filhos da desobediência» (Efé. 5:6).

1. Observemos que a questão moral está vinculada à ira de Deus, ao julgamento. Os viciados se encaminham, inexoravelmente, para esse destino. Falta-lhes a retidão de Deus (ver Rom. 3:21), sem a qual ninguém jamais poderá aproximar-se de Deus.

2. Por semelhante modo, a santidade está ligada ao destino celestial (ver Heb. 12:14). Cada indivíduo será julgado em consonância com suas obras (ver Rom. 2:6), segundo a lei da colheita conforme a semeadura (ver Gál. 6:7,8). Isso, necessariamente, inclui a moralidade.

3. É impossível exagerarmos a necessidade da *santificação* (ver o artigo a respeito).

O mar da Fé
Esteve antes cheio, ao redor da praia da terra,
Como as dobras de um brilhante cinto enrolado.
Mas agora somente ouço
Sua melancolia, seu longo rugido surdo,
A retroceder, ante a respiração
Do vento noturno, pelas vastas beiradas
E pelos pedregulhos nus do mundo.

Ah, amor, permite-nos ser sinceros
Uns com os outros! pois o mundo, que parece
Jazer diante de nós como uma terra de sonhos,
Tão variegado, tão belo, tão novo,
Na realidade não tem alegria, nem amor e nem luz,
Nem certeza, nem paz e nem ajuda para a dor;
E estamos aqui como sobre uma planície escura,
Varrida de alarmes confusos de luta e fuga,
Onde exércitos ignorantes se chocam à noite.

(Matthew Arnold, «Dover Beach»)

Sem a santificação ninguém jamais verá a Deus (ver Heb. 12:14), e nenhuma idéia da *crença fácil* do evangelho moderno pode modificar isso. Afirmamos qué um crente precisa possuir, na realidade, aquilo que ele professa ter, mediante o decreto divino, porque, do contrário, nem será crente autêntico. Um homem viciado não é um crente. É antes uma contradição em termos morais e espirituais. (Ver também Efé. 3:5, passagem que diz especificamente que tal homem não faz parte do «reino de Deus»).

III. Destino e a Providência Divina

1. Paulo (Atos 2:3) tinha um destino a cumprir. Nenhum ataque desfechado contra ele podia ser bem-sucedido enquanto tal destino não estivesse cumprido. Todos os verdadeiros crentes são assim

DESTINO

protegidos por Deus. (Ver Apo. 2:17 sobre como cada um de nós é sem igual e tem uma missão ímpar a cumprir).

2. Nossas respectivas missões nos são proporcionadas por Deus. Não abusemos. Se formos honestos, a proteção divina nos assegurará o sucesso. Certamente isso nos consola.

Idéias e Referências Sobre a Providência

A providência de Deus garante que cada homem será singular no seu ser e nas suas obras. Ver a nota de sumário sobre este conceito em Apo. 2:16 no NTI.
Cuida das obras divinas na terra, Sal. 145:9.
Preserva os seres vivos, Sal. 1:4,27,28.
Preserva, especialmente, os santos, Mat. 10:30.
Promove a prosperidade, Gên. 24:48,56.
Protege os santos de perigos, Sal. 91:4.
Guia o povo de Deus, Deut. 8:2,15.
Guia os passos dos santos, Pro. 16:9; 20:24.
Ordena as condições e circunstâncias da vida, Sal. 75:6,7.
Determina o número de anos da vida humana, Sal. 31:15; Atos 17:26.
Vence a perversidade, Fil. 1:12.
Penetra em tudo, Sal. 139:1-5.
Preserva o curso da natureza, Gên. 8:22.
Dirige todos os acontecimentos da vida, Atos 1:26.
É sempre vigilante, Sal. 121:4.
Penetra tudo, Sal. 139:1-5.
Promove a glória de Deus, Isa. 63:14.
Pode ser misteriosa, Rom. 11:23.
Deve ser reconhecida sob todas as condições possíveis, Deut. 8:18, Pro. 3:6.
Os santos devem confiar na providência de Deus, Mat. 6:33,34.
A oração depende da providência divina, Atos 12:5.
A providência determina os meios de operação, Atos 27:22,31,32.
É perigoso negar ou negligenciar, Isa. 10:13-17; Dan. 4:29-31.

IV. Participação na Divindade

A essência da salvação é a participação na divindade pela alma redimida, II Ped. 1:4. Esta participação é finita, mas sempre crescente, e é real, não-simbólica. O Pai realmente compartilha de sua *essência* com os filhos redimidos, segundo o modelo do Filho. A natureza da família divina será compartilhada. Ver o artigo sobre *Divindade, Participação na, pelos Homens* que oferece explicações detalhadas. Esta realização é o ápice do destino humano.

V. O Destino Ímpar de Cada Indivíduo: Apo. 2:17

Caráter ímpar de cada indivíduo, agora e para sempre:

Pedrinha branca, Apo. 2:17. Já que há alguma forma de obscura referência, nestas palavras, os intérpretes não concordam com o seu sentido. Abaixo expomos as idéias principais:

1. Alguns pensam haver alusão ao diamante dentro do peitoral do sumo sacerdote, no qual estava gravado o nome intransmissível de *Yahweh*. Até hoje, os judeus piedosos não proferem esse nome, mas substituem-no por outro. Daí é que surgiu «Jeová», como corrupção do nome inefável, mediante a combinação das consoantes de «Yahweh» com as vogais de «Adonai». Muitos judeus piedosos também não pronunciam «Elohim», mas o corrompem para algo diferente, como «Elokim», para não se tornarem culpados de usar o nome de Deus injusta, profana e desnecessariamente. O diamante evidentemente era usado como ajuda para entrar em transe, em cujo estado eram dadas revelações e profecias. Isso se faria mediante a

concentração da atenção sobre a pedra, talvez para provocar um estado de auto-hipnóse ou outro estado de transe. A concentração, naturalmente, seria sobre o nome «Yahweh», por ser esse o nome gravado na pedra. Alguns intérpretes supõem que em tudo isso está envolvido o Urim e o Tumim. (Ver Êxo. 28:30 e Lev. 8:8). Supõe-se que eram «gemas», talvez diamantes.

Se o diamante de predições está em foco, então sem dúvida o nome aqui aludido seria o de Cristo, —que é nosso Senhor e Deus, mediante quem a vontade de Deus nos é revelada. Nesse caso, isso significaria que todo o «vencedor» receberá uma revelação especial de Cristo, que o transforma e o torna uma pessoa sem igual, para realização da vontade de Deus. Uma vez que Cristo se fizer conhecido dele, de maneira especial, tornar-se-á tal crente um instrumento ímpar para glória do Senhor Jesus.

2. Outros intérpretes pensam que a alusão é a alguma espécie de filactéria, uma forma de caixinha, usada pelos judeus piedosos, segura à testa, onde havia escritos de orações e votos, ou partes da lei mosaica. Nesse caso, a caixinha conteria ou um novo nome do crente, assinalando sua natureza ímpar, ou então conteria um novo nome de Cristo, em que haveria uma nova revelação dada a cada crente, tornando-o um indivíduo sem-par. (Ver Mat. 23:5 no NTI, em suas notas expositivas, sobre as «filactérias»). Essa interpretação, naturalmente, é muito duvidosa, pois as filactérias de modo algum eram pedras.

3. Outros pensam estar aqui em foco o amuleto da boa sorte (com uma aplicação cristã). Os crentes, todos eles mártires em potencial, precisam da proteção de Cristo. Portanto, ter-lhes-ia sido dado um amuleto, com seu nome de proteção gravado, assegurando-lhe a bênção e a imortalidade no mundo vindouro. Isso é possível; mas não há como confirmar sua veracidade, além de qualquer dúvida.

4. Nos tempos antigos, os juízes, ao lançarem seus votos, davam um pedregulho preto a quem era julgado, se o reputavam culpado; ou davam-lhe um pedregulho branco, se o reputavam inocente. (Ver Ovídio, *Metam*. lib. xv, vs. 41, acerca desse costume). Se essa é a referência, então ao crente é prometido um completo perdão, que lhe dará o direito de entrar nas glórias celestes. Porém, é difícil perceber por que haveria aquela pedra de ter um novo «nome» gravado, se tudo quanto está envolvido no simbolismo é a declaração de culpa ou de inocência.

5. O simbolismo pode envolver os jogos públicos, em que os vencedores recebiam uma pedra branca, com seus nomes gravados na mesma, como símbolo da glória da vitória obtida. Isso concorda com a idéia do galardão dado ao «vencedor». A pedrinha branca, pois, simbolizaria a obtenção da vitória, a vida eterna em sua glória, o *prêmio* da corrida (ver Fil. 3:10 e *ss*). (Quanto à certa alusão a isso, na literatura clássica, ver Píndaro, *Olymp*. vii.159). Os romanos chamavam essas pedras «tesserae». Algumas dessas pedras eram dadas a pessoas especialmente notáveis as quais, daí por diante, tinham o direito ao sustento público vitaliciamente. As «tesserae» eram de vários tipos. Por exemplo, algumas delas eram sinais de amizade ou compromissos de favor. Algumas dessas pedrinhas tinham tal valor que eram preservadas e passadas de pai para filho; em alguns casos, agiam quase como «cartões de crédito». Não eram feitas apenas de rocha, mas de muitos materiais, como madeira, osso ou marfim. Tais objetos traziam os nomes das pessoas a quem eram dadas; e, se porventura isso é o que está em foco aqui, então o

DESTINO — DESTRUIDOR

«novo nome» não é o de Cristo, e, sim, o nome do próprio «vencedor». Nesse caso, seu caráter «ímpar» é ilustrado pelo fato de que tem um nome que fala de seu ser «glorificado» e de suas capacidades especiais de dar glória a seu Senhor.

6. *A pedra de amizade*. Dois amigos poderiam, como sinal de amizade, partir uma pedra pelo meio, e cada um ficava com a metade. Ao se encontrarem, a pedra era refeita, e a amizade continuaria. Apesar de ser essa uma idéia interessante, podendo ser usada para falar sobre a nossa «amizade» com Cristo, e sobre como o nosso encontro com ele aprofundará tal amizade, não há como confirmar que essa é a alusão, neste ponto, do mesmo modo como não temos meio de asseverar com confiança qual o exato símbolo que o vidente João tinha em mente.

Branca. Talvez não por ser de cor «branca», mas por «rebrilhar», como se fosse um diamante coruscante. O branco pode simbolizar a pureza, a bondade, etc., mas, tal como no caso da natureza da própria pedra, não podemos afirmar com certeza coisa alguma sobre sua cor «branca», como se isso tivesse alguma significação especial.

Novo nome, Apo. 2:17. Consideremos os pontos seguintes: 1. Seria o nome de Deus, o nome inefável, que seria transmitido à pessoa, conferindo-lhe bênçãos divinas eternas, a vida eterna e tudo quanto nela está envolvido. 2. Mas outros preferem imaginar o nome de Cristo, com o sentido de uma revelação especial de sua pessoa para cada vencedor, o que equivale a uma visão transformadora que tem o efeito de fazer de cada qual um ser sem paralelo, podendo ser usado de maneira ímpar como instrumento da graça de Deus, por toda a eternidade. (Ver Apo. 3:12). 3. Ou esse nome seria do «recebedor» da pedrinha, aludindo a seu novo e ímpar caráter, para uso e glória de Deus por toda a eternidade. As várias alusões possíveis da «pedrinha branca», conforme acabamos de ver, poderiam indicar qualquer dessas três idéias. Vários intérpretes têm decidido de um modo ou de outro, mas sem que se possa ter qualquer certeza. A maioria dos estudiosos prefere pensar no próprio nome de Cristo, dando a entender que Cristo se revelará a cada crente de modo especial, tornando-o sem-igual. Seja como for, a grandeza do crente individual é um princípio ensinado por todo o N.T. (Comparar com Mar. 8:35-37).

O qual ninguém conhece, exceto aquele que o recebe. «Queres saber que tipo de novo nome obterás? Torna-te vencedor! Antes disso, indagarás em vão, mas, imediatamente depois poderás lê-lo inscrito sobre a pedrinha branca». (Bengel)

«A glória secreta da vida individual. Quando o cristianismo é interpretado como uma experiência coletiva, é fácil esquecer a sua significação, como uma experiência individual. Quando pensamos na vitória cristã, nas relações sociais, podemos olvidar sua profunda e poderosa vitória na vida individual. A passagem clássica do N.T., acerca do indivíduo, é a promessa da 'pedrinha branca, com um novo nome escrito, o qual ninguém conhece, exceto aquele que o recebe'. Cada crente vitorioso haverá de entrar em um segredo eterno com Deus. Há uma cidadela central, em cada personalidade, da qual somente Deus partilha. Deus limpa completamente a vida de um homem. Por isso, a pedra que ele lhe dá é uma *pedrinha branca*. O 'novo nome' representa a personalidade individual, obtida exclusivamente mediante a graça de Cristo. Ele é um novo homem; ele não é novo homem apenas como qualquer outro homem novo. Eternamente, será algo individual e

diferente, eternamente valorizado por Deus. Naturalmente, não se pode ilustrar um segredo guardado. Mas um escrito como aquele grande livro 'Devoções Particulares de Lancelot Andrewes', sugere o que aqui se entende. Andrewes foi um grande personagem tribunício; teve notável amizade com eruditos. Mas sua vida mais profunda era vivida sozinha com Deus» (Hough, em Apo. 2:17).

DESTRUIÇÃO, CIDADE DA

Ver sobre **Heliópolis**.

DESTRUIDOR, DESTRUIÇÃO

No hebraico, **mashchith**, «destruidor». Palavra que ocorre por oito vezes, como em Êxo. 12:13; II Crô. 20:23; Pro. 28:24; Eze. 21:31; 25:15. Portanto, não são numerosas as referências bíblicas ao «Destruidor». No Novo Testamento temos a palavra específica *holothreutés*, «destruidor», em I Cor. 10:10, e o verbo *holothréuo*, «destruir», em Heb. 11:28. No Antigo Testamento, a idéia gira em torno da décima praga que caiu sobre os egípcios, quando os primogênitos dos egípcios pereceram. Não é claro o que está ali em vista, exatamente; mas os intérpretes têm sugerido algum ser angelical, um demônio ou um ser satânico, usado por Deus como instrumento, ou alguma força natural, personificada com esse título. A passagem de II Samuel 24:16 alude ao anjo do Senhor como instrumento usado por Deus para lançar uma praga sobre o povo de Israel, como castigo pelo recenseamento determinado por Davi. Nos dias do rei Ezequias, cento e oitenta e cinco mil soldados assírios foram destruídos em uma única noite, pelo anjo do Senhor (II Reis 19:35). Em Ezequiel 9:5-7 aparecem anjos que executam juízo, o que tem paralelos similares em Sal. 35:5,6 e 78:49, como também nos livros apócrifos do Antigo Testamento, como a Epístola de Jeremias 6:5-7 e II Macabeus 3:24-26. Ali somos informados de que Heliodoro foi açoitado por anjos quando tentou saquear o templo de Jerusalém. Parecia natural pintar vastas e súbitas destruições como obra de algum poder divino; mas podemos supor que eventos naturais, mas catastróficos, com freqüência era tudo quanto estava envolvido nessas narrativas; mas, outras vezes, houve intervenções sobrenaturais. Satanás, em seus atos nefandos, é o maior de todos os destruidores (I Ped. 5:8). O rei das forças destrutivas que saiu do abismo é chamado no hebraico, *Abaddon*, e, no grego, *Apollyon* (que vide) palavras essas que significam «destruidor». Alguns estudiosos supõem que o próprio Satanás está em pauta, nessa referência (Apo. 9:11).

Destruição Escatológica. A destruição aguarda aqueles que têm escolhido o caminho largo (Mat. 7:13), que se opõem à mensagem da cruz (Fil. 3:19; II Ped. 2:1), que se mostram ímpios (II Ped. 3:7) e que pervertem as Sagradas Escrituras (II Ped. 3:16). A *destruição* ou perdição é o contrário da vida e da salvação (Heb. 2:13), sendo mesmo um sinônimo de *julgamento* (que vide). A resposta a longo prazo, dada por Deus, à destruição, é a restauração (que vide), mas, antes disso, o julgamento divino terá de fazer sua obra remediadora (I Ped. 4:6).

Destruição. O termo hebraico *abaddon* aponta para a perdição à destruição (Jó 26:6; 31:12; Sal. 88:1; Pro. 15:11), referindo-se à destruição em geral, de qualquer variedade; mas também é usado especificamente para indicar a destruição no *sheol* (que vide) o que não deve, contudo, ser confundido com extinção, pois as almas não morrem.

90

DESTUTT — DETERMINISMO

No Campo da Ética. O poder destrutivo do pecado com freqüência é ignorado ou subestimado pelos homens. A missão de Cristo teve por finalidade reverter o poder destrutivo do pecado. Grande porcentagem dos textos bíblicos ocupa-se com a descrição do que o pecado é capaz de fazer contra o homem. A mensagem da redenção fala sobre a provisão de Deus, em face do poder destruidor do pecado. A destruição final é a segunda morte (Apo. 20:15 *ss*). O ato final da reversão do poder destruidor do pecado é a restauração (que vide).

DESTUTT DE TRACY, ANTOINE

Suas datas foram 1758-1836. Foi um filósofo francês, nascido em Paris. Educou-se em Strasburgo. Conseguiu sobreviver à Revolução Francesa e foi encarcerado durante o regime do Terror. Foi influenciado, em suas idéias, por Condillac e Locke, e desenvolveu o sistema chamado *ideologia*. Quando é aplicado à sua filosofia, esse termo indica uma forma de epistemologia que é criada mediante um processo de análise semântica redutiva, ou seja, a análise de idéias segundo seus elementos sensíveis, tal como na filosofia de Locke. Seus pontos de vista tornaram-se influentes tanto na École Normale quanto no Institut National, de Paris.

Em 1803, Napoleão Bonaparte suprimiu a filosofia de Destutt de Tracy, afirmando que a mesma é ameaçadora à religião. Napoleão perseguiu os filósofos que ensinavam a ideologia de De Tracy. Thomas Jefferson traduziu sua obra final, intitulada *Commentary on the Spirit of the Laws of Montesquieu*, do francês para o inglês. Além desse livro, De Tracy escreveu outros livros, como *Elementos da Ideologia; Gramática Geral; Lógica e Tratado sobre a Vontade*. (EP P)

DESVIO

Popularmente, esse termo é usado em contraste com o verbo «apostatar». Indica um lapso, uma queda no pecado, um desvio na conduta que se torna habitual, em contraste com a apostasia, que importa no total abandono do caminho da fé. De acordo com a doutrina calvinista, um *desviado* é um crente verdadeiro, e sua alma é conservada em segurança, embora sua vida esteja sendo mal usada neste mundo. Os arminianos não podem ver um crente nessas condições, e supõem que os desviados caíram da graça, embora mais tarde possam voltar ao bom caminho. No entanto, segundo Paulo, quem caiu da graça é que nunca chegou lá, estando separado de Cristo. (Ver Gál. 5:4). Ver o artigo sobre *Segurança Eterna do Crente*, — que aborda a questão com amplos detalhes.

Nas traduções, porém, o termo assume um sentido mais geral do que aquele que lhe é emprestado pela teologia popular. Assim, a palavra hebraica envolvida, que significa «fugir» ou «rebelar-se», é usada em Jer. 2:19; 3:5,8,11 e Osé. 11:7 e 14:4, podendo significar «rebelião», indicando o pecado de idolatria, ou seja, o estado de apostasia. Nas páginas do Antigo Testamento, a idéia é usualmente associada à idolatria. Naturalmente, a maior parte dessas condições que poderíamos descrever como um *desvio*, na realidade são formas de idolatria, porquanto sempre envolvem formas de egoísmo que incluem a adoração a ídolos, como os pecados de ganância e auto-interesse, que se tornam os objetos da nossa atenção. Já no Novo Testamento, encontramos a idéia de desvio em trechos como Mar. 4:16,17; Luc. 9:62;

Gál. 3:1-5; I Tim. 5:15; II Tim. 4:10; Apo. 2:4 e 3:17. Nesses textos, entramos novamente no problema.da segurança do crente.

Uma terceira posição afirma que a pessoa que considera com tamanha desconsideração a sua profissão cristã, nunca foi sincera, desde o começo, mas antes, mostra-se falsa em sua experiência cristã. Minha posição pessoal talvez seja sui generis, mas tenho o direito de expressá-la. Um crente verdadeiro, segundo penso, pode desviar-se totalmente, não apenas segundo o entendimento popular, mas caindo até mesmo em total apostasia. Por conseguinte, ele caiu da graça (segundo o ponto de vista arminiano). Mas, se ele realmente se convertera, dispõe da promessa de vitória final, garantida por Cristo. Isso significa que durante a sua vida terrena—ou, se necessário, na vida do espírito, além-túmulo—tal crente será restaurado (segundo o ponto de vista calvinista, embora com uma amplitude de visão muito maior, — acerca de quando se cumprirá essa promessa). Isso significa que a questão toda envolve um paradoxo (ver o artigo a respeito), em que ambos os lados envolvidos são verdadeiros, posto que de diferentes modos e em diferentes graus. Ver também o artigo sobre a questão da polaridade. Algumas idéias só podem ser compreendidas quando vistas de ambos os pólos que são pontos opostos aparentes. (G IB NTI Z)

DETERMINISMO (PREDESTINAÇÃO)

Esboço

I. Idéias Diversas
II. Nas Escrituras
III. Na História
IV. A Doutrina da Eleição
V. Predestinação Segundo a Imagem de Cristo
VI. Garantia da Santidade
VII. A Predestinação e o Livre-Arbítrio

I. Idéias Diversas

1. *Ciclos periódicos*. Os filósofos estóicos pensavam que tudo, de forma absoluta, é determinado de antemão. Assim sendo, todos os acontecimentos ocorreriam por necessidade, porque o «logos divino» se manifestaria em tudo através das suas emanações. Todas as coisas ocorrem em ciclos, embora esses ciclos possam ser extremamente longos. Finalmente, o «logos divino», que se comporia de fogo, resolveria dar ponto final aos seus ciclos, o que fará tudo retornar ao seu estado primevo, isto é, ao fogo, o que poria fim a todos os ciclos. Não existiria o mal, segundo esse sistema filosófico, porque tudo seria apenas manifestações da razão divina, isto é, do «logos divino». O mal seria tão-somente a errônea interpretação humana acerca dos acontecimentos.

2. Alguns *filósofos epicureus* aceitavam a idéia dos «ciclos», mas pensavam que havia alguma possibilidade de modificação dos acontecimentos, ao passo que as coisas permanessem essencialmente as mesmas dentro da grande expansão geral do tempo.

3. *Os filósofos atomistas* (ou, pelo menos, alguns deles) acreditavam que a matéria é tudo quanto existe, e que tudo quanto acontece é apenas movimento da matéria. Outrossim, os movimentos dos átomos seriam determinados por «afinidades» entre átomos e átomos. Isso formaria um determinismo materialista, que não se alicerça sobre qualquer mente ou mentes divinas, mas, meramente, sobre as leis mecânicas da natureza. Nenhuma explicação é oferecida sobre como a natureza, sem o auxílio de qualquer mente inteligente, poderia ter-se organizado

DETERMINISMO

como se organizou. De conformidade com esse sistema, o mal, em sentido moral, não existe, porquanto todos os acontecimentos seriam totalmente mecânicos e físicos.

4. Há também a *dialética espiritual* de Hegel. Para Hegel e outros idealistas alemães, o espírito divino se manifesta de tríplice maneira, isto é, sempre através de tese, antítese e síntese. Por exemplo, no âmbito religioso: a ênfase sobre o indivíduo procedeu do Ocidente, da religião grega. A ênfase sobre a comunidade veio do Oriente, das religiões orientais. Dessa maneira, criou-se uma tensão entre essas duas idéias religiosas opostas. A tensão criou uma síntese, e, no caso da religião, a síntese é o cristianismo, o qual encerra, em seu próprio bojo, tanto a ênfase individual como a ênfase sobre a comunidade. Tudo quanto existe faz parte das manifestações do Espírito divino. E isso nos mostra que a posição hegeliana é apenas uma modificação do panteísmo. Hegel ilustrava sua posição no campo das artes, dizendo que a forma artística mais primitiva é a arquitetura. Sua antítese seria a escultura, e os dois teriam a síntese na pintura. A pintura, por sua vez, teria sua antítese na música, e a sua síntese seria a poesia. A poesia épica seria uma nova tese, cuja antítese seria a poesia lírica. A síntese das mesmas seria a poesia dramática, que se evidencia especialmente no teatro, sendo essa a síntese das belas-artes. Outro tanto sucederia em tudo e em todas as instituições, e, dessa maneira, conforme pensava Hegel, todas as coisas foram previamente determinadas.

5. Surgiu também a *dialética materialista*. O comunismo tomou de empréstimo diversas idéias de Hegel, embora tenha rejeitado o espiritualismo hegeliano. No comunismo, tudo quanto ocorre é manifestação da matéria e dos fatores econômicos, que seriam determinados, e não dependeria de qualquer espírito divino em suas ações. A dialética materialista igualmente se manifestaria de forma tríplice. Dizem os teóricos comunistas que no princípio toda a sociedade humana era comunista. Então alguns homens fizeram outros homens seus escravos, ficando assim criada a antítese da escravidão. A tensão entre o comunismo e a escravatura teria criado a síntese do feudalismo. Do feudalismo se originou o capitalismo, e isso provocou uma nova tensão. Essa tensão resultou em uma nova síntese, o socialismo. O socialismo e o capitalismo, pois, tornaram-se os dois novos sistemas antagônicos, resultaram no comunismo, que supostamente seria a síntese de todas as tensões políticas. Esse processo, na opinião de seus exponentes, é algo previamente determinado, inevitável. Seus fatores determinantes são todos materiais e econômicos, e, portanto, temos aqui apenas outra forma do determinismo materialista.

6. *Carnéades* (que vide) (214-129 A.C.), que foi oponente do estoicismo e seu fatalismo, introduziu o conceito de *autodeterminação*. Com isso, ele ensinava que as chamadas ações sem causa são causadas pelo próprio indivíduo. Isso sugere o item abaixo, que apresenta o homem como um ser criativo.

7. *O homem, um ser criativo*. Em vez de ser uma vítima de forças fatalistas, há evidências em prol da noção de que o homem é um ser criativo, que pode amoldar sua vida de conformidade com isso. Muito tem sido dito em favor da posição fatalista. Mas podemos pensar melhor sobre o homem como um *autodeterminador*, o que deve fazer parte de qualquer discussão sobre o *determinismo*. O homem é dotado de poderes criativos, e pode fazer coisas admiráveis,

apesar de forças externas que procuram tolhê-lo. Lembremo-nos da doutrina de Orígenes de que o homem (como alma), pertence à mesma ordem de seres que os anjos, e, portanto, é um poder elevado. A diferença entre os homens e os anjos é que os primeiros caíram, sendo rebaixados em seu nível. A despeito da queda, porém, o homem continua dotado de tremendo potencial, e os seus poderes estão apenas começando a ser investigados, em nossos próprios dias.

A **parapsicologia** (vide) tem-nos mostrado que devemos estar alertas para o vasto potencial das forças psíquicas do homem, porquanto isso é uma manifestação de sua natureza como uma *psique* (ou alma). A teologia tem-nos alertado para o fato de que o homem, em seu livre-arbítrio, tem o seu destino em suas próprias mãos. Ver o artigo sobre o *Livre-Arbítrio*. O poder do homem foi-lhe dado e delegado como parte de sua natureza essencial, por parte de Deus. A Bíblia apela para o homem como se ele realmente agisse com base nos mandamentos dados, como se dirigisse seus poderes inerentes na direção do bem. Paulo, em Filipenses 2:12,13, diz-nos que devemos «desenvolver» (isto é, levar à plena fruição) a nossa salvação. Naturalmente, isso é feito em cooperação com a missão de Cristo. Isso está vinculado à atuação da vontade divina em nós (vs. 13). O fator divino e o fator humano existem, operam e estão inter-relacionados, embora não saibamos explicar de que modo Deus se utiliza da vontade humana, sem destruir a sua liberdade.

8. *Spinoza* (que vide) pensava que a causa de todas as coisas era o seu conceito panteísta de Deus. Para ele, a *liberdade* consistia meramente no estado de ignorância a respeito da causa das coisas. O indivíduo sente-se livre quando pensa que nenhuma causa está em operação; mas isso seria apenas uma ilusão.

9. *Hume* (que vide) opinava que a causalidade consiste meramente na *sucessão de eventos previstos*, no tocante a qualquer questão. Porém, ele não pensava que o princípio da verdadeira causalidade poderia ser demonstrado. Seria apenas um termo que atrelamos às sucessões de eventos.

10. *Priestly* (que vide) supunha que somente o conceito de determinismo é coerente com a idéia da maior felicidade antecipada para todos. Porém, ele estava pensando sobre o determinismo *benevolente*, um grande pensamento, que, segundo penso, tem uma base firme na teologia, por meio da doutrina da *restauração* (que vide).

11. Alguns estudiosos *universalistas* acolhem o princípio do determinismo absoluto (a predestinação) de braços abertos, supondo que isso é necessário à salvação final de todos os seres humanos. Esses juntam o determinismo à missão salvatícia de Cristo, de tal modo que o sucesso universal desta última ficaria garantido—ninguém ficaria, finalmente, perdido. O homem—por si mesmo, não é capaz de salvar-se a si mesmo, pelo que isso seria assegurado pela intervenção divina.

12. *Laplace* (que vide) supunha que se existisse uma inteligência com o poder de conhecer a posição, a direção e a velocidade de todas as partículas do universo, tal inteligência poderia predizer, com uma fórmula simples, o futuro total de todas as coisas, ao mesmo tempo que poderia descrever toda a história passada. Isso representa o determinismo atomista. Alguns cientistas têm confiado que, algum dia, a ciência será capaz de atingir tão grande compreensão das coisas. Einstein não pensava que Deus está lançando dados. A *mecânica quantum* (que vide)

DETERMINISMO

parece contradizer a idéia envolvida na teoria de Laplace; porém, nem todos os dados já foram recolhidos, podendo haver algum tipo de poder determinador por detrás de acontecimentos aparentemente fortuitos, na emissão de partículas atômicas.

13. *Freud* (que vide) acreditava na presença de fatores determinantes inconscientes que governariam os atos humanos. Isso nos confere um determinismo psicológico. Os fatores psicológicos determinam os atos humanos, mesmo quando muitas motivações estão ocultas da mente consciente. Apesar de haver nisso uma verdade óbvia, levar essa idéia longe demais destrói o conceito dos poderes criativos do homem, o que também é um princípio em favor do qual há abundantes provas.

14. *Ducasse* (que vide) pensava que o princípio contrário ao determinismo, a saber, o *indeterminismo*, é autocontraditório. Para ele, a *liberdade* alude à capacidade do homem de fazer, *algumas vezes*, aquilo que deseja, deixando de lado forças determinadoras. Ver o artigo separado sobre a *Liberdade*.

15. *Determinismo radical e suavizado*. O determinismo radical pode ser ilustrado pelo calvinismo radical, onde Deus aparece como a *única* verdadeira causa, e não apenas a primeira causa. Ou então, na ciência, pode ser ilustrado pela teoria de Laplace e Hobbes, a qual expõe um determinismo materialista, atômico. O determinismo suavizado é representado por Carnéades (ponto seis, acima), e por Ducasse (ponto catorze, acima). Pode-se dizer que o arminianismo também defende um determinismo suavizado, pois se, por um lado, Deus é quem faz as coisas acontecerem, ele não anula o livre-arbítrio humano, e nem condena ativamente os homens ao julgamento final.

II. Nas Escrituras

É interessante que tanto o Antigo como o Novo Testamentos, ocasionalmente, apresentam uma *forma teísta* de determinismo ou predestinação, em que o Ser de Deus, a mente divina, determina os acontecimentos previamente. Tais acontecimentos podem ser físicos, celestiais, cosmológicos, humanos, em suma, todas as coisas, tudo quanto existe na criação de Deus, é determinado por vontade de Deus. Temos aqui o determinismo teísta. Afeta o estado do ser de todas as coisas, e é de natureza teleológica, isto é, tem alvos e propósitos definidos a serem atingidos. No que diz respeito aos homens, opera em todas as coisas, incluindo a salvação das almas. Por conseguinte, a «eleição» (que envolve a salvação de alguns dentre os homens) e a «reprovação» (que importa na condenação de outros homens), seriam tão-somente subcategorias do determinismo geral, ou predestinação. Há certo esforço dos estudiosos evangélicos por evitarem a idéia de «sorte», pois, supostamente, essa seria cega, ao passo que a predestinação é guiada pela inteligência divina.

As Escrituras contêm vários versículos e passagens que ensinam um determinismo divino que guia os acontecimentos físicos, bem como os acontecimentos celestiais ou cosmológicos, além dos acontecimentos humanos. Abaixo apresentamos uma seleção das passagens onde essas idéias podem ser encontradas: Gên. 50:20; Êxo. 4:21; 7:3; 9:16; 10:1; 14:4,17; Jó 26:14; Deut. 7:6-8: Isa. 46:10: 14:1-5; Jer. 1:5; 10:23; 18:1-6; 31:3; Sal. 139:13-17;Prov. 16:1,4;20:24;Dan. 4:35; 5:23; Amós 3:2; Mar. 4:11,12; Luc. 1:15; 10:21; João 6:37,44,65; 12:39,40; Atos 4:27,28; 13:48; 18:10; Rom. 8:29; 9:6 e s; Fil. 1:29; I Cor. 2:7; Efé. 1; 2:3,10; II Tes. 2:13; II Tim. 1:9; 2:?⁵; I Ped. 2:8,9; Heb. 2:13; Apo. 3:5; 13:8 e 17:8. A leitura dessas passagens bíblicas mostra-nos que todos os aspectos das funções da natureza, nos lugares celestiais e entre os homens, são declarados influenciados, ou mesmo determinados pela vontade divina.

O vocábulo «predestinação», na igreja evangélica ortodoxa, se tornou sinônimo virtual da posição calvinista, porque foi Calvino quem, tão lógica e vigorosamente, firmou tais idéias em sua teologia sistemática. Essa doutrina sustenta que desde toda a eternidade passada, todas as coisas foram ordenadas de antemão, de tal modo que elas terão de ocorrer necessariamente dentro do tempo, incluindo a salvação final ou a reprovação final dos homens. Vários indivíduos e grupos da igreja local têm dado sua lealdade a essa doutrina. Ela se encontra, por exemplo, na Confissão de Westminster, o principal e mais histórico dos credos presbiterianos. Diz um trecho dessa confissão: «Deus, desde toda a eternidade, por seu sábio e santo conselho, por sua livre vontade, gratuita e imutavelmente ordenou tudo quanto deve acontecer; no entanto, com isso, Deus não é o autor do pecado e nem faz ele violência à vontade das criaturas, nem a liberdade ou contingência de segundas causas é retirada, mas antes, é estabelecida».

Naturalmente, isso não explica como é que Deus não é o autor do pecado, e nem como causas *secundárias* ou «contingentes» podem gozar de qualquer verdadeira liberdade, se de fato tudo foi determinado por Deus, desde a eternidade. A igreja anglicana tem produzido muitos advogados do calvinismo, e exibe um credo regularmente calvinista, em seus Trinta e Nove Artigos de Fé. Muitas igrejas e muitos ministros batistas e congregacionais expressam pontos de vista calvinistas, ainda que, ordinariamente, não possuam credos formais escritos.

III. Na História

Durante os três primeiros séculos da história da igreja cristã, os chamados pais da igreja deixaram sem desenvolvimento essa doutrina, embora, aqui e acolá, houvessem sido feitas declarações a respeito, por Agostinho, do século IV D.C., o qual declarava que a graça divina é a base exclusiva da salvação, o que serviu para revivificar a doutrina da predestinação, que é seu paralelo lógico. Na Idade Média, elementos como Anselmo, Pedro Lombardo, Erigena e Tomás de Aquino seguiram essencialmente o ponto de vista agostiniano, com algumas modificações. Essa doutrina foi apresentada com nova ênfase e vigor quando da Reforma protestante,tendo sido advogada por Calvino, Lutero, Zwínglio, Melancton e João Knox, além de seus descendentes espirituais.

Nos tempos anteriores à Reforma protestante, porém, Wycliffe e João Huss já esposavam pontos de vista favoráveis à predestinação. Lutero, o principal dos reformadores, em suas obras, «A Escravidão da Vontade» e «Comentário sobre a Epístola aos Romanos», mostrou que ele ensinava a doutrina da predestinação com não menor empenho do que Calvino. Nos séculos que se seguiram, os puritanos da Inglaterra, bem como aqueles que se estabeleceram na América do Norte, além dos Compactuados da Escócia e os huguenotes da França, eram calvinistas declarados. Nos tempos modernos, nomes como Whitfield, Hodge, Darby, Cunningham, Smith, Shedd, Strong, Kuyper e Warfield, entre outros, têm defendido esse sistema.

Dentro da doutrina da predestinação, os planos de Deus são expostos como algo eterno e inevitável, santos e incondicionais, independentes de toda a criação finita, incluindo o homem, com todos os seus

DETERMINISMO

esforços e sua vontade. Os decretos de Deus, por conseguinte, são eternos, imutáveis, sábios e soberanos.

Esse determinismo, entretanto, de alguma maneira deve alcançar os atos pecaminosos dos homens, apesar de fazê-lo de forma misteriosa, que não podemos compreender, pelo menos na forma de permissão divina aos mesmos, porquanto existem propósitos divinos maiores do que a mera preservação das criaturas humanas livres do pecado, como seja, a determinação de levar os remidos à perfeição da imagem de Jesus Cristo, o que não poderia ocorrer se o homem não tivesse sido criado como um ser moral livre, que possa, por conseguinte, produzir a santidade de Cristo, da mesma maneira que o Senhor Jesus obteve, em sua vida terrena, isto é, mediante escolhas sábias e santas. Assim sendo, até mesmo o pior de todos os crimes da história humana, isto é, a crucificação do Senhor Jesus, é declarado como algo que tem lugar dentro do plano total de Deus, como *parte* necessária do mesmo. (Ver Atos 2:23 e 4:28).

IV. A Doutrina da Eleição

A doutrina da eleição divina (que vide) é uma subcategoria da doutrina da «predestinação», que opera no âmbito da salvação humana. O homem é pintado como uma criatura totalmente depravada (ver o terceiro capítulo da epístola aos Romanos), e, portanto, somente a graça divina é que pode salvá-lo. A salvação do homem, pois, se alicerça sobre a vontade e a graça divinas, e não sobre os esforços humanos. Nem mesmo se alicerça sobre a fé, que é uma condição humana necessária à salvação. Antes, alicerça-se *exclusivamente* sobre uma operação de Deus. (Ver Efé. 2:8-10). As boas obras são uma decorrência necessária, mas essas boas obras são resultantes e frutos da eleição, e jamais a sua causa. (Ver João 15:16 e Efé. 2:10).

Posições teológicas do infralapsarianismo e do supralapsarianismo. O infralapsarianismo acredita que os indivíduos que foram vistos por Deus como «eleitos», foram contemplados por Deus como membros de uma raça decaída. Em outras palavras, o decreto da eleição se seguiria logicamente, se não mesmo cronologicamente, à queda do homem no pecado. De acordo com essa posição, pois, a ordem dos decretos divinos seria a seguinte: 1. criação; 2. permissão da queda; 3. eleição de alguns dos indivíduos caídos; 4. olvido ou reprovação deliberada dos demais homens caídos; 5. provisão de um Redentor; 6. regeneração através do Espírito Santo. Em contraste com isso, a posição do *supralapsarianismo* ensina uma ordem diferente para os decretos, a saber: 1. reprovação e condenação para outros; 2. criação; 3. permissão da queda e da destruição que isso inevitavelmente provoca; 4. missão remidora de Cristo; 5. missão regeneradora do Espírito Santo. Portanto, de conformidade com a posição do *supralapsarianismo*, a eleição precedeu à queda, sendo esta quase incidental.

V. Predestinação Segundo a Imagem de Cristo

«...*também os predestinou para serem conformes à imagem de seu Filho...*» Rom. 8:29.

Trata-se de um decreto determinador, — que também provoca a *chamada* do crente dentro do tempo. Os importantes particulares, abaixo determinados, devem ser notados acerca dessa determinação divina:

1. O nono capítulo da epístola aos Romanos, referindo-se a indivíduos específicos, demonstra que a predestinação envolve *indivíduos*, e não somente nações, contrariamente ao pensamento de alguns, que afirmam que Israel, como nação, deveria ter alguns privilégios. Por outro lado, é verdade que Deus é quem fixa os limites ou fronteiras das nações, tendo um propósito nisso; como também é Deus quem fixa os destinos dos indivíduos.

2. Ainda que o ensino da predestinação envolvesse somente a idéia de privilégios, isto é, que certas nações receberiam a revelação de Deus de maneira especial, isso seria praticamente equivalente à predestinação individual, porquanto determinaria os lugares de onde os eleitos procederiam, bem como o conhecimento perfeito de cada um daqueles que recebessem privilégios especiais, o que, para todos os efeitos práticos, seria equivalente à *eleição individual*. Isso expressa uma verdade, a menos que queiramos defender o conceito de que os homens podem ser salvos inteiramente à parte da pregação do evangelho. Privilégios especiais, portanto, quer envolvessem indivíduos ou nações, é que «determinariam» quem, em última análise, haveria de conhecer a Cristo, a menos que os homens possam conhecer a Jesus Cristo inteiramente à parte do evangelho, conforme o mesmo é anunciado à face da terra. Alguns bons intérpretes, naturalmente, postulam que pode haver salvação para além do sepulcro, mediante o Verbo eterno, ainda que, mesmo para esses, a salvação *dependa* inteiramente *da missão* que o Verbo de Deus cumpriu encarnado, como Jesus de Nazaré. (Quanto a notas expositivas acerca desse conceito, ver Atos 10:25 no NTI). Podemos estar plenamente certos, entretanto, de que Rom. 8:29 está falando de muito mais do que simplesmente de algum *privilégio especial*. (Ver I Ped. 4:6).

3. A predestinação se baseia no «conhecimento anterior» de Deus, no sentido que o seu «amor eterno» e «preocupação e interesse» pelos crentes é que está em foco (o que é a predestinação, conforme essa idéia é empregada aqui, não estando em foco a mera «previsão»). Aqueles «sobre quem fixou seu coração de antemão», portanto, são aqueles que se tornaram os alvos de seu decreto determinador.

4. Esse decreto determinador não é um *mero* pronunciamento judicial, mas é sem dúvida acompanhado por um poder orientador e criador, através do Espírito Santo, que garante o cumprimento do propósito preordenador de Deus.

5. O grande alvo da predestinação é a *chamada* dos crentes dentro do tempo, e o resultado de ambas as coisas é a transformação do crente segundo a imagem de Cristo, tanto moralmente (no que respeita à participação do crente na própria santidade de Deus, tal como Cristo dela participa) como metafisicamente (no que concerne à natureza essencial de Cristo).

6. Não existe predestinação para a *reprovação*, portanto. Em outras palavras, apesar de que Deus predestina para a vida, para a transformação segundo a imagem de Cristo e para a santidade, isso não quer dizer que, por outro lado, ele predestine alguns para a condenação, conforme alguns teólogos calvinistas mais radicais têm imaginado. Podemos notar que até mesmo no nono capítulo da epístola aos Romanos, o trecho bíblico mais forte sobre a predestinação, podemos ler, no décimo quinto versículo: «Terei misericórdia de quem me aprouver ter misericórdia, e compadecer-me-ei de quem me aprouver ter compaixão», o que mostra que a determinação divina sempre — visa o lado *positivo*, servindo como agente de misericórdia, em vez de visar o lado *negativo*, como agente de condenação e juízo. Assim, pois, o Senhor Deus *tolerou* os vasos de ira, mas *preparou* os vasos de

DETERMINISMO

misericórdia.

Não obstante, alguns eruditos têm argumentado, com base no trecho de Rom. 9:18, que o «endurecimento» também é um ato ativo de Deus. Em outras palavras, não se trata apenas de uma questão de «deixar passar» ou de «reter» a misericórdia, e sim, é a questão de um endurecimento ativo, que naturalmente resulta em uma vida pecaminosa e rebelde. A maioria dos intérpretes, entretanto, pensa que esse «endurecimento» significa simplesmente que Deus deixa de usar de misericórdia para com alguns, retendo a sua graça, permitindo que a perversidade dos mesmos siga o seu curso natural. Mas isso não se coaduna com o conceito da santidade de Deus. Porquanto, se Deus endurece ativamente a certos indivíduos, então deve ser visto como o *autor* do pecado. Portanto, se algum versículo ou versículos parecem demonstrar aparentemente que Deus é quem endurece ativamente os pecadores, teremos de dizer que a verdade exata não é essa, pois, de outro modo, Deus seria mau, ou, pelo menos, seria uma mistura de bondade e maldade, sendo ele o verdadeiro originador do pecado.

7. Defender o princípio do determinismo filosófico, científica ou teologicamente, *não é* a mesma coisa que *negar* a existência do livre-arbítrio humano, embora, para alguns pensadores, isso pareça logicamente a mesma coisa. Mas as Escrituras Sagradas, em outros trechos, *defendem* a vontade humana livre, e a própria experiência humana o demonstra. Isso também expressa uma verdade, embora pareça contradizer a verdade da escolha divina; mas a contradição reside tão-somente na fragilidade do intelecto humano presente, e não na própria exposição bíblica. Não obstante, por enquanto, não contamos com qualquer solução para reconciliar esses dois princípios opostos, ainda que, sem a menor dúvida, sejam aspectos diversos de uma única verdade. Deus se utiliza da vontade humana a fim de realizar os seus propósitos, mas não faz isso eliminando-a, embora não saibamos dizer como isso pode ser.

8. A predestinação *não serve de empecilho* para a salvação de quem quer que seja, ainda que, para muitos, pareça ser um obstáculo intransponível. «Todos os homens», de uma maneira ou de outra, são atraídos a Cristo, desde que ele foi «levantado». (Ver as notas expositivas que versam sobre esse conceito, e como o mesmo é expressão de uma verdade bíblica, em João 12:32 no NTI). Isso não significa que todos os homens sejam automaticamente eleitos, mas significa: a. todos os homens poderiam sê-lo; b. a graça divina é universalmente propiciada por meio de Cristo, tanto potencial como realmente. Isso, em outras palavras, significa que todos os homens poderiam crer, se assim o quisessem fazer; e Cristo Jesus, em sua missão total, preexistente, encarnada e pós-encarnada, estabeleceu uma diferença universal quanto ao estado de todas as coisas, para melhor. (Ver I Ped. 3:18-20 e 4:6).

9. Não existe qualquer solução ou reconciliação fácil para o dilema entre o livre-arbítrio humano e a predestinação divina. Precisamos aceitar ambas as idéias, e esperar por mais luz, para sabermos reconciliá-las. Muitas pessoas têm imensa dificuldade por se expressarem com base em dois ou mais jogos de conceitos, e que, por isso mesmo, limitam a verdade a canais estreitos. Mas as mentes que podem expressar-se com base em mais de um jogo de conceitos, embora aparentemente contraditórios, pelo menos descansarão, crendo tanto na predestinação divina como no

livre-arbítrio humano ao mesmo tempo, apesar de não encontrar meio para reconciliar suas expressões a respeito. (Quanto a uma discussão mais completa sobre a doutrina da «predestinação», ver sobre *Livre-Arbítrio*; *Eleição* e *Predestinação*.

«Quando argumentamos dedutivamente, com base na onisciência e na onipotência de Deus, o livre-arbítrio humano parece ser obliterado. Por outro lado, quando argumentamos dedutivamente, com base no livre-arbítrio humano, a presciência divina e o poder divino de determinar as ações parecem excluídos. Não obstante, ambas essas verdades precisam receber nossa atenção, uma sem detrimento da outra. Não sabemos estritamente no que consiste a onipotência e a onisciência de Deus (segundo um uso mais exato da linguagem talvez deveríamos dizer 'poder e conhecimento perfeitos', poder e conhecimento pertencente a algo que não somos capazes de conceber, possuídos por um Ser perfeito) e nem no que consiste o próprio livre-arbítrio humano. Mas é *necessário* postularmos essas *duas verdades*, se quisermos apresentar a síntese da vida humana de qualquer maneira; pois, sem isso, não pode haver distinção, sob hipótese alguma, entre o que é bom e o que é mau. Porém, na realidade, não sabemos mais do que o fato de que se trata de uma faculdade hipotética, existente no homem, em virtude da qual ele é um agente responsável». (Sanday, em Rom. 8:29)

VI. Garantia da Santidade

Encontramos aqui a **garantia da santidade**. Precisamos lembrar que o elevadíssimo discurso do oitavo capítulo da epístola aos Romanos veio a lume por causa da consideração sobre como aqueles que são salvos pela graça, mediante a fé, e não através da economia da lei, serão vitoriosos sobre o pecado. O vigésimo nono versículo desse capítulo, e as conseqüências do que ali é dito, conseqüências essas expostas no restante desse oitavo capítulo, nos dão a mais elevada das respostas. Aqueles assim redimidos devem, *necessariamente*, ser santos; e, finalmente, serão perfeitamente santos, porquanto foram predestinados para serem conformados à imagem do Santo Filho de Deus; e isso significa que, gradualmente, estão se tornando participantes de sua própria santidade. É nisso que consiste o andar diário do verdadeiro crente, até que, finalmente, venham a compartilhar dessa natureza divina de maneira perfeita. Ora, a lei mosaica nunca prometeu tal coisa, e nem mesmo poderia tê-la produzido, ainda que a tivesse prometido. Portanto, a passagem de Rom. 8:29 é outra resposta à pergunta feita em Rom. 6:1: «Que diremos, pois? Permaneceremos no pecado, para que seja a graça mais abundante?» Pelo contrário, a graça divina abundante, auxiliada pelos propósitos predestinadores de Deus, será o próprio agente ativo da santidade, e não um elemento prejudicial e entravador da santidade. Tudo isso, entretanto, pressupõe ter havido um contacto místico com o Espírito Santo transformador, que forma a imagem de Cristo no íntimo dos crentes. Devemos observar, pois, a progressão, desde o sexto capítulo da epístola aos Romanos, da resposta à pergunta feita no primeiro versículo *daquele* capítulo.

VII. A Predestinação e o Livre-Arbítrio

1. Como é que Deus poderia predestinar homens à cegueira espiritual? Não seria ele a fonte do mal, se assim tivesse feito? O trecho de João 12:40 parece lançar sobre Deus toda a culpa pela cegueira de Israel. Ele assim o planejara!

2. O trecho de Rom. 9:15,16 diz outro tanto com

DETERMINISMO — DEUS

expressões levemente diversas. No NTI são oferecidas notas que explicam o que se sabe sobre esse misterioso tema.

3. Outros trechos bíblicos ensinam, com clareza igual, o livre-arbítrio do homem. Sem este, seria impossível edificar um sistema ético ou fazer exigências de natureza ética aos homens. É mister que tenham a capacidade de escolher. Ver o artigo sobre o «livre-arbítrio humano» e o que este envolve.

4. Não há como reconciliar entre si esses conceitos, pelo que temos um *paradoxo*, um ensino que parece desdizer-se a si próprio.

5. É verdade que Deus previu quem creria, mas, nas Escrituras, a «presciência» envolve «indivíduos», e não «a fé exercida» pelas pessoas. (Ver no NTI notas completas em I Ped. 1:2 sobre como a «fé prevista» não soluciona o mistério da interação entre a predestinação e o livre-arbítrio).

6. Outra explicação: O homem endureceu a si mesmo, o homem cegou a si próprio, pelo que Deus «confirmou» isso com uma cegueira judicial. Isso é verdade, mas nem todos os versículos do N.T. sobre a predestinação cabem dentro dessa explanação simplista.

7. Deus usa o livre-arbítrio humano sem destruí-lo, embora não saibamos como.

8. Abramos espaço para a especulação. Dai-me lugar para especular! Parece-me que a predestinação, pura e simples, pode exprimir uma verdade, contanto que levemos a sério a proposição que, por detrás da «redenção», há uma *restauração* dos não-eleitos. Quanto a isso, a eleição, e mesmo a reprovação ativa, não seria imoral. Não levando isso em conta, temos de estar preparados a supor que Deus é causa direta ou causa indireta do mal. Por certo, isso é uma blasfêmia, sem importar quem a ensine! Não afirmo que essa especulação soluciona o mistério com que ora nos defrontamos, mas lança uma luz preciosa sobre o destino final dos homens. Ver o artigo sobre *Restauração.*

O estudo aqui exposto não penetra na questão da *reconciliação* entre esses dois aspectos da verdade bíblica; na realidade, isso é quase *impossível*, em face de nosso atual estado de conhecimento. Mas talvez seja motivo de consolo, para alguns, o fato de que esse problema de reconciliação é igualmente espinhoso na filosofia, e até mesmo nas ciências naturais, porquanto até nessas disciplinas de ordem natural alguns crêem que o mundo tenha sido determinado (como resultado das ações previamente determinadas dos átomos ou forças cósmicas), ao passo que outros acreditam que a ação dos átomos ou das forças cósmicas dependa da probabilidade fortuita, e não de qualquer determinação prévia.

DEUS

Vários artigos separados são apresentados, nesta enciclopédia, com provas da existência de Deus. Ver os seguintes: *Argumento Ontológico* (dois artigos); *Argumento Cosmológico; Argumento Teleológico; Argumento Moral; Cinco Argumentos em Prol da Existência de Deus,* de Tomás de Aquino, e um *Comentário sobre os Cinco Argumentos de Aquino,* por F.C. Copleston. Esse artigo segue aquele redigido por Tomás de Aquino; e também o *Clássico Argumento do Relógio,* de William Palley, apresentado em conexão com o artigo a respeito dele. Uma espécie de sumário dos argumentos tradicionais, vistos pela mente contemporânea, aparece no artigo intitulado *Reafirmação Contemporânea de Argumen-*

tos Tradicionais em Prol da Existência de Deus, por A.E. Taylor. Ver o artigo sobre os *Atributos de Deus.*

Esboço:
I. Mistério Tremendo
II. Mistério Fascinador
III. Conceitos de Deus
IV. O Conceito Bíblico de Deus
V. Provas da Existência de Deus
VI. Nomes Bíblicos Dados a Deus
VII. O Conhecimento de Deus

I. Mistério Tremendo

Meus amigos, só há uma maneira de começarmos a falar sobre Deus. Coisa alguma tem sido dita de tão significativa, acerca de Deus, do que confessar que ele é o *mysterium tremendum.* O homem, em seu atual estado de inteligência, não tem podido dizer muito sobre Deus, senão em sentido antropomórfico. Não podemos saber quão aproximada é a nossa terminologia da realidade de Deus; e no presente, não há como evitar o uso dessa linguagem. — Portanto, não deveríamos, por tolo orgulho, pensar que temos dito qualquer coisa grandiosa sobre Deus. Se, por enquanto, nem podemos descrever a matéria, porque o átomo continua sendo uma entidade misteriosa, apesar dos avanços da ciência, quanto mais é correto afirmarmos a mesma coisa sobre o *espírito* que é muito mais misterioso. Nosso conhecimento a respeito é muito mais fraco! Obtemos bem melhor sucesso quando falamos sobre as obras e a providência de Deus, especialmente quando elas são vistas à luz da missão de Cristo. Porém, quando se trata de tentativa de descrever a *natureza* e os atributos de Deus, falhamos para todos os efeitos práticos. Em separado, há um longo artigo, nesta enciclopédia, sobre os *Atributos de Deus.* A leitura desse artigo (compilado com base em compêndios de teologia) demonstrará ao leitor que temos de apelar pesadamente para as expressões antropomórficas. Essa é a única maneira que temos para descrever Deus. Partimos com algum atributo humano, engrandecemo-lo a dimensões infinitas, então atribuímo-lo a Deus. Porém, até que ponto isso se aproxima da realidade divina, não podemos afirmar com qualquer grau de certeza. Para exemplificar isso, tomemos o termo «infinito», que empregamos tão largamente. Esse vocábulo não tem qualquer sentido para nós, se for examinado de forma crítica, visto que não temos qualquer experiência com a infinidade. Todas as nossas experiências são finitas. Portanto, o termo *infinito* é usado por nós para indicar algo muito grande, muito extenso, que nos inspira profunda admiração. Tão-somente tateamos em busca de respostas, sem conseguir, entretanto, afirmá-las. Se tentarmos usar a palavra «infinito» em sentido verdadeiro, então ela passará a ser um *termo negativo,* porquanto não podemos atingir o sentido tencionado. Se usarmos a palavra «infinito» para indicar algo grande ou vasto (mas não infinito) então estaremos usando uma mensagem positiva, mas que não expressa, realmente, a idéia de infinitude. Em outras palavras, com o vocábulo infinito queremos dar a entender algo vasto, imenso, extremamente extenso. Entretanto, não temos verdadeira experiência com o infinito, pelo que não podemos expressar mais do que «muito grande». Isso nos mostra o dilema do emprego da linguagem humana, quando procuramos formular conceitos que envolvem o mistério tremendo que é Deus.

Os místicos sentem mui profundamente a futilidade da linguagem humana. Eles não crêem que possamos jamais compreender Deus através de conceitos e

DEUS

raciocínios. Portanto, eles buscam a *experiência imediata* com Deus, a qual, uma vez obtida, é *inefável*, isto é, não pode ser expressa por meio de palavras. A alma humana vem a conhecer a Deus na comunhão com ele, mas tal compreensão não é verbalmente comunicável. O conhecimento intuitivo é como as águas-vivas de uma fonte que jorra incessantemente para cima. O conceito é como as águas que retornaram ao solo, — ficando estagnadas. Os homens gostam de vincular conceitos às coisas, cristalizando suas idéias e tirando-lhes a vitalidade. Os homens gostam de sistematizar as coisas, então eles dizem: «Nisto consiste a revelação, e não há maior revelação do que isto». Os homens gostam de reduzir seus sistemas a livros, e então homenageiam esses livros. Os homens têm livros sagrados e levantam muralhas em torno deles, presumivelmente confinando a verdade dentro dessas muralhas e excluindo todas as demais idéias.

Quando abordamos o conhecimento teológico, o estudo sobre *Deus*, então esses métodos humanos são obviamente absurdos, menos para os edificadores de sistemas fechados. Os céticos desesperam-se da busca e contentam-se com sua ignorância auto-imposta. O verdadeiro inquiridor da verdade nunca se sente satisfeito com o que já foi dito, com aquilo que aparece nos livros, com aquilo que as denominações cristãs afirmam. O verdadeiro inquiridor da verdade nunca se satisfaz com as suas próprias experiências, ainda que algumas delas sejam elevadamente místicas e emocionalmente cativantes. Ele sabe que a jornada até o Ser Infinito é de tal ordem que um ser finito jamais poderá chegar ao fim, embora não deva desistir da caminhada para a frente.

Abordando a Realidade. Quando um inquiridor da verdade aproxima-se da Realidade Última, chega a compartilhar da própria natureza dessa Realidade (ver II Pedro 1:4; II Coríntios 3:18). Mas isso envolve um processo eterno. Conhecer a Deus, no sentido mais prenhe da palavra, é ir adquirindo a sua natureza e os seus atributos; e é justamente isso que chamamos de salvação (que vide), o que jamais poderá ser equiparado ao simples perdão dos pecados e à mudança de endereço para o céu, no futuro. O conhecimento de Deus, portanto, é algo *existencial*, experimental, algo que ocorre mediante a transformação do próprio ser e da maneira de existir, compartilhando de um Ser muito maior. Sem dúvida, os conceitos aprimoram-se quando adquirimos maior experiência com o Ser divino; mas, pelo menos por enquanto, os nossos conceitos são apenas maneiras débeis e infantis de falar sobre Deus. O conhecimento jamais pode ser reduzido a meros conceitos. É mister que também seja existencial, experimental. Porém, a teologia sistemática pensa que sua redução conceptual de Deus é digna de confiança. Poucas coisas são tão obviamente falsas quanto isso.

Até onde posso determinar, foi Rudolfo Otto (que vide) quem primeiro utilizou a expressão *mysterium tremendum*, em alusão a Deus. Ele pensava que, quando nos avizinhamos de Deus, penetramos em um mistério insondável, que ultrapassa à nossa análise racional. O conhecimento de Deus precisa ser algo intuitivo, místico e existencial. Nossa análise racional fracassa, embora não seja totalmente inútil.

II. Mistério Fascinador

Os judeus demonstravam um profundo respeito pelos nomes de Deus. Entre eles, a palavra *Yahweh* jamais era pronunciada. Esse nome era distorcido de algum modo, a fim de que a pessoa que proferisse o nome divino nunca fosse culpada de exagerada familiaridade com Deus. Lemos que o nome de Deus nunca era escrito por algum escriba enquanto este não tivesse lavado, primeiramente, as suas mãos. Quão grande contraste isso forma com a moderna atitude evangélica, que brinca com o nome divino de forma tão frívola. Com freqüência ouve-se dizer: «O Senhor disse-me para fazer isto; o Senhor disse-me aquilo; o Senhor lembrou-me que...» Conheci uma dama que chegou a dizer que o Senhor era o culpado pela feliz circunstância de que as toalhas que ela comprara eram compatíveis com a cor do banheiro da nova casa que seu marido acabara de adquirir. Estaria Deus interessado em toalhas para serem usadas no banheiro? Um pregador evangélico cujo carro fora muito danificado, disse: «Senhor, não sei por que querias que o *teu* carro fosse danificado assim!» Meus amigos, estaria Deus interessado em desastres automobilísticos? Há pessoas que tratam Deus como se ele fosse algum bichinho de estimação da casa, fazendo seu nome participar das conversas, diante dos menores ensejos. Pessoalmente, procuro evitar o uso do nome de Deus, substituindo-o por alguma palavra vaga, como *autoridades* (no plural, porquanto Deus controla muitas agências e poderes). Na Universidade de Chicago, nas aulas de hebraico que tomei, havia alguns judeus. Eles evitavam pronunciar o nome divino. A mudança usual era de Elohim para *Elokim*, uma palavra inventada, para substituir a respeitável palavra *Elohim*, que é um dos nomes de Deus, no A.T. Temos algo a aprender dos judeus, quanto a isso.

A expressão **mistério fascinador** também foi cunhada por Rudolfo Otto, aludindo ao profundo fascínio ou encanto experimentado pelo adorador, quando ele se aproxima de Deus. Quando a adoração é verdadeira, esse será um dos resultados. Meus amigos, fico perplexo diante do ruído e da confusão dos cultos em muitas igrejas evangélicas. Onde está o mistério fascinador? Poderemos sentir o encanto da presença de Deus, com tantos gritos por toda parte? Paulo pensava que não (ver I Cor. 14:33). Deus é o autor da paz, e não da confusão. É na tranqüilidade da paz do coração que podemos sentir o encanto da presença do Senhor. Conheci um jovem, de Salt Lake City, Utah, E.U.A., que dizia que não conseguia obter a correta atitude religiosa senão em meio a muitas exclamações e brados de Aleluia! Indago se o mistério fascinador pode mesmo ser sentido sob tais circunstâncias? Porém, igualmente amortecedor do espírito é aquela expressão religiosa dominada por meros conceitos, onde o elemento místico se faz ausente. Alguns evangélicos opõem-se decididamente a qualquer expressão mística na fé religiosa, pondo todos os seus ovos na cesta do conceito, comunicados mediante o ensino verbal. Isso é contrário ao espírito da oração de Paulo, em Efésios 1:17 *ss*. É mister que se faça presente entre nós o Espírito comunicador. Deve haver a *iluminação* na fé religiosa, pois, do contrário, paralizaremos as pessoas com meros conceitos, que não demorarão a tornar-se secos e estéreis.

III. Conceitos de Deus

Que podemos dizer sobre Deus por meio de conceitos? Oferecemos a análise abaixo, que inclui muita coisa que filósofos e teólogos dizem sobre a *Idéia Divina*. Ao apresentar este estudo, lembramos nossos leitores do que foi dito nas duas primeiras seções, advertindo, desde o começo, que os nossos conceitos ficam muito aquém de uma verdadeira descrição de Deus, sem importar a utilidade que esses conceitos possam ter.

DEUS

Eis as Principais Idéias sobre Deus

As principais idéias sobre a pessoa e a natureza de Deus podem ser classificadas sob os seguintes títulos:

1. Politeísmo. Trata-se de uma espécie de «teísmo», embora afirme que existem muitos deuses que mantêm interesse pelas vidas humanas, mantendo com os homens alguma espécie de contacto. O politeísmo, em sua fase original, consistia na personificação de importantes elementos da natureza, como o sol, a lua, a fertilidade, o amor, o poder, a violência ou a misericórdia.

a. *No Egito*, encontramos os deuses Atne Re-Khepri, o Sol; Amon-Re, o rei dos deuses; Ptah, Sekhmet e Nefer Tem, que formavam uma espécie de trindade e que seriam pai, mãe e filho, — que compunham uma família divina. Havia também muitas outras personificações divinas menores, como Ápis ou Serápis, o boi divinizado. Foi a essa divindade que o povo de Israel chegou a sacrificar seus filhinhos, em um momento de apostasia bárbara. Muitas outras nações compartilhavam desses deuses pagãos.

b. *Na Grécia* temos o deus Cronos (tempo, eternidade), o qual, em tempos primitivos, foi o principal dos deuses, segundo diz a própria mitologia grega. Finalmente, porém, seu filho, de nome Zeus, obteve a supremacia. Havia muitos outros deuses do Olimpo.

c. *Em Roma* a situação se torna um tanto caótica. Houve uma mescla de suas divindades com outras de outros povos, e muitos desses deuses estrangeiros passaram a ser conhecidos por outros nomes ali. Assim é que os romanos identificavam o Zeus dos gregos com o seu próprio Júpiter. Hera, a esposa de Zeus, segundo os gregos, passou a ser chamada Juno, pelos romanos. Júpiter era reputado pai dos deuses e dos homens. Juno era a rainha dos céus, e também era a deusa do matrimônio. Hermes passou a ser chamado Mercúrio, pelos romanos, e era o deus da fertilidade, do gado e da música, da qual era o patrono. Segundo a mitologia romana, Mercúrio era o mensageiro dos deuses, bem como o advogado dos demais deuses. Atena, que os romanos chamavam de Minerva, era a virgem deusa do conselho, da guerra e das belas-artes femininas. Apolo era o deus da poesia, da música e da profecia. Conforme dizia a mitologia romana, Apolo era a luz dos céus. *Afrodite*, que os romanos chamavam de Vênus, era a deusa do amor, da beleza feminina e da fertilidade, tanto da terra como dos homens. Esculápio, que em Roma se chamava Asclépio, era o deus da medicina, da cura. Esse deus era adorado sob o símbolo de uma serpente.

Segundo se pode observar claramente por essas brevíssimas descrições, os homens criaram deuses de acordo com as suas próprias noções. A única diferença é que as experiências e os conceitos imaginários desses deuses seriam mais absolutos, porquanto lhes eram atribuídos tanto seres como qualidades mais exaltadas que entre os homens. Quase todos os pagãos e politeístas atribuíam, aos seus deuses, as suas próprias fraquezas e pecados; mas, ao fazê-lo, tornavam esses deuses mestres do mal, extremamente poderosos para a maldade. Disso é que se derivou o conceito errôneo de que «poder é razão», e que a moralidade equivale a algum poder fazer algo sem que ninguém tenha poder suficiente de tolher tal ação. Por esse mesmo motivo é que Zeus supostamente governava aos deuses, mas não por sua bondade, e nem por amor à bondade, e, sim, por causa dos raios que ele despedia ao redor e que podiam fazer parar a qualquer deus ou homem que porventura quisesse pôr algum obstáculo aos seus desejos.

Infelizmente, até mesmo na cristandade, continua em existência um conceito de Deus que não difere muito da idéia dos pagãos. Esse conceito, na filosofia, é chamado *voluntarismo*, isto é, a vontade é que domina, e não a razão. Isso significa que a bondade pode ser qualquer coisa que Deus porventura deseja; e pôr em dúvida a justiça deste ou daquele ato divino é reputado como pôr em dúvida a própria autoridade de Deus. No entanto, a fé ensina-nos que aquele que governa os céus não fará jamais um ato errado; e a razão confirma que Deus jamais quebrará as suas próprias regras. E posto que ele tem revelado para nós no que consiste a moralidade, podemos supor que aquilo que o Senhor nos tem revelado, nas Santas Escrituras, concorda com a natureza moral de seu próprio ser.

2. Enoteísmo. Essa palavra se deriva de uma palavra grega, **hen**, que é um adjetivo numeral, «um». Trata-se da crença em um deus que age em nosso favor, mas que não nega que talvez existam outros deuses, cuja ação e autoridade são exercidas em outras esferas. Assim sendo, haveria um deus que exerce controle sobre os homens, interessando-se por alguma pessoa, alguma cultura ou alguma nação. Por essa razão alguns intérpretes acreditam que esse conceito de divindade, na cultura dos hebreus, precedeu ao puro monoteísmo. Em outras palavras, supõem que os israelitas originalmente criam que Yahweh era deus *deles*, — e não o Deus criador de todos. Os israelitas também pensariam que Yahweh era o maior de todos os deuses, mas que isso não eliminava a possibilidade da existência de outros deuses, que de Yahweh receberiam a sua autoridade. Isso seria apenas a combinação de idéias monoteístas e politeístas. Praticamente seria monoteísmo, mas teoricamente seria politeísmo. Também seria uma forma de teísmo, porquanto ensina que o deus supremo ou mesmo vários deuses mantêm contacto com os homens, estando interessados por eles, guiando-os, punindo-os por suas más ações e galardoando-os por suas boas ações.

3. Monoteísmo. O judaísmo, o islamismo e o cristianismo são os três grandes expoentes dessa idéia da divindade. Segundo essa posição, existe apenas um único Deus, em sentido absoluto, não querendo isso dizer que ele é o nosso deus e que existem outros deuses de outros povos. Antes, somente um ser é o possuidor da divindade autêntica. É interessante observarmos que esse ensino foi antecipado ou mesmo parcialmente duplicado dentro da filosofia platônica, em seu conceito de bondade universal, como também no conceito do «intelecto puro», de Aristóteles. Essa doutrina é ensinada francamente na idéia de «Yahweh», segundo o judaísmo posterior, segundo a qual Deus é o Deus de todos, e não meramente da nação israelita. Na realidade, ele é o Deus de todos os universos, de tudo quanto existe, sem importar se pertence à categoria terrena ou celestial, humana ou angelical, material ou espiritual.

Ordinariamente as seguintes idéias são vinculadas ao monoteísmo:

a. Deus é um ser *infinito ou absoluto*. Daí a origem da introdução do vocábulo «omnis», em «onipotente», «onipresente» e «onisciente». Isso nos leva à suposição de que Deus é, em grau infinito, aquilo que experimentamos apenas em pequena medida.

Naturalmente os conceitos sobre a *infinitude* na realidade são negativos, porquanto não possuímos qualquer experiência sobre qualquer coisa infinita. Assim que alguém começa a tentar descrever o «infinito», por motivo de suas próprias descrições já começou a reduzir o infinito à mera finitude. Não

DEUS

obstante, temos fé suficiente para crer que apesar de nada realmente sabermos sobre a infinitude, e apesar de não possuirmos linguagem capaz de descrevê-la, podemos atribuir a qualidade da infinitude a Deus, supondo que aquilo que possuímos, de forma finita, ele possui em grau infinito. Discussões semelhantes ao raciocínio que aqui expomos mostram-nos quão pouco realmente conhecemos sobre Deus, visto que nossas descrições e nossa mentalidade não se prestam muito para descrever a natureza infinita de Deus.

b. Além disso declaramos que esse Deus possui tanto a *vida necessária* como a *vida independente*. Em outras palavras, Deus possui aquela forma de imortalidade verdadeira, que não pode deixar de existir. Esse é um dos pontos doutrinários mais exaltados do evangelho de João, onde há comentários nos trechos de João 5:26 e 6:57 no NTI. Todos os demais seres possuem uma vida que não é necessária, isto é, aquela variedade de vida que pode deixar de existir. No entanto, o ensino do evangelho de João é que Deus outorgou essa vida necessária a Jesus Cristo, como homem — e através dele, a todos os seres humanos que nele vierem a crer; e assim o homem pode tornar-se possuidor da imortalidade verdadeira, o mesmo tipo de vida que Deus tem e que caracteriza agora a vida do Senhor Jesus. Mas a vida de Deus é igualmente «independente», isto é, uma vida que existe por si mesma, sem depender de outra qualquer, para sua origem e continuação. Ora, os remidos, por intermédio de Cristo, por semelhante modo tornar-se-ão possuidores dessa «vida independente», que também caracteriza a verdadeira imortalidade.

Tomás de Aquino criou um argumento em prol da existência de Deus com base na idéia da vida necessária e independente, supondo que a menos que ela existisse em algum lugar, seria impossível para qualquer outra coisa existir. A alternativa do pensamento de que alguma *vida necessária* foi a origem de toda a vida dependente, é o regresso infinito de uma causa para outra, «ad infinitum». Ou seja, uma coisa teria sido a causa de outra, mas ela, por sua vez, também teria causa, e esta causa teria sido causada por outra coisa, etc., até que nos cansamos de repetir a mesma coisa. Tomás de Aquino, pois, pensou ser muito mais lógico supormos que esse regresso infinito se interrompe quando chega à «vida necessária», que não precisa de ter tido uma causa, mas antes, representa a verdadeira imortalidade.

c. *Ordinariamente*, o conceito do monoteísmo inclui a idéia de que Deus é o criador de todas as coisas, que somente ele existiu desde a eternidade, e que todo o resto da existência, sem importar se pertence à natureza física ou à natureza espiritual, se deriva dele. O conceito da criação, conforme aparece como idéia filosófica, não requer a introdução de um início absoluto; ou, em outras palavras, pode ser encarado no mesmo sentido em que dizemos que um objeto físico «cria» uma sombra quando exposto à luz. Nesse caso, a sombra realmente co-existe com o objeto, mas este último é a «causa» da sombra, ou seja, o «criador» da sombra. Por semelhante modo, no conceito da emanação (conforme ensinado pelo panteísmo estóico), embora a criação seja vista como parte integrante do criador, e, por isso mesmo, co-eterna com ele, contudo, ainda assim poderíamos falar em criação, pois Deus teria criado tudo emanando a si mesmo.

Não obstante, tanto o judaísmo como o cristianismo ensinam que os mundos físicos, juntamente com tudo quanto existe, tiveram início em um ponto do tempo, deixando somente Deus como eterno. Isso tem criado, para alguns, o pseudoproblema que indaga: «E o que

Deus estava fazendo quando somente ele existia?» Orígenes, para resolver esse problema, supôs que a criação seria um ato eterno de Deus, de tal forma que nunca teria havido um tempo em que Deus esteve *inativo*. Mas outros estudiosos da Bíblia ensinam que o tempo pertence somente à criação, e que, por isso mesmo, antes da criação, não havia tempo. Ainda outros intérpretes, em busca da solução para esse problema, têm sugerido que a criação é eterna apenas como um conceito de Deus, isto é, existente na mente de Deus desde a eternidade. Todavia, a idéia ordinária, aceita pela maioria dos teólogos cristãos, é que Deus criou todas as coisas em um ponto inicial do tempo, mediante a sua própria *energia*, como que «do nada»; embora a criação, através da própria energia divina, com a qual Deus teria formado a matéria, baseado em princípios espirituais, não é realmente uma criação *do nada*. Quanto a outras notas expositivas sobre a «criação», ver Heb. 11:3 e João 1:1-3 no NTI. Ver também o artigo sobre *Criação*.

d. Como parte usual da teologia monoteísta avulta o conceito de que Deus é um ser pessoal, e não alguma força cósmica impessoal. Deus é um ser inteligente; e podemos saber algo a seu respeito mediante o exame do ser humano, —que foi criado à sua imagem. Mais perfeitamente ainda, podemos saber sobre Deus através do Senhor Jesus Cristo, que refletiu a sua glória. Deus é Espírito, no que faz contraste com a matéria, ainda que não saibamos no que consiste um «espírito», exceto que não pode ser compreendido em termos das coisas materiais. Além disso, Deus possui natureza emocional. Deus tem vontade e razão, de uma maneira infinita, ainda que, até certo ponto, o homem seja um reflexo dessas verdades, possuindo tais propriedades mais ou menos da mesma maneira que Deus as possui, posto que em grau muito menor. Por conseguinte, somos levados à conclusão de que Deus não é alguma força cósmica, remota, impessoal, sem qualquer consciência da existência do homem. Pelo contrário, é um ser vivo que tem todo o conhecimento dos homens, que os guia, que os castiga ou galardoa, segundo as suas ações, e que determina os eventos e o destino de cada ser humano. Ora, essa é a posição do «teísmo».

e. *Ao Deus único*, o Deus apresentado pelo monoteísmo, também atribuímos a qualidade da moralidade. Deus é bom, amoroso e santo, sendo o grande despenseiro da justiça. O seu amor, entretanto, não é da qualidade do «eros» ou amor erótico, sensual, e, sim, é «agape», um amor sem causa, sem começo e puro em seu princípio, consistindo em um interesse genuíno e eterno pelo bem-estar de todas as suas criaturas. Esse amor, outrossim, é independente, ou seja, não é criado ou mantido por qualquer coisa existente no objeto amado; pelo contrário, devido à sua suprema natureza amorosa, Deus é quem dá corpo ao princípio da bondade e da justiça, não precisando indagar, de quem quer que seja, o que seria bom e o que não o seria. Assim, pois, Deus é o padrão final de todos os valores morais.

Kant, um filósofo alemão, costumava utilizar-se dessa idéia da moralidade de Deus como prova de sua existência. É óbvio que neste mundo não prevalece a justiça, embora nossos sentimentos íntimos digamos que a justiça terá de prevalecer final e completamente. Porém, somente uma personalidade como Deus poderia fazer com que essa vitória final do bem venha a ser uma realidade. A isso devemos acrescentar que somente uma pessoa como Deus pode ser o Juiz de todos, recompensando e punindo, de conformidade com um princípio correto. Há igualmente um pensamento que não devemos esquecer: a

DEUS

imortalidade precisa ser um fato, pois somente depois desta vida é que a maior parte das vidas pode prestar contas a Deus como convém. A fim de dar a esse Juiz o tempo de tomar essa prestação de contas, o homem precisa sobreviver à morte física, para que possa apresentar-se ao julgamento, recebendo sua recompensa ou sua punição, de conformidade com o que cada um tiver feito nesta vida terrena. Além disso, deve haver lugares de recompensa e de punição.

f. *Trinitarismo ou triteísmo?* No cristianismo se desenvolveu a doutrina da trindade, a fim de preservar tanto a unidade como a complexidade existentes dentro da personalidade do ser a quem chamamos de Deus. Essa doutrina não ensina que existem três pessoas distintas e separadas, que seriam todas as três outros tantos deuses: Pai, Filho e Espírito Santo, e não um único Deus, em três pessoas ou manifestações. O mormonismo é a principal expressão religiosa da cristandade que ensina o triteísmo, o que, naturalmente, não passa de uma forma de politeísmo. É interessante observarmos que segundo a teologia vulgar da igreja cristã, não se faz a distinção entre o triteísmo e o trinitarismo. Isso envolve não somente os leigos, os simples membros das igrejas evangélicas, mas também até os seus próprios ministros. Assim sendo, o pastor evangélico comum, ao ser solicitado a apresentar uma definição de Deus, dará uma resposta triteísta, e não trinitarista. Mas isso se deve ao fato de que rara é a pessoa que reconhece o que é o trinitarismo.

4. O teísmo. — O teísmo reinvindica possuir conhecimento; em outras palavras, declara que há evidências conclusivas em favor da existência de Deus, suficientemente positivas para permitir-nos uma declaração em prol de sua existência. Essas evidências nos chegam através da observação meramente empírica da grandiosidade e do desígnio aparentes neste mundo, através da intuição, através da razão e, sobretudo, através das experiências místicas. Outrossim, nossa experiência, física e espiritual, confirma para nós que Deus jamais abandonou ao seu universo, mas antes, continua bem próximo de nós, mantendo assim constante contacto com os homens, no que visa o benefício e o proveito eternos deles.

O trecho de Atos 17:24-31 apresenta elevadas expressões teístas. Deus, pois, é a fonte originária de toda a vida física e espiritual, e é o poder sustentador de ambos esses tipos de vida. Deus é a fonte de toda a forma de consciência. Ele é a origem de todas as idéias morais, como também de todos os valores humanos. Deus é imanente em sua natureza, e não absolutamente transcendental. Ele é quem preserva todo o valor e a dignidade humanos. Finalmente, Deus é o Salvador e o Redentor do homem, aquele que se oferece para elevar o homem à vida divina, por intermédio de Cristo. Além disso, Deus é o Juiz de todas as suas criaturas inteligentes, morais, que as recompensa ou pune, de conformidade com a retidão ou a maldade de suas ações. Deus é o alvo de toda a existência. É a própria razão para continuarmos vivendo.

5. O deísmo. Esse ponto de vista faz contraste direto com a posição anterior, a do «teísmo». O deísmo consiste na noção de que Deus é totalmente transcendental, porquanto, apesar de ser o criador e a fonte da vida, divorciou-se de seu universo, abandonando-o completamente e não mais exercendo interesse por ele. Deus teria criado, segundo essa posição filosófica, os mundos, como se fossem máquinas dotadas de movimento perpétuo, as quais após o impulso inicial da criação, não mais

necessitariam da orientação e da energia da mente divina. Deus seria a primeira causa de todas as coisas, mas não seria objeto apropriado de nossa adoração, porquanto nem mesmo daria atenção a seus adoradores.

Na realidade, o deísmo equivale ao ateísmo prático, porquanto Deus nada significaria para o homem. Segundo esse sistema, a moralidade fica inteiramente ao encargo do homem. Ele é que tem de descobrir quais leis concordam com aquilo que Deus determinou no princípio; e então, se conseguirem acertar, tudo irá bem com os seres humanos. Mas isso não porque Deus recompensará ou punirá aos homens, e, sim, porque praticar o bem é melhor do que praticar o mal e, em certo sentido, praticar o bem é sua própria recompensa. O *deísmo* guia-se pela crença de que a lei estabelecida, com seus resultados naturais para o bem ou para o prejuízo dos homens, dependendo tão-somente de como obedecerem ou desobedecerem a essas leis, é suficiente para os homens. Isso significa que Deus jamais haverá de retornar à sua criação, fazendo intervenção em qualquer sentido, de forma pessoal, a fim de recompensar ou de castigar aos homens. Por conseguinte, o homem seria responsável apenas diante de si mesmo, embora de conformidade com uma lei natural originalmente estabelecida por Deus. Epicuro é considerado o criador dessa idéia; e ele a criou a fim de desenvolver uma ética humanista, aliviando os pagãos de seus temores supersticiosos dos seus «deuses».

6. O panteísmo. De conformidade com esse sistema, a natureza inteira é reputada como parte integrante de Deus. Em outras palavras, todas as coisas têm a mesma essência de Deus, não havendo qualquer distinção, entre Deus e a criação, no que diz respeito à essência ou substância. O mundo seria o corpo de Deus, e Deus seria a alma do mundo. Tudo quanto existe é Deus, e Deus é tudo quanto existe. Dentre as escolas filosóficas, podemos dizer que o estoicismo, o neoplatonismo, o «um» de Parmênides e diversas formas do idealismo germânico representam variações do panteísmo. Segundo o panteísmo, não existe qualquer Deus pessoal, não existe qualquer inteligência superior, distinta da criação, em qualquer sentido absoluto, como se Deus fosse possuidor de uma natureza diferente do resto. Tudo que existe pode ser comparado ao sol. O sol envia os seus raios, a sua energia. A sua energia faz parte do próprio sol. Assim também Deus é visto como o grande *Sol* que emana a si mesmo. Assim, tudo que existe é produto de sua emanação, participando de sua natureza, ainda que sob formas modificadas, tal como os raios do sol fazem realmente parte desse astro luminoso.

7. O realismo agnóstico. Essa filosofia assevera que a verdadeira natureza de qualquer Deus ou deuses, mente divina, realidade última, ou qualquer outro termo que queiramos usar, é desconhecida e impossível de ser conhecida. Poderíamos dizer alguma coisa acerca dessa suposta *realidade última;* porém, o mais que podemos fazer, nesse caso, é usar uma linguagem simbólica. Outrossim, seria um erro supormos que aquilo que dizemos representa fielmente o que na realidade representa esse suposto «Deus». Poderíamos fazer alusão a uma «primeira causa» ou à «fonte da existência»; mas tudo isso não passa de meras tentativas de formularmos idéias sobre uma divindade acerca da qual nada realmente sabemos com certeza. Herbert Spencer foi um grande advogado dessa idéia, no que diz respeito a Deus. Esse ponto de vista não nega a existência de Deus; mas tão-somente deixa na dúvida a questão inteira.

DEUS

8. O humanismo é aquela posição filosofica que pensa que Deus não é alguma força cósmica e final, algum poder supremo, alguma existência absoluta, algum ser supremo e transcendental, pessoal ou impessoal, teísta ou deísta, que seria um só ou diversos, e nem teria forças como uma energia, a gravidade, etc. Pelo contrário, Deus seria «le grande être», ou «grande ser». Esse grande ser seria a própria humanidade, o que há de melhor no homem, as suas esperanças e realizações mais excelentes, os seus valores mais altos, a sua suprema bondade. Essa idéia é criação de Comte (1759-1857, — o genitor do positivismo lógico) e também foi esposada por John Dewey, um dos principais representantes do pragmatismo, por Max Otto, Roy Wood Sellars, Corliss Lamont e outros filósofos pragmáticos e humanistas.

9. O idealismo impessoal. Deus seria o valor ideal. Trata-se de um conceito similar ao da posição filosófica precedente, podendo ser classificado como uma subcategoria do «humanismo». Todavia, neste caso, a ênfase recai sobre os valores. Os valores possuiriam uma existência objetiva, «sui generis». Os valores, ou princípios ideais, que seriam válidos e universais, é que seriam Deus, de acordo com esse ponto de vista.

10. A sobrenaturalidade deísta. Deus seria o revelador sobrenatural dos valores. Deus aparece usualmente como transcendental (o que mostra as tendências para o «deísta» dessa posição filosófica). Contudo, algumas vezes ele penetraria no universal a fim de alterar o rumo das coisas, efetuando um milagre, revelando algo importante, mantendo algum contacto com o homem. (E isso mostra que essa posição também combina com o «teísmo»). Ao mesmo tempo, entretanto, Deus é totalmente distinto do universal; é transcendental. Isso significa que às vezes Deus é teísta, e às vezes é deísta. As raízes dessa idéia podem ser encontradas em várias declarações de Lutero, de Calvino e de outros teólogos cristãos. Mais recentemente, tal idéia foi expressa no existencialismo de Soren Kierkegaard, como também em determinadas seções das obras de Karl Barth (em sua neo-ortodoxia) É interessante que algumas declarações das Escrituras parecem ter um certo colorido que as assemelham às afirmações da sobrenaturalidade deísta.

11. O naturalismo religioso. De acordo com essa idéia, a tendência observável nos homens e no mundo, que busca alcançar a perfeição e que produz valores, é que é Deus (tal como na oitava e na nona posições, mais acima). Mas com isso estaria combinada a teoria da evolução. O alvo da evolução seria a perfeição. Esse alvo é Deus. No dizer de Nelson Wieman: «Deus é o desenvolvimento da significação e do valor no mundo». Deus seria o valor teleológico.

12. O panenteísmo. Essa posição filosófica deriva sua designação de vocábulos gregos que significam, mais ou menos, «Deus conforme aparece em tudo». Conforme dizem os seguidores dessa idéia, Deus penetra e enche todas as coisas, porquanto se mantém imanente em tudo; porém, ao mesmo tempo, não deve ser identificado com esses objetos, conforme diz o panteísmo. Deus estaria em tudo, mas não é tudo. Possui a sua própria natureza ou essência distinta. Assim ensinavam Alfred North Whitehead e Alberto Schweitzer.

13. O ateísmo. O ateísmo também afirma possuir certo conhecimento, acreditando contar com evidências suficientes, de natureza negativa, que afirmam que não há Deus. Nem Deus e nem deuses existem. Conforme dizem os seus seguidores, no nosso mundo existem provas, que podemos observar na maldade existente no universo, que negam a existência de um bondoso Deus, juntamente com a confusão e o sofrimento que imperam por toda a parte. E posto que o mal e o sofrimento obviamente existem, os ateus acreditam que isso significa que Deus não existe. De conformidade com o conceito cristão, as idéias aqui enumeradas como sexta, oitava, nona e décima primeira, são todas formas de ateísmo, as quais, embora retenham a palavra «Deus», em seu vocabulário, na realidade não querem dizer coisa alguma com isso, a não ser dar uma satisfação às Escrituras Sagradas ou à teologia cristã, no que esse termo realmente significa.

O ateísmo está vinculado às seguintes declarações básicas, que o definem:

a. Não existe qualquer Deus, segundo qualquer definição.

b. Não existe Deus, segundo os termos de qualquer filosofia ou religião, sem importar a forma tomada pelas declarações que fazem as filosofias ou religiões.

c. Não existe Deus, sobretudo conforme a proclamação do judaísmo e do cristianismo.

Usualmente o ateísmo aceita como pontos de vista válidos somente aquelas coisas sujeitas à percepção dos sentidos, ficando assim negados o misticismo, a intuição e a razão pura como meios de que dispõem os homens para saberem das coisas. Ora, não haveria percepção de Deus através dos sentidos, mas bem pelo contrário. Outrossim, a percepção dos nossos sentidos pode conferir-nos uma razoável descrição da maldade e da corrupção que imperam no mundo; e, por isso mesmo, essas coisas negam a existência de um Deus bom e inteligente. No entanto, alguns ateus têm caído no absurdo de declararem: «Se eu fosse Deus, teria criado um universo melhor». Não obstante, isso nos permite entrever que os ateus acreditam ordinariamente que este universo imperfeito, especialmente do ponto de vista moral, serve de prova que, no universo, agem forças cósmicas e impessoais, em vez de um Deus *pessoal* e moral. Todavia, não dignificam os ateus a essas forças naturais e impessoais, chamando-as de «Deus».

Em comparação com a posição assumida pelos ateus, o teísmo também assevera possuir determinado conhecimento, afirmando que existem evidências suficientes que confirmam a existência de Deus. Essas evidências são de ordem positiva. E isso leva os que assim pensam a afirmarem que Deus realmente existe. Pois a própria percepção dos sentidos, que nos permite observar os vários fenômenos maravilhosos da natureza, nos confere testemunhos variegados da existência de Deus.

14. O agnosticismo. Essa é a posição filosófica teológica que afirma: Talvez Deus exista; talvez não exista. É a posição de quem não afirma ser possível ter tal conhecimento com certeza. Existiriam provas tanto positivas como negativas da existência de Deus, mas nenhuma delas seria suficientemente conclusiva para capacitar os homens a tomarem uma decisão firme sobre a questão. O agnosticismo admite a possibilidade da existência de certo conhecimento sobre a questão, mas que esse conhecimento está sujeito a modificação, com a passagem do tempo, de acordo com elementos positivos ou negativos que forem surgindo.

Alguns agnósticos se inclinam para o teísmo, e outros para o deísmo. Em outras palavras, alguns deles pensam que as evidências em favor da existência de Deus, apesar de não serem conclusivas, são sugestivas dessa existência. Mas outros agnósticos, a

DEUS

despeito de admitirem que não sabemos se Deus realmente existe ou não, afirmam que a existência disponível é principalmente negativa, o que os leva a suspeitarem que Deus realmente não existe. Por conseguinte, essa segunda forma de agnosticismo tende para o ateísmo.

O agnosticismo, estranhamente, também afirma possuir certo conhecimento, porquanto aceita a idéia de que talvez existam evidências inconclusivas a respeito do caso. No entanto, mantém a posição que diz: «Não sabemos». Assim sendo, o nome «agnóstico» se deriva dos termos gregos «a gnosis», palavras que significam «não-conhecimento». Alguns agnósticos têm a fé que é impossível, tanto agora como talvez para sempre, sabermos se realmente Deus existe, crendo que essas questões, e outras similares, não são possíveis de serem respondidas pela mente humana. Ainda outros desses agnósticos acreditam que a evidência de que dispomos não está necessariamente estagnada, e que futuras modificações poderão propiciar base para a crença favorável ou contrária à idéia da existência de Deus.

15. O ceticismo. O ceticismo é uma espécie de agnosticismo radical. Àquilo a que chamamos de conhecimento, segundo esse ponto de vista, não é realmente tal, mas, quando muito, apenas indicações parciais do que a natureza de qualquer coisa poderia ser. Os céticos radicais pensam que tanto agora como para sempre será impossível obter qualquer conhecimento real acerca da natureza verdadeira do que quer que seja. Ora, isso se aplica não somente a Deus, mas a todas as coisas também, incluindo a natureza da matéria. Assim sendo, os homens podem falar sobre os átomos, sobre as partículas dos átomos, como os eléctrons, os nêutrons e os três elementos do eléctron, chamados «quarks»; porém, tudo quanto os homens dizem, quando muito, não passaria de uma descrição parcial do que é a matéria, porquanto não sabemos no que consiste a matéria, embora possamos fazer descrições tentativas a respeito.

Os *céticos* ordinariamente limitam os meios humanos de obter conhecimentos à percepção dos sentidos, e por isso mesmo negam qualquer valor à intuição, à razão e ao misticismo, como meios de obtenção de conhecimentos. Porém, conforme é bem conhecido o fato, a percepção dos sentidos não é muito acurada, e podemos estar certos de que a maior parte dos fenômenos que ocorrem no mundo não está sujeita à percepção dos nossos sentidos. Alguns indivíduos podem ver áreas de luz que os outros não podem. Alguns podem ouvir sons que geralmente não podem ser ouvidos. É lógico, por conseguinte, que qualquer coisa que os homens conhecem através de seus cinco sentidos, só pode ser uma descrição parcial até mesmo dos objetos físicos. Quão pouco é o nosso conhecimento, adquirido através desses sentidos físicos, pois, acerca de realidades imateriais como Deus, os anjos, a alma, etc., não sabemos entrar em contacto através desses sentidos?

16. O positivismo lógico. Trata-se de uma forma de ceticismo que domina a ciência moderna. Tal como o ceticismo comum, limita tudo quanto se pode conhecer à mera percepção dos sentidos, assim rejeitando quaisquer reivindicações de conhecimento que nos chegam através de outros meios, como a razão pura, isto é, aquela que prescinde de experiências, a intuição ou o misticismo, que também inclui a *revelação* divina. Todas as proposições de conhecimento que não têm base na experiência são *sem sentido*; ou em outras palavras, não haveria qualquer meio de julgar o seu verdadeiro

valor. Assim sendo, o *ateísmo* e o *teísmo* são igualmente errados porque dizem que *existem evidências*: indicações *negativas* (*não há Deus* - ateísmo); indicações *positivas* (*há Deus* - teísmo). As duas declarações são incorretas, no dizer dos positivistas lógicos, porquanto ambos fazem declarações que são «sem sentido», porque é impossível demonstrar a existência de Deus através da experiência baseada na percepção dos sentidos. O positivismo lógico rejeita também a maior parte dos sistemas de ética, de metafísica e de estética, reduzindo a filosofia a um mero método científico.

Até mesmo quando fala de assuntos que podem ser conhecidos cientificamente, os positivistas lógicos não se referem a algum conhecimento autêntico, mas tão-somente buscam encontrar alguma taxa de probabilidade, no tocante ao seu valor verdadeiro. Assim sendo, algumas coisas teriam uma elevada taxa de probabilidade, ao passo que outras teriam uma taxa de probabilidade bem baixa; e esse seria o verdadeiro valor dessas coisas. Em todas as experiências científicas, todas as evidências jamais podem ser descobertas, acerca de qualquer objeto; e isso significaria que nada, realmente, pode jamais ser conhecido com certeza absoluta. Por conseguinte, não haveria qualquer coisa como uma lei científica, porque outras evidências e experiências podem modificar os nossos conceitos sobre tais leis. Todas as chamadas «leis» seriam meramente taxas de probabilidade e sempre estariam sujeitas a sofrer modificações. Até mesmo o chamado conhecimento científico não passa de uma «inferência lógica».

17. O existencialismo. De acordo com essa posição filosófica, Deus seria transcendental, o «ser sem limites». Assim sendo, não poderíamos dizer que Deus «existe» ou «não existe», porque essas palavras não têm significado quando são aplicadas a Deus. Elas subentendem «um ser» entre outros seres. E dizer alguém que «Deus existe», é, na realidade, expressar uma forma de ateísmo, porquanto reduz o Grande Deus Transcendental à categoria daquelas coisas que podemos conhecer e expressar com a nossa mentalidade tão limitada. A própria palavra «Deus» não se refere a uma «realidade», e nem mesmo à «mais alta realidade», mas é antes uma alusão à fonte e ao alicerce de toda a vida e existência. Ao mesmo tempo, essa qualidade transcendental suprema é totalmente transcendental, e jamais poderá vir a ser descoberta e descrita pela investigação. Deus é o grande mistério perpétuo, e sempre haverá de ser o objeto do ser, o objeto de uma pesquisa admirada. E assim, quer neste mundo material, em um algum outro mundo, após a morte física, Deus será sempre o «Grande Mistério» em direção ao qual os homens se movimentam, dirigindo-lhe a sua atenção, sempre procurando, mas sem jamais encontrá-lo, porquanto Deus é inerentemente transcendental. Esse é o tipo de existencialismo religioso, conforme é apresentado por Paul Tillich.

A principal fraqueza dessas diversas formas de *incredulidade*, descritas acima, consiste no fato de que ordinariamente fazem da percepção dos sentidos o único meio de adquirirmos conhecimentos, não dando a devida consideração a outros meios, como a intuição, a razão pura e o misticismo, que são meios de descobrimento de Deus muito melhores do que a percepção dos sentidos. Pois se realmente Deus existe (isso é fato) e ele resolve revelar-se, poderá simplesmente fazê-lo através de visões, sonhos ou outros meios dessa natureza, deixando assim inteiramente de lado toda e qualquer necessidade do concurso da percepção dos sentidos, e até mesmo da

DEUS

razão e da intuição.

Deus se dá a conhecer aos homens como um ato de sua misericórdia e graça, e alguns indivíduos, altamente inteligentes e treinados, têm arriscado as suas vidas sobre essa proposição. O mais poderoso argumento em favor do conhecimento religioso de toda a variedade, incluindo o conhecimento da existência de Deus, é o apresentado pelo misticismo. O Antigo e o Novo Testamentos se alicerçam sobre a suposição de que o Ser Supremo e divino se tem revelado aos homens por intermédio de meios especiais. Isso quer dizer simplesmente que o conhecimento autêntico de Deus é um «dom de Deus» e não, necessariamente, aquilo que pensaríamos que devemos experimentar, para afirmar tal verdade.

IV. O Conceito Bíblico de Deus

Oferecemos ao leitor um detalhado artigo sobre os *Atributos de Deus*, biblicamente orientado, com muitas referências escriturísticas. Ali expomos o conceito geral de Deus, de conformidade com a Bíblia. Adicionamos aqui somente uma caracterização geral:

1. O Deus da Bíblia é teísta, e não deísta. Ver os artigos separados sobre o *Teísmo* e o *Deísmo*, como também os comentários deste artigo, em sua terceira seção, pontos quatro e cinco. Isso significa que Deus não apenas transcende à sua criação, mas também que ele é *imanente* na mesma. Deus intervém em sua criação, alterando o curso da história e de vidas individuais, recompensando ou punindo. Portanto, Deus é quem impõe a responsabilidade moral, a nós o homem, pois ele é quem estabelece as regras e determina penas para os desobedientes. As experiências místicas dependem do conceito teísta de Deus. Há uma *Presença* que pode ser buscada, sentida e conhecida.

2. O Deus da Bíblia é *um* só (ver sobre o monoteísmo), embora se manifeste como uma *Trindade* (que vide). Isso se refere não somente à natureza de Deus, mas também ao seu impulso de comunicar-se, porquanto é no Filho, através do Espírito Santo, que Deus se comunica com o homem.

3. O Deus da Bíblia faz-se conhecer pela *revelação* (que vide). Judeus e cristãos crêem que Deus quis revelar-se, tendo-o feito por meio de profetas e homens santos. Essas revelações têm-se concretizado nos livros sagrados do Antigo e do Novo Testamentos. Esse é um dos aspectos do *teísmo*. O desvendamento sobrenatural de Deus e as suas exigências são universais em caráter, tendo-se tornado parte da história da humanidade. A encarnação do Logos, em Jesus de Nazaré, é a suprema revelação de Deus, e o Novo Testamento é uma prolongada declaração das implicações dessa revelação. O Pai faz-se conhecer no Filho (João 14:7 *ss*, e cap. 17). A revelação de Deus, no Filho, tem natureza redentora e restauradora, por serem esses os propósitos principais por detrás dos atos reveladores.

4. O Deus da Bíblia é o *Espírito Eterno*, o Criador e Preservador Infinito, bem como o Juiz de toda a criação. Ele é também o Redentor, pois aquelas outras qualidades teriam pouca significação para os homens. A Confissão de Fé de Westminster (que vide) declara: «Deus é um Espírito, infinito, eterno e imutável em seu ser, sabedoria, poder, santidade, justiça, bondade e veracidade». Essa declaração, infelizmente, deixa de lado o seu atributo de amor, que é a base de toda a sua natureza moral, bem como o impulso mesmo por detrás da revelação e da encarnação de Deus, no Filho.

5. O Deus da Bíblia é uma *pessoa*, em contraste com os conceitos descritos na seção III deste artigo, como o panteísmo (ponto sexto), o realismo agnóstico (ponto sétimo), o humanismo (ponto oitavo), o idealismo impessoal (ponto nono), o naturalismo religioso (ponto décimo primeiro), ou o permanente grande mistério do existencialismo (ponto décimo sétimo). Afirmamos que Deus é uma pessoa e um espírito. E isso é o começo dos problemas, porquanto não sabemos como definir um espírito, exceto asseverando, de maneira vaga e imprecisa, que se trata de um ente *não-material*; e também só podemos descrever os atributos de uma pessoa fazendo analogia com as pessoas humanas; mas isso faz as descrições ficarem muito aquém da realidade toda de Deus. Não obstante, retemos esses termos por falta de melhores, ainda que as descrições assim conseguidas estejam longe de ser brilhantes.

6. *Classificação dos Atributos de Deus*. Os teólogos acham conveniente falar sobre os atributos de Deus mediante duas amplas categorias: os atributos *comunicáveis* e os *incomunicáveis*. Os primeiros são aqueles como as qualidades racionais e morais, que encontram algum paralelo na natureza humana: sabedoria, bondade, retidão, justiça e amor. Deus mostra-se imanente em sua criação, de acordo com esses atributos. Sob a segunda classificação, temos a auto-existência (o Ser Necessário), em contraste com os seres desnecessários ou dependentes, cuja vida é derivada da Fonte da vida; a imutabilidade; a onisciência; a onipotência e a eternidade. Nesses atributos, Deus mostra-se transcendental, sendo eles análogos às condições humanas. Com o termo «eternidade» indicamos que Deus meramente não teve começo, e nem terá fim. Também indicamos que ele é um Ser totalmente além da categoria humana do tempo, pertencente a um tipo totalmente diferente de esfera e forma de vida. Ver sobre *Atributos de Deus*.

7. *A Vontade de Deus e a sua Soberania*. Esse é um outro aspecto do ensinamento do teísmo. Deus faz-se presente e pratica aquilo que ele quer; mas a sua santidade garante que tudo quanto ele faz sempre é correto e justo. A vontade de Deus é um aspecto de sua autodeterminação, que encontra expressão em seus atos criativos. Ver o artigo separado sobre o *Determinismo*, que aborda esse assunto quanto aos seus detalhes.

8. *A Paternidade de Deus*. Essa é a base de seus atos remidor e restaurador. Ver Romanos 8:14 *ss* quanto a uma expressão bíblica a esse respeito. Jesus ensinou os homens a orarem a Deus como Pai (Mat. 6:9). Esse capítulo tem doze referências a Deus como Pai. Tais alusões são extremamente numerosas no evangelho de Mateus. Ver também Mat. 5:16,45,48; 7:11,21; 11:25-27; 12:50; 16:17; 26:38,42 e 28:19. Ao chamar Deus de Pai, Jesus enfatizou o interesse de Deus pela humanidade, bem como o seu amor, cuidado vigilante, generosidade e fidelidade. Conta-se a história de como um missionário evangélico procurava ensinar a alguns africanos os conceitos bíblicos de Deus. Uma idosa mulher desistiu de continuar aprendendo as lições. Perplexo, o missionário perguntou-lhe por qual razão. Ela respondeu: «Aprendi que Deus é o meu Pai. Isso basta para mim».

V. Provas da Existência de Deus

De certa feita, estava eu pregando em uma igreja batista sobre as provas da existência de Deus. Procurei usar algumas poucas referências bíblicas que concordam em espírito com as provas filosóficas, mas que não se acham ali com o propósito específico de

DEUS

provar a existência de Deus. Fui severamente criticado devido àquele sermão, e uma das senhoras chegou a dizer: «Espero que o pastor não torne a convidar aquele *filósofo* para falar à igreja!» Em uma outra ocasião, um jovem de um seminário batista, na cidade de São Paulo, referiu-se ao que aquela senhora dissera, concordando inteiramente com ela. Eu estava presente e ouvi a observação dele, mas não me dei ao trabalho de protestar. Mas eu sabia que tanto os cursos de filosofia como de teologia (da escola que ele freqüentava) incluíam provas racionais da existência de Deus, naquelas disciplinas. A ignorância dos fatos nunca leva a coisa alguma. Quanto mais aprendemos, tanto melhores ficamos. Os filósofos têm feito bem em examinar esse assunto; fazemos bem em ficarmos informados acerca do assunto, — mesmo que não precisemos de tais provas para consubstanciar a *nossa* fé cristã. Pois os que ainda pertencem ao mundo, talvez sintam que essas provas são úteis para eles consubstanciarem *sua* fé na existência de Deus. Outrossim, muitas dessas provas têm uma sólida base bíblica, ainda que, na Bíblia, tais conceitos não sejam expostos como provas.

Abaixo oferecemos os vinte argumentos diversos que comprovam a realidade da existência de Deus, a saber:

1. Há a idéia do *quinque viae*, exposta por Tomás de Aquino. Antes de tudo destaca-se o princípio do *impulsionador primário*, isto é, aquela força que desencadeou o movimento e que agora sustenta o mesmo. O mundo seria, essencialmente, «matéria em movimento». Precisamos explicar a existência tanto do movimento como de sua causa primária. Pois não é lógico entrarmos em um regresso infinito, afirmando que um movimento foi causado por um antecedente, e este por um outro, anterior a ele, e assim indefinidamente. Precisamos finalmente chegar à declaração da origem do movimento. Em Col. 1:17 vemos que esse poder é atribuído a Cristo (*o Logos*), ao passo que no trecho de Atos 17:28 essa força é atribuída a Deus Pai. Estes dois trechos foram declarações do Apóstolo Paulo. Por conseguinte, esse argumento de Tomás de Aquino já existe nas Escrituras, ainda que não na forma rigorosa de um argumento, porém, meramente como uma afirmação sobre a origem do movimento e como o mesmo tem prosseguimento. O movimento assume muitas formas diversas, e, segundo o conhecimento mais avançado de que dispomos, sobre essa particularidade, o movimento mais elementar é aquele que se verifica no interior do átomo, e que envolve os elementos constitutivos do átomo. Existe igualmente movimentos na formação das coisas, no desenvolvimento de qualquer coisa a que chamamos de crescimento. Tais movimentos são governados por uma inteligência qualquer, porque, de outro modo, tudo não passaria do mais absoluto caos. Os movimentos são dirigidos na direção de alvos fixos, levados a efeito com um propósito definido. Somente uma inteligência elevada poderia assim ordenar e dirigir tais movimentos.

2. *Há o argumento cosmológico*. Temos a necessidade de explicar a origem da matéria. Poderíamos encetar uma série infindável de retrocessos, supondo que há uma fileira interminável de causas, sem jamais chegarmos a uma *causa primária*, — mas isso é simplesmente contrário à razão. Assim sendo, precisamos supor que existe uma causa, maior do que qualquer dos seus efeitos, causa essa que originou a matéria. Com base na grandiosidade da criação, podemos averiguar algo da grandiosidade da inteligência de Deus, bem como algo de seu

extraordinário poder. A única alternativa possível a essa posição é aquela que afirma que a matéria é eterna; essa idéia, entretanto, é muito menos satisfatória do que aquela que fala de uma Causa inteligente de todas as coisas, Causa essa que é eterna, mas que produziu a criação dentro do tempo. Coisa alguma, de tudo quanto existe, pode ser declarado como sua própria causa, porquanto sempre podemos encontrar uma causa para qualquer coisa, e outra causa para essa causa, e assim por diante. Finalmente, porém, somos forçados a pôr ponto final nesse retrocesso, supondo a existência de uma Causa primária. Essa é a solução mais razoável, para o problema da origem, dentre todas as soluções que têm sido apresentadas pelos homens.

3. Há o argumento alicerçado na *contingência* ou na *possibilidade*. — Esse argumento tem por fundamento a verdade empírica que mostra que tudo quanto conhecemos, através de nossa experiência, é «contingente». Em outras palavras, depende de alguma outra coisa para explicar a sua existência. Isso subentende que a menos que exista alguma coisa «necessária», que «não possa deixar de existir», todas as coisas, finalmente, cessariam de existir, porquanto dependem ou são contingentes dessa coisa necessária. Uma vez mais poderíamos iniciar um retrocesso infinito, supondo que todas as coisas realmente dependem de alguma outra coisa, sem jamais chegarmos a um «ser necessário», independente, que não depende do que quer que seja para a sua existência. Porém, essa idéia é muito menos razoável do que supormos que ao longo do caminho de retrocesso, em algum lugar, se encontra aquela *vida necessária*, que não depende de qualquer outra coisa para a sua existência, mas antes, é sua própria causadora e existe independentemente de tudo o mais. A esse ser independente é que denominamos «Deus». O evangelho de João encerra esse conceito em trechos como João 5:25,26 e 6:57, onde se lê que esse tipo de vida independente, imortal e necessária foi conferida ao Filho de Deus (através da ressurreição), pelo poder de Deus Pai, e então, por intermédio do Filho, a todos quantos nele crêem. Esse é um dos conceitos mais elevados da religião, revelada ou não. O homem, através dessa doação, vem a participar da «vida independente» de Deus, e assim virá a participar do mesmo tipo de imortalidade que Deus Pai possui. Essa é a autêntica *vida eterna*.

4. *Há o argumento axiológico*. Em outras palavras, há uma única forma ou graus de perfeição? Sempre que examinamos a bondade, a justiça, a beleza, a nobreza, ou qualquer outra das qualidades morais, observamos neste mundo muitos graus de perfeição. Ora, a própria idéia de «grau» subentende a necessidade de um grau máximo, ou seja, da perfeição—um «maxime ens» ou «ens realissimus». Esse ente mais real se chama «Deus» que é o ápice de todos os graus de perfeição.

5. *O argumento teleológico*. Todos os aspectos da vida e do ser demonstram um desígnio extremamente completo. Tudo quanto é vida possui propósito em seu ser, além de um esquema muito complexo de funções físicas, o que demonstra o mais estupendo desígnio. A complexidade de desígnios existente, por exemplo, no olho humano, é demonstração suficiente da existência de uma inteligência cheia de propósito para confundir um milhão de ateus. A ordem que impera no universo físico é exata e maravilhosa para a nossa apreciação. Ora, por detrás de tanto propósito e desígnio deve haver um grande Planejador, ou seja, a mais elevada inteligência que se pode

DEUS

imaginar, —que foi capaz de pôr em movimento uma criação magnífica que sempre desperta a nossa observação. O *Planejador* é *Deus* e sua inteligência é amplamente demonstrada no mundo por ele criado. Por exemplo, há uma variedade de mariposa que possui dez tipos diferentes de antenas, e que são receptores de luz. Por meio do seu uso, esse inseto é capaz de dirigir o seu vôo e a sua vida em geral. A ciência dos homens ainda não foi capaz de descobrir a utilidade específica de cada uma dessas variedades de antenas, mas os cientistas se maravilham extasiados ante o fenômeno. O engenho humano jamais foi capaz de desenvolver antenas com essa sensibilidade. No entanto, alguns animais possuem receptores de luz ainda mais complicados e perfeitos, aos quais chamamos de *olhos*. Por detrás de desígnios tão inteligentes, deve haver um *Intelecto Supremo*. E essa inteligência extraordinária se chama Deus. Até mesmo as coisas inanimadas têm desígnio, e essas coisas, juntamente com outras coisas de desígnio mais complexo, adicionam o seu testemunho em favor do grande Planejador.

Ver o artigo separado sobre os **Cinco Argumentos em Prol da Existência de Deus**.

6. *O argumento da eficácia da razão*. A razão humana, com sua extraordinária complexidade e com suas muitíssimas sutilezas e os seus poderes abstratos, comprova a necessidade de admitirmos, em nossa ontologia, o Criador e Planejador desses poderes, sendo, ele mesmo, o Intelecto supremo. A razão humana é apenas uma pequena demonstração da razão divina. Até mesmo as tentativas racionais do homem, para provar que Deus não existe, não passam de demonstrações que Deus verdadeiramente existe, porquanto essas tentativas são um uso e uma exibição da razão, o que, quando devidamente examinado, inevitavelmente nos conduz de volta a Deus. Esse argumento é uma faceta do argumento teleológico, discutido acima, no ponto anterior.

7. *O argumento moral*. Em sua forma original, esse argumento assevera que o elevado senso de moralidade que algumas pessoas possuem pode ser melhor explicado se supormos que esse senso se assemelha ao do grande Ser moral. Essa explicação é melhor do que atribuirmos tal moralidade a fatores meramente biológicos ou físicos. De conformidade com esse ponto de vista, aceitamos que um elevado senso moral se deriva da influência exercida por um Deus santo.

Em suas formas mais complexas, compreendemos que esse argumento mostra que até mesmo o vocabulário da moralidade, que se refere a conceitos como «bondade», «justiça», e «conduta ideal», subentende um elevadíssimo Padrão de moralidade, o qual inspira a moralidade no homem, o que, por sua vez, é refletido na própria natureza da linguagem humana. Outrossim, o argumento moral, em suas formas mais complexas, afirma que existe na mente humana a intuição de que deve haver uma retribuição apropriada às ações morais dos homens, subentendem que deve haver um Juiz capaz de dispensar retribuições na forma de bênção ou punição. Além disso, a experiência e a observação humanas demonstram que, nesta existência terrena, a injustiça pode prevalecer e freqüentemente o faz, pelo que a justiça, neste lado terreno da vida, não se cumpre. A razão também nos diz, por conseguinte, que deve forçosamente haver a imortalidade, pois é no «outro lado» da existência que a justiça terá de ser satisfeita. Ora, somente o Juiz absoluto pode fazer os ajustamentos necessários para que a justiça repouse sobre todos, através da bênção ou através do castigo.

A esse Juiz nós chamamos «Deus». O raciocínio da pura moral humana requer a existência de Deus. Outrossim, alicerçados em bases bíblicas, como vemos em Rom. 1:19,20, ou como se vê em João 16:8-11, percebemos que esse Juiz transmite pessoalmente aos homens quais sejam as exigências morais deste mundo.

8. *O argumento axiológico*, em sua forma mais complexa. Todas as sensibilidades humanas, no que diz respeito às perfeições da realidade, das qualidades morais, das qualidades estéticas, das qualidades políticas e da busca pela perfeição, em qualquer campo do conhecimento humano, requerem que exista o Valor supremo na direção do qual todos os demais valores apontam, e cujo padrão esses valores seguem como linha diretriz. Há uma subcategoria desse argumento, denominado «argumento henológico», o qual afirma que há uma espécie de unidade em todos os conceitos de valor, isto é, o Grande Padrão de valor, que age como o alvo e o unificador de todos os valores, a despeito do que essa disciplina porventura envolva. Essa unidade dos valores exige a aceitação da existência do Unificador de todos os valores, que é Deus.

9. *O argumento derivado da autoridade*. Os livros sagrados, as experiências místicas que dão conteúdo a esses livros sagrados, a tradição histórica da igreja cristã, os escritos e predições orais dos profetas, o cumprimento dessas suas profecias, etc., mostram-nos que existem «autoridades» de natureza religiosa, o que comprova a existência de um Deus que nos transmitiu tais revelações, e que, por isso mesmo, constitui a autoridade apropriada para representar a sua própria pessoa.

10. O argumento baseado na *experiência religiosa*. A experiência religiosa, como a regeneração, e as demais experiências místicas, como as curas, diversas experiências psíquicas, os milagres, etc., provam que deve haver uma realidade na fé religiosa, cujo ponto mais elevado é o Ser supremo que denominamos «Deus», o qual, também, é a fonte originária válida de toda a experiência religiosa autêntica.

11. O argumento baseado na *esperança religiosa*. Existe uma crença universal dos homens na existência de Deus, que os leva a terem «esperança». A remoção da esperança deste mundo deixaria a raça humana em estado de miséria íntima. Essa esperança é justificada porque é outorgada por Deus, sendo comprovada pelo consenso humano universal. Os homens esperam em Deus, a não ser quando ensinados em contrário, por algum sistema perverso, que os condicione a isso.

12. O argumento baseado na *realidade dos milagres*. A experiência humana comum testifica sobre a realidade dos milagres. A ciência não conta com qualquer explicação e nem com qualquer teoria geral que explane as muitas maravilhas extraordinárias que se verificam neste mundo. Somente a verdade religiosa pode explicar tais fenômenos. O princípio religioso afirma a existência de Deus como o grande poder que há por detrás dos milagres. Existem leis mais elevadas do que aquelas que são explicadas pela ciência humana, e que podem ultrapassar as supostas limitações, impostas pela ciência natural. Deus é controlador das leis cósmicas, e, se assim quiser fazer, pode agir contrariamente a elas, fazendo intervenção, ultrapassando-as ou utilizando-se de leis superiores a elas, a fim de produzir acontecimentos que desafiam qualquer explicação «lógica», de conformidade com a lógica científica.

13. O argumento do *consensus gentium*. Essas palavras latinas significam «opinião popular». Sempre

DEUS

fez parte da opinião de todas as culturas humanas que existe algum Ser supremo, ou existem alguns seres divinos. O ateísmo, em contraste com isso, precisa ser aprendido; não ocorre naturalmente a quem quer que seja. Não existe um único ser humano, à face da terra, que seja ateu de nascimento. Usualmente os indivíduos aceitam o ateísmo nas escolas seculares e profanas, onde os mestres, inchados de orgulho intelectual, pensam ser suficientes para si mesmos, sem necessitarem de qualquer Poder supremo. Todavia, em todas as culturas onde a sofisticação do ceticismo ainda não penetrou, há a crença na existência de Deus, ou, pelo menos, de vários deuses. A opinião geral da humanidade, entretanto, não nos pode conduzir à natureza exata de Deus, mas, pelo menos, pode conduzir-nos à «idéia da existência da divindade»—Deus existe.

14. O argumento baseado na *revelação e no misticismo*. Deus tem achado por bem revelar-se a si mesmo aos homens; e isso ele tem feito por intermédio de visões e sonhos. Essa revelação aparece em forma mais concreta nas Santas Escrituras. O Senhor Deus simplesmente dá conhecimento de si mesmo como um dom aos homens, porque sabe que precisam desse conhecimento. Essa revelação se origina em sua graça e em sua bondade. Que o misticismo é uma realidade é fato que se pode comprovar facilmente, através de pesquisas e da mera observação. O impulso que há por detrás de todas as experiências místicas, quer se trate de milagres ou de visões, é a Mente divina. E formas falsas de misticismo não eliminam o que é verdadeiro; e, além disso, qualquer grau de misticismo já serve de prova sobre a existência de Deus. As experiências místicas conseguem descrever Deus, em certo sentido, não sendo meramente uma afirmação de sua existência.

15. O argumento baseado na *felicidade do crente*. A profunda felicidade e senso de confiança que têm os crentes em Deus, a alegria e a segurança que a fé teísta confere aos seus possuidores, servem de provas da validade da crença na existência de Deus.

16. O argumento baseado *na melhor crença*. Sendo inquiridores sérios da verdade, sentimos a necessidade de escolher entre as muitas idéias que existem, e, ao sermos defrontados por tal necessidade de escolha, a «melhor fé», obviamente, é a fé teísta. Essa crença explica melhor a existência da criação, de seu desígnio, das experiências místicas e dos milagres. Isso é uma explicação melhor do que a idéia da mera «chance», da «evolução» ou da «seleção natural», ou mesmo da coincidência sem desígnio, das «forças naturais e cósmicas», que são suas alternativas. A crença em Deus fica melhor fundada, psicologicamente falando, na realidade das coisas, do que o ateísmo, e é muitíssimo mais satisfatória. O ateísmo perde a sua utilidade quando o indivíduo morre.

17. O argumento da *aposta*, apresentado por *Blaise Pascal*. Pascal ensinava que é impossível provar ou negar a existência de Deus, mas dizia que, sob bases pragmáticas, a crença em Deus é superior à descrença, porquanto essa crença agrada a Deus, ao passo que o ateísmo lhe é desagradável. De acordo com essa idéia, quando um homem morre, se porventura descobrir que Deus não existe, ou se ele mesmo simplesmente deixa de existir, nada terá perdido. Por outro lado, se um homem, ao morrer, descobrir que Deus realmente existe, então só terá a ganhar com a sua crença teísta. Essa idéia, entretanto, não é válida, pois é extremamente imperfeita. Pois Deus existe, e, segundo podemos estar plenamente certos, não é nenhum tolo, o que

significa que não ficará satisfeito com alguém que se aferra à crença teísta somente por motivo de vantagens egoísticas. De fato, talvez Deus se sinta mais agradado com um ateu sincero e honesto, e não com um teísta jogador com a sorte. Essa forma de crença é uma hipocrisia, e jamais poderá agradar a Deus. Outrossim, do ponto de vista teológico, a mera crença na existência de Deus não é mais vantajosa do que a crença que têm os poderes demoníacos na existência de Deus, pois os demônios crêem e estremecem.

18. *O argumento do teísmo pragmático.* Paralelamente ao argumento anterior, alguns pensam que é pragmaticamente melhor ser alguém religioso, não somente no que tange à questão da crença na existência de Deus, mas também no que diz respeito à questão da prática religiosa. O ateísmo não oferece qualquer futuro a quem quer que seja, e nem mesmo reivindica oferecer isso. É melhor, portanto, do ponto de vista do pragmatismo prático, lançarmos nossa sorte com a religião, com a existência de Deus e da alma, fazendo profissão geral e prática da religiosidade. Se, ao morrermos, nada existir senão o vazio, ou se descobrirmos que estávamos equivocados em nossas crenças, nada perderemos com isso. Por outro lado, se alguma parte ou a totalidade das crenças religiosas estiverem de conformidade com a realidade, descobriremos que fizemos uma acertada decisão, ao seguirmos a fé teísta e as práticas religiosas, porquanto, presumivelmente, obteremos algum mérito com isso. Do ponto de vista evangélico, entretanto, essa «fé pragmática» não se reveste de valor algum, porquanto somente uma fé verdadeira em Jesus Cristo pode transformar os remidos segundo a sua própria imagem. Seja como for, o teísmo pragmático é melhor do que o ateísmo, como expressão para a existência terrena presente.

19. A existência de Deus é *a melhor explicação possível* para tudo quanto está envolvido em todos esses argumentos, considerados como um conjunto. Ao examinarmos a gama inteira das possibilidades, dos argumentos, das teses e das contrateses, o teísmo mostra-se mais convincente do que o ateísmo. Isso é verdade, ainda que não possamos chegar a uma conclusão racional definitiva. A melhor idéia é a teísta, e esse é o resultado líquido de todos os argumentos, considerados em sua totalidade.

20. O argumento alicerçado na *fé pura*. Alguns cristãos, especialmente nas igrejas evangélicas, têm chegado à conclusão de que nenhum argumento «racional» ou «físico» verdadeiramente demonstra a existência de Deus, mas antes, que essa certeza só ocorre através da fé bíblica. Nas igrejas evangélicas, que seguem o ensinamento bíblico, acredita-se que essa fé é conferida pelo próprio Deus, o qual dá, dessa maneira, certeza de sua existência, inteiramente à parte de evidências externas. Alguns crentes chegam mesmo a alegrar-se nessa idéia, rejeitando totalmente quaisquer outras idéias, como se estivessem próximas da blasfêmia, as quais dizem ser necessário ser comprovada a existência de Deus para que nela possamos acreditar. Porém, apesar das Escrituras Sagradas em parte alguma se lançarem à tarefa de tentarem provar que Deus existe, contudo, passagens bíblicas como aquela de Rom. 1:20 dão a entender que verdadeiramente existem provas, físicas e racionais, acerca dessa existência. Portanto, não é crime procurarmos delinear a validade de tais provas, pois, para os incrédulos, esse delineamento pode ser muito útil e valioso. Um dos primeiros passos que uma alma pode dar na direção de Jesus Cristo pode ser a crença firme na existência de Deus. Ninguém

DEUS

poderá jamais avizinhar-se de Cristo, segundo um sério ponto de vista evangélico, se for um ateu convicto. (Esse argumento baseado na «fé pura» na realidade é uma variedade do argumento «místico», que aparece no décimo quarto lugar nesta lista de argumentos sobre a existência de Deus).

Deus?

Quem me terá trazido a mim suspenso,
Atônito, alheado...ou a quem devo,
Enfim, dizer que em nada mais me enlevo,
A ninguém mais de coração pertenço?

Se desço ao vale, ao alcantil me enlevo,
Quem é que eu busco, que será que eu penso?
És tu, memória de horizonte imenso
Que me encheu a alma dum eterno enlevo?

Segues-me sempre...e só por ti suspiro!
Vejo-te em tudo...terra e céu te esconde!
Nunca te vi...cada vez mais te admiro!

Nunca essa voz à minha voz responde...
E eco fiel até do ar que aspiro,
Sinto-te o hálito...em minha alma ou onde?

(João de Deus, Portugal)

VI. Nomes Bíblicos de Deus

Ver o artigo separado sobre esse assunto, sob o título *Deus, Nomes Bíblicos de*.

VII. O Conhecimento de Deus

Nas seções I e II, enfatizamos a debilidade das tentativas humanas para conhecer a Deus. Desconhecemos muito mais do que conhecemos sobre Ele. Contudo, é nosso dever procurar conhecer a Deus, sendo isso algo necessário para a sustentação de nossa própria vida. Pelo menos espiritualmente falando, isso não é algo que possamos dispensar, se assim quisermos fazer. O homem é um ser espiritual, e a espiritualidade é a substância de toda a sua vida e de todo o seu esforço, embora muitos homens não reconheçam isso.

Há trechos bíblicos que abordam a natureza incompreensível de Deus, como Jó 11:7; 21:14; 37:26; Sal. 77:19; Rom. 11:33. Portanto, qualquer conhecimento de Deus, que venhamos a obter, é extremamente limitado, mas, esse conhecimento limitado reveste-se de imensa importância.

Maneiras de Conhecer a Deus:

1. A principal dessas maneiras é a *auto-revelação* de Deus. A própria existência da Bíblia serve de prova do fato de que Deus se revela a nós, embora essa revelação seja necessariamente parcial. Ver Mat. 11:27; João 17:3; Rom. 1:19,20; Efé. 1:17; Col. 1:10 e I João 5:20.

2. *A Revelação do Filho.* O Logos, o princípio do Filho da deidade, manifesta-se em Jesus Cristo, mediante a sua encarnação. Essa é a suprema revelação de Deus entre os homens (João 1:14,18).

3. *Abordagem Racional.* O primeiro capítulo de Romanos reconhece que a razão humana pode chegar a obter certo conhecimento de Deus (vs. 19,20). Os filósofos têm afirmado que Deus é o *Grande Intelecto*, e que o homem é um *intelecto* que se deriva de Deus, o que explica a afinidade existente entre Deus e o homem. A razão humana, naturalmente, reveste-se de certa qualidade divina, podendo refletir algo do Ser divino.

4. *A Abordagem Intuitiva.* O homem tem acesso a um conhecimento que ultrapassa à percepção dos sentidos e da razão. Ele é capaz de conhecimento imediato (intuição), sem fontes conhecidas. Parte disso deve-se, sem dúvida, à sua afinidade com a natureza divina, pois o homem foi criado à imagem de Deus. Sua faculdade intuitiva revela-lhe certas coisas sobre a natureza de Deus. Ele possui *idéias inatas* (que vide) entre as quais destaca-se a *Idéia Divina*. A crença na existência de Deus, bem como algum conhecimento sobre Deus, não depende da revelação, além de transcender à razão. Esse conhecimento tem base firme na própria natureza humana, criada com a capacidade inata de reconhecer a Deus.

5. *As atividades filosóficas*, que incluem os argumentos racionais, intuitivos e morais para lançarem luz sobre o conhecimento de Deus e da alma, revestem-se de grande valor. Destaco esse fato como um ponto separado, a fim de enfatizá-lo, embora tais elementos também se achem sob outros pontos. Nesta altura, incluo uma citação extraída do *Dicionário Bíblico de Unger*, que se reveste de certa força, quando consideramos que Unger foi um escritor evangélico bastante conservador.

«As Escrituras não buscam provar a existência de Deus, mas apenas supõem ou asseveram o fato como algo que os homens deveriam estar preparados a reconhecer. As provas racionais da existência do Ser divino, porém, não devem ser consideradas de *grande valor*. São extraídas principalmente da natureza, da história e da humanidade. Algumas vezes é precipitadamente afirmado que os argumentos edificados em torno desses alicerces são antiquados ou inúteis. No entanto, permanecem de pé, sem importar suas modificações quanto à forma, sendo essencialmente válidas e de grande valor para confirmar e explicar a crença em Deus, o que, ao mesmo tempo, é tão natural para todo coração humano. Deve-se notar também que a natureza, o homem e a história nos dão revelações gerais sobre Deus — um fato que não é raramente mencionado nas Escrituras. Ver Sal. 19:1-3; Atos 14:17; 17:26,27; Rom. 1:19,20; 2:15. De acordo com isso, o estudo dessas normas produz não somente certas evidências da existência do Ser Divino, mas também algum conhecimento a respeito de seu caráter».

6. *As Experiências Místicas.* O *misticismo* (que vide) pode ser definido como o contacto com um ser ou com seres superiores a nós mesmo, e isso de vários modos. No misticismo *ocidental*, esse contacto usualmente é *externo*, isto é, com seres fora de nós. No misticismo *oriental*, a ênfase se faz com as dimensões mais altas do próprio ser. O contacto com algum ser superior, ou com o próprio «eu» superior, pode ser mediado através da percepção dos sentidos, como nas experiências visionárias e auditivas, ou pode ser inteiramente subjetivo, como nas visões internas e experiências intuitivas. Todas as religiões são edificadas sobre a base das experiências místicas. Um profeta teve uma visão. Ele a registra por escrito; seus discípulos preservam-na em um livro sagrado. A organização (a Igreja) preserva o livro e o canoniza, a fim de protegê-lo. Porém, o processo inteiro começa com a visão, com a experiência pessoal do profeta sobre o Ser divino. Muitas dessas experiências são inefáveis, e não podem ser reduzidas à forma escrita, exceto nos termos vagos de conceitos abstratos. O ministério do Espírito Santo e os seus dons são formas de misticismo. Os discernimentos obtidos através da mediação são frutos da abordagem mística ao conhecimento. Alguns místicos têm-se asseverado possuidores de um perfeito conhecimento de Deus, mas isso representa uma opinião exagerada e absurda. Não obstante, a maneira mais eficaz de alguém adquirir o conhecimento de Deus é através do caminho místico. A revelação é mesmo uma subcategoria do misticismo. A iluminação referida em Efésios 1:17 só é possível através das experiências

DEUS, AMOR DE — DEUS, NOMES

místicas.

7. As Escrituras. A Bíblia não representa uma única maneira pela qual Deus revela a si mesmo. Ela incorpora muitos aspectos. São o produto da revelação, mas também contêm raciocínios e discernimentos intuitivos que não foram dados diretamente como revelações, mas foram produtos do exercício espiritual e da inquirição por parte de homens santos. A inspiração das Escrituras inclui o uso das habilidades naturais e da erudição dos homens, sendo frutos de sua busca espiritual. Seja como for, o resultado final é que contamos com muitos ensinos e discernimentos de Deus e de sua natureza, de tal modo que a Bíblia é a nossa principal informação sobre a Idéia divina.

«...*Deus Desconhecido*... é precisamente aquele que eu vos anuncio... o Deus que fez o mundo e tudo o que nele existe... Senhor do céu e da terra... ele mesmo é quem a todos dá vida, respiração e tudo mais... Pois nele vivemos, e nos movemos, e existimos, como alguns dos vossos poetas têm dito: Porque dele também somos geração» (Atos 17:23-25, 28).

Bibliografia: B BRUN C E EP GE RP RYR UN

DEUS, AMOR DE Ver o artigo geral sobre **Amor.**

DEUS, ATRIBUTOS DE Ver **Atributos de Deus.**

DEUS, FILHO DE Ver **Filho de Deus.**

DEUS, FILHOS DE (FILHAS DE)
Ver **Filhos (Filhas) de Deus.**

DEUS,FINITO
Ver o artigo sobre **Finito**, ponto 3.

DEUS, IRA DE
Ver sobre **Ira e Julgamento.**

DEUS, NOMES BÍBLICOS DE
Esboço:
I. Caracterização Geral
II. Lista dos Nomes Divinos
III. Comentário sobre os Principais Nomes

I. Caracterização Geral
a. *Nomes Pagãos*. A fértil imaginação dos homens tem atribuído inúmeras funções ao Ser divino, e, ao enfatizar muitas delas, tem-lhe conferido grande variedade de nomes. Essa atividade é universal, não se circunscrevendo à Bíblia. Nas religiões politeístas, vemos os deuses realizando muitos tipos de serviço, e os nomes a eles atribuídos refletem as atividades específicas de cada divindade em questão. *Cronos* (tempo, o eterno) era um dos principais deuses da mitologia grega. Zeus, um de seus filhos, finalmente o derrubou. Sob Zeus, os deuses organizaram-se, com seus muitos tipos de autoridade e funções. — O nome de *Zeus* significa «céu brilhante», tendo sido assim chamado porque a princípio foi identificado com o céu e seus fenômenos. Os raios sempre foram suas armas principais, por meio dos quais ele preservava a disciplina entre os deuses e os homens. *Gaea* (terra) era a deusa da vida, a mãe de todos. Os homens reconhecem a sua dependência da terra, quanto à sua vida física, o que explica o nome e as funções dessa deusa. Na angelologia judaica posterior, anjos com nomes apropriados assumiram funções atribuídas a muitos dos deuses pagãos. Haveria até mesmo anjos controladores dos elementos

da natureza, como o vento, a chuva, a saraiva, o calor e o frio.

b. *Os nomes de Deus na Bíblia*, embora provenientes de um processo mais elevado e mais nobre do que aquele que produziu os nomes dos deuses pagãos, refletem o mesmo tipo de atividade. Os nomes de Deus refletem suas qualidades e atividades, coisas às quais os homens dão atenção especial. Na verdade, a leitura de uma lista dos nomes divinos encontra paralelo parcial na leitura da lista dos atributos e atividades de Deus.

c. *Empréstimos*. Como já seria de se esperar, nem todos os nomes divinos, dados no Antigo Testamento, pertenciam originalmente à cultura hebréia, mas foram tomados por empréstimo de um fundo comum de nomes que havia na cultura mesopotâmica. *El*, o nome básico de Deus, que se encontra em diversas combinações, é uma das mais antigas designações da deidade no mundo antigo. Forma o componente básico dos nomes de Deus na Babilônia e na Arábia, e, naturalmente, na cultura israelita. O sentido original de *El* parece ser «forte», dando a entender as capacidades de controlar, de obrigar, pelo que é evidente, um poder que os homens julgavam ser uma necessidade aos atributos da divindade, tornou-se o próprio nome divino. Quase todos os outros nomes divinos originaram-se desse modo.

d. *Instrumentos da Revelação*. Embora houvesse a atividade humana por detrás do desenvolvimento dos nomes divinos, podemos dizer, igualmente, que esses nomes foram discernimentos quanto à natureza de Deus, pelo que esses nomes também fazem parte da revelação, tanto a natural quanto a sobrenatural. O nome de uma pessoa revela algo de distintivo sobre essa pessoa, de acordo com os costumes dos hebreus. Quanto mais isso deve ser verdade, quando falamos a respeito de Deus.

e. *Respeito pelo Nome Divino*. Acima de todos os outros povos, os hebreus respeitavam e temiam a Deus. Por essa razão, não usavam o nome de Deus frivolamente. Eles pronunciavam o nome de Deus como alterações que lhes permitiam não terem de verbalizar os sons exatos desses nomes. Os escribas registravam os nomes de Deus lavando freqüentemente as mãos. Um dos mandamentos mosaicos, o terceiro, proibia o uso frívolo do nome divino (Êxo. 20:7). Sabemos que as culturas antigas acreditavam no poder mágico dos nomes. Saber qual o nome de uma divindade, ou de um demônio, supostamente dava à pessoa certo poder sobre essa divindade ou demônio, em momentos de necessidade. No caso dos demônios, o conhecimento dos nomes deles poderia ser um meio de expeli-los. Esses fatos demonstram o respeito que algumas pessoas tinham pelos nomes, e talvez esse fosse um dos motivos pelo extremo respeito que os judeus tinham pelo nome divino. No judaísmo posterior, encontramos o uso mágico de nomes; mas não temos evidências a esse respeito quanto à primitiva cultura judaica, embora isso deva ter existido em algum grau e de alguma maneira.

II. Lista dos Nomes Divinos
Apresentamos abaixo certa variedade de nomes de Deus, a fim de dar ao leitor uma idéia sobre a extensa natureza dos nomes divinos. Sob a seção terceira, comentamos sobre alguns dos nomes mais importantes de Deus.

Deus. El, Elah, Elohim, Eloah. Esses nomes são de ocorrência muito freqüente, aparecendo em muitas combinações, o que comentamos na seção III.

Yahweh. As consoantes desse nome foram combinadas com as vogais de *Adonai*, aparecendo de modo

108

DEUS, NOMES BÍBLICOS

freqüente e em muitas combinações, o que comentamos na seção III (7).

Rocha. Tradução da palavra hebraica *tsur*, «rocha» (Isa. 44:8).

Adonai. No hebraico, *Adonai*; no grego, *Theós*, usualmente traduzidos em português por Deus.

Senhor. No hebraico, *Adonai*; no grego, *Kúrios*.

Divindade. No grego, *Theótes* (Col. 2:9), ou *Theíos* (Atos 17:29).

Deus Altíssimo. No hebraico, *Elyon* (Sal. 18:13).

Santo (de Israel). No hebraico, *Qadosh* (Sal. 71:22).

Poderoso. No hebraico, *El* (Sal. 50:1); ou *Gibbor* (Deu. 10:17).

Deus dos Deuses. Deu. 10:17.

Senhor dos Senhores. Deu. 10:17; no grego, *Kúrios* (Apo. 17:14).

Doador da Luz. No hebraico, *Maor* (Gên. 1:16).

Pai. No hebraico, *Aba* (Sal. 89:26); transliteração grega do aramaico *abba* (Rom. 8:15).

Juiz. No hebraico, *Shaphat* (Gên. 18:25).

Redentor. No hebraico, *Gaal* (Jó 19:25).

Salvador. No hebraico, *Yasha* (Isa. 43:3); no grego, *Soter* (Luc. 1:47).

Libertador. No hebraico, *Palat* (Sal. 18:2).

Escudo. No hebraico, *Magen* (Sal. 3:3).

Força. No hebraico, *Eyaluth* (Sal. 22:29).

Todo-Poderoso. No hebraico, *Shaddai* (Gên. 17:1).

Deus que Vê. No hebraico, *El Roi* (Gên. 16:13).

Justo. No hebraico, *Tsaddiq* (Sal. 7:9).

Senhor dos Exércitos. No hebraico, *Elohim Sabaoth* (Jer. 11:20); no grego, *Kúrios* (Rom. 9:29; Tia. 5:4).

Rei dos Reis. No grego, *basileus basiléon* (Apo. 17:14).

Deus Vivo. No hebraico, *Elohim* (Deu. 5:36).

Pai das Luzes. No grego, *Pater* (Tia. 1:17).

Eu Sou. No hebraico, *Hayah*; no grego, *Ego eimi* (João 8:58).

III. Comentário Sobre os Principais Nomes

1. *El*, um termo para indicar Deus (deus), ou seja, a deidade verdadeira ou falsa, ou mesmo um ídolo que os homens chamem de «deus» (Gên. 35:2), como o Deus de Betel (Gên. 31:13). El era o nome do deus supremo da religião cananéia, cujo filho era Baal. O plural de El é Elohim, palavra que também pode significar deuses, ou que pode ser usada como um aumentativo para referir-se a um elevado poder, o Deus supremo. Ver sobre a palavra seguinte. O sentido básico de *El*, é «força».

2. *Elyon*, *El Elyon*, o *Deus Altíssimo*, título usado em conexão com a adoração de Melquisedeque (ver Núm. 24:16). Em Salmos 7:17 a palavra aparece composta com *Yahweh*. Em Daniel 7:22,25 há um plural aramaico dessa palavra.

3. *Elohim*, embora seja plural, podendo ser traduzido por «deuses», essa palavra pode indicar o Ser supremo, sendo usado o plural para enobrecer a palavra, e não para que pensemos no verdadeiro plural. A própria palavra é um plural de *El* e retém, por isso mesmo, o sentido básico de «força», «poder». A presença desse nome, na narrativa da criação (no plural), tem dado origem à interpretação trinitariana da palavra, ali; mas isso é uma cristianização da passagem, e não uma verdadeira interpretação. Gênesis 1:1 faz com que esse seja o primeiro nome de Deus na Bíblia.

4. *Eloah*, uma forma singular de *Elohim*, e com o mesmo sentido de *El*. Essa forma variante encontra-se principalmente na linguagem poética, pelo que aparece, com mais freqüência, no livro de Jó.

5. *El 'Olam*, com base na forma original, *El dhu-'Olami*, que significa *Deus da Eternidade*. Em Gênesis 21:33 aparece em combinação com Yahweh.

6. *'El-Elohe-Israel*, que significa «Deus é o Deus de Israel». Foi nome usado por Jacó em Siquém (Gên. 32:20), comemorando o seu encontro com o Anjo do Senhor. Foi ali que ele, e, portanto, Israel, dedicou-se a Deus.

7. *Jeová*. Esse nome foi artificialmente criado: O tetragrama YHWH (Yahweh) era considerado sagrado demais para ser pronunciado. As vogais de Adonai (meu Senhor) foram combinadas com as consoantes *yhwh*, e o resultado foi a forma *Jeová*. Não se trata, realmente, de um nome de Deus, mas de uma corruptela do nome, a fim de que pudesse ser proferido, sem nenhum temor, pelos judeus. Mas nunca aparece, com essa forma, no original hebraico da Bíblia. Tal forma só começou a aparecer no século XII D.C. Antes disso, — cada vez que aparecia YHWH, os judeus pronunciavam «Adonai».

8. *Yahweh*, com formas mais breves como *Yah* (Êxo. 15:2, etc.), *Yahu* e *Yeho*. Entre os nomes sagrados dos documentos de Ras Shamra (que vide), no norte da Mesopotâmia, da época do século XV A.C., temos a forma *Yaw*. Esse nome era pré-mosaico, o que fica implícito no fato de que aparece como uma nova revelação feita a Moisés (Êxo. 3:13-15; 6:4). Que não era um nome originalmente israelita fica patenteado em Gênesis 4:26. É questão contestada exatamente sob quais circunstâncias ocorreu a adoração a Yahweh, ou a incorporação desse nome na teologia judaica. Ver o artigo separado sobre *Yahweh*, quanto a detalhes. YHWH, a forma hebraica mais longa, é confirmada desde o século IX A.C., em fontes extrabíblicas. — Assim aparece na pedra moabita. Vem do verbo *ser*, dando a entender o Deus vivo e eterno. Ver Êxo. 3:14, onde temos o nome de Deus «Eu sou». *Yahweh* tornou-se o nome predominante de Deus, por demais sagrado para ser pronunciado. Notemos o que diz Êxodo 3:15: «O Senhor (no hebraico, Yahweh), o Deus de vossos pais, o Deus de Abraão, o Deus de Isaque, e o Deus de Jacó...», onde Deus é qualificado como Yahweh, como Seu nome especial. Portanto, tornou-se um *nome próprio*, em contraste com Elohim, que pode ser o simples abstrato para «deus» ou «deuses».

9. *Yahweh Elohim* (Gên. 2:4 e cap. 3). Uma combinação comum.

10. Várias combinações com *Yahweh*:

a. *Yahweh yireh*, que significa «Senhor que provê» (Gên. 22:8,14).

b. *Yahweh nissi*, «o Senhor é minha bandeira» (Êxo. 17:5), usado pela primeira vez para comemorar a vitória de Israel sobre os amalequitas.

c. *Yahweh shalom*, «o Senhor é paz» (Juí. 6:24).

d. *Yahweh tsidquenu*, «o Senhor é a nossa justiça» (Jer. 23:6; 33:16).

e. *Yahweh samma*, «o Senhor está ali» (Eze. 48:35).

Estritamente falando, esses nomes não são nomes divinos, mas apenas combinações com frases descritivas, para aludir a eventos especiais.

11. *Yahweh Sabaoth*. Esse é um verdadeiro nome divino, que significa «Senhor dos Exércitos». Não se acha no Pentateuco, aparecendo no Antigo Testamento somente em I Sam. 1:3. Deus era adorado por esse título em Silo. Foi usado por Davi, quando desafiou os filisteus (I Sam. 17:45), e em seu cântico de vitória

DEUS — DEUS DESCONHECIDO

(Sal. 24:10). Tornou-se comum nos livros proféticos, sendo usado por oitenta e oito vezes somente no livro de Jeremias. Esse título refere-se a Deus como Capitão dos Exércitos, protetor de seu povo, aquele que obtém qualquer tipo de vitória que se possa imaginar (Sal. 46:7,11). Os «exércitos», nesse caso, são os poderes celestiais, sempre prontos a cumprir a vontade de Deus e a produzir qualquer tipo de vitória de que o povo de Deus precise.

12. *Yahweh Elohe Yisrael*, «o Senhor Deus de Israel», uma forma composta encontrada, pela primeira vez, no cântico de Débora (Juí. 5:3), mas freqüente depois disso (Isa. 17:6; Sof. 2:9; Sal. 59:5), em outras combinações.

13. *Qedosh Yisrael*, «o Santo de Israel», usada por vinte e nove vezes em Isaías (Isa. 1:4, etc.). Também encontrada em Jeremias e nos Salmos.

14. *Abir Yisrael*, «o Poderoso de Israel» (Isa. 1:24).

15. *Nesah Yisrael*, «a Força de Israel» (I Sam. 15:29).

16. *'Attiq Yomin*, expressão aramaica que significa «o Antigo de Dias» (Dan. 7:9,13,22).

17. *'Illya, 'Elyonin*, «O *Altíssimo*», expressão aramaica que aparece em Dan. 7:18,22,25,26, alternada no texto com a expressão de número dezesseis, acima.

Bibliografia. E ND SCO Z

DEUS, O DEUS DE ISRAEL
Ver sobre **El-Elohe-Israel**.

DEUS ABSCONDITUS

Expressão latina que significa **Deus oculto**. Lutero propunha que as experiências religiosas dos homens tratavam com um Deus oculto, tanto quanto com uma presença divina. Esse aspecto de seu ensino resultou de sua luta por obter a salvação exclusivamente pela fé, em meio a um mundo tenebroso e decaído. Este mundo pode ser um lugar escuro e irracional, e Deus pode ocultar-se em meio a tanta melancolia.

DEUS A SE

Expressão latina que significa «Deus como ele é em si mesmo». A expressão refere-se ao *mysterium tremendum*, o mistério do seu Ser, que não pode ser apreendido pela razão humana. Ver o artigo sobre *Deus*, parte primeira. A expressão é usada em contraste com uma outra, *Deus pro nobis* (que vide), isto é, «Deus segundo se tornou conhecido ao homem», mormente através de sua revelação salvatícia.

DEUS DESCONHECIDO

Quanto a comentários completos sobre esse assunto, ver as notas no NTI, em Atos 17:23. Abaixo apresento um esboço de idéias envolvidas:

1. O altar que Paulo encontrou em Atenas, sem dúvida, refletia o politeísmo pagão, sendo bem possível que o título estivesse no plural, «deuses desconhecidos». Há evidências literárias e arqueológicas em favor do plural, como em Pausânias (*Descrição da Grécia* 1.1,4), que mencionou, especificamente, os altares dedicados aos deuses desconhecidos. *Filóstrato* (*Vida de Apolônio de Tiana* 6:3,4) diz algo similar, e ambos os autores relatam a questão da adoração a muitos deuses, em Atenas. Diógenes Laércio (*Vidas dos Filósofos* 1.110) fornece-nos uma razão importante para essa adoração exagerada: espantar as pragas. Aparentemente, acreditava-se que os deuses poderiam viver ocultos e, se não fossem honrados de alguma maneira, poderiam causar dificuldades. Isso, naturalmente, assemelha-se muito mais ao demonismo. De fato, os conceitos gregos sobre as divindades não as distinguiam muito bem dos demônios, conforme usamos este último termo em nossos próprios dias.

2. Os altares aos deuses desconhecidos não se limitavam a Atenas. Talvez uma parcela desses altares se devesse apenas à religiosidade exagerada. Pessoas especialmente religiosas podiam sentir a necessidade de honrar aos deuses, embora muitos deles lhes fossem desconhecidos. Há um reflexo disso na cristandade moderna, com sua adoração a muitos santos, cujo número vai aumentando sempre cada vez mais. A religiosidade do homem não conhece limites. Uma outra imagem poderá sempre encontrar espaço nos nichos e um outro conceito religioso sempre poderá desenvolver-se.

3. *Jerônimo*, ao comentar sobre o trecho de Tito 1:12, deu apoio à forma plural, embora não saibamos dizer quais as informações de que ele dispunha para fazer tal assertiva.

4. Em *Pérgamo*, em 1909, foi encontrada uma inscrição no plural, embora até hoje, nenhuma inscrição assim tenha sido encontrada pelos arqueólogos em Atenas.

5. *O singular*. Alguns intérpretes insistem em preservar o singular, que foi usado por Paulo, chegando ao ponto de suporem que o Deus desconhecido, assim honrado, era o Deus dos judeus. Tudo isso, porém, não passa de conjectura, porque não há a menor evidência em apoio a isso. Essa interpretação, como é claro, é uma cristianização do incidente, a fim de emprestar-lhe um aspecto um tanto mais dramático.

6. *O uso e sua importância*. Sem importar se a expressão esteja no singular ou no plural, o uso de Paulo faz-nos lembrar do fato de que Deus, para muitas pessoas, continua sendo o Deus desconhecido. Na verdade, nós mesmos, com todas as vantagens de que dispomos, incluindo os Livros Sagrados, não sabemos muita coisa a respeito de Deus. Parte desse conhecimento é intelectual, parte é intuitiva e parte é mística. Em todas essas áreas ainda precisamos crescer muito. De fato, conhecer a Deus importa em uma busca eterna e não em algo que possa ser obtido mediante qualquer número de livros. As duas grandes colunas da espiritualidade são o conhecimento e a lei do amor. O conhecimento divino é a mais elevada de todas as categorias do conhecimento e é disso que a *teologia* se ocupa. A iluminação nos é conferida a fim de termos um apropriado conhecimento de Deus (Efé 1:7 *ss*). É mister que nossos olhos espirituais sejam abertos, se tivermos de conhecer a Deus em grau apreciável. Isso é uma operação do Espírito. O Logos, encarnado no Cristo, foi o meio especial de Deus para revelar a si mesmo (João 1:18). O mundo não conhece a Deus e propositalmente, afasta-se para longe desse conhecimento (Rom. 1:21 *ss*). A missão do Filho foi fazer Deus tornar-se conhecido dos homens (João 17:25,26). Espiritualmente falando, o conhecimento nunca é apenas o conhecimento de fatos, mesmo que sejam fatos teológicos. Também é algo experimental. Aquilo que conhecemos torna-se então parte de nós e nos transforma. A transformação operada pelo Espírito de Deus envolve um conhecimento prático, experimental. O princípio ético e o princípio espiritual do conhecimento de Deus consiste em

DEUS DOS HIATOS — DEUS SIVE NATURA

conhecer e expressar o seu amor (I João 4:15 *ss*; 5:2 *ss* «...aquele que ama é nascido de Deus e conhece a Deus», I João 4:7).

7. *A mais alta realização* do conhecimento de Deus é nossa própria transformação segundo a imagem de Cristo (II Cor. 3:18), de tal modo, que vamos adquirindo a própria essência e natureza de Deus (II Ped. 1:4; Col. 2:10). Dessa maneira, conhecemos a Deus por meio de nós mesmos, porquanto Deus manifesta-se em nós. Ver o artigo sobre a *Visão Beatífica*. Ver também o artigo intitulado *Conhecendo a Deus*.

Alguns estudiosos afirmam que a inscrição original estava no plural, ou seja, «deuses desconhecidos». Sabemos, mediante descobertas arqueológicas e referências literárias, como em Filóstrato (217 D.C.), que havia altares erguidos em honra a deuses desconhecidos. Uma inscrição achada em Pérgamo, em 1909, diz exatamente isso. Várias outras inscrições similares têm sido encontradas em vários lugares da Grécia, embora não em Atenas. Contudo, não há razão para duvidarmos da autenticidade da alusão, feita por Paulo, ao Deus Desconhecido, em Atos 17:23. É possível que ele tenha alterado propositalmente o plural para o singular, a fim de facilitar a sua argumentação. Em algumas das inscrições achadas é usado o termo grego correspondente a «demônios», provavelmente dando a entender divindades secundárias. Muitas pessoas religiosas preocupavam-se em não negligenciar qualquer divindade, que talvez estivesse esperando algum tipo de adoração ou atenção. Pausânias (ver *Descrição da Grécia* I.1,4; V.14,8) adiciona o seu testemunho quanto à prática antiga de serem erigidos altares em honra a deuses desconhecidos. Ele era um viajante e geógrafo grego, nativo da Lídia, que explorou a Grécia, a Macedônia, a Ásia e a África, pelos meados do século II D.C. Outros intérpretes exageram o texto citado do livro de Atos, afirmando que o *Deus desconhecido* referia-se ao Deus de Israel. Não há a menor evidência histórica em prol dessa assertiva, que parece inspirada pela tentativa de dar maior dramaticidade à cena. Entretanto, o politeísmo é o pano de fundo óbvio do incidente.

DEUS DOS HIATOS

Ver o artigo geral sobre a **Religião e a Ciência**. A expressão *Deus dos Hiatos* é uma expressão hostil, usada por alguns filósofos e cientistas a fim de descreverem a atividade de certas pessoas para quem, tudo quanto a ciência não pode explicar é atribuído a Deus. Dessa maneira, Deus vai preenchendo os espaços em branco do conhecimento humano. O fator sobrenatural é usado para explicar as coisas naturais que ainda não foram explicadas. Exemplos disso são as questões sobre origem e destino, natureza final do átomo, interação entre os alegados materiais e imateriais, e a natureza da consciência. É verdade que esses apelos a Deus, a fim de explicar as coisas com freqüência, somente criam a ilusão que assim nos foi provida uma explicação, quando tudo aquilo que fazemos recebe outro nome. Há mistérios insondáveis para a mente humana. O próprio Deus é o *Mysterium Tremendum*. Ele mesmo, por assim dizer, é o maior de todos os hiatos, nas nossas tentativas para sabermos das coisas. Por outro lado, contra esse uso hostil do termo, deveríamos afirmar que quanto mais a ciência humana aprende, maiores se tornam os mistérios da vida. Visto não ser provável que as teorias materialistas possam explicar a existência, será necessário, em última análise, até mesmo no caso da ciência, postular a idéia divina. Na verdade, a existência assemelha-se muito mais a uma gigantesca idéia do que a uma máquina complexa. Mediante a expressão *Deus dos Hiatos* nada se consegue no sentido de explicar os grandes mistérios. A ciência mantém a ilusão de que ela pode eliminar Deus do quadro e manter uma metodologia atéia, se não mesmo o ateísmo pessoal. Entretanto, posso prever que, algum dia, a ciência será divinizada, porquanto a explicação final das coisas que desde agora parece mais viável do que qualquer outra é a da IDÉIA. E essa *Idéia* é tão grande que é difícil não chamá-la de *divina*.

Naturalmente, a história da ciência demonstra claramente que coisas que antes eram consideradas divinas, como as ações dos elementos naturais, com o tempo, segundo ficou demonstrado, têm causas meramente naturais. No entanto, o que é uma causa natural? Haverá alguma coisa natural que não conte com a realidade sobrenatural que a respalde? Por conseguinte, o grande e verdadeiro hiato encontra-se no método ou na inteligência dos próprios cientistas. Isso posto, alguma nova maneira de pensar sobre a realidade precisará ser criada, que capacite os homens a solucionar os grandes mistérios. É verdade que, mesmo em nossos dias, a física especulativa está falando de modo bem parecido com a maneira dos místicos. Naturalmente, ainda será preciso muito tempo antes de Deus começar a ser examinado em laboratórios! Mas, talvez, em alguma data distante (vários séculos?), isso venha a acontecer. Sem dúvida alguma, isso será acompanhado por algum conceito de Deus melhor e mais elevado. A teologia cederá diante desse novo futuro conhecimento, e não apenas a ciência.

DEUS EX MACHINA

Expressão latina que quer dizer «deus proveniente de uma máquina». Originalmente aludia a uma manobra teatral, em algumas tragédias clássicas, mediante a qual uma divindade descia ao palco, a fim de solucionar o problema envolvido no complicado enredo da peça. A expressão veio a indicar qualquer truque ou artifício aplicado, como em uma discussão filosófica, a fim de dar solução a dificuldades inerentes ou avassaladoras.

DEUS PRO NOBIS

Uma expressão que significa «Deus por nós», usada na teologia a fim de ensinar que Deus resolveu ajudar o homem, identificando-se com o homem, a fim de garantir-lhe a salvação. Está alicerçada sobre o trecho de Romanos 8:31: «Se Deus é por nós, quem será contra nós?» Isso ressalta o ministério do Filho de Deus, que veio para nos salvar (Mar. 10:45). Foi ele quem deu a sua vida por nós, como resgate (I Tim. 2:6). A doutrina do *Deus pro nobis*, por conseguinte, enfatiza a teoria substitucionária da expiação, conforme é sugerido pelo capítulo cinqüenta e três do livro de Isaías. Essa foi uma das idéias da expiação que o apóstolo Paulo ressaltou (ver Tito 2:14; Rom. 3:25). Também foi um dos ensinamentos principais de Lutero. A idéia foi reenfatizada na teologia de Karl Barth, fazendo parte essencial da teologia dos grupos evangélicos. Ver o artigo sobre a *Expiação*, quanto a uma visão geral dessa doutrina, incluindo o aspecto de substituição.

DEUS SIVE NATURA

Expressão latina que significa «Deus ou a

DEUS TRIBAL — DEUSES FALSOS

natureza», usada por Spinoza (que vide) a fim de denotar a única Substância infinita, à qual podem ser atribuídos todos os atributos. Ver sobre o *Panteísmo*.

DEUS TRIBAL

Esse nome dá a entender alguma divindade adorada por alguma tribo, e que se torna uma espécie de protetor dos membros daquela tribo. É verdade que os deuses de quase todas as nações pagãs começaram como divindade que controlariam certas tribos. Em torno dessas divindades começou um processo de unificação, o que produziu uma sociedade mais numerosa e ampla, que pode ser intitulada de nação. Isso tem feito com que as nações contassem com certa multiplicidade de divindades, cada qual de uma tribo formativa diferente. Verdadeiramente, muitos intérpretes pensam que Yahweh, anteriormente, foi o deus tribal de alguns povos, e que, quando Israel se multiplicou, ele tenha sido, a princípio, a divindade principal de um sistema *henoteísta* (que vide), até que, finalmente, veio a ser o único Deus de um sistema monoteísta (que vide). De nada adianta lutar contra isso, porquanto é óbvio que o conceito de Deus, em qualquer sociedade humana, desenvolve-se juntamente com a compreensão espiritual das pessoas que formam essa sociedade. Essa compreensão espiritual depende do processo histórico, que, por sua vez, está sujeito ao princípio teísta. Continuamos não sabendo muita coisa a respeito de Deus, e o conhecimento de Deus envolve uma inquirição eterna, não sendo realização de um estágio apenas da vida do indivíduo ou da história da humanidade. A revelação, constante em nossos Livros Sagrados, reflete o nosso conhecimento crescente e cada vez mais profundo de Deus, porquanto nenhum livro ou coleção de livros pode conter e delinear perfeitamente o conhecimento de Deus. As declarações em contrário são manifestamente absurdas e supõem que o nosso conhecimento é muito maior e melhor do que realmente é e que a nossa maneira de compreender é muito mais ampla do que realmente é, no presente estágio do desenvolvimento espiritual do homem.

DEUS TUTELAR

Uma divindade, uma entidade espiritual ou um poder que serviria como guardião ou protetor de algum indivíduo, família, clã, tribo, cidade ou nação. Nas *religiões de um fator* (que vide), segundo as quais se supõe que há unidade de natureza, um vínculo comum que dá um destino único e natural, ligando todas as coisas da criação entre si e com o ser divino, a função do deus tutelar pode ser ocupada pelo santo ou anjo guardião, ou então, em alguns casos, por alguma divindade secundária, embora tudo seja controlado pela força suprema. Já nas religiões de *dois fatores* (que vide) supõe-se que os poderes de natureza não-humanos são controlados por forças religiosas distintas daquelas forças que controlam os seres humanos. Portanto, não haveria qualquer unidade geral de forças. Nessas religiões (que envolveriam cerca de uma décima parte da população do mundo), os deuses tutelares usualmente derivar-se-iam de poderes de pessoas já falecidas (incluindo espíritos desencarnados), como também de animais, de plantas ou mesmo de outros objetos. Os espíritos guardiães, pertencentes a várias categorias, não pertenceriam a qualquer sistema unificado. Em outras palavras, nesse caso deveríamos pensar em deuses tutelares *provinciais*.

••• ••• •••

DEUSES DE FOGO: AGNI E ATAR

Nos escritos dos Vedas (que vide), o deus Agni (que vide) aparece como *fogo* divinizado. No hinduísmo posterior, ele se tornou o filho da Terra, o laço de união entre os poderes sobre-humanos os homens, uma espécie de mediador, dotado das funções de protetor e purificador. No zoroastrismo (que vide), Atar era o deus do fogo. Ele era um dos filhos de Ahura Mazda (que vide), com a responsabilidade de lutar contra os grandes poderes da maldade, especialmente o terrível dragão Azhi. Sorrimos diante da natureza primitiva desses conceitos das religiões antigas, mas, atualmente, os homens têm feito do próprio «eu» e do dinheiro divindades não menos ridículas.

DEUSES FALSOS

A adoração aos mais variegados tipos de deuses imaginários, entre os pagãos, tem sido quase interminável. Essa atividade reflete tanto a insegurança quanto a perplexidade dos homens. Eles tentam proteger-se em um mundo ameaçador. Olham para fora de si mesmos e vêem muitos mistérios, e dão títulos a alguns desses mistérios, chamando-os deuses. A alma humana sempre foi incuravelmente religiosa, e seus muitos deuses são uma tentativa para exprimir isso. Paulo admirou-se ao ver a extensão da idolatria de Atenas (Atos 17). O homem sempre se inclina para a *pluralidade*. O *Deus único*, tão elevado, tão distante, parece remoto demais para alguns. Portanto, é mais fácil personificar coisas próximas, conferindo-lhes qualidades divinas, porque essas coisas fornecem a proximidade que não se encontra em algum elevado conceito divino. O desenvolvimento da *angelologia* (ver sobre os *Anjos*) sem dúvida foi inspirado pelo mesmo impulso. O desenvolvimento da doutrina dos santos, e então de ícones e ídolos a fim de relembrá-los, pelo menos em parte deveu-se à busca pela proximidade e pela comunhão. (Ver o artigo geral sobre a *Idolatria*). O Deus único da Bíblia e o único Mediador entre Deus e os homens (ver I Tim. 2:5) é o protesto bíblico contra a pluralidade. No entanto, no ministério dos anjos temos toda a pluralidade imaginária, contanto que não lhe confiramos posição divina. Os espíritas, por sua vez, buscam a pluralidade no contato com as inúmeras almas dos mortos. Uma parte da cristandade tem os seus santos, que satisfazem o impulso de poderes mais próximos, que possam ajudar os homens, e que seriam agentes de Deus com essa finalidade. Infelizmente, o impulso pela pluralidade com freqüência é expresso na forma de idolatria, mesmo quando a teologia oficial de um grupo cristão negue a validade da mesma.

Esboço:
  I. Classes de Deuses
  II. A Geração dos Deuses
  III. Alguns Deuses Falsos Referidos na Bíblia

I. Classes de Deuses

1. *Espíritos criados ou eternos*. Anjos divinizados, espíritos demoníacos (divindades malignas), gênios, lares, lêmures, tífones, deuses guardiães, deuses infernais, semideuses (heróis divinizados), filhos de deuses e mulheres ou de deusas e homens. Muitos desses eram classificados como espíritos não-materiais.

2. *Corpos celestes*. Poderíamos falar sobre o sol, a lua, os planetas, as estrelas, que supostamente seriam habitações de deuses, ou seriam os próprios seres espirituais. Os antigos não faziam idéia sobre as

DEUSES FALSOS

enormes dimensões desses corpos celestes, e nem sobre a distância que os separa de nós. A adoração ao sol tem sido uma das mais importantes formas de idolatria que o homem já criou.

3. *Elementos naturais*, como o ar, o oceano, Ópis, Vesta, rios, fontes, etc. Pensava-se que os deuses controlam esses elementos, e os próprios elementos tornaram-se objetos de adoração e respeito.

4. *Meteoros e manifestações celestes*. Além dos meteoros e cometas literais serem adorados como deuses, manifestações celestes como os ventos, o relâmpago, o trovão, etc., foram considerados atos divinos.

5. *Minerais e fósseis*. Estranhos ou interessantes objetos minerais, como gemas e rochas têm sido transformados em deuses pelos homens. Os citas adoravam o ferro; e muitas nações adoravam metais preciosos, como o ouro e a prata. De fato, o ouro continua sendo um dos principais deuses, entre as nações. Os finlandeses adoravam pedras, as mais variegadas.

6. *Plantas*, como cebolas e alhos têm recebido qualidades divinas imaginárias. Certas árvores têm sido adoradas. Os druidas homenageavam o carvalho. O trigo e outros cereais eram adorados sob os nomes de Ceres e Proserpina.

7. *Animais marinhos* têm sido adorados pelos homens. Os sírios e os egípcios envolveram-se nesse tipo de idolatria.

8. A *serpente* tem sido adorada, com muita freqüência, por povos antigos e modernos. Poderíamos relembrar, neste ponto, a adoração diretamente prestada ao diabo. Em vários lugares do mundo religiões têm sido organizadas para fomentar a adoração a Satanás.

9. O *gado* (que vide) era adorado no Egito.

10. Também havia o *touro* sagrado, uma forma favorita de idolatria no Egito. Ver o artigo separado sobre o *Boi Ápis*.

11. Várias *aves*, como a cegonha, o corvo, o íbis, a águia e outros pássaros têm recebido honras divinas. Isso era comum no Egito antigo e no México.

12. *Vários mamíferos*, além do gato e do boi, como o porco, o rato, o furão, o leão, o crocodilo, o babuíno e muitos outros animais, chegaram a receber posição divina. No Egito era comum esse tipo de adoração. O porco era o deus dos cretenses. Trôade entronizou o rato. O porco-espinho obteve posição divina entre os adoradores de Zoroastro.

13. *Homens deificados*. Há um artigo separado sobre a *Deificação*, onde se explica como os homens têm sido feito deuses, mesmo enquanto viviam, ou então após a morte. Isso era comum em Roma, no tocante aos imperadores; mas tal costume não estava limitado aos romanos.

14. *Virtudes deificadas*. As virtudes têm sido primeiramente personificadas, e então deificadas. Poderíamos falar sobre a saúde, o amor, a dor, a indignação, a vergonha, a opinião, a razão, a prudência, a arte, a fidelidade, a felicidade, a calúnia, a liberdade, o espírito aguerrido e a atitude contrária, e a paz.

15. *A natureza*. No panteísmo, encontramos a deificação da natureza como *um todo*.

II. A Geração dos Deuses

Hesíodo forneceu-nos uma tentativa interessante de explicar como os deuses surgiram. A sua *Teogonia* (a geração dos deuses) explana a geração e a descendência dos deuses, quem era o principal deles, quem veio em seguida, e então como os deuses foram

surgindo ordem após ordem. Ele tentou criar um sistema com base na teologia pagã, o que não foi tarefa pequena e fácil. Outras noções sobre isso emergem de obras como o *Timeu*, de Platão e a *De Natura Deorum*, de Cícero. Vários dos pais da Igreja antiga, como Justino Mártir, Tertuliano, Arnóbio, Eusébio, Agostinho e Teodoreto expressaram seu espanto diante da extensão da idolatria pagã. Havia divindades superiores, inferiores, nobres, vis, no céu, na terra, nos prados, nas águas, no ar, no céu distante e no hades, debaixo da terra. Cada lugar existente simplesmente estaria repleto de deuses.

Marcus Terentius Varro Reatinus, o mais erudito dos romanos (cerca de 116 A.C.), teria escrito mais de seiscentos livros! Ele contou nada menos de trinta mil deuses pagãos. Mas, na realidade, seu número é incalculável.

III. Alguns Deuses Falsos Referidos na Bíblia

1. *Adrameleque*. Esse nome significa «Adar é rei». Era adorado a noroeste da Mesopotâmia, com o nome de Adade-Milki, uma forma do deus sírio Hadade (que vide). Crianças eram sacrificadas no fogo, nesse culto (II Reis 17:31).

2. *Anameleque*. Seu sentido é *Anu é rei*. Anu era um dos deuses babilônicos, um deus do firmamento (II Reis 17:36). Parte desse culto incluía o sacrifício de crianças no fogo (I Reis 11:7).

3. *Asima*. Hamate introduziu esse deus entre os colonos que Salmaneser enviou para a Samaria (II Reis 17:30).

4. *Aserá*. O plural dessa palavra é *Aserim*. Esse nome designa uma deusa pagã mencionada no épico de Ras Shamra. Ela era a Senhora do Mar, consorte de El, e a principal deusa de Chipre, em cerca do século XV A.C. As referências bíblicas que mencionam esse nome referem-se a algum tipo de culto que envolvia madeira, talvez porque houvesse ídolos feitos de madeira, ou talvez porque fosse queimada madeira com propósitos sagrados. Ver I Reis 15:13 e II Reis 21:7. Essa deusa também contava com profetas (I Reis 18:19). Alguns arqueólogos supõem que uma árvore ou um poste fosse o símbolo dela, o que explicaria a alusão à madeira, segundo dissemos acima. Nas referências ela aparece ou como esposa ou como irmã de El. Aserá tornou-se a principal deusa de toda a Ásia ocidental. Astarte e Anate eram apenas variantes do nome. Nas gravuras antigas ela é representada despida, montada sobre um leão, com um lírio em uma das mãos e uma serpente na outra. Também era chamada de *Santidade* ou de *Santa*. Na realidade, porém, ela era uma prostituta divina, e era adorada em um ambiente de prostituição sagrada. Ver Deu. 23:18; I Reis 14:24; 15:12; 22:46. Seu nome, no plural, dá a entender um aumentativo, tal como o termo hebraico *Elohim*, a fim de expressar a dignidade e a honra dessa deusa, e não pluralidade.

5. *Astarte*. Também chamada Astorete. Ver o artigo separado sobre *Astarote*, onde fornecemos material pertinente.

6. *Baal*. Ver o artigo separado sob esse título, quanto a completas informações a respeito.

7. *Baal-Berite*. Ver o artigo separado sobre essa palavra. Sob esse título, Baal aparece como um deus das condições atmosféricas, sendo adorado em Siquém com esse nome.

8. *Baalins*. Essa é a tradução portuguesa da forma hebraica plural de Baal, referindo-se a vários atributos desse deus. Esses atributos eram expressos mediante várias combinações, como Baal-Shamem, «senhor do céu», Baal-Melcarte (em Tiro), Baal-Safom, dos cananeus de Ugarite. Cada deus local

DEUSES FALSOS

desses representava alguma qualidade específica de Baal.

9. *Baal-Peor*. Ver o artigo separado.

10. *Baal-Zebube*. Ver o artigo separado sobre esse nome.

11. *Bel*. Ver o artigo separado sobre esse nome.

12. *Adoração ao Bezerro*. O boi era um animal sagrado no Egito. Ver sobre o boi *Ápis*. Essa forma de idolatria foi adotada pela sociedade israelita. Ver o artigo separado sobre o *Bezerro de Ouro*. Em muitas nações orientais, há evidências de que o touro era adorado por simbolizar a força e os poderes generativos. O boi alado era comum entre os assírios. O nome desse animal era aplicado ao rei e às divindades. No tocante ao culto ao touro, entre o povo de Israel, ver o artigo sobre *Bezerro de Ouro*, onde damos mais detalhes.

13. *Castor e Pólux*. No grego, *dióskouroi*, «filhos de Júpiter». Ver o artigo separado sobre *Dióscuros*.

14. *Camos*. Essa era a mais importante divindade dos moabitas, adorada através do cruel holocausto de crianças na fogueira, ou através de outros métodos bárbaros. A pedra Moabita afirma que esse deus entregou Moabe nas mãos de Israel porque estava desagradado com os moabitas. Comparar com Juízes 11:24. Salomão, em sua queda, chegou a edificar um altar a esse deus (I Reis 11:7). Somente três séculos mais tarde essa abominação foi expurgada por Josias (II Reis 23:13). Os moabitas eram chamados «filhos de Camos» (Núm. 21:29), o que demonstra até que ponto essa adoração lançou raízes ali.

15. *Quium*. Aparentemente esse era um antigo nome de Saturno, ou, pelo menos, Quium é a base desse antigo nome. O texto massorético parece haver corrompido a palavra para dizer «coisa detestável»; mas algumas traduções dizem «santuário». Ver Amós 5:26, onde nossa versão portuguesa diz «imagem». Esse é o único trecho bíblico onde essa divindade pagã é mencionada.

16. *Dagom*. Ver o artigo separado sobre esse deus, onde há abundantes informações.

17. *Deus*. Lat. para o grego *zeus*, deus dos céus.

18. *Diana*. Uma designação alternativa de *Ártemis*. Ver o artigo sob esse título.

19. *Gade*. Esse era um deus cananeu da «boa sorte», que alguns pensam ter sido o planeta Júpiter deificado. Esse planeta é chamado pelos árabes de «a maior sorte», o que serve de indicação da identificação desse deus com aquele planeta. Ver Isa. 65:11, onde algumas versões traduzem o nome, impropriamente, por «tropa». Nossa versão portuguesa mostra-se mais correta, ao traduzir essa palavra por «Fortuna».

20. *Júpiter*. Esse é o nome latino da divindade chamada, em grego, *Zeus*. Na mitologia romana, Júpiter era a divindade máxima, tal como Zeus o era para os gregos. Essa palavra significa «pai dos céus». Portanto, é interessante notar que essa divindade pagã superior é identificada com o conceito da paternidade de Deus. Ver o artigo sobre a *Paternidade de Deus*. O termo Ju-piter poderia ser traduzido por «Pai celeste». Na mitologia romana, Júpiter é considerado filho de Saturno e de Ópis, nomes correspondentes aos gregos Urano e Réa, respectivamente. Júpiter seria a luz brilhante, o alvorecer, a lua cheia. Os *idos*, dias treze a quinze de cada mês, eram sagrados em homenagem a Júpiter. Acreditava-se que ele controlava todas as manifestações celestes, como as condições atmosféricas, embora também fosse o doador do vinho e o juiz daqueles que deveriam vencer nas batalhas, o doador da vitória e o deus dos juramentos. O trecho de Atos 14:12,13 tem uma alusão a Júpiter, onde lemos que ele teria aparecido como Barnabé, ao passo que Mercúrio (mensageiro de Júpiter) foi identificado com Paulo, que era o orador principal. A passagem de Atos 19:35 mostra que os efésios criam que a estátua de Diana (Ártemis), que adoravam, havia caído da parte de Júpiter. Sem dúvida, era um fragmento de meteorito. Ver esse versículo, no NTI, quanto a maiores detalhes.

21. *Malcã*. Esse era o deus nacional dos amonitas, algumas vezes identificado com Moleque ou Moloque (que vide). O trecho de I Reis 11:5,33 mostra-nos que Salomão, ao desviar-se do Senhor, chegou ao absurdo de instituir a adoração a Malcã, adoração pagã que só foi descontinuada nos dias de Josias (II Reis 23:13).

22. *Meni*. No hebraico, essa palavra significa «destino». Em tempos de apostasia, esse deus era adorado em Israel (ver Isa. 65:11). Esse versículo fala sobre duas divindades, *Fortuna* (Gade, ponto 19) e *Destino* (ou Meni). Há alguma coisa de espantoso no curso da vida. Os homens esforçam-se por prever o futuro, na constante esperança de que algo de melhor ocorra, algo de grande e inspirador. Foi apenas natural, pois, que os homens viessem a deificar o conceito de *Destino*. Ver o artigo sobre esse assunto.

23. *Mercúrio*. Esse era o nome do *deus do comércio* dos romanos, protetor do comércio de cereais. Era identificado com o grego *Hermes*, filho de Zeus e Naiade, filha de Atlas. Diziam-no inventor da lira, e que, com freqüência, era empregado como arauto dos deuses. Também era o encarregado de guiar as almas ao hades. Foi o deus da mineração, da agricultura e das estradas. Era o deus patrono da oratória. Em Atos 14:12, Paulo é confundido com Mercúrio, e Barnabé com Júpiter. A palavra latina é *Mercurius*, que se deriva de *merx*, «comércio».

24. *Merodaque*. Essa é a forma hebraica do acádico *Marduque*. Esse era o principal deus do panteão babilônico e deus patrono da cidade da Babilônia. De acordo com o mito da criação dos babilônios, *Enuma elish*, a posição dessa divindade, como o deus mais poderoso, é claramente retratada. Essa era a principal divindade adorada por Nabucodonosor, pelos assírios e por Ciro, o Grande. Ver Jer. 51:44 e Isa. 46:1. Tal como os principais nomes hebraicos para Deus aparecem em muitos nomes compostos, assim também o nome de Merodaque aparecia em muitos apelativos compostos, incluindo nos nomes próprios de pessoas. Merodaque-Baladã e Evil-Merodaque são exemplos disso, nas Escrituras. Ver Isa. 39:1; II Reis 25:27 e Jer. 52:31.

25. *Milcom*. Essa é uma forma variante de Malcã (que vide).

26. *Moleque* ou *Moloque*. Esse nome está ligado à palavra hebraica que significa «rei». Ele era cultuado com a imolação de crianças na fogueira. A arqueologia tem confirmado plenamente a prática, tendo descoberto muitos esqueletos infantis em cemitérios em redor de santuários e templos pagãos. Os amonitas transformaram-no em um deus-pai. A adoração a essa divindade era estritamente proibida em Israel (Lev. 18:21; 20:1-5). No entanto, Salomão erigiu um altar dedicado a esse deus, no vale de Hinom, o que mostra até que ponto ele se desviou do Senhor. Manassés, gerações mais tarde, fez-se agente desse deus (cerca de 686-642 A.C.). Josias eliminou tal culto, mas Jeoaquim o reviveu. As severas advertências dos profetas (Jer. 7:29-34; Eze. 16:20-22; 23:27-29; Amós 5:26) mostram a incrível influência exercida por esse culto entre os israelitas. Dentre

DEUSES FALSOS

todos os elementos pagãos que invadiram Israel, esse foi o mais lamentável e repelente.

27. *Nebo*. Forma hebraica do acádico *Nabu*, um dos deuses babilônicos (Isa. 46:1). Era considerado o deus da sabedoria e da literatura. A cidade de Borsipa (que vide), perto da cidade da Babilônia, era o principal centro desse culto. Assurbanipal (669-633 A.C.), o maior dos imperadores assírios, cultivava a adoração a esse deus, conforme é evidente na declaração de certa inscrição: «Eu, Assurbanipal, aprendo a sabedoria de Nabu, a arte inteira da escrita em tabletes de argila». Esse monarca é chamado Osnaper, no Antigo Testamento (ver Esd. 4:10). A *Crônica Nabunaida* (do tempo de Belsazar), atribui a Nabu e a Bel posições proeminentes no culto nacional da Babilônia.

28. *Neustã*. Essa palavra vem do termo que significa «cobre», em hebraico. Os israelitas transformaram a serpente de bronze em objeto de adoração (II Reis 18:4), e o título dado a esse objeto era *nehushtan*, usado como epíteto derrogatório pelos profetas. O objeto foi cercado de um culto elaborado, e Ezequias tomou sobre os ombros a tarefa de pôr fim a essa adoração idólatra. O culto era ajudado pelo fascínio e pelo horror dos homens diante da serpente, a qual, até onde a história da humanidade registra, vem sendo deificada pelos homens.

29. *Nergal*. Esse era o nome do deus-sol dos babilônios (II Reis 17:30). A cidade de Cutá tornou-se o centro da adoração ao sol. Após a deportação das dez tribos de Israel, foram trazidos colonos daquela cidade para ocuparem as cidades e as áreas adjacentes vagas. Desse modo, o culto ao sol firmou-se no território de Israel. Ver II Reis 17:24-30. Nergal também era o deus da pestilência e da guerra. Também exerceria controle sobre o mundo inferior. Tal como sucedia a outros nomes de divindades, esse nome passou a ser usado em nomes próprios compostos, inclusive de pessoas. Assim, encontramos Nergal-Serecer, um dos embaixadores de Nabucodonosor. Ver Jer. 39:3,13.

30. *Nibaz*. Um deus pagão trazido pelos aveus que vieram colonizar Samaria, após os assírios terem levado os israelitas para o cativeiro (II Reis 17:31). Alguns têm identificado esse deus com o deus elamita *Ibna-Haza*.

31. *Nisroque*. Senaqueribe (705-681 A.C.), rei da Assíria, adorava essa divindade. Havia um templo erigido em sua honra, em Nínive. Ali foi assassinado esse monarca (II Reis 19:37; 37:38). Alguns pensam que esse título é uma corruptela de Marduque, pelo que estaria em pauta a mesma divindade. Mas outros estudiosos opinam que o deus em questão é o *Nusku* dos assírios.

32. *Pólux*. Ver sobre *Castor e Pólux*.

33. *Refã*. Uma divindade identificada com os corpos celestiais, e adorada por Israel no deserto, Atos 7:43. Alguns identificam este deus com *Saturno*, ou com o deus *Chiun* mencionado em Amós 5:36. Certos eruditos ligam o nome com o heb. *kiyyon* (*chiun*), que significa *estátua*. Neste caso temos uma referência geral a idolatria. A maioria, todavia, acha que *Saturno* está em vista. O árab. *chevan* significa Saturno, e é provável que *chiun* seja uma variante desta palavra, que significa também, *planeta*.

34. *Rimon*. Ele foi uma divindade da Síria, adorada em Damasco. Um templo ali foi dedicado a ele. Ver II Reis 5:18. Alguns supõem que este título seja uma forma contraída de *Hadade-Rimon*, e que *Hadade* fosse o *deus-sol*, o supremo deus da Síria. *Rimon*

significa *romã*. Esta fruta foi associada com o poder do sol para amadurecer vegetais e frutas. Por analogia, os poderes de geração foram associados com este deus. Esta fruta tem uma abundância de sementes e no Oriente e nas mitologias gregas, esta abundância simboliza os poderes generativos. Monumentos assírios têm inscrições que comprovam este uso.

35. *Sátiro*. Essa palavra significa *peludo*, aludindo à combinação de um homem com um bode, adorado como uma divindade. Na mitologia grega, era uma divindade que habitava nos bosques, dotado de orelhas pontudas, nariz arrebitado, cauda curta, chifres curtos, rosto prognata, os braços e o corpo de homem, mas sobre pernas como de um bode. Nas referências bíblicas, forças demoníacas estão em foco, provavelmente como aquelas que dão impulso à idolatria em torno de imagens similares a um bode. Ver Isaías 13:21. O trecho de Apocalipse 18:2 indica a natureza demoníaca dessa adoração. Na mitologia grega e romana, o sátiro era um deus silvestre, companheiro de Baco, e, por conseguinte, associado a todo o tipo de sensualidade. Algumas referências veterotestamentárias dizem simplesmente «bode», como tradução; mas essa mesma palavra veio a ser usada para indicar a adoração idólatra (Lev. 17:7; II Crô. 11:15).

36. *Sicute*. Provavelmente o mesmo *Sakkut* dos babilônios, que correspondia a *Saturno*. Portanto, provavelmente está em vista a adoração àquele corpo celeste. Os antigos pensavam que os planetas eram deuses (entidades vivas), ou pelo menos, lugares onde residiam os deuses. Os babilônios também se utilizavam do nome *kaimonu* ou *chian* (que vide) para indicar Saturno (Amós 5:26).

37. *Sucote-Benote*. Colonos babilônios que ocuparam, em Samaria, os lugares deixados vagos pelos israelitas, quando do exílio imposto pelos assírios, levaram para ali o culto relacionado a essa deusa (II Reis 17:30). Talvez esteja em foco a esposa do deus Marduque, *Zarpanitum*, o grande deus dos babilônios. Entretanto, há eruditos que preferem a identificação com o deus acadiano do arbítrio, *Sakkut binuti*. Neste caso, esse nome pode ser apenas um dos títulos de Marduque, e não uma divindade distinta.

38. *Tamuz*. Nome ainda de um outro deus dos babilônios, ao qual alguns israelitas se tornaram muito afeiçoados. Ezequiel viu mulheres chorando por essa divindade no portão norte de Jerusalém (Eze. 8:14). Os babilônios chamavam-no *Dumuzi*. Ele era o deus das pastagens e dos rebanhos, das águas subterrâneas e da vegetação. Era considerado meio-irmão de Aserá, a deusa da fertilidade. A esse deus estava vinculado um mito de morte-ressurreição. No outono ele morreria, desceria ao hades, e então era ressuscitado por Istar. Então Tamuz reaparecia na primavera, e as coisas começavam a reverdecer novamente, sob suas bênçãos. O quarto mês babilônico, correspondente a julho, tinha o nome desse deus. Ele é equiparado ao grego *Adonis* e ao egípcio *Osíris*. Parece haver alguma alusão a esse culto em trechos como Jer. 22:18; Amós 8:10 e Zac. 12:10. Esse culto disseminou-se por todo o mundo antigo, com seus vários ramos, sob diferentes apelativos. A cidade de Biblos (na Bíblia, Gebal) era um importante centro dessa adoração. Na Babilônia, anualmente, havia o casamento divino do rei com a deusa da fertilidade, simbolicamente representados pelo monarca e por uma sacerdotisa do templo de Tamuz, que celebrava assim os poderes doadores de vida desse deus.

115

DEUTEROCANÔNICOS — DEUTERONÔMIO

39. *Tartaque.* Os aveus, que foram levados a Samaria para ocupar o lugar deixado vago pelo exílio dos israelitas, por parte dos assírios, trouxeram com eles vários cultos religiosos, incluindo aquele que girava em torno de Tartaque. Ver II Reis 17:31. (NTI S UN)

DEUTEROCANÔNICOS, LIVROS
Ver o artigo sobre os **Livros Apócrifos.**

DEUTERONÔMIO

Deuteronômio é o último livro do Pentateuco, completando assim os cinco primeiros livros da Bíblia tradicionalmente atribuídos a Moisés. Seu nome foi obtido da LXX através de uma tradução inacurada do verso 17:18, o qual corretamente traduzido daria, «Esta é a cópia (ou repetição) da lei». A palavra «Deuteronômio» é a forma portuguesa da palavra grega «segunda lei». É evidente que o livro não é uma *segunda lei* distinta da lei dada no Sinai, todavia, esse título não é totalmente inapropriado, pois o livro inclui, entre outros assuntos, uma repetição ou reformulação de grande parte das leis. O nome hebraico do livro é '*Elleh haddevarim*, «Estas são as palavras» ou simplesmente *Devarim*, «Palavras». A tradição judaica intitula o livro de Deuteronômio de *Mishneh Torah*, que significa *repetição* ou «cópia da lei» (Deut. 17:18).

Esboço
I. Composição
II. Conteúdo e Propósito
III. Esboço
IV. Seção Legal
V. A Importância do Livro
VI. Bibliografia

I. Composição
1. Autoria. Há mais polêmica em relação à autoria e à data de Deuteronômio do que em relação a qualquer outro livro do Pentateuco. A maior variedade de opinião encontra-se especialmente entre os que se opõem à autoria mosaica.

a. *Ponto de vista conservativo.* — Os que apóiam o ponto de vista conservativo da autoria mosaica de Deuteronômio baseiam-se em declarações bíblicas e na tradição judaica-cristã que estava em pleno acordo concernente à autoria desse livro até antes do advento do criticismo. Os argumentos mais fortes em favor da autoria mosaica do livro são as reivindicações do próprio livro, a saber: Deut. 31:8-13 e 31:24,26. O **vers.** 31:9 diz: «Esta lei escreveu-a Moisés e a deu aos sacerdotes...», e 31:24 diz: «Tendo Moisés acabado de escrever integralmente as palavras desta lei num livro...». Os escritores do NT atribuíam a autoria do Pentateuco a Moisés, e o vers. 19:8 de Mateus indica a posição de Cristo em relação especificamente ao livro de Deuteronômio. Para os que acreditam na plena inspiração das Escrituras, estes vers. são evidências enfáticas da autoria mosaica de Deuteronômio. Os fatos de que o uso da primeira pessoa predomina e de que Moisés é mencionado por mais de 40 vezes no livro, são também apresentados como provas de que Moisés escreveu Deuteronômio. O relato da morte de Moisés não apresenta problema, pois explica-se que os capítulos 31-34 foram adicionados depois da morte deste. — Alguns afirmam que Moisés escreveu os capítulos que constituem a legislação (12-26) e que os capítulos de 1-12 e de 27-30, embora de sua autoria, foram adicionados posteriormente.

Quanto aos capítulos 31-34, sugere-se Eleazar e Josué como possíveis autores. Ambos foram amigos de Moisés e portanto pessoas apropriadas para fazerem seu panegírico. Josué se tornou o sucessor de Moisés e alguns supõem que o que atualmente é o apêndice de Deuteronômio, foi uma vez o início do livro de Josué. É particularmente interessante observar que as expressões «Moisés, servo do Senhor» e «Moisés, homem de Deus» não aparecem nos capítulos precedentes nem nos outros livros do Pentateuco. Por outro lado, a expressão «Moisés, servo do Senhor» ocorre várias vezes no livro de Josué, fato que fortalece a probabilidade de que Josué fora o responsável pela composição do apêndice.

b. *Ponto de vista crítico.* Os críticos consideram improvável que Moisés tenha escrito Deuteronômio e mantêm que o livro fora composto por um profeta anônimo que escreveu segundo as noções de Moisés. A despeito de não apoiarem a teoria da autoria mosaica do livro, os críticos declaram que Deuteronômio pode ser qualificado como um livro mosaico, pois toda a lei judia se originou na tradição básica dos tempos em que Moisés era o líder do povo.

Segundo a teoria documentária de Wellhausen, o *Código Deuteronômico*, ou *D*, é o documento básico desse livro. O documento D (Deuteronômio 12-26), foi publicado em 621 A.C. quando Hilkiah o encontrou no templo durante o reinado de Josias (2 Reis 22). Acreditava-se que o documento *D* fora composto no tempo de sua «descoberta» (por Hilkiah) com o fraudulento propósito de promover reformas religiosas. Atualmente esta teoria tem sido abandonada por falta de evidências.

Deuteronômio sumariza, de diversas maneiras, as doutrinas dos grandes profetas do VIII séc. A.C. Eles também pregaram a absoluta soberania de Deus, seu relacionamento especial com Israel, e a conseqüente condenação da idolatria. De fato, Deuteronômio representa Moisés dando uma nova interpretação da lei (para a vida em Canaã) no momento em que Israel estava fazendo a transição de um estilo de vida nômade para um permanente. Dessa maneira o Código Deuteronômico demonstra a adaptação da velha lei para as condições posteriores de vida.

A forma exata do documento encontrado no tempo do rei Josias tem sido questão de muita polêmica. É evidente que o atual livro de Deuteronômio é o resultado da compilação de porções independentes. O mistério da questão consiste em descobrir quando essas porções foram compiladas. Considerando que a leitura da Lei atemorizou Josias (II Reis 22:11-13), o documento continha pelo menos algumas maldições como as do presente capítulo 28. É também importante observar que o documento encontrado compeliu Josias a renovar o pacto entre Jeová e a nação de Israel. Isso indicaria que o documento tinha a forma familiar de um tratado e não era muito diferente do atual livro de Deuteronômio que reflete claramente a estrutura dos antigos tratados ou pactos.

Alguns críticos acreditam que Deuteronômio é uma súmula da doutrina preservada da Samaria depois de sua queda em 721 A.C. Mesmo os que defendem Jerusalém como o lugar de origem do livro, mantêm que sua composição se deu no século VIII A.C. E. Robertson, defendendo uma posição mais conservativa, sugere que o livro foi compilado (a partir de material mosaico) por Samuel. Em resumo, a origem e a data de Deuteronômio constituem um dos mais controversiais problemas para os críticos bíblicos. Nada de concreto tem sido concluído a esse respeito

DEUTERONÔMIO

até o presente momento.

2. Estrutura. A estrutura básica de Deuteronômio reflete claramente a forma dos antigos tratados ou pactos. O livro (delineado quase exclusivamente na forma de discursos), apresenta primeiramente uma introdução exortatória com alusões históricas, a seguir, as leis e finalmente as bênçãos e maldições condicionadas segundo a obediência das estipulações.

O livro de Deuteronômio é dotado de um vigoroso estilo oratório, mesmo em se tratando da apresentação das leis. Apesar de bastante peculiar, este estilo reflete alguma influência da literatura profética. Tendências retóricas e preocupações com o culto e com a religião interior lembram as pregações dos sacerdotes e levitas.

II. Conteúdo e Propósito

O livro compreende uma série de discursos proferidos por Moisés. O primeiro desses, considerado uma adição secundária ao livro, relata a viagem de Horebe à Terra Prometida e enfatiza a conquista da Transjordânia. O segundo discurso é o mais importante do livro — contém primeiramente uma exortação de como o indivíduo deve entregar-se de todo coração ao Deus do Pacto, e em seguida apresenta as leis desse Pacto. O terceiro discurso consiste de um apelo por fidelidade. O livro termina com um apêndice histórico contendo a narrativa dos últimos atos e palavras de Moisés. (Ver *esboço* para maiores detalhes).

O propósito de Deuteronômio é persuadir o povo a uma total entrega ao Deus de Israel, o que significa amá-lo de todo coração, de toda alma, e de toda força (6:5). Dessa maneira o livro enfatiza uma total união com Jeová, através da qual o povo deve adorar somente a ele, e de modo apropriado.

III. Esboço

A. Primeiro Discurso de Moisés (1:1-4:43)
  1. Sumário da história de Israel no deserto (2:1-3:29)
    a. Introdução (1:1-5)
    b. O fracasso em Cades (1:6-1:46)
    c. A perambulação e os conflitos no deserto (2:1-3:29)
  2. Moisés exorta o povo à obediência (4:1-43)
B. Segundo Discurso de Moisés (4:44-26:19)
  1. Repetição da lei com advertências e exortações (4:44-11:32)
    a. Introdução (4:44-49)
    b. Repetição dos Dez Mandamentos (5:1-33)
    c. O fim da lei é a obediência (6:1—25)
    d. A destruição dos cananeus e de seus ídolos é ordenada (7:1-26)
    e. Advertências e exortações (8:1-11:32)
  2. A legislação que Moisés colocou diante do povo (12:1—26:19)
    a. Condições de bênção na terra (12:1—32)
    b. Castigo dos falsos profetas e idólatras (13:1-18)
    c. Animais limpos e imundos (14:1—29)
    d. O ano da remissão (15:1-23)
    e. As três festas: Páscoa, Pentecostes e Tabernáculos (16:1-17)
    f. Deveres dos juízes (16:18-22)
    g. Castigo da idolatria, obediência a autoridade, eleição e deveres de um rei (16:1—20)
    h. Os sacerdotes, as práticas proibidas, e a promessa de um profeta (18)
    i. As cidades de refúgio (19)
    j. As leis da guerra (20)
    k. Regulamentos gerais (21:1-26:19)

3. *Sumário de Profecias* sobre a história de Israel e a 2ª vinda de Cristo (27:1-28:68)
    a. As pedras da lei no monte Ebal (27:1—8)
    b. As maldições que serão lançadas no monte Ebal (26:11—26)
    c. As bênçãos que serão lançadas no monte Gerizim (28:1—14)
    d. Condições que trarão castigo à terra (28:15-68)
C. Terceiro Discurso de Moisés: O pacto palestino (29:1—30:20)
  1. Introdução (29:1-29)
  2. Declaração do pacto (30:1-10)
  3. Advertência final (30:11-20)
D. Apêndice Histórico (31:1—34:12)
  1. Últimas palavras de Moisés e nomeação de Josué (31:1—30)
    a. Últimos conselhos de Moisés aos sacerdotes, levitas e a Josué (31:1-13)
    b. Jeová adverte Moisés sobre a apostasia de Israel (31:14—23)
    c. Moisés instrui os levitas (31:24—30)
  2. Último canto de Moisés e sua exortação (32:1-47)
  3. Moisés vê a Terra Prometida (32:48-52)
  4. Moisés abençoa as tribos (33)
  5. A morte e sepultamento de Moisés (34:1—12)

IV. Seção Legal

Os capítulos de 5-11, introduzindo a seção legal, apresentam os Dez Mandamentos, tratando de um modo especial o primeiro mandamento. Os capítulos seguintes expõem as leis que podem ser consideradas nas categorias de cerimonial, civil e criminal. Seguindo estas categorias estão as leis mistas concernentes a família e propriedade.

As leis cerimoniais referem-se a lugar de adoração (12:1-28); idolatria (12:29—13:18; 16:21—17:7); comida pura e impura (14:1—21); dízimos (14:22—29); remissão (15:1—18); santificação do primogênito (15:19-23); e as festas sagradas (16:1-17).

As leis civis tratam da nomeação dos juízes (16:18-20; 17:8-13); eleição de um rei (17:14-20); regulamentações referentes aos direitos e aos rendimentos dos sacerdotes e levitas (18:1-8); e das regras concernentes aos profetas (18:9-22).

As leis criminais referem-se ao homicida, às cidades de refúgio (19:1-14); falso testemunho (19:15-21); conduta na guerra (20:1-20); expiação por uma morte cujo autor é desconhecido (21:1-9); e aos crimes puníveis por enforcamento (21:22,23).

As leis mistas abrangem uma variedade de assuntos tais como casamento com uma mulher cativa (21:10-14); direito de primogenitura (21:15-17); filhos desobedientes (21:18-21); benevolência para com os animais (22:1-4; 6-8); proibição das várias misturas (22:4,9-11); cordas torcidas nas vestimentas (22:12); punição de impureza (22:13-29); expulsão da congregação (23:1-9); rito de purificação no acampamento militar (23:10-15); escravos fugidos (23:16,17); prostituição, usura e votos (23:18-24); ato de recasar depois do divórcio (24:1-4); isenção do recém-casado de servir na guerra (24:5); penhor (24:6, 10-13,17,18); ladrão (24:7); lepra (24:8,9); salários (24:14,15); pais e filhos (24:16); tratamento dos estranhos, órfãos e viúvas (24:17-22); castigo excessivo (25:1-3); o boi de arado (25:4); levirato (25:5-10); estupro (25:11,12); pesos e medidas (25:13-16); e a destruição de Amaleque (25:17-19). Os capítulos 26 e 27 apresentam uma aplicação didática dessas leis.

Outra classificação das leis contidas nos capítulos

117

DEUTERONÔMIO — DEVER

12—26, pode ser feita com base no significado de três palavras - chaves, a saber, juízos, estatutos, e mandamentos. O juízo é definido como uma regra ou lei estipulada por uma autoridade ou estabelecida por costumes antigos, pelo qual o juiz deve se guiar na solução de certos casos (juízos de Êxodo 21). O estatuto é definido como uma regra permanente de conduta que difere do juízo no sentido de que não requer um juiz físico no quadro, mas somente a consciência do indivíduo perante Deus. A distinção entre juízo e estatuto está delineada em I Reis 6:12 onde Salomão é encorajado a *andar* nos estatutos de Deus, e «executar» os juízos dele. Exemplos típicos de estatutos são as leis referentes às instituições religiosas, festas (Deut. 16:1-17), oferendas, ou leis de justiça, purificação, etc. Em relação à palavra «mandamento», seu significado comum é convenientemente limitado aqui para os propósitos da presente classificação: significa aqui, não uma ordem de obrigação permanente, mas uma que pode ser cumprida de uma vez por todas. (Exemplos: a destruição dos santuários pagãos, a nomeação dos juízes, e o estabelecimento das cidades de refúgio).

V. A Importância do Livro

Os escritos posteriores da história de Israel, do VT e do NT testificam a grande influência que o livro de Deuteronômio exerceu em seus autores. Nos livros de Josué, Juízes, I e II Samuel, e I e II Reis encontram-se numerosas referências reveladoras do fato de que Deuteronômio era conhecido e observado na época. Entre as muitas referências que ilustram a observância das leis de Deuteronômio encontra-se Josué 8:27 que relata o fato de que quando Ai foi capturada, «Tão-somente os israelitas saquearam para si o gado e os despojos da cidade» (Deut. 20:14). Outro detalhe que indica a observância da lei de Deuteronômio é o fato de que o corpo do rei da cidade de Ai foi retirado da árvore em que havia sido enforcado antes do cair da noite (conf. Josué 8:29; 10:26 e 27 com Deuteronômio 21:23).

Os profetas do VIII século também refletem familiaridade com o livro.

As seguintes passagens são alguns exemplos da influência de Deuteronômio nos escritos de Oséias e Amós:

Oséias	Deuteronômio
4:4	17:12
5:10	19:14
8:13 e 9:3	28:68
11:3	1:31 e 32:10
Amós	
3:2	7:6 e 9:12
2:7-8	24:12-15 e 23:17

No NT há igualmente algumas citações e várias referências ao livro de Deuteronômio. Em Hebreus 10:28 as palavras de Deuteronômio 17:6 são citadas como «a lei de Moisés». Paulo citou Deut. 27:26 e 21:23 em Gál. 3:10,13 adicionando a introdução «está escrito». Semelhantemente Paulo citou partes do Decálogo em Rom. 7:7; 13:9; Efé. 6:2. Jesus também citou Deuteronômio em várias ocasiões, a saber: Mat. 4:1-11; 22:38; Lucas 4:1-13; Marcos 7:9-12; 10:5 e 10:17-19.

VI. Bibliografia: AM E IB ID MAN UN Z

DEVA

No sânscrito, **celeste brilhante**, termo originalmente usado para indicar os deuses da natureza da religião védica, os quais seriam filhos do pai celeste, Dyaus. Posteriormente, a palavra passou a ser usada para designar «Deus», tanto no hinduísmo quanto no budismo. Porém, no zoroastrismo (que vide), passou a significar espíritos malignos. Os *devas* tornaram-se então equivalentes aos *demônios*, aliados de Arimã, o deus do mal, que é retratado em conflito com o deus do bem, o que cria um nítido *dualismo* (que vide). É interessante observar que a raiz desse termo, nas — línguas indo-européias — , desenvolveu-se até tornar-se o latim *Deus*, o grego *Theós*, e também demônio, em ambos os idiomas.

DEVER

Uma de nossas mais importantes palavras éticas é «dever». Ela subentende a existência dos deveres morais ou legais, e que isso cria deveres que precisam ser cumpridos. O dever tem um caráter imperativo. Precisamos estabelecer a distinção entre as coisas *como elas são* e as coisas *como elas deveriam ser*. O dever nunca aceita o estado das coisas como se isso ditasse o que é certo ou errado, porquanto as coisas raramente são como deveriam ser.

Esboço:

I. O Vocábulo e Seus Usos
II. Vários Pontos de Vista
III. O Ponto de Vista da Bíblia
IV. O Dever de Amar

I. O Vocábulo e Seus Usos

O vocábulo **dever** vem do latim **debere**, «dever». Destaca-se a idéia de dívida. Como um termo, assume lugar juntamente com o que é *bom* e *valioso*, como conceitos fundamentais da moralidade. Os sistemas que exaltam o dever como o alicerce da ética são chamados *formalistas* ou *deontológicos*. Esta última palavra vem do grego *deon, deontos*, «necessário» e de *deein*, «falta», «necessidade». O sistema de dever fala sobre obrigações morais. Outros sistemas principais, que podem ser contrastados com esse, são o *teleológico* e o *axiológico*. Ver o artigo geral sobre a *ética*, que fornece as várias abordagens que os teólogos e filósofos usam, quanto à questão da *conduta ideal*.

II. Vários Pontos de Vista

1. No *estoicismo* (que vide). O dever do homem é absoluto, baseado sobre requisitos da natureza. Todas as coisas acontecem por determinação prévia, e é dever do homem aceitar tudo em atitude de apatia. A única escolha do homem consistiria na atitude com que ele aceita os eventos. Não tem a capacidade de ordená-los. A obrigação é a base da conduta moral, e não a satisfação própria ou o prazer pessoal.

2. Em *Emanuel Kant* (que vide). O dever é a finalidade máxima da vida. O dever é definido por imperativos categóricos e práticos. O homem é possuidor de uma vontade autônoma e noumenal, do que também se origina a idéia e a necessidade de seu dever. Há o imperativo categórico (que vide), o que nos diz que é nosso dever nada fazer daquilo que não queremos que se torne uma lei universal. Ver sobre *Kant*, Ética. Ele também requeria o dever de tratar todos os homens como finalidades em si mesmas, e não como meios, respeitando a individualidade e o valor essencial deles.

3. *F.H. Bradley* (que vide) argumentava que os deveres dos homens são determinados pelo lugar e funções que ocupam na sociedade. Portanto, o dever seria uma questão comunal, e não meramente individual. Além disso, o dever seria determinado por condições metafísicas e universais, e não pelo indivíduo.

DEVER — DEVER DO CRISTÃO

4. *Josiah Royce* (que vide) supunha que o pessimismo ocorre quando os homens falham em descobrir um ideal que deve ser aceito e cultivado. Haveria ideais que deveriam ser descobertos, capazes de impedir o fracasso, ou seja, capazes de evitar o pessimismo. O seu mais elevado ideal era uma adaptação da regra áurea: «Vive de tal modo que a tua vida e a vida do próximo seja uma delas». Ele tinha um forte senso de lealdade e dever, e acreditava que a miséria humana é causada, essencialmente, pela falta de lealdade a princípios autênticos.

5. *H.A. Prichard* (que vide) mantinha o ponto de vista intuicionista que diz que sabemos, através da intuição, quais são os nossos deveres. Ele cria que não devemos tentar formular uma teoria do dever, mas apenas depender de nossa intuição, dia após dia, enquanto vivemos e entramos em contacto com outras pessoas.

6. *W.D. Ross* (que vide) levantou e discutiu a antiga questão dos conflitos de deveres. Há uma verdadeira hierarquia de deveres. O mais elevado deles intitula-se *dever prima facie*. Um exemplo: um paciente terminal pode sentir-se mais confortável e enfrentar melhor a morte física, se não tiver consciência de sua enfermidade. Pelo menos, alguns casos terminais têm esse caráter. Seria um erro dizer a verdade (que, usualmente, é um dever) a tal pessoa. Nesse caso, devemos preferir a misericórdia do que dizer a dura verdade. Ele era um intuicionista e supunha que, em cada caso, a nossa intuição haverá de dizer-nos qual dever deve ser considerado preferencial, e quais outros deveres devem ser postos de lado.

III. O Ponto de Vista da Bíblia

Na Bíblia, a base do dever é a idéia de que Deus revelou o que é bom para o homem. Isso quer dizer que temos uma ética teísta, completa com todas as formas de deveres revelados, delineados nas Escrituras. A maioria dos evangélicos concordaria que o dever é um requisito divino, porquanto Deus é quem estabelece os princípios éticos, e não o homem. Surgem problemas neste ponto: em primeiro lugar, há a questão da *interpretação*. A existência da revelação nem sempre nos serve de uma orientação clara. Consideremos o caso de Abraão, que compreendeu que Deus requeria que ele realizasse um sacrifício humano. A maior parte dos teólogos e filósofos éticos concorda que isso era uma idéia de Abraão (com base em um pano de fundo cultural e religioso), e não um real requisito de Deus. Em segundo lugar, há a questão dos conflitos de deveres, segundo discutimos em II.6. Em terceiro lugar, são levantadas questões pelos liberais e pelos críticos no tocante à validade de supostas revelações. Mesmo admitindo que a Bíblia é um excelente livro sobre princípios éticos, vemos certa progressão no conceito de Deus, partindo da noção primitiva de Deus como um supremo guerreiro, chefe de tribos selvagens, que requeria destruição e vingança por todos os lados, para a idéia mais refinada de Deus, conforme se vê refletida no Sermão da Montanha de Jesus. Ao longo dessa caminhada, os homens, em seus livros sagrados, têm *purificado* o conceito de Deus; mas esse processo prossegue, e o conceito de Deus vai se modificando, devido ao crescente conhecimento e experiência espiritual dos homens. Segue-se, pois, que a própria revelação, mesmo quando válida, não é algo fixo e perfeito. Em conseqüência, os deveres exibidos pela revelação divina não são necessariamente perfeitos e finais. Isso não quer dizer que não nos tenham sido dados deveres claros, mas somente que não fomos isentados da necessidade de raciocinar, de experimentar e de

crescer.

O Nôvo Testamento achou por bem reforçar os *mandamentos* do Antigo Testamento. O amor a Deus e ao próximo aparece no Novo Testamento como o sumário da lei (Mat. 22:37-39; Rom. 13:10). Os filósofos morais nunca foram capazes de aprimorar esse princípio fundamental, e a maioria deles o admite. Ver o ponto abaixo.

IV. O Dever de Amar

Os místicos dizem, após todas as suas elevadas e celestiais experiências, que é impossível melhorar o princípio moral do amor como base de toda a conduta. Paulo, a despeito de todas as suas inovações teológicas, chegou à conclusão de que o amor é o cumprimento da lei. Ver Rom. 13:10. Jesus apresenta-nos idêntica avaliação (Mat. 22:37-39). João mostra-nos que a prova mesma da espiritualidade é a vida diária de acordo com a lei do amor (I João 4:7 *ss*). O novo nascimento é a fonte do poder para amar como devemos fazê-lo; e aquele que nasceu de Deus é ativo no cumprimento desse princípio. Ver o artigo geral sobre o *amor*. O amor leva-nos além da expressão ordinária do dever, o que, na experiência humana, com freqüência consiste em se fazer somente aquilo que se deve, algumas vezes, com má vontade. Naturalmente, o dever real não consiste nisso; mas nós o reduzimos a isso. Seja como for, viver a lei do amor é o dever supremo, bem como aquilo que impulsiona todos os outros deveres.

DEVER DO CRISTÃO

Tipos de Dever. (Rom. 1:5).

1. Alguns têm pensado que se trata da obediência que consiste da fé, ou, em outras palavras, que um indivíduo obedece a Cristo quando chega a confiar nele, assim aceitando as suas reivindicações messiânicas e a sua mensagem. É por esse motivo que diz Wordsworth: «Para que eu possa levar todas as nações àquela fé que se manifesta em dar ouvidos à Palavra e em obedecer à vontade de Deus». Apesar de ser subjetiva, essa fé é uma espécie de obediência, porquanto, ao crer, um homem faz aquilo que Deus requer de sua parte; contudo, certamente a fé objetiva está aqui em pauta, a «doctrina fidei».

2. Outros opinam que se trata de obediência àquela fé, interna e externa, que é o *princípio controlador* da vida dos crentes. Esse ponto de vista concorda com a idéia de W. Sanday que diz, concordando com essa idéia da fé *subjetiva*: «Neste caso, a fé não é equivalente à 'fé', um conjunto de doutrinas recebido e crido, mas, em seu sentido mais estrito, equivale ao hábito e atitude ativos da mente, mediante o que o crente demonstra a sua devoção e lealdade a Cristo, bem como sua total dependência a ele. (Ver Gál. 2:19)».

3. Conforme pensava Adam Clarke (*in loc.*), a fé indicaria, neste caso, «o evangelho de Jesus Cristo».

Todos esses três pontos de vista têm os seus respectivos méritos, mas a posição aqui apresentada em primeiro lugar parece ser aquela que Rom. 1:5 em particular deseja ensinar. Isso concorda com o trecho de Atos 6:6, onde se lê: «Crescia a palavra de Deus e, em Jerusalém, se multiplicava o número dos discípulos; também muitíssimos sacerdotes obedeciam à fé». (Ver também Rom. 10:16, que diz: «Mas nem todos obedeceram ao evangelho...», que contém uma expressão similar e quase igual a esta).

Entre todos os gentios. Talvez fosse melhor traduzir essa expressão por «entre todas as nações», incluindo

DEVER DO CRISTÃO — DEVOÇÕES

até mesmo os judeus nessa declaração, o que estaria mais em consonância com a totalidade da epístola, que anela pela salvação de todos os povos, e tem por intuito ensinar a unidade dos remidos de todas as nações, sob Jesus Cristo, por meio da fé. Todavia, existem autoridades que pensam que, nesta declaração, os judeus não estão incluídos, embora também não estejam propositadamente excluídos, mas pensam que tão-somente Paulo enfatizou o seu apostolado entre os gentios, tudo o que é uma interpretação possível.

Ode ao Dever

Filho severo da Voz de Deus!
O Dever! se a esse nome tu amas,
Que és uma luz que guia, uma vara
Que castiga a quem erra, e reprovas;
Tu, que és vitória e lei,
Quando se atiçam os terrores vazios;
Das vãs tentações tu libertas;
E acalmas a contenda cansativa e a débil
humanidade!
A uma função mais humilde, Poder tremendo!
Eu conclamo; eu mesmo entrego
À tua orientação, nesta hora;
Oh, que minhas fraquezas tenham fim!
Dá para mim, sábio e humilhado,
O espírito da abnegação;
Dá-me a razão da confiança;
E na luz da verdade, eu, teu escravo, deixa-me
viver!

(William Wordsworth)

DEVOÇÃO, DEVOTAR

No hebraico temos uma palavra a considerar, *cherem*, usada por vinte e oito vezes, como em Lev. 27:21,28,29; Núm. 18:14. — No grego, *sébasma*, «objeto de adoração», que figura por duas vezes: Atos 17:23 e II Tes. 2:4. A palavra grega envolvida indica, geralmente, algum objeto usado na adoração religiosa. De acordo com o pensamento dos semitas, uma coisa «devotada» era inteiramente dedicada à divindade, pelo que não mais podia ser tocada por um ser humano. Portanto, era algo santificado (Lev. 27:28). Em sentido negativo, uma coisa devotada era *maldita*. Ver o artigo sobre *Anátema*. Também poderíamos dizer que algo foi «devotado a Yahweh», dando a entender que a coisa devotada deveria ser totalmente destruída. Ver Josué 6 e 7, o exemplo mau de Acã, e I Samuel 15, o exemplo dos amalequitas. Tais conceitos estavam por detrás das *guerras santas*, nas quais a destruição era considerada como algo que honrava a Deus. A idolatria era punida mediante total devoção (Êxo. 22:20). O vocábulo também podia significar «exclusão», segundo se vê em Esdras 10:8. Positivamente falando, uma pessoa ou coisa podia ser devotada a Deus, mediante total consagração. Parte da propriedade ou dos bens materiais de alguém podia ser devotada (Lev. 27:28), do que também originou-se o costume do Corbã (que vide) (Mar. 7:11).

Devoção Cristã. As exigências feitas por Cristo são grandes, porque também os benefícios que ele nos dá são grandes, e porque o destino dos crentes é serem conformados à sua imagem (Rom. 8:29; II Cor. 3:18). Portanto, total devoção e dedicação são requeridas dos discípulos sérios (Rom. 12:1,2; Mar. 8:34 *ss*). Um aspecto da devoção é a *adoração*. Um longo e detalhado artigo foi provido, nesta enciclopédia, acerca desse assunto. Parte da adoração do crente é a prática diária de suas devoções, o que pode incluir a leitura da Bíblia, a oração, e, em alguns casos, a meditação. Esse é um exercício que tem por finalidade ajudar o crente em seu desenvolvimento espiritual.

No plural, «devoções», a palavra é usada, em várias traduções, em Atos 17:23 (nossa versão portuguesa usa o singular, «culto»), dando a entender a adoração a divindades pagãs. O termo grego por detrás desse vocábulo é *sébasma*, dando a entender aquilo que é adorado (II Tes. 2:4), ou as coisas usadas como adjuntos na adoração.

DEVOÇÃO VOLUNTÁRIA (Col. 2:23).

Em algumas traduções temos a idéia de culto voluntário. O texto envolvido é Colossenses 2:23, onde nossa versão portuguesa diz «culto de si mesmo». A melhor tradução do termo grego *ethelothreskía* seria algo como «adoração auto-imposta». Contudo, há dificuldades no caminho da interpretação desse vocábulo, — pois Paulo estava criticando certo aspecto da adoração dos gnósticos quando usou essa palavra grega e por isso mesmo tem deixado os intérpretes perplexos. Esse termo parece haver sido cunhado pelos cristãos, podendo ter o sentido de «religião autocriada», o que nos levaria a entender que as pessoas assim acusadas haviam criado suas próprias regras religiosas. Esse termo grego combina a palavra que significa «vontade» e uma das várias palavras que significam «religião» (adoração, serviço, observância) a saber, *threskía*. Alguns supõem que o vocábulo resultante significa «adoração rigorosa», quando então estariam em pauta as práticas ascéticas de alguns gnósticos. Alguns dos pais da Igreja, porém, interpretaram-no como «pseudo-religião», ou seja, uma religião criada pela mera vontade humana, e não através da revelação divina. É assim que se chega à idéia de adoração auto-imposta, em vez de uma adoração determinada por Deus; e essa idéia provavelmente inclui o ascetismo (que vide). Epifânio tomava essa última posição (Haer. 1.16). Ver o artigo geral sobre o *Gnosticismo*.

DEVOÇÕES E LITERATURA DEVOCIONAL

No decurso da história da Igreja cristã têm sido produzidos alguns notáveis exemplos de literatura devocional. Certos trechos bíblicos, como também muitos dos Salmos e alguns capítulos das epístolas de Paulo (como Efé. 1 e Fil. 3) têm servido de exemplos. Ademais, há as antigas liturgias da Igreja, cujo caráter era essencialmente devocional. Dionísio, o aeropagita, um escritor desconhecido, mas equivocadamente identificado com um convertido de Paulo, no Areópago (Atos 17:34), produziu documentos que influenciaram a Igreja por um longo período de tempo. Ele produziu uma expressão mística intensamente devocional, influenciada por conceitos neoplatônicos. Como exemplo do lado católico romano da cristandade temos a *Devoção das Quarenta Horas*, acerca de cuja obra oferecemos um artigo separado. Francisco de Sales, Gerhard e Grootel (ver os artigos a respeito deles) ajustam-se dentro dessa categoria de autores, como quase a hinologia cristã inteira, como também a judaica. Tomás à Kempis (que vide) produziu o imortal *Imitação de Cristo*, escrito originalmente em latim, do qual possuo uma versão em inglês, com data de 1726, o mais antigo livro de minha biblioteca. Outros autores cujas obras pertencem a esse tipo de literatura foram Richard Baxter, John Bunyan, Jeremy Taylor e a *Theologia Germanica*, acerca de quem e do que oferecemos artigos

DEVOTO — DEWEY

separados. Parte do caráter religioso do ser humano é a necessidade de adoração, o que se reflete na literatura devocional dos homens. Ver os artigos sobre *Devoção, Devotar* e *Adoração*.

DEVOTO

No original grego temos a considerar os vocábulos *eulabés*, «reverência», *eusebés*, «piedoso», e o verbo *sébomai*, «adorar». Essas palavras ocorrem, respectivamente, por quatro vezes (Luc. 2:25; Atos 2:5; 8:2; 22:12), três vezes (Atos 10:2,7; II Ped. 2:9) e dez vezes (Mat. 15:9—citando Isa. 29:13—Mar. 7:6; Atos 13:43,50; 16:14; 17:4,17; 18:7,13; 19:27). Nos livros de Lucas encontramos menção a pessoas devotas, como Simeão (Luc. 2:25), Cornélio e seu soldado devoto (Atos 10:2,7), Ananias, através de quem Paulo recebeu de volta a visão (Atos 22:12), os homens piedosos que sepultaram Estêvão (Atos 8:2). Havia homens devotos por se terem convertido ao judaísmo (Atos 13:43), mulheres devotas (Atos 13:50), gregos devotos, em Tessalônica (Atos 17:4), e pessoas devotas nas sinagogas de Atenas (Atos 17:17). O° *devotos* são aqueles que, de alguma forma, viram ao Rei, cujas vidas foram assim transformadas, e cujas práticas diárias incluem atitudes e atos religiosos que demonstram a piedade deles. Os devotos devem ser contrastados com os *profanos*, os quais têm pouco respeito pelas coisas espirituais, cujas vidas são dominadas por motivos carnais e egoístas. As pessoas devotas são intensamente religiosas, reverentes, calorosamente dedicadas às realidades espirituais, sinceras e ativas nos exercícios e obras de natureza religiosa.

DE WETTE, WILHELM MARTIN LEBERECHT

Suas datas foram 1780-1849. Foi professor em Heidelberg, Berlim e Basiléia, esta última na Suíça. Foi um pensador criativo e autor que obteve considerável influência nos círculos teológicos. À medida que foi ficando mais idoso,—tornou-se mais dogmático e conservador; mas alguns de seus primeiros escritos causaram controvérsias. Suas discussões diziam respeito às principais questões referentes à relação entre a religião e a intelectualidade de uma pessoa, à relação entre o cristianismo e a história, à relação entre a teologia e a ciência. A teologia dele era isenta de exageros especulativos e racionalistas, e ele continuou admirador profundo do idealismo alemão. A estimativa dele quanto a Jesus Cristo exibia uma mistura não esclarecida de revelação com o ideal humanista dos homens.

DEWEY, JOHN

Nasceu em 1859 e faleceu em 1952. Foi um filósofo pragmático norte-americano. Nasceu em Burlington, estado de Vermont. Educou-se na Universidade de Vermont e na de John Hopkins. Ensinou em Michigan, Minnesota, Chicago e também na Universidade de Colúmbia. Começou sua carreira como seguidor de Hegel, mas terminou sofrendo forte influência do pensamento pragmático, especialmente aquele exemplificado nos escritos de William James (que vide). Seu principal interesse, nos seus anos de vida adulta, era aquele sobre a relação entre o pensamento pragmático e a educação. Na Universidade de Colúmbia ele trabalhou tanto no Departamento de Filosofia como no Colégio de Professores (Faculdade de Pedagogia). Influenciou diversas gerações de educadores, nos Estados Unidos da América e em outros lugares. Mas, com o advento do «sputnik» russo, o sistema tornou-se mais científico, em vez de seguir mais de perto uma orientação experimental educacional. A influência dele quanto ao pensamento ético foi grande, è, por causa disso, incluímo-lo nesta enciclopédia.

Idéias:

1. A filosofia avançou, tornando-se útil, quando deixou de ser especulativa, tendo-se tornado um *método* empregado para solucionar experimentalmente os problemas humanos. A publicação da *Origem das Espécies*, por Darwin, foi um avanço que deveria encorajar a nossa experimentação, porquanto a vida, afinal de contas, é a grande experiência. Dewey pretendia por fim à mania por absolutos, na filosofia, a fim de que ela se ocupasse mais no solucionamento dos problemas.

2. A inquirição naturalmente tem início em situações perturbadoras, complexas e indeterminadas. O objetivo da inquirição é fazer o que é indeterminado tornar-se determinado. Esse método caracteriza-se por estes pontos principais: a. localizar e determinar a natureza de um problema; b. estabelecer soluções relevantes e possíveis (sendo esse o estágio do *ou isto ou aquilo*); c. encontrar as conseqüências possíveis das soluções propostas (sendo esse o estágio do *nesse caso*); d. sujeitar as soluções propostas a novas experiências e exames ; e. concluir com aquela alternativa que ofereça a melhor solução para o problema.

3. O alvo da inquirição não é a verdade abstrata e teórica. De fato, a verdade é aquilo que funciona bem em qualquer dada situação. As verdades reais produzem situações transformadoras.

4. Não há finalidades fixas em qualquer ato, mesmo em um ato ético. Pelo contrário, há um tipo de *contínuo de meios* para um fim, onde uma situação permanece em estado de fluxo, e muitas soluções temporárias são encontradas, em série. Os fins tornam-se meios para novas experiências, assim que são descobertos. As idéias não são coisas que devam ser guardadas como tesouros, mas antes, são instrumentos a serem empregados na solução de problemas. Portanto, devemos pensar na filosofia do Instrumentalismo (que vide).

5. A filosofia de Dewey também foi chamada por ele de *naturalismo*, além de *instrumentalismo*. O naturalismo ético afirma que as questões de certo e errado podem ser solucionadas mediante a adução de evidências, por meio da experimentação, e não através de supostas leis fixas e infalíveis.

6. No campo da *estética* (que vide), Dewey discutiu sobre as fases instrumental e consumatória da experiência. Uma obra de arte seria apreciada e experimentada mediante as reações dos apreciadores. Haveria uma espécie de *todo unificado* que o experimentador atingiria em sua experimentação com a obra de arte. Essa experiência consumatória teria valor em si mesma, sendo essa a reação estética do homem.

7. A filosofia de Dewey frisava a necessidade da *liberdade*, a fim de que a inquirição não fosse impedida. Isso incluiria a capacidade e o direito de tomar decisões inteligentes, sem imposições externas em contrário. Um homem seria livre quando as circunstâncias sob as quais ele vive fossem escolhidas por ele, sem importar quais seriam essas circunstâncias. A liberdade de um homem pode ser a prisão de outro. Dewey também salientava a importância da individualidade. Um homem não seria livre a menos que seja autônomo.

8. A democracia concorda com a insistência de

DEWEY — DEZ CHIFRES

Dewey quanto à liberdade, a autonomia e a necessidade de experimentos para serem encontradas soluções. Outras formas de governo representam restrições que não são próprias ao instrumentalismo.

9. Dewey empregava o termo *Deus* para indicar a relação ativa entre o real e o ideal. Empregar o termo com um sentido mais amplo do que esse levaria ao dogmatismo e à falta de compreensão.

10. No campo da *educação*, Dewey enfatizava a necessidade de respeitar o individualismo, a livre escolha, a inquirição sem empecilhos. Um sistema educacional simplesmente gira em torno das necessidades dos indivíduos e da livre inquirição, paralelamente à experimentação. Finalidades fixas são substituídas pela experimentação e pelo pragmatismo.

11. *Críticas das Idéias Éticas de Dewey*. Ele afirmava que coisa alguma tem valor por si mesma. O que tem valor é a *conseqüência* das ações. Coisa nenhuma traz suas próprias credenciais imutáveis. Tudo é instrumental. Não haveria valores finais e intrínsecos, mas somente valores instrumentais. A busca ética pelo ideal é uma busca pragmática, individual e livre. Não haveria valores *de jure*, mas apenas valores *de facto*. Ele admitia que existem ideais equivocados, porque, sem o aprazimento estético, um homem pode tornar-se uma mera máquina, e a sociedade pode transformar-se em um monstro econômico. Porém, se não existem valores intrínsecos, por que não escolheríamos o monstro econômico, esquecendo-nos dos valores estéticos? É difícil a um homem resolver os problemas morais, se ele não dispõe de algumas regras de conduta, mas está sempre envolvido em experimentações, sempre à espera de resultados incertos. Seria difícil ao menor dizer que o *assassínio* é errado, a não ser dizendo que teve um mau resultado, pelo que foi um erro. Porém, esse parecer de Dewey não dá solução ao problema da moralidade. O sistema dele ignora fatores importantes: a revelação pode mostrar-nos o que está certo e o que está errado, ainda que apenas parcialmente, admitindo-se que esse meio de conhecimento também é incompleto. Há um bom argumento em favor da noção de que as funções racionais e intuitivas do homem são eficazes no estabelecimento de regras éticas, inteiramente à parte das conseqüências. As considerações do teísmo descobrem pontos fracos na teoria de Dewey. Realmente, se Deus existe, essa teoria tem muitos defeitos, porquanto não admite que haja tal coisa como responsabilidade diante de Deus.

Principais obras: *Psychology; Studies in Logical Theory; Ethics, How We Think; Reconstruction in Philosophy; Human Nature and Conduct; The Quest for Certainty; Art as Experience; The Teacher and Society; Experience and Education; The Theory of Inquiry; Theory of Valuation.*

DEZ ARTIGOS

Esses artigos foram publicados por Henrique VIII, em 1536, a fim de definir quais as crenças necessárias para a salvação e para a fé religiosa sã. Ademais, esses artigos afirmavam quais ritos e cerimônias devem ser usados na prática cristã. As bases da fé estão ali limitadas à Bíblia, aos três credos, aos quatro concílios gerais e às tradições que não sejam contrárias às Escrituras. São ali retidos os sacramentos do batismo, da penitência e do altar. É discutida a doutrina da justificação pela fé. A veneração às imagens e as honras prestadas aos santos, bem como o purgatório, são mantidos. Esses artigos foram suplantados não muito tempo depois pelo *Livro do Bispo*.

DEZ CHIFRES

O que significam os dez chifres? (Apo. 12:3)

1. Simbolicamente, significam *poder*.

2. Metafisicamente, indicam «o poder de Satanás», em todas as dimensões.

3. Historicamente, os «dez chifres» são «reis», de algum modo associados com Roma, talvez imperadores romanos ou «reis» de províncias romanas, que ajudavam Roma e faziam ampliar o seu domínio.

4. Profeticamente, é quase certo que esses «dez chifres» se referem à federação de dez reinos que formará o império do anticristo. Não é mister pensar que todos esses dez reinos pertencerão à comunidade européia. Os místicos contemporâneos dizem que os Estados Unidos, Canadá e o Japão serão três desses reinos; e isso, mui provavelmente, é correto. Essas *dez nações* serão usadas como instrumentos do poder do anticristo, nos últimos dias. Derrotarão à União Soviética quando da Terceira Guerra Mundial, embora a um preço incrivelmente elevado. Também farão oposição à China, na Quarta Guerra Mundial, que culminará na batalha do Armagedom. Quanto a detalhes sobre essas predições, ver o artigo intitulado a *Tradição Profética e a Nossa Época*. Podemos conjecturar que essas dez nações serão a Inglaterra, a França, a Itália, o Canadá, o Japão, a Bélgica, a Alemanha, a Holanda, a Suécia e os Estados Unidos da América do Norte.

5. Misticamente falando, os dez chifres de Satanás indicam o seu poderoso poder cósmico, que transcende a qualquer situação desta terra.

Essa interpretação, conforme damos no parágrafo imediatamente acima, deve ser correta. Mas há outras interpretações, que enumeramos abaixo:

a. Os intérpretes históricos (pelo menos alguns) dividem as sete cabeças e os dez chifres em fases históricas, não permitindo que pertençam todas a um único período de manifestação satânica. Portanto, removem a questão dos «últimos dias» e a transferem para o desdobramento de um prolongadíssimo processo histórico. Nesse caso, as cabeças e os chifres são normalmente encarados como «reinos» e «períodos de governo», e não como governantes individuais. Segundo dizem eles, «dez» é o número do «curso completo do mundo». Portanto, estaria supostamente em foco o governo maléfico sobre o mundo, inspirado por Satanás, através da história da humanidade.

Alguns intérpretes históricos pensam que as «sete cabeças», seriam «sete cidades capitais» do império romano, a saber, Roma, Cartago, Aege, Antioquia, Augustodunum, Alexandria e Constantinopla. Outros vêem, nos «dez chifres», «dez impérios romanos perseguidores», ou então dez sucessivos estágios de governo humano, desde o império romano. Também há aqueles que vêem nisso dez áreas do império romano da antiguidade, como a África, a França, a Bretanha, a Germânia, a Dácia, a Trácia, a Capadócia, a Armênia, a Síria e a Palestina.

b. Outros intérpretes rejeitam inteiramente qualquer conexão com o império romano, com governantes humanos ou com a «besta saída do mar», pensando que os símbolos das cabeças e dos chifres pertencem exclusivamente ao próprio dragão, nada tendo a ver com aquela besta. Isso significaria, pelo menos para alguns desses estudiosos, o governo cósmico de Satanás, e não o seu domínio sobre a terra. Ele seria «todo-sábio» (cabeças) e «completo» (chifres). Se

DEZ ESTÁGIOS DO BUDISMO — DEZ MANDAMENTOS

seguirmos essa linha de pensamento, juntamente com alguns, concluiremos que as cabeças e os chifres representam poderes «demoníacos» e não governos terrestres.

DEZ ESTÁGIOS DO BUDISMO

Ver o artigo geral sobre o **Budismo**. Os **dez estágios** referem-se àqueles modos de desenvolvimento espiritual que os budistas sinceros precisam experimentar, se quiserem chegar à plena *iluminação*, à natureza de Buda, que é o alvo final da passagem pelos ciclos da vida terrena, antes de se chegar ao *Nirvana* (que vide).

As várias escolas budistas diferem quanto à apresentação e enumeração desses estágios, mas uma boa versão padronizada dos mesmos é a da escola Mahayana, que aparece no *Dasa-bhumi Sastra*, a saber:

1. O estágio da *alegria*. Aquele que busca pela iluminação remove os pontos de vista negativos e desenvolve sua natureza santa.

2. O estágio da *pureza*. É atingida a perfeição no campo moral.

3. O estágio da *iluminação*. O discernimento introspectivo é desenvolvido, sendo então atingida a perfeição na humildade e na paciência.

4. O estágio da *sabedoria flamejante*. É obtida a perfeição na energia.

5. O estágio da *total invencibilidade*. É atingida a perfeição na meditação. Então parece que a verdade deste mundo e a verdade suprema harmonizaram-se.

6. O estágio da *presença*. A perfeição na sabedoria é alcançada, o que elimina a discriminação entre a pureza e a impureza.

7. O estágio do *senso de missão*. Essa é a fase evangelística, em que o indivíduo parte a fim de tentar salvar todos os seres. Essa é a chamada perfeição da experiência.

8. O estágio da *imobilidade*. É então atingida a perfeição nos votos, e o indivíduo percebe que todos os elementos físicos são irreais.

9. O estágio da *boa sabedoria*. O inquiridor obtém os dez poderes santos do budismo, e prega tanto aos que podem ser remidos quanto aos que não o podem. Esses poderes incluem a onisciência e o direito à libertação final dos ciclos da encarnação.

10. O estágio da *nuvem da lei*. O inquiridor atinge a expressão da lei perfeita e prega-a para salvar todas as criaturas, da mesma maneira que as nuvens deixam cair suas gotas de chuva sobre todas as pessoas e coisas. (E P)

DEZ MANDAMENTOS

Quanto a artigos relacionados, e onde importantes princípios são frisados, ver o artigo geral sobre *Mandamentos*. Ver também sobre o *Novo Mandamento* e sobre o *Decálogo*.

Esboço:
1. O Princípio da Lei
2. Palavras Envolvidas e Designações
3. Ocasião Histórica
4. Versões
5. Natureza e Conteúdo
6. Divisões
7. Os Dez Mandamentos e o Novo Testamento

1. O Princípio da Lei

Todo povo precisa ter leis, e até as tribos mais primitivas contam com sua **legislação, formal ou informal.** — Algumas vezes, essas fórmulas são bastante simples. Os indígenas primitivos do extremo norte do Brasil têm dois pecados principais: o furto e o maltrato à própria mãe. Segue-se um terceiro, não tão grave: não compartilhar do que se possui. As bananas são consideradas uma possessão preciosa. Espera-se que aquele que encontrou bananas na floresta, compartilhe das mesmas com os demais membros da tribo. Porém, o homicídio é tão comum que parece haver bem pouca consciência de que isso constitui uma grave ofensa. Foi-me explicado pessoalmente, por alguém que viveu dentro daquela cultura primitiva por muitos anos, que o homicídio não é considerado um mal, a menos que atinja algum parente próximo. O homicídio é ali praticado por qualquer razão, ou mesmo sem razão nenhuma. Naturalmente, o homicídio é vingado, mas essa é a única pena aplicada contra tal ato. Quase todos os homens adultos, entre aqueles indígenas, já mataram algum ser humano. Isso nos mostra que se o princípio da lei é natural a todos os povos, seus preceitos precisam ser dirigidos por Deus, o qual nos esclarece o que, realmente, é certo e errado.

Códigos Antigos. Ficamos admirados diante da extensão e da boa qualidade das leis babilônicas. Ver o artigo sobre a *Babilônia*, em seu ponto 5.f., *Ética e Moral dos Babilônios*. Uma das principais realizações da arqueologia tem sido o descobrimento dos códigos e das leis dos povos antigos, que nos informam sobre as suas idéias éticas. Mas, quando estudamos o assunto, descobrimos que não há povo e nem há história que se possam comparar com a de Israel.

Antes da outorga dos Dez Mandamentos, já encontramos ordenanças divinas no Antigo Testamento; mas, juntamente com o decálogo houve uma imensa elaboração. E os judeus nunca se cansaram de maiores elaborações ainda. Os ensinos judaicos incorporavam 613 mandamentos específicos, dos quais 248 eram positivos e 365 negativos, cobrindo todas as facetas imagináveis da vida diária. Não há que duvidar que a nação judaica considerava a estrita obediência à lei escrita como a base e a expressão da espiritualidade. O Novo Testamento faz essa obediência depender das operações do Espírito Santo, sendo significativo que todos os Dez Mandamentos (excetuando aquele referente ao sábado), tornaram-se princípios neotestamentários. Contudo, alguns estudiosos pensam que até mesmo o sábado tornou-se um princípio do Novo Testamento sob a forma de nosso descanso espiritual em Jesus Cristo, mediante a fé. (Ver Heb. 4:9,10).

Tendências Teológicas. Em nossos dias vê-se a tendência de abandonar uma lei escrita, objetiva, como expressão da vontade de Deus. Muitos teólogos têm HUMAN-izado a idéia veterotestamentária da lei, pois dizem que a reivindicação de origem divina, da lei mosaica, não passa de uma invenção humana. Historicamente, isso exprime uma verdade — pode-se mostrar que os babilônios e outros povos antigos contavam com códigos legais bastante similares aos dos judeus, e expressos com bastante elaboração. É nossa tendência subestimar a sensibilidade moral dos povos antigos. Preferimos apontar para suas muitas guerras, para sua brutalidade e para suas constantes agitações. Porém, se os compararmos com as sociedades modernas, veremos que o ato de matar é uma atividade que prossegue como sempre ocorreu, e que, em nossos dias, as técnicas tornaram-se muito mais sofisticadas, de tal modo que temos a intrepidez de falar em *artes* militares. Quando lemos o Antigo Testamento, ficamos perplexos diante da violência que transparece na história de Israel; e não

DEZ MANDAMENTOS

meramente dos israelitas contra outras nações, mas até de israelitas contra israelitas. Não podemos entender como uma pessoa, como Davi, que escreveu tantos dos Salmos do Antigo Testamento, com sua evidente espiritualidade profunda, o que se reflete em seu elevado estilo literário, pode ter estado ocupado em tanta luta e matança. Será possível uma pessoa, em um dado momento, mostrar-se espiritualmente sensível, expressando essa sensibilidade mediante termos poéticos lindíssimos, para então, momentos depois, enterrar a lâmina de sua espada no ventre de outro homem? Parece que a dualidade de todo ser humano, até mesmo dos regenerados, com seu aspecto positivo e com seu aspecto negativo, pode explicar tal fenômeno. Seja como for, o evangelho veio a fim de salvar os pecadores; e o próprio fato de que a alma humana vive nesta esfera terrena serve de prova de que ela caiu muito abaixo de Deus. Tradicionalmente, a obediência às leis divinas tem sido o principal método de tentativa de retorno da alma humana a Deus.

Karl Barth enfatizava a Palavra de Deus como a expressão de sua vontade. Contudo, não pensava que essa Palavra pudesse ser limitada a seu aspecto escrito, na Bíblia. Barth, pois, representa uma mudança de opinião, afastando-se de um conceito literal e literário e aproximando-se da iluminação interior acerca da vontade de Deus, porquanto a expressão literária conteria imperfeições, resultantes da inventividade humana. Aqueles que não aceitam de bom grado o princípio legal da justificação, preferindo a teologia paulina, algumas vezes têm ido longe demais, reduzindo os mandamentos da lei à condição de meros iluminadores do entendimento, chamando-os de invólucros legais. Para eles, o amor seria a única lei verdadeira e pura; e o que estiver separado disso será imperfeito ou desviador. Entretanto, não há qualquer contradição entre o amor e a lei. De fato, a lei, quando correta, coopera com o amor, pois sua finalidade sempre visa ao benefício do homem. Outrossim, há uma maneira de reconciliar as obras da lei e a graça. Se considerarmos aquelas obras como operações do Espírito, então lei e graça tornam-se sinônimos. A lei aponta para os princípios morais, e as operações do Espírito tornam-nos pessoas moralmente inclinadas, capazes de pôr em prática aquilo que a lei mosaica recomenda verbalmente. Naturalmente, a letra mata. Por si mesma, a lei nunca será uma força espiritual capacitadora. É o Espírito de Deus quem nos dá vida (II Cor. 3:6). Todavia, isso não significa que a lei seja errada em si mesma, ou que Deus errou ao dar ordens aos homens, por intermédio da lei. Os padrões de Deus deveriam ser conhecidos e postos em obra. Porém, quando chega o momento de cumprir o espírito dos mandamentos, então é que precisamos do poder capacitador do Espírito; e essa é uma clara mensagem no Novo Testamento.

Não há qualquer contradição ou antipatia entre a graça e a lei, ou entre o amor e a lei, contanto que consideremos tudo segundo a correta perspectiva. A vida cristã envolve a observância das «ordenanças de Deus» (I Cor. 7:19). Mas isso só pode ser feito mediante a atuação do Espírito capacitador, que vem residir no crente (Rom. 8:2 ss). A espiritualidade é uma obra do Espírito (Gál. 5:22,23), e não meramente a tentativa de obedecer, segundo nossas melhores possibilidades de atender aos mandamentos. Temos de levar em conta que a lei escrita, por mais elaborada que seja, sempre é incompleta, pois nenhuma palavra escrita poderá exprimir plenamente a mente de Deus. Eis por que alguns teólogos têm apelado para o conceito da Palavra de Deus, não limitada ao que foi escrito na Bíblia Sagrada.

Os mandamentos de Deus despertam em nós a consciência de nossa própria imperfeição e desse modo, eles prestam um importante serviço (Rom. 3:20). Com base nisso, o Espírito Santo ajuda-nos a fazer algo a respeito. Os mandamentos podem servir de guias para que evitemos pecados específicos e para que realizemos atos consoantes com nossos deveres morais; e nada há de errado quanto a isso, contanto que não pensemos que é através disso que seremos justificados diante de Deus (Rom. 3:20,28). Naturalmente, dentro da comunidade humana, a lei, considerada como um princípio, é algo absolutamente necessário, porquanto deve haver um padrão para que todos possam seguir.

2. Palavras Envolvidas e Designações

Quanto a detalhes sobre esta divisão, ver o artigo sobre *Mandamentos*, sob o subtítulo, *Idéia Geral*. A importância da lei, dentro do judaísmo, pode ser demonstrada pelo fato de que há cerca de novecentas referências aos mandamentos, no Antigo Testamento, mediante o uso de uma dezena de palavras diferentes.

O Decálogo. Ver o artigo separado sob esse título, quanto a maiores detalhes. O termo *decálogo*, que significa *dez palavras*, foi usado pelos pais gregos da Igreja para se referirem aos dez mandamentos do Antigo Testamento. No hebraico, esses mandamentos são chamados *haddebarim asereth*, «dez palavras». Ver Êxo. 34:28; Deu. 4:13 e 10:4. Outras expressões também usadas para indicar a lei são: «as duas tábuas do testemunho» (Êxo. 34:29); a «sua aliança» (Deu. 4:13), «as tábuas da aliança» (Deu. 9:9). No Novo Testamento, encontramos, principalmente, o termo grego *entolaï*, «mandamentos» (Mat. 19:17 *ss*, Rom. 13:9; I Tim. 1:9, para exemplificar).

3. Ocasião Histórica

O Antigo Testamento apresenta a outorga da lei mosaica como um ato divino, como uma direta intervenção de Deus na história humana. Moisés é retratado como o homem que recebeu tábuas literais de pedra, inscritas com os dez mandamentos. Mediante esse ato, foi estabelecido o pacto teocrático. E é nesse ponto que temos o início de uma das principais dispensações, que alteraram todo o rumo da história da humanidade. Ver Êxodo 19 e 20: Seguem-se muitas leis subordinadas aos dez mandamentos originais, com base no que uma vasta e elaborada legislação veio a desenvolver-se. Muitos teólogos modernos têm salientado o teísmo extremado da situação. Deus desceu sobre o monte Sinai, com manifestações de fogo e fumaça, o monte tremeu e os israelitas ficaram aterrorizados, etc. Esses teólogos opinam que esses elementos marcam a porção histórica da história como um relato essencialmente mitológico. Os estudiosos místicos, que não se preocupam muito com o arcabouço histórico, supõem que essas descrições são tentativas cruas para descreverem para nós as profundas experiências místicas de Moisés, mediante as quais ele foi inspirado a produzir as leis mosaicas. Isso significa que houve acontecimentos reais, e não imaginários, mas que esses eventos foram mais místicos do que literais, e que poucas referências literárias são válidas se forem interpretadas literalmente, e não alegórica ou simbolicamente. Os estudiosos liberais salientaram que outros povos semitas, especialmente os babilônios, também contavam com todos os itens essenciais dos Dez Mandamentos; e, com base nisso, supõem que, na realidade, eles representam a essência do pensamento daqueles povos da antiguidade, nada

124

DEZ MANDAMENTOS

tendo de original ou de origem divina. Na minha opinião, porém, essa interpretação liberal reduz Moisés a quase nada; ele seria apenas um compilador. No entanto, precisamos perceber que ele encabeçou um novo e radical movimento religioso. Não foi apenas um líder do ângulo social, militar e cultural. Como pioneiro de um avanço muito grande na compreensão das realidades religiosas, ele deve ter sido uma figura muito incomum. Penso que é melhor concebermos a outorga da lei mosaica como uma experiência mística, mas cercada por circunstâncias históricas verdadeiras, relatadas de forma a salientar a verdade mística. Como exemplo disso, podemos pensar sobre a narrativa a respeito da *ascensão de Cristo* (que vide). Lemos acerca da *nuvem* que recebeu a Jesus, e, quando falamos em nuvens, em meio às quais ele retornará, ou naquelas nuvens associadas ao nosso próprio futuro arrebatamento, é melhor pensarmos não em termos de nuvens literais, formadas por vapor d'água. Antes, houve a manifestação de energias místicas, envolvidas no processo, mas que resultou em uma espécie de aparência visual. Por semelhante modo, a outorga da lei mosaica envolveu visões místicas que foram então descritas mediante termos literais.

4. Versões

No Pentateuco há duas versões do decálogo. A primeira delas aparece no vigésimo capítulo do livro de Êxodo; e a segunda no quinto capítulo do livro de Deuteronômio. Essas versões concordam essencialmente entre si, excetuando no caso das razões para a observância do quarto mandamento. No livro de Êxodo, é dito que era preciso obedecer esta lei como uma obrigação diante de Deus como Criador. Mas, em Deuteronômio, a razão é que o indivíduo deve servir ao próximo, concedendo-lhe descanso, em memória à servidão sofrida no Egito, quando então ninguém, dentre os israelitas, podia descansar. É possível, porém, que a versão deuteronômica represente uma elaboração posterior do mandamento mais simples, que dizia: «Lembra-te do dia de sábado, para o santificar» (Êxo. 20:8).

5. Natureza e Conteúdo

O decálogo é mais que um código de leis. Antes, é a base do pacto teocrático que separou o povo de Israel como um veículo do favor divino, como um elemento através do qual a mensagem espiritual haveria de ser transmitida. É instrutivo pensarmos em Cristo como o Segundo Moisés. Os inúmeros preceitos que aparecem em seguida, governando cada aspecto da vida diária, ensinam-nos que não existe tal coisa como lado secular da vida. À mente divina cabe o controle de todos os detalhes da vida, de tal maneira que a alma humana possa encontrar eficazmente o seu caminho de volta a Deus. Esse elaborado sistema tinha o intuito de governar a vida física dos israelitas, mas também tinha funções educativas. O próprio decálogo estabelece alguns princípios perfeitamente éticos, cuja aplicação pode ser vasta e abrangente. A lei foi escrita em tábuas de pedra pelo próprio Deus. Nos países orientais, a pedra simbolizava a perpetuidade da lei, ali contida. As tábuas de pedra estavam escritas em ambas as faces, indicando quão completa era aquela legislação. Subseqüentemente, as tábuas de pedra foram guardadas no lugar sagrado do tabernáculo, salientando o ato e a importância da revelação divina.

Conteúdo. O decálogo contém os pontos essenciais da lei moral. Jesus respondeu a certo jovem, que inquirira sobre a vereda para a vida eterna, que ele deveria obedecer a essa lei moral, e então viver (ver Mar. 10:19; Luc. 18:18-20): «Faze isto e viverás» (Luc. 10:28). Os fariseus, em contraste, tinham caído no erro crasso de enfatizar o aspecto menos importante, o cerimonial. Não podemos duvidar que eles pensavam que todos os mandamentos, de qualquer sorte, eram moralmente obrigatórios. Para eles, a distinção que fazem alguns cristãos judaizantes modernos, entre mandamentos morais e mandamentos cerimoniais, pareceria absurda. Não obstante, a história tem separado os Dez Mandamentos dos demais preceitos, pelo que essa definição cristã, de certo modo, parece vindicada.

Os Dez Mandamentos:

1. Monoteísmo (ou henoteísmo): «Não terás outros deuses diante de mim».

2. Contra a idolatria: «Não farás para ti imagem de escultura...»

3. Contra a profanação: «Não tomarás o nome do Senhor teu Deus em vão».

4. Sobre o sábado: «Lembra-te do dia de sábado, para o santificar».

5. Respeito aos genitores: «Honra a teu pai e a tua mãe...»

6. Respeito pela vida alheia: «Não matarás».

7. Vida pura: «Não adulterarás».

8. Honestidade: «Não furtarás».

9. Veracidade: «Não dirás falso testemunho contra o teu próximo».

10. Respeito à propriedade alheia: «Não cobiçarás...»

Esses são princípios morais cardeais, básicos. Dentro da exposição cristã, cada um desses mandamentos recebeu notável expansão. Jesus deu início a essa tradição, no tocante ao ponto de vista cristão da lei, quando mostrou que a observância dos mandamentos está vinculada aos nossos motivos básicos. O homicídio já está latente no ódio ao próximo. O adultério já está latente na sensualidade (Mat. 5:22 *ss*). As elaborações dos séculos posteriores tiveram de lançar mão de uma imaginação muito frutífera, para ver um imenso número de pecados implícitos nos dez mandamentos fundamentais. Damos abaixo um exemplo disso:

O que está envolvido no mandamento contra o adultério? O Grande Catecismo de Westminster, respondendo à pergunta 139, sobre a lei moral, retruca: O adultério, a fornicação, o estupro, o incesto, a sodomia, as paixões desnaturais, a imaginação impura, a impureza nos propósitos e nos afetos, a linguagem imoral, os olhares sensuais, o comportamento imodesto, as vestes imodestas, os casamentos ilegítimos, a tolerância a bordéis ou a qualquer tipo de prostituição, o indevido adiamento no casamento, o divórcio, a separação ou deserção do cônjuge, a preguiça, a glutonaria, o alcoolismo, as companhias imorais, as canções lascivas, livros, gravuras, danças, peças teatrais e qualquer coisa que excite ou promova pensamentos.

6. Divisões

Os mandamentos da lei mosaica foram registrados em duas tábuas de pedra (Êxo. 31:18). Isso poderia indicar as duas faces de uma mesma pedra, ou então duas pedras. Alguns estudiosos preferem pensar na primeira possibilidade. Seja como for, a primeira dessas tábuas trata da responsabilidade do homem diante de Deus, incluindo o primeiro e grande mandamento de se amar a Deus com todas as fibras e potencialidades do ser (Deu. 6:4,5; Mat. 22:36 *ss*). A segunda tábua definia os deveres do homem para com os seus semelhantes, o que é elaborado em Lev. 19:18. Historicamente, outras divisões vieram a existir,

125

DEZ MANDAMENTOS

conforme se vê nas igrejas reformadas. Ali o trecho de Êxodo 20:2.3, é considerado como passagem que enfatiza a exclusividade de Yahweh. Os vss. 4 e 6 desse cap. aparecem ali como um único mandamento, a injunção elaborada contra a idolatria, sob qualquer forma. O vs. 7 seria o terceiro mandamento, que proibiria qualquer forma de profanação. Então seguir-se-iam sete mandamentos que tratam das relações entre homem e homem, o que seria o aspecto ético da lei mosaica. Além dessa divisão reformada, há a chamada divisão agostiniana, que une os vs. 3 a 6, onde o monoteísmo e a idolatria são encarados como mutuamente exclusivos. Assim, aquele que adora a qualquer tipo de imagem de escultura, já abandonou a adoração ao único Deus. Além disso, o mandamento referente à cobiça é dividido em duas partes distintas. A divisão *talmúdica* faz de Êxodo 20:2 o primeiro mandamento, e de Êxodo 20:3-6 o segundo.

Divisão segundo o Conteúdo Geral. a. Deveres do homem diante de Deus (Êxo. 20:2-7): monoteísmo, contra a idolatria, contra a profanação. b. Deveres do homem para com a adoração (Êxo. 20:8-11): observância do sábado, que envolvia o descanso físico naquele dia e as observâncias religiosas que visam ao bem da alma. As igrejas reformadas fazem o domingo tomar o lugar do sábado. Mas o Novo Testamento não concorda com isso, e nem faz a guarda do sábado obrigatória para os cristãos. Contudo, qualquer dia pode ser observado com propósitos religiosos, se isso for feito para honrar a Deus (Rom. 14:5; Col. 2:16). Naturalmente, existem seitas cristãs, que insistem sobre a natureza obrigatória do sábado; também há aquelas que dizem a mesma coisa em relação ao domingo. Nenhuma dessas opiniões conta com o respaldo do Novo Testamento, exceto no sentido de que o crente tem a permissão de fazê-lo, se assim quiser, seguindo o princípio da liberdade cristã; mas ficando entendido que ele não pode forçar outras pessoas a seguirem o seu exemplo. c. Deveres do homem para com seus semelhantes (Êxo. 20:12-17): A santidade da família, do matrimônio, da propriedade alheia, da veracidade e honestidade nos negócios. Adultério, homicídio, mentira e cobiça e coisas semelhantes, são vedadas.

Todas essas divisões são enfeixadas na direção da *lei do amor* (Deu. 4:6; Rom. 13:10; I Tim. 1:5). A lei do amor faz os mandamentos descerem até os motivos que impulsionam as pessoas, dando-nos a *razão* desses mandamentos. Amamos a Deus, e assim evitamos a idolatria. Amamos ao próximo, pelo que não fazemos qualquer coisa capaz de prejudicá-lo. Outrossim, a lei do amor inspira-nos a ações positivas, de tal maneira que não cumprimos a lei moral meramente a fim de evitar certos atos errados. O respeito ao próximo envolve mais do que evitar coisas que possam prejudicá-lo. Também precisamos promover ativamente o bem de nossos semelhantes.

7. Os Dez Mandamentos e o Novo Testamento

a. Segundo alguns estudiosos, todos os dez mandamentos são **reiterados e enfatizados** espiritualmente, no Novo Testamento, excetuando o mandamento atinente ao sábado. Outros pensam que até o sábado tem sua contraparte espiritual no Novo Testamento, sob a forma do descanso de que desfrutamos em Cristo, mediante a fé (ver Heb. 4:9,10). Os mandamentos permanecem como preceitos morais, embora não sejam considerados poderosos em si mesmos. De acordo com o Novo Testamento, é mister o ministério do Espírito Santo, a fim de que a lei moral seja inscrita em nossos corações, a fim de

que não seja meramente entendida por nosso intelecto. Diz II Coríntios 3:3: «...estando já manifestos como carta de Cristo, produzida pelo nosso ministério, escrita não com tinta, mas pelo Espírito do Deus vivente, não em tábuas de pedra, mas em tábuas de carne, isto é, nos corações». O sexto versículo, logo adiante, é um dos mais bem conhecidos versículos de autoria paulina, no tocante à lei. Ali é mencionada uma nova aliança, não mediante um código escrito, mas realizado por meio do Espírito, pois a letra mata, mas o Espírito dá vida. Portanto, entre nós há uma lei do Espírito, que em nós opera e nos transforma (Rom. 8:2). As operações do Espírito necessariamente incluem a transformação moral, e essa transformação satisfaz plenamente aos requisitos da lei. Mas isso opera de maneira mística (ou seja, através do contacto com o Ser divino), e não legalmente, na forma de obediência a um código escrito. Não existe tal coisa como salvação sem santificação (ver Heb. 12:14). Ver o artigo sobre a *Santificação*.

b. Jesus. Cristo não veio destruir a lei, mas cumpri-la (Mat. 5:17). Uma das maneiras de cumprir a lei consistiu em ampliar seu alcance, incluindo até mesmo os motivos dos homens (Mat. 5:22 *ss*). Uma outra maneira de cumpri-la consistiu em trazer à tona a possibilidade de uma autêntica espiritualidade, impelida pelo Espírito de Deus, capaz de fazer a obediência à lei algo eficaz, mesmo que não perfeito ainda. Jesus trouxe a nós aquela mensagem que mostra como a espiritualidade da lei pode tornar-se real em nossas vidas diárias. Porém, incorremos em erro quando tentamos ler as idéias de Paulo nas declarações de Jesus. Jesus não ensinou os princípios paulinos, já plenamente desenvolvidos, exceto no sentido de que certos preceitos básicos de Paulo foram antecipados por Cristo. Paulo jamais poderia ter dito o que encontramos em Marcos 10:19 e em Lucas 18:18-20. Diante de Jesus, o jovem rico queria saber como poderia adquirir a vida eterna. Jesus referiu-se aos requisitos da lei, dizendo: Faze isto, *e viverás*. É claro que Jesus não parava aí, em seus ensinamentos; mas ele precisava mostrar ao jovem rico a impossibilidade de salvação por esse intermédio. E o jovem compreendeu isso, tendo então respondido: «Tudo isso tenho observado; que me falta ainda?» (Mat. 19:20). Paulo, entretanto, vai direto ao ponto, afirmando que a observância dos mandamentos não pode salvar a alma humana. Naturalmente, podemos reconciliar a lei e a graça, dizendo que a verdadeira obediência à lei é aquela inspirada pela transformação da alma, mediante o poder do Espírito. Assim a alma é santificada e transformada, mediante o contacto místico com o Ser divino. Em outras palavras, o Espírito faz os princípios da lei tornarem-se reais em nosso homem interior. Por meio dessas operações do Espírito, fica eliminada a observância da lei como meros atos de comissão ou de omissão de atos proibidos.

c. Tiago. Parece-me claro, embora não o pareça para alguns teólogos cristãos, que, na epístola de Tiago, continuamos no solo do Antigo Testamento. As boas obras e a observância da lei estão envolvidas na justificação, juntamente com a fé. Não percebo como Tiago 2:24 poderia ser interpretado de outro modo, pois ali lemos: «Verificais que uma pessoa é justificada por obras, e não por fé somente». É inútil tentarmos explicar isso, dizendo que a justificação da pessoa é demonstrada mediante obras que são resultantes do princípio da fé. Isso também expressa uma verdade, mas não é o que Tiago diz nessa passagem. O décimo quinto capítulo do livro de Atos

DEZ MANDAMENTOS — DHARMA

mostra-nos claramente que os primeiros judeus convertidos ao cristianismo continuavam exigindo a circuncisão como necessária à salvação, para nada dizermos sobre as medidas ainda mais importantes da lei. Simplesmente precisamos reconhecer que Tiago, no período de transição entre o Antigo e o Novo Testamentos, continuava defendendo o ponto de vista judaico comum da justificação. A questão é tão simples quanto isso. Nem todos os crentes primitivos tinham o profundo discernimento de Paulo quanto à natureza da graça divina (que vide). Isso não significa, porém, que Tiago não foi um crente genuíno. Deus tem paciência com as nossas crenças e conceitos tão imperfeitos. Em caso contrário, ninguém poderia ser salvo, porquanto nenhum credo representa com perfeição a verdade divina. Todos conhecemos em parte, vemos em parte, compreendemos em parte. Se, porventura, alguém disser que as obras exigidas pela lei são, de fato, possíveis mediante as operações do Espírito na alma — o que reflete uma noção espiritual do intuito da lei — então estará dizendo que a lei é idêntica em sua finalidade, às operações transformadoras do Espírito. Nesse caso, lei e graça são a mesma coisa, embora vendo o mesmo resultado de ponto de vista diferentes. Na lei e nas obras, vejo as operações do Espírito. Na graça, vejo que tudo depende de Deus, em última análise; e que a salvação de minha alma depende das operações do Espírito. E isso posso receber mediante a fé. Não há nisso qualquer contradição inerente. A lei e a graça são os pólos opostos de um mesmo princípio mais profundo. Ver o artigo sobre a *Polaridade* de muitas verdades ensinadas na Bíblia. Todavia, não penso que Tiago percebeu esse fato. Antes, ele via dois princípios separados — a fé e as obras — como os princípios que produzem a justificação. Para ele, esses princípios seriam verdades distintas. Porém, se os considerarmos por outro ângulo, veremos que ambos formam uma única verdade.

d. Paulo. Paulo declara francamente que a lei não tinha o propósito de salvar, e que nem mesmo poderia fazê-lo (Rom. 3:28). O homem é justificado pela fé, «independentemente das obras da lei». Além disso, escreveu ele: «...visto que ninguém será justificado diante dele (de Deus) por obras da lei...» (Rom. 3:20). Segundo Paulo, a lei tinha funções diferentes daquelas que os judeus lhe atribuíam, conforme se pode perceber melhor mediante os pontos abaixo discriminados: 1. A lei nos dá o pleno conhecimento do pecado (Rom. 3:20). 2. A lei dá impulso e energia ao pecado, atraindo o julgamento (Rom. 7:10). As palavras de Paulo são extremamente severas quanto a esse ponto: o próprio mandamento que prometia a vida, termina por operar a morte. Nenhum judeu haveria de concordar com tal declaração, enquanto permanecesse na incredulidade. 3. Em Gálatas 3:10, Paulo mostra que aqueles que esperam a vida eterna por meio da lei, na verdade estão sob a maldição que condena a todos os homens, sem qualquer exceção. Ora, Cristo veio a fim de nos livrar dessa maldição. A passagem de Gálatas 3:21 afirma enfaticamente que a doação da vida eterna não era o *propósito* da lei. A lei tinha a finalidade de reduzir-nos a nada, mostrando quão miseráveis e desobedientes criaturas nós somos. Mas então vem a mensagem do evangelho, para salvar-nos de toda essa miséria e impotência. A despeito de tudo, se pensarmos sobre a lei em termos daquilo que o Espírito opera em nós, em consonância com a moralidade divina, então a lei *já* se torna doadora de vida. Paulo concorda, em princípio, com essa declaração, em Filipenses 2:12b,13, onde ele escreve: «...desenvolvei a vossa salvação com temor e

tremor; porque Deus é quem efetua em vós tanto o querer como o realizar, segundo a sua boa vontade». Cumpre-me fazer tudo quanto estiver ao meu alcance para seguir os preceitos morais; e assim a minha salvação torna-se uma realidade. Mas, paralelamente a isso, segundo aprendo nas Escrituras, o tempo todo era Deus quem estava atuando por meu intermédio. Por conseguinte, um complexo conceito é aquele que enfeita as idéias de *lei-obras-graça-agência-humana-agência-divina*. Se quisermos separar esses elementos uns dos outros, analisando em separado cada um deles, haveremos de cair em todas as formas de contradição e disputa. Mas, se considerarmos essa complexidade, com todos os seus elementos intactos, teremos de confessar que o conceito é por demais difícil para ser explicado de forma satisfatória; sendo essa a precisa razão pela qual tantas pessoas preferem separar idéias e explicá-las individualmente. Nesse processo, elas fazem tais conceitos se oporem uns aos outros, o que já não exprime a verdade, embora a questão não seja fácil de ser esclarecida. (B C CHA H ID UN WAT)

DHAMMAPADA

Termo sânscrito que significa «vereda da virtude». O Dhammapada é um antigo documento budista que discute os principais valores da vida e a vereda que conduz à iluminação. Essa vereda move-se dentro do arcabouço do *karma* (que vide), do renascimento (ver sobre a *Reencarnação*) e das quatro virtudes nobres de Buddha, e sobre a vereda da fé religiosa, em oito aspectos. Ver os artigos sobre *Buddha* e o *budismo*. Esse documento também provê várias meditações cujo desígnio é ajudar àquele que busca a salvação.

Algumas Idéias Principais:

1. Desapego, liberdade de qualquer desejo, serenidade e autocontrole. Essas seriam as características do homem espiritual que está atingindo o seu alvo.

2. Um homem espiritualmente avançado é um Brahmin, preparado para o Nirvana (que vide). Outras pessoas ficam presas à grande roda dos renascimentos, — sempre retornando para tentar novamente. Haveria recompensas e castigos em céus e infernos, mas o Nirvana é o alvo.

3. Os elementos da vereda da iluminação incluem a necessidade de vigilância, a sabedoria, a felicidade, a retidão, os fatores da verdade em oito aspectos e a eliminação dos desejos e dos empecilhos.

Quanto à vereda de oito aspectos ver o artigo sobre o *Budismo*, primeiro ponto, número sete, «A vereda nobre e mediana».

DHARMA

Vocábulo sânscrito com muitas definições, uma das quais é *lei*, que é uma das jóias do budismo. O conceito inclui costumes, justiça, religião e cultura. Aponta para o princípio da função das coisas individuais. Também aponta para a ordem cósmica e seus elementos, que têm efeitos correspondentes sobre os homens. Portanto, o que os homens podem fazer de sábio é seguir a vereda apropriada da lei. Algumas vezes, a palavra assume o sentido mais amplo de RELIGIÃO, com tudo quanto isso implica. Também há as *leis de Manu* (que vide), o que já se intitula *Dharmasastra*. Esse termo também é popularmente empregado para designar os costumes, usos e práticas de qualquer sistema específico de castas, na religião hindu e na filosofia indiana. No budismo, o *Dharma* é uma das três jóias da fé religiosa, entre as quais os

DHYANA — DIA DA CRUCIFICAÇÃO

monges se refugiam.

O jovem que quiser tornar-se monge terá de deixar a família e os amigos. Por assim dizer, ele se torna um pária, embora a decisão seja totalmente dele. Em face disso, ele precisa refugiar-se em alguma coisa. Portanto, ele se refugia por detrás das três jóias do budismo, a saber: 1. Em *Buda*, seu guia na busca pela iluminação. 2. Na *Samgha*, ou comunidade religiosa, as pessoas que vivem juntas a fim de seguirem melhor a inquirição espiritual. 3. O *Dharma*, ou lei da comunidade religiosa, onde o peregrino encontra tudo — que precisa — para viver. Esse Dharma comunal reflete a ordem cósmica e serve de guia seguro para o indivíduo dirigir a sua vida.

DHYANA

Termo sânscrito que significa **meditação**, uma prática central no hinduísmo, no budismo e no jainismo (ver o artigo a respeito). Dhyana forma o sétimo estágio da meditação da ioga, conduzindo ao estágio final de absorção, ou *Samadhi*. Ver sobre a Ioga, no seu quarto ponto.

DIA

Há uma palavra hebraica e uma palavra grega envolvidas:

1. *Yom*, «dia». Palavra hebraica usada por mais de mil e trezentas vezes, em todos os livros do Antigo Testamento, sem exceção.

2. *Eméra*, «dia». Palavra grega empregada por cerca de trezentas e oitenta e duas vezes no Novo Testamento, desde Mateus 2:1 até Apocalipse 21:25.

As Escrituras exibem certa variedade de usos, designados por meio dessa palavra, a saber:

1. As horas entre a alvorada e o ocaso do sol (Gên. 1:5; 8:22; Atos 20:31). Os dias da criação teriam tido essa duração, embora comumente digamos que os dias duram vinte e quatro horas. Talvez a expressão somente nos chame a atenção aos dias de vinte e quatro horas, não se referindo estritamente ao dia limitado às horas iluminadas pelo sol. Nesse caso, o dia poderia ser dividido em manhã, meio-dia e noite (Salmos 55:17). Os babilônios computavam seus dias do raiar do sol ao raiar do sol; os romanos, de meia-noite à meia-noite (conforme nós o fazemos); os gregos e os judeus, de pôr do sol ao pôr-do-sol. A primeira menção bíblica específica ao dia de vinte e quatro horas aparece no Novo Testamento, em João 11:9.

2. *Divisões e Vigílias Naturais*. A divisão natural do dia em manhã, meio-dia e noite assinalava os períodos de oração (Salmos 55:17). Originalmente, a noite era dividida em três porções ou vigílias (Sal. 62:6; 90:4). O trecho de Lamentações 2:19 menciona a primeira dessas vigílias; a segunda aparece em Juí. 7:19; e a manhã, ou última vigília, é mencionada em Êxo. 14:24. Os gregos e romanos introduziram uma quarta vigília, o que significa que cada vigília passou a durar cerca de três horas. A segunda e a terceira vigílias são mencionadas em Luc. 12:38; a quarta, em Mat. 14:25. As quatro vigílias juntas aparecem em Mar. 13:35.

Duração Específica das Vigílias: 1. Do pôr-do-sol à terceira hora da noite, chamada «tarde» ou «cair da tarde» (Mar. 11:11 e João 20:19). 2. A vigília da meia-noite, isto é, da terceira hora da noite até à meia-noite. 3. O cantar do galo, ou seja, da meia-noite às três horas da madrugada, ou mais tarde, ou seja, a nona hora da noite. 4. Cedo de manhã, da nona hora da noite até ao nascer-do-sol,

que seria a nossa seis horas da manhã (João 18:28).

3. *A Divisão do Dia em Doze Horas*. Essa divisão só se tornou comum após o cativeiro babilônico; e os judeus trouxeram essa prática para a Judéia. É no trecho de Daniel 4:19 que encontramos, pela primeira vez, a palavra «hora». Jesus disse, em João 11:9, que o dia tem doze horas. Períodos específicos eram: a. primeira hora, ou nascer do sol; b. sexta hora, até o meio dia; c. sétima hora, de meio-dia em diante; décima segunda hora, terminava ao pôr-do-sol. Os hebreus não tinham nomes para as suas horas, mas as numeravam, apenas.

4. *Um Dia Simbólico — um Período de Tempo*. Alguns estudiosos opinam que os *dias* da criação simbolizam longas eras, ou mil anos, conforme parece sugerir o trecho de Salmos 90:4. O termo «dia» é empregado para indicar qualquer período de tempo, sem importar se esse conceito tem aplicação ou não aos dias da narrativa da criação. De acordo com a profecia de Daniel, é evidente que cada dia representa um ano, e que uma semana representa sete anos (Dan. 7:25; 9:24). E isso é transferido para o livro de Apocalipse, conforme se nota claramente em Apo. 4:15 e 10:3.

5. *O Dia Simbólico, Vinculado ou Não ao Tempo*. Pode estar em foco a oportunidade dada pela misericórdia divina (Sal. 37:13; Mal. 4:1; Luc. 19:42); um período de ruína ou tribulação (Sal. 37:13; Jó 3:8); a vinda da «parousia» ou da eternidade (Rom. 13:12); um tempo de matança, de festividades e de exageros (Tia. 5:5); o julgamento divino ou a redenção (Isa. 49:8; II Crô. 6:2; I Tes. 5:5,8; II Ped. 1:19; Efé. 4:30); um grande dia, como o da conversão de Israel, ou um dia importante qualquer (Osé. 1:11; Apo. 6:17; 16:14); *aquele dia*, um notável período de realizações (Isa. 11:1), o que incluirá o juízo final (Jud. 6); os *últimos dias*, um tempo futuro, em relação a quem falou, ou seja, a dispensação do evangelho (Isa. 2:2), ou mesmo a porção final da dispensação do evangelho (I Tim. 4:1; II Tim. 3:1); um dia bom, que indica um período de prosperidade, festividade e regozijo (Est. 8:17; 9:22); um dia mau ou amargo, que é um período de tribulação ou desastre (Amós 6:3; 8:10); o dia de hoje, que é um tempo de oportunidade de salvação (Sal. 95; Heb. 3 e 4); algo feito em *um único dia*, algo que é feito com prontidão, em pouco tempo (Apo. 18:8); o *dia todo*, algo feito de modo habitual e constante (Deu. 28:32; Sal. 25:5).

6. *Um Título de Deus*. Em Daniel 7:9,13 encontramos a expressão «o Anção de dias», referindo-se à eternidade de Deus.

7. A *oportunidade* de prestar serviço no evangelho (João 9:4).

8. Vários dias são comentados em artigos separados. Ver os seguintes títulos: Dia do Senhor; Domingo, Dia do Senhor, Dia de Cristo; Último Dia (Escatologia); o Dia Longo de Josué; Um Dia de Jornada; Dia da Expiação.

DIA DA CRUCIFICAÇÃO, SEXTA-FEIRA

O dia da crucificação: Os acontecimentos do dia da crucificação ocorreram na *sexta-feira*, conforme concorda a maioria dos eruditos antigos e modernos. O dia da crucificação de Jesus tem sido variegadamente situado na quarta-feira, na quinta-feira ou na sexta-feira. Apesar de que qualquer dessas datas conta com algumas dificuldades, contudo, a sexta-feira, que tem sido tradicionalmente aceita como o dia da crucificação, desde os tempos mais antigos, é a que conta com menor número de objeções. A questão tem

DIA DA CRUCIFICAÇÃO

provocado muitos debates, e muito tempo tem sido desperdiçado, e imensas energias têm sido concentradas nessa discussão. Para alguns, o conhecimento e a declaração do dia certo parecem ter a importância de uma convicção religiosa. Que a sexta-feira foi o dia da crucificação, é indicado pelos seguintes argumentos:

1. Um número *demasiado* de acontecimentos teve lugar nas narrativas, segundo as temos, para permitir que todos tivessem ocorrido entre o domingo, que foi o dia da entrada triunfal, e a crucificação de Jesus, se esta tivesse tido lugar na quarta ou mesmo no quinta-feira.

2. O testamento deixado *pelos pais* da igreja primitiva, até o terceiro século, é unânime em afirmar que a crucificação teve lugar na sexta-feira. (Ver Wordsworth, *The Greek New Testament*, sobre as passagens envolvidas, incluindo Mat. 27:62, onde há uma lista dos nomes dos pais que apoiavam a sexta-feira). De fato, da parte dos pais da igreja, não temos outra data exceto a sexta-feira. Os antigos pais da igreja são anteriores aos primórdios da Igreja Católica Romana, pelo que, de forma alguma podemos asseverar que a crucificação na «sexta-feira» foi uma invenção dessa organização religiosa.

3. O testamento do *símbolo* favorece o dia de sexta-feira. Quando da criação, Deus trabalhou durante seis dias, e então descansou. Assim também Cristo trabalhou durante esses seis dias, e então descansou no dia sétimo, o sábado.

4. A profecia de Jesus, de que estaria no sepulcro por «três dias e três noites» (Mat. 12:40), embora para ouvidos modernos pareça três dias e noites completos, para os antigos não era assim, por causa do costume de computar *partes* do dia ou da noite como se fossem dias ou noites inteiras. Uma parte da sexta-feira, o sábado e uma parte do domingo, satisfaria o sentido aqui tencionado. Ao computarem seqüências do tempo, os antigos sempre incluíram, nesse cômputo, o mesmo dia em que a declaração era feita. Assim sendo, «em três dias» incluiria o dia em que a declaração foi feita. Esses três dias seriam a sexta-feira, o sábado e o domingo. Partes desses dias podiam ser chamadas de «três dias».

5. *A cronologia* simples *de Lucas* (23:54-24:1) não deixa dúvida alguma a respeito, porquanto ele menciona declaradamente três dias: 1. A «preparação» (vs. 54), isto é, o dia anterior ao sábado, ou sexta-feira, conforme essa palavra significa até mesmo no grego moderno, sendo usada com esse sentido por todas as páginas do N.T. onde ela aparece. 2. O sábado (vs. 56), durante o qual descansaram. 3. O primeiro dia da semana (24:1) ou domingo. Se é que a crucificação ocorreu antes, o que teria acontecido à quarta-feira e à quinta-feira, nesse novo cálculo cronológico? João 19:31 diz especificamente que o corpo de Jesus foi tirado da cruz, a fim de que não permanecesse ali no dia de «sábado».

6. Alguns tentam fazer desse *sábado* um feriado judaico diferente, salientando que, no vs. 31, esse sábado é chamado de «grande o dia daquele sábado». Mas a expressão se deriva do fato de que este dia era o sábado durante o período da páscoa, sincronizado com o segundo dia da festa dos pães asmos. A narrativa de Lucas indica que somente *um dia* de «sábado» está aqui em foco, por maior que fosse considerado esse dia.

7. Alguns estribam-se no fato de que, em Mat. 28:1, a palavra usada para sábado está no *plural*, o que leva tais intérpretes a traduzirem «no fim dos sábados», como se tivesse ocorrido mais de um sábado (ou feriados especiais), o que faria com que o dia da «preparação» fosse a terça-feira, ao passo que os dias de quarta-feira, quinta feira, sexta-feira e sábado seriam os «sábados». Todavia qualquer pessoa que consulte um dicionário grego completo do N.T. descobrirá que o plural era freqüentemente usado em lugar do singular, embora estivesse em vista apenas um sábado. Outras instâncias desse fato se encontram em Mat. 12:1; Mar. 1:21; 2:23; 3:2,4; Luc. 4:31; 6:9. Em todas essas instâncias, o grego tem o plural, mas o contexto mostra sempre que se trata do singular. Esse emprego do plural era comum entre os demais autores, fora do N.T., conforme um dicionário grego completo facilmente revela. Que o singular era tencionado é óbvio em Mar. 16:1, que usa o singular, «sábado», e de onde Mateus extraiu a sua narrativa (posto parecer correto dizer, com o que muitíssimos concordam, que Marcos foi usado como base dos evangelhos de Mateus e de Lucas). Adicione-se a isso a narrativa em Luc. 23:54-56, que também usa o singular.

8. É altamente improvável que as mulheres tivessem esperado durante quase *três dias e meio* (desde a tarde de quarta-feira até à manhã de domingo), antes de irem ao sepulcro, a fim de ungirem e embalsamarem o corpo de Jesus. Nessa altura, a putrefação estaria tão adiantada que todo esforço seria estranho e inútil. Afinal de contas, elas esperavam encontrar um cadáver, embora não tivessem ficado desapontadas por não terem encontrado tal.

9. As Escrituras declaram pelo menos por *nove vezes* que Jesus ressuscitaria ao *terceiro dia* (Mat. 16:21; 17:23; 20:19; Mar. 9:31; 10:34; Luc. 9:22; 18:33; 24:7; I Cor. 15:4). Segundo o costume do *cômputo inclusivo* das seqüências de tempo, comum entre as culturas antigas, ao enumerar qualquer número de dias, horas, meses ou anos, sempre se incluía nessa numeração o dia *em que* se fazia a declaração e é óbvio que o dia da crucificação deve estar incluído nesse cômputo dos «três dias». Jesus queria dizer que ressuscitaria ao terceiro dia. Assim sendo, segundo esse cômputo à moda antiga, temos a sexta-feira, o sábado e o domingo. O terceiro dia, a começar na quarta-feira, dificilmente poderia ser o domingo. Jesus teria de ter ressuscitado na sexta feira, se a quarta-feira tivesse sido o dia de sua crucificação. Se o dia de sua crucificação foi na quinta-feira, Jesus teria de ter ressuscitado no sábado. Alguns intérpretes, embora em pequeno número, ensinam exatamente isso. As descrições sobre a manhã da ressurreição parecem indicar que a mesma teve lugar bem cedo, — na manhã de domingo, talvez às três horas da madrugada, ou entre as três horas e as seis horas da manhã. Não contamos com qualquer declaração específica sobre a hora exata. De conformidade com os cálculos dos judeus, o domingo teria começado às 18:00 horas daquele que ainda consideraríamos como dia de sábado. Portanto, Jesus poderia ter permanecido no túmulo por diversas horas do «domingo», ainda que tivesse ressuscitado tão cedo como a meia-noite de nosso sábado, embora bem dentro do domingo, segundo a maneira de contar dos judeus. Assim sendo, embora tivesse ressuscitado antes da meia-noite do domingo judaico, Jesus ainda estaria morto no túmulo, no domingo. Dessa maneira, esteve no túmulo por «três dias», conforme ele declarou que ficaria. «Três dias e três noites», sendo uma expressão que não precisa envolver mais do que partes desses três dias e noites, não está fora de lugar. (Ver a nota, em Mat. 28:1, no NTI quanto a uma discussão mais ampla sobre o dia da ressurreição do Senhor Jesus).

DIA DA EXPIAÇÃO

DIA DA EXPIAÇÃO

No hebraico, **dia do perdão**. No Talmude, a data é chamada *grande festa* ou meramente *o dia*.

1: *Tempo*. Talvez, originalmente, fosse qualquer dia em que se fizesse a expiação pelo pecado. Posteriormente, indicava o dia específico e geral de expiação para todo o Israel. Foi instituído como estatuto permanente por Moisés, como dia de expiação pelos pecados, no décimo dia do mês de Tisri (setembro/outubro). Esse foi o único dia festivo originalmente ordenado por Moisés. (Ver Lev. 16:1-34 e Núm. 29:7-11). Essa grande festividade, tal como todos os demais dias festivos dos judeus, começava ao pôr-do-sol do dia anterior, prolongando-se por 24 horas, isto é, de pôr-do-sol a pôr-do-sol, ou então conforme os rabinos recomendavam, até que três estrelas fossem visíveis no horizonte.

2. *Cerimônias*. O décimo sexto capítulo de Levítico descreve as cerimônias muito laboriosas, mormente no caso do sumo sacerdote. Ele precisava preparar-se durante os sete dias anteriores, vivendo quase solitário, abstendo-se rigorosamente de qualquer coisa que pudesse torná-lo imundo ou que viesse a perturbar o seu estado mental espiritual. Chegado o dia da expiação, ele entrava no Santo dos Santos, ato esse vedado até mesmo a ele, em qualquer outro dia do ano (ver Heb. 9:7). De fato, nesse dia ele entrava no Santo dos Santos por quatro vezes. Na primeira vez, ele trazia o incensário de ouro e o vaso cheio de incenso. Após ter entrado, ele punha o incensário entre as duas extremidades do Santo dos Santos e o incenso sobre os carvões acesos. Então retirava-se, andando de costas, para nunca voltar as costas ao Santo dos Santos. Em sua segunda entrada, levava consigo o sangue do animal que havia sido oferecido em expiação por seus próprios pecados e pelos pecados dos demais sacerdotes; colocava-se entre as duas extremidades do Santo dos Santos, imergia um dedo no sangue e o aspergia por sete vezes embaixo e por uma vez em cima do propiciatório. Tendo feito isso, deixava a bacia com sangue e retirava-se novamente. — Na terceira vez, o sumo sacerdote entrava com o sangue do carneiro que havia sido oferecido pelos pecados da nação, com o qual aspergia na direção do véu do Santo dos Santos por oito vezes, e tendo-o misturado com o sangue do novilho, aspergia novamente na direção dos chifres do altar de incenso por sete vezes, e uma vez mais na direção leste, após o que derramava todo o sangue no soalho do altar das ofertas queimadas, tendo novamente saído, levando para fora as bacias com sangue. Na quarta vez em que adentrava o Santo dos Santos, o sumo sacerdote meramente vinha buscar o incensário e o vaso de incenso. Tendo retornado para fora, ele lavava as mãos e realizava as demais cerimônias do dia. Que o sumo sacerdote entrava no Santo dos Santos por mais de uma vez torna-se claro em face da variedade dos ritos por ele realizados, conforme as descrições de Levítico 16:12,14,15. A expressão «uma vez por ano», em Hebreus 9:7, mostra que ele entrava ali «uma vez por ano», não dizendo respeito às várias entradas que constituíam a entrada coletiva anual.

3. *Proibições e normas*. a. Os preparativos acima descritos; b. o jejum absoluto; c. o dia era um sábado santo, e nenhum trabalho podia ser feito durante o mesmo; d. o povo precisava manter-se em atitude de aflição e reflexão espiritual. Em caso contrário, alguém podia ser cortado do meio do povo de Israel (ver Lev. 23,27-32). e. Santidade era a ordem do dia. Somente uma alma limpa podia aproximar-se de

Deus naquele espantoso dia (ver Lev. 16:1,2).

4. *Outros deveres do sumo sacerdote nesse dia*. Havia freqüentes lavagens e trocas de roupa. As lâmpadas eram acesas e o incenso era queimado, operações essas iniciadas no décimo dia do sétimo mês (Tisri). O sumo sacerdote paramentava-se em seus trajes pontificiais. Confessava seus pecados e os pecados de sua própria família, oferecendo um novilho. Dois bodes eram separados, e um deles era escolhido mediante lançamento de sorte para ser oferecido a Yahweh, enquanto que o outro era solto, enviado para algum lugar desértico, simbolicamente carregado com os pecados do povo. De conformidade com o Talmude, ambos os bodes tinham de ser da mesma cor, estatura e idade, quando fossem separados para esses ritos. No grande dia, o sumo sacerdote abençoava a nação inteira de Israel, e o resto do dia era gasto em orações e obras de penitência.

5. *O propósito*. A finalidade que transparece servia de lembrete de que os holocaustos diários, semanais e mensais, feitos sobre o altar das ofertas queimadas, não eram suficientes para fazer expiação pelo pecado. Até mesmo no caso das ofertas feitas sobre o altar das ofertas queimadas, o adorador mantinha-se afastado, incapaz de aproximar-se da santa presença de Deus, o qual se manifestava entre os querubins, sobre o propiciatório, no Santo dos Santos. Somente nesse dia era feita plena expiação simbólica, em face da oferta feita no interior do Santo dos Santos.

6. *Simbolismos*. a. O dia da expiação era um tipo da obra expiatória de Cristo. b. O próprio Cristo é o sumo sacerdote (ver Heb. 9 e 10). c. O sangue do sacrifício é o Seu próprio sangue (ver Efé. 1:17 e Col. 1:20). d. Diferentemente dos sacerdotes do Antigo Testamento, Ele não tinha necessidade de fazer expiação por Seus próprios pecados, porquanto não tinha pecado (ver Heb. 7:27 e I Ped. 2:22). e. Sua expiação tem efeitos nos céus, estabelecendo a reconciliação com Deus (ver Heb. 9:11,12). f. A obra do Sumo Sacerdote substitui por inteiro os sacerdócios de Aarão e Melquisedeque, isto é, uma mudança espiritual radical é produzida na abordagem do homem à espiritualidade (ver Heb. 7 - o sacerdócio de Melquisedeque — e Heb. 8 — o sacerdócio levítico). g. O novo sacerdócio está baseado em melhores promessas (ver Heb. 8:7). h. O primeiro sacerdócio, o levítico, estava baseado sobre um pacto que precisava ser substituído por outro pacto, melhor (ver Heb. 8:8 ss.). i. O antigo era uma sombra do novo, sem a substância da eternidade (ver Heb. 10:1). j. O antigo, como sombra que era, na verdade não alcançava e nem fazia expiação pelo pecado (ver Heb. 10:4,11), mas envolvia apenas sacrifícios simbólicos daquele sacrifício que faria expiação de uma vez por todas (ver Heb. 10:12). k. O novo sumo sacerdote não entra em um lugar santo terreno e simbólico, mas, tendo terminado sua obra, entra no Santuário Celestial e assim ocupa o lugar de poder e honra à mão direita de Deus (ver Heb. 10:12). l. Está em operação um plano que finalmente porá todas as coisas em sujeição a Cristo, na qualidade de Salvador e Senhor universal (ver Heb. 10:13). m. Entrementes, o novo pacto atua, conferindo aos homens o verdadeiro acesso a Deus. A nova lei acompanha esse pacto, escrita nos corações, isto é, transformando espiritualmente os homens (ver Heb. 10:16). n. O resultado é o perdão absoluto (ver Heb. 10:17). o. Obtém-se um tipo de acesso que dá aos homens ousadia e confiança, porque Deus é Pai e quer desfrutar de comunhão conosco (ver Heb. 10:22 ss.). p. O empecilho é removido. A espiritualidade do

DIA DA GRAÇA — DIA DA PREPARAÇÃO

Antigo Testamento simbolizava a espiritualidade que viria, mas foi instituída na debilidade da lei e dos sacrifícios de animais. Ao mesmo tempo em que falava de acesso, na verdade ensinava que o pecado constituía um tão grande obstáculo que o acesso não era possível, na realidade. Portanto, o pecador continuava distante, enquanto o sacrifício era oferecido segundo a lei. Porém, o novo pacto aproxima o homem, que então entra no Santo dos Santos, na própria presença de Deus (ver Heb. 10:19-22). q. A entrada no Santo Lugar não representa apenas o perdão dos nossos pecados e a nossa ida para o céu. Envolve a transformação da alma, a fim de participar da própria natureza divina, segundo a imagem do Filho (ver Rom. 8:29; II Cor. 3:18; II Ped. 1:4 e Heb. 2:10). r. A oferta pelo pecado, no dia da expiação, era feita fora do acampamento de Israel. Jesus também sofreu fora da cidade, como se tivesse sido rejeitado, e devemos segui-lo em seu opróbrio, abandonando o mundo. Essa é uma lição moral. Aquele que se vê envolvido nesse programa espiritual terá de abandonar o mundo e seguir ao Mestre. Sem a santificação, não pode haver salvação (ver Heb. 12:14; ver Heb. 13:11,12 quanto à oferta feita fora do acampamento). s. Sair fora, ao acampamento, é confessar nossa condição de peregrinos na terra· Buscamos a cidade vindoura, o reino celestial (ver Heb. 13:14). Aqui não temos cidade permanente, porquanto tudo está em estado de fluxo. A permanência só se encontra no terreno espiritual.

7. *Observações modernas*. O dia da expiação é atualmente chamado *Yom Kippur* pelos judeus, caindo no último dos dez dias de penitência, que começa com o *Rosh Hashanah*, que é o dia do Ano Novo dos judeus. Esse período de dez dias é consagrado a exercícios espirituais que consistem em vários tipos de penitências, orações, jejum — preparando o indivíduo para o dia mais solene do ano, o Yom Kippur. Esse dia é o décimo do mês de Tisri (setembro/outubro). O próprio nome significa «dia da expiação». Os aspectos sacrificiais do dia original, naturalmente, foram abandonados, pois não há mais sacrifícios de animais, mas o espírito daquele dia era observado, e simbolicamente, o sacrifício era realizado. O período de 24 horas, de pôr-do-sol a pôr-do-sol era um dia de jejum absoluto, um sábado importante no qual nenhuma obra podia ser feita. O *shophar*, ou chifre de carneiro, era soprado para reunir o povo para adorar na sinagoga, na véspera do Yom Kippur. Então era entoado o impressionante *Kol Nidre* (todos os votos). A congregação judaica pedia humildemente a Deus que os perdoasse de seus pecados, e também por terem quebrado os votos que não tinham podido cumprir. Cultos diversos eram efetuados no dia seguinte (que ainda era o Yom Kippur), porque entre os judeus o dia é contado de pôr-do-sol a pôr-do-sol. Esses exercícios religiosos começavam cedo pela manhã e continuavam até o pôr do sol. Quando vinha o crepúsculo, terminava o Dia da Expiação com um único sopro do shophar. E os adoradores regressavam às suas residências. (COH E EDE ID ND Z)

DIA DA GRAÇA

Essa expressão bíblica representa a oportunidade que Deus oferece aos homens para se salvarem. Ver Sal. 95:7 *ss*. (citado em Heb. 3:7,8). Ver também Isa. 55:6,7. Algumas vezes, essa expressão já usada como sinônimo da era da Igreja cristã. Os intérpretes não concordam quanto ao tempo exato da duração desse «dia». Alistamos abaixo as idéias a respeito:

1. Esse dia iniciaria no começo do tempo, quando o homem, já caído no pecado, aparece necessitado de redenção, e terminaria no começo do «dia eterno».

2. Se a referência é à nova dispensação e à missão de Cristo, então esse dia teria começado com o seu ministério, mas, por antecipação, já demonstrava os seus efeitos antes mesmo disso (Rom. 3:25), e terminaria no final da missão de Cristo, ou seja, no começo do estado eterno.

3. Teria as dimensões referidas no segundo ponto, acima, no tocante à humanidade; mas, no que concerne ao indivíduo, a morte biológica de cada pessoa assinalaria o seu término. Esse é o ponto de vista comum da Igreja ocidental. O texto de prova usado é Hebreus 9:27.

4. Muitos elementos da Igreja oriental pensam que esse dia não terminará senão na «parousia» ou segunda vinda de Cristo, mesmo no caso do indivíduo. Nesse caso, a oportunidade de salvação prosseguiria até àquela ocasião. Parece que o texto de I Pedro 4:6 pode ser usado corretamente como comprovante desse conceito. No Novo Testamento, o julgamento quase sempre é vinculado à «parousia».

5. Os pais gregos da Igreja supunham que a alma humana é preexistente, pelo que o «dia da graça» começaria onde quer que a alma preexistente tenha caído, muito antes do primeiro advento de Cristo. Além disso, muitos deles supunham que nunca poderemos fixar um tempo em que o dia da oportunidade cessará. O *ato redentor* é um ato *eterno*. Os universalistas supõem que essa redenção mostrar-se-á eficaz, finalmente, no caso de *todos* os homens. Nesse caso, por que Deus escolheu uns poucos dentre os muitos? Ver Mat. 22:14. Outros defendem a idéia de uma oportunidade eterna, embora não se atrevam a professar saber quão eficaz, a longo tempo, será a redenção, no tocante a números. Também há o ponto de vista do *tapete de várias cores*. De acordo com essa posição, a despeito da oportunidade eterna, os homens ir-se-ão diversificando em várias *espécies* espirituais, tornando-se porções constituitivas do tapete da redenção-restauração, de muitas cores variegadas, isto é, com vários níveis de glória. Os remidos formariam o retalho de cor dourada; mas muitos não conseguirão chegar lá, provavelmente a maioria, como a Bíblia dá a entender repetidamente. Mas a restauração (que vide) fará todos os homens e todas as coisas encontrarem unidade em torno de Cristo (Efé. 1:10). Portanto, essa será uma realização gloriosa, levando toda a criação de Deus a uma posição de harmonia e utilidade, embora em níveis os mais variados. Ver o artigo sobre o *Mistério da Vontade de Deus*.

O título, «dia da graça», indica que é a graça divina que atua em toda essa grandiosa realização (Efé. 2:8), sem importar as limitações temporais que poderão ser impostas ou não.

DIA DA PREPARAÇÃO

A palavra grega envolvida é **paraskeue**, que significa «preparação», mas, no Novo Testamento (ver Mat. 27:62; Mar. 15:42; Luc. 23:54 e João 19:14,31), indica o dia anterior ao sábado, a saber, a sexta feira. Em grego moderno, continua sendo a palavra para indicar a sexta-feira.

No *judaísmo*, o dia anterior ao sábado era um dia durante o qual se faziam os preparativos necessários para se evitar a necessidade de trabalhar no sábado· (Êxo. 16:23). O grande dia da preparação era o dia anterior ao sábado da semana da páscoa. Esse é o dia

131

DIA DE CRISTO — DIA DO SENHOR

focalizado nos evangelhos, naquelas referências acima. Por causa da influência helenista, foi mister que os oficiais judaicos impusessem severas sanções ao povo, para garantir a correta observância do sábado. Josefo (*Anti.* 16:6,2) diz-nos que o povo começava a preparar-se para o sábado bem antes do ocaso, suspendendo suas atividades usuais e preparando com bastante antecedência todo o alimento e tudo quanto fosse necessário para os cultos do sábado. Estritamente falando, esse dia começava às 18:00 horas da quinta-feira e ia até às 18:00 horas da sexta-feira, segundo o costume judaico de computar as horas do dia a partir do momento em que o sol estivesse desaparecendo no horizonte. No entanto, o uso entre os gregos é diferente desde o começo. Encontramos a palavra que significa «sexta-feira» sendo usada nas obras *Martírio de Policarpo* 7:1 e no *Didache* 8:1, mas isso não inclui a noite da quinta-feira.

A crucificação de Jesus teve lugar na sexta-feira, e a Bíblia informa-nos especificamente que a crucificação ocorreu no dia anterior ao sábado (Mar. 15:42 e Luc. 23:54), ou seja, a sexta-feira, conforme a Igreja cristã histórica sempre afirmou. Ver o artigo sobre o *Dia da Crucificação, Sexta-feira*, quanto a detalhes sobre a questão. Dizer que esse dia era uma preparação para a páscoa, que não seria um sábado, e portanto, uma preparação que não seria em uma sexta-feira, ignora a cronologia cuidadosa que Lucas nos oferece em Luc. 23:54—24:1, onde encontramos exatamente três dias: 1. a preparação; 2. o sábado; 3. o primeiro dia da semana (o domingo).

O trecho de João 19:14 fala na «preparação da páscoa», o que significa preparação da semana da páscoa, e não um dia de preparação especificamente para o dia da páscoa. Com essa interpretação os outros três evangelhos concordam explicitamente. Quanto ao controvertido problema do tempo da crucificação de Jesus, ver as notas expositivas no NTI, em João 19:14.

DIA DE CRISTO

O Dia de Cristo, ou seja, a **Parousia** (que vide), o segundo advento de Cristo. (Ver sobre a «segunda vinda de Cristo», em Apo. 19:11). Paulo esperava que isso ocorresse durante o seu período de vida terrena, antes de sua morte física, conforme se depreende de I Cor. 15:51 e I Tes. 4:15. Já nas suas chamadas «epístolas da prisão» ele mostra que aguardava a morte, parecendo ter perdido a esperança de um arrebatamento imediato; mas, ainda assim, esperava tal acontecimento para bem breve, sem ter tido a idéia de uma prolongada «era da igreja» ou «era da graça», que já separa o primeiro advento de Cristo de nós pelo espaço de mais de mil e novecentos anos. (Ver os trechos de I Tes. 5:4 e I Cor. 3:13, onde Paulo fala acerca da «parousia» como «aquele dia»). A expressão *aquele dia* aparece tanto ali como em II Tes. 1:10; mas «dia de Cristo» é a expressão de Fil. 1:10 e 2:16, ao passo que «dia do Senhor» figura em I Cor. 5:5; I Tes. 5:2 e II Tes. 2:2, ao passo que «dia de nosso Senhor Jesus (Cristo)» se encontra em I Cor. 1:18 e II Cor. 1:14. Todos esses casos, entretanto, apontam para o retorno breve de Cristo, pois os cristãos primitivos esperavam para bem dentro em breve o reaparecimento glorioso de Cristo, quando ele virá em grande majestade e poder.

DIA DE JORNADA

Essa é uma distância padrão, determinada pelo período de um dia. Em outras palavras, o quanto pudesse ser percorrido no período de um dia, essa era a jornada de um dia. Ver Gên. 31:23; Êxo. 3:18; Núm. 11:31; Deu. 1:2; I Reis 19:4; Luc. 2:44 e Atos 1:12. A distância percorrida variava segundo a natureza do terreno e o modo de transporte. Em áreas específicas, por onde passavam as caravanas, essa distância podia ser predita com razoável exatidão: a distância que uma pessoa provavelmente percorreria em um dia. Um homem montado em um camelo, em uma região não muito acidentada, poderia viajar até quarenta e oito quilômetros em um dia. Uma caravana, com seus muitos empecilhos, viajava menos, provavelmente não mais do que trinta quilômetros. Um camelo percorre cerca de quatro quilômetros por hora, e continuar caminhando por oito horas em seguida, seria, mais ou menos, o seu limite. Um numeroso grupo de nômades, como o de Israel no deserto, percorria uma distância bem menor que aquela percorrida por uma caravana. Em outras palavras, as viagens, nos dias antigos, importavam em imensos sacrifícios. Os romanos melhoraram consideravelmente essas condições, com suas estradas aprimoradas e suas carruagens puxadas a cavalos. Porém, nada se compara com o motor de combustão interna dos modernos veículos motorizados. Mesmo mantendo-se dentro dos limites de velocidade permissíveis, um automóvel pode cobrir, em oito horas de viagem, seiscentos quilômetros ou mais. Heródoto estabeleceu em quarenta quilômetros a distância média percorrida por uma pessoa em viagem, a cada dia (*Hist.* 5:23). Lemos em Gênesis 31:23 que Labão perseguiu Jacó de Harã até Gileade, uma distância de quinhentos e sessenta quilômetros, o que cobriu em sete dias, ou seja, uma média de oitenta quilômetros diários. É provável que ele tenha estabelecido um antigo recorde de distância percorrida dentro daquele prazo.

DIA DO JULGAMENTO Ver sobre **Julgamento**.

DIA DO SENHOR

Atos 2:17: *E acontecerá nos últimos dias, diz o Senhor, que derramarei do meu Espírito sobre toda a carne; e os vossos filhos e as vossas filhas profetizarão, os vossos mancebos terão visões, os vossos anciãos terão sonhos;*

Joel não registrou precisamente essas palavras, mas definiu que tais dias seriam no «*...dia do Senhor...*» (Ver também Isa. 2:2 e Miq. 4:1). Na terminologia cristã, essa expressão, os «últimos dias», veio a significar comumente os dias imediatamente anteriores à «parousia» ou segundo advento de Cristo, quando ele voltar a este mundo em glória. Porém, na terminologia judaica, conforme foi usada a expressão em relação ao livro de Joel, e segundo é próprio ao contexto do livro de Atos, tal termo significa os dias do Messias, os quais, para os judeus, eram tanto os «últimos dias» como o «dia do Senhor».

Em diversos trechos bíblicos encontramos a expressão *últimos dias* como indicação dos primórdios da era cristã. (Ver Heb. 1:2). Porém, essa expressão pode, por semelhante modo, incluir todos os dias do Messias, isto é, a duração desta nova dispensação, sem qualquer circunscrição aos seus começos. Essa referência na epístola aos Hebreus pode ter essa significação. O trecho de II Ped. 3:3,4 parece aplicar-se à expansão geral da era cristã. Entretanto, outras referências bíblicas, dentro do contexto

DIA DO SENHOR — DIABO

cristão, mostram-nos que a expressão «últimos dias» também pode dar a entender o tempo de declínio da igreja, a apostasia, bem como os eventos que, de maneira geral, antecederão à segunda vinda de Cristo. (Ver II Tim. 3:1; 4:4). O trecho de I Tim. 4:1-3 também parece caber dentro dessa categoria. A passagem de I João 2:18 evidentemente tem esse duplo sentido, referindo-se tanto à era cristã como às condições que prevalecerão no fim desta nossa era. Porém, apesar do uso judaico usualmente aplicar essa expressão à era messiânica, dentro do contexto judaico também se aplicava a mesma ao reino milenar e ao julgamento final que se seguiria. (Ver os trechos de Isa. 2:2-4 e Miq. 4:1-7).

A expressão *dia do Senhor* é muito lata e pode indicar todo o período de tempo em que Deus faria intervenção particular na história humana, incluindo até mesmo o julgamento final. Os intérpretes judeus, (ver Atos 2:16), associavam definidamente essa profecia aos dias do Messias, em que a sociedade judaica passaria por grande modificação, em face do aparecimento do Messias e de seu ministério. Assim é que, para tais intérpretes, a promessa do Espírito, a sua vinda para habitar entre os homens, e a amplificação do dom profético, a ponto de todos os crentes virem a participar do mesmo, haveria de ser conferida através da agência do Messias. Pois essa razão foi que, no dia de Pentecoste, quando desceu o Espírito Santo e houve a manifestação das línguas, que serviu naquela ocasião como prova concludente do recebimento do dom do Espírito, por parte dos crentes, Simão Pedro reconheceu imediatamente que a profecia de Joel estava sendo cumprida, pelo menos parcialmente. Mais do que isso, porém, uma nova era ou dispensação havia raiado; o tempo em que o Messias haveria de tratar de modo específico com os homens. Essa seria a era caracterizada pelo mistério e pela graça do Messias, o período da igreja, o período da graça.

Ao dia do Senhor. Essa expressão equivale a «no dia de Cristo», porque *Senhor*, nessa expressão, significa *Cristo*. (Ver Rom. 1:4). Paulo se refere à segunda vinda de Cristo, à ressurreição, ao julgamento que se seguirá, conforme aprendemos em I Cor. 3:13. (Ver também I Cor. 1:8 onde Paulo mostra o seu interesse pelo bem-estar daqueles crentes, no «dia do nosso Senhor Jesus Cristo»). Paulo, pois, via esse julgamento como algo escatológico, e não como algo que vai ocorrendo à proporção que cada crente morre. Há uma orientação da alma na ocasião da morte biológica da pessoa, que inclui elementos de julgamento preliminar, mas também, oportunidade renovada. Mas, o *julgamento* acompanha a 2ª vinda de Cristo. Ver notas sobre este conceito em I Ped. 4:6 no NTI.

Ver detalhes sobre o conceito do *Dia do Senhor* no Antigo Testamento no artigo sobre *Escatologia* III, Temas Principais da Escatologia do Antigo Testamento, 3, *O Dia do Senhor*.

DIA DO SENHOR, DOMINGO

Ver o artigo sobre **Domingo, Dia do Senhor**.

DIA DOS INOCENTES

Uma festa celebrada em memória das crianças inocentes que Herodes mandou matar, em sua tentativa para desfazer-se do menino Jesus. Alguns consideram que teriam morrido em lugar de Jesus Cristo, e, em certo sentido, preservaram a sua vida, pois Herodes descarregou contra aquelas crianças a sua ira, em vez de fazê-lo contra o menino Jesus. Na Igreja Latina essa festa é celebrada a 28 de dezembro. Na Igreja oriental, a 29 de dezembro. A celebração de tal festa começou no séc. V D.C. Ver Mat. 2:16 *ss* e o artigo sobre *Inocentes, Massacre dos*.

DIA LONGO DE JOSUÉ

Essa é uma das mais importantes referências astronômicas constantes nas Escrituras. Ver a completa descrição e as teorias sobre esse dia, no artigo sobre *Astronomia*, ponto 5b.

DIAS SANTOS E FESTIVAIS

Ver sobre **Calendário Eclesiástico**

DIABO

Ver o artigo geral sobre **Satanás**, bem como artigos suplementares como *Adversário, Baal-Zebube* e *Belzebu*. O termo grego *diábolos*, traduzido em português por «diabo», encontra-se no Novo Testamento por trinta e seis vezes: Mat. 4:1,5,8,11; 13:39; 25:41; Luc. 4:2,3,6,13; 8:12; João 6:70; 8:44; 13:2; Atos 10:38; 13:10; Efé. 3:27; 6:11; I Tim. 3:6,7,11; II Tim. 2:26; 3:3; Tito 2:3; Heb. 2:13; Tia. 4:7; I Ped. 5:8; I João 3:8,10; Jud. 9; Apo. 2:10; 12:9,12; 20:2,10. Essas ocorrências contam com certa variedade de traduções, como «diabo», «acusador», etc. A palavra tem os seguintes usos na Bíblia:

1. Alguém que calunia a outrem com o propósito de prejudicar, como o indivíduo que espalha maledicências (I Tim. 3:1; II Tim. 3:3; Tito 2:3).

2. Algumas traduções traduzem a palavra *sátiro* (que vide), de Levítico 18:7, como «diabo». Provavelmente está ali em foco alguma forma de demonismo. Ver também Isaías 13:21 e 34:14. Acreditava-se que os espíritos demoníacos habitam nos lugares desérticos, manifestando-se como criaturas do tipo bode (no hebraico, *sa'ir*, «peludo»). A fim de contrabalançar a má influência desses espíritos, os antigos ofereciam holocaustos. Israel trouxe essa superstição do Egito, onde o bode era adorado como um ser divino.

3. Pensava-se que os ídolos contavam com poderes *demoníacos* por detrás dos mesmos. Em algumas traduções, essas forças demoníacas são chamadas «diabos» (isso, porém, nunca ocorre em nossa versão portuguesa). Ver Deu. 32:17; Salmos 10:6-37 A palavra traduzida por «diabo», nesses trechos, é o termo hebraico *shed*, «demônio». O vocábulo grego *daimonion*, que ocorre por sessenta vezes no Novo Testamento grego, é traduzido por «diabo», em algumas traduções. Ver o artigo separado sobre os *Demônios*.

4. O príncipe dos espíritos caídos, Satanás, também é chamado «diabo» (Mat, 4:8-11; Apo. 12:9). Ele é chamado de acusador dos nossos irmãos (Apo. 20:10). As Escrituras o descrevem como caluniador dos homens diante de Deus. Esse assaca *acusações hostis* contra os crentes. Ele foi o acusador de Jó (Jó 1:6-11), e é pintado como se vagueasse pela face da terra, espiando a fraqueza daqueles que procuram a vitória na inquirição espiritual. O diabo é como um leão que destrói sem misericórdia. Em seu ser não há bem algum, embora ele goste de apresentar-se como um ser bondoso. Provavelmente, está auto-enganado. De certo ângulo, a própria história humana é a luta entre as forças do bem e do mal, em que a lealdade do homem é constantemente solicitada. É preciso muito tempo para que os homens se convençam de que o

DIACONISA

bem é melhor do que o mal. Segundo certo aspecto, a redenção é a libertação do homem dos poderes do Acusador e do pecado que ele inspira. No fim, os remidos estarão libertos do domínio satânico. O trecho de I Coríntios 5:5 parece indicar que a Satanás são dados certos poderes sobre os crentes carnais, a fim de castigá-los, o que pode envolver até mesmo a morte física, o que é um solene conceito. Há a considerar a advocacia de Cristo, o qual nos livra desse e de todos os demais aspectos do mal (I João 2:1). Quando começar a Grande Tribulação, o acesso que Satanás tem a Deus, como nosso acusador chegará ao fim (Apo. 12:7-11). Ele continuará provocando muita perturbação, mesmo após o milênio, quando fará a tentativa de derrubar o reino da luz (Apo. 20:3,7,8). Mas então terá de enfrentar o fruto de suas escolhas e atos.

DIACONISA

Ver o artigo sobre **Diácono**. No grego, a mesma palavra é usada para indicar os homens ou as mulheres que ocupam esse ministério da ação (contrastando com os ministérios da palavra: apóstolos, profetas, evangelistas, pastores e mestres; ver Efé. 4:11). É possível que o termo indique apenas uma auxiliar do sexo feminino, sem qualquer intuito de indicar um ofício ou ministério. Mas outros estudiosos pensam que está em foco uma verdadeira posição ministerial feminina. A história primitiva dessa posição, e como as diaconisas se relacionavam a outros grupos femininos, como as virgens e as viúvas, que formavam grupos distintos, é obscura. As referências bíblicas são: Rom. 16:1; I Tim. 3:11; 5:9 ss. Ver Também a *Epístola de Plínio* 10:97.

1. *Antigas Funções*. Várias mulheres cristãs primitivas atuavam entre os enfermos e os pobres. É possível que elas batizassem mulheres, o que, pelo menos em alguns lugares, era considerado um ato impróprio para os homens. Devemo-nos lembrar que havia uma rígida separação dos sexos, nos dias bíblicos, que as mulheres tinham muito menor liberdade e pouco contacto com a sociedade em geral. Paulo menciona Febe como uma diaconisa, e talvez também Trifena, Trifosa e Persis, às quais ele louva, por seus labores em prol do evangelho. Elas eram mestras de mulheres e crianças.

2. *Qualificações*. As diaconisas precisavam exibir as mesmas qualificações que os anciãos e os diáconos, a saber, piedade, discrição e boa reputação. Podemos estar certos de todos os requisitos de uma mulher piedosa aparecem em I Tim. 3:11 ss, (onde a palavra «diaconisa» não é usada), caso ela almejasse tornar-se uma diaconisa. Elas precisavam ser sérias (não dadas a qualquer tipo de frivolidade), não podiam ser caluniadoras, tinham que ser temperadas (praticando a moderação em todos os seus hábitos, livres de vícios), e fiéis. É provável que as primeiras diaconisas tenham sido esposas dos ministros das igrejas. Sê, posteriormente, tornou-se usual que as diaconisas tinham de manter-se solteiras, isso não ocorreu no começo. Alguns intérpretes, entretanto, supõem que as esposas dos ministros, em I Timóteo 3:11 ss, não eram diaconisas oficiais. Porém, é possível que esse ofício tivesse raízes no trabalho daquelas mulheres casadas. Mas também é possível que algumas das virgens e viúvas, referidas em I Timóteo 5:3-16 e I Coríntios 7:8, também fossem diaconisas. Esse ponto, porém, permanece obscuro.

3. *Ordenação?* Esse ponto tem sido bastante disputado. As diaconisas eram recebidas no ofício conforme sucedia aos anciãos e diáconos, isto é,

mediante a imposição de mãos, unção, etc.? Parece haver provas de que elas passavam por uma espécie de ordenação; mas esse é um outro ponto obscuro. A história posterior desse ofício já é bem mais clara, e sobre isso já podemos falar em termos mais definidos.

4. *Desenvolvimento do Ofício*. Pelos fins do século III D.C., já havia uma ordem bem definida das diaconisas, um ofício formal. Epifânio (315-403 D.C.), fala em termos seguros: «Embora exista uma ordem de diaconisas na Igreja, elas não atuam em serviços sacerdotais, nem fazem qualquer coisa dessa categoria. Antes, devido à modéstia do sexo feminino, elas ajudam por ocasião do batismo, ou na inspeção de casos de enfermidade, ou de sofrimentos, e quando o corpo de alguma mulher tem que ser exposto, para que não seja visto pelos homens oficiantes. Este só é visto pelas diaconisas, que é dirigida pelo sacerdote para examinar a mulher, quando seu corpo é despido». (*Adv. Haer.* 3.2,79).

Também sabemos que esse ofício das diaconisas tornou-se mais formalizado, — ao ponto delas não terem permissão de casar-se. Na Igreja oriental, o ofício prosseguiu existindo até o século XII. Era ocupado pelas viúvas dos ministros, ou pelas esposas dos bispos; mas, neste último caso, tinham de abandonar sua condição de casadas. No Oriente, a partir do século VIII D.C., o ofício das diaconisas começou a desaparecer. No Ocidente, onde o ofício sempre foi menos proeminente, não há qualquer menção a diaconisas depois do século XI D.C. Sabemos que Crisóstomo (que vide; falecido em 407 D.C.), contava com a ajuda de quarenta diaconisas e de oitenta diáconos. Após o seu tempo, o ofício das diaconisas entrou em eclipse e finalmente, foi substituído pelo ofício das freiras enclausuradas, que se ocupavam do trabalho antes feito pelas diaconisas, além de fazerem muitas outras coisas. O ofício dos diáconos, por sua vez, tornou-se uma *ordem* ministerial, dentro da hierarquia da Igreja ocidental. Entretanto, certas funções foram retidas, não realizadas por freiras, que se aproximavam mais das funções das diaconisas, em algumas áreas. Vicente de Paula (que vide) (1576-1660), formou uma associação de mulheres, não-enclausuradas, que ministrava aos pobres e aos enfermos. Essas mulheres tornaram-se conhecidas pelo nome de *Irmãs de Caridade* (que vide).

No Protestantismo Moderno. Houve um reavivamento desse ofício, que podemos fazer retroceder até 1836. O pastor Theodor Fliedner (que vide), em Kaiserwerth, na Alemanha, estabeleceu um instituto para treinar mulheres que se ocupassem em obras de misericórdia. Essa instituição cresceu e por volta de 1940, havia cerca de cinqüenta mil diaconisas luteranas na Alemanha, na Holanda, na Escandinávia, na Suíça e nos Estados Unidos da América. Pelo menos três outras organizações similares foram instituídas, e a idéia tornou-se popular entre os anglicanos, os metodistas e os presbiterianos. Escolas, orfanatos, hospitais e instituições de atendimento social de todas as variedades têm servido de cena da atividade dessas mulheres. Entre os anglicanos, as diaconisas são ordenadas por toda a vida, mediante a imposição de mãos.

O trabalho das mulheres, desde o início da Igreja, sempre foi de máxima importância. Existe algo mais sensível nas mulheres, como classe, no campo da espiritualidade. O ofício da *diaconisa* oficializa e organiza o serviço da mulher em favor da Igreja e da comunidade. (AM C E)

DIÁCONO

DIÁCONO

Esboço

I. Diáconos Originais
II. Qualificações em Atos
III. Qualificações em I Timóteo
IV. O Ofício dos Diáconos

Atos 6:3: *Escolhei, pois, irmãos, dentre vós sete homens de boa reputação, cheios do Espírito Santo e de sabedoria, aos quais encarreguemos deste serviço.*

Deve-se observar, com base nessas palavras dos apóstolos, que à congregação é que cabia o privilégio de fazer a seleção, embora os escolhidos devessem ser aprovados e consagrados pelos apóstolos. Trata-se de uma ação democrática bem definida e clara. (Sobre essa questão e sua importância para o governo da igreja cristã, ver as notas expositivas em Atos 6:2 no NTI.).

O códex B diz «escolhamos», neste ponto, o que indicaria que os apóstolos também participariam da escolha; e talvez assim o tivessem feito. Entretanto, o texto original diz «...escolhei...», conforme aparece em quase todos os manuscritos.

I. Diáconos Originais

Por que **sete** diáconos? Por que foi escolhido tal número de diáconos? As seguintes sugestões têm sido apresentadas como explicação desse fato:

1. Por ser esse o *número dos dons* do Espírito Santo (ver Isa. 11:2 e Apo. 1:4).

2. Porque sete talvez fosse a representação eqüitativa dos diversos grupos de que se compunha a comunidade cristã, isto é, três representantes do grupo hebraico, três representantes do grupo helenista e um representante dos prosélitos. Contudo, essa explicação não justifica o número «sete», porque a representação poderia ser feita de outro modo, em que se chegasse a um total bem diferente.

3. Alguns têm suposto que tal número foi regulado pela circunstância de que a cidade de Jerusalém, naquela época, estava dividida em sete distritos. Porém, acerca disso não há qualquer evidência comprobatória.

4. Talvez esse número tenha sido escolhido por ser considerado um número sagrado segundo o pensamento dos hebreus.

5. Alguns pensam que se tratou de uma cópia da corporação distinta ou «collegium», também conhecida como «Septemviri Epulones» ou «Sete Despenseiros» (ver Lucan. 1602), cuja responsabilidade era de cuidar dos arranjos dos banquetes efetuados em honra aos deuses, festas essas mais ou menos análogas ao *agape* cristão ou festas de «amor», isto é, a «Ceia do Senhor» do cristianismo primitivo, que era muito mais elaborada do que modernamente. A origem desse ofício pagão foi similar ao que se verificou no caso dos diáconos cristãos, pois os líderes pagãos não tinham tempo para dirigir tais funções. (Essa é a interpretação dada por E.H. Plumptre, em Atos 6:3, embora não tenha sido acolhida com muito entusiasmo pelos expositores, porquanto é bastante difícil que os apóstolos se tenham deixado guiar por um exemplo pagão para a escolha dos diáconos).

Os diáconos, que aparecem no sexto capítulo do livro de Atos, apesar de serem um grupo distinto de indivíduos, com distintas responsabilidades, não equivalentes aos «anciãos», em suas tarefas, e nem equivalentes às responsabilidades mais tarde distribuídas entre os «anciãos» e os «diáconos», servem de exemplos antecipatórios da organização eclesiástica, excetuando tão-somente o ofício apostólico, que jamais esteve sujeito a alterações, em face mesmo das condições exigidas para tal ofício, que era as de terem visto ao Senhor Jesus ressurrecto e de terem sido pessoalmente nomeados por ele. Uma prova disso é que as qualificações para qualquer oficial eclesiástico subordinado eram praticamente idênticas, como também muitas de suas funções eram parecidas, pois quase tudo quanto uns podiam fazer, os outros também podiam.

«Posto que Paulo considerava a igreja cristã como o verdadeiro 'Israel de Deus', é perfeitamente natural que ele tenha planejado a organização embriônica das igrejas cristãs segundo as normas da congregação judaica, caso em que os anciãos da igreja cristã podem ser comparados, em termos latos, com os 'líderes' das sinagogas judaicas. A palavra *ancião* é comumente utilizada para descrever a terceira seção... dos conciliadores, os quais, juntamente com os sumos sacerdotes e com os escribas, compunham o sinédrio, e, de conformidade com o parecer de algumas autoridades sobre o assunto, eram os membros não-legais desse concílio. Finalmente, a mesma palavra parece ter sido usada, na Ásia Menor, como título dos chefes de diversas corporações, ao passo que, no Egito, era usada para indicar tanto oficiais religiosos como civis. (Ver Deissmann, *Bible Studies*, págs. 154-157; 233-235)». (G.H.C. Macgregor, *in loc.*).

II. Qualificações em Atos

1. *Boa reputação*. Isso tanto no aspecto positivo como no negativo. Não deveriam ter-se envolvido em qualquer escândalo que lançasse qualquer reflexo adverso sobre sua moralidade ou honestidade. Deveriam ser conhecidos como homens de interesses humanitários, que promovessem o seu ofício e apresentassem soluções eqüitativas aos muitíssimos problemas.

A palavra «...*reputação*...» dá-nos a entender que teriam de ser indivíduos testados, ou, segundo o que o seu sentido original entende, que lhes «tivesse sido dado testemunho». Outras pessoas precisam conhecê-los em seus negócios e em seu caráter passado, testificando favoravelmente acerca deles.

2. *Cheios do Espírito Santo*. Alguns manuscritos unciais, A e E, além de algumas versões e muitos manuscritos minúsculos posteriores, dizem apenas «santo»; porém, os melhores manuscritos, como P(8), Aleph, BD e muitas versões, dizem tão somente «Espírito», que é o texto correto neste caso. A palavra «santo» representa pequena expansão feita por escribas posteriores, a exemplo de muitíssimas passagens onde «Espírito Santo» é o título dado ao Espírito de Deus. Ver o artigo sobre *Manuscritos*. Aqueles «diáconos», pois, deveriam ter sido participantes da experiência pentecostal não menos que os apóstolos. Devem ter experimentado pessoalmente a promessa feita pelo Senhor Jesus de que aos seus seguidores seria dado o divino «paracleto» ou Consolador.

É bem provável que os dons espirituais também estivessem em foco. — Os diáconos precisavam ser homens dotados de habilidade, sendo homens destacados na comunidade cristã, como homens de Deus, ativos e poderosos no ministério. Deve-se notar que um dos indivíduos assim selecionado foi Estêvão, homem *cheio de graça e poder* (Atos 6:8), — que «fazia prodígios e grandes sinais entre o povo». Visto que tais dons espirituais eram tão comuns na igreja primitiva, não somente entre os apóstolos, mas também no caso de outros líderes da segunda linha, é bem provável que a igreja primitiva tenha encarado

DIÁCONO

esses sinais visíveis dos dons espirituais como característica necessária para alguém ser nomeado a qualquer ofício mais elevado, como deve ter sido inicialmente considerado o diaconato. Além disso, o Espírito Santo, que neles estava, sem dúvida instilava-lhes graças cristãs especiais de fé, de amor, de bondade, de paciência, de longanimidade, de mansidão, as quais seriam úteis para o correto exercício de suas funções, porquanto essas qualidades não são menos operações do Espírito Santo, no íntimo do crente, do que os sinais dos dons miraculosos.

3. *Cheios de sabedoria*. Obviamente, essa qualidade era resultado direto do poder habitador do Espírito Santo. Trata-se de uma qualidade ao mesmo tempo negativa e positiva, terrena e celestial. Era mister que soubessem como rejeitar as murmurações e como cuidar delas, sabendo também cuidar dos que eram dados à fraude, à calúnia e à traição por palavras; pois, em seu trabalho de administração do dinheiro, naturalmente se encontravam com muitas pessoas dessa natureza, especialmente visto que tinham de tratar com pessoas mais idosas, nas quais, com freqüência, talvez por motivos físicos, se encontra um espírito de partidarismo radical, além de idéias fechadas e preconcebidas. A sabedoria dos diáconos precisava ser terrena e prática, dando eles exemplos de discrição e poupança, além da aptidão pelas coisas e soluções práticas. Contudo, essa sabedoria também teria de ter um aspecto espiritual, fazendo com que olhassem para seus semelhantes com espírito de amor, de ternura e de bondade, sempre considerando seu destino espiritual e eterno, visando o avanço e o desenvolvimento espiritual de suas almas.

Falando de maneira geral, teriam de ser homens que cuidassem tanto das necessidades físicas como das necessidades espirituais de muitíssimas pessoas, motivo pelo qual teriam de ser indivíduos altamente qualificados.

É perfeitamente possível que o *ofício diaconal*, especialmente criado neste ponto da narrativa histórica, não seja idêntico ao ofício mencionado no trecho de I Tim. 3:1-13, onde aparecem, dadas pelo apóstolo Paulo, as qualificações necessárias dos pastores e diáconos, porquanto diversas modificações podem ter sido efetuadas no decorrer dos anos. Não obstante, o ofício diaconal no livro de Atos, foi o *precursor* dos ofícios inferiores ao apostolado, na igreja cristã; e, originalmente, sem dúvida muito se assemelhava aos ofícios pastoral e diaconal dos anos posteriores.

III. Qualificações em I Timóteo

I Timóteo 3:8: *Da mesma forma os diáconos sejam sérios, não de língua dobre, não dados a muito vinho, não cobiçosos de torpe ganância.*

O termo *«...Semelhante...»* é tradução do grego «osautos», que significa exatamente isso. Desde o começo, pois, o autor sagrado diz-nos que não dirá algo muito diferente acerca das qualificações dos diáconos. Espera-se que tenham eles as mesmas virtudes dos pastores, pois apesar de que o ofício diaconal talvez seja menos importante, com um pouco menos de prestígio, é mister que os diáconos sejam homens espirituais, para que seu ofício seja um sucesso, o que é importante para o bem-estar da igreja local. Ver Atos 9:15; 9:19 e Apo. 2:17.

Clemente de Roma na sua epístola aos *Coríntios*, xlii, xliv, assevera que a nomeação dos diáconos era originalmente apostólica. O ofício e a função dos diáconos teve começo no tempo dos apóstolos, conforme a descrição do sexto capítulo do livro de Atos; mas a passagem do tempo, tal como sucede a

tudo o mais, ampliou o escopo e a natureza desse ofício, até que o mesmo se tornou uma posição eclesiástica, tal como ocorreu no caso do ofício dos «supervisores», ou pastores, que se desenvolveu para além de sua função simples original. A própria palavra *diácono* é usada de várias maneiras, nas páginas do N.T., subentendendo «serviço» de qualquer espécie, espiritual ou material. Paulo a aplica a si mesmo, em I Cor. 3:5; a Jesus Cristo, em Gál. 2:17 e Rom. 15:8; aos governantes civis, em Rom. 13:4; e aos «ministros de Satanás», em II Cor. 11:15.

Spence (*in loc.*) acompanha as diversas menções aos «diáconos», quanto à localização geográfica e quanto à passagem do tempo:

Jerusalém:	55 D.C. — I Cor. 12:28	
Roma:	58-59 D.C. — Rom. 12:7	
Filipos:	64.D.C. — Fil. 1:1	
Éfeso:	66 D.C. — I Tim. 3:8,13	
Ásia Menor:	63-69 D.C. — I Ped. 4:11	
	138-140 D.C. — Justino Mártir, *Apologia, i.65,67*	

É possível que os *socorros*, que figuram em I Cor. 12:28, incluam os diáconos. Pode haver também alusão aos mesmos tanto em Rom. 12:7 como em I Ped. 4:11. Entretanto, algumas dessas referências talvez não digam respeito a eles.

1. *Respeitáveis*. No grego é «semnos», que significa «digno de respeito», «nobre», «digno», «sério». Tal vocábulo é usado acerca dos homens idosos, em Tito 2:2. Indica igualmente a «reverência» que alguém deve ter pelos seres sobrenaturais, em *Sb.* 4094. É termo usado em Fil. 4:8; Tito 2:2 e novamente em I Tim. 3:11. «A palavra que ora consideramos combina o senso de seriedade e dignidade com a idéia de reverência». (Trench, *in loc.*). Sim, os diáconos devem ser homens de *aspecto digno*, mostrando-se intensos nessa qualidade.

2. *De uma só palavra*. Estas palavras representam o grego *dilogos*, que pode significar «de língua dupla», isto é, *insincero*, no sentido de alguém dizer uma coisa mas querer dar a entender outra, ou de dizer algo para alguém e dizer algo diferente para outrem, sobre a mesma questão. Os líderes da igreja com freqüência agem como mediadores entre partes em conflito. E por muitas vezes são tentados a falar de diferentes modos e tons para pessoas diversas, ocultando informes para alguns e revelando-os para outros. Um diácono deve manter total honestidade e franqueza ao tratar com todos, sem qualquer favoritismo.

3. *Não inclinados a muito vinho*. As pressões do serviço, os hábitos e costumes antigos, as tendências biológicas pessoais, podem fazer um líder da igreja inclinar-se para o excesso de ingestão de bebidas alcoólicas, o que pode suceder a qualquer outra pessoa. Se alguém não pode controlar essa tendência, não pode estar qualificado para liderança na igreja, pois não tardará a fazer seu ofício naufragar, trazendo desgraça à igreja. Outro tanto pode ser dito acerca de qualquer droga ou estimulante artificial que destrua o bom senso de um indivíduo, e que o coloque na categoria daqueles que têm um caráter débil. A abstinência total não é imposta no caso dos diáconos. Porém, devido a associação do álcool a outros vícios é bom que um líder cristão seja total abstêmio. O termo grego usado é *prosecho*, que significa «voltar a mente para», «dar atenção a», «dedica-se a». Um líder cristão não pode demonstrar tendência para com o vício do alcoolismo, ver I Tim. 3:3 e Efé. 5:18. Ver o artigo sobre *Alcoolismo*.

136

DIÁCONO

4. *Não cobiçosos de sórdida ganância.* Esse defeito é igualmente repreendido, embora com palavras diferentes, no caso dos supervisores (ver o terceiro versículo deste capítulo). O termo grego aqui usado é «aischrokerdes», a adição textual àquele versículo, usado novamente em Tito 1:7. Pode significar «ganho desonesto» ou, simplesmente, *cobiça pelo ganho*. Um líder da igreja não pode fazer de seu ofício um meio de enriquecer-se, conforme muitos têm feito através da história. O seu propósito deve ser antes a dedicação a seu trabalho; e ele deveria investir o máximo de volta no seu trabalho, para enriquecer a este, e não a si mesmo. Isso será sinal de um servo de Cristo verdadeiramente dedicado, que não é um mercenário. Ver o artigo sobre *Cobiça*.

Aristófanes, em sua obra *Paz*, 622, alista dois vícios em que mais se destacavam os espartanos, isto é, a «sórdida cobiça pelo lucro» (a mesma palavra aqui utilizada) e a traição, mascarada de hospitalidade. Ora, essa «sórdida cobiça pelo lucro» é algo que jamais deve caracterizar aquele que serve a Cristo na igreja; embora isso não seja fenômeno desconhecido entre os líderes cristãos. Tal pecado é especialmente tentador para um diácono, que tem a responsabilidade de manusear o dinheiro na igreja. Pode ser tentado a furtar parte do mesmo, ou então devido a seu contacto constante com o mesmo, pode ser encorajado a pensar sobre modos e meios de enriquecer-se através da administração de seu ofício.

I Timóteo 3:9: *guardando o mistério da fé numa consciência pura.*
5. *Fidelidade.* No grego a idéia de «guardar» vem do verbo *echo*, que significa «ter», «possuir», indicando o *caráter* da pessoa. O diácono é o guardião do *mistério*.

Mistério, ver Rom. 11:25, ver também o artigo sobre *Mistério*. Normalmente, no contexto neotestamentário, essa palavra indica alguma verdade divina, antes oculta, mas agora revelada, de forma a tornar-se uma «verdade franqueada». Os gnósticos davam grande importância aos seus próprios supostos «mistérios», ao seu «conhecimento secreto», que eles revelavam exclusivamente a alguns poucos iniciados; e a escolha dessa palavra, neste caso, provavelmente é reprimenda indireta contra a doutrina gnóstica, a heresia tão freqüentemente combatida nas *epístolas pastorais*. Ver o artigo sobre *Gnosticismo*. — O único outro lugar, nestas epístolas, onde esse vocábulo é empregado, é no décimo sexto versículo deste mesmo capítulo, onde é apresentado um dos principais mistérios do N.T.

Da fé. Neste caso devemos pensar na fé «objetiva», isto é, a revelação ou doutrina cristã. (Ver I Tim. 1:2 quanto a esse sentido «objetivo» da palavra «fé»). Mas tal termo também pode ser empregado em sentido *subjetivo*, indicando a confiança pessoal e a outorga da própria alma aos cuidados de Cristo. Ver o artigo sobre *Fé*. Além disso, essa palavra pode indicar uma «virtude», paralelamente a muitas outras virtudes cristãs, que são aspectos diversos do «fruto do Espírito» (ver Gál. 5:22,23). Porém, quando a «fé» é uma virtude, então deve ser reputada como mera extensão da fé *subjetiva*, ou seja, a fé subjetiva em operação.

O **mistério da fé** significa que a doutrina cristã contém muitas revelações admiráveis, «segredos abertos» para benefício da humanidade. Há o Cristo, o Salvador, e suas boas-novas de redenção; há as boas-novas da glorificação e da vida eterna. E todos esses elementos são «segredos franqueados», são verdades divinas que antes estavam ocultas, mas que agora nos foram desvendadas. Conforme diz Vincent

(*in loc.*): «O mistério da fé é o tema da fé; é a verdade que serve como sua base, que fora mantida oculta desde a fundação do mundo, até ter sido revelada no tempo determinado, que é um segredo para os olhos comuns, mas que a revelação divina torna conhecida».

Pode-se notar, em Rom. 16:25, que há uma *revelação do mistério*, que fora mantido em segredo desde que o mundo começou. Ora, tudo isso está envolvido no «evangelho» e na «pregação de Jesus Cristo», conforme aquele mesmo versículo o declara. O líder cristão deve conhecer essas verdades, deve honrá-las e deve propagá-las. Ele é o guardião das mesmas, bem como seu representante. Outrossim, deve confiar pessoalmente nesses mistérios, tornando-os conhecidos de outros mediante sua pregação e ensino. Também deve «defendê-las» contra os falsos mestres, o que é uma das ênfases constantes das *epístolas pastorais*. (Ver I Tim. 1:18,19). O décimo nono versículo dessa passagem usa a expressão «...mantendo fé...», que é expressão sinônima àquela usada no presente versículo.

Com a consciência limpa. (Comparar novamente com I Tim. 1:19). O autêntico ministro de Cristo deve ser dotado de «boa consciência». O trecho de II Tim. 1:3 contém a expressão «consciência pura», embora no grego apareça exatamente a mesma expressão, «kathara suneidesei». O adjetivo grego é *katharos*, que quer dizer «puro», «limpo», e que tem inúmeras aplicações. Pode significar fisicamente limpo, cerimonialmente puro, mas, tal como aqui, pode exibir o sentido de «pureza moral». Um líder cristão deve ser isento de vícios degradantes, como os pecados sexuais, a desonestidade e a cobiça. Tudo isso, naturalmente, fala sobre a sua «santificação». (Ver I Tes. 4:3). É necessário, pois, que o líder cristão não apenas creia nos mistérios do evangelho mas os aceite. É preciso que esses mistérios operem nele, transformando-o conforme a imagem moral de Cristo, que deve ser o modelo de todo o homem de Deus, pois, do contrário, dificilmente estará apto para ser um dos líderes da igreja. Além disso, é mister que seja um exemplo de santidade para os outros crentes, porque, do contrário, ter-se-á desqualificado automaticamente. Deve possuir ele a realidade daquilo que prega, em sua própria vida; de outra maneira, sua pregação será inútil e sem vida.

«É como se a consciência pura fosse o vaso onde é preservado o mistério da fé». (Weiss, *in loc.*). Notemos que, em II Tes. 2:13, a «santificação» é um dos elos imprescindíveis da salvação. Ninguém tem realmente a Jesus, como seu Salvador, se igualmente não o tiver como seu Senhor, se o senhorio de Cristo não estiver operando nele. E assim, todo o líder cristão deve ter mais que mera atitude intelectual para com o mistério; é necessário que esse mistério se tenha apossado de todo o seu ser e o esteja transformando, porquanto, em caso contrário, na realidade não estará «conservando o mistério da fé». Sem a santificação, ninguém jamais verá a Deus. (Ver Heb. 12:14). É preciso que um líder cristão, portanto, seja ortodoxo em suas doutrinas, mas também é necessário que seja ortodoxo em sua conduta diária. Caso essa conduta não seja ortodoxa, èntão será ele um «herege prático», ainda que suas opiniões doutrinárias sejam perfeitas. Ora, um herege prático não pode ser líder na igreja de Cristo, tal como não pode sê-lo um herege doutrinário.

Superficiais meio-crentes de credos casuais,
Mas que nunca sentiram no íntimo,
nem desejaram,
Cujo discernimento, nunca produziu fruto nas

DIÁCONO

ações,
Cujas vagas resoluções nunca foram cumpridas;
Para quem, cada ano que passa,
É um novo começo, mas gera novos desaponta-
mentos,
Que hesitam e titubeiam por toda a vida,
É que perdem amanhã o terreno conquistado
ontem.

(Matthew Arnold).

«É óbvio que não entendo a fé como mera credulidade cega e sem críticas... Não, a fé é antes a 'razão em atitude corajosa', conforme L.P. Jacks a definiu em algum lugar. Consiste em 'apostamos a própria vida que Deus existe', usando as palavras de Donald Hankey, o 'amado capitão'. Ou então, conforme Josiah Royce declarou de certa feita: A fé é o discernimento da alma, ao descobrir alguma realidade, e que capacita o homem a tolerar qualquer coisa que lhe aconteça no universo». (Albert W. Palmer, *Treasury of Christian Faith*, pág. 273).

Consciência. Temos aqui alusão às faculdades intelectuais e morais do «homem interior», da «alma» ou ser essencial, e que dita para nós o que é certo e o que é errado. (Ver o artigo sobre *Consciência*).

I Timóteo 3:10: *E também estes sejam primeiro provados, depois exercitem o diaconato, se forem irrepreensíveis.*

6. *Experimentados* (provados) é tradução do termo grego *dokimadzo*, que significa «provar por meio de teste», palavra usada para indicar o teste das moedas, quanto à qualidade de seu metal. E também indica experimento. Mui provavelmente temos aqui uma alusão ao que já fora dito acerca dos supervisores, no sentido de que não devem ser «novos convertidos». Nenhuma regra é baixada acerca de como esse *teste* deve ter lugar. Mas certamente isso indica que não podiam ser novos convertidos, e, sim, homens dotados de profunda experiência cristã, de notável desenvolvimento espiritual, levantados pelo Espírito Santo dentre os irmãos, distinguidos pelas boas obras e pela fé firme. No contexto do N.T., isso deve significar também aqueles que tinham dotes espirituais, e que já haviam demonstrado a capacidade de usar dos mesmos corretamente. Mui provavelmente não há aqui qualquer alusão a algum «período de prova», costume esse surgido em outra época, como meio de aprovar líderes eclesiásticos. Também deve ter uma boa reputação entre *os de fora* (conforme se vê no sétimo versículo). Segundo comenta Vincent (*in loc.*): «Não fica aqui implícito algum exame formal, e, sim, referência ao julgamento geral da comunidade cristã, para averiguar se cumprem as condições detalhadas no oitavo versículo deste capítulo. Comparar com os trechos de I Tim. 5:22 e II Tim. 2:2».

Também sejam estes. Estas palavras podem significar: 1. Em adição àquilo que Paulo já dissera, como as qualidades que devem caracterizar os diáconos; 2. ou então «tanto os diáconos, como os supervisores, devem ser homens «provados», uma alusão de volta ao sétimo versículo, acerca de não serem eles «recém-convertidos».

7. *Irrepreensíveis.* No grego é «anegkletos», palavra muito bem traduzida aqui, usada por cinco vezes nas páginas do N.T., isto é, em I Cor. 1:8; Col. 1:22 e Tito 1:6,7. Um diácono deve ser alguém de tão boa reputação que, ninguém, pertencente aos «de fora» (ver o sétimo versículo), ou do seio da igreja, possa fazer acusação contra ele. Deve ser homem liberto de todos os vícios. Essa palavra é forma privativa de «egkaleo», que quer dizer «acusar», «convocar para acusação». O diácono deve ser livre de toda a

«acusação justa», contra qualquer defeito em sua vida que poderia servir de obstáculo ao seu serviço. Deve ser homem dotado de elevado grau de santificação.

IV. O Ofício dos Diáconos

1. Teve por origem a **controvérsia** que surgiu em torno do cuidado pelas viúvas da igreja de Jerusalém, tendo surgido para providenciar os problemas materiais mais essenciais da comunidade cristã; porém, o fato de que era exigido daqueles homens que fossem dotados de elevadas qualificações espirituais, mostra-nos que o trabalho material não era única responsabilidade e labor de que estavam investidos.

2. O ofício diaconal desenvolveu-se e expandiu-se e os indivíduos nomeados para o mesmo tornaram-se líderes da igreja cristã de muitos outros modos, além de cuidarem do recolhimento das esmolas, embora isso fizesse parte mais importante da vida piedosa, na igreja primitiva, do que estamos acostumados a ver nas modernas igrejas evangélicas. (Quanto a essa questão ver Atos 3:2). Por isso é que no N.T. aparecem as histórias relativas a *Estêvão e Filipe*, os quais não ficaram muito atrás dos próprios apóstolos no tocante ao poder espiritual e à eficácia de seu ministério de evangelismo.

3. Com base no trecho de I Tim. 3:8, além do *Didache*, e dos escritos de Clemente, vemos que o ofício diaconal era reputado quase paralelo ao ofício dos «bispos» ou anciãos. Parece mesmo que os diáconos eram os assistentes mais diretos dos anciãos ou pastores, especialmente por ocasião da celebração da Ceia do Senhor e da consagração de discípulos.

4. Porém, no livro de Atos, não devemos procurar encontrar tais distinções, porquanto, neste livro histórico, os diáconos se assemelhavam mais a «anciãos» espiritualmente poderosos, que ocupavam a primeira posição de autoridade e poder, depois dos apóstolos. As palavras «apóstolos e anciãos», que se referem aos doze apóstolos e aos sete diáconos, além de outros elementos investidos de grande autoridade, não fazem ainda a distinção a uma terceira classe, a dos «diáconos», que, mais tarde, vieram a ocupar ainda um terceiro lugar, após os *anciãos* e os *apóstolos*. Portanto, por esta altura dos acontecimentos, segundo a narrativa do livro de Atos, o ministério ainda não havia atingido o desenvolvimento que atingiu anos mais tarde, segundo se depreende especialmente pelas epístolas pastorais, escritas por Paulo.

5. No livro de Atos, os *sete* se conduziam muito mais como administradores e anciãos da igreja local; porém, também mostraram ser missionários de elevada categoria. Por essa razão é que Crisóstomo acreditava que os «sete» não eram «nem presbíteros e nem diáconos», mas antes, ocuparam um ofício sem igual, quase paralelo ao do apostolado. Essa observação de Crisóstomo é parcialmente válida, apesar de que não há ainda razão em supormos que, com base nessa ação tomada pela igreja primitiva, no começo de sua história, — consagrando aos «sete», as sementes dos ofícios de «ancião» e «diácono» tivessem sido semeadas, e que ambos esses ofícios tenham resultado dessa consagração especial dos «sete».

No que diz respeito à origem do ofício de *diáconos*, Adam Clarke (em Atos 6:6) apresenta-nos o seguinte comentário: «O ofício de diácono (no grego, *diakonos*) chegou ao meio cristão através da congregação judaica. Toda a sinagoga tinha ao menos três diáconos, os quais eram chamados *parnasim*, palavra essa derivada do vocábulo *parnes*, que significa alimentar, nutrir, sustentar, governar. O *parnas*, ou

138

DIADEMA — DIALÉTICA

diácono, era uma espécie de juiz na sinagoga; e de cada um deles se requeria doutrina e sabedoria, a fim de que pudessem discernir e passar julgamento justo, tanto nas questões sagradas como nas questões civis. O *chzan* e o *chamash*, eram também ofícios parecidos com o do diaconato. O primeiro era o delegado do sacerdote, e o outro, pelo menos em alguns casos, era o deputado desse delegado, isto é, uma espécie de 'subdiácono'. No N.T. os apóstolos são intitulados igualmente como *diáconos* (ver II Cor. 6:4; 9:19; Efé. 3:7 e Col. 1:23). — O próprio Cristo, Pastor e Bispo das almas, é chamado diácono da circuncisão (ver Rom. 15:8). Visto que essa palavra implica ministrar ou servir, ela é variegadamente aplicada para todos aqueles que eram empregados na tarefa de ajudar os corpos ou as almas dos homens; sem importar se fossem apóstolos, pastores, ou até mesmo aqueles a quem chamamos de diáconos.

DIADEMA

Três palavras hebraicas e duas palavras gregas devem ser examinadas quanto a este verbete, a saber:

1. *Mitsnepheth*, «mitra». Palavra hebraica usada por doze vezes, como em Eze. 21:26; Êxo. 28:4,37,39; Lev. 8:9; 16:4.

2. *Tsaniph*, «diadema». Termo hebraico usado por cinco vezes: Is. 3:23; 62:3; Zac. 3:5; Jó. 29:14.

3. *Tsephirah*, «diadema», «tiara». Palavra hebraica empregada por uma só vez com esse sentido, em Isa. 28:5.

A segunda dessas palavras referia-se ao material enrolado na cabeça, como um turbante, usado pelos homens (Jó 29:14), ou então uma espécie de capuz usado pelas mulheres (Isa. 3:23). O sumo sacerdote usava uma espécie de turbante (Zac. 3:5). Os reis usavam uma tiara (Isa. 62:3). Os antigos monarcas persas usavam uma cobertura elevada para a cabeça. Os papas usam uma tiara em três níveis, símbolo de sua autoridade espiritual e temporal. A «tiara» era termo usado para indicar a peça usada pelos reis persas. Em Isaías 62:3, a Septuaginta traz a palavra grega *stephanos*.

A terceira dessas palavras indicava um aro (Isa. 28:5), estando em pauta a tiara real.

A *mitsnepheth* aponta para a tiara usada pelo sumo sacerdote.

4. *Diádema*, palavra grega usada por três vezes, sempre no Apocalipse (12:3; 13:1 e 19:12). Essa peça era usada como coroa, e servia de sinal de realeza. Porém, não é claro qual a natureza da peça entre os judeus. As descobertas da arqueologia indicam que havia muitos tipos de diademas, alguns feitos de metal, geralmente com decorações caras, como jóias e gemas, embora outros feitos apenas de tiras de seda. Dario tinha uma coroa de tecido branco, onde foram costuradas pérolas e gemas (Zac. 9:16; comparar com Mal. 3:17). Um diadema era similar a uma *coroa* (que vide).

5. *Stéphanos*, como substantivo comum, essa palavra ocorre por dezoito vezes: Mat. 27:29; Mar. 15:17; Jó 19:2,5; I Cor. 9:25; Fil. 4:1; I Tes. 2:19; II Tim. 4:8; Tia. 1:12; I Ped. 5:4; Apo. 2:10; 3:11; 4:4,10; 6:2; 9:7; 12:1; 14:14. Essa palavra grega apontava para a coroa de louros ou de algum outro vegetal, que era o sinal da vitória obtida em alguma competição atlética.

Usos Figurados. Realeza, poder, glória espiritual, como em Isaías 28:5, que diz: «Naquele dia o Senhor dos Exércitos será a coroa de glória e o formoso diadema para o restante de seu povo...» O governo soberano de Deus sobre o seu povo é um benefício espiritual e uma grande glória para eles. A própria Sião haverá de ser uma coroa de glória e beleza nas mãos de Deus (Isa. 6:23). Em Apocalipse 12:3 lemos que o dragão usará sete diademas sobre suas várias cabeças, o que demonstra a grande amplitude de seu governo e autoridade. O anticristo haverá de usar dez diademas, sobre seus chifres, dando a entender o poder que ele exercerá sobre dez reinos (Apo. 13:1). Acerca de Cristo é dito que ele tem *muitos* diademas, o que é símbolo da universalidade de seu senhorio (Apo. 19:12). Quanto a outros sentidos simbólicos e espirituais, ver os artigos sobre *Coroa* e *Coroas*.

DIALÉTICA

Vem do grego **diálektos**, «discurso», «debate». Esse vocábulo refere-se àquele tipo de atividade filosófica que traça distinções rígidas, trazendo à luz contrários e opostos, com a subseqüente rejeição de alternativas, a fim de obter a melhor resposta possível para uma pergunta. Esse método começou com Zeno, Sócrates e Platão. Os sofistas nesta atividade ganharam uma arma de apoio a seu sofisma. Motivos e alvos bastante diferentes têm inspirado esse tipo de discussão, dentro das várias escolas filosóficas, o que ilustramos nos pontos abaixo:

1. Para *Sócrates*, a dialética consistia em seu método de perguntas e respostas no exame de qualquer questão, trazendo à tona teorias contrastantes, examinando alternativas e tentando chegar a conclusões certas.

2. *Platão*, em alguns de seus diálogos, utilizou-se do método socrático, visto que é impossível separar os dois nos primeiros diálogos de Platão. Quando Platão desenvolveu sua própria forma de pesquisa, sua dialética tornou-se uma espécie de forma suprema de adquirir conhecimentos, aquilo que presta contas de tudo por meio da alusão à *Idéia do Bem* (o seu Deus). Em alguns diálogos posteriores, como no *Sofista*, a dialética aparece como o nome dado ao estudo do inter-relacionamento das idéias platônicas, tornando-se uma espécie de meio de definição de gênero e espécie.

3. *Aristóteles* usava o termo para referir-se ao raciocínio com base em premissas prováveis, de acordo com as opiniões dos homens, o que é um silogismo menos seguro do que o raciocínio com base em primeiros princípios. A dialética pode ser identificada com o sofisma, mas também pode tornar-se um método de crítica de onde os princípios de inquirição podem ser extraídos.

4. No *neoplatonismo* a dialética faz parte do modo mediante o qual o indivíduo aprende a ascender para o Ser único, entrando em união com ele.

5. Os *estóicos* dividiam a lógica em retórica e dialética, a saber, a arte do bem falar e a arte do exame crítico.

6. Na *Idade Média*, a lógica e a dialética tornaram-se parte da educação liberal. A dialética tem sido combatida por alguns teólogos, como Pedro Damiano, que a condenou como um exercício do orgulho humano.

7. Quase todos os *escolásticos* usaram o método dialético para definir a sua filosofia. Abelardo, por exemplo, expressava o seu *Sic et Non* (sim e não) mediante perguntas e seleção de perguntas, o que ele incorporou em um livro com esse nome. Nessa obra, ele alistou as opiniões contrárias dos pais da Igreja sobre muitas questões, e então argumentou em prol da liberdade do indivíduo de chegar a conclusões, sem qualquer obrigação de crer em uma coisa ou em

DIALÉTICA — DIAMANTE

outra. Ele acreditava no primado da razão sobre a fé. Seu método de inquirição consistia em três passos: a. duvidar de alguma proposição; b. inquirir a fim de descobrir a solução para dúvidas; c. fazer isso através do raciocínio crítico, até chegar à verdade.

8. *Kant* usava o termo *dialética* a fim de aludir aos esforços equivocados dos homens mediante os quais eles supõem poder descobrir a natureza das coisas, por si mesmas, isto é, a natureza real e metafísica das coisas. A sua *Crítica da Razão Pura* tinha por finalidade desmascarar esses falsos raciocínios, onde também encontramos a sua rejeição dos argumentos tradicionais em favor da existência de Deus, como o argumento ontológico, o cosmológico e o teleológico. O termo *dialética*, assim sendo, tornou-se o nome vinculado a certo ramo da filosofia que desmascara os sofismas e os raciocínios mal orientados. A sua *dialética transcendental* é que examina de forma crítica, rejeitando os argumentos tradicionais em prol da existência de Deus.

9. *Fichte* (mas não Hegel) foi o primeiro a propor a tríada composta por tese, antítese e síntese, como um modo de examinar as ações do Espírito Absoluto em suas manifestações neste mundo. Para exemplificar, primeiramente postulamos o *ego*, então o *não-ego* (sua antítese), e finalmente, ao examinarmos os dois, chegamos ao *ego absoluto* (o Deus dele). Seu processo de raciocínio também tem sido chamado de Postulação, Contrapostulação e Síntese.

10. *Hegel* lançou mão da idéia de Fichte, tentando explicar tudo quanto sucede na existência através do processo de tese, antítese e síntese. Ele supunha que é dessa maneira que o Espírito Absoluto se expressa. Por exemplo, na *religião*, temos o seguinte: a *tese* é a religião individual, como na teologia grega; a *antítese* é a participação comunal na divindade, a formação da idéia do Um, das religiões orientais; e a *síntese* é o cristianismo, que combina tanto o elemento individual quanto o comunal. Ver o artigo sobre Hegel quanto ao seu sistema de tríadas.

11. No *marxismo* a dialética é usada para tentar explicar o processo do mundo segundo o qual, se presume, o comunismo virá a dominar todas as coisas. Ver o artigo separado sobre o *Materialismo Dialético*. A idéia fundamental foi tomada por empréstimo dos escritos de Hegel, embora aplicando-a à matéria, e não ao espírito.

12. *Sartre* desenvolveu uma oposição dialética através dos conceitos de escassez e antagonismo. A escassez de bens, neste mundo, provoca o antagonismo entre os homens; mas daí são propostas certas soluções. (B F E EP MM)

DIALÉTICA, TEOLOGIA DA

Quanto ao pano de fundo desse assunto, ver o artigo geral sobre a *Dialética*, bem como aquele sobre a *Ética Dialética*. A expressão *teologia da dialética* é usada como sinônimo para *teologia de crise* (que vide). Essa teologia, desenvolvida por Karl Barth (que vide) e seus colegas, rejeita os modos católicos tradicionais de buscar a Deus, a saber: a *via affirmativa*, a *via negationis* e a *via eminentiae*. Essas expressões são discutidas no artigo sobre a *Linguagem Religiosa*. Barth sentia que esses modos de buscar informações sobre Deus não podem saltar por cima do grande abismo entre o infinito e o finito. Portanto, em lugar desses modos, ele propôs a *via dialectica*. Esse é o método que consiste em afirmação e contra-afirmação, o método do «sim e não», com o reconhecimento da existência de *paradoxos* que resultam de qualquer

questão teológica. Doutrinas e conceitos são aceitos em pares polares (ver sobre a *Polaridade*), cuja unidade não podemos explicar devidamente. Esses pares só aparecem juntos quando correspondemos a Deus mediante a fé, quando confiamos em sua revelação, e não em nossa razão. Os conceitos de finito e infinito, tempo e eternidade, ira e graça, só para exemplificar, são idéias que existem em pares polares e não podem ser reduzidas a uma unidade, mediante a racionalização humana. Deus transcende à nossa compreensão racional, pelo que nenhuma formulação dogmática é capaz de descrever, razoavelmente, a Deus e às suas obras, embora, como é óbvio, essas não sejam atividades inúteis. A *Verdade Divina*, no entanto, não pode ser identificada com qualquer sistema ou denominação. Uma denominação é apenas um sistema interpretativo. A *Palavra de Deus* também não pode ser identificada com qualquer livro ou palavra em forma escrita, embora a palavra escrita nos proporcione informações sobre a *Infinita Palavra de Deus*.

DIÁLOGO

Essa palavra deriva-se do grego **diálogos**, «discurso». O significado literal da palavra é «através da troca de palavras», ou seja, uma conversa, da qual participam duas pessoas ou mais. O diálogo é uma forma literária desenvolvida no século V A.C., nas tragédias gregas, como no *Eumênides*, de Ésquilo. As peças de Eurípedes influenciaram Platão; mas não há razão para duvidarmos que Sócrates, que é o principal porta-voz das idéias de Platão, nos diálogos, realmente tivesse ensinado por esse método. Foi apenas natural, pois, que Platão tivesse adotado o diálogo para seus escritos principais, transformando-o assim em uma maneira de ensinar filosofia. A forma verbal, *diálego*, significa «conversar», «raciocinar», «falar com». Portanto, através da conversação e do debate, onde são levantadas várias perguntas, com suas diferentes alternativas, encontramos uma maneira de buscar definições e a verdade. Ver o artigo separado sobre a *Dialética*.

O método socrático de diálogo passou a ser utilizado por outros filósofos, tanto antigos quanto modernos, tendo sido adotado até mesmo pelos primeiros pais da Igreja. O diálogo tende por começar de maneira vaga, mas, no decorrer da conversa, passa a definir-se melhor mediante críticas e reformulações. Trata-se de um bom método de ensino, embora precise de muito tempo. Por esta razão, geralmente é preterido pelos mestres, que preferem o método da exposição, onde o material já é apresentado digerido para benefício dos estudantes, apresentando pontos principais e subpontos, já estabelecidos, em vez de ainda precisarem ser estabelecidos.

Na filosofia moderna temos os exemplos dados por George Berkeley, em seu livro *Dialogues between Hylas and Philonus* (1713); no *Dialogues Concerning Natural Religion* (1779); no *Dialogues in Limbo*, de Santayana (1926); e na *Critique of Religion and Philosophy*, de Kaufmann, onde há uma vívida discussão da qual participam um teólogo, um cristão, um ateu e Satanás. *Buber* (que vide) referia-se ao diálogo como a revelação mútua do próprio eu, através da confrontação do eu-tu. (AM P EP)

DIAMANTE

Ver o artigo geral sobre **Jóias e Pedras Preciosas**. É questionável que os antigos hebreus, ou mesmo os gregos, conhecessem o verdadeiro diamante. A

DIANA — DIÁSPORA

primeira referência definida ao diamante parece ser a do poeta latino Manilius, em cerca de 12 D.C. Na *História Natural*, de Plínio (cerca de 79 D.C.), há uma inequívoca descrição do diamante. O que os romanos chamavam de *adamas*, palavra que significa duríssimo ou invencível, provavelmente era alguma forma de coríndon. E o que algumas versões chamam de diamante, no Antigo Testamento, como pedras que havia nos ombros da estola sacerdotal (Êxo. 28:18; 39:11; no hebraico, *yahalom*), ou na ponta do estilete (Jer. 17:1; no hebraico, *shamir*), na opinião dos eruditos não seria o verdadeiro diamante, mas alguma outra pedra muito dura, como o coríndon, que só perde em dureza para o diamante. O trecho de Zacarias 7:12 refere-se a isso quando fala sobre a dureza dos corações humanos, ao se rebelarem contra Deus e as suas leis. Os antigos utilizavam-se do coríndon para perfurar e gravar em outras pedras, um método bem conhecido no mundo antigo. O verdadeiro diamante compõe-se de carbono puro, e geralmente ocorre sob a forma de cristais octaédricos. O coríndon tem sido extraído em minas da Índia desde a remota antiguidade, sendo provável que os primeiros verdadeiros diamantes sejam também originários desse país.

Algo impenetravelmente duro, um mineral ou metal. No latim, era poeticamente usado para indicar o ferro mais duro, ou aço, ou qualquer coisa durável ou indestrutível. Plínio usou o termo para referir-se a uma gema de transparência cristalina, provavelmente a safira branca, a qual, depois do moderno diamante, é um dos minerais naturais mais duros. Até o século XVIII, havia certa confusão entre o diamante e a magnetita, o óxido de ferro magnético, e o termo diamante era largamente usado. Ver Eze. 3:9 quanto à referência bíblica.

DIANA
Ver o artigo sobre **Ártemis**.

DIÁSPORA (DISPERSÃO DE ISRAEL)
Esboço:
  I. Definição
  II. Distinta dos Cativeiros
  III. Uma Antiga Diáspora em Três Fases
  IV. Algumas Características
  V. Contribuições
  VI. Influências Sofridas pelos Dispersos
  VII. No Novo Testamento — Uso Metafórico

I. Definição
Esse termo é usado pelos historiadores para referir-se às colônias judaicas (forçadas ou não), que eles estabeleceram em outras partes do mundo, fora da Palestina. A palavra é grega e significa «dispersão». Equivale ao vocábulo hebraico *golah*. O termo inclui os movimentos voluntários de emigração de judeus para outras terras, mas também se refere às colônias judaicas que resultaram de guerras, exílios e aprisionamentos. Os descendentes dos exilados e deportados também vieram a fazer parte da *diáspora*. Os **Oráculos Sibilinos** (cerca de 250 A.C.) refletem a extensão da dispersão dos judeus, afirmando que cada terra e que cada mar estava repleto de judeus. Nos tempos do Novo Testamento, havia mais judeus vivendo fora da Palestina do que dentro dela. O número de judeus dispersos, naquela época, tem sido calculado entre três a cinco milhões de pessoas.

II. Distinta dos Cativeiros
Nesta enciclopédia há artigos separados sobre os cativeiros assírio e babilônico. Alguns estudiosos fazem a distinção entre os cativeiros e a diáspora. No entanto, filhos de Israel que ficaram nas terras onde eles estiveram exilados por certo contam-se entre os partícipes da diáspora, e muitos autores não estabelecem essa delicada distinção. Seja como for, o termo *diáspora* refere-se originalmente aos judeus dispersos fora da Palestina, durante os períodos grego e romano. Pequenas comunidades judaicas têm existido fora da Palestina desde que Judá e Israel tornaram-se reinos separados, após a época de Salomão. Atualmente, alguns eruditos usam esse termo para aludir aos judeus dispersos a partir do século IV A.C., quando eles se estabeleceram em Alexandria, no Egito, ou em Antioquia da Síria. Por volta do século II A.C., a *diáspora* já se estendia por uma vasta área, incluindo a Ásia Menor, o norte da África e Roma. Cícero refere-se a judeus que haviam adotado a cidadania romana, em Roma. Havia comunidades judaicas na Europa, antes mesmo do começo do cristianismo, antes da destruição do segundo templo de Jerusalém. Prolongando-se até os tempos modernos, a dispersão tem envolvido a maioria das nações, entre as quais se destacam a Espanha, Portugal, a França, a Inglaterra, a Alemanha, a Polônia, a Rússia, porções da Índia e da China, e, posteriormente, muitos lugares do hemisfério ocidental, incluindo as Américas. Na América do Norte encontramos a maior colônia judaica do mundo, fora da Palestina. Na América do Sul as maiores colônias judaicas acham-se, respectivamente, na Argentina e no Brasil. Apesar de tão disperso, o povo de Israel de algum modo consegue permanecer um elemento distinto na cultura para onde ele emigra, mantendo a sua própria cultura e fé religiosa. O movimento sionista tem feito muitos judeus voltarem para Israel, estado criado em 1948, sob a égide das Nações Unidas. Todavia, há mais judeus vivendo fora da Palestina do que ali, o que significa que continua havendo uma grande *diáspora*, até os nossos próprios dias.

III. Uma Antiga Diáspora em Três Fases
A Dispersão dos Judeus: Três **diásporas** ou dispersões, de maior vulto, podem ser acompanhadas na história: A dispersão egípcia, que é mencionada nas páginas do A.T., como em Jer. 41:17 e 42:18, que aumentou muito em volume sob Alexandre o Grande e seus sucessores, de forma a incluir o Egito inteiro. (Ver Josefo, *Antiq*. 16 7, pág. 2). Essa dispersão, contudo, teve menor volume que a dispersão babilônica, cujos descendentes foram virtualmente absorvidos por culturas não-judaicas, tendo adotado o idioma grego. Mas é aos participantes dessa dispersão no Egito, no obstante, que devemos a possessão da Septuaginta e as idéias judaicas neoplatônicas de Filo e de seus escritores contemporâneos. A dispersão babilônica foi sempre a de maior vulto e se manteve constante por causa da preferência das populações assim dispersas, em permanecerem em suas terras adotivas, as quais, assim sendo, não retornaram à Palestina depois do cativeiro babilônico. A menor dessas três dispersões foi a da Síria, causada pelas conquistas e deportações de judeus pelas tropas de Seleuco Nicator (c. 300 A.C.; ver Josefo, *Antiq*. VII.3,§1). Sob as perseguições movidas por Antíoco Epifânio, os judeus se espalharam por um território muito extenso, tendo atingido a Ásia Menor, e, finalmente, a própria Grécia. Os judeus dispersos que mantinham a fé judaica.

A maior diáspora dos judeus foi provocada pelos romanos um pouco depois de 130 D.C. Somente nos nossos próprios dias ela foi parcialmente revertida. O avanço do cristianismo foi facilitado pela presença da

DIÁSPORA (DISPERSÃO DE ISRAEL)

sinagoga nos territórios pagãos.

IV. Algumas Características

O povo de Israel sempre trouxe a Palestina no coração. Quando os judeus celebram a páscoa, dizem: «No próximo ano, em Jerusalém!» Com isso eles querem dizer que gostariam de encontrar-se em Jerusalém, quando da próxima celebração da páscoa. O fato, porém, é que o povo de Israel tem-se saído bem em terras estrangeiras, com freqüência desfrutando de liberdade social e econômica, podendo colher os benefícios naturais da vida, juntamente com os nativos dos países para onde têm emigrado. Têm-lhes sido confiadas posições de responsabilidade, e eles têm chegado a ser altos oficiais do governo ou dos exércitos estrangeiros. Uma das razões disso é que o valor que eles dão à lei e à ordem, tornam-nos cidadãos confiáveis e respeitáveis. Apesar dessas condições, eles têm permanecido leais à sua fé ancestral, embora com alguns óbvios empréstimos e modificações, com base em costumes e crenças locais. Por outro lado, não têm deixado de sofrer tribulações. Tibério César, imperador romano, para exemplificar, odiava os judeus e providenciou para que fossem perseguidos. Antíoco III transferiu dois mil judeus para a Ásia Menor, embora lhes tivesse conferido direitos e liberdades consideráveis. O governo romano considerava a fé judaica uma *religio licita*, embora fizesse isto motivado pela necessidade, posto ser impossível livrar o mundo de uma fé religiosa tão disseminada e influente como a dos judeus. Alguns judeus da *diáspora* adquiriram a cidadania romana, entre os quais podemos pensar nos familiares de Paulo. A alguns judeus era conferida a cidadania romana em face de serviço meritório ao governo ou às forças armadas.

Naturalmente, os judeus nunca deixaram de fazer prosélitos, de tal maneira que por onde quer que Paulo fosse, encontrava alguma sinagoga, mesmo nas regiões mais distantes do império romano. Os judeus sempre foram fanáticos e devotados propagandistas de sua fé, algo que Jesus observou zombeteiramente, porquanto esse zelo nem sempre era acompanhado pela verdadeira santidade (Mat. 23:15).

V. Contribuições

1. *Fé Religiosa*. Antes de mais nada, podemos afirmar que o próprio ato da propagação do judaísmo, por todo o império romano, foi uma contribuição para o pensamento e a prática religiosos, porquanto, sem importar as falhas dos judeus, a fé e a prática deles eram muito superiores às dos pagãos. Dentro desse mesmo particular, podemos afirmar que a *diáspora* foi uma grande ajuda para a propagação do cristianismo, porquanto preparou o caminho para a nova fé, que era uma graduação sobre a antiga fé judaica, embora relacionada a ela. A presença de comunidades judaicas oferecia um ponto de partida natural, pelo que também sempre fez parte do método de trabalho do apóstolo dos gentios dar início a seu ministério, em alguma cidade ou região, na sinagoga judaica. As primeiras colunas da Igreja cristã procederam da comunidade judaica, não somente na Palestina, mas também em outras partes do mundo.

2. *A Versão da Septuaginta do Antigo Testamento*. Muitos judeus lamentaram que o Antigo Testamento tivesse sido traduzido do hebraico para o grego. Mas é provável que essa tenha sido a maior de todas as contribuições tendentes a propalar a fé judaica. A Septuaginta foi um produto da *diáspora*. O idioma universal da época era o grego; muitos judeus conheciam-no melhor do que o hebraico. O latim era a linguagem apenas do Lácio, a região em torno da capital do império.

3. *Outros Materiais Relacionados à Bíblia*. A produção dos Targuns, as paráfrases do Antigo Testamento para outros idiomas ou dialetos do mundo de então, como o grego e o aramaico, também se deveu à *diáspora*. Por igual modo, não nos devemos olvidar da produção dos livros apócrifos (ver o artigo sobre os *Livros Apócrifos*) e dos pseudepígrafes (que vide), os quais também foram produtos da *diáspora*. Há estudiosos que também supõem que ao menos uma parte do livro de Daniel, alguns dos Salmos, e talvez os livros de Jó e Provérbios também surgiram dentro desse contexto.

4. *A Sinagoga*. Alguns eruditos acreditam que a própria sinagoga é uma instituição que se desenvolveu a partir da *diáspora*, pelo menos na forma que ela veio a assumir, — no mundo greco-romano.

VI. Influências Sofridas pelos Dispersos

As influências entre os povos sempre ocorrem em duas direções. Os judeus influenciaram os povos vizinhos, e estes influenciaram os judeus. Isso ocorreu na própria Palestina, uma das razões que mantinham os profetas atarefados, visto que o paganismo teimava em introduzir-se em Israel, contra o que os profetas nunca cessaram de bradar. Durante a *diáspora*, entretanto, isso se tornou ainda mais óbvio. É inegável que o desenvolvimento da doutrina judaica da imortalidade da alma, em contraste com a ressurreição, deveu-se à influência exercida por outras filosofias e religiões. A angelologia e a demonologia que vieram a caracterizar o judaísmo posterior eram empréstimos evidentes. Em muitos lugares, o judaísmo foi helenizado, e, mais precipuamente ainda, foi platonizado, de tal maneira que surgiram teólogos-filósofos judeus, como o famoso Filo. O judaísmo adquiriu um ponto de vista mais cosmopolita, mediante o contacto com muitos povos diferentes; e isso, por si mesmo, ajudou a propagar os ensinamentos do cristianismo.

VII. No Novo Testamento — Uso Metafórico

No N.T., essa palavra é usada em três lugares, a saber: João 7:35; Tia. 1:1 e I Ped. 1:1. Esse termo foi aplicado a Israel, referindo-se às diversas deportações e dispersões deles entre as nações, isto é, entre assírios, babilônios e romanos. Mas tal vocábulo também passou a ser usado para indicar todos os judeus que viviam em países estrangeiros, por qualquer motivo que para ali tivessem ido, de natureza violenta ou pacífica. Parte dessa dispersão era voluntária, usualmente por razões econômicas. Após as conquistas de Alexandre, muitos judeus migraram para países estrangeiros. Filo calculava que o número de judeus somente no Egito, era de cerca de um milhão (ver *In Flaccum* vi). Estrabão, o geógrafo antigo, menciona, em uma época anterior à de Filo, como havia colônias judaicas que se tinham concentrado em certos lugares. «Esse povo já se instalou em cada cidade, e não é fácil descobrir algum lugar, no mundo habitável, que não tenha recebido elementos dessa nação, e onde seu poder não se tem feito sentir». (Citado em Josefo, *Antiq.* xiv.7.2). A história comprova a veracidade dessa avaliação. Fora do Egito, havia grandes colônias de judeus na Ásia Menor, na Síria e na própria capital do império. Desta, entretanto, os judeus foram expulsos, em 139 A.C., e vez mais vez mais, nos tempos neotestamentários, mas terminavam sempre por voltar. Aprendemos que a dispersão não estava confinada ao império romano. Também havia numerosas colônias judaicas na Pérsia. (Ver Atos 2:9-11).

DIATESSARON — DIBLAIM

Pedro, pois, considerava que os cristãos, tal como os judeus, habitavam em muitas áreas geográficas diferentes, mas nunca se sentindo inteiramente em casa. Isso também era uma «dispersão», pelo que lhes dá esse título. Eram como uma nação que habitava em muitos países estrangeiros, espalhados, peregrinos e forasteiros na terra.

«Os crentes sabem que são peregrinos que vivem em um vale de formação da alma, em uma escola terrena de aperfeiçoamento da vida, em um lugar onde até o Filho do homem foi 'aperfeiçoado pelos sofrimentos'. Eles conhecem a verdade das palavras dos escritos da epístola aos Hebreus, que relembrou a seus amigos que Deus pune amorosamente a seus filhos, a fim de torná-los 'participantes de sua santidade' (Heb. 12:10), para levá-los à maturidade, se assim se exercitam e são ensinados». (Homrighausen em I Ped. 1:1). (AM IB NTI Z)

DIATESSARON

Palavra grega que significa «por meio de quatro», título dado a uma harmonia dos evangelhos compilada por Taciano (que vide). Ele foi um apologista cristão de origem assíria, que viveu em Roma pelos meados do século II D.C. Em certa referência antiga a sua obra é intitulada *Diapente* («por meio de cinco»). Ambos os termos evidentemente foram tomados por empréstimo da terminologia musical dos gregos, referindo-se à idéia de *harmonia*. A palavra alusiva a *cinco* talvez indique que Taciano incluiu algum material apócrifo, que se tornou uma quinta fonte informativa.

É possível que a obra original tenha sido escrita em siríaco; mas, nesse caso, houve uma antiga tradução latina. Não são muitos os eruditos que propõem um original grego, embora também tivesse havido uma versão grega, representada atualmente em um único fragmento autenticado. O Diatessaron não tem sobrevivido em sua forma original. A melhor fonte informativa a respeito é um comentário sobre o mesmo, feito por Efraem (falecido em 378 D.C.), e publicado em 1963.

Esse combinava as várias narrativas dos quatro evangelhos, como uma narrativa contínua, sendo uma tentativa de contar a história de Jesus com todos os pormenores fornecidos pelos diversos evangelistas. Ele incorporou a quase totalidade dos quatro evangelhos. A obra tornou-se bastante popular na Síria, mas, o fato de que a mesma foi traduzida para o latim e o grego mostra que ela teve larga aceitação. Também houve uma tradução armênia do comentário de Efraem, e esse fato é outra indicação de seu uso popular. Outrossim, há evidências de sua influência sobre os manuscritos dos evangelhos no grego, no armênio, no georgiano e no siríaco palestino, pelo que o Diatessaron tornou-se um fator que causou *adições* ao texto dos evangelhos, mediante a atividade dos harmonistas.

Tão tarde quanto o século V D.C., Teodoreto, que se tornou bispo de Cirus, às margens do rio Eufrates, na Síria superior, em 423 D.C., descobriu que muitas cópias do Diatessaron estavam em uso em sua diocese. Mas, visto que Taciano posteriormente foi considerado herege, Teodoreto fez tudo quanto pôde para destruir as muitas cópias de sua obra, tantas quantas lhe foi possível, pelo que realizou uma obra perniciosa, baseada na ignorância. Ele destruiu cerca de duzentas cópias.

O Diatessaron, evidentemente, estava alicerçado sobre um antiqüíssimo tipo ocidental de texto. Ver o artigo separado sobre os *Manuscritos do Novo Testamento*. (KE ME)

DIATRIBE

A diatribe é uma forma retórica que usa um método abusivo. A palavra vem do grego *diatribe*, «desgaste». Essa maneira de falar era usada com perfeição por alguns dos primeiros filósofos gregos. Bíon de Borístenes (que vide) merece o crédito de ser o seu inventor. Díon Crisóstomo (cerca de 40-120 D.C.), um filósofo grego, desenvolveu ainda mais esse estilo. Infelizmente, muitos pregadores evangélicos modernos usam mais da diatribe do que da prédica homilética.

DIAUS

Essa palavra vem do sânscrito e significa «céu» ou «dia». Na religião védica o termo é usado para aludir ao deus do céu brilhante, considerado o pai de todas as demais divindades. Pela época em que se desenvolveram os hinos vedas, ele já havia passado do zênite, na avaliação do pensamento religioso da região do mundo onde era adorado. A grosso modo, Diaus correspondia ao Zeus dos gregos, ao Júpiter dos romanos e ao Ziu ou Tiu dos teutões, aos quais eram atribuídas qualidades divinas e paternais. Esse é um dos mais elevados e excelentes conceitos acerca de Deus. Isso é transportado, de modo muito significativo, para o cristianismo. Ver Rom. 8:14 *ss*.

DIBELIUS, MARTIN

Nasceu em 1884. Foi professor na Universidade de Berlim e na de Heidelberg. Também foi conferencista em Yale. Enfatizava a crença de que a *pregação* é um importante fator formativo como origem dos evangelhos. Ele acreditava que, desde o começo do cristianismo, a história da paixão era uma narrativa contínua, e que talvez tivesse sido o fator inspiracional central na formação dos evangelhos, os quais, em certo sentido, seriam extensas narrativas da paixão. Ele também identificou outras narrativas importantes que constituiriam elementos básicos na formação da tradição evangélica, chamando essas narrativas de *paradigmas*. Dibelius desempenhou importante papel do ponto de vista das fontes informativas do Novo Testamento, postulado por Gunkel, que se atém à forma histórica. Estudava com empenho a escatologia. Também fazia objeção à apresentação de Jesus, de Paulo e de Lutero como figuras liberais, uma atividade equivocada de certo número de eruditos, os quais projetam, para essas personagens históricas, os seus próprios sentimentos, procurando encontrar neles precedentes para as suas próprias idéias. Ver o artigo geral sobre a *Crítica da Bíblia*, em seu quarto ponto, *Crítica da forma*.

DIBLA

Ver sobre **Ribla**.

DIBLAIM

Esse nome talvez signifique **duas bocadas**, ou «dois montículos». Referia-se a bolos, como os de figos pressionados. Esse era o nome do pai de Gomer, a esposa infiel do profeta Oséias (Osé. 1:3). Viveu em cerca de 725 A.C. Alguns estudiosos supõem que Diblaim não era o pai, e, sim a mãe de Gomer.

••• ••• •••

DIBLATAIM — DICIONÁRIOS

DIBLATAIM

Ver sobre Bete-Diblataim.

DIBOM, DIBOM-GADE

Nome de duas cidades referidas no Antigo Testamento, a saber:

1. Uma cidade localizada no lado oriental do rio Jordão, também chamada Dibom-Gade, Adquiriu a segunda designação por haver sido reedificada por elementos da tribo de Gade (Núm. 32:34). Ficava na margem norte do rio Arnom, onde os israelitas atravessarem esse rio, a caminho para o Jordão, e onde o seu primeiro acampamento foi estabelecido, após a travessia do rio. Posteriormente, a área caiu sob o domínio dos moabitas (Isaías 15:2; Jeremias 43:18,22). A região era rica área pastoril, pelo que tinha grande valor para os seus habitantes. Mudou de mãos por várias vezes ao longo de sua história. O trecho de Juízes 3:12 ss. diz que estava sob o controle dos moabitas. Davi (II Sam. 8:2) a conquistou. Moabe rebelou-se, mas foi subjugado por Judá e Israel (II Reis 3). Mas Mesa, na inscrição moabita (cerca de 840 a 830 A.C.), afirmou ter obtido vitória sobre Israel, o que significa que a cidade continuou trocando de mãos. Moabe, como um estado político, foi destruída por Nabucodonosor, e a área, depois desse tempo, ficou novamente em poder de Israel, conforme nos indicam moedas de Hircano II (63-40 A.C.). Esse lugar não é mencionado no Novo Testamento, mas contava com uma próspera população até bem dentro da época neotestamentária, até o período árabe, o que é confirmado pelas descobertas arqueológicas. — estas incluem muito material dos tempos do gregos, nabateus, romanos, bizantinos e árabes, incluindo moedas. Eusébio refere-se a essa cidade em seu *Onomasticon* (século IV D.C.), onde ele a considera uma vila bastante grande.

A moderna cidade de Dhiban está localizada a poucos quilômetros ao norte do vale do Arnom, na estrada para Queraque, e fica no local do antigo cômoro chamado Dibom. Foi ali que se achou a chamada pedra Moabita, em 1868. Essa descoberta mostrou que o rei de Moabe tinha ali a sua capital (comparar com II Reis 3,4,5). Na inscrição moabita ela é chamada Qrhh, mas esse nome não perdurou por muito tempo. Ela é mencionada nas linhas 21 e 28 dessa inscrição.

Grandes escavações arqueológicas começaram ali em 1950, perdurando por seis anos, e o cômoro de Dibom mostrou ter vários níveis, conferindo assim uma espécie de história da área. As evidências demonstram que Dibom é, sem dúvida alguma a Diban do período de Onri-Acabe-Mesa (cerca de 850 A.C.). Porém, o local vinha sendo habitado desde o período do começo da era do Ferro II. Foi sendo continuamente ocupado nos sucessivos períodos históricos. Contudo, parece ter havido um hiato na ocupação, entre 1850 e 1300 A.C. Era um centro agrícola, com muitas cisternas, porquanto já foram descobertas cem delas.

2. Uma cidade da tribo de Judá (Nee. 11:25), talvez o mesmo lugar chamado Dimona, em Josué 15:22. Isso podemos supor porque esse trecho menciona cidades da área em geral, embora o nome — Dibom não ocorra ali. Sabemos que a cidade foi novamente ocupada após o cativeiro babilônico (Nee. 11:25). Tem sido identificada com o moderno *Tell ed Dheib*.

DICAEARCO

Viveu no século IV A.C. Foi um filósofo nascido em Messina. Foi discípulo de Aristóteles e amigo de Aristóxenos (que vide). Aplicava a doutrina da harmonia aos campos da música, da psicologia e do governo. Ele pensava que a cidade-estado de Esparta era representante de uma admirável harmonia, combinando elementos da aristocracia, da monarquia e da democracia. Fez importante obra no campo das medições geográficas. Mais ou menos à maneira aristotélica, ele procurou demonstrar a *mortalidade* da alma, supondo que existia uma porção psicológica no complexo humano, mas que a mesma era reduzida a zero por ocasião da morte biológica.

DICIONÁRIOS E ENCICLOPÉDIAS DA BÍBLIA

Esboço:
I. Observações Preliminares
II. Uso de uma Enciclopédia Bíblica
III. Relato Histórico Abreviado das Enciclopédias Religiosas
IV. Dicionários e Enciclopédias da Bíblia em Português

I. Observações Preliminares

Se excetuarmos o estudo das próprias Escrituras, os principais instrumentos de estudo da Bíblia são os comentários e dicionários. Não há fim nos livros que têm sido escritos sobre a Bíblia Sagrada, de todos os ângulos possíveis, como devocional, histórico, ético, teológico, textual e biográfico. Visto que um dicionário ou enciclopédia da Bíblia incorpora todos esses elementos em si mesmo, é uma obra muito útil no campo inteiro dos estudos bíblicos. O título *Dicionário Bíblico* refere-se a uma obra que contém artigos em ordem alfabética, mas estritamente limitados a assuntos bíblicos, ou seja, coisas mencionadas especificamente nas Sagradas Escrituras. A maioria desses dicionários suplementa esses artigos com um pequeno número de artigos de natureza textual, histórica e teológica que são considerados absolutamente essenciais a qualquer compêndio de estudos bíblicos. Por outra parte, uma *enciclopédia* tem um escopo mais amplo, contendo um número muito maior de artigos sobre teologia, história, textos, biografias, ética, filosofia, etc. A presente enciclopédia, além da parte bíblica, tem procurado incorporar o campo inteiro da teologia, muito material filosófico que se relaciona à ética e à gnosiologia, além de abundante material biográfico de interesse para a história da religião.

II. Uso de uma Enciclopédia Bíblica

Sempre fui um homem envolvido em enciclopédias. Quando ainda era adolescente, meus pais compraram para mim uma *Encyclopedia Americana*, e, durante todos os meus anos de ginásio e colegial, usei essa obra. Em casa também tínhamos o *Bible Encyclopedia and Dictionary*, de Fausset. Essa obra, embora atualmente obsoleta (só recentemente deixou de ser publicada), tinha grande riqueza de informações a oferecer. Ainda que, durante toda a minha vida adulta, quase todos os dias, eu tenha consultado enciclopédias, por uma razão ou outra, sagrada ou profana, simplesmente eu nunca li uma enciclopédia inteira, verbete após verbete, para obter informações gerais. Mas, no preparo da presente obra, examinei um bom número de enciclopédias, que me serviram de material informativo. Sendo obrigado a ler todos os artigos de um bom número de enciclopédias (de natureza bíblica, teológica, filosófica, etc.), vim a perceber que somente assim uma pessoa pode entender, de maneira bem abrangente, o campo inteiro das informações relativas a assuntos bíblicos.

DICIONÁRIOS E ENCICLOPÉDIAS

Portanto, um excelente modo de aprender e estudar consiste simplesmente em ler, de capa a capa, obras dessa natureza. Não espero poder convencer os meus leitores a fazerem isso, embora isso continue sendo uma verdade. O conhecimento de cada um de nós, sem importar quão amplo for, sempre será *provincial*. A tendência cada vez maior, em todos os ramos do conhecimento humano, é o da especialização. Portanto, alguém que se especialize no Novo Testamento poderá mostrar-se bastante fraco quanto ao Antigo Testamento, excetuando quanto àqueles pontos que estão diretamente ligados ao Novo Testamento. Um historiador, por sua vez, poderá mostrar-se bastante cru quanto à teologia, enquanto que um teólogo poderá mostrar-se bastante fraco quanto à filosofia. O uso constante de uma enciclopédia, porém, poderá ampliar os horizontes do estudioso, aumentando o escopo de seus conhecimentos de uma maneira considerável. Esse, pelo menos, tem sido o meu caso.

Há homens que valorizam a ignorância. Um grande número de pessoas religiosas confia exclusivamente na revelação como modo de obter conhecimento espiritual. Mas a própria revelação, conforme é encontrada nas Escrituras, requer interpretação. Há muitas coisas na Bíblia que envolvem idéias, pessoas e lugares que não podemos entender corretamente sem a ajuda de livros e mestres, porquanto, gostemos ou não do fato, estamos abordando uma larga fatia do processo histórico e teológico dentro da Bíblia, e inúmeras coisas não jazem à superfície, para serem facilmente percebidas e compreendidas.

Uma Ilustração Prática. Certo domingo pela manhã, estive em uma classe de escola dominical, em uma igreja evangélica. O professor, que era leigo, deu uma respeitável lição. Porém, terminada a sua exposição, os alunos começaram a fazer perguntas sobre o texto que ele ensinara. Uma senhora fez perguntas que o professor não foi capaz de responder. Então ele respondeu que não estava qualificado para ensinar à classe. Participei a fim de observar que aquele tipo de pergunta poderia ter sido facilmente respondido por alguém que usasse um dicionário bíblico. Como aquele homem chegou ao ponto de ensinar numa escola de adultos da Escola Dominical, sem ter conhecimento desse fato simples?

Outra ilustração prática. Esta é mais grave. Conversava eu com um missionário evangélico que era formado em um seminário dos Estados Unidos da América. Eu lhe explicava que vários livros do Novo Testamento têm porções que combatem certa forma de gnosticismo do século I D.C., que foi uma heresia que perturbou o cristianismo por cerca de cento e cinqüenta anos, no começo da sua história. Um dos itens da conversa girava em torno do porquê de I João 5:6 mencionar o fato de que Cristo veio «por meio de água e sangue», «não somente *pela água*. Por qual razão o autor sagrado fez essa declaração? O mais provável é que ele combatia a doutrina gnóstica, que aceitava o *batismo* (a água) como importante para Cristo, mas negava a *expiação* (o sangue). Portanto, o autor sagrado afirmava que apesar do batismo de Jesus ter sido significativo (Ele veio mediante a água, pois, por ocasião de seu batismo, foi ungido pelo Espírito Santo), também é verdade que ele veio por meio do sangue, porquanto fez expiação pelo nosso pecado. Quando terminei de explicar isso, meu amigo, formado em teologia, quis saber como poderia obter mais informações sobre o gnosticismo. Expliquei-lhe que a maneira mais direta de obter esse tipo de informação era examinando uma *enciclopédia* bíblica. A ignorância nunca vale coisa alguma. O conhecimento é uma das grandes colunas da espiritualidade, perdendo em importância somente para a lei do amor.

III. Relato Histórico Abreviado das Enciclopédias Religiosas

A maior parte do que dizemos aqui representa a tradição de enciclopédias em inglês e português, com suficiente pano de fundo histórico para o leitor ter alguma noção sobre essa atividade na Igreja cristã histórica.

1. 326 D.C. *Eusébio de Cesaréia* publicou uma enciclopédia em quatro volumes, dos quais apenas um, chamado *Onomasticon*, chegou até nós. Contém cerca de seiscentos nomes de cidades, rios, etc., extraídos do Antigo Testamento e dos quatro evangelhos. Jerônimo (cerca de 340 D.C.) corrigiu alguns equívocos que encontrou nessa obra, e adicionou algum novo material. Agostinho (367 D.C.) elogiou a obra de Eusébio, declarando que esperava que algum homem competente se encarregasse de expandir a obra. Ele esperava que tal autor viesse a comentar a respeito de tópicos tão diversos como lugares desconhecidos, animais, plantas, árvores, pedras, metais e outras coisas tais, mencionadas nas Escrituras, para benefício de seus irmãos (*Sobre a Doutrina Cristã*, livro II, cap. 39).

A compilação de enciclopédias não teve início na Igreja cristã; mas, até onde estamos informados, *Eusébio* foi o primeiro a compilar uma enciclopédia especificamente para ajudar no estudo da religião. O autor da primeira enciclopédia do mundo parece ter sido Aristóteles. Depois veio Speusipo. Ambos foram discípulos de Platão, em meados do século IV A.C. Aristóteles produziu muito material acerca do conhecimento de seu tempo, que ele compilou para uso de seus alunos. Speusipo compilou uma classificação enciclopédica de plantas e animais. Portanto, Eusébio não inventou a idéia, embora tivesse sido o primeiro a aplicá-la a fim de elucidar certos pontos das Escrituras. Marcus Terentius Varro (116-127 A.C.) foi o primeiro escritor prolixo em latim, e parte de sua atividade incluiu os nove livros da Disciplina, um estudo sobre as artes, a retórica, a matemática, a astrologia, a medicina, a música e a arquitetura. As suas *Imagens* expunham biografias sobre setecentos homens importantes gregos e romanos. Ele também escreveu trinta e sete livros sobre geografia, etnografia, zoologia (incluindo sobre a biologia humana), botânica, botânica médica e mineralogia.

2. *Isidoro*, bispo de Sevilha (cerca de 560-636 D.C.) compilou uma enciclopédia em latim, com vinte volumes e um largo escopo de assuntos, incluindo temas religiosos e bíblicos. Essa obra intitulava-se *Etymologiarum sive originum libiri* XX. Ele foi o primeiro a ilustrar uma enciclopédia dessa natureza com gravuras. Essa obra tornou-se popular por vários séculos, tendo sido traduzida para vários idiomas europeus.

3. *Rabanus Maurus* (cerca de 776-856 D.C.) aprimorou e ilustrou ainda melhor a obra de Isidoro.

4. *Vincente de Beauvais*, um monge dominicano francês (cerca de 1190-1264), compilou uma enciclopédia em três partes, cujo intuito era abranger todo o conhecimento humano da época. O título da obra era *Speculum majus*. Uma de suas seções, intitulada *Speculum doctrinale*, continha informações sobre teologia, filosofia, astronomia (astrologia), geometria, educação, leis, medicina e outras disciplinas. Foi obra de considerável valor, e certa edição (com adições) foi publicada após a invenção da imprensa.

145

DICIONÁRIOS E ENCICLOPÉDIAS

Preservava as idéias de muitos luminares antigos, sobre os quais nada sabemos, exceto através dessa obra.

5. *Brunetto Latini* (cerca de 1212-1294), um autor florentino, compilou uma enciclopédia que salientava a ciência política, e não a teologia, embora contivesse suficiente material teológico para ser digno de menção em conexão com a religião. Brunetto foi um bom amigo de Dante. A obra foi escrita em francês, uma linguagem conhecida pelas classes mais educadas.

6. *William Patten* publicou uma obra, em 1575, que poderia ser classificada como um dicionário bíblico. Continha cerca de duzentas páginas sobre tópicos bíblicos.

7. *Thomas Wilson*, ministro de Canterbury em St. George, publicou, em 1612, uma obra intitulada *Complete Christian Dictionary*, que teve várias edições.

8. *Francis Bacon* (1620) publicou a sua obra *The Great Instauration*, que era de natureza principalmente filosófica, mas com importantes implicações quanto ao conhecimento humano em geral, incluindo o aspecto religioso.

9. *Marco Vincenzo Coronelli* (1650-1718) lançou uma enciclopédia italiana em quarenta e cinco volumes, chamada *Biblioteca Universale Sacroprofana*. Mas somente sete volumes chegaram a ser publicados.

Os séculos XVII e XVIII assinalaram o arranjo de artigos em ordem alfabética. Antes desse tempo, o arranjo era feito em seções que abordavam os diferentes ramos do conhecimento.

10. *Francis Roberts* publicou uma obra chamada *Clavis Bibliorum*, «Chave Bíblica», que passou por diversas edições, até 1665.

11. *Augustin Calmet* (1672-1757) publicou um extenso dicionário bíblico que apareceu inicialmente em francês, mas que mais tarde foi traduzido para o inglês. Foi lançado em três volumes, contendo cerca de dois milhões e meio de palavras, cuja tradução inglesa foi chamada *Historical, Critical, Geographical, Chronological and Etymological Dictionary of the Holy Bible*.

12. *Howard Malcom* (1799-1899) escreveu o *Domestic Dictionary of the Bible*, que vendeu muitas cópias; e depois, publicou *A New Bible Dictionary*, edição expandida e aprimorada.

13. *Archibald Alexander* (1772-1851) professor da Universidade de Princeton, imprimiu o *Pocket Dictionary of the Bible*, que tinha quinhentas e quarenta e seis páginas, apesar de seu nome humilde.

14. *Richard Watson* (1781-1833) publicou o *Theological Institutes*, uma obra bastante extensa sobre a Bíblia e a teologia, com mais de mil páginas.

15. *Samuel Green* (1840) publicou a obra *A Biblical and Theological Dictionary*, que tinha mil quatrocentas e quarenta e quatro páginas, e passou por vinte e oito edições.

16. *John Kitto* publicou a sua *Cyclopedia of Biblical Knowledge*, com edições até 1869. Quarenta eruditos contribuíram com artigos para a obra, que foi uma das melhores de seu tempo, tendo incorporado muitos artigos novos sobre a Bíblia e assuntos relacionados.

17. *William Smith* (1813-1893) publicou, em 1860, o seu *Dictionary of the Bible*, que foi um dos melhores até à sua época.

18. *A.R. Fausset* (1821-1910) publicou a sua *Englishman's Critical and Expository Bible Encyclopedia*, em 1891. Continha cerca de novecentas e cinqüenta mil palavras e passou por muitas edições,

continuando a ser impressa até 1949. Fausset foi um dos três autores do famoso Jamieson, Fausset and Brown Commentary, que continua sendo publicado até hoje, após passar por inúmeras edições.

19. *John D. Davis* (1854-1926) publicou o seu *Dictionary of the Bible*, em 1898. Essa obra teve uma quarta edição em 1954. Em 1944 foi revisada e expandida por Henry S. Gehman, tendo sido publicada então sob o título de *The Westminster Dictionary of the Bible*. Essa obra, conforme Davis a havia preparado (e não a sua versão revisada) foi traduzida para o português.

20. *Charles R. Barnes*, em 1900, publicou a sua *Bible Encyclopedia*, que passou por diversas edições. Essa obra foi republicada com outros nomes, aparecendo com uma versão expandida, em 1904, com o nome de *The Popular and Critical Encyclopedia and Scriptural Dictionary*. Essa obra tornou-se a base da *International Standard Bible Encyclopedia*, e foi a principal fonte informativa do *Unger's Bible Dictionary*.

21. *James Hastings* publicou o seu *Dictionary of the Bible*, com cinco milhões e quatrocentas mil palavras, em 1905, o qual passou por muitas edições. Apresentou muito material novo, com informações arqueológicas recentes.

22. *James Orr* foi o editor da *The International Standard Bible Encyclopedia*, publicada pela primeira vez em 1951, com mais de quatro milhões de palavras. Teve uma história literária descrita no ponto «20», acima, embora representando aprimoramento e expansão em relação àquela.

23. *Madeleine S. Miller* e *J. Lane Miller*, em 1952, publicaram o *Harper's Bible Dictionary*, com material recente e envolvendo assuntos da arqueologia, da sociologia e da história natural.

24. *Merrill F. Unger*, em 1957, publicou o seu *Bible Dictionary*. Embora haja ali material novo, especialmente sobre assuntos arqueológicos, e que a maioria das quinhentas fotografias e ilustrações sejam novas, cerca de três quartas partes do material é, essencialmente, repetido, com poucas modificações com base em Barnes e a tradição por ele descrita, sob o ponto «20», acima.

25. *S.H. Horn* foi editor da combinação de dicionário e comentário bíblico, dos Adventistas do Sétimo Dia, publicado em 1960. O dicionário é o oitavo volume da série. Um bom trabalho sobre arqueologia é ali apresentado.

26. *George A. Buttrick* encabeçou uma comissão de duzentos e cinqüenta e três eruditos para produção do *The Interpreter's Dictionary of the Bible*, que foi publicado pela primeira vez em 1962. Trata-se de uma volumosa e magnificente obra. Alguns artigos são inclinados para a posição liberal, mas há muito material de grande valor, e muitos artigos que não aparecem em outras obras congêneres.

27. *J.D. Douglas* foi o editor do *New Bible Dictionary*, publicado em 1962. Conta com cerca de 2300 artigos, sendo ótimo para uma obra em um volume. Esse excelente dicionário bíblico foi traduzido para o português, por João Marques Bentes. A versão em português tem três volumes.

28. *Merrill C. Tenney*, juntamente com uma comissão de sessenta e cinco membros, produziu o *Zondervan Pictorial Bible Dictionary*, que foi publicado em 1963. Essa obra foi grandemente expandida e publicada sob o título de *Zondervan Pictorial Encyclopedia of the Bible*, em 1975, contendo mais de sete mil artigos sobre a Bíblia e assuntos relacionados. A seleção dos artigos *bíblicos*,

DICIONÁRIOS — DICOTOMIA

da presente enciclopédia em português, foi feita com base nessa enciclopédia de Zondervan, embora mais de quatrocentos artigos bíblicos extras tenham sido incluídos. Isso significa que, sem modéstia nenhuma, a atual enciclopédia é a mais completa obra do gênero, em português e em muitos outros idiomas.

IV. Dicionários e Enciclopédias da Bíblia em Português

Desejo agradecer aqui a William Barkley, diretor da Biblioteca Evangélica de São Paulo, o qual me enviou informações sobre concordâncias, comentários e dicionários bíblicos em português, o que muito me ajudou a melhorar os artigos desta enciclopédia sobre esses assuntos.

1. *John D. Davis, Dicionário da Bíblia*, quarta edição, 1973, Casa Publicadora Batista, JUERP. Essa obra é tradução da publicação inglesa mencionada na seção III.19.

2. *Demétrio Fraiha, Dicionário da Bíblia*, São Paulo, fevereiro de 1977, 385 páginas.

3. *A Den Born* (redator), *Dicionário-Enciclopédia*, tradução com base no original holandês, um volume, Editora Vozes, 1969. Essa obra foi produzida pela tradição católica romana.

4. *Xavier Léon-Dufour* (redator), *Vocabulário de Teologia Bíblica*, tradução do original francês, Editora Vozes, terceira edição, 1984, um volume. Essa obra também pertence à tradição católica romana.

5. *J.D. Douglas* (redator), *O Novo Dicionário da Bíblia*, tradução da obra mencionada sob a seção III.27. O redator da versão portuguesa é *Russell P. Shedd*. A obra envolve 2300 artigos, tendo sido impressa em um volume, no original inglês, e em três volumes na tradução portuguesa.

6. *Russell Norman Champlin* e *João Marques Bentes. Enciclopédia de Bíblia, Teologia e Filosofia*. Os artigos bíblicos que, em inglês, vão de Q ao Z, foram redigidos por João Bentes. Nessa seção, Russell Champlin adicionou alguns artigos bíblicos, bem como os de natureza filosófica e teológica. Os artigos bíblicos de A a P, em inglês, bem como todo outro material, foi redigido por Russell Champlin, autor de *O Novo Testamento Interpretado*, em seis volumes. João Bentes foi o tradutor da obra inteira, além de haver adicionado valiosos comentários na seção de A a P, em inglês, quanto aos artigos bíblicos e teológicos, como co-autor da obra. Portanto, oferecem cerca de oito mil artigos sobre assuntos bíblicos, em comparação com os dois mil e trezentos do *Novo Dicionário Bíblico*. A maioria desses artigos, quando comparados com os de outras obras lançadas em português, são mais extensos e completos, de tal modo que o leitor obtém neles informações adicionais, que não podem ser conseguidas em outras obras. Também oferecem outros oito mil artigos de interesse para os estudiosos da Bíblia. Nesses artigos é coberto o campo inteiro da teologia. Quanto à filosofia, os campos da ética, da gnosiologia e da metafísica são tratados detalhadamente. Também oferecem centenas de artigos biográficos sobre importantes personagens da religião e da filosofia.

O escopo desta enciclopédia não se limita às religiões e filosofias do Ocidente. Foram incluídos os mais importantes sistemas e idéias do Oriente, em ambos esses campos do conhecimento humano. Quanto a informações adicionais sobre as pessoas que nos ajudaram neste projeto (isto é, da presente obra), ver a página introdutória de *Dedicação* e *Agradecimentos*.

Bibliografia: (AM FU ISBE Z)

DICLA

Palavra que vem do aramaico, «palmeira». Nome de uma tribo que descendia de Joctã (Gên. 10:27; I Crô. 1:21). Visto que esse nome está associado à palmeira, os eruditos têm pensado que a área da habitação deles teria muitas palmeiras. A região do sul da Arábia, nas proximidades da foz do rio Tigre, é aquela que tem sido mais insistentemente sugerida. Porém, nada se sabe a esse respeito, com qualquer grau de certeza. O que se sabe é que eles eram uma tribo semita que descendia de Éber, por meio de Joctã. Tradicionalmente, ele é o ancestral dos árabes do sul. Seus descendentes provavelmente estabeleceram-no no Yêmen, tendo ocupado uma porção dessa região, ligeiramente a leste de Hedjaz.

DICOTOMIA, TRICOTOMIA

Esboço:
  I. Problema da Dicotomia-Tricotomia
  II. Fundo Histórico
  III. Tricotomia
  IV. A Ajuda da Ciência
  V. Sobre-Ser

I. Problema da Dicotomia-tricotomia. A natureza metafísica do homem. Intensa e volumosa controvérsia existe sobre textos como o presente, que dão alguma indicação acerca da natureza metafísica do homem, embora não abordem formalmente o problema, com o intuito de esclarecê-lo.

No tocante à *alma* ou espírito, devemo-nos lembrar de que as *Escrituras* nada têm a dizer sobre a sua «origem», e que dizem surpreendentemente pouco acerca de sua natureza, embora tanto o Antigo como o Novo Testamento muito tenham a dizer sobre o seu «destino», uma das questões centrais das Escrituras. A escassez de material, sobre a origem e a natureza da alma, entretanto, deveria automaticamente acautelar-nos sobre o uso de certos «textos de prova», que alguns tentam usar como evidências acerca da natureza da alma ou da natureza metafísica do homem. É fato bem conhecido, entre os estudiosos do A.T., que no Pentateuco, os cinco livros de Moisés, há notável ausência de menção sobre a simples existência da alma e sua sobrevivência ante a morte física, temas esses que só se evidenciam nos livros dos Salmos e dos profetas. Mas também é verdade que a cultura helênica tinha idéias referentes a essas questões, desde antes da cultura hebraica, porquanto a doutrina da existência e da sobrevivência da alma só foi acrescentada ao judaísmo bem mais tarde.

II. Fundo Histórico. Posto que as fórmulas de crença na alma não faziam parte original da herança judaico-cristã, a idéia *dualista* sobre «corpo e alma», com descrição da personalidade humana, que de modo geral se vê já no fim do A.T., e em todo o N.T., na realidade foi tomada por empréstimo da filosofia grega, principalmente de Platão, por meio do neoplatonismo. O judaísmo e o cristianismo, pois, simplesmente reputaram isso como uma verdade, sem qualquer tentativa de expandir a questão, mormente sobre a «natureza» do homem, ainda que muito tenha sido acrescido acerca do destino humano, mediante a revelação divina, visto que essa é a tese primordial desses documentos sagrados. Não é de surpreender, portanto, descobrirmos que a maioria dos teólogos cristãos primitivos se compunha dos que criam na teoria «dicotomista», pois muitos deles eram ou filósofos neoplatônicos convertidos ao cristianismo ou estavam sob a influência dessas idéias conforme era o

DICOTOMIA

caso de Justino Mártir, de Clemente de Alexandria, de Orígenes e de Agostinho. Outrossim, não é surpreendente descobrirmos que a maioria dos teólogos subseqüentes do cristianismo tenha conservado a mesma posição. Ocasionalmente, por causa da influência de I Tes. 5:23, e de alguns poucos outros que lhe são similares (ver Heb. 4:12 e Luc. 1:46,47), alguns teólogos cristãos têm postulado um complexo de energias em três níveis, como aquilo que caracteriza a natureza do ser humano. Mas essa posição, embora certamente esteja mais próxima da realidade do que a posição anterior (segundo os modernos estudos no campo da parapsicologia bem o têm demonstrado), não tem encontrado muitos aderentes, nem mesmo na igreja, provavelmente porque lhe falta a tradição necessária e a base teológica e filosófica antiga.

Platão opinava que a alma humana participa do espírito eterno, embora tivesse havido um ponto, dentro do tempo, quando ocorreu a individualização, sendo assim formada uma personalidade distinta. Para ele, pois, a alma seria eterna, jamais tendo sido criada em sua substância básica, pois realmente faria parte de uma divindade universal. O corpo foi dado à alma depravada como castigo, ainda segundo o ponto de vista de Platão, como um veículo para a alma usar neste mundo de matéria crassa, e no qual o homem se vê aprisionado até que, devido à purificação suficiente, seria libertado para poder escapar para as dimensões puramente espirituais. Outros crêem que o corpo é um produto da evolução, que se teria originado da criação animal, e que a alma, ao descer, ao passo que o corpo vai ascendendo na escala animal, finalmente encontra um lugar de habitação na matéria, por intermédio do corpo físico. Mas essa residência da alma, neste mundo de matéria grosseira, — seria indigna para ela, de onde se concluiria que tal situação lhe foi dada como punição. E a finalidade de toda a conduta ética seria libertar a alma desse nível de matéria crassa, a fim de que pudesse ela buscar ao bem e a Deus, a fim de vir a ser finalmente absorvida em Deus, quando o «ego» pudesse tornar-se novamente o «superego», e assim viesse a possuir novamente a consciência de Deus.

Platão dividiu a personalidade humana em três partes: *vegetal* (a matéria do corpo); *ânimo* (evidentemente um atributo da alma), a coragem para enfrentar os problemas éticos da vida, e vencer; *racional*, o princípio espiritual, a alma. Estas divisões sugerem um homem triúno, mas não temos provas de que Platão quis ensinar esta metafísica com estes termos.

Aristóteles dividia *a alma* em seus aspectos *animal* e *racional*, ou seja, aquilo que ela tem em comum com o que é animal e com o divino. E para ele o divino consistiria de «pensamento puro a pensar de si mesmo». Essa divisão seria uma espécie de base filosófica para a posição da «tricotomia»; mas a teologia cristã nunca lançou mão decididamente dessa base. Pelo menos Tomás de Aquino, alicerçado sobre Platão e Aristóteles, acreditava que a alma é de origem «celestial», o que significa que sua origem seria diferente da do corpo (o que é contrário à posição do «traducionismo», o qual diz que a alma é transmitida aos filhos no ato da concepção). Entretanto, Tomás de Aquino não dividia claramente a personalidade humana em três componentes, o que poderia ter feito se porventura tivesse desenvolvido a sugestão de Aristóteles.

Uma forma radical de dicotomia tem sido desenvolvida por filósofos como Spinoza e Leibniz.

Nos escritos deste último, por exemplo, não se vê nenhuma «interação» entre o corpo e a alma. Pelo contrário, a personalidade humana seria uma «mônada», onde todas as supostas características de corpo e espírito teriam sido «preestabelecidas» por Deus, como ocorrências «paralelas», sem envolvimento algum de causa e efeito. Normalmente, entretanto, pensa-se que o corpo e a alma, as duas partes distintas do homem, sem importar se têm origem comum ou não, reagem e interagem entre si, em face do estímulo de uma sobre a outra.

III. Tricotomia. Filosoficamente falando, essa posição já contava com o pano de fundo formado pelas idéias de Aristóteles, o que já tivemos oportunidade de mencionar. Os estóicos introduziram o «pneuma» no sistema mundial, que seria a alma ou razão divina (idéia semelhante à do «Logos»), que transcenderia à alma humana. E o destino do homem consistiria da reabsorção no espírito divino. Assim sendo, haveria três elementos, embora não pudessem ser representados todos juntos, como atuais características da natureza humana. Não obstante, o *pneuma*, por ser a porção mais elevada, ainda que se pareça com a *psuche*, é uma distinção filosófica e teológica natural que encoraja a idéia tricotomista. Orígenes aplicava tais pensamentos à sua interpretação acerca das Escrituras, crendo que os mesmos deveriam ser interpretados acerca dos três pontos seguintes: 1. A natureza do «soma» (ou corpo físico), que seria o seu sentido «natural». 2. O sentido «psíquico», ou seja, o seu sentido simbólico. 3. E a manifestação «pneumática», isto é, aquilo que tange ao sentido místico ou de maior elevação espiritual.

Muitos evangélicos modernos têm defendido a posição da tricotomia. A asseveração de C.I. Scofield é tão boa quanto outra. Diz ele: «O homem é uma trindade. Que a alma e o espírito humanos não são idênticos se comprova pelos fatos de que são divisíveis (ver Heb. 4:12), e que alma e espírito são claramente distinguidos quando do sepultamento e da ressurreição do corpo. É sepultado o corpo natural (no grego, 'soma psuchikon', 'corpo animado') e é ressuscitado corpo espiritual (no grego, 'soma pneumatkon', 'corpo espiritual'), conforme se lê em I Cor. 15:44. Portanto, asseverar-se que não há diferença entre alma e espírito é dizer que não há diferença entre o corpo mortal e o corpo ressurrecto. No uso das Escrituras também se pode acompanhar diferenças entre alma e espírito. ʼ- Em suma, essa distinção significa que o espírito faz parte do homem que 'conhece' (ver I Cor. 2:11) a sua mente; a alma é a sede dos 'afetos', dos 'desejos', e, portanto, das 'emoções', da 'vontade' ativa, do próprio 'eu'. A minha alma está profundamente triste, até à morte (Mat. 11:29; 26:38; João 12:27). A palavra traduzida por 'alma', no A.T. ('nephesh'), é o equivalente exato do termo neotestamentário que significa 'alma' (no grego, 'psuche'), e o uso do termo 'alma', no A.T., é idêntico ao uso daquela palavra no N.T. (Ver Deut. 6:5; 14:25; I Sam. 18:1; 20:4,17; Jó 7:11,15; 14:22; Sal. 42:6 e 84:2). O termo neotestamentário para indicar 'espírito' (no grego, 'pneuma'), tal como o termo 'ruach', que aparece no A.T., também é traduzido por 'ar', por 'respiração', por 'vento', mas predominantemente por 'espírito', sem importar se está em foco o Espírito de Deus (por exemplo, Gên. 1:2 e Mat. 3:16), ou o espírito do homem (ver Gên. 41:8 e I Cor. 5:5). Visto que o homem é 'espírito', é capaz de ter consciência de Deus, de comunicar-se com Deus (ver Jó 32:8; Sal. 18:28 e Pro. 20:27); e posto que o homem é 'alma', tem ele consciência de si

DICOTOMIA — DIDACHE

mesmo (ver Sal. 13:3; 42:5,6,11); e posto que o homem é 'corpo', mediante os seus sentidos toma consciência do mundo (ver Gên. 1:26)».

Naturalmente, muitos defeitos podem ser encontrados na declaração acima, pois as palavras usadas na Bíblia não se prestam à distinção tão clara como poderíamos pensar. Por exemplo, os vocábulos «pusche» e «pneuma» são freqüentemente empregados como sinônimos, sem qualquer diferença tencionada quanto ao seu sentido. Platão usava a palavra «psuche», freqüentemente, para indicar a porção «imaterial» do homem, capaz de conhecer a Deus e, realmente, capaz de ser reabsorvida por ele, ao passo que C.I. Scofield usa nesse sentido exclusivamente a palavra «pneuma». Não obstante, há aqui certo aspecto da verdade, pois o homem possui de fato esses níveis de consciência, de tal modo que, «empiricamente», conhece a terra (através dos sentidos do corpo); «racionalmente» o homem conhece a si mesmo, aos princípios éticos e a outras coisas, mediante a razão, as emoções ou a intuição; e «espiritualmente», através do misticismo, ele conhece as realidades superiores, que estão completamente fora do alcance dos sentidos físicos ou da simples faculdade intuitiva. Portanto, apesar de que tudo isso só pode ser dito de maneira inexata e hesitante, pois ainda não sabemos muito sobre o que o homem realmente é, algumas distinções verdadeiras podem ser estabelecidas.

Note-se que o problema não pode ser resolvido mediante o uso de textos de prova. Segundo foi salientado, o N.T. (e menos ainda o A.T.), não faz qualquer tentativa para definir essas questões, pois nesses documentos não achamos esclarecimentos nem sobre a origem e nem sobre a natureza do homem, do ponto de vista metafísico; e a própria idéia da existência da «alma» apareceu tarde no judaísmo. O que temos aqui declarado assumiu a forma da cultura daquela época, especialmente o que é mediado através do neoplatonismo. Se nossas idéias tiverem de ser mais refinadas do que isso, para não sermos deixados essencialmente sobre bases dicotomistas, então teremos de buscar informações em outras fontes.

IV. A Ajuda da Ciência. Estudos em universidades, que procuram demonstrar o que o homem é, têm mostrado, certamente, que o complexo de energias que constituem o homem, são *pelo menos* três. A experiência humana, na separação de energias na morte, mostra que o homem é mais do que dualista. A volta do ser essencial depois dos primeiros passos da morte (depois da morte clínica do corpo) não é uma experiência rara. Estudos sobre este acontecimento mostram que na separação de energias, ao momento da morte, três energias são envolvidas, sendo a energia do corpo, a vitalidade, e o ser essencial, a alma (espírito). Talvez possamos usar as palavras «corpo», «mente» e «alma» para designar estas energias. Estudos sobre estas questões podem ser classificados como preliminares, mas até o ponto onde temos chegado, podemos afirmar que o homem é, pelo menos, um ser triúno.

No que concerne a propósitos práticos, pode-se dizer que o homem é uma «trindade», tal como Deus é «triúno», pois é assim que ele se manifesta presentemente. E isso não é argumento desprezível, posto que o homem foi criado segundo a imagem de Deus, parecendo que, naturalmente, sua natureza se manifesta também mediante três elementos. Porém, no que concerne à real natureza metafísica do homem, pode-se dizer apenas que nosso conhecimento a respeito ainda é pequeno, pois nesse campo reina

profundo mistério. O que é certo é que no homem há muito mais que o corpo e a alma, ou seja, a parte material e a parte imaterial, que é a grande tese da dicotomia. Ver o artigo sobre *Imortalidade*.

V. O Sobre-ser. Religiões orientais postulam um **quarto** elemento no complexo de energias que constituem *o homem*. O **Sobre-ser** é considerado o verdadeiro homem, um ser de elevada natureza e posição, semelhante ao *anjo da guarda* do cristianismo. Mas o Sobre-ser seria o próprio homem, ou a entidade verdadeira da pessoa, enquanto que a *alma* seria controlada e utilizada por ele, da mesma maneira que o corpo é utilizado pela alma. — O Sobre-ser, segundo estas religiões, é capaz de se encarnar em mais do que um corpo ao mesmo tempo, como a mão controla cinco dedos que são, ao mesmo tempo inter-relacionados e, coletivamente, associados à mão. — Segundo esta doutrina, cada pessoa terrena representa mero fragmento de seu *ser verdadeiro*. Atrás de cada pessoa há uma força espantosa, e esta força é a própria pessoa em outra e mais alta dimensão, como no cristianismo o anjo da guarda é uma força que acompanha a pessoa. Esta doutrina não elimina, obviamente, outros seres mais altos, como os anjos, por exemplo, mas exalta poderosamente a natureza humana, dando a ela uma explicação altamente espiritual. De modo semelhante, as Escrituras declaram que o homem é um pouco mais baixo do que os próprios anjos, Salmo 8:5.

DICTATUS PAPAE

Esses documentos também são conhecidos pelo nome de *Dictatus Hildebrandini*. Até recentemente, cria-se que essas eram declarações feitas por Gregório VII (que vide), acerca dos direitos e prerrogativas dos papas. Sabe-se agora, entretanto, que elas foram compiladas por seus seguidores, em cerca de 1085, após o falecimento de Gregório VII. Esses documentos incluem vinte e sete teses, principalmente acerca de opiniões concernentes à relação entre a Igreja e o Estado, posto que alicerçadas, principalmente, sobre as idéias de Gregório VII.

DIDACHE

I. Caracterização Geral
II. Proveniência
III. Data
IV. O Texto e o Cânon
V. Conteúdo

I. Caracterização Geral

O termo **didache** é grego e significa «ensinamento». Como título, refere-se aos ensinamentos do Senhor, transmitidos pelos apóstolos. O livro é um breve manual que fornece informações sobre a vida eclesiástica, questões morais e crenças dos antigos cristãos. Presumivelmente foi escrito antes de 150 D.C. A sua *primeira seção* contém um código de ética bastante legalista. A substância dessa seção também se encontra na *Epístola de Barnabé* 18—20. Essa epístola parece ter sido escrita com base em uma forma mais antiga do Didache do que aquela que atualmente possuímos; ou então houve uma fonte comum de ambos esses documentos, e não um empréstimo direto. Material extraído do evangelho de Mateus amplia os ensinamentos ali expostos. A *segunda seção* oferece várias instruções a respeito do batismo, de jejuns, de orações e da Ceia do Senhor. A obra ficou esquecida por aproximadamente mil anos. Então foi redescoberta por Briênios, um prelado

DIDACHE — DIDEROT

ortodoxo, em Constantinopla, no ano de 1875. E foi publicada em 1883. O manuscrito descoberto data de 1056.

II. Proveniência

Não há como determinar onde essa obra foi escrita. Porém, a maioria dos estudiosos prefere pensar na Síria. As referências a montanhas (9.4), fontes e termas (7.2) parecem indicar aquele país; mas certamente não ficam eliminados certos outros países.

III. Data

Essa obra não parece representar uma única composição escrita, e, sim, uma compilação, cujas porções constitutivas derivam-se de diferentes décadas, talvez separadas por cerca de cinqüenta anos. A *Epístola de Barnabé* e o *Pastor de Hermas* contam com algum material correspondente, podendo refletir uma versão anterior, que desconhecemos. Alguns especialistas têm falado em uma data tão remota quanto 60 D.C., mas as interdependências literárias dificilmente apóiam uma data tão antiga. O uso que faz do evangelho de Mateus situa a obra pelo menos nos fins do século I D.C. Suas alusões a oficiais eclesiásticos refletem uma data antes que houvesse muito desenvolvimento eclesiástico. Não há ali qualquer indicação de um episcopado monárquico, nem de líderes religiosos itinerantes, e os profetas continuavam sendo figuras comuns no cristianismo. As práticas em volta da celebração da Ceia do Senhor parecem bastante primitivas. Portanto, essa obra não pode ter sido produzida depois de 150 D.C., podendo ter-se originada tão cedo quanto o fim do século I D.C.

IV. O Texto e o Cânon

O Didache tem um original grego. Clemente de Alexandria parece tê-lo citado em sua obra *Miscelâneas* (I.20). Eusébio classificou-o entre os *nothoi*, ou seja, obras espúrias, o que nega a suposta origem apostólica. — Atanásio informa-nos que a obra chegou a desfrutar de posição canônica (*Epístola Festiva*, 39). O livro de Nicéforo intitulado *Stichometry* (cerca de 850 D.C.) alista o livro como uma obra rejeitada. Sua redescoberta, em 1056, provocou alguma agitação, mas a longo prazo, não adquiriu qualquer autoridade especial, embora contenha algumas valiosas informações históricas, especialmente no que tange às idéias da antiga Igreja Cristã. Os manuscritos descobertos por Filoteu Briênios continuam sendo os exemplares mais notáveis. Há um texto grego variante quase completo dessa obra nas *Constituições Apostólicas* (século IV D.C.), bem como um fragmento do mesmo no *Papiro de Oxyrhynchus* nº 1782, também do século IV D.C. Dois manuscritos latinos contêm uma parte da primeira seção do *Didache*. O primeiro desses manuscritos data do século IX ou X D.C., e o segundo data do século XI D.C. Goodspeed pensava que o segundo desses manuscritos, intitulado *De Doctrina Apostoliorum*, representaria a forma original do *Didache*, mas isso tem sido posto em dúvida por outros eruditos.

V. Conteúdo

1. Os dois caminhos (caps. 1-6).

2. Práticas cúlticas, incluindo o Batismo e a Eucaristia (caps. 7—10).

3. Regras para os líderes e para a conduta dos negócios eclesiásticos (caps. 11-15).

4. Questões escatológicas (cap. 16).

Algumas Idéias Específicas:

A. *Os Dois Caminhos*. Esse é um material que corresponde a certas porções da epístola de Barnabé

(que vide). O tema é um antigo motivo literário. (Ver Deu. 30:15 e Jer. 21:8). O *Manual de Disciplina* da comunidade de Qumran (ver o artigo sobre os Manuscritos do Mar Morto), apresenta algum material similar. No *Didache* o contraste central é entre a Vida e a Morte. Nas outras obras citadas, entre a Luz e as Trevas. Os textos da epístola de Barnabé e do *Didache* são bastante parecidos para levar os estudiosos a pensarem que há uma dependência literária, ou do Didache à epístola de Barnabé, ou vice-versa. Porém, o mais provável é que ambas essas obras tomaram elementos emprestados de alguma fonte comum. Nesse confronto, o *Didache* exibe forte influência do Antigo Testamento, embora também incorpore textos extraídos do evangelho de Mateus, ou do evangelho de Lucas. Outros supõem, entretanto, que, nesse caso, o empréstimo foi de algum documento ainda mais antigo do que os evangelhos, ou então alicerçou-se sobre a tradição oral.

B. *A adoração e os ritos* são temas importantes da instrução catequética: jejuava-se antes do batismo (7:4); a fórmula batismal era trinitariana (7:1); era usada água corrente em temperatura normal, e o modo do batismo era por imersão, embora o trecho de 7:3 pareça indicar que a afusão ou derramamento também era usada como alternativa. Quanto à Ceia do Senhor era empregado o vocábulo eucaristia (9:1; 10:7; 14). Parece que a refeição de amor e a eucaristia ainda eram celebradas conjuntamente, quando esse documento foi escrito. A eucaristia era servida somente aos que já eram batizados; há uma forte ênfase sobre as idéias de ação de graça e de triunfo, no tocante à adoração e às cerimônias eclesiásticas.

C. *Conhecimento e santidade* são dois itens ressaltados. O ascetismo é combatido, porquanto os alimentos sólidos e as bebidas eram considerados dons de Deus.

D. Encontramos ali o *Dia do Senhor* (ver sobre *Domingo, Dia do Senhor*) como o dia em que a eucaristia era celebrada (14:1).

E. *Características gerais da vida cristã*, que se esperavam da parte dos fiéis eram: orações em favor uns dos outros (2:7); o evitar as divisões (4:3); a generosidade (1:5; 13:3,4); a hospitalidade (11:4); a rejeição de alimentos oferecidos a ídolos (6:3); a utilidade do jejum (8:1); a realidade das perseguições e tentações (15).

F. *Títulos de Oficiais Eclesiásticos*: apóstolos (11:3-6); profetas (10:7; 11:3-11; 13:1-4); mestres (11:2; 15:2); supervisores (15:1); diáconos (15:1). Os três primeiros desses títulos eram dados a oficiais itinerantes, o que mostra a recuada data da obra. Supervisores e diáconos, entretanto, aparecem como oficiais residentes de uma igreja local.

G. A *Parousia* (que vide) é uma doutrina ressaltada no *Didache* (15:8). A hora da volta de Cristo seria desconhecida (16:1), mas haveria sinais de sua aproximação. Seria anunciada, pelo menos em parte, pelo desvio de certos cristãos, que seguiriam falsos mestres (16:4). Apareceria uma figura chamada anticristo (16:4). A *parousia* seria precedida por um sinal visível no firmamento, haveria o sonido de uma trombeta; os mortos justos seriam ressuscitados; seguir-se-ia à *parousia* o julgamento final. Os cristãos deveriam preparar-se para a *parousia* (16:1).

Bibliografia. (AM E C GR Z)

DIDEROT, DENIS

Filósofo francês nascido em 1713. Faleceu em 1784.

DÍDIMO — DIETRICH

Sua terra natal era Langres. Educou-se na faculdade jesuíta Luis-le-Grande, em Paris. Foi enciclopedista, editor e autor contribuinte da famosa Enciclopédia Francesa. Ver o artigo separado sobre os Enciclopedistas. Muitos artigos dessa obra seguiam uma orientação ortodoxa, mas uma certa insinceridade transparecia. Também houve artigos que levantaram questionamentos e debates, e a obra foi violentamente atacada pelos jesuítas e pelos jansenistas. Diderot também escreveu sobre assuntos como filosofia, religião, teoria política, literatura, comércio e ciências em geral. Era empirista e seguia as idéias de Locke. Também era materialista, atribuindo à matéria qualidades como a sensibilidade, etc., o que explicaria a vida e o pensamento. Era determinista, afirmando que o livre-arbítrio humano é uma ilusão. Parte de suas idéias antecipou a teoria da evolução, de Darwin, e parte de seus estudos sobre a psicologia, especialmente no tocante à influência do período infantil de nossa vida, influenciou conceitos expostos mais tarde por Freud.

Obras. Encyclopédie; Philosophical Thoughts; Letter on the Blind; Thoughts on the Interpretation of Nature; Letters on Deaf Mutes; Rameau's Nephew.

DÍDIMO

No grego, **didumos**, «gêmeo». O vocábulo é usado como apelido do apóstolo Tomé, «Tomé, o Gêmeo», mas que as traduções geralmente traduzem como «Tomé, chamado Dídimo», o que corresponde, realmente, a uma transliteração (João 11:16). Ver também João 20:24 e 21:2, bem como o artigo geral sobre *Tomé*, além do artigo sobre os *Apóstolos*. Esse nome de Tomé não figura fora do evangelho de João. O fato de que Tomé foi assim chamado, por um nome inequivocamente grego, mostra o uso generalizado do idioma grego, mesmo nas mais remotas áreas da Palestina. Rejeitamos a interpretação fantasiosa que afirma que o próprio Senhor Jesus conferiu esse título a Tomé, devido à combinação que nele havia de fé e de dúvida. Parece evidente que Tomé era um gêmeo biológico, razão pela qual era chamado Dídimo. As tradições afirmam que ele tinha uma irmã gêmea, de nome Lísia. Outros, entretanto, dizem que o gêmeo era o próprio Jesus, ou um irmão de Jesus, e que o verdadeiro nome de Tomé era Judas e que ele seria o homem com esse nome, mencionado em Mateus 13:55. Entretanto, tal conjectura em relação a Jesus, é simplesmente impossível. Poderia ter sucedido que Maria tivesse tido gêmeos, mas que tal fato tivesse sido ignorado nas narrativas neotestamentárias sobre o nascimento de Jesus, e que nenhuma assertiva da Igreja primitiva tenha confirmado isso? Em sua *História Eclesiástica*, Eusébio chama-o de Judas, como também o faz o evangelho apócrifo intitulado *Acta Thomae*. É possível que esse próprio fato (que ele também tinha o nome de Judas) tenha levado alguns intérpretes a vincularem-no ao irmão de Jesus que tinha esse nome, para, em seguida, fazer dele o irmão gêmeo de Jesus, ou de um irmão de Jesus. Usualmente, as tradições procuram preencher os hiatos de informação, com meras suposições, e errando. Seria uma curiosidade histórica da mais alta ordem se Jesus tivesse tido um irmão gêmeo. Esse fato teria sido mais do que suficiente para causar muitos comentários. Mas, o fato de que não há qualquer alusão a isso, nem no Novo Testamento e nem nos escritos dos primeiros cristãos, serve para mostrar a falsidade de tal especulação. É possível, entretanto, que seu gêmeo era outro irmão de Jesus, também filho de Maria.

DIDRACMA

Ver o artigo geral sobre o **Dinheiro**. A didracma era uma dracma dupla, uma moeda de prata equivalente a duas dracmas áticas, ou ao meio siclo dos judeus (Josefo, *Anti*. 3:8,2). A lei judaica requeria que todo judeu pagasse meio siclo ao templo (Êxo. 30:13 *ss*), o que correspondia à didracma, em Mateus 17:24, onde a nossa versão portuguesa diz «duas dracmas», o tributo exigido de Jesus. Originalmente, as dracmas áticas eram mais pesadas e valiam mais, mas o peso dessa moeda foi diminuindo até chegar a ter o valor mais ou menos equivalente ao *denário*. O denário era a principal moeda de prata dos romanos. Essa moeda pagava o salário diário de um trabalhador, o que nos fornece o valor de compra aproximado da mesma, nos dias do Novo Testamento (Mat. 20:2,8,13). Um soldado romano, entretanto, recebia menos que um denário, e, por conseguinte, menos que uma dracma (Tácito, *Anais* 1.17).

DIES IRAE

Expressão latina que significa «dia da ira». Esse é o nome de um hino latino atribuído a Tomé de Celano, um monge franciscano, usado como seqüência das missas de *réquiem* (que vide). Nesse tipo de missa há os seguintes estágios: intróito, kyrie, gradual e tratado, seqüência, ofertório, sanctus e benedictus, Agnus Dei e a comunhão (ver os artigos a respeito). O hino *Dies Irae* é entoado entre a leitura da epístola e as seleções tiradas dos evangelhos. Seu título deriva-se do fato de que a peça começa com essas palavras. Descreve o dia da ira de Deus, juntamente com um pedido de misericórdia.

DIETA DE WORMS

Ver **Worms, Dieta de**.

DIETRICH DE FREIBERG

Suas datas aproximadas foram 1250-1310. Foi um escolástico alemão. Nasceu em Freiberg. Educou-se em Paris, onde também ensinou. Em sua filosofia, ele combinava idéias de Aristóteles e de Agostinho, de tal modo que criou um sistema que se opunha ao de Tomás de Aquino. Também incluiu alguns elementos de Proclo e de Avicena. Foi autor prolífico, tanto no campo da filosofia como no das ciências. Publicou mais de 30 tratados. Sobre a óptica ele escreveu *De Luce et eius origine* (Sobre a Luz e sua Origem) e também *De Coloribus* (Sobre as Cores). Tornou-se mais conhecido por causa de suas teorias sobre a natureza do arco-íris. Suas teorias ópticas não foram superadas senão após mais de trezentos anos, pelo que ele esteve entre os pioneiros, todos os quais acertam e erram quanto a vários particulares, progredindo ou retrocedendo.

DIETRICH DE NIEM

Suas datas aproximadas são 1343-1418. Foi um conciliarista alemão. Por muitos anos serviu como secretário de papas. Rompeu com Gregório XII (1408), dando apoio ao concílio de Pisa. A má administração de João XXIII levou-o a um total *conciliarismo* (que vide). Isso quer dizer que ele opinava em favor da autoridade dos concílios como superior à autoridade dos papas, e que os próprios papas deveriam submeter-se às decisões dos concílios.

••• ••• •••

DIFATE — DILTHEY

DIFATE

Erro de cópia em lugar de **Rifate** (que vide).

DIFERENTIA

Ver o artigo sobre **Definição**, quarto ponto.

DILEÃ

No hebraico «colocíntida». Esse era o nome de uma cidade na porção baixa do território de Judá (Jos. 15:38). Alguns estudiosos a têm identificado com o moderno Tel en-Najileh, embora não se tenha certeza quanto a isso.

DILEMA

Essa palavra vem do grego *dis*, «duas vezes», e *lemma*, «suposição», ou «premissa». Portanto, um *dilema* ocorre quando há duas ou mais alternativas, propostas, soluções, etc., as quais, tendo méritos iguais ou quase iguais, não podem ser facilmente escolhidas. No sentido negativo, um dilema apresenta a necessidade de escolher entre duas coisas ou ações igualmente indesejáveis. No campo da *lógica*, trata-se de um argumento silogístico que apresenta duas alternativas ou mais, nenhuma das quais é satisfatória.

O Dilema nos Argumentos e na Retórica. Como um dilema pode ser rompido: 1. descobrindo-se outra alternativa que resolva melhor o problema, do que as alternativas até então apresentadas. *Exemplo teológico*: a Bíblia ensina que a ira de Deus sobrevirá aos pecadores, presumivelmente para sempre. *Alternativa*: em alguns versículos, a Bíblia parece ensinar uma reversão final e universal dessa ira, conforme se vê em Efésios 1:10. *Co-alternativa*: a Bíblia ensina que o número dos eleitos será pequeno: muitos são chamados, mas poucos são os escolhidos. Os eleitos serão *remidos*; os não-eleitos serão, finalmente, *restaurados*, e o julgamento divino será uma medida remedial para que isso aconteça. Isso é como escapar entre os chifres ameaçadores do dilema. 2. *Posterior elaboração* de uma das alternativas. Um dilema pode ser rompido se alguém puder apresentar argumentos mais convincentes em favor de uma das alternativas, argumentos esses que, até então, não tinham sido considerados. Isso chama-se *agarrar* um dos chifres do dilema. 3. *Refutamento* de um dilema. Isso se consegue quando alguém cria um novo dilema, o qual contradiz o primeiro, eliminando-o totalmente.

Os Dilemas do Conhecimento Humano. Os homens conhecem as coisas de modo parcial e imperfeito, mesmo quando são ajudados pela revelação. Portanto, é apenas natural que eles encontrem dilemas em seus sistemas. Um sistema sem dilemas é uma simplificação que ignora a dolorosa inquirição pela verdade. Ver os artigos separados sobre *Paradoxo* e *Polaridade*, que ilustram essa idéia.

DILEMA DE EUTIFRO

Ver **Eutifro, Dilema de**.

DILLMAN, CHRISTIAN FRIEDRICH AUGUST

Suas datas foram 1823-1894. Foi um luterano alemão, erudito do Antigo Testamento e professor em Kiel, Giessen e Berlim. Distinguiu-se em face de suas pesquisas sobre o idioma e a literatura etíopes, bem como por seu trabalho sobre a literatura judaica apocalíptica.

DILTHEY, WILHEIM

Suas datas foram 1833-1911. Foi um filósofo alemão da escola neokantiana. Nasceu em Biebrich. Educou-se em Heidelberg e Berlim. Ensinou em Basiléia na Suíça, em Kiel e Breslau e finalmente na Universidade de Berlim. Revoltou-se contra o positivismo científico e o naturalismo, voltando a atenção para a corrente da história, conforme experimentada, em primeiro lugar, pelo próprio indivíduo, e, em seguida, no fenômeno da cultura, como uma maneira de entendermos tanto a filosofia quanto o mundo. Isso levaria a uma compreensão melhor sobre o processo histórico, — incluindo aquele envolvido no cristianismo histórico. Após a sua morte, seus ensinamentos exerceram considerável influência, conforme se vê nos escritos de Heidegger, Splengler e Epengler (ver os artigos sobre eles). Nas suas mais radicais distinções entre as *ciências dos homens* e as *ciências naturais*, ele se opunha à maneira como são conduzidos os estudos modernos sobre a filosofia da história, tendo tomado uma posição similar à de Croce e R.G. Collingwood (que vide). Suas idéias também foram influentes nos campos da filosofia e da psicologia.

Escritos: Introduction to the Sciences of the Spirit; Studies on the Foundation of the Sciences of the Spirit; Experience and Poetry; The Essence of Philosophy; The Types of World View.

Idéias:

1. As *humanidades* universais subjazem ao processo empírico e histórico dos eventos específicos. Podemos entender esses eventos somente *revivendo* os mesmos (no alemão, *nacherleben*) em nossa própria experiência. Portanto, a história não é uma parada de acontecimentos, principalmente de acontecimentos militares, que envolvem a luta pelo poder. Antes, é a vida íntima, a experiência e os pensamentos das pessoas que causam esses eventos.

2. Ele tentou completar os estudos de Kant sobre as *categorias* (que vide), separando as ciências naturais da ciência do espírito. O conteúdo desta última só é conhecido no decurso da própria experiência da pessoa, o que transcende os fatos empíricos das ciências naturais.

3. Nossas vidas fazem parte da vida da sociedade e participam do processo evolutivo que ali está ocorrendo. Portanto, a ciência do espírito está pesadamente envolvida no processo histórico. Procuramos *compreender* (no alemão, *verstehen*) todas as situações das quais procede o *significado* que extraímos de experiências. A história, pois, consiste em significado, e não meramente no avanço dos acontecimentos.

4. O processo filosófico envolve três estágios: a. o naturalismo (idéias e valores materialistas, fenomenalísticos e positivistas); b. o idealismo voluntarístico; c. o idealismo objetivo. Ao passar por esse processo, o indivíduo chega à consciência transcendental no tocante ao que sucede dentro do processo histórico.

5. Não existem juízos finais no campo da história e no campo da filosofia. Um historiador não pode proferir verdades finais por estar limitado à época em que vive. Esse conceito chama-se *historicismo*. Ele pode penetrar, por meio da imaginação, em outras eras, procurando estabelecer um juízo não-crítico; mas, de tal atividade nada emerge de final. E um sistema filosófico, sem importar a sua natureza, também não pode ter a palavra final, porquanto todos os homens estão limitados pelas fronteiras de sua própria época, e os processos de pensamento do futuro poderão sempre modificar tudo isso. Outro

O Dilúvio

O dia chegou

••• •••

Foi grande revelar Deus a seres angelicais;
Foi maior estimar o homem humilde.
Foi grande habitar no exaltado favor divino;
Foi maior ser Salvador do homem quebrantado.
    (Russell Norman Champlin)

•••

Cristo, Salvador de Todos os Mundos

Cristo, Salvador de todos os mundos, em todos
  os mundos, até a beira da condenação;
Amando, pesquisando, buscando, salvando
  para além do sepulcro ou túmulo.
Decretos divinos, dogmas humanos, séculos
  presentes ou futuros — nada pode limitar o
  seu poder imutável, esperança fixa e sublime.
O Cristo, imutável, Redentor eterno,
  na transição dos séculos sempre o mesmo,
  constante é o poder recuperador do teu Nome.
Ponto de tempo chamado terra, e tu Jesus,
  não são tudo, não podem ser tudo;
Esferas além, mundos vindouros —
  o Logos Divino deve dominar.
Ponto de tempo findo pela morte, significa
  para alguns o fim da própria vida,
  para outros, o fim da esperança —
  ambas visões míopes, sem dúvida.
Pois Tu és o Cristo eterno, no tempo e
  fora dele sustentas seguramente.
Amando, pesquisando, buscando, salvando —
  para além do sepulcro ou túmulo.
Tu és o Cristo, Salvador de todos os mundos
  em todos os mundos,
  à beira da condenação; na condenação?
  —Na Condenação!—
    (Russell Norman Champlin)

•••

DILÚVIO DE NOÉ

tanto pode ser dito no tocante aos sistemas teológicos e denominacionais. A verdade sempre reserva surpresas para nós. Por igual modo, a verdade não pode ser limitada às delimitações de uma única época, e nem ao acúmulo de conhecimento que já tiver sido conseguido em qualquer momento da história. (AM E P)

DILÚVIO DE NOÉ

Esboço:

I. A Pré-história e Antigos Relatos do Dilúvio
II. Provas Arqueológicas, Geológicas, Zoológicas e Botânicas de Mudanças dos Pólos e de Dilúvios
III. A Narrativa Bíblica e o Registro Mesopotâmico
IV. Um Dilúvio Universal ou Parcial?
V. Data do Dilúvio de Noé
VI. A Próxima Mudança dos Pólos — um Desastre Mundial
VII. Implicações Éticas

I. A Pré-História e Antigos Relatos do Dilúvio

Muitas vezes a verdade é mais difícil de ser descoberta do que alguns gostariam que acreditásse-mos. A verdade geralmente requer longa pesquisa, com subseqüentes comparações, combinações e separações de itens obtidos na pesquisa. A verdade sobre o dilúvio de Noé cabe dentro dessa categoria. Há muitas evidências de um grande cataclismo que envolveu um imenso dilúvio. Mas o problema não é assim tão simples. Pois há provas de *muitos* eventos dessa ordem, pelo que concluímos que *um* deles pode ser identificado com o dilúvio de Noé. Ademais, distinguir que evidências se ajustam àquele evento, e quais testificam sobre acontecimentos similares, em diferentes épocas, não é tarefa fácil. Mesmo quando abordam somente os informes bíblicos, com base em evidências geológicas e arqueológicas, os eruditos não concordam quanto à data desse dilúvio, pensando em qualquer tempo entre 4000 e 10000 A.C. A verdadeira data, pois, está perdida em algum ponto da pré-história.

1. Mudanças dos Pólos. O historiador grego, Heródoto, relata seu diálogo com sacerdotes egípcios do século V A.C. Ele ficou admirado que os registros deles afirmassem que dentro do período histórico, e desde que o Egito tornara-se um reino, por quatro vezes o sol girara na direção contrária ao costumeiro. Diversos papiros egípcios falam sobre como a terra virou de cabeça para baixo, quando o sul tornou-se norte, e vice-versa. O diálogo de Platão, *Estadista*, conta a mesma história sobre a mudança na direção do raiar e do pôr-do-sol. Platão garante que quando isso ocorreu, houve grande destruição da vida animal, e que somente uma pequena porção da raça humana sobreviveu. Essas referências literárias são indicações claras de que, por mais de uma vez, os pólos da terra mudaram de posição. Alguns estudiosos afirmam que as reversões magnéticas das rochas indicam que os pólos já mudaram nada menos de quatrocentas vezes. Isso ensina que grandes cataclismos têm feito parte constante da história de nosso planeta. Considerando a cronologia bíblica, alguns têm calculado que a história de Adão emergiu depois da penúltima dessas ocorrências, e que a de Noé coincide com o último desses cataclismos. Datar esses acontecimentos, porém, é muito precário; mas, se essas narrativas são autênticas, então tanto Adão quanto Noé representam novos *começos*, e não começos absolutos. Isso posto, é correto falarmos em raças humanas pré-adâmicas, cujas histórias estão essencialmente perdidas para nós, excetuando alguma ocasional suposta descoberta

arqueológica não-cronológica, que não se ajusta ao período da raça adâmica. O leitor deve examinar os artigos intitulados *Antediluvianos* e *Astronomia*, onde abordamos essas teorias com maiores detalhes.

Se os pólos costumam mudar de posição, com o conseqüente deslizamento da crosta terrestre, então é óbvio que há imensos dilúvios, com ondas de até um quilômetro de altura e ventos que chegam a mil quilômetros por hora. Isso corresponderia a um grande cataclismo como aquele descrito na Bíblia, em torno de Noé. As fontes do abismo se rompem, os oceanos mudam de lugar. Não seria, talvez, um acontecimento absolutamente universal, mas seria imenso. Quanto maior for a mudança polar, maior será o cataclismo, e, inversamente, quanto menor a mudança, menor o cataclismo.

2. Muitos Dilúvios? Antigas Histórias de Dilúvios. Penso que o que dizemos abaixo ilustra adequadamente o fato de que quando examinamos o passado remoto, não encontramos apenas um grande dilúvio. Houve diversos dilúvios, com a subseqüente mistura de evidências. Os sacerdotes egípcios zombaram de Heródoto, afirmando que os gregos eram apenas crianças, porquanto conheciam apenas *um* grande dilúvio. Os registros egípcios registram vários dilúvios. As pessoas que examinam somente a Bíblia, e que relutam em extrair informações de outras fontes, têm uma visão muito simples da pré-história. De fato, nem têm qualquer pré-história, por suporem que os poucos e breves capítulos da porção inicial de Gênesis pretendem narrar-nos, em forma de esboço, tudo quanto já aconteceu neste mundo. Portanto, os hebreus, tal como os gregos, tinham apenas um relato sobre o dilúvio. Mas, se Gênesis 6 — 9 nos dão detalhes de *um* desses grandes cataclismos, outros registros antigos, bem como os registros geológicos, asseguram que já houve *muitos* de tais acontecimentos. Quando os seguimos, vemos claramente que não estamos tratando de uma única época, ou de um único evento. Portanto, é inútil afirmar que todos eles são apenas cópias do relato bíblico. Antes, a narrativa bíblica destaca um único desses desastres. Muitos deles o antecederam.

A ciência diz-nos que os dinossauros viveram há milhões de anos passados. Ocasionalmente, porém, encontram-se ossos humanos mesclados com ossos de dinossauros. Então as pessoas concluem: «Os dinossauros não foram animais que viveram há milhões de anos!» Porém, essa observação ignora alguns fatos importantes: 1. Usualmente, nas áreas onde são achados restos de dinossauros, não há qualquer vestígio humano. 2. Quando esses vestígios humanos são encontrados, há uma explicação simples para isso. Os grandes cataclismos, ao rearranjarem a crosta terrestre, naturalmente misturaram as épocas, em alguns lugares, embora, em outros lugares, as camadas preservem corretamente suas respectivas épocas. 3. Os modos de datar projetam, definidamente, tanto remanescentes humanos quanto remanescentes animais — muito antes — de qualquer cronologia que possa ser extraída do livro de Gênesis. Devemos concluir, pois, que toda a narrativa do Gênesis, excetuando Gênesis 1:1, que descreve a criação original, consiste em história *recente*, a saber, a história da raça adâmica, mas sem tocar em tempos pré-históricos realmente remotos. Muitas descobertas científicas, a começar pelo século XIX, envolvendo fósseis de formas de vida extintas e artefatos primitivos, em sucessivas camadas de rochas, indicam uma pré-história muito mais ampla e complicada do que até então tem sido concebida pelos estudiosos.

a. Histórias de dilúvios na Mesopotâmia. Em 1872,

DILÚVIO DE NOÉ

George Smith, ao decifrar antigos documentos assírios, achado em 1853, por arqueólogos britânicos que trabalhavam em Nínive, encontrou uma antiga versão mesopotâmica do relato do dilúvio que, de alguma maneira, tem certos paralelos parecidos com a narrativa de Gênesis. Smith descobriu a biblioteca do rei Assurbanipal (século VII A.C.) e, dentre esse material, uma versão bem mais longa da posterior história babilônica do dilúvio. Elementos dessa história desde há muito eram conhecidos nos escritos de um babilônio de nome *Beroso* (século III A.C.), cujos fragmentos foram citados por Josefo e Eusébio. Mas foi então que veio à luz o mais longo épico de Gilgamés. Essa história aparece naquele que é atualmente conhecido como o *tablete do dilúvio* de número onze, proveniente da cultura assíria, cuja narrativa sobre o dilúvio tem sido preservada, com menores detalhes, pelos registros babilônicos. O épico de Gilgamés, porém, é apenas uma história de uma série de relatos, que parecem ter-se derivado da mesma tradição. Certo número de versões de um relato de dilúvio tem sido encontrado entre os documentos em escrita cuneiforme, escavados no Oriente Próximo.

Um tablete sumério de Nipur, no sul da Babilônia, relata como o rei Ziusudra, ao ser advertido sobre um dilúvio próximo, que a assembléia dos deuses resolvera enviar para destruir a humanidade, construiu uma grande embarcação, e assim escapou ao desastre. Esse tablete é datado de cerca de 2000 A.C., sendo possível que se trate apenas da preservação de uma narrativa muito mais antiga. Versões acádicas dessa história procedem da Babilônia e da Assíria. O épico *Atrahasis* fala de um dilúvio enviado para expurgar a humanidade. O épico de Gilgamés é o mais bem detalhado, derivado da versão acádica. Nesse relato, Gilgamés é informado por um sobrevivente de um dilúvio que ocorreu muito tempo antes, de nome *Uta-napishitim*, de como ele escapou da morte em um grande dilúvio, por haver sido avisado do mesmo pelo deus Ea, para que construísse um barco no qual abrigou a sua família, animais domésticos e selvagens, e tesouros de ouro e de prata. Esse dilúvio teria perdurado por sete dias, e o barco veio a repousar sobre o monte Nisir, no noroeste da Pérsia. Uta-napishitim teria enviado, em sucessão, uma pomba, uma andorinha e um corvo. Quando o corvo não voltou, isso foi tomado como sinal de que o barco podia ser abandonado em segurança. Uta-napishitim ofereceu holocaustos às divindades, e estas, como moscas, juntaram-se em torno dos mesmos. Uta-napishitim falou a Gilgamés sobre uma planta rejuvenescedora, existente no fundo do mar, um tipo de variante da lenda da fonte da juventude. Gilgamés a obteve, somente para vê-la ser roubada por uma serpente. O poema termina com uma nota amarga, onde Gilgamés queixa-se de que os seus labores haviam sido feitos em vão, e que somente a serpente, afinal de contas, fora beneficiada. Esse pormenor da história é deveras interessante. Presumivelmente, o dilúvio foi causado pelo deus Enlil, por causa dos muitos ruídos produzidos pela humanidade, que lhe perturbavam o sono. (Podemos simpatizar com isso, nesta nossa época de muita poluição sonora!) Entretanto, o deus Ea não concordou com o decreto do deus Enlil, pelo que avisou a Uta-napishitim do dilúvio iminente, o que resultou na sua sobrevivência. A história do dilúvio entra no épico de Gilgamés como um detalhe lateral, porquanto, na realidade, conta a história de um herói acadiano em busca da vida eterna. Gilgamés, rei da cidade de Ereque, no sul da Babilônia, é o herói dessa história.

Em suas aventuras, ele se encontrou com Uta-napishitim, o único mortal que já atingira a vida eterna na *terra dos viventes*, isto é, dos deuses. Gilgamés não conseguiu atingir a vida da mesma maneira que Uta-napishitim, porquanto as circunstâncias deste último haviam sido ímpares; mas foi-lhe recomendada uma planta rejuvenescedora, que foi encontrada e perdida, devido à intervenção da serpente. São óbvios os paralelos da árvore da vida e da serpente, no jardim do Éden.

Na verdade, há muitos paralelos entre esses mitos e a história do livro de Gênesis, sobre a existência do homem primitivo. Os paralelos são por demais parecidos e numerosos para os rejeitarmos como meros acidentes, pelo que ou há uma fonte informativa comum a ambos, ou uma narrativa depende da outra. Alguns eruditos supõem que o registro bíblico é o original, e que todos os demais registros seguem corrupções politeístas. Outros estudiosos supõem que as narrativas mesopotâmicas são mais antigas, e que o relato bíblico é um refinamento teológico e moral daquelas. Ver comentários sobre essa circunstância no artigo sobre a *Criação*. Ver especialmente o artigo sobre a *Cosmogonia*, onde são apresentados vários sistemas antigos de crenças, que mostram claramente a interdependência envolvida. Os grupos de estudiosos em oposição jamais chegarão a uma posição de consenso sobre a questão.

b. *Outras histórias de dilúvios*. Essas narrativas não se limitam à área da antiga Mesopotâmia. A história de um grande dilúvio, no qual apenas umas poucas pessoas escolhidas se salvaram, aparece em grande variedade de culturas, sob diversas formas. Aparecem em lugares tão distantes um do outro como a Grécia, a Polinésia, a Terra do Fogo, no extremo sul da América do Sul e no círculo polar Ártico, entre os esquimós. Os estudiosos pensam que essas narrativas falam sobre mais de um gigantesco dilúvio; e que algumas delas não passam de relatos exagerados sobre dilúvios localizados.

Os Índios Hopi. Esses índios, um grupo de índios Pueblos norte-americanos, que atualmente vivem em reservas indígenas no estado de Arizona, nos Estados Unidos da América, confirmam com clareza, em seu folclore, que houve tempo em que o mundo perdeu o equilíbrio, girando loucamente, por duas vezes. Isso reflete uma mudança de pólos. Eles também acreditam que o mundo anterior ao nosso foi destruído por um dilúvio. Suas lendas falam sobre civilizações avançadas, nas quais os homens viajavam em máquinas de voar. O chefe Dan Katchongva, o falecido Hopi Sun Clan, disse enfaticamente, em uma entrevista: «Os Hopi são os sobreviventes de um outro mundo, que foi destruído. Portanto, os Hopi estiveram aqui primeiro e fizeram quatro migrações, para o norte, para o sul, para o leste e para o oeste, reclamando para si mesmos toda a terra, em favor do Grande Espírito, conforme a ordem de Massau'u, e em favor do *Verdadeiro Irmão Branco*, que trará o Dia da Purificação». Isso se parece com o anúncio de uma figura semelhante ao Messias, podendo ser uma referência histórica ou intuitiva sobre Cristo. Esses índios crêem na vinda, para breve, do Dia da Purificação, o que talvez seja a segunda vinda de Cristo. O *Logos* parece ter implantado as suas sementes nos lugares mais inesperados. Ver o artigo sobre o *Verbo* (Logos).

II. Provas Arqueológicas, Geológicas, Zoológicas e Botânicas de Mudanças dos Pólos e de Dilúvios

1. *Depósitos de Sedimentos*. Muito material

DILÚVIO DE NOÉ

arqueológico tem ficado registrado sobre esses depósitos. Sir Leonard Woolley, no seu livro, *Ur of the Chaldees* (1929) despertou muito interesse. Ele descobriu um depósito feito pela água, com data de cerca do quarto milênio A.C., que ele tomou como evidência conclusiva em prol do dilúvio de Noé. Porém, em somente dois dos cinco buracos que ele escavou, foi encontrada a sua presumida *camada do dilúvio*. Isso poderia sugerir um dilúvio local, que não cobriu a área inteira adjacente a Ur. Outras cidades, nos vales dos rios da Mesopotâmia, especialmente Quis, Fará e Nínive, também exibem camadas do dilúvio, embora não pareçam ser pertencentes à mesma época, pelo que mais de um dilúvio local deve estar em pauta. Nenhuma camada do dilúvio foi encontrada em Ereque, a cidade associada ao épico de Gilgamés. Abundam, entretanto, as evidências literárias que falam em mais de um dilúvio de grandes proporções. Há também muitas provas de mudanças de pólos que, naturalmente, poderiam incluir gigantescas inundações. Terraços de seixos mostram que antigamente houve oceanos onde hoje há terras imersas. Sabe-se que a totalidade do território dos Estados Unidos da América já foi o leito do oceano, embora não todo ao mesmo tempo. Os oceanos tem surgido e desaparecido em vários lugares ao redor do globo, em passado remoto, que não mais podemos acompanhar com facilidade. Cataclismos, sem dúvida alguma, têm envolvido o apareeimento e o desaparecimento dessas grandes massas de água.

2. *Evidências Zoológicas e Botânicas*. Os restos de mamutes, rinocerontes, cavalos, cabras, bisões, leões e outros animais, em regiões que agora são árticas, perenemente recobertas de gelo, mostram que, em outras épocas, aquelas porções do globo eram próprias para servir de hábitat para animais de sangue quente, indicando tremendas transformações no clima dessas regiões. Parece que alguns mamutes, por exemplo, foram congelados instantaneamente. O ato de cair num buraco de gelo, não explica como foram preservados tão perfeitamente. Somente um súbito congelamento desses animais pode explicar por que eles não se putrefizeram, ainda com alimento não-digerido em seus estômagos. Focas encontradas no mar Cáspio e no lago Baical, na Sibéria, são idênticas às que hoje pululam nas águas do Alasca. Certo tipo de lagostas se encontra somente nas águas congeladas do Ártico e nas porções mais frias do mar Mediterrâneo. Esses mistérios zoológicos são explicados pela teoria de dilúvios globais, que transportaram os animais sobreviventes para grandes distâncias, em pouco tempo. Medusas fósseis têm sido encontradas incrustadas na lama. Não poderiam ter sido preservadas senão mediante o súbito congelamento, causado por alguma repentina mudança de pólos. De que outra forma as moles medusas poderiam ter endurecido como rocha? Outro tanto aplica-se a fósseis delicados, como as marcas das patas de passarinhos e os sinais deixados pela queda de uma gota d' água!

No solo congelado da Sibéria, têm sido encontradas árvores totalmente congeladas, com folhas e frutas! Nenhum processo gradual poderia ter feito isso, e nenhuma árvore frutífera medra atualmente no Ártico. No parque Yellowstone, nos Estados Unidos da América, uma montanha pesquisada mostrou contar com dezessete camadas de árvores petrificadas, ainda de pé. Entre cada camada havia uma camada de terra vulcânica. Cada camada de árvores estava em seu próprio período geológico de vida vegetal e animal. Cada época terminou mediante uma catástrofe. Quanto mais aprendemos sobre essas coisas, tanto mais apreciamos a vastidão da criação e chegamos a entender melhor a insignificância do conhecimento que temos sobre a vida abundantíssima que existiu antes de nós. Somente um pequeno fragmento veio a ser registrado nas páginas da Bíblia, ou em qualquer outro registro. Apesar de que alguns estudiosos procuram explicações para esses fatos, não há como justificar a presença, no Ártico, de animais cujo hábitat é outro, ou a presença de uma vegetação tipicamente tropical, com folhas e frutos! E o resfriamento gradual da região também não explicaria o fenômeno dessas descobertas. Todos os argumentos esboroam-se diante do fato de que não somente o mamute é ali achado, sabendo-se que esse animal era capaz de resistir a baixíssimas temperaturas, mas também cavalos, leões, cabras, bisões, etc. Isso demonstra que nem sempre a região do Ártico foi recoberta de gelo.

3. *As Eras Glaciais e a Deriva do Gelo Glacial*. Há outras provas em favor da idéia de que os povos já ocuparam posições diferentes do que vemos hoje. Os geólogos acham difícil explicar como há hoje grandes acúmulos de gelo onde já foi região tropical ou semitropical. Já houve grandes camadas de gelo na América do Sul, na Austrália, na África e na Índia. Ao examinar os depósitos deixados por essas glacieiras e a direção em que se moveram (o que se verifica nas marcas que deixaram no solo), os estudiosos descobriram um grande mistério. Em primeiro lugar, a localização delas ignora totalmente o clima atual dessas regiões. Em segundo lugar, elas se moveram em direções contrárias àquilo que seria de esperar, considerando-se a localização atual dos pólos. O Dr. William Stokes, da Universidade de Utah, em seu texto *Essentials of Earth History*, faz a seguinte declaração:

«Na África do Sul as glacieiras moveram-se principalmente do norte para o sul—para longe do Equador. Na África central e em Madagascar, outros depósitos mostram que o gelo movia-se para o norte, para bem dentro do que é hoje zona tropical. Mas, o mais surpreendente tem sido a descoberta de grandes camadas de caliça das glacieiras no norte da Índia, onde o movimento foi na direção norte... na Austrália e na Tasmânia, onde o gelo moveu-se do sul para o norte... no Brasil e na Argentina, esse movimento foi na direção oeste».

O Dr. C.O. Dunbar, de Yale, ficou admirado diante do fato de que, no Brasil, a glaciação chega a dez graus do Equador e de como, na Índia, o gelo derivou dos trópicos para as latitudes superiores. Muitos geólogos, pois, têm chegado à conclusão de que os pólos já estiveram localizados nessas regiões atualmente tropicais, quentes. Alguns eruditos pensam que a deriva continental explica o fenômeno, mas outros pensam que a teoria da mudança dos pólos é uma explicação mais satisfatória. Essa mudança de pólos teria dois resultados: primeiro, grandes depósitos de gelo subitamente encontraram-se em climas quentes, com a subseqüente deriva e dissolvição, produzindo grandes rios e mares interiores. Segundo, novos acúmulos de gelo teriam início onde os pólos então ficaram, cobrindo o que antes eram regiões tropicais ou semitropicais.

4. *Data do dilúvio*, no tocante a esse fenômeno. É quase certo que o que dissemos acima se relaciona a mais de uma mudança dos pólos magnéticos da terra. É de presumir-se que a última dessas mudanças esteve relacionada ao dilúvio de Noé, e que a mudança anterior a essa esteve ligada à história de Adão. Quanto aos mamutes, a extinção dos mesmos parece

DILÚVIO DE NOÉ

pertencer a uma antiguidade ainda anterior à do dilúvio. Portanto, essa situação ilustra como são provocados os imensos dilúvios, embora não, especificamente, o último da série. Ver o presente artigo em seu ponto V, *Data*.

5. *Depósitos de Corais no Ártico*. Sabemos que os corais são formados pelos esqueletos calcários secretados pelos tecidos de certos animais marinhos, e que esses depósitos vão-se acumulando durante milênios, até formarem os recifes. Esses animais são tropicais. No entanto, recifes de corais têm sido encontrados no Oceano Glacial Ártico!

6. *A Deriva Continental*. Sem dúvida foi preciso uma força gigantesca para separar o que atualmente é a África do que é a presente América do Sul, com todo um oceano entre os dois continentes. É bem possível que uma ou mais mudanças de pólos estejam por detrás disso.

7. *Alterações Magnéticas*. Nem sempre o norte esteve no norte, e nem sempre o sul esteve no sul. A terra é um gigantesco magneto com pólos positivo (norte) e negativo (sul), que ficam próximos dos pólos geográficos. Com base nos registros impressos nas rochas, sabemos que os pólos têm mudado alternativamente a sua polaridade magnética, através dos milênios. Nos últimos setenta e seis milhões de anos, os pólos norte e sul já mudaram de polaridade pelo menos cento e setenta e uma vezes. Nos últimos quarenta e oito milhões de anos, os registros magnéticos polares nas rochas e nos sedimentos mostram que houve cerca de cinco reversões a cada milhão de anos, com uma média de 220 mil anos entre cada reversão, com um período mais curto de 30 mil anos. Os geólogos supõem que uma nova reversão se aproxima, supondo que deverá ocorrer dentro de alguns poucos séculos, um tempo muito curto, geologicamente falando. Os místicos predizem que isso sucederá em nossa própria época, o que discutimos no sexto ponto deste artigo. Alguns cientistas pensam que essas reversões ocorrem espontaneamente (por razões ainda desconhecidas), sem qualquer mudança da posição dos pólos; mas outros supõem que as mudanças de pólos sempre são a causa dessas reversões. Ainda um terceiro grupo de estudiosos prefere a teoria dos meteoritos ou dos cometas. As reversões poderiam ser causadas por grandes colisões cósmicas, de algum corpo celeste com o globo terrestre. Outrossim, tanto as mudanças de pólos quanto as reversões magnéticas poderiam ter tais colisões como causas. Um impacto dessa grandeza poderia ser responsável pela extinção em massa dos animais.

8. *A Mudança dos Pólos e a História de Noé*. As muitas histórias sobre dilúvios quase certamente indicam que houve bolsões de sobreviventes, em vários lugares do mundo, em cada um deles. Também alguns acham difícil explicar as radicais diferenças raciais da presente humanidade, em face do tempo relativamente breve que se passou desde o último grande cataclismo. Há uma história muito mais longa de Noé para trás do que de Noé até nós. Consideremos este fato: os relatos mesopotâmicos têm muitos elementos similares aos do relato bíblico. Portanto, há uma espécie de tradição comum, naquela região do mundo, no tocante a esse desastre. Porém, as histórias provenientes de outras regiões do globo têm as suas próprias características. Esses relatos não parecem dependentes dos da Mesopotâmia. Finalmente, a China teria permanecido relativamente intocada por ocasião do dilúvio de Noé. A história chinesa pode ser acompanhada até antes desse grande

abalo, pelo que grande parte da China deve ter permanecido seca, enquanto dilúvios inundavam outros continentes ou porções de outros continentes. Todavia, os chineses não foram totalmente poupados, pois a tradição chinesa fala sobre um grande dilúvio, há pouco mais de cinco mil anos atrás e Confúcio (nasceu em cerca de 551 A.C.), em sua história da China, começa o seu relato falando sobre um dilúvio em recessão que «subira até o céus». Também há registros de imensas destruições por incêndios produzidos por perturbações cósmicas, e de como o sol não se pôs no horizonte por diversos dias (uma mudança de pólos?), além de grandes inundações. É muito difícil datar esses acontecimentos, e não podemos ter certeza sobre como relacioná-los com o dilúvio de Noé. Mas eles ilustram, a grosso modo, a história narrada neste artigo. As histórias sobre dilúvios, em outras nações, referem-se a condições locais, e não universais, conforme dizem os registros mesopotâmicos, comprovando o que dissemos acima, que deve ter havido sobreviventes de civilizações passadas, formando grupos isolados. Porém, houve muitos sobreviventes chineses, talvez sendo essa a razão pela qual atualmente os chineses chegam a cerca de um bilhão, um número inteiramente fora de proporção com as populações de outras raças.

A história dos grandes cataclismos é uma história grandiosa, repleta de mistérios. O que oferecemos aqui é apenas um mostruário das informações de que dispomos sobre a questão. Esse material mostra que a Bíblia está com a razão ao aludir a vastíssimas destruições, não faz muito tempo na história. Isso, também, nos mostra que podemos suplementar extraordinariamente o nosso conhecimento sobre esses eventos, voltando-nos para as descobertas científicas e para as tradições literárias de outros povos.

III. A Narrativa Bíblica e o Registro Mesopotâmico
Ver o artigo separado sobre **Gilgamés, Epopéia de**.

Temos dado provas da declaração de que os registros bíblicos apresentam uma das tradições acerca do dilúvio, e que há outras narrativas que não se derivaram da mesma. Muitas outras histórias refletem condições locais, e não aquelas refletidas pelo relato mesopotâmico. No Irã, o *alto deus* instruiu Yima a construir um ambiente cercado por muralhas, para salvar as pessoas boas. É possível que em diversos lugares do mundo, onde as águas atingiram diferentes níveis de inundação, que diferentes modos de proteção fossem adequados para salvar algumas pessoas. Também é possível que Deus salvou outras pessoas, tal como salvou a Noé e seus familiares, mediante informações dadas por profetas e homens santos. Os propósitos de Deus sempre são maiores e mais vastos que nossos sistemas teológicos permitem. Seja como for, é significativo que a maior parte das histórias sobre dilúvios relaciona-se à corrupção moral dos homens. No entanto, na Índia temos uma exceção a essa regra. Ali o dilúvio não seria resultado de um decreto divino, mas de uma *série* de cataclismos cósmicos que destruíram, periodicamente, o mundo. Apesar disso, a religião hindu vincula essas questões aos padrões kármicos da raça humana, de tal modo que fique envolvida a lei da colheita segundo a semeadura, ainda que não esteja em pauta um decreto divino específico, conforme a questão é exposta na Bíblia. A religião hindu sempre demonstrou apreciação pela imensidade do tempo envolvido na criação e no desdobramento do plano divino relativo ao homem, pelo que ali as pessoas nunca estiveram em um senso de urgência espiritual,

156

DILÚVIO DE NOÉ

conforme tanto se vê nas religiões ocidentais. Os propósitos divinos operam através de grandes expansões da história, e a redenção permeia todas essas expansões.

1. *A Questão Moral*. O relato bíblico salienta a corrupção dos valores morais, pelos homens, como a razão do dilúvio. É interessante que os animais também fossem objeto da ira do Senhor (Gên. 6:7), o que poderia dar a entender alguma forma de moralidade e responsabilidade animal, conforme se vê na religião hindu. Contudo, estou apenas especulando quanto a esse ponto. O versículo doze do sexto capítulo de Gênesis afirma que «todo ser vivente havia corrompido o seu caminho na terra», o que parece dar a entender que os animais irracionais, e não somente os homens, no parecer do autor sagrado, são capazes de errar. Por essa razão foi que *toda carne* se tornou objeto do decreto divino. O homem, o pior de todos os animais, havia espalhado a violência por toda parte (vs. 11), e seus processos de pensamentos haviam se tornado totalmente depravados (vs.5). Esse raciocínio é melhor que a versão do deus Enlil da tradição mesopotâmica que diz que o deus Enlil decretou o dilúvio porque os homens estavam fazendo muito barulho, ao ponto dele não poder dormir!

2. *Monoteísmo*. A tradição mesopotâmica sobre o dilúvio, excetuando a versão bíblica, mostra-se totalmente politeísta, onde homens e deuses aparecem na narrativa. O relato bíblico, porém, é monoteísta, mais simples, mais direto, exibindo uma declaração muito melhor sobre a responsabilidade dos homens diante de Deus. É difícil crer que essa versão bíblica, muito superior, tenha sido a fonte original, que então sofreu uma série de corrupções, algumas delas tolas e curiosas. Para os intérpretes bíblicos também é difícil acreditar que a narrativa bíblica seja mero refinamento das histórias babilônicas. O mais provável é que tenha havido uma fonte comum das variantes mesopotâmicas, de cuja fonte procedem relatos separados. Mas, alguns pensam que não há maneira satisfatória de resolver a questão, e nem ela se reveste de importância especial, a não ser para os ultraconservadores, por um lado, e para os céticos, por outro lado. Os ultraconservadores exigem *revelação* somente, sem o acompanhamento de qualquer fator cultural. Os céticos gostam de lançar dúvidas quanto a todas as questões da revelação, ao dizerem que a similaridade de relatos significa que a questão inteira é mitológica. Ou então afirmam que as várias narrativas são invenções posteriores, criadas após o cataclismo, a fim de explicar por que o mesmo teve lugar. Quando examinamos as diversas versões da história do dilúvio, torna-se óbvio para nós que muitos mitos vieram a ligar-se à mesma, embora haja evidências mais do que convincentes sobre a realidade desse evento. Não há qualquer razão para duvidarmos do relato bíblico sobre Noé e sua família, embora muitos pensem que eles não foram os únicos sobreviventes do dilúvio. A sobrevivência deles representaria o resultado de um ato salvador local de Deus, mas não o único desses atos.

3. *Eventos do Dilúvio Segundo o Relato Bíblico*

a. Noé, quando tinha seiscentos anos de idade, tendo sido informado pelo Senhor sobre a iminente destruição, construiu a arca, entrou nela, e assim preservou a vida de sua família e de muitos animais. As chuvas começaram no décimo sétimo dia do segundo mês, continuando por quarenta dias. As águas do abismo irromperam. Presumimos que isso aponta para uma mudança dos pólos magnéticos da terra, embora isso não tenha sido reconhecido pelo autor sagrado (Gên. 7:1-9,10-17).

b. As chuvas cessaram, mas as águas persistiram, e, até onde Noé era capaz de ver ao seu redor, só havia água. Naturalmente, isso teria sido tomado como um dilúvio universal (Gên. 7:18-24).

c. A arca acabou pousando sobre o monte Ararate, no décimo sétimo dia do sétimo mês (Gên. 8:1-4).

d. Os picos das montanhas tornaram-se visíveis no primeiro dia do décimo mês (Gên. 8:5).

e. Um corvo e uma pomba foram soltos, a fim de investigarem a situação nas proximidades da arca (Gên. 8:6-9).

f. A pomba foi enviada novamente sete dias mais tarde, e retornou com um raminho de oliveira no bico, mostrando que as águas estavam diminuindo de nível (Gên. 8:10,11).

g. A pomba foi enviada pela terceira vez, mas dessa vez não voltou, o que mostrou que agora era seguro os homens abandonarem a arca (Gên. 8:12).

h. O solo secou, sendo aquele o ano 601 da vida de Noé, o primeiro mês e o primeiro dia do mês. A cobertura da arca foi removida (Gên. 8:13).

i. Noé deixou a arca no segundo mês, no vigésimo sétimo dia (Gên. 8:14-19).

IV. Um Dilúvio Universal ou Parcial?

1. Argumentos em Prol do Dilúvio Universal

a. A linguagem dos capítulos sexto a nono de Gênesis refere-se a um dilúvio de dimensões universais. Todos os picos dos montes foram cobertos pelas águas, tendo havido a destruição absoluta de todos os seres vivos terrestres, excetuando-se aqueles que estavam na arca (e, naturalmente, excetuando-se a vida marinha em geral).

b. A universalidade das narrativas sobre o dilúvio mostra que o dilúvio chegou a todos os lugares.

c. Há uma distribuição mundial dos depósitos aluvionais do dilúvio.

d. Houve a súbita extinção dos mamutes peludos do Alasca e da Sibéria, na hipótese de que eles foram mortos afogados, e não por congelamento.

e. A diminuição das espécies animais. Poucas espécies restam agora, em comparação com o que se via na antiguidade remota. Isso supõe que Noé não abrigou na arca todas as espécies possíveis, mas apenas as representativas de cada espécie; ou então que muitas dessas espécies extinguiram-se após terem sido soltas da arca.

2. Argumentos em Prol de um Dilúvio Parcial

a. Embora a linguagem de Gênesis 6—9 seja universal, só o é para aquela parte do mundo que Noé observou na ocasião. Ele não fazia idéia da verdadeira extensão da terra. O trecho de Colossenses 1:6 também diz como o evangelho se espalhara pelo mundo inteiro, embora seja óbvio que isso indique o mundo que Paulo conhecia, e não toda a superfície do globo. Havia muitos outros povos, nos dias de Paulo, que ele jamais visitou.

b. A universalidade das histórias do dilúvio demonstra que estamos tratando com um gigantesco cataclismo terrestre, com dilúvios que ocorreram por toda a parte, como resultado desse cataclismo, mas não que as águas cobriram absolutamente toda a superfície terrestre. Quando os pólos magnéticos se alteram, há inundações generalizadas, mas nem todas as terras emersas são cobertas. A história do dilúvio na China mostra que os chineses tinham conhecimento do dilúvio, e que sofreram com o mesmo, mas a história chinesa também mostra que uma larga porção da superfície da terra permaneceu intocada.

DILÚVIO DE NOÉ

c. Há depósitos aluvionais do dilúvio por toda parte; mas muitos desses depósitos refletem apenas dilúvios locais, não podendo ser usados como evidências em prol de um dilúvio universal.

d. A destruição dos mamutes e outros animais, no Ártico, deu-se por congelamento, e não por afogamento. Alguns têm sido recuperados em condições quase perfeitas, sem putrefação. Isso jamais poderia ter acontecido se eles tivessem morrido por afogamento. Ademais, essa destruição parece estar relacionada a algum cataclismo anterior ao dilúvio de Noé, pelo que não serve para propósitos de ilustração.

e. A diminuição do número de espécies animais seria um resultado natural de qualquer grande cataclismo, resultante de um dilúvio universal ou apenas parcial, pelo que esse argumento nada prova.

f. *A quantidade de água*. Fatal à teoria do dilúvio universal é a observação de que a quantidade de água necessária para cobrir a face da terra até encobrir o monte Everest, o mais alto monte do planeta, teria de ser seis vezes maior do que atualmente existe na terra. Teria sido impossível haver chuvas assim abundantes, dentro do tempo determinado em Gênesis 7:12, quarenta dias e quarenta noites, incluindo os depósitos naturais de água na terra, para que isso pudesse suceder. Além disso, como tanta água teria se evaporado? Só se essa água estivesse perdida no espaço, o que sabemos que jamais acontece. Verdadeiramente, para que esse efeito fosse conseguido, teria de ter chovido durante vários anos, com água vinda do espaço exterior. Isso posto, teríamos de supor, em primeiro lugar, um suprimento *sobrenatural* de água e em segundo lugar, uma retirada *sobrenatural* de água, da face do planeta.

g. *O problema do abrigo*. O autor da narrativa bíblica parece que não fazia idéia do vasto número de animais existentes no mundo. Há incontáveis milhares de variedades de vermes e insetos. Haveríamos de supor que Noé tomou consigo somente um par ou sete pares de cada espécie, e que, desde o dilúvio, todas as outras espécies desenvolveram-se? O número de espécies só de vermes e insetos deve ser 500.000, embora somente doze mil espécies tenham sido classificadas. Só de aranhas há cerca de trinta mil espécies. Teria Noé abrigado somente um par de aranhas, do qual se desenvolveram todas as espécies de aracnídeos que atualmente existem? Há cerca de três mil espécies de sapos, seis mil espécies de répteis, dez mil espécies de aves, cinco mil espécies de mamíferos. Somente um pequeno número representativo, de todos esses seres vivos, reside na área da Mesopotâmia. Os animais levados para a arca, por Noé, teriam sido os dessa área.

h. *O problema do recolhimento*. — Teria havido um ato sobrenatural de imensas proporções para recolher um ou sete pares de cada espécie animal no mundo, a fim de deixá-los convenientemente aos pés de Noé e seus familiares. No entanto, no relato de Gênesis não há qualquer indicação da necessidade de alguma intervenção divina nessa tarefa. O autor sagrado simplesmente não toma consciência do problema que estaria envolvido em um dilúvio de proporções universais, e nem mesmo alude a esse problema, porquanto o *mundo* que ele conhecia era uma minúscula fração do mundo inteiro. Não há a menor indicação de que foi preciso o Senhor realizar uma série de milagres a fim de concretizar o que ocorreu por ocasião do dilúvio de Noé.

i. *Formas de vida marinha*. Há espécies de vida marinha como as que vivem imóveis, nos corais, ou as que vivem no fundo de águas rasas, que requerem uma camada rasa de água para sobreviver. A pressão produzida pelo aumento das águas e a diminuição da salinidade, teriam destruído totalmente essas formas de vida marinha; e, no entanto, elas continuam a sobreviver, a despeito das supostas águas universais que atingiram os mais elevados picos do planeta.

j. *O fenômeno da mudança de pólos magnéticos*. Acima apresentamos certos argumentos que dão apoio à teoria de vastas destruições mediante mudanças periódicas dos pólos. Tais mudanças, naturalmente, produziriam gigantescas inundações. A própria natureza dessas mudanças de pólos prova a teoria de um dilúvio parcial. Quando isso ocorre, afundam continentes ou partes de continentes, ao passo que outras terras imersas aparecem. As águas dos oceanos são redistribuídas, mas as terras emersas nunca são completamente inundadas. Isso é assim porque é impossível que todos os continentes submerjam ao mesmo tempo, deixando os oceanos cobrindo toda a superfície do planeta. Para que isso pudesse acontecer, a terra teria de ser tremendamente condensada, e não existe força conhecida, concebida pela ciência, que possa forçar tal ocorrência.

V. Data do Dilúvio de Noé

A Cronologia das Genealogias. Se usarmos esses informes, chegaremos até cerca de 2.400 A.C. Mas bem poucos eruditos bíblicos apegam-se a esse método de fixação de datas, pois não aceitam uma data tão recente para o dilúvio. Utilizando-se de outros métodos, alguns estudiosos chegam a retroceder até 20.000 A.C. Mas a maioria dos estudiosos confessa que não há como estabelecer a data do dilúvio de Noé. Alguns associam o dilúvio ao fim da última glaciação, ou seja, cerca de 10.000 A.C.; mas todas essas opiniões são meras tentativas. A observação mostra que a maioria dos escritores sobre o assunto prefere uma data entre 5.000 e 15.000 A.C., embora as evidências de modo algum sejam conclusivas. A maioria dos escritores cristãos conservadores sugere cerca de 4.000 A.C., quase sempre com base em registros genealógicos ou evidências arqueológicas. Mas, sob exame, essas evidências não resistem à sondagem. A descoberta de camadas de argila (com supostas focas de antes e de depois do dilúvio, encontradas em Fará e Ur) provavelmente nada representa senão inundações locais dos rios da área, o Tigre e o Eufrates. Afinal, não é preciso nenhuma imensa inundação para depositar uma camada de argila com alguns metros de espessura. Outrossim, essas camadas de argila, segundo tem sido demonstrado, pertencem a diversos períodos, e não a uma única ocasião que possa ser identificada com um dilúvio universal ou quase universal. *Conclusão*: Não sabemos dizer a data do dilúvio, embora a opinião de que ocorreu em cerca de 8000 A.C. seja tão boa quanto qualquer outra.

VI. A Próxima Mudança dos Pólos—Um Desastre Mundial

A Bíblia prediz uma ocasião futura de desastres sem precedentes, que os estudiosos das predições bíblicas pensam não estar muito distante. Esse período é chamado de Grande Tribulação. Ver o artigo sobre *Tribulação, a Grande*. Os místicos contemporâneos concordam que esse tempo está se aproximando rapidamente. Alguns deles associam esse novo cataclismo a uma outra mudança dos pólos. Alguns geólogos concordam que gigantescas mudanças nas terras emersas são possíveis. Mas, no que concerne a quando isso poderá suceder, os vários

158

DILÚVIO DE NOÉ — DINÁ

místicos têm sugerido o final deste século ou o começo do século XXI. Poderíamos citar alguns deles, como Adam Barber, Emil Sepic, Edgar Cayce, Aron Abrahamsen, Paul Solomon, Ruth Montgomery, Baird Wallace, mas, antes deles todos, Nostradamus. Todas essas pessoas tiveram ou têm a reputação de fazer predições exatas. Os intérpretes da Bíblia concordam quanto a um prazo relativamente curto que resta ao mundo, antes de ter início essa próxima e grande fase de perturbações, embora quase todos eles não expressem ou não tenham consciência da teoria da mudança de pólos magnéticos, em relação a esse período atribulado. Seja como for, as implicações morais e espirituais da aproximação desse período são vitais e perturbadoras.

Imaginemos como tal desastre poderia ocorrer. Lembremo-nos que isso talvez seja o clímax da Grande Tribulação:

Aproxima-se a noite. Habitantes das grandes cidades do mundo precipitam-se para casa nas horas de pico do trânsito. A maioria não nota que o sol continua a brilhar acima do horizonte. Alguns poucos sentem-se apreensivos desde o começo. Passam-se várias horas e o sol não desaparece atrás do horizonte. Todos ficam alarmados. Então as pessoas começam a ouvir um ruído cavo, das profundezas da terra. Em alguns lugares a terra está tremendo, embora ainda gentilmente. A força normal da gravidade diminui, e as pessoas sentem-se inseguras sobre seus pés. Os animais estão inquietos desde horas atrás, então, *em massa*, começam a movimentar-se na mesma direção. O firmamento fica avermelhado, e enormes nuvens de poeira começam a tapar a luz do sol. Um vento forte e constante começa a soprar, aumentando de forma alarmante, enquanto o ruído subterrâneo torna-se ensurdecedor. Os ventos chegam a uma velocidade de quase quinhentos quilômetros horários, desarraigando árvores e fazendo cidades inteiras desaparecerem em questão de segundos. A terra começa a balançar loucamente, e há imensas tempestades elétricas como os homens nunca viram. Há terremotos de proporções devastadoras por todo o orbe. Montes abrem-se pelo meio e surgem vulcões cuspindo lava derretida e fogo. A terra fica com rachaduras de centenas de quilômetros. A crosta terrestre começa a mudar de posição, e continentes inteiros desaparecem no fundo dos oceanos. Novos continentes vêm tomar o lugar dos antigos. Os oceanos agora irrigam vastos territórios que antes eram terra seca, ou retrocedem de vastos territórios antes debaixo do mar. O holocausto de vidas prossegue como se nunca terminasse. Mas, cerca de quarenta e oito horas mais tarde, tudo começa a amainar novamente. Mas ainda assim há gigantescos terremotos que se negam a permitir que povos ao redor do globo aliviem a tensão. A temperatura de todos os lugares da terra começa a mudar, para mais quente ou para mais frio. Novas áreas árticas, de muito frio, começam a ser criadas, onde tudo fica congelado. Grandes massas de gelo desprendem-se das atuais áreas polares e agora derivam em várias direções. O gelo dissolvido começa a formar rios gigantescos que não demoram a devastar tudo em seu curso. Sim, aconteceu novamente. Um enorme cataclismo removeu toda uma antiga era e civilização, abrindo caminho para uma nova era e civilização. E os poucos homens sobreviventes começam a edificar tudo de novo.

VII. Implicações Éticas

Os profetas e os místicos afiançam que sempre há um forte fator moral envolvido nos grandes cataclismos da terra. A história do dilúvio de Noé está firmada especificamente sobre essa base, no sexto capítulo de Gênesis. O livro de Apocalipse também apresenta a Grande Tribulação sobre essa base. A única preparação que temos contra tal eventualidade é o nosso próprio desenvolvimento espiritual. Não há outro modo de nos prepararmos para uma ocorrência assim. «Oh, podemos dizer que estamos prontos, irmão, prontos para o resplendente lar da alma? Quando Jesus vier, para galardoar seus servos, ele nos encontrará preparados, aguardando a volta do Senhor?» (AM E GOOD HEI PARR RAMM WHI Z)

DIMNA

No hebraico, «esterco». Esse era o nome de uma cidade do território de Zebulom, dado aos levitas da família de Merari (Jos. 21:35). Visto que esse nome não aparece na lista de Josué 19:10,16, é possível que seja a mesma cidade chamada Rimono (I Crô. 6:77). Ver também Jos. 19:13. O local moderno chama-se Rumaneh.

DIMOM

No hebraico, «leito de rio». As «águas de Dimom» são mencionadas no território moabita, a leste do mar Morto (Isa. 15:9). Muitos estudiosos identificam-na com a Dibom referida em Isaías 15:2 e Jeremias 48:22. O oráculo de Isaías contra Moabe menciona esse lugar. A forma «Dimona» pode ter sido um erro escribal em lugar de «Dibom». Essa cidade tem sido identificada com a Khirbet Dimneh, perto da 'ain el-Megheisil.

DIMONA

Provavelmente uma forma variante de Dimom (que vide). Isso posto, as Escrituras falam sobre Dimom, Dimona e Dibom, como três nomes da mesma localidade. É possível que esses nomes lhe tenham sido aplicados em diferentes períodos históricos. A cidade ficava próxima da fronteira com Edom. Terminado o exílio babilônico, os judeus a reocuparam. Mas, a sua localização exata é desconhecida atualmente.

DINÁ

No hebraico, «julgada» ou «vingada». Filha de Jacó e Lia (Gên. 30:21), e, portanto, irmã de pai e mãe de Simeão, Levi, Rúben, Judá e Issacar. A história de Diná é um daqueles incríveis relatos do Antigo Testamento que demonstram a loucura dos atos e das paixões humanas.

Quando Jacó estava acampado nas vizinhanças de Siquém, Diná foi seduzida e violentada por um homem chamado Siquém, filho de Hamor, o chefe eveu da cidade. Siquém resolveu corrigir o erro cometido, e pediu Diná em casamento. Isso pode ter sido inspirado por amor à jovem, ou por temer o que lhe poderia acontecer, se ele não quisesse fazer justiça. Mas os irmãos de Diná, Simeão e Levi, só quiseram consentir com o casamento se, além do dote a ser pago a Jacó, todos os habitantes homens da cidade se submetessem à circuncisão (o que, presumivelmente, os transformaria em israelitas, tornando viável o matrimônio). Porém, tudo não passava de um plano ardiloso da parte dos filhos de Jacó; pois, no terceiro dia após a operação da circuncisão, quando as dores dos circuncidados estavam em seu ponto máximo, Simeão e Levi (juntamente com tropas armadas?) atacaram a cidade

DINABA — DINHEIRO

e mataram a todos os habitantes. Ver Gênesis 34. O próprio Jacó lamentou e repeliu o ato (Gên. 34:25-31). Diná voltou à casa paterna (Gên. 34), e permaneceu solteira, com toda a probabilidade. Em c. 1950 A.C., foi levada com seu pai para o Egito (Gên. 46:15).

As referências literárias mostram-nos que, na época, nas culturas envolvidas, uma ofensa contra a irmã de um homem era considerada questão seriíssima. Se ela fosse solteira, os irmãos dela (mais do que seu próprio pai) estavam na obrigação de vingar o erro. Se ela fosse casada, então, mais do que o próprio marido, os seus irmãos estavam na obrigação de tirar vingança.

DINABÁ

No hebraico, «covil de ladrões». Nome de uma cidade de Edom (Gên. 36:12; I Crô. 1:43), capital de Bela, e de um filho de Beor, rei de Edom, antes da formação da monarquia de Israel. O local é atualmente desconhecido. Acerca dessa cidade, só encontramos essas duas referências bíblicas.

DINAÍTAS

Nome de uma tribo que se opôs à reconstrução do templo de Jerusalém, terminado o exílio babilônico. O adjetivo só ocorre em Esdras 4:9. Eram colonos que tinham sido trazidos à cidade de Samaria, pelo monarca assírio, Asnapar, quando dali foram exiladas as tribos de Israel. Essa gente permaneceu no território de Israel após o domínio dos persas na região, juntamente com outros povos, como os afarsaquitas, tarpelitas, afaristas, arquevitas, babilônios, susanquitas, deavitas, elamitas e outros. É possível que os dinaítas fossem descendentes de armênios, que os assírios conheciam como *dayani*.

DINAMISMO

Vem do termo grego **dúnamis**, «poder». Palavra usada para exprimir a idéia de que há forças, neste mundo e fora do mesmo, que não podem ser reduzidas à matéria em movimento (materialismo; que vide). Qualquer filosofia oposta ao *mecanismo* (que vide) pode ser chamada de dinamismo. A filosofia de Leibniz também tem sido chamada por esse título. E esse nome também é aplicado à teoria *da filosofia natural*, de Rudjer Boscovich, que substituiu o conceito de centros de força semelhantes a pontos por meros átomos, o que removeu os últimos vestígios do mecanismo do ponto de vista do mundo, proposto por Newton.

DING-AN-SICH

No alemão, «coisa em si mesma», indicando a *verdadeira natureza* de qualquer coisa que não possamos perceber pela aparência externa captada pelos nossos sentidos. Kant (que vide) introduziu essa expressão na filosofia. O *Ding-an-sich*, portanto, é a forma ideal (*noumenon*) por detrás dos fenômenos, representada pelos fenômenos, mas não explicada pelos mesmos. É a realidade oculta por detrás dos fenômenos.

DINHEIRO
Declarações Introdutórias

Surge a necessidade de dinheiro quando o sistema de produção e de comércio desenvolve-se de tal modo que cessa a utilidade de escambo — troca de

mercadorias — ou quando se torna difícil determinar os valores correspondentes dos produtos a serem trocados entre si. Quanto mais complexa for a produção de uma nação, maior necessidade haverá de alguma espécie de unidade monetária comum que sirva de meio de pagamento de salários e de meio de comprar e vender produtos. Desde que essa necessidade surgiu, os homens voltaram-se para os metais preciosos como meio de prover a unidade básica de valores. Mas, na antiguidade, o dinheiro podia ter a forma de moedas ou não. Não obstante, mesmo após a introdução do dinheiro, continuaram sendo usadas certas mercadorias básicas que serviam no comércio e no pagamento de salários e dívidas. Esses itens incluíam metais e pedras preciosas, madeiras, vinho, mel, gado e alimentos básicos, como os cereais. Assim, as riquezas de Abraão foram calculadas em termos de gado, de prata e de ouro.

Esboço:
   I. Dinheiro Não-Cunhado
  II. Alusões Bíblicas ao Dinheiro
 III. Dinheiro sob a Forma de Moedas
     1. Moedas judias
     2. Moedas gregas
     3. Moedas romanas

I. Dinheiro Não-Cunhado

Metais preciosos, usados como dinheiro, foram usados antes da invenção das moedas. A arqueologia tem demonstrado que os egípcios usavam ouro ou prata em forma de argolas, como dinheiro. Mas, não sabemos dizer se essas peças de metal eram identificadas — por alguma marca governamental — ou não. Certamente, os valores eram determinados pela pureza do metal e pelo peso das peças. Os egípcios também usavam o cobre com essa finalidade. Essa prática prosseguiu até a época dos monarcas ptolomeus, só tendo terminado quando os gregos começaram a cunhar moedas.

Visto que a prata era o metal precioso mais comum da Palestina (o que também ocorria na Assíria e na Babilônia), esse era o metal mais freqüentemente usado como dinheiro. Algumas vezes, os metais preciosos eram usados no fabrico de jóias de pesos específicos, itens esses que então eram usados como dinheiro. Abraão presenteou Rebeca com um anel de ouro com o peso de meio siclo, bem como braceletes de dez siclos (Gên. 24:22), o que representava um considerável valor. O ouro era fundido sob a forma de barras ou cunhas (no hebraico, «línguas»). Algumas vezes, essas barras eram marcadas, identificando-as com algum lugar específico, como o «ouro de Ofir» (Isa. 13:12). Tanto o ouro quanto a prata eram fundidos no formato de lingotes, de vasos, ou de pequenos fragmentos de vários formatos e pesos. Foi recebendo dinheiro dessa forma que José aumentou as rendas do governo egípcio (Gên. 47:14). O cobre, por ser de menor valor que o ouro ou a prata, era fundido em forma de discos circulares, chamados *kikkar* (círculo), palavra associada ao termo assírio *kakkaru*. O dinheiro de maior peso que se conhecia na antiguidade era aquele feito de cobre.

II. Alusões Bíblicas ao Dinheiro
No Antigo Testamento. Já vimos como diversos metais eram fundidos sob vários formatos. A prata era pesada pelos patriarcas (sem importar a forma que tivesse) (Gên. 42:25 ss; 43:15 ss; 44:1 ss). A compra de um lugar de sepulcro, em Efrom (Gên. 23:3,9,16) parece ter envolvido algum tipo de dinheiro corrente. Outro tanto é sugerido em Gênesis 33:18,19. As «peças de dinheiro», ali referidas, parecem indicar peças de

Moedas da Bíblia

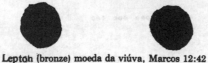

Lepton (bronze) moeda da viúva, Marcos 12:42

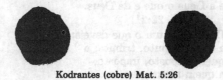

Kodrantes (cobre) Mat. 5:26

Denarius (prata) Lucas 10:35

Moeda de Prata de Simão Macabeu (I Mac. 15:6), A.C. 145

Moeda de prata de Simão Macabeu, A.C. 145

Moeda de prata de Simão Bar-Coohab

Tamanhos exatos

Dinheiro

••• ••• •••

Dai pois a Cesar o que é de Cesar
e a Deus o que é de Deus.
(Mat. 22:21)

Dai a cada um o que deveis;
a quem tributo, tributo; a
quem imposto, imposto;
a quem temor, temor;
a quem honra, honra.
(Rom. 13:7)

Verso

Deus é poderoso para fazer abundar em vós
toda a graça, a fim de que tendo sempre,
em tudo, toda a suficiência,
abundeis em toda a boa obra.
(II Cor. 9:8)

Não lhe darás teu dinheiro com usura,
nem darás o teu manjar por interesse.
(Lev. 25:37)

O amor do dinheiro é a raiz de toda
a espécie de males; e nessa cobiça
alguns se desviaram da fé, e se
transpassaram a si mesmos com muitas
dores.
(I Tim. 6:10)

Não vos inqueteis pois pelo dia de
amanhã, porque o dia de amanhã
cuidará de si mesmo...
...

Não andeis pois inquietos, dizendo:
que comeremos, ou que beberemos, ou
com que nos vestiremos?
...

De certo vosso Pai celestial bem
sabe que necessitais de todas estas
coisas. Mas buscai primeiro
o reino de Deus e a sua
justiça, e todas estas coisas
vos serão acrescentadas.
(Mat. 6:34; 31-33)

••• ••• •••

DINHEIRO

metal em vários formatos, ou então algum tipo antigo de moedas. Os intérpretes não têm conseguido determinar a natureza exata desse tipo de dinheiro. Os informes que envolvem José, no Egito, mostram que ele conhecia formas de dinheiro usadas no intercâmbio. Ver Gên. 43:21; 47:13-16. A legislação mosaica estipulava o *siclo* de prata como o preço a ser pago em resgate por um israelita do sexo masculino (Êxo. 30:13 *ss*), bem como por compensações e multas (Êxo. 21:23; Lev. 5:15; Deut. 22:19,20). Havia – o meio siclo – ou «beca» (Êxodo 38:26), e também o «quarto siclo de prata» (I Samuel 9:8). O *siclo* era um peso de prata, com vinte *geras*, embora desconheça-se o formato exato do siclo. Essa unidade monetária estava alicerçada sobre uma medida fenícia mais antiga; mas, nos tempos pós-exílicos era mais pesada do que aquela empregada na Babilônia.

Somas mais elevadas eram calculadas em termos de *talentos*, o que, no hebraico, significa «coisa redonda», talvez referindo-se à prata em forma de argolas ou massas arredondadas, com o peso de três mil siclos. O máximo que temos podido descobrir sobre o peso do siclo, uma medida semítica comum, é que esse peso variava consideravelmente de século para século e de lugar para lugar. Por conseguinte, é impossível relacionar esse peso ao nosso sistema métrico decimal. Algumas descobertas demonstram, entretanto, uma média de cerca de 11,38 mg. Ver o artigo separado sobre *Pesos e Medidas*.

Sumário das Evidências do Antigo Testamento. Na remota antiguidade, certas mercadorias eram usadas como dinheiro, embora desde bem cedo (como a época dos patriarcas) tivessem começado a ser usados metais de vários tipos, formas e pesos. Desde os dias de Abraão, a prata vem sendo usada como dinheiro, e a arqueologia tem mostrado que isso também ocorria no Egito e na terra de Canaã. É possível que houvesse alguma forma de padronização, visto que o dinheiro do Egito e da terra de Canaã são mencionados juntamente. Havia alguma espécie de intercâmbio, porquanto se sabe que o dinheiro em argolas dos egípcios era bastante parecido com o dinheiro usado pelos celtas. É possível que comerciantes fenícios tenham ajudado a impor essa circunstância por todo o mundo civilizado de então.

No Novo Testamento. Havia quatro tipos de dinheiro em circulação na Palestina, no século I D.C., a saber. 1. dinheiro em forma de moedas, dinheiro romano, cunhado em Roma. 2. Moedas principais cunhadas em Antioquia e em Tiro, que representavam, essencialmente, os padrões antigos das moedas gregas. Esse tipo de dinheiro corria livremente na Palestina e na Ásia Menor. 3. O dinheiro local dos judeus, provavelmente cunhado em Cesaréia. 4. Certas cidades e reis vassalos recebiam o direito de cunhar suas próprias moedas, usualmente feitas de bronze. Havendo tantos tipos de dinheiro em circulação, tornava-se necessária a profissão dos cambistas. Esses cambistas armavam suas mesas, em Jerusalém, no átrio dos *gentios do templo*; e, naturalmente, havendo tanto dinheiro em circulação, campeava a desonestidade. Jesus expulsou do templo os cambistas por motivos morais (e não políticos) (João 2:15; Mat. 21:12; Mar. 11:15; Luc. 19:45 *ss*).

Em consonância com os antigos costumes, os metais mais freqüentemente usados no fabrico de moedas eram o ouro, a prata e o cobre, mas também havia moedas de bronze ou latão (no grego, *chalkós*) (Mat. 10:9; Mar. 6:8). Esse último metal era usado em moedas de menor valor, como o *leptón* dos judeus. A prata era largamente empregada, tal como nos

tempos mais antigos, pelo que o termo grego para «prata», *argúrion*, veio a ser empregado para designar o dinheiro em geral.

As moedas de prata do Novo Testamento são a tetradracma ática (também chamada estáter), o denário romano, e o didracma. O vocábulo grego *chrusós*, «ouro», usualmente refere-se ao próprio metal, mas também indica, ocasionalmente, uma moeda de ouro, como em Mat. 10:9; Atos 3:6; Tia. 5:3. O *aureus* romano valia vinte e cinco *denários*, e era, como seu nome mesmo indica, uma moeda de ouro. O cobre era usado para fazer o *quadrante*, que valia uma décima sexta parte do denário de prata, e era a menor moeda romana em circulação, da mesma forma que o *leptón* era a menor moeda judaica. O vocábulo grego *chrema* era usado para referir-se às riquezas em forma de propriedades, ou em forma de dinheiro em geral (Atos 4:37; 8:18,20; 24:26). O termo grego *kerma* era usado para designar pequenos trocos (João 2:15). Vem do termo grego *keiro*, *cortar*, ou seja, fazer pequenas peças de alguma coisa, como moedas de pouco valor. Quanto a detalhes, ver as descrições sobre as *moedas*, abaixo.

III. Dinheiro Sob a Forma de Moedas

É fácil perceber como as moedas surgiram, depois que os metais começaram a ser usados como padrões de peso e valor. Algumas moedas tinham marcas identificadoras, referindo-se a alguma região, país ou rei em particular. Visto que o transporte de barras e peças de metal, em sacolas, não era uma tarefa agradável, tornou-se conveniente fazer pequenas peças de metal, com inscrições. Sabemos que Senaqueribe (cerca de 701 A.C.) contava com um processo que se assemelhava à cunhagem de moedas, embora talvez ali ainda não se cunhassem verdadeiras moedas. O dinheiro em forma de moedas aparentemente foi inventado pelos lídios da Anatólia. A Anatólia é uma península montanhosa que compreende a porção mais ocidental da Ásia, e quase a totalidade da moderna Turquia. Esse nome tem sido usado como sinônimo da Ásia Menor. Heródoto refere-se especificamente ao fato de que Creso, da Lídia (562-546 A.C.), foi quem introduziu as moedas (i.94). Suas moedas de ouro eram chamadas croesides. Mas outros estudiosos, apesar de admitirem que as moedas surgiram então, naquela região do mundo, fazem a questão retroceder até o século VII A.C. Seja como for, a prática popularizou-se desde que apareceu, e não demorou muito para que o dinheiro, na forma de moedas, fosse abundante por todo o mundo ao derredor do mar Egeu. Ciro, o Grande, que derrotou o riquíssimo Creso, bem como Sárdis, a sua capital (em cerca de 546 A.C.), introduziu as moedas no império persa, por ele fundado. Dario, o Grande (522-486 A.C.), muito se utilizou de moedas no comércio de seu império. A cunhagem de moedas era uma prática tão simples, e tão útil. É provável que os brilhantes gregos, que não foram os inventores do sistema de moedas, uma vez que tomaram conhecimento dessa prática, tivessem ficado boquiabertos porque não haviam pensado antes na idéia. A moeda persa chamada *dárico* derivava o nome do imperador, Dario. Era uma espessa moeda de ouro com a efigie do monarca, ajoelhado e armado com arco e flecha. Havia uma marca perfurada no reverso da moeda. Pesava 130 gramas. O siclo persa pesava 85,5 gramas.

1. Moedas Judias. Antíoco VII concedeu a Israel o direito de cunhar as suas próprias moedas (140 A.C.), segundo se lê em I Macabeus 15:6. As moedas dos judeus eram cunhadas em bronze, em contraste com

DINHEIRO — DINSMORE

as moedas de prata dos vizinhos de Israel. Moedas de cobre foram cunhadas pelas famílias asmoneana e herodiana (cerca de 140 A.C.). As moedas judias evitavam a figura humana, para que não houvesse o risco de desobedecer ao mandamento contra a idolatria. Os judeus, em suas moedas, preferiam gravuras de objetos inanimados, como plantas, etc. As moedas cunhadas por Herodes, entretanto, faziam exceção ao costume, retratando a efígie de governantes.

Os judeus cunharam moedas de prata durante o tempo da primeira revolta contra os romanos (66-70 D.C.), com diversos valores. As destruições feitas pelos romanos furtaram aos judeus as minas de metais, pelo que cessou a cunhagem de moedas na Judéia. A única moeda judaica mencionada no Novo Testamento é o *leptón* (Mar. 12:42; Luc. 12:59; 21:2), que nossa versão portuguesa traduz por «centavo», em Luc. 12:50, ao passo que nas outras duas referências só fala em pequenas moedas. Essa palavra vem do grego *leptós*, «pequeno» ou «fino». De fato, em Lucas 12:59 é mencionada como a menor moeda imaginável. Valia cerca de meio *quadrante* romano. Eram necessários sessenta e quatro quadrantes para formar um denário, o que significa que um denário valia cento e vinte e oito leptas. O denário correspondia ao salário de um dia de um trabalhador do campo, o que significa que um trabalhador desses ganhava cerca de 128 lepta pelo trabalho de um dia inteiro, o que mostra o minúsculo valor de um *leptón*.

2. Moedas Gregas. A unidade básica, desse sistema, era a **dracma** de prata. A **mna** valia cem dracmas. O talento valia seis mil *mnas*. Não há como determinar o valor correspondente da dracma grega com o dinheiro moderno. Mas sabemos que, em cerca de 300 A.C., uma dracma era o valor de uma ovelha, e que um boi custava cerca de cinco dracmas (Demétrio Falereus), pelo que a moeda tinha considerável poder de compra na época. A didracma (duas dracmas) era usada como moeda do imposto anual do templo de Jerusalém (Mat. 17:24), um regulamento derivado do dinheiro prescrito para a expiação, em Êxodo 30:11-16. Se a moeda tivesse retido o seu primitivo valor, então o holocausto de duas ovelhas anuais era o sacrifício oferecido pelas pessoas mais pobres. Após a destruição de Jerusalém, em 70 D.C., esse dinheiro foi encaminhado ao tesouro romano, segundo lemos em Josefo (*Guerras* 7:6,6), o que deve ter sido bem amargo para os judeus.

O *estáter* era uma moeda de prata que valia quatro dracmas. Ela é mencionada em Mat. 17:27, no relato sobre como Jesus pagou a taxa do templo, por si mesmo e por Pedro. Essa moeda era cunhada em Antioquia, em Cesaréia, na Capadócia e em Tiro. Foi Pompeu quem fixou o valor do estáter em quatro denários (65 D.C.), o que significa que a dracma e o denário terminaram por ter exatamente o mesmo valor. É bem provável que as moedas recebidas por Judas Iscariotes, em pagamento por sua traição, tenham sido estáteres. Nesse caso, ele recebeu o valor de cerca de cento e trinta denários, embora alguns pensem que, naquele tempo, a moeda valia ainda apenas três, e não quatro denários. Seja como for, supondo-se que ele recebeu um valor equivalente a cento e trinta denários, o pagamento pela traição equivalau cerca de quatro a cinco meses de labor, ao nível dos trabalhadores das fazendas. Essa era uma quantia tentadora para um homem ganancioso como Judas, mas absolutamente ridícula para o imenso serviço que ele prestou às autoridades religiosas dos judeus. Não é surpreendente que Judas logo se tenha enchido de remorsos, depois que foi atingido por

pensamentos mais sóbrios. Ver Mat. 26:15.

A moeda grega *mna* (mina) é mencionada no trecho paralelo de Lucas 19:11-27.

O *talento* era uma unidade monetária, e não uma moeda. Seu valor variava de acordo com o metal envolvido. Em Mateus 18:24, o termo é usado para indicar uma imensa soma em dinheiro. Valia 240 aurei romanos (ver acima), ou seja, cerca de seis mil denários, visto que o aureus valia vinte e cinco denários. Um trabalhador de fazenda, portanto, precisaria trabalhar por cerca de vinte anos para ganhar todo aquele dinheiro.

3. Moedas Romanas. A unidade básica do dinheiro romano era o denário de prata, que valia o salário de um trabalhador do campo, e mais do que o salário diário de um soldado romano. A moeda de maior valor era o *aureus*, que valia vinte e cinco denários. Seu peso, fixado por Júlio César, em 49 A.C., era de cerca de 125,3 gramas. Mas, na época de Nero, já havia sido depreciado para 115 gramas.

O *quadrante* (no grego, *kodrantes*) era a menor moeda romana, valendo duas *leptas* judias, um quarto de um *asse* e 1/64 avos de um denário. Um trabalhador de fazenda ganhava cerca de 64 quadrantes por dia. Horácio (*Sátiras* ii.3.93) e Juvenal (viii.8) referiram-se ao quadrante como a menor moeda romana. O trecho de Marcos 12:42 informa-nos que essa moeda valia duas *leptas*.

O *asse* de cobre (no grego, *assárion;* Mat. 10:29 e Luc. 12:6) valia a décima sexta parte do denário de prata. É mencionado nessas duas referências como o preço de dois pardais.

O *denário* era a moeda básica. Era assim chamada porque, no começo, valia dez asses de cobre: deni = dez a cada vez. Porém, a partir de 217 A.C. em diante, veio a valer dezesseis asses. Com base na parábola de Mat. 20:1-16, torna-se claro que era o salário pago pelo trabalho diário de um trabalhador comum. O bom samaritano deu ao dono da hospedaria dois denários. Em Apocalipse 6:6, uma medida de trigo e três medidas de cevada são avaliadas em um denário, mas isso corresponderá aos preços em um período de grande escassez. Na época da produção do Apocalipse, o denário era uma moeda que estampava a efígie do imperador Tibério, cercado de louros; no reverso havia a efígie de sua mãe, Lívia, fazendo o papel da Paz, segurando um ramo e um cetro. Os mais antigos espécimes que temos dessa moeda pertencem ao século II A.C. Cerca de oitenta e quatro dessas moedas podiam ser cunhadas com base em meio quilograma de metal, o que significa que ela pesava cerca de seis miligramas. Nero depreciou essa moeda, tornando-a mais leve, de tal modo que, em seu tempo, faziam-se noventa e seis moedas com a mesma quantidade de metal, meio quilograma.

O *aureus* era a moeda de ouro. Foi moeda introduzida por Júlio César como parte de suas reformas financeiras, no ano de 49 A.C. Valia vinte e cinco denários. Josefo (*Antiq.* 14:8,5) a menciona — embora não apareça a palavra *aureus*, propriamente dita, nas páginas do Novo Testamento. Alguns estudiosos pensam que se trata da moeda de ouro que parece ser mencionada em Mateus 10:9.

DINHEIRO DO TRIBUTO

Ver os artigos sobre **Tributo** e **Dinheiro**.

DINSMORE, CHARLES ALLEN

Suas datas foram 1860-1941. Foi um teólogo, ministro, erudito e educador norte-americano. Foi

DIOCESE — DIOGNETO

pastor congregacional e professor em Yale. Fazia conferências sobre o conteúdo espiritual da literatura. Tornou-se melhor conhecido por suas inigualáveis interpretações de Dante. Escreveu três volumes sobre o assunto. Porém, também escreveu sobre a Bíblia e a teologia, bem como sobre os grandes poetas. Seu livro mais largamente lido é chamado *Atonement in Literature and Life*, que encontrou lugar permanente na literatura sobre esse assunto.

DIOCESE

Essa palavra vem do grego, **dioikesis**, que alude ao distrito ou jurisdição de um governo. Era palavra originalmente usada para designar as províncias gregas do império romano. Com base na idéia, a Igreja cristã começou a usar o vocábulo para referir-se às áreas de jurisdição episcopal. Na Igreja ocidental, a diocese é o distrito da jurisdição de um bispo. Houve tempo em que essas dioceses envolviam maior área do que atualmente.

DIOCLECIANO

Imperador romano entre 284-305 D.C. Temendo a força da Igreja cristã, ele promoveu a última grande perseguição contra os cristãos, que só chegou ao fim quando do governo de Constantino.

DIOFISISTA

Essa palavra vem do grego **duo**, «dois», e **phúsis**, «natureza». Esse adjetivo refere-se ao indivíduo que ensina que em Cristo Jesus havia duas naturezas, uma divina e outra humana. Essa posição foi definida, dentro da fórmula de Calcedônia, em 451 D.C., como aquela que diz que a natureza de Cristo é «sem confusão, mudança, divisão ou separação». Os diofisistas eram aqueles que, no século V D.C., mantinham essa idéia. Eles devem ser contrastados com os monofisistas (que vide), que pensavam em uma única natureza de Cristo. Ver o artigo geral sobre a *Cristologia*.

DIÓGENES DE APOLÔNIA

Um filósofo grego jônico do século V A.C. Foi discípulo de Anaxímenes e Anaxágoras (ver os artigos sobre eles). Ele pensava que o ar seria o elemento básico que, mediante condensação e rarefação, torna-se em tudo o mais. Ele opinava que o ar tem consciência e é capaz de uma função diretiva. Desse modo, ele desenvolveu uma teleologia, supondo que todas as coisas demonstram desígnio. O seu principal livro intitula-se *Sobre a Natureza*.

DIÓGENES DE IONOANDA

Filósofo grego dos séculos II e III D.C., pertencente à tradição de Epicuro. Ele desenvolveu o argumento de Epicuro contra o temor da morte e dos deuses, assumindo a posição deísta de que, se existem deuses, eles permanecem distantes dos homens, não entrando em contacto com eles sob hipótese alguma. Além disso, nada haveria fora da matéria, pelo que nenhuma alma sobreviveria para ir para algum destino indeterminado, que os homens precisem temer. Ele argumentava contra o determinismo estóico.

DIÓGENES DE SINOPE

Suas datas aproximadas foram 412-323 A.C. Foi um filósofo grego, o mais famoso e colorido dos cínicos (que vide). Nasceu em Sinoe, na Ásia Menor, que atualmente faz parte da Turquia. Diógenes tornou-se precursor do estoicismo. Para os estóicos ele era o paradigma da virtude, incorporando as idéias estóicas da virtude (*independência*), da autoconfiança e da *indiferença* diante de todas as coisas materiais. Ele começou sua carreira como discípulo do cínico Antístenes, que ensinava que somente a virtude pode trazer-nos a felicidade, e que essa virtude consiste, principalmente, na atitude de indiferença para com os valores deste mundo, de combinação com a autoconfiança e a independência. Ele supunha que a verdadeira moralidade deve incorporar o retorno à simplicidade natural, visto que a sociedade tornou-se artificial e luxuosa. Outrossim, a virtude requer que o homem evite os prazeres físicos, que formam um dos valores pervertidos da sociedade. Tanto a dor quanto a fome, por outra parte, são ajudas positivas para que a pessoa atinja a virtude, visto que são o exato oposto do que as pessoas crassas procuram.

Com base em várias lendas e estórias, (incluindo as *Vidas e Filósofos Eminentes*, de Diógenes Laércio), aprendemos algumas coisas interessantes, embora não saibamos dizer quantas são verdadeiras. Alguns dizem que ele viveu em uma banheira, no templo de Cibele. Ele reduziu sua vida à mais total simplicidade, e a única coisa que ele possuía era um copo, no qual bebia. Um dia, viu um escravo beber água nas mãos em forma de concha. Ao ver isso, Diógenes quebrou seu copo, porquanto percebeu que podia viver sem o mesmo. Um outro episódio sobre ele nos quer fazer crer que Alexandre o Grande o visitou, oferecendo-se para fazer por ele o que mais lhe agradasse. Diógenes disse-lhe que a única coisa que queria era que Alexandre se afastasse para um lado, porquanto estava fazendo sombra sobre ele, e ele queria apanhar sol.

A tradição também diz que Alexandre proclamou um dia: «Se eu não fosse Alexandre, gostaria de ser Diógenes». Diógenes foi quem saiu com uma candeia acesa, em pleno meio-dia, procurando por um homem verdadeiramente bom. Sua maneira de falar era sarcástica, e suas maneiras animalescas e simples ganharam para ele o seu apelido, «o Cão».

DIÓGENES LAÉRCIO

Ele foi um famoso biógrafo do século III A.C., o que preparou extenso material sobre escolas filosóficas gregas, especialmente sobre Platão, Epicuro, o estoicismo e o ceticismo. Portanto, ele se tornou uma grande fonte de informações sobre essas questões. Muitas obras assim têm sido escritas; mas as dele sobreviveram, entre outras poucas. Ele escreveu a obra *Vidas de Filósofos Eminentes*.

DIOGNETO, EPÍSTOLA A

O Diogneto em pauta provavelmente foi o tutor de Marco Aurélio (que vide). Essa epístola, pois, presumivelmente foi escrita a ele. Trata-se de uma carta altamente retórica, que tinha por intuito ser uma apologia do cristianismo. Ela retrata os cristãos como a alma do mundo. Os capítulos onze e doze são uma homilia de um autor posterior. A obra argumenta em prol da **origem sobrenatural** da fé cristã. Esse fato é a esperança que Deus dá em prol da salvação do homem, através de Jesus Cristo. Essa obra já foi atribuída a Justino Mártir. A verdade, porém, é que não se sabe quem foi o autor. Essa apologia é uma astuta peça de literatura, uma

DÍON CRISÓSTOMO — DIONÍSIO

obra-prima da literatura cristã grega. Ver o artigo sobre os *Apologetas*, quanto a esse tipo de atividade da Igreja cristã primitiva.

DÍON CRISÓSTOMO

Suas datas foram 40-120 D.C. Foi um filósofo grego; nasceu em Prusa, na Bitínia; foi exilado para a Itália por razões políticas, e tornou-se um filósofo cínico. Retornou à sua terra e levou o cinismo (que vide) com ele. Desenvolveu mais a diatribe (que vide), que fora introduzida por Bíon de Borístenes (que vide). Sobrevivem setenta e oito de seus discursos, que demonstram o seu sistema e retórica, que nos informam sobre sua doutrina. Seus pontos de vista cósmicos andavam próximos do estoicismo (que vide), sendo esse sistema diferente do cinismo normal e seu individualismo.

DIONÍSIA

Essa palavra refere-se a uma série de festividades efetuadas em honra a Dionísio (que vide), o deus do vinho e da orgia.

A Oscoforia. Essa era a primeira das festas efetuadas em outubro-novembro, celebrada juntamente com competições atléticas, cânticos, sacrifícios e banquetes. Comemorava o amadurecimento da uva.

A Pequena Dionísia. Era efetuada nos meses de dezembro-janeiro, para celebrar a primeira prova do vinho. Havia uma solene procissão, que conduzia até o altar desse deus, tudo coroado por um sacrifício.

A Lenoea. Essa era a festividade dos tonéis, efetuada em Atenas em janeiro-fevereiro, em Lenaeon, que era o mais antigo e sagrado santuário dessa divindade. Havia uma refeição oferecida gratuitamente a todos, paga pelo Estado, um cortejo e algumas produções teatrais.

A Antesteria. Era uma celebração de três dias, nos meses de fevereiro-março; eram abertos odres de vinho novo; havia um casamento simbólico entre a esposa do sumo sacerdote e o deus.

A Grande Dionísia Urbana. Essa festa era efetuada por seis dias, nos meses de março-abril. Havia um cortejo e cânticos; e também produções teatrais.

Essa palavra vem do grego *dios*, «deus», bem como do termo trácio *nusos*, «filho de». Mas alguns estudiosos dizem que a palavra significa «árvore», o que daria, em resultado, os possíveis títulos de «filho de Deus» ou «filho de uma árvore». Nesse último caso, temos a idéia de seiva de uma árvore, a força doadora da vida biológica da árvore.

DIONÍSIO (O AREOPAGITA)

Quanto a Dionísio, o areopagita, que se sabe sobre ele? Nada que seja verdadeiramente histórico se sabe a respeito desse personagem, excetuando aquilo que aparece em Atos 17:34 além de certas inferências sobre a importância de sua pessoa, com base na observação de que ele era um dos doze juízes do Areópago. Ora, ninguém podia ocupar aquele ofício sem que primeiramente houvesse ocupado a posição de «archon», isto é, governador principal da cidade; e ninguém jamais ocupou o cargo de juiz daquele tribunal de Atenas sem que primeiramente houvesse adquirido a reputação de ser homem inteligente, dotado de sabedoria e ser pessoa de conduta exemplar.

Referindo-se ao Areópago e sua dignidade, através do que podemos compreender melhor a posição de Dionísio, Curtius, em sua obra, *History of Greece*, 1.307, diz: «Ali, em vez de um único juiz, um colégio de doze homens de comprovada integridade, foi que dirigiu o julgamento. Se algum réu contasse com igual número de pontos, contra e a favor, era inocentado. O tribunal da colina de Ares é uma das mais antigas instituições de Atenas; e nenhum outro obteve para aquela cidade, tão pronta ou tão generalizada fama. O código penal do Areópago foi adotado como norma por todos os legisladores subseqüentes».

Há uma tradição do segundo século de nossa era, preservada por Eusébio, em sua *História Eclesiástica*, iii.4,iv.23, que faz de *Dionísio*, o areopagita, primeiro bispo ou pastor da igreja cristã de Atenas. *Nicéforo* iii.11 apresenta-o como um mártir. No entanto, não pode haver qualquer certeza acerca da veracidade dessas tradições, como também não existe meio de investigarmos o caso. No entanto, Suidas, um lexicógrafo grego, que viveu em cerca de 970 D.C. e cuja obra incluiu boa porção de material biográfico, dá-nos a informação de que Dionísio, o areopagita, era ateniense de nascimento, tendo-se destacado por suas realizações literárias. Teria ele, ainda segundo as mesmas fontes, estudado primeiramente em Atenas, e, posteriormente, em Heliópolis, no Egito. Acredita-se que Dionísio, o areopagita, quando do período de trevas que houve por ocasião da morte de Cristo, teria exclamado: «Ou a divindade está sofrendo, ou simpatiza com algum sofredor». O mesmo autor, Suidas, diz-nos igualmente que, tendo Dionísio abraçado o cristianismo, tornou-se mais tarde bispo de Atenas. *Aristides,* um filósofo ateniense, concorda com a informação que apresenta Dionísio, o areopagita, como um mártir do cristianismo.

Um grupo de escritos de natureza elaboradamente filosófica, religiosa e mística tem sido atribuído a Dionísio, o areopagita. Mas atualmente se reconhece que essas obras são composição de um ou mais autores neoplatônicos, que não teriam vivido antes do século IV D.C. O mais provável, contudo, é que tais escritos pertençam a uma época ainda posterior, talvez ao quinto ou sexto séculos da era cristã. Durante a Idade Média esses escritos foram traduzidos para o latim por Johannes Scotus (século XX D.C.), tendo-se tornado muito populares como um compêndio de misticismo, quando se tornaram quase tão influentes quanto os escritos do próprio apóstolo Paulo.

«Essas obras, de caráter profundamente místico, e imbuídas de noções do neoplatonismo, novamente aplicam, à teologia cristã, as doutrinas cardeais de Plotino e de Proclus, a natureza inefável do Um, a extensão da emanação para além da hipóstase divina à alma humana e ao universo, a constituição tríplice de todas as coisas, e o conceito do processo mundial como um derramamento eterno e infinito da essência divina, bem como o retorno da essência divina à sua origem. Tendo abolido, como fizeram, as distinções ortodoxas de categoria entre Deus e o universo criado, todos esses pontos de vista eram panteístas e heréticos. No entanto, exerceram notável influência sobre todo o misticismo cristão subseqüente, tendo ajudado a encorajar muitos pensadores ousados a passarem da ortodoxia para uma heresia similar». (Fuller and McMurrin, *History of Philosophy*, Nova Iorque, Henry Holt and Company, pág. 329, primeira seção).

Atualmente esses escritos são aludidos como produtos do *Pseudo-Dionísio*, porquanto nenhum estudioso moderno imagina que o Dionísio original, o areopagita, teria escrito tais coisas. Nos tempos

DIONÍSIO

antigos era comum os escritores publicarem as suas obras sob o pálio de nomes famosos, em vez de fazerem-no em seu próprio nome, o que era feito a fim de emprestar maior prestígio a essas obras.

«A lenda dos Sete Campeões da Cristandade transformou Dionísio, o areopagita, no São Dênis, da França. Uma igreja, dedicada a ele, está atualmente erigida no Areópago, na moderna cidade de Atenas». (E.H. Plumptre, em Atos 17:34).

DIONÍSIO DE ALEXANDRIA

Faleceu em 265 D.C. Eusébio chamou-o de *grande bispo de Alexandria*. Atanásio chamou-o de «o mestre da Igreja Católica». Foi um dos discípulos mais importantes de Orígenes. Tomou à frente a tarefa de refutar os materialistas atômicos, opondo-se também ao quiliasmo e ao sabelianismo (ver os artigos a respeito). Porém, Dionísio de Roma (que vide) acusou-o de erro, porquanto promoveu uma doutrina de Deus que parecia mais triteísta do que trinitariana. Harnack referiu-se a essa controvérsia como «prelúdio do conflito ariano».

Converteu-se do paganismo e subiu rapidamente em sua vida cristã, até que, finalmente, tornou-se cabeça da escola catequética de Alexandria e bispo de Alexandria (247-248 D.C.). Durante a perseguição de Décio, fugiu da cidade, mas retornou para ali em 251 D.C. Quando da perseguição movida por Valeriano, foi exilado para a Líbia (257 D.C.), mas retornou novamente, após poucos anos. Daí por diante sua vida foi caracterizada por controvérsias doutrinárias, especialmente quanto à doutrina de Deus. O papa Dionísio (pontificou de 259 a 268 D.C.) acusou-o de fazer o Filho ser inferior ao Pai. Dionísio replicou que o *homoousios* não é bíblico, podendo dar a entender que o Pai e o Filho são uma só Pessoa, bem como uma só Substância. Nisso, a distinção de pessoas na Trindade pode ser obscurecida, o que constituía o erro do sabelianismo (que vide). Restou apenas uma pequena porção de seus escritos, principalmente partes de sua obra Réplica e Defesa, que é uma defesa de sua doutrina, procurando mostrar que a mesma estava ao lado da ortodoxia. Não teria sido melhor se ele tivesse escrito: «Minha única ortodoxia é a verdade»?

DIONÍSIO DE ROMA

Faleceu em 269 D.C. Foi bispo (papa) de Roma. Foi eminente promotor do poder da Sé romana. Opôs-se às doutrinas de Orígenes, conforme isso é refletido nos escritos de Dionísio de Alexandria (que vide). Dispomos apenas de fragmentos de seus escritos, essencialmente aqueles preservados por Atanásio (que vide). Em sua controvérsia com Dionísio de Alexandria, ele foi o virtual vencedor, pois a teologia deste último foi revisada, se não em espírito, pelo menos quanto à forma.

DIONÍSIO, O PSEUDO-AEROPAGITA

Também chamado de **Pseudo-Dionísio**, foi autor de várias obras teológicas, que, equivocadamente, foram atribuídas a Dionísio, o Aeropagita (que vide), um dos convertidos de Paulo em Atenas (Atos 17:34). Essa reivindicação emprestou respeito e grande circulação às suas obras. Porém, as evidências internas indicam que estamos tratando com uma produção literária dos séculos V e VI D.C. Essas obras foram mencionadas inicialmente por Severo, patriarca de Antioquia (512-518 D.C.). Esses escritos foram usados pelos monofisistas severianos quando da conferência teológica de Constantinopla (532 D.C.).

Hipácio (falecido em 536 D.C.), bispo de Éfeso, com justiça fez objeção ao uso dessas obras, porquanto as mesmas não foram mencionadas pelos mais antigos pais da Igreja.

A coletânea inclui os tratados intitulados *Nomes Divinos, Teologia Mística, Hierarquia Celestial* e *Hierarquia Eclesiástica*. O que temos ali é essencialmente, uma interpretação neoplatônica do cristianismo, com uma teologia completa, cujos elementos são os seguintes: a transcendência de Deus, o qual opera através da hierarquia de nova ordens angelicais; Seu poder, pois foi conferido à Igreja; a Igreja reflete, em sua hierarquia, a hierarquia celestial. Essa ordem atingiria sua mais elevada realização quando da ressurreição. As principais idéias que unem a obra são a tríada: purgativa, iluminadora e unificadora. Essas idéias continuaram influentes no Ocidente até o século IX D.C.; e, mesmo depois disso, provocaram muitos comentários. Os estudiosos não sabem dizer quem foi o autor real dessa obra; mas trata-se de uma obra clássica de expressão religiosa, com base na qual podemos aprender muitas coisas, sem importar os problemas que nela estejam envolvidos.

DIONISO (DEUS)

Na mitologia grega, era o deus da fertilidade e da vegetação, embora a sua adoração estivesse centralizada em torno da produção e usos do vinho. Um título alternativo era *Baco*, seu nome romano. O culto a Dionísio caracterizava-se por todo tipo de excessos, danças selvagens, orgias sexuais e loucura em geral. A mitologia grega fazia de Dionísio filho de Zeus e da mulher humana Semele. Ela caiu no erro de querer ver a glória de Zeus, pelo que ela foi incinerada ao receber a visão; mas Dionísio foi salvo, tendo sido arrebatado do ventre dela. Visto que esse deus não teve um meio natural para nascer, foi criado um arranjo especial, e o próprio Zeus o recebeu em seu colo, onde ele foi semeado. E, no devido tempo, ele nasceu. Quando se tornou adulto, Dionísio se pôs a viajar pelo mundo inteiro, ensinando a viticultura à humanidade e propagando o seu culto religioso, que era uma adoração selvagem, com a presença de ninfas e sátiros. Juntamente com o frenesi, que incluía os excessos mencionados acima, um tipo de clímax era quando os animais eram despedaçados e suas carnes eram comidas cruas. Em torno desse culto desenvolveram-se todas as formas de mitos e estórias, das quais a mais famosa foi a última e mais estranha tragédia de Eurípedes, as *Bacchae*, um drama que, quando visto como deve, é um comovente e horroroso estudo da adoração a Dionísio, conforme Eurípedes a conhecia. Todavia, os eruditos modernos supõem que o drama, a tragédia e a comédia, conforme os autores gregos os desenvolveram, devem muito à adoração a Dionísio e suas festividades. Não somente Eurípedes, mas também Ésquilo e Sófocles mostram a sua influência. Esse deus representa a seiva doadora de vida ou os líquidos da natureza, o suco da uva, o sangue dos animais, o poder de vida existente em todas as coisas. Portanto, há algo de muito básico nesse culto que os pagãos distorceram. Esse culto satisfazia a impulsos estranhos e terríveis dos seres humanos, sublimando-os como formas de adoração. O livro de certo autor, que tenho à minha frente neste momento, vê uma atividade similar na excitação em massa gerada por vários cultos e religiões, até mesmo em nossos dias, envolvendo grupos e nomes como os tremedores, o hassidismo judaico, os derviches islâmicos e os samãs siberianos. E não poderíamos incluir nessa categoria, ao menos, certo aspecto do movimento carismático (que vide) que, em alguns

165

DIOSCORÍNTIO — DIÓTREFES

lugares, ultrapassa todos os limites da propriedade, em sua exagerada ênfase sobre o lado emocional do ser humano?

Uma interessante doutrina associada ao deus Dionísio é o conceito da *alma (psyche)*. Em contraste com os escritos homéricos, que falavam na alma como uma sombra, a alma humana, nesse culto, era encarada como o princípio da natureza humana, o seu verdadeiro «eu», que se exilou neste mundo, mas que, na realidade, pertence ao mundo para além das estrelas. Buscando a sua verdadeira glória, mediante o êxtase e o frenesi, por alguns breves momentos, a alma escaparia dos limites do corpo físico, efetuando uma união com aquela divindade. Isso é psicologicamente significativo, porquanto vários grupos religiosos têm usado e continuam usando o *frenesi religioso* para provar experiências místicas, acreditando que algo da presença divina é conseguido. (AM E OS)

••• ••• •••

DIOSCORÍNTIO

Essa palavra encontra-se somente em II Macabeus 11:21. Acha-se em um contexto no qual uma carta é atribuída a Lísias, deputado de Antíoco Epifânio, que teria escrito aos judeus. A data aparece como o vigésimo quarto dia de *Dioscoríntio*, embora seja disputado o que isso significa. As idéias são as seguintes: 1. A referência pode ser ao mês *Dios*, do calendário macedônio, que corresponde ao mês judaico do Maresvan, Jos. *Anti*.3,3. Porem, o motivo pelo qual foi adicionada a palavra *coríntios*, é desconhecido. 2. Nos manuscritos latinos dessa passagem encontramos VLL. Dioscoridos, nome que não se sabe ser o nome de um mês; ou então Dióscurus, o terceiro mês do ano cretense. 3. Ou então é possível que a alusão seja a um mês intercalado, que os babilônios e judeus tinham de empregar para fazer seu calendário lunar harmonizar-se ao ano solar, o que era uma necessidade a cada dois ou três anos. O ano lunar é onze dias mais curto que o ano solar, pelo que um ajuste precisava ser feito ocasionalmente.

DIÓSCUROS

Por emblema Dióscuros, Atos 28:11. O **emblema** era o equivalente antigo ao «nome de um navio». A imagem de um deus, de um homem, de um animal ou de outro objeto qualquer, era esculpida ou pintada à proa da embarcação; e isso servia de identificação da mesma. Usualmente, a figura de uma divindade protetora também era fixada à popa.

Dióscuros. No original grego *koiné*, trata-se de uma palavra que, literalmente traduzida, seria *filhos de Zeus*. A tradução portuguesa AA retém o vocábulo grego, transliterado para o português. Outras traduções, como a tradução inglesa RSV, dão o sentido da palavra *Irmãos Gêmeos*, ao passo que outras, como a tradução inglesa KJ, dão os nomes desses gêmeos, isto é, *Castor e Pólux*, que supostamente eram filhos de Zeus. Os Dióscuros eram os filhos lendários de Zeus e de Leda. Esses deuses da mitologia greco-romana eram cultuados pelos marinheiros, sendo reputados como divindades protetoras dos marinheiros. A constelação «Gemini» (Gêmeos) recebeu seu nome com base nesses supostamente benéficos irmãos gêmeos. Os escritores antigos,

incluindo Sêneca, dizem-nos que essas estrelas, quando eram avistadas durante alguma tempestade, serviam de bom presságio.

Muitos nomes próprios pessoais, usados no mundo antigo, se derivavam, de uma forma ou de outra, desses deuses mitológicos. Tais deuses eram adorados especialmente na cidade de Esparta, como se fossem os protetores dos marinheiros, como já dissemos. Tais deuses têm sido representados em moedas cunhadas em Régio (ver Atos 28:13), como dois jovens a cavalo, com bonés cônicos e estrelas acima de suas cabeças. Eram notáveis pelo seu extraordinário amor fraternal e pela sua devoção um pelo outro, sendo também tipos ideais de bravura e de destreza na fuga. Antes de terem sido aceitos como divindades tutelares dos marinheiros, haviam servido de protetores da juventude, sendo adorados em Esparta e Olímpia juntamente com Héracles e outros heróis. Em Atenas eram honrados sob o nome de *Anakes* (Senhores Protetores).

Quando os marinheiros se encontravam em dificuldade, ante o mar bravio, faziam orações a esses deuses, pedindo a sua proteção, e faziam votos de sacrifício, que consistia em um cordeiro branco. E a tempestade, supostamente, amainava, sendo cumpridos os votos prometidos. Desde os tempos mais remotos a adoração a esses deuses mitológicos se espalhou à Itália e a outros lugares. Já em 414 A.C. havia sido erigido um templo consagrado a eles, na cidade de Roma, próximo do fórum, em gratidão ao seu aparecimento e ajuda, quando da batalha do lago Regilo, ocorrida doze anos antes. Nesse edifício, que ordinariamente era chamado de templo de Castor, o senado com freqüência efetuava as suas sessões.

Os nomes desses deuses gêmeos eram usualmente usados como imprecação, como também sucedia no caso de Hércules, outra figura mitológica. Todavia, o nome de Castor era invocado exclusivamente pelas mulheres. Em honra a Castor e Pólux é que, a cada quinze de julho, havia a passeata dos *equites* romanos. A imagem desses gêmeos imaginários pode ser vista estampada no reverso das mais antigas moedas de prata dos romanos.

DIOTELETISMO

Palavra que provém do grego, «duas vontades». Refere-se à posição teológica de que, em Cristo, residiam duas vontades, uma divina, e a outra humana, correspondentes às suas duas supostas naturezas distintas. Houve teólogos ortodoxos que ensinavam ambas essas doutrinas. O termo é contrastado com o monotelismo (que vide), que ensina a existência de uma única vontade em Cristo; mas isso era explicado de diferentes maneiras, conforme declara o artigo sobre aquele assunto.

DIÓTREFES

III João 9: *Escrevi alguma coisa à Igreja; mas Diótrefes, que gosta de ter entre eles a primazia, não nos recebe.*

Ele escreveu *à igreja* ou *igrejas locais* sobre as quais Diótrefes assumira indevido controle, o que talvez incluísse todas as congregações locais daquela área em geral. Cada uma das pequenas congregações que se reuniam nas casas devem ter recebido uma cópia dessa carta. Essas cartas, mui provavelmente, incluíam, entre outras coisas, o apelo à igreja para que acolhesse aos evangelistas itinerantes, mostrando-se generosos para com os mesmos. Diótrefes se recusava terminantemente a ajudar ao programa

DIPLOMACIA — DIREÇÃO

missionário da igreja central de Éfeso. Provavelmente essa carta também continha outras questões, talvez doutrinárias ou envolvendo questões práticas, além de ensinar sobre costumes morais; e esses itens todos eram desprezados pelo *pequeno césar*, Diótrefes.

Gaio é agora informado acerca da atitude de Diótrefes a fim de que o tivesse como exemplo negativo. O *ancião*, pois, esperava que Gaio usasse de sua influência e boa reputação a fim de desviar a igreja das atitudes e ações como as que Diótrefes vinha perpetrando.

Não conhecemos o conteúdo exato da carta enviada pelo «ancião», mas parece não haver nisso qualquer alusão à primeira e à segunda epístolas de João, pelo que alguma carta desconhecida e perdida está em foco.

DIPLOMACIA

Trata-se da arte, da ciência ou da prática de conduzir negociações entre indivíduos, comunidades ou nações. Em segundo lugar, significa tato e habilidade na condução de negociações. O *diplomata* é alguém que possui as credenciais da pessoa ou do grupo que ele representa. Ele tem um *diploma*, um instrumento de autorização (no grego, *dobrado pelo meio*, como uma carta).

Entre nações. Em teoria, a diplomacia envolve contactos entre nações, com a finalidade de encontrar soluções mutuamente concordadas; e os diplomatas são utilizados como instrumentos nessa busca. Com grande freqüência, na prática, essas negociações são meras manobras táticas que as nações empregam na tentativa de obter vantagens para si mesmas. Geralmente a verdade não é a base da diplomacia, embora a diplomacia só tenha real valor quando se busca a verdade dos fatos. De outra sorte, o pragmatismo é o poder controlador nessas negociações. A reputação de um negociador pode servir de guia quanto à sinceridade das suas intenções. Aquilo que uma pessoa faz é sempre mais esclarecedor do que aquilo que ela diz.

Diplomacia comunitária. A Igreja cristã é uma comunidade, e precisa de diplomatas. Qualquer pastor sabe o que isso significa. Sempre que há alguma comunidade, surgem problemas e conflitos. Sempre haverá facções que se lançam umas contra as outras. Um diplomata é alguém que sabe como apaziguar em face de divergências. A maioria das pessoas, quando surge algum conflito eclesiástico, toma posições partidárias, imediatamente. Mas os diplomatas mantêm-se eqtridistantes, esperando que a luta tome forma, e então entram em cena com o intuito de negociar, a fim de produzir a paz.

Diplomacia particular. Jesus elogiou os pacificadores (Mat. 5:9), afirmando que eles serão chamados «filhos de Deus». O mundo, porém, respeita àqueles que provocam destruições, transformando-os em heróis. Homens irracionais aplicam a diplomacia de Laramie (que vide), ao procurarem solucionar as questões por meio da violência e da força.

DIPLOMACIA DE LARAMIE

Laramie é uma cidade do estado de Wyoming, nos Estados Unidos da América. Era uma cidade fronteiriça, nos dias do velho Oeste, e foi cena de muita violência. Naqueles dias, as questões eram resolvidas prontamente, sem a interferência de tribunais ou advogados, por atos de pura violência. Uma série de filmes de televisão foi filmada em Laramie, sempre mostrando como os «cowboys» podiam encontrar solução para qualquer conflito de interesses, apenas com alguns poucos tiros. Portanto, a «diplomacia de Laramie» é o uso da *força*, verbal, mental ou física, para o solucionamento de divergências. Atualmente, a Universidade de Wyoming está localizada em Laramie, onde também existem todas as variedades de instituições civilizadas. Isso significa que a «diplomacia de Laramie» é ali usada em muito menor escala do que antigamente. Contudo, pelo mundo inteiro, essa espécie de diplomacia distorcida continua operante.

DIPLOMACIA PAPAL

Esse título refere-se a dois dos principais documentos expedidos pelo papado, a saber: 1. As *bulas* (que vide), nome derivado de *bulla*, um selo de chumbo de formato globular. 2. O documento menos formal, *breve*, selado com a cera vermelha do *anel de pescador*. As bulas são registradas e indexadas com as palavras de abertura, por exemplo, *Inter cetera* (1492) e *Regnans in Excelsis* (1570).

DIPTYCHS

Termo grego que significa «par de tabletes». Eram tabletes conjugados uns aos outros, feitos de vários materiais. No lado de dentro tinham superfícies com cera, onde se escreviam textos. Nos tempos greco-romanos, esses tabletes eram usados largamente, até mesmo por elementos do governo. O termo veio a ser empregado para indicar listas de pessoas, vivas ou mortas, a quem eram oferecidas orações, nos cultos eucarísticos da antiga Igreja cristã. As diptychs continuam sendo usadas em algumas liturgias, como, por exemplo, no cânon latino da missa, onde aparece uma lista de nomes mencionados em cada oferenda do sacrifício incruento.

••• ••• •••

DIREÇÃO ESPIRITUAL

O **teísmo** (vide) ensina-nos que o Poder Supremo tem interesse em nossas vidas. Claramente, então, é tanto legítimo como necessário procurar entender a vontade de Deus, através de diversos modos que oferecem direção espiritual.

O próprio Senhor Jesus precisou buscar a vontade do Pai, pois, nem sempre, ele sabia qual a melhor coisa a ser feita. Ver Mat. 26:39 *ss*. Paulo precisou de orientação quando encontrou dificuldades em Corinto, e poderia ter desistido de todo esforço (Atos 18:10). Mas um anjo disse-lhe que ele não sofreria dano ali, e que sua missão teria bom êxito. Cornélio precisou receber a visão de um anjo, a fim de tomar conhecimento da comunidade cristã, e Pedro precisou receber uma visão a fim de saber como incorporar a comunidade gentílica no seio da Igreja cristã (Atos 10). Ora, se os gigantes espirituais tiveram necessidade de orientação especial em tempos de crise, a fim de saberem como melhor poderiam dirigir suas vidas espirituais, é evidente que todos nós também precisamos receber orientação, de vez em quando. Provavelmente é verdade que, normalmente, Deus se mantém nas sombras, permitindo que nos esforcemos por nós mesmos, quando então usamos os poderes, a inteligência e os dons que ele nos outorgou. Porém, surgem ocasiões em que ele precisa intervir

DIREITA, RUA — DIREITO

como Pai amoroso, para que nossas vidas sejam bem vividas, moral e espiritualmente falando.

1. *Há meios de orientação pessoais e transpessoais.* O homem possui as faculdades da razão e da intuição. O homem é dotado de consciência. Também possui poderes precognitivos, através de sonhos e impulsos psíquicos; e também possui a mente, que transcende aos nossos recursos normais. Existe também a mente cósmica, que algumas vezes pode ser sondada, permitindo-nos ir muito além dos limites de nosso próprio ser.

2. Também existem aqueles meios *dados por Deus,* como dons: as revelações conferidas aos profetas, que podem tornar-se concretas como Escrituras, como foi o caso da Bíblia, de onde extraímos muitas orientações. Há a orientação pessoal do Espírito Santo (João 16:13), que deveríamos buscar e obedecer. Há ministros, na Igreja cristã, que são dotados de sabedoria espiritual e podem aconselhar corretamente. Há aqueles dotados especialmente do discernimento místico, os quais podem perceber além das circunstâncias externas, podendo predizer, ocasionalmente, o futuro. Algumas vezes, ver a praia distante ajuda-nos a dar o passo seguinte.

3. *Amigos especiais.* nos são dados em períodos críticos da vida, a fim de nos darem orientação especial para esses momentos. Essas pessoas influenciam o curso de nossas vidas. Por assim dizer, são missionários particulares, enviados para prestar-nos ajuda e orientação. Exercem sobre nós uma influência que nos confere orientação. Todos nós temos estado ativos na inquirição espiritual por certo número de anos, e podemos olhar para o passado e dizer: «Aquela pessoa deu-me uma nova direção na vida, quando eu precisava dela».

4. *Importantes fatores orientadores.* Há pessoas que não estão dispostas a serem orientadas. Elas se envolvem em coisas prejudiciais, que as escravizam. É dada orientação àqueles cujas vidas estão envolvidas na busca espiritual, e que precisam dessa orientação para melhor cumprirem sua missão na vida. Se estivermos somente em busca de autobenefício, então não teremos necessidade de ser orientados. Os motivos egoístas nos dão a orientação de que precisamos. Mas os meios gerais de desenvolvimento espiritual são importantes para nossa vida espiritual. Se esses meios forem seguidos, seremos beneficiados em nossa busca espiritual, e automaticamente receberemos orientação. Esses meios são a preparação do intelecto mediante a leitura e o estudo da Bíblia e outra literatura útil; a oração e a meditação; a santificação; a prática da lei do amor em serviço benéfico a outras pessoas; o toque místico no uso dos dons espirituais e a iluminação por meio do Espírito. A meditação é útil nesse campo.

DIREITA, RUA

No grego, **euthús,** «reta». Como nome de uma rua, a palavra grega aparece somente por uma vez em todo o Novo Testamento, em Atos 9:11, que a nossa versão portuguesa traduz por «Direita». Essa rua, a única identificada por nome nas páginas do novo pacto, ficava na cidade de Damasco, uma cidade que então ficava dentro da região da Síria, mas que, politicamente, fazia parte da Decápolis (que vide). A cidade de Damasco obteve sua liberdade do domínio romano pouco depois da morte de Cristo, e estava sob o governo de um chefe árabe, durante o período coberto pelo nono capítulo do livro de Atos. Nessa rua havia a casa de um certo Judas, onde Saulo de Tarso

estava hospedado. Foi nessa casa que Saulo foi visitado por Ananias, a mando do Senhor, onde também ele recobrou a vista. Foi ali, finalmente, que Saulo teve a confirmação de sua grande chamada apostólica. Entretanto, essas últimas informações só as recebemos no vigésimo segundo capítulo de Atos, quando Paulo recontava as experiências que tivera por ocasião de sua conversão. Lemos em Atos 22:14 as palavras de explicação de Ananias: «O Deus de nossos pais de antemão te escolheu para conheceres a sua vontade, ver o Justo e ouvir uma voz da sua própria boca, porque terás de ser sua testemunha diante de todos os homens, das cousas que tens visto e ouvido». Essas palavras mostram claramente no que consiste a comissão apostólica.

Se quisermos ser exatos, a palavra portuguesa «rua», nesse trecho de Atos 9:11, não reflete corretamente o termo grego. O vocábulo grego *rúme* (que aparece no Novo Testamento por quatro vezes: Mat. 6:2; Luc. 14:21; Atos 9:11 e 12:10) significa «viela», «travessa», dando a idéia de uma rua estreita. Uma viela assim estreita fazia contraste com uma rua larga, que em grego se chama *plateia* (ver, por exemplo, Mat. 6:5; Apo. 11:8; 21:22 e 22:2).

Interessante é a observação de que na moderna cidade de Damasco continua havendo uma rua chamada *Direita.* Seria, fundamentalmente, a mesma rua? Ela começa no portão oriental da cidade e vai na direção oeste, até o centro da cidade. Apesar de ser esse o provável local da rua do primeiro século da era cristã, é impossível fazermos uma identificação positiva. A contínua ocupação humana do local impossibilita qualquer pesquisa arqueológica, embora continuem preservadas ali diversas estruturas dos tempos romanos, indicando que não tem havido modificações importantes no traçado da cidade, nos séculos que se passaram desde os dias de Paulo até nós.

DIREITO

Essa é uma palavra ética muito importante, e não admite qualquer definição simples ou completa. Desde há muito a filosofia tem procurado definir e caracterizar o que é «direito». Há algumas boas respostas, mas todas elas são parciais.

Esboço:
  I. A Palavra
  II. Vários Usos Filosóficos
  III. Idéias Bíblicas

I. A Palavra
A raiz dessa palavra é o termo latino **rectus,** que significa «reto». Portanto, no sentido ético, o que é direito deve ser a medida ou padrão daquilo que é certo ou correto. Porém, exatamente qual seja esse padrão, é algo disputado. O *direito* e o *bom* talvez sejam os dois vocábulos chaves da ética. Os *universais* de Platão (que vide) incluíam ambos esses vocábulos, que recebiam importante ênfase no seu sistema.

II. Vários Usos Filosóficos
1. *Platão* imaginava um mundo real, metafísico, onde o universal do *direito* habita, como uma espécie de elevada realidade metafísica em seus próprios direitos. Os crentes podem compreender algo do que ele quis dizer, se imaginarem esse direito como um dos atributos de Deus, e não como uma entidade com existência própria. De fato, em seu diálogo intitulado *Leis,* os universais aparecem como atributos de *Deus.* Seja como for, esse direito é um padrão absoluto, que não depende das experiências e tentativas humanas. Antes, é algo eterno e imutável, não-temporal. Mas é imitado no mundo dos particulares (o nosso mundo de

DIREITO

entidades físicas), embora não-criado pelo homem.

2. *Aristóteles* falava em um *direito* instrumental dentro do qual aquilo que é melhor resulta das experiências sociais, onde cada indivíduo encontra a sua própria função (virtude), tendo em vista o bem geral. Essa atitude é comum no empirismo. A ação correta é condicionada para evitar os extremos, quando a pessoa busca o meio-termo áureo. Ver acerca de Aristóteles sob o verbete *Ética*. Ver também sobre o *Meio-Termo Áureo*, quanto a uma completa descrição desse conceito.

3. Quando aquilo que é *bom* é tomado como a chave principal da conduta ética, então o *direito* torna-se um aspecto ou realização do bom, e usualmente é formulado em termos de um conjunto de obrigações (ver o artigo sobre o *Dever*), que são propícias àquele propósito. Porém, essa classificação difere muito de filósofo para filósofo. As conseqüências das ações são destacadas, nesse caso.

4. Quando o *direito* é tomado como a chave principal, então as idéias passam a ser orientadas pelos conceitos de obrigação e de dever, e o próprio bem é definido em termos daquilo que é direito. Nesse caso, as conseqüências não são o aspecto mais enfatizado. Antes, são ressaltados princípios e normas formais. O artigo sobre o *Dever* explica melhor essas questões.

5. O que é direito e o que é bom podem ser ambos definidos em termos *objetivos* e *subjetivos*, mediante padrões externos à experiência humana, tendo as regras e a bondade de Deus como linhas mestras, ou então guiando-se pela experiência humana. Ou então destaca-se como essas idéias são desenvolvidas por meio da experiência humana, e não através de regras e padrões externamente impostos.

6. Alguns filósofos supõem que aquilo que é bom e aquilo que é direito podem ser conhecidos como qualquer outro item da experiência humana é conhecido, de tal modo que a investigação empírica pode produzir resultados positivos. Esses filósofos têm sido chamados de naturalistas éticos. Entretanto, aqueles que insistem em que os princípios éticos podem ser conhecidos intuitivamente, porquanto a alma seria a origem (ou talvez Deus seja essa origem) das idéias sobre aquilo que é direito, são intitulados intuicionistas éticos. Aqueles que supõem que o direito só pode ser conhecido por meio da revelação divina são chamados teístas éticos.

7. *Tomás de Aquino* (que vide) acreditava que o direito pode ser derivado tanto da razão quanto da lei eterna, divinamente revelada. Também haveria as leis naturais, que podem ser observadas na natureza e na vida humana, as quais, em última análise, estão alicerçadas em Deus, como o Criador e Revelador de si mesmo, por meio da natureza.

8. *Rousseau* (que vide), em contraste com isso, supunha que aquilo que é direito é determinado na experiência humana e concorda com as convenções e o consentimento humanos.

9. *Tipos de direitos* que dizem respeito ao homem: a. *Direitos naturais*, alicerçados sobre a dignidade do homem, com ou sem a idéia de que ele é um ser divinamente criado. b. *Direitos metafísicos*. O próprio Deus, ao dignificar o homem, decretou que o homem tem certo número de direitos, meramente por que é um ser humano. A liberdade é um direito básico e principal. Também há o direito do homem ser remido e restaurado, o direito de receber honras divinas. Isso é um direito universal (João 3:16; I João 2:2). c. *Direitos civis*. Os direitos naturais e metafísicos do homem são refletidos nas constituições escritas de muitos países, estados ou cidades. Em acréscimo a essas constituições temos a considerar os direitos práticos da vida diária comunal, que não são delineados de modo específico em qualquer documento escrito.

10. *A filosofia do direito*, nos escritos de Hegel, refere-se a como o Espírito Absoluto manifesta-se sob a forma de desenvolvimentos éticos entre os homens. Temos a tríade: Direito Abstrato/Moralidade/Ética Social, de tal modo que, do direito meramente abstrato, temos o desenvolvimento de seus princípios, no seio da sociedade humana.

III. Idéias Bíblicas

A Bíblia é um livro eminentemente ético, tendo muito a dizer sobre o que é direito ou errado, como também sobre os direitos dos homens. Aquilo que Deus declara como reto, é reto. Isso é delineado por meio de inúmeros mandamentos e requisitos. Entretanto, topamos com dois problemas: 1. *A interpretação*. A Bíblia sempre estará sujeita a interpretação. No campo da *Ética*, porém, deve-se dizer que há muito maior acordo do que no campo das proposições teológicas. 2. *Idéias primitivas e seu desenvolvimento*. Muitos intérpretes cristãos têm salientado que há um crescente conceito da natureza e da moralidade de Deus nas páginas da Bíblia. O Novo Testamento apresenta, mui claramente, um ideal mais elevado, afastando-se da idéia de um Deus guerreiro, o qual é enfatizado em certos trechos do Antigo Testamento. Atualmente estamos vendo o espetáculo da guerra santa dos árabes, com seu infame terrorismo. E eles dizem que, com esses atos, estão servindo a causa de Deus. Isso encontra paralelo em certas atitudes expressas no Antigo Testamento. Até que ponto poderíamos atribuir esse tipo de atividade a Deus? Podemos mesmo atribuí-la a Deus? Orígenes, quando encontrava passagens bíblicas de moralidade duvidosa, no Antigo Testamento, como aquela relativa ao sacrifício humano que Abraão quis oferecer, declarava que devemos buscar ali lições simbólicas e espirituais, não interpretando literalmente cada um desses casos. Com base em tal atitude, temos o desenvolvimento da *interpretação alegórica* (que vide). Apesar desses problemas, que podem ser ignorados sem qualquer dano, todos os crentes apegam-se à Bíblia Sagrada, especialmente ao Novo Testamento, como o texto que nos ensina sobre aquilo que é *direito*. A base do direito bíblico é a revelação divina, e não o empirismo.

Características da retidão, ou seja, de conduta em consonância com os retos princípios: 1. A retidão é a obediência à lei de Deus (Deu. 6:25; Rom. 10:5). 2. A retidão é a base do julgamento divino (Sal. 72:2; Isa. 11:4; Rom. 2:6; Apo. 19:11). 3. A retidão de um homem não o justifica, pois a justificação vem inteiramente pela graça de Deus (Rom. 3:20). 4. A retidão é dever do homem, o qual precisa seguir a retidão de Deus (Isa. 51:1). 5. Os ministros do evangelho devem pregar a retidão (II Ped. 2:5). 6. Os crentes devem conduzir-se em consonância com a retidão (I Tim. 6:11; II Tim. 2:22). 7. Há recompensas em reserva para os obedientes à retidão (II Tim. 4:8).

DIREITO DE PRIMOGENITURA

No hebraico, **bekorah**, «condição de primogênito», um termo que denota os direitos e privilégios dos filhos primogênitos entre os hebreus. No hebraico a palavra figura por onze vezes (por exemplo: Gên. 25:31-34,36; I Crô. 5:1,2). No grego temos o termo

DIREITO

prototókia, «direito de primogênito», vocábulo que figura como substantivo abstrato somente em Heb. 12:16, embora a palavra «primogênito» (no grego, *protótokos*) figure por oito vezes, desde Luc. 2:7 até Apo. 1:5. Entre os hebreus os direitos e privilégios dos primogênitos podem ser sumariados nos seguintes pontos:

1. O direito de ser o sacerdote da família, pois, na sociedade hebréia antiga, cada família tinha seu sacerdote. Rúben era o primogênito de Jacó, mas perdeu sua primogenitura por motivo de seu incesto com Bila (Gên. 49:3,4), direito esse que terminou com o quarto filho daquele patriarca, Levi, porque seus descendentes tornaram-se substitutos de todos os filhos primogênitos do povo de Israel (Núm. 3:12,13; 8:18; I Crô. 5:1). Mesmo assim, os primogênitos só tinham o direito de chegar ao sacerdócio se fossem sem defeito físico, o que envolvia implicações morais e espirituais.

2. Os costumes antigos determinavam que o nome e os títulos de propriedade das famílias seriam transmitidos através dos filhos mais velhos de cada casal. Contudo, a idade não era o único fator considerado. A apropriação do direito de primogenitura por parte de Jacó, o qual pertencia a Esaú, mediante o que Jacó herdou o pacto e deu prosseguimento à linhagem de Abraão, envolve o primeiro uso importante do termo (Gên. 25:28-34).

3. *A dupla porção.* O filho primogênito recebia uma porção dupla da herança deixada pelo pai da família. Provavelmente isso significava que um filho primogênito recebia duas vezes mais do que qualquer um de seus irmãos, e não que ele ficasse com metade da herança paterna, sendo a outra metade dividida pelos demais irmãos.

4. *Autoridade oficial.* O filho mais velho sucedia a seu pai como patriarca da família, como principal autoridade entre os membros da mesma.

5. *No Novo Testamento.* No novo pacto, a primogenitura envolve o Senhor Jesus e os crentes, a saber: *C Senhor Jesus.* a. Ele era o filho primogênito de Maria (Mat. 1:25; Luc. 2:7). b. Ele é o primogênito do grupo das almas remidas (Rom. 8:29; Heb. 1:6). Isso faz dele o filho de Deus e Irmão mais velho de todos os remidos, os quais, mediante a regeneração, — finalmente, haverão de tornar-se participantes da natureza metafísica de Cristo (II Cor. 3:18), e, por conseguinte, da natureza divina (II Ped. 1:3). Isso ocorrerá quando da glorificação, através da ressurreição de nossos corpos. «...gememos em nosso íntimo, aguardando a adoção de filhos, a redenção do nosso corpo» (Rom. 8:23). c. Cristo tornou-se o primogênito de toda a criação (Col. 1:15), um título que destaca sua autoridade sobre toda a criação, visto que essa é considerada sob o ângulo de um relacionamento doméstico. *Os crentes.* Eles são chamados «primogênitos», em Hebreus 12:23, pelos seguintes motivos: a. Eles são privilegiados acima de outros homens. b. Na qualidade de primogênitos, por assim dizer aguardam o nascimento espiritual de outros, para que também se tornem membros da família divina. E talvez também esteja em foco o direito sacerdotal que fazia parte dos privilégios dos primogênitos (Apo. 1:16; 5:10; 20:6). Ver os comentários sobre esses vários versículos no NTI, quanto a maiores detalhes. (ID ND NTI)

DIREITO DE TRABALHAR

1. Uma das aplicações desse direito é que o homem tem o direito de trabalhar, mesmo que não esteja vinculado a qualquer sindicato, que lhe requeira o pagamento de taxas, para poder participar do mesmo. Nos Estados Unidos da América, essa legislação alicerça-se sobre o conceito dos direitos individuais. Os oponentes argumentam que o homem que se beneficia daquilo que as uniões fazem em benefício da classe trabalhadora também deveria pagar pelas vantagens assim recebidas. Os oponentes radicais têm perseguido e, em algumas ocasiões, até mesmo têm assassinado, a fim de forçarem todos os trabalhadores a pertencerem aos sindicatos; mas as leis que garantem o trabalho têm prevalecido em alto grau.

2. Uma outra aplicação desse princípio é a garantia dada pelas constituições de certos países, de que o indivíduo tem o direito de trabalhar, e que o governo (usualmente de tendências socialistas) tem a responsabilidade de prover trabalho. Na prática, isso tem freqüentemente resultado no fato de que muitas pessoas são contratadas para fazer algum pequeno trabalho. Isso significa que muitas pessoas fazem um trabalho leve, recebem salários baixos, ao passo que, em outras sociedades, um menor número de pessoas fazem o mesmo trabalho e recebem salários mais altos.

Do ponto de vista ético, ambos os tipos de direito ao trabalho são desejáveis, a despeito dos abusos. Tudo quanto os homens tentam fazer envolve alguma deficiência. É impossível que a legislação humana antecipe e contrabalance todos os problemas que poderão surgir com base em uma lei ou em alguma prática. (H)

DIREITO DIVINO

O texto de prova geralmente usado em favor dessa doutrina é o décimo terceiro capítulo de Romanos, onde Paulo requer a obediência às autoridades civis como um dever cristão. A base da idéia é que essas autoridades foram delegadas por Deus para cumprirem o seu papel. Entretanto, o desenvolvimento moderno dessa idéia ocorreu, principalmente, no século XVIII, na Inglaterra, ao tempo dos monarcas da dinastia Stuart. A doutrina foi exagerada a fim de afirmar que o rei tem uma posição e direito hereditários, por instituição divina. Essa doutrina, contudo, não deve ser confundida com a antiga noção pagã da autoridade divina dos reis, os quais seriam deuses, filhos de deuses ou deuses em formação.

Um possível pano de fundo da doutrina é a noção medieval da autoridade divina do ofício real. O conflito de autoridade com o papa foi um vexame constante durante a Idade Média. A luta era favorável ora ao papa, ora ao imperador do Santo Império Romano. Essa teoria foi expandida por Tiago I e, posteriormente, pelos Stuarts, que fizeram a idéia envolver o direito pessoal de governar em virtude de nascimento. Isso significa que os monarcas teriam autoridade divina como pessoas, e não meramente por ocuparem um ofício. As autoridades eclesiásticas inglesas deram apoio às reivindicações dos reis. Porém, o declínio das monarquias européias também assinalou o declínio da doutrina do direito divino. Com o desaparecimento do governo monárquico na maioria dos países, a teoria voltou (no caso de pessoas religiosas) à sua antiga forma: deve-se obedecer às autoridades civis porque Deus foi quem as ordenou. Isso, porém, é modificado pelo fato óbvio de que, algumas vezes, os governantes civis promovem a injustiça e a perseguição religiosa. Nesses casos, Deus, como o Grande Rei, precisa ser obedecido por questões de consciência, mesmo que isso signifique

DIREITO — DIREITO ROMANO

que o governante civil precise ser desobedecido (ver Atos 5:29). A consciência religiosa jamais poderá ser sacrificada. As leis que regem a consciência religiosa são mais importantes do que o direito divino dos reis. Por outro lado, há um exagero oposto, segundo o qual pessoas religiosas afirmam que pertencem somente ao reino celeste, e então desobedecem proposital e erroneamente às leis civis. Um exemplo disso são as chamadas Testemunhas de Jeová.

As Duas Espadas. Devemos considerar a espada espiritual, entregue à Igreja cristã. Mas também há a espada temporal, entregue ao governo civil. Deus é a fonte de ambas; mas a espada espiritual é superior. Isso explicaria a superioridade do papa. Essas duas espadas também pareciam apontar para a separação entre a Igreja e o Estado; mas, na prática, especialmente durante a Idade Média, a espada espiritual infringia os direitos da espada temporal. A reação foi que se passou a dizer que toda a autoridade, espiritual e temporal, pertence ao monarca. E então uma única espada passou a dominar. Todavia, isso produziu muitos abusos, porquanto os reis começaram a levar-se muito a sério. Isso provocou uma onda republicana. A história pôs fim a esses abusos, na maioria dos países. (AM E P)

DIREITO ECLESIÁSTICO

Ver os artigos sobre **Cânon, 7. Lei Canônica e Cortes Eclesiásticas.**

DIREITO NATURAL

Ver o artigo paralelo sobre **Direitos Naturais.**

A lei natural é o conceito que diz que as leis humanas, políticas e civis, repousam sobre uma lei superior, confirmada pela *consciência comum* daquilo que é justo. Isso se deriva de uma dádiva comum da própria natureza. Usualmente, isso é explicado como um requisito da natureza metafísica da própria criação, ou como um requisito da providência divina. Deus injetou no homem a compreensão a respeito da justiça. Cícero defendia essa idéia. Os trechos de Rom. 1:18-21 e 2:14,15 têm sido comumente entendidos como textos de prova em favor da doutrina ensinada pelos pais da Igreja, filósofos escolásticos e reformadores. Ademais, as leis do Antigo Testamento têm sido consideradas a codificação da *lei natural*. Forças cósmicas, impessoais (como é o caso do Logos dos estóicos), ao porem em ordem as coisas, teriam estabelecido a lei natural. Ou então, se esse conceito torna-se pessoal, então a divindade, ou divindades diversas, têm sido consideradas responsáveis pela compreensão da justiça por parte dos homens. Essas leis têm sido instituídas na própria natureza, bem como na consciência humana:

Idéias Específicas:

1. *Platão*. A razão humana tem a capacidade de discernir o que é que a natureza requer, e a natureza é uma imitação dos universais, onde o *direito* é uma importante entidade.

2. *Aristóteles* falava sobre a lei natural como imutável e universal, mais importante do que as leis humanas escritas, porquanto é a base destas últimas.

3. *Os estóicos* tinham um elevado respeito pela lei natural como baseada nos ditames do *Logos*, que é a razão universal. Cícero fazia a distinção entre a *jus gentium* (lei do povo) e a *jus naturale* (lei natural), sem dúvida, em parte influenciado pelo estoicismo.

4. *Tomás de Aquino* estabelecia cuidadosa distinção quanto a essa questão, e aludia à eterna lei de

Deus, refletida pela lei natural. Ele falava sobre a legislação humana (leis escritas, denominadas leis positivas) e sobre a *jus gentium*, derivada da lei natural, a qual, por sua vez, se deriva da lei divina. A lei divina é comunicada através da revelação e da razão. A lei natural estaria sujeita aos poderes de raciocínio do homem. Mas a intuição também está envolvida, pelo que o homem naturalmente reconhece muitas coisas sobre o que é direito ou não, mesmo sem qualquer revelação divina direta.

5. Muitos outros filósofos continuaram a cultivar e a expandir essas idéias, como Hooker, Grotius e Thomas Hobbes (ver os artigos sobre eles). Alguns estudiosos ligam as leis naturais às leis divinas, e outros não o fazem, assumindo uma posição mais parecida com a dos antigos filósofos estóicos.

6. Em contraste com isso, há filósofos empíricos que consideram a lei natural um mito, porquanto pensam que a única lei que há entre os homens é aquela desenvolvida pela experiência, que repousa sobre as convenções, o pragmatismo e o consentimento mútuo. Em outras palavras, a lei seria *humana*—não-natural e nem divina. (E EP P)

DIREITO ROMANO

Esboço:
I. O Termo
II. Formação
III. Fontes
IV. Algumas Leis Específicas
V. A Lei Romana e o Novo Testamento
VI. A Lei Romana e a Cristandade

I. O Termo

A expressão **lei romana** inclui tanto o seu desenvolvimento na Roma antiga quanto a sua fundação tradicional, pelo imperador Justiniano I (527-565 D.C.), o que significa que inclui todos os períodos da estrutura constitucional romana, a saber, o reino, a república e o império.

II. Formação

Fazemos alguma idéia sobre as antigas leis que governavam as populações romanas com base nas referências literárias e na arqueologia. A maior parte dessa informação diz respeito a leis domésticas, sagradas e da realeza. A história real da lei romana começa com a *Lex duodecima tabularum* (Doze Tábuas), que data de 451-450 A.C., o que foi cerca de cinqüenta anos antes do estabelecimento da república. Essas leis foram a culminação de costumes e leis de tempos anteriores, e abordavam todas as questões importantes da vida diária. Essas leis, essencialmente, eram citações e idéias dos juristas, dos historiadores, dos oradores e dos gramáticos. Nesse período inicial, não havia nenhuma codificação completa da lei romana, embora Júlio César (45 A.C.) tivesse tido a intenção de prover tal codificação. Uma completa codificação só teve lugar no tempo de Justiniano, em seu *Corpus Iuris* (que foi assim chamado, pela primeira vez, já no século XVI D.C.), — que veio à tona em 533-534 D.C.

Distintos Períodos Formadores. 1. O período primitivo. 2. As Doze Tábuas do período republicano, até Augusto (27 A.C.—14 D.C.). 3. O período clássico, no início do império, até Diocleciano (284—305 D.C.). 4. O período pós-clássico e a *codificação de Justiniano*, no tempo da monarquia absoluta e da legislação imperial.

O Gênio Romano. Tem sido dito e repetido que os romanos não foram inovadores. Entretanto, eles

DIREITO ROMANO

foram grandes organizadores e compiladores. Esse gênio manifestou-se na codificação de leis, por parte dos romanos. Ao longo da milenar história romana, a lei foi conduzida a um elevado nível de desenvolvimento jurídico, sendo seguro dizer-se que a lei foi a grande contribuição dos romanos para a civilização. As leis romanas tornaram-se a base dos códigos legais de todos os países europeus, e também refletem-se na maioria das modernas legislações do mundo.

III. Fontes

1. *As antigas leis e os códigos*, que tratavam sobre questões sagradas e reais.

2. *As Doze Tábuas*, que surgiram mediante a influência dos pontífices pagãos, juristas, conselheiros legais e magistrados, embora fossem contribuição especial dos juristas. O conceito da lei natural (que vide) foi reduzido a um código, para satisfazer às necessidades diárias e pragmáticas que o povo enfrentava. Nesse ponto o espírito prático dos romanos mostrou-se importante, porquanto produziu leis justas para um maior número de pessoas que as meras especulações filosóficas poderiam ter feito.

3. *Os Magistrados*. A atividade criativa dos *pretores* era completada pelos decretos dos *edis*, e o resultado disso foi uma legislação prática que governava toda forma de atividades diárias, como a compra e a venda de escravos, de animais domésticos, ou como os negócios sobre terras. A lei pretoriana, após quase cinco séculos, chegou ao fim sob Adriano (117-138 D.C.), por cuja iniciativa o jurista Juliano (depois de 132 D.C.) compilou o chamado *Edictum perpetuum*, que era uma codificação das leis decretadas.

4. *As Assembléias*. As assembléias populares, durante o período republicano, das quais o povo comum participava, estabeleceram muitas leis que, finalmente, tornaram-se parte integrante da legislação romana (cerca de 286 A.C.).

5. *O Senado*. No período mais antigo, os pronunciamentos do senado tinham mais um caráter de aconselhamento; mas, na época do imperador Adriano, os decretos senatoriais passaram a ter força de lei. Várias decisões do senado romano produziram importantes inovações na lei romana.

6. *O Jus Gentium*. Roma tinha um bom número de estrangeiros, os *peregrini*, os quais, por longo tempo, foram cidadãos de segunda classe e tinham poucos privilégios diante da lei. Com a passagem do tempo, entretanto, foi necessário que Roma reconhecesse a legitimidade dos direitos dos estrangeiros e a sabedoria de seus costumes e idéias. Gradualmente, alguns desses elementos vieram a fazer parte da própria lei romana.

7. *Os Imperadores*. Os imperadores estavam investidos de grande autoridade e podiam baixar leis. Com freqüência, os senadores meramente aprovavam o que o imperador decidisse. Por exemplo, Adriano aboliu a distinção entre os estrangeiros e os naturais concedendo, em larga escala, a cidadania aos estrangeiros. Decretos imperiais (*constituiones principis*) tinham o poder de substituir leis anteriores. Importantíssima, quanto a esse aspecto, foi a legislação de Justiniano, uma compilação e codificação toda abrangente (533-534 D.C.). Essa legislação incluiu a retenção de antigas leis e a adição de novas leis, porquanto Justiniano mostrou-se ativo em muitas reformas.

IV. Algumas Leis Específicas

1. *Sobre Indivíduos*. As três áreas cobertas eram as da liberdade, da cidadania e da família. A grande distinção, relativa à liberdade, era entre o homem livre (*libertas*) e o escravo (*servus*). Também havia os *libertos* (liberti), que antes haviam sido escravos, mas que depois foram libertados. Legalmente, esses eram cidadãos livres, embora lhes fossem negados certos direitos. Não podiam ocupar determinados cargos políticos e retinham alguns deveres no tocante a seus antigos proprietários.

A cidadania romana. Os cidadãos romanos tinham plenos direitos diante da lei, em contraste com os estrangeiros (*peregrini*). Eles desfrutavam da proteção dos tribunais romanos, liberdade no comércio e direito a casamentos válidos, efetuados pelo estado. A cidadania romana era concedida a estrangeiros pelos proprietários que libertavam escravos, por direito de compra ou por determinação de algum governante. Isso se tornou cada vez mais freqüente, até que o imperador Caracala simplesmente concedeu a cidadania romana a quase todos os habitantes do império, indistintamente. A cidadania era perdida por criminosos judicialmente condenados, bem como por aqueles enviados ao exílio (*deportatio*).

Leis que governavam a estrutura da família. No seio da família, o pai tinha mais direitos do que os demais membros, os quais lhe eram sujeitos até à sua morte. O filho que chegasse à idade adulta legal tornava-se independente, e uma filha, quando se casasse.

Matrimônio. Havia o matrimônio legal, mas a convivência por um ano legalizava uma união. No casamento, a propriedade da esposa ficava sob a gerência do marido. O divórcio era fácil de obter, a menos que o homem tivesse adquirido poder legal (*manus*) sobre a esposa. Então surgiam problemas criados pelo patrimônio comum e pelos laços de família controlados por lei.

Tutoramento. Pessoas que ainda não tivessem chegado à idade da puberdade: catorze anos para meninos e doze anos para meninas, ficavam sob a tutela (*tutela*) de um guardião (*tutor*). Transações feitas pelos jovens precisavam ser aprovadas pelo tutor. Pessoas que já tivessem ultrapassado a puberdade (*puberes*), mas que ainda não tivessem chegado aos vinte e cinco anos (*minores*) eram consideradas legalmente capazes; mas, se fossem fraudadas em alguma transação, havia pretores que buscavam protegê-las mediante medidas corretivas. Mulheres solteiras, sem orientação paterna, estavam sujeitas aos cuidados de outras mulheres (*tutela mulierum*) por toda a vida. Lunáticos e filhos que gastassem dinheiro de modo irresponsável não ficavam sob a jurisdição de seus pais, mas eram controlados diretamente pelos oficiais municipais.

2. *Sobre Coisas*. Duas categorias gerais de coisas controladas pela lei eram os imóveis (*res immobiles*) e os móveis (*res mobiles*). As leis referentes a essas coisas delineavam os direitos, as obrigações e as utilidades. Todas as questões relativas à agricultura, às possessões e ao comércio eram devidamente controladas. Havia propriedade exclusiva de certas coisas (*dominium*), mas também havia uma propriedade menos definitiva, chamada *possessio*, que era o controle factual sobre alguma coisa, embora não sendo o verdadeiro proprietário.

3. *Lei da Sucessão*. Essa era a lei referente às heranças (*hereditas*). Se não houvesse testamento por ocasião da morte do pai, então as propriedades passavam para as mãos dos seus herdeiros (membros de sua família imediata). Caso ele não tivesse família, então as propriedades passavam para o domínio de parentes da linhagem masculina. Os testamentos precisavam dar os nomes dos herdeiros, sob pena de

DIREITO ROMANO — DIREITOS

ficarem sem validade. Os herdeiros podiam ser substituídos por outros, segundo a vontade do testador.

4. *Leis das Obrigações*. Essas leis governavam todos os tipcs de contratos pessoais, legais e comerciais. Os erros praticados eram penalizados com um conjunto de obrigações e castigos. Esses erros incluíam o furto, as obrigações forçadas e os ferimentos corporais.

5. *Procedimentos Civis*. Os julgamentos eram divididos em dois estágios. Em primeiro lugar havia o *in iure*, quando o acusador e o réu apareciam na presença de um juiz a fim de exporem o seu caso. A questão poderia ficar resolvida de pronto, se os contendores chegassem a um acordo. Em caso contrário, a questão subia ao segundo estágio. Então eram contratados advogados de acusação e de defesa, e o juiz proferia a sentença, uma decisão que os dois lados envolvidos tinham de acatar. No período republicano final, esse modo de proceder tornou-se mais elaborado pelo uso da *fórmula*, um documento escrito que regulamentava as ações a serem tomadas, obrigatórias para ambos os lados. Ainda mais tarde, surgiu o direito de apelar.

V. A Lei Romana e o Novo Testamento

1. *A Religião Legal*. A narrativa de Lucas-Atos tinha, como um de seus objetivos, a obtenção de estado legal para a emergente Igreja cristã. O judaísmo já havia conseguido essa posição. Mas a tentativa de Lucas fracassou, e uma certa proteção que Roma vinha dando aos cristãos e aos missionários cristãos, tornou-se em hostilidade e franca persegui-ção. As religiões não aprovadas legalmente eram consideradas traidoras, porquanto eram tidas como contrárias às divindades que seriam protetoras do estado romano.

2. *A Proteção Romana*. O relato de Lucas-Atos alude favoravelmente à Roma, aos seus oficiais locais e à imposição da lei para resguardar a paz. Cada encontro que Paulo teve com oficiais locais redundou em proteção contra a fúria das autoridades religiosas judaicas. Como exemplos, podemos examinar os trechos de Atos 18:12 *ss*; 19:23 *ss*: 23:23 *ss*; 24:28 *ss*; e 28:30,31. Até mesmo quando encarcerado, Paulo teve muita liberdade e deu prosseguimento ao seu ministério, e é com esse tom favorável que termina o relato do livro de Atos. Contudo, houve casos contrários, de oficiais do governo que perseguiram os cristãos, como se vê em Atos 14:1 *ss*; 19. O trecho de Atos 24:26 mostra-nos que Félix procurava receber algum suborno da parte de Paulo; se o tivesse recebido, teria deixado esse apóstolo em liberdade. Portanto, o quadro, embora geralmente positivo, exibe algumas falhas graves. Seja como for, pode-se dizer que o cristianismo primitivo foi protegido por Roma, em seus primeiros anos críticos. No entanto, mais tarde, a nova fé sofreu todo o impacto da ira de Roma.

3. *Itens Específicos da Lei Romana*. a. O fato de que Paulo era cidadão romano, pelo que tinha certos direitos, é enfatizado em Atos 16:37 e 22:25. b. Na qualidade de cidadão romano, Paulo podia *apelar para César*, e ser julgado diretamente por ele (Atos 25:10 *ss*), e isso foi o que, finalmente, aconteceu. c. A questão da *adoção romana* está por detrás das declarações de Rom. 8:15 *ss*. d. Talvez haja leis romanas parcialmente em foco, na questão do *casamento* e *novo casamento*, no sétimo capítulo da epístola aos Romanos. e. Os romanos acreditavam na *lei natural* (que vide), por meio da influência do estoicismo (que vide). Por meio desse conceito, a natureza, ou então Deus ou deuses por detrás da mesma, conferem aos homens certos direitos, pelo simples fato de serem homens, e não por motivo de leis criadas pelos homens. O primeiro e o segundo capítulos da epístola aos Romanos dão apoio à idéia da influência e da providência divinas, que afetam a maneira dos homens agirem e pensarem. Essas influências tornam-se agentes que fazem as leis serem baixadas. f. O direito da *cidadania romana* era uma possessão altamente cobiçada. No entanto, há uma possessão superior, um direito maior, que é a cidadania no reino celeste (Col. 1:13; Fil. 3:20). É possível que, por detrás de tais declarações, a idéia da cidadania romana brilhasse. g. O poder do *imperador* tornou-se supremo, e assim ele se tornou o grande legislador. Não obstante, há o *Rei dos reis*, que é o maior de todos os legisladores, e é a ele que devemos a nossa lealdade (Apo. 1:6,11; 19:11 *ss*). Não há que duvidar que esse contraste aparece no livro de Apocalipse, a saber, entre o poder temporal e opressivo, e o poder eterno e beneficente. h. O *jus gentium* dava aos *peregrini* ou estrangeiros uma posição inferior neste mundo. Os crentes, como um corpo, se é que são o que devem ser, são *peregrinos* neste mundo (Heb. 11:13 *ss*).

4. *Abusos e Hostilidade*. A proteção romana, dada a princípio aos cristãos, acabou sendo trocada por uma atitude de hostilidade e perseguição, o que perdurou por cerca de duzentos anos, até que houve a conversão nominal de Constantino, no começo do século IV D.C. O livro de Apocalipse, em sua inteireza, reflete a hostilidade do Estado romano contra a Igreja cristã. De fato, os grandes juízos previstos na Bíblia aludem, primariamente a Roma (Babilônia), e então ao resto do mundo. Contudo, também devemos lembrar que o *mundo* daquela época consistia no império romano. Roma violava o princípio da *lei natural* e degradava a dignidade humana. Isso resultava em perseguições e matanças. O julgamento divino espera por nações que agem desse modo. Podemos pensar nas nações que, na atualidade, estão promovendo o terrorismo. Mais cedo ou mais tarde, Deus haverá de fazer intervenção.

5. *Obrigações dos Cristãos*. Aos crentes é ordenado que obedeçam às leis e à legislação da terra (Rom. 13).

VI. A Lei Romana e a Cristandade

A Europa tem uma herança legal comum, porquanto as nações daquela região do mundo incorporaram as leis romanas em sua própria legislação. As raízes das leis européias firmam-se sobre Roma e sobre a Bíblia. As codificações de Justiniano, que, a partir do século XVI começaram a ser conhecidas como *Corpus Juris Civilis*, exerceram larga influência em toda a história subseqüente das leis. Ver os artigos separados sobre a *Igreja e o Estado* e a *Igreja e o Mundo*. (AM ND NTI Z)

DIREITOS, IMPOSTOS

Há várias palavras hebraicas e gregas envolvidas na idéia de taxação ou cobrança de impostos. Uma palavra hebraica indica uma taxa ou tributo pago sob a forma de cativos, escravos, dinheiro, produtos agrícolas, etc., que uma nação conquistadora impunha a povos conquistados. Uma outra palavra hebraica aponta para os impostos cobrados sobre bens importados, sendo uma taxa alfandegária, por conseguinte. Uma terceira palavra hebraica, derivada do verbo que significa «andar» (ver Esd. 4:13,20; 7:24), é traduzida em nossa versão portuguesa por «pedágio». Ainda há uma quarta palavra hebraica que indica labor forçado da parte de algum povo cativo,

173

DIREITOS, IMPOSTOS

conforme Israel impôs às cidades cananéias conquistadas, uma das mais antigas formas de taxação (ver Deu. 20:11). Uma quinta palavra hebraica indica uma taxa ou tributo que um governo cobrava de outro, geralmente por meio de algum tratado (ver Núm. 31:37). Uma sexta palavra hebraica aponta para uma multa ou castigo que assumia a forma de um tributo ou de despojos de guerra (ver II Reis 23:33). Uma sétima palavra hebraica indica um tributo ou taxa cobrada de um poder estrangeiro (ver II Crô. 17:11). Uma oitava palavra hebraica aponta para a avaliação do preço de um terreno, com finalidade de taxação, conforme Jeoaquim avaliou sua terra a fim de pagar taxas a Faraó Neco (ver II Reis 23:35). Os termos gregos usados nesse campo da taxação, no Novo Testamento, são cinco: a. *kensos*, que era um imposto predial, sob a forma de uma moeda (ver Mat. 22:17,19; Mar. 12:14). b. *télos*, uma taxa alfandegária ou dever (ver Mat. 17:25; Rom. 13:7). Uma forma variante da palavra, *telones*, é traduzida por «publicano», no Novo Testamento. c. *phóros*, que indica tributos pagos sob produtos agrícolas e outros (ver Luc. 20:22,23; Rom. 13:7). d. *dídrachmon*, uma moeda grega de duas dracmas, de valor idêntico à moeda judaica de meio siclo, que os judeus chamavam de «taxa do templo» (ver Mat. 17:24-27). e. *apographé*, que era um registro ou inventário das possessões materiais de uma pessoa, para efeito de taxação, ou então o recenseamento ou registro de indivíduos, a fim de que lhes fosse cobrado um imposto. Em Luc. 2:2, José e Maria foram a Belém, a fim de serem «alistados» ou «registrados» com essa finalidade. (Cf. II Reis 15:20; II Crô. 8:8; Esd. 6:8; Nee. 5:4; Luc. 23:2). Essa taxação incidia sobre dinheiro, mercadorias, produtos agrícolas, gado ou possessões materiais similares, que um governo impunha para custear serviços ou propósitos específicos, ou como tributo posto sobre outros governos e seus cidadãos, usualmente em alguma proporção ao valor calculado ou quantia em dinheiro ou valor das propriedades. Na antiguidade, havia um tipo especial de taxação sob a forma de tributo, que um governo ou chefe exigia de outro, após havê-lo derrotado em combate, tendo em vista certos privilégios. As organizações eclesiásticas, como se via na religião judaica, também cobravam impostos para sustento da causa religiosa.

Governos e povos de todas as civilizações, antigas e modernas, têm conhecido a prática da cobrança de impostos e o pagamento por direitos. A grosso modo, os métodos, tipos de taxação e as atitudes para com a cobrança de impostos não têm mudado em nada através dos séculos. Com base na extensa lista de palavras usadas para indicar taxas e tributos na Bíblia, pode-se ver que o antigo povo de Deus estava bem familiarizado com a questão. Na Bíblia, uma das primeiras referências à taxação ocorre no Egito, durante os sete anos de abundância, quando José foi autorizado por Faraó a recolher uma larga proporção do cereal, guardando-a para os anos de escassez, que logo chegariam (ver Gên. 41:25-57). A taxa de recolhimento deve ter sido alta, porque lemos: «Assim ajuntou José muitíssimo cereal, como a areia do mar, até perder a conta, porque ia além das medidas» (Gên. 41:49). Isso pôde ser feito no Egito porque ali Faraó era o senhor absoluto e proprietário de todas as terras (ver Gên. 41:44). O rei Davi impôs uma outra forma de taxação, sob a forma de tributos cobrados de nações e governantes que ele derrotava em batalha, como os filisteus, os moabitas e os idumeus. (Ver II Sam. 8:1-15).

O trabalho forçado por parte de cativos era uma outra forma de taxação ou tributo, conforme Salomão usou na construção do templo de Jerusalém. (Ver I Reis 9:15-23). De acordo com I Reis 4:7, Salomão deve ter introduzido em seu próprio reino uma forma de taxação. Até onde se sabe, essa foi a primeira vez em que o povo de Israel teve que pagar impostos, pois antes dessa ocasião, o governo custeava suas despesas com despojos e cativos da guerra. Salomão também cobrava taxas dos negociantes e das caravanas (ver I Reis 10:14).

Israel e Judá, com freqüência, foram forçados a pagar taxas ou tributos a países inimigos ao redor deles, quando por eles eram conquistados—os assírios, os egípcios, os babilônios e os persas (ver II Reis 18:13 *ss*). O Egito cobrou de Judá um pesado tributo, e Jeoaquim teve de oprimir seu povo para saldar o compromisso (ver II Reis 23:33). Os persas introduziram um método de taxação que se tornou largamente usado na história posterior: o governante provincial de alguma nação conquistada era forçado a pagar certa quantia anual ao poder ocupante, quantia essa que era requerida do povo da província, de várias maneiras (cf. Esd. 4:13). É possível que o começo da isenção de impostos, com propósitos religiosos, tenha começado na época de Esdras: «...vos fazemos saber acerca de todos os sacerdotes e levitas, cantores, porteiros, de todos os que servem nesta casa de Deus, que não será lícito impor-lhes nem direitos, nem impostos, nem pedágios» (Esd. 7:24). Os persas também cobravam pesados impostos nos dias de Neemias. Queixou-se ele de que os governadores antes dele «...oprimiram o povo, e lhes tomaram pão e vinho, além de quarenta siclos de prata...» (Nee. 5:1-15). A taxação era comumente conhecida pelo nome de «pão do governador».

Nos tempos helenistas, começou a ser usado o sistema familiar de «taxação sobre as atividades agrícolas», entregue a quem oferecesse mais vantagens, e que contava com o poder do exército a escudá-lo, a fim de coletar todo o tipo de impostos. Durante a *dominação grega*, segundo se diz, ricos e poderosos negociantes reuniam-se anualmente em Alexandria para disputar pelo direito de cobrar impostos de sua própria gente. Esse sistema produzia lucros exorbitantes, porque o coletor de impostos podia embolsar tudo quanto pudesse recolher além da quantia exigida pelo governo. Algumas vezes, o dinheiro assim recolhido era inacreditável. Sob os selêucidas, o governo requeria um terço do cereal produzido, metade das frutas e uma porção dos próprios impostos cobrados no templo. Pompeu, de Roma, cobrou pesados impostos da província judaica. Outro tanto fez Júlio César, embora tivesse isentado os judeus de pagarem impostos nos anos sabáticos.

Nos tempos do Novo Testamento, sob Herodes, o Grande, havia cobrança de impostos sobre os habitantes da Palestina relativamente a quase tudo, especialmente nos campos (ver Josefo, *Anti.* 15:10). Nos dias dos procuradores romanos da Palestina, a cobrança de impostos era entregue a quem oferecesse as melhores vantagens, sistema esse que, finalmente, foi adotado quanto ao império romano inteiro. As variedades de impostos aumentaram em número de tal modo que os pobres se sentiram pesadamente oprimidos. Havia impostos sobre as terras e as propriedades, o tributo (Mat. 22:17), impostos sobre exportações e importações, nos portos marítimos e nas portas das cidades, uma taxa sobre a colheita (uma décima parte da safra de cereais e uma quinta parte do vinho, das frutas e do azeite), imposto de um por cento sobre a renda anual de cada indivíduo, impostos sobre o uso das estradas, sobre a entrada em

174

DIREITOS CIVIS

certas cidades, sobre os animais de carga, sobre os veíc. los, sobre as vendas, sobre o comércio da escravatura, sobre a transferência de propriedades e até mesmo taxas emergenciais!

É verdade que sob o governo dos romanos, os povos recebiam os benefícios da lei e da boa ordem em terra e no mar, boas estradas, edifícios públicos, mercados, estádios, banhos, teatros, etc., embora as províncias fossem sangradas quase até a morte, nesse processo. Além de todos esses impostos, dos judeus requeria-se que pagassem a taxa do templo—meio siclo anualmente, que o trecho de Mateus 17:24 chama de «o imposto das duas dracmas». Todo judeu de vinte anos de idade para cima, ao redor do mundo, pagava esse imposto, com vistas ao bom funcionamento do santo templo de Jerusalém. (Cf. Êxo. 30:11-16). Depois de Vespasiano, quando o templo foi destruído, no ano 70 D.C., os judeus tiveram de continuar pagando o imposto do templo, apesar deste não mais existir.

Posteriormente, Roma introduziu o sistema de cobrança de impostos através do recenseamento (ver Luc. 2:2). Havia um elevado oficial romano chamado censor. Este procurava cobrar os impostos de maneira menos dispendiosa possível. Ele vendia o direito de cobrar impostos em várias áreas ou distritos a quem pagasse mais alto e estabelecia a cota governamental, dando aos publicanos o direito de fazerem coletas, das quais eles ficavam com certa porcentagem. Os contratos eram estabelecidos pelo período de cinco anos. Esse era o sórdido e opressivo mundo dos impostos no qual operaram homens como Mateus e Zaqueu. Sabia-se que eles enganavam tanto os oficiais do governo quanto os pagantes dos impostos. Deixavam-se subornar pelos ricos, permitindo-lhes pagarem menos impostos (cf. a parábola do mordomo infiel, em Luc. 16:1-9, que teria determinado a certo pagante: «...escreve cinquenta»). Na Palestina os publicanos ou coletores de impostos formavam exércitos inteiros, e com freqüência a profissão era herdada, passando de pais para filhos, o que formava uma autêntica casta de publicanos. Sob Judas, o Galileu, os judeus rebelaram-se contra essa escravatura de impostos escorchantes, mas os revoltosos foram esmagados pelo tacão do poder romano (ver Atos 5:37). Não é de surpreender, portanto, que os judeus odiassem o sistema dos impostos. Tinham muitas razões para esse ódio: a. Os publicanos enriqueciam às custas de pobres e ricos, igualmente; b. o método do recenseamento e do censor romano requeria que as pessoas fossem à cidade de origem, o que era uma grande inconveniência para todos, segundo lemos a respeito de José e Maria; c. grande parte daquilo que era recolhido seguia para a opulenta cidade de Roma, para ser distribuído entre uma população ociosa, em uma época em que estava abaixo da dignidade de um cidadão romano trabalhar com as próprias mãos; d. além de tantas obrigações, pesava ainda sobre eles o imposto do templo, a cada ano. Os coletores de impostos seguiam aos bandos de aldeia em aldeia, uma vez por ano, a fim de recolherem essas taxas; e, nos países estrangeiros, havia lugares determinados onde essa cobrança era feita.

Não há que duvidar que os antigos sabiam tudo sobre impostos. Os abusos e as indignidades amontoavam-se, esmagando o povo, especialmente das nações conquistadas. As alusões existentes nas Escrituras a taxas, tributos, impostos, publicanos, etc., tornam-se mais compreensíveis, vistas contra esse pano de fundo histórico. Alguns têm expressado surpresa diante da atitude de Jesus, o qual, quando confrontado pelo dilema exposto pelos fariseus, sobre a taxação, proferiu aquela familiar declaração: «Dai, pois, a César o que é de César, e a Deus o que é de Deus» (Mat. 22:15-22). E também diante do fato de que Paulo, que também viveu dentro do império romano, tivesse baixado aquele princípio permanente: «Por esse motivo também pagais tributos: porque são ministros de Deus, atendendo constantemente a este serviço. Pagai a todos o que lhes é devido: a quem tributo, tributo; a quem imposto, imposto; a quem respeito, respeito; a quem honra, honra» (Rom. 13:6,7). Porém, nem Jesus e nem o apóstolo Paulo estavam inclinados contra o sistema de taxação, mas em favor da honestidade, da justiça e da boa ordem, sob Deus, neste mundo.

DIREITOS CIVIS

A maioria dos países civilizados conta com constituições que garantem certos direitos básicos dos cidadãos. Surge o problema quando as próprias leis favorecem algumas classes mais do que a outras, como aos brancos mais do que aos negros, ou como aos homens mais do que às mulheres, ou aos naturais da região mais do que aos imigrantes. Isso cria uma situação segundo a qual pessoas que vivem em um mesmo país, não gozam dos mesmos direitos perante a lei. Disso só pode resultar uma situação caótica; e, se os injustiçados se organizarem, sérias conseqüências sociais poderão sobrevir. Ver o artigo sobre *Desobediência Civil*. A **constituição norte-americana** destaca três direitos básicos: a vida, a liberdade e a busca pela felicidade. Leis particulares foram baixadas para garantir os direitos do indivíduo quanto a essas áreas. A Magna Carta de 1215, na Inglaterra, foi escrita para delinear os direitos e obrigações feudais dos barões ingleses e seus vassalos. Os direitos dos cidadãos ingleses formaram a base das idéias da revolução americana, porquanto sentia-se que os direitos prometidos aos ingleses, não estavam sendo dados aos súditos da coroa britânica nas colônias. A Carta de Direitos, da constituição **norte-americana**, tinha o intuito de eliminar dúvidas sobre os direitos dos cidadãos. As liberdades e direitos básicos incluem a liberdade de criticar o governo, de reunir-se livremente em público, de portar armas, de adorar livremente, de possuir propriedades, etc. A maioria dos países civilizados têm listas similares de direitos dos seus cidadãos. A instituição da escravidão é, *ipso facto*, uma negação do direito de milhões de seres humanos. Esses não somente são forçados a trabalhar em lugares e de maneiras contrárias à sua vontade; mas também, embora vivendo lado a lado com pessoas livres, eles não têm direitos reconhecidos de qualquer espécie. Isso representa uma situação absurda, que precisa ser eliminada. Novas leis precisam ser decretadas para garantir a liberdade de pessoas escravizadas. Mas, mesmo onde a escravidão tem sido descontinuada, as antigas divisões, ódios e preconceitos levam muitos estados, se não mesmo países, a tratar seus cidadãos com desigualdades, dependendo das origens. Isso provoca a desobediência civil, e também movimentos que buscam dar direitos e privilégios iguais a todos os cidadãos. A segregação de todos os tipos, nos últimos tempos, tem sido a condição social mais visada pelos inconformados com essas injustiças. A discriminação de empregos é uma outra área problemática, cujas vítimas são grupos minoritários ou mulheres. Problemas dessa natureza não são resolvidos apenas por meios legais. Pois muitas pessoas, desses grupos segregados, realmente não estão tão bem qualificadas quanto outras pes-

DIREITOS HUMANOS

soas. Em muitos países tem-se sentido a necessidade de fundar escolas para qualificar esses desprivilegiados, a fim de que ocupem uma condigna posição na sociedade. Todos esses processos modificadores das injustiças sociais são demorados, pois o progresso obtido é lento e doloroso.

O Ideal Cristão. O trecho de Gálatas 3:28 afirma claramente qual deve ser a atitude do crente, diante desses problemas sociais. Os crentes tornam-se um em Cristo, sem importar se homens ou mulheres, se livres ou escravos, se ricos ou pobres, se judeus ou gentios. Os movimentos que defendem os direitos civis e buscam estabelecer a igualdade entre os homens, sem o emprego de meios violentos, estão dentro do ideal cristão. Os abusos entram quando os radicais políticos, no afã de promover sua própria causa, manipulam as massas visando atos perniciosos para o bem comum. (H)

DIREITOS HUMANOS

Ver o artigo geral sobre o **Direito**.

Esboço:
I. O Princípio do Direito
II. A Ética Social
III. Pontos de Vista Filosóficos
IV. O Ideal Cristão

I. O Princípio do Direito

Tipos:

1. *Metafísico*. Nos escritos de Hegel encontramos menção ao *Espírito Absoluto*, que se manifesta em toda existência através da tríada Direito Abstrato/ Moralidade/Ética Social. Isso significa que os direitos humanos têm uma base metafísica, resultantes das atividades de Deus. Não são apenas desenvolvimentos empíricos e conveniências humanas.

2. *Direitos Naturais*. Ver o artigo separado sobre esse assunto. Alguns filósofos supõem que o ser humano, como parte de sua própria natureza, tem uma dignidade que requer que lhe sejam conferidos certos direitos, entre os quais a liberdade e a busca pela felicidade. Um ser humano é politicamente livre quando vive sob as circunstâncias por ele mesmo escolhidas. Um homem é espiritualmente livre quando é libertado através da missão de Cristo, de tal maneira que ele passa a desfrutar da liberdade do pecado e dos seus efeitos, bem como da liberdade de buscar a imagem de Cristo, segundo a qual ele passou a ser transformado.

3. *Direitos Civis*. Dos pontos de vista filosófico e teológico, a um ser humano devem ser dados certos direitos civis (direitos de um cidadão), por causa de sua dignidade, por causa de direitos metafísicos, naturais e divinos, que devem refletir-se na lei civil. Alguns estudiosos argumentam que os direitos civis são apenas desenvolvimentos empíricos por meio da conveniência e do consentimento do povo, visando ao bem prático, bem como a harmonia na sociedade. Como é óbvio, muitas leis são apenas questões pragmáticas; mas deveríamos observar que as constituições de muitos países modernos estão firmemente alicerçadas sobre princípios bíblicos, o que transcende ao mero empirismo nas instituições de leis. As pessoas de cor negra têm exigido maior liberdade e igualdade, não apenas por que isso é pragmático e contribui para a harmonia na sociedade, mas porque há o envolvimento da dignidade do homem na questão. É significativo que nos Estados Unidos da América, pelo menos, os principais líderes do movimento em prol dos direitos civis têm sido

pregadores, e as igrejas evangélicas têm sido o principal centro de atividades que promovem os direitos civis. Essa conexão é natural e significativa, e deveria chamar a nossa atenção.

4. *Direitos Divinos*. A Bíblia alicerça a conduta humana sobre a lei divina revelada, e quanto mais profundas forem essas leis reveladas, mais elas podem ser sumariadas no amor (Rom. 13:8 *ss*). Quanto a uma discussão sobre como a Bíblia se relaciona ao que é direito, ver o artigo sobre *Direito*, III. Idéias Bíblicas. A lei do amor é a mais poderosa força que existe no mundo em todas as épocas. O amor poderia resolver o problema entre judeus e árabes (com todas as suas implicações) em um único dia, um problema que guerra e terrorismo contínuos não têm podido solucionar em muitos anos. A Bíblia torna-se o livro de texto sobre como os homens deveriam tratar uns aos outros, e como a sociedade humana deveria ser organizada. A Bíblia é um livro de princípios revelados, e muitos desses princípios têm sido incorporados nas leis de nações, estados e cidades.

II. A Ética Social

Na ética social, o que é **direito** é aquilo que é a base do conceito de dever. Uma sociedade compartilha de uma série de deveres comuns, e esses requerem certo número básico de direitos humanos, que precisam ser respeitados. As desigualdades, sem importar se entre os sexos ou entre as raças, são uma violação de um sensível código de ética social. Ver o artigo separado sobre os *Direitos Civis*. Um direito legal é uma reivindicação reconhecida e apoiada pela lei. Nem todos os direitos, porém, têm sido confirmados nas leis civis. A África do Sul oferece um clamoroso exemplo disso. Além disso, temos a violação dos direitos humanos fundamentais da liberdade, nos países de governos totalitários. A Igreja cristã é oprimida nos países comunistas, onde as escolas religiosas são fechadas, com o resultado que as crianças (e a sociedade inteira) são forçadas a estudar e a aceitar o ateísmo e o marxismo. Não há opção quanto a isso, pelo que a liberdade se perde, sendo esse o maior de todos os direitos civis possíveis. Ver o artigo sobre o *Comunismo*. Um direito político é uma reivindicação de liberdade que pertence a um homem, por ser ele um ser humano, uma pessoa dotada de dignidade. Isso se alicerça sobre a lei divina e a lei natural.

III. Pontos de Vista Filosóficos

Quanto a um completo tratamento a esse respeito, ver a segunda parte do artigo sobre o *Direito*.

Os privilégios de uma pessoa, como membro da sociedade, incluem as liberdades comuns, como o direito de usar escolas, instituições, facilidades públicas, lugares de entretenimento e empregos. «Ter um direito qualquer é ter algo que a sociedade deveria garantir como minha possessão» (John Stuart Mill, que vide). A palavra «deveria» mostra que nessa declaração de Mill está envolvido um direito. O conceito de dever requer o reconhecimento da *lei*, de tal modo que os deveres possam ser descritos e impostos. Esses deveres podem ser utilitários, mas também há direitos básicos como a liberdade e a igualdade diante da lei, que ultrapassam àquilo que é meramente pragmático. Muitos filósofos têm promovido o conceito de *leis naturais* (que vide), como base das leis humanas, civis.

IV. O Ideal Cristão

O trecho de Gálatas 3:18 declara abertamente qual deve ser a atitude cristã. Em Cristo, todos nós somos um, sem importar se homens ou mulheres, livres ou

176

DIREITOS — DISCERNIMENTO

escravos, judeus ou gentios. Os movimentos de direitos civis buscam obter a igualdade de direitos. Aqueles que têm lutado por esse ideal, sem apelarem para a violência, ajustam-se ao ideal cristão. O ideal cristão inclui a crença de que a Bíblia é um livro de princípios morais revelados, que deveriam governar os relacionamentos humanos. Esse ideal opõe-se aos abusos praticados pelos radicais, que esmagam os direitos humanos em nome das democracias populares. A lei bíblica do amor é o solo onde podem florescer todos os direitos humanos. (E F H)

DIREITOS NATURAIS

Ver o artigo paralelo intitulado **Direito Natural**.

Deve-se fazer a distinção entre o direito *legal* e o direito *natural*. O primeiro refere-se à capacidade de obter a proteção do Estado quanto a algum interesse, privilégio ou poder, de acordo com as leis da terra, que buscam beneficiar os cidadãos em geral. O *interesse* envolvido é um *direito* garantido por lei. O segundo refere-se a um interesse que *deveria ser* concedido como um *direito moral*, sem importar se este é garantido ou não por alguma provisão legal. Na filosofia e na jurisprudência tem-se pensado que as leis naturais (que vide) são universalmente aceitas, porque os homens são dotados de poderes racionais e intuitivos, que definem no que consistem essas leis. A existência dessas leis confere direitos naturais aos homens. As leis naturais, e, portanto, os direitos, presumivelmente **são auto-evidentes**, ou porque o próprio homem tem, em si mesmo consciência dos direitos que possui, por natureza, ou porque ele é inspirado a ter tal percepção pela natureza, por Deus ou por alguma força cósmica.

Em conseqüência, os direitos que pertencem aos homens *por natureza*, e que não ocorrem através de costumes ou convenções, são **princípios auto-evidentes**.

Idéias:

1. *Thomas Hobbes* (que vide) ensinava que o homem tem o direito natural à *vida*, o que nenhuma sociedade ou agência governamental tem o direito de abreviar ou prejudicar, arbitrariamente.

2. *John Locke* (que vide) asseverava que entre os direitos naturais temos aqueles direitos básicos à *vida*, à *liberdade* e à *propriedade*. Esses três direitos foram específica e enfaticamente incluídos na constituição dos Estados Unidos da América. Na Declaração da **Independência** norte-americana. Thomas Jefferson referiu-se à tríada de *vida, liberdade* e *busca pela felicidade*.

3. *Rousseau* (que vide) ensinava que faz parte de nosso direito natural agir com base em nossos impulsos e instintos, recebendo a garantia da lei civil. Em outras palavras, todos os cidadãos têm como direito natural, serem protegidos pela legislação civil, como base do estado democrático. A Declaração de Direitos do Homem, da França, incorporou as idéias de Rousseau.

4. *Trendelenburg* (que vide) defendia a legitimidade dos direitos naturais, utilizando-se da idéia aristotélica da *causa final*, que é a noção de que todas as coisas são teologicamente orientadas, e que a natureza, em sua própria estrutura, garante que as finalidades, baseadas sobre o propósito. Portanto, no caso do homem, simplesmente por ser ele um ser humano, ele tem um certo propósito para viver. Conseqüentemente, os direitos naturais estão envolvidos na realização, ou em tais propósitos.

5. A *Declaração das Nações Unidas* incluiu a substância da idéia dos direitos naturais, conforme se vê em outras constituições, mas evitando qualquer alusão a alguma base divina desses direitos. Esse documento inclui os direitos de pagamento eqüitativo para trabalho geral, o direito ao matrimônio, o direito de desfrutar as artes e mesmo o direito ao ócio. A Declaração dos Direitos do Homem, da França, também evita qualquer menção a uma base divina. Mas, em contraste, a Declaração da Independência, dos Estados Unidos da América, alicerça os direitos naturais sobre o relacionamento entre o homem e Deus.

6. *O Ponto de Vista Bíblico*. O homem tem direitos que lhe foram dados por Deus. Paralelamente a isso, ele tem deveres que precisam ser cumpridos por causa de seu relacionamento com Deus, e porque os dons de Deus são bons e perfeitos (Tia. 1:17). Há a lei real do amor (Tia. 2:8 *ss*), que se encontra à base do inteiro conceito da lei. O amor a Deus e o amor ao próximo é o requisito que deveria guiar toda a nossa conduta (Mat. 22:27 *ss*, Rom. 13:8 *ss*). Visto que Deus ama o mundo inteiro (João 3:16), e que a provisão da missão de Cristo também é universal (I João 2:2), é patente que todos os homens deveriam ser protegidos pela lei natural, teisticamente alicerçada. O fato é que as leis de muitas nações modernas têm sido influenciadas, mesmo quando não estão diretamente alicerçadas sobre princípios bíblicos. Para começar, o decálogo (que vide) era, ao mesmo tempo, uma lista dos deveres e dos direitos dos homens. O Novo Testamento refinou isso, fazendo as leis incorporarem até mesmo os motivos dos homens. (H MEL P)

DISÃ

Forma alternativa da palavra hebraica **dishon**, «antílope» ou «cabra montês». Esse era o nome do filho caçula do horeu Seir (Gên. 36:21,28,30; I Crô. 1:38,42). Ele viveu em cerca de 1950 A.C. Foi o líder de um clã dos horeus descendentes de Seir, ou então, conforme alguns estudiosos supõem, um filho direto dele. Esse povo finalmente foi expulso do lugar pelos idumeus (Deu. 2:12).

DISCANTE

Um termo musical que se refere à combinação — simultânea — e harmônica de duas ou mais melodias. — A segunda melodia adicionada era chamada de *discante*. Esse estilo foi descrito a princípio por Franco de Colônia, em sua obra *Ars Cantus Mensurabilis*, que diz que o discante é originário do século XII D.C. Nessa época, o discante tinha um estilo métrico, mas a palavra veio a indicar qualquer segunda melodia harmonizada a outra. Na prática, com freqüência isso melhorava a qualidade da melodia. A própria palavra discante compõe-se de *dia* (fora) e *cantus* (canção), ou seja, uma canção distinta, separada de outra, mas que vinha a ser combinada com ela.

DISCERNIMENTO DE ESPÍRITOS

Com bases neotestamentárias, isso refere-se à capacidade de reconhecer a força inspiradora por detrás de declarações extáticas e de sistemas religiosos (como os poderes por detrás da heresia gnóstica; ver I João 4:1).

Como uma referência literária, o termo refere-se a regras, como aquelas de Stº Inácio, para ajudar os cristãos a reconhecerem a origem dos impulsos morais e espirituais.

DISCERNIMENTO — DISCIPLINA

Idéias do Novo Testamento. a. O movimento carismático da Igreja primitiva levantou a possibilidade de profecias, visões, línguas, declarações extáticas, etc., de origem demoníaca, como imitação das verdadeiras manifestações do Espírito Santo (I Tim. 4:1). Nada havia de novo quanto a essas manifestações. Eram comuns entre as profetisas e os oráculos pagãos. A fim de que os cristãos pudessem reconhecer a origem e a qualidade de tais manifestações, o Espírito do Senhor distribuía um dom com esse propósito precípuo (ver I Cor. 12:10). Essa é a única passagem, em todo o Novo Testamento, que contém essa expressão exata. Esse dom visava o controle das manifestações autênticas do Espírito, e não somente a fim de evitar poderes malignos. b. A Igreja primitiva teve seus problemas com os falsos mestres (I João 4:1), conforme também fora predito por Jesus e por Paulo (Mat. 7:14; Atos 20:28 *ss*). Todo mestre deveria ser julgado por seus frutos (Mat. 7:15 *ss*). Mas a primeira epístola de João também nos sugere um teste doutrinário, salientando vários erros do gnosticismo. O trecho de I João 4:1 *ss* aplica um teste confissional. A atitude dessa passagem tem sido muito exagerada no mundo religioso, pelo que a Igreja cristã está dividida em facções, cada qual intitulando a outra de herege, demoníaca, etc. c. Na Igreja primitiva ainda havia o poder da autoridade apostólica (I João 4:5 *ss*), um meio de discernimento de espírito com que não contamos atualmente, a menos que seja válida a doutrina da *autoridade apostólica* (que vide).

Problemas da Atualidade. Como ilustração, refiro-me a um caso que observei pessoalmente. Chegou alguém desconhecido, em uma igreja onde, presumivelmente, eram praticados dons espirituais. No fim do culto, ou, de outras vezes, já no começo, ele prorrompia em altas vozes falando em línguas, intercalando isso com frases em português. Ele falava com grande volume de voz, forçando a congregação a ficar em silêncio para ouvi-lo. Porém, ele fazia isso com muita freqüência, gastando muito tempo na prática. Fazia isso até mesmo em reuniões de oração particulares. A atenção que ele despertava a princípio, começou a diminuir. Finalmente, suas prolongadas declarações começaram a ser interrompidas pelo pastor, assim que ele começava a falar. O pastor fazia a congregação cantar algum hino, de tal modo que as vozes da comunidade abafavam a voz daquele único homem, embora falasse sempre com um grande volume. Que devo compreender sobre isso? Suponho os pontos abaixo:

1. Que, a princípio, as declarações eram entendidas como provenientes do Espírito de Deus, pelo que eram respeitadas e ouvidas em silêncio.

2. Que aquelas declarações começaram a ser um incômodo, não sendo mais bem acolhidas. Nesse caso, seriam consideradas demoníacas? Nesse caso, o homem deveria ter sido tratado como alguém que estava sob a influência de algum espírito maligno.

3. Mas, se aquelas declarações eram consideradas procedentes do Espírito, então a regra ensinada em I Coríntios 14:30 deveria ser observada. As pessoas deveriam ficar em silêncio, pois o espírito dos profetas está sujeito aos profetas.

4. Haveria outra maneira de interpretar uma situação assim? Sugiro que, intuitivamente, as pessoas podem reconhecer o envolvimento de espíritos demoníacos ou de meros *espíritos humanos*. Nesse caso, por exemplo, o pastor veio a reconhecer que não estava ouvindo o Espírito Santo, quando aquele homem se impunha para ocupar o centro das atenções. Estava apenas enfrentando uma expres-

são do *ego humano*, que procurava obter atenção, para fingir profunda espiritualidade, como alguém continuamente usado pelo Espírito Santo. E o pastor, sentindo isso, cortou aquelas manifestações de egocentrismo levando sua congregação a entoar hinos. É improvável que aquele simples pastor tenha alguma teoria para explicar coisas assim. Talvez ele não tenha consciência de que essas manifestações podem ser produzidas pelo fanatismo religioso, ou por algum tipo de agitação psicológica, não requerendo nem poderes divinos e nem poderes demoníacos para causá-las. Com ou sem definição, porém, ele agia para impedir a continuação da autoglorificação, através do suposto uso de um dom espiritual. É possível, contudo, que ele estivesse agindo por ser dotado do dom de discernimento de espíritos; e, nesse caso, o que estava sendo desmascarado era um *espírito humano*, e não um espírito demoníaco.

DISCIPLINA

Esboço:

Declaração Introdutória
I. Princípios de Disciplina
II. Razão da Disciplina
III. Modos de Disciplina
IV. Aspectos Históricos da Disciplina

Declaração Introdutória

1. A palavra disciplina vem do latim, **disciplina**, «instrução», «treinamento», «disciplina». A palavra *discípulos*, «aprendiz», está relacionada a ela. A forma verbal *discere*, significa «aprender». Nossa palavra portuguesa «discípulo», que quer dizer «aprendiz» ou «seguidor», deriva-se dessa raiz latina. É óbvio, portanto, que o verdadeiro discípulo precisa ser uma pessoa disciplinada.

2. *Usos específicos do termo*:

a. Indica um *modo de vida*, que alguém aceita quando pertence a algum grupo específico, ou quando abraça alguma ideologia específica, supondo-se que esse meio de vida só pode ser mantido através da observância de certas normas e requisitos.

b. Indica qualquer sistema de ascetismo e mortificação.

c. Relaciona-se à idéia de *açoite*, objeto usado com propósitos disciplinadores na vida monástica.

d. Também indica os métodos mediante os quais um modo de vida é posto em execução, bem como as *penas* aplicadas aos que erram.

e. Indica o treinamento sistemático que prepara uma pessoa para alguma tarefa específica, ou a fim de ser ela um membro melhor de alguma organização dotada de algum propósito a cumprir.

f. Também aponta para algum curso acadêmico ou alguma matéria de estudo.

3. *Palavras e Usos no Antigo e no Novo Testamentos:*

O termo hebraico *musar* significa «correção», «instrução»; um termo correlato, *moser*, que significa «laços» ou «algemas». No Antigo Testamento, a disciplina usualmente refere-se à instrução com recompensas e punições acompanhantes, com o intuito de guiar a conduta. Há uma certa «disciplina do Senhor» (Deu. 11:2); e a lei do Antigo Testamento, como um todo, é um aspecto da mesma. A lei mosaica tem um complexo sistema de punições, cujo intuito é reforçar os mandamentos (Lev. 25:23; Deu. 4:36; Êxo. 20:20). O homem ímpio odeia a disciplina (Sal. 50:17), porquanto interfere com sua vida devassa. Porém, o verdadeiro filho não despreza a disciplina

178

DISCIPLINA

(Pro. 3:11). Aquele que ama a disciplina também ama a vida, conforme destaca o trecho de Provérbios 5:12. As crianças devem estar sujeitas à disciplina, para seu próprio bem (Pro. 19:18).

No Novo Testamento, a palavra comumente usada é *paidia*, que inclui tanto a idéia positiva de instrução e orientação, com o sentido de «treinamento de crianças» como a idéia de modos de castigo a fim de impor a conduta certa. Essa palavra está relacionada a *país, paidós*, palavra grega que significa «criança». A forma verbal, *paideuo*, significa criar, educar, instruir, disciplinar, praticar a disciplina, vergastar ou punir de alguma outra maneira. Visto que, à base dessa palavra, temos a idéia de um pai a disciplinar, também devemos compreender que por detrás dessa palavra brilha o motivo de amor. Ver Heb. 12:6-11. Os atos disciplinadores de um bom pai sempre são motivados pelo interesse de ver seus filhos vivendo retamente. A disciplina aplicada por motivo de ódio ou contenção é perseguição, e não disciplina. Jesus chamou-nos para uma vida disciplinada, caracterizada pelo fato de que dele aprendemos (Mat. 11:29). Sócrates declarava que a vida indisciplinada não é digna de ser vivida. Nosso treinamento deve ser na piedade (II Tim. 4:7).

4. *Meios de disciplina na situação da igreja local.* Esses meios são instituições como o lar, a escola e a própria igreja local. Além disso, há a considerar a autodisciplina dos discípulos sérios. Nosso manual de orientação é a Bíblia, vinculada a uma consciência bem treinada nas Escrituras.

I. Princípios de Disciplina

1. Os ministros do evangelho estão autorizados a estabelecer a disciplina nas igrejas (ver Mat. 16:19 e 18:18).

2. Estas são as suas características:
   a. É preciso que mantenha a sã doutrina (ver I Tim. 1:13).
   b. Deve ser uma linha mestra para a ação (ver I Cor. 11:34 e Tito 1:5).
   c. É mister que repreenda aos ofensores (ver I Tim. 5:20).
   d. Deve remover os ofensores obstinados (ver I Cor. 5:3 e *ss* e I Tim. 1:20).

3. O homem espiritual submete-se à disciplina (ver Heb. 13:17).

4. Seu propósito é edificar os crentes (ver II Cor. 10:8).

5. Deve estabelecer a boa ordem e a decência (ver I Cor. 12:40).

6. O amor cristão deve ser seu guia padrão (ver II Cor. 2:6-8).

II. Razão da Disciplina

I Cor. 5:11: *Mas agora vos escrevo que não vos comuniqueis com aquele que, dizendo-se irmão, for devasso, ou avarento, ou idólatra, ou maldizente, ou beberrão, ou roubador; com esse tal nem sequer comais.*

1. Notemos quão estrita é esta passagem. O leitor conhece algum crente que pratique qualquer dos males morais que estão alistados neste versículo? Pois então que o tal seja assinalado como uma das pessoas que deve ser evitada, e que a igreja local de que é membro tome as providências necessárias para sua exclusão. Que não se tenha qualquer associação social com tal pessoa, como tomar uma refeição com ela, em sua residência, e nem seja tal pessoa convidada para tal coisa na residência de algum crente. Isso segue os passos da exclusão entre os judeus, ' a qual não envolvia somente a sinagoga, mas também cobria as situações sociais.

2. Porém, qualquer ação dessa natureza deve ser tomada democraticamente pela igreja, e não pelo pastor ou por alguma junta de anciãos (ver Mat. 18:15-17). A ação da igreja fará a questão assumir natureza impessoal, além de ser muito mais eficaz.

3. Nenhum dos juízos divinos, entretanto, visam a mera retribuição, mesmo no caso dos incrédulos. (Ver I Ped. 4:6 e Rom. 11:32 quanto a esse ensino). E por certo, Deus não julga um crente a não ser com o propósito de levá-lo à restauração. (Ver Heb. 12:6 e *ss*).

III. Modos de Disciplina

Se recusar ouvir. Mat. 18:17. A palavra «recusar», nesta frase, vem da mesma palavra grega que originou a tradução «não entender». Se o ofensor se mostrasse obstinado ante as testemunhas e representantes da igreja, persistindo nessa atitude, e se mesmo na reunião da igreja mostrasse não desejar a reconciliação e nem o arrependimento, então não haveria outro recurso senão a exclusão, pois já teria sido aplicada a influência moral mais elevada. Porém, a disciplina deve ser aplicada pela opinião geral da igreja, por ação democrática, e não somente por parte de um grupo que tenha autoridade na igreja. Se a ação for democrática, feita por meio de votação, a influência moral será grande, como sempre deve ocorrer nos casos de exclusão. A *excomunhão* exige autoridade das mais amplas possíveis, e somente a opinião geral da igreja é que tem essa autoridade. A autoridade de uma comissão, ainda que se componha de pessoas escolhidas pela igreja, não é suficiente para excluir membros de uma igreja. Pode ser que uma comissão tenha autoridade legítima e suficiente para cumprir diversas coisas relativas aos negócios da igreja, sem a votação ou aprovação geral da igreja, mas uma exclusão não pertence à mesma classificação com esses negócios.

Considerar um membro da igreja como *gentio e publicano* (termos de escárnio e ódio que os judeus usavam para indicar homens moralmente inferiores ou de raça não-judaica) não pode, no conceito cristão, envolver a idéia de ódio, escárnio ou espírito perverso, porque tudo isso é totalmente contrário ao espírito de Cristo, aos propósitos e à expressão geral deste mesmo texto. A reconciliação seria ainda melhor que—a disciplina—ou a continuidade de sua aplicação. No que se refere a certo caso difícil de disciplina, de que Paulo precisou tratar (ver I Cor. 5), depois da aplicação da disciplina e do arrependimento subseqüente, foi mister que ele recomendasse a «aceitação» novamente do membro excluído e que nisso se incluísse o «amor» e o «perdão» completos. Por isso é que lemos ali as seguintes palavras: «...basta-lhe a punição pela maioria. De modo que deveis, pelo contrário, perdoar-lhe e confortá-lo, para que não seja o mesmo consumido por excessiva tristeza. Pelo que vos rogo que confirmeis para com ele o vosso amor» (II Cor. 2:6-8). A disciplina, até mesmo quando justificável e necessária, pode ser excessiva e injusta. É até mesmo possível que a ação disciplinar não seja menos criminosa que o motivo que a causou. A igreja, o pastor, os membros, a autoridade da igreja, podem tornar-se culpados de erros não menos graves do que aquele que exigiu a disciplina, se agirem sem o espírito de amor e sem o propósito de reconciliação. Assim é que Cristo jamais ensinou que a atitude da igreja pode ser igual à atitude dos judeus com relação aos «gentios» e «publicanos». Nada há nos ensinamentos de Jesus que permita à igreja «abominar» a raça humana,

DISCIPLINA — DISCÍPULO

conforme os romanos fizeram com os judeus. União e reconciliação devem ser os alvos da disciplina. O indivíduo disciplinado continua sendo «irmão» e, talvez mais do que nunca, precisa de ajuda verdadeira da igreja.

A história eclesiástica tem apresentado diversos abusos deste texto, o que também se aplica aos conceitos dos vss. 18-20. Cortes eclesiásticas que têm excomungado igrejas, poderes políticos, etc., têm sido formadas à suposta base da autoridade destes versículos. Mas nada está mais longe do espírito deste texto do que tais organizações. Talvez a maior perversão tenha sido a criação de poderes eclesiásticos que declaram que têm autoridade sobre os poderes políticos deste mundo. É óbvio que nem Jesus nem o autor desse evangelho tinham qualquer idéia semelhante quando pronunciaram essas palavras. Neste texto não têm base nem mesmo as idéias de uma comissão externa, superior, formada por autoridades religiosas de qualquer denominação, que se arrogue ao direito de ter poder sobre os atos e negócios disciplinares de igrejas locais. O texto se limita às ações e relações pessoais de indivíduos crentes e das igrejas locais. Qualquer aplicação mais ampla do texto seria uma interpretação errônea, um abuso contra os ensinos de Jesus aqui encontrados. Essa passagem não fornece alicerce algum para a formação de hierarquias eclesiásticas, de denominações, de grupos superiores às igrejas locais. De fato, o espírito do texto não pode ser mais contrário a tais idéias.

IV. Aspectos Históricos da Disciplina

—No tocante às idéias e práticas gerais do Antigo e do Novo Testamentos, ver a *Declaração Introdutória.* É evidente que a disciplina era considerada uma questão séria, na Igreja cristã primitiva. Não fora assim, e ela não teria sobrevivido, considerando-se a oposição que precisou enfrentar. Além disso, sempre houve o perigo do retorno ao paganismo, o que é graficamente retratado nas epístolas de Paulo aos Coríntios e aos Tessalonicenses, para nada dizermos acerca do desvio doutrinário, conforme é ilustrado na epístola aos Gálatas e nas epístolas de João.

A partir de Gregório I e do concílio de Trento, certos aspectos severos acerca da disciplina, foram introduzidos na cristandade. O movimento monástico demonstrava fortíssima tendência para o ascetismo, com o apoio de uma disciplina muito severa. Os membros em geral eram penalizados com um rígido sistema de penitências. A doutrina do purgatório abria espaço para alguns abusos, no tocante às indulgências. Tribunais eclesiásticos elaborados tomaram o lugar e as funções dos tribunais civis. As diferenças doutrinárias eram severamente punidas por meio da exclusão, do exílio e até mesmo da morte.

A *Reforma protestante* pôs fim ao monopólio da autoridade, pelo que, em alguns lugares, pôs fim no poder por detrás da disciplina aplicada. Infelizmente, porém, a reforma não conseguiu acabar com os abusos. Os desvios religiosos, mesmo de crenças doutrinárias, continuaram sendo punidos pela morte e pelo banimento. Ver o artigo sobre *João Calvino*, quanto a uma triste demonstração desse fato. Os anabatistas também baniram e perseguiram.

Com o surgimento das democracias e da propagação de inúmeras seitas protestantes, a disciplina tem sido desgastada na Igreja cristã, nos tempos modernos. As práticas malignas agora são sancionadas e usadas na Igreja, como o emprego de música de «rock and roll», o que, em outros tempos, teria sido motivo da aplicação de uma severa disciplina.

••• ••• •••

DISCIPLINA ARCANI

Expressão que vem do latim, **arcanus,** secreto, silencioso, sagrado. Refere-se à prática de observar os ritos e algumas doutrinas da Igreja, de uma maneira secreta, de tal modo que seriam ensinados somente aos inquiridores sérios, como a catecúmenos ou pagãos convertidos. Todavia, isso não teve lugar na Igreja cristã senão já no século IV D.C., quando, em alguns lugares, os mistérios da religião (que vide) e suas práticas começaram a ser imitados. Segundo se presume, essas práticas visavam atrair os pagãos, que estavam familiarizados com práticas similares do paganismo.

DISCIPLINA DOS ARCANOS

Um termo cunhado no século XVII, denotando a prática de certos cristãos antigos, que ocultavam certos ensinos e cerimônias dos catecúmenos e pagãos, no desejo de impedir mal-entendidos. O termo vem do latim, *arcanus*, «escondido». A forma *arcanum* indica um segredo ou mistério, um segredo da natureza, um segredo da medicina. Muitos escritos antigos mencionam isso, no Oriente e no Ocidente, mas a prática cessou após o edito de Milão (313), (ver o artigo). Teodoreto revela o espírito dessa prática ao dizer: «Falamos obscuramente dos mistérios divinos por causa dos não-iniciados; mas, depois que estes se retiram, ensinamos claramente aos iniciados». (Questão 15). Quando os pagãos eram ensinados, era explicado o nascimento, a morte e a ressurreição de Jesus, mas não o batismo, a santa comunhão, a trindade, etc. (B WA)

DISCÍPULO, DISCIPULADO

Esboço:
Declaração Introdutória
  I. A Palavra e Seus Usos
  II. Características Básicas de um Discípulo
  III. Discipulado: Sacrifício e Recompensa
  IV. A Recompensa Magnífica
  Conclusão

Declaração Introdutória

A palavra **discípulo** está relacionada à idéia de «disciplina». Isso é muito instrutivo, porque, acima de tudo, dos verdadeiros discípulos requer-se disciplina. Jesus não chamava homens meramente para que O seguissem. Ele exigia que eles renunciassem a tudo. Isso é assim, porque o discipulado envolve questões de vida e morte, porquanto o alvo do mesmo é a *vida eterna* (que vide). O presente artigo, portanto, fornece uma detalhada exposição sobre a natureza desse alvo, que é a participação, afinal, na natureza divina. Ver o artigo geral sobre a *Disciplina.*

A própria vida cristã é uma disciplina. Quando os homens a reduzem a algo menos do que isso, o cristianismo deixa de ser a religião que foi fundada por Jesus. É possível a existência de uma sociedade religiosa na qual as pessoas se reúnem e desfrutam da companhia umas das outras, e até mesmo cumprem algumas boas obras, sem reterem a natureza de um verdadeiro discipulado. Suponho que muitos aspectos da maioria das denominações evangélicas refletem essa situação, em nossos dias.

I. A Palavra e Seus Usos

A palavra portuguesa **discípulo** vem do latim *discípulos*, que significa «aluno», «aprendiz». A raiz verbal é *discere*, «ensinar». A palavra grega correspondente é *mathetés*, de onde também se deriva a

180

DISCÍPULO

palavra que significa «aprender». O termo hebraico *talmid* vem de *talmad*, «aprender», conforme se vê em I Crônicas 25:8, ao referir-se aos alunos da escola de música do templo de Jerusalém. Naturalmente, a aprendizagem necessariamente subentende a *prática* daquilo que alguém aprende; e é então que temos o discipulado. De acordo com o uso posterior entre os hebreus, a palavra *talmidim* (discípulos) veio a ser usada para indicar aqueles que seguiam algum rabino específico e a sua escola de pensamento. Houve também o desenvolvimento do *Talmude* (erudição), os escritos que serviam para aclarar e expandir as Escrituras do Antigo Testamento. Esse documento tem uma certa alusão aos *talmidim* ou discípulos de Jesus.

No Novo Testamento, a palavra «discípulo» é usada somente nos evangelhos e no livro de Atos, mas ali ocorre por mais de duzentas e cinqüenta vezes. Ver João 1:35 *ss*; Mar. 2:18 *ss*; Luc. 11:1; 10:24; Mat. 11:2; 22:16. A responsabilidade dos cristãos consiste em fazer aumentar o número dos discípulos de Jesus, mediante a evangelização de alcance mundial (Mat. 28:19,20). No livro de Atos, o termo «discípulos» é o vocábulo mais distintivo para indicar aqueles que confiavam em Cristo e procuravam seguir o seu caminho. Ver Atos 6:1,2,7; 9:1; 11:26; 18:23; 19:1; 21:4,16. Apesar de ser surpreendente que o próprio vocábulo não apareça no Novo Testamento, após o livro de Atos, é indiscutível que a idéia continua sendo usada, sendo muito elaborada nas instruções dadas aos seguidores sérios de Jesus Cristo.

É interessante observar que, no século II D.C., Inácio usou o termo para indicar a si mesmo, como para indicar que o seu *martírio* seria a prova final de seu discipulado cristão. Atualmente, muitos crentes evangélicos não parecem interessados em provar seu discipulado de qualquer maneira especial. Ver Inácio, *Eph.* 1:2.

II. Características Básicas de um Discípulo

1. Um discípulo creu na doutrina de Cristo (João 3:17 *ss*; Atos 11:26).

2. Ele passou pela experiência do novo nascimento (João 3:3-5).

3. Ele renunciou a tudo (Mar. 8:34). Notemos que nesse texto Jesus chamou os seus *discípulos*, dizendo-lhes que deviam renunciar ao mundo, a fim de obter a vida eterna, o que incluía o tomar a cruz.

4. O discípulo dedica-se a uma vida de sacrifício, a fim de justificar o dom da vida eterna, que recebeu (Luc. 14:26).

5. Ele dedica-se à vida disciplinada (que vide).

6. Ele é um aprendiz, alguém que está interessado em avançar na doutrina de Cristo (Heb. 6:1 *ss*).

7. Ele se interessa por ajudar a aumentar o número dos discípulos, em obediência à Grande Comissão (Mat. 28:19,20).

III. Discipulado: Sacrifício e Recompensa

1. A Promessa do Evangelho

Receberá muitas vezes mais. Mat. 19:29. Algumas antigas traduções, como KJ e AC, dizem «cem vezes mais». Porém, a tradução «muitas vezes mais», segundo as versões AA, IB WM e outras, se baseia nos mss BL (e alguns outros), no Sa (versões egípcias) e no pai Orígenes. Essa é a palavra original de Mateus. «Cêntuplo» ou «cem vezes mais» é a expressão original de Marcos (Mar. 10:30). Lucas diz «muitas vezes mais» (Luc. 18:30). Porém, o sentido é o mesmo em todos os três casos. Jesus não somente prometeu a recompensa na vida vindoura (a vida eterna), mas para esta própria vida. Marcos descreve o caráter da recompensa presente: *o cêntuplo* de casas, irmãos, irmãs, mães, filhos e campos, com perseguições». O sacrifício próprio ao discipulado rompe com as relações humanas mais preciosas. O indivíduo abandona o seu lar, os seus pais, os seus amigos, os seus irmãos, as suas irmãs, e até mesmo, se necessário for, a sua terra natal. Todas as suas relações com amigos e parentes se desfazem. Porém, no ministério do evangelho, Deus restaura essas relações. Os novos pais, os novos irmãos e irmãs não são parentes de conformidade com a carne, e, sim, mediante a fé, nos vínculos do amor de Deus. Todos os crentes são filhos de Deus, pertencem à família de Deus. Ali impera um amor superior ao afeto que existe só por parentesco sangüíneo. Sabemos, igualmente, que essa família de Deus subsistirá eternamente, em contraste com o parentesco carnal, que é passageiro. Por conseguinte, as novas relações são eternas. Outrossim, o número de parentes—pais, filhos, irmãos e irmãs—aumenta grandemente. Marcos diz «cêntuplo», ou seja, cem vezes mais. Além disso, o discípulo obtém muitas outras possessões materiais, porquanto tudo quanto pertence aos seus novos irmãos, agora é seu também. Na família de Deus ele acha sustentáculo físico e regozijo espiritual. Brown, em Mat. 19:29 diz: «Cem vezes, agora, neste tempo. Essa é a forma da reconstrução de todas as relações e afeições humanas, na base cristã e entre os crentes, depois de tais relações e afeições terem sido sacrificadas, em sua forma natural, no altar do amor a Cristo». O mesmo autor também observa que o próprio Jesus forneceu o primeiro exemplo ou padrão desse tipo de sacrifício, porquanto também abandonou sua casa, sua profissão, seus pais, seus irmãos e irmãs e seus amigos. (Ver Mat. 12:49,50). Consola-nos observar que esse tipo de sacrifício é agradável a Deus, o qual, por fim, haverá de dar sua recompensa a esse tipo de atitude e ação.

2. Abusos do Texto

Todavia, é realmente estranho que Mat. 19:29 tenha sido usado por muitos missionários modernos, para internarem seus próprios filhos em escolas, onde ficarão sob o cuidado de *outras pessoas*, para cumprirem mais convenientemente os deveres do seu serviço missionário. Não é razoável que nos desvencilhemos de nossos próprios filhos, negligenciando assim o treinamento e a instrução dos mesmos, a fim de cuidarmos de filhos alheios. Toda essa prática é contrária ao claro ensino ministrado por meio de Paulo, em I Tim. 5:8: «Ora, se alguém não tem cuidado dos seus e especialmente dos de sua própria casa, tem negado a fé e é pior do que o descrente». Sim, pois até os próprios descrentes sentem a responsabilidade de cuidar de seus filhos. Precisamos ajuntar aqui que o fornecimento de dinheiro para cuidar da educação dos filhos dificilmente corresponde ao «cuidado» que os pais devem ter por seus filhos, segundo é expresso em Mat. 19:29. O próprio Jesus condenou fortemente a atitude que os judeus tinham contra a afeição natural que deve unir as famílias, especialmente no caso dos filhos que devem cuidar de seus pais, quando se tornam idosos e necessitados. Quanto mais devemos cuidar das crianças desamparadas—especialmente dos nossos próprios filhos!

O trecho de Mat. 15:3-5 diz: «Ele, porém, respondendo, disse-lhes: Por que transgredis vós também o mandamento de Deus pela vossa tradição? Porque Deus ordenou, dizendo: Honra a teu pai e a tua mãe; e, quem maldisser ao pai ou a mãe, morra de morte. Mas vós dizeis:Qualquer que disser ao pai ou a mãe: É oferta ao Senhor o que poderias aproveitar de mim; esse não precisa honrar nem a seu pai nem a sua mãe». O mandamento de Deus prescrevia a *afeição*

DISCÍPULO

natural entre pais e filhos e estabelecia responsabilidades entre eles. Porém, fingindo servir a Deus, os homens haviam encontrado um meio de negligenciarem a essas responsabilidades. Alguns missionários evangélicos abandonam os seus próprios filhos, como se dissessem *Corbã*, isto é, *dom* a Deus, ou: «É oferta ao Senhor o que poderias aproveitar de mim», e, com essas palavras, deixam a responsabilidade de criar os seus próprios filhos em mãos de estranhos. Por tal ação, ainda têm a coragem de esperar uma grande recompensa. Mas o versículo que segue diz: «Porém, muitos primeiros serão últimos; e os últimos, primeiros» (Mat. 19:30). Não nos iludamos, pensando que essa atitude é justa. O décimo oitavo capítulo do evangelho de Mateus mostra o grande respeito de Jesus para com as crianças—e mais do que isso, seu grande amor às crianças. Precisamos seguir o exemplo deixado por Jesus. Certamente que abandonar os nossos próprios filhos não pode ser uma necessidade para quem almeja servir a Deus. O exame detido de muitos casos ilustra o fato de que mui raramente os pais missionários têm verdadeira necessidade de deixarem a tarefa da criação de seus filhos na mão de terceiros, a fim de que possam servir a Deus. Usualmente há outras soluções que lhes permitiriam instruir seus filhos sem necessidade de se desfazerem da companhia dos mesmos, e sem que isso em nada interfira no seu serviço a Deus. Outrossim, o serviço cristão que requer o abandono das crianças só pode ser feito por aqueles que observam as sugestões de Jesus acerca do celibato, conforme encontramos em Mat. 19:10-12. Nossas obrigações, para com os nossos próprios filhos, não são menores que quaisquer outras obrigações da ética cristã ou do serviço do evangelho. Aquele que abandona os seus próprios filhos comete um ato que até mesmo entre os descrentes e ateus não pode ser aprovado.

Por outro lado, no caso em que a família, o lar ou as possessões materiais venham a servir de obstáculos ao serviço do evangelho ou ao cumprimento da vontade de Deus, precisamos preferir o serviço e a vontade de Deus a todas as demais considerações. Quanto a mim, porém, não posso pensar em qualquer possibilidade em que nossos filhinhos inocentes possam servir de tal oposição ou empecilho. O grande erro que os modernos missionários evangélicos têm cometido é justamente esse—o de abandonarem os seus próprios filhos, a fim de servirem a outros. Felizmente, alguns pais missionários e organizações missionárias estão começando a reconhecer tão grande erro. Esse é um pecado que tem sido praticado pelas próprias pessoas que têm a responsabilidade de saber que isso não é direito. Quantos filhos de missionários são estranhos para os seus próprios pais? Quantos filhos de missionários estão revoltados contra a igreja? Quantos deles acham que seus próprios pais não os amam? Aqueles que conhecem o drama desses filhos sabem que o número deles não é pequeno. Notemos, com cuidado, a advertência do vs. 30: «Porém, muitos primeiros serão últimos; e os últimos, primeiros». A verdade é que devemos servir a Deus e aos nossos próprios filhos ao mesmo tempo. De fato, aquele que cuida de seus filhos está servindo melhor a Deus.

IV. A Recompensa Magnífica

Herdará a vida eterna. — Essa é a principal promessa do evangelho e de todo o destino da vida humana. Nas Escrituras, a vida presente é sempre apresentada como oportunidade de preparação para a vida vindoura, quando o homem haverá de alcançar a vida imortal. O homem é primariamente uma criatura espiritual; porém, visto que habita em um corpo,

precisa passar pela «morte», que consiste simplesmente no abandono dessa casa de barro. O espírito entra nos lugares celestiais e prossegue no processo de ser transformado segundo a imagem de Cristo. Essa transformação é de natureza moral, espiritual e metafísica. Dessa maneira o indivíduo torna-se, realmente, outro tipo de criação, mais elevada do que os anjos. Essa forma de recompensa não pode ser expressa por termos tais como «cêntuplo», que expressam o caráter da recompensa presente, porquanto a recompensa própria da vida eterna é extremamente elevada, ultrapassando em muito a toda percepção humana. Portanto, não se pode encontrar adjetivos capazes de expressar essa vida eterna e a sua glória; e mesmo que tais adjetivos pudessem ser encontrados, a mente humana não apreenderia a sua significação. Porém, podemos perceber, ainda que imperfeitamente, essa idéia, quando consideramos a perfeição, a glória, a majestade, o domínio e a grandeza de Cristo. Ele é o nosso alvo e padrão, e trechos como Rom. 8 e Efé. 1 - nos ensinam que a sua perfeição será a nossa, que a sua glória será a nossa, e que a sua majestade, domínio e grandeza também nos pertencerão. Ele é a cabeça, e nós somos o seu corpo. Nem os anjos, em toda a sua perfeição, podem atingir essa elevadíssima posição. Incorremos em grave erro ao pensarmos nos céus em termos materialistas, coroas, mansões, ruas de ouro, etc. (a despeito dessas coisas também expressarem realidades; mas não expressam tudo). Os céus representam principalmente a transformação do indivíduo, a realização pessoal e, nesse desenvolvimento espiritual e metafísico, seremos muito mais úteis a Deus, muito mais capazes de cumprir a vontade e majestosos alvos de nosso Senhor. Os céus não estabelecem o limite e o fim das obras de Deus, mas tão-somente uma *nova fase* dessas obras. A igreja será o instrumento mais poderoso para cumprir os alvos e propósitos que por enquanto não podemos compreender, e acerca dos quais não temos quase nenhum conhecimento. Buttrick diz, (em Mat. 19:29): «Mas a esperança da comunidade cristã foi focalizada em Cristo. Ele foi a divulgação de Deus, ele foi o sinal vivo dos veredictos da eternidade». Esse tema—a «vida eterna»—é a luz e a música do evangelho. Existem «tronos», «glória», «domínios», «regozijo» e alvos eternos que nos pertencem por direito.

1. Os trechos de Rom. 8:29 e II Cor. 3:18 ensinam que o Espírito Santo nos transforma segundo a imagem de Cristo, para participarmos de sua natureza e glória. Portanto, os remidos participarão da divindade do mesmo modo que o Filho.

2. Os trechos de João 5:25,26 e 6:57 ensinam a doutrina de que os remidos virão a participar do próprio «tipo de vida» de Deus, o qual Cristo, como homem, foi o primeiro a possuir. Agora, Cristo tem o poder de transmiti-la a outros. Essa é a vida «necessária» (que não pode deixar de existir); e também é a vida «independente» (que não depende de outra para existir). Os remidos, pois, virão a participar dessa mesma fonte de vida, recebendo uma vida superior às outras, incluindo a própria vida dos anjos. Há muitas formas ou modalidades de vida, algumas muito simples e outras extremamente completas; algumas são físicas, outras espirituais. Os remidos possuirão a mais elevada forma de vida possível, tornando-se «filhos de Deus», participantes da própria forma de vida divina.

3. Os remidos chegarão a participar de «toda a plenitude de Deus» (ver Efé. 3:19 no NTI; isso

182

DISCÍPULO — DISCÍPULOS DE CRISTO

também pode ser visto em Col. 2:10). A plenitude (conforme é demonstrado nessas notas expositivas) indica a «natureza», com sua manifestação de atributos e perfeições divinos. As notas expositivas, nesses versículos, definem todas essas tão exaltadas doutrinas.

Qual é a natureza dessa participação? Em primeiro lugar, precisamos dizer que ela não é «secundária», no sentido que é de *natureza diferente*. Os remidos não participarão de alguma *natureza* divina secundária, como também Cristo não possui nenhuma natureza divina secundária.

Qual é a extensão dessa participação? A diferença entre o homem que vier a participar da natureza divina e essa natureza, possuída pelo próprio Deus, não é questão de «tipo», e sim, de «extensão». Deus é *infinito*. Assim sendo, embora os remidos venham a participar de sua natureza, no sentido mais real, mas de modo *finito*, terão menor grau de poder, de glória, etc. A natureza será a divina, mas os «atributos» estarão *sempre* em desenvolvimento. Mas, essa «extensão menor» da participação nos atributos divinos irá sempre *aumentando*. É disso que consiste a vida, aqui ou na eternidade (ver I Cor. 8:6). Os remidos *crescerão sempre* na «participação» e na «extensão» dessa participação. Pode-se ilustrar isso mergulhando um vaso no mar. O vaso não pode conter o oceano infinito, mas pode ser cheio por ele, circundando-o por todos os lados. Assim, também um remido é mergulhado na divindade, embora não a possa conter, pois ela é infinita. Contudo, as dimensões do vaso podem ir crescentemente aumentando, podendo conter *mais e mais* do oceano. Assim também o Senhor nunca deixa de aumentar as dimensões de sua habitação. Suas paredes se alargam, seu telhado se eleva, e, enquanto isso sucede, os filhos de Deus vão-se tornando cada vez mais parecidos com o Senhor. Não poderiam fazer isso, porém, se realmente não participassem da natureza divina. Portanto, quão profunda é esta declaração! Os anjos são seres admiravelmente elevados e inteligentes. Mas não são «divinos». Os remidos tornar-se-ão «divinos», ou seja, serão maiores que os anjos.

Conclusão

A leitura atenta deste artigo demonstra que o discipulado cristão é uma questão da maior seriedade. Estão envolvidas no discipulado cristão questões de vida e morte. A substância da vida é o seu grande tema. A espiritualidade é o seu sustentáculo. A vida eterna é o seu alvo. (B H IB NTI)

DISCÍPULO AMADO

Expressão encontrada somente no quarto evangelho. Esse discípulo nunca é identificado por nome, embora acredite-se que seja o apóstolo João. 1. No trecho de João 13:23, o discípulo amado aparece na última ceia, reclinado no mesmo divã em que estava Jesus, e portanto, o discípulo mais perto dele. Pedro pediu a esse discípulo que perguntasse a Jesus quem o haveria de trair. 2. Em João 19:26,27, o discípulo amado estava diante da cruz, juntamente com Maria, tendo recebido do Senhor a incumbência de cuidar de sua mãe; o que, de fato, sucedeu, acolhendo-a em sua casa desde aquele dia. 3. Em João 20:2, na manhã da ressurreição, juntamente com Pedro, o discípulo amado corre até o túmulo de Jesus; chega na frente, mas não entra no túmulo. Pedro chega em segundo lugar, mas penetra no túmulo. 4. Em João 21:7, após a ressurreição de Jesus, quando da pesca miraculosa, foi o discípulo amado que reconheceu a Jesus antes de

todos os outros. 5. Em João 21:20, foi exposta a possibilidade de que o discípulo amado não morreria, mas permaneceria vivo até o segundo advento de Jesus, o que é negado como uma interpretação aligeirada das palavras de Jesus, por parte dos demais discípulos. 6. Em João 21:24, o discípulo amado é identificado como o autor do evangelho de João. Em adição a isso, os trechos de João 18:15 e 19:35 são considerados como alusivos ao discípulo amado. Nessas referências vemos o discípulo amado seguir a Jesus de perto, quando ele estava sendo injustamente julgado, quando entrava no pátio da casa do sumo sacerdote, por ser ele pessoa conhecida do mesmo, e também quando um dos soldados abriu o lado de Jesus, já morto, com uma lança, quando da ferida jorrou sangue e água, e isso porque João não arredava o pé da cruz.

Idéias a respeito. 1. O discípulo amado não seria uma pessoa real, mas apenas uma figura ideal, usada como artifício literário pelo autor do quarto evangelho. Mas isso é muito imaginário para ser crido. 2. O discípulo amado era Lázaro, porquanto também é dito que ele era muito amado por Jesus (João 11:3,5,36). Porém, não há qualquer indicação, em nenhum dos evangelhos de que Lázaro tivesse acompanhado a Jesus juntamente com os doze. 3. Ou o discípulo amado seria um dos discípulos da área de Jerusalém, amigo do sumo sacerdote, e cujo nome não é dado. Isso se baseia no raciocínio de que o grego do evangelho de João, embora simples, é puro e gramatical, não podendo haver sido produzido por um pescador galileu como era o apóstolo João. Além disso, só há menção a esse discípulo nos relatos que falam sobre o que se sucedeu em Jerusalém ou proximidades. 4. A última alternativa era que se tratava do apóstolo João. Isso se coaduna com todas as passagens que falam sobre o discípulo amado. Ele estava sempre no grupo dos doze, perto de Jesus, o que sabemos que sucedia no caso de Pedro, Tiago e João. No evangelho de Lucas, bem como no livro de Atos, Pedro e João aparecem intimamente associados (Luc. 22:8; Atos 3:1; 8:14). A opinião da Igreja primitiva é unânime em favor de João (ver Irineu, Her. 3.1.1; Polícrates, Eusébio, Hist. 3.31; 5.24). A obra do segundo século cristão, Atos de João, bem como os escritos de Orígenes, fazem idêntica identificação. No que concerne ao problema de autoria, ocasionado por essa identificação, ver o artigo do evangelho de João sob o título *Autor*. (ID NTI Z)

DISCÍPULOS DE CRISTO

Essa denominação evangélica tem origem norte-americana. Foi fundada em 1809 por Thomas Campbell e seu filho, Alexander Campbell. Eles enfatizavam a união de todos os cristãos e não gostavam de ser considerados uma denominação. Cresceu até tornar-se a maior denominação evangélica de origem norte-americana.

Thomas Campbell foi um ministro presbiteriano separatista irlandês, que havia emigrado para a América do Norte em 1807. Fora disciplinado pelo sínodo de sua igreja devido a divergências na doutrina e na prática, especificamente por admitir pessoas de outras denominações à Ceia do Senhor e também porque ensinava que um leigo qualificado (um ancião dirigente) pode dirigir um culto religioso quando da ausência de ministros ordenados. Ele cria que as divisões no cristianismo tinham surgido devido a restrições originadas em credos e práticas eclesiásticas, e pretendia restaurar a simplicidade da Igreja

DISCO — DISCRIMINAÇÃO

neotestamentária. A Igreja cristã ter-se-ia começado a dividir em grupos quando complicou o que os apóstolos requeriam. Campbell desejava eliminar o grande número de credos existentes que serviam de exigência para a comunhão. Reuniu em torno de si um grupo de pessoas, quase todas presbiterianas, e formou a «Christian Association of Washington» (Pennsylvania). Escreveu uma «Declaração e Discurso», em 1809, determinando os princípios do grupo. Esse ano tem sido comemorado como o começo da nova *denominação*. Essa associação, com o tempo, veio a tornar-se uma igreja, onde se batizava por imersão. Devido à concordância de opinião sobre esse ponto, durante algum tempo eles se uniram a uma associação batista (Redstone Batpist Association). Isso perdurou de 1813 a 1830. Durante esse tempo eles conseguiram enfatizar suas doutrinas e práticas distintivas, sem provocar divisões dentro do grupo. Porém, sob a liderança de Walter Scott, essa união chegou ao fim. Ele enfatizava a idéia de que a crença para a salvação é um ato do qual o homem natural é plenamente capaz, sem qualquer ato especial da graça capacitadora, embora a maioria dos batistas discorde dessa opinião. Também se requer o arrependimento e a tristeza pelos pecados, a correção da vida e o batismo (o que fez entrar a doutrina da *regeneração batismal*), como a exigência final para o perdão dos pecados e a salvação. As igrejas emergentes do novo grupo assumiram então o nome simples de *Igrejas Cristãs* ou *Igrejas de Cristo*, uma maneira de frisar a posição antidenominacional. Paralelamente, um corpo similar, conhecido como *Igreja Cristã*, vinha sendo formado mediante a junção de três movimentos de origem independente, mas que defendiam princípios similares. Ex-metodistas, batistas e presbiterianos estiveram envolvidos. Esse movimento, com seus vários ramos cresceu até que se sentiu a necessidade de organização. A primeira convenção nacional foi efetuada na cidade de Cincinnati, em 1849, e foi formada a Sociedade Missionária Cristã Americana. O movimento atravessou a Guerra Civil Norteamericana sem sofrer divisões; mas, depois disso, alguns chegaram a crer que as sociedades missionárias e a música instrumental na adoração pública eram coisas antibíblicas. Assim, separando-se, eles formaram as Igrejas de Cristo, um corpo separado. Várias escolas e faculdades teológicas foram formadas, sob o corpo principal, incluindo a prestigiosa Disciples' Divinity House, da Universidade de Chicago. Esse movimento tem atingido proporções internacionais mediante a obra missionária, e os modernos Discípulos de Cristo têm tomado parte ativa nos movimentos interdenominacionais, no interesse da união e da cooperação cristãs, de tal modo que se tornaram membros do Concílio Mundial de Igrejas (que vide). (AM E P)

DISCO

Uma antiga forma de atividade desportiva é o lançamento do *disco*. Até mesmo nos escritos de Homero temos referências a isso, e a arqueologia tem demonstrado que o discóbulo era um assunto da arte grega. O Antigo e o Novo Testamentos não mencionam a prática; mas, nos livros apócrifos, como em II Macabeus 4:12,13, o autor queixa-se de que os sacerdotes haviam perdido o interesse em seus cultos religiosos, preferindo os esportes, incluindo, entre esses, o lançamento do disco. Platão dizia que um *filósofo*, o que para ele significava um homem espiritual, é aquele que ultrapassou qualquer tipo de interesse consumidor, como o comércio, os esportes e outras atividades populares, preferindo o exercício da mente e a busca pelos interesses puros da alma.

DISCRIMINAÇÃO E PRECONCEITO

A primeira dessas palavras vem de uma raiz latina, *dis* (à parte) e de *crimen* (um juízo), ou seja, fazer um julgamento que separa; por extensão, tratar com parcialidade, favorecendo a alguém com detrimento de outrem. A raiz dessa palavra significa apenas estabelecer diferença ou distinção. Mas, quando é usada em conexão com a ética, significa tratar desfavoravelmente, estabelecendo falsas distinções. A palavra *preconceito*, por sua vez, significa formar uma opinião a respeito de algo, antes do tempo certo, isto é, antes que se possa fazer um juízo justo e racional. Essa palavra tornou-se um sinônimo de «ódio», de opiniões distorcidas a fim de prejudicar a alguém, ou de aderência ilógica a idéias que estabelecem distinções erradas, que promovem alguma perda da parte das pessoas contra quem se voltam os preconceitos.

Todos os sistemas discriminam, sejam eles de natureza científica, política, filosófica ou religiosa. Todos os sistemas têm os seus preconceitos. Alguns sistemas são mais preconceituosos do que outros, e alguns praticam permanentemente idéias preconceituosas.

1. Discriminação e Preconceito Científicos. A ciência moderna veio parcialmente à existência como uma revolta contra o vasto poder da Igreja Católica Romana. Tornou-se *ortodoxo* alguém ser um ateu, embora, como é óbvio, muitos cientistas nunca foram e nem são ateus. No entanto, parte das atividades científicas têm sido uma tentativa proposital de destruir as bases da fé religiosa. A psicologia, um dos ramos da ciência, tem procurado defender o tipo de homem que teria somente cérebro, mas não mente ou alma, defendendo assim uma teoria reducionista. A biologia não tem conseguido encontrar a alma, e assim a ciência tem reduzido o homem a um mero animal, posto que superior aos outros. Os telescópios da astronomia não têm sido capazes de detectar Deus no espaço sideral, pelo que todos os seres espirituais são relegados à posição de frutos da superstição humana. A ciência pura não faz declarações acerca das realidades finais, mas muitos cientistas têm encontrado tempo para declarar o seu ateísmo, o que envolve uma declaração metafísica, embora de natureza negativa. Portanto, a ciência está praticando uma forma de discriminação, através do método empírico, mostrando-se com isso, antiética. É falsa a ciência que faz pronunciamentos acerca de coisas que nunca investigou, e que talvez nunca possa investigar. Entre essas coisas podemos mencionar a idéia de divindade. Essa idéia só podemos investigar através de meios racionais, intuitivos e místicos, e jamais através dos cinco sentidos físicos, ou das experiências de laboratório, básicos para o método empírico de investigações. Não obstante, hoje em dia, a ciência está às vésperas de demonstrar a existência e a sobrevivência da alma humana; pois a ciência está investigando, com sucesso, idéias que antes pertenciam ao domínio da filosofia e da religião. Ver o artigo sobre *Experiências Perto da Morte*, quanto a exemplos desse tipo de atividade. Ver também o artigo detalhado sobre a *Parapsicologia*. A verdadeira fé religiosa nada tem a temer da ciência autêntica, ainda que, com freqüência, as idéias religiosas, quando mal fundadas, possam ser modificadas para melhor pelas descobertas científicas. A verdade é uma só. Os vários sistemas de conhecimento descrevem a

DISCRIMINAÇÃO E PRECONCEITO

verdade de acordo com vários ângulos; mas o tempo haverá de encarregar-se de unificar esses sistemas.

2. Discriminação e Preconceito Políticos. Tem havido casos de dar na vista, como o regime de Hitler, ou os regimes de certos países comunistas, onde a perseguição e as matanças têm sido a rotina, como parte da defesa de uma suposta verdade política. Temos o notável exemplo dado por Cuba, uma lição objetiva de data recente, onde as igrejas cristãs foram virtualmente fechadas, suas escolas foram descontinuadas, e os alunos são forçados a estudar o comunismo ateu. Ver o artigo geral sobre o *Comunismo*, quanto a estatísticas e ilustrações. As pessoas que perseguem o próximo por motivos ideológicos, sempre apresentam isso sob a máscara da prática do bem, como se estivessem defendendo o que é direito. A mente humana tem certos defeitos que possibilitam esse tipo de atividade distorcida, sem importar se a mente humana foi distorcida pelo zelo religioso, científico ou político. Há um caso recente de seqüestro de avião, com finalidades políticas. Os seqüestradores estavam ali para ferir e matar, mas antes dedicaram alguns momentos para se inclinarem na direção do Oriente, em honra a seu Alá. Quando se levantaram da oração, começaram a espancar os passageiros, meros turistas, que nunca tinham praticado qualquer mal contra alguém. — O caso torna-se desesperador quando os homens combinam o fanatismo religioso com o fanatismo político, fazendo dessa combinação um motivo para promoção do ódio em nome de Deus.

3. Discriminação Racial. Sob esse título, podemos incluir a discriminação de **minorias**, porquanto, algumas vezes, — nacionalidades específicas — são perseguidas por pessoas de raça similar. Isso não porque haja qualquer diferença racial, mas porque o grupo perseguido é um elemento competidor dentro da sociedade. Os judeus perseguidores não se opuseram aos cristãos primitivos por motivos raciais, mas porque se haviam tornado um grupo competidor. Os irlandeses foram perseguidos na América do Norte, não por motivos raciais, e, sim, por serem uma minoria que ameaçava tomar empregos, além de trazerem costumes que não eram familiares. Dificilmente a discriminação racial ocorre isolada. Usualmente há diferentes elementos culturais que formam os problemas reais. Nos Estados Unidos da América, pessoas brancas que nada têm contra os negros, como uma raça, mostram-se preconceituosas contra os negros por causa de suas atitudes diferentes quanto à preservação da propriedade, quanto ao matrimônio e quanto a certos costumes sociais. Certos brancos da África do Sul pensam que a cultura deles está sendo ameaçada pelos negros, e fazem questão de manter separadas as linhas culturais divisórias. A questão racial serve apenas de pretexto. A discriminação racial tem lugar contra os imigrantes e grupos minoritários que ameaçam os empregos dos grupos majoritários. Os problemas envolvidos são muitos e complexos. Portanto, falar em preconceito de *cor* é falar muito pouco sobre as verdadeiras raízes do problema. Não obstante, o que se sabe eticamente sobre essas questões é que as pessoas são muito egoístas por natureza, e quase nunca se dispõem a negociar, se houver dinheiro envolvido. A lei do amor poderia solucionar, em um único dia, o problema da discriminação racial, e ambos os lados envolvidos poderiam ter o que dar e receber, pois dificilmente surge um problema de relacionamento humano apenas com um lado. Os danos feitos ao próximo por causa dos preconceitos não podem ser calculados em termos apenas financeiros, porquanto há danos morais, intelectuais e de personalidade, por igual modo. Às pessoas pertencentes a minorias são negadas muitas oportunidades, dentro da sociedade em que vivem. Quase sempre os preconceitos tornam-se uma rua de mão dupla de trânsito, de tal modo que as pessoas odiadas por sua vez passam a odiar aos que as odeiam. E então surge uma sociedade contrária a si mesma.

4. Discriminação Religiosa. Paira sobre o homem diferente a ameaça de isolamento e privações de vários tipos, mesmo nos dias de hoje, embora ele não seja sentenciado ao exílio ou à morte. Os judeus incrédulos perseguiam os primitivos cristãos por motivos religiosos. Os romanos perseguiam tanto os judeus quanto os cristãos. Mas muitos cristãos, uma vez obtido o poder necessário para tanto, perseguiram os judeus. — Os católicos romanos perseguiram os membros das igrejas reformadas. Mas algumas igrejas reformadas, uma vez adquirindo autoridade, perseguiram membros da Igreja Católica Romana, como também aqueles que não pertenciam a nenhum dos dois grupos, como os hereges. Os evangélicos perseguiram os mórmons, no século XIX, nos Estados Unidos da América, ao mesmo tempo em que declaravam o pluralismo religioso como um ideal para a nação. Atualmente, contemplamos o horrível espetáculo do terrorismo sendo usado como um meio de promover o ódio entre católicos e protestantes, na Irlanda. Em todas as denominações cristãs podemos testemunhar o espetáculo contraditório da perseguição contra outros cristãos que são diferentes, ou contra membros que se separam, embora isso possa ocorrer de modos não-violentos.

Do ponto de vista da ética, podemos afirmar que a perseguição religiosa, em *primeiro lugar*, envolve um zelo equivocado. Um zelo, é verdade, mas errado. Paulo nos forneceu um perfeito exemplo disso. Ele se arrependeu de sua atitude, depois que foi suficientemente iluminado em seu entendimento. Em *segundo lugar*, sempre há um elemento de temor nas perseguições, porquanto os homens sentem-se inseguros e temem que sua opinião seja demonstrada equivocada, por parte daqueles que eles chamam de *hereges*. Orígenes, que perseguiu os hereges, nos seus escritos, admitiu, finalmente, que havia aprendido muita coisa com eles, quando fora forçado a estudar as crenças deles. Em *terceiro lugar*, o homem é uma criatura decaída, mesmo quando defende a fé religiosa, e a sua natureza carnal inclina-se por perseguir o próximo. Os perseguidores raramente têm motivos impulsionadores puros; mas sempre conseguem odiar a alguém. Em *quarto lugar*, há o pecado de arrogância e de orgulho, que promove os preconceitos. Quanto menos sabemos, mais arrogantes nos mostramos sobre o que os outros acreditam e praticam. Em *quinto lugar*, há a simples ignorância. Os homens perseguem aquilo que não entendem, como um meio psicológico de se protegerem. Em *sexto lugar*, há o pecado de exclusivismo, a idéia sem sentido de que, de alguma maneira, eu e minha denominação somos melhores do que outras pessoas e suas respectivas denominações. Alguns chegam a cair na ridícula armadilha de dizerem-se os *únicos* depositários das bênçãos de Deus. Os vários movimentos de restauração (os quais, naturalmente, se digladiam entre si) têm-se mostrado culpados desse erro. A maioria dos movimentos desse tipo simplesmente tornam-se outras denominações, o que só aumenta a confusão e a fragmentação.

••• ••• •••

DISCURSO — DISPENSAÇÃO

DISCURSO DE SÃO JOÃO, O DIVINO

Esse é o nome grego da obra chamada, no Ocidente, de Assunção da Virgem. Ver o artigo detalhado sob esse último título.

DISCURSO DE TEODÓSIO

Esse é o nome dado à Assunção da Virgem (que vide), dentro da versão boárica da Bíblia. Tornou-se uma das principais fontes informativas da forma cóptica dessa lenda.

DISENTERIA

Ver o artigo geral sobre as **Doenças**. Essa palavra vem do vocábulo grego *dusenteria*, que alude a um fluxo do organismo. Paulo curou o pai de Públio, que estava sofrendo de disenteria (Atos 28:8). É possível que a doença incurável de Jeorão, adquirida por castigo divino, fosse a disenteria amebiana (ver II Crô. 21:15,18,19). Nos tempos bíblicos, essa era uma enfermidade bastante comum no Oriente Médio, conforme se vê até os dias de hoje. Pode ser causada por vermes, bactérias e amebas. Ataques de diarréia aguda (contendo muco e sangue com pus) caracterizam essa condição. Uma seqüela comum dessa enfermidade são as hemorróidas. Há perda de peso do corpo, dores agudas, e, em alguns casos, devido à debilidade provocada, ocorre a morte do paciente.

DISMAS

Transliteração do termo grego **dusmas**. As traduções grafam o nome de vários modos, como Dismas, Dimas e Demas. Esta última forma é uma abreviação de *Demétrio*, que significa «mãe-terra», uma alusão à deusa da agricultura. Porém, o sentido do termo grego *dusmas* é desconhecido. Esse é o nome que a tradição cristã tem dado ao ladrão penitente, que foi crucificado ao mesmo tempo que Jesus e um outro ladrão. Ver Lucas 23:39-43. O livro apócrifo de *Atos de Pilatos* (9:5) chama o ladrão da direita de Dimas, e o ladrão impenitente, da esquerda, de Gestas. Porém, as fontes sírias dizem, respectivamente Tito e Dumaco. Este último nome significa «invencível», talvez dando a entender a sua teimosia, mesmo diante da ameaça da morte próxima. Uma possível derivação do nome *dusmas* seja *dusme*, que significa «pôr-do-sol», o que talvez indique que ele estava moribundo quando se arrependeu diante de Jesus; mas isso é por demais fantástico para ser verdade. Usualmente, as tradições são meras suposições, e mesmo quando não o sejam, é difícil determinar quando uma tradição preservou alguma ocorrência verídica. O termo *dusme* era usado nas confissões batismais da antiguidade, quando o candidato, por ocasião do batismo, voltava-se de frente para o Ocidente.

DISOM

Transliteração do termo hebraico que significa «antílope» ou «cabra montês», no dizer de alguns eruditos. Quando está em vista esse animal, a referência é a um animal limpo, que os israelitas podiam usar na sua alimentação (Deu. 14:5). Na LXX o termo é traduzido pela palavra grega *pugargon*, forma líbia da palavra que significa «antílope». Essa palavra é usada como nome próprio de dois homens, nas páginas do Antigo Testamento:

1. O quinto filho de Seir, um dos líderes do clã dos horeus. Suas terras foram tomadas por Esaú e seus descendentes (Gên. 36:21,28,30; I Crô. 1:38,41). Ver também sobre *Disã*, um nome alternativo. Viveu em cerca de 1950 A.C.

2. Um filho de Aná, um chefe horeu. Era neto de Seir. Tinha uma irmã de nome Oolibama, que foi esposa de Esaú (Gên. 36:25; I Crô. 1:41,42). A comparação de Gên. 36:21-30 com I Crô. 1:38-42 dá-nos a impressão de que o Disã mencionado em Gên. 36:28 deveria ter sido grafado sob a forma *Disom*, e seria o mesmo filho de Aná.

DISPATER

Ou seja, «Pai Dis», um deus do submundo da mitologia romana, corrente em torno de 249 A.C. É o equivalente a Hades ou Plutão.

DISPENSAÇÃO (DISPENSACIONALISMO)

Esboço:
   I. O Termo e Caracterização Geral
   II. Variedade de Usos Bíblicos
   III. Dispensacionalismo Cronológico
   IV. Pontos Fortes e Fracos do Dispensacionalismo
   V. Implicações Teológicas
   VI. Implicações Éticas

I. O Termo e Caracterização Geral

A palavra «dispensação» vem do latim **dispenso**, que significa «pesar» ou «administrar», como um mordomo. Esse vocábulo tem sido usado de vários modos, conforme se evidencia no ponto (II). Mas, o uso que mais nos chama a atenção é aquele que, segundo pensam alguns intérpretes, envolve períodos de tempo durante os quais Deus estaria tratando com os homens de maneiras específicas. Essa idéia foi popularizada pela Bíblia Anotada de Scofield (nome da tradução portuguesa da Scofield Reference Bible), e desenvolvida de vários modos por intérpretes posteriores.

O termo grego assim traduzido é *oikonomia*, que ocorre, no Novo Testamento, em I Cor. 9:17; Efé. 1:10; 3:2,9; Col. 1:25; Luc. 16:2-4. Nesta última referência, essa mesma palavra é traduzida por «administração» ou «mordomia», conforme a tradução. Nos melhores textos gregos, em I Tim. 1:4, *oikodomen* é traduzido por «edificação». Portanto, essa palavra é usada no Novo Testamento em dois sentidos diversos. No primeiro sentido, uma administração de qualquer tipo. No segundo sentido, um tipo específico de administração divina que se prolonga por algum período de tempo, de tal modo que aquele período é chamado «dispensação». Os diversos intérpretes pensam poder descobrir um maior ou menor número desses períodos ou dispensações. Scofield descobriu nada menos de *sete* dispensações. O conceito de dispensacionalismo tornou-se um conceito normativo em certos sistemas, como se isso desse ao estudioso da Bíblia a capacidade de dividir corretamente a Palavra de Deus (ver II Tim. 2:15). Muitos outros intérpretes, porém, têm objetado aos abusos desse sistema, ao mesmo tempo em que têm reconhecido algum valor no mesmo. O chamado hiperdispensacionalismo corta o Novo Testamento em pedaços, conferindo à Igreja cristã, como Escrituras autoritárias quanto à doutrina cristã, somente as sete epístolas paulinas chamadas *da prisão*. No entanto, o evangelho de Mateus, por exemplo, foi escrito pelo menos trinta anos depois da eclosão do movimento cristão, que se deu imediatamente após a crucificação e a ressurreição de Jesus. O que não pode ser negado,

DISPENSAÇÃO

contudo, é que há uma revelação progressiva dentro do próprio Novo Testamento. Temos de reconhecer que várias doutrinas passaram por um processo de desenvolvimento e desdobramento, tendo havido elaboração e até mesmo, quem sabe, substituição. Mas isso nada tem a ver com a idéia defendida pelo dispensacionalismo. Ver também a secção V deste artigo, *Implicações Teológicas*.

II. Variedade de Usos Bíblicos

1. Uma dispensação apontaria para os *caminhos de Deus*, os métodos através dos quais ele opera e trata com os homens. Todas as passagens bíblicas que abordam o tema TEÍSTA, e que são por demais numerosas para serem alistadas, também abordam esse aspecto do dispensacionalismo. Isso aponta para a presença de Deus, que guia os atos pessoais e os acontecimentos históricos, com suas revelações, intervenções, recompensas, castigos e instruções.

2. Uma dispensação aponta para as provisões divinas quanto à própria natureza, sustentando-a e guiando-a (Rom. 8:17 *ss*; 11:36; Col. 1:16).

3. Essa idéia destaca o conceito de *mordomia*, quando emprega a palavra gr. *oikonomia*, que às vezes é traduzida por «dispensação». Ver Luc. 16:2-4.

4. Uma dispensação também pode ser uma *missão* especial conferida a alguém dentro da obra do evangelho (Col. 1:25). Uma mordomia torna-se uma missão divina que alguém precisa cumprir. Todos os homens, em certo sentido, finalmente terão de participar nisso, porquanto cada indivíduo tem um destino distinto. Ver o artigo detalhadao sobre *Novo Nome e Pedra Branca*, — e Apocalipse 2:17.

5. *Dispensações cronológicas*. Ver abaixo, na seção III.

6. *Dispensações eclesiásticas*. Ver o artigo separado sob o título *Dispensação Eclesiástica*.

III. Dispensacionalismo Cronológico

1. *A Teologia dos Pactos e as Objeções à Mesma*. Ver o artigo separado sobre *Pacto, Teologia do*. Em certo sentido, os teólogos bíblicos podem ser divididos em duas categorias gerais: teólogos dos pactos e teólogos das dispensações. São abordagens alternativas usadas para explicar as operações de Deus refletidas na Bíblia. Alguns intérpretes misturam essas abordagens. Os teólogos dos pactos vêem o pacto da graça (o propósito remidor de Deus relativo ao homem) como o grande princípio orientador das ações divinas, como a idéia que unifica as Escrituras. Nesse contexto, pois, a palavra «dispensação» torna-se uma descrição das maneiras particulares pelas quais Deus manifesta os seus pactos; e, segundo alguns desses intérpretes, isso incluiria épocas distintivas de tais manifestações.

Alguns teólogos dos pactos estão tão presos à sua maneira de estudar a teologia que nem ao menos distinguem entre o Antigo e o Novo Testamentos. A Bíblia inteira seria um grande pacto, e Deus estaria desenvolvendo-o — ao longo das Escrituas —, de Gênesis ao Apocalipse. Esses falam em Antigo e Novo Testamentos, mas não fazem deles dispensações. Um nome que pode ser relembrado quanto a essa posição é Buswell (*Systematic Theology of the Christian Religion*). Outros escritores, como Louis Berkhof, falam em duas dispensações: a Antiga e a Nova. Hodge dá margem a várias dispensações: de Adão a Abraão; de Abraão a Moisés; de Moisés a Cristo; e de Cristo até o fim. Não obstante, em todos esses casos, a nota dominante é a idéia do pacto. As dispensações, para esses sistemas, seriam apenas meios para a

concretização dos pactos.

2. *O Conceito de Dispensacionalismo*. Em contraste com isso, outros intérpretes distinguem períodos distintos na maneira de Deus tratar com os homens. Durante esses períodos Deus teria apelado para várias formas de agir. A idéia básica, nesse caso, é que Deus tem tentado vários métodos que não têm sido bem sucedidos. Cada método (ou dispensação) teria sido abandonado totalmente, antes do método seguinte ser experimentado, de tal modo que as *prescrições divinas* para uma dispensação não são válidas na próxima dispensação. Por sua vez, a teologia dos pactos objeta precisamente a essas mudanças radicais nos métodos divinos.

3. *Várias Definições*. «Um período de tempo durante o qual os homens são testados, quanto sua obediência, a alguma revelação específica da vontade de Deus» (C.I. Scofield, *Scofield Reference Bible*, pág. 5). Scofield referia-se a *sete* dispensações que desdobraremos no ponto 4, abaixo.

«Uma economia distinguível, dentro do desdobramento do plano de Deus» (C.C. Ryrie, *Dispensations Today*, pág. 29).

«Há várias economias que percorrem a Palavra de Deus. Portanto, uma dispensação ou economia é aquela ordem particular ou aquelas condições vigentes que prevalecem durante alguma era especial, mas que não prevalecem, necessariamente, em outras eras» (H.A. Ironside, *In the Heavenlies*, pág. 67).

4. *Vários Arranjos*. Os dispensacionalistas não concordam entre si quanto ao número e à extensão das dispensações. Damos abaixo exemplos sobre isso:

a. *Pierre Poiret* (1646-1719):
I. Da criação ao dilúvio: infância. II. Do dilúvio a Moisés: meninice. III. De Moisés aos profetas: adolescência. IV. Dos profetas a Cristo: juventude. V. Dispensação da graça: idade adulta à velhice. VI. A Renovação de todas as coisas.

b. *John Edwards* (1639-1716):
I. Inocência: da queda ao mundo antediluviano, inclusive. II. Noaico e Abraâmico. III. Mosaico. IV. Cristão.

c. *Isaac Watts* (1646-1748):
I. Inocência e após a queda. II. Noaico e Abraâmico. III. Mosaico. IV. Cristão.

d. *J.N. Darby* (1800-1882):
I. Paradisíaco ao dilúvio. II. Noé e Abraão. III. Israel sob a lei, o sacerdócio e os reis. IV. Gentios na Igreja: administração do Espírito.

e. *James H. Brookes* (1830-1897):
I. Éden, antediluviano. II. Patriarcal. III. Mosaico. IV. Messiânico. V. Ministério do Espírito. VI. Milenial.

f. *James M. Gray* (1851-1935):
I. Edênico, antediluviano. II. Patriarcal. III. Mosaico. IV. Igreja. V. Milênio. VI. Plenitude dos tempos, eternidade.

g. *C.I. Scofield* (1843-1921):
I. Inocência. II. Consciência. III. Governo Humano. IV. Promessa. V. Lei. VI. Graça. VII. Reino

IV. Pontos Fortes e Fracos do Dispensacionalismo

Os pontos fortes são os seguintes:

1. Há uma certa lógica na suposição de que Deus, resolvido a mostrar aos homens que *somente* a missão de Cristo e a dispensação da *graça* são suficientes para satisfazer às necessidades do homem, viesse a fazer uma elaborada demonstração histórica desse fato,

DISPENSAÇÃO

mediante uma sucessão de dispensações. As condições impostas nas sucessivas dispensações não foram adequadas. A *consciência*, sem a lei, não bastou para atingir os propósitos de Deus. A *lei*, posta em vigor mediante ameaças e recompensas, também não foi suficiente para isso. Assim, cada dispensação reflete uma espécie de fracasso, que somente a graça foi capaz de vencer adequadamente. Essa idéia concorda com o discernimento de que o propósito de Deus e o ato remidor acompanham, cooperam com e transcendem o processo histórico. Um Deus que faz experiências, com o intuito de ensinar uma grandiosa lição objetiva, é um excelente conceito.

2. As várias dispensações tornam-se uma grande lição objetiva sobre os vários modos possíveis de Deus relacionar-se com os homens, e nós precisamos receber essa lição a fim de podermos entender o que Deus quer de nós.

3. Cada maneira divina de tratar conosco tem seus próprios valores específicos. Parece que a lei contradiz a graça, ao dar a entender que a salvação vem pelo esforço humano. Não obstante, a graça cumpre a lei, dentro da obra do Espírito, que cria em nós todas as virtudes exigidas pela lei. Portanto, há uma interação entre as dispensações, e não apenas a idéia de uma dispensação a substituir a anterior.

4. O dispensacionalismo estabelece *distinções* que precisam ser feitas. Na verdade há diferentes abordagens religiosas, e algumas delas falham completa ou parcialmente. Isso é mais claramente demonstrado nesse sistema das dispensações do que dentro da teologia dos pactos.

5. Uma importante contribuição desse sistema é a sua ênfase sobre o fato de que as revelações divinas não operam do mesmo modo e com a mesma intensidade nos diversos períodos da história da humanidade. A revelação divina se processa de vários modos e com variegado poder. Esse é um ponto que deve ser bem entendido, pois no próprio Novo Testamento, há uma revelação em vários níveis de profundidade. Além disso, podemos ver um progresso gradual na revelação. Pessoalmente, penso que esse processo nunca terminará, mas estender-se-á até mesmo eternidade afora.

6. Em conexão com isso, preciso adicionar minha própria crença, que alguns dispensacionalistas também salientam, a saber, que algumas porções bíblicas, até mesmo dentro do Novo Testamento, ultrapassam a outras, substituindo uma verdade mais profunda por outra menos profunda. Paulo certamente sabia mais a respeito do mistério da Igreja do que os demais apóstolos. Os seus *mistérios* trouxeram à tona novas verdades, que só foram reveladas já bem dentro do período do Novo Testamento. Assim, o antigo conceito do julgamento divino mediante o fogo eterno, sem qualquer esperança de mitigação, é um conceito diretamente emprestado das obras pseudepí-**grafes (que vide)**, por alguns dos autores do Novo Testamento. Essa idéia é substituída pela compreensão de que Cristo ampliou sua missão salvatícia até o próprio hades (ver I Ped. 3:18-4:6), que o julgamento divino será remedial, e não meramente retributivo (I Ped. 4:6), e que todas as coisas aguardam uma restauração final (Efé. 1:10), embora isso não queira dizer que todos serão finalmente salvos; pois a salvação é a possessão dos escolhidos de Deus. Não obstante, de acordo com esse ponto de vista igualmente bíblico, mas mais profundo, a missão de Cristo é vista como algo muito maior e poderoso do que a maioria dos crentes evangélicos supõe. O dispensacionalismo nos fornece uma maneira de pensar que pode aceitar esse tipo de revelação progressiva. Isso se aplica até ao próprio Novo Testamento, para nada dizermos sobre as revelações dadas no Antigo Testamento. Tenho levado esse pensamento mais adiante do que a maioria dos dispensacionalistas, contemplando um maior resultado da missão de Cristo do que eles têm antecipado, tomando eu, por empréstimo, idéias discernidoras (segundo creio) dos ramos anglicano e ortodoxo oriental do cristianismo. Após ter compreendido a avançada teologia de algumas passagens do Novo Testamento, posso passar adiante da doutrina do julgamento divino refletido pelas obras pseudepígra-**fes. Outro** tanto sucede no tocante à própria doutrina da salvação. O simples evangelho do perdão dos pecados e de transferência futura para o céu, uma noção que domina os evangelhos sinópticos, é substituído pelo evangelho paulino dos lugares celestiais, da transformação dos remidos segundo a imagem de Cristo (Rom. 8:29), mediante um longo processo de transformação pelo poder do Espírito (II Cor. 3:18), de tal modo que os remidos virão a compartilhar da própria natureza divina (Col. 2:10 e II Ped. 1:4).

Os pontos fracos do dispensacionalismo são os seguintes:

1. *Há exageros*, como quando Scofield supõe que o Sermão da Montanha nos dá somente os princípios da era do reino, nada tendo a ver com a Igreja. Essa é uma posição absurda. Primeiro, porque o evangelho de Mateus foi escrito para a Igreja cristã, e já bem dentro da era cristã. Segundo, porque o propósito inteiro do registro do material desse sermão foi o de mostrar que, em Cristo, temos um Novo Moisés, que veio substituir o Antigo. O Novo Moisés, o novo Legislador reinterpretou e adicionou à lei mosaica, e o que Ele assim ensinou, fê-lo à Igreja, o Novo Israel, e não meramente a algum reino ainda distante.

2. Podemos mostrar que Deus movimenta-se passando de período para período, melhorando a maneira dele tratar com os homens, sem termos de dividir as Escrituras em pequenas unidades, para em seguida dizermos: «Esta unidade não é para a Igreja». Todas as unidades destinam-se à Igreja. «Pois tudo quanto outrora foi escrito, para o nosso ensino foi escrito, a fim de que, pela paciência, e pela consolação das Escrituras, tenhamos esperança» (Rom. 15:4). Contudo, o que cada porção das Escrituras tem a dizer não tem igual aplicação, simplesmente porque o processo revelador avança e se aprimora. Não há como fazer distinções capilares, aceitando certos livros e rejeitando outros. O Antigo Testamento tem aplicação à Igreja, embora não da mesma maneira e com a mesma extensão que no caso do Novo Testamento. O Novo Testamento inteiro aplica-se à Igreja; mas, novamente, há avanços ali que ultrapassam antigas maneiras de entender.

3. *Ultradispensacionalismo*. Essa posição também tem o nome de bullingerismo, por causa de E.W. Bullinger. Alguns dispensacionalistas perderam o senso de bom juízo e dividiram o Novo Testamento em minúsculas unidades. Supostamente, apenas as epístolas paulinas da prisão, uma pequena porção do volume do Novo Testamento, são autoritárias para a Igreja. Quando alguém indaga: Então para quem se destina todo o resto do Novo Testamento, que é a sua maior parte? A resposta que nos dão os ultradispensacionalistas é: para os judeus que se converterão durante a Grande Tribulação, e então para a era do reino milenar! De acordo com essa especulação, alguns deles chegam a eliminar o batismo, e mesmo a Ceia do Senhor, como cerimônias da Igreja cristã,

DISPENSAÇÃO

porquanto esses ritos não são mencionados naquelas epístolas de Paulo! Isso reduz o cânon autoritário a uma porção realmente minúscula. Naturalmente, é verdade que os evangelhos e o livro de Atos refletem uma primitiva Igreja judaica; e que somente mais tarde há reflexos de uma Igreja verdadeiramente gentílica, cristianizada, paulina. Todo aquele que lê o Novo Testamento pode perceber isso. Porém, é um erro crasso rejeitar arbitrariamente os livros que refletem a Igreja cristã em seus primeiros estágios, dizendo que os mesmos não são autoritários. Mas, apesar da avançada teologia paulina, há muitas verdades que Paulo não revelou. Assim sendo, o trem da revelação não estacou. Nem por isso, entretanto, devo jogar fora as epístolas paulinas, por pensar que a teologia, quanto a alguns aspectos, ultrapassou o que Paulo disse.

4. Sob a seção III. 4. *Vários Arranjos*, mostrei as várias opiniões dos dispensacionalistas acerca das dispensações. Somente James Gray (III.f) tem o discernimento para ver que Efésios 1:10 indica uma dispensação para além do reino. Scofield faz esse texto referir-se às atividades do reino. Aquele versículo, entretanto, leva-nos até o estado eterno, conforme Gray supõe. Ali vemos um processo restaurador sendo levado a efeito, e do qual a Igreja participará (Efé. 1:23). A restauração envolverá todas as coisas, fazendo a missão de Cristo ser conduzida a um admirável e completo sucesso. Ver o artigo sobre a *Restauração*, quanto a detalhes sobre essa idéia. Considero uma fraqueza do dispensacionalismo o fato de que, apesar de sua compreensão sobre a natureza progressiva das operações de Deus, em períodos específicos da história humana, o dispensacionalismo tenha falhado em perceber a maior de todas as dispensações, a última, que envolverá todos os benefícios das dispensações anteriores, em uma só unidade, adicionando assim uma outra dimensão à missão de Cristo, que realizará coisas nunca antes vistas.

V. Implicações Teológicas

Ao longo deste artigo, até este ponto, tenho mencionado essas implicações. Portanto, apresento-as aqui à guisa de sumário:

1. Deus realmente trata com os homens de diferentes maneiras, fazendo com que as maneiras anteriores tornem-se obsoletas. Ver III.2.

2. Cada uma dessas maneiras, — antes da era da graça, teve o propósito de mostrar a absoluta necessidade da graça e da missão de Cristo. Deus nos tem dado uma demonstração histórica desse fato. Ver IV. Pontos Fortes. 1.

3. Cada dispensação tem valor porquanto ilustra como Deus aproxima-se do homem. Ver IV. Pontos Fortes. 3.

4. Distinções teológicas necessárias são estabelecidas, mediante esse conceito. Ver IV. *Pontos Fortes*. 4.

5. Há vários níveis de revelação, os quais vão se tornando progressivamente mais claros e abrangentes, enquanto acompanham o processo histórico. Portanto, falar em termos de infância, meninice, adolescência, idade adulta e idade avançada, demonstra uma certa lógica. Ver III. 4. *Vários Arranjos*. a. *Pierre Poiret*, e também IV. Pontos Fortes. 5.

6. Os conceitos aprofundam-se quando são dadas novas revelações; e essas revelações nos são concedidas em períodos específicos de tempo, através de pessoas específicas. E, mediante esse processo, antigas idéias são ultrapassadas. Penso que o próprio evangelho passou por esse processo, como também a

doutrina do juízo e da natureza do estado eterno. Ver IV. 6.

VI. Implicações Éticas

Ver o artigo separado sobre *Ética Dispensacional*. *Bibliografia*. No próprio corpo do artigo há algumas referências bibliográficas. Além dessas, temos B BAS SAU Z.

DISPENSAÇÃO DA PLENITUDE DOS TEMPOS

Ver Efé. 1:10.

Não está em vista apenas a dispensação do evangelho, porquanto o que esta passagem diz que se realizará, transcende ao que é meramente terreno. Está em foco o «tempo» da concretização ou cumprimento do mistério. *Tempos* é tradução exata, literal. A palavra *dispensação*, originalmente, significava «família», «gerência», ou «ofício da mordomia». Metaforicamente, mais tarde veio a significar «mordomia». Em um sentido ainda mais geral, veio a indicar a gerência de qualquer exército ou estado, ou seja, um «governo», uma «economia política».

Embora encontremos aqui um elemento de «tempo», a ênfase de Efé. 1:10 recai sobre a idéia de «governo», sobre «tipo de governo», sobre «ordem social», debaixo da orientação de certa espécie de «economia» ou poder divino. Nisso devemos incluir «aquilo que governa e aquilo que é governado». Haverá uma «ordem social», inteiramente nova, e essa será governada pelo poder de Cristo. Isso é o que significa a «dispensação da plenitude dos tempos», o estado eterno.

Essa dispensação envolverá as seguintes características:

1. A criação física estará centralizada em Cristo—será controlada e governada por ele, através da *eleição* (1:4) e da *restauração* (1:10).

2. Israel, como nação, tê-lo-á como Salvador e Senhor, Rei.

Plenitude dos tempos. Consideremos os pontos seguintes, a respeito disso:

1. Essa expressão não equivale ao que se lê em Gál. 4:4, *a plenitude do tempo*, pois esta última declaração indica apenas «o tempo certo e apropriado».

2. Antes, trata-se de uma referência a *períodos distintos* durante os quais Deus trata diretamente com os homens e com toda a criação. Mas ainda assim não equivale às «sete dispensações», que são a consciência, o sacrifício, o governo humano, a promessa, a lei, a graça e a eternidade. Antes, devemos compreender aqui períodos de relações entre Deus e a criação, antes mesmo do aparecimento do mundo, no mundo dos espíritos, na eternidade passada. Devemos compreender aqui o começo do cumprimento dos planos de Deus; as relações de Deus com Israel, quando lhe conferiu a legislação mosaica; a primeira vinda de Cristo; a doação do Espírito Santo; o atual período da graça; e até mesmo a *parousia* ou segundo advento de Cristo.

Todos *esses tempos* (ciclos), que incluem, certamente, o reino milenar de Jesus Cristo, com suas ênfases particulares, produzindo uma nova dispensação que será o *cumprimento* (fruição) de todos esses períodos, o cumprimento daquilo na direção do que tudo presentemente se movimenta, nas relações específicas de Deus com suas criaturas. Essa dispensação, pois, será a «plenitude», ou seja, o «cumprimento» de todos aqueles «tempos». O resultado será a *nova ordem social* com seu governo centralizado em Jesus Cristo. A «plenitude dos

189

DISPENSAÇÃO — DISPOSIÇÃO

tempos», portanto, será o resultado de todos os «tempos» anteriores, a grande conclusão a que somos levados pela progressão dos tempos. Esses tempos são as «estações determinadas» divinamente, conforme aprendemos em Atos 1:7, o que é um termo similar a este. Quanto à «nova ordem», no que se aplica a diversas coisas, ver os seguintes pontos:

1. No que se aplica aos anjos, ver Heb. 1:6, embora isso seja limitado em seu escopo às funções dos anjos, que serão sempre poderosos instrumentos da glória de Deus. E eles se tornarão instrumentos ainda mais poderosos do que agora, em Cristo Jesus.

2. No que se aplica à nação de Israel, ver Rom. 11:26.

3. No que se aplica às nações da terra, ver Apo. 21:24.

4. No que se aplica à criação física, ver Rom. 8:21.

5. No que se aplica aos perdidos, ver Fil. 2:10,11; I Ped. 3:18-20 e 4:6.

6. No que se aplica à igreja, ver Efé. 1:22,23. Cristo é a vida, é o Senhor, é Messias.

A igreja será a sua plenitude, e a força mais forte e completa de sua expressão.

Todos os seres inteligentes, os exércitos de anjos, serão suas legiões de poder e atividade.

Até mesmo os perdidos encontrarão lugar sob o seu pendão — o Salvador, é o Rei e é o unificador de todos e de tudo — essas são as idéias principais que aqui se destacam. Tudo isso culminará em glória real para Deus. (Ver I Cor. 15:28).

Todas as cousas. Efé. 1:10. No original grego, «ta panta», isto é, a criação inteira, incluindo *todos* os seres inteligentes. Esse é o *gigantesco* escopo do mistério aqui referido. Devemos observar as palavras *nos céus*, vazadas no plural. Todos os campos da existência espiritual estarão unificados em Cristo Jesus. Ver em Col. 1:16 como a «Ta Panta» foi criada e voltará para Cristo. A expressão todas as coisas «na terra» significa que a missão de Cristo alcançará todos os tipos de homens, judeus, gentios etc., sem distinção.

A unidade em Cristo implica paz, harmonia, bem-estar, propósito, glória, mas em aplicações diferentes nas esferas diversas. É impossível que a missão de Cristo falhe, mas terá êxito em maneiras diferentes.

DISPENSAÇÃO ECLESIÁSTICA

Desde cerca do século V D.C., a palavra «dispensação» tem sido usada para indicar as licenças outorgadas por algum bispo a outra autoridade eclesiástica, permitindo algum ato normalmente ilegal, de acordo com a lei canônica.

Esse princípio, naturalmente, tem dado margem a muitos abusos. A questão inteira das *indulgências* (que vide), que causou tanta confusão na Igreja e foi um poderoso fator que contribuiu para a Reforma protestante, ocorreu por meio de uma dispensação, dada a Alberto Mainz. O casamento de Henrique VIII, da Inglaterra, com Catarina de Aragão, teve por base uma dispensação.

Dispensações papais eram dadas para isentar os homens da obediência às autoridades civis, como aquela de Gregório IV, baixada a fim de solapar a autoridade do imperador Henrique IV (fevereiro de 1076). Por igual modo, católicos romanos ingleses foram encorajados a revoltarem-se contra Isabel I, o que quase resultou no assassinato dela. No começo, as dispensações deveriam ter aplicação exclusiva à lei

eclesiástica, não envolvendo a lei divina e nem os princípios bíblicos; mas, na prática, nem sempre essa distinção foi observada. Contudo, se for corretamente aplicado, esse princípio é bom; pois nenhuma lei humana, mesmo que tenha sido estabelecida pelas autoridades eclesiásticas, é perfeita, e precisará de modificações quanto a casos específicos, especialmente se considerarmos os requisitos de diferentes povos e culturas.

DISPERSÃO

Ver sobre a **Diáspora**.

DISPERSÃO DE ISRAEL

Ver **Diáspora (Dispersão) de Israel**.

DISPOSIÇÃO

1. *Definição*. Essa palavra significa tendência, temperamento, atitude ou propensão para alguma coisa ou contra alguma coisa. É usada na linguagem religiosa e teológica para falar sobre as atitudes e as mudanças de atitude no tocante a alguma coisa, supondo-se que tais mudanças correspondem a mudanças de natureza espiritual. As condições internas intrínsecas, ou novas determinações do espírito, precisam acompanhar os dogmas e os sacramentos; pois, do contrário, essas coisas, por si mesmas, a ninguém beneficiarão.

2. *Idéias Católicas Romanas da Graça e da Justificação*, no tocante às disposições. De acordo com a doutrina romanista, um homem é capaz de usar a sua razão e a sua liberdade a fim de obter a justificação (graça santificadora). Ele é capaz de certos atos intrinsecamente ordenados para a salvação (*actus salutares*, atos de fé, esperança e contrição). O homem teria disposições naturais para tais atos, derivados do Criador, além daquelas disposições divinamente insufladas, que Deus pode conferir ao pecador, inteiramente à parte dos esforços e méritos deste último. A disposição inicial do homem deriva-se da graça gratuita de Deus. Essa não é merecida e nem depende da bondade ou da vontade do homem. Mas as disposições do ser humano, à parte de seu próprio ser, correspondem à disposição divina e se desenvolvem como uma reação à disposição divina.

3. *Na Teologia Sacramentalista*. Um adulto, segundo essa teologia, precisa preparar-se para receber os sacramentos, mediante sua reação e crescimento espirituais. Nenhum sacramento tem valor a menos que haja a correta disposição por parte do participante. Os sacramentos não são causas que operam de maneira mágica, de acordo com a teologia católica romana, embora, no nível popular, essa seja a idéia predominante. São necessárias as disposições da fé, da esperança e do amor, derivadas da graça divina e que precisam manifestar-se juntamente com o recebimento dos sacramentos, se estes tiverem de ter algum valor. Os sacramentos seriam instrumentos que trazem ao homem a graça de Deus; mas precisam ser recebidos, tornando-se eficazes, pelas boas disposições humanas. Seria inútil aumentar a freqüência à eucaristia, por exemplo, a menos que seja recebida pela pessoa com uma crescente espiritualidade. A pessoa precisa ter intensificada a sua sensibilidade espiritual, tornando-se mais refinada e poderosa. Um dos trabalhos tipicamente pastorais é promover o aprofundamento das atitudes pessoais, no tocante aos requisitos da fé cristã; e o papel desempenhado pelos sacramentos, para tornar

DISPUTA — DÍVIDA, DEVEDOR

isso uma realidade, é indispensável.

Muitos intérpretes protestantes negam que os sacramentos comunicam a graça divina, com ou sem as disposições humanas apropriadas. A teologia católica ortodoxa nega o pelagianismo extremo, que afirma que existem méritos morais naturais, envolvidos nas disposições humanas. (R)

DISPUTA

Vem de dois termos latinos, **dis e putare**, e tem o sentido de «pensar», «considerar». O *disputatio* dos teólogos-filósofos escolásticos referia-se a um procedimento formal para solucionar as *quaestiones disputatae* (questões disputadas). Tomava a forma de um silogismo, sendo um ataque desfechado contra alguma tese, negando uma de suas premissas ou limitando o alcance da mesma. Finalmente, o mestre decidia a questão. No chamado *disputatio quodlibetal*, os ouvintes escolhiam o assunto a ser disputado. Nos escritos de vários dos eruditos escolásticos, incluindo Tomás de Aquino, aparecem tanto as *quaestiones disputatae* quanto as *disputatio quodlibetal*.

DISSENTERS

Essa palavra, que entrou no português diretamente do inglês, aponta para o nome que foi dado, após a restauração (que vide) aos puritanos ou separatistas. O termo veio a significar qualquer um que discordasse da Igreja Anglicana, a igreja oficial da Inglaterra. O termo começou a ser usado a partir de 1662. Os puritanos não-conformistas, que permaneceram na Igreja Anglicana, também eram considerados «dissenters», embora continuassem a fazer parte da entidade oficial. O termo significa o contrário de *conformista*.

DISTELEOLOGIA

Essa palavra indica o oposto da **teleologia**, conforme a palavra mesma o indica. Essa palavra deriva-se dos termos gregos *dus*, «maus», e *telos*, «finalidade», «propósito», «desígnio». A idéia é que existem evidências de desarmonia e de falta de propósitos na criação. Em suas formas extremas, o conceito nega a teleologia e faz o mundo alicerçar-se sobre o caso e o acaso, pelo que se moveria em direção do nada, sem qualquer causa final.

DIVERSÕES

É largamente reconhecido que períodos de diversão e relaxamento são necessários para a saúde física e mental. Descanso e refrigério são necessários até mesmo para a renovação espiritual, visto que a rotina e o excesso de trabalho podem embotar o espírito. As diversões incluem formas de recreação (se não demais enfatizadas e profissionalizadas), jogos, eventos sociais, esportes, em que o indivíduo atue como atleta ou espectador. —Os passatempos também podem ser classificados como diversões, se não se tornarem uma segunda profissão.

Vícios e diversões: As diversões podem ser prejudiciais, sob várias circunstâncias, ou quando submetidas a abusos. Abaixo damos sugestões:

1. Quando o tempo gasto nas diversões é excessivo, impedindo atividades mais importantes.

2. Quando levadas a efeito em lugares duvidosos, ...ui os quais um crente não deveria associar-se. Seria um ato duvidoso ir a um clube noturno somente para ouvir música.

3. Quando as próprias diversões têm caráter degradante, como se dá com muitas peças de teatro, de televisão e do cinema. Isso inclui sexo envilecido, violência, exaltação de valores não-espirituais, capazes de influenciar adversamente as pessoas. Essa categoria certamente inclui tipos de música como jazz e rock and roll. Com freqüência, as letras dessas composições musicais são degradantes, enquanto o próprio ritmo da música excita as paixões vis.

4. Quando as diversões são incluídas nos programas das igrejas a fim de atrair multidões, suplantando o próprio Cristo, o qual disse que quando fosse levantado da Terra, atrairia todos os homens a Si mesmo (João 12:32). Os entretenimentos mundanos, trazidos à Igreja, jamais poderão ajudar o espírito, embora possam entreter a mente e o corpo.

5. Quando qualquer forma de entretenimento, embora legítima em si mesma, torna-se uma pedra de tropeço para outra pessoa, que está procurando fazer progresso na vereda espiritual (ver Rom. 14:19,20). Vivemos com a consciência alheia, e não somente com a nossa própria. Ver o artigo sobre *música* e *adiáforas*. (H)

DIVES

Esse é o nome que a tradição empresta ao rico, dentro da parábola do rico e Lázaro (Luc. 16:19-31). Esse nome foi obviamente inventado, visto que o termo latino *dives* significa «rico». Portanto, tudo o que temos nesse nome é a palavra latina «rico», escrita como um nome próprio. A Vulgata Latina traduziu o termo grego em questão por essa palavra, e essa foi a origem do nome. Irineu (*Contra Heresias* ii.34.1), usou essa palavra como um adjetivo mas, aí pelo século III D.C., as traduções de sua obra para o latim já aparecem com essa palavra como se fosse um nome próprio.

DÍVIDA, DEVEDOR

Várias palavras hebraicas e gregas estão envolvidas neste verbete, a saber:

1. *Mashshaah*, «empréstimo», «juros», «dívida». Palavra hebraica usada somente por duas vezes: Pro. 22:26 e Deu. 24:10.

2. *Neshi*, «dívida», «juros». Termo hebraico empregado por apenas uma vez, a saber, em II Reis 4:7.

3. *Nasha*, «ser usurário». Vocábulo hebraico que ocorre por três vezes: I Sam. 22:2; Nee. 5:7 e Sal. 89:22.

4. *Dáneion*, «empréstimo». Palavra grega usada por apenas uma vez: Mat. 18:27.

5. *Opheilétes*, «devedor». Palavra grega usada por sete vezes: Mat. 6:12; 18:24; Luc. 13:4; Rom. 1:14; 8:12; 15:27; Gál. 5:3.

6. *Opheílo*, «dever». Verbo grego usado por trinta e cinco vezes: Mat. 18:28,30,34; 23:16,18; Luc. 7:41; 11:4; 16:5,7; 17:10; João 13:14; 19:7; Atos 17:29; Rom. 13:8; 15:1,27; I Cor. 5:10; 7:36; 9:10; 11:7,10; II Cor. 12:11,14; Efé. 5:28; II Tes. 1:3; 2:13; File. 18; Heb. 2:17; 5:3,12; I João 2:6; 3:16; 4:11; III João 8.

7. *Opheilé*, «dívida». Palavra grega usada por três vezes: Mat. 18:32; Rom. 13:7 e I Cor. 7:3.

8. *Opheílema*, «dívida». Termo grego empregado por duas vezes: Mat. 6:12 e Rom. 4:4.

A questão das dívidas era regulamentada pela legislação mosaica.

I. A Lei Mosaica acerca das Dívidas

1. O conceito geral de ajuda devida aos pobres

DÍVIDA, DEVEDOR — DIVINDADE

(Deu. 15:7 ss; Sal. 37:26; Mat. 5:42).

2. Um israelita podia emprestar dinheiro a um compatriota seu, mas sem cobrar-lhe juros (Deu. 15:2). A usura em geral, embora permitida em casos que não envolvessem empréstimos a outros israelitas, era considerada uma baixeza (Pro. 24:8; Eze. 18:8,13,17).

3. Um credor não podia entrar na casa de um seu devedor, a fim de retirar dali o que quisesse, quando queria receber um penhor pela dívida contraída, mas precisava esperar do lado de fora (Deu. 24:10,11; Jó 22:6; 24:3,7,9).

4. Um moinho, a pedra de um moinho ou uma túnica externa não podiam ser retidos como penhor ou garantia de um empréstimo (Êxo. 22:26,27; Deu. 24:6,12).

5. Uma dívida não podia ser cobrada durante o ano sabático (Deu. 15:1-15). Mas, de outras vezes, o credor podia tomar conta de uma propriedade, que então podia ser retida até o ano do jubileu, quando tinha de devolver à família a sua herança original. Ou então a casa de um devedor podia ser confiscada e vendida (Lev. 25:25-33). O próprio devedor poderia ser vendido, juntamente com os membros de sua família, à escravidão (alguns preferem pensar em servos contratados), até o ano do jubileu (Lev. 25:39-41).

6. Uma pessoa que atuasse como fiadora podia ser tratada da mesma maneira que o próprio devedor (Pro. 11:15; 17:18).

7. Aprisionamento por motivo de dívida não parece ter feito parte do código levítico, mas só veio a ser praticado em tempos posteriores (Mat. 18:34).

8. Visto que Israel era um país agrícola, os penhores tomados para empréstimos eram feitos em termos de terras e possessões pessoais, e não em valores monetários. Todas as dívidas eram canceladas a cada sete anos (Deu. 15:1 ss). Uma pessoa podia prestar vários serviços, a fim de pagar as suas dívidas (Lev. 25:39-55).

9. De modo geral, podemos afirmar que, no primitivo Israel, os empréstimos eram mais um ato de caridade, com o intuito de ajudar a alguém em necessidade, e não uma medida com vista a lucros. Visto que Israel continuou como uma sociedade agrícola até o fim da monarquia, nunca desenvolveu um sistema de empréstimos, como aquele que havia na Babilônia, desde, pelo menos, 2000 A.C.

II. Algumas Indicações Neotestamentárias

1. Títulos de dívida, em forma escrita (Deu. 15:2), continuaram sendo um costume nos tempos do Novo Testamento. Josefo (*Anti.* 16:10,8; *Guerras* 2.17,6). A conta, referida em Luc. 16:6, pode ter sido escrita em tabletes recobertos de cera, ou então em papiro ou em pergaminho. A arqueologia tem encontrado muitas dessas contas, registradas em grego «koiné».

2. Uma outra garantia eram as notas assinadas por testemunhas e confirmadas pelo Sinédrio. As notas comuns indicavam a natureza e a quantia da dívida, as condições envolvidas na mesma, os itens de segurança e os nomes dos devedores e das testemunhas.

3. Os hipócritas religiosos tinham descoberto um modo de apossar-se dos valores pertencentes às famílias, assim encorajando os filhos a fraudarem os seus pais. Isso se chamava *corbã* (que vide). O trecho de Marcos 7:1 alude à prática.

4. Paulo mostrava-se contrário à contração de dívidas, mas favorecia muito que cada crente pagasse a dívida de amor ao próximo (Rom. 13:8). Muitos

intérpretes têm pensado que as palavras do apóstolo não condenam o sistema de *prestações*, se a capacidade financeira de alguém o capacita a assumir dívidas razoáveis com essa base. Mas, se alguém não tem o potencial financeiro para pagar as dívidas que contrai, então está praticando desonestidade.

5. Jesus empregou a relação credor-devedor em várias de suas parábolas, com propósitos ilustrativos. Ver Lucas 7:41; 12:57-59; Mateus 5:25,26; 18:23-35. Jesus não condenou a prática de cobrar juros; mas não demonstrou apreciação pela prática da usura (Mat. 6:19-21). Há um Senhor mais alto, a quem devemos servir (Mat. 6:24). Ele requeria a atitude certa para com as riquezas, supondo que estas, normalmente, servem de empecilho à inquirição espiritual (Mat. 19:24). O trecho de Mateus 5:25,26 mostra-nos que Jesus preferia atitudes amigáveis e hospitaleiras, como fatores para ajudar na solução dos problemas surgidos entre credores e devedores, em lugar da coerção legal.

6. Todos os cidadãos devem pagar impostos, nos países onde vivem. Essa é uma dívida apropriada e legal (Rom. 13:6 ss).

III. Usos Metafóricos

1. Paulo, em Romanos 13:8 ss., mostra-nos a grande dívida que envolve a todos nós; o amor ao próximo. Isso cumpre todas as obrigações destacadas pela lei e pelos profetas.

2. Jesus pagou nossa dívida do pecado, e assim libertou-nos da condenação (Mat. 6:12; Rom. 4 e 6:23).

3. Se perdoarmos àqueles que nos devem qualquer coisa, o Pai, lá no céu, alegra-se em perdoar as nossas dívidas diante dele, especialmente no tocante a erros morais que tenhamos cometido (Mat. 6:14).

4. Há um *penhor* do melhor pacto, a saber, o próprio Jesus Cristo (Heb. 7:22).

5. Aqueles que conhecem a verdade estão em dívida. Eles precisam saldar a sua dívida, pregando a verdade bíblica (Rom. 1:14).

6. Nada devemos à carne, e nem precisamos prestar-lhe serviços. Antes, todos devemos a Deus, pelo que temos de ter o cuidado de servi-lo, obedecendo às suas leis. (Rom. 8:12)

7. Todos aqueles que têm sido servidos por outros, em sentido espiritual, são devedores para com os que lhes têm prestado esses serviços (Rom. 15:26,27).

8. Os pecadores assumiram uma dívida diante de Deus, devendo-lhe satisfação e obediência (Mat. 18:27; Luc. 7:41).

9. Uma pessoa remida é um liberto de Cristo, devendo servi-lo diligentemente e com a atitude correta (Rom. 1:1).

10. O Senhor liberta homens da servidão ao pecado, ao preço do Seu próprio sangue (Rom. 6:18-22; I Cor. 6:20; 7:23; Tito 2:14).

11. O *amor responsivo* é a base que nos permite pagar todas as nossas dívidas espirituais e cumprir todas as nossas obrigações morais. Assim declarou Agostinho: «Ama a Deus, e então faz o que quiseres». Ver Rom. 5:5 quanto ao amor responsivo. (DR H TR W)

DIVINDADE

Esboço:
 I. Variedade de Usos
 II. Elementos Essenciais da Divindade
 III. Usos Bíblicos
 I. Variedade de Usos

DIVINDADE DE CRISTO

A palavra «divindade» pode ser usada com diversos sentidos, a saber:

1. A natureza divina, a deidade.
2. O Ser Supremo, incluindo todos os seus atributos, com base em sua essência divina, em distinção a *outras* essências.
3. O termo pode ser usado de forma abstrata, para indicar qualquer espécie de divindade, incluindo o que é membros da triunidade.
4. *Em termos cristãos*, a deidade é a essência divina do Deus que a si mesmo se revelou. Dentro da teologia cristã, o termo tem sido usado para indicar a essência divina, em contraste com as distinções hipostáticas dentro da natureza de Deus, como se dá com a doutrina da triunidade divina. Porém, no que concerne a sentidos secundários, pode incluir algum dos membros da triunidade. Pelo menos desde o século XVI, o termo vinha sendo usado para referir-se à natureza divina essencial de Cristo.
5. Apesar desse termo ter sido usado para fazer contraste com os atributos divinos, na realidade é impossível separar as duas coisas, visto que a glória de Deus consiste em seus variegados atributos, como parte da natureza divina essencial, por serem manifestações da mesma.

II. Elementos Essenciais da Divindade

A fim de apresentar esses elementos, precisamos falar sobre os atributos divinos, porque, na verdade, pouco sabemos sobre a natureza essencial de Deus. Ver os comentários sobre essa questão no artigo intitulado *Deus*, nas duas primeiras seções. Falamos sobre Deus como o Espírito divino, infinito e eterno, como o Senhor de todos. Empregamos termos como onipotente, onipresente e onisciente, como o criador e o alvo de tudo, como o preservador de todas as coisas e como o redentor. Além disso, incluímos na discussão todas as atitudes de Deus. Ver o artigo sobre os *Atributos de Deus*. Somos forçados a usar termos antropomórficos, porquanto estamos limitados pelos parcos recursos de nossa linguagem e de nossa experiência. Porém, devemos nos lembrar que tudo isso é uma tentativa para melhor compreender, visto que, a despeito de todos os nossos esforços, Deus, em sua natureza essencial, permanece o *Mysterium Tremendum*. Quando apanho um compêndio de matemática ou física avançada, não consigo entender muita coisa. Essas matérias estão fora do escopo de meus conhecimentos. Se eu pudesse encontrar um livro que descrevesse a real natureza de Deus, eu estaria inteiramente perdido, o que também aconteceria com qualquer outra pessoa. Deveríamos ser mais humildes quando falamos a respeito de Deus, porquanto o nosso conhecimento a respeito dele é tão humilde.

III. Usos Bíblicos

1. Rom. 1:20 (*theiótes*). Paulo incluiu nessa palavra a natureza de Deus vista por meio de seu eterno poder e de sua natureza divina essencial, manifestados — na natureza —, para que todos os homens possam observar e compreender, pelo menos em parte. Essa é a idéia que está à base dos argumentos cosmológico e teleológico, participando também, em menor grau, do argumento ontológico. Ver os artigos separados sobre esses três argumentos em prol da existência de Deus.
2. Colossenses 2:9 (*theótes*). Esta palavra grega significa «divindade», «deidade», «essência divina». É em Cristo (o Logos) que habita toda a plenitude (ou *pleroma*) de Deus. Essa plenitude aponta para a essência divina e todos os seus atributos. Essa palavra também era empregada para indicar as divindades

falsas dos pagãos, pelo que nada há de especial ou de cristão em torno dela. Foi necessário que os autores do Novo Testamento empregassem vocábulos gregos comuns, embora com novas aplicações. De outra sorte, nem teriam sido compreendidos pelos seus leitores. As finas distinções que os teólogos algumas vezes fazem entre vocábulos gregos fundamentam-se em elaborações, muitas vezes parcialmente alicerçadas sobre as informações bíblicas, e não por causa de diferenças de sentido que as próprias palavras tenham tido no original grego.

3. Atos 17:39 (*theíos*). Esta palavra grega é um adjetivo que foi transformado em um substantivo pelo uso do artigo definido, o que significa que devemos entendê-la como «como Deus». Também pode ser traduzida por «a deidade», porquanto faz contraste com as coisas que os homens transformam em deuses, como os seus ídolos de ouro, de prata ou de pedra.

DIVINDADE DE CRISTO

Esboço

I. Os Argumentos em Favor da Divindade de Cristo

II. Segundo Colossenses 2:9

III. A Divindade de Cristo e a Vida Eterna

I. Os argumentos em favor da divindade de Cristo

1. Há várias *declarações diretas* sobre isso nas Escrituras, que cremos serem revelações de Deus. (Ver Isa. 9:6; João 1:1; 10:30; Rom. 9:5; Col. 2:8, quanto a referências sobre essa natureza; ver as notas expositivas em Heb. 1:3 no NTI, que é um dos versículos mais explícitos sobre a natureza dessa revelação, em todo o N.T. Notar também a confissão de Tomé, em João 20:28).
2. As teofanias, no A.T., sugerem a possibilidade do aparecimento de Deus sob forma humana, assim afirmando que isso poderia ser possível no caso de Cristo e de sua encarnação. (Ver Gên. 16:7-13; 18:2-23, especialmente o décimo sétimo versículo, e Gên. 32:28, em comparação com Osé. 12:3-5 e Êxo. 3:2-14).
3. O Messias é chamado Filho de Deus, evidentemente em sentido especial (ver Sal. 2:2-9), e também é chamado «Deus» (ver Sal. 45:6-7 com Heb. 1:8,9; Sal. 110:1 com Mat. 22:44; Atos 2:34 com Heb. 1:13; Sal. 110:4 com Heb. 5:6; 6:20 e 7:17-21).
4. Cristo é «Deus conosco», através de seu nascimento virginal (ver Isa. 7:13,14 e Mat. 1:22,23).
5. O Messias recebe *títulos divinos* (ver Isa. 9:6,7), e com freqüência nos versículos neotestamentários que dizem respeito ao Pai, no A.T., são citados como alusórios ao Filho, no N.T. (Ver João 8:24,56,58; Mat. 22:42-45 e Rom. 10:13).
6. O uso extremamente freqüente do termo *Senhor*, para indicar Cristo, de tal modo que se torna parte de seu nome, — inclui a idéia de *divindade*, e algumas vezes o vincula ao *Yahweh* do A.T., ainda que, com freqüência, não tenha esse elevadíssimo sentido nos evangelhos sinópticos. (Ver Rom. 1:7). Em Col. 4:1 o termo «Senhor» expressa divindade, e, provavelmente, é uma alusão ao Senhor Jesus Cristo. O trecho de Mat. 22:43-45 usa esse termo como equivalente do termo «Adonai», usado no A.T., aplicando-o a Cristo. (Ver igualmente a tentativa de identificar Cristo com o «Senhor» do A.T., em Mat. 3:3; 12:8; 21:9 (Sal. 118:26); 22:43-45; Luc. 1:43; João 8:8; 20:28; Atos 9:5 e 13:33 e o segundo Salmo).
7. O testemunho *do próprio Cristo* aparece nas Escrituras. Ele é o «Eu Sou» do A.T. (ver João 8:24,56-58), Ele é o «Adonai» do A.T. (ver Mat.

DIVINDADE DE CRISTO

22:43-45). Ele é identificado com Deus Pai (ver Mat. 28:19; Mar. 14:62 e João 10:30). Ele exercia a principal prerrogativa de Deus (ver Mar. 2:5-7; Luc. 7:48-50). Ele exerceu atributos tidos como pertencentes exclusivamente a Deus, como a onipresença (ver Mat. 18:20), a onisciência (ver João 11:11-14 e Mar. 11:6-8), o domínio sobre a natureza, como poder criador (ver Luc. 9:16,17; João 2:9 e 10:28). Ele recebeu e aprovou a adoração dos homens à sua própria pessoa (ver Mat. 14:33; 28:9 e João 20:28,29).

8. As muitas saudações e doxologias paulinas dão a Cristo *lugar de igualdade* com Deus Pai, como fonte da graça e da paz, que nenhum mero homem poderia ocupar. (Ver, por exemplo, Rom. 1:7; 16:27; I Cor. 1:3; Efé. 1:2 e todas as demais epístolas paulinas).

9. Os escritores do N.T. conferem a Cristo *títulos divinos*. (Ver João 1:1; 20:28; Atos 20:28; Rom. 1:4; 9:5; II Tes. 1:12; I Tim. 3:16; Heb. 1:8 e I João 5:20).

10. Os escritores do N.T. atribuem *qualidades e perfeições divinas* a Jesus Cristo. (Ver Mat. 11:28; 18:20; 28:20; João 1:2; 2:23-25; 3:13; 5:17; 21:17; Heb. 1:3,11,12 com Heb. 13:8; Apo. 1:8,17,18; 2:23; 11:17 e 22:13).

11. Os escritores do N.T. ensinam que a *adoração* é dada legitimamente a Cristo. (Ver Atos 7:59,60; I Cor. 1:2; II Cor. 13:14; Fil. 2:9,10; Heb. 1:6; Apo. 1:6,7 e 6:12,13).

12. A santidade, os poderes miraculosos e a ressurreição de Cristo são reputados como *provas* de suas reivindicações de divindade. (Ver João 8:46; 20:31 e Rom. 1:4).

13. Col. 2:9: Participa na *Plenitude do Pai*. Ver a seguir.

II. Segundo Colossenses 2:9

A Pleroma

1. Os gnósticos costumavam usar a palavra *pleroma*. Para eles, representava a totalidade das «emanações» de Deus, incluindo os seres vivos. As emanações mais elevadas seriam as várias gradações de ordens angelicais. Cada um desses seres, de acordo com o gnosticismo, compartilhava de uma partícula de divindade, sendo uma tênue manifestação de Deus—divina em si mesma, mas possuidora apenas de uma partícula da natureza divina total.

2. Para eles, pois, a *pleroma* era «a natureza divina, acompanhada por seus atributos e manifestações».

Como Cristo pode ser o «Pleroma» de Deus?

1. Paulo tomou emprestada essa palavra dos gnósticos, embora lhe tenha dado um sentido todo seu. Para Paulo, Cristo possui a natureza divina inteira, com todos os seus atributos e manifestações: tudo concentrado «em uma pessoa». O que os gnósticos distribuíam entre tantas e tantas ordens de seres, o apóstolo atribuía exclusivamente a Cristo.

2. Isso significa que, «em sua pessoa única», Cristo é maior que as muitíssimas supostas emanações de ordens angelicais. Outrossim, ele tem maior poder e glória que todas as emanações conjuntamente. Ele é o «pleroma inteiro».

3. Tal uso, naturalmente, importa em poderosíssima declaração sobre a divindade de Cristo (ver Heb. 1:3). Equivale à doutrina do *Logos*, em João 1:1.

4. O décimo versículo ensina a doutrina prodigiosa de que, *em Cristo* (por motivo de nossa união espiritual com ele), os crentes também participarão desse *pleroma*, da natureza divina e de todos os seus atributos.

Habita corporalmente. A primeira dessas duas palavras, no original grego, é «katoikeo», que significa «habitar permanentemente», «estabelecer residência»,

em contraste com «paroikeo», «residir temporariamente». Trata-se da mesma palavra usada em Col. 1:19, que fala sobre a «plenitude de Deus», que em Cristo habita. Neste versículo, no NTI, a idéia é amplamente comentada. Notemos o tempo presente. O Cristo *glorificado* está em foco.

Corporalmente. No grego temos *somatikos*, isto é, «de modo corpóreo», «pertencente ao corpo». Esse uso cria certas dificuldades, pois não devemos imaginar que um corpo literal e físico seja capaz de ser a residência de todas as perfeições da natureza divina, porquanto isso seria uma contradição em termos, já que o espiritual dificilmente se identifica com o que é corporal.

O contexto descreve a glória do Cristo atualmente glorificado, em contraste com a posição inferior que os gnósticos lhe atribuíam, como se ele fosse apenas um dentre muitos «aeons». Notemos aqui o tempo presente: toda a plenitude divina «está habitando» em Cristo, pelo que dificilmente está em vista a encarnação. Abaixo expomos as principais interpretações deste versículo:

1. Alguns estudiosos pensam que a «encarnação» é aqui focalizada. Mas isso é quase impossível, do ponto de vista doutrinário, pois o próprio Paulo, em Fil. 2:7, aludindo à encarnação, via Cristo como *esvaziado* dos atributos divinos. Ainda que compreendêssemos (e isso corretamente), que isso não indica a «natureza», mas antes, suas manifestações (a manifestação dos atributos divinos), continuaria difícil perceber como, na encarnação, Cristo poderia ser visto como possuidor de toda a plenitude de Deus. De fato, fazia parte do plano divino que, na encarnação, essa «plenitude» fosse despida. Teria sido impossível a Cristo viver entre os homens, se porventura tivesse retido a plenitude de Deus. A encarnação, pois, foi a desistência temporária dessa plenitude, o que, neste texto, significa os «atributos» divinos e sua manifestação, com base na natureza divina.

2. Alguns pais da igreja pensavam que o termo significa *genuinamente*, em oposição a «simbolicamente», sem qualquer alusão ao corpo físico; e isso é um uso legítimo do vocábulo. Em Cristo habita, *realmente*, a plenitude divina, em contraste com os «aeons», que eram tidos como possuidores de partículas da mesma, embora todos juntos, exibissem tal plenitude.

3. Essa palavra também indica que, em Cristo, «em um só lugar, totalmente», em um «todo orgânico» (conforme diz Peake, *in loc.*), habita a plenitude, *como que formando um só corpo*. Nada de meras partículas da plenitude a habitarem em Cristo, conforme pensavam os gnósticos. As muitas «partículas» dos atributos divinos, pelos gnósticos eram distribuídas entre as «stoicheia», ou ordens de seres angelicais.

4. Há quem pense que isso alude ao modo atual da existência do *Logos Divino*, em seu «corpo celeste», que, naturalmente, não se compõe de matéria, mas é antes uma forma de energia que pertence à natureza espiritual, própria para os lugares celestiais. (Ver I Cor. 15:20,35,40 quanto ao que sabemos sobre esse corpo e sobre o que se tem conjecturado a seu respeito. Ver Fil. 3:21 e as notas expositivas ali no NTI, sobre *o corpo da glória* de Cristo). Esse é um sentido possível, que alguns estudiosos preferem.

5. Também há aqueles que pensam que a alusão ao «corpo» aponta para a igreja. Nesse corpo, ele tem a plenitude de Deus. Mas essa idéia é obviamente falsa, porquanto é a grandeza de Cristo que está em pauta, independentemente de tudo o mais. No versículo

DIVINDADE, PARTICIPAÇÃO NA, PELOS HOMENS

seguinte, entretanto, a igreja entra em cena. Então ela é vista como possuidora, igualmente dessa «plenitude de Deus», devido à sua associação com Cristo. No entanto, essa é uma doutrina extremamente rara nos púlpitos das igrejas evangélicas.

Antes da encarnação, a plenitude habitava em Cristo, em forma não-corpórea; mas também veio a habitar nele, em «forma corpórea», embora isso não aluda a qualquer coisa física. Diz-se que os crentes estão destinados a habitar na glória, da mesma maneira, cheios de «toda a plenitude de Deus» (ver Efé. 3:19), tal como sucede no caso de Cristo.

As interpretações de números três e quatro são as mais prováveis; não são contraditórias. Ambas aludem à sua «glorificação», e ambas dizem que o «pleroma» ou plenitude de Deus habita em Cristo. A terceira meramente afirma que o termo «corporalmente» não alude a seu «corpo celeste», mas somente ao fato de que se acha «em um único ser», manifestando-se em «um único lugar». Não se acha ela dispersa entre uma sucessão quase interminável de seres sombrios, chamados «aeons». Tudo está localizado em uma única pessoa. Talvez o texto não tencione fazer diferença entre o Cristo preencarnado e o Cristo pós-encarnado. Na qualidade de Verbo eterno, a cada lado da eternidade, ele possui a «plenitude». Somente Cristo, portanto, é objeto digno de nossa adoração. Somente ele é o alvo de nossa busca espiritual.

Santos em adoração postam-se em torno dele,
E tronos e poderes caem à sua frente;
E Deus rebrilha gracioso, através do homem,
Distribuindo doces glórias a todos.

    (Isaac Watts)

«Que tremendo contraste com as tradições humanas e com os rudimentos do mundo» (Meyer, *in loc.*).

«Que contraste com as agências espirituais, concebidas como intermediárias entre Deus e os homens, em cada uma das quais a plenitude divina se dividia e a glória divina se esmiuçava, em proporção à posição distanciada de Deus, em sucessivas emanações». (Vincent, *in loc.*).

Senhor de todo ser, entronizado no alto,
Tua glória procede do sol e das estrelas,
Centro e alma de toda a esfera,
Mas de cada coração amante, quão próximo!

    (Oliver Wendell Holmes).

Da Divindade. No grego temos o vocábulo *theotes,* «deidade», «divindade», «natureza divina». A própria *essência* da divindade está em foco, segundo o mostrará a consulta em qualquer bom léxico. Essa palavra fala sobre o «estado do ser divino»; mas, vinculado à «plenitude», deve incluir também a idéia da «manifestação» de todos os atributos e perfeições divinos. Cristo é o guardião de toda a natureza divina e seus atributos; não participa meramente de algum fragmento da mesma, conforme dizia a idéia gnóstica dos «aeons», entre os quais eles classificavam também o Cristo.

III. A divindade de Cristo e a vida eterna

1. O ensino sobre a divindade de Cristo é claro no evangelho de João. Seu título, «Filho de Deus», apesar de não indicar necessariamente a divindade, pois até certos homens foram assim chamados, implica freqüentemente em sua divindade nos evangelhos.

2. Por ser humano e divino, Cristo é capaz de prover para os homens a salvação. Ele tinha de ser humano, a fim de identificar-se com o homem em sua baixa forma de vida (ver Heb. 4:14 e *ss*). Seu triunfo como homem tornou possível sua especial modalidade

de glorificação, segundo se vê em Fil. 2:9 e *ss*. (Ver o vs. 7 daquele capítulo onde se desenvolve o tema da importância da humanidade de Cristo).

3. Em sua divindade, ele eleva os homens para participarem de sua forma de vida e de sua imagem, a começar da «parousia» (ver I Tes. 4:15), ou da «ressurreição» (ver I Cor. 15:20; Rom. 8:29 e II Ped. 1:4). Assim como ele participou de nossa vil natureza, assim chegaremos a participar de sua exaltada natureza e atributos (ver Efé. 3:19 e Col. 2:10). Assim nos tornamos a sua plenitude (ver Efé. 1:23). Usamos o termo «salvação» aludindo a essas maravilhas (ver Heb. 2:3). Os homens poderão vir a compartilhar da forma de vida do próprio Pai (ver João 5:26).

4. A divindade de Cristo, pois, não é algo meramente para ser admirado. É algo do que poderemos participar! Naturalmente, para o homem essa participação é finita, ao passo que a participação do Filho é infinita. Todavia, a eternidade toda dará aos homens mais e mais da plenitude divina. Portanto, a glorificação será um processo eterno, pois jamais virá um tempo em que o homem possa transpor o hiato entre si mesmo e Cristo, que é o alvo de toda a existência humana. (Ver as notas sobre essa tema em Col. 1:16 no NTI).

DIVINDADE, PARTICIPAÇÃO NA, PELOS HOMENS

I. Segundo Colossenses 2:10

«*...e tendes a vossa plenitude nele, que é a cabeça de todo principado e potestade...*»

Este versículo assume posição entre aqueles que mostram o elevadíssimo destino dos homens, em Cristo Jesus (o que seria incrível, exceto se nos fosse dito por revelação divina). É trecho paralelo a Efé. 1:23; 3:19; Rom. 8:29; II Cor. 3:18 e II Ped. 1:4. Todas essas passagens indicam que haveremos de participar da «natureza divina», tal como Cristo dela participa. O presente versículo, juntamente com Efé. 1:23 e 3:19, diz-nos a extensão dessa participação, *toda a plenitude* haverá de habitar em nós, tal como habita em Cristo. Em outras palavras, o Cabeça e o corpo têm o mesmo destino. Haveremos de participar da própria natureza de Deus, de sua «modalidade de vida», conforme se aprende em João 5:25,26 e 6:57. Portanto, a diferença entre Deus e os remidos não consiste no *tipo* de natureza, mas apenas de *extensão* dessa natureza. Naturalmente, Deus é um ser infinito, e os remidos, apesar de terem sua natureza, por serem verdadeiros filhos de Deus, nunca atingirão toda a plenitude absoluta de Deus; não obstante, esse será sempre o nosso alvo. Já que há uma infinitude de enchimento, haverá um infinito processo de enchimento. O Senhor Deus é infinitamente distinto, tal como o é o Filho; mas dão de sua natureza aos homens, de tal modo que a *filiação* envolve a «comunhão» de natureza, conforme se vê em Heb. 2:10 e *ss*.

Participantes do «Pleroma»

1. Não devido a qualquer coisa em nós mesmos, mas por causa de nosso extraordinário destino em Cristo, chegaremos a participar do *pleroma*, isto é, da natureza divina com todos os seus atributos. Talvez a mais ousada afirmativa contida pelo N.T. se encontre em Col. 2:10.

2. O corpo e a Cabeça devem compartilhar da mesma natureza e do mesmo destino. Isso é outra maneira de declarar essa questão. (Ver Rom. 8:30). Isso significa que participaremos da sua herança, como filhos possuidores de sua natureza e de seus

DIVINDADE, PARTICIPAÇÃO NA, PELOS HOMENS

direitos (ver Rom. 8:17).

3. A participação no «pleroma», significa que seremos elevados muito acima de todos os seres angelicais. Nosso destino será fantasticamente mais elevado que o deles. Pelo menos, assim o concebemos, de acordo com o conhecimento que agora temos sobre esses seres, sua natureza e destino.

4. A participação no «pleroma» significa plena filiação (ver João 1:12); possessão da própria modalidade de vida que caracteriza Deus, a natureza divina (ver II Ped. 1:4).

5. Consulte-se Efé. 3:19 quanto a uma declaração quase idêntica. Participamos do «pleroma» *do Pai*.

6. A participação seria de modo *finito*, mas sempre crescente.

No trecho de I Cor. 8:6, Deus é visto como a fonte e o alvo de toda a existência, tal como Cristo, na passagem de Col. 1:15-20, sobretudo no seu versículo dezesseis, aparece como tal, dentro da expressão, «tudo foi criado por ele e para ele». Este versículo, juntamente com aqueles mencionados, diz-nos *como* todas as coisas são «para Cristo», envolvendo a participação do homem em tudo isso. Cristo é o Alfa e o Ômega da existência humana.

II. Segundo II Pedro 1:4

II Ped. 1:4: *pelas quais ele nos tem dado as suas preciosas e grandíssimas promessas, para que por elas vos torneis participantes da natureza divina, havendo escapado da corrupção, que pela concupiscência há no mundo.*

Pelas quais. Isto é, «por sua glória e virtude». Primeiramente somos chamados «à glória e à virtude»; então nos tornamos participantes delas, sendo-nos dadas grandes e preciosas promessas; e, em seguida, pela concretização dessas promessas, chegamos a participar da natureza divina, algo tão exaltado que estonteia a imaginação. As «promessas» são aquelas especificamente anunciadas no evangelho. O autor nega que a doutrina gnóstica tenha qualquer direito ou poder. Todo o bem espiritual vem através do evangelho dos apóstolos, e esse bem espiritual é indizivelmente profundo. O evangelho promete a regeneração, a liberdade do pecado na santificação, a esperança da vida eterna, a participação na natureza divina e a participação na plenitude de Deus. Essas são grandes e preciosas promessas. Tudo isso dava à igreja cristã bons motivos para rejeitar os ensinamentos falsos dos gnósticos. (Ver o artigo sobre o *Gnosticismo*).

Preciosas. No grego é «tímios», que vem de «time», «valor». Aponta para algo de raro valor, que muito se estima. (Ver o uso dessa palavra na primeira epístola de Pedro: acerca da fé, I Ped. 1:7; acerca do sangue de Cristo; I Ped. 1:19), então, neste versículo, acerca das promessas do evangelho.

Grandes. No grego temos um superlativo, para maior ênfase. Alguém pode calcular o valor de todos os tesouros do Egito, mas ninguém pode calcular ou medir o amor de Deus, em Cristo. Portanto, as promessas divinas falam de um benefício espiritual incalculável.

Por elas vos torneis co-participantes da natureza divina. Através da concretização dessas promessas na experiência real, devido ao poder do Espírito, chegamos a compartilhar do próprio tipo de vida de Deus. Isso, naturalmente, é uma das mais profundas declarações do N.T., com paralelos em outros trechos. Os remidos serão elevados muito acima dos anjos, porque serão dotados de uma natureza infinitamente maior que a deles. Isso envolve muitíssimo mais que o mero perdão de pecados e a mudança de endereço para os céus, que é tudo que se prega hoje em dia na maioria das igrejas evangélicas. Consideramos as idéias e referências seguintes, onde o tema é desenvolvido:

Os gnósticos falavam da participação na natureza divina como o alvo da redenção. Mas seu ponto de vista sobre seu significado era muito inferior. Em primeiro lugar, os homens chegam a participar da «forma de vida» dos «aeons» ou emanações angelicais de Deus, o que, de acordo com a doutrina deles, realmente participavam da natureza divina, embora em plano secundário, pois cada ser seria apenas uma partícula da natureza divina, manifestando algum aspecto dos atributos divinos. Ao contrário disso, haveremos de ser «cheios de toda a plenitude de Deus» (ver Efé. 3:19), chegando a manifestar todas as suas perfeições, todos os seus atributos, o que os gnósticos imaginavam que só poderia ser feito pelo agrado total dos «aeons». Imaginemos, pois, um homem tornar-se *maior que a soma* de todos os poderes angelicais! Essa é uma doutrina extraordinária! Os gnósticos pensavam que um homem, tendo finalmente sido transformado em um «aeon», seria reabsorvido por Deus, assim perdendo a sua identidade pessoal, em que o «ego» se tornaria num um «superego». Mas a verdade é que os remidos participarão da divindade, sem perderem sua identidade pessoal, tal como um filho é distinto de seu pai, embora ambos tenham a mesma natureza.

Natureza divina. No grego é *«theia phusis»*, que originalmente era uma expressão usada pelos filósofos estóicos, os quais imaginavam uma espécie de «panteísmo». (Ver Plat. *Symp*. ii.6). O cristianismo jamais promoveu o panteísmo. Há certa distinção entre os «tipos de vida», e nem toda a vida é uma «emanação» da vida divina. Mas os remidos, na qualidade de filhos, chegarão a participar de fato do «tipo» de vida de Deus. Essa é a única maneira em que esse termo poderia ter sido entendido, nos dias em que a epístola de II Pedro foi composta. Falar da «natureza divina» e dizer que ela indica algo menos que a real participação no «tipo de vida de Deus» é alterar radicalmente o sentido da expressão, conforme era usada na antiguidade, divorciando-a totalmente do seu contexto histórico. Isso é um suicídio hermenêutico, que alguns estudiosos se dispõem a cometer, a fim de furtar a redenção humana de suas autênticas e gigantescas dimensões. Preferem cometer esse «furto» porque ensinam uma modalidade inferior de redenção, que envolve pouco mais do que «ir algum dia para os céus».

A Salvação nas Páginas do N.T.

1. Este versículo ultrapassa em muito à pregação normal da igreja, a respeito da salvação! Não estão envolvidos apenas o perdão dos pecados e a futura mudança de endereço para os céus, porquanto a salvação inclui a «participação na natureza divina»!

2. A participação na natureza divina envolve a participação na própria forma de vida do Pai, com a obtenção crescente dos atributos divinos (ver Efé. 3:19).

3. Cumpre-nos igualar a salvação à filiação; cumpre-nos igualar a filiação com a participação na natureza divina; cumpre-nos igualar essa participação com o fato de que a natureza de Cristo vai sendo literalmente duplicada em nós. Se estabelecermos essas equações, compreenderemos melhor do que consiste a salvação. (Ver o artigo sobre *Salvação*).

Interpretações inferiores, que perdem de vista o alvo e reduzem a grandiosidade do evangelho:

DIVISÃO — DIVÓRCIO

1. Aquele que diz que estão em foco as «disposições» de Deus, ou seja, que os remidos meramente «imitarão» os atributos de Deus, mas sem participarem do mesmo tipo de vida que ele tem. Mas essa interpretação é apenas uma perversão, porquanto é impossível que as palavras fossem assim entendidas, quando foram escritas. Tal posição é uma concessão a um conceito inferior da redenção, que veio a surgir na cristandade.

2. Não está em foco apenas a «natureza santa» de Deus, como se o autor sagrado dissesse que vamos sendo santificados por crescermos na graça. Isso fica muitíssimo aquém do sentido tencionado desta declaração petrina.

3. Por igual modo, a explicação que a «semelhança» com Deus cumpre as exigências do texto. Os gnósticos, os filósofos gregos antigos e os religiosos pagãos da época, e que pensavam que a real participação na divindade é possível para os homens, nunca usaram as palavras «natureza divina» dessa maneira. Se o autor sagrado porventura tivesse querido reduzir a isso o sentido dessa expressão, certamente ter-se-ia explicado. É míope aquele ponto de vista da redenção envolvida que reduz o sentido. Não fazem isso os próprios autores sagrados do N.T.

Lange mostra-se correto, ao dizer: «Assim como a sua (de Cristo) natureza participou da divindade, assim também os crentes tornar-se-ão participantes da natureza divina. A alusão, conseqüentemente, não é apenas à semelhança moral, à comunhão ideal, mas à vera comunhão de ser, que começa aqui, quando de nossa regeneração (ver I João 1:3), mas que se consumará no porvir. (Comparar com Rom. 8:29 e João 17:21).

«Isso não significa que os participantes da natureza divina serão exatamente iguais a Deus. Deus reserva para sua pessoa, para si mesmo, embora compartilhe conosco de sua natureza. Assim como o sol reflete a sua imagem em um lago claro ou em uma gota de orvalho, mas continua sendo o sol, assim também Deus permanece sendo o que ele era e é, embora tenha feito os homens participarem de sua natureza». (Zeller, *Biblisches Worterbuch*).

Buscando o Caminho

1. A declaração é extremamente exaltada. Há uma salvação a ser ganha, e essa salvação consiste na participação na natureza divina. Como podemos buscar esse tão elevado alvo? Busquemo-lo através da santificação, pois todo aquele que não escapa das corrupções que há no mundo não poderá jamais adquirir a natureza divina. O Pai declara: «Sede santos como eu sou santo»!

2. Os gnósticos se enganavam totalmente ao suporem que uma vida de dissipação pode mesmo ajudar a alma a libertar-se do corpo físico, e, portanto, ficar livre. Bem pelo contrário! diz o autor sagrado. A alma é ajudada mediante a santificação do corpo, e não mediante o abuso de suas potencialidades.

3. A eleição garante a santificação, e a santificação põe em ação o propósito eletivo (ver II Tes. 2:13 e I Ped. 1:2). Não há eleição a não ser aquela concretizada «através da santificação».

4. A santidade traz até nós o Espírito Santo, pois ela é fruto de seu cultivo. Sua presença opera em nós a inteireza da salvação, isto é, a participação na natureza divina.

Ao assim afirmarmos, vê-se que estamos ultrapassando a estimativa mais modesta das realidades espirituais; mas o evangelho afirma, peremptoriamente, que essa é a sua tremenda dimensão na vida de um crente.

DIVISÃO

Os homens estão sempre a dividir-se, em razão de qualquer questão. Quase sempre, aqueles que provocam divisões na Igreja apresentam-se como líderes espirituais superiores, que estão encabeçando alguma boa causa. Algumas vezes, chegam a supor que são reformadores. Usualmente, porém, não passam de indivíduos carnais que promovem seu auto-interesse, conforme se vê em I Coríntios 3:3 *ss*. As divisões feitas em *escala maior* produzem novas denominações, ou mesmo grandes movimentos religiosos, como a Reforma protestante. Neste caso, já usamos a palavra *cisma* (que vide).

No Novo Testamento fica claro que divisão provocada no corpo de Cristo é um pecado sério. No entanto, muitos deleitam-se nesse tipo de atividade. Algumas vezes, estão envolvidas doutrinas; mas, até mesmo nesses casos, usualmente as questões não são suficientemente importantes como causas de divisão. Em I Coríntios, vemos que Paulo procurava manter todos juntos; os filósofos, os místicos e os céticos (os que negavam a ressurreição). Ele procurou corrigir erros, mas não recomendou que se dividisse a igreja de Corinto em uns tantos campos hostis, como sempre sucede em todas as divisões. O trecho de I Cor. 1:10 *ss*. refere-se a divisões por detrás de personalidades fortes, como Paulo, Pedro e Apolo. A maioria das divisões são dessa natureza. Nada são senão conflitos carnais. As divisões referidas em I Coríntios 11:18 baseavam-se, principalmente, em distinções sociais, e não em diferenças doutrinárias. A primeira epístola aos Coríntios mostra-nos que a sabedoria divina estabelece a harmonia, e não a divisão, porquanto há um só corpo com muitos membros (vs. 25). Cristo é o cabeça de um corpo espiritual unificado, e é simplesmente horrível ver esse corpo dividido em tantos fragmentos. Isso é uma mutilação. O denominacionalismo é, essencialmente, uma mutilação do corpo de Cristo. O plano divino a longo prazo é a unificação de todas as coisas, por ocasião da restauração (que vide; ver Efé. 1:10), que é o mistério da vontade de Deus.

DIVÓRCIO

O leitor pode consultar as referências seguintes, sobre esse assunto: Deut. 22:13-19,28,29; 23:1-4; Mat. 5:32; 19:3-12; Mar. 10:2-12; Luc. 16:18; I Cor. 7:10-16 e Rom. 7:2.

É bem possível que as provisões mosaicas, referentes ao divórcio, houvessem sido estabelecidas a fim de regulamentarem uma prática já existente; pelo que também o Senhor Jesus disse que tais provisões foram estabelecidas, não como um reflexo da verdadeira vontade de Deus, e sim, para atender à dureza dos corações humanos. Assim sendo, temos no trecho de Deut. 24:1-4 alguma legislação que com freqüência era interpretada mui literalmente pelos judeus. Se um homem encontrasse alguma coisa «indecente» em sua esposa (literalmente, «a nudez de alguma coisa»), bastaria essa razão para que pudesse divorciar-se dela. Alguns pensavam que essa palavra só pode significar, mais estritamente, casos de adultério; porém, muitos rabinos judeus davam a tais palavras uma interpretação extremamente liberal, de tal modo que um homem podia divorciar-se de sua legítima esposa por praticamente nenhum motivo, embora ela mesma não pudesse mover a ação de divórcio contra ele. Essa era uma antiga aplicação do

DIVÓRCIO

duplo padrão que, sem dúvida alguma, fazia parte integrante dos costumes sociais dos judeus.

É óbvio que entre os judeus o adultério era causa suficiente de divórcio, ainda que, na maioria dos casos de adultério, tanto a mulher como o homem culpados eram apedrejados até morrerem. Porém, a noção de adultério era muito restrita, já que requeria a cópula ilícita entre um homem e uma mulher casados com outros, ou, pelo menos, exigia que um dos lados culpados fosse casado. Por esse motivo mesmo a poligamia era por demais generalizada, bem como o concubinato, em que tais relações sexuais não eram consideradas como adultérios, não havendo, nesses casos, segundo a opinião judaica antiga, qualquer razão para divórcio, ainda que uma mulher desejasse divorciar-se de seu marido, por essas razões. Naturalmente que os casamentos múltiplos e o concubinato eram privilégios exclusivos dos homens, pois nenhuma mulher judia podia ter dois maridos ao mesmo tempo, ou ter um homem, digamos assim, como seu «concubino». E nisso vemos, uma vez mais, o duplo padrão dominando toda a cena. Um homem podia tomar uma concubina, estabelecendo com ela um contrato de curta ou longa duração; e, contanto que ela não fosse casada com outro homem, isso não era reputado como um adultério. Conta-se que certo rabino, ao chegar a uma nova cidade, costumava perguntar: «Quem quer ser minha esposa por um dia?» E isso se tornava realmente possível, através da lei judaica (não canônica, criada pelas tradições dos anciãos, e não pela legislação mosaica. Portanto, para os homens judeus, não havia qualquer restrição nesse sentido, podendo eles terem diversas esposas, contanto que nenhuma delas fosse esposa de outro. E os contratos eram feitos, segundo os desejos de homens e mulheres envolvidos, estabelecendo casamentos múltiplos ou concubinatos, sem que nenhum desses casos fosse reputado um adultério.

Na realidade, de conformidade com a interpretação mais liberal da legislação do A.T., sobre a questão do divórcio, havia apenas *duas* situações que proibiam o divórcio, a saber:

1. Quando um homem tivesse acusado falsamente à sua esposa de ter tido relações sexuais ilícitas antes do casamento (ver Deut. 22:13,19).

2. Quando um homem tivesse relações sexuais com uma donzela, e o pai da jovem compelisse-os a se casarem. (Ver Deut. 22:28,29; Êxo. 22:16,17). Em tais casos, nenhum divórcio podia ser obtido.

Houve duas ocasiões, dentro da narrativa do A.T., em que o divórcio foi imposto como *obrigação*, a saber:

1. Certos judeus foram forçados a se divorciarem de suas mulheres estrangeiras, depois que os judeus voltaram do exílio. (Ver Esd. 9 e 10; Nee. 13:23 e *ss*).

2. Certos judeus se divorciaram de suas esposas judaicas, a fim de se casarem com mulheres pagãs. (Ver Mal. 2:10-16).

Pouco antes da época de Cristo, dois famosos rabinos judeus, de nome Shamai e Hilel, apresentaram as duas idéias judaicas básicas acerca do divórcio. A escola de Shamai proibia o divórcio exceto sobre a base do adultério, sendo essa a posição mais estrita e conservadora. A escola de Hilel, por sua parte, permitia o divórcio por praticamente qualquer motivo, até mesmo quando não houvesse qualquer motivo, bastando que um homem se tivesse cansado de sua mulher. Lembrando-nos desse fato, pois, podemos interpretar mais facilmente as declarações neotestamentárias acerca desta questão. Abaixo damos alguns pontos esclarecedores sobre esse

assunto:

1. **O divórcio no evangelho de Marcos.** (Ver Mar. 10:2 e **ss**). Devemos observar que em Mar. 10:11,12, —nenhuma permissão— é dada para o divórcio. Trata-se **da simples declarção de que** qualquer divórcio e novo casamento envolvem adultério. Lembremo-nos de que Marcos é o evangelho original, ou seja, o primeiro a ter sido publicado, e que foi usado por Mateus e Lucas como um esboço básico quanto às porções históricas da vida de Jesus. O trecho de Luc. 16:18 preserva a mesma declaração do Senhor Jesus, provavelmente copiada diretamente do evangelho de Marcos, e também não admite qualquer exceção que permita o divórcio. Se nos tivéssemos de limitar somente à declaração original de Jesus, conforme a encontramos em Marcos e Lucas, seríamos forçados a concluir que a idéia de Jesus sobre o divórcio era ainda mais estrita que a de qualquer escola conservadora, como a de Shamai, porquanto ele não permitia jamais o divórcio, por razão alguma. Qualquer segundo matrimônio, estando ainda vivos os cônjuges do primeiro, era automaticamente um adultério. Há um bom número de eruditos que pensa que essa era a posição do Senhor Jesus sobre a questão. Mas outros pensam que a exceção, «por razão de adultério», era um princípio tão bem conhecido que o autor do evangelho de Marcos simplesmente não aludiu a essa exceção, devido ao fato de ser tão comum. Entretanto, não há como confirmar ou negar essa idéia. É bem possível, entretanto, que Jesus, sendo sempre um idealista e perfeccionista, não tenha permitido qualquer exceção. Para Cristo, portanto, se é que essa idéia é correta, não havia divórcio, e, portanto, não era lícito o segundo casamento, de pessoas divorciadas.

2. **O divórcio no evangelho de Mateus.** (Ver Mat. 5:32 e 19:3-12). Aqui é preservada a posição comum da escola de Shamai. Segundo essa posição, o divórcio é possível, mas somente sob a condição anterior de adultério. No evangelho de Mateus, as palavras são dadas como diretamente provenientes de Jesus, o que nos leva a indagar por que razão Marcos e Lucas não registraram a «exceção». Teriam eles deixado de lado essa exceção por ser ela tão bem conhecida que dispensava menção? Isso não parece muito provável, porém, se de fato Jesus estabeleceu uma exceção. Alguns intérpretes têm insistido, pois, que o próprio Jesus não fez qualquer exceção (estando ele de acordo com o que dizem os evangelhos de Marcos e Lucas), mas que a igreja cristã (que já estava bem desenvolvida pelo tempo em que o evangelho de Mateus foi escrito), é que estabeleceu essa exceção, pondo as palavras nos lábios de Jesus, quando, na realidade, ele nunca falou assim. Considerando-se todos os fatores, essa parece ser a explicação mais provável para a «exceção que aparece em Mateus». A igreja de Jerusalém, composta quase inteiramente de judeus, teria incluído a «exceção da escola de *Shamai*», tornando-a parte integrante da doutrina cristã. Se cremos que o evangelho de Mateus é realmente um livro inspirado, poderíamos tirar consolo do fato de que a exceção que aqui aparece foi incluída por inspiração do Espírito Santo, sendo válida, sem importar se o Senhor Jesus declarou ou não tal coisa. A maior parte da igreja evangélica, na doutrina e na prática, tem assumido a posição de Shamai. Alguns estudiosos permitem o segundo casamento, sem a intervenção de qualquer culpa; mas outros só permitem o divórcio se tiver havido adultério. Uma simples leitura do texto sagrado, no original grego ou em alguma tradução moderna, indica que tanto o divórcio como o segundo

DIVÓRCIO

matrimônio estão inclusos dentro da idéia da «exceção». O partido inocente pode tanto divorciar-se como estabelecer segundas núpcias, sem qualquer culpa, segundo parece indubitável a interpretação das palavras do evangelho de Mateus. O apóstolo Paulo estabelece regras, em I Tim. 3:2 e Tito 1:6, que são reputadas por muitos como uma virtual proibição contra tal pessoa ocupar qualquer ofício eclesiástico elevado, porquanto, ser um homem «marido de uma só mulher» não é apenas uma regra contra a poligamia ou o concubinato, embora sem dúvida também envolva isso, no que respeita aos anciãos e diáconos, os líderes das igrejas cristãs locais.

A **interpretação dessa passagem** do evangelho de Mateus envolve muitas dificuldades, especialmente no concernente ao sentido da palavra *fornicação* (embora tal palavra não figure na versão portuguesa que usamos como base textual deste artigo, onde também aparece a palavra «adultério»; mas no original grego é realmente usada uma outra palavra, «porneia», o que justifica a tradução «fornicação», que aparece em outras versões), a saber:

a. Alguns intérpretes pensam que se trata de relações sexuais antes do matrimônio, durante o «noivado», por exemplo. E que então o *noivo* inocente pode divorciar-se de sua «noiva», antes do casamento, mas não se o par já houver contraído núpcias. Se essa interpretação é verdadeira, então não teríamos essencialmente qualquer exceção para o divórcio, retornando à posição assumida por Marcos. Se o casamento tivesse tido lugar, e então tal pecado fosse descoberto, de conformidade com uma modificação desse ponto de vista, o divórcio poderia ser efetuado. Entretanto, o texto do evangelho de Mateus não parece ensinar isso. Temos nesta interpretação antes uma forma do homem esquivar-se da verdade, com base em raciocínios dogmáticos, com noções preconcebidas sobre o que se deve pensar sobre o assunto. Resta-nos dizer que a palavra traduzida por «fornicação» (no grego, «porneia») de forma alguma pode ser limitada a pecados sexuais somente de pessoas «solteiras», a despeito do fato de que o uso moderno indique exatamente essa forma de limitação. O vocábulo grego podia e continua sendo usado para indicar qualquer relação sexual ilícita, antes ou depois do casamento.

b. Outros intérpretes pensam que a «exceção» é legítima, dando a entender «depois do matrimônio», com permissão de novo casamento, dentro das seguintes possibilidades: a. somente para o partido inocente; b. para ambos, simplesmente em face do fato de que o adultério provocou a dissolução daquele primeiro casamento; c. alguns pensam que o homem, inocente ou não, pode casar-se de novo, embora proíbam tal coisa para a mulher. Entretanto, o trecho de Luc. 16:18 elimina essa idéia, porque ali é o homem que comete adultério, se divorciar-se de sua esposa e casar-se novamente. Dessas três possibilidades, a primeira, (a), é a interpretação legítima das instruções existentes no evangelho de Mateus, o que está de acordo com o pensamento judaico acerca da questão.

c. Outros estudiosos, especialmente os intérpretes católicos romanos, fazem desse «divórcio» uma espécie de *separação legal*, da variedade de um «desquite», razão pela qual, o texto não apóia (dizem eles) o divórcio. Alguns países tem este tipo de divórcio, que não termina o casamento. Dizem eles que não se pode pensar em verdadeiro divórcio, já que o casamento (que eles aceitam somente como aquele celebrado pelo padre, como uma das ordenanças da

igreja) é indissolúvel, a não ser pela morte de um dos cônjuges. Naturalmente, nesse caso, não se poderia permitir segundo matrimônio. Segundo essa interpretação, portanto, não há realmente divórcio. Porém, essa posição não se adapta e nem se coaduna com o que nos diz o evangelho de Mateus. E também não está de conformidade com a cultura judaica, de onde se derivou a idéia exposta por Mateus, visto que no A.T., e também de acordo com a escola judaica de *Shamai*, o divórcio era real, e então se permitia segundo matrimônio para as partes envolvidas.

d. Ainda outros intérpretes declaram que apesar dessa *exceção* ser legítima, isso não requer a idéia de que não possa haver outros motivos excepcionais. A escola de Hilel ensinava exatamente isso; mas parece quase indubitável que o Senhor Jesus tomava pelo menos a posição mais radical da escola de Shamai, a que, de fato, impunha apenas uma exceção.

e. Alguns intérpretes acreditam que divorciar-se e casar-se de novo é cometer adultério, pelo menos no caso do partido culpado, se não até para ambos os cônjuges, embora o «adultério» do segundo casamento seja um ato isolado, e não um estado contínuo, e que, uma vez contraído, o segundo casamento se torna legítimo, e que depois do ato inicial de adultério as pessoas envolvidas não «vivem em pecado», e nem cometem adultério contínuo. Essa interpretação não declara que o Senhor Jesus estava dizendo aqui isto ou aquilo, mas tem sua aplicação prática tanto na sociedade em geral como no seio da igreja cristã. Não nos parece razoável rejeitar, como membros de uma igreja local, um casal, agora firmemente estabelecido em seu matrimônio, com a complicação de filhos nascidos dessa união, e cujos cônjuges originais já se casaram novamente por sua vez e já geraram outros filhos. Existem muitos problemas complicados de casamento que não podem ser solucionados, em que as pessoas se complicaram antes de sua conversão a Cristo. Não é razoável impedir que tais pessoas participem da comunhão na igreja; antes, devemos ir ao encontro delas, a fim de lhes sermos de ajuda espiritual. De fato, algumas dessas pessoas podem ser de ajuda espiritual para nós, porquanto o fato de alguém ter cometido um erro não é suficiente para fazer estagnar o desenvolvimento espiritual possível. No que diz respeito à questão se essas pessoas devem ocupar posições de liderança ou de magistratura na igreja.

3. A Exceção Paulina (O Divórcio nos Escritos de Paulo). Também poderíamos denominar esta seção de «o Privilégio Paulino».

Paulo tem pouquíssimo a dizer sobre esse assunto. A passagem de Rom. 7:1-3 não pode ser considerada como uma declaração dogmática sobre a questão do divórcio. O apóstolo dos gentios ignorou propositadamente qualquer exceção, porquanto não estava procurando ensinar qualquer doutrina acerca da questão, mas meramente se utilizava do matrimônio como ilustração simbólica sobre a nossa nova lealdade a Cristo. Não encontramos nesse texto, por conseguinte, o pensamento de Paulo sobre a questão do divórcio. Poderíamos supor, entretanto, que sendo ele um ex-fariseu, teria seguido ou a idéia de Hilel ou o pensamento de Shamai sobre essa particularidade, mas que teria seguido mais provavelmente a opinião da escola de Shamai, porém com uma importante exceção.

Note-se que, na passagem de I Cor. 7:10-16, Paulo permite que o cônjuge «crente» se separe de seu cônjuge «incrédulo», contanto que o cônjuge incrédulo deseje tal separação. Neste caso, o crente pode casar-se

DIVÓRCIO

de novo, porque não está sob *servidão*. Esta expressão implica que o divórcio, nestes casos, é o verdadeiro fim do casamento, e que o crente está totalmente livre. Devemos nos lembrar de que os judeus nem reconheceram casamentos mistos como legais. Paulo nos informa que tais casamentos são legais (não são adulterinos), mas não são totalmente obrigatórios. Nestes casos, pode existir uma variedade de razões para desfazer o casamento. Paulo exige, entretanto, um esforço honesto de evangelização do incrédulo, antes de qualquer consideração de divórcio. Além disto, a decisão de desfazer o casamento (sob circunstâncias normais) deve ser do incrédulo.

Mas isso ainda deixaria sem solução, de forma absoluta, a questão se uma pessoa crente, casada com um incrédulo, tendo sido abandonada por este, e tendo-se casado pela segunda vez, com um crente, pode participar ou não como membro da igreja local, não ficando reduzido à condição apenas de um espectador. É verdade que os trechos de I Tim. 3:2 e Tito 1:6 proíbem aos anciãos e diáconos terem «mais de uma esposa»; e isso certamente é mais do que uma provisão para evitar a poligamia, embora isso também esteja em foco. Tal pessoa, pois, que antes era casada com um incrédulo, que a abandonou, mas que agora é casada com um crente, visto que tem o direito legítimo de fazer tal, sem incorrer em culpa (contanto que o divórcio haja sido provocado pelo incrédulo, já que ao próprio crente é vedado o direito de separar-se, mas antes, deve procurar conquistar seu cônjuge incrédulo para Jesus Cristo), também deve ter o direito de participar na igreja, até mesmo na capacidade de figura liderante. Além disso, posto haver a possibilidade de ambas as formas de resposta para essa questão, homens bons e bons intérpretes têm assumido posições diametralmente opostas. Parece razoável, de conformidade com a linha paulina de pensamento, sobre esse particular, pensarmos que essa liberdade é total, ou seja, se tal crente vier a distinguir-se por seu progresso espiritual, não devemos negar-lhe o privilégio de participar ativamente das atividades da igreja local, somente por causa de um erro cometido antes de sua conversão. Por conseqüência, poderia até mesmo vir a ocupar um *cargo oficial* liderante na igreja local.

Desnecessário é dizer, entretanto, que muitíssimos intérpretes discordam dessa opinião.

Ainda teríamos que resolver o problema da participação de alguém que, sendo antes incrédulo, estivera casado com um crente, para em seguida divorciar-se do mesmo, e tornar a contrair núpcias. Com base em razões paulinas, parece-nos seguro dizermos que a tal pessoa devemos encorajar manter-se fora da liderança das igrejas locais, ainda que venha a ser aceita como membro ativo de uma delas.

4. O divórcio, segundo é encarado por outros, fora das Escrituras. Muitos psicólogos, sociólogos e até mesmo eclesiásticos, não se sentem satisfeitos com a solução dada pelo Novo Testamento para a questão do divórcio. — Consideremos, por exemplo, o caso do alcoólatra habitual, que espanca sua esposa e seus filhos. Imaginemos que, por um capricho estranho de personalidade, tal homem não comete adultério. Poderíamos dizer que o adultério seria ainda «pior» do que aquilo que tal homem está fazendo? Muitos se inclinariam por dizer que esse homem é muito mais passível de ser divorciado de sua esposa do que aquele outro homem que, ocasionalmente, mantém relações sexuais com outras mulheres, mas que, em tudo o mais, é um marido e um pai devotado à sua família,

cuidando criteriosamente dos seus próprios filhos. Consideremos ainda um caso radical, como o de um homicídio. Se um pai de família viesse a assassinar um de seus filhos, ou mesmo viesse a assassinar a algum desconhecido, sendo então lançado em prisão perpétua, por causa desse ato; a sua esposa não teria a liberdade de divorciar-se dele? O crime desse homem não seria maior do que se ele mantivesse relações sexuais ocasionais com outras mulheres? Consideremos, igualmente, um caso de insanidade mental. E se um obrigar o outro cônjuge a jamais casar-se novamente? Por essas razões é que alguns argumentam que existem muitas outras «razões» para o divórcio, sem que cheguem à grande liberalidade esposada pela escola de *Hilel*. Esses nos exortam a reconhecermos que a regra que tem por exceção única o «adultério» é totalmente inadequada para satisfazer às necessidades de uma sociedade que abunda de crimes cometidos contra a família ou fora dela, e que são—muito piores do que o adultério. Tomemos, finalmente, um outro exemplo. É um fato da sociedade que existe o incesto. Se um homem se tornar culpado desse crime, ou for ele um homossexual, não pode a sua esposa divorciar-se legalmente dele, casando-se então com quem ela preferir? Tais problemas, convenhamos, não podem ser facilmente desconsiderados por nós.

5. Sociedades que praticam a poligamia. Muitos dos mais respeitados patriarcas e rabinos da história judaica eram polígamos, e nem por isso eram considerados adúlteros. Davi não era reputado um adúltero, embora, segundo sabemos pelas páginas das Escrituras, tivesse tido seis esposas; no entanto, caiu em adultério, quando tomou a esposa *de outro* homem. Nas sociedades onde ainda imperam práticas da poligamia, os missionários cristãos precisam usar de paciência, introduzindo o ideal cristão de «uma mulher para cada homem», abrindo exceções no caso do governo eclesiástico, até que uma situação verdadeiramente cristã seja obtida.

Conclusão. Na opinião do autor deste artigo, pode-se dizer o seguinte acerca do divórcio e de novo casamento:

a. Provavelmente, o Senhor Jesus nunca abriu exceções, seguindo o *ideal* de «uma mulher para cada homem». Todavia, outros trechos bíblicos não devem ser negligenciados.

b. O autor do evangelho de Mateus abriu a exceção *única*, sem dúvida influenciado pela sociedade judaica contemporânea, que predominava no seio da igreja cristã primitiva. Mateus tomou a posição de Shamai. Segundo esse primeiro evangelho, segundo nossa coleção dos livros sagrados, o adultério é causa suficiente para o divórcio, e a parte inocente pode tornar a casar-se, sem incorrer em culpa, segundo esse ponto de vista.

c. Paulo permite que o crente seja divorciado do cônjuge incrédulo, isto é, se este último é quem move a ação de divórcio, por desejar a separação. Tal crente não pode e não deve ser impedido de plena participação como membro da igreja, incluindo o privilégio de vir a ocupar ofícios importantes, se porventura vier a distinguir-se nas realizações espirituais, e, desse modo, mereça ser investido de autoridade. Pode casar-se de novo, mas somente com outro crente.

d. O crente que estivera casado com outro crente, mas que subseqüentemente se divorciou, e tornou a casar-se, não deve procurar e nem receber qualquer cargo de maior responsabilidade na igreja local. Contudo, não deve ser rejeitado como membro da

DIVÓRCIO – DÍZIMO

mesma. Pode, entretanto, vir a ocupar algum ofício de monta, se porventura puder desfazer o que fez, embora isso seja raríssimo. Pois certos enredos matrimoniais são impossíveis de serem solucionados, e o melhor que a igreja pode fazer é aceitar as pessoas como elas são, porquanto é assim que Cristo nos aceita. Qualquer pessoa assim, que venha a ser investida de autoridade numa igreja local, deve fazê-lo sob uma espécie de *exceção divina*, por ser indivíduo dotado de elevado alcance espiritual. Tais casos, entretanto, são tão raros, que a regra estabelecida acima fica praticamente intocável.

e. Naturalmente, segundo as leis civis de certos países, *há outros motivos* para o divórcio, além do adultério. Se isso teve lugar antes da conversão de alguém, tal pessoa, divorciada e novamente casada, pode participar plenamente como membro de uma igreja local, segundo se declara no ponto (c), acima. Mas, se isso ocorreu após a sua conversão, tal pessoa, embora não seja considerada adúltera, deve refrear-se de ocupar qualquer posição elevada de liderança na igreja.

Existem excelentes intérpretes que não concordam com todas essas declarações, embora existam também bons intérpretes que ainda são mais liberais, em seus pontos de vista, do que aquilo que aqui expomos. A grande verdade é que esse problema não pode ser solucionado para satisfação de todos.

DIVÓRCIO, CARTA (TERMO) DE

No hebraico, **sayfer**, «escrito». No grego, **biblion**, «livrinho». No Antigo Testamento encontramos o «termo de divórcio», em Deu. 24:1. Em Isaías 50:1, a «carta de divórcio». A palavra grega, usada por trinta e uma vezes, principalmente no Apocalipse, é usada em Mat. 19:7, dentro da expressão «carta de divórcio», refletindo o hebraico *sayfer*. Um judeu podia divorciar-se de sua esposa, simplesmente entregando-lhe esse certificado. Ver o NTI, em Mat. 19:7, quanto a detalhes sobre a questão. Esse documento, naturalmente, era preparado pelas autoridades religiosas judaicas, concordando com a lei da nação, por mais brutal que isso parecesse ser para as mulheres.

O termo grego *gramma*, «escrito», usado por catorze vezes, de Lucas 16:6 a II Tim. 3:15, também indicava uma «conta corrente», conforme se vê em Luc. 16:6, dentro da parábola do administrador injusto. E, em II Tim. 3:15, aponta para os livros sagrados, dentro da expressão usada por Paulo, «as sagradas letras». Paulo também usava a palavra para indicar as letras graúdas que ele escreveu, com suas próprias mãos, no autógrafo da epístola aos Gálatas, dentro da expressão «letras grandes» (Gál. 6:11).

DI-ZAABE

No hebraico, essa palavra significa «dourado». Era uma região onde havia ouro, ou então, conforme alguns pensam, esse nome significa «possuidor de ouro». Não ficava longe das planícies de Moabe, mencionadas juntamente com Parã, Tofel, Labã e Hazerote. Foi nessa região que Moisés entregou suas mensagens do livro de Deuteronômio diante do povo de Israel (Deu. 1:1). O local exato, entretanto, é desconhecido atualmente. Tem sido identificado com Mina al Dhahab e com Me-Zaabe (Gên. 36:39). Os outros lugares mencionados no texto do livro de Deuteronômio não nos ajudam, visto que também são localidades desconhecidas atualmente. Esse nome, Di-Zaabe, que indica uma localidade onde havia

muito ouro, poderia apontar para edh-Dheibeh. As tradições judaicas associam a adoração do bezerro de ouro com esse lugar, sugerindo que o mesmo recebeu seu nome por causa daquele incidente.

DÍZIMO

Esboço:
I. Palavras Usadas
II. Fora da Cultura Judaica
III. Dízimos dos Hebreus, Antes da Lei
IV. Elementos da Doutrina do Dízimo sob a Lei
V. O Dízimo no Novo Testamento
VI. A Lei da Generosidade

I. Palavras Usadas

No Antigo Testamento temos duas palavras:

1. *Asar*, «dez», «décima parte». Com o sentido de dízimo aparece por sete vezes: Gên. 28:22; Deu. 14:22; 26:12; I Sam. 8:15,17; Nee. 10:37,38. A raiz original desse termo significa «acumular», «crescer», «ficar rico». Daí proveio a idéia de acumular um dígito, ou seja, um décimo.

2. *Maaser*, «décima parte», palavra usada por trinta e duas vezes, conforme se vê em Gên. 14:20; Lev. 27:30-32; Núm. 18:24,26; Deu. 12:6,11,17; II Crô. 31:5,6,12; Nee. 10:37,38; Amós 4:4; Mal. 3:8,10.

No Novo Testamento há duas formas verbais e uma nominal, a saber:

1. *Dekatóo*, «dar uma décima parte», «dizimar», que aparece somente por duas vezes: Heb. 7:6,9.

2. *Apodekatóo*, «dar uma décima parte», «dizimar», e que no grego é uma forma composta da primeira, e que figura por três vezes: Mat. 23:23; Luc. 11:42 e Heb. 7:5.

3. *Dekáte*, «décimo», uma forma ordinal, usada apenas em Heb. 7:2,4,8,9.

II. Fora da Cultura Judaica

Através das antigas alusões literárias, sabemos que o dízimo existia em muitas culturas antigas, sob uma forma ou outra. O trecho de Gênesis 14:17-20 nos informa sobre o costume, antes da lei mosaica. Sabemos que a prática existia entre os gregos, os romanos, os cartagineses e os árabes. Ver I Macabeus 11:35; Heród. 1:89; 4:152; 5:77; *Diod. Sic.* 5:42; 11:33; 20:44; Cícero, *Verr.* 2,3,6,7; Xenofonte, *Anáb.* 5:3, parte 9. Nessas culturas, tal como entre os hebreus, o dízimo fazia parte da piedade religiosa.

III. Dízimos dos Hebreus, Antes da Lei

O Antigo Testamento ilustra o ponto em duas oportunidades. Antes de tudo, Abraão apresentou a décima parte dos despojos (que vide) do combate militar em que se envolveu, a Melquisedeque (Gên. 14:20; Heb. 7:2,6). Melquisedeque foi um rei-sacerdote, que simbolizava um sacerdócio superior ao de Arão, pois refletia o sumo sacerdócio do próprio Cristo. O artigo sobre *Melquisedeque* oferece-nos detalhes sobre isso, bem como algumas especulações sobre a sua identidade. A narrativa do livro de Gênesis não explica por que Abraão julgou ser necessário dar dízimos a Melquisedeque. O relato pode dar a entender que os dízimos eram dados por várias razões, e em diferentes ocasiões. Podemos supor que essa era uma prática regular, mas não temos qualquer informação sobre isso, e nem sobre a forma que os dízimos podiam assumir. Em segundo lugar, há o caso de Jacó, o qual, após a visão que teve, em Luz, devotou uma décima parte de sua propriedade ao Senhor Deus, sob a condição de que fosse conduzido em paz e fosse trazido novamente à

DÍZIMO

casa de seu pai. Seu irmão gêmeo, Esaú, além de outros, era seu inimigo; e Jacó carecia da proteção e da orientação divinas. O que Jacó fez, naquela oportunidade, foi tomar um voto e fazer uma promessa e a sua parte na barganha consistia em dar a Deus uma décima parte de tudo quanto possuísse.

IV. Elementos da Doutrina do Dízimo sob a Lei

Antes da lei, os dízimos já existiam, embora não parecesse fazerem parte regular do culto religioso. Em outras palavras, não havia preceito que requeresse o dízimo como um processo contínuo e específico. Porém, não se pode duvidar de que o dízimo era praticado pelos patriarcas, antes mesmo de sua instituição legal. Os dízimos passaram então a ser usados dentro do sistema de sacrifícios, como parte do culto prestado a Yahweh, para sustento dos sacerdotes levíticos; e, provavelmente, esses fundos também eram usados para ajudar os pobres, em suas necessidades. Há alusões a esse uso dos dízimos no tocante a deuses pagãos, como Júpiter, Hércules e outros (Her. *Clio*, sive 1,1, c.89; *Varro apud Macrob*. 1:3, c.12). Quem já não prometeu alguma coisa a Deus, *se* pudesse realizar isto ou aquilo? Conforme minha mãe costumava dizer: «Algumas vezes, isso funciona; mas, de outras vezes, não».

1. *Coisas que eram dizimadas*. Colheitas, frutas, animais do rebanho (Lev. 27:30-32). Não era permitido escolher animais inferiores. Ao passarem os animais para pastagem, de cada dez, um era separado como o *dízimo* (Lev. 27:32 *ss*). Produtos agrícolas podiam ser retidos, se o equivalente em dinheiro fosse dado; mas, nesse caso, um quinto adicional tinha de ser oferecido. Contudo, não era permitido remir uma décima parte dos rebanhos de gado bovino e vacum, desse modo, uma vez que os animais tivessem sido dizimados (Lev. 27:31,33). Certa referência neotestamentária, em Mat. 23:23 e Luc. 11:42; de dízimos sobre a hortelã, o endro e o cominho, reflete um exagerado desenvolvimento da prática do dízimo, em tempos judaicos posteriores. Comentamos sobre isso, detalhadamente, no NTI, *in loc*. As passagens de Deu. 12:5-19; 14:22-29 e 26:12-15 falam sobre algumas modificações quanto à lei sobre o dízimo. O trecho de Amós 4:4 mostra que o legalismo e os abusos contra o dízimo já haviam invadido a prática.

A Mishna (*Maaseroth* 1:1) informa-nos de que tudo quanto era produzido e usado em Israel estava sujeito ao dízimo, e isso era exagerado ao ponto de incluir os mais ínfimos produtos.

2. *Que dízimos eram dados e a quem*. A legislação acima mencionada, dentro do livro de Deuteronômio, dá orientações específicas sobre como e a quem os dízimos deveriam ser entregues. Originalmente, os dízimos eram dados aos levitas (Núm. 18:21 *ss*), tendo em vista a manutenção dos ritos religiosos. Mais tarde, isso ficou mais complexo ainda. Os dízimos eram levados aos grandes centros religiosos. Quando convertidos em dinheiro, os dízimos eram postos em mãos apropriadas, para serem gerenciados (Lev. 14:22-27). Ao fim de três anos, todos os dízimos que tivessem sido recolhidos eram levados ao lugar próprio de depósito, e seguia-se então uma grande celebração. Os estrangeiros, os órfãos, as viúvas (os membros mais carentes da sociedade) eram assim beneficiados, mediante essa prática, juntamente com os levitas (Lev. 14:28,29). Cada israelita precisava desempenhar a sua parte nessa questão dos dízimos, a fim de ser cumprido o mandamento *divino* (Lev. 26:12-14).

3. *Sumário dos regulamentos*. a. Uma décima parte dos dízimos recolhidos era usada no sustento dos levitas. b. Disso, uma décima parte era dada a Deus, para ser usada pelo sumo sacerdote. c. Aparentemente havia um *segundo* dízimo, usado para financiar as festas religiosas. d. Um *terceiro* dízimo, ao que parece, era destinado aos membros menos afortunados da sociedade, o que ocorria a cada três anos. Alguns intérpretes, porém, supõem que o segundo e o terceiro dízimos eram o mesmo dízimo ordinário, embora distribuído de modos diferentes. E, nesse caso, estava envolvido apenas um dízimo adicional, e isso somente de três em três anos. No entanto, nos escritos de Josefo temos informes de que, na verdade, havia três dízimos separados: um para a manutenção dos levitas; outro para a manutenção das festas religiosas; e, a cada três anos, para sustento dos pobres. Tobias 1:7,8 é trecho que dá a entender a mesma coisa. Entretanto, há uma referência nos **escritos de Maimônides** que diz que o segundo dízimo do **terceiro e do sexto anos** era distribuído entre os pobres e os levitas; e, em face desse comentário, retornamos à outra idéia que fala em apenas dois dízimos distintos, embora distribuídos de modos diferentes.

Dízimos sobre os animais usados nos sacrifícios. Esses eram consagrados a Yahweh, pelo que tinham um lugar especial entre os dízimos, estando diretamente envolvidos no sistema de sacrifícios e ofertas.

4. *Lugares para onde eram levados os dízimos*. O principal desses lugares era Jerusalém (Deu. 12:5 *ss*; 17 *ss*). Uma cerimônia era efetuada nessa ocasião (Deu. 12:7,12), sob a forma de uma refeição. Se um homem não pudesse transportar a sua produção, ele podia substituí-la por dinheiro (Deu. 14:22-27). A cada três anos, os dízimos podiam ser depositados no próprio local onde o homem habitasse (Deu. 14:28 *ss*). Mas, nesse caso, o indivíduo ainda precisava viajar até Jerusalém, a fim de adorar ali (Deu. 26:12 *ss*).

V. O Dízimo no Novo Testamento

Algumas pessoas conseguem fazer os dízimos parecerem obrigatórios, dentro da economia cristã, e encontram textos de prova, no Novo Testamento, para justificar essa prática. Mas outros não podem encontrar a idéia do dízimo obrigatório no período do Novo Testamento, julgando que essa prática é uma pequena exibição de legalismo, do que os crentes estão isentos. De certa feita, ouvi um sermão que tinha o propósito de impor a obrigatoriedade do dízimo aos crentes do Novo Testamento, por meio de trechos do Novo Testamento. O pregador usou a passagem de Lucas 11:42. Jesus repreendeu os fariseus porque tinham o cuidado de dizimar sobre pequenas questões legais, embora desconsiderassem as questões realmente importantes, como a justiça e o amor. Essas questões mais importantes, pois, eles deveriam pôr em prática, *sem desconsiderar* as coisas menos importantes. É evidente que Jesus reconhecia a natureza obrigatória dos dízimos, no caso da nação de Israel, mas está longe de ser claro que isso envolvia até mesmo a Igreja Cristã. Normalmente, os teólogos concordam que o Novo Testamento é um pacto de liberdade, e que cada crente deve dar a Deus conforme o Senhor o fizer prosperar, sem ser obrigado, contudo, a contribuir com somas específicas (I Cor. 16:1,2). Entretanto, esse texto não assevera diretamente como a Igreja cristã deve contribuir, porquanto envolve, *especificamente*, uma coleta especial, feita para ajudar os santos pobres de Jerusalém. Apesar disso, alguns estudiosos supõem

DÍZIMO — DOCETISMO

que essa instrução paulina serve de princípio geral quanto aos dízimos no seio do cristianismo. O fato, porém, é que o Novo Testamento não nos dá qualquer instrução direta sobre a questão dos dízimos, embora frise a questão da generosidade, uma parte da lei do amor, no tocante a todas as nossas ações e culto religioso. Muitos intérpretes pensam que o silêncio do Novo Testamento é proposital, dando isso a entender que o crente não está sob a lei, incluindo a regulamentação sobre os dízimos; antes, deveria ele ser guiado pela lei do Espírito. Ainda outros eruditos opinam que o silêncio das Escrituras, nesse caso, é circunstancial, pelo que não teria qualquer significado. Nesse caso, poderíamos supor que a legislação veterotestamentária continua a vigorar nos dias do Novo Testamento. Isso entretanto, é uma precária proposição teológica, se levarmos em conta tudo quanto Paulo disse sobre o fato de que não estamos debaixo da lei.

A minha própria opinião é de que a questão deve ser resolvida com base no senso de *responsabilidade* de cada um e não com base em alguma legislação. Explico melhor esta idéia abaixo, na sexta seção.

VI. A Lei da Generosidade

Certa ocasião, vi-me envolvido em uma controvérsia sobre essa questão, em uma igreja batista. Certo domingo, em uma discussão que se originou durante a Escola Dominical, alguns membros defendiam o princípio do dízimo, dentro do Novo Testamento. O dízimo era muito enfatizado naquela igreja e na denominação da qual ela fazia parte. Portanto, era de *boa política* falar em favor do dízimo, naquele lugar. Mas um homem corajoso, que era, de fato, o professor da classe dos adultos da Escola Dominical, fez objeção à posição. Ele não era capaz de encontrar o ensino sobre o dízimo no Novo Testamento e estava certo de que, como um princípio, o mesmo é antipaulino. Até certo ponto, pude ficar calado, deixando os argumentos serem apresentados contra e a favor. Mas, finalmente, fui especificamente solicitado a manifestar-me sobre a questão. Comecei minha explicação concordando com o professor da classe dos adultos. De fato, do ponto de vista *teológico*, não posso ver como poderíamos considerar o dízimo obrigatório para a Igreja cristã. Porém, continuei dizendo que havia ainda um outro fator que não podemos desconsiderar. Esse fator é a *lei da generosidade*, que é apenas um outro nome para a lei do amor. Se, sob a dispensação do Antigo Testamento, os privilégios religiosos exigiam a *décima parte* das rendas de uma pessoa, com vistas à manutenção da adoração e do sistema religioso, e também para benefício dos pobres, *muito mais* deveria ser nosso privilégio, em Cristo, afetarmos o bolso e a conta bancária. Minha posição, pois, é que o crente deve dar *mais do que o dízimo*. Em meu caso, sempre contribui com mais do que a décima parte do que ganho, para os projetos espirituais. De fato, algumas vezes tenho ficado com uma décima parte, e nove décimas partes são dedicadas ao trabalho do Senhor. Disse isso sem o intuito de chamar atenção para a minha pessoa, mas isso tem sido fato. Meu irmão, que foi missionário evangélico primeiramente no Zaire (quando esse país ainda era chamado Congo), e, mais tarde (até o momento), no Suriname, na América do Sul, disse-me que ele dava acima de três quartas partes de toda a sua renda ao trabalho religioso, incluindo salários para os professores e as enfermeiras, para nada dizer acerca do dinheiro necessário para a construção de templos. *O amor é mais exigente do que a lei*. Isso é perfeitamente óbvio e vivemos de acordo com a lei do amor, que cumpre

toda a legislação do Antigo Testamento, sem importar qual o particular de conduta atingido (ver Rom. 13:8 ss).

Atualmente, vemos o espetáculo de missionários evangélicos que constroem para si mesmos grandes mansões, lares luxuosos, etc. Quando isso sucede, sabemos que o dinheiro está sendo empregado egoisticamente, e não para o serviço do Senhor. Há uma grande diferença entre o altruísmo e o egoísmo; mas alguns missionários evangélicos parecem nunca ter aprendido a diferença. Direi agora o que penso sobre tudo isso. O próprio fato de que há crentes disputando sobre se devem contribuir ou não com uma *miserável parcela* de dez por cento mostra o baixo nível de espiritualidade em que se encontram. Quanto maior for a espiritualidade de um crente, maior será a sua liberalidade para com o dinheiro com que contribui para a causa do evangelho, ou com que alivia as necessidades das pessoas ao seu redor. Se gastarmos alguns minutos lendo os capítulos oitavo e nono de II Coríntios, veremos ali a promoção do princípio cristão da generosidade. Isso é encorajado mediante a certeza de que Deus vê quem dá com generosidade, mostrando-se ainda mais generoso para com aqueles que agem dessa maneira. O resultado será que os crentes que assim fazem de nada terão necessidade, pois o banco celestial tem imensas fortunas ali entesouradas. Esses fundos são postos à disposição dos generosos, e não à disposição dos que só dão com parcimônia. Se alguém semear com parcimônia, colherá parcimoniosamente; e se alguém semear com abundância, colherá abundantemente (ver II Cor. 9:6). Deus ama o homem que dá com generosidade (II Cor. 9:7). A *razão* pela qual prosperamos é que, dessa maneira, poderemos superabundar «em toda boa obra» (II Cor. 9:8). Nunca vi falhar essa lei da colheita segundo a semeadura e espero vê-la operando mais algumas vezes, de uma maneira significativa, antes de terminar minha missão. Se o leitor, que estiver lendo esta declaração, nesta versão impressa da presente enciclopédia, considerar corretamente a questão, poderá perceber que essa lei operou, uma vez mais, no meu caso. (B E ND UN)

DOAÇÃO DE CONSTANTINO

Foi um documento segundo o qual, supostamente, o imperador Constantino (que vide) conferiu soberania, ao papa Silvestre I, sobre a porção ocidental do império romano. Tal documento foi aceito como genuíno, tendo sido utilizado como base da reivindicação papal de supremacia temporal sobre os governos civis da Europa, até que, em 1440, Lorenzo Valla demonstrou que o documento era forjado. A partir daí, — embora não apenas por esse motivo, o poder do papado começou a declinar, o que foi intensificado pela Renascença, pela Reforma protestante e pelo aparecimento gradual do secularismo, o principal elemento do qual foi o desenvolvimento das raízes da ciência moderna. Ver o artigo sobre a *Igreja e o Mundo*, quanto a detalhes sobre essa questão.

DOBRADIÇA Ver sobre **Gonzo**.

DOCETISMO

Esboço:
   I. Uma Explicação Cristológica
   II. Idéia Básica
   III. Nas Igrejas Evangélicas
   IV. Meio-Docetismo
   V. Docetismo e os Gnósticos
   VI. Docetismo Atacado no Novo Testamento

DOCETISMO

I. Uma Explicação Cristológica

A **fantástica** vida de Jesus, com suas numerosas e poderosas obras, — fez muita gente sentir — a necessidade — de explicar *como* ele fazia essas coisas. Seria Jesus um ser angelical, disfarçado em um corpo humano? Seria ele o Logos encarnado? Seria ele apenas um homem, altamente desenvolvido através do poder do Espírito de Deus? A figura de Jesus seria mitológica, criada pela Igreja primitiva? Pelos fins do século II D.C., mais de vinte grupos cristãos tinham surgido, para os quais Jesus era um herói, ou a figura central de sua religião. Cada um desses grupos tinha um explicação diferente para a grandeza de Jesus. Todos os gênios criativos provocam esse tipo de perplexidade. É preciso que os homens reajam diante da genialidade, positiva ou negativamente. Cristo não deixa ninguém na passividade. O *docetismo*, pois, foi uma dentre várias reações diante de Cristo. Ver o artigo sobre a *Cristologia*.

Docetismo foi o termo usado para designar uma seita que surgiu dentre o gnosticismo. Este último já vinha aparecendo sob forma preliminar desde a época apostólica, conforme se depreende de I João 4:2 e II João 7. Naturalmente, é possível alguém ser docético sem ser gnóstico. Mas o gnosticismo (que vide) também tinha sua expressão docética, de tal modo que os dois termos acabaram quase inseparáveis.

II. Idéia Básica

A palavra *Docetismo* vem do termo grego *dokéo*, «parecer». — A referência *primária* é ao *suposto corpo* utilizado pelo *aeon* (poder angelical), ou, segundo os gnósticos, pelo *Logos*. Esse corpo é definido como uma sombra ou um fantasma, uma representação teatral, mas não um verdadeiro corpo humano. Isso posto, o docetismo negava a humanidade de Cristo. Isso significaria que o envolvimento do Logos com a materialidade era apenas *aparente*, e não real. Para os gnósticos, a matéria era o próprio princípio do pecado, pelo que nenhum elevado ser divino envolver-se-ia com a matéria, sobre bases morais ou existenciais. Portanto, Cristo *parecia* estar envolvido na matéria, mas não o estava. O docetismo é uma maneira simples e popular de buscar solução para o problema cristológico.

III. Nas Igrejas Evangélicas

Nas igrejas evangélicas da atualidade, Cristo é concebido quase exclusivamente em termos de Deus, que andou neste mundo, realizando toda espécie de maravilhas, disfarçado de ser humano. A moderna doutrina evangélica, *em teoria*, confessa a realidade da humanidade do corpo de Jesus, mas, quanto à *explicação* prática, ela é docética, porque, *como homem*, Jesus nada teria feito que valha a pena mencionar. Além disso, divinizamos de tal modo a sua humanidade, que nem podemos dizer que há qualquer coisa de autenticamente humano nele. O docetismo de alguns pensadores faz com que o corpo humano de Cristo seja uma entidade espiritual, e não física, embora tivesse a aparência de um corpo físico. Ou então eles ensinam que seu corpo era uma alucinação, um fantasma, uma representação teatral, sem qualquer substância real.

IV. Meio-Docetismo

A idéia da **possessão**. Alguns gnósticos pensavam que o Logos (ou algum *aeon* angelical) teria vindo possuir temporariamente o corpo humano de Jesus, por ocasião de seu batismo, somente para abandoná-lo quando da crucificação. Portanto, apesar de que esse corpo era genuinamente humano, teria sido apenas um instrumento, mas não uma dimensão da realidade do *Logos* ou *Nous* (mente). Essa posição era uma espécie de meio-termo, que não chegava ao verdadeiro docetismo ensinado por Basílides. Este falava em termos do *nous* que teria vindo habitar em um corpo humano, utilizando-se do mesmo, mas que em sentido algum seria humano quanto à sua natureza inerente. Muitos gnósticos posteriores optavam pela doutrina docética franca.

V. Docetismo e os Gnósticos

Cerinto (que vide), em cerca de 85 D.C. discípulo de Filo, postulou a idéia da possessão, referindo-se à descida do Espírito de Cristo sobre Jesus, por ocasião de seu batismo, e ao abandono do corpo de Cristo por ocasião de sua morte. Márcion (que vide), do século II D.C., admitia a realidade dos sofrimentos de Cristo, mas negava a realidade do seu nascimento. Ele asseverava que Cristo simplesmente apareceu durante o reinado de Tibério, ocasião em que teria descido dos céus à terra. O docetismo foi atacado por Inácio e por Irineu, que desmascararam suas diversas manifestações. Tertuliano escreveu cinco tratados contra Márcion. A doutrina islâmica parece reter certa forma de docetismo quando se refere a Cristo, como o fazem vários cultos que supõem que a matéria é má em si mesma. Além disso, tenho mostrado que o moderno evangelicalismo envolve-se no docetismo prático, ainda que não no docetismo teórico.

Gnósticos e Docéticos do Começo do Novo Testamento. Os informes de que dispomos no Novo Testamento mostram que eles negavam a humanidade de Cristo. Todavia, não podemos saber se os gnósticos em foco defendiam a idéia da possessão ou a posição verdadeiramente docética. É possível que alguns defendessem uma posição, e outros, a outra. Mas, o resultado de ambas as posições é essencialmente o mesmo. A *encarnação* (que vide) não fazia parte do esquema soteriológico deles.

VI. Docetismo Atacado no Novo Testamento

Somente duas seções em toda a epístola de I João, atacam os falsos mestres gnósticos de maneira direta, embora a epístola inteira seja uma polêmica indireta. (Ver o artigo sobre *gnosticismo*). O autor sagrado chamara esses falsos mestres de «anticristos» (ver I João 2:18). Também foram chamados de «mentirosos» (ver I João 2:22). Negavam eles a Deus Pai e a Deus Filho, porquanto tinham degradado a pessoa e a missão do Filho. Para eles, Cristo não seria o filho unigênito (sem igual) de Deus. Seria apenas um dentre muitos *aeons* ou emanações angelicais de Deus. Seria apenas um dentre muitíssimos salvadores e mediadores. Outrossim, para eles, ele nunca se «encarnara», mas tão-somente se apossara do corpo do homem Jesus de Nazaré, por ocasião de seu batismo, para abandoná-lo por ocasião de sua crucificação. O «Verbo» não seria «Cristo», de conformidade com o que ensinavam. Cristo seria um «aeon» inferior, e não o «Logos» controlador. A morte de «Jesus» (que nessa ocasião teria sido abandonado pelo «Logos»), não teria valor expiatório (ver I João 2:2).

A seção de I João 4:1-3 descreve o «docetismo» dos gnósticos. Isso significa que a *humanidade* de Cristo era apenas «aparente», e não «real». O grego por detrás dessa palavra é «dokeo», verbo que significa «parecer». — O Verbo, conforme imaginavam os

DOCETISMO — DOCTRINA ADDAEI

gnósticos, nunca poderia ter-se «encarnado», pelo que também não havia identidade de pessoas, de natureza angelical (ou divina) com a natureza humana. Para os gnósticos, nenhuma entidade divina ou angelical poderia encarnar-se. Portanto, Jesus não deveria ser «identificado» com o «aeon» que dele se apossara; e, muito menos ainda, poderia ser identificado com o «Logos», de acordo com a doutrina gnóstica. O Verbo não se teria feito carne; e nem poderia tê-lo feito mesmo um «aeon». Tudo não passou de uma possessão temporária. O Espírito-Cristo não se teria tornado humano em qualquer sentido. Portanto, «Cristo» não era humano, e nem sofreu ou morreu. Jesus, o homem, é que seria humano; ele não era o Cristo. Serviu apenas de instrumento, por algum tempo. A humanidade de Cristo, pois, não seria uma realidade, mas apenas uma «aparência». O «aeon» agia como se fosse um ser humano, porquanto manipulava um corpo físico, um corpo humano que não era seu — não estava de modo algum identificado com o mesmo. A seção de I João 4:1-3 procura mostrar, entretanto, que Jesus é o Cristo, que ele é o Verbo encarnado e que nele há a fusão da ñatureza celestial com a natureza humana. Em suma, é uma refutação do «docetismo» gnóstico.

A maior parte dos livros apócrifos do N.T. tem inclinações gnósticas, e isso lhes dá uma tendência «docética». O evangelho de Pedro (120-140 D.C.) interpreta o grito de Jesus: «Deus meu, Deus meu, por que me abandonaste?» (Sal. 22:1 e Mat. 27:46), como se fosse: Meu *poder*, meu *poder*, etc., como se isso fosse um grito de Jesus ao ver-se abandonado pelo «aeon», pois, naquele momento de crise, o *aeon* supostamente teria deixado sozinho o homem Jesus. No livro de Atos de João (170-180 D.C.), temos a cena do «aeon» (que se pareceria com Jesus) a aparecer ao apóstolo João, no monte das Oliveiras, no preciso tempo em que o «corpo» (de Jesus) sofria na cruz. Por conseguinte, o «aeon», o verdadeiro Cristo, não teria sofrido, e nem mesmo poderia fazê-lo, porquanto sua condição era angélica ou divina, e não apenas humana. Por outro lado, os livros canônicos do N.T. insistem vigorosamente sobre a *realidade* dos sofrimentos de Jesus Cristo (e não meramente do homem Jesus). Ver II Cor. 1:5, acerca dos «sofrimentos de Cristo», ver Fil. 3:10, acerca de nossa «comunhão com os sofrimentos de Cristo», ver I Ped. 1:3 acerca dos «sofrimentos de Cristo, que fazem parte do testemunho que damos ao mundo. Ver ainda, I Ped. 4:13. *Cristo sofreu em vosso lugar*. (I Ped. 2:21) *...tendo Cristo sofrido na carne...* (I Ped. 4:1).

A doutrina que negava a verdadeira estatura, natureza e obra de Cristo foi inspirada, até onde o autor sagrado se vê envolvido, por «espíritos malignos», do mesmo modo que o ensinamento verídico, acerca dele e de sua missão, é inspirado pelo Espírito Santo. Esses espíritos malignos é que inspiravam aos falsos mestres, dando-lhes a força para praticarem o mal. Essa idéia se assemelha àquilo que Paulo considera a «idolatria» inspirada pelos «demônios» — demônios seriam adorados mediante ídolos e cerimônias falsas, vinculadas à idolatria. (Ver I Cor. 10:20).

Pode-se identificar os espíritos «falsos» e os «verdadeiros» por aquilo que um «profeta» diz acerca de Cristo. Aquele que nega a humanidade de Cristo (ensinando assim o «docetismo») é inspirado por um espírito maligno. Aquele que confessa a sua humanidade (e, portanto, sua obra expiatória, etc.) vem do Espírito de Deus. Aquele que nega a humanidade verdadeira de Cristo é um «anticristo».

Não é fácil vencer esses falsos mestres, mas isso é possível, mediante Deus, que está conosco (ver I João 3:24 e 4:4). Aquele que está em nós (o Espírito Santo) é maior do que qualquer espírito maligno, que está no mundo. Há um «espírito da verdade» e um «espírito do erro». O que um homem pensa e diz sobre Cristo leva-nos a perceber que espírito há nele.

Nem toda a atividade espiritual, por conseguinte, é boa. Há um falso misticismo como há um misticismo veraz. E também existem milagres da mentira. Ver o artigo sobre *Misticismo*. (Quanto a várias idéias atinentes à *identificação de Jesus*, ver o artigo intitulado, «Jesus, Identificação, Vida e Ensinamentos»). Aquilo de que se trata na secção de I João 4:1-3 não é a negação judaica sobre o caráter messiânico de Jesus, e, sim, a negação gnóstica de que o Cristo poderia encarnar-se. A validade da «encarnação» está em jogo nessa seção.

Bibliografia: AM B E C P NTI RO Z

DOCTA IGNORANTIA

Essa é a expressão latina que significa «ignorância erudita». Nicolau de Cusa (que vide) afirmava que visto que todo o presumível conhecimento na verdade é apenas conjectura, o máximo da sabedoria é a *docta ignorantia*, aquela que reconhece a sua própria impotência. Esse princípio tem diversas implicações, a saber: 1. todo o conhecimento humano termina em uma frustração autocriada, porquanto nunca chegamos ao verdadeiro conhecimento. 2. Portanto, precisamos ser humildes, porquanto a própria teologia, nas mãos dos homens, e segundo pode ser desenvolvida pelos poderes racionais humanos, é, necessariamente, defeituosa e parcial, apesar das revelações que nos foram dadas, que ultrapassam o nosso conhecimento empírico e racional. 3. O conhecimento é uma inquirição eterna, e não uma possessão que possamos registrar tranqüilamente em livros. Não obstante, é importante fazermos esses registros, embora reconheçamos a limitação dos mesmos.

DOCTOR ANGELICUS

Palavras latinas que significam «doutor angelical», a alcunha escolástica tradicional dada a Tomás de Aquino (que vide).

DOCTOR IRREFRAGÁVEL

Título dado ao «doutor invencível», cujos argumentos não podiam ser refutados, a saber, Alexandre de Hales (que vide).

DOCTOR MIRABILIS

O «doutor miraculoso», título dado a Rogério Bacon (que vide).

DOCTOR SUBTILIS

O «doutor sutil», título conferido a Duns Scoto (que vide).

DOCTOR UNIVERSALIS

O «doutor universal», título popular dado a Alberto Magno (que vide).

DOCTRINA ADDAEI e Abgar e as Epístolas de Cristo

Esse é um registro sírio das origens do cristianismo

DODAI — DOEGUE

na cidade de Edessa. Está ligado à lenda de Abgar, mencionada por Eusébio. Também tem afinidades com os Atos de Tadeu, obra escrita em grego, no século VI D.C. A estória é como segue: Abgar, governador da Síria, estava doente e queria ser curado. Ouviu falar dos milagres de Jesus e desejou entrevistar-se com ele. Enviou uma carta; mas Jesus respondeu que não podia ir pessoalmente, mas que enviaria um discípulo em seu lugar. O mensageiro de Abgar trouxe de volta um retrato de Jesus (no livro Atos de Tadeu, o retrato consistia em uma toalha impressa com a imagem de Jesus). Após a ascensão de Cristo, Tomás encarregou-se de cumprir o pedido de Abgar, e enviou Adai, um dos setenta discípulos. Este curou Abgar, conseguiu convertidos e edificou um templo cristão. Supostamente foi um escriba de Abgar quem registrou o relato, mas há referências no livro que demonstram uma data posterior, que poderia ser até mesmo 400 D.C. Um dos itens interessantes é a suposta descoberta da verdadeira cruz, por Protonice, esposa do imperador Cláudio, o que pode ser comparado com uma história similar que envolve Helena, mãe do imperador Constantino.

ABGARUS (ABAGARUS) e As Epístolas de Cristo.

Estas cartas são relacionadas à *Doctrina Addaei*. Elas datam algum tempo antes de 260 D.C. O rei de Edessa, distrito de Osroene, chamado *Abgarus* (sendo o 17º de 20 reis de ter este título), foi um contemporâneo de Cristo. Seu nome não está nas Escrituras mas é celebrado na história eclesiástica por causa de uma suposta correspondência que ele mantinha com o próprio Jesus. Os eruditos acham que estamos tratando de uma *lenda*. De qualquer maneira, a história é que Abgarus escreveu uma carta para Jesus, procurando uma cura da lepra que o aborrecia por muito tempo. O próprio Jesus não tinha oportunidade de cumprir o pedido. Ele falou que só cuidaria do problema depois de sua crucificação. Depois deste acontecimento, Tomás, no nome de Jesus, mandou Tadeu. Existem duas cartas desta suposta correspondência e elas fazem parte da literatura apócrifa do Novo Testamento. Eusébio (*Hist.* I.13) nos informa que ele traduziu estas cartas de documentos siríacos localizados nos arquivos de Edessa. Supostamente, também conheceu os *Atos de Tadeu* em grego, mas a verdade, neste caso, parece ser que ele somente escreveu uma história sobre este apóstolo.

De qualquer maneira, esta lenda foi traduzida em diversas linguagens e assim recebeu uma distribuição considerável. Versões da mesma se encontram na *Doctrina Addaei*, no siríaco, em Agostinho (*contra Faustum*, 28.4) e em Jerônimo (em *Ezech.* 44:29). Abgar V de Edessa foi uma pessoa histórica e contemporânea de Jesus, mas os estudiosos acham que esta história foi uma fabricação. Segundo sabemos, a lenda não foi conhecida até o tempo de Eusébio, portanto, foi uma invenção de um tempo bem posterior à época do Novo Testamento.

DODAI

Ver sobre **Dodô**.

DODANIM

Forma escrita alternativa que aparece, em algumas traduções, em lugar de *Rodanim*. O termo hebraico parece significar «líderes». A LXX diz *rodioi*, de onde proveio a forma alternativa do nome. O termo refere-se a uma família ou clã, descendentes do quarto filho de Javã (Gên. 10:4). Javã era filho de Jafete. Os dodanim parecem ter sido os mesmos dardani, que na antiguidade encontravam-se na Ilíria e em Tróia, o primeiro lugar onde eles habitaram. Talvez eles sejam a raça dos semipelásgicos, classificados juntamente com os quitim, conforme se depreende da tabela genealógica de Gênesis. Supõe-se que Rodes foi um dos lugares para onde eles imigraram; mas os lugares de origem de povos migrantes sempre foi e será uma questão duvidosa. Visto que o Pentateuco samaritano diz *rodanim*, presume-se que o termo *Dodanim* representa um erro escribal, porquanto, no hebraico, as letras que representam «d» e «r» são muito parecidas em seu formato.

DODAVA

No hebraico, «amado de Yahweh». Nome do pai do profeta Eliezer, de Maresa. Ele condenou Josafá, rei de Judá, por haver firmado aliança com Israel. E predisse a destruição de sua incipiente marinha. Viveu em torno de 895 A.C. Ver II Crô. 20:37.

DODÔ, DODAI

No hebraico, «amado». Há três homens com esse nome, nas páginas do Antigo Testamento, a saber:

1. Dodô, o aoíta, pai de Eleazar, segundo dos três que comandavam os trinta heróis de Davi, que atuavam como sua guarda pessoal, que eram os seus principais apoiadores militares. Ver II Sam. 23:9; I Crô. 11:12. Ele ou seu filho estavam encarregados do segundo turno mensal dos que serviam ao rei em todos os negócios do reino (I Crô. 27:4). O nome dele, no original hebraico e nas traduções, varia entre Dodô e Dodai. Talvez ele fosse chamado por ambos os nomes.

2. O pai de Elanã, um outro dos trinta guerreiros seletos de Davi. Ver II Sam. 23:24 e I Crô. 11:26. Ele era natural de Belém da Judéia. Ele e o outro homem do mesmo nome (número «1», acima) viveram ambos em torno de 1000 A.C.

3. Um homem de Issacar e antepassado de Tola (Juí 10:1). Foi avô desse juiz de Israel. Viveu em cerca de 1300 A.C.

DODS, MARCUS

Suas datas foram 1834-1909. Foi um ministro evangélico escocês, professor do N. Testamento em New College, Edimburgo, e presidente do mesmo em data posterior. Ele escreveu comentários sobre Gênesis e I Coríntios, que aparecem no *Expositor's Bible* em inglês, bem como sobre os livros de João e Hebreus, no *Expositor's Greek New Testament*, ambos úteis comentários em inglês. Ambos foram examinados e incorporados no *Novo Testamento Interpretado*, comentário de minha autoria, em **português.** Ver o artigo geral sobre *Comentários Sobre a Bíblia*.

DOEGUE

No hebraico, «temeroso» ou «ansioso». Esse era o nome de um idumeu, superintendente dos rebanhos do rei Saul, que era um ofício importante no Oriente, visto que a riqueza de um homem, em um país agrícola, era parcialmente calculada pelo número e pela qualidade de seus rebanhos. Em Nobe, ele observou como o sumo sacerdote Abimeleque prestou ajuda ao fugitivo Davi, a quem Saul procurava matar, por considerá-lo um competidor ao trono. Abimele-

DOENÇAS — DOENTES

que dera a Davi pães da proposição (I Sam. 21:7). Esse ato foi revelado por Doegue a Saul. Saul investigou o caso e tomou para si a tarefa de matar Abimeleque, mas encarregou Doegue disso. Como bom servo de seu senhor, ele fez isso com grande zelo (I Sam. 22:18 *ss*). A matança incluiu outros sacerdotes e membros da família de Abimeleque. Morreram oitenta e cinco homens que serviam como sacerdotes, e, como medida de segurança, Doegue também matou (segundo presumimos, com ajuda de terceiros) muitas mulheres, crianças, e até mesmo animais. Mas um dos filhos de Abimeleque, de nome Abiatar, escapou da matança e fugiu para a companhia de Davi. Comentadores judeus posteriores encararam esse acontecimento com grande horror, ficando registrado na tradição do Talmude. É evidente que grandes atrocidades caracterizaram o reinado de Saul. Samuel havia advertido o povo que o rei Saul se desviaria do reto caminho (I Sam. 8:10). As tradições judaicas supõem que Doegue tenha sido um prosélito proveniente de Edom, e que se tornou útil para Saul. Se ele não tivesse sido um prosélito, não poderia ter tido acesso ao santuário.

DOENÇAS NA BÍBLIA
Ver **Enfermidades na Bíblia**.

DOENÇAS VENÉREAS

O termo «venéreo» vem da forma genitiva de Vênus, *veneris*, a deusa do amor erótico. Refere-se àquelas enfermidades que se propagam essencialmente, se não mesmo exclusivamente, através do contacto sexual. O número de doenças e parasitas que se propagam sexualmente atinge *mais de* trinta. Além das verdadeiras doenças venéreas, há várias infecções vaginais que também são contraídas mediante o contacto sexual, embora outras causas também sejam comuns. Contudo, a verdade é que quase tudo quanto é patológico e afeta a vagina, sucede por causa da invasão de algum objeto estranho, pelo que a vagina raramente é infectada se a mulher for razoavelmente higiênica em seus hábitos, ou então, se ela não tem vida sexual. Em conseqüência disso, muitas mulheres casadas têm dificuldades com infecções vaginais, embora tais infecções não possam ser classificadas como doenças venéreas. E as virgens, sem marido, que não são sexualmente ativas, mostram ser comparativamente isentas de infecções. Há doenças que uma mulher ou um homem nunca adquirirão, com toda a probabilidade, se tiverem apenas um parceiro sexual. Todavia, todas as doenças venéreas *podem* ser transmitidas mesmo sem qualquer contacto sexual, embora a percentagem desses casos seja diminuta.

A *gonorréia* e a *sífilis* continuam sendo as campeãs das doenças venéreas, mas ambas podem ser curadas. Os antibióticos pareciam poder eliminar as doenças venéreas, mas a promiscuidade em que vivem os seres humanos consegue manter-se à frente do processo de cura e essas enfermidades de caráter sexual vão se espalhando cada vez mais. Métodos eficazes de controle de natalidade têm encorajado as mulheres a terem vida sexual mais liberal. Baixos padrões morais contribuem para o sucesso das doenças venéreas. Atualmente, há várias doenças venéreas incuráveis, incluindo a terrível *aids* (causada por um vírus) e a horrível *herpes*, também causada por uma infecção virótica. Alguém já disse que a *aids* tem feito mais para mudar os hábitos sexuais das pessoas, no espaço de uns poucos anos, do que a religião e a filosofia têm podido fazer durante muitos séculos.

As doenças venéreas, a ética e a espiritualidade. Há uma profunda verdade naquela breve declaração que diz: «Ame a Jesus e erradique as doenças venéreas». Muitos teólogos crêem que as doenças venéreas são um resultado natural do processo da colheita segundo a semeadura, bem como um instrumento, nas mãos de Deus, a fim de fazer sofrer àqueles que exageram no campo sexual. Vários pecados arrastam após si seus próprios juízos naturais. Por outra parte, há as almas enfermas, que são piores do que um corpo enfermo, havendo pecadores que escapam das doenças venéreas, mesmo quando não gastam dinheiro com medicamentos químicos. O ideal bíblico, quanto à relações sexuais, é que estas devem ser efetuadas dentro da monogamia, medida extremamente eficaz contra todas as doenças venéreas. A biologia do ser humano masculino, porém, é contrária a esse ideal, visto que o hormônio da *testosterona* vive a impulsioná-lo a buscar novas parceiras sexuais. Os evolucionistas teístas supõem que a natureza biológica do ser humano é um produto animal, contrária à evolução espiritual do homem, o que já é um produto divino. Portanto, eles supõem que prestamos a Deus um desserviço quando O acusamos de nossos impulsos sexuais animalescos. Algumas pessoas chegam a indagar: «Por que Deus exagerou?» Uma questão melhor colocada seria: Por que a natureza preocupa-se tanto com a procriação? A raça humana não poderia ter sobrevivido sem a grande abundância de certos hormônios que deixam os homens abrasados? Quando assim perguntamos, estamos penetrando em alguns mistérios profundos. Quanto a mim, estou disposto a entregar o corpo às leis naturais (divinamente instituídas, naturalmente), mas o espírito eu dou à direção do Espírito de Deus. Porém, muitos de meus amigos discordam de mim, quanto a esse particular. Seja como for, a verdade é que a inquirição espiritual deveria ser suficientemente forte para livrar-nos das exigências exageradas do corpo físico. Se desfrutarmos dessa liberdade, estaremos livres das doenças venéreas.

DOENTES, CUIDADOS COM OS

Ver os artigos separados sobre **Movimentos Sociais Cristãos; Hospitais; Ética Médica e Senilidade**.

Não havia a profissão médica formal na antiga nação de Israel, exceto, talvez, no período posterior de sua história. Os escritos judaicos refletem desconfiança ou mesmo aversão pelos médicos, provavelmente porque muitos deles misturavam o tratamento das doenças com as artes mágicas, com a bruxaria e com as ciências ocultas. Quanto a um completo estudo sobre a questão, ver o artigo sobre as *Enfermidades*, secção terceira. Isso não significa, porém, que eles não se interessassem pela cura dos enfermos. Isso era feito com base em uma medicina naturalista, em bases particulares, e sempre havia o recurso de apelar para Deus, em busca das curas de origem espiritual.

No Novo Testamento temos a óbvia preocupação pelos enfermos, no ministério de curas de Jesus. De fato, um dos dons espirituais dados à Igreja é o dom de curas. Ver os artigos sobre *Cura; Curas, Dom de* e *Curas Pela Fé*. Uma das questões levantadas no julgamento descrito em Mateus 25:36, será: «...estava ...enfermo e me visitastes...» Interessar-se pelas pessoas, em suas aflições, faz parte da religião sincera (Tia. 1:27). Esse é um dos aspectos da lei do amor, que é a origem e a base da espiritualidade (I João 4:8 *ss*).

DOENTES — DOGMA

Alguns supõem, equivocadamente, que todas as enfermidades são contrárias à espiritualidade. Mas, em nosso artigo sobre as *Enfermidades*, temos tentado mostrar que as doenças tem seu devido lugar na inquirição espiritual, podendo ser benéficas para o homem espiritual. C.S. Lewis disse algo dotado de profundo discernimento: «Deus sussurra para nós em nossos prazeres; fala à nossa consciência; mas *grita* em nossas dores. Esse é o seu megafone, para despertar este mundo surdo» (*The Problem of Pain*, pág. 81, 1957). Parte do trabalho pastoral consiste em administrar aos enfermos, trazendo-lhes a esperança contida na mensagem espiritual. Um pastor sempre gostaria de realizar curas físicas bem-sucedidas, mas, algumas vezes, por desígnio divino, ele está limitado a alguma palavra de consolo. Há uma certa superficialidade na fé que supõe que a cura sempre deve ocorrer. Há muitos fatores do destino, do desígnio, da lei da colheita segundo a semeadura e da disciplina, que impedem a cura, em muitos casos, mas requerem que o curso da enfermidade prossiga até o fim, podendo terminar até·mesmo em morte física. Não obstante, a lei do amor requer que a cura seja buscada ansiosamente, e então deixamos o resto aos cuidados da vontade de Deus.

A **Igreja histórica** (principalmente a Igreja Católica Romana) tem feito muito bem, quando promove hospitais para a cura convencional, não dependendo somente das curas espirituais. Esforços humanitários sempre farão parte integrante da espiritualidade, e um modo de curar não torna ilegítimo outro modo qualquer. A Igreja cristã precisa envolver-se em todos os modos de cura, porque, com freqüência, há considerações éticas que devem ser levadas em conta, há máquinas capazes de prolongar a sobrevivência dos pacientes, que os mantém em um estado em que é melhor não continuar vivendo. Também podemos considerar a questão da *eutanásia* (que vide), bem como questões de despesas médicas, que podem ser opressivas. A santidade da vida requer um cuidado adequado; mas, uma ênfase exagerada sobre a vida material (mortal), vinculada a um ponto de vista materialista do homem, pode fazer os médicos exagerarem em seus procedimentos.

O dom da cura sempre fez parte da tradição humana, e não meramente da tradição cristã. Os artigos separados sobre *Cura* e *Cura Pela Fé* entram nessa questão de forma detalhada. Sabemos que o poder de curar faz parte das habilidades humanas, mesmo sem qualquer ajuda divina, embora também tenhamos de reconhecer a realidade das curas super-humanas. De nada adianta supormos, porém, que a cura espiritual está franqueada a todos, porquanto podem haver razões espirituais a longo termo por detrás das enfermidades. Por conseguinte, sempre será legítimo buscar a cura natural através de medicamentos e das habilidades dos médicos. Os discípulos de Cristo devem compartilhar das aflições humanas, chorando com aqueles que choram (ver Rom. 12:15). O cuidado pelos enfermos sempre foi uma característica concomitante da mensagem do evangelho. Alguns têm pensado que as curas fazem parte da expiação no sangue de Cristo. Ver o artigo sobre a Cura, *Incluída na Expiação*. Pessoalmente, não penso que esse conceito seja viável; mas, com o mesmo ou sem o mesmo, sempre será verdade que os crentes deveriam interessar-se em aliviar o sofrimento humano, sem importar a qual categoria esse sofrimento pertença.

••• ••• •••

DOFCA

No hebraico, «batida» ou «tanger o gado». A localidade aparece somente em Núm. 33:12,13. Foi um dos locais onde o povo de Israel acampou, a caminho do Sinai. Ficava entre o mar Vermelho e Refidim. Tem sido tentativamente identificada com Serabit el-Khadim, onde os egípcios tinham minas e onde foram achadas as famosas *Inscrições do Sinai*, que datam de cerca de 1525 A.C. Essas inscrições foram escritas em um alfabeto semítico hieroglífico. Alguns estudiosos ligam o termo Maphqah a esse lugar. Esse termo refere-se à turquesa, pedra preciosa que dali era extraída. Também era esse o nome do distrito em volta.

DOGMA

Vem diretamente da palavra grega **dogma**, que originalmente significava «opinião» ou «juízo». As opiniões que se fixam e tornam-se autoritárias, atualmente são denominadas *dogmas*. A raiz verbal é **dokéo**, *parecer*, dando, pois, a entender o que parece ser bom ou é uma *boa opinião*. Consideremos os pontos abaixo:

1. *Na Filosofia*. O termo *dogmatismo* era a designação da posição da Quarta Academia (ver sobre a *Academia de Platão*, quarto ponto). Essa escola foi desenvolvida por Filo de Larissa (que vide). Nesse sentido, o termo referia-se ao conjunto de doutrinas ou de opiniões daquela escola, e o mesmo termo tem sido usado para indicar as idéias de outras escolas ou seitas.

2. *No Novo Testamento*. Nesse documento sagrado, «dogma» refere-se a decretos ou editos do governo (Luc. 2:1; Atos 17:7), bem como às ordenanças da lei judaica (Efé. 2:15; Col. 2:14). Os decretos do concílio de Jerusalém também foram designados por esse nome (Atos 16:4).

3. *Dogmas Eclesiásticos*. Provavelmente, os decretos do concílio de Jerusalém, uma vez chamados por esse termo, fizeram com que assumisse o sentido mais formal que se dá, atualmente, a esse termo. Tão cedo quanto Inácio, no século II D.C., a palavra começou a ser usada para aludir a importantes doutrinas cristãs, consideradas autoritárias (ver *Epístola aos Magnesianos*, 13). Orígenes empregou o termo, com esse sentido, com bastante freqüência. E do concílio de Nicéia em diante, a definição ficou virtualmente fixada.

4. *Teologia Dogmática* (que vide). A noção de dogma depende, naturalmente, de uma definição anterior da questão de como se estabelece a autoridade na Igreja, isto é, através das Escrituras, dos chamados pais da Igreja, dos concílios, dos decretos papais, etc. Ver o artigo geral sobre a *Autoridade*. A teologia dogmática, como um sistema, começa pela teologia bíblica, mas nunca termina aí. Uma parte do dogma consiste em interpretação, o que significa que as diversas denominações cristãs conseguem derivar das Escrituras diferentes dogmas. A posição católica romana é que os dogmas procedem de fontes externas, especificamente através da hierarquia eclesiástica, e, mais especificamente ainda, através de revelações dadas ao papa. Porém, nem todas as decisões papais são consideradas dogmas. Para tanto, faz-se mister algum pronunciamento *ex cathedra*, além das decisões oficiais. A Igreja Ortodoxa Oriental limita os dogmas aos ensinos dos concílios ecumênicos que gozam de aceitação universal. Ali os dogmas são considerados como bem definidos, e, portanto, verdadeiros e acima

DOGMATISMO — DOIS

de disputas. Porém, alguma idéia religiosa jamais estará acima de qualquer disputa? A maioria dos anglicanos derivam seus dogmas dos primeiros sete concílios ecumênicos. Os grupos protestantes, porém, mostram muito menor respeito pelos dogmas tradicionais, dependendo muito mais das Escrituras e da interpretação individual das mesmas, quanto às suas convicções religiosas. Não obstante, os protestantes conseguem mostrar-se muito dogmáticos, certos de que atingiram uma verdade inatacável.

5. *Uso dos Dogmas*. É conveniente podermos chegar a decisões sobre o tipo de conhecimento que temos, e quais são os seus usos. Os sistemas são necessários para a comunicação entre os homens e para o estabelecimento de organizações que giram em torno de certos conjuntos de crenças.

6. *O Vício dos Dogmas*. Por outro lado, há a letra que mata, em contraste com o Espírito, que vivifica. Os dogmas fazem os conceitos tornarem-se obrigatórios, autoritários. Um conceito é como a água de uma fonte, que a princípio jorra, mas depois fica estagnada sobre a superfície da terra. Portanto, todos os sistemas dogmáticos encorajam a estagnação, e usualmente mostram-se bastante hostis e pugnazes contra outros sistemas. O orgulho humano mistura-se nesse quadro com as opiniões melhor equilibradas. A compreensão intuitiva, em contraste com isso, assemelha-se às águas que emanam frescas de sua fonte. Porém, os homens acabam dogmatizando a verdade, reduzindo-a a um sistema de conceitos. Jamais deveríamos tolher uma maior compreensão mediante dogmas rígidos, os quais, em última análise, alicerçam-se sobre meras interpretações. Deveríamos reconhecer as limitações de nosso conhecimento, estando dispostos a dar ouvidos a outras pessoas, a fim de melhorarmos aquilo que sabemos. Nunca nos deveríamos mostrar tão arrogantes ao ponto de pensarmos que já sabemos todas as coisas. E também nunca deveríamos ser tão preguiçosos ao ponto de aceitarmos meias-verdades. Os dogmas são necessários para a formação de sistemas, mesmo que aquilo que viermos a descobrir não se encaixe bem dentro de algum sistema. A verdade é mais importante do que qualquer sistema. De fato é impossível ajustar a verdade dentro de qualquer dado sistema. O único que pode fazer isso é Deus, pelo que somente Deus é capaz de sistematizar a verdade.

DOGMATISMO

Devemos partir do termo grego **dogma**, «opinião», «crença». Posteriormente, houve a formalização e a sistematização das crenças consideradas absolutamente verdadeiras, tornando-se elas dogmas no sentido moderno do termo.

1. O *dogmatismo* refere-se àquela atividade que cria certo conjunto de verdades supostamente autoritárias. Essa atividade é necessária, mas freqüentemente mostra-se precária, produzindo alguns resultados dúbios (pelo menos). De fato, é precisamente nesse ponto que devemos pensar na definição *popular* da palavra, como uma asserção positiva ou mesmo arrogante da crença, como algo absolutamente verdadeiro e destituído de erro, embora lhe falte provas convincentes para tanto.

2. Na filosofia, a palavra é usada para indicar aquela fé **simples e não-crítica** em certas proposições, que são aceitas *a priori*.

3. Ainda dentro da filosofia, o termo pode referir-se a qualquer sistema que parta de certas noções aceitas

como verdadeiras, mas sem qualquer investigação. Nesse sentido, todos os sistemas são dogmáticos, pois, em qualquer sistema, religioso ou filosófico, é mister começar por certas asserções não comprovadas, que, no presente, estão acima de nossa compreensão ou investigação. Com base nisso, cria-se um sistema que incorpora outras proposições, que podem ser investigadas. Nesse sentido, todos os teólogos e filósofos são defensores do dogmatismo.

4. Essa palavra também pode indicar a crença em idéias e sistemas que contam com evidências apoiadoras *insuficientes*, mas que, a despeito disso, são defendidas com zelo.

As crenças fixas, arrogantes e arbitrárias, acompanhadas pela indisposição de examinar as bases das crenças, são usualmente acompanhadas pela hostilidade a outros sistemas de crenças. Todos os sistemas dogmáticos são infectados, até certo ponto, por essa forma de dogmatismo. Na maioria dos casos, esse tipo de atitude serve de mecanismo de defesa. Não há ódio que se compare ao ódio religioso. Não há hostilidade como a hostilidade religiosa. Não há arrogância tão bem sintonizada como a arrogância religiosa.

DOIS

Ver o artigo geral sobre os **Números**. O número dois pode falar tanto sobre a unidade como sobre a divisão, porquanto, algumas vezes, dois formam um par, ao passo que, de outras vezes, dois são o rompimento da unidade, quando os dois elementos envolvidos opõem-se um ao outro. Um homem e uma mulher formam a unidade básica da vida inteira (Gên. 1:27; 2:20,24). Os animais também vivem em pares, (Gên. 7:9). Com freqüência convém que duas pessoas trabalhem juntas, o que torna o labor mais interessante e produtivo. Por essa razão, os espias foram enviados de dois em dois por Josué (Jos. 2:1), e os setenta discípulos de Jesus também foram enviados de dois em dois (Luc. 10:1). Outro tanto sucedeu no caso dos doze apóstolos (Mat. 6:7). Havia as duas tábuas de pedra da lei (Êxo. 24:12), refletindo as responsabilidades de Israel para com Deus e para com os homens. Nos holocaustos, os animais com freqüência eram oferecidos em pares (Luc. 2:24). A justiça é simbolizada por uma balança com dois pratos (Apo. 6:5). Dois é o número da intensificação (Gên. 41:32), da total retribuição (Jó 42:10; Jer. 16:18; Apo. 18:6). As proporções do templo de Jerusalém eram o dobro das medidas do tabernáculo. A união de duas testemunhas garantia a veracidade de qualquer questão (Zac. 4:11; 11:7; Apo. 11:3). Deus, por ser a sua própria testemunha, fornece-nos os dois símbolos, incluindo a sua palavra e o seu juramento (Heb. 6:13,17). Também temos a considerar o testemunho do Pai e do Filho, o que garante a verdade do evangelho (João 8:18).

Nos sonhos e nas visões o número dois pode falar da dualidade da existência no macho e na fêmea, a harmonia básica da vida. Dois objetos da mesma espécie, mas com qualidades diferentes, apresentam ao sonhador alguma decisão que ele precisa tomar. Os sonhos constantemente apresentam a pessoa do sonhador (ou alguma outra pessoa) de forma metafórica, usando outra pessoa como símbolo da mesma, criando uma *dualidade*. Usualmente, a figura principal de um sonho, se for pessoa do mesmo sexo do sonhador, representa o próprio sonhador; mas, quase sempre, sonhamos com alguma outra pessoa sob o simbolismo de alguma outra pessoa ainda. Isso representa uma analogia para o sonhador. Para exemplificar, suponhamos que eu esteja muito

DOIS HOMENS, METÁFORA DOS

insatisfeito com os defeitos morais de alguma pessoa que conheço. A fim de ilustrar isso, minha mente seleciona algum exemplo notório daquele defeito moral que me desgosta e usa esse exemplo a fim de falar comigo sobre o caso presente. Algumas vezes, duas pessoas em um sonho formam um *contraste* e ambas essas pessoas podem representar a pessoa do sonhador ou alguma outra pessoa. Uma delas aparece como indivíduo egoísta e a outra como um indivíduo generoso. E assim podeʌros ver o conflito entre os dois princípios, em mim mesmo e em alguma outra pessoa.

Duas estradas ou caminhos que aparecem diante do sonhador, ou de quem está tendo uma visão, representam uma escolha que precisa ser feita, o que é análogo à escolha espiritual sobre os dois caminhos, que são oferecidos aos homens, conforme se vê nas duas portas e nos dois caminhos referidos em Mateus 7:13,14. O trecho de I Reis 18:21 fala sobre cambalear entre duas decisões.

As palavras «duplamente mortas», do décimo segundo versículo da epístola de Judas, dão a entender que um homem, que antes estava espiritualmente morto, mas que pareceu haver recebido a vida espiritual (ou mesmo a recebeu), para em seguida reverter ao pecado, na realidade está morto, pois adicionou morte à morte. Em contraste com isso, temos aqueles que estão duplamente vivos, pois, tendo nascido fisicamente, agora também passaram pelo segundo nascimento ou regeneração.

A fração «meio» representa meio caminho, meio feito, meio realizado. Porém, também pode indicar grande deficiência.

DOIS HOMENS, METÁFORA DOS

Rom. 5:14: *No entanto a morte reinou desde Adão até Moisés, mesmo sobre aqueles que nʋo pecaram à semelhança da transgressão de Adão, o qual é figura daquele que havia de vir.*

Adão foi o *cabeça federal* da raça perdida. Cristo é o *cabeça federal* da raça *redimida*. Tanto a condição de ser perdido quanto a redenção, são estados de *comunidade*. A redenção é do corpo inteiro, não de um membro só. A *Restauração* (que vede) afeta a *raça humana inteira*, não somente alguns indivíduʋs.

Este versículo tem provocado um grande número de interpretações, conforme alistamos abaixo:

1. Alguns dizem que os pecados individuais dos homens não lhes foram imputados, o que se segue que a pena da morte não acompanhou tais pecados, mas antes, acompanhou apenas a participação no pecado original de Adão. Em Adão todos pecaram, e nele a raça humana inteira foi condenada à morte, tanto física como espiritual, embora a morte física esteja particularmente em foco neste versículo. Contrariamente a essa opinião, entretanto, os versículos dezessete, dezoito e vinte e um mostram-nos que Paulo não estava considerando apenas a morte física. Essa interpretação está correta, embora não seja completa. O pecado de Adão é a raiz da árvore que infestou a árvore inteira com a perversidade pecaminosa, digna de juízo divino.

2. Aqueles sobre quem a morte reinou não haviam violado qualquer mandamento específico de Deus, a exemplo do que fez Adão; não obstante, possuíam já a lei da consciência, conforme aprendemos no segundo capítulo da epístola aos Romanos. Porém, não ros parece que Paulo estivesse dizendo que a violação da lei da consciência produz a morte embora isso seja verdade, com base na revelação do segundo capítulo

dessa epístola.

3. Reinou um determinado tipo tanto de morte espiritual como de morte física; mas não podemos encarar isso como a forma final da morte espiritual, a qual só poderia ser determinada após o advento de Cristo.

4. Este versículo parece dar a entender, como também o faz o décimo segundo versículo, que o julgamento de Deus recai sobre a árvore inteira do pecado, e *não apenas* sobre a raiz, ou seja, não apenas sobre o pecado de Adão. A existência do pecado, no tronco da árvore, nos seus ramos (princípio do pecado) e nos seus frutos (atos individuais pecaminosos dos homens) provoca o juízo de Deus, o que inclui tanto a morte física como a morte espiritual. Todavia, esse julgamento ainda não é final, até que a base apropriada e total do julgamento pudesse ser estabelecida em Cristo.

5. Que dizer sobre os infantes que morrem antes de chegar à idade da responsabilidade, sobre os insanos, os idiotas, etc.? Esses seres huːnanos serão automaticamente salvos? Muitos assim ensinam, presumindo que somente quando os homens já estão dotados de inteligência adequada é que podem ser considerados responsáveis por suas escolhas. Trata-se de uma suposição *razoável*, mas não é a única resposta para o problema.

a. Os calvinistas radicais os condenam à punição eterna, embora em um grau inferior de sofrimento.

b. Muitos dos pais da igreja pensavam que a oportunidade não se limita somente a esta vida. Se ela se amplia para além do sepulcro (ver I Ped. 4:6), então tais pessoas, no seu estado de alma, terão sua oportunidade de escolher a vida ou a morte, espiritualmente falando. Essa idéia parece mais razoável que as outras duas. Segundo essa interpretação, nada seria automático, mas sempre haveria uma oportunidade para cada um.

O qual prefigurava aquele que havia de vir. Nestas palavras, Adão é apresentado como tipo simbólico contrastante com Cristo, o que, nesta passagem, assume diversas formas.

Prefigurava é palavra que se deriva do termo grego ʻtuposʼ, que vem da idéia verbal de *ferir, bater*, como algo que deixa uma marca, um padrão qualquer, feito sobre um material receptivo, como cera, madeira, pedra, etc. Daí se deriva a idéia de «imagem» ou «impressão», um «modelo» que reproduz o aspecto do instrumento usado para fazer tal impressão. Mais tarde, porém, essa palavra grega veio a ser usada para indicar meramente «cópia». Não obstante, o *tipo*, nesse caso, visa contraste, e não comparação.

«...Cristo corresponde a Adão no sentido antitético: Adão foi o autor da morte para todos; e Cristo foi o autor da vida para todos. A característica prefigurada em Adão foi a sua significação central e universal para a raça humana inteira, que se cumpriu em sentido muito mais elevado e com efeitos opostos na pessoa de Cristo, o homem absoluto e perfeito. Em I Cor. 15:45, Paulo, por semelhante modo, contrasta ʻo primeiro Adãoʼ, com ʻo último Adãoʼ, sem dúvida alguma, fazendo alusão à teologia rabínica, onde o Mesias era denominado de... ʻadamus postremusʼ, em oposição ao... ʻprimeiro Adãoʼ. A esse contraste pessoal corresponde o contraste das duas épocas e ordens de coisas, isto é ʻa era presenteʼ e a ʻera vindouraʼ. A ʻera vindouraʼ não deve ser vinculada ao segundo advento de Cristo (conforme interpretam Fristasche e De

DOLLINGER — DOM

Wette) e, sim, à primeira vinda de Cristo. Paulo falava do ponto de vista histórico do primeiro Adão». (Philip Schaff, em Rom. 5:14, no Comentário de Lange).

Newell (em Rom. 5:14) nos fornece os vários contrastes apresentados entre Adão e Jesus Cristo, no presente capítulo:

«O plano de Deus é o 'reino da graça', por meio de Cristo:

Rom. 5:12-21

Os dois homens:
Adão-Cristo. Versículo 14

Os dois atos:
Adão — uma transgressão. Versículos 12,15,17-19
Cristo — um ato de justiça (na cruz). Versículo 18

Os dois resultados:
Por Adão — condenação, culpa, morte. Versículos 15,16,18,19
Por Cristo — justificação, vida, reinado. Versículos 17-19

As duas diferenças:
Quanto ao grau (a graça do criador, em Cristo, abunda muito mais que o pecado da criatura, em Adão). Versículo 15
Quanto ao tipo de operação (muitos pecados sobre Cristo — justificação e reinado da vida, para os que aceitam a graça de Deus nele). Versículo 16

Os dois reis:
O pecado — reina através da morte. Versículo 17
A graça — reina através da justiça. Versículo 21

As duas abundâncias:
Da graça. Versículo 17
Do dom da justiça. Versículo 17

Os dois estados contrastados:
Os homens condenados, escravos da morte, por causa de Adão
Os homens justificados, o início da vida, por meio de Cristo».

DOLLINGER, JOHANN JOSEPH IGNAZ VON

Suas datas foram 1799-1890. Foi um teólogo católico romano liberal e historiador eclesiástico. Foi ordenado padre em 1822. Ensinou teologia e história eclesiástica em Munique. Esteve ligado a Hugues Lamennais (que vide), o bem conhecido liberal católico romano. Dollinger foi o principal teólogo alemão, dentro da Igreja Católica Romana, que se opôs a vários dogmas católicos. Ele rejeitava o dogma da Imaculada Conceição (que vide), e também o dogma da infalibilidade papal (que vide). Foi convidado a retratar-se, mas recusou-se, e, por esse motivo, foi excomungado. Companheiros de idéias organizaram então a Antiga Igreja Católica (que vide), para o que eles contavam com a ordenação provida por bispos jansenistas holandeses. Uma vez fora do aprisco católico romano, Dollinger promoveu a união entre os antigos católicos e as igrejas grega e anglicana. Um de seus importantes discípulos foi Lord Acton. Ele escreveu as seguintes obras: *The Reformation* (3 vols.) e *Past and Present of Catholic Theology*.

DOM

Esboço
I. Palavras Envolvidas
II. A Atividade e a Atitude de Quem Dá

III. Os Dons Divinos
IV. O Reflexo Humano

Ver os artigos separados sobre *Dom Gratuito de Deus; Dons Espirituais; Dons, Os Homens Como; Dons Espirituais, Abusos e Usos*. O artigo sobre os dons espirituais alista cada dom do Espírito em separado, com sua própria descrição e explicação.

I. Palavras Envolvidas

A tradução **dom** envolve um grande número de palavras hebraicas e gregas:

1. *Mattan*, palavra hebraica usada por cinco vezes: Gên. 34:12; Núm. 18:11; Pro. 18:11; 19:6; 21:14. Esse termo, e seus derivados, dão a entender algo oferecido gratuitamente (Pro. 19:6), a obtenção de um favor (Pro. 18:16; 21:14), a expressão religiosa de ação de graças (Núm. 18:11), um dote (Gên. 34:12), a possessão de uma herança (Gên. 25:6; II Crô. 21:3; Eze. 46:16,17) ou mesmo um suborno (Pro. 15:27; Ecl. 7:7).

2. *Nisseth*, «dom», «coisa elevada». Essa palavra hebraica é usada por apenas uma vez, em II Sam. 19:42.

3. *Maseth*, «dom», «peso», «elevação». Palavra hebraica usada por apenas duas vezes com o sentido de dom: Est. 2:18 e Jer. 40:5.

4. *Shochad*, «suborno», «recompensa». Palavra hebraica empregada por vinte e três vezes, como em Êxo. 23:8; Deu. 16:19; II Crô. 19:7; Pro. 6:35; 17:8,23; Isa. 1:23; Eze. 22:12.

5. *Minchah*, «oferta», «presente». Palavra hebraica usada por duzentas e nove vezes, embora apenas por trinta e cinco vezes com o sentido de «dom» ou «presente». Por exemplo: II Sam. 8:2,6; I Crô. 18:2,6; II Crô. 26:8; 32:23; Sal. 45:12; Gên. 32:13,18,20,21; 33:10; Juí. 3:15,17,18; I Sam. 10:27; I Reis 4:21; II Reis 8:8,9; II Crô. 9:24; Sal. 72:10; Isa. 39:1; Osé. 10:6.

6. *Dídomi*, «dar», que aparece por quatrocentas e treze vezes no Novo Testamento, em todas as conexões imagináveis, algumas vezes com a idéia de dar um presente qualquer e outras vezes, sem esse sentido. Ver Mat. 4:9; 5:31; Mar. 2:26; Luc. 1:32; João 1:12; Rom. 4:20; I Cor. 1:4; Efé. 1:17; Heb. 2:13; Tia. 1:5; I João 3:23,24; Apo. 1:1; 2:7,10,17; 8:2; 9:1, etc.

7. *Anáthama*, «algo devotado a Deus». Palavra grega usada por sete vezes: Luc. 21:5; Atos 23:14; Rom. 9:3; I Cor. 12:3; 16:22; Gál. 1:8,9.

8. *Doma*, «presente», que indica algum presente sagrado ou profano. Vocábulo grego utilizado por cinco vezes: Mat. 7:11; Luc. 11:13; Efé. 4:8 (citando Sal. 68:19); Fil. 4:17.

9. *Dósis*, «dom», indicando os múltiplos dons de Deus, dados a todos, uma palavra grega usada por duas vezes: Fil. 4:15 e Tia. 1:17.

10. *Dorea*, que indica dons ou presentes de vários tipos, sagrados ou profanos. Palavra usada por onze vezes: João 4:10; Atos 2:38; 8:20; 10:45; Rom. 5:15,17; II Cor. 9:15; Efé. 3:7; 4:7; Heb. 6:4.

11. *Dorema*, uma palavra geral para «dom», usada em Rom. 5:16 e Tia. 1:17.

12. *Merismós*, «dom», embora essa palavra derive-se da idéia de dividir. Usada por duas vezes: Heb. 2:4 e 4:12.

13. *Cháris*, palavra que também significa *graça*, mas que pode ter a idéia de «dom gratuito». Usada por uma vez, em II Cor. 8:4, para indicar ofertas enviadas para aliviar as necessidades dos santos.

14. *Charisma*, palavra para indicar os dons do Espírito, as suas graças, gratuitamente conferidas,

DOM — DOM GRATUITO DE DEUS

para a obra do ministério (I Cor. 12:4,9,28,30,31). Além disso, enfoca o dom da graça de Deus, que nos traz a salvação (Rom. 5:15,16). Essa palavra é usada por dezessete vezes no Novo Testamento, com certa variedade de aplicações. Ver também Rom. 1:11; 6:23; 11:29; 12:6; I Cor. 1:7; 7:7; II Cor. 1:11; I Tim. 4:14; II Tim. 1:6; I Ped. 4:10. Essa palavra é usada principalmente para indicar alguma espécie de dom espiritual ou divino.

II. A Atividade e a Atitude de Quem Dá

Nas antigas sociedades neolíticas e da era do bronze, conforme somos informados através das evidências arqueológicas, a outorga de presentes era uma prática comum. As razões para a doação de presentes eram variadas e isso é refletido nas palavras hebraicas examinadas acima. Membros de uma família se presenteavam mutuamente como sinal de estima e amor. Esses presentes eram conferidos em ocasiões especiais, como por ocasião dos noivados, dos casamentos, de nascimentos e de morte. Também havia presentes dados a superiores, com a finalidade de agradar e esses presentes, algumas vezes, assumiam a natureza de suborno ou peita, quando algum favor especial era buscado, ou quando se esperava evitar que algum castigo fosse aplicado. A adoração religiosa requeria doações da parte dos participantes, a fim de que pudesse ser mantido o culto.

III. Os Dons Divinos

1. Os homens são os beneficiários de todas as espécies de dons divinos, outorgados através do amor de Deus, em consonância com o princípio da graça (Tia. 1:17).

2. O Espírito Santo é um presente de Deus aos homens (Atos 2:38), tendo em vista a sua espiritualização e a provisão da ajuda necessária para cumprimento da sua missão espiritual.

3. Há os dons do Espírito, dados aos homens, tendo em vista o ministério da Igreja (I Cor. 12). Homens dotados pelo Espírito tornam-se, eles mesmos, presentes conferidos à Igreja, visto que apóstolos, profetas, evangelistas, pastores e mestres são homens espiritualmente dotados, tornando-se meios de expressão da graça divina entre os homens (Efé. 4:7 ss).

4. *Todos os dons divinos* são dispensados de acordo com a graciosa vontade de Deus, visando ao bem e não ao mal (Ecl. 2:26; Dan. 2:21; Rom. 12:6; I Cor. 7:7).

5. Esses dons são gratuitos e abundantes (Núm. 14:8; Rom. 8:32).

6. Esses dons nos são dados por meio de Cristo (Sal. 66:18; Efé. 4:7,8; João 6:27).

7. Entre os dons espirituais encontramos virtudes como graça (Tia. 4:6), sabedoria (Pro. 2:6; Tia. 1:5), arrependimento (Atos 11:18), fé (Efé. 2:8; Fil. 1:29), retidão (Rom. 5:16,17), força e poder (Sal. 68:35), um novo coração (Eze. 11:19), paz (Sal. 84:11), descanso (Mat. 11:28).

8. Os dons temporais incluem a vida (Isa. 42:5), alimentos e vestes (Mat. 6:25-33),—chuva e estação frutífera (Gên. 27:38), sabedoria (II Crô. 1:12), todas as coisas boas de que desfrutamos (Sal. 34:10; I Tim. 6:17). Todas as criaturas participam desses dons (Sal. 136:25). Deveríamos orar pedindo esses dons (Zac. 10:1).

9. Cristo é o dom supremo de Deus (II Cor. 9:15).

IV. O Reflexo Humano

Talvez a verdadeira medida de um homem seja a sua generosidade, um outro nome para indicar a expressão do amor. O amor é a prova da

espiritualidade genuína, e não a exatidão ou ortodoxia nas crenças. Ver I João 4:7 *ss*. Ver o artigo geral sobre o *Amor*. A outorga de presentes é sinal do amor do indivíduo. Sendo esse o caso, trata-se de uma pequena demonstração da própria espiritualidade, se não for um ato maculado por motivos indignos, conforme geralmente se dá com os presentes que damos ou recebemos. O exemplo divino é a nossa grande inspiração, visto que Deus amou o mundo de tal maneira que, como resultado, ele deu seu próprio Filho (João 3:16). (B TT UN Z)

DOM GRATUITO DE DEUS

O dom gratuito de Deus, Rom. 6:23. A vida eterna é aqui referida como um dom *gratuito*, a fim de fazer vívido e agudo contraste com o *salário* do pecado. O salário do pecado é adquirido por esforço, é merecido, ao passo que a vida eterna nos é dada *gratuitamente*, «através de Cristo», e nunca através do «mérito humano». Com essa expressão se pode comparar o que é dito acerca da «justificação», em Rom. 3:24. A vida eterna, por si mesma, não pode ser adquirida pelo esforço do homem, mas precisa ser recebida pela fé, pela fé no doador da vida, isto é, Cristo Jesus.

Vida eterna. (Ver o artigo a respeito). Quanto à sua natureza, podemos considerar os seguintes pontos alistados abaixo:

1. Não se trata de mera existência «interminável», embora isso expresse uma verdade.

2. Trata-se, antes, de uma modalidade de existência. Todas as formas de vida representam uma modalidade ou tipo de existência, como a vida unicelular, a dos insetos, a dos mamíferos, a do homem, etc.

3. Consiste na participação na própria vida de Deus, que representa o pináculo de todas as modalidades de vida, a única que se reveste das qualidades de «independência» e de «necessidade». Em outras palavras, a vida de Deus é «independente» porque não depende de qualquer outra para existir; e é «necessária» porque não pode deixar de existir. Nisso é que consiste a verdadeira imortalidade. (Ver João 5:25,26 e 6:57, quanto a esses conceitos).

4. A vida eterna é aquela forma e qualidade de vida que recebemos, desde que começamos a ser transformados segundo a imagem e natureza de Cristo (ver Rom. 8:29).

5. Ela é caracterizada pela participação na própria natureza divina (ver notas em II Ped. 1:4 no NTI), com os atributos acompanhantes, tudo o que é expresso pela frase «a plenitude de Deus». Também participamos da plenitude de Cristo, mas isso indica a mesma coisa (ver Col. 2:10).

6. Ela envolve perfeição moral (ver Mat. 5:48).

7. Receber a vida eterna significa passar de um estágio de glória para outro, pelo poder do Espírito (ver II Cor. 3:18).

8. A vida eterna é filiação, do ponto de vista celestial (ver João 1:12 e Heb. 2:10).

9. Portanto, apesar de envolver o perdão dos pecados e a transferência futura para os lugares celestiais (ver Efé. 1:3), ela envolve também muito mais do que isso.

Em Cristo Jesus, nosso Senhor. Rom. 6:23. Uma vez mais o apóstolo Paulo emprega o nome e título completo de Cristo. (Quanto a comentários sobre esse uso, ver Rom. 1:4 no NTI).

Cristo é aqui destacado como o doador da vida eterna, juntamente com tudo o que está vinculado a ela, o que faz forte contraste com o pecado, que é o

DOM DE CURA — DOMINGO

intermediário da morte. Devemos observar, na epístola aos Romanos, que todo e qualquer avanço espiritual, à salvação, é vinculado ao Senhor Jesus, a saber:

1. A propiciação foi «proposta» em Cristo (ver Rom. 3:24,25). Por igual modo, a justificação nos é dada em Cristo, nessa mesma passagem.

2. Fomos ressuscitados a uma nova vida, através de Cristo. (Ver Rom. 4:24).

3. Nossa exultação em Deus se verifica por meio de Cristo. (Ver Rom. 5:11).

4. Nosso reinar, na graça e na justiça, visando a vida eterna, também se realiza por meio de Cristo. (Ver Rom. 5:21).

5. O «batismo espiritual» também vem por meio de Cristo. (Ver Rom. 6:3-11).

6. O conceito inteiro e a realidade da vida eterna também dependem de Cristo. O primeiro capítulo da epístola aos Efésios mostra-nos que toda a criação tem por centro a pessoa de Cristo, pois ele é o Verbo ou Palavra eterna, o Criador, o Salvador universal, o Juiz e a grande Força cósmica.

7. A vitória nesta vida, sobre o pecado, deve ocorrer por intermédio de Cristo. (Ver Rom. 7:25).

Teu toque tem ainda o poder antigo;
Nenhuma palavra tua cai por terra inútil;
Ouve, nesta solene hora da noite,
E, em tua compaixão, cura-nos a todos.

(Hino de Henry Twell, «At even, when the sun is set»).

DOM DE CURA

Ver os artigos sobre **Dons Espirituais; Curas e Curas pela Fé.**

DOM DE LÍNGUAS

Ver o artigo sobre os **Dons Espirituais.**

DOMICIANO

Foi imperador de 81 a 96 D.C. Em conexão com assuntos religiosos, ele é lembrado por haver sido o primeiro imperador romano a assumir honras divinas durante seu próprio período de vida terrena. Antes dele, acreditava-se que, de alguma maneira, após a morte, os imperadores chegavam a certo grau de divindade. Essa idéia vinha desde a antiguidade. Mas, quando os imperadores romanos começaram a pensar que eram divinos, mesmo enquanto ainda viviam em seus corpos físicos, exigindo adoração e respeito como se fossem divindades, grandes tribulações foram criadas para os cristãos primitivos, que se recusavam a envolver-se com uma idolatria tão estúpida. Ver o artigo sobre a *Deificação*, quanto a completas explicações sobre a questão. Domiciano também foi um dos perseguidores romanos dos cristãos.

O conquistador de Jerusalém, Tito, filho de Vespasiano, morreu prematuramente aos quarenta e dois anos, dois anos depois de ter-se tornado imperador. Domiciano era o irmão mais jovem de Tito. Não era um soldado treinado, conforme tinham sido Vespasiano e Tito. Portanto, ele era um tanto ridicularizado. Talvez essa circunstância lhe tenha emprestado um espírito vingativo, que fez dele uma praga para os cristãos e para muitos outros. Domiciano mostrou grande habilidade na escolha de homens capazes, e suas aventuras militares foram bem-sucedidas. Portanto, até mesmo como homem de armas ele obteve alguma glória, embora através de delegados seus, que realmente combatiam. Domiciano, entretanto, era perseguido por temores patológicos e suspeitas de todos quantos o cercavam. Essa atitude provocou muitos fatos lamentáveis, conforme narram Tácito (*Agricola* 45.2) e Plínio (*Pan*. 48). Domiciano fez muitas vítimas, em resultado de seus defeitos, e deu continuação à perniciosa política que Nero havia estabelecido. Portanto, ele é contado juntamente com Nero como um homicida e perseguidor sistemático. *Irineu* (Her. 5.30,3) informa-nos que o livro de Apocalipse foi escrito durante o reinado de Domiciano, e muitas passagens desse livro mostram que Roma se tornara selvagem, e teria de sofrer o julgamento divino. Finalmente, o imperador foi assassinado, em 96 D.C., por meio de um conluio apoiado por sua própria esposa, que também vivia assaltada por temores. Assim Domiciano recebeu o que merecia, após um reinado de terror de quinze anos. Ver o artigo sobre *Perseguição*, que mostra que o bem pode proceder até mesmo de um reinado assim.

DOMINGO, DIA DO SENHOR

O dia do sol. Os romanos dedicaram o **primeiro dia** da semana à adoração do sol. Conseqüentemente, este dia foi chamado o *dia do sol*. Em inglês, o nome do dia, *Sunday* retém este uso. Cristo foi o *Sol da Retidão*, e substituiu o sol físico quando o primeiro dia da semana começou a comemorar sua ressurreição. O português *domingo* vem do lat. *dies dominica* (dia do Senhor), e nesta linguagem, a transição histórica do sol para o *Sol* é evidente. Ver Mal.4:2. O sol físico sustenta a vida física. O Sol espiritual sustenta a vida espiritual. Não estou impressionado com argumentos contra o domingo, como um dia religioso especial para os cristãos, que fazem caso do fato de que, originalmente, o primeiro dia da semana era uma comemoração pagã. Cristo mudou tudo isto, e porque não?

Ver os artigos separados sobre *Domingo Identificado com o Sábado*, e *Sabatismo, Observação de Dias Especiais*.

I. O kuriakos

No **dia do Senhor**, Apo. 1:10. Isso deve ser distinguido da expressão, «dia do Senhor», que sempre é dito de modo diferente no original grego. Temos aqui a palavra *kuriakos*, um sentido adjetivado, isto é, «pertencente ao Senhor». Originalmente, essa palavra era usada com o sentido de *imperial*, algo que pertencia ao imperador romano. Havia também a expressão *hemera sebaste*, «dia de Augusto», que era o primeiro dia de cada mês, o «dia do imperador», quando eram feitos pagamentos em dinheiro. (Comparar isso com I Cor. 16:1 e *ss*). Os crentes primitivos tomaram essa expressão por empréstimo e aplicaram-na ao *domingo*, o primeiro dia da semana. Esse é o uso que se encontra em *Didache* 14 e Inácio, *Magn*. 9, que foram escritos não muito depois da composição do livro de Apocalipse. Inácio, explicando por que os primitivos cristãos adoravam nesse dia, o dia do Senhor, o domingo, diz: «...nossa vida se originou através dele e de sua morte». (*Inácio, Magn*. 9:1). Nos escritos de Melito de Sardes há um tratado concernente à adoração no domingo, que leva o título de *peri kuriakes* (acerca do dia do Senhor), a mesma palavra é usada em Apo. 1:10. Os escritos mencionados aqui emanaram da Ásia Menor, sendo possível que tal expressão se tenha originado nas igrejas dali. Obviamente o termo veio a ser geralmente empregado antes dos fins do segundo

DOMINGO, DIA DO SENHOR

século, pois Dionísio de Corinto (ver Eusébio, *História Eclesiástica*, iv.23.11) refere-se ao «dia santo do Senhor», o dia do «recolhimento» dos crentes. Há outras alusões, nos escritos dos pais da igreja, acerca disso, em Clemente de Alexandria (ver *Strom*. vii.12) e em Tertuliano (ver *De Cor*. iii).

II. Sabatismo e domingo

Ver o artigo separado sobre **Sabatismo**.

1. Grande parte da epístola aos Romanos foi especificamente escrita com a finalidade de ensinar-nos que agora *não estamos* mais debaixo da lei mosaica, e que, de fato, os gentios nunca o estiveram. Essa é a lei que os judeus imaginavam que lhes servia de instrumento de salvação e várias referências bíblicas mostram-nos que o apóstolo Paulo incluiu nessa categoria tanto os aspectos morais como os aspectos cerimoniais da lei mosaica. Sendo um bom judeu, Paulo não teria estabelecido diferença entre «leis morais» e *leis cerimoniais*, conforme se tornou usual hoje em dia fazer tal distinção. Pode-se observar, no décimo terceiro capítulo da epístola aos Romanos, que a lei que é cumprida pelo amor é aquela que proíbe o adultério, o furto, etc.; e essa não é a chamada «lei cerimonial», e, sim, aquela que é cumprida dentro do sistema da graça, mediante o amor. A lei discutida por Paulo, no segundo capítulo da epístola aos Romanos, é bem definida em seus aspectos «morais», embora não exclusivamente. Podemos observar Rom. 2:20-22, que são convincentes quanto a esse ponto. O exame inteiro da lei e do pecado, até o fim do terceiro capítulo desta epístola, onde Paulo começa a mostrar a verdade da justificação pela fé, aborda questões «morais», e não meramente cerimoniais. No entanto, em Rom. 3:28, Paulo diz claramente que um homem é justificado pela fé, independentemente das obras da lei; e isso não elimina a lei, mas antes, confirma-a, ou seja, através de seu uso apropriado, revela o pecado. Com isso se pode comparar o trecho de Rom. 3:10-12. E os versículos vinte e quatro e vinte e cinco desse mesmo terceiro capítulo de Romanos mostram-nos que não estamos mais *debaixo da lei*. Sendo assim o caso, dificilmente pode-se pensar que o dia do sábado continue sendo um preceito obrigatório para os crentes do N.T. Sumariando: A despeito de todos os preceitos morais da lei serem reiterados no N.T., como reflexos da moralidade que se espera da parte dos crentes, ainda que essa moralidade só possa ser obtida mediante a graça divina, devido à influência íntima do Espírito de Deus, e não através de observâncias legalistas, contudo, o *sábado* jamais é reiterado no N.T. como algo obrigatório para os crentes.

2. Também não estamos obrigados a observar algum suposto *sábado cristão*. A exposição feita por Paulo, neste ponto de sua epístola aos Romanos, indica que nenhum dia é mais santo do que qualquer outro dia. Podemos ver, no trecho de Col. 2:16, que o «sábado» foi incluído naqueles itens concernentes aos quais não devemos permitir que os homens nos julguem. Fazer com que essas palavras do apóstolo se refiram aos «sábados» ou grandes festividades religiosas dos judeus, não reflete uma boa exegese, embora a idéia também deva incluir necessariamente esse pensamento. É verdade que a palavra em foco, *sábados*, é usada no plural, em Col. 2:16; mas o plural era com freqüência utilizado nas Escrituras, como se fosse o singular. (No A.T., ver os trechos de Êxo. 20:8 e Deut. 5:12, e no N.T. ver Mat. 28:1; 12:1,5,10-12; Marc. 1:21). O plural era geralmente usado a fim de destacar a importância desse dia, e não

necessariamente para indicar pluralidade, o que, de resto, era um truque lingüístico muito próprio e comum da língua hebraica. Outrossim, mesmo que o plural, referido em Col. 2:16, fizesse alusão a diversos «sábados», nem isso deixaria de incluir o «sábado».

3. O apóstolo Paulo ensina-nos, — em Rom. 14:5, que *nenhum dia* é especial por si mesmo. O domingo não é o «sábado cristão», conforme muitos o têm chamado, e não é mais obrigatório e nem digno de maior atenção do que o sábado (ou mesmo do que qualquer outro dia da semana). Os crentes primitivos se reuniam no primeiro dia da semana ou domingo, conforme se verifica em várias passagens, desde que o Senhor Jesus se ausentou deles. Mas o próprio N.T. não ensina que devamos guardar o domingo, como se este houvesse substituído o sábado, dentro da nova economia da graça divina.

Por isso mesmo disse Alford (*in loc*.): «A inferência óbvia, dessa linha de argumentação, é que ele (Paulo) não reconhecia qualquer obrigação com essa 'a da guarda de algum dia especial', mas antes, cria que, para os crentes, sobretudo os 'fortes na fé', todos os dias são 'iguais'».

Essas palavras refletem a doutrina paulina verdadeira, e o **sabatismo** labora em erro como princípio doutrinário, ainda que venha sendo preservado por algumas seitas cristãs. Não obstante, cumpre-nos respeitar a história eclesiástica e suas tradições, mas não tão rígida e rigorosamente como alguns querem fazê-lo. Por isso, seguindo o exemplo da igreja primitiva, reunimo-nos geralmente no domingo, quando então efetuamos nossos principais ritos simples e nossos cultos principais. Mas fazemos isso não por necessidade, e nem por «imposição legal», e, sim, meramente por ser uma tradição neotestamentária. Porém, a despeito disso, não tentamos fazer do domingo alguma espécie de «sábado».

«Visto os homens terem sido erroneamente ensinados ou influenciados, ou pelos cristãos judaizantes dos primeiros séculos do cristianismo, ou, infelizmente, pelos reformadores e puritanos, desde a Reforma protestante, a maioria dos evangélicos reputa o primeiro dia da semana como um «sábado semanal», como um *dia santo*, embora isso derrote totalmente o seu uso apropriado. Substitui a doce palavra 'privilégio', próprio do sistema da graça, por um duro vocábulo legal 'dever'». (Newell, *in loc*.).

«O chamado ensinamento puritano, quanto a este particular, tem sido denominado, e com muita razão, de 'teologia adúltera', porquanto tem procurado casar os crentes a dois maridos, à lei e a Cristo». (Scofield).

4. *Inácio*. Já desde o ano de 115 D.C., Inácio (martirizado naquele ano) mencionou que os crentes não mais observavam o «sábado», e, sim, o «Dia do Senhor», «...de quem, a nossa vida, na qualidade de ressuscitados por meio dele, depende». Justino Mártir, que deu sua vida em cerca de 168 D.C., quando foi repreendido por Trifo, por ter 'desistido do sábado', retrucou: «Como podemos guardar o sábado, se descansamos do pecado todos os dias da semana?» Apesar do primeiro dia da semana ter sido assim honrado, e apesar do dia de sábado ter passado para os registros históricos como um dia religioso especial, o primeiro dia da semana de maneira alguma tem assumido o caráter do antigo sábado. Pelo contrário, cabe-nos o privilégio de honrar a Cristo e à sua ressurreição, reunindo-nos no primeiro dia da semana. E poderíamos fazer isso em qualquer outro dia, sem com isso desobedecermos a qualquer lei moral, embora com isso criássemos uma tradição de muito menor *valor histórico*.

DOMINGO — DOMINGO DA TRINDADE

5. *Cada um tenha opinião*. É interessante que Paulo não proíbe a ninguém reunir-se em dia de sábado e observar sua guarda, como também não proíbe *qualquer outro* dia. Aquele que porventura queira guardar o dia de sábado, que o faça, para glória do Senhor; e aqueles que se reunirem em outro dia qualquer, ou todos os dias, sem destacar qualquer dia como especial, que também o façam para a glória do Senhor. Nenhuma dessas coisas será jamais condenada por Deus, embora surjam muitos críticos humanos. Moisés jamais poderia ter dito: «Cada um tenha opinião bem definida em sua própria mente». Mas o apóstolo Paulo, o grande defensor do sistema da graça, pôde fazer tal declaração, sendo esse um dos grandes lemas da igreja cristã, o que concorda mui harmoniosamente com a liberdade cristã, porquanto não estamos debaixo da escravidão.

«No que concerne à observância de dias e anos, podemos comparar esta passagem com os trechos de Gál. 4:10 e Col. 2:16. Essas passagens consideradas conjuntamente, dão-nos a entender claramente que a observância de dias especiais não conta com qualquer sanção absoluta, mas é puramente uma questão de expediente religioso. Entretanto, isso é base suficiente sobre o que nos escudamos, e a experiência parece favorecer algum sistema como aquele adotado pela nossa própria igreja cristã». (Sanday, *in loc*).

6. *Liberdade*. Paulo não toma qualquer decisão a respeito dessa questão, pois, para ele, era uma daquelas *questões indiferentes*. No entanto, objetava contra as pessoas que tentavam forçar suas opiniões a outras, exagerando a importância da observância de certo dia ou dias. Também condenou os crentes da Galácia por agirem desse modo, onde assumiu uma atitude negativa sobre a questão, em vez de uma atitude neutra, devido aos exageros com que aqueles crentes se tinham aferrado às antigas práticas judaicas. Isso era prejudicial para os conceitos da graça gratuita naquela localidade. (Ver Gál. 4:9 e *ss*). Tais observâncias ameaçavam destruir o trabalho do apóstolo dos gentios entre os gálatas.

No que diz respeito aos crentes de Roma, Paulo fazia objeção mais cerrada acerca da controvérsia provocada pelas observâncias de dias religiosos especiais, controvérsia essa que destruíra o espírito de amor e unidade nas igrejas da Galácia.

7. *Consciência*. Podemos notar aqui a ênfase sobre as *questões de consciência*. Paulo confiava que esse elemento da natureza humana, dado por Deus, mediante consideração cautelosa, e com a orientação do Espírito Santo, é capaz de mostrar o curso de ação que o crente deve tomar. Ver o artigo sobre *Consciência*.

DOMINGO, IDENTIFICADO COM O SÁBADO

1. *Atitude Legalista*. É muito difícil os homens desfrutarem da plena liberdade do Espírito. Portanto, apesar da lei sobre o sábado não ser reiterada no Novo Testamento, alguns religiosos, através dos séculos, têm sentido ser necessário fazer do domingo uma espécie de sábado cristão. Ver o artigo separado sobre o *Sabatismo* e a *Observância de Dias Especiais*. A questão inteira da suposta natureza obrigatória do sábado, por parte dos crentes do Novo Testamento, é discutida juntamente com a questão se *qualquer dia*, incluindo o domingo, importa em uma observância obrigatória para os que estão sob o novo pacto da graça.

2. *Antes do Século XVI*. Os primitivos cristãos não confundiam o sábado com o Dia do Senhor. Na época da Reforma protestante, Lutero, Zwínglio, Calvino e outros dentre os primeiros reformadores ensinavam que o **sábado foi ab-rogado** no cristianismo. Calvino disse que era um insulto para os judeus terem de alterar seu dia de guarda. Foi dentro do puritanismo inglês (que vide) que o domingo passou a ser considerado um sábado cristão. A Confissão de Fé de Westminster (que vide) popularizou esse conceito, a partir de 1647. O congregacionalismo da Nova Inglaterra (que vide) introduziu esse novo sábado na civilização do Novo Mundo, e os calvinistas da América do Norte trataram de popularizar ali a idéia. Rogerenos, Batistas do Sétimo Dia (que vide), e os posteriores Adventistas do Sétimo Dia (que vide), visto que promoviam o sábado tradicional, opuseram-se à idéia do «novo sábado». Portanto, encontramos aí a estranha situação de um erro fazendo oposição a outro, ao passo que Paulo ensinou que os cristãos não estão na obrigação de fazer *qualquer* dia ser mais especial que outro qualquer (Rom. 14:5). Ao mesmo tempo, os crentes têm a liberdade de observar dias, contanto que o façam *para o Senhor*, visando à sua glória, e tendo em vista propósitos espirituais. Todavia, isso não pode ser reduzido a um dogma, nem imposto a terceiros, porquanto Paulo, quanto a essa questão, apelou para a *liberdade* cristã.

3. *O Poder dos Costumes e da Piedade*. Apesar do domingo não ser o dia obrigatório de adoração, para os cristãos, os primitivos cristãos reuniam-se no primeiro dia da semana, quase que desde o começo da Igreja, a fim de comemorar a ressurreição de Jesus Cristo. Ver o artigo separado sobre *Domingo, Dia do Senhor*, quanto a um estudo mais completo a respeito. Conseqüentemente, é conveniente e apropriado observar o domingo como um dia especial, embora não seja obrigatório. Todavia, é um erro vincular ao mesmo aqueles regulamentos que diziam respeito à guarda do sábado, por parte dos israelitas. Se alguém não quiser trabalhar nesse dia, isso é seu privilégio. Se ele quiser trabalhar nesse dia, e, ao mesmo tempo, puder cumprir seus deveres religiosos e morais, então ele tem a liberdade de fazê-lo.

4. *O Dia do Sol*. Os romanos dedicavam o primeiro dia da semana à adoração ao sol. Portanto, em inglês, o domingo é chamado «Sunday», que, literalmente, significa, «dia do sol». Em português, segundo muitos dizem, a palavra domingo vem de *Dominus diae*, «dia do Senhor». Cristo é o Sol da Justiça, pelo que há algo de significativo no fato de que ele ressuscitou no primeiro dia da semana.

Aqueles que se opõem ao domingo como dia de adoração dos cristãos, salientam a conexão com Roma pagã, e sua adoração ao sol. Todavia, isso não nos deve perturbar, porquanto posso ver o Sol da Justiça a ressurgir dentre os mortos naquele dia. Ver Mal. 4:2. A ressurreição de Jesus Cristo foi um acontecimento extremamente significativo, doador de vida. E o dia em que a sua ressurreição teve lugar, naturalmente tornou-se um dia especial para a memória dos cristãos primitivos e para a Igreja cristã de todos os séculos. — Como o sol é a fonte originária da vida física, assim também a vida de Cristo é a essência de toda a vida espiritual. Também deveríamos frisar que o dia do Senhor foi uma *nova instituição*, e não um novo sábado. Ocorreu então algo inteiramente diferente, que passou a ser comemorado nesse dia. Não devemos rebaixar a sua importância, reduzindo-o a um novo sábado.

DOMINGO DA TRINDADE

A festa da Trindade (que vide) é observada no

DOMINGO DE RAMOS — DONATISMO

domingo após o Pentecoste (que vide). Por volta do século XIV, isso tornara-se costumeiro em toda a Igreja latina. A Igreja Ortodoxa Oriental honra a Trindade durante a própria festa de Pentecoste. Em várias igrejas do norte da Europa, e agora nos livros de oração dos luteranos e anglicanos, essa festa religiosa toma o nome de *Whitsunday* (o nome do Pentecoste na Igreja da Inglaterra; ver o artigo a respeito), sendo o domingo após o qual os domingos eram enumerados até o *advento* (que vide). Ver sobre a celebração da *Natividade*.

DOMINGO DE RAMOS

Trata-se do domingo antes da Páscoa. Comemora a entrada triunfal de Jesus em Jerusalém, conforme o registro de João 12:12 *ss*. Ver também Mat. 21:4-9; Mar. 11:7-10 e Luc. 19:35-38. Em Jerusalém, a começar pelo século IV D.C., os cristãos reuniam-se no monte das Oliveiras, levando palmas. Eles escoltavam o bispo até o interior da cidade, imitando a ação daqueles que prepararam o caminho para Jesus entrar em Jerusalém, poucos dias antes de sua crucificação, cuja ação, segundo todas as aparências, continuava sendo favorecida pelo povo. Essa celebração, que começou em Jerusalém, gradualmente foi se espalhando por toda a cristandade, de tal modo que aquele dia passou a ser oficialmente comemorado.

DOMINGOS, SÃO

Domingos foi o fundador da **Ordem dos Pregadores**, ou seja, a **Ordem Dominicana**. Juntamente com Francisco (que vide), ele foi um dos líderes das reformas medievais da vida cristã. Nasceu em Calaroga, na Espanha. Suas datas foram cerca de 1170-1221. Morreu em Bolonha, na Itália. Era conhecido por sua incansável energia, que usava para viajar e ensinar, obtendo imenso sucesso em alguns lugares da Europa. Também era homem muito dedicado à oração e às penitências. Parte de seu labor era gasta na organização e extensão da ordem que fundara, incluindo o avanço para vários outros países. Uma constituição da ordem foi formulada, juntamente com a regra de Stº Agostinho. Quatro mosteiros foram estabelecidos, vinte priores, oito províncias e muitos missionários foram comissionados. Desgastado por seus ingentes esforços, faleceu a 6 de agosto de 1221. Seu amigo, e, por algum tempo, colaborador (antes de ter-se tornado papa), Gregório IX, canonizou-o em 1234. Ele dizia que Domingos havia vivido a vida dos apóstolos com perfeição. O dia de sua festa é 4 de agosto. (AM E)

DOMINIC GUNDISALVO

Ver **Gundisalvo, Dominic**.

DOMINICALE

Vem do latim e significa «Senhor». Trata-se de um véu usado pelas mulheres, ao aproximarem-se da mesa da comunhão. O concílio de Auxerre (585 ou 587 D.C.), explicou o mesmo como um pano com que as mulheres cobriam suas mãos a fim de receberem a eucaristia. Porém, o *penitentiale*, de Teodósio, declarou que se trata de um véu para cobrir a cabeça, sendo provável que o mesmo pano servia para ambos os propósitos. Naturalmente, o uso está baseado na injunção paulina de I Coríntios 11. Ver o artigo separado sobre *Véu*.

●●● ●●● ●●●

DOMINICUM

Vem do latim, **dominus**, «Senhor». É adjetivo que tem o sentido de «a casa do Senhor». Designa os edifícios onde os antigos cristãos efetuavam suas funções como uma igreja, em tempos de perseguição. Usualmente pareciam-se com residências particulares, embora um tanto maiores e mais ornadas. Eram simples templos cristãos, em uma época quando a elaboração nessas construções ainda não havia começado. O termo continuou em uso até o século IV D.C., inclusive.

DOMÍNIO

Essa é uma possível tradução das palavras hebraicas e gregas que expressam as idéias de governo, senhorio, predomínio, força e poder. Abaixo sumariamos os usos possíveis:

1. O *domínio de Deus* sobre o mundo, como Soberano absoluto (Sal. 22:28).

2. O *domínio do homem* sobre a natureza terrena, como um direito dado por Deus (Gên. 1:26; Sal. 8:6).

3. O *domínio de Cristo*, que será futuro e universal (I Cor. 15:24-28; II Tes. 2:8).

4. A participação dos remidos nesse domínio (II Tim. 2:12; Apo. 3:21).

5. A liberdade dos crentes no domínio do pecado (Rom. 6:9,14; 7:1).

6. Os *domínios angelicais*, que envolvem o uso da palavra grega *kuriótes* (Efé. 1:21; Col. 1:16; Jud. 8; II Ped. 2:10). O Novo Testamento tem uma angelologia altamente desenvolvida, na qual é projetada a idéia de que há muitas ordens de anjos, com diversos níveis de poder e autoridade. Ver o artigo geral sobre os Anjos. As várias passagens falam sobre anjos bons e anjos maus. Comparar com Efé. 2:2; 6:12. A passagem de II Pedro tem sido alternativamente interpretada como trecho que salienta a majestade de Deus, ou o Senhorio de Cristo, ou as autoridades da Igreja.

7. O *domínio universal de Cristo* sobre todas as esferas (Fil. 2:9 *ss*; Efé. 1:9,10,23), — mostra que esse domínio não é uma mera submissão forçada. O amor e o desígnio de Deus operam através desse domínio, visando a propósitos restauradores. Ver o artigo sobre a *Restauração*. Portanto, vemos que o poder de Deus opera juntamente com os princípios da graça e do amor. O próprio juízo faz parte daquilo que aprendemos em I Pedro 4:6. Isso é precisamente o que poderíamos esperar da parte de Deus, — que é tanto todo-poderoso quanto supremamente bom e eternamente amoroso.

DONATISMO, DONATISTAS

Os donatistas foram uma seita cismática que surgiu na primeira porção do século IV D.C., em Cartago, no norte da África. O nome da seita derivava-se do bispo Donato, o principal poder eclesiástico de Cartago. Apesar de que muitos problemas foram ventilados, com um movimento contra a Igreja tradicional, o problema principal envolvia a administração dos sacramentos. Os donatistas asseveravam que a validade desses sacramentos dependia do mérito daquele que os administrava. Agostinho foi seu mais ilustre oponente. Ele mantinha que o verdadeiro ministrante dos sacramentos é Cristo, que a eficácia dos mesmos depende dele, e não dos imperfeitos instrumentos humanos que os aplicam.

O incidente histórico que foi o estopim da controvérsia foi a eleição de Ceciliano, bispo de Cartago, em 311 D.C. Uma minoria afirmava que sua

216

DONINHA — DONS ESPIRITUAIS

consagração não fora válida, visto que da mesma participara Félix de Artunga, que escapara ao martírio, na época de Diocleciano, mediante um ato de traição, que incluíra a entrada de livros sagrados da Igreja às autoridades do Estado. Em lugar dele, os bispos númidas consagraram Majorino, em 312 D.C., e então Donato, em 315 D.C. Com a ascensão deste último, a controvérsia aumentou muito em intensidade.

Os donatistas apelaram por três vezes ao imperador Constantino. Os sínodos de 313, 314 e 316 D.C. ouviram suas reivindicações, embora dando seu apoio a Ceciliano. Os donatistas rejeitaram essas decisões e puseram em dúvida o poder do imperador pronunciar-se sobre questões eclesiásticas. Donato levou seu caso à Igreja nativa do Norte da África, e não demorou para essa área incendiar-se contra a Igreja de Roma. Constantino retaliou exilando os bispos donatistas, confiscando propriedades e enviando um exército. A força, porém, não resolveu a questão. Os partidários de Donato vagueavam por vários lugares, aterrorizando e forçando conversões ao donatismo. Em 411 D.C., os donatistas foram declarados um movimento ilegal, pelo imperador. A invasão do Norte da África, pelos vândalos, no século V D.C., causou um grande declínio no movimento. Entretanto, o donatismo resistiu até à conquista islâmica da África, no século VII D.C.

Um importante ato eclesiástico resultante disso foi a decisão, tomada pelo sínodo de Arles (que vide), efetuado em 314 D.C., no sentido de que a validade da ordenação e do batismo de alguém não dependia do mérito do seu administrador. Que dizer, pois, acerca do incidente com o arcebispo Cranmer (que vide)?

DONINHA

No hebraico, **choled**, palavra que aparece exclusivamente em Lev. 11:29. Na Palestina havia várias espécies de doninha, embora não haja certeza, entre os estudiosos, acerca do animal em foco nesse versículo. O termo árabe cognato, *huld*, refere-se à toupeira, o *Spalax typhlus*. Porém, não há como determinar cientificamente que animal está em foco nesse trecho de Levítico. Seja como for, deve ter sido um dos muitos animais *imundos*, que o povo de Israel foi proibido de usar como alimento. Ver o artigo sobre *Limpo e Imundo*, e também sobre *Alimentos*.

Na nossa Bíblia portuguesa é tradução de um termo hebraico que aparece somente em Lev. 11:29. A doninha, juntamente com o rato, o lagarto, o crocodilo da terra, a lagartixa, o lagarto da areia e o camaleão era considerada um animal impróprio para servir de alimento humano. As glândulas desse animal, que emitem forte odor, tornam sua carne imprópria para o consumo. Uma outra razão de ser a doninha alistada entre os animais imundos é que no Egito era animal consagrado à lua. Na Grécia e em Roma, a doninha era criada para controlar os ratos, antes que os gatos passassem a ser usados com o mesmo propósito. A doninha não é rara na Palestina.

DONNE, JOHN

Suas datas foram 1572-1631. Foi eclesiástico e poeta inglês de considerável poder. No começo ele era católico romano, mas, finalmente, ingressou no sacerdócio anglicano, tendo sido soldado, diplomata e erudito. Estudou em Oxford, em Cambridge e no Lincoln's Inn. Tornou-se deão de São Paulo, em Londres, e era considerado o mais eloqüente pregador do século XVII. Sua poesia revela a larga gama de seus interesses e de sua erudição. Seus *Poemas Divinos*, embora não muito numerosos, são cheios de poder e expressividade. Ele estabeleceu o padrão para a escola metafísica de poetas, que foi influenciada por sua obra. Seus melhores escritos em prosa estão contidos em seus *Sermons* e *Devotions upon Emergente Occasions*.

DONOSO CORTES, JUAN

Suas datas foram 1809-1853. Foi um religioso espanhol, tradicionalista e dogmatista. Ele assumia uma posição extrema, dizendo que a política secular é uma contradição, e que o próprio catolicismo é a civilização. Em sua obra, *Ensaio sobre o Catolicismo, o Liberalismo e o Socialismo*, ele afirma que a tolerância é um falso ideal. Ele admitia que o homem é falível, mas ele asseverava que a Igreja de Roma é infalível, e que os seus dogmas exprimem *a* verdade. Aqueles que negassem isso estariam laborando em erro, e o erro não pode ser tolerado. Portanto, ele representava as personalidades unilaterais, completamente enfatuadas por seus sistemas, tornando a vida miserável para as outras pessoas. Infelizmente, todas as religiões e sistemas políticos envolvem esse tipo de advogados.

DONS DIVINOS

Ver sobre **Dom**, III, Os Dons Divinos.

DONS ESPIRITUAIS

Grego: **Charismata**

Textos principais: I Cor. 12:1-14:40; Rom. 12:6-8.
Esboço:
Introdução
  I. Problemas Afins
 II. Abuso do Exercício dos Dons Espirituais
III. Alternativos aos Dons como Manifestados no Primeiro Século
 IV. Charismata

  1. Operação de Milagres
  2. Dom da Cura
  3. Dons de Ajudas
  4. Dons de Governos
  5. Dom da Fé
  6. Apóstolos
  7. Profetas
  8. Dom da Profecia
  9. Dom do Discernimento de Espíritos
 10. Dom do Ensino
 11. Dom da Exortação
 12. Dom da Palavra de Sabedoria
 13. Dom da Palavra do Conhecimento
 14. Dom de Línguas
 15. Dom da Interpretação de Línguas

Encontramos em I Cor. 12:1-14:40 o problema da natureza e da origem *dos dons* e manifestações espirituais. Era estranho o paradoxo que aquilo que os crentes de Corinto imaginavam que os distinguia, acima de tudo, como uma comunidade espiritual de elevada qualidade, era a sua abundante possessão e uso dos dons espirituais. No entanto, é valendo-se justamente disso que Paulo mostra a carnalidade deles, visto que abusavam dos seus poderes. É bem possível que naqueles primeiros anos da igreja cristã a posse de tais dons era mais um lugar comum do que uma raridade, e, portanto, que não demonstrasse,

DONS ESPIRITUAIS

necessariamente, qualquer evidência de espiritualidade superior, ou mesmo de qualquer busca espiritual mais intensa. Precisamos supor, com base na passagem de I Cor. 12:1-14:40, que crentes carnais tanto possuíam como usavam os dons espirituais, se é que os mesmos eram genuínos. Com base nos eventos modernos, sabemos que os mesmos eram genuínos. Experiência moderna também demonstra que nem toda a manifestação de poder sobrenatural procede do Espírito Santo.

I. Problemas afins. Precisamos encarar com suspeita aquelas congregações locais que dependem de elevada dose de levante emotivo nos cultos, a fim de «fazer baixar» o poder. É fato bem conhecido que no frenesi da emotividade, as pessoas com freqüência entram nos estágios iniciais de um transe; e, nessa condição, ficam sujeitas à influência de certos «espíritos», e não apenas do Espírito Santo. Além disso, sem que tenha consciência do fato, uma pessoa pode «auto-hipnotizar-se». É então, nesse estado, despertando poderes psíquicos naturais, que se confundem as manifestações do Espírito com as manifestações do espírito humano.

Nesse estado, várias «imitações» podem evidenciar-se. Os êxtases não são errados por si mesmos, porquanto Pedro e Paulo experimentaram transes, e então receberam visões. Isso é típico das experiências místicas; e algumas vezes é até um fenômeno necessário. Pedro caiu em êxtase. (ver Atos 10:10); Paulo por igual modo (ver Atos 22:17). Mas outro tanto ocorreu com Balaão, o falso profeta (ver Núm. 24:4,16). E assim também sucedia às antigas sacerdotisas dos cultos pagãos, antes da vinda de Cristo; —muitas das predições dessas sacerdotisas se cumpriram à risca. A mesma coisa sucede hoje em dia no espiritismo e entre os místicos em todo o mundo.

Com base nesses fatos, pode-se perceber facilmente que o contato com o sobrenatural, com profecias verdadeiras, com o falar em línguas, com as curas, com todas as manifestações dessa natureza, através das experiências místicas, não precisam ser originadas por uma única fonte, necessariamente boa e justa. Assim sendo as coisas, devemos ser cautelosos em nossa aquilatação das «realidades» e da «falsidade» de manifestações que vemos e ouvimos. A regra de Cristo estipula que podemos conhecê-los pelos frutos também não traça a linha demarcatória mui distintamente. E isso porque pessoas totalmente destituídas da experiência evangélica, têm vidas definidamente boas em sua forma de experiências místicas. Talvez, finalmente, somente Deus possa julgar tais coisas. Seja como for, o quadro na igreja cristã, hoje em dia, está terrivelmente confuso. Isso não significa, contudo, que não devamos buscar os dons espirituais; mas significa que devemos buscá-los somente «através» do desenvolvimento espiritual, e não como desejo de obter acesso à espiritualidade mediante algum atalho fácil. Pode-se dizer, com toda a confiança, que aquele que tem o preparo espiritual prévio, que anela em sua busca espiritual, que tem a vida moral sã o aponta como um crente digno, pode buscar e obter os dons espirituais. Todavia, o crente carnal, que procura a piedade através de atalhos diversos, ou que motivado pela curiosidade procura obter tais fenômenos, esses são aqueles que terminam por obter um certo poder, embora de natureza «estranha» e negativa.

Demonismo? Não é de estranhar que muitas igrejas que buscam ambiciosamente os dons espirituais são aquelas que têm dificuldades com a possessão demoníaca? Por que não lhes ocorre que os mesmos espíritos que os levam a falar em línguas, a curar, a profetizar, etc., são os mesmos que os possuem e que, finalmente, mostram sua malignidade moral levando-os a se sentirem psicológica e moralmente agitados, o que algumas vezes os leva à insanidade mental? Assim é que em uma reunião um espírito é expulso de alguém; mas, na próxima reunião, tudo se repete. Tudo isso é atribuído ao Espírito Santo, quando, na realidade, só se manifesta um «espiritismo» ignorante. Pelo menos os espíritas dizem apenas que entram em contacto com espíritos humanos de pessoas falecidas; e são suficientemente sábios para saber que alguns deles, pelo menos, são malignos. Mas na igreja, em sua infantilidade, não são tomadas essas precauções; e o resultado disso são muitas pessoas que terminam por sofrer de perturbações psíquicas. Tais fatos não podem ser ignorados, sem importar se pensamos que «espíritos humanos» estão ou não no fundo dessa questão. Ver o artigo sobre *Demônios*.

II. Abuso do exercício dos dons espirituais. Os versículos vigésimo nono e trigésimo do décimo segundo capítulo de I Cor. bem como o trecho de I Cor. 14:26, indicam que reinava grande confusão na igreja de Corinto, no tocante ao uso de supostos dons espirituais. Paulo deixa entendido que não cria que qualquer pessoa dali exercia genuinamente o falar em línguas, a interpretação de línguas, revelações, ensinamento de doutrinas, ou que naquela igreja se exercessem tantas manifestações espirituais ao mesmo tempo. Com base nesses versículos, pelo menos se pode chegar à conclusão de que havia fraude em Corinto; que nem todos eram o que se faziam ser; que havia heresias que envolviam seus supostos usos elevados dos dons espirituais. Outrossim, não há que duvidar que havia abusos de dons espirituais genuínos. Os crentes de Corinto, de acordo com suas pretensões e seu espírito altivo, usavam tais dons ou imitavam-nos em determinadas ocasiões, a fim de se exaltarem pessoalmente, e não a fim de glorificarem a Cristo. Por esse motivo é que todos precisavam estar preparados para fazer «qualquer coisa», assim supostamente demonstrando suas grandes habilidades espirituais. E então vemos que a confusão reinava. Não «esperavam» um pelo outro e nem respeitavam aos próprios irmãos. Todos falavam ao mesmo tempo e faziam esforço para ocupar o centro do palco, onde se focalizava a atenção de todos, o que não era um meio de exaltar a Cristo, mas a si mesmos. (Ver I Cor. 14:39-31). Sua ostentação havia abafado até mesmo seu bom senso de cortesia e decência. Haviam transformado a igreja local em um circo ruidoso, em vez de um solene santuário que visava à adoração a Deus. Com freqüência, tal como em Corinto, quando a igreja local é transformada em um teatro, transforma-se em um «teatro sem valor». Quão verdadeiro é que, quanto a muitos aspectos, a igreja cristã se tenha transformado em um «teatrinho» qualquer, até mesmo onde ninguém reivindica o uso dos dons espirituais. Em tais lugares, sermões ostentosos, o louvor humano, a música mundana, etc., têm tomado o lugar de qualquer busca autêntica pela bênção e pelo poder espirituais. Por conseguinte, os capítulos 12-14 de I Coríntios, que procuram corrigir abusos, nas reuniões da igreja, são muito próprios para nossa época, tendo aplicação contra os mesmos abusos que eram conhecidos entre os crentes coríntios, e tendo outras aplicações gerais e secundárias contra as desordens nos cultos dos crentes antigos.

III. Alternativos aos dons como manifestados no primeiro século. Os abusos que observamos no movimento

DONS ESPIRITUAIS

carismático de hoje, como a influência e possessão demoníacas, desordem geral nos cultos, fanatismo e exclusivismo, obrigam-nos a acreditar que, nos nossos dias, não se tem realizado nenhuma restauração dos dons do N.T. Forças alheias (e meramente humanas) parecem ser as causas dos fenômenos. Desta observação, concluímos o seguinte:

1. **É provável** que os processos históricos e espirituais tenham ultrapassado este tipo de expressão espiritual. I Cor. mostra, certamente, que este modo de expressão espiritual foi, desde o princípio, fraco e sujeito a abusos, e, portanto, não foi um método *ideal*. Nenhum versículo (inclusive I Cor. 13:10) pode ser usado para prever o fim destes dons. A «parousia» (segunda vinda de Cristo) está sob consideração como aquele acontecimento que terminará com os dons, como I Cor. 13:12 faz claro. A despeito disto, a própria experiência bem provavelmente tem mostrado que este método de expressão espiritual já tinha seu tempo. O que se chama «restauração» possivelmente baseie-se sobre forças meramente humanas e forças espirituais alheias.

2. **As alternativas**

a. A santificação diária ligada com a força transformadora da influência do Espírito, tão real como a força antiga, mas se manifestando em uma maneira mais segura, e sujeita a menos abusos. A espiritualidade de alguém pode ser desenvolvida assim, sem a prática de línguas etc. A espiritualidade de alguém pode ser desenvolvida sem a prática de milagres, como no caso de João Batista, maior dos profetas, que não realizou milagres.

b. O toque místico é real em todos que têm a presença do Espírito nas vidas deles. Este toque pode operar de maneiras *diferentes*. A meditação pode ser um meio para aumentar a nossa consciência da presença do Espírito e será um exercício espiritual para algumas pessoas. Todos os crentes devem praticar, cada dia, alguns momentos de meditação. Alguns serão chamados para usar mais diligentemente este método.

c. *Os meios do crescimento espiritual*, que nos fortalecem e nos preparam para servir, são os seguintes:

1. A oração
2. A meditação
3. O treinamento do intelecto nas coisas espirituais, isto é, o estudo.
4. Vivendo a lei do amor, que é a raiz e a prova da espiritualidade, como I João demonstra.

d. *No viver da lei do amor* — o exercício dos dons espirituais (como se manifestam diferentemente em cada indivíduo) para edificar a igreja (Efé. cap. 4), e para evangelizar (o livro inteiro de Atos).

3. **A continuidade dos dons espirituais.** Os dons espirituais são **necessários** em todas as épocas da igreja, porquanto o desenvolvimento da igreja depende dos mesmos (ver Efé. 4:8 e *ss*).

a. Os dons podem manifestar-se de *várias* maneiras, *diferentes* ou *iguais* do que se via no primeiro século cristão.

b. O progresso da espiritualidade poderá levar-nos além da mera restauração, em um avanço constante, especialmente no tocante ao abuso de certos dons como os milagres e línguas. Acredito, porém, que **algumas pessoas** praticam dons verdadeiros nos moldes do primeiro século.

IV. Charismata: Os «dons espirituais». Nota geral: O vocábulo grego «charismata» («graças espirituais»), com exceção do trecho de I Ped. 4:10, é um termo usado exclusivamente pelo apóstolo Paulo, em todo o N.T. A forma singular dessa palavra, ou seja, *charisma*, é usada por esse apóstolo para referir-se à redenção ou salvação como dom gracioso de Deus (ver Rom. 5:15 e 6:23); mas também como um dom que capacita o crente a realizar sua adoração na igreja local (ver I Cor. 7:7); ou ainda como um dom especial que capacita o crente a cumprir certos ministérios particulares na igreja (ver I Cor. 12:28 e *ss.*, que é o tema do esboço do estudo que se segue). Quanto a passagens escritas por Paulo, que falam sobre os «dons espirituais», ver Rom. 12:6-8 e I Cor. 12:4-11,28-30. O décimo terceiro capítulo da primeira epístola aos Coríntios, que apresenta o amor cristão como o grande motivador de toda a ação cristã, inclui o uso dos dons espirituais. Já o décimo quarto capítulo enfatiza a profecia como o maior dos dons, e regulamenta o emprego dos dons espirituais nos cultos de adoração. (Ver também Efé. 4:7-12).

Os dons espirituais sempre subentenderam serviço prestado na igreja, a edificação da igreja. Os dons não eram dados meramente a fim de autenticar a natureza espiritual da igreja, embora talvez exercessem essa função secundária. Mas um dom não é dom enquanto a igreja não for ajudada, por seu intermédio, a crescer em Cristo.

Podemos dividir os dons em «miraculosos» e «não-miraculosos», embora a linha divisória entre essas duas classes nem sempre seja clara; e nosso conhecimento crescente parece sugerir que o termo «miraculoso» não pode ser bem aplicado em muitos casos. Tendemos por classificar como «miraculoso» tudo quanto é «extraordinário», e para o que não temos, no «presente», qualquer explanação. Mas as curas, por exemplo, certamente podem ser classificadas como «miraculosas»; as curas são efetuadas por uma espécie de energia, que pode deixar marcas em chapas de raios X. Todas as pessoas parecem possuir poder de curar até certo ponto; pois, pela força da vontade, pode-se fazer as plantas crescerem ou morrerem. Há pessoas altamente carregadas dessa energia. As curas, portanto, nem sempre requerem qualquer intervenção «divina», mas apenas uma exaltada manipulação de poderes, já existente sob a ordem dos homens. No entanto, há curas definidamente extra-humanas; em alguns casos a origem pode ser angelical; ou, em outros casos, o Espírto de Deus pode intervir pessoalmente. Em tais casos, poderemos reter corretamente a palavra «miraculoso». O mesmo tipo de distinção pode ser feito no caso das línguas, da profecia e dos prodígios que não estão diretamente relacionados às curas.

Talvez fosse melhor classificar os dons como *didáticos*, isto é, aqueles que estão diretamente relacionados ao ensino, à pregação; e *práticos*, isto é, aqueles relacionados aos ministérios práticos, que não se ocupam do ensino.

Quais são os *ministérios práticos* e seus dons? Existem cinco desses, que pertencem a essa classificação:

1. Operação de milagres. (Ver I Cor. 12:10,28,29). No grego encontramos a palavra «dynameis» (poderes). Paulo exercia esse dom, e «autenticava» assim seu apostolado e autoridade. (Ver II Cor. 12:12). Assim também autenticava ele o evangelho que pregava. (Ver Rom. 15:18 e *ss*). De maneira lata, esse dom pode incluir a expulsão de espíritos malignos, e as curas (Atos 8:6 e *ss*. 13; 19:11 e *ss*), como também a ressurreição de mortos (Atos 9:36 e *ss*, 20:9 e *ss*). Vários outros prodígios podem ser incluídos, mais ou menos na categoria das coisas que Jesus fez, como a

DONS ESPIRITUAIS

multiplicação dos pães, a transformação de água em vinho, e coisas similares. Nessa categoria cabem os «sinais» e «maravilhas» operados pelos apóstolos, a exemplo de Jesus (ver Atos 2:43 e 22).

2. Dons de cura. Temos aqui uma espécie de subcategoria da classe anterior, embora tão comum que possa ser distinguida da mesma. (Ver I Cor. 12:9,28,30). O dom supremo de Jesus, o Cristo, o qual, acima de todos os homens, era um curador, sendo ele o Grande Médico: (ver Mat. 4:23 e *ss*). Esse dom foi exercido pelos doze apóstolos quase desde o princípio (ver Mat. 10:1), bem como pelos setenta discípulos (ver Luc. 10:8 e *ss*). Isso também foi uma manifestação proeminente na igreja, após o Pentecoste (ver Atos 5:15 e *ss*. e Tia 5:14 e *ss*). Os escritos dos chamados pais da igreja mostram-nos que esse dom persistiu até mesmo depois que outros haviam desaparecido, nos séculos que se seguiram ao período apostólico. Hoje em dia as curas são generalizadas, não sendo propriedade exclusiva da igreja cristã.

O dom de curas, segundo se pode dizer, atua quando entra em operação o Espírito Santo, a despeito do «tipo» de poder que é «usado» para efetuar essas curas, mesmo que esse poder seja a capacidade inerente da natureza humana. Quanto ao fato pelo qual algumas pessoas não são curadas, nem mesmo por poderosos curadores, ao passo que outras pessoas, mais gravemente enfermas, são imediatamente curadas, ver no NTI as notas expositivas em I Cor. 12:9.

3. Dons de ajudas. (Ver I Cor. 12:28). O trecho de Atos 20:35 indica a natureza desse dom. Paulo exortou aos anciãos de Éfeso que ajudassem aos «fracos», aplicando as palavras do Senhor que disse que é melhor dar do que receber. O ofício de diácono foi trazido à existência especialmente com o propósito de ajudar aos necessitados. (Ver Atos 6:1 e *ss*). A caridade, na forma de «esmolas», era algo extremamente importante no judaísmo; e isso foi transferido para o cristianismo. Nas igrejas cristãs havia membros que eram impelidos pelo Espírito de Deus a terem um interesse especial e intuitivo pelos necessitados, que descobriam meios pelos quais essa necessidade podia ser aliviada. Talvez, em alguns casos, houvesse alguns que tinham recebido posses materiais suficientes para ajudá-los nesse seu ministério de misericórdia.

4. Dons de governos. (Ver I Cor. 12:28 e Rom. 12:8). No tempo de Paulo, a organização eclesiástica era mantida em um nível mínimo. Havia, pois, necessidade de pessoas dotadas de habilidades especiais na organização da justiça social, da administração e da ordem geral. Tais pessoas sabiam como dar conselhos acerca dos aspectos práticos do governo da igreja; e havia também aqueles que organizavam e dirigiam a igreja quanto a essas coisas. Um diácono ou um ancião mui provavelmente eram pessoas dotadas de tal modo que estavam em posição de exercer a autoridade necessária para tanto. Aqueles assim dotados tornavam-se oficiais da igreja, recebendo da congregação a autoridade necessária para cumprir os seus encargos, mediante o exercício de seus dons. É bem provável que as questões práticas, como a conduta da adoração pública, a compra e a venda de propriedades, a expansão das obras da igreja em outras áreas, como as escolas, os auxílios em favor dos pobres, etc., coubessem dentro dos *governos*, pois as pessoas assim dotadas sabiam o que fazer e como fazê-lo.

5. Dom da fé. (Ver I Cor. 12:9). O Espírito Santo pode efetuar e realmente efetua coisas poderosas em favor da igreja, tanto dentro de si mesma como em sua expressão no mundo (ver Mat. 17:19 e *ss*). Existem pessoas dotadas de um poder de fé extraordinário, podendo valer-se do poder de Deus através de uma dedicação incomum que se expressa na forma de fé. As muitas manifestações de «fé» mostram que o exercício dos outros dons provavelmente é envolvido no caso de pessoas que também possuem fé em uma maneira especial, mediante o que são capazes de «curar», de «operar milagres», ou de fazer diversas outras coisas diretamente relacionadas aos dons espirituais. O dom da fé provavelmente também está envolvido no ministério do ensino. Alguns homens confiam em Deus de maneira incomum, na questão de conhecerem a Cristo, à sua Palavra, ao seu sistema espiritual; e, mediante essa fé, também convencem outros a confiarem nele. A fé, em qualquer nível, quando é realmente espiritual, é uma operação do Espírito. Mas há casos em que a fé se manifesta mais intensamente, de tal modo que pode ser corretamente classificada como um dom. E a fé, como um dom, permitiu que os perseguidos e os mártires fossem sustentados e se mostrassem perseverantes até o fim. É certamente um dom especial dos verdadeiros evangelistas.

Os dons alistados abaixo (de números 6 a 15) de alguma maneira estão relacionados ao ministério do ensino, isto é, à administração da Palavra, à mensagem de Cristo, sobretudo na igreja, embora não necessariamente limitados aos crentes. Em alguns casos estão em vista homens «dotados», bem como os dons particulares, que eles mesmos tinham, a fim de cumprir corretamente as suas funções.

6. Apóstolos. (Ver Luc. 6:12 no NTI, quanto a uma lista dos «apóstolos», bem como uma breve descrição a respeito deles. Ver Atos 14:4 quanto ao uso «lato» desse vocábulo. Ver Mat. 10:1 quanto ao «apostolado»). Tanto os apóstolos primários como os apóstolos secundários eram homens dotados; eram também presentes dados pelo Senhor à sua igreja, e agiam como autoridades especiais no seio da mesma. No texto à nossa frente, provavelmente ambas as coisas estão em foco. Esses eram as autoridades supremas na igreja, postos ali a fim de estabelecerem-na e manterem-na; portanto, sua autoridade pessoal precisava ser grande, era mister que possuíssem dons extraordinários, como a profecia, as curas, o governo, etc. Sendo indivíduos altamente dotados, eles mesmos serviam de dons especiais à igreja, quanto à sua iniciação, organização e propagação. O dom do apostolado também devia ser exercido entre os incrédulos. (Ver I Cor. 1:7). Esses gigantes da fé podiam convencer a muitos, conduzindo muitas pessoas aos pés de Cristo. O dom do apostolado, pois, servia de meio autenticador da mensagem de Cristo perante o mundo, demonstrando a validade de seu senhorio messiânico. Os apóstolos, sem igual, eram os «representantes» de Cristo, que deram prosseguimento à sua obra, após a sua ascensão. Assim é que Paulo era o apóstolo «dos gentios», ao passo que Pedro era o apóstolo «da circuncisão», isto é, dos judeus (ver Gál. 2:7 e *ss*). Portanto, cumpriam eles uma grande missão no mundo, como também na igreja. A igreja estava edificada sobre o fundamento dos apóstolos e profetas. (Ver Efé. 2:20).

O poder dos apóstolos não era exercido autocraticamente, de modo absoluto, mas antes, democraticamente, conforme vemos em Atos 15:6,22. E os «anciãos» e «irmãos» estavam incluídos em quase todas as decisões. Somente Paulo parece ter exercido um poder que se aproximava da moderna idéia eclesiástica sobre os «apóstolos»; e a primeira epístola

220

DONS ESPIRITUAIS

aos Coríntios mostra-nos que muitos membros de igrejas cristãs daquela época não reconheciam esse poder em Paulo; pois seu poder estava longe de ser «absoluto» nas igrejas. Porém, não há como negar que poderes especiais e transcendentais eram conferidos aos apóstolos, conforme também João 20:23 bem nos mostra. O caráter sem-par do ofício apostólico fica demonstrado pelos ingentes esforços de Paulo em comprovar a sua validade, conforme se vê em Gál. 1:2 e I Cor. 9:1 e ss.

7. Profetas. Esse é o mais importante ofício, depois dos apóstolos. Alguns dos apóstolos **secundários**, como Barnabé e Apolo, eram também «profetas»; e os apóstolos tinham o dom da profecia (ver as notas expositivas sobre o número 8, logo abaixo). Portanto, de alguma maneira, a distinção entre apóstolos (no sentido secundário) e profetas não era grande. (Ver I Cor. 12:2 e ss. Ver Atos 11:27, 15:32 e 21:9 e ss). Muitos profetas do N.T. parecem ter sido pregadores itinerantes, que iam de igreja em igreja, usando os seus dons para edificar a comunidade cristã em geral. Esses possuíam espontaneidade e poder, baseados na inspiração, e não eram meramente mestres de preceitos, contidos em tradições orais ou escritas. (Ver I Cor. 14:6,26,30 e ss). Algumas vezes os profetas prediziam o futuro; mas isso não era a parte central do ministério deles. (Ver Atos 11:28 e 21:10 e ss). Não obstante o fato de que eles tinham a capacidade de conhecimento anterior mostra-nos que, pelo menos alguns deles, possuíam dons psíquicos. De modo geral, são pessoas melhor capacitadas, «espiritualmente» falando. Sua função principal visava a edificação, a exortação, a consolação, a instrução, e tudo isso em um grau superior, segundo depreendemos do décimo quarto capítulo da epístola aos Coríntios.

8. Dom da profecia. Esse é o **dom** principal, a habilidade de usar certos poderes, a inspiração da mensagem, a qual transcende o que é meramente didático. Esse dom inclui o conhecimento prévio, mas envolve especialmente certo poder de ministrar ensino, instrução, consolo, ainda que em um nível superior ao do mestre ordinário, o qual é, essencialmente, transmissor de preceitos adredemente conhecidos. O profeta pode falar por intuição, inspiração e revelação, mediante alguma forma de discernimento que ultrapassa o que é natural, através do dom sobrenatural do conhecimento.

Levantaram-se na igreja primitiva falsos profetas, provavelmente alguns dos quais eram psiquicamente dotados, embora não usassem seu dom para defesa da justiça. Por essa razão foi mister avisar aos crentes que *pusessem à prova* todas as coisas (ver I Tes. 5:20 e ss). Esse dom continuaria sendo útil se fosse genuíno, não-forçado, embora o «cânon» das Escrituras estivesse já firmemente estabelecido. Pode-se aceitar que nenhuma «profecia» excederá aos limites da verdade revelada nos documentos básicos; mas a profecia pode contribuir bastante para interpretar tais verdades, além de abordar necessidades específicas da igreja local, envolvendo questões de ensino, questões morais, que pessoas mesmos dotadas não saberiam resolver com sucesso. Considerando-se o dom profético sob esse prisma, esse é um dom altamente desejável na igreja cristã moderna.

Com base nesse pensamento, pode-se ver que um bom profeta, que opere no seio da igreja cristã, pode ser meio para dar solução a vários problemas, trazendo luz para situações difíceis. Tal solução precisaı ia de tempo extraordinário se fosse usado somente o método comum do ensino. Mais do que isso ainda, a verdadeira profecia exerce certa forma de poder e autoridade entre os irmãos que serve de meio poderoso para aproximar os homens mais ainda de Cristo, inteiramente à parte das mensagens faladas. Um profeta, pois, exerce um poder imediato maior, em uma igreja local, que um pastor comum. Por isso mesmo, o pastor que, ao mesmo tempo, é profeta, é um extraordinário presente para a igreja.

9. Dom do discernimento de espíritos. (Ver I Cor. 12:10). Diz Shore (**in loc.**)**:** «O poder de distinguir entre as operações do Espírito Santo e as operações de espíritos malignos e enganadores (ver I Tim. 4:1 e I João 4:1)». Existem muitos indivíduos, dotados de poderes espirituais e psíquicos, que não pertencem ao reino da luz. Muitos existem que não confessam e nem aceitam a Jesus como Senhor. Profetas falsos causaram muita confusão na igreja cristã primitiva. Talvez as comunidades cristãs fossem um tanto infantis em sua aceitação de qualquer manifestação aparentemente sobrenatural. Ora, o dom do discernimento de espíritos servia de ajuda à igreja, para que esta pudesse distinguir o falso do verdadeiro, para que percebesse quando Deus opera através de um homem, ou quando atua algum outro «espírito», algum poder estranho, mais do que humano, mas mesmo assim estranho. Lemos em I João 4:1: «Amados, não deis crédito a qualquer espírito; antes, provai os espíritos, se procedem de Deus, porque muitos falsos profetas têm saído pelo mundo afora». A grande distinção entre os falsos e os verdadeiros é se confessam a Jesus como Senhor, vindo na carne. (Ver as notas sobre I João 4:2 no NTI). Naturalmente, o gnosticismo é aqui particularmente referido. A palavra «...espírito...», provavelmente é uma alusão direta aos indivíduos «influenciados por algum espírito», o que indica, portanto, tanto o espírito do homem assim controlado como o espírito sobre-humano que controla aquele. — Pois existem outros «espíritos», além do Espírito Santo.

Talvez nenhum outro dom seja mais necessário na igreja, hoje em dia, do que esse, numa época em que tantas igrejas locais dos crentes se têm transformado em virtuais centros de espiritismo, a funcionarem sob o pendão de Cristo. Qualquer exercício dos dons espirituais, em uma congregação local, é *perigoso* sem o concurso do «dom de discernimento de espíritos», que controla aquela atividade. A própria *ausência* desse discernimento de espíritos serve de indicação da natureza estranha de muitos dos «espíritos» que operam entre as igrejas, hoje em dia. Pois se os dons fossem realmente provenientes do Espírito Santo, em qualquer dada igreja local, também deveria estar em funcionamento o dom de discernimento de espíritos, que visa conservar os crentes libertos de influências estranhas.

10. Dom do ensino. Esse dom está claramente relacionado ao dom da profecia, embora distinto do mesmo. (Ver I Cor. 12:28 e Rom. 12:7). Pois o mestre, a despeito de não falar por «revelação», ainda assim possui certa inspiração intuitiva. Seja como for, o mestre possui maior «discernimento» no sentido dos artigos de fé, nas doutrinas, nos ensinamentos em geral, que os membros ordinários da igreja, e esse discernimento extraordinário é um dom do Espírito de Deus, que quiçá usa as habilidades naturais e a inteligência do crente por ele usado, conforme se verifica em alguns casos, mas que também excede tais habilidades naturais mediante um preparo sobrenatural. O mestre também se concentra sobre a instrução sistemática (ver II Tim. 2:2) no seio da igreja local, servindo de agente útil para edificar,

221

DONS ESPIRITUAIS

consolar, repreender e encorajar. Acima de tudo, o mestre serve de agente que mostra aos homens como é Cristo, o que ele significa para nós, e como podemos cumprir nosso alto destino de sermos transformados segundo a sua imagem, retirando do baú coisas antigas e coisas novas.

Ao mestre compete concentrar-se em *saber* o que está ensinando. Deve conhecer as Escrituras em todos os sentidos: histórica, textual, crítica e expositivamente. Deve *ser um depositório* de conhecimento bíblico, e em nada ficará prejudicado se for pessoa bem informada sobre outros temas relacionados, na história e na filosofia, de tal modo a reconhecer o que está «implícito» em sua própria fé, e quais sejam os relacionamentos entre a mesma e outros sistemas de pensamento. Assim é que ele será um melhor mestre. É uma tragédia que em nossas modernas igrejas muitos dos chamados «mestres» passem de ano para ano sem jamais fazerem qualquer melhoramento em seu conhecimento ou em sua maneira de apresentar o que sabem. Esses tais dificilmente são mestres instruídos e inspirados pelo Espírito Santo.

11. Dom da exortação. (Ver Rom. 12:8). Temos aqui outro dom aliado ao do profeta e ao do mestre. Não há que duvidar que muitos «profetas» e muitos «mestres» exerciam esse dom. A alguns deles foram dados poderes «persuasivos» de amor, de compreensão, de simpatia, de capacidade de repreender o mal. O propósito desse dom é o de levar os crentes a uma expressão mais elevada da vida cristã, a uma mais íntima transformação segundo a imagem de Cristo. Trata-se de uma capacidade inspirada pelo Espírito, sendo, na realidade, uma capacidade de persuadir e de conquistar, de nível espiritual, baseada em um discernimento maior acerca de como se deve exortar, e por que tal exortação deve ser feita. Deve ainda incluir a «consolação», conforme a própria palavra o indica. Deve derramar o óleo da cura, e não apenas aplicar a vara da correção.

12. Dom da palavra da sabedoria. (Ver I Cor. 12:8). Aqui é focalizada a habilidade de compreender e de transmitir as coisas *mais profundas* do Espírito de Deus, de compreender os *mistérios cristãos*, como também a capacidade de transmitir a outros esse conhecimento. (Ver Rom. 11:33). É provável que também esteja em foco a aplicação da sabedoria a circunstâncias particulares, em que são resolvidos problemas difíceis, mediante a aplicação da sabedoria espiritual. Neste sentido, Salomão era supremamente possuidor desse dom. Não há razão para pensarmos que o «discernimento intuitivo», nos problemas da igreja e dos crentes individuais, não esteja incluso nesse dom da sabedoria. O «discernimento» através de meios espirituais está aqui em vista; e esse discernimento pode ter muitas aplicações. Provavelmente esse dom se aproxima e se mistura até certo ponto ao dom da profecia.

13. Dom da palavra do conhecimento. (Ver I Cor. 12:8). É bem provável que esse seja o dom espiritual do mestre. Acima de qualquer outro, o mestre possui «conhecimento» sobre a base e as aplicações de sua fé; e isso tanto através dos meios naturais do estudo como mediante a ajuda divina. O «conhecimento» deve aplicar-se tanto ao «acolhimento» como à «compreensão» do que é dito e ensinado na igreja, e sutilmente, através do Espírito Santo; mas igualmente inclui a «transmissão» desse conhecimento. O mestre se mostra supremamente dotado em ambas essas categorias. O «conhecimento» é algo intensamente desejável, pois, do contrário, não haveria qualquer dom especial relacionado ao mesmo; mas nada

representa, a menos que seja governado e ministrado sob a luz do **amor**. (Ver I Cor. 13:2). Também é verdade no tocante ao exercício de todos os dons espirituais, conforme esse citado capítulo foi especificamente escrito a fim de demonstrar. Nisso se vê a imensa importância do amor! Pois, por mais desejáveis que sejam os dons espirituais, nada representam, a menos que sejam inspirados e usados na atmosfera do amor.

14. Dom de línguas. (Ver I Cor. 12:10,28). No livro de Atos, as línguas do dia de Pentecoste foram idiomas estrangeiros, compreendidos por aqueles que ouviam aos cristãos primitivos (ver Atos 2:8). Paulo indica que pode haver línguas celestiais, dos anjos (ver I Cor. 13:1); mas também parece ter havido certa espécie de êxtase, em que é proferido algo que não representa qualquer idioma, mas que pode ser constituído apenas de «sons» (ver I Cor. 14:10-12). No livro de Atos, as línguas têm por propósito transmitir a mensagem cristã aos incrédulos; na primeira epístola aos Coríntios, visam a *edificação* da igreja (ver I Cor. 14:14-17), bem como o louvor a Deus. Em alguns casos, pelo menos, aquele que falava em línguas perdia o controle de suas faculdades intelectuais, (ver I Cor. 14:14,15), ou, pelo menos, não tinha conhecimento consciente do que dizia. Ver o artigo sobre *Línguas*. Sabemos que esse fenômeno é anterior ao próprio cristianismo, e que nunca esteve confinado exclusivamente à igreja cristã, nem no princípio e nem em tempo algum; por igual modo, nem sempre esteve limitado a algo de caráter religioso ou espiritual. As línguas, como é possível, seriam puramente meios telepáticos.

15. Dom da interpretação de línguas. (Ver I Cor. 12:10,30). Esse é um corolário necessário ao falar em línguas, tal como o dom de discernimento de espíritos é corolário do dom profético. (Ver I Cor. 12:10 e 14:13,26,28). Essa função não depende de qualquer conhecimento natural, pois o termo indica muito mais do que o mero conhecimento de idiomas estrangeiros, ou a capacidade de alguém agir como intérprete. (Ver I Cor. 14:13). Visto que Paulo salientava a natureza prática de todos os dons espirituais, que visam «edificar», foi proibido o uso simples das línguas, à parte de sua interpretação, pelo menos durante as reuniões públicas dos crentes. (Ver I Cor. 14:27,28). Esses mesmos versículos não proíbem o uso das línguas como um exercício, «particular», em que o crente louva a Deus em seu nível subconsciente; e isso lhe é útil ainda que não tenha conhecimento sobre o que ejacula. Porém, a igreja só pode tirar proveito das línguas se as compreender; e é através do dom de interpretação de línguas que estas podem ser entendidas.

Os crentes de Corinto tinham criado grande confusão, nos cultos de sua igreja, a ejacularem línguas sem haver quem interpretasse. Isso significava que ninguém era edificado. Por isso é que Paulo não aprovou as línguas, conforme eles usavam, dizendo que preferia falar «cinco» palavras com o seu entendimento, do que dez mil palavras sem o mesmo (ver I Cor. 14:19). Assim sendo, um simples mestre que se levanta e diz cinco palavras para instruir aos crentes é mais útil na igreja do que aquele que diz dez mil palavras em línguas, mas sem qualquer propósito instrutivo. Naturalmente, isso é típico dos exageros paulinos, embora seja uma ilustração altamente instrutiva; pois se alguém falasse cinco palavras a cada dois segundos em média, para que falasse dez mil palavras seriam necessários sessenta e seis minutos, isto é, mais de uma hora.

222

DONS ESPIRITUAIS, HOMENS COMO

Os crentes de Corinto abusavam dos dons espirituais e de seu exercício. Glorificavam a si mesmos, porque possuíam esses dons; mas eram crentes carnais. Para eles, pois, os dons espirituais não serviam de sinal de uma espiritualidade superior. Naquela congregação eram exaltados aqueles que exerciam os dons mais espetaculares, os quais eram transformados em *heróis*. Ora, isso foi o início da instituição do eclesiasticismo e nesse processo, foram retidos cs ofícios mais elevados, embora o exercício dos dons espirituais se tenha perdido; e tudo isso para detrimento do próprio cristianismo.

Os dons espirituais são concedidos à parte da vontade, ou segundo o mérito espiritual? Parece-nos que no caso da igreja primitiva esses dons foram tão profusos que não assinalavam, necessariamente, qualquer grande avanço espiritual. Pode-se dizer, todavia, que normalmente os dons espirituais estão diretamente ligados ao progresso espiritual, à nossa busca, à nossa conformidade com a imagem de Cristo, ao nosso «desejo» de ser mais perfeitamente usados pelo Espírito Santo. Por essa razão é que Paulo aconselhou aos crentes de Corinto a buscarem, a dèsejarem, a cobiçarem os melhores dons espirituais. (Ver I Cor. 12:31). E isso lhes competia fazerem «intensamente». Ordinariamente, pois, a própria natureza dos dons espirituais, isto é, a edificação da igreja, indica que somente aqueles que são dignos de ocuparem posições de liderança podem ser dotados desse modo. Por conseguinte, o progresso e o desenvolvimento espirituais sempre estarão associados à recepção e ao uso dos dons espirituais.

Não existem autênticos «dons espirituais» à parte do «dom» do Espírito. Somente aqueles que se achegam a Cristo, que gozam das influências do Espírito de Deus, em alguma forma de batismo, sem importar se isso foi uma experiência bem definida ou não, podem possuir, na verdade, os dons espirituais. Imitações podem ser abundantes, e os dons provenientes de espíritos «estranhos» podem abafar até mesmo as manifestações autênticas do Espírito. Porém, nenhum dom espiritual verdadeiro pode ser possuído pelo crente a menos que tenha ele algum contacto inicial e real com o Espírito de Deus. (Quanto a notas expositivas sobre o «dom do Espírito», ver Atos 2:4 no NTI, onde também se considera a questão do «batismo do Espírito Santo»). Acima de tudo, nenhum dos dons espirituais é uma possessão automática dos «convertidos», embora seja uma verdade indiscutível que todos os crentes autênticos sejam habitação do Espírito de Deus. (Ver Rom. 8:9).

DONS ESPIRITUAIS, HOMENS COMO

Os Dons Espirituais cooperam com o propósito universal. Os *homens* como dons: Efésios 4:11 *ss.*

1. O propósito de Cristo é restaurar e unir todas as coisas, Efé. 4:9,10.

2. É no seio da igreja, que Cristo exibe pela primeira vez esse ministério, utilizando-se dela como o teatro de demonstração de como seus propósitos finalmente se cumprirão, aos olhos dos seres celestiais (ver Efé. 3:10).

3. A fim de produzir a unidade, a maturidade e a perfeição da igreja, ele confere dons espirituais aos homens, e então presenteia *esses homens* bem dotados à igreja.

4. Efé. 4:12 informa-nos a razão pela qual ele faz isso: a perfeição é o alvo, a participação na natureza e nos atributos de Cristo; e assim a união com ele se consumará. Essa união, por sua vez, se ampliará até abarcar o universo inteiro. Esse é o mistério da vontade de Deus.

«O Senhor, ao conferir homens ðotados, determina providencialmente (como se vê, por exemplo, em Atos 11:22-26), ou diretamente através do Espírito Santo (como se vê, por exemplo, em Atos 13:1,2 e 16:6,7), os lugares de seu serviço. Alguns (igrejas ou lugares) precisam de um dom, como, por exemplo, o de evangelista; e *alguns* (igrejas ou lugares) precisam de outro dom, como o de pastor e mestre. Absolutamente nada do serviço cristão, é deixado ao critério do julgamento humano. Os próprios apóstolos não tinham a permissão de escolher o seu lugar de serviço (ver Atos 16:7,8)». (C.I. Scofield).

Deus primeiramente deu Cristo à igreja, para ser o seu Cabeça (ver Efé. 1:22,23); em seguida deu o «alter ego» de Cristo, o Espírito Santo, para que residisse na igreja, executando a missão de Cristo na mesma (ver Efé. 2:21,22; II Cor. 3:18 e Atos 2:4). Além disso, por meio do Espírito Santo, ele dá dons aos homens (ver o capítulo doze de Romanos e os capítulos doze a catorze da primeira epístola aos Coríntios); e, finalmente, o Espírito dá homens dotados à igreja. O alvo de tudo isso é que a igreja possa crescer espiritualmente, a fim de finalmente atingir a plenitude de Cristo (ver Efé. 1:23), a sua completa estatura (ver Efé. 4:12,13) e a plenitude do próprio Deus (ver Efé. 3:19). E assim se pode apreciar a vasta importância dos dons, pois são meios presentes de concretizar esses elevadíssimos propósitos.

I. Os Dons: Ofícios

Segundo cremos, a lista abaixo apresenta, pelo menos de maneira geral, a estimativa do autor sagrado sobre a importância relativa dos vários ofícios espirituais na igreja:

1. Apóstolos. Ver o artigo sob este título. É quase certo que Efé. 4:11, ao usar esse termo, restrinja-o ao ofício dos apóstolos originais. O escritor honrou especialmente os ofícios do apostolado e da profecia, porquanto já havia mostrado que esses ofícios são o «fundamento» da igreja, em Efé. 2:20. Para Paulo, esses dois ofícios se revestiam de significação toda especial. Talvez os «profetas» por Paulo referidos sejam aqueles do A.T., e nesse caso apenas os apóstolos seriam considerados como investidos de um ofício único. Seja como for, a autoridade que antes estivera investida no sinédrio, que entre os judeus da época apostólica inicial era considerado como a autoridade religiosa máxima, entre os cristãos estava investida nos apóstolos e profetas. O evangelho de Mateus, que provavelmente foi escrito após a destruição de Jerusalém (no ano 70 D.C.), ao procurar uma autoridade que suplantasse o poder então desaparecido do sinédrio, encontrou-o em Pedro, como «primus interpares», dos apóstolos (ver Mat. 16:18 e *ss*). Todavia, o evangelho de João reflete um ponto de vista mais amplo, investindo todos os apóstolos, e não somente Simão Pedro, dessa autoridade (ver João 20:22,23). E a epístola aos Efésios amplia ainda mais a visão nesse sentido, incluindo os «apóstolos e profetas» nesse quadro (ver Efé. 2:20). Todavia, referindo-nos somente aos apóstolos, consideremos os pontos seguintes:

1. Os apóstolos são chamados *fundamento* da igreja (ver Efé. 2:20).

2. Os apóstolos foram os receptadores originais da revelação cristã distintiva (ver Efé. 3:5).

3. Portanto, devido à sua natureza e caráter sem-par, esse ofício apostólico não pode ser transferido. Portanto, a noção de «sucessão apostólica» é um dogma humano, e não uma doutrina do

DONS ESPIRITUAIS, HOMENS COMO

N.T. Entretanto, em sentido secundário, ainda há apóstolos, homens de elevada autoridade conferida por Deus, os quais têm a cumprir serviços especiais de grande importância na igreja.

Os apóstolos originais, porém, eram: 1. Testemunhas especiais da ressurreição de Cristo. 2. Ministros especiais que agiam como representantes de Cristo, efetuando sua obra. 3. Estavam dotados de poderes especiais, tanto na organização como na edificação da igreja cristã, sendo poderosas figuras evangelizadoras cujo trabalho tendia a multiplicar o número dos participantes da igreja.

«As marcas distintivas de um apóstolo eram: uma comissão direta da parte de Cristo; testemunhas da ressurreição; inspiração especial; autoridade suprema; confirmação por milagres; comissão ilimitada para pregar e fundar igrejas». (Vincent, Efé. 4:11).

«Suas características eram a chamada da parte do próprio Cristo (ver Gál. 1:1); a operação de milagres (ver II Cor. 12:12); a superintendência das igrejas em todas as terras (ver Mat. 28:19 e II Cor. 11:28); e, principalmente, o fato de serem testemunhas oculares da ressurreição de Cristo (ver Atos 1:22 e I Cor. 9:1)». (Faucett, em Efé. 4:11).

2. Profetas. (Ver no NTI, notas expositivas completas sobre os «profetas do N.T.» em Atos 11:27). Ver o artigo sobre *«Profetas».* O trecho de I Cor. 12-14 exalta o dom da «profecia» acima de todos os demais dons do Espírito, por tratar-se da maneira suprema de exaltar a Cristo e de edificar a igreja. Naturalmente, os apóstolos possuíam esse dom; mas havia indivíduos especiais que também possuíam esse dom. O trecho de Efé. 2:20, segundo a interpretação de alguns, faz os profetas terem parte no fundamento da igreja, juntamente com os apóstolos.

Os profetas falam por inspiração direta, no uso de seu dom; e assim, além de serem mestres, estavam revestidos de maior autoridade que os mestres ordinários, os quais comumente falavam alicerçados em grande tesouro de conhecimentos adquiridos pelo estudo ou pela inspiração divina, posto que não através de revelação direta. Os profetas predizem o futuro (ver Atos 21:11,12), o que é natural para aqueles dotados de dons psíquicos e espirituais; mas são dotados do poder especial da prédica, da revelação de verdades profundas. Essa é a sua função precípua.

3. Evangelistas. Ver o artigo sobre *Evangelistas.* Os evangelistas eram os «missionários», pátrios ou estrangeiros. Algumas traduções, como a de Goodspeed, dizem mesmo «missionários», neste ponto. Os apóstolos eram evangelistas, e muitos profetas também o eram; mas, além desses, havia outros, especialmente talentosos, dotados do dom da fé, da exortação e de outras manifestações espirituais apropriadas para seu ofício, que eram presenteados à igreja para multiplicá-la em número. O grupo dos evangelistas era aquele que efetuava a missão evangelizadora da igreja entre os judeus ou os gentios, em posição subordinada aos apóstolos. Geralmente os evangelistas não estavam limitados a qualquer comunidade cristã local, mas foram de lugar em lugar, estabelecendo novas congregações locais, conduzindo os homens à fé e à conversão a Cristo.

Devemos observar que na categoria registrada em I Cor. 12:26, o «terceiro» lugar é conferido aos «mestres». Na passagem de Efé. 4:11, entretanto, os «evangelistas» ocupam essa posição. Além disso, a lista da primeira epístola aos Coríntios não menciona especificamente os *evangelistas,* embora diversos dos dons espirituais ali aludidos sejam instrumentos necessários para o evangelismo, o que nos dá a entender que essa função evangelística realmente existia no seio da igreja cristã primitiva. Outrossim, nem na primeira epístola aos Coríntios e nem na epístola aos Efésios se vê qualquer tentativa de enumerar todas as gradações do ministério cristão. Por exemplo, nenhum desses livros inclui os «diáconos», o que, naquele tempo, já era um ofício distintivo na igreja, e apenas a epístola aos Efésios menciona especificamente aos «pastores».

4. Pastores. Homens dotados de conhecimento, poderes de consolação, entendidos em governo, simpatia com os problemas dos outros, conhecimento para continuar o trabalho do evangelista.

5. Mestres. Quanto a comentários sobre «o ensino na igreja», ver I Cor. 14:26 no NTI. Devemos observar que o ensino, juntamente com o evangelismo, faz parte da original Grande Comissão de Cristo à sua igreja. (Ver Mat. 28:20 quanto à importância do «ministério do ensino»). Tanto os apóstolos como os profetas eram mestres, e nenhum pastor pode ser um verdadeiro pastor se não for apto para ensinar (ver I Tim. 3:2,11). Notemos que não há artigo antes da palavra *mestres,* no original grego, razão pela qual alguns supõem que isso salienta uma única *categoria,* pastores e mestres seriam aspectos de uma mesma função. Mas parece que isso é exagerar a importância da omissão do artigo, no que diz respeito ao grego helenista. Assim sendo, duas classes, e não uma só estariam aqui em foco. Não obstante, é verdade que o pastor também deve ser mestre, pois boa parte de seu trabalho é o ensino. «Nenhum homem é apto para ser pastor se não souber ensinar; e o mestre precisa do conhecimento que a experiência pastoral confere». (Vincent, em Efé. 4:11). Todavia, existe o dom distinto do ensino. Alguns têm maior discernimento quanto aos significados, capacidades intelectuais maiores dadas por Deus. Esses são guardiães do «conhecimento», possuidores de habilidades naturais e conhecimento. Os mestres também têm um entendimento natural e intuitivo da verdade, embora talvez não recebam revelações diretas, como no caso dos profetas. A tarefa dos mestres é a de transmitir conhecimento, inspirar aos crentes com grandes verdades, e assim, através da instrução geral conferida à igreja, contribuir para levar os crentes para mais perto do ideal da imagem de Cristo: porque levam os homens a perceber a grandiosidade de Cristo, os seus propósitos no mundo, a responsabilidade do crente individual como membro da comunidade cristã e a necessidade de santidade e consagração.

II. Desenvolvimento Histórico

Os ofícios ministeriais tiveram certo desenvolvimento histórico na igreja primitiva. A primeira epístola aos Coríntios, escrita antes da epístola aos Efésios, apresenta a maioria dos dons mediados através de «funções», ao passo que pastores e diáconos não são mencionados. Mas a epístola aos Efésios, que apresenta os dons segundo são expressos em «homens dotados», já investidos de ofícios específicos nas igrejas, mostra certa progressão no desenvolvimento do governo da igreja. Já nas epístolas pastorais encontramos «bispos» ou anciãos e «diáconos», uma nova etapa no desenvolvimento da formalização dos ofícios ministeriais da igreja. Quando da primeira porção do século II D.C., conforme se depreende dos escritos de Clemente de Roma e de Inácio, esse aspecto organizacional da igreja já estava bem desenvolvido. Contudo, ainda não havia a forma moderna de governo virtual de um único homem nas

DONUM SUPERADDITUM — DORCAS

assembléias locais, e muito menos a maquinaria eclesiástica que surgiu pouco mais tarde, que finalmente deu origem a um «clero» ou classe sacerdotal profissional, em distinção do corpo laico da igreja.

DONUM SUPERADDITUM

Essa expressão vem do latim e significa dom sobrenatural ou adicional. Esse foi um conceito desenvolvido por Atanásio, e, posteriormente, por Tomás de Aquino, com base, naturalmente, em ensinos bíblicos. O ser humano, mesmo após a queda no pecado, retém certos dons naturais que podem guiar e enriquecer sua vida. Porém, além disso, há dons sobrenaturais, adicionais, que Deus confere aos homens, a fim de que possam conhecê-lo, vivendo de maneira aceitável. O homem, mesmo caído tem ainda a capacidade de praticar as virtudes naturais da prudência, da justiça, da coragem e do autocontrole, embora tendo perdido a capacidade de atingir a visão de Deus ou de viver em conformidade com as virtudes cristãs da fé, da esperança e do amor. Nas mãos dos eruditos católicos romanos, os dons adicionais requerem a mediação dos sacramentos. Para os evangélicos, no entanto, a obra do Espírito é que os adiciona, porquanto fazem parte integrante da conversão e da santificação. Muitos reformadores protestantes, entretanto, foram até um ponto extremo, em sua doutrina da total depravação, chegando a negar a presença de qualquer virtude apreciável restante no homem. Entretanto, em suas Institutas (2.2), Calvino toma a posição católica, embora sem a intervenção dos sacramentos. Entretanto, ele negava que as habilidades e virtudes naturais do homem, embotadas mas não perdidas na queda no pecado, tenham qualquer poder de levar o homem à salvação. Isso é obra exclusiva do Espírito de Deus, porquanto o homem natural seria tão cego como uma «toupeira». Um homem, mesmo sem a regeneração, pode viver acima dos animais, mas jamais poderá atingir a posição celeste sem a graça pura de Deus e o ministério do Espírito.

DOQUE

No grego, **dok**, corrompido para **Dagon**, em Josefo (*Anti.* 18.8,1), mas que em outras fontes literárias, aparece como *docus*. Esse era o nome da fortaleza construída (reconstruída?) por Ptolomeu, filho de Abubo. Ficava a noroeste de Jericó. O nome tem sido preservado no moderno local chamado 'Ain Duq, a seis quilômetros e meio a noroeste de Jericó. Porém, o antigo local tem sido identificado com Jebel Qarantal. Ptolomeu recebeu Simão Macabeu e seus filhos, Matatias e Judas, nessa fortaleza, tendo-lhes servido um grande banquete. Todavia, tudo envolvia um conluio, porquanto, depois de terem comido e bebido, os homens de Ptolomeu mataram-nos (I Macabeus 16.15). Essa fortaleza ficava situada em um local estratégico, de onde podiam ser guardadas as vias de acesso até à região montanhosa central.

DOR (CIDADE)

No hebraico, «habitação» ou «círculo». Era o nome de uma cidade às margens do mar Mediterrâneo. Jerônimo localizou-a a nove milhas romanas ao norte de Cesaréia. Nos tempos antigos, era uma das cidades reais dos cananeus (Jos. 11:2; 12:23), e estava incluída no território dado à tribo de Manassés (Jos. 17:11). Os fenícios gostavam do lugar, por causa da abundância de conchas ao longo da costa marítima, o que era uma grande fonte de púrpura. Perto do fim do segundo milênio A.C., era habitada pelos tiéqueres, um povo voltado para as lides marítimas. Na época de Josué, o rei de Dor deu apoio a Jabim, rei de Hazor, quando este combateu Israel sem sucesso, nas águas de Merom (Jos. 11:2 ss; 12:23). O território foi dado à tribo de Manassés, mas eles foram incapazes de apossar-se totalmente do mesmo, até que, finalmente, Israel o conquistou. E seus habitantes foram reduzidos à escravidão (Jos. 17:11 ss, Juí. 1:27). Em tempos posteriores, os homens de Efraim apossaram-se da região (I Crô. 7:29); e Salomão fez da mesma um distrito administrativo de seu reino. Em cerca de 744-727 A.C., Tiglate-Pileser III, da Assíria, conquistou a região, estabelecendo sobre a mesma a sua hegemonia. Foi assediada em 219 A.C. por Antíoco, o Grande. Mas este foi forçado a concordar com um período de trégua, por causa dos exércitos egípcios em avanço. Os Ptolomeus exerciam seu controle sobre a região, — até cerca de 200 A.C., mas os Selêucidas fizeram dela uma cidade livre. Antíoco VII (I Macabeus 15:10-25) atacou-a e subjugou-a. Subseqüentemente, a cidade foi reconstruída, declarada livre e foi unida à província da Síria, pelo romano Pombeu (64 A.C.). Tem sido identificada com a atual cidade de Tantura, cerca de treze quilômetros ao norte de Cesaréia.

DOR (SOFRIMENTO)

Ver os artigos separados sobre o *Sofrimento* e sobre o *Problema do Mal*. Por que razão os homens padecem? E por que os homens sofrem da maneira como sofrem? Por que os homens bons sofrem, ao passo que os ímpios são poupados da dor? Como teve começo o sofrimento dentro da criação? Essas são perguntas que sempre deixaram perplexas as almas dos homens. Em um sentido especial, a dor é uma sensação que independe do toque, e que tem seus próprios centros receptores. O corpo de um homem é bem equipado para manifestar dor, embora isso vise à sua proteção. Um corpo que não sentisse qualquer dor não demoraria a ficar mutilado, em face de injúrias graves. Devido à ausência da dor, na carne onde a lepra já fez o seu trabalho, os dedos e os artelhos com freqüência se perdem, por causa de acidentes. Isso envolve uma certa lição espiritual. As pessoas que se tornam insensíveis diante dos estragos feitos pelo pecado acabam sofrendo alguma grande e irreparável perda. Drogas como a morfina operam fazendo aliviar a sensação da ansiedade. Não sentimos dores quando estamos sob grande tensão, quando a dor torna-se inútil como um aviso. A dor não é uma advertência perfeita, por conseguinte. Em certas enfermidades fatais, como o câncer, nenhuma dor é sentida até que já é tarde demais. Em outras ocasiões, há muitas dores por pequenas razões. A persistência da dor ocorre mais claramente quando a vítima tem plena consciência de um problema físico, mas nada pode fazer a respeito. Contudo, a dor pode enobrecer (ver Atos 5:41), embora, em muitos casos, sirva somente para amargurar o indivíduo. A dor e a enfermidade podem apresentar a oportunidade para um maior crescimento e serviço espirituais; mas é mister que, para tanto, o sofredor seja uma pessoa espiritual e de bem. Ver João 9:2 e II Cor. 12:7 ss.

DORCAS

Tradução grega do termo aramaico **Tabitha**. No aramaico e no grego significa «gazela». Ela era uma

DORNER — DOTÃ

crente conhecida por seus atos de caridade, e que era elemento importante da igreja cristã de Jope (Atos 9:36). O seu nome duplo provavelmente indica que ela era uma judia helenista, que se convertera ao cristianismo. Os gregos chamavam-na Dorcas, e os judeus, Tabita. Ela entrou no drama do livro de Atos por meio de seu falecimento. Quando ela morreu, dois membros da igreja foram enviados a Lida, atrás do apóstolo Pedro. Ele seguiu imediatamente para Jope, e, seguindo o exemplo de Jesus (Mat. 9:25), fez sair todos os que lamentavam pela morte de Dorcas. Seu corpo já havia sido lavado e posto em um cenáculo, ou quarto de andar superior. Pedro ajoelhou-se e orou. Quando ele deu uma ordem, ela voltou à vida. A cena foi deveras impressionante, e muitos habitantes da cidade converteram-se a Cristo, em face da mesma. Os céticos podem falar em estados de coma ou de catalepsia; mas, atualmente, os próprios cientistas estão investigando o fenômeno do retorno à vida após a morte clínica. Algumas pessoas, de modo bem definido, têm não somente o direito, mas até o dever de retornar à vida física, após já terem entrado nos estágios iniciais da morte, mesmo depois que o espírito já se separou do corpo. A vontade de Deus está envolvida em tudo isso, bem como a questão da missão dada a cada indivíduo. Pois nem todos os que morrem já cumpriram sua finalidade na vida. Supomos que a oração de Pedro foi atendida por estar de acordo com o propósito que Dorcas tinha, em sua vida. Se tivesse chegado o seu tempo, de acordo com a vontade de Deus, para ir para a pátria celeste, Pedro não teria podido chamá-la de volta à vida. Ver o artigo sobre *Experiências Perto da Morte*, quanto a uma completa descrição do que se sabe atualmente sobre o processo da morte, e quanto às provas de que os mortos, ocasionalmente, voltam à vida!

DONER, AUGUST JOHANNES

Suas datas foram 1846-1920. Foi um filósofo teólogo alemão. Foi professor em Konigsburg. Procurava harmonizar a teologia à filosofia, supondo que, na metafísica, as duas ciências aproximam-se e até se apoiam mutuamente. Ele se interessava pelas provas filosóficas da existência de Deus e pela ontologia, como meio do homem investigar as realidades superiores da existência.

DORNER, ISAAC AUGUST

Suas datas foram 1809-1884. Foi um eminente teólogo luterano alemão, que ensinou nas Universidades de Tubingen, Kiel, Konigsberg, Bonn, Gottingen e Berlim. Escreveu obras valiosas, incluindo *The History of the Development of the Doctrine of the Person of Christ; The History of Protestant Theology; e Christlich Glaubenshlehre*. Tornou-se conhecido por seu caráter cristão, por seu ensino brilhante e por seus critérios conceitos teológicos. Mostrou-se ativo na liderança eclesiástica, e esforçava-se em prol da unidade do cristianismo.

DORT, SÍNODO DE

Esse sínodo durou de 13 de novembro de 1618 a 9 de maio de 1619. Foi convocado pelo estadista geral da Holanda, a fim de pronunciar-se sobre a controvérsia arminiana. Supostamente foi uma espécie de concílio geral de igrejas de orientação calvinista. O número maior de delegados era da própria Holanda, e apenas comparativamente poucos eram de outros países, pelo que não foi, realmente,

um concílio ecumênico, protestante. Ver o artigo geral sobre os *Concílios Ecumênicos*. Questões políticas estavam envolvidas. Os arminianos eram republicanos, e os calvinistas estavam interessados em apoiar o poder centralizado do príncipe Maurício. Porém, — esse príncipe e seus seguidores — controlavam tudo. Portanto, por voto unânime, os cinco artigos da *Remonstrância* (que vide) foram condenados, e os ministros arminianos foram depostos. Uma outra batalha teológica, pois, obscurecia as páginas da história eclesiástica. Os Cinco Pontos do Arminianismo (que vide), haviam sido formulados pela Remonstrância, em 1610. Esses eram combatidos pelos Cinco Pontos do Calvinismo (que vide), e o sínodo declarou-se em favor destes últimos. Foi afirmada a posição infralapsária (que vide): o decreto da eleição ocorreu após a queda. As decisões desse sínodo foram largamente apoiadas pelas igrejas reformadas.

DOSITEU, APOCALIPSE DE

Esse é um documento gnóstico que faz parte da literatura Nag Hammadi. Ver o artigo geral sobre os *Livros Apócrifos, Novo Testamento*. Essa obra particular ainda não foi publicada. É o último dos cinco documentos do códex VIII. Refere-se às três colunas de Sete. O *Apocalipse de Zostriano* aparentemente também alude a essas *colunas*. São hinos religiosos, cada qual com três páginas de texto escrito. Houve uma personagem histórica, Dositeu, que as pseudoclementinas chamam de rival de Simão, o Mago; porém, não há razão alguma para ligarmos o mesmo a esse apocalipse, como seu autor. Talvez o seu nome tenha sido tomado por empréstimo, a fim de conferir-lhe maior autoridade.

DOSTOIEVSKI, FYODOR MIKHAYLOVICH

Suas datas foram 1821-1881. Escritor russo, nascido em Moscou. Formou-se pela Escola de Engenheiros Militares de Petersburgo. Abandonou a carreira militar para devotar-se à literatura. Sua primeira novela, *Gente Pobre*, estabeleceu a sua reputação como autor. Tornou-se um ativista político, interessado por reformas sociais; e, por causa disso, foi condenado à pena de trabalhos forçados na Sibéria. Vários anos de extremo labor físico e de sofrimentos o transformaram. Tornou-se opositor do ateísmo materialista e do nihilismo, que tanta influência exerciam sobre a civilização européia. Escreveu o livro intitulado *A Casa da Morte* (1861), após ser libertado do exílio, contando seus anos de sofrimentos. Porém, passou por muitas dificuldades financeiras, e teve de exilar-se novamente, a fim de escapar de seus credores. Estando no exílio, escreveu outros livros que tiveram larga influência, incluindo: *Memórias Subterrâneas; Crime e Castigo; O Jogador; O Idiota; O Marido Eterno*. Em 1871 voltou a Petersburgo, e deu início a uma vida nova e influente. Foi então que escreveu sua novela mais importante, *Os Irmãos Karamozov*. Ele exerceu forte influência tanto sobre a literatura como sobre a teologia contemporânea. Karl Barth tomou por empréstimo algumas de suas idéias, que usou em seus ataques contra o idealismo humanista moderno. Barth também tomou por empréstimo alguns discernimentos de Dostoievski acerca do pecado e da graça divina.

DOTÃ

No hebraico, «duas fontes», ou «dupla festa». O

DOTÃ — DOTE

nome dessa cidade figura por três vezes no Antigo Testamento: Gên. 37:17 e II Reis 6:13. Ficava localizada cerca de noventa e sete quilômetros ao norte de Jerusalém e a vinte e um quilômetros ao norte de Samaria. Por ali passava uma rota de caravana que ia da Síria ao Egito, cerca de dezoito quilômetros ao norte de Samaria. A região era bem conhecida por sua excelente pastagem. Foi ali que José foi forçado a ir para o cativeiro, ao ser vendido por seus irmãos. Jacó tinha-o enviado atrás de seus irmãos, que estavam cuidando dos rebanhos naquele lugar (Gên. 37:13-17). Estavam dispostos a tirar-lhe a vida, movidos por forte sentimento de inveja e ciúmes e puseram-no em um poço sem água, talvez com a intenção de deixá-lo morrer à míngua. Mas Rúben, que se opunha ao plano, tinha se referido ao poço, simplesmente a fim de livrá-lo da morte, pretendendo retirá-lo dali na primeira boa oportunidade. Em meio a todo esse drama, passou por ali uma caravana de ismaelitas, a caminho do Egito. Portanto, foi decidido que José seria vendido aos caravaneiros. Foi o que fizeram, e José foi levado para o Egito, o que começou a armar o palco do cativeiro de Israel naquele país. Para o livramento de seus descendentes, foi mister Deus levantar Moisés. O incidente teve lugar entre 1900 e 1800 A.C.

Mil anos mais tarde, aquele mesmo lugar foi cena das atividades do profeta Eliseu, visto que ele fixou residência ali. Foi ali que o rei da Síria cercou a cidade de Dotã na tentativa de deter o profeta, que estava revelando, por meio de seu discernimento, os planos militares dos sírios ao rei de Israel (II Reis 6:8-14).

Fora da Bíblia. O nome Dotã tem sido encontrado nas inscrições epígcias do rei Tutmés III (1490-1436 A.C.). Essa inscrição informa-nos de que essa cidade era um dos lugares dos quais os egípcios cobravam tributo. Os trechos do livro apócrifo de Judite 3:9; 4:6 e 7:3 trazem esse nome, ligado às campanhas militares de Holofernes, durante o período inter-testamental. Eusébio, já dentro da era cristã, menciona o lugar em suas listas de localidades da Palestina (*Onomasticon*, 76:13).

Escavações. O arqueólogo Joseph P. Free e a sua equipe, incluindo sua esposa, começaram as escavações nesse lugar em 1953. Descobriram um cômoro em uma estrada, cerca de noventa e seis quilômetros de Jerusalém, e as escavações foram frutíferas. Foram descobertas moradias do milênio entre 3000 e 2000 A.C. A cidade que ali havia foi destruída e reconstruída por muitas vezes, durante esse período. Nada menos que sete cidades diferentes foram encontradas. Uma delas era uma fortaleza com uma grande muralha que, provavelmente, tinha 7,60 m de altura e cerca de 3,30 m de espessura, na base. A parte superior restante tinha 2,75 m de espessura.

Do período patriarcal (2000-1600 A.C.), pertencente à idade do Bronze Médio, foi desenterrada uma cidadela que tinha dez aposentos, com paredes com 1,20 m de espessura. O lugar era pesadamente fortificado, o que muito revela sobre a violência que prevalecia na época. Muitas outras descobertas fornecem detalhes sobre a cidade daquele tempo, que tem sido identificada com a era de José, filho de Jacó.

Dois níveis datam da idade do Bronze posterior (1600-1200 A.C.). Muitos artefatos e partes de construções foram desenterrados. Um interessante item era um túmulo, escavado na rocha. Evidentemente era um túmulo de família, usado durante cerca de trezentos anos. Ali foram encontradas seiscentas candeias de barro, o que talvez atesta sobre o número de pessoas ali sepultadas. Foram encontrados oitenta esqueletos e mais de três mil e duzentos objetos de cerâmica como lâmpadas, jarras, taças, cântaros, e, de fato, todo tipo de vaso que se usava na época. Também havia ali armas como lanças e adagas, e muitas espécies de ferramentas, como formões.

Dois outros níveis, datados do período do Ferro I (1200-1000 A.C.), são paralelos da época dos juízes. O túmulo mencionado no parágrafo acima continuou a ser usado no início desse período. Um outro túmulo foi encontrado nas proximidades. Produziu quinhentos objetos similares àqueles descobertos no primeiro túmulo.

Quatro níveis datam do período do Ferro II (1000-600), — correspondente ao período da monarquia de Israel. Um edifício de administração foi desenterrado, contendo muitas jarras para guardar mantimentos, provavelmente para conter o azeite pago à guisa de impostos, além de outros produtos. O edifício tinha paredes de 1,20 m de espessura, e um tipo de sistema de drenagem ou esgoto que não diferia muito do sistema inglês do tempo da rainha Isabel, de cerca de três mil anos mais tarde. A cidade desse período provavelmente foi destruída pelos assírios que levaram Israel em cativeiro.

O período persa (500-300 A.C.) não produziu muita coisa. É provável que a cidade tenha declinado de importância, refletindo a desolação e a destruição que tivera lugar.

O período helenista (300-50 A.C.) tem sido confirmado por muitas descobertas, partes de edificações, cerâmica e inscrições. Um caco tinha uma estampa com as letras *sc*, isto é, *senatus consultus*, uma reversão do usual *consultus senatus*, que significa «aprovado por consulta», diante do senado romano.

O período bizantino (300-500 D.C.) também estava representado na porção mais alta do cômoro. Foram encontrados restos de edifícios de um período posterior, incluindo um palácio fortaleza da época medieval (séculos XII-XIV D.C.). Havia edifícios elaborados, com muitos aposentos em torno de um pátio. Restos árabes também foram descobertos, pertencentes a esse período. O período árabe cabe entre 600 e 1100 D.C. O cômoro inteiro recebeu o nome de *Tell Dotha*.

Até o dia de hoje os pastores vêm do sul da Palestina àquela região, a fim de dar água e pasto a seus rebanhos, conforme fizeram os irmãos de José, há muitos séculos atrás. Os céticos modernos duvidavam que os pastores viajassem para fora do vale de Hebrom, há quase cento e trinta quilômetros de distância, para virem àquela região. Um dia, porém, o arqueólogo Free encontrou noventa rebanhos na estrada que vem de Jerusalém, aproximando-se de Dotã. Muitos desses rebanhos tinham vindo da região entre Hebrom e Jerusalém. Portanto, o registro bíblico é correto, no tocante a esse item. FRE (1953-1960).

DOTAIM

Ver sobre **Dotã**.

DOTE

No hebraico temos duas palavras diferentes: Zebed, «dote», usada somente em Gên. 30:20. E *mohar*, usada por três vezes: Gên. 34:12; Êxo. 22:17; I Sam. 18:25. A primeira delas olha mais para o dote como

DOTE — DOUTRINA

um presente; e a segunda mais para o dote como o preço pago por uma esposa.

Era costume, no Oriente, que um noivo oferecesse ao pai da noiva certa soma em dinheiro, ou algo de valor, para encorajá-lo a dar-lhe a jovem. No caso de Jacó, como ele nada tinha de valor para oferecer, propôs sete anos de trabalho, em potencial, ao seu sogro, Labão (Gên. 29:8). Isso parece muita coisa, em uma época em que a situação da mulher era bem baixa. Só podemos supor que Raquel era muito especial. Também temos o exemplo de Siquém, que se ofereceu para pagar qualquer preço por Diná, a quem ele havia seduzido ou violentado (Gên. 34:12). Mas ele e seus familiares terminaram mortos por dois irmãos de Diná, Simeão e Levi. Vários tipos de presentes podiam estar envolvidos nos casamentos: 1. Um presente dado ao pai da noiva. 2. Um presente dado à família da jovem. 3. Um presente dado diretamente à jovem (I Reis 9:16; Miq. 1:14). A primeira era a situação usual; as outras duas eram ocasionais. No caso do casamento de Davi com a filha de Saul, temos a estranha circunstância de que esse rei exigiu não algum dinheiro como dote, mas cem prepúcios de filisteus. Era um plano para fazer Davi ser morto, pois Saul calculou que se ele tentasse obter esse tipo de saque de guerra, poderia acabar morrendo na tentativa. Ocasionalmente, um pai oferecia uma filha em troca de algum serviço especial, e, além da jovem, dava dinheiro, terras ou mercadorias, especialmente se o ato exigido fosse difícil ou perigoso, como lutar e derrotar a um inimigo. Se um homem seduzisse a uma jovem e a desvirginasse, tinha de pagar o dote usual, se o pai aprovasse o casamento. Em caso de desaprovação paterna, pelo que não poderia haver casamento, ainda assim o violentador tinha de pagar o dote, sem ficar com a jovem (ver Êxo. 22:16,17).

Na atualidade, temos a estranha circunstância em que o pai da noiva é que precisa pagar todas as despesas do casamento e da recepção, sem obter qualquer presente. Naturalmente, é o marido que acaba pagando pelas despesas pelo resto da vida. E alguns maridos dizem que isso vale a pena. Concordo. Por outro lado, em muitas sociedades modernas, a esposa ganha algum dinheiro, e isso é um negócio muito bom para os maridos que não podem ganhar um alto salário. Seja como for, o dinheiro não deveria ser a consideração básica em nenhum casamento, embora, sem dúvida, não seja uma questão indiferente.

DOUTOR

É assim que algumas versões traduzem a palavra grega *didáskalos*. Mas a tradução mais certa e usual é «mestre» ou «professor». O termo grego aparece por cinqüenta e oito vezes no Novo Testamento grego. Para exemplificar, ver Mat. 8:19; 9:11; 12:38; 22:16,24,36; 26:18; Mar. 4:38; 9:17; Luc. 7:40; 8:49; 9:38; João 1:38; 8:4; 11:28; 20:16; Atos 3:2; Rom. 2:20; I Cor. 12:28,29; Efé. 4:11 e Heb. 5:12. Esse é o título comum dado a Jesus, como o Grande Mestre; e também é aplicado àqueles que receberam o dom ministerial de mestre.

Um outro termo grego, *nomodidáskalos*, «mestre da lei», aparece somente nos escritos de origem cristã. Ver I Tim. 1:7. A referência ali, mais provavelmente, é ao gnosticismo que misturava noções judaicas, cristãs, das religiões orientais, da filosofia grega, da mitologia, etc., dentro de seu sistema, ensinando assim uma forma pervertida do judaísmo, como um dos elementos de seu sistema.

Dentro da história eclesiástica, essa palavra tornou-se o título de muitos mestres notáveis e poderosos. Portanto, fala-se sobre certas pessoas como Doutores da Igreja. Ver o artigo separado a esse respeito.

Dentro do vocabulário secular, esse termo significa alguém que recebeu a mais alta educação que alguma instituição de ensino pode conferir. Geralmente o título é dado àqueles que se formam como médicos, advogados e filósofos. No Brasil dá-se o título aos dentistas (mas não em alguns outros países). Em certos países, as faculdades de teologia dão o título de Doutor em Divindade. Quanto a esses títulos, não há uniformidade entre as instituições dos muitos países do mundo.

DOUTOR DA IGREJA

Uma honraria dada a certos escritores cristãos eclesiásticos cujas obras são consideradas contribuições especiais para a comunidade religiosa. A Igreja Católica Romana estabeleceu três requisitos: 1. Santidade eminente. Somente os santos canonizados são reconhecidos como doutores. 2. Erudição excepcional, através da qual alguns fazem contribuições extraordinárias à humanidade. 3. Uma declaração oficial da hierarquia católica romana.

Autoridade. Os ensinos dos doutores da Igreja não são considerados obrigatórios, como se fossem oficiais, na Igreja de Roma, mas esses ensinos são altamente respeitados, como interpretações eruditas.

Os Doutores. No Ocidente temos Ambrósio (falecido em 397 D.C.), Jerônimo (falecido em 419 D.C.), Agostinho (falecido em 430 D.C.), Gregório, o Grande (falecido em 604 D.C.). Esses foram reconhecidos pelo papa Bonifácio VIII, em 1298. No Oriente temos Basílio, o Grande (falecido em 379 D.C.), Gregório Nazianzeno (falecido em 390 D.C.), João Crisóstomo (falecido em 407 D.C.). A Igreja ocidental usualmente também alista Atanásio (falecido em 373 D.C.) entre os doutores orientais, embora a cristandade oriental hesite em conferir-lhe posição tão elevada quanto dá aos outros. Passou-se um longo intervalo sem terem surgido outros doutores declarados. Mas, em 1568, o papa Pio V declarou que Tomás de Aquino (falecido em 1274) era um doutor da Igreja. O número total elevou-se para trinta, quando João XXIII deu o título a Lourenço de Brindisi, em 1959. Esse título de acordo com a Igreja Católica Romana, só pode ser dado por um papa ou por um concílio geral.

DOUTRINA

Essa palavra significa «ensino». Vem do latim, *doctrina*, cuja forma verbal é *docere*, «ensinar». O termo tem um sentido geral, podendo referir-se a qualquer tipo de ensino, como também pode indicar algum ensino específico, como a *doutrina da salvação*. Também pode envolver as idéias de crença, dogma, conceito ou princípio fundamental ou normativo por detrás de certos atos. Esse vocábulo traz imediatamente às nossas mentes idéias e ensinamentos religiosos, porque usualmente é assim que o ouvimos ser dito. A expressão «a doutrina» pode aludir aos ensinamentos de Cristo, ou ao sistema de ensinos cristãos. Porém, o propósito da doutrina cristã é a mudança da vida dos cristãos, pelo que o termo não deve subentender meros conceitos intelectuais e religiosos, que compõem algum sistema. Essa palavra dá a entender aqueles ensinos usados pelo Espírito a fim de transformar almas humanas, tornando-as

DOUTRINA — DOXOLOGIA

semelhantes ao seu Mestre. As doutrinas formalizadas na forma de credos tendem a estagnar a viva energia dos ensinamentos de Cristo. Seus ensinos apontam para categorias do ser que não podem ser expressas distintamente como conceitos verbais. Quando Jesus convidou: «...aprendei de mim...» (Mat. 11:29), certamente ele não estava pensando em alguma sistematização de idéias a seu respeito, e, sim, na capacidade transformadora de sua doutrina e Espírito, capaz de transformar seus discípulos (aprendizes).

As palavras gregas assim traduzidas são *didaskalía* e *didachē*. Essas duas palavras aparecem, juntas, por quarenta e oito vezes no Novo Testamento grego. A idéia essencial é «ensino», a comunicação de conhecimentos. O ensino do Antigo Testamento sobre a lei e os preceitos de Deus tinha o intuito de levar os homens a defrontarem-se com os requisitos divinos da conduta humana (Êxo. 4:15; Deu. 4:1,5; 6:1,6,7). Esse tipo de conceito é transferido para o Novo Testamento. Nas epístolas pastorais já nos aproximamos da idéia de um sistema doutrinário formal, pelo que encontramos a *sã doutrina* do evangelho, contrastada com as imoralidades do paganismo (ver I Tim. 1:9-11; 6:13; Tito 1:9; 2:1-5,9,10).

O *kerugma*, «pregação», do Novo Testamento (ver I Cor. 1:21) é o meio usado na evangelização, é como se torna conhecida a mensagem de Cristo. O *didachē* é o meio de instruir as pessoas na nova vida cristã. O *kerugma* tem suas exigências éticas e espirituais. O *didachē* é aquela instrução que dá detalhes sobre como podemos cumprir esses requisitos. Nenhum desses vocábulos pode ser entendido como uma mera comunicação e instrução verbal. Ambos os processos devem ser impulsionados pelo Espírito, a fim de fazer qualquer coisa pelo homem que se desviou muito de Deus. Quando o ancião de II João 9 e 10 referiu-se à doutrina da encarnação, usando a palavra *didachē*, ele não estava meramente prestando alguma informação. Antes, ele dava a entender que o Cristo encarnado é uma pessoa viva, que comungará, com os nossos espíritos e nos transformará. Portanto, a doutrina não consiste meramente naquilo em que cremos. Antes, trata-se de uma maneira de viver. De outra sorte, a fé cristã seria apenas uma outra filosofia.

Paulo fala no DOM DE ENSINAR (ver Efé. 4:11), conferido a indivíduos especiais da Igreja cristã, a fim de que a mensagem cristã possa ser anunciada de forma mais eficaz. Esses homens, antes de tudo, devem santificar-se, ou a sua mensagem cairá por terra. Também precisam ser impulsionados por Deus, e devem mostrar-se ativos. Desse modo, o *didachē* terá oportunidade de fazer valer sua obra transformadora.

DOUTRINA DAS ESCRITURAS

Ver **Escrituras, Doutrina das**.

DOUTRINA DAS DUAS ESPADAS

Ver o artigo sobre o **Direito Divino dos Reis**, em seu último parágrafo.

DOUTRINA DO MEIO-TERMO

1. Havia um documento com esse nome no início da dinastia Han. Chu Hsi (que vide) deu proeminência a essa obra mediante o ensino, como também fez com a *Grande Erudição* (que vide). Os dois documentos encontram-se entre os grandes clássicos da religião e da filosofia chinesas. Desde 1313 até 1905, essas obras clássicas foram a base dos exames para funcionários públicos na China, o que nos dá uma idéia da vasta influência que exerceu naquele imenso país.

Idéias:

a. Há um *caminho* a ser seguido, que requer equilíbrio e harmonia. O equilíbrio fala sobre aquele estado de espírito antes do surgimento de emoções fortes, como o prazer, a ira, a tristeza e a alegria. E a harmonia é aquele estado de equilíbrio mantido uma vez que essas emoções são despertadas.

b. Todos os excessos precisam ser evitados, tanto na direção dos excessos quanto na direção das deficiências. Deve haver um espírito de serviço mútuo que controla todas as relações humanas, pois, em caso contrário, já haveria um estado de excesso e de deficiência, que favorece alguns e desfavorece outros.

c. As três grandes e universais virtudes são sabedoria, humanidade e coragem. Essas virtudes deveriam governar todos os relacionamentos humanos. A humanidade inclui a lei do amor.

d. A sinceridade é uma necessidade absoluta para o homem espiritual. Deve ser cultivada e ensinada. A melhor maneira de ensinar é ser aquilo que se diz que os outros devem ser, oferecendo-se assim o exemplo apropriado. Há uma tríade moral e espiritual a ser atingida: 1. o próprio mestre, que ensina e dá o exemplo; 2. a pessoa que é ensinada, e que é assim transformada; 3. o processo transformador do céu e da terra. Se alguém, mediante seus esforços, puder cumprir esse triângulo de modo eficaz, ter-se-á tornado um sábio.

2. O *meio-termo áureo* de Aristóteles é similar às idéias da filosofia chinesa descritas acima. Ele procurou mostrar-nos quais são as virtudes principais e como cada uma delas pode cair em excesso ou deficiência. A coragem pode tornar-se em temeridade ou covardia, seus pontos extremos. Ver um tratamento sobre esse particular no artigo sobre *Aristóteles*, VI, *Ética*. Quanto a um estudo mais completo sobre isso ver o artigo sobre o *Meio-Termo Áureo*.

3. O *estoicismo*, nas mãos dos romanos, ensinava o grande princípio da *moderação* em todas as coisas. O cristianismo, naturalmente, incorpora esse conceito, especialmente por meio de Paulo, que tomou por empréstimo certas idéias estóicas. Tarso, cidade natal de Paulo, era um dos centros do estoicismo. Ver Fil. 4:5. O que se depreende disso é que até mesmo uma coisa boa pode tornar-se errada, se for excessiva para mais ou deficiente para menos. (EP P)

DOXA

Essa é uma palavra grega que significa «opinião». Quanto a seus vários usos, ver o artigo sobre *Opinião*.

DOXOLOGIA

Vem dos termos gregos **doxa**, «louvor», «honra», «glória», e *logos*, «palavra», ou seja, algo dito que expressa louvor, atribuindo glória e honra a alguém, a alguma circunstância ou a algum estado.

1. *Algumas Doxologias Bíblicas*. Todos os cinco livros que compõem os Salmos, terminam em doxologias. O último salmo de cada série é uma doxologia. Ali o termo aparece por cinco vezes. Ver Sal. 41:13; 72:18 ss; 89:52; 106:48; 150:1-6. Em Lucas 2:14 há o registro de uma doxologia entoada pelos anjos, em celebração ao nascimento de Jesus. O Domingo de Ramos incluia uma doxologia por parte

DOXOLOGIA — DOZE, SIMBOLISMOS

da multidão (Luc. 19:37). A oração do Pai Nosso termina com uma linda doxologia: «...pois teu é o reino, o poder e a glória para sempre. Amém». No entanto, essas palavras não aparecem nos manuscritos gregos mais antigos. Era, contudo, uma doxologia comum nos tempos pré-cristãos, tendo aparecido pela primeira vez em I Crô. 29:11, e então foi usada tanto pelos judeus quanto pelos cristãos. Nos escritos de Paulo há várias doxologias. Ver Rom. 11:36; 16:27; Efé. 3:21; I Tim. 1:17. Judas tem a mais longa e abrangente de todas as doxologias do Novo Testamento, os versículos 24 e 25 de sua epístola: «Ora, àquele que é poderoso para vos guardar de tropeços e para vos apresentar com exultação, imaculados diante de sua glória, ao único Deus, nosso Salvador, mediante Jesus Cristo, Senhor nosso, glória, majestade, império e soberania, antes de todas as eras, e agora, e por todos os séculos. Amém».

Uma outra notável doxologia é a de Hebreus 13:20,21, onde se lê: «Ora, o Deus da paz, que tornou a trazer dentre os mortos a Jesus, nosso Senhor, o grande Pastor das ovelhas, pelo sangue da eterna aliança, vos aperfeiçoe em todo bem, para cumprirdes a sua vontade, operando em vós o que é agradável diante dele, por Jesus Cristo, a quem seja a glória para todo o sempre. Amém».

No Apocalipse também encontramos doxologias celestiais. Ver Apo. 5:13 e 19:1.

2. *Usos das Doxologias*. Uma doxologia, antes de tudo, é uma entusiástica e emocional declaração de agradecimentos a Deus, com base em certo senso de admiração, em face de sua pessoa e de suas obras. Quando lemos as doxologias, também aprendemos que as mesmas contêm material didático. Na liturgia cristã (ver o terceiro ponto, abaixo), as doxologias são usadas como porções do culto em ocasiões especiais, a fim de enfatizar a necessidade de exaltarmos a Deus, ou como porções divisórias da liturgia, pondo fim a um pensamento para introduzir algum outro. As doxologias também são usadas por indivíduos particulares.

3. *Na Liturgia Cristã*. a. *A Doxologia Menor*. Essa pode envolver uma única sentença, como: «Glória ao Pai, ao Filho e ao Espírito Santo, para todo o sempre. Amém». Mais tarde, foram acrescentadas as palavras: «Como no princípio, agora e para sempre». O quarto concílio de Toledo adicionou a palavra «honra», pelo que a doxologia passou a ser : «Glória e honra ao Pai...» Isso foi tomado por empréstimo do salmo de ação de graças de Davi, em I Crô. 16:27. Não há certeza, porém, acerca de quando isso foi inserido. Alguns supõem que a inserção data de antes do concílio de Nicéia. Seja como for, tornou-se comum, e apareceu no segundo concílio de Vaison (529 D.C.). b. *A Doxologia Maior* ou hino angelical, o *Gloria in Excelsis*, utilizando-se das palavras da doxologia que houve por ocasião do nascimento de Jesus (ver Luc. 2:14): «Glória a Deus nas maiores alturas», etc. Essa doxologia era usada principalmente no culto de comunhão, mas também nas devoções particulares diárias. Na liturgia moçárabica, essa doxologia é cantada antes das lições sobre o dia de Natal. Crisóstomo informa-nos de que os ascetas que se retiravam da sociedade humana reuniam-se diariamente para entoar esse hino. Alguns supõem que essa doxologia surgiu na época de Luciano (começo do século II D.C.), mas não há certeza quanto à questão. c. O *Trisagion* era usado no século II D.C. Começava com as palavras: «Portanto, com os anjos e os arcanjos, e com toda a hoste celestial, louvamos o magnificamos o Teu glorioso nome». d. Uma

doxologia comum protestante, entoada todos os domingos em muitas igrejas, é o hino do bispo Thomas Ken (anglicano), e que termina com as seguintes palavras:

«Louvado seja Deus, de quem fluem todas as bênçãos;
Louvai-O, todas as criaturas cá debaixo;
Louvai-O nas alturas, vós, exércitos celestiais;
Louvai ao Pai, ao Filho e ao Espírito Santo».

Todas as doxologias acima são utilizadas por alguns segmentos da Igreja cristã atual, em várias adaptações e circunstâncias. Nas igrejas protestantes, tornou-se comum ouvir o uso de doxologias bíblicas como encerramento do culto de adoração. Ver os artigos separados sobre *Gloria in Excelsis; Gloria Patri; Te Deum; Amém; Kaddish; Trisagion*. (AM E S Z)

DOZE, OS

Ver o artigo sobre os **Apóstolos**. Jesus escolheu doze discípulos especiais, que foram os alicerces de sua Igreja e por meio de quem o evangelho começou a ser propagado no mundo (Mat. 10:1 *ss*; Mar. 3:14). Não somos informados quanto ao motivo pelo qual ele escolheu precisamente doze, embora possamos supor que havia certa analogia com as doze tribos de Israel. Se Jesus tinha por propósito reformar o Israel já existente, ou se ele queria iniciar o Novo Israel, a Igreja, então o mesmo número de discípulos poderia ser considerado significativo para qualquer desses dois propósitos. A Nova Jerusalém, que é um símbolo da Igreja, utiliza-se do número doze em seus fundamentos e portões, e sobre esses fundamentos estão gravados os nomes dos doze apóstolos de Jesus. Portanto, a *Nova Jerusalém* sugere o *novo* Israel, o que fortalece a idéia da transferência do número das tribos à situação cristã. O trecho de Lucas 22:30, ainda dentro do contexto do ministério de Jesus, sugere a mesma coisa, porquanto Jesus predisse que os doze apóstolos teriam a responsabilidade de julgar as doze tribos de Israel, sentados em doze tronos. Sem dúvida era dada grande importância ao número doze. De outra sorte, a Igreja não sentiria a necessidade de completar novamente esse número, escolhendo Matias, depois da queda de Judas Iscariotes (Atos 1:15 *ss*, especialmente o vs. 26).

Uma doutrina judaica comum, antes e durante a época de Jesus, dizia que os grandes profetas do Antigo Testamento haveriam de reencarnar-se, recebendo novas missões, tendo em vista o bem de Israel. Tomando isso como uma sugestão, alguns estudiosos supõem que os doze apóstolos foram reencarnações dos doze filhos de Jacó. Nesse caso, haveria uma conexão muito vital entre as doze tribos de Israel e os doze apóstolos da Igreja; mas, pelo menos por enquanto, não dispomos de meios para saber a verdade sobre essa questão. Parece haver um certo poder nos números, e a numerologia sempre foi importante para Israel, especialmente para os rabinos, que estudavam a *Cabala* (que vide). Mas o nosso conhecimento sobre essas coisas continua inexato. Ver o artigo geral sobre os *Números*.

DOZE, SIMBOLISMOS

Na Bíblia, o número doze representa o *governo humano*. Ver os artigos sobre *Doze, Usos Bíblicos* e *Doze, Os*. Ver também o artigo geral sobre os *Números*. Nos sonhos e nas visões, o número doze usualmente refere-se ao tempo, em algum sentido,

DOZE, USOS BÍBLICOS – DRAGÃO

porquanto há doze horas no dia e doze meses no ano. Visto que os sinais do zodíaco são doze, esse número também pode ter o sentido de destino, orientação, controle e governo universal e provisão. Por extensão, esse número pode referir-se à algum ponto culminante, ou à realização de alguma coisa específica.

DOZE, USOS BÍBLICOS

O ano, entre os hebreus, estava dividido em doze meses. Ver o artigo geral sobre o *Calendário*. Entre os hebreus, o dia estava dividido em doze horas, e a noite, idem. João 11:9. Israel (Jacó) teve doze filhos (Gên. 35:22-27; 42:13,32). Portanto, doze eram as tribos de Israel (Gên. 49:28). Jesus escolheu doze apóstolos, o que talvez reflita esse número doze, tão importante na nação de Israel, o qual, em seguida, foi transferido para o novo Israel, a Igreja (Mat. 10). Ver o artigo geral sobre *os apóstolos*. A Nova Jerusalém terá doze fundamentos, cada um dos quais com o nome de um dos apóstolos de Jesus (Apo. 21:14). Essa cidade terá doze portões de pérolas (Apo. 21:12). Forma uma espécie de cubo, com doze mil estádios de cada lado. Isso é o equivalente a mais ou menos dois mil e quatrocentos quilômetros. Ver o artigo geral sobre *Número*. Ver o artigo separado sobre *Doze, Os*. Um dos sentidos simbólicos do número *doze*, nas Escrituras, é o *governo humano*; mas nem todo o uso bíblico reflete esse simbolismo, e nem sempre devemos procurar sentidos simbólicos para os números, nas páginas da Bíblia.

DRACMA

Ver o artigo geral sobre **Dinheiro**. Na Grécia antiga, a *dracma* era tanto uma unidade monetária como a unidade padrão de peso para a prata. Em Atenas, a dracma pesava 4,37 gramas, e a moeda padrão de prata era uma peça de quatro dracmas. Porém, pesos e medidas não eram padronizados, como atualmente, pelo que, em Corinto, a dracma pesava 2,8 gramas, e a moeda principal era uma peça de prata de três dracmas, chamada *estáter*. A dracma estava dividida em seis *óbulos*. Cem dracmas compunham uma *mina* de prata. Sessenta minas constituíam um *talento*. Na Grécia moderna, a *dracma* até hoje é a unidade monetária básica. Está dividida em cem leptos. Seu valor tem flutuado muito, dependendo das circunstâncias externas e internas do país. Em 1954, a nova dracma veio substituir a antiga, mil vezes mais valorizada.

DRAGÃO

Um grande número de animais aparece nas traduções do Antigo e do Novo Testamentos, com o nome de «dragão». Como sempre, não é fácil identificar os animais indicados pelas palavras originais, visto que a Bíblia não é um texto de zoologia científica. Porém, o que dizemos abaixo dá uma idéia bastante boa do que está envolvido nesses nomes:

1. *Tannin*. Palavra hebraica que alude a um animal do deserto, que a nossa versão portuguesa quase sempre traduz por «chacal», embora haja quem pense no «lobo». Ver Deu. 32:33; Sal. 74:13; 91:13; 148:7; Isa. 27:1; 51:9; Jer. 51:34. Nesses trechos, algumas versões dizem «dragão». Em Êxo. 7:9,10,12, a palavra é traduzida por «serpente». Isso mostra que o sentido desse vocábulo era variegado.

2. *Tan*, com o plural *tannim*, e que alguns estudiosos pensam não ter qualquer relação com a palavra *tannin*, do primeiro ponto, acima. Essa

palavra hebraica sempre aparece no plural (ver Jó 30:29; Sal. 44:19; Isa. 13:22; Jer. 9:11; Miq. 1:8, etc.). Nessas passagens, algumas versões também traduzem por «dragão», e a nossa versão portuguesa, caindo no mesmo erro de confundir *tannim* com *tannin*, também a traduz por «chacais». Seria muito melhor traduzi-la por «crocodilo», conforme, aliás, nossa versão portuguesa faz em Eze. 23:9.

3. No Novo Testamento temos a palavra grega *drákon* (ver Apo. 12:3,4,7,9,13,16,17; 13:2,4,11; 16:13 e 20:2). Essa palavra é usada para indicar, figuradamente, Satanás. Interessante é observar que em textos fora do Novo Testamento, essa palavra grega é usada para indicar «serpente». De acordo com meu léxico do grego clássico, a idéia de «dragão» esteve associada, a princípio, com essa palavra, e só depois é que *drákon* veio a ser usada com o sentido de «serpente».

O Dragão do Apocalipse

Apo. 12:3: *Viu-se também outro sinal no céu; eis um grande dragão vermelho que tinha sete cabeças e dez chifres, e sobre as suas cabeças sete diademas.*

Dragão, Apo. 12:3. Nos quatro pontos abaixo, procuramos determinar sua identificação:

1. Não se refere às perseguições movidas por Nero ou Domiciano, e nem a quaisquer outras perseguições sofridas pela igreja cristã, conforme têm sugerido os intérpretes da escola histórica.

2. Também não se deve pensar sobre as perseguições que serão movidas pelo anticristo, como um ser humano.

3. Não há, por igual modo, alusão ao império romano, ou a qualquer de vários impérios pagãos, à parte do diabo pessoal. Nenhuma combinação de poderes humanos que tem perturbado a este mundo está aqui em foco, como os hunos, os ostrogodos, os visigodos, os francos, os vândalos, os suevos, os alanos, os burgúndios, os turcos, etc., etc.

4. Antes, está em foco o *próprio diabo*, que opera mediante poderes pagãos. Historicamente, ele tem agido especialmente por meio do império romano; e, profeticamente, utilizar-se-á do império romano revivido, sob o domínio do anticristo (ver Apo. 12:9 e o trecho de Apo. 20:2, que confirmam essa identificação).

O símbolo do «dragão». Foi apenas natural que o vidente João escolhesse o «dragão» para pintar a Satanás. Havia muito precedente para isso, tanto na cultura judaica como na cultura pagã e nos símbolos religiosos. As forças más têm sido retratadas como crocodilos, dragões, serpentes e leviatã, a serpente tortuosa (ver Isa. 27:1); e com freqüência também como feras de múltiplas cabeças. Por exemplo, a hidra dos gregos tinha nove cabeças. O Sete-Tifom dos egípcios era um terrível crocodilo vermelho; o Azhi Dahaka dos persas era um monstro de três cabeças, e, grotescamente, duas dessas cabeças eram serpentes que nasciam de seus ombros. Os antigos cananeus (conforme a descrição existente nos tabletes de Ras Shamra) tinham uma temível serpente de sete cabeças. O leviatã (ver Isa. 27:1) era uma horrenda e «rápida» serpente. No livro de Daniel encontramos uma fera com dez chifres, que também tinha um «pequeno chifre», que simbolizava o perseguidor Antíoco Epifânio IV, e o simbolismo da passagem de Apo. 12:3 está misturado com isso, para mostrar como Satanás opera através de poderes humanos.

O vocábulo grego aqui usado *drakon*, significa «dragão», «serpente», «crocodilo» ou «leviatã» (ver Jó 41:1). Alguma fera monstruosa, semelhante a

231

DRAGÃO

serpente, está em foco aqui. Essa palavra é empregada nos escritos judaicos como um símbolo de Satanás; e isso foi transferido para o N.T. Foi a «serpente» que tentou Eva; - embora não seja especificamente dito que essa serpente era «Satanás», a maioria dos intérpretes bíblicos entende assim. (Ver Filo; Testamento Aser 7:3, Sib Or 3:794; Salmo de Salomão 2:25). Apo. 9:12 identifica especificamente ao «diabo» com essa «antiga serpente». Outro tanto se dá em Apo. 20:2.

Vermelho, Apo. 12:3. Essa é a cor do pecado, do sangue, do fogo e da violência, qualidades possuídas por Satanás em grau supremo. (Comparar com Apo. 6:4, acerca do «cavalo vermelho» do segundo selo, que aponta principalmente para a guerra e a violência). Desde o princípio, Satanás foi o grande homicida, sem nenhum respeito pela vida alheia, física ou espiritual (ver João 8:44). Essa caracterização, sem dúvida alguma, foi influenciada pelas perseguições movidas por Domiciano, que a igreja cristã vinha sofrendo quando João escreveu o Apocalipse. Tais atos eram tidos como satanicamente inspirados. As serpentes das descrições de Virgílio tinham cristas vermelhas como sangue, e as de Homero tinham as costas dessa cor. Também era vermelho o dragão egípcio Tifom, que perseguiu a Osíris. (Ver Plutarco, *de Iside*, 30-33).

Sete cabeças e dez chifres, Apo. 12:3. Muitas interpretações diferentes têm sido atribuídas a esse item da descrição do dragão, as quais sumariamos aqui: Não podemos deixar de vincular essas características às da descrição de Dan. 7:7, a terrível besta de uma cabeça, com dez chifres. O «chifre» era símbolo de poder, pelo que essa fera terá completo «domínio mundial», o que talvez seja efetuado por meio de governantes terrenos. A «besta saída do mar» (ver Apo. 13:1) é descrita exatamente como o «dragão», quanto a esse aspecto. Apesar de não querermos identificá-los entre si totalmente, dificilmente podemos escapar à conclusão de que o poder do dragão se manifestará através da besta saída do mar, até onde aquele se relaciona aos homens, nos últimos dias, sem importar qualquer outro tipo de poder que possa ter, em relação a outras esferas da existência, fora da terra. Lembremo-nos de que o Apocalipse foi escrito a fim de revelar as condições que haverá nos «últimos dias», imediatamente antes da «parousia», ou segundo advento de Cristo. Portanto, não é mesmo de estranhar que o anticristo seja retratado de modo parecido com o dragão, já que ambos representam o poder de Satanás. O anticristo será o «falso Cristo» de Satanás, o seu mediador à face da terra. Portanto, o que for dito sobre o poder de Satanás é automaticamente dito também acerca do anticristo.

O que significam as «sete cabeças?»

1. Simbolicamente, significam completa sabedoria, um intelecto tremendamente poderoso; mas tudo não passará da sagacidade de Satanás, que chegará perto de aniquilar a humanidade, durante o período da tribulação, tão grande será o mal e a destruição que isso operará no mundo.

2. O simbolismo também salienta quão temível é esse dragão. Não temos aqui algum monstro ordinário; ele é temível e poderoso, conforme eram os legendários monstros de muitas cabeças.

3. O trecho de Apo. 17:9,10 (conforme também fica implícito em Apo. 13:3) diz-nos, especificamente, que as «cabeças» são «sete montes», e também *sete reis*. Isso os identifica com os «imperadores romanos». (Ver Atos 17:9,10). Ambas as passagens evidentemente

contêm a tradição do «Nero reencarnado» como o «anticristo». Seja como for, as cabeças são governantes terrestres, por meio de quem Satanás operará na terra. Historicamente falando, o vidente João via Satanás operando por intermédio desses governantes, especialmente por serem instrumentos da perseguição contra a igreja. Profeticamente falando, vemos o anticristo e o império romano revividos, a federação de dez reinos por ele encabeçada, satanicamente controlada, o que servirá somente para detrimento da igreja, e de toda a humanidade.

4. Metafisicamente falando, as «sete cabeças» transcendem a qualquer «poder terreno», pois estão relacionadas a Satanás, o dragão, falando de seu grande poder em todas as dimensões, incluindo a dimensão espiritual. Por meio de Roma e do anticristo (isto é, histórica e profeticamente falando), Satanás fará descer esse poder até os homens.

5. Os «sete montes» identificam a cena toda com a cidade de Roma, pois aquela cidade estava edificada sobre «sete colinas», as quais são até hoje famosas.

O que significam os dez chifres?

1. Simbolicamente significam «poder».

2. Metafisicamente indicam o «poder de Satanás», em todas as dimensões.

3. Historicamente, os «dez chifres» são «reis», de algum modo associados a Roma, talvez imperadores romanos ou *reis* de províncias romanas, que ajudavam a ampliar o seu domínio.

4. Profeticamente, é quase certo que esses «dez chifres» se referem à federação de dez reinos que formará o império do anticristo. Não é mister pensar que todos esses dez reinos pertencerão à comunidade européia. Os místicos contemporâneos dizem que os Estados Unidos, Canadá e o Japão serão três desses reinos; e isso, mui provavelmente, é correto. Essas *dez nações* serão usadas como instrumentos do poder do anticristo, nos últimos dias. Derrotarão à União Soviética quando da Terceira Guerra Mundial, embora a um preço incrivelmente elevado. Também farão oposição à China, na Quarta Guerra Mundial, que culminará na batalha do Armagedom. (Quanto a detalhes sobre essas predições ver o artigo intitulado *Tradição Profética e a Nossa Época*). Podemos conjecturar que essas dez nações serão a Inglaterra, a França, a Itália, o Canadá, o Japão, a Bélgica, a Alemanha, a Holanda, a Suécia e os Estados Unidos da América do Norte.

5. Misticamente falando, os dez chifres de Satanás indicam o seu poderoso poder cósmico, que transcende a qualquer situação desta terra.

Essa interpretação, conforme damos no parágrafo imediatamente acima, deve ser correta. Mas há outras interpretações, que enumeramos abaixo:

a. Os intérpretes históricos (pelo menos alguns) dividem as sete cabeças e os dez chifres em fases históricas, não permitindo que pertençam todas a um único período de manifestação satânica. Portanto, removem a questão dos «últimos dias» e a transferem para o desdobramento de um prolongadíssimo processo histórico. Nesse caso, as cabeças e os chifres são normalmente encarados como «reinos» e «períodos de governo», e não como governantes individuais. Segundo dizem eles, «dez» é o número do «curso completo do mundo». Portanto, estaria supostamente em foco o governo maléfico sobre o mundo, inspirado por Satanás, através da história da humanidade.

Alguns intérpretes históricos pensam que as «sete cabeças» seriam «sete cidades-capitais» do império romano, a saber, Roma, Cartago, Aege, Antioquia,

DRAGÃO — DRAGÃO, BEL E O

Augustodunum, Alexandria e Constantinopla. Outros vêem, nos «dez chifres», «dez impérios romanos perseguidores», ou então «dez sucessivos estágios de governo humano, desde o império romano. Também há aqueles que vêem nisso dez áreas do império romano da antiguidade, como a África, a França, a Bretanha, a Germânia, a Dácia, a Trácia, a Capadócia, a Armênia, a Síria e a Palestina.

b. Outros intérpretes rejeitam inteiramente qualquer conexão com o império romano, com governantes humanos ou com a «besta saída do mar», pensando que os símbolos das cabeças e dos chifres pertencem exclusivamente ao próprio dragão, nada tendo a ver com aquela besta. Isso significaria, pelo menos para alguns desses estudiosos, o governo cósmico de Satanás, e não o seu domínio sobre a terra. Ele seria «todo-sábio» (cabeças) e «completo» (chifres). Se seguirmos essa linha de pensamento, juntamente com alguns, concluiremos que as cabeças e os chifres representam poderes «demoníacos» e não governos terrestres. Temos procurado incorporar algumas dessas idéias naquela primeira interpretação, mas rejeitamos totalmente a idéia de que não há qualquer conexão entre o dragão e a besta do décimo terceiro capítulo do Apocalipse, quanto a essas particularidades. A conexão é por demais óbvia para ser perdida de vista. O dragão manifestará o seu poder por intermédio da besta; pelo que também, embora o seu poder seja muito mais vasto do que aquele que se manifestará somente à face da terra, contudo, até onde diz respeito ao Apocalipse, é a «manifestação do poder de Satanás», à face da «terra», que está simbolizado em tudo isso. A «besta» é o «homem» em quem se encarnará essa manifestação, tal como Jesus Cristo era a manifestação de Deus diante dos homens. Perder de vista essa verdade é perder de vista a mensagem profética do Apocalipse.

O dragão, em seu imenso poder e em sua profunda sabedoria, totalmente dedicado ao mal, procura extinguir a Israel e a Cristo, filho daquela nação, bem como a todos quantos pertencem a Cristo. (Isso pode ser confrontado com Efé. 6:11 e *ss*, no tocante à «guerra espiritual», e onde nos é assegurado que nossos adversários não são humanos, mas são hostes de seres demoníacos, que nada conhecem senão destruição e miséria).

Nas cabeças, sete diademas. Cristo apareceu com «muitos diademas» (ver Apo. 19:12), pelo que não é de estranhar que Satanás usasse sete diademas. (Ver Apo. 13:1, sobre os «dez diademas» do anticristo, um para cada «chifre»). Neste caso, os diademas se equiparam ao número das «cabeças». As «cabeças» são soberanos, pelo que usam coroas, ou diademas. Os *chifres* também são soberanos, razão pelo qual usam coroas, ou diademas. A variação numérica não se reveste de grande significado.

Símbolos

O *sete* fala de «perfeição». O senhorio de Satanás se alicerça sobre uma completa maldade. *Dez* fala do governo terreno, do curso completo do governo terreno. E esse também está debaixo do domínio satânico, pelo que aparece aqui «coroado» com o poder e a autoridade de Satanás. A coroa (neste caso, «diadema») é o símbolo do governo, do poder, da autoridade, «investidos» sobre um indivíduo qualquer. O próprio Satanás exerce o governo supremo do mal. Mas ele exerce esse governo, na terra, por meio de soberanos humanos, que se deixam envolver pela sua influência satânica. Nos últimos dias, Satanás exercerá «domínio completo» sobre a terra, conforme

o número das coroas (ou «diademas»), «sete» ou «dez», nos indica. Aqueles soberanos usarão as coroas, mas Satanás é que será o real soberano da terra, durante o período da tribulação. Aqueles soberanos serão apenas seus títeres.

1. Satanás é aqui apresentado como um adversário temível. Sua sabedoria consumada é utilizada a serviço do mal; e ele sempre encontra o seu *homem* ou seus homens para que o manifestem na terra. Quão necessária se faz, pois, «toda a armadura de Deus» (ver Efé. 6:11 e *ss*)!

2. O contexto geral, entretanto, a despeito de representar a horrenda força e sabedoria de Satanás, mostra que Jesus Cristo triunfará, finalmente; e juntamente com Cristo triunfarão os seus seguidores. Nenhum mal final pode sobrevir a um homem verdadeiramente bom. Deus determinou que as coisas sejam assim.

3. «O homem de Patmos percebeu claramente que o âmago do mal é a vontade maligna. O coração da entrega pessoal à maldade é o mais negro de todos os problemas morais. Esse tipo de mal nunca consiste de um bem mal-entendido. Não se trata de boas intenções confusas. Mas é a franca e completa devoção ao mal, exatamente porque o mal é mau. Tudo isso é simbolizado pelo 'grande dragão vermelho'. É uma ambição apaixonada e inspiradora pela iniqüidade que varre o firmamento inteiro. É a própria natureza dessa vontade maligna não somente desejar um trono, mas também desejar o trono do qual não pode participar. Gostaria de apossar-se até mesmo do trono de Deus. E nada pode aplacar essa vontade maligna. O desejo de estabelecer condições de paz com aquilo que deve ser derrubado, é de ocorrência freqüente na história... O símbolo do grande dragão vermelho é bastante repulsivo e maldoso, mas representa algo que não pode ser totalmente ignorado» (Hough, *in loc.*).

A Cabeça da Serpente

A cabeça da serpente se levantou,
Com olhos maliciosos e furtivos,
Com boca nociva a zombar,
A violentar toda inocência, a espumar seu ódio,
A desejar vil perversidade.

A cabeça da serpente se levantou,
Tão bela, em todo o seu intricado desenho,
Encantadores são seus prazeres, ao que todos
*   resignam,*
Nada tão alegre, nem tão saudável,
Tão preciosos os seus benefícios,
Correta e justamente a ela o mundo se amontoa.

A cabeça da serpente se levantou,
Eis em seus olhos a sabedoria dos séculos,
Por que não buscar suas vantagens?
A ela damos alegre lealdade, a ela adoramos,
Posto que satisfação dá a todos, de seu vasto
*   tesouro.*

A cabeça da serpente se levantou,
sua tentadora beleza...é feiúra vil;
seu encanto atrativo...é a maldição da raça;
sua alegria e seus prazeres...horrenda desgraça,
sua sabedoria e gênio...apagam a piedade.

(Russell Champlin)

DRAGÃO, BEL E O

Ver sobre **Bel e o Dragão**.

••• ••• •••

DRAGÃO E A MULHER — DRAMA

DRAGÃO E A MULHER

Ver Apo. 12:4.

O dragão se deteve em frente da mulher...a fim de lhe devorar o filho. A mulher estava prestes a dar à luz. O dragão aguarda esse acontecimento, estando pronto a destruir seu «filho», assim que este nascer. Mas devemos rejeitar essa interpretação, que pensa que esse *filho* a nascer é a *igreja* ou é *Cristo* nascido nas vidas dos homens. E nem a mulher é a igreja. A mulher é a nação de Israel, e o filho dela é Cristo, o Senhor. Naturalmente, o que sucede a ele, automaticamente sucede a seu corpo, a igreja; mas isso fica apenas implícito neste versículo, porque não é uma interpretação direta do mesmo. Satanás, que vive combatendo contra Deus, naturalmente faz combate contra o Filho, que se encarnou a fim de trazer aos homens a redenção celestial. Este versículo fala de tentativas literais de destruir a Cristo, em sua natureza física, como sucedeu nos dias de Herodes; mas também se refere a «tentativas espirituais» de torná-lo inútil e inoperante, até onde diz respeito ao seu propósito remidor.

O «simbolismo» foi tomado por empréstimo dos escritos gregos, onde se vê Pitom procurando destruir Apolo antes mesmo de seu nascimento, a fim de que, segundo dizia certa predição, Apolo não terminasse por vencê-lo. Mas todos os esforços de Pitom foram inúteis: Apolo nasceu e venceu àquele. Assim também Cristo nasceu, sob a proteção de Deus Pai, e derrotou a Satanás. (Ver Luc. 10:18).

O nascimento do «menino» assinalou *o começo do fim* da carreira de Satanás, pois em Cristo termina o domínio de Satanás sobre os homens (ver Efé. 1:10). Finalmente, Cristo será tudo para todos. Esse é o alvo do «mistério da vontade de Deus» (ver Efé. 1:10,23). Não é de admirar, pois, que Satanás tenha procurado destruí-lo assim que ele nasceu em carne humana; e prossegue em suas tentativas, no tocante à influência de Cristo sobre os homens, a fim de que Cristo não nasça neles. Esse «menino» tem um poder ilimitado. Todos terão de vir a ele, em certo sentido, glorificando-o; e, de algum modo, serão beneficiados com isso, ainda que nem todos sejam *eleitos*, isto é, que nem todos venham a participar da natureza divina (ver João 12:32 e Fil. 2:9-11).

Pode-se fazer certa comparação com a narrativa sobre Faraó, do Egito. Ele procurou matar aos meninos israelitas. (Ver Êxo. 1:15-22; Sal. 85:13; Isa. 27:1; 51:9; e Eze. 29:3). Herodes tentou fazer a mesma coisa (ver Mat. 2:13 e *ss*). Esses foram eventos inspirados pelo próprio Satanás.

1. Contos, mitos e livros sagrados, ao redor do mundo, pintam o mal na forma de um dragão ou de uma serpente. Somos lembrados de seus «golpes» iracundos, sutis e sem misericórdia. Mas, a despeito de todo o «correto» simbolismo do mal, que há em todas as culturas, Satanás continua sendo o «deus deste mundo» (ver II Cor. 4:4). O propósito da redenção é justamente libertar os homens de seu cruel domínio. Isso será finalmente feito pelo poder de Cristo, que é incansável e total.

2. A coroa de Faraó era ornada por um dragão e pela áspide ou serpente do Egito. Isso simbolizava o poder satânico. Satanás sempre tem os seus agentes humanos. A igreja haverá de descobrir esse fato bem definidamente no período da tribulação. Ver o artigo sobre *Tribulação*.

3. Consideremos a fúria e o poder de Satanás, cuja cauda arrastou uma terça parte das hostes angelicais, que lhe ficaram leais. É por causa desse grande poder que nos é ordenado tomar «toda a armadura de Deus»

(ver Efé. 6:11 e *ss*). Essa passagem deixa claro que o conflito contra o mal será finalmente cósmico, em sua dimensão, e não apenas humano. Por esse motivo é que precisamos de um poder sobre-humano a fim de obter a vitória nessa luta.

4. Por que o dragão tinha uma «cauda»? Provavelmente isso se baseou no fato de que as narrativas e mitos antigos diziam que o poder do dragão, bem como de algumas das comuns serpentes gigantescas, reside em suas caudas. Mas o mais provável é que não devemos atribuir a isso qualquer significado especial e isolado.

5. Qual o significado da «terça parte»? Pode-se comparar isso com Apo. 8:7-10. Indica «muito», mas não a «maioria». Portanto, até mesmo nisso houve certa medida da providência divina misericordiosa, para que não fôssemos avassalados pelo mal.

6. O dragão se «deteve», isto é, «pôs-se de pé», conforme diz mais literalmente o grego. *Plínio* viii.3 mostra que os mitos antigos concebiam os dragões como feras que normalmente se punham de pé. O «símbolo do dragão», nas estórias antigas, poderia ser resultado da «memória ancestral» dos povos antigos, de animais de proporções gigantescas e semelhantes a serpentes, que depois ficaram extintos. Esses répteis gigantescos eram, naturalmente, encarados com alarme, até mesmo com *alarme espiritual*, razão porque o rei do mal, Satanás, veio a ser retratado como um dragão na concepção dos antigos.

7. Os intérpretes da escola histórica certamente erram ao pensar que a «derrubada de um terço das estrelas» indica algum evento histórico geral, ou relativo à igreja. Contudo, está aqui em foco um «conflito cósmico», e não apenas terrestre. E também não podemos pensar que o «ministério cristão» esteja em foco, como se Satanás, com suas astúcias, fizesse uma «grande porcentagem» dos ministros do evangelho trair à sua chamada. Também não está aqui em foco o enfraquecimento do império romano, por meio de várias invasões, etc.

DRAMA RELIGIOSO

É seguro afirmar que o drama começou na «igreja», ou seja, dentro do contexto religioso. Os homens sentiam a urgência de expressar as suas crenças, temores, esperanças e frustrações de maneira dramática. A palavra «drama» vem do termo grego que significa «ato» ou «ação», pelo que os dramas religiosos são aqueles nos quais os conceitos e sentimentos básicos da religião são vertidos para atos teatrais.

Em sentido metafísico, Deus dramatizou o seu amor aos homens quando o Verbo tornou-se carne. Também podemos pensar no sagrado drama da alma, de Platão, que imaginou o espírito como que ocupado em uma longa peregrinação que começou muito antes do nascimento físico e que envolve sua união com a Realidade última, mesmo depois da morte biológica. A religião hindu considera a existência humana inteira como uma espécie de comédia sagrada, uma cena repleta de bom-humor, a despeito de todos os sofrimentos por que passam os homens. O teatro reflete o drama metafísico, e pode ser um poderoso instrumento para provocar os sentimentos e as convicções religiosos. Um drama torna-se religioso, dadas as seguintes condições: 1. quando aborda, propositalmente, temas religiosos; 2. quando desperta o espírito humano para idéias e aspirações superiores, mesmo quando o tema de alguma peça não é especificamente religioso.

DRAMA RELIGIOSO

Muitas igrejas, no cristianismo moderno, têm lançado mão da dramatização, ocasionalmente, em filmes ou produções teatrais, como um meio de impressionar as pessoas quanto à mensagem religiosa, e algumas poucas escolas evangélicas contam com um departamento teatral. Alguns missionários evangélicos têm usado filmes religiosos em seu evangelismo. Estamos informados de que esses filmes mostram-se bastante eficazes. Muitos evangélicos objetam à dramatização, devido à sua associação com uma forma de entretenimento que, com freqüência, mostra-se corrupta. Mas tal objeção não se mostra bem fundamentada, se os dramas utilizados são isentos de abusos que emprestam ao teatro sua má reputação.

Esboço:
I. Primitivos Dramas Religiosos
II. Dramas Religiosos dos Gregos
III. Dramas Religiosos da Era Medieval
IV. O Espetáculo da Paixão de Oberammergau
V. Dramas Religiosos Modernos
VI. A Questão Estética

I. Primitivos Dramas Religiosos

Os antropólogos podem provar sua assertiva de que praticamente todos os povos e culturas, desde os dias mais remotos, têm tido suas formas dramáticas. O homem primitivo dramatizava sua fé religiosa sob a forma de danças e cruas narrativas lendárias. Eram celebradas questões básicas como a necessidade de chuvas, o temor de vários juízos divinos como pragas, a busca do favor divino para a vida diária. Também celebraram boas colheitas e prosperidade.

II. Dramas Religiosos dos Gregos

A começar pelo século V A.C., e, de forma mais elaborada, a partir de um século mais tarde, em Ésquilo, Sófocles e Eurípedes, o drama surgiu como uma das principais formas de arte. No templo de Dionísio, deus grego da fertilidade, eram apresentados dramas, bem como em outros lugares que os gregos consideravam sagrados. Somos informados de que essas apresentações teatrais atraíam multidões de espectadores de até vinte mil pessoas. Muitos temas religiosos eram então ventilados, como o destino, a predestinação, o problema do mal, a intercomunicação entre deuses e homens, tragédias e vitórias do espírito humano, a ressurreição de deuses e da natureza, o poder dos deuses, o temor aos deuses e a reconciliação dos homens com as divindades.

III. Dramas Religiosos da Era Medieval

Roma herdou as apresentações dramáticas dos gregos; mas, foi entre os romanos que essa forma de arte entrou em decadência. Os dramas tornaram-se, entre os romanos, sangrentos e obscenos (muito moderno!), ao mesmo tempo em que os temas religiosos passaram a ser ignorados. Quando o cristianismo obteve maior poder, um de seus primeiros atos foi suprimir e eliminar os teatros pagãos. Alguns segmentos da Igreja cristã continuam tentando suprimir os espetáculos dessa natureza! Por causa desses esforços, havia bem pouca atividade teatral até o século IX D.C. Mas então, foi a própria Igreja que reacendeu o teatro. No começo tais esforços foram humildes, mas o evangelho era narrado, por missionários e pregadores, de modo simples, através de histórias dramáticas. Meu irmão, que é missionário evangélico no Suriname, tem me dito que um dos métodos mais eficazes que ele usa, para levar os primitivos nativos a ouvirem o evangelho, é ele mesmo fazer-se ator, com efeitos sonoros apropriados, quando ele narra as histórias da Bíblia. Eles só faltam

enlouquecer quando ele imita a voz de Jonas, ao sair do ventre do grande peixe. E pedem-lhe que ele torne a narrar a história. E, quando os leões saem em perseguição de Daniel, e meu irmão corre de uma fera imaginária, a audiência não desprega os olhos dele. Então vem a história de Jesus, contada com fidelidade aos detalhes bíblicos; e um bom número de convertidos tem sido conseguido, e vários templos evangélicos têm sido edificados.

Nos tempos medievais, os desempenhos teatrais pintavam as cenas da crucificação, a ressurreição de Jesus dentre os mortos, a visita das mulheres ao sepulcro. A princípio, o teatro era simples. Mas logo desenvolveu-se como uma forma de arte. Peças representando a paixão de Cristo eram populares, e outras cenas bíblicas eram apresentadas, incluindo a descida de Cristo ao hades. Então os cristãos começaram a apresentar as vidas dos santos e cristãos poderosos do passado, o que pode ser classificado como *peças de santos*. Peças de milagres também eram comuns, pelo que muitas das histórias de milagres, feitos por Jesus, eram apresentadas. O Antigo Testamento também fornecia muito material, e não apenas o Novo Testamento. Foi assim que vieram à existência os atores profissionais religiosos, tendo aparecido até mesmo guildas de atores. Os templos e as catedrais eram usados como lugares de apresentação teatral. Eram armados palcos sobre rodas, tornando-os móveis; e os mercados e outros lugares onde o povo costumava juntar-se tornaram-se cenas desses desempenhos teatrais. Isso levou ao que se convencionou chamar de *pageant*, uma palavra francesa que significa «rolar». Por essa época, tal como na antiga Roma, os espetáculos teatrais começaram a perder a sua profunda natureza religiosa. Estavam voltando à bufonaria e à obscenidade. Assim foi que, em cerca de 1603, o teatro passou a ser novamente combatido pela Igreja Católica Romana. A Reforma protestante varreu de cena o que ainda restava do teatro, que havia permanecido como herança católica, como algo incoerente com a profissão cristã. Uma forma que persistiu em certos lugares, porém, era a chamada *moralidades*, — que era uma forma de diálogo dramático, que discutia os valores religiosos e as questões da vida e da morte.

IV. O Espetáculo da Paixão de Oberammergau

Esse é um notável exemplar de drama cristão, não remanescente do teatro medieval, mas ligado à variedade moderna. Oberammergau, nos Alpes da Baviera, a 103 km a sudoeste de Munique, foi livrada de uma praga. Em gratidão, os habitantes concordaram em apresentar a cena da paixão de Cristo. Isso transformou-se em uma elaborada tradição, de tal modo que a cada dez anos o drama é apresentado. Isso ocorre em um grande teatro ao ar livre, com grande participação dos cidadãos e de grupos musicais. A peça envolve a curiosidade de que certos papéis da peça tornaram-se hereditários. Se certo pai faz o papel de Judas Iscariotes, um filho seu fará o mesmo papel, no futuro. O papel de Simão Pedro tem passado de avô, para pai, para filho, etc. As pessoas da localidade consideram que participar da peça é um ato de devoção cristã.

V. Dramas Religiosos Modernos

Esses incluem a dramatização de relatos bíblicos, mas também a apresentação de cenas da vida diária, nas quais as pessoas se vêem às voltas com os conflitos típicos que envolvem os valores religiosos e as decisões que precisam ser tomadas a- respeito. A inquirição espiritual é retratada em formas vívidas, como cenas da vida diária contemporânea. Milhares de igrejas

DRIESCH — DROGAS

estão empregando esse meio para ensinar as realidades da fé cristã, e como elas têm aplicação ao homem moderno. Essas peças teatrais servem para inspirar, convencer e expurgar emoções, bem como para aprofundar a compreensão de como o homem precisa desfrutar da comunhão com Deus. Muitas técnicas teatrais têm sido sujeitas aos mesmos antigos abusos romanos, e uma das predições feitas por modernos místicos cristãos é a corrupção gradual e radical dessas atividades teatrais nas igrejas cristãs.

VI. A Questão Estética

Ver o artigo separado sobre esse assunto, sob o título *Arte*. O teatro é uma das formas de atividade estética, podendo projetar temas metafísicos e despertar os corações para tomarem resoluções morais e espirituais mais decididas. A estética é um dos seis ramos tradicionais da filosofia: Ética, Estética, Lógica, Gnosiologia, Política, Metafísica. E, como tal, busca o ideal do belo, e também de que modo o belo exerce poder sobre as nossas vidas. (E EP P WIL)

DRIESCH, HANS ADOLF

Suas datas foram 1867-1941. Foi biólogo e filósofo alemão. Nasceu em Kreuznach. Estudou em Jena. Ensinou em Aberdeen, Heidelberg, Colônia e Leipzig. Trabalhou no zoológico de Nápoles; foi conferencista Gifford da Universidade de Aberdeen; foi professor de pesquisas da Universidade de Pequim; e foi o mais eminente representante do movimento neovitalista. Ver sobre o *Vitalismo*. Ele reconhecia a importância da parapsicologia como uma ciência emergente, bem como dos fenômenos psíquicos, em relação à religião e à filosofia.

Idéias:

1. Dentro dos processos orgânicos, a totalidade pode ser descoberta em suas partes. Importantes, e, realmente, necessárias, em todos os processos, é a presença das *entelequias* sustentadoras (que vide).

2. Existem causas mecânicas, mas até mesmo esse tipo está embebido na causalidade enteléquica mais fundamental, que opera acima da mecânica e se alicerça sobre a inteligência.

3. As entidades biológicas desenvolvem-se mediante os poderes internos, que são dependentes, em última análise, de Deus, a entelequia superpessoal.

4. A força controladora de todas as entelequias é Deus, que é a entelequia superpessoal e toda abrangente. Deus é o ápice da estrutura teleológica das coisas. E também é a base do desenvolvimento da vida superpessoal que existe na imortalidade. Ele rejeitava o ateísmo e preferia o panteísmo, o teísmo de emanações e o teísmo criativo, que estariam envolvidos nos problemas sem solução para o homem presente.

5. Para ele, a morte física era a porta para a mais elevada metafísica. A morte nos envolve em uma mudança metafísica da realidade, e nisso consistiria a salvação. A morte produz uma nova forma de ser e de conhecimento. A liberdade é um elemento essencial em toda a vida, expressando-se agora e na outra existência.

Obras. *Biology as an Autonomous Basic Science; Vitalism as History and Dogma; The Science of the Philosophy of the Organism; Theory of Order; The Machine and the Organism*.(AM E P)

DROGAS

Um comentário bíblico que eu estava lendo, faz

alguns anos, sobre o texto do Apocalipse, predisse que o fim desta era seria assinalado por alcoolismo generalizado e pelo uso excessivo de drogas. Essa época será «a mais alcoólatra e drogada de todas», declarava o autor. Se esse comentador estivesse vivo hoje em dia, provavelmente até ele ficaria chocado diante da extensão em que sua previsão se tem cumprido. Atualmente, o tráfico de drogas é o negócio mais rendoso que há no mundo.

Cada geração gosta de acreditar que sua juventude é um tanto pior que a geração anterior. Os filósofos morais atacam as instituições humanas em todas as gerações, e dizem: «Agora está pior do que antes». Eles sempre conseguem exagerar. No entanto, hoje em dia, é quase impossível exagerar. A depravação, em todas as linhas de conduta, é tão maior hoje em dia que até aqueles que não gostam de reconhecer as coisas têm de confessar que as condições atuais são diferentes e piores do que eram, por exemplo, há quarenta anos atrás. Os estudiosos da Bíblia não se surpreendem diante disso. Talvez se sintam consternados ao observarem como as profecias bíblicas relativas ao último tempo estão sendo cumpridas, porquanto sabem que grandes tribulações aguardam o mundo, — não muito longe no futuro. Ficam consternados, mas não ficam surpreendidos. É por isso que estamos esperando: o fim desta era com sua violência e depravação extraordinárias. Grandes julgamentos, criados pelo homem ou determinados por Deus, parecem estar às portas. Um dos açoites criados pelo homem sem dúvida é a radiação solta na atmosfera, pelas usinas nucleares mal controladas, como o caso de Chernobil, na União Soviética, que afetará a humanidade e a ecologia — por cinqüenta anos, conforme se noticiou amplamente em medeados de 1986. Ver meu artigo sobre *Profecia: Tradição da e a Nossa Época*. Escrevi um livro sobre profecia, chamado *Profecias Para o Nosso Tempo*: *Quarenta Anos Finais da Terra?* O publicador foi Nova Época Editorial Ltda., São Paulo, São Paulo. Esse livro cobre o tema inteiro da profecia, tanto bíblica quanto dos místicos modernos, incluindo descrições sobre o problema atual das drogas, como uma das condições morais depravadas de nossa época, que caracterizam um mundo maduro para ser julgado.

Esboço:

I. Definição

II. Classificação das Drogas Segundo o Uso e o Abuso Potencial

III. O Ponto de Vista Cristão

I. Definição

Uma droga é um produto químico que é ingerido ou administrado por causa de sua capacidade de produzir um efeito desejado sobre algum sistema do organismo. Carboidratos, lipídios e proteínas podem ser substâncias tóxicas. Mas, se se encontram nos alimentos, não são classificados como drogas, embora sejam assim classificados se isolados dos alimentos e em forma concentrada. Algumas drogas servem para curar certas doenças, mas o uso das mesmas depende dos benefícios que produzem, em contraste com possíveis efeitos colaterais prejudiciais. Há drogas que exercem um efeito psíquico, produzindo alterações no humor, nas emoções, na percepção dos sentidos e no comportamento. Algumas drogas não são consideradas um risco, mas há outras que, mesmo em ínfimas quantidades, têm efeitos radicais, de tal modo que são proibidas por lei, e seu tráfico ou mesmo possessão podem levar à detenção.

DROGAS

II. Classificação das Drogas Segundo o Uso ou Abuso em Potencial

Classe A	Potência	Tolerância	Risco	Hábito	Controle	Aceitação Pública
aspirina; cafeína (café); teofilina (chá); teobromina (chocolates);	baixa	fácil, com exceção da aspirina, para algumas pessoas	insignificante	insignificante	nenhum	totalmente aceita, exceto por alguns grupos religiosos, que rejeitam o uso da cafeína
nicotina	alta	enganosamente prolongada	câncer, doenças cardíacas,	elevadíssimo	algum, na propaganda	geral, mas diminuindo

Classe B						
anfetaminas; tranqüilizantes; barbitúricos; maconha; álcool	intermediária	boa, exceto para alguns; enganadora no caso da maconha	potencialmente alto no uso excessivo e prolongado	elevado	todos controlados; maconha proibida por lei	aceitáveis, mas sob protesto de muitos

Classe C						
Cocaína; ópio; morfina; heroína; LSD e outros alucinógenos	alta	precária	potencialmente alto e perigoso para o público	elevadíssimo	controlados e proibidos por lei, exceto na medicina	geralmente repelidos, exceto para uso médico, mas sua aceitação está aumentando

DROMEDÁRIO — DUALISMO

III. O Ponto de Vista Cristão

A maioria dos evangélicos aceita o uso de drogas para efeitos médicos, para tratamento físico ou mental. Mas alguns grupos radicais rejeitam qualquer tipo de cura, exceto aquele de natureza espiritual, supondo que o uso de drogas exibe falta de fé. Ver o artigo geral sobre as *Curas*. Os crentes que merecem o título opõem-se ao uso de drogas como um prazer, e não para o alívio de determinadas aflições. Uma área ainda não bem definida é a do uso de alucinógenos com finalidades psiquiátricas e no caso de pacientes terminais, ou para aliviar as dores ou combater os estados depressivos. A pesquisa é algo urgentemente necessário nessas áreas, de tal modo que os problemas morais possam ser mais apropriadamente definidos. Alguns têm usado alucinógenos para investigar estados de consciência alterados, que com freqüência resultam em experiências tipo místicas. Dentre todos os usos legítimos, propostos pelos cientistas, esse é o mais perturbador. Não há certeza se essas experiências são: a. diferentes das alucinações; b. legítimas moralmente, ainda que genuínas, por serem provocadas dessa maneira artificial; c. prejudiciais, física ou mentalmente, sem importar se são meras alucinações ou se são experiências legítimas. Estou supondo que, no nosso atual estágio científico, não podemos ter certeza nenhuma quanto a essas questões, embora sentindo que todas essas experiências são prejudiciais. Pessoalmente, acredito que qualquer tipo de droga, usada criteriosamente pelos médicos, é legítima para aliviar as dores de pacientes terminais. Drogas como a morfina tanto aliviam as dores quanto animam os pacientes, aspectos valiosos em qualquer tratamento, e em consonância com a misericórdia. No caso de pacientes terminais que estejam padecendo de muitas dores, pouca diferença faz se as pessoas tornam-se dependentes de alguma droga. Outras drogas também deveriam ser permitidas com esse propósito, mesmo que tenham efeitos colaterais como alucinações.

DROGAS E EXPERIÊNCIA RELIGIOSA

Ver **Psicodélico: Experiência Religiosa Psicodélica**.

DROMEDÁRIO   Ver sobre o **Camelo**.

DRUMMON, HENRY

Suas datas foram 1851-1897. Nasceu em Stirling, na Escócia. Educou-se na Universidade de Edimburgo e no Free Church College, preparando-se para o ministério. Foi preletor de ciências naturais, nessa mesma escola. Esteve associado a Dwight L. Moody (que vide) em suas campanhas de evangelização na Grã-Bretanha e na América do Norte. Era dotado de grande capacidade para apresentar a vida cristã em suas qualidades intelectuais e espirituais, de modo atrativo para os estudantes e para os intelectuais. Em conexão com isso, seu sermão, «A Maior Coisa do Mundo», foi largamente distribuído. Ele publicou várias obras relacionadas às ciências naturais, e procurou insuflar nas mesmas os seus interesses espirituais. Os cientistas criticaram certos aspectos salientados por ele, talvez com razão; mas essas obras foram úteis na apresentação do ponto de vista cristão do mundo, incluindo questões científicas.

DRUSILA

Esse nome é a forma diminutiva de **Drusa**, o que significa que ela pertencia à família de nome Drusus. Era a filha caçula de Herodes Agripa I. Recebeu esse nome em honra à irmã de Calígula, que falecera com vinte e dois anos de idade, — cuja morte fora amargamente lamentada. Herodes Agripa era companheiro de Calígula, e estava em Roma quando a irmã deste faleceu, pelo que a aplicação desse nome à sua própria filha menor foi um gesto de simpatia. Ela nasceu em cerca de 38 A.C. (Josefo, *Anti*. 19:9,1).

Drusus, filho de Tibério, era protetor de Agripa I. Quando Drusila tinha cerca de dezesseis anos de idade, em 53 D.C., foi dada em casamento a Azizo, rei de Emessa, que era um pequeno principado ao norte da Síria, onde ficava a cidade de Palmira. Mas, apenas um ano após o casamento dela, Félix, nomeado por Cláudio como procurador da Palestina, persuadiu Drusila a deixar o marido e casar-se com ele. Ver Josefo (*Anti*. 20:7.2). De acordo com Suetônio (Cláudio 28), ela foi a terceira esposa de Félix. Foi nessa capacidade que ela entrou na narrativa bíblica, em Atos 24:24-27, quando Paulo achava-se aprisionado em Cesaréia e foi convocado a aparecer diante da realeza, a fim de defender o seu ministério. O texto sagrado informa-nos que a mensagem de Paulo exerceu poderoso efeito sobre Félix, levando-o a tremer. O texto chamado ocidental faz-nos compreender que foi Drusila quem arranjou o encontro, e não Félix; mas, não há razão alguma em preferirmos o texto ocidental, nesse caso. Josefo informa-nos de que Agripa, filho de Félix e Drusila, morreu por ocasião da erupção do vulcão Vesúvio, a 24 de agosto de 79 D.C. Não sabemos se Drusila morreu na mesma ocasião ou não, porquanto o fraseado de Josefo, ao narrar o acontecido, é ambíguo.

DRUSOS

Esse é o nome de uma seita religiosa, que recebeu o nome por causa do seu fundador, *Darasi*. No século XI D.C., ele afirmou que al-Hakim, califa do Egito, era a encarnação de Deus. Darasi fugiu para as montanhas do Líbano e estabeleceu ali um centro de ensino, o que deu origem à seita. Eles têm podido manter independência política e religiosa por quase nove séculos. Sua fé religiosa é eclética, misturando elementos mosaicos, cristãos e islâmicos, além de certos aspectos do sufismo(que vide). As crenças deles incluem estes pontos: há um só Deus; a reencarnação provê oportunidade de constante progresso espiritual, bem como a perfeição final. O Dr. Ian Stevenson, da Universidade de Virgínia, nos Estados Unidos da América, tem estudado significativos casos de memórias de supostas vidas anteriores, em crianças drusas, conferindo-lhe um bom número de excelentes casos por ele estudados. Essa seita tem criado uma considerável biblioteca teológica.

DUALISMO

Essa palavra vem do latim **dualis**, isto é, «que contém dois». Esse vocábulo parece ter sido usado pela primeira vez por Thomas Hyde, em 1700, em sua obra, *The Ancient Persian*, quando ele escreveu sobre as duas principais personagens imaginárias do zoroastrismo (que vide), o poder bom, chamado Ormazd, e o poder maligno, intitulado Ahriman. Esse termo, usado para expressar os princípios opostos da mente e da matéria, foi empregado pela primeira vez por Christian Wolff (que vide). Desde os dias deles, porém, esse vocábulo tem sido usado para indicar muitos pares de forças opostas e irredutíveis, de orientação metafísica, gnosiológica ou teológica.

I. Caracterização Geral

O dualismo é uma teoria concernente aos tipos

DUALISMO — DUAS TESTEMUNHAS

fundamentais em que estão divididas as substâncias individuais, as classificações morais ou as entidades. Assevera que as partes opostas do par não podem ser reduzidas uma à outra, como, por exemplo, mente e matéria, as quais não podem ser intercambiadas, nem modificadas de modo que uma parte desapareça e a outra permaneça. O dualismo deve ser distinguido do *monismo* (que vide). O monismo assevera que há um único princípio envolvido em alguma questão, embora esse princípio possa manifestar-se de diferentes maneiras, dando a aparência de pluralidade, quando, na verdade, há um único princípio envolvido. O dualismo também deve ser distinguido do *pluralismo* (que vide), o qual afirma que há muitos princípios básicos ou entidades, e não apenas um ou dois, relativos a qualquer dada questão. Se alguém afirma que há certa pluralidade de substâncias, mas que todas elas possuem a mesma natureza, então quem assim diz é *monista*. Mas, se alguém assevera que muitas substâncias possuem essências diferentes, então esse alguém é um pluralista. E, se defende a existência de duas entidades ou substâncias distintas, então essa pessoa é dualista.

II. O Dualismo na Filosofia e na Teologia

1. Na religião, o **dualismo** é algum sistema que afirma a existência de duas forças opostas, a boa e a má, e que uma delas jamais destruirá a outra, de tal modo que sempre existirão. Isso não significa que choques entre essas duas forças não resultem em vitórias temporárias para um lado ou para outro, mas quer dizer que nunca o dualismo do bem-mal poderá ser reduzido ao que é bom ou ao que é mau. Esse é o sistema do *zoroastrismo*. Aquelas duas forças, segundo esse sistema, finalmente haverão de separar-se, de tal modo que, pelo menos durante algum tempo, deixarão de estar em franco conflito, embora o mal jamais venha a ser eliminado como um sistema. Na oposição entre Deus e Satanás, conforme se vê no judaísmo e no cristianismo, temos apenas um dualismo temporário, e não um verdadeiro dualismo, porquanto o padrão da doutrina judaica e cristã é que o princípio do mal será finalmente eliminado. O maniqueísmo (que vide) e o gnosticismo (que vide) também podem ser considerados sistemas dualistas. Além disso, temos o *Yin* e o *Yang* do neoconfucionismo e do taoísmo, que representam uma espécie de dualismo religioso e filosófico.

2. *Platão* defendia um *dualismo metafísico* em sua doutrina dos *universais* (idéias), em contraste com os *particulares*, visto que o universal é o elemento eterno, imutável e infinito, enquanto que o particular é a sua contraparte terrena, material e finita. O dualismo de Platão tinha um aspecto ético, visto que os grandes princípios do amor, da justiça, da bondade, etc., assumiam uma realidade metafísica (como paralelos dos atributos de Deus, dentro do pensamento cristão), ao passo que na esfera humana e material temos apenas imitações desses princípios.

3. *Aristóteles*, em sua idéia do Impulsionador Inabalável (o seu deus), que seria uma força cósmica (e não uma pessoa), formaria um dualismo metafísico com todas as outras substâncias. Entretanto, ele não concebia o dualismo do universal-particular de Platão. Por igual modo, sua doutrina sobre a forma, em oposição à matéria, era uma espécie de dualismo.

4. O *neoplatonismo* dava continuação ao dualismo platônico, usando o conceito das emanações (que vide) a fim de saltar por cima do hiato entre os mundos espirituais e o mundo da matéria. Deus seria a única realidade realmente existente, pelo que estaria separada de toda e qualquer outra existência.

5. *Descartes* ensinava um completo dualismo no tocante ao *problema corpo-mente* (que vide), estabelecendo uma radical distinção entre a *res cogitans* e a *res extensa*, ou seja, entre o pensamento e a matéria. Seu dualismo extremado, no tocante à natureza do homem e o subseqüente processo do pensamento, deu origem ao ocasionalismo (que vide)—outra forma extrema do dualismo metafísico e epistemológico.

6. *Spinoza* propunha uma única substância (monismo), cujas manifestações seriam pensamento e extensão, formando um dualismo aparente, e não real. A mente e o corpo eram considerados por ele como manifestações de uma única substância.

7. *Kant* reconciliou o dualismo epistemológico ao propor a sua teoria dos *juízos sintéticos a priori*. Todavia, ele retinha uma espécie de dualismo em sua doutrina das *proposições* relativas ao conhecimento científico (através da percepção dos sentidos) e dos *postulados*, no tocante ao conhecimento que não adquirimos por meio dos sentidos, mas que deve ser adquirido pela razão, pela intuição e pelas experiências místicas. Em sua metafísica, ele também retinha uma forma de dualismo, em sua doutrina do *idealismo subjetivo* (que vide). De acordo com isto não podemos conhecer a *coisa em si*, embora ela possa existir ou não, o que também é verdade no que diz respeito às elevadas realidades metafísicas, como Deus e a alma. No caso dessas realidades mais elevadas precisamos ter postulados, e não proposições.

8. *William James* (que vide) acreditava na existência de uma alma separada da matéria, embora tentasse evitar o dualismo radical, aceitando o conceito da *experiência pura*.

9. A *teoria do duplo aspecto* (que vide), do problema corpo-mente, ensina que, apesar de haver um aparente dualismo, como entre a mente e a matéria, há uma única substância básica, da qual ambas se derivam.

10. O *panteísmo* (que vide) é um monismo, embora seja também um pluralismo ou um dualismo prático (se Deus for contrastado com suas supostas emanações).

A nossa ciência humana ainda não avançou até o ponto de poder afirmar que há ou não alguma força espiritual por detrás da matéria e do espírito. O *mormonismo* é o único ramo da cristandade que ensina o monismo. O mormonismo tem uma doutrina materialista segundo a qual tudo é material, mas dentro do que há tipos variegados, incluindo o espírito, uma matéria menos crassa do que a matéria comum. Ainda não temos resposta para esse problema. Porém, na atualidade, a maior parte do cristianismo inclina-se para o dualismo no campo da metafísica, supondo que o espírito é bastante diferente da matéria, quanto à sua *essência*. Quase todas as religiões são dualistas no campo da metafísica, embora, usualmente, não sejam dualistas no campo da ética, visto que ensinam que o bem triunfará, afinal, sobre o mal, e até mesmo o eliminará. O presente dualismo da ética será substituído pelo triunfo do bem, do belo e do justo.

DUAS ESPADAS, DOUTRINA DAS

Ver o artigo sobre o **Direito Divino dos Reis**, em seu último parágrafo.

DUAS TESTEMUNHAS

Ver Apo. 11:3

1. De acordo com o que pensam alguns estudiosos,

DUAS — DUAS VEZES NASCIDO

essas testemunhas «simbolizam» as *forças cristãs* em qualquer época, aquelas que resistem à tirania e ao mal, especialmente à iniqüidade espiritual. Nesse caso, as testemunhas não seriam indivíduos literais. Em Apo. 11:4, o simbolismo das «oliveiras» e dos «candeeiros» poderia fazer delas *religiões ungidas* ou «líderes civis» que exercem poder sobre a comunidade cristã. Mas há aqueles que dizem que essas testemunhas são somente os «ministros cristãos» através da história da igreja.

2. Os intérpretes da escola histórica, como sempre, procuram encontrar «indivíduos» do passado, pensando que se trata de poderosos líderes eclesiásticos. «Lutero e Melancton» são apontados entre os candidatos. As tradições apocalípticas, entretanto, identificam-nas com profetas do A.T., conforme se poderá observar mais abaixo.

3. Também poderiam ser os «propósitos divinos» ou mesmo, «seres» que operam mediante agências humanas. Mas a tradição apocalíptica é contrária a isso. Dois seres humanos são as duas testemunhas.

4. Os intérpretes futuristas, apesar de concordarem que duas testemunhas aparecerão no período da tribulação, não concordam sobre a identificação dessas testemunhas. Abaixo temos as idéias centrais:

a. A identidade das duas testemunhas permanece desconhecida, e toda a conjectura é inútil. Deus as levantará, e então, no tempo certo, serão conhecidas. É interessante que alguns futuristas não crêem que o número das testemunhas seja necessariamente dois. Poderiam ser muitos. Dizem eles que temos aqui um número místico ou simbólico, e não necessariamente o fato que são duas testemunhas. Por duas ou três testemunhas toda a palavra será confirmada. Porém, a tradição apocalíptica por detrás deste versículo não apóia essa idéia. Outros aceitam que o número dessas testemunhas será dois, mas crêem que serão duas personalidades desconhecidas, ou seja, sem história prévia, que ministrarão no «espírito» de Moisés e Elias, embora não sejam Moisés e Elias.

b. Alguns supõem que *Elias e Enoque* estão em foco, havendo precedente para esse ponto de vista nos apocalipses judaicos e na primitiva tradição cristã. Tertuliano, *De Anima*, 50, menciona essa tradição, evidentemente aprovando-a. (Ver também *Ps. Johannine Apo.* 8; *Ps. Cyrian*, «De montibus Sina et Sion», 5 e, especialmente, I Enoque 90:31, que contém a predição de que antes do julgamento, Elias e Enoque terão um novo ministério). O livro de IV Esdras 6:26 faz com que as duas testemunhas esperadas sejam homens que não provaram a morte, e, portanto, Elias e Enoque. Uma circunstância que parece ter dado origem a essa tradição é a «transladação» de ambos esses homens, de forma que não provaram a morte física (ver Gên. 5:24 e II Reis. 2:11). Foi apenas natural que alguns imaginassem, pois, que em face de não terem eles «morrido», retornariam à terra para terem um novo ministério. Elias, especialmente, sempre foi destacado quanto a isso, pelo que a sua volta para servir de arauto da segunda vinda de Cristo tornou-se um dogma fixo. (Ver Mal. 4:4-6; Deut. 18:15, conforme alguns pensam; e Mar. 6:15). Se isso é verdade embora não tivessem morrido fisicamente, seria necessária a *reencarnação*, para trazê-los de volta a este mundo, pois os lugares celestiais não podem acolher corpos humanos comuns, de carne e sangue (ver I Cor. 15:50), pelo que deve ter havido a «transformação» dos corpos de Elias e Enoque, tornando-se sobre-humanos e imortais. Assim sendo, a fim de poderem tornar-se mortais novamente, de modo a poderem passar pela morte física (conforme

Apo. 11:7 mostra que terá de suceder), teriam tido de passar pela «reencarnação», recebendo novamente corpos humanos normais.

c. Outros pensam que *Elias e Moisés* é que estão em pauta. O presente contexto favorece isso, pois as «coisas» que as duas testemunhas farão fazem-nos lembrar definidamente as vidas e obras de Moisés e Elias. (Ver Apo. 11:6). O fato de que tais prodígios lhes são atribuídos (com óbvia dependência do A.T.), dificilmente teria sucedido por acidente, da parte do vidente João. Além disso, há força no argumento que diz que Elias representa os «profetas», ao passo que Moisés representa a «lei». Ambos testificam de Cristo, pelo que voltarão para anunciar o retorno de Cristo e fazer oposição ao anticristo. Acrescente-se a isso que no monte da Transfiguração (décimo sétimo capítulo do evangelho de Mateus) foram esses dois profetas que apareceram com Jesus; — e aquela *visão* anunciava a vinda de Jesus em sua glória, para estabelecer o reino. Portanto, temos Moisés e Elias a acompanharem o Senhor, sendo natural pensarmos que o ministério das duas testemunhas será atribuído a eles. Também há precedente nas tradições para esse ponto de vista, já que a *Assunção de Moisés* diz que este foi arrebatado aos céus do mesmo modo que Enoque. A passagem de Deut. 18:15, que diz que Deus levantaria um profeta semelhante a Moisés, era interpretada, por vários rabinos, como trecho que ensina que Moisés «redivivo» voltará, antes da manifestação do Messias; e os samaritanos, em seu «Taheb» (Messias) ensinam que o próprio Moisés será o Messias.

Considerando-se todos os pontos, embora *nada* de absolutamente certo possa ser dito, parece que Elias e Moisés estão em pauta. Será preciso que surjam espíritos daquela estatura para realizarem a missão que é atribuída a essas duas testemunhas. Elias e Moisés, pois, haverão de «reencarnar-se» para cumprir essa missão, trazendo consigo poderes espirituais que desenvolveram em sua inquirição espiritual e usando os mesmos, uma vez mais, para a glória de Cristo.

Notemos aqui o drama sagrado da alma. A alma não é cativa à parte material, ao corpo físico; mas, em sua missão, transcende à matéria, podendo ser investida da mesma para mais do que uma missão, terrena ou celestial. Tudo isso depende da vontade de Deus, porquanto ele pode fazer o que melhor lhe agradar, com aquelas almas que lhe são leais. Que seja feita a vontade do Senhor!

DUAS VEZES MORTO

Ver sobre **Duas Vezes Nascido** em Judas 12 no NTI, quanto a uma completa explicação sobre essa metáfora. Essa expressão sugere *a segunda morte* (que vide), embora provavelmente não lhe seja parcela. A segunda morte é uma morte adicionada à morte física. Além disso, a morte espiritual de uma pessoa, enquanto ela continua viva no corpo mortal, pode ser seguida pela segunda morte, após a morte biológica.

DUAS VEZES NASCIDO

Essa expressão pode ser um sinônimo do novo nascimento ou regeneração. Ver sobre a *Regeneração*. Pode-se contrastar a idéia com a expressão «duplamente mortas», de Judas 12. O indivíduo espiritualmente morto parece ter obtido da vida espiritual, mas então retorna a seu estado anterior; e então nota-se que, na realidade, ele está morto, não possuindo a

DUCASSE — DUMÃ

vida que pareceu possuir, durante algum tempo. Judas referia-se aos corruptores gnósticos que infectavam a Igreja primitiva. Ver uma completa explanação disso, no NTI, *in loc.*

William James em sua obra *Varieties of Religious Experience*, oferece-nos um estudo sensível, cuidadoso e até mesmo comovente sobre experiências místicas de pessoas que encontram uma dimensão da realidade que vai além da percepção dos sentidos e da razão. Ver o artigo sobre o *Misticismo*. As pessoas que passam por profundas experiências religiosas, que as transformam, são chamadas por ele de *duplamente nascidas*. A unidade do testemunho religioso, tanto do Ocidente quanto do Oriente, favorece a validade dessas experiências, embora, como é óbvio, elas possam ser imitadas e simuladas. As *experiências perto da morte* (que vide) fazem muitas pessoas chegarem ao terreno das pessoas duplamente nascidas, uma experiência que transforma as suas vidas e lhes confere uma nova hierarquia de valores. Algumas pessoas entram nos primeiros estágios da morte, e então retornam à vida. O artigo desta enciclopédia, com o título acima, fornece descrições detalhadas sobre a questão. Portanto, muito entristecedora é a condição oposta, segundo a qual certos homens, durante algum tempo, afastam-se da morte espiritual, somente para reverterem a seu estado anterior, ou mesmo a uma condição mais grave. A graça de Deus é necessária a fim de reverter tais casos, e confio que, em algum ponto, isso sucederá. Ver o artigo sobre a *Restauração*.

DUCASSE, CURT J.

Suas datas foram 1881-1969. Foi um filósofo **norte-americano naturalizado,** porquanto nasceu na França. Educou-se nas Universidades de Washington e Harvard. Ensinou nas Universidades de Brown e de Washington.

Idéias:

1. No tocante ao problema do **determinismo** (que vide), ele ensinava que o livre-arbítrio é uma idéia autocontraditória, exceto que, *algumas vezes*, o ser humano é capaz de fazer o que lhe agrada, embora, normalmente, veja-se limitado por fatores determimantes.

2. No tocante às causas, ele afirmava que o que é físico pode atuar sobre o que é mental, e vice-versa; ou então que tanto a causa como o seu efeito podem ser físicos; ou então, que tanto um como o outro podem ser mentais. A sua análise mostrava que problemas desses tipos podem ser melhor solucionados através de delineamentos cuidadosos. Seus estudos, nessa área, nos deram termos como *fisicofísico* (a matéria atua sobre a matéria); *psicopsíquico* (a mente atua sobre a mente); *psíquicofísico* (a mente atua sobre a matéria). Ver o artigo geral sobre o *Problema Corpo-Mente*.

3. Ducasse demonstrava interesse pelos fenômenos psíquicos, argumentando que apesar dos estudos sobre a questão não provarem a existência da alma e sua sobrevivência diante da morte biológica, tais estudos dão apoio ao conceito. Ele teria apreciado o trabalho que está sendo realizado agora no campo das *experiências perto da morte* (que vide), que representa uma poderosa evidência em favor da sobrevivência da alma, e, atualmente, é nosso estudo mais promissor na direção de uma prova científica da existência da alma e sua sobrevivência diante da morte física. Ver os artigos sobre *Alma* e *Imortalidade*. Entre os artigos sobre a *Imortalidade*, há um

escrito do ponto de vista científico, intitulado *Abordagem Científica à Crença na Alma e em Sua Sobrevivência Ante a Morte Física.*

Obras. Causation and the Type of Necessity; Philosophy of Art; Philosophy as a Science; Nature, Mind and Death; A Philosophical Scrutiny of Religion; A Critical Examination of the Belief in a Life After Death. (EP P MM)

DUGONGO Ver **Texugo (Dugongo).**

DUHM, BERNHARD

Suas datas foram 1847-1929. Foi erudito e escritor de comentários, nascido na Alemanha. Ensinou nas Universidades de Gottingen e Basiléia, esta última na Suíça. Escreveu significativos comentários sobre os livros de Isaías, Salmos e Jeremias. Ele enfatizava especialmente a compreensão da mensagem profética, e não tanto o lugar de cada livro como um fenômeno histórico. Ver o artigo sobre *Wellhausen*.

DUHRING, EUGEN

Suas datas foram 1833-1901. Foi filósofo e economista germânico, embora os seus estudos e pronunciamentos abordassem áreas da fé religiosa. Nasceu em Berlim, e tornou-se professor da Universidade de Berlim. Era pensador materialista, que ensinou que os pensamentos derivam-se da crassa matéria. Contudo, segundo ele, o alvo na direção do qual se esforça a natureza sempre foi produzir seres conscientes. A base da moralidade seria a simpatia, um sinônimo para «amor». Os dois grandes princípios da ação moral seriam a dor e o prazer; o primeiro deveria ser evitado, e o segundo deveria ser usufruído. O conceito de Darwin da luta pela sobrevivência dos mais aptos conteria alguma verdade, embora parcial. Duhring argumentava, em sua filosofia econômica, que o capitalismo não deve ser eliminado, mas purificado, em razão do que foi severamente criticado por Karl Marx e por Engels.

Escritos. Capital and Work; The Worth of Life; Natural Dialectic; Critical History of the National Economy and of Socialism; Reality Philosophy; The Substitute for Religion.

DUMÃ

No hebraico, «silêncio». Nome de um homem e de uma cidade, nas páginas do Antigo Testamento, sem falar em uma alusão aparentemente simbólica, conforme se vê nos três pontos abaixo:

1. Um filho de Ismael, o sexto, e neto de Abraão e Hagar. Viveu em torno de 1840 A.C. Presume-se que ele tenha sido fundador de uma das tribos árabes. Seu nome veio a ser usado para indicar o principal distrito onde habitavam os seus descendentes (Gên. 25:14; I Crônicas 1:30 e, talvez, Isa. 21:11; mas, ver abaixo no terceiro ponto). Dumat al Gandal parece identificar o local moderno. Esse lugar atualmente é um oásis localizado a meio caminho entre o fundo do golfo Pérsico e o golfo de Ácaba. Inscrições reais, de origem assíria e babilônica, pertencentes aos séculos VII e VI A.C., referem-se à destruição de Adammatu, que parece ser uma referência a Dumá.

2. Nome de uma cidade da tribo de Judá (Jos. 15:52). Eusébio e Jerônimo afirmaram que a mesma ficava situada a dezessete milhas romanas de Feleuterópolis, em Daroma. Atualmente é identificada com a *Ed-Domeh*, a sudoeste de Hebrom.

3. A referência em Isaías 21:11, onde aparece esse nome, parece usá-lo de forma simbólica, dando a

DUNS SCOTUS — DUPLA

idéia de «profundo», o que poderia apontar para a «terra dos mortos», isto é, lugar de silêncio profundo. Ver também Sal. 94:17 e 115:17.

DUNS SCOTUS

Suas datas foram 1266-1308. Foi um filósofo escolástico. Nasceu em Maxton, na Escócia. Ingressou na ordem monástica dos franciscanos e foi ordenado padre. Estudou em Oxford e Paris, e ensinou em Oxford, Paris e Colônia. Recebeu o doutorado em Paris. Dentro da tradição escolástica histórica, ele se coloca entre Tomás de Aquino e Ockham. Era um pensador original. Era chamado de Doutor Sutil. Sua morte relativamente prematura obrigou seus alunos a compilarem o seu material para ser publicado, o que permitiu a adição de certos materiais espúrios. No entanto, sua influência tem sido grande, mesmo entre pensadores modernos, de tal modo que vultos como Heidegger, C.S. Peirce e G.M. Hopkins (ver os artigos a respeito deles) estão em dívida para com ele.

Idéias:

1. Scotus era dotado de excelente intelecto, e prezava muito a capacidade intelectual humana. Por isso mesmo, ele pensava que todos os seres (*realistas*) cabem dentro dos limites dos poderes do intelecto. Deus e o próprio «eu» estariam incluídos nisso, embora a vida biológica, naturalmente, sirva de empecilho à inquirição humana.

2. Ele assumia um ponto de vista empírico do *modus operandi* do conhecimento, supondo que todo conhecimento origina-se da percepção dos sentidos. O intelecto humano começaria como uma *tabula nuda* (uma ardósia limpa). À medida que vamos escrevendo sobre a ardósia, por meio da experiência, também vai aumentando o nosso conhecimento, e abstraímos o universal do que é particular. A faculdade intuitiva opera sempre; e, além dos informes que recebemos, também conhecemos intuitivamente as coisas particulares, com base nas realidades universais de onde se derivam.

3. Scotus era um *realista*, aceitando a realidade da existência dos universais (que vide).

4. Ele acreditava no primado da vontade (*voluntarismo*, que vide), embora não aceitasse a idéia da vontade arbitrária.

5. Ele rejeitava as provas empíricas da existência de Deus e da alma, como provas conclusivas, e asseverava o caráter relativo do conhecimento religioso (não-científico), pelo que também tornou-se um pioneiro no campo da crítica nominalista.

6. Ele confiava na autoridade da Igreja no campo das doutrinas que os métodos empíricos não podem explicar. O conhecimento metafísico de Deus é possível porque há um conceito unívoco do ser, aplicável a Deus e às criaturas, o que também ocorre no caso das verdades da unidade, da bondade e da verdade religiosa essencial. Abstraímos os atributos de Deus purificando os atributos humanos (antropomorfismo). Scotus pensava que, sem esse processo (sem importar quão imperfeito seja o mesmo), não temos qualquer meio para descrever Deus. Isso porque ficaríamos sem qualquer termo de comparação, e Deus pertence a uma categoria toda própria.

7. A existência de Deus. Duns Scotus valorizava os argumentos tradicionais como o da contingência (deve haver um Ser Necessário, de onde procedem os seres derivados), o argumento cosmológico (que vide), e o argumento ontológico de Anselmo (que vide), porquanto Deus é o *Summum Cogitabile*.

8. Ele respeitava muito a individualidade do homem, afirmando a liberdade da vontade, em oposição à idéia do determinismo (que vide). O pecado existe porque Deus não poderia ter criado uma vontade racional incapaz de pecar. A autoridade política repousa sobre o consentimento voluntário dos governados, e o bem comum é o alvo de toda a atividade política.

9. Scotus estabelecia criteriosas distinções entre os argumentos acerca dos universais. Ele rejeitava a tentativa de Tomás de Aquino de fazer da matéria o princípio da individualização, supondo que a mesma é indeterminada. Em lugar da matéria, ele preferia a *haecceitas* (o «isto» de cada indivíduo), o que fazia de Sócrates, para exemplificar, diferente do resto da espécie humana. Sócrates, pois, seria o «isto» da humanidade, embora isso não se devesse à sua essência material. E nem dever-se-ia, meramente, porque nele habitasse a essência universal da humanidade. Na verdade, haveria algo de distinto em cada ser humano individual. Ver esse conceito desenvolvido teologicamente no NTI, em Apo. 2:17, onde aparecem comentários sobre o *novo nome* e sobre o conceito da *pedrinha branca*.

10. O amor de Deus ocupava lugar central na teologia de Duns Scotus. Essa é a base de toda a conduta ética, bem como a força por detrás da encarnação do Filho de Deus. Foi um dos campeões do conceito da Imaculada Conceição de Maria, dando maior força à *mariolatria* (que vide), doutrina católica romana que, através dos séculos, vem adquirindo importância cada vez maior para o sistema romanista.

Escritos. Indagações sobre o Livro de Aristóteles, «Sobre a Alma»; Questiones in Metaphysicam Subtilissimae; Sobre os Princípios Básicos; Questiones in Quattruo Libros Senteniarum; Questiones Quodlibertales.

DUPLA MENTE

O grego por detrás dessas palavras é **dipsuchos**, que significa «alma dupla». No Novo Testamento, ela aparece em Tia. 1:8 e 4:8 (onde nossa versão portuguesa a traduz, em ambas as passagens, por «ânimo dobre»), onde ela tem o sentido de pessoa duvidosa, hesitante, dividida entre dois pensamentos. Um homem dotado de mente débil assemelha-se a um homem com duas mentes. Com uma delas, ele responde às realidades espirituais; mas, com a outra, ele é fraco e hesitante, sem qualquer propósito espiritual mais firme. Tal homem está em guerra civil consigo mesmo. Tal homem não precisa esperar que suas orações mostrem-se eficazes, conforme Tiago nos ensina. Além disso, ele cairá em erro moral e todo o tipo de defeito espiritual, o que Tiago 4:8 dá a entender. Paulo exortou-nos a consagrar nossas *mentes* a Deus (Rom. 12:2), o que faz parte da apropriada consagração ao Senhor. Jesus ensinou que ninguém pode servir a dois senhores (Mat. 6:24), porque, mais cedo ou mais tarde, um deles será bem servido, e o outro será negligenciado. O uso que os pais da Igreja fizeram do termo grego *dípsuchos*, parece ser um termo usado para exprimir *as idéias* do Novo Testamento, embora essa palavra específica só apareça ali por duas vezes.

DUPLA PREDESTINAÇÃO

Presumivelmente, antes da existência dos mundos, mas em antecipação à criação do mundo, a sabedoria de Deus achou por bem dividir os seres humanos em dois grupos bem distintos. — Um dos grupos foi

DUPLA — DUPLO ASPECTO

destinado à vida eterna, e o outro à condenação eterna. O decreto que produziu o primeiro resultado é chamado *eleição* (que vide), ao passo que aquele que produziu o segundo resultado é chamado *reprovação* (que vide). Essa é a doutrina expressa pelo ultracalvinismo, da posição supralapsária (que vide). A doutrina mais moderada é chamada *predestinação simples* (que vide), que ensina que Deus, em sua soberania, propôs positivamente a *eleição*, deixando inteiramente de lado os não-eleitos, permitindo-lhes sofrer as conseqüências de seus próprios pecados. Essa permissão divina, pois, é chamada *reprovação passiva*. Presume-se que o evangelho visa somente os eleitos, e que a *expiação* também se limita a eles, tal e qual faz a dupla predestinação. Realmente, há versículos no Novo Testamento, como o nono capítulo da epístola aos Romanos, onde a reprovação ativa e a dupla predestinação são ensinadas, mas considero isso uma teologia fraca e parcial, que faz de Deus a *única* causa, ignorando que também existem causas *secundárias*. Essa posição faz de Deus o autor do *mal*, e também *destituído* de amor, excetuando um tipo muito seletivo de amor. O trecho de João 3:16 parece ser contrário a essa posição, pois ali lemos que Deus amou o mundo. O trecho de I João 2:2 também é contra essa idéia, ao asseverar uma expiação universal pelo pecado. Portanto, podem ser evocados textos de prova em favor de ambos os lados desse argumento. Isso nos dá a liberdade de chamar essa questão de um *paradoxo* (que vide), ou então teremos de rejeitar ou um lado ou o outro da questão. Ou então podemos afirmar que Deus elege ativamente e reprova ativamente, embora tendo de modificar nossa doutrina do julgamento, supondo que ele *restaura*, mas *não redime* os não-eleitos. Todavia, a *restauração* (que vide) também será um produto admirável do amor divino, embora a glória dos restaurados venha a ser muito inferior à dos remidos. Mediante essa suposição, salvamos o amor de Deus do opróbrio e conferimos plena força à missão de Cristo, quanto aos seus propósitos e intenções. Ou então, podemos supor que a redenção é o propósito divino para todos os seres humanos, mas que, — falhando esta no caso de alguém, a restauração é o ato secundário e adequado para satisfazer os requisitos do amor de Deus, bem como o alcance universal da missão de Cristo. Nesse caso, ou rejeitamos totalmente a doutrina da reprovação, ou então dizemos que a própria *restauração*, por ser uma realização menor, *é* a reprovação. Pessoalmente, rejeito a reprovação como um ato a longo prazo, e assevero que a reprovação será *revertida* quando da restauração divina de todas as coisas (Efé. 1:10). Desse modo, evito pensar em qualquer coisa negativa dentro da magnificente missão de Cristo, a qual, em nenhum sentido, em nenhum de seus aspectos, pode ser chamada de reprovação. O juízo divino, pois, será remedial (conforme se vê em I Ped. 4:6), realizando uma nobre obra. Talvez seja severo, e de longa duração, envolvendo todos os impenitentes. Portanto, começará sendo uma medida retributiva; mas, o seu alvo final é a restauração, e acabará sendo, por igual modo, uma expressão do amor de Deus.

DUPLA PROCEDÊNCIA DO ESPÍRITO SANTO

Essa é a doutrina que ensina que o Espírito Santo procede tanto do Pai *quanto* do Filho. O termo latino *filioque* (que vide), é usado para exprimir essa idéia. Essa noção tornou-se uma parte integral da teologia ocidental, já aparecendo claramente em pronunciamentos feitos por Agostinho, quando ele se referiu ao princípio da *unidade* da Deidade. Portanto, o que pode ser dito sobre o Pai, também pode ser dito sobre o Filho. Porém, a Igreja oriental insiste que o Espírito Santo procede somente do Pai, o que lhes parece garantir melhor a unidade da Deidade. Eles dizem que o Espírito *procede do* Pai, mas *através do* Filho. Essa questão foi uma das causas do Grande Cisma, quando a Igreja Ortodoxa Oriental separou-se da Igreja do Ocidente, e esta tornou-se a Igreja Católica Romana, em 1054. Ver o artigo sobre *Cerulário, Miguel*. Ver também sobre o *Cisma* e sobre *Filioque*.

DUPLA VERDADE

Essa é a idéia que diz que uma verdade em uma disciplina pode ser uma falsidade em outra disciplina. Por exemplo, uma verdade religiosa pode ser uma falsidade filosófica ou científica. Essa idéia parece ter-se originado na observação de que certas supostas verdades religiosas ou teológicas, especialmente aquelas alicerçadas sobre algum dogma, que, por sua vez, fundamenta-se sobre as Escrituras (misticamente recebidas, mediante revelação), não podem ser consubstanciadas pela razão. De fato, algumas dessas verdades são contrárias à razão humana, como, por exemplo, a doutrina da Triunidade, três em um e um em três. Isso de não se ajustar ao raciocínio humano pode ser chamado de inverdade na filosofia. Seja como for, o bispo de Paris, em 1277, negou formalmente a doutrina da trindade, juntamente com outras doutrinas alegadamente heréticas e escandalosas, que estariam sendo ensinadas na Sorbonne. O espírito da idéia, porém, pode ser retido dentro do ensino sobre os *paradoxos* e sobre a *polaridade*, sobre o que temos apresentado artigos separados, nesta enciclopédia.

DUPLO

1. Usos Literais nas Escrituras. O peitoral do sumo sacerdote (que vide) era feito de um pano dobrado pelo meio (Êxo. 39:9). O sonho de Faraó lhe foi dado por duas vezes em seguida. Portanto, foi um sonho duplo, através de dois conjuntos diferentes de símbolos (o que é comum nos sonhos, conforme o demonstram os estudos modernos), a fim de que fosse confirmada a mensagem que estava sendo transmitida, com a certeza do que estava prestes a acontecer em breve (Gên. 41:32). O furto era reparado mediante a dupla devolução, de acordo com a legislação levítica (Êxo. 22:4,7,9). Eliseu pediu que lhe fosse dada a dupla porção do Espírito, em relação a Elias, quando ele estava prestes a assumir as responsabilidades deste último (II Reis 2:9). Aqueles que ensinam bem devem ser considerados dignos de dobrada honra, entre os ministros da Igreja (I Tim. 5:17).

2. Usos Metafísicos. a. Os pecadores, mesmo que pertençam ao povo de Deus, podem esperar juízos divinos severos, que são expressos como *receber em dobro* das mãos de Deus (Isa. 40:2). **b.** Os judeus receberam em dobro por sua vergonhosa deslealdade, antes de suas tribulações e desgraças serem removidas, e antes de uma grande felicidade lhes ser concedida (Isa. 61:7). **c.** O cálice do anticristo será cheio em dobro, referindo-se aos ferozes julgamentos vindouros (Apo. 18:6). **d.** O coração dobre, ou a mente dupla fala do indivíduo que é espiritualmente fraco e que duvida. Ver o artigo sobre a *Dupla Mente*.

DUPLO ASPECTO (GNOSIOLOGIA)

Trata-se do ensino, conforme se vê nos escritos de

DUPLO ASPECTO — DUPLO REINO

Abbagnano, de que cada possibilidade concreta aberta ao homem tem um aspecto positivo e um aspecto negativo. Para exemplificar, saber alguma coisa não envolve apenas um conhecimento positivo, pois também envolve o aspecto de não estar equivocado, ou da não possibilidade de erro. O verdadeiro conhecimento é positivo: envolve o acúmulo de detalhes positivos. Porém, não será um conhecimento absolutamente verdadeiro enquanto não for impossível encontrar erros e equívocos. De acordo com esse padrão, os homens têm bem pouco conhecimento verdadeiro, quer seja ele científico, filosófico ou teológico.

DUPLO ASPECTO (METAFÍSICA)

Essa expressão refere-se ao conceito do problema do corpo-mente dando a entender que a explicação da realidade como material e não-material está equivocada. Acredita-se que há uma realidade básica que se manifesta de maneiras supostamente materiais e imateriais, talvez com vibrações variegadas, embora a realidade seja uma só. Quanto a outras explicações a respeito, ver estes dois artigos: *Aspecto Duplo* e o *Problema Corpo-Mente*.

DUPLO EFEITO, PRINCÍPIO DO

Nem sempre é fácil seguir um curso de ação moral que tenha opções. Algumas vezes, um curso de ação que tomamos pode envolver algum efeito lícito, e, ao mesmo tempo, um efeito ilícito. Tomemos o exemplo de uma pessoa que esteja nas últimas fases de uma enfermidade, à beira da morte, e que precisa de morfina para aliviar suas dores. Porém, sabe-se que se essa pessoa tomar morfina, o resultado pode ser a morte por falha cardíaca. O medicamento é dado a fim de aliviar a dor (um ato lícito), mas o paciente acaba morrendo (um efeito ilícito). Têm sido vendidas pílulas anticoncepcionais em lugares onde tal venda é permitida, mas não aceita de modo geral. Nesses casos, tais anticoncepcionais são anunciados como úteis por razões higiênicas, como prevenção contra as doenças venéreas, ou a fim de regular o ciclo menstrual das mulheres. Isso é um propósito lícito da venda dos mesmos. Porém, a razão principal é impedir a gravidez (para alguns, um ato ilícito). Nessas coisas, pois, encontramos o princípio do *duplo efeito*.

DUPLO PADRÃO DE MORALIDADE

1. *Aplicação Primária*. A primeira aplicação dessa idéia é que aos homens deveriam ser permitidas uma maior liberdade e atividade sexual do que às mulheres. Isso teria aplicação às condições pré-marital e pós-marital, igualmente. Essa atitude tem sido encorajada de vários modos: a. A *longa história* da poligamia entre os homens, onde cada mulher só podia ter um homem; mas onde cada homem tinha o direito legal e social de ter mais de uma esposa, ou então uma esposa e várias concubinas. b. Os *costumes sociais* de longa data, mediante os quais um homem pode ter amantes até mesmo nas sociedades que não permitem o casamento plural sem qualquer grande condenação; mas outro tanto nunca é permitido às mulheres. c. A *continuação da poligamia* em várias sociedades ao redor do globo, até hoje, para grande consternação do papa João Paulo II. d. As *evidências biológicas* que mostram que o impulso sexual do homem inclina-o à variedade, ao passo que a maioria das mulheres, a menos que provocadas, contenta-se

em ter apenas um homem. e. As *evidências psicológicas*, que mostram que o ego do homem está envolvido nessa questão de ser capaz de ter sexualmente várias mulheres, ao passo que as mulheres, se não forem provocadas, satisfazem-se com algum namoro (inocente?), que não conduz ao ato sexual.

2. As *feministas* se têm revoltado contra essa situação, oferecendo duas soluções possíveis: primeira, a monogamia deveria ser obrigatória para os homens, a fim de que a condição deles se torne semelhante a das mulheres. Segunda, que as mulheres devem ter os mesmos direitos sexuais dos homens, e, portanto, acesso à variedade em experiências sexuais.

3. *Restrições Bíblicas*. A poligamia era a condição padrão da sociedade judaica, desde o começo. Porém, há evidências de que essa condição estava se -modificando na direção da monogamia, antes mesmo dos tempos neotestamentários. No entanto, nos dias do Novo Testamento, a condição ainda era generalizada dentro da comunidade judaica. Jesus, em contraste com isso, pregava o ideal espiritual de um-homem-uma-mulher (Mat. 19:4 ss). A Igreja primitiva inevitavelmente enfrentou muitos casos de casamentos plurais. Em parte alguma do Novo Testamento, exceto dentro do ideal expresso por Jesus, encontramos qualquer regulamento a esse respeito. Todavia, a passagem de I Tim. 3:2 mostra que um líder cristão, em contraste com os rabinos das sinagogas judaicas, só podia ter uma esposa. Naturalmente, a Bíblia não declara que o casamento duplo é adultério. Mas com igual razão, o Antigo e o N. Testamentos proíbem o *adultério*, — experiência sexual de uma pessoa casada com quem não é seu cônjuge; — e a *fornicação*, ou seja, o sexo pré-marital, e isso no caso tanto do homem quanto da mulher. Ver I Tes. 4:4; Rom. 13:9 e Êxo. 20:14. O duplo padrão, portanto, é proibido na Bíblia, exceto no caso dos casamentos plurais; mas isso é desencorajado pelo ideal expresso por Jesus. A Igreja cristã histórica tem encorajado a monogamia, e tem resistido ao duplo padrão.

4. *Em outros Contextos*. A expressão «duplo padrão de moralidade» pode ter uma ampla aplicação, referindo-se a qualquer questão moral onde puder ser mantida a duplicidade de padrões, de modo a favorecer um lado e a desfavorecer o outro. Para exemplificar, a questão do voto durante séculos tem sido uma praga para muitos países. Se o homem tem o direito de votar, por que o mesmo direito não é estendido à mulher? Até hoje, temos um duplo padrão na questão dos salários e privilégios, em que o homem é favorecido, embora, diante da lei, o homem e a mulher sejam iguais. Nem sempre, contudo, esses duplos padrões dependem do sexo. Há razões raciais e distinções de classes, no que o exemplo mais tocante do momento é a África do Sul. A Bíblia ensina-nos que, em Cristo, todos são iguais, de tal modo que nem raça, nem sexo e nem posição social podem rebaixar um ser humano (Gál. 3:28). Esse padrão não se tornará universal, ainda durante muito tempo. Todas as desigualdades sociais, à crer na Bíblia, só desaparecerão no milênio e no estado eterno.

DUPLO REINO DE DEUS

Essa expressão significa que Deus tem dois reinos sobre os quais ele é soberano. Antes de tudo, ele é soberano sobre a criação física, os mundos materiais e a sociedade secular dos homens, pelo direito que lhe cabe como criador, preservador e juiz de todas as

DURA — DURANDUS

coisas. Em segundo lugar, ele também é soberano sobre as dimensões espirituais, o que inclui a Igreja, em relação à qual ele é o Doador da Vida e o Redentor.

O Problema Ético. Surge um problema criado por esse duplo reinado, porque precisamos perguntar até que ponto o crente pode participar de ambos. A resposta dada pelo monasticismo ascético é que um crente sincero não pode participar de ambos esses reinos, pelo que deve tomar sua decisão de separar-se do mundo. Porém, a resposta bíblica é que muitas pessoas espirituais desempenham suas missões de maneira bem vinculada ao mundo físico, como em obras de caridade, de educação, na política e em muitos esforços humanitários.

Paulo dividia a humanidade em dois reinos, uma parte seguindo o Adão natural, e outra parte seguindo o homem espiritual, que é Cristo (Rom. 5:1,2,17,18). Isso significa que o homem espiritual deve pôr de lado os pecados e as corrupções deste mundo, embora sem deixar de associar-se com a sociedade não-regenerada. Pois, como poderia o sal fazer qualquer bem, a menos que seja aplicado ao que é insosso? A nova era cristã não suplantou a era antiga, mas deixou os cristãos participarem da mesma. Portanto o novo interpenetra o antigo e existe tendo em vista a sua redenção. Porém, como poderia haver redenção sem associação? O crente, como pecador que é, mesmo assim mantém os remanescentes e influência do reino antigo que nele continua existindo. Portanto, instaura-se um conflito interior e, com certa freqüência, o crente sai derrotado na refrega. Não obstante, o crente percebe e acolheu o princípio mais elevado e agora o segue. Ele procura não se amoldar a este mundo (Rom. 12:2) e sempre renova a sua mente como um meio de obter sucesso.

A Igreja e o Mundo. Ver o artigo sobre esse assunto. Não se pode separar com sucesso os dois reinos, pelo menos no tempo presente. A ética social, conforme foi desenvolvida pelos teólogos da Igreja, como Agostinho, Tomás de Aquino, Lutero e Reinhold Niebuhr, reconhece a responsabilidade que o homem espiritual tem para cumprir seus deveres neste mundo. Algumas vezes, o crente serve de agente para melhorar o mundo físico, se isso é o que a sua missão na terra requer da parte dele.

DURA

Palavra derivada do acádico **duru**, «círculo», «muralha». Esse era o nome de uma planície, existente na província da Babilônia. Foi nessa planície que Nabucodonosor fez erigir a sua imagem de ouro (Dan. 3:1). Os arqueólogos supõem que o local onde a imagem foi levantada pode ser associado a um dos vários cômoros ali existentes. O quadro torna-se mais confuso ainda devido ao fato de que vários lugares receberam esse nome na Babilônia. Há até hoje um rio com esse nome, como também um local chamado Tulul Dura, nas proximidades. Cômoros existentes a poucas milhas, ao sul da cidade, têm sido favorecidos, ao mesmo tempo que Carquêmis, identificada por Políbio (5:48), como o local, não fazia parte da província da Babilônia. Um certo lugar, não distante de Apolônia, para além do rio Tigre (também sugerido por Políbio; 5:52), não é provável.

DURA CERVIZ

No hebraico temos uma expressão, **qesheh oreph**, «duro de pescoço», usada somente em livros do Pentateuco: Êxo. 32:9; 33:3,5; 34:9; Deu. 9:6,13, ou seja, por seis vezes. No grego encontramos a palavra *sklerotráchelos*, «pescoço duro», que figura somente em Atos 7:51, dentro da defesa de Estêvão (que vide).

Algumas versões também traduzem por «dura cerviz» uma outra expressão hebraica, *chazeq leb*, «duro de coração» (ver Eze. 2:4). Nossa versão portuguesa, entretanto, é mais correta, quando traduz essa expressão por «obstinados de coração».

A expressão «dura cerviz» descreve aquela atitude rebelde e intransigente demonstrada pelo povo de Israel, no período de suas vagueações pelo deserto do Sinai, depois que eles saíram do Egito. Embora a expressão não reapareça em qualquer outra porção do Antigo Testamento, a idéia é reiterada, conforme se vê, por exemplo, em Oséias 4:16, onde o profeta usa a expressão «vaca rebelde». No original hebraico, a idéia é a de um animal que retrocede ou faz meia volta, resistindo à vontade de seu proprietário. Qualquer leitor do Antigo Testamento sabe que é bastante comum ali essa linguagem simbólica para indicar a teimosia de Israel, em rebelião contra o Senhor.

A palavra que Estêvão empregou em Atos 7:51 (ver acima), foi usada na Septuaginta, em Êxodo 33:3,5, uma outra demonstração de que ele falava o grego e lia o Antigo Testamento na versão da LXX, — pois era judeu helenista. Subseqüentemente, essa rara palavra grega reaparece em diversos escritos pré-nicenos. Entre outras coisas, essa obstinação era uma atitude da qual os judeus da época do início da Igreja cristã foram exortados a arrepender-se. Quando, após o sermão de Pedro, eles indagaram: «Que faremos, irmãos?» o apóstolo replicou: «Arrependei-vos...» (Atos 2:37,38).

A expressão portuguesa «dura cerviz» é uma tradução literal, não sendo nativa no português. Aparentemente, a condição relembra os pescoços dos touros, que resistiam ao jugo. Em uma cultura onde a criação de gado era uma constante, uma expressão dessa natureza seria facilmente compreendida como metáfora clara. Um homem, em sua rebeldia contra Deus, assemelha-se a um touro, rejeitando o controle divino e insistindo em seguir o seu próprio caminho. Uma interpretação alternativa, mas menos provável, é aquela do indivíduo que *corre* para longe ao ser chamado, —recusando-se virar a cabeça para olhar para trás, mantendo duro o seu pescoço.

No Novo Testamento, temos somente uma ocorrência da palavra grega correspondente, *sklerotráchelos*, «duro de pescoço», em Atos 7:51.

DURAÇÃO
Ver sobre **Espaço e Tempo, Filosofia do.**

DURAÇÃO
Ver os artigos sobre **Paciência e Resistência.**

••• ••• •••

DURANDUS DE SÃO PURCAIN

Suas datas foram 1275-1334. Foi filósofo escolástico. Nasceu na França. Era frade dominicano e tornou-se bispo de Le Puy e de Meaux. Opunha-se ao tomismo (que vide). Tendia para o nominalismo ou conceitualismo, supondo que os universais são uma abstração mental, e não uma entidade por si mesma. Seu título era *Doctor Resolutissimus*. Sua filosofia geral era platônica-agostiniana. Concordou com a condenação de Ockham (que vide).

DURKHEIM — DWIGHT

DURKHEIM, EMILE

Nasceu em 1858 e faleceu em 1917. Foi um filósofo e sociólogo francês. Nasceu no Epinal (Vostes). Rejeitava a idéia de tornar-se rabino, que fazia parte da tradição de sua família judaica. Preferiu a carreira de sociólogo, tendo-se graduado como tal na École Normale Supérieure.

No campo religioso ele defendia a idéia de que a essência da função religiosa é manter a distinção entre o profano e o sagrado. Isso incluiria a tentativa de extrair da mente de um homem o que é profano, instilando nela o que é sagrado. Ele afirmava que a própria sociedade é a origem dessa função religiosa, e que os conceitos religiosos são meros símbolos das características da sociedade. O *sagrado* é Deus, o que é personificado pela sociedade como um ser separado. Portanto, ele não acreditava em um Deus vivo e pessoal. A essência da religião é eterna, mas a cultura modifica as suas formas e lhe confere suas muitas manifestações. A sociedade ideal é sagrada, e a sociedade sagrada, uma vez personificada, é Deus. Suas idéias religiosas estão contidas em seu livro, intitulado *As Formas Elementares da Religião*. (E EP)

DUSTAN, SÃO

Suas datas foram 924-988. Foi abade de Glastonbury e arcebispo de Canterbury. Impôs extensas reformas na Igreja da Inglaterra e exercia grande autoridade sobre o governo anglo-saxão, durante o período de vários monarcas, notavelmente o rei Edgar.

Sua vida era plena de vicissitudes. Ele passou algum tempo na corte real. Em um período em que passou em um mosteiro, transcreveu e adornou manuscritos; tornou-se abade de Glastonbury, por determinação do rei Edmundo. Foi exilado pelo rei Edwy. Envolveu-se na reforma monástica da Europa continental. Foi chamado de volta à Inglaterra pelo rei Edgar. Foi responsável por grande parte da legislação durante o reinado de Edgar. Tornou-se arcebispo de Canterbury, em 961. Promoveu reformas generalizadas. Retirou-se para a escola da catedral de Canterbury e ali ensinou, até à sua morte, que ocorreu a 19 de maio de 988. A festa religiosa em sua honra é observada a 19 de maio. (AM E)

DU VAIR, GUILLAUME

Suas datas foram 1556-1621. Foi um filósofo francês, nascido em Paris. Era advogado e tornou-se bispo de Lisieux. Em seu pensamento filosófico ele era um neo-estóico, com uma inclinação especial para as máximas de Epicteto (vide). Ele fez certas idéias estóicas serem usadas na sua interpretação e expressão do cristianismo. Suas obras incluem estes títulos: *A Filosofia Moral dos Estóicos; Sobre a Constância e o Consolo; Sobre a Eloqüência Francesa; A Santa Filosofia*.

DÚVIDA

1. *Na Filosofia*. Quanto a um estudo sobre a questão da *dúvida*, no campo da filosofia, ver o artigo sobre *Certeza e Dúvida*.

2. *Na Teologia*. a. Em primeiro lugar, a dúvida pode ser uma fraqueza ou pode ser um pecado, no caso de um crente, como sucedeu a Tomé, que duvidou da realidade da ressurreição de Jesus, quando os outros apóstolos tinham ficado satisfeitos com as evidências recebidas. Ele exigiu uma demonstração pessoal. Ver João 20:24 ss. Mais tarde, porém, sua atitude foi compartilhada por outros (Mat. 28:17). Jesus condenou a dúvida (Mat. 14:31; 21:21) demonstrando que a mesma exerce um efeito debilitador na vida de um homem, por não permitir a operação do poder de Deus. Em segundo lugar, na teologia, a dúvida é contrastada com a crença, tornando-se mesmo um sinônimo de «incredulidade». «Se a fé for entendida como o pensamento de que algo é verdadeiro, então a dúvida é incompatível com o ato de fé. Se a fé for entendida como estar finalmente interessado, então a dúvida faz parte necessária da fé» (*Dynamics of Faith*, Paul Tillich). Essa citação salienta dois estágios ou elementos possíveis na crença. Um ato de fé pode ser negado por uma atitude de dúvida. Porém, visto que o nosso conhecimento é parcial, a fé também é parcial e admite dúvidas, as quais têm de ser eliminadas pelo crescimento e pelo progresso espirituais. Todos os homens, até mesmo os crentes, são, ao mesmo tempo, crentes e duvidosos, por causa da debilidade do conhecimento humano e das limitações da experiência humana. Porém, um crente é alguém que confia na validade essencial da mensagem de Cristo, e que, por causa disso, entrega a sua alma aos cuidados de Deus. A crença nunca é mera crença, pelo que não pode ser contrastada somente com a dúvida intelectual. Inclui a outorga da alma impulsionada pelo Espírito. De outro modo, até mesmo a letra do evangelho pode matar, em vez de dar vida. Agostinho ensinava que o ceticismo, o pai da dúvida espiritual, equivaie às trevas espirituais. E enquanto um homem insiste em permanecer nessa esfera, ele é incapaz de ter a fé que salva. Ver sobre o *Ceticismo*. A crença, por outra parte, é uma esfera de luz, que permite que a mensagem espiritual exerça o seu efeito. Todavia, é verdade que as crenças não-examinadas com freqüência são falsas, e que todos os sistemas religiosos e todas as denominações cristãs têm suas inverdades preferidas. Algumas vezes, podemos definir a fé como «crer em algo que não é verdade». A crença não nos isenta da busca pela verdade, e nem nos permite aceitar a crença fácil. Quase sempre podemos encontrar evidências convincentes para as crenças básicas, e a busca por essas evidências é absolutamente legítima. O trecho de I Pedro 3:15 encoraja-nos a oferecer as «razões» da nossa fé. As evidências em prol das realidades espirituais são abundantes, pelo que a tarefa não é assim tão difícil. Ao longo do caminho, — porém, teremos de sacrificar certas crenças que se mostrem parciais ou falsas.

DVESA

Termo sânscrito que significa **antipatia**, aquilo que uma pessoa cria em relação a coisas desagradáveis. No sistema da yoga, diz-se que os homens desenvolvem cinco tipos de apegos ilusórios, e um deles chama-se *dvesa*.

DWIGHT, TIMOTHY

Suas datas foram 1752-1817. Foi um clérigo e teólogo congregacional norte-americano. Foi revivalista e educador. Graduou-se no Yale College, e foi diretor da Hopkins Grammar School e tutor de Yale. Tornou-se presidente do Yale College e professor de teologia do mesmo. Deu a esse colégio uma estrutura que o preparou para tornar-se uma universidade.

Dwight preocupava-se com o declínio moral e religioso, e, mediante sua prédica e seu ensino, ajudou a dar início a um reavivamento que se tornou conhecido como o Segundo Grande Avivamento da América do Norte. Teve vários alunos que vieram a tornar-se bem conhecidos, como Lyman Beecher, e Nathaniel W. Taylor, os quais, décadas depois, deram forma ao que se tornou conhecido como Teologia de New Haven (que vide). Ele enfatizava o retorno aos antigos princípios calvinistas como a melhor maneira de refrear a impiedade e o declínio moral e espiritual. — O labor dele, como é patente, teve uma influência duradoura sobre as atividades religiosas e a teologia norte-americanos, naqueles seus passos iniciais.

•••

**Reprodução Artística de
Darrell Steven Champlin**

Arte egípcia, colher decorativa,
da 18ª Dinastia

1. Formas Antigas

fenício (semítico), 1000 A.C.   grego ocidental, 800 A.C.   latino, 50 D.C.

2. Nos Manuscritos Gregos do Novo Testamento

3. Formas Modernas

E E e, e   E E e e   E E e e   E e

4. História

E é a quinta letra do alfabeto português. Deriva-se, historicamente, da letra hebraica *he*, talvez «janela gradeada». Nas línguas semíticas era uma consoante, mas tornou-se uma vogal no grego e no latim. Os gregos modificaram-lhe a forma, chamando-a de *epsilon*. Essa letra representava o fonema *e* breve (é). No latim, essa vogal tinha tanto o som breve quanto o som longo. Do latim a letra passou para muitos idiomas modernos.

5. Usos e Símbolos

Nos sistemas de gradação, essa letra representa *péssimo*. É o nome da terceira nota musical, também chamada *mi* na escala do Dó. Pode representar o leste (este). Na abreviação *J.E.D.P.(S.)* relaciona-se à alegada fonte informativa eloísta. Ver o artigo sobre *E*. Ali representa *Elohim*, uma fonte informativa que teria favorecido esse nome divino. *E* é empregado como símbolo do *Codex Basiliensis*, descrito no artigo separado *E*.

Caligrafia de Darrell Steven Champlin

E

E

E Codex Basiliensis, um manuscrito do Novo Testamento, pertencente ao século VIII D.C. Contém os quatro evangelhos, com 318 folhas. Seu nome deriva-se da biblioteca da Universidade de Basiléia, na Suíça, onde permanece. O tipo do seu texto é um estágio antigo do texto bizantino padrão, pelo que é um elo para o texto mesclado que veio a fazer parte do Textus Receptus. É membro de uma família de manuscritos que tomou seu nome, de tal maneira que esse grupo inteiro de manuscritos chama-se *Família E*. Em 1966, publiquei um estudo sobre a Família E e seus aliados em Mateus, publicado pelos *Estudos e Documentos* da Imprensa da Universidade de Utah, nos Estados Unidos da América. O Dr. Jacob Geerlings, meu colega e diretor de meus estudos de doutoramento, fez estudos similares quanto aos evangelhos de Marcos, Lucas e João, publicados por quela mesma agência.

E (DOCUMENTO ELOHIM)

Símbolo usado para designar um dos documentos que, segundo se alega, juntamente com os documentos D, J e S (este último significando Código Sacerdotal), comporiam a matéria em que consiste o Pentateuco, cada um dos documentos representaria um tempo específico e um nível diferente do desenvolvimento daquela composição. Ver o artigo sobre *J.E.D.P.(S.)*, bem como o artigo sobre o livro de Gênesis onde a questão é discutida. No artigo sobre a *Cronologia do Antigo Testamento*, apresentamos um gráfico acerca do desenvolvimento literário daquele documento, onde as várias fontes originárias são postas na posição cronológica que tem sido proposta. A designação «E» representa o nome divino, Elohim, que, segundo se supõe, essa fonte usou, antes da revelação posterior de Yahweh a Moisés. Isso significa que o material «E» é mais primitivo do que o material «J» (usado para designar *Yahweh*). Encontra-se nos livros de Gênesis a Juízes, e também, provavelmente, em I e II Samuel. Segundo dizem os defensores da idéia, pertence ao século VIII A.C., proveniente de material utilizado pelo reino do norte, ou Israel. A própria existência de uma fonte informativa separada, chamada «E», tem sido contestada por eruditos que atribuem várias partes da mesma a outros documentos como «J», «D» e «S». O que resta, após essa transferência, é explicado como obra editorial.

EA

Esse era o nome de uma divindade assírio-babilônica. A palavra vem do termo sumeriano *Enki*, que significa «senhor do abismo». Nas lendas, ele aparece como o pai de Marduque. A princípio era identificado com a terra, mas seu reino acabou por incluir as águas, a sabedoria, os ofícios, as curas, a erudição e as artes mágicas. Teria estado envolvido na criação da terra, embora, posteriormente, isso tenha sido atribuído a seu filho, Marduque (que vide). Contava com vários centros de adoração e tinha muitos seguidores, embora a principal localidade fosse o templo de Eridu, às margens do golfo Pérsico. Ele era o deus protetor daquela cidade, uma das mais antigas do vale do rio Eufrates. Tendo sido, a princípio, um *deus tribal* (que vide), com o tempo se tornou uma divindade universal. Era adorado sob o símbolo de

um monstro meio peixe, meio bode. Era uma divindade muito sábia, que realizava muitos feitos notáveis e não hesitava em lançar mão do ludíbrio e de muitos truques a fim de cumprir os seus propósitos. Juntamente com Anu e Enlil (formando assim uma tríada), Ea teria estado envolvido na criação, de acordo com o épico acádico da criação. Seu nome foi descoberto na estela de Nabonido, um governante da Babilônia do século VI A.C. Quando declinou a sua adoração na Babilônia, juntamente com outras divindades antigas, ele era relembrado somente em oráculos e encantamentos. Há algo de muito triste que cerca o declínio dos *deuses*, porquanto nisso percebemos a natureza transitória de todos os pensamentos e costumes dos homens. A revelação divina vem, então, em nosso socorro, e o nosso conhecimento melhorou tremendamente, desde a época em que Ea era adorado pelos homens. Não obstante, Deus (que vide) continua a ser o *Mysterium Tremendum*. (AM E)

EANES DE MAASÉIAS

Esse foi o nome de um sacerdote levita que, na época de Esdras, casara-se com uma mulher estrangeira. Após o exílio, porém, foi forçado a separar-se dela (Esd. 10:21 e I Esdras 9:21). Ele descendia de Harim. Seu outro nome, Eanes, só aparece no livro apócrifo de I Esdras. Viveu em torno de 450 A.C.

EBAL

No hebraico, «estar despido» ou «pedra». Esse é o nome de várias pessoas do Antigo Testamento, de ascendência hurriana, a saber:

1. Um filho de Sobal (Gên. 36:23 e I Crô. 1:40). Viveu em cerca de 1800 A.C.

2. Um filho de Joctã (Gên. 10:28; I Crô. 1:22). Viveu em torno de 2200 A.C. Também é o nome de um monte do território de Efraim, também chamado monte da maldição (Deu. 11:29). Ver o artigo separado sobre esse monte, abaixo.

EBAL, MONTE

Variações desse nome são Jebal e Hebal. No grego temos *Gaibal*. Era um monte que ficava defronte de Gerizim (Deu. 11:29; Jos. 8:30-35). O Pentateuco Samaritano diz *Gerizim*, em Deu. 27:4. Seu nome moderno é *Jabel Eslamíyeh*. Tem cerca de 4.820 m de altura. Foi naquele monte que a lei de Moisés foi registrada e foi lida por Josué, com o acompanhamento de bênçãos e maldições, conforme se lê em Jos. 8:30-35. O monte Gerizim e o monte Ebal ficam diante um do outro, havendo entre eles um vale. O texto do livro de Josué profere bênçãos sobre Gerizim e maldições sobre o monte Ebal. Ver Deu. 11:27. Por esse motivo, o monte Ebal veio a tornar-se conhecido como monte da maldição. Antes da entrada de Israel na terra de Canaã, foi mister essa reafirmação da lei, sendo essa a circunstância histórica que cerca a questão. Esses montes foram subseqüentemente divididos entre as tribos de Manassés e Efraim. Onri, o rei das rebeladas dez tribos do norte, erigiu sua capital em Samaria, o que, mais tarde, veio a tornar-se a designação de toda aquela região montanhosa. As invasões assírias despovoaram quase inteiramente essa região e outros povos semitas (mas não-israelitas) foram importados para preencher o

ÉBANO — EBENÉZER

espaço vago. — Isso provocou uma fusão de culturas, tendo surgido um caldeamento que veio a chamar-se povo samaritano.

Alguns estudiosos pensam que o cume do monte Gerisim teria sido o lugar onde, originalmente, foi erguido o altar de Josué. Damos um artigo separado sobre uma descoberta arqueológica bem recente desse altar. Ver sobre o *Altar de Josué*. Os islamitas supõem que a cabeça de João Batista foi sepultada no sopé do monte Ebal. Durante a Idade Média havia um edifício em memória a João Batista, a fim de assinalar o local. Em ambos esses montes há ruínas de antigos templos cristãos ortodoxos. A arqueologia tem encontrado evidências de uma antiquíssima ocupação humana naquela área, remontando ao quarto milênio A.C. Porém, biblicamente falando, seu período histórico mais importante é aquele associado ao desenvolvimento do reino do norte, Israel, em Samaria.

ÉBANO

No hebraico, **hobnim**. Essa palavra aparece somente em Eze. 27:15. Trata-se de uma madeira negra, da família da *Diospyros Ebenum*, nativa das Índias Orientais, muito procurada na antiguidade por seu valor comercial. Nessa única referência bíblica, o ébano é alistado juntamente com o marfim, como artigos de um comércio de luxo. O ébano era trazido para a Palestina proveniente de Dedã, no golfo Pérsico. Vergílio (*Georg*. 2.16) informa-nos de que a Índia também produzia o ébano, mas outras referências dão a Etiópia como lugar de origem do ébano. O ébano era de coloração escura, com manchas negras, embora não somente dessa cor. Era usada no fabrico de móveis finos, vasos valiosos, cetros e ídolos, ou seja, qualquer tipo de trabalho em madeira que envolvesse itens de grande valor. O ébano adquire um bom lustro; e até os nossos próprios dias recebe muitos usos. O texto do vigésimo sétimo capítulo de Ezequiel liga o ébano ao marfim, sendo perfeitamente possível que os dois materiais fossem usados juntos em móveis decorativos e outros itens, quando a cor negra do ébano e a cor branca do marfim faziam marcante contraste uma com a outra.

••• ••• •••

EBEDE

No hebraico, «servo» ou «escravo». Em alguns manuscritos há uma variante textual que diz Eber. Esse nome designa duas pessoas:

1. O pai de Gaal (que vide), que encabeçou uma insurreição contra Abimeleque, em Siquém. Ver Juí. 9:26-35. Viveu em torno de 1100 A.C.

2. Um filho de Jônatas, um dos descendentes de Adim que retornou do cativeiro babilônico juntamente com Esdras. Ver Esd. 8:6. Isso ocorreu em torno de 459 A.C. Essa palavra encontra-se em vários nomes compostos, conforme demonstramos abaixo.

EBEDE-MELEQUE

No hebraico, «servo de um rei». Esse homem era etíope. Vivia como adido à corte de Zedequias, rei de Judá. Era um eunuco (que vide), e salvou o profeta Jeremias de morrer à míngua, quando este foi deixado em um poço com lama (Jer. 38:7-13). A cidade de Jerusalém estava condenada, por decreto divino; mas esse homem, em face de sua bondade e serviço, recebeu a promessa de livramento. As tropas inimigas invadiriam a cidade, mas ele não sofreria dano da parte da invasão e ocupação (Jer. 39:15-18) (cerca de 589 A.C.). Por ser um eunuco, podemos supor que ele estivesse encarregado do harém do rei. Mas o artigo definido, usado antes de «eunuco», mostra-nos que esses homens com freqüência recebiam cargos de grande importância política. Seja como for, ele tinha livre acesso à presença do monarca judeu, e que sempre se deu no caso dos eunucos que tratavam das mulheres dos reis.

O termo *ebed* era empregado na cultura acádica para indicar certa classe de oficiais contratados, em contraste com um antigo costume em Israel, de acordo com o qual os chefes de tribos é que ocupavam tais ofícios. Parece que o rei Davi foi o primeiro monarca judeu a empregar essas pessoas na corte real.

EBEN-BOÃ

Ver sobre **Boã**.

EBEN-EZEL

Ver sobre **Ezel**.

EBENÉZER

No hebraico, «pedra de ajuda». Há duas coisas diferentes a serem consideradas neste verbete:

1. Uma localidade onde o povo de Israel foi derrotado por duas vezes pelos filisteus. Por ocasião da primeira batalha, Israel perdeu quatro mil homens; e, na segunda, houve uma esmagadora perda de trinta mil homens. Foi por ocasião da segunda dessas batalhas que os filisteus tomaram a arca da aliança (que vide). Por essa altura dos acontecimentos, os filhos de Eli, Hofni e Finéias, foram mortos (I Sam. 4:1-11). Os arqueólogos não têm podido identificar a localização exata desse lugar, embora saiba-se que ficava perto de Afeque; mas esta também é de localização incerta. Majdel Yaba tem sido tentativamente identificada como o local. Esta fica a nordeste de Haifa. Os filisteus continuaram controlando aquela área até o tempo da monarquia de Israel.

2. Ebenézer também foi o nome de uma pedra que fora erigida por Samuel entre Mispa e Sem, anos depois que aquelas batalhas ocorreram na área, mencionadas no primeiro ponto, acima. Essa pedra, pois, assinalava a vitória de Israel sobre os filisteus. Ver I Sam. 7:12. Provavelmente, esse nome foi dado para mostrar que Deus permitiria uma reversão de acontecimentos, a fim de encorajar os israelitas. Um hino foi escrito, com base no nome e o que esse nome simboliza. Citamos abaixo a segunda estrofe:

••• ••• •••

Aqui levanto meu Ebenézer;
Pra cá cheguei com sua ajuda,
E espero, por seu bom prazer,
Chegar seguramente em casa.

Jesus me procurou quando fui estrangeiro,
Vagueando do aprisco de Deus;
Ele, para me salvar do perigo,
Interpôs seu sangue precioso.

249

ÉBER — EBIONISMO

Algumas vezes, as derrotas são esmagadoras. Mas a história da humanidade ensina-nos que Deus pode fazer reverter qualquer derrota. Há ocasiões em que nós os servos de Deus, podemos dizer: «Cá meu Ebenézer ergo. Até aqui, por Tua ajuda, cheguei».

ÉBER

No hebraico, «aquele que atravessa». Esse é o nome de várias personagens do Antigo Testamento, a saber:

1. Um filho de Salá, bisneto de Sém (Gên. 10:21,24; I Crô. 1:19). Algumas vezes, ele é confundido com Héber. Suas datas giram em torno de 2448-1984 A.C. Foi um dos antepassados de Abraão, aparecendo no quarto lugar na genealogia de Noé até Abraão. Nada sabemos acerca dele, excetuando esses poucos fatos. O nome original desse homem talvez nada tenha a ver com Éber, mas pode ter estado relacionado a *ibri*, que pode ter sido o mesmo *habiru* das inscrições em escrita cuneiforme, uma palavra designativa de muitos povos de várias regiões. Essa palavra, que significa «alguém que atravessa», provavelmente refere-se a *nômades* ou viagens, podendo estar relacionada à palavra *hebreus* (incluindo a designação antiga *habiru*). Isso significaria que o nome hebreu veio a designar o povo que acabou sendo conhecido por esse nome, por causa de seus hábitos de nomadismo. Alguns estudiosos, pois, pensam que esse Éber seria o fundador da raça dos hebreus.

2. Um filho de Elpaal, um benjamita, um dos fundadores do Ono e de Lode. Ver I Crô. 8:12. Viveu em torno de 1100 A.C.

3. Um sacerdote que representava a família de Amoque, nos dias de Joiaquim, filho de Jesua (Nee. 12:20). Viveu em redor de 535 A.C.

4. Um gadita, cabeça de uma família de Gileade, em Basã (I Crô. 5:13). Viveu em redor de 782 A.C.

5. Um filho de Sasaque, um benjamita (I Crô. 8:22,25). Viveu em torno de 535 A.C.

EBES

A LXX diz **Rebes**, que é a forma mais próxima do original hebraico do que a forma que aparece em nossa Bíblia, em português. Algumas traduções também estampam a forma *Abez*, refletindo variantes textuais. Está em foco uma cidade do território de Issacar (Jos. 19:20). Apesar de saber-se que ela ficava na fértil planície de Esdrelom, desconhece-se seu local exato.

EBIONISMO, EBIONITAS

Ver o artigo que se segue, sobre o evangelho ebionita.

1. *Nome e Caracterização*. O termo grego *ebionaioi* é transliteração do vocábulo hebraico *ebionim*, «pobres». Esse termo era usado para indicar uma seita judaico-cristã que houve no começo do cristianismo, bem como o evangelho associado a eles. Tertuliano opinava que o nome viria de um certo *Ebion*, um dos líderes da comunidade. Mas, a maioria dos eruditos supõe que esse título servia apenas de chamariz, usado por alguns cristãos contra aquela gente, por causa de seu ensino exagerado sobre a pobreza e a austeridade, sugeridas em algumas passagens como Mateus 5:3.

Seja como for, os *ebionitas* eram uma seita judaico cristã dissidente, que se opunha à interpretação paulina da fé cristã. Bem no seio do próprio Novo Testamento encontramos essa oposição, na epístola de Tiago, embora alguns intérpretes, ansiosos por preservar a suposta unidade do Novo Testamento, ignorem o fato, juntamente com as implicações do décimo quinto capítulo do livro de Atos. Entretanto, a história mostra-nos que os problemas gerados pela doutrina paulina da justificação pela fé foram grandes e duradouros, porquanto opunham-se à teologia judaica regular acerca desse particular. Também estava envolvida na questão a observância da lei mosaica, incluindo a circuncisão. Nesse conflito, os ebionitas eram os conservadores, enquanto que o partido paulino compunha-se de liberais, que haviam modificado os padrões antigos e tinham adotado novas crenças.

2. *Outras Distinções Doutrinárias*. Os ebionitas aceitavam o caráter messiânico de Jesus, mas não acreditavam que ele tivesse sido o Filho de Deus em qualquer sentido especial, o que significa que rejeitavam a sua divindade, exatamente conforme se esperaria de uma teologia de inclinações judaicas, orientada na direção do *monoteísmo*. Eles disputavam sobre a questão do nascimento virginal, alguns em favor e outros contra esse ensino. Exageravam o legalismo ao ponto de dizerem que Jesus obtivera seu caráter messiânico através de uma observância muito estrita da legislação mosaica. O batismo de Jesus teria assinalado o instante em que Deus teria proclamado publicamente que Jesus se qualificara para o ofício messiânico. Visto que Jesus tanto fora circuncidado quanto fora batizado, seu exemplo era evocado quanto a ambas essas práticas. A obediência tanto à lei quanto ao evangelho (as boas obras) para os ebionitas, era o próprio modo de salvação. Portanto, eles acreditavam em salvação mediante a fé e as obras, acompanhando de perto o judaísmo.

3. *Suas Escrituras Sagradas*. Eles usavam o Antigo Testamento, especificamente a versão grega de Símaco. Eusébio diz-nos que Símaco era ebionita. Os ebionitas repudiavam as epístolas de Paulo, chamando-o de apóstata. Os ebionitas tinham um evangelho chamado *Evangelho dos Hebreus*, que alguns, equivocadamente, chamaram de Evangelho de Mateus. Talvez fosse uma forma muito modificada do evangelho de Mateus, ou de alguma das fontes informativas usadas por Mateus.

4. *Seitas Ebionitas*. Os ebionitas não formavam um movimento unificado. Há evidências em favor da assertiva de que podemos distinguir três seitas ebionitas: a. os Nazarenos, que aceitavam o nascimento virginal de Jesus, mas sem chegarem ao ponto de desenvolverem uma cristologia calcedônica. Ver o artigo sobre a *Cristologia de Calcedônia*. b. Os Ebionitas Fariseus, que aceitavam o caráter messiânico de Jesus mas negavam o seu nascimento virginal. Eles odiavam Paulo. c. Os Ebionitas Gnósticos ou Essênios. Esses misturavam elementos cristãos, judaicos e gnósticos. Não se compreende bem a relação entre esse grupo e os essênios em geral e nem à comunidade (essênia?) do mar Morto. Houve uma seita mais antiga, chamada de os *recabitas*, com a qual esses ebionitas também tinham alguma ligação. Seja como for, a tendência geral do ebionismo (se negligenciarmos as distinções existentes entre eles), incluía duas questões principais: a. a pesada influência do judaísmo sobre o cristianismo; b. a negação da divindade de Jesus Cristo, posto que não de seu caráter messiânico.

5. *O Ebionismo e os Pais da Igreja*. Justino Mártir falava sobre os ebionitas com uma certa gentileza; mas pais da Igreja posteriores, como Tertuliano, Irineu, Hipólito e Eusébio falaram duramente sobre eles. Os ebionitas exerceram uma certa influência

EBIONITAS — ECCE HOMO

sobre o cristianismo, representando um problema até o século IV D.C., quando desapareceram de cena como um grupo cristão.

6. *O Ebionismo e a Ética*. Os ebionitas eram legalistas, e insistiam sobre a necessidade de circuncidar os homens que se convertessem, de fazê-los guardar o sábado e de observarem certas outras características comuns do judaísmo. Alguns deles eram ascetas e vegetarianos. Não comiam carne, não bebiam vinho e desprezavam o matrimônio. Entretanto, Epifânio (*Panarion* 30:16) informa-nos de que eles rejeitavam o sistema judaico de sacrifícios. (AM B C H IR JAM)

EBIONITAS, EVANGELHO DOS

Somente Epifânio (falecido em 403 D.C.) menciona especificamente um evangelho com esse nome. Mas o mesmo tem sido tentativamente identificado (ou confundido) com o evangelho dos Hebreus ou com o evangelho dos Nazarenos. Alguns eruditos supõem que o documento em questão seria uma versão pesadamente emendada do evangelho de Mateus, ou de alguma das fontes informativas usadas por ele. Jerônimo falava sobre o Evangelho dos Hebreus, identificando-o com o evangelho de Mateus; porém, as citações extraídas do mesmo não sugerem essa identificação. As escassas citações extraídas do evangelho dos ebionitas ressaltam o vegetarianismo nas narrativas neotestamentárias sobre João Batista e Jesus. Outros pais da Igreja afirmam que os ebionitas usavam somente o evangelho de Mateus, e este em hebraico. Esse documento, porém, provavelmente era uma mutilação falsificada e sumariada do evangelho de Mateus, se é que, de fato, estava alicerçado sobre o evangelho de Mateus. Nesse caso, provavelmente, era uma tradução para o hebraico feita com base em material escrito em grego, porquanto não há qualquer evidência em prol de um original hebraico do evangelho de Mateus. Ademais, qualquer identificação entre o evangelho dos Hebreus e o evangelho dos ebionitas não passa de uma conjectura. Os ebionitas talvez contassem com mais de um evangelho. Essas questões, porém, estão perdidas na história, e somente novas evidências, porventura descobertas, poderiam esclarecer essa dúvida. Ver o artigo separado sobre *Hebreus, Evangelho dos*.

EBROM

No hebraico, «riacho» ou «companhia». Algumas traduções dizem Hebrom. Era uma cidade do território de Aser (Jos. 19:28). Ficava na extremidade noroeste da Palestina, já nas vizinhanças do mar Mediterrâneo. Alguns estudiosos supõem que Ebrom seja um erro de cópia em lugar de Absom, que teria surgido no texto massorético, devido à confusão feita entre duas letras hebraicas parecidas. Ver também sobre Hebrom.

EBRONA

Uma forma de **Abrona** (que vide).

ECANUS

Uma forma de **Etanus** (que vide).

ECBÁTANA

Também pode ser encontrada a forma **Acmeta**. A LXX diz *Amatha*, conforme também o fez Xenofonte. O termo grego *ekbátana* provavelmente significa

«cidadela» ou «fortaleza». Mas alguns especialistas dizem que uma tradução mais correta seria «lugar de reunião». Ecbátana foi o nome usado pelos gregos para designar uma das capitais dos impérios persa e parta, embora o antigo nome persa fosse Hangmátana, que significa «lugar de assembléia». Alusões biblicamente relacionadas a esse lugar encontram-se nos livros apócrifos, com algumas poucas no cânon palestino do Antigo Testamento. Em Tobias 3.7; 7.1 e 14.13 é mencionada como o lugar onde residia Reguel e sua filha, Sara. O trecho de Juízes 1:1,2,14 mostra-nos que essa cidade foi fortificada pelo rei da Média, Arfaxade, quando ele combatia contra Nabucodonosor, da Babilônia. Antíoco Epifânio IV fugiu para esse lugar, pouco antes de sua morte (II Macabeus 9:1-3). O lugar moderno é Hamadã, no Iraque, perto do sopé nordeste do monte Alvand, — cerca de 280 km a noroeste de Teerã. Dominava as rotas das viagens da Mesopotâmia até o platô da Pérsia. Tinha um clima temperado que atraía um grande número de pessoas, residentes ou turistas.

Tal como se dá com a maioria das cidades antigas, a origem de Ecbátana está envolta em lendas. Supostamente foi fundada por Deiocles, o medo, em cerca de 678 A.C., conforme nos diz Her. 1:96. Mas, o próprio Deiocles é uma figura lendária, pelo menos em parte. Talvez seu filho seja quem tenha erigido Ecbátana, como um meio de tentar fazer estacar o avanço dos assírios. Seja como for, há algumas elaboradas descrições desse lugar, nos escritos de Heródoto e Políbio (10:27). Somos informados de que a cidade estava cercada por sete muralhas, com a forma de círculos concêntricos. Cada muralha teria uma cor diferente. A própria cidade era uma espécie de cidadela, e tinha um tesouro e muitos luxos, incluindo residências fabulosas. Ciro, o Grande capturou-a e fez dela uma de suas residências de verão. O trecho de Esdras 6:2 mostra-nos que os registros imperiais eram guardados ali no tempo do monarca Ciro. Foi ali que Dario encontrou o decreto baixado por Ciro, que autorizava a reconstrução da cidade de Jerusalém. Alexandre, o Grande capturou Ecbátana, derrubou suas muralhas e a saqueou.

Em tempos posteriores, Ecbátana tornou-se a residência de verão dos reis partas, embora tivesse declinado no tempo dos reis sassânidas. Em seguida, veio a conquista islâmica, e teve começo seu último estágio histórico, quando se tornou a moderna cidade de Hamadã. Existem ali muitas ruínas da antigüidade, exploradas pelos arqueólogos. Em 1923, foram descobertas duas placas de fundação, de prata e de ouro, onde havia o nome inscrito de Dario I. As informações ali encontradas indicam que ele e Artaxerxes II construíram certos lugares dessa cidade. Aos turistas são mostrados os supostos túmulos de Ester e Mordecai, mas estes estão relacionados mais de perto com as esposas de reis sassânidas.

Ecbátana notabilizava-se por seu esplendor e luxo. Fora construída sobre uma colina, a fim de que todos pudessem contemplá-la. Os tempos vão e vêm, e o esplendor humano, quando muito, permanece e impressiona apenas por pouco tempo. Somente a alma preserva valores permanentes. Essa é uma lição que precisamos aprender continuamente, aplicando-a às nossas vidas. (AM OLM Z)

ECCE HOMO

Essa é uma expressão latina que significa «Eis o homem» (ver João 19:5). Esse tema tem aparecido em muitas referências literárias e pinturas, exibindo os

ECCLESIA — ECKHART

sofrimentos de Jesus Cristo. Certo livro com esse título foi publicado pela primeira vez por Sir John Selley, em 1880, e desde então reimpresso com certa freqüência.

ECCLESIA

Esse termo latino vem diretamente do vocábulo grego *ekklesía*, «assembléia». E daí que se deriva a nossa palavra portuguesa «igreja». Ver o artigo geral sobre esse assunto. Os cristãos latinos tomaram o nome grego e transliteraram-no pelo termo latino *ecclesia*. A tradução da Septuaginta (LXX) já havia conferido um sentido religioso especial a essa palavra, usando-a para referir-se ao povo de Israel, como a igreja do Antigo Testamento. A comunidade cristã então aplicou o termo a si mesma, e tornou-se na Nova Igreja, na Nova Israel. É ali que encontramos a comunidade messiânica, representando um outro avanço religioso e espiritual.

Origem do Termo. Naturalmente, não foi a Igreja cristã quem cunhou essa palavra. Mui provavelmente, foi usada pela primeira vez em Atenas, antes do século VI A.C., para referir-se à assembléia governante de cada cidade-estado dos gregos. A primeira dessas assembléias compunha-se de homens armados e de governantes políticos, uma espécie de oligarquia. Essa assembléia foi se tornando mais e mais política, até que, finalmente, tornou-se um corpo democrático, isto é, de participação popular. Em Atenas, tornou-se importante quando Sólon concedeu a posição de membros da assembléia a todos os varões. Após as reformas de Clístenes, já no fim do século VI A.C., a assembléia tornou-se a instituição política mais importante de Atenas. A *ekklesía* elegia todos os magistrados diretamente e legislava sobre questões de todos os tipos. Reunia-se pelo menos quarenta vezes por ano. O quórum necessário para impor o ostracismo (que vide) era de seis mil membros, talvez uma sexta parte da população total da cidade; mas, no caso de outras decisões, a assembléia podia ser relativamente pequena. Já desde o século IV A.C. cada participante precisava pagar uma taxa, para poder fazer parte da assembléia. A votação era feita por simples exibição de mãos, excetuando-se no caso da imposição do *ostracismo*; as decisões passavam por maioria simples. Fora de Atenas, assembléias similares existiam em outras cidades-estados, — que usualmente eram menos democráticas, além do que usualmente impunham algumas restrições a quem quisesse tornar-se membro delas, como a posse de propriedades.

Foi apenas natural que a Septuaginta e a Igreja cristã tivessem adotado esse vocábulo, porquanto já era bem ilustrado nas assembléias populares, e também porque seu sentido básico de «chamados» ajusta-se tão bem à teologia cristã, segundo a qual Deus chama pecadores para saírem do mundo, a fim de se tornarem num corpo separado. O governo democrático que havia na Igreja cristã primitiva, segundo se vê refletido no décimo sexto capítulo de Mateus, também foi sugerido pela *ekklesia* de Atenas e da prática grega. (AM E)

ECK, JOHANN MAIER

Datas: 1486-1543. — Foi um teólogo alemão católico romano, que foi o grande defensor do papado contra Lutero e Zwínglio (ver os artigos a respeito deles). Era exímio polemista, sendo melhor relembrado por sua disputa com Lutero, em Leipzig, em 1519, onde conseguiu fazer Lutero afirmar que os concílios gerais da Igreja estão sujeitos a erro. Após essa afirmação, o conflito entre Lutero e Roma tornou-se irremediável, porquanto era e continua sendo uma doutrina comum e honrada, para a maioria dos católicos romanos, que os concílios formais da Igreja são autoritários, não podendo cometer erros em suas decisões. Naturalmente, a verdade é bem outra, pois se os homens, em sua arrogância, pensam que não erram em determinadas situações, na realidade, o erro sempre faz parte do procedimento humano, dentro ou fora da Igreja. Outrossim, é perfeitamente evidente que a Igreja reverte ou modifica as decisões dos concílios, mediante suas interpretações, um antigo truque que os filósofos e teólogos sempre empregaram. Ademais, os *homens*, e não Deus, é que dizem que eles não podem errar, pelo que não precisamos levar muito a sério uma declaração dessa natureza. Ver o artigo geral sobre a *Autoridade*.

Em 1520, Eck obteve a famosa bula papal *Exsurge Domini*, que condenou Lutero. Eck foi professor e vice-chanceler da Universidade de Ingolstadt durante três décadas, e exerceu imensa influência naquela escola, bem como em toda a Igreja Católica Romana. Sua obra *Enchiridion. adversus Lutherum* (Manual Contra Lutero) passou por nada menos de quarenta e seis edições entre 1525 e 1576, o que serve para demonstrar a influência dele em seus dias.

ECKHART, JOHANNES MEISTER

Suas datas foram 1260-1327. Nasceu na Turíngia, Alemanha. Tornou-se mestre em teologia sagrada, em Paris, em 1302. Distinguiu-se como administrador e como teólogo. Foi escritor influente, bem como pregador de considerável poder e vitalidade. Foi um gênio religioso, um homem de piedade incomum, que se tornou conhecido como o «pai do misticismo alemão». Ver o artigo separado sobre o *Misticismo*. A definição básica dessa palavra é qualquer contacto de um ser superior a nós mesmos, por meio do que se obtém alguma espécie de comunicação. Portanto, de conformidade com essa definição, quase todas as fés religiosas têm uma base mística, visto que a própria revelação é um ato místico. Outro tanto se dá com os dons do Espírito, quando genuínos. A regeneração é uma obra do poder divino, tanto quanto as visões e os sonhos que transmitem, de modo genuíno, conhecimento espiritual. O misticismo oriental tende por ser *subjetivo*, supondo que o contacto a ser feito é com nosso *eu* superior, a dimensão espiritual maior de nossos próprios seres. Já o misticismo ocidental tende por ser *objetivo*, supondo que os poderes com os quais devemos entrar em contacto estão fora de nós mesmos, como Deus, os anjos, Cristo, o Espírito Santo ou os santos.

A tentativa principal de Eckhart era explicar os mistérios da deidade e a relação entre o Criador e os indivíduos. Naturalmente, foi acusado de heresia, mas conseguiu apresentar excelente defesa. O misticismo com freqüência fala em termos panteístas, porque uma de suas categorias é a *unidade*. Todavia, os místicos não se preocupam muito com as pequenas sutilezas das expressões verbais, conforme fazem os teólogos sistemáticos, porquanto, desde o princípio, eles supõem que os grandes mistérios são inefáveis, ultrapassando a força de expressão da linguagem humana. É apenas natural, pois, que surjam conflitos entre os teólogos, que tratam com conceitos verbais, e os místicos, que tratam com mistérios inefáveis e insondáveis. Poucos místicos pretendem ser teólogos precisos. Podem utilizar-se de um ousado

ECKHART

vocabulário metafísico, que não obedece ao jargão teológico, e isso sempre os deixa em dificuldades com os ortodoxos. Não obstante, a única ortodoxia que deveríamos reconhecer é a da verdade, e muitos pontos relativos a isso ainda precisam ser mais investigados e melhor definidos, não meramente através da linguagem humana, mas, muito mais, através da *experiência* humana. Nem toda experiência, entretanto, pode ser reduzida a uma expressão lingüística precisa. A intuição e o discernimento místico são como as fontes de águas que jorram no ar. Os conceitos assemelham-se mais à água que cai de volta ao solo e fica estagnada. Embora a intuição e o conceito tentem descrever a mesma água, seu modo de expressão é diferente em um caso e no outro.

Idéias de Eckhart:

1. O Conhecimento de Deus. Ele falava em dois estágios no conhecimento de Deus: a. *Em um espelho e mistério*. Ver nosso artigo sobre *Deus*, primeiro ponto. *Deus como o Mysterium Tremendum*. Nesse conhecimento refletido, empregamos a *via negativa*, conforme disseram Agostinho e outros teólogos. Ver o artigo separado sobre a *Via Negativa*. Nisso ele asseverava que devemos reconhecer quão inadequada é a linguagem humana para exprimir os mistérios divinos. Em primeiro lugar esforçamo-nos por reduzir, ao máximo, nossa maneira antropomórfica de falar sobre Deus, desnudando a nossa linguagem de todas aquelas propriedades que os homens têm mas que não podem ser aplicadas a Deus em qualquer sentido. Esse modo reconhece a transcendência e a *outra* verdadeira natureza de Deus, tão diferente da nossa, além de tentar reduzir as tolas asserções humanas sobre a divindade, que fazem de Deus apenas um super-homem. b. Também há o *espelho e a luz*. Essa segunda maneira dos homens tentarem conhecer a Deus é dada àqueles que se desvencilharam da extravagância e do orgulho humanos, por meio da disciplina espiritual. Nesse estado avançado, os homens movem-se na direção da *luz*, e chegam a conhecer a Deus face a face. Esse é o contacto místico com o ser divino, e aproxima-se, até certo ponto, da *visão beatífica* (que vide).

2. A Natureza de Deus. A abordagem de Eckhart acerca de Deus visava à *mente*, ao *intelecto*, e não tanto ao *Ser* de Deus. Naturalmente, mente é ser; mas isso envolve uma questão de ênfase e de abordagem. Deus existe porque sabe, por ser um Intelecto. Nesse ponto percebemos a atividade escolástica. Eckhart, na verdade, tornou-se conhecido como um popularizador do escolasticismo, em seu púlpito, e esse aspecto de sua teologia estava ligado a isso. Assim era Eckhart, quando tratava de conceitos. Ele evitava falar de Deus em termos de ser, visto que isso sempre nos envolve na linguagem antropomórfica, o que, para Eckhart, nos distancia da verdade, em vez de aproximar-nos dela. Por essa razão é que ele aproximava-se de Deus como a Grande Mente, presumivelmente porque situamos Deus como uma categoria inteiramente diferente de Ser, quando então podemos dizer coisas mais razoáveis a respeito dele. Eckhart injetava nessa discussão certa dose de *voluntarismo* (que vide). Sentia que podia falar com proveito sobre Deus descrevendo o que Deus *quer* e *faz*. Disse ele: «Deus não existe; mas eu existo e dou existência a Deus». Com isso, ele queria dar a entender que Deus não tem o mesmo modo de existência que conhecemos, ou seja, não `existe meramente segundo termos humanos. Os homens, porém, fazem Deus existir de uma maneira similar à existência deles. O existencialismo moderno tem seguido essa linha de expressão. Até as próprias

criaturas não existiriam, porquanto a única verdadeira existência seria a de Deus e as criaturas existem porque estão relacionadas a Deus. Deus é a única vida necessária e independente. Toda outra vida é dependente e contingente.

3. A Unidade de Deus. Deus é uma perfeição inefável na *unidade*, o que o distingue da multiplicidade dos fenômenos. Eckhart ligava essa doutrina à unidade da triunidade, embora suas expressões tivessem criado suspeitas de panteísmo em suas idéias. Ele usava a palavra *deidade* a fim de descrever essa unidade. O termo «Deus» era usado por ele para exprimir como Deus se revela, conforme o faz na trindade. Ele asseverava que não devemos identificar Deus, em sua essência última, com aquilo que ele nos revelou e a trindade é uma revelação de um modo de expressão de Deus. Mais básica ainda seria a unidade de Deus.

4. Criação. Eckhart falava sobre as criaturas como nada, pois a sua única existência seria aquela que possuem em relação a Deus. A sua terminologia, porém, sugeria certa crença panteísta. Ele também afirmava que a existência é idêntica a Deus, mas nisso temos apenas uma questão de ênfase. Na realidade, Deus é o único ser sobre quem vale a pena falarmos e se estivermos falando sobre qualquer outro ser, só poderemos fazê-lo porque esse outro ser é uma expressão de Deus. Podemos dizer que somente Deus existe e isso exprime uma verdade essencial. A verdade secundária inclui a criação, o mundo dos fenômenos. Nesse ponto, Eckhart expressava a sua idéia básica de unidade, mas não podia encontrar palavras para aludir à existência que não seja uma parte óbvia dessa unidade. Por isso, parece que aquilo que não é Deus na verdade está incluído em Deus, dando a impressão de que ele falava em termos panteístas.

As coisas existem porque Deus conferiu-se a elas. Novamente, Eckhart expressava-se em termos panteístas, de tal modo que dava a impressão de que onde não está Deus, na realidade Deus *está ali*, porquanto ali se manifestava.

5. A Encarnação. A geração do Filho, por parte do Pai, e a procedência do Espírito Santo do Pai e do Filho, têm lugar desde a eternidade. A encarnação é um reflexo histórico desse processo. Eckhart temia que a ênfase excessiva e a devoção demasiada ao Cristo histórico mantivessem as almas presas a este mundo; e isso parece estar por detrás de sua relutância em falar muito sobre a encarnação.

6. A Alma. Assim como o Filho e o Espírito Santo procedem eternamente da deidade, assim também acontece à alma humana. Isso posto, a alma seria independente do tempo, sendo uma perfeita contraparte da eterna geração do Filho. O Filho nasce nas almas, e isso seria uma contraparte espiritual da eterna geração do Filho pelo Pai. As duas coisas são o mesmo processo, posto que em níveis diferentes. A alma, por conseguinte, é eterna, tanto na direção da eternidade passada quanto na direção da eternidade futura, estando envolvida no drama divino desde o começo, embora ocupando um nível diferente nesse drama. A alma seria a geração eterna do Filho, da mesma maneira que ele é a eterna geração de Deus. Isso importa, naturalmente, na participação humana na natureza divina, por intermédio do Filho, segundo ensina Paulo em Rom. 8:29; II Cor. 3:18; Col. 2:10 e; sem a menor dúvida, Pedro, em II Ped. 1:4.

7. O Conflito Espiritual da Alma. A alma precisa seguir duas veredas: a. a primeira é a imitação ética e prática do Jesus terreno. Isso exprime a conduta ideal

ECKHART — ECLESIASTES

no caminho da formação do homem. b. Mas os místicos descobrem uma vereda superior, mediante o contacto direto com a deidade e assim procedem por meio do *caminho da formação da deidade*. Nessa vereda, a alma é transformada em Cristo, vindo a compartilhar de sua natureza e de seus atributos, ou seja, dos atributos divinos, porquanto o Filho é a eterna geração do Pai.

8. *A Alma no Deserto*. O conflito pela transformação espiritual precisa conduzir a alma a um deserto. Ela precisa aniquilar os auto-interesses, esvaziando-se completamente de si mesma. Uma vez que isso seja feito, a alma torna-se um deserto espiritual. Uma vez vazia e destituída de si mesma, a alma é então enchida por Deus.

9. *A Fagulha Divina*. O homem essencial, a alma eterna, é uma fagulha divina, não-criada e eterna. Essa é uma idéia platônica. Não sei dizer se Eckhart tomou por empréstimo essa idéia de Platão, ou se ele chegou à mesma conclusão de forma independente. Orígenes também defendia esse conceito. Alguns pais alexandrinos situavam a criação das almas humanas em alguma cena muito antiga, juntamente com a criação dos anjos, fazendo com que a alma humana seja uma entidade muito antiga, quando vem habitar no corpo físico. Esse outro ponto de vista faz a alma ser uma eterna companheira de Deus. A idéia parece atrativa. Penso que a mesma exprime a verdade dos fatos, embora nos faltem provas bíblicas e outras em seu apoio. Eckhart acreditava que a raiz de toda a vida espiritual é esse conceito da alma. A espiritualidade é algo antigo, em qualquer homem espiritual. Ela existe em graus variados, dependendo de quão profundo tornou-se o deserto da alma, a fim de que possa ser mais cheia de Deus. Foi por causa dessa opinião sobre a alma que Eckhart foi convocado ao juízo, em Colônia, em 1326, tendo sido condenado por heresia. Na verdade, ele ensinava que a sede da personalidade é a fagulha divina, a deidade em nós, por meio do Filho, que pode ir aumentando, conforme o místico se vai aproximando do Deus inefável. Os teólogos, porém, não gostam dessa maneira de pensar e falar, julgando que se trata de uma heresia. Mas os místicos sentem-se perfeitamente à vontade com a idéia. Assim como o Pai gera eternamente o Filho, assim o Filho gera eternamente as almas; e esse seria o sentido espiritual da encarnação. Há aspectos históricos dessa doutrina; mas o conceito espiritual dessa doutrina da encarnação é que se trata de um ato contínuo, e não de um mero acontecimento histórico.

Sabe-se que Eckhart teve muitas e grandiosas experiências espirituais, sendo assaz significativo que, em seus escritos, ele nunca exaltou a si mesmo, não fazendo alusões a essas experiências. Podemos ter certeza, porém, de que essas idéias eram influenciadas por essas experiências. As experiências místicas geram um discernimento mais penetrante quanto aos mistérios, embora esses mistérios continuem um tanto misteriosos, convidando os homens a uma sondagem ainda maior. A teologia sistemática, porém, não tem paciência com os mistérios e procura resolver todos os problemas espirituais classificando-os e explicando-os sob a forma de conceitos. Isso é manifestamente absurdo, porquanto nenhum mistério digno do nome pode ser solucionado desse modo. Portanto, apesar da teologia sistemática ser uma atividade útil, ela se leva por demais a sério.

Eckhart escrevia em latim para os cultos. Mas falava em alemão para os iletrados. Ele foi um gigante espiritual que teve algo a dizer. Homens menores do que ele tentaram condená-lo por heresia, acerca de *cem pontos* diferentes! Eckhart apelou para o papa, em Avignon, na esperança de defender seus ensinamentos e reverter sua condenação e exclusão. Foi até Avignon e o processo começou. No entanto, não muito tempo depois, adoeceu e faleceu.

O julgamento prosseguiu, mesmo após a sua morte. Setenta e uma das acusações foram eliminadas de imediato, como distorções. Dezessete pontos foram declarados heréticos, e onze pontos seriam duvidosos, embora pudessem ser interpretados segundo o pensamento ortodoxo. O resultado final do julgamento foi que Eckhart não foi publicamente declarado um herege, porquanto havia concordado, de antemão, que se submeteria a qualquer juízo que a Igreja Católica Romana, finalmente, lhe impusesse. Isso parece indicar que, se tivesse estado vivo, haveria de retratar-se de várias de suas opiniões.

Lições a Serem Aprendidas. Até mesmo os gigantes espirituais podem ser reduzidos à inércia, se porventura se preocuparem demais em agradar à maioria, desejando a aprovação daqueles que conhecem menos. Em minha opinião, Eckhart foi salvo de ser espiritualmente humilhado porque morreu antes que lhe fosse exigida a retratação. A verdade, porém, é mais importante do que a nossa aceitação pelos homens. (AM C E)

ECLESIASTES

Esboço:

I. Caracterização Geral
II. Autor
III. Integridade
IV. A Inspiração Histórica da Obra
V. Data
VI. Canonicidade
VII. Uso e Atitudes Cristãs
VIII. Conteúdo
IX. Bibliografia

I. Caracterização Geral

Esse livro representa um tipo pessimista de literatura de sabedoria oriental, que mistura declarações otimistas que sugerem que um segundo autor pode ter estado envolvido, ou que um compilador posterior misturou os sentimentos expressos por dois autores diferentes. O título, no hebraico, *Qoheleth*, que significa Pregador ou Orador da Assembléia, foi traduzido por *ecclesiastes*, no grego (Septuaginta) de onde também se deriva o título em português. À base do vocábulo hebraico temos o substantivo *kahal*, «assembléia». Presumivelmente, foi o próprio Salomão quem convocou a assembléia para entregar seus discursos de grande sabedoria. Esse livro contém uma coleção um tanto frouxa de material, sendo difícil estabelecer um estrito esboço do seu conteúdo. O trecho de Ecl. 9:17—10:20 poderia ser incluído no livro de Provérbios. Algumas porções apresentam o autor refletindo as suas próprias experiências ou admoestando outras pessoas, em vez de dirigir um discurso formal a qualquer tipo de assembléia. A *integridade* do livro é difícil de ser defendida. Quanto a peças literárias, esse vocábulo aponta para o conceito de que o livro foi produzido essencialmente por um único autor, e que existe até hoje conforme foi originalmente escrito. Ver sob esse título.

II. Autor

Precisamos lembrar que, nos tempos antigos, atribuir um livro a algum autor famoso era considerado uma honra prestada a esse autor,

ECLESIASTES

especialmente se algumas de suas idéias estivessem sendo perpetuadas. Porém, muitas obras antigas eram atribuídas a pessoas bem conhecidas, com o propósito próprio de promover certas idéias ou filosofias, e com a esperança de que o nome vinculado ao livro ajudasse em sua distribuição. Os antigos simplesmente não pensavam como nós, no que concerne a essas práticas. Portanto, a afirmação de que certa pessoa é declarada autora de um antigo livro não garante que assim, realmente, sucedeu. Um exemplo notório dessa atividade aparece nos livros chamados *pseudepígrafos* (que vide), uma coleção que tem vários nomes de profetas do Antigo Testamento ou líderes espirituais, como se eles fossem seus autores, embora a realidade tivesse sido outra. É significativo que os Manuscritos do Mar Morto incluíam partes de vários desses livros, mostrando que as pessoas, bem ao lado da entrada de Jerusalém, consideravam-nos escritos sagrados. Não nos deveria surpreender, portanto, que alguns poucos dos livros *canônicos* da Bíblia, no Antigo e no Novo Testamentos, tenham nomes famosos vinculados a eles como autores, embora a realidade fosse outra.

O trecho de Eclesiastes 1:1 atribui o livro a *Salomão*. Mas Lutero negava a veracidade dessa afirmativa. Os eruditos liberais de modo geral concordam com a avaliação de Lutero, e é seguro dizer que muitos intérpretes conservadores também concordam com essa negação. Unger afirma que *poucos* estudiosos conservadores de nossos dias continuam defendendo essa tese de que Salomão foi o autor desse livro.

Em favor de Salomão como autor do livro, temos a considerar os pontos seguintes:

1. Eclesiastes 1:1 atribui o livro a Salomão; e 1:12,13 quase certamente também o faz.

2. A sabedoria da Salomão é refletida em vários textos, com declarações que mostram Salomão a falar. Ver Ecl. 1:16; 2:3-6 e 2:7,8.

3. O trecho de Ecl. 9:17—10:20 contém muitos provérbios, o que sugere que o autor do livro de Provérbios (Salomão) também foi o autor de Eclesiastes.

4. O caráter ímpar da linguagem e do estilo do livro parecem separá-lo das obras do período pós-exílico, conforme alguns têm pensado ser sua data. Isso poderia ser explicado como o desenvolvimento, por parte de Salomão, de uma espécie de gênero de linguagem e expressão literária. Há alguma similaridade com os escritos cananeus e fenícios antigos, o que sugere que Salomão poderia ter tirado proveito dessa literatura, com adaptações próprias. M.J. Dahood, em seu artigo «Influência Cananeu Fenícia no Qoheleth», *Biblica*, 33, 1952, defende essa comparação. Ele examinou inscrições e escritos que datam do século XIV A.C., os tabletes de Ugarite, o *Corpus Inscriptionum Semiticarum* e inscrições fenícias e púnicas. Ele tentou defender sua teoria com base em fatores como a ortografia fenícia, a inflexão dos pronomes e das partículas, a sintaxe e empréstimos léxicos, termos especiais referentes a itens comerciais e um vocabulário comercial. Os trechos de I Reis 9:26-28 e 10:28,29 mostram que Salomão pode ter tido contacto com a língua fenícia, tendo usado termos e expressões comerciais e estilos literários usados pelos fenícios.

Contra Salomão como autor do livro, têm sido sugeridos os seguintes argumentos:

1. Coisa alguma é mais clara, nos documentos antigos, do que o fato de que as declarações que afirmam autoria com freqüência são espúrias.

2. O autor sagrado pode ter sido um admirador de Salomão, em face de sua sabedoria, pelo que incluiu referências pessoais a ele, bem como a circunstância de sua vida, embora esse autor não tivesse sido o próprio Salomão. O que nos admira é que não existam ainda mais livros atribuídos a Salomão. O livro apócrifo, Sabedoria de Salomão, é um outro exemplo do nome desse monarca judeu ser usado para dar prestígio a um livro.

3. Um autor posterior poderia ter imitado os Prov. de Salomão, tendo incluído no livro (Ecl. 9:17-10:20) uma breve compilação, tendo chegado a tomar por empréstimo certos pensamentos, sem que ele mesmo fosse Salomão.

4. Os argumentos de natureza lingüística poderiam provar uma data antiga para o livro de Eclesiastes, mas também poderiam demonstrar que o autor dificilmente poderia ter sido o mesmo autor do livro de *Provérbios*. — Ademais, um autor antigo, que tivesse escrito em um estilo bastante distinto, poderia ter tomado por empréstimo alguns elementos fenícios, sem que tivesse qualquer conexão pessoal com Salomão. De fato, a verdadeira natureza distintiva desse livro parece militar mais contra Salomão, como seu autor, do que em favor dele, a menos que suponhamos que ele conseguia escrever de duas maneiras inteiramente diferentes, quando passava de um livro para outro, algo que sabemos ser contrário àquilo que conhecemos a respeito dos autores e seus livros. A linguagem e o estilo literário são as impressões digitais dos autores, o que não se modifica facilmente de um livro para outro, senão à custa dos mais ingentes esforços. Exemplos históricos disso são dificílimos de achar.

5. Certas idéias são contrárias à afirmação de que Salomão escreveu o livro de Eclesiastes. Alguns eruditos simplesmente não podem ver como um homem com a sabedoria de Salomão, com uma postura judaica ortodoxa, poderia ter escrito um livro tão pessimista quanto esse. Paralelos egípcios e babilônios demonstram que tal livro poderia ter sido escrito na época de Salomão; mas é inteiramente possível que aquilo que achamos nesse livro sejam invasões do pensamento helenista cético.

De fato, o propósito central do livro de Eclesiastes foi o de demonstrar que TUDO É VAIDADE ou inutilidade; que não existem valores permanentes, e que um jovem deveria cuidar para desfrutar o máximo de sua vida (*hedonismo!*). (Ver Ecl. 1:2; 3:13 ss; 11:9—12:8). Outrossim, o jovem que fizer isso terá pairando sobre a sua cabeça o juízo divino, um outro elemento da tese de que tudo é vaidade. «Faze o que bem entenderes; mas sabe que terás de pagar por isso!» Esse é um conselho muito difícil de seguir. É possível que Salomão, no declínio e apostasia que caracterizaram sua idade avançada, na verdade, tenha caído nesse tipo de armadilha; e, nesse caso, isso poderia refletir a autoria de Salomão.

6. Alguns lingüistas detectam no livro de Eclesiastes um hebraico posterior, bastante diferente do hebraico da época de Salomão e mais próprio dos tempos helenistas.

7. O pregador mostrou ser muito mais um *filósofo* e as suas atitudes foram bastante similares às atitudes dos filósofos epicureus gregos, depois do período da guerra do Peloponeso (404 A.C.). A atitude negativa dos gregos contra a religião judaica reflete-se em livros como I Macabeus e o Livro da Sabedoria, e o autor do livro de Eclesiastes parece ser um reflexo similar. O autor sagrado teria chegado ao mesmo tipo de conclusões a que chegaram seus vizinhos pagãos. O

ECLESIASTES

livro, pois, representa uma espécie de meio caminho na direção do paganismo, embora com o desejo de manter a posição da antiga fé. Por esse motivo, a lei continua sendo um elemento importante, e até mesmo o dever do homem (Ecl. 12:13), mas a lei não conseguiu impedir que o autor sagrado chegasse a conclusões tão pessimistas.

8. Finalmente, há a questão da *canonicidade*. Ver abaixo, sobre o *Cânon*. Os próprios judeus não sabiam ao certo o que fazer com o livro de Eclesiastes. Se eles tinham certeza de que Salomão foi o autor do mesmo, não é provável que tivessem precisado de tanto tempo para incluí-lo no cânon do Antigo Testamento. A canonicidade do livro é algo que continuava sendo disputado nas escolas judaicas dos dias de Jesus Cristo.

Após o exame das evidências disponíveis, parece que a autoria salomônica repousa mais sobre o desejo de conservar a tradição do que a consideração dos fatos envolvidos. As evidências inclinam-se em favor de uma produção helenista, e não de uma produção que antecede a quase 1000 A.C.

III. Integridade

Alguns eruditos argumentam em favor de dois autores distintos que teriam estado envolvidos na escrita do livro de Eclesiastes, em vista de contradições que penetraram no mesmo. Outros estudiosos, porém, supõem que isso pode ser explicado pela atividade de algum editor. Tem havido tentativas para atribuir ao Koheleth dois, três ou mais autores; mas as evidências em favor dessa forma de atividade estão longe de ser convincentes. Por outra parte, é patente que algum editor procurou corrigir a incredulidade expressa pelo autor. Esse autor tem sido chamado de «o maior herege da antiga literatura dos hebreus», e algumas de suas declarações têm deixado consternados os eruditos da Bíblia, desde que o livro de Eclesiastes foi escrito. Para começar, sua filosofia básica de que tudo é *vaidade* (Ecl. 1:2) é uma atitude pessimista que não concorda com o pensamento comum dos hebreus. O seu *hedonismo* (Ecl. 2:24 *ss*; 11:9—12:8) dificilmente concorda com a ética dos hebreus. Uma mesma sorte atinge o sábio e o insensato (Ecl. 2:12-17), de acordo com ele, o que é contrário à essência da teologia hebréia. Ele chega mesmo ao extremo de dizer: «Pelo que aborreci a vida... sim, tudo é vaidade e correr atrás do vento» (Ecl. 2:17). Ele nega qualquer vantagem à sabedoria e ao conhecimento, pois essas coisas também produzem no homem o desespero (Ecl. 1:17,18). O sábio morre como o insensato, e ambos acabam no olvido (Ecl. 2:16,17). Ele também nega a imortalidade da alma, pois o destino do homem seria o mesmo que o destino de um animal irracional (Ecl. 3:18-20). O versículo que se segue especula que pode haver certa diferença entre um homem e um animal irracional—o espírito do primeiro subiria (para alguma outra forma de vida), ao passo que o espírito do segundo desceria, presumivelmente para ser esquecido—aparece sob a forma de uma indagação. O autor demonstra esperança, mas não exibe muita fé. Contudo, o trecho de Ecl. 12:7 afirma categoricamente que «o espírito volta a Deus». A maioria dos eruditos pensa que em tudo isso há a obra de um editor, ou de um segundo autor, que procurou suavizar o ceticismo do autor original do livro. Ou o autor original, ao chegar ao final de seu livro, apesar do seu desespero, resolveu deixar a sua sorte nas mãos de Deus e manifestou-se em favor da imortalidade como um meio de reverter o dilema humano?

Quase todos os estudiosos acreditam que o trecho de Ecl. 12:9-14 consiste em adições editoriais. De fato, o nono versículo foi escrito na terceira pessoa do singular. Ele fala sobre o *pregador* como uma pessoa diferente dele mesmo. Outras provas de que houve um editor ou um segundo autor encontram-se em Ecl. 2:26, onde se faz uma clara distinção entre o sábio e o insensato. Ali lê-se que ao homem bom são conferidos sabedoria, conhecimento e alegria, ao passo que o ímpio é coberto de vexames. Isso suaviza um tanto a filosofia do livro: «Tudo é vaidade». O trecho de Ecl. 3:17 parece ser uma outra adição, visto que o autor apela para o julgamento divino como meio de estabelecer diferença entre o homem bom e o homem mau. O trecho de Ecl. 12:12 provavelmente constitui uma crítica ao autor original, por parte do editor, louvando as declarações do homem sábio, que aparece como um Pastor (vs. 11), e adverte contra ultrapassar daí, o que, como é evidente, ele pensava que o autor fizera, em seu pessimismo. No décimo quarto versículo, ele apela novamente para o juízo divino e indica que o mesmo é importante, apesar das declarações pessimistas do autor, pois seremos julgados de acordo com aquilo que tivermos praticado. De fato, a passagem de Ecl. 12:9-14 é uma espécie de adição onde são acrescidos valores e limitações ao livro, segundo o espírito de ortodoxia. Se algum editor esteve atarefado nisso, é provável que o tenha feito mediante declarações mais otimistas e ortodoxas.

Em favor da integridade do livro, alguns estudiosos pensam que as declarações contraditórias podem ser explicadas mediante a suposição de que um único autor ficou divagando em seus pensamentos, defendendo ora uma posição ora outra, mostrando-se assim autocontraditório, e isso sem importar-se em procurar harmonizar suas idéias mais pessimistas com suas idéias mais otimistas. Além disso, muitos pensam ser estranho que um editor tentasse salvar uma obra herética, cuja publicação só serviria para prejudicar o judaísmo em sua corrente central. A primeira dessas sugestões é possível. Eu mesmo falo nesses termos, algumas vezes. A segunda dessas sugestões constitui uma boa resposta, até onde posso ver as coisas. Qualquer pessoa que raciocine sobre o livro, apesar de seu pessimismo, fica impressionada pelo fato de que o mesmo é uma excelente peça literária. Suas declarações são sucintas e precisas, curiosas, às vezes, dotadas de discernimento penetrante. Há muitas boas citações, que são freqüentemente ouvidas, extraídas desse livro. Um editor qualquer, fascinado pela beleza do livro, contentar-se-ia em procurar corrigir alguns pontos falhos, em vez de descartá-lo inteiramente. Sua excelência como peça literária é tão inequívoca que aqueles que finalmente fixaram o cânon hebreu (embora ortodoxo), não puderam deixar de incluí-lo. embora a questão há séculos viesse sendo debatida entre os judeus.

Minha conclusão a respeito é que temos apenas um autor principal do Eclesiastes, e que um editor posterior procurou tirar as arestas da obra original, e que o trecho de Ecl. 12:9-14 é sua nota de rodapé, como uma sua conclusão sobre a obra do autor. Mas, exatamente quanto material foi adicionado, é algo que terá de permanecer em dúvida.

IV. A Inspiração Histórica da Obra

Se procurarmos entender o espírito desse livro, descobriremos que o autor era um *filósofo* que, embora judeu, fora influenciado pela pessimista filosofia dos gregos, especialmente da variedade epicurea. Os epicureus sentiam fortemente a inutilidade das coisas,

256

ECLESIASTES

objetando às ameaças de deuses imaginários, que receberiam homens que já teriam vivido de modo miserável, para fazê-los sentirem-se mais miseráveis ainda, com seus múltiplos e horrendos julgamentos. Eles prefeririam o olvido à imortalidade, como maneira de pôr fim a tanto sofrimento, e reduziam os poderes divinos a entidades deístas. *Se* eles realmente existem, então não teriam qualquer interesse nem pelo homem bom e nem pelo homem mau. Devemos lembrar que nem todos os judeus ofereciam resistência à helenização. Nem todos os judeus retiveram sua fé ortodoxa em face de inimigos que avançavam, destruindo e dispersando, e assim expunham filosofias que podem ter sido consideradas como uma avaliação mais justa da vida do que a avaliação apresentada pelo judaísmo, embora essas outras filosofias fossem mais pessimistas. Se o livro de Eclesiastes foi escrito em torno de 225 A.C., então o mesmo consiste em uma espécie de reafirmação daquilo que restou da fé judaica, visando algumas pessoas, fora da corrente principal do judaísmo, mas que continuavam sendo judias. Muitos judeus haviam começado a duvidar da doutrina dos galardões divinos em favor dos piedosos, e dos julgamentos divinos contra os iníquos. Eles chegavam a sentir que, afinal de contas, não há distinções fundamentais entre uns e outros. Nesta vida, a tragédia desaba sobre uns e sobre outros, igualmente; agora ambos vivem na inutilidade; e ambos entram no olvido, após a morte física. Não obstante, o autor sagrado exibe um saudável respeito pela lei de Deus. Ele não se bandeara inteiramente para o pensamento pagão. Ver o quinto capítulo do livro, do começo ao fim. Esse foi o elemento que o editor enfatizou, em sua conclusão (Ecl. 12:13,14).

V. Data

Se partirmos do pressuposto de que os argumentos em favor de Salomão como autor do livro de Eclesiastes são fortes, então teremos de pensar que a data de sua composição gira em torno da época de Salomão, cerca de 990 A.C. Impressiona-nos o caráter ímpar da linguagem usada, e suas afinidades com as expressões fenícias, mesmo que não aceitemos Salomão como o autor do livro. E poderíamos supor que esse livro é bastante antigo, se é que sofreu a influência fenícia. Mas, se ficarmos impressionados pela similaridade de idéias com certas idéias helenísticas, então talvez devamos pensar numa data de composição em torno de 225 A.C. A maneira como os próprios judeus disputaram sobre o livro, tendo-o incluído no seu cânon sagrado somente após muita relutância, a despeito do mesmo reivindicar haver sido escrito por Salomão, pesa em favor da data posterior.

VI. Canonicidade

Ver o artigo geral sobre o **Cânon**, do Antigo e do Novo Testamentos.

Quando foi definido o cânon da Bíblia hebraica, por ocasião do concílio de Jamnia, em cerca do ano 90 D.C., muitos judeus opuseram-se ao livro de Eclesiastes, alegando que o mesmo não era digno de receber posição entre os Escritos Sagrados. E mesmo mais tarde, quando o livro já estava fisicamente presente na coletânea sagrada, supostamente investido de autoridade, muitos rabinos continuaram opondo-se ao mesmo. Quando um judeu piedoso tomava nas mãos algum livro sagrado, lavava em seguida as suas mãos, em demonstração de respeito. Mas muitos deles, após terem manuseado o livro de Eclesiastes, não pensavam que essa providência seria necessária, por não considerarem esse livro uma obra

inspirada. Seria apenas uma habilidosa peça filosófica, e não um dom do Espírito. Ver a Mishinah, *Yadaim* 3:5. Jerônimo, tão tarde quanto 389 D.C., conhecia judeus que se sentiam insatisfeitos com a inclusão do livro de Eclesiastes entre as Escrituras do Antigo Testamento. Não obstante, o livro tem encontrado um uso devido no seio do judaísmo. O livro de Eclesiastes é lido no terceiro dia dos *Sukkoth* (Tabernáculos), a tradicional festa da colheita entre os hebreus, com o propósito de lembrar os homens sobre a natureza transitória desta vida, e como uma advertência contra a cobiça pelas riquezas e vantagens materiais, além de servir para reiterar o importantíssimo princípio da necessidade de obedecer à lei de Deus, como o maior e mais solene dos deveres humanos.

VII. Uso e Atitudes Cristãs

Os eruditos **liberais** não podem perceber o motivo para tantos debates. O livro volta-se contra certas crenças ortodoxas. E daí? Há pontos bons no mesmo; o livro exibe bons discernimentos; confere-nos alguma melhor compreensão sobre certos desenvolvimentos do judaísmo. De que mais precisaríamos? E os *conservadores*, que precisam defender a idéia da inspiração a qualquer custo, para todos os livros do cânon, têm sido forçados a acomodar-se ao livro, provendo razões *pelas quais* o Espírito Santo teria achado apropriado incluí-lo no cânon. As respostas, quanto a essas questões, são similares àquelas que acabo de frisar acerca do cânon. Diz algumas coisas boas sobre a natureza transitória da vida humana, sobre a vaidade das coisas e atividades terrenas, e contém alguns versículos que servem de excelentes citações. Mas, que dizer sobre a sua *falta de ortodoxia?* Até hoje lembro-me de uma noite quando eu estava no escritório do presidente de uma das escolas teológicas que freqüentei, quando ele fora chamado ao telefone. Alguém lhe telefonara para fazer uma pergunta sobre o livro de Eclesiastes. Como é que declarações daquela ordem podem ter penetrado na Bíblia? E ele replicou dizendo que o Espírito deixou que esse livro fizesse parte da Bíblia a fim de mostrar-nos o que o *homem natural* pensa e como ele chega a conclusões negativas, enquanto não recebeu ainda a fé apropriada. Em outras palavras, o livro, em sua porção não-ortodoxa, serviria de uma espécie de exemplo ao contrário, mostrando-nos as coisas que devem ser evitadas, que precisam ser observadas, mas repelidas. Esse tipo de raciocínio parece atrativo para a mente ortodoxa. E não digo que é uma posição inútil, embora, de certa maneira, seja uma resposta superficial.

C.I. Scofield, em sua Bíblia anotada, diz *in loc.*, afirmando a posição conservadora da melhor maneira possível: «Este é o livro do homem *debaixo do sol*, que raciocina sobre a vida; é o melhor que o homem pode fazer com o conhecimento de que existe um Deus santo, e que ele trará tudo a juízo. As expressões chaves são *debaixo do sol*, *percebi* e *disse em meu coração*. A inspiração mostrou acuradamente o que sucede, mas a conclusão e o raciocínio, afinal, é *do homem*. Sua conclusão de que tudo é vaidade, em face do julgamento, pelo que o homem não deve consagrar a sua vida às coisas terrenas, certamente é verdadeira; mas a *conclusão* (12:13) é legal, o melhor a que o homem pode chegar, à parte da redenção, sem antecipar o evangelho».

Essa é uma boa declaração, mas mesmo assim continua sendo curioso que um livro herético encontrasse caminho até o cânon do Antigo Testamento, por causa de seu estranho encanto. Não

ECLESIASTES — ECLESIÁSTICO

há explicação que possa alterar a estranheza desse acontecimento.

VIII. Conteúdo

A discussão acima nos provê a natureza essencial do conteúdo do livro de *Eclesiastes*. Abaixo damos um esboço acompanhando idéias bem gerais:

I. A Vaidade de Todas as Coisas (1:1-3)

II. Demonstração da Tese Básica da Vaidade (1:4—3:22)
1. Todas as coisas na vida são transitórias (1:4-11)
2. O mal é provado por seus resultados (1:12-18)
3. Há inutilidade no lucro, no trabalho e nos prazeres (2:1-26)
4. A morte mostra que tudo é inútil (3:1-22)

III. Um Desenvolvimento Mais Detalhado do Tema (4:1—12:8)
1. As injustiças da vida mostram a inutilidade das coisas (4:1-16)
2. As riquezas para nada servem (5:1-20)
3. A brevidade e futilidade da vida do homem provam a inutilidade das coisas (6:1-12)
4. A inexcrutável providência divina prova a inutilidade das coisas (7:1—9:18)
5. As desordens e frustrações da vida ilustram a vaidade (10:1-20)
6. Jovens e idosos demonstram a inutilidade das coisas (11:1—12:8)

IV. Conclusão (12:9-14)
O dever inteiro do homem: guardar a lei na esperança de receber um bom julgamento divino.

IX. *Bibliografia*. AM G I IB KOH SCO UN Z

ECLESIÁSTICO

Ver o artigo geral sobre os **Livros Apócrifos**. Esse livro também tem sido intitulado de *Sabedoria de Jesus, o Filho de Siraque*.

Esboço:

I. Caracterização Geral
II. Autor
III. Data
IV. Proveniência e Destino
V. Propósito
VI. Conteúdo
VII. Doutrina
VIII. Cânon

I. Caracterização Geral

O Eclesiástico é um dos livros apócrifos mais constantemente citados e usados. Jesus, o filho de Siraque, aparece como autor do mesmo, pelo que, algumas vezes, o livro tem o seu nome. O título *Sabedoria de Jesus, o Filho de Siraque*, é um outro título comum desse livro, como também o simples nome, *Siraque*. O título *Eclesiástico* significa «da Igreja», tendo sido usado para designar o livro desde o século III D.C. Essa designação provavelmente ocorreu em reconhecimento ao valor do livro, para ser lido pelos membros da igreja, em contraste com outras obras apócrifas que não merecem tanta atenção. O livro foi mencionado em termos elogiosos por vários dos primeiros pais da Igreja. Esse título, entretanto, poderia ter sido dado meramente porque foi posto, desde o princípio, lado a lado com o livro de Eclesiastes, e talvez alguns tenham pensado que um título similar fosse apropriado.

Esse livro, quanto ao conteúdo e ao espírito, é similar aos livros bíblicos, Provérbios e Eclesiastes (que vide). Esses três livros pertencem à chamada *Literatura da Sabedoria Judaica* (que vide). Foi escrito originalmente em hebraico, em cerca de 180 A.C., e, subseqüentemente, foi traduzido para o grego, pelo neto do seu autor. O livro inteiro atualmente está preservado somente em forma grega. Perto do começo do século XX, grandes porções desse livro, escritas em hebraico, foram descobertas nas recâmaras de uma antiga sinagoga do Egito, fortalecendo o testemunho hebraico do texto.

A Igreja ocidental aceita o livro, juntamente com várias outras obras apócrifas, como um livro inspirado e canônico. Mas é rejeitado como tal pelos protestantes e evangélicos, alguns dos quais, porém, reconhecem seu valor para efeitos de instrução. Ver o artigo sobre o *Cânon*, que trata amplamente do problema do cânon e dos livros apócrifos. Uma anotação no prólogo do tradutor para o grego (o que ocorreu em cerca de 130 A.C.) afirma que essa tarefa foi efetuada, «visando o benefício daqueles que viviam no estrangeiro e desejavam adquirir sabedoria, estando dispostos a viver de acordo com os padrões da lei».

II. Autor

Ben Sira foi um escriba (**sopher**, 50.27; 51.23), um homem sério que estava interessado em transmitir sabedoria, conforme a mesma era contemplada pela lei e pelo judaísmo. Ele residia em Jerusalém. Em 39.1-16 desse livro, ele oferece uma espécie de biografia curta, descrevendo a si mesmo e à sua profissão. Ele tinha um agudo senso de missão, e sentia que era de sua responsabilidade ser um mestre de sabedoria, o que explica a publicação desse livro como um elemento desse tipo de ministério (24:30-34). Ele procurou apresentar uma espécie de compêndio de idéias veterotestamentárias, enfatizando a natureza e as obras da sabedoria espiritual. Ele mostrou ser muito influenciado pela expressão e pelas idéias dos livros de Salmos e de Provérbios, embora tenha composto declarações independentes, que atuam como antologias. Ele era homem de larga experiência, que muito tinha viajado (34.11) e os seus escritos espelham esse fato.

Esse é o único livro apócrifo que identifica o seu autor. Entretanto, há alguma confusão quanto a isso, visto que o simples «Siraque, filho de Eleazar» da versão grega talvez não seja original, visto que alguns manuscritos em hebraico dizem «Simão, o Filho de Josué, filho de Eleazar, filho de Sira». Poderíamos supor, assim sendo, que o texto hebraico foi simplificado na tradução grega. Todavia, é possível que a palavra «Simão» tenha entrado no texto por meio de interpolação baseada em Eclesiástico 50:1. Nesse caso, o texto grego representa o original, ao passo que alguns manuscritos em hebraico trazem uma forma expandida. Os manuscritos gregos são coerentes, tanto no próprio texto quanto no colofão.

Informações sobre o Autor. Não há qualquer referência histórica ao autor, além daquilo que se acha no próprio livro. Os itens do próprio livro foram dados acima. Entretanto, vale a pena esclarecer que a profissão dos escribas não consistia apenas em copiar manuscritos e fazer outros trabalhos de escrituração. Muitos escribas eram mestres bem conhecidos e líderes nas sinagogas, e esse também parece ter sido o caso de *Ben Sira*. Ele revelou eficiência não somente na escrita do hebraico, mas também quanto à sabedoria material, isto é, o acúmulo da erudição e da expressão encontrado nos sábios da antiguidade. Há alguns paralelos nos escritos de Eurípedes, Teognis e

258

ECLESIÁSTICO

Esopo. Portanto, ele pôde dizer com toda a confiança: «Aproximai-vos de mim, vós, que não fostes instruídos, e abrigai-vos em minha escola» (Eclesiástico 51.23). Ele tinha a confiança de que tinha algo para ensinar, com base em anos de aprendizado e experiência, do que seus discípulos bem podiam tirar proveito. É evidente que ele dirigia uma escola. Muitos rabinos usavam esse método, o que significa que havia um ensino que se fazia fora das sinagogas e era nas escolas, que os jovens tornavam-se mestres. Alguns têm dito que Ben Sira foi um dos precursores dos saduceus; porém, uma avaliação mais moderada é aquela que afirma que ele estabeleceu os ideais clássicos do fariseísmo. Ver abaixo sobre o ponto VII. *Doutrina*.

III. Data

O Eclesiástico é um dos poucos livros relacionados ao Antigo Testamento cuja data pode ser fixada quase com total precisão. O prólogo suprido pelo tradutor (que era neto do autor) informa-nos que ele havia emigrado para o Egito, no vigésimo ano do reinado de Evergetes. Ora, houve dois monarcas egípcios com esse nome, Ptolomeu III e Ptolomeu VII. O primeiro reinou por vinte e cinco anos, o que basta para excluí-lo. O segundo reinou por cinqüenta e três anos. Seu reinado começou em 170 A.C., pelo que a data da migração do tradutor pode ter sido 132 A.C. Retrocedendo daí até os dias do avô do tradutor, chegaríamos à porção inicial do século II A.C. Não há qualquer indício, no livro, sobre as catásfrofes que Antíoco IV Epifânio desfechou contra o judaísmo, em 168 A.C., pelo que esse livro deve ser ainda de data mais antiga do que isso. Portanto, mui provavelmente o *Eclesiástico* foi escrito entre 200 e 180 A.C.

IV. Proveniência e Destino

Essa questão também é fácil de ser deslindada. O autor diz-nos que ele vivia em Jerusalém (Eclesiástico 50.27). Também revela-nos que escreveu para todos aqueles que desejavam aprender. Portanto, em certo sentido, sua obra é um livro de sabedoria universal. A intenção do tradutor foi a de certificar-se de que seus leitores gregos também se beneficiariam com o livro, o que acrescentou mais ainda à universalidade da obra. O livro foi levado ao Egito pelo tradutor. A própria história comprova sua larga distribuição e seu grande valor.

V. Propósito

O autor era um mestre que se regozijava com a sabedoria que acumulara. Foi ele um grande apreciador dos ensinamentos da sabedoria espiritual do judaísmo, e anelava por comunicar esses ensinamentos. Dirigia uma escola rabínica, que lhe servia como um dos meios de seu ensino. Porém, também voltou-se para a literatura, que era e continua sendo o maior modo de comunicação do homem. Entretanto, o autor levava-se por demais a sério. Todo ser humano tem dificuldades com o seu próprio «ego». Sem muita modéstia, ele se considerava o último de uma grande linhagem de escritores, que defendiam os ensinamentos da lei mosaica. «Fui o último em atitude de vigilância; eu era como quem rabisca depois dos colhedores de uvas. Pela bênção do Senhor, fui bem-sucedido e, como um colhedor de uvas, enchi o meu lagar» (33.16). O trecho de Eclesiástico 24:33 diz algo similar. Apesar desse egoísmo tolo, o autor tinha algo com que contribuir. Muitos grandes homens espirituais vivem em uma viagem pelo egoísmo; mas, a despeito de sua tola ufania, Deus, ainda assim, utiliza-se de alguns deles. Sempre será muito difícil separar entre o próprio ego e o próprio trabalho. Cristão, em *O Peregrino*,

queixou-se de que seus atos (aparentemente) mais nobres eram maculados por motivos egoísticos. É provável que *Ben Sira* observasse muitos de seus compatriotas debilitando-se sob a influência do helenismo. Ele, porém, tinha um caráter superior, e imaginava que ocupava um posição chave como instrutor. O tradutor sumariza o propósito do livro no prólogo: «Por familiarizarem-se com este livro, igualmente aqueles que amam a erudição deveriam fazer ainda maior progresso, vivendo de conformidade com a lei».

VI. Conteúdo

Aquilo que já foi dito até este ponto dá-nos uma idéia geral sobre o livro. Porém é quase impossível traçar um esboço da obra. O autor pode ter sido um bom mestre, mas faltava-lhe o senso da organização literária. Não há progressão no pensamento. Certo número de declarações gira em torno de um tema comum; mas, logo em seguida, ele já divaga para algo diferente. Vai saltando de um assunto para outro. Falava com sabedoria, mas nenhum aluno conseguiu esboçar-lhe a obra. É possível, contudo, que o livro tenha sido compilado com base em notas deixadas pelo autor que usara em seus discursos, tudo o que teria sido reduzido a um livro, com seções que abordassem temas comuns, mas sem qualquer organização. Qualquer esboço do livro é artificial. O estilo geral de apresentação é o estilo dos provérbios, ou *mashal*. Ali são tratados assuntos tão variegados quanto a *sabedoria* (1.1-30; 4.11-19; 6.18-37; 14.20—15.10; 19.17-26; 24.1-31), a *humildade* (3.17-29), a *amizade* (6.5-17; 9.10-16; 11.29—14.2; 22.19-26; 36.18—37.15), as *mulheres* (9.1-9; 25.13—26-18; 42.9-14), a *providência divina* (32.14—33.18; 40.1—41.13). Deus encontra glória por meio de seus servos (44.1—50.21). E, finalmente, temos alguns hinos, já perto do final do livro: sobre a grandeza das *obras de Deus na natureza* (39.12-35); louvando a Deus como o *criador* (24.3-39); a *sabedoria* que elogia a si mesma (44.1—50.24), *ação de graças* (51.1-12) e *lamentação* (36.1-17).

VII. Doutrina

Apesar do livro de Eclesiástico não ser um tratado teológico, contém muita doutrina, embora esta não seja exposta de maneira sistemática. — É uma expressão da corrente central do judaísmo antes que o processo da helenização e perseguição se instaurasse, —que veio a afligir o judaísmo sob o reinado do governante selêucida Antíoco IV Epifânio, que faleceu em 163 A.C. Não é uma obra anti-helenista, embora seja um lembrete servero da responsabilidade dos filhos de Israel de observarem suas leis e costumes. O Deus dele era o Deus da Torá, o Criador transcendental, o Soberano absolutamente santo, que estabeleceu um pacto com o seu povo, cujos requisitos esse povo precisava observar. Ele identifiça explicitamente a sabedoria com a lei de Moisés (cap. 24). A sabedoria é personificada, quando então temos de tratar pessoalmente com Deus (24:8). A sabedoria está acima das realizações humanas, sem as provisões divinas. Comparar isso com os trechos de Jó 28:1-28 e Provérbios 1:7. O autor desse livro era um teísta que achava que os homens, que pensam que Deus não está interessado neles, são insensíveis (16:17 *ss*). Deus é o Deus da misericórdia, embora também castigue. Ambos esses elementos aparecem como importantes, servindo de padrão para as nossas obras (16.12). O autor não se preocupava com a prosperidade dos ímpios (11.14 *ss*). Ele sabia que a justiça final toma conta de tudo. Também não se preocupava diante das aflições dos pobres, supondo

ECLESIÁSTICO — ECLESIOLOGIA

que qualquer indivíduo pode cair na miséria antes de morrer (11.28). Mui estranhamente, porém, ele não se refere nunca à doutrina da retribuição após a morte, na outra vida. Parece que adotava a antiqüíssima doutrina hebréia do *sheol*, que recebe os bons e os maus e é um lugar tenebroso (38.16-23; 41.1-4). Também não alude à doutrina da ressurreição. Isso posto, ele estava mais interessado em como a justiça é cumprida nesta vida. Esse elemento surpreende o leitor, e, sem dúvida, estava por detrás dos pressupostos da teoria dos saduceus. Em outras palavras, o autor desse livro antecipou a posição daquela escola judaica. Não obstante, o autor demonstra um tranqüilo espírito de aceitação no que concerne à morte física (41.1-14). Um outro elemento que preparou o caminho para a avaliação dos saduceus é que ele amava o sacerdócio e as instituições eclesiásticas (38.24 *ss.*). Ele formava o conceito de um escriba aristocrático, o que, sem dúvida, ele foi.

Em Eclesiástico 19.19 há uma interpolação no texto grego que fala sobre o fruto da árvore da imortalidade. Os gregos estavam à frente dos hebreus quanto ao assunto da imortalidade da alma e temos de dar crédito aos gregos, por esse motivo. *Ben Sira* via a imortalidade somente no sentido da contínua lembrança sobre o homem piedoso, por parte de outras pessoas (44.8 *ss*). Isso não é suficiente para mim.

VIII. Cânon

Alguns eruditos têm feito objeção à distinção que se faz entre o cânon palestino e o cânon alexandrino. No entanto, nossas coletâneas literárias provam a realidade dessa distinção, pelo menos até onde posso ver as coisas. O fato é que o Eclesiástico, além de outros livros, tornou-se parte integrante da Septuaginta, embora não tivesse feito parte da Bíblia em hebraico. Também devemos considerar o fato de que o Eclesiástico foi originalmente escrito em hebraico. E mesmo que não tivesse sido escrito como tal, os judeus que admiravam a obra, com facilidade poderiam ter arranjado uma tradução do mesmo, bem como de qualquer outro dos livros apócrifos. Portanto, as próprias coletâneas literárias favorecem uma idéia diferente sobre o cânon dentro e fora da Palestina. Seja como for, esse é um dos melhores dentre os livros apócrifos. Vários dos primeiros pais da Igreja mostravam-se entusiasmados a seu respeito. Nos escritos deles encontramos declarações como «excelentíssimo», «todo virtude», etc., como descrições desse livro. Seu título pode dar a entender que era usado para ser lido nas reuniões religiosas. Esse livro parece ter desfrutado uma posição quase canônica. Certos concílios eclesiásticos dos fins do século IV e do século V D.C., bem como Agostinho, pronunciaram-se em favor de sua canonicidade. Jerônimo, entretanto, conferia ao Eclesiástico uma importância menor do que os livros normais do cânon hebreu. O concílio de Trento, já no século XVI, incluiu formalmente o livro de Eclesiástico no cânon católico romano. (AM CH JAM Z)

ECLESIÁSTICOS LATITUDINÁRIOS

Expressão usada em cerca de 1850, para descrever aqueles anglicanos para quem a *abrangência* era a mais notável característica da Igreja da Inglaterra (que vide). O segundo elemento da expressão provinha do termo latino *latitudinarium* (que vide). Alguns anglicanos queriam escapar das idéias estreitas e rígidas das controvérsias pós-reforma. Eles defendiam os grandes temas principais da teologia,

dando pouca atenção a questões menores, controvertidas. Naturalmente, a atitude incluía a teologia liberal, e algumas vezes, a indiferença para questões debatíveis. Há nomes associados ao movimento como Thomas Arnold (vide) — que misturava a santidade pessoal com pontos de vista e causas liberais; A.P. Stanley (que vide), deão de Canterbury (1868-1881), homem dotado de grande erudição, que deu grande impulso à atitude tolerante da Igreja Latitudinária, conferindo-lhe um sentido católico, historicamente falando, com ênfase evangélica, quanto à expressão pessoal religiosa.

Na América do Norte, o movimento foi seguido por Phillip Brooks, — que salientava os mesmos princípios, em contraste com o calvinismo evangélico, ao qual reputava inflexível, em sua postura doutrinária. O movimento, na Inglaterra, produziu eruditos de nomes como Lightfoot, Westcott and Hort, que exerceram profunda e duradoura influência. Em cerca de 1900, o espírito do movimento inclinou-se mais ainda para o liberalismo franco, resultando no modernismo (que vide). (E)

ECLESIOLOGIA

Esse termo surgiu no século XIX, e foi aplicado, a princípio, à ciência da arquitetura eclesiástica. Somente mais tarde passou a designar a *doutrina* da Igreja, ou seja, a doutrina acerca da Igreja cristã.

Esboço:

   I. Relação para com a Construção de Templos
   II. Eclesiologia e Doutrina
   III. Eclesiologia Agostiniana
   IV. A Reforma Protestante

I. Relação para com a Construção de Templos

A filosofia vinculada a essa palavra é que edifícios deveriam ser construídos em face de sua função e conveniência. Esse conceito antecipou a moderna arquitetura funcional, em contraste com a filosofia por detrás de construções que tinham muitos detalhes por motivo de decoração ou mera ostentação, sem qualquer aplicação funcional direta. Entretanto, em mistura com tudo isso, temos o caso da construção de templos cristãos, que envolve considerações teológicas, porquanto a função de uma igreja ou templo está envolvida diretamente na teologia. O ato do batismo, para exemplificar, requer que, dentro de um desses edifícios, haja provisão para a cerimônia; e outro tanto pode ser dito no tocante à observância da eucaristia, à necessidade de capelas dentro da igreja, etc. O modo de adorar determina o tipo de móveis e utensílios que serão instalados.

II. Eclesiologia e Doutrina

Nesta aplicação, temos a filosofia essencial acerca da natureza da Igreja. E nosso artigo sobre a *Igreja* aborda a maioria dos aspectos envolvidos. Portanto, eis aqui algumas poucas noções gerais. Importantes doutrinas são aquelas que frisam a Igreja como o corpo de Cristo, a noiva de Cristo, a comunidade messiânica, o Novo Israel, a assembléia dos crentes chamados. Quando a Igreja foi ameaçada por certas heresias, como a do gnosticismo, sentiu-se conveniente destacar certas doutrinas como a da sucessão apostólica (que vide), a fim de distinguir a verdadeira Igreja das inovações heréticas. No século III D.C., os alexandrinos, Clemente, Orígenes, etc., enfatizaram a Igreja espiritual ou celeste em distinção à Igreja visível, terrena. Cipriano, no Ocidente, enfatizou a unidade da Igreja e também a necessidade de aplicação da autoridade do bispo quanto à questão de quem deveria ser membro da mesma. E assim as

ECLESIOLOGIA — ECLETICISMO

autoridades eclesiásticas começaram a impor restrições sobre os direitos do indivíduo. Segundo Cipriano, a própria salvação não pode ser obtida à parte da Igreja visível, devido à sua função de mediação. Dizia Cipriano: «Não pode alguém ter Deus como Pai, se não tem a Igreja como sua mãe» (*de Unit.* 6). Essa doutrina atuou como salvaguarda contra o cisma e a apostasia, em seu devido tempo, mas também contribuiu para a formação de uma forte hierarquia eclesiástica, que infringia direitos individuais e exagerava os poderes da Igreja. A controvérsia donatista forçou os teólogos a reconsiderarem a crescente doutrina e os poderes da Igreja. Ver sobre o *Donatismo*.

III. Eclesiologia Agostiniana

O poder de Agostinho nas idéias e na organização da Igreja dificilmente pode ser exagerado. Ele ressaltava o uso dos sacramentos como essencial para definir a Igreja. Ele reputava o episcopado uma força unificadora na Igreja, a fim de evitar os ensinos de grupelhos e a prática de seus modos particulares de adoração, sem o controle do corpo místico de Cristo. Entretanto, ele não se tornou um extremista como Cipriano, e sofreu sob a influência dos alexandrinos e do platonismo, o que significa que ele preservava a distinção entre a Igreja visível e terrena e a Igreja invisível e espiritual. Ele permitia todas as variedades de imperfeições na Igreja visível, mas via a mais pura santidade na Igreja invisível. Por igual modo, ele ensinava que os membros da Igreja invisível são os eleitos, aplicando a doutrina da predestinação. Em contraste, a Igreja visível pode contar com muitos elementos duvidosos, que não podem ser perfeitamente controlados por qualquer organização ou legislação eclesiástica. Seu ensino sobre a Igreja como o corpo inteiro de Cristo (*totus Christus*), seguindo Paulo, que fazia de Cristo o Cabeça da Igreja, que é o corpo (Rom. 12:4,5; I Cor. 12:12 *ss*), veio a dominar o conceito orgânico da Igreja dentro da eclesiologia ocidental, através dos muitos séculos que se seguiram a ele.

Agostinho também insistia que a unidade do Corpo místico de Cristo é garantida pelo único episcopado e por sua lealdade à sé de São Pedro, em Roma. Esse ponto de vista, como é óbvio, foi uma força que contribuiu para o imenso surgimento do papado, o zênite do qual foi atingido por Leão, o Grande (440-461). Ele reafirmou a idéia de que Jesus dera a Pedro poderes e privilégios especiais, que assinalavam o começo de um ofício supremo na Igreja. A sucessão apostólica era parte importante dessa doutrina, e ele chegou a ensinar a duvidosa e curiosa doutrina da presença mística de Pedro em Roma, como se ele continuasse a agir ali de modo espiritual, porém bem real. A autoridade dos bispos, segundo esse ponto de vista, lhes é dada através da autoridade de Pedro, sem o que não poderia haver episcopado. Houve quem protestasse contra tal doutrina. João Wycliff (cerca de 1328-1384) e João Huss (cerca de 1369-1415) declararam que o primado do papa não tem qualquer base escriturística, tendo denunciado tanto ao papado quanto à hierarquia romanista como se fossem o anticristo.

IV. A Reforma Protestante

Lutero e outros levaram avante essas objeções. Lutero ensinava que a Igreja é a comunhão dos santos e o Corpo místico de Cristo, pelo que não pode ser identificada com o corpo organizado da Igreja visível, com toda a sua variedade e corrupções. Haveria uma cristandade interna e uma cristandade externa, que ocupariam o mesmo espaço, mas não seriam uma mesma entidade. Somente Deus saberia distinguir as duas coisas. A verdadeira Igreja, mediante o uso da Palavra e dos sacramentos, está organizacionalmente incorporada dentro da Igreja visível, mas os homens não sabem como distinguir os dois elementos um do outro. A Igreja, conforme ele dizia, encontra-se em qualquer parte do mundo onde possam ser encontrados o evangelho e os sacramentos, pelo que a Igreja não poderia ser identificada com este ou aquele grupo, com esta ou aquela denominação, porquanto há uma união espiritual e mística que unifica os homens em torno de Cristo, mas que não é uma união eclesiástica.

Calvino concordava com Lutero que a pregação fiel da Palavra de Deus e a correta administração dos sacramentos são sinais da Igreja. Mas ele adicionava uma disciplina estrita a fim de separar os bons dos maus. Sua doutrina da predestinação forçava-se a estabelecer uma aguda distinção entre a Igreja visível e a Igreja invisível. Esta última seria a única Igreja verdadeira e pura, composta dos eleitos de Deus. Por isso é que ele disse: «A escolha secreta de Deus é a fundação da Igreja».

Depois de Calvino e Lutero surgiram os congregacionalistas, que rejeitavam a desejabilidade das igrejas nacionais e oficiais e ensinavam que somente as assembléias locais são igrejas, porquanto nelas há unidade essencial com Cristo. Isso significaria, por sua vez, que cada assembléia local precisa ser julgada de acordo com os seus próprios méritos, a fim de se verificar se ela merece ou não o nome de Igreja, o que não pode ser conseguido somente porque alguém se torna membro de alguma denominação ou corpo organizado mais numeroso. (C COP)

ECLETICISMO

Essa palavra vem de dois termos gregos, *ek*, «fora», e *lego*, «selecionar», ou seja, aquela atitude que leva um homem a selecionar suas idéias, dentre fontes variegadas, a fim de ficar com o seu próprio sistema ou coleção de conceitos aprovados. É feita a tentativa para harmonizar a seleção feita. A maioria dos sistemas, sem importar se de filosofia ou de teologia, na verdade, são sistemas ecléticos, embora seus proponentes não queiram admitir o fato. Alguns sistemas, contudo, são mais obviamente ecléticos do que outros.

O *ecleticismo* procura ser pacífico por natureza, dotado de mente aberta, tolerante e universal em seu espírito. Por outra parte, pode faltar-lhe originalidade, e também pode ser reduzido a mera *sondagem* das possibilidades que existem no pensamento, faltando-lhe assim a convicção e a vitalidade, como um sistema. Todos os sistemas incluem algo daquilo que já foi, incorporando novos elementos. Mas até mesmo esses novos subsídios são selecionados dentre várias possibilidades, unidas dentro do sistema resultante. Nesse sentido, o próprio cristianismo é eclético. Isso não nega a vital contribuição feita pela revelação cristã; mas reconhece que todos os sistemas estão baseados na história, e jamais se desenvolvem no vácuo.

No campo da filosofia, encontramos os notáveis exemplos da Quarta Academia de Platão, das Escolas Média e Nova do Estoicismo, da filosofia romana em geral, e da escola alexandrina do neoplatonismo. A maior parte dos cultos atuais religioso-filosóficos são ecléticos em princípio, misturando conceitos orientais e ocidentais. O *bahaísmo* (que vide), na busca pela unidade, naturalmente é um sistema eclético. O princípio do ecleticismo é bom e necessário na busca

ECOLOGIA — ECUMENISMO E ÉTICA

pela verdade; mas não é a única resposta. Além de fazermos a triagem de coisas que já existem, precisamos de iluminação espiritual a fim de percebermos para além das complexidades e obscuridades que os sistemas humanos de pensamento têm criado.

ECOLOGIA

Ver o artigo sobre a **Poluição do Ambiente**, especialmente em seu segundo ponto.

ECONOMIA

Ver os artigos sobre *Capitalismo, Comunismo, Socialismo* e *Sociologia*. Ver também sobre *Smith, Adam*, segundo ponto, sobre o assunto da economia baseada no livre comércio.

ECROM

No hebraico, «extermínio» ou «naturalização». Esse era o nome de uma das cinco cidades da Filístia. Era uma cidade-estado, a mais nortista das cinco. Ver Jos. 13:3. Quando da divisão do território da Terra Prometida, Ecrom (tanto a parte conquistada quanto a parte não-conquistada) foi conferida à tribo de Judá (Jos. 13:3; 15:11,45). Mais tarde, entretanto, foi transferida para o território da tribo de Dã, embora tivesse sido conquistada pelos homens de Judá, após o falecimento de Josué (Jos. 15:11,45; 19:43 e Jui. 1:18). Ver também Josefo, em *Anti.* 5:1,22 e 6:2,4. A narrativa principal a respeito, no Antigo Testamento, no que concerne a essa cidade, envolve a arca da aliança. Foi de Ecrom que a arca foi devolvida a Israel, em uma carroça puxada por bois (I Sam. 5:10; 6:1-8). Os profetas, séculos mais tarde, denunciaram a cidade, juntamente com outras cidades filistéias (Jer. 25:20; Amós 1:8; Sof. 2:4; Zac. 9:5). O nome Acaron (forma variante de Ecrom), tem sido encontrado fora da Bíblia, como o nome do lugar envolvido, nos relatos sobre as cruzadas. A moderna *Akir*, ao que parece, corresponde à antiga cidade de Ecrom. Fica a dezesseis quilômetros a nordeste de Asdode, embora tal identificação tenha sido posta em dúvida. Eusébio, em seu *Onomasticon*, menciona Ecrom como uma grande aldeia judaica, entre Azoto e Jamnia, mais para o leste. Jerônimo, entretanto, identifica-a com *Turrim Stratonis* (Cesaréia). Embora satisfaça as exigências da localização geral, Akir não tem um cômoro, conforme seria de esperar no caso de um local que continuou sendo ocupado por mil e quinhentos anos. Alguns arqueólogos, precisamente por esse motivo, rejeitam essa identificação. Além disso, alguns eruditos têm proposto duas cidades com o mesmo nome de Ecrom. Uma estaria no território de Dã, — e a outra no território de Judá. O grande Albright, por sua vez, favorece Qatra, uma colina a cinco quilômetros a sudoeste de **Akir**. Nesse lugar há evidências de habitações grecorromanas. Esse lugar, pois, parece corresponder à identificação feita por Eusébio (ver acima). O arqueólogo Naveh, do Departamento de Arqueologia da Universidade Hebraica e da Sociedade Israelense de Explorações, propôs Kirbet al-Muqanna (Tell Miqne) como o lugar antigo e alguns antigos cacos de cerâmica têm sido encontrados ali. Aparentemente vinha sendo habitada desde a Idade do Ferro. Trechos das muralhas, além de outras coisas, têm sido desenterrados e as fontes existentes na área poderiam ter sustentado uma cidade de bom tamanho.

••• ••• •••

ECUMENISMO Ver **Movimento Ecumênico**.

Essa é uma palavra cunhada modernamente, com base no termo grego *oikoumenika*, «coisas relacionadas à terra habitada» (*oikoumenē*). Esse vocábulo tem sido usado para designar tudo quanto pertence ao mundo cristão (isto é, a Igreja, em seu aspecto ecumênico, como coextensiva do globo habitado). Em 1937, essa palavra foi empregada na Universidade de Princeton, nos Estados Unidos da América do Norte, para indicar a Cadeira de Missões, que se tornou, então, *Cadeira de Ecumenismo*. Daí, a palavra *ecumenismo* veio a significar a ciência da Igreja como a comunidade cristã mundial, em sua natureza, funções, relações e estratégia. Portanto, assim como a *sociologia* é a ciência da sociedade em geral, assim também o *ecumenismo* é a ciência da comunidade cristã mundial.

ECUMENISMO E ÉTICA

Ver o artigo geral sobre o **Ecumenismo**. Esse artigo separado aborda, de maneira abreviada, alguns princípios éticos que esse movimento tem salientado.

1. *A primeira questão* levantada é a retidão moral de uma Igreja unida. Como um ideal, sem dúvida essa posição é correta, opondo-se à vergonhosa fragmentação que tem havido no mundo cristão. O problema consiste em como atingir esse ideal sem sacrificar princípios importantes.

2. *A segunda questão* é a retidão de uma expressão missionária comum, que facilite a propagação da fé cristã, tornando-a mais eficaz no mundo. Não há que duvidar que uma Igreja dividida, com seus conflitos internos, em nada atrai os incrédulos. Alguns incrédulos referem-se abertamente a esse fato, como uma das razões pelas quais não levam a Igreja muito a sério. Ela faz soar um sonido incerto. Desde tão cedo quanto o ano de 1819, em Londres, grupos batistas, anglicanos e metodistas uniram-se visando a propósitos missionários. Idêntico interesse inspirou o Congresso Mundial de Evangelismo, efetuado em Berlim, em 1966. Os participantes pertenciam ou não à estrutura organizacional do Concílio Mundial de Igrejas.

3. Os grupos mais liberais, aderindo a uma espécie de agnosticismo metafísico, têm-se mostrado ativos dentro do movimento ecumênico. Esses têm promovido o *evangelho social* (que vide), com a sua ênfase sobre as atividades sociais e de caridade, em substituição ao evangelismo. Pelo lado positivo, isso tem alertado a Igreja para a necessidade de obras práticas, no nível comunitário ou nacional, bem como para a necessidade de haver uma organização que seja capaz desse tipo de expressão. Trata-se apenas de uma expressão da lei do amor (que vide). Pelo lado negativo, não podemos substituir legitimamente o interesse religioso, que visa ao bem-estar da alma, pelo bem-estar material do homem físico.

4. Os grupos que são membros do movimento ecumênico têm-se envolvido em movimentos políticos, alguns deles revolucionários e violentos. Fundos pertencentes ao Concílio Mundial de Igrejas, na verdade, têm sido usados para promover tais movimentos, de tal maneira que vemos o espetáculo de pessoas supostamente espirituais que promovem a violência (algumas vezes encabeçada por grupos esquerdistas) e isso em nome de Cristo. Não há que duvidar que isso é um erro grave.

5. Uma filosofia básica de muitos líderes ecumênicos diz que o homem é essencialmente bom e que corresponderá a esforços feitos para melhorá-lo

EDAR – ÉDEN

socialmente, bem como às condições de seu meio ambiente, sem qualquer necessidade de conversão religiosa, conforme muitos evangélicos definem essa conversão. No entanto, as duas últimas guerras mundiais deveriam ter ensinado melhor aos homens.

6. O Congresso Mundial de Evangelismo, efetuado em 1966, procurou enfatizar os dois lados da questão: primeiramente, a necessidade do evangelismo e, em segundo lugar, a necessidade da preocupação social, com a afirmação de que esses dois aspectos são alternativos e não contraditórios.

7. A Conferência de Jerusalém sobre Profecias Bíblicas, levada a efeito em 1971, salientou a iminente segunda vinda de Cristo (ver sobre a *Parousia*), que deveria servir-se de encorajamento na promoção tanto do evangelismo quanto da justiça social, no esforço de recuperar a retidão pessoal e pública, retidão essa que será imposta pelo Rei que se aproxima. (H)

EDAR
Ver sobre **Eder**.

EDDY, MARY BAKER
Foi a fundadora da **Ciência Cristã** (que vide).

ÉDEN, FILHOS DE ou CASA DE
Ver sobre **Bete-Éden**.

ÉDEN, JARDIM DO
Esboço:
- I. A Palavra
- II. Interpretações Liberais e Alegóricas sobre o Éden
- III. Localização do Éden
- IV. Significados da Narrativa
- V. A Dilmum dos Textos Sumérios

I. A Palavra
Dois sentidos possíveis estão vinculados a esse termo: 1. Se o mesmo deriva-se do acádico *edinu*, então refere-se a um «campo aberto». Entretanto, esse sentido não parece ajustar-se muito bem a um *jardim*. 2. Por conseguinte, talvez a palavra seja hebraica, e não um vocábulo importado. Nesse caso, vem do termo hebraico *eden*, que significa «deleite». A LXX com freqüência traduz a palavra por «parque de deleites», o que fortalece a segunda possibilidade. Seja como for, a palavra hebraica *eden* tem o sentido geral de «jardim», embora também possa aludir a qualquer localização territorial ou geográfica. Em Amós 1:5 aparece como o nome de uma cidade.

II. Interpretações Liberais e Alegóricas sobre o Éden
Nos mitos mesopotâmicos que narram as origens do homem e os anos iniciais e formativos da humanidade, há muitos paralelos com a narrativa do livro de Gênesis. Quanto a ilustrações a esse respeito, ver o artigo sobre *Cosmogonia*, que explana com detalhes a cosmogonia dos hebreus. Ver também o artigo sobre *Criação*, que explica os paralelos ao relato dos hebreus, comparando-o com os relatos da cultura mesopotâmica em geral. Nas lendas e mitos daquela área, também há menção ao *Éden*. Ali, aparece como um deserto (o *espaço aberto* subentendido pela palavra), com um oásis. Dentro desse oásis, o homem teria sido criado. No Oriente Médio, onde a água é escassa e muito estimada, uma cena favorita

imaginária é a de um parque ou oásis, onde água e verdura aparecem com abundância. Um autor qualquer, ao criar uma história, naturalmente dar-lhe-ia certo colorido local, pois as pessoas sempre gostam de pensar em sua região do mundo como mais importante do que qualquer outra região. Portanto, a narrativa bíblica fornece-nos alguma informação que parece indicar a localização do jardim do Éden. Havia um rio no Éden, que irrigava o jardim. Esse rio dividia-se em quatro braços, dentro do jardim. E esse detalhe pode levar à identificação dentro do atual Iraque. Ver a seção III. O que sucede aqui, entretanto, é que o autor proveu um meio ambiente fictício, embora injetando no mesmo algumas características geográficas locais. Provavelmente, ele queria que seus leitores acreditassem que «há muito tempo», o local era conforme ele descrevera. Agora, porém, as coisas haviam-se modificado, pelo que o que o autor dizia não podia ser identificado com as características geográficas existentes em seus dias.

Era um jardim especialíssimo. — Entre suas espécies vegetais, havia uma árvore de vida e uma árvore do conhecimento. O primeiro casal, em sua ansiedade de saber mais do que deveria, comeu do fruto da árvore do conhecimento do bem e do mal. Ao assim fazerem, Adão e Eva perderam quaisquer direitos que tivessem à árvore da vida, por meio da qual poderiam ter-se tornado seres imortais. O próprio fato de que o conhecimento e a vida são considerados como coisas que podem ser obtidas mediante a ingestão do fruto de uma árvore, demonstra que alguma mente primitiva criou uma lenda improvável acerca de como o homem caiu de seu original estado de inocência. Ou então, o autor tencionava que seus leitores pensassem em termos de uma parábola ou alegoria, e não em termos literais. O fato de que uma serpente participou da cena da tentação, dotada até mesmo da capacidade de falar, demonstra, mui provavelmente, a natureza parabólica da narrativa. Deveríamos relembrar, em conexão com isso, que esses elementos também são paralelos, embora de maneira diversa, das fábulas próprias da cultura mesopotâmica. Ademais, a identificação da serpente com Satanás foi um desenvolvimento relativamente tardio do judaísmo, que não pode ser associado ao intuito do autor original do livro de Gênesis. Alguns dos pais da Igreja, como aqueles da escola alexandrina, não hesitaram em falar sobre essa narrativa como uma parábola; e, em vez de tentarem apresentar uma difícil defesa da narrativa como um relato literal, mostraram-se dispostos a descobrir nessa narrativa lições morais e espirituais, e não repostas para indagações acerca das origens do homem e da depravação original, que não têm qualquer resposta adequada, a despeito das especulações de muitos.

Muitos intérpretes conservadores objetam a essa maneira de manusear a narrativa de Gênesis, razão pela qual tentam identificar sua localização, com seriedade, conforme segue.

III. Localização do Éden
Alguns eruditos têm feito sérias tentativas para identificar a localização geográfica do jardim do Éden. Três sugestões têm sido feitas, a saber: 1. a Armênia; 2. a Babilônia, perto do alto do golfo Pérsico; 3. perto do pólo Norte. Essa terceira idéia, porém, deve ser descartada pelo fato de que sua flora elimina qualquer possibilidade. Também têm sido feitas tentativas para identificar os quatro rios mencionados, cujos nomes eram Pisom, Giom, Hidequel e Eufrates (Gên. 2:10-14). Todas as formas de idéias fantásticas estão vinculadas à tentativa de localizar esses rios. Alguns supõem que os grandes

ÉDEN — EDER

rios mencionados não ocupam, atualmente, os mesmos lugares, devido ao rearranjo da crosta terrestre, por causa das mudanças dos pólos. Por essa razão, até o rio Amazonas, no norte do Brasil, tem sido considerado um dos quatro rios que banhavam o jardim do Éden. Mas a idéia é manifestamente absurda. Os rios Tigre e Eufrates são mencionados especificamente no décimo quarto versículo. Os outros dois rios não existem na área, na atualidade. Por essa razão, alguns intérpretes dizem que grande mudança topográfica deve ter ocorrido naquela região, ou então que esses outros dois nomes não representavam rios, mas canais de alguma sorte, talvez ligados aos dois grandes rios. Alguns estudiosos tentam incluir ali o Nilo e o Indus. Outros declaram que o dilúvio dos dias de Noé alterou o quadro, de tal modo que não podemos identificar os rios em questão, exceto o Tigre e o Eufrates. Houve canais, construídos muito mais tarde e que dificilmente se adaptam à descrição e ao intuito do livro de Gênesis. A Armênia aparece como a localidade do jardim do Éden, por alguns que procuram identificar o Pisom e o Giom com rios menores daquele país. O Hidequel é um antigo nome do rio Tigre. Nossa versão portuguesa, de fato, diz em Gênesis 2:14, «Tigre», e não Hidequel. Os estudiosos liberais, entretanto, declaram que a solução é perfeitamente simples. Visto que a narrativa seria uma lenda, não deveria ser interpretada como se desse descrições topográficas genuínas. A única coisa que se poderia afirmar é que o autor, ao identificar dois rios bem conhecidos, situou o berço da civilização na Babilônia, ou seja, em algum lugar do atual Iraque.

Por muito tempo houve o hábito de identificar essa área como o berço da civilização. Atualmente, porém, os especialistas estão se inclinando pela África como o berço da civilização. Considerando-se o fato de que os pólos mudam, e que a crosta terrestre sofre rearranjos, e, também, que houve raças humanas pré-adâmicas (ver o artigo sobre os *Antediluvianos*), pouco sentido faz tentar falar sobre qualquer área geográfica específica, onde o «homem» teria começado a sua existência na terra, marchando na direção da civilização, conforme a conhecemos atualmente.

IV. Significados da Narrativa

Os sentidos dados à narrativa de Gênesis estão entretecidos com aqueles da própria criação, e o artigo sobre esse assunto elucida a questão. Os principais ensinos são estes: 1. Que o estado original do homem era de paz, abundância e bem-estar. Supomos que o homem deveria ser concebido como um ser imortal, e que se Adão e Eva tivessem comido do fruto da árvore da vida, esse estado teria sido confirmado e tornar-se-ia permanente. 2. Embora vivesse em perfeito ambiente, o homem não era possuidor de uma natureza perfeita, a despeito de seu estado de inocência. Era capaz de ser tentado e de cair em pecado. Portanto, sem importar qual a sua condição exata, o homem não possuía a verdadeira imortalidade divina. 3. O tentador é uma realidade. O homem sempre terá de enfrentar escolhas morais e mesmo em meio às mais favoráveis circunstâncias, ele pode fazer escolhas erradas. 4. As más escolhas são seguidas pelo julgamento, o que envolve mudanças drásticas, tanto no meio ambiente quanto no estado espiritual do homem. Está envolvida a lei da colheita segundo a semeadura, porque o homem obtém aquilo que merece. O pecado de Adão não passou despercebido. Presume-se que se ele tivesse feito uma escolha diferente, teria recebido algum exaltado galardão. 5. O *teísmo* é um dos aspectos do relato. Deus não é um ser distante e transcendental,

desinteressado pelo homem. O autor de Eclesiástico (que vide) declara que somente indivíduos insensíveis supõem que Deus não está interessado neles, desconsiderando o que fazem. 6. O fato de que foram postados querubins no oriente do jardim do Éden, para impedir o retorno do homem ao mesmo (Gên. 3:24) mostra-nos que uma vez que um homem faça uma má escolha, poderá ser barrado, por longo tempo, de reverter sua condição. O homem sacrificou qualquer imortalidade, ou oportunidade de atingir a mesma, que tivesse tido. A história da redenção, contudo, ensina-nos que a recuperação em Cristo é algo possível. Outrossim, um *novo tipo* de imortalidade (que vide) foi dado, um tipo que ultrapassa qualquer espécie de imortalidade que o primeiro casal pode ter conhecido ou antecipado. Nessa nova imortalidade, foi prometida a participação na natureza divina (II Ped. 1:4), mediante a transformação segundo a imagem do Filho (Rom. 8:29; II Cor. 3:18). Isso envolve a participação em toda a *plenitude* de Deus (Col. 2:10), que envolve sua natureza e seus atributos.

V. A Dilmum dos Textos Sumérios

Material proveniente da biblioteca da Suméria, descoberto há cinqüenta anos atrás em Nipur, no sul da Babilônia, fala sobre um lugar chamado *Dilmum*, um lugar aprazível onde eram desconhecidas a morte e as enfermidades. O lugar estivera sem água, mas Enki, o controlador das águas, ordenou que a situação fosse remediada. A *deusa* Ninti esteve associada a ele. Dentro do relato sumério, a estória tem uma função muito parecida com a de Eva, no relato bíblico. De fato, o nome *Ninti* significa «dama da costela». E também pode significar «dama que vivifica» (o sentido do nome *Eva* é «mãe dos viventes»). Essa deusa teria curado vários males do deus Enki, com seus poderes transmissores de vida. Como é óbvio, há nisso pontos de conexão com a história bíblica. Ver o artigo sobre *Eva*. Nas lendas babilônicas posteriores, Dilmum é chamado de «terra dos viventes», o lar dos seres imortais. O que aparece como mortal na história bíblica, é relacionado a seres imortais, nessas lendas. É curiosa a idéia de alguns mórmons sobre a história original de Adão e Eva, que eles tinham sido deuses, mas, caindo no pecado, tornaram-se seres mortais, e que Eva era uma das esposas de Adão, quando eles ainda eram imortais, bem como aquela que ele levou consigo ao jardim. Isso aproxima-se do espírito da lenda do material sumério.

Alguns eruditos pensam que a história bíblica é uma espécie de versão purificada, para ter um sentido monoteísta, do material da Suméria. Mas outros pensam que o material sumério representa uma corrupção do relato bíblico. A verdade mais provável é que ambas as versões originaram-se de um fundo comum, dentro da cultura mesopotâmica da época. A tentativa para interpretar a história em sentido literal (incluindo dados geográficos), tem levado a certo número de problemas acerca dos quais os teólogos e os eruditos da Bíblia continuam debatendo. Em contraste com isso, as lições morais e espirituais do relato são perfeitamente claras. (AM I IB KRA ND UN S Z)

EDER

Esse é o nome de uma cidade e de dois personagens do Antigo Testamento. Em hebraico, o nome significa «rebanho».

1. Uma cidade no distrito do Neguebe de Judá (Jos. 15:21). Esse lugar tem sido identificado com a

EDER, TORRE DE — EDIFICAÇÃO

moderna localidade de el-Adar, - cerca de oito quilômetros ao sul de Gaza, na margem direita do wadi Ghazzeh. A LXX, nos manuscritos B, diz *Ara* nesse ponto, sugerindo que Arade (que vide) é a localidade em questão. Algumas traduções grafam o. nome com a forma de Edar, no livro de Josué.

2. Um benjamita, sobre quem não temos qualquer conhecimento, é assim chamado, no trecho de I Crô. 8:15.

3. O segundo dos três filhos (isto é, descendentes) de Musi, que era um levita na época de Davi, tinha esse nome. Ver I Crô. 23:23; 24:30. Viveu em torno de 1000 A.C.

EDER, TORRE DE

No hebraico, «torre do rebanho». Era uma torre de vigia, provavelmente erigida para proteger os rebanhos. Ficava entre Belém e Hebrom. Foi ali que Jacó residiu temporariamente, após o falecimento de Raquel, e onde Rúben cometeu incesto com Bila (Gên. 35:21,22). Nessa referência temos, no original hebraico, o nome *Midal-Eder*. O trecho de Miquéias 4:8 refere-se à «torre de rebanho», quando alude à colina de Sião. Também era chamada Ofel, ou seja, «fortim».

EDERSHEIM, ALFRED

Suas datas foram 1825-1889. Foi um pastor evangélico inglês, erudito e autor, que conferenciou, durante algum tempo, sobre a Septuaginta, em Oxford. Ele tornou-se melhor conhecido por sua obra *Life and Times of Jesus the Messiah* (primeira edição em 1883), que tem sido muito usada nos séculos XIX e XX como um texto autoritário e muito informativo sobre a vida e os ensinamentos de Jesus, bem como sobre os costumes e idéias comuns ao judaísmo posterior, que servem de pano de fundo.

EDESSA

Esse é o nome antigo, em grego, da moderna cidade de Urfa, situada na porção suleste da Turquia, na planície que fica entre os rios Eufrates e Tigre. Atualmente há a província de Urfa, da qual essa cidade é a capital. Trata-se de uma região árida e estéril, com cultivos dispersos de trigo, frutas e vinhas.

A antiga cidade de Edessa reveste-se de interesse para a fé religiosa, por causa de sua conexão com povos que estiveram envolvidos com os tempos e os povos bíblicos. Era então uma cidade da parte noroeste da Mesopotâmia, capital do reino sírio semi-independente que servia de estado tampão entre Roma e a Pártia, a partir de 132 A.C., até que se tornou uma província romana, em 244 D.C. Servia de centro para a mais antiga Igreja cristã de fala síria, o que significa que foi o lugar onde se desenvolveu a literatura cristã siríaca, incluindo a versão siríaca do Novo Testamento. Entre essa literatura destaca-se o *Diatessaron* (que vide) de Taciano, uma antiga harmonia dos evangelhos. Essa forma do evangelho era largamente lida na área, até que se desenvolveu a versão siríaca padrão, intitulada Peshitta (que vide). Essa versão foi uma revisão e padronização das antigas traduções siríacas dos evangelhos, mas que foi ultrapassada no século V D.C. com o processo da padronização. No século V D.C., Edessa tornou-se o centro da Igreja Síria Oriental (nestoriana) e era uma importante sede da erudição cristã. Dali missionários espalhavam sua doutrina por todo o Oriente. Os árabes conquistaram a cidade em 637 D.C. e então ela se tornou uma cidade fronteiriça nas guerras contra os bizantinos. Os árabes recapturaram a cidade em 1087, mas perderam-na novamente para os turcos seldjuks, no mesmo ano. Os cruzados a conquistaram em 1098, — mas perderam-na de novo para Imad-al-Din (Zangi) o *atabeg* de Mosul, em 1144. Várias trocas de mãos, finalmente levaram a área a ficar sujeita aos turcos otomanos. (MA E)

EDIAS

Ver **Izias**.

EDIFICAÇÃO, EDIFICAR

A palavra grega por detrás dessa tradução é *oikodomē*, que figura por dezoito vezes: Mat. 24:1; 15:2; I Cor. 3:9; 14:3,5,12,26; II Cor. 5:1; 10:8; 12:19; 13:10; Efé. 2:21; 4:12,16,29. Diz o trecho de Rom. 14:19: «Assim, pois, seguimos as cousas da paz e também as da edificação de uns para com os outros». A isso segue-se uma ordem para não destruirmos a obra de Deus. O trecho de I Tim. 1:4 tem o termo grego *oikodomía*, «edificação». Esse versículo ordena-nos evitar as discussões tolas, a respeito de fábulas e genealogias, tudo o que contribui contra o processo espiritual de edificação, ou seja, são atitudes antiespirituais. A metáfora por detrás dessas palavras gregas é a da *edificação de uma casa*, e nesse caso, a casa é a casa espiritual de Deus, da qual todos nós fazemos parte. Somos instruídos a ser *edificadores* e não demolidores. É espantoso verificar quantas pessoas tornam-se especialistas em demolições e como se apresentam como se fossem defensores da fé! A edificação faz parte necessária da nossa espiritualidade, pois ninguém existe que tenha avançado tanto em sua vida espiritual que nada mais tenha para edificar. Por esse motivo, devemos empregar os meios espirituais para o desenvolvimento, tanto de nós mesmos como de outras pessoas, a saber, o estudo dos documentos espirituais e de outra literatura útil, a oração, a meditação, a prática das boas obras, o cumprimento da lei do amor, a santificação e os toques místicos, no uso dos dons espirituais e na busca e obtenção da iluminação espiritual. Ver o artigo separado sobre os *Caminhos do Desenvolvimento Espiritual*.

A própria Igreja cristã é metaforicamente descrita como um edifício (I Cor. 3:9; Efé. 2:21). A função de sua ereção nunca se completou, e requer uma atenção contínua, e a edificação deve ser efetuada sobre o alicerce apropriado, que é Jesus Cristo (I Cor. 3:10,12,14). É possível uma pessoa edificar de modo errado, e assim chegar a sofrer dano. Portanto, todas as coisas devem ser feitas tendo em mira a edificação espiritual genuína (I Cor. 14:26). A edificação espiritual compõe-se de *pedras vivas*, as quais, em si mesmas, encontram-se no processo do desenvolvimento individual; e então, coletivamente, elas provêm um desenvolvimento corporal, conjunto (I Ped. 2:4). É assim que a *casa espiritual* vai sendo edificada. Nessa metáfora, Cristo é a pedra principal, a pedra angular. Em um sentido absoluto, no tocante à salvação e à transformação espiritual, Cristo somente é o alicerce (I Cor. 3:11). Em um sentido histórico, Pedro (Mat. 16:18), bem como os outros apóstolos e os profetas da Igreja cristã são os alicerces da Igreja (Efé. 2:20).

João Wesley, em seus sermões, alistava os seguintes fatores como meios de edificação cristã: 1. a oração;

EDINO — EDOM

2. o uso das Escrituras; 3. a Ceia do Senhor; 4. o jejum; 5. a comunhão cristã. Essa é uma lista parcial, embora sugestiva. Todos os dons espirituais têm parte ativa na edificação (I Cor. 14:26). Isso anula a ostentação, porquanto a ostentação somente glorifica o próprio indivíduo e em nada contribui para beneficiar à Igreja. O apóstolo, por assim dizer, estava obcecado com a necessidade da *edificação*, como a grande finalidade dos cultos cristãos. A igreja local também precisa ser edificada, corrigida, consolada e instruída, a fim de que todos os seus membros se conformem mais intimamente à imagem de Cristo (Rom. 8:29; II Cor. 3:18). Esse é o propósito de todos os dons espirituais, e isso Paulo enfatizou no seu tratamento do assunto. O trecho de I Cor. 14:3-5, 7-9,11,12,14 enfatiza a mesma coisa. A profecia deve edificar seus ouvintes; as línguas também edificam o próprio indivíduo que as fala. A compreensão deve ser frutífera. É com essa finalidade que freqüentamos os cultos nas igrejas. — O nosso *dever* é nos edificarmos mutuamente (I Tes. 5:11).

EDINO
Ver **Jedutum**.

EDITO DE MILÃO
Esse documento foi publicado conjuntamente por Constantino e Licínio, em 313 D.C. Conferia tolerância aos cristãos e lhes devolvia as propriedades eclesiásticas, que tinham sido confiscadas. Assim terminou o período de perseguições imperiais contra o cristianismo, que se prolongara por duzentos anos, e então começou o levantamento político da Igreja. Trata-se de um dos grandes marcos da história eclesiástica, com resultados parcialmente bons e parcialmente maus. Um outro efeito foi que o bispo de Roma passou a ser mais distinguido que os outros bispos, tendo sido essa a semente que, finalmente, floresceu sob a forma do papado.

EDITO DE NANTES
Foi um documento decretado por Henrique IV, em 1598, a fim de definir a posição da Igreja Reformada Francesa. O documento concedia liberdade de consciência, mas, em vários pontos, limitava as liberdades dos protestantes. Em 1685 o edito de Nantes foi revogado, o que representou um desastre para os protestantes franceses, que começaram a ser intensamente perseguidos. Os huguenotes (protestantes franceses) formavam uma pequena porcentagem da população francesa total, mas exerciam uma influência política e social desproporcional. Contavam com cem cidades fortificadas.

O edito permitia liberdade de crença, de reuniões públicas, mas proibia qualquer aumento no número de cidades fortificadas. Eles também receberam igualdade política e social, acesso às escolas e instituições públicas e lhes foram restauradas as propriedades antes confiscadas. Henrique IV foi assassinado em 1610, e os huguenotes (que vide) novamente entraram em um período precário. O edito de Alais, expedido por Luis XIII, retirou seus direitos políticos e interditou suas cidades fortificadas. Luis XIV revogou completamente o edito de Nantes, em 1685. (AM E)

EDITO DE WORMS
Esse documento foi publicado pela famosa Dieta de Worms (ver *Worms, Dieta de*) em 1521. O documento condenava a teologia de Lutero. Foi um documento muito abrangente, combatendo as idéias de Lutero sobre muitos pontos, especificando várias penas e advogando uma rígida censura eclesiástica. A Dieta de Worms foi convocada pelo imperador Carlos V, do império alemão, na cidade de Worms, o que lhe explica o nome. Seu propósito específico era tratar do caso de Lutero, que já havia sido excomungado pelo papa. Lutero foi solicitado a retratar-se. A famosa defesa de Lutero foi uma dramática defesa do direito à livre consciência e à liberdade de expressão. O mundo, porém, ainda não estava preparado para tais liberdades, de tal modo que mesmo hoje vemos o espetáculo de grupos protestantes a perseguir (usualmente de modo não violento) àqueles que não concordam com as suas crenças. É fácil elogiarmos a liberdade quando ela nos favorece, mas é difícil aceitá-la quando protege outras pessoas, que não concordam conosco. O artigo sobre a Dieta de Worms dá mais detalhes sobre as questões por detrás desse documento.

EDNA
No hebraico, «deleite». Esse era o nome da esposa de Raguel, em Ecbátana, mãe de Sara, que se tornou esposa de Tobias, conforme o registro do livro apócrifo de Tobias 7:2. Ela preparou para o casal a câmara nupcial (7:15,16) e aceitou Tobias como seu genro. Há uma tocante despedida, quando o casal separou-se dela (10:12). Edna é chamada Ana, na Vulgata Latina, que também seria o nome da esposa de Tobias. Há vários nomes próprios masculinos, nas páginas do Antigo Testamento, que se derivam dessa raiz hebraica, como Adná, Éden e Adna. Ver os trechos de I Crô. 12:20; II Crô. 17:14; 29:12; Esd. 10:30 e Nee. 12:15.

EDOM, IDUMEUS
Jacó e Esaú seguiram seus respectivos caminhos, embora fossem irmãos gêmeos. O povo de Israel descende de Jacó, e os edomitas ou idumeus descendem de Esaú. *Esaú* (vide), de acordo com as tradições judaicas posteriores, mencionadas então no Novo Testamento, como no nono capítulo da epístola aos Romanos, não era favorecido por Deus. Porém, isso não é indicado pelo próprio relato veterqtestamentário. De fato, ali Esaú aparece como homem de caráter mais nobre que Jacó. Pessoalmente, creio que Deus cuidou da alma de Esaú, através do ministério de Cristo, na vida após-túmulo. Sem importar como lhe tenha acontecido, o certo é que os descendentes de Esaú ocuparam um território que fica na fronteira suleste da Palestina (ver Juí. 11:17; Núm. 34:3), que era chamado de terra ou monte de *Seir* (vide). Ver também Gên. 32:3; 36:8; Eze. 35:3,7,15.

Esboço:
 I. A Palavra
 II. O Território
 III. Os Idumeus
 IV. História

I. A Palavra
No hebraico, **edome**, «vermelho», uma alusão ao cozido vermelho (ou marrom amarelado de lentilhas, o *adashim*, cuja preparação culinária aparece em gravuras egípcias), em troca desse cozido Esaú vendeu o seu direito de primogenitura, porquanto não dava valor à realidades espirituais. Essa palavra, pois, veio

266

EDOM

a tornar-se um sobrenome de Esaú. O nome também tornou-se apropriado para designar o território de Esaú, a saber, o monte Sir, visto que a área é dominada por uma coloração avermelhada, devido à natureza das rochas superficiais.

Usos da Palavra. Essa alcunha foi dada a Esaú, filho de Isaque, depois que ele se desfez de seu direito de primogenitura por um mero prato de lentilhas cozidas (Gên. 25:30). Passou a ser um nome alternativo para indicar a Iduméia, ou seja, o monte Seir. Também designa a terra de seus descendentes (Gên. 32:3; 25:20,21,30), ou então, coletivamente, todos os idumeus (Núm. 20:18,20,21; Amós 1:6,11; Mal. 1:4).

II. O Território

Esse país estendia-se desde o mar Morto, na direção sul, até o golfo de Ácaba e desde o vale da Arabá, na direção leste, até o deserto da Arábia, isto é, tinha cerca de duzentos quilômetros de comprimento por quarenta e oito quilômetros de largura. Era uma região montanhosa, composta de rochas avermelhadas como uma de suas características principais. Acima dessas rochas havia pedras calcárias que assumiam formas fantásticas, ao mesmo tempo que de ambos os lados dessas formações havia colinas de pedra calcária. Para o lado oeste, ao longo do vale da Arabá, as colinas são mais baixas. Para o lado oriental, as montanhas atingem sua maior expressão. Grande parte do terreno era inóspito, embora houvesse áreas que podiam ser cultivadas (Núm. 20:17-19). O território compreende uma espécie de retângulo malformado. — O ponto mais elevado tem cerca de 1740 m de altura, acima do nível do mar. Os idumeus fortificaram a região em vários lugares, especialmente na sua fronteira leste, mais exposta. O Caminho do Rei passava ao longo do planalto leste dessa área, perto de Tofel, Bozra e Dana, mais ao sul, e então descendo ao vale de Hismé. A capital, Selá, estava situada a oeste desse caminho no maciço platô chamado Umm el-Biyara, que se eleva a 300 m acima de Petra (que vide). Petra é o nome grego da mesma cidade de Selá. Os idumeus não habitavam a área inteira desse retângulo, mas controlavam-na. Certas partes da Arabá possuíam ricos depósitos de ferro e minas de cobre, o que era uma das principais fontes de riqueza dos idumeus. As rotas comerciais que ligavam a região com a Mesopotâmia e com o Egito, passavam na extremidade sul dessa região, e isso também contribuía positivamente para a economia dos idumeus. A porção ocidental da Arabá era habitada por tribos nômades, que tinham uma frouxa associação com os idumeus, e que vieram a mesclar-se parcialmente com eles (Gên. 36:11,12), embora não fossem totalmente dominadas pelos filhos de Edom. O povo de Israel atravessou essa área, pouco antes da conquista da Terra Prometida.

III. Os Idumeus

Estes eram descendentes de Esaú (também apelidado *Edom*). O trecho de Deu. 2:12 mostra-nos que os habitantes originais da região eram os horeus, os quais foram dali expulsos pelos descendentes de Esaú. A arqueologia tem demonstrado habitações pré-iduméias na terra. Os descendentes de Esaú migraram para esse território e tornaram-se o poder dominante na região, — embora não o único agrupamento humano (Gên. 14:6). Por volta de 1850 A.C., houve uma interrupção no desenvolvimento da cultura iduméia, o que se prolongou até cerca de 1300 A.C., quando a área veio a ser dominada por povos nômades. Esaú ocupara essa área antes de Jacó retornar de Harã (Gên. 32:3; 26:6-8; Jos. 14:4).

Chefes tribais controlavam a região (Gên. 36:15-19,40-43). *Reis* idumeus (chefes tribais, ou chefes de várias tribos) antecederam qualquer rei em Israel (Gên. 26:31-39; I Crô. 1:43-51).

IV. História

As descobertas arqueológicas desvendaram indícios de habitação, nessa área, até tempos tão remotos quanto o século XXIII A.C. A cultura iduméia começou ali entre 1850-1900 A.C. Talvez tenha sido a invasão de Quedorlaomer (Gên. 14:1 *ss*) que despovoou a área de seus habitantes mais antigos. Os horeus tomaram conta da região; e quando Esaú e seus filhos vieram a dominar e absorver os habitantes horeus originais (Gên. 14:6), eles encontraram as tribos usuais com seus respectivos chefes (Gên. 36:29,30). Esaú casou-se com uma filha de um desses chefes tribais (Gên. 36:2,25). Por sua vez, os descendentes de Esaú também tornaram-se chefes tribais da região (Deu. 2:12,22). Os idumeus tinham uma cultura bem estabelecida, com uma monarquia que começou antes mesmo da época do êxodo de Israel do Egito. Os registros escritos dos idumeus desapareceram, embora os egípcios nos dêem algumas informações, como também os hebreus e os assírios. Os registros dos dias dos faraós Mernepta (cerca de 1225-1215 A.C.) e de Ramsés III (cerca de 1198-1167 A.C.) mencionam os idumeus como tributários. Alguns historiadores duvidam da exatidão dessa reivindicação. Os trechos de Gên. 36:20-30 e I Crô. 1:43-54 mencionam a sociedade monárquica dos idumeus. O papiro Anastasi VI, do Egito, menciona tribos-pastores de Edom. E a carta de Tell el-Amarna, nº 256 (cerca de 1400 A.C.), ao chamar Edom de *Udumu*, refere-se ao lugar como um adversário do príncipe jordaniano. A história de Edom inclui grande caldeamento de raças. Os casamentos mistos deram-se com os cananeus (hititas, Gên. 26:24) e com os horeus do monte Seir (Gên. 36:20-30). A absorção e a mescla criaram um povo distintivo, hostil a Israel. Quando Israel desejou atravessar o território de Edom, a caminho da conquista da Terra Prometida, não tiveram permissão para tanto; mas Edom, visto descender de um irmão distante, não deveria ser perturbado (Jos. 15:1,21).

A história subseqüente inclui vários incidentes de hostilidades, sendo provável que esses fossem permanentes. Saul teve problemas com os idumeus (I Sam. 14:47). No entanto, houve idumeus que o serviram (I Sam. 21:7; 22:9). Davi subjugou a terra deles, e ali erigiu fortificações (II Sam. 8:13,14). Joabe tinha como um de seus alvos erradicar todos os idumeus do sexo masculino; e podemos supor que isso criou uma grande e contínua hostilidade (I Reis 11:15,16). Esse programa de Joabe, todavia, não obteve sucesso total, pelo que, mais tarde, Salomão teve problemas com os idumeus (I Reis 11:14-22). Entretanto, ele dominou essencialmente a Iduméia, tirando vantagem de suas riquezas naturais. Construiu um porto marítimo em Eziom Geber, no golfo de Ácaba, para servir ao comércio marítimo (I Reis 9:26; II Crô. 8:17). A arqueologia tem descoberto as minas de cobre e de ferro de Salomão, localizadas entre três e cinco quilômetros de Elate (no golfo de Ácaba).

Edom, porém, recuperou-se. Aliados de Amom e de Moabe, nos dias de Josafá, os idumeus atacaram Judá (II Crô. 20:1). Então, posteriormente, esses aliados combateram uns contra os outros (II Crô. 20:22,23). Judá, entretanto, conseguiu o predomínio e um governador, controlado por Judá, passou a dirigir os idumeus (I Reis 22:48). Todavia, no tempo de Jeorão, Edom rebelou-se novamente, atacando

EDOM — EDUCAÇÃO

Eziom-Geber (II Reis 8:21). Jeorão levou a melhor na refrega, embora não tivesse podido subjugar totalmente os idumeus. E Edom ficou independente por um período de cerca de quarenta anos. Amazias (796-767 A.C.) promoveu outra invasão de Edom, matou dez mil guerreiros idumeus e capturou Sela, a capital (II Reis 14:7; II Crô. 25:11,12). Uzias aniquilou o que ainda restava deles (II Reis 14:22). Porém, uma vez mais Edom obteve a independência e Judá nunca mais teve a oportunidade de reconquistar o território. Tiglate-Pileser III, da Assíria, compeliu Kaush-malaku, rei de Edom, a submeter-se a seu governo. A área foi absorvida pelos babilônios, em 604 A.C. Eles aliaram-se a Nabucodonosor e ajudaram a destruir a cidade de Jerusalém, em 587 A.C., e então regozijaram-se grandemente diante do acontecimento (Sal. 137:7; Lam. 4:21,22; Oba. 10-16). Subseqüentemente, alguns idumeus ocuparam a porção sul de Judá, fazendo de Hebrom a sua capital. Isso resultou na formação da Iduméia do período pós-exílico. No século V A.C., Edom caiu sob o poder dos árabes. Os nabateus, no século IV A.C., conquistaram a região e fizeram de Petra (Sela) a sua capital. Alguns idumeus fugiram para a Iduméia, mas a maioria deles foi absorvida pelos novos habitantes da região.

Chegamos então ao tempo dos Macabeus. Judas Macabeu obteve vitória sobre os idumeus, em 164 A.C. (I Macabeus 4:1-5; Josefo, *Anti*. 12:8,1). João Hircano ocupou o território inteiro, em 120 A.C. Nessa época, o judaísmo tornou-se a religião obrigatória deles, conforme nos diz Josefo (*Anti*. 13:9,1; 15:7,9). Depois disso, chegou o poder dos romanos, e todos os territórios em questão ficaram sob o domínio deles. Antípater, pai de Herodes, o Grande era proveniente da Iduméia. Ele governava o território inteiro; então Herodes, o Grande, tornou-se o governante, em 37 A.C. Foi nesse tempo que houve a última dinastia de governantes palestinos. Após a destruição de Jerusalém, em 70 D.C., os idumeus desapareceram da história. Isso pôs fim à história de Edom. Foi um jogo irônico da história que os descendentes daqueles que tanto haviam exultado ante a queda de Jerusalém, em 587 A.C., estivessem entre os mais resolutos defensores da cidade, quando os romanos a atacaram, em 66-70 D.C. (BAL GL S UN Z)

EDOS

Um filho de Nebo que se casara com uma mulher estrangeira, durante o cativeiro babilônico e que precisou divorciar-se dela. Ele é chamado Jadai, em Esd. 10:43. Ver também o livro apócrifo de Ezra 9:35.

EDREI

No hebraico, «forte», ou «terra semeada». No primeiro caso, talvez se refira às fortificações das cidades. Há duas cidades com esse nome, nas páginas do Antigo Testamento, a saber:

1. Nome de uma cidade fortificada do norte da Palestina, situada perto de Cades e Hazor, embora, atualmente, não se saiba exatamente onde ela ficava localizada. Alguns estudiosos têm sugerido o moderno Tell Khureibeh. Talvez a *i-t-r'* referida nas listas das campanhas de Tutmés III, encontradas em Carnaque, seja o local em questão. Quanto a uma referência bíblica, ver Jos. 19:37.

2. Uma cidade de Basã, do outro lado do Jordão, mencionada em Jos. 12:4,5; 13:12; Deu. 3:19. Foi nesse lugar que o rei Ogue foi derrotado em batalha contra Israel (Núm. 31:33-35; Deu. 1:4; 3:1-3). Foi edificada sobre um lugar elevado que olha para a bifurcação sul do rio Iarmuque, ao longo da fronteira sul de Basã (que vide). O local é atualmente identificado com uma aldeia do sul da Síria, chamada Der'a, cerca de noventa e sete quilômetros ao sul de Damasco e a metade dessa distância a leste do rio Jordão. A arqueologia tem identificado ruínas ali, que começam pelo menos na época da idade do Bronze Antigo. O cônsul Wetzstein foi quem primeiro escavou o local, em 1860; mas, depois dele, várias escavações tiveram lugar. Uma notável e incomum cidade subterrânea foi encontrada ali, — que provavelmente data do período helênico ou romano. Numerosas ruas, lojas, dependências, etc., foram descobertas em cavernas feitas na rocha basáltica. Aparentemente a cidade foi preparada a fim de receber a população que normalmente vivia à superfície, acima dela, quando invasores viessem ocupar a região. Na média, fica a 21 m abaixo da superfície. Respiradouros foram cavados até à superfície, a fim de suprir ar fresco. Foram cavadas cisternas, no fundo da cidade, a fim de suprir água. É possível que uma cidade ainda bem maior do que essa exista na mesma localização, ainda mais abaixo da superfície, e que aquilo que a arqueologia já descobriu seja apenas uma parte do total. É curioso que, em nossos dias de ameaça de guerras atômicas, o conceito da cidade subterrânea esteja retornando aos pensamentos dos homens e isso pela mesma razão: para obter proteção contra os desígnios violentos de outros homens.

EDUCAÇÃO

Esboço:
I. A Palavra e Suas Definições
II. A Educação em Relação ao Antigo Testamento
III. A Educação Helênica
IV. A Educação e Certos Personagens do Novo Testamento
V. Educação Cristã
VI. Filosofia da Educação
VII. A Educação e os Ideais do Novo Testamento

I. A Palavra e Suas Definições

A **educação** é o desenvolvimento e o cultivo sistemático das capacidades naturais, por meio do ensino, do exemplo e da prática. Inclui tanto o conhecimento teórico quanto a experiência prática, no desenvolvimento de habilidades diversas. Em um sentido formal, essa palavra indica o ensino como um sistema, servindo de sinônimo da palavra «pedagogia». No sentido bíblico, porém, o processo da educação combina-se com os princípios espirituais que, segundo se espera, emprestam poder e significado aos ensinos que transcendem os meios intelectuais normais e os meios humanos práticos. A revelação e a inspiração saem em ajuda da educação, pelo que também o Senhor Jesus Cristo é o supremo exemplo que as pessoas bem-educadas deveriam seguir e tentar duplicar, tanto na natureza quanto na prática.

O moderno vocábulo hebraico para «treinar» deriva-se do mandamento que aparece em Provérbios 22:6 e que nossa versão portuguesa traduz por: «Ensina a criança no caminho em que deve andar, e ainda quando por velho não se desviará dele». Outros termos relacionados à educação são aqueles que denotam as idéias de *instrução* e *aprendizagem*. Todos os bons processos de educação dispõem de compêndios adequados. No tocante ao processo da

Educação

Desenho do fim da Idade Média mostra diversas ciências na "torre da filosofia" presidida pela teologia

A Evolução da Instrução
••• •••

O conceito da Unidade da Verdade: Deús é a verdade; a fonte da verdade; o alvo da verdade. A teologia e a metafísica explicam Deus. Todas as ciências ilustram seus pensamentos.

O dono da casa de instrução, na Idade Média, era a teologia. A teologia era a rainha das ciências.

Os assuntos foram chamados (segundo duas grandes classificações) a *Filosofia Sobrenatural* e a *Filosofia Natural*, até 1870.

Mentes universais como Platão, Aristóteles (tempos clássicos) e Alberto Magno e Tomás de Áquino (tempos da Idade Média) dominaram todo o conhecimento de suas épocas, sendo *doutores universais*.

O crescimento do conhecimento humano criou inumeráveis áreas de estudo, acompanhadas por especialização.

Até o tempo da Renascença, Aristóteles dominou a ciência e a Igreja dominou o pensamento geral do homem ocidental.

A Igreja se mostrou intolerante às novas idéias. Se não houvesse intolerância, não haveria porque aprimorar argumentos.

A tolerância das religiões orientais não resultou num avanço significante das ciências naturais.

••• •••

EDUCAÇÃO

educação espiritual, o texto principal é a Bíblia, havendo outras obras que suplementam o conhecimento adquirido através da Bíblia, que fornecem instrução quanto a todas as variedades de conhecimento que podem ter alguma aplicação espiritual. *Mestres* são providos para ajudar no processo, a fim de proverem o exemplo e as instruções adequados. Esses professores são descritos como *sábios* (ver Pro. 13:14 e 15:7). Seus alunos eram chamados, antigamente, de «filhos» (ver I Crô. 25:8 e Pro. 2:1), porquanto a educação processa-se melhor quando os princípios espirituais da família divina estão sendo ensinados e seguidos.

No Novo Testamento encontramos menção aos *rabinos* (professores) e aos *mestres* (professores). No grego, esta última palavra é *didáskalos*, termo usado por cerca de cinqüenta vezes nos evangelhos, mas aplicado de modo supremo a Jesus. Ele ensinava às multidões (Mar. 2:13), nas sinagogas (1:21), ou então, particularmente, aos seus discípulos (Mat. 5:1,2). Os discípulos (aprendizes) foram mencionados por mais de duzentas vezes nos evangelhos. Ele lhes ensinava doutrina (no grego, *didache*). Parte da Grande Comissão era o ministério do ensino, conforme se vê em Mat. 28:19,20.

Educação Formal e Informal:

A **educação formal** é adquirida através do estudo bem organizado, usualmente administrado nas escolas. Esse ensino se faz por graus, havendo certo número de disciplinas requeridas, dentro de um determinado número de anos. A *educação informal* é aquela adquirida mediante o estudo privado, ou mediante a experiência diária, incluindo aquilo que se aprende através de comunicações, livros, revistas, rádio, televisão, cinema, etc. *Educação* é o nome daquela ciência ou ramo de estudos que trata, histórica e contemporaneamente, dos princípios e práticas do ensino e do aprendizado.

II. A Educação em Relação ao Antigo Testamento

1. *Pano de Fundo*. Sistemas primitivos de educação se desenvolveram já desde o terceiro milênio A.C. Há manuais de ensino que remotam até 2.500 A.C. Na antiga Suméria havia numerosas escolas para os escribas. As disciplinas ali ensinadas diziam respeito à religião, às atividades nos palácios e aos negócios do estado. Disciplinas específicas incluíam a botânica, a zoologia, a geologia, a geografia, a matemática, as línguas e várias questões relacionadas à cultura e à religião. Uma escola contava com seu professor e seus alunos, — que eram chamados, respectivamente, *pai* e *filhos*. Havia uma educação profissional, como no caso dos escribas e dos oficiais religiosos e do governo. No nível elementar, a língua era tão importante quanto a literatura e a religião. Uma educação superior estava reservada aos oficiais do governo, à casta sacerdotal, e a certos profissionais, como os médicos.

Há paralelos a esse tipo de sistema em várias referências do Antigo Testamento, embora as escolas formais (como aquelas dos profetas) pertençam a um tempo posterior, já dentro da monarquia. Desde a época de Samuel, por exemplo, vemos que esse profeta, desde menino, fora dedicado ao serviço de Deus, tendo sido educado sob a supervisão de Eli, o sacerdote. Assim sucedeu, embora Samuel não pertencesse à casta sacerdotal. Alguns estudiosos supõem que escolas formais, que funcionavam em torno dos santuários religiosos, foram um fenômeno bem antigo em Israel, com paralelos nos costumes egípcios, de onde também podiam ter sido importadas. Seja como for, havia uma classe de escribas em Israel,

tal como no Egito. Personagens como Moisés, os juízes e os reis participavam do trabalho dos escribas, embora seja provável que a maioria dos escribas proviesse da classe sacerdotal. Ver o artigo sobre os *Livros*, que indica esse fato. Mais ou menos na época do exílio babilônico, a classe dos escribas tomou grande impulso, tornando-se uma profissão bem definida, que incluía uma lata função educativa, porquanto muitos deles eram professores, e não apenas copistas de manuscritos. Ver os informes sobre o *autor* do livro de Eclesiastes, quanto a informações sobre isso. Apareceu uma classe escribal aristocrática. Ver II Sam. 8:17; II Crô. 24:11; I Crô. 24:6; 27:32; II Crô. 34:13 e Jer. 36:26 quanto a referências bíblicas sobre esse tipo de atividade. A classe superior dos oficiais religiosos também envolveu-se em atividades políticas, mas a erudição bíblica passou para as mãos de uma classe especial de escribas, de onde surgiram as grandes escolas rabínicas. Ver Esd. 7:6,11 e Nee. 8:4,9,13 quanto a evidências sobre essa classe que vinha emergindo na época deles. Tal como na antiga Suméria, nas escolas dos rabinos havia a relação de pai e filhos, entre os professores e seus aprendizes. Ver Pro. 2:1. Isso nos brindou a literatura de sabedoria do Antigo Testamento, incluindo obras como Provérbios, Eclesiastes, Sabedoria de Salomão, etc.

2. *Inspiração Básica*. Platão interessava-se pela realidade última, isto é, o universal, e os seus diálogos demonstram que ele buscava um conhecimento celestial. Porém, ele também ensinava sobre política, ética, matemática, estética e epistemologia, como disciplinas importantes. Aristóteles foi um cientista, e quase todos os seus escritos representam investigações científicas. Mas a convicção que inspirava a educação judaica era a convicção de que o Deus dos judeus era um Deus moral e nacional, que regulamentava todo o conhecimento e a conduta de seu povo, conferindo-lhes suas instruções através de profetas e homens santos. Toda a educação entre os judeus, portanto, baseava-se sobre princípios morais e teológicos. A educação tinha por intuito tornar os homens sábios na teoria e na prática, promovendo a espiritualidade geral deles. A dimensão espiritual, por conseguinte, sempre ocupou o primeiro plano na educação judaica; e até mesmo em nossos dias, nas comunidades judaicas, esse é o princípio normativo. A responsabilidade dos pais, portanto, era bastante grande. As escolas formais, excetuando as mais antigas, dos escribas e dos profetas, desenvolveram-se primeiramente em outras culturas e não entre os judeus. Paradoxalmente, os judeus vieram a adotar aquela instituição helênica, a escola, com uma ampla aplicação, a fim de proteger o judaísmo das influências gregas.

3. *A Religião e as Habilidades Básicas*. O próprio Antigo Testamento é um texto de conhecimentos religiosos, e isso desde o começo. Seus livros foram aparecendo gradualmente, com a passagem de vários séculos, tendo inspirado toda a cultura judaica. Também sabemos que muitos outros livros foram publicados, que nunca vieram a fazer parte do cânon sagrado. O intuito da educação judaica não era tecnológico e científico. Nunca houve nenhum Aristóteles judeu. Em muitos aspectos culturais, a sociedade judaica era débil. Tinha que fazer empréstimos na área da arquitetura, por exemplo. Até mesmo o famoso templo de Jerusalém foi edificado com o aproveitamento de idéias estrangeiras, e com ajuda de construtores estrangeiros. A estética era fraca entre os judeus, porquanto temiam desobedecer ao mandamento acerca das imagens de escultura. Não havia

269

EDUCAÇÃO

qualquer investigação formal nos campos da matemática, da biologia, da astronomia, etc., conforme se via em outras culturas, mormente na Babilônia. A fé religiosa absorvia praticamente toda a atenção. Naturalmente, havia um ensino relacionado às habilidades básicas da agricultura e do comércio. Às donzelas ensinavam habilidades domésticas, o que era feito pelas mães das famílias; e os pais eram responsáveis pela educação dos meninos e rapazes. A leitura era ensinada por estar diretamente relacionada ao uso das Escrituras. De fato, o alfabeto, conforme o conhecemos, é de origem hebréia. Ver o artigo separado sobre o *Alfabeto*. — Não sabemos qual proporção do povo judeu sabia ler. Supõe-se que a proporção era pequena, — e que apenas homens adquiriam essa habilidade, embora o conteúdo dos livros se tornasse conhecido de todos através do ensino. A literatura não era universal (Isa. 29:11), embora parecesse generalizada durante o começo do período monárquico. W.F. Albright supunha que aí por volta do século X A.C., até mesmo muitos aldeões de Israel sabiam ler. Textos como os de Deu. 6:9; 17:18,19; 27:2-8; Jos. 18:4,9; Juí. 8:14 e Isa. 10:19 mostram que a capacidade de ler era importante, ao menos na antiga sociedade judaica. As inscrições de Siloé, as cartas de Laquis e os papiros Elefantinos mostram que a escrita era uma prática generalizada entre as nações que estavam vinculadas geográfica e racialmente a Israel. O trecho de I Macabeus 1:56 mostra-nos que havia cópias da Tora e do Talmude nas casas e não apenas nas escolas, e isso demonstra que, por esse tempo, deve ter havido uma alta taxa de alfabetização em Israel.

4. *Alvos Específicos*. Já pudemos observar que a cultura hebréia dizia respeito, essencialmente à religião e às habilidades básicas, e não à ciência. O que importava era a história da nação e sua herança (Êxo. 12:26,27; 13:7,8; Jos. 4:21 ss). É significativo o destaque que os hebreus tiveram como historiadores desde a antiguidade, especialmente durante e após o período da monarquia. Uma porção considerável do Antigo Testamento consiste em história. O que tinha importância suprema eram as ordenanças da lei (Deu. 4:9,10; 6:20), de tal modo que a espiritualidade e os princípios éticos eram pontos básicos na educação judaica (Lev. 19:2 ss). Nisso entra, necessariamente, a lei civil e a organização da sociedade e suas instituições; mas não havia qualquer divisão clara entre a lei civil e a lei religiosa. As leis civis eram uma especialidade dos romanos. Na sociedade judaica, a justiça era definida em termos religiosos, sendo aplicada em todas as circunstâncias da sociedade em geral. A justiça social estava vinculada à justiça de Deus (Amós 2:6,7). O temor de Deus é o começo das boas idéias e das boas práticas (Pro. 9:10). Dentro da literatura de sabedoria, aparecem todas as formas de instruções específicas. Mas a base de tudo é a retidão (Pro. 1:2-4).

5. *Negócios Práticos*. Ver o artigo geral sobre *Artes e Ofícios*, que provê informações sobre essa questão, dentro da cultura de Israel. A arqueologia tem mostrado que os hebreus eram habilidosos em atividades como a edificação, a mineração, a metalurgia, o entalhe em madeira e em pedra, etc. (Êxo. 35:30 ss). Não havia, contudo, escolas formais para ensinar essas artes. Aprendia-se tudo na escola prática, cada qual começando como um aprendiz. Não havia escolas de música, de arquitetura, de escultura, de pintura ou das artes em geral; mas a música era uma importante atividade e profissão em Israel, por causa de sua conexão com a religião. Davi desenvolveu essa atividade de modo considerável,

quando era rei.

6. *A Sinagoga*. Ver o artigo separado sobre esse assunto, quanto a um estudo mais completo. Não temos qualquer informação, nem no Antigo e nem no Novo Testamentos, sobre a origem das sinagogas; e nem mesmo nos livros apócrifos temos essa informação. Os eruditos supõem que, como uma instituição formal, a sinagoga desenvolveu-se durante o cativeiro babilônico. A palavra «sinagoga» encontra-se em Sal. 74:8, mas ali significa apenas «assembléia», não havendo qualquer alusão à instituição que recebeu esse nome. A palavra aparece por cinqüenta e seis vezes no Novo Testamento. Antes do exílio babilônico, o templo era o centro de todas as atividades religiosas. Quando o templo foi destruído, então as sinagogas tornaram-se células dessa atividade, bem como de aprendizado. É possível, contudo, que as sinagogas tenham surgido antes mesmo do exílio babilônico, e que este apenas consolidou a importância das mesmas. Seja como for, a sinagoga tornou-se um centro de todas as atividades religiosas, sociais e de instrução. Na sinagoga não havia altar e nem sacrifícios. O estudo e a leitura da Tora, bem como a oração, tornaram-se as atividades centrais ali. A sinagoga era o centro do governo de Israel. Ela provia uma espécie de sistema de educação de adultos em massa, onde a Tora era estudada sistematicamente, semana após semana. Todos quantos freqüentavam a sinagoga tornavam-se estudantes da lei. Quando o povo judeu não mais era capaz de entender o hebraico, as explicações eram feitas em aramaico.

7. *O Desenvolvimento de Escolas*. A primeira escola de um judeu era o seu lar. Os mestres eram os pais e os alunos eram os filhos. O lar nunca perdeu a sua importância como o lugar primário de aprendizado. Entre os cristãos, os mórmons são os que mais têm salientado esse aspecto da instrução. Então surgiram as escolas de profetas, que dirigiram o primeiro ensino sistemático e constante fora dos lares. Eles encontravam em Moisés a sua grande inspiração (Deu. 34:10; 18:15 ss). Os profetas tornaram-se os mestres e instrutores de Israel de uma classe de homens eruditos, que se tornaram líderes da nação. Pela época da monarquia, havia grupos ou companhias de profetas, de tal modo que eles formaram uma classe distinta dentro da nação (I Sam. 10:5,10; 19:20). Os «filhos dos profetas» eram os discípulos das escolas que haviam sido formadas. Ver I Reis 19:16; II Reis 2:3 ss. Então surgiram as sinagogas, que representaram um passo vital no desenvolvimento das escolas, conforme nós as conhecemos. Entretanto, nenhuma escola era separada da sinagoga e nenhum sistema escolar formal formou-se em Israel, senão já dentro do período helenista e isso por motivo de competição com as escolas gregas. A literatura rabínica informa-nos que um sistema escolar compulsório foi criado pelos fariseus, no século I A.C. Sabemos que Simão ben Shetach (75 A.C.) ensinava às pessoas de uma maneira sistemática e regular; mas o texto que ele usava era a Tora. Em Israel não havia educação liberal. As escolas elementares, para as crianças, não parecem ter surgido antes do século I D.C. Joseph ben Gamala (cerca de 65 D.C.) tentou fazer a educação elementar tornar-se compulsória e universal, com escolas onde as crianças entravam com seis ou sete anos de idade. As escolas elementares eram chamadas *Casa do Livro*. O currículo continuava sendo, essencialmente, orientado segundo a Bíblia. Toda e qualquer referência às ciências, em quaisquer de suas formas, era feita de modo inteiramente incidental. Foram desenvolvidas escolas secundárias para os alunos mais promissores. A religião

EDUCAÇÃO

continuava sendo o centro de todas as atividades educacionais. Além da Bíblia e da Mishnah, foi instituído o debate teológico. As escolas que funcionavam desse modo eram chamadas *Casas de Estudo*. Finalmente, foram formadas academias autênticas, que eram reputadas lugares sagrados, e não apenas lugares de aprendizagem. O *Talmude* resultou das atividades dessas escolas e grandes líderes se salientaram então, como Hilel, Shamai e Gamaliel. Paulo educou-se na escola de Gamaliel.

Isso significa que, em Israel, havia três instituições de ensino diferentes: a sinagoga, as escolas elementares e as academias, ou casas de estudos. As academias funcionavam separadas das sinagogas, em seus próprios edifícios, ou talvez na residência do mestre principal.

8. *O Lar*. O lar era a unidade básica da sociedade, bem como a primeira escola que um menino judeu conhecia. O Antigo Testamento mostra o grande valor dado às crianças e grande responsabilidade pesava sobre os ombros dos pais, porquanto os filhos eram tidos como dons de Deus (Jó 5:25; Sal. 127:3; 128:3,4. Ver também Gên. 18,19 e Deu. 11:19 quanto à importância da instrução doméstica). As crianças eram treinadas em seus deveres, religiosos ou outros (I Sam. 16:11; II Reis 4:18). O treinamento artístico fazia parte da instrução recebida (Juí. 21:21; Lam. 5:14). Às meninas eram ensinadas prendas domésticas, por suas mães (Êxo. 35:25; II Sam. 13:8). Os meninos aprendiam negócios e ofícios. As casas numerosas, como aquelas de pessoas ricas, estavam sujeitas a uma instrução global (Gên. 18:19). O elemento religioso sempre ocupava o primeiro plano (Deu. 6:4-9; Sal. 78:3-6; Pro. 4:3). Algumas poucas mulheres, segundo todas as aparências, eram bem educadas e chegaram a tornar-se líderes (Juí. 4:4 *ss*, II Reis 22:14-20).

9. *Educação Pessoal*. Ouvi falar sobre um homem que conservou seus filhos em casa, a fim de que eles obtivessem uma boa educação. A iniciativa pessoal sempre foi muito importante em Israel. Abraham Lincoln era um advogado autodidata, que veio a tornar-se o presidente de uma grande nação. Alguns dos maiores rabinos eram autodidatas que exerciam algum ofício comum, ao mesmo tempo em que eram mestres religiosos na comunidade. Há um certo tipo de educação quase impossível de dominar sem mestres e sem escolas; mas a educação religiosa pode depender muito dos estudos individuais, inteiramente à parte de escolas. A moderna erudição bíblica, entretanto, inclui estudos sobre disciplinas como idiomas antigos, a história, a literatura, além de muitas coisas, às quais poucos têm acesso, exceto através de escolas e mestres formais.

10. *O Ensino como uma Profissão*. Os pais eram os primeiros tutores de seus filhos. Em tempos posteriores, os filhos da casa real (e, segundo podemos supor, dos ricos), tinham tutores especiais. O Talmude revela-nos a contínua importância dos pais, no ensino de seus filhos, aos quais ensinavam algum negócio ou ofício. Após o exílio babilônico, os escribas profissionais vieram à existência. Eles eram os mestres na sinagoga, e isso era a essência de suas atividades. Havia os sábios, mas o termo parece não distinguir uma classe distinta de mestres. No Novo Testamento há menção aos sábios (no hebraico, *hakam*), aos escribas (no hebraico, *sopher*) e aos oficiais (no hebraico, *hazzan*). Todos esses eram mestres, aparentemente em uma ordem descendente de autoridade. Nicodemos, entretanto, era um *doutor da lei* (no grego, *nomodidáskalos*), o que parece ter sido um título de muito prestígio. Os mestres,

ordinariamente, não recebiam paga por seu trabalho, embora pareça ter havido alguma remuneração pelos serviços prestados (ver Eclesiástico 38:24 *ss*, onde o trabalho manual aparece como abaixo da dignidade de um mestre, embora isso pareça dizer respeito mais aos escribas aristocráticos). Muitos rabinos importantes exerciam alguma profissão juntamente com suas atividades como mestres e essa profissão geralmente envolvia algum trabalho manual. O Talmude fornece-nos muitas qualificações para os professores, embora essas qualificações fossem mais morais e espirituais e não tanto acadêmicas. Um professor do sexo masculino tinha de ser casado, segundo a prática judaica e as orientações do Talmude.

III. A Educação Helênica

1. *O período helenista* começou com Alexandre, o Grande e entrou no período greco romano, num total de cerca de trezentos anos. Corresponde, mais ou menos, ao período intertestamental. Foi nesse tempo que a língua e cultura gregas se espalharam pelo mundo civilizado da época. O helenismo foi um fenômeno cultural, militar, religioso e político e, naturalmente, influenciou o judaísmo e o cristianismo. No tocante à educação, os sistemas do helenismo tinham suas raízes nos sistemas de Esparta e de Atenas. Os dois sistemas eram radicalmente diferentes. Em Esparta, o indivíduo era subjugado, tornando-se subserviente ao Estado. Em Atenas, a idéia era o máximo de treinamento e desenvolvimento do indivíduo, de maneira tal que pudesse produzir o máximo, em benefício da cultura geral. Esparta frisava o aspecto militar. Atenas enfatizava a filosofia, as artes e as ciências. Platão foi um pioneiro na filosofia da educação. Em sua obra, República, ele oferece muitos detalhes sobre suas idéias educacionais. Sócrates foi o mestre de Platão, e também foi o supremo mestre da ética. Aristóteles foi pupilo deste e tornou-se o maior cientista da época. Ambos elaboraram teorias arrojadas sobre o conhecimento. Platão enfatizava o aspecto religioso e metafísico e Aristóteles enfatizava o aspecto científico. Alexandre, o Grande foi aluno de Aristóteles e tornou-se o instrumento na propagação da cultura grega de todos os tipos, em todo o mundo conhecido de seus dias. As filosofias de Platão e Aristóteles continuaram a dominar o pensamento do mundo civilizado por muitos séculos, juntamente com o estoicismo e o epicurismo. Ver o artigo separado sobre *Escolas Filosóficas do Novo Testamento*. Platão exerceu uma imensa influência sobre o pensamento religioso e o *neoplatonismo* (que vide) foi uma adaptação de suas idéias.

2. *Roma fez a Grécia curvar-se* diante de seu poderio militar. Roma foi a suprema legisladora antiga. Mas a filosofia e a cultura permaneceram gregas quanto à sua natureza. Os ideais gregos abordavam todos os aspectos do homem: do corpo, da mente e do espírito. Foi desenvolvida uma nobre filosofia acerca da alma, acompanhada por provas racionais. Isso ultrapassou a tudo quanto houvera no judaísmo. Quanto a esse ponto, a filosofia e a teologia dos gregos eram superiores às suas congêneres no judaísmo. Na verdade, a alma é um aspecto importante de nossa teologia cristã. Perguntaram, de certa feita, a Agostinho: «O que você mais deseja saber?» Ele respondeu: «Deus e a alma!» Veio nova pergunta, admirada: «Nada mais?» Agostinho então afirmou: «Nada mais!» Quanto a essa área, pois, o helenismo muito contribuiu para o pensamento dos hebreus, e qualquer processo de educação está baseado, pelo menos em parte, naquilo que consideramos que o homem é. Se o homem é um

EDUCAÇÃO

espírito eterno, então a educação precisa levar isso em conta.

3. *Aspectos dos Sistemas Helenistas de Educação.* As meninas eram educadas, quanto às prendas domésticas, no lar. Poucas mulheres eram educadas academicamente, e a maioria delas continuava no analfabetismo. Somente as aristocratas e as prostitutas misturavam-se livremente na sociedade masculina da época. Os rapazes, durante cerca de cinco anos eram educados em casa. Havia escolas elementares para meninos, uma vez que atingissem os seis anos de idade, onde continuavam até cerca de quinze anos de idade. Esses anos eram dedicados ao aprendizado de habilidades fundamentais como a leitura, a escrita e a matemática. Então vinha o *ginásio*, para rapazes que tinham entre dezesseis e dezoito anos de idade. Nesse tempo, as disciplinas estudadas eram a educação física, a filosofia, as ciências, a literatura e a política. Esse tipo de educação, entretanto, limitava-se aos homens livres, com o intuito de torná-los cidadãos dignos e produtivos. Os rapazes entre os dezenove e os vinte anos, que fossem capazes, serviam às forças militares.

4. *O Ginásio.* Em muitos lugares, o ginásio equivalia aos colégios de artes liberais. Eram freqüentados, principalmente, pelos filhos dos ricos e dos aristocratas. As cidades de Atenas, Tarso e Alexandria contavam com verdadeiras universidades, as quais, naturalmente, eram mais limitadas em seu currículo que suas congêneres modernas. A filosofia e a retórica eram ali muito enfatizadas, embora também fossem incluídas ciências como a matemática, a biologia, a zoologia, a medicina, etc.

5. *Influências Sobre a Educação Judaica.* Livros como Eclesiastes e Eclesiástico, ou seja, pertencentes à literatura de sabedoria, refletem a sabedoria e o estilo literário dos gregos. A alma, finalmente, veio a ser muito importante no pensamento judaico, porque os gregos (e as religiões orientais) estavam propagando suas idéias, que influenciavam o judaísmo. Os judeus ortodoxos, contudo, detestavam a *sabedoria grega*, e falavam em termos cortantes contra qualquer pai que ensinasse seus filhos à moda helênica. Por outra parte, os filósofos hebreus desenvolveram uma tentativa de reconciliação entre Platão e Moisés, como foi o caso de Filo. Maimonides (já na Idade Média) é um outro exemplo desse esforço; e, juntamente com ele, Aristóteles muito tem a dizer sobre temas importantes. A fim de combater as escolas pagãs helênicas, o judaísmo precisou instituir escolas similares, onde eram promovidos os grandes ideais judaicos.

A cultura helênica foi a responsável pela produção da Septuaginta e de outra literatura em grego, que se revestiram de interesse para os judeus da *dispersão* (que vide). Os livros apócrifos e pseudepígrafos vieram à existência e acrescentaram algo à tradição judaica de livros sagrados. Idéias e elementos extraídos desses livros foram incorporados no Novo Testamento, mormente no que diz respeito à tradição profética e à descrição do julgamento final. Escritores como Filo, de Alexandria (século I D.C.), exerceram grande influência sobre o judaísmo; e eles mesmos foram muito influenciados pelas idéias helênicas, especialmente pelo neoplatonismo. Josefo, o único grande historiador judeu do século I D.C., era homem perfeitamente integrado na cultura helênica. Paulo, que nasceu em Tarso (um dos centros do estoicismo romano) aprovou e lançou mão de muitas idéias éticas e teológicas dos filósofos estóicos em suas epístolas, embora sua educação principal fosse uma educação tradicionalmente judaica, porquanto edu-

cou-se aos pés de Gamaliel, que foi um notório mestre fariseu. Paulo ensinou na escola de Tirano, em Éfeso (Atos 19:9), que é a única referência do Novo Testamento onde aparece a palavra grega *skolē*. É provável que Paulo tivesse alguma educação helênica formal. E homens como Ápolo (Atos 18:24,28), certamente, eram bem treinados no sistema helênico. O próprio Paulo, ainda que em Atenas tivesse aplicado suas habilidades retóricas (Atos 17), de modo geral rejeitava a abordagem pagã em seu ensino do cristianismo, conforme se vê em I Cor. 1:17; 2:1-4,32—4:9,20. Era considerado um homem cru, de acordo com os padrões do paganismo, quanto à maneira de falar (II Coríntios 10:10 e 11:6). Precisamos lembrar que a retórica fora desenvolvida como uma ciência e que os gregos eram oradores realmente excelentes. Para uma audiência grega, um rabino podia ser uma pessoa muito enfadonha. Paulo, como bom judeu que era, continuou a depender dos essenciais da revelação nos assuntos que ensinava, e não se mostrava muito entusiasmado diante da autoglorificação que a retórica podia trazer a um orador. Ele vangloriava-se em sua humildade (II Cor. 6:4-10; 10:9—12:13). Muitos pregadores de nossa época continuam sendo mais atores e retóricos do que mensageiros do evangelho. O teatro continua exercendo forte influência sobre a Igreja.

IV. A Educação e Certos Personagens do Novo Testamento

1. *Jesus.* Pouca informação dispomos sobre esse assunto, no que concerne a Jesus, mas os poucos informes que temos ajudam-nos a formar uma idéia. Ele foi ensinado por sua mãe e aprendeu de José o ofício de carpinteiro. Mui provavelmente, ele freqüentou a escola da sinagoga local, onde deve ter aprendido a leitura e a escrita e onde deve ter-se ocupado em estudos religiosos. Entretanto, nunca freqüentou qualquer escola rabínica, segundo lemos em João 7:15. «Como sabe estas letras, sem ter estudado?» perguntavam. Apesar de sua falta de educação formal superior, foi capaz de deixar perplexos aos mais augustos líderes judeus com a sua sabedoria, quando estava apenas com doze anos de idade (Luc. 2:47). Naturalmente, quando falamos sobre Jesus, que foi o maior de todos os mestres espirituais, não podemos nos limitar a comentários sobre escolas. O seu ensino provinha do Pai, que O enviara (João 7:16). Existem coisas tais como a inspiração e a revelação que vão além do que qualquer educação formal é capaz de suprir. As declarações de Jesus mostram que ele tinha um total conhecimento das Escrituras judaicas e de modos de interpretação, juntamente com grande variedade de idéias, resultantes dessa atividade. Um grande mestre espiritual como foi Jesus, não pode ser avaliado, nem pelos nossos sistemas de educação e nem pelos nossos métodos científicos. Há um conhecimento por meio da razão, da intuição e da revelação, e esse conhecimento não depende de cursos acadêmicos.

2. *Os Doze Apóstolos.* Uma vez mais, nossas informações são escassas, embora possamos fazer algumas observações gerais. Visto que André, Pedro, Tiago e João foram pescadores, supomos que eles receberam pouca educação formal, provavelmente uma educação parecida com a de Jesus. Levi (Mateus) era cobrador de impostos e, como homem público que era, tinha alguma educação formal, incluindo aquela de estilo helenista. É especificamente mencionado em Atos 4:13 que as pessoas admiravam-se de Pedro e João, por causa de seus sermões vigorosos e de seu ministério poderoso, incluindo curas, porquanto sabia-se que eles eram homens que não haviam

272

EDUCAÇÃO

recebido uma educação formal. E isso foi explicado com base no fato de que eles tinham estado com Jesus. Quem passara alguns anos em companhia do Mestre, nunca mais poderia ser um homem comum.

3. *Paulo.* Alguns intérpretes duvidam que Paulo tivesse recebido qualquer educação helenizada formal; mas sua habilidade no uso do grego mostra outra coisa. Paulo não adquiriu isso aos pés de Gamaliel, um fariseu, em cuja escola ele obtivera sua principal educação (Atos 22:3). Gamaliel era um doutor da lei, um membro do Sinédrio. Essa foi a principal influência sobre a vida religiosa e intelectual de Paulo; mas precisamos lembrar que ele foi criado em Tarso, um centro da erudição estóica (Atos 16:37; 21:39; 22:25 ss). Sem dúvida, Paulo sabia grego (como uma língua nativa), latim (outra língua nativa, pois fora criado falando diversos idiomas), além do hebraico e do aramaico. As cartas encontradas entre o material dos Manuscritos do Mar Morto (que vide), incluem algumas escritas em hebraico e não apenas em aramaico. Podemos supor que ele dominava esses quatro idiomas. Paulo era dotado de consideráveis habilidades de estilo e de expressão. Portanto, o Espírito do Senhor escolheu-o para dar-nos uma larga porção de nosso Novo Testamento. E Lucas, um judeu grego bem educado, contribuiu ainda com maior volume de escritos neotestamentários, com sua longa história de Lucas-Atos. Aqueles que depreciam a educação, e que negligenciam e desprezam a atividade intelectual e as habilidades humanas, deveriam dar atenção a esses fatos. A própria existência do Novo Testamento originou-se de tais habilidades, desenvolvidas por homens que não temiam adquirir erudição e exprimi-la. Festo interrompeu Paulo, quando ele se defendia, dizendo: «Estás louco, Paulo; as muitas letras te fazem delirar» (Atos 26:24).

4. *Lucas.* A narrativa de Lucas-Atos, quanto ao volume, representa uma porcentagem levemente maior que a literatura paulina. Os estudiosos concordam que a linguagem usada por Lucas é da mais alta qualidade. Por detrás disso havia uma boa educação, provavelmente adquirida nas escolas helênicas. Lucas era de origem gentílica, visto que não era contado entre aqueles que pertenciam à circuncisão (Col. 4:11,14). Lucas era médico, conforme vemos em Col. 4:14. Isso significa que ele recebera educação formal em alguma escola pagã. Era um grego bem-educado. Os judeus pouco valor davam à medicina e jamais a ensinaram. Mas a íntima associação de Lucas com os judeus cristãos parece sugerir que ele também recebeu alguma instrução na sinagoga. Isso também fica subentendido em seu óbvio conhecimento da religião e das tradições judaicas. Eusébio revela-nos, em sua *História* (3:4), que Lucas era nativo da cidade de Antioquia, um centro da erudição grega. Não há provas por detrás dessa declaração, mas ela é suficiente para informar-nos que um produto das escolas helênicas foi usado pelo Espírito Santo para fornecer-nos a mais volumosa porção do nosso Novo Testamento, o que é um fato muito significativo, do ponto de vista da educação.

V. Educação Cristã
Ver o artigo separado sob esse título.

VI. Filosofia da Educação.
Ver o artigo separado sob esse título.

VII. A Educação e os Ideais do Novo Testamento
O surgimento do cristianismo neotestamentário não criou qualquer novo sistema escolar. Muitos cristãos haviam recebido instruções próprias do judaísmo e muitos outros receberam uma instrução tipicamente grega. A Igreja cristã primitiva, porém, não promoveu qualquer novo sistema de educação. Sabemos, através das afirmações de Juliano, o apóstata, do século IV D.C., que os cristãos vieram a exercer uma grande influência sobre as escolas pagãs; e os cristãos tinham a esperança de acabar com as escolas pagãs, anulando seu poder sobre o sistema educacional.

A Contribuição do Novo Testamento sobre a Educação. Essa contribuição tomava a forma de ideais educacionais e não de sistemas de educação. Os ideais morais e espirituais dos judeus foram continuados, mas, em terras de maioria gentílica, isso tinha de conviver com o sistema judaico. Havia cristãos educados em centros pagãos, mas que levavam consigo os ideais ensinados pelos livros sagrados judaico-cristãos. O Novo Testamento, pois, trouxe novos ideais. Ora, há homens espirituais cuja vida é promovida pelo Espírito, com a ajuda de dons espirituais. A educação não mais podia ser mero meio de produzir bons cidadãos de Atenas, de Corinto, de Tarso ou de algum outro lugar. Antes, precisava promover o bem-estar e o caráter dos cidadãos do reino celestial. Existe uma verdadeira *educação superior.* Ver Efé. 4:11-16. O alvo final dessa educação consiste em formar, no íntimo, o homem espiritual, segundo a imagem de Cristo, o grande Ideal, e assim implantar nos remidos a natureza divina (Col. 2:10; II Ped. 1:4; Rom. 8:29; II Cor. 3:18). Um indivíduo esperto e bem preparado pode nunca chegar à posição do Homem Ideal. Um outro ideal da educação cristã é o supremo princípio do *amor.* Não basta adquirir conhecimento. De fato, o conhecimento incha. Precisamos ultrapassar o conhecimento e chegar ao ideal do amor cristão (I Cor. 13). Essa é a medida real da estatura espiritual de um homem (I João 4:7 ss). Alguém já disse que ninguém é verdadeiramente educado enquanto desconhece a Bíblia. Esse é um fato autêntico. Porém, também é verdade que nenhum homem é realmente educado a menos que nele estejam bem formados os princípios bíblicos, incluindo, como um fator principal, o amor cristão, a prova mesma da espiritualidade. (AM BARC ID P PT Z)

EDUCAÇÃO, FILOSOFIA DA

Esboço:
I. Aspectos Históricos
II. Áreas da Filosofia Enfatizadas Nesse Estudo
III. Filosofias Tradicionais da Educação
IV. Algumas Teorias Educacionais Contemporâneas
V. Idéias de Filósofos Específicos

I. Aspectos Históricos
Filósofos antigos, como Platão, incorporaram em seus escritos elementos da filosofia da educação, embora ainda não contassem com um sistema. Até a década de 1960, a filosofia da educação, como uma disciplina separada, não havia conseguido ser uma disciplina importante na maioria das universidades. Eram ensinados assuntos como «a história das idéias educacionais», «princípios de educação», e eram analisadas as idéias dos filósofos, desde Platão até Dewey. Agora, entretanto, muitas universidades estão incluindo algum curso formal intitulado Filosofia da Educação.

II. Áreas da Filosofia Enfatizadas Nesse Estudo
A filosofia da educação é uma especialização dentro

EDUCAÇÃO

da própria disciplina da filosofia, e, por conseguinte, como é natural, incorpora idéias provenientes de vários campos específicos. Quatro ramos da filosofia são necessários nesse estudo, a saber:

1. *A Ética*. Ver o artigo sobre a Educação e a Moralidade, quanto a uma completa exposição do envolvimento da ética na história da educação. A educação é algo superficial, a menos que faça algo em favor da moralidade e da espiritualidade dos homens. O homem não pode viver somente de tecnologia.

2. *A Filosofia Social*. Ver o artigo separado sobre o assunto. Essa filosofia preocupa-se em como a sociedade é ou deveria ser. A economia e a política são evocadas constantemente, como também a ética. A justiça social é um importante tópico de discussão. Também são essenciais os conceitos metafísicos básicos.

3. *A Gnosiologia*. Ver o artigo separado sobre esse assunto. É simplesmente impossível discutir a educação, sem a compreensão da teoria do conhecimento. Além do exame dos sistemas tradicionais, para a educação é importante levar perguntas como: Que tipos de conhecimento são fundamentais para a educação? Como um currículo de estudos pode abranger melhor o conhecimento essencial? Em que consiste o conhecimento prático e o conhecimento ideológico?

4. *A Filosofia da Mente*. O aluno é uma mente, pelo que precisamos saber o que pensar acerca desse assunto.

Naturalmente, ainda há outras disciplinas que servem de subsídios para a Filosofia da Educação, como a política, a religião, a história e a matemática. Conforme dizia Dewey, a filosofia da educação é simplesmente a filosofia geral, aplicada aos problemas educacionais.

III. Filosofias Tradicionais da Educação

Essas filosofias são o idealismo, o realismo e o pragmatismo. Esses sistemas têm importantes conceitos no tocante à educação. Apresentamos um artigo separado sobre cada uma dessas três filosofias.

IV. Algumas Teorias Educacionais Contemporâneas

1. *Progressismo*. Essencialmente, essa é a filosofia da educação criada por John Dewey (vide), — que afirmava que a educação deve ser ativa, relacionando-se aos interesses naturais das crianças, devendo seguir métodos pragmáticos e experimentais, com valores relativos. Isso não significa que a educação deveria abandonar os materiais tradicionais da educação, mas significa que deveria avançar para outras áreas dignas. Deveríamos conceber a educação como a própria experiência da vida e não apenas como preparação acadêmica para alguma carreira. A função do professor deveria ser aconselhar e não dirigir; e o aluno deveria tomar uma parte mais ativa do processo de aprendizado e de experimentação. A própria escola deveria ser uma agência cooperadora e não coerciva. A democracia é uma necessidade fundamental nesse tipo de educação.

2. *Perenialismo*. Aqueles sistemas que promovem supostos valores constantes e absolutos são chamados perenes. Bases para tanto são encontradas nas idéias de Platão, Aristóteles, Tomás de Aquino, bem como em grandes livros, as obras clássicas do pensamento humano, o que, naturalmente, inclui a Bíblia. Supõe-se que a natureza humana seja uma entidade constante, e não vacilante, e que seus valores também sejam perenes. Nesse sistema, a razão é parte importante, como a capacidade que o homem tem de realizar coisas. A verdade é considerada algo universal e permanente. A verdade não seria produto das experiências humanas. Mortimer J. Adler, da Universidade de Chicago, é um defensor bem conhecido desse tipo de sistema, e foi o editor da obra *Grandes Livros*.

3. *Essencialismo*. Esse sistema não se opõe ao progressismo, mas somente a determinados aspectos do mesmo. Salienta que há certas coisas absolutamente necessárias e básicas, que um currículo de estudos precisa incluir, e também diz que algumas idéias do progressismo são válidas e valiosas. A iniciativa, dentro do processo de ensino, pertenceria ao professor, e não aos estudantes. De nada adianta negar ou suavizar o elemento do *trabalho árduo*, no aprendizado. Tal negação ou suavização apenas engana o aluno, conferindo-lhe uma idéia distorcida da educação e da vida.

4. *Reconstrutivismo*. Esse sistema é o sucessor do progressismo, ou pelo menos, assim afirmam os seus adeptos. O ponto central da educação seria a reconstrução da sociedade. A educação deveria ter por alvo não apenas o aprendizado por parte do indivíduo, mas também deveria promover, de modo ativo, a reforma social. Uma ordem social genuína deveria ser promovida como a melhor ordem possível, visando o progresso do indivíduo e a expressão da liberdade, a essência de um homem. Uma ética científica, ou as leis da conduta, deveriam governar o avanço dessa filosofia. Um outro objetivo seria a mudança da mentalidade humana, e não apenas uma mudança em seu sistema educacional. A ciência de todos os tipos torna-se importante dentro dessa questão. A política, as ciências sociais e as ciências exatas devem mostrar-se igualmente ativas na reconstrução. Para esse sistema, a ciência é um deus.

V. Idéias de Filósofos Específicos

A maioria das filosofias contém idéias a respeito da educação; mas certas idéias são mais importantes no que concerne ao desenvolvimento de uma filosofia da educação formal.

1. *Platão*. Ele edificou a sua *República* ideal em torno de certo senso de sabedoria e de uma teoria do conhecimento. A educação, conforme ele pensava, era necessária para a concretização desse estado ideal.

2. *Comênio*. Viveu no século XVII. Advogava um sistema de aprendizagem graduado e internacional, com alguns elementos comuns, os quais, segundo ele pensava, poderiam levar à maior compreensão entre os povos, e, por conseguinte, à harmonia e à união.

3. *Rousseau*. Ver o artigo separado sobre ele. Ele queria eliminar os fatores artificiais e impraticáveis da educação, lançando mão dos desejos naturais, empregando princípios que relacionam a causa e o efeito na natureza e nos seres humanos vivos.

4. *Pestalozzi* (que vide). Para cada indivíduo a verdade deve ser buscada, envolvendo tanto a experiência social quanto a experiência religiosa.

5. *Froebel* (que vide). Seria função do professor estimular a atividade voluntária por parte dos alunos, o que é a base de toda a pesquisa.

6. *Herbart* (que vide). Os alvos éticos, incluindo a liberdade interna e a benevolência deveriam ser um alvo importante da educação. Novas idéias e sua aplicação apropriada aos indivíduos e à sociedade fazem parte central de sua teoria.

7. *John Dewey* (que vide). Ele representa um ponto culminante na inquirição pelo desenvolvimento do indivíduo, em uma sociedade democrática, onde a liberdade é algo indispensável. O solucionamento de problemas ocupa lugar de destaque, o que é tentado mediante as experiências guiadas, seguindo-se méto-

EDUCAÇÃO CRISTÃ

dos científicos. Finalidades fixas são eliminadas, e uma contínua experimentação é encorajada como a essência mesma da educação. A educação não consistiria apenas em preparação para alguma carreira. No sistema de Dewey o futuro é mais importante do que o passado. Ver os artigos separados sobre a *Educação*, e a *Educação Cristã*. (E F EP KN)

EDUCAÇÃO CRISTÃ

Introdução. Dentro da economia judaica, a educação era, essencialmente, um produto do lar, envolvendo o aprendizado da religião, de alguma profissão e estava usualmente associada à atividades agrícolas. Quando surgiram as artes e ofícios, esses eram ensinados mediante o aprendizado. Quando surgiram as escolas, as sinagogas tornaram-se o centro da erudição. No cristianismo primitivo, a situação era muito parecida com isso, excetuando que, na cultura romana, havia escolas profissionais, que não somente ensinaram artes e ofícios, e os cristãos tinham acesso a esses meios. Uma vez que a Igreja deixou de ser perseguida, após a conversão de Constantino ao cristianismo, a Igreja começou a ser a mestra do estado. Sucedeu, pois, que na Idade Média, a educação tornou-se essencialmente uma função da Igreja. Após cerca de mil anos em que essa condição prevaleceu, o secularismo e o nacionalismo debilitaram o poder da Igreja. A renascença e a Reforma protestante deram prosseguimento a esse processo, época em que o estado começou a recuperar o poder que havia perdido quando da queda do império romano do Ocidente, e, uma vez mais, tornou-se uma entidade educadora, independente da Igreja. Ver os artigos sobre a *Cristandade* e a *Civilização Cristã*.

1. A Cena Moderna. Os cristãos orientais e os romanos sempre mantiveram o seu sistema escolar, e uma porcentagem não muito grande de ortodoxos e católicos romanos, tem-se educado dentro dos seus respectivos sistemas religiosos, e não nas escolas públicas. Apesar dos grupos protestantes também sempre terem contado com suas escolas, os seus sistemas educacionais nunca foram muito extensos.

Condições em Desintegração. Penso que a maioria das pessoas admite que as coisas realmente mudaram, cultural e moralmente, em relação ao que era, digamos, há trinta anos passados. O mundo nunca foi bom, mas pode tornar-se pior do que o normal. Influências mundanas tem debilitado definidamente a Igreja, e não meramente corrompido os que não fazem parte dela. Tenho ouvido a apreciação geral—e penso que há alguma verdade nessa observação—de que na época em que surgiu o rock-and-roll, o que, naturalmente, fez as drogas serem introduzidas na cultura geral, teve início um declínio moral bem radical. Isso tudo começou na década de 1950. Essa música corrupta é usada dentro dos próprios templos evangélicos, e muitos jovens têm-se tornado viciados em drogas. O número de candidatos ao ministério, como pastores e missionários, tem declinado radicalmente. Há uma permissividade geral, acerca de muitas coisas, que não existia há trinta anos. Entrementes, no mundo, não havia dúvidas de que o declínio se instalara para ficar. Esse declínio não somente é moral, mas também envolve a qualidade da educação oferecida nas escolas públicas. Tem havido um colapso de respeito pela autoridade, um declínio generalizado na moral, uma permissividade nos colégios e universidades sobre a qual nem se sonharia há trinta anos atrás. Embora o governo ainda

disponha de muito mais dinheiro para manipular em prol da educação do que os grupos eclesiásticos, um grande número de estudantes com freqüência cancela qualquer garantia de educação de boa qualidade. Há uma certa verdade na declaração feita por certa pessoa que disse: «Mantive em casa os meus filhos, para certificar-me de que eles obteriam uma boa educação». E os filhos desse homem, embora educados em casa, sairam-se muito melhor do que outros jovens, produtos da educação pública.

No entanto, a maioria das pessoas não dispõe do tempo, dos meios, do equipamento e da habilidade para ensinar seus filhos em casa. E nem as leis, vigentes na maioria dos países, permite tal prática. O ideal ocidental de uma educação popular deriva-se da convicção cristã de que as Escrituras promovem o benefício de todas as pessoas, e não meramente de uma elite ou dos poderosos e ricos. A Bíblia também tem inspirado o estabelecimento de grande número de instituições de alta erudição. Assim, os primeiros colégios e universidades estabelecidos nos Estados Unidos da América tinham o propósito central de treinar ministros do evangelho. Portanto, o desejo de criar escolas cristãs, separadas do sistema educacional público, não foi inspirado pelo espírito exclusivista, e, sim, devido à desintegração moral e dos padrões educacionais do sistema escolar público. Em muitos lugares, professores céticos ou mesmo ateus têm procurado solapar propositalmente os ensinos e ideais cristãos, e esse é um outro fator negativo que tem inspirado uma multiplicação realmente fenomenal das escolas e instituições educativas cristãs.

2. Problemas das Escolas Cristãs. Há certas coisas que deveriam ser ditas aqui. a. **Cada denominação** e, de fato, em muitos casos, igrejas individuais, resolveram que terão suas próprias escolas, porquanto o espírito denominacionalista tem fragmentado os esforços. A falta de cooperação tem excluído o recolhimento de fundos, de tal modo que apenas algumas poucas escolas, realmente boas, têm sido erigidas. O resultado disso é que, em muitos lugares, não há dinheiro suficiente para ser investido nas escolas, havendo poucos professores qualificados. Essa situação pode ser tolerada quando se trata do primeiro grau escolar; mas, quando os estudantes chegam à idade do ginásio e do colégio, quando a alta matemática e questões científicas mais profundas entram em cena, tudo o que requer laboratórios, etc., a qualidade da educação baixa de maneira lamentável. b. *O problema da saturação.* Os estudantes que são constantemente sujeitados a uma atmosfera de igreja com freqüência ficam saturados. Os missionários que têm visitado as escolas cristãs, a fim de ali promoverem o conceito de missões, com freqüência têm encontrado alunos vacinados, que já não correspondem ao desafio missionário. Um desses missionários, após ter tido uma dessas experiências em uma escola, disse-me pessoalmente que a única maneira de justificar a existência das escolas cristãs seria garantir que elas oferecessem uma educação melhor que aquela dada nas escolas públicas. Isso pode envolver um certo exagero, mas faz-nos pensar. c. *O problema do mundanismo.* Os relatórios feitos por pesquisadores dão-nos a entender que as próprias coisas que as escolas cristãs têm a esperança de evitar —o mundanismo e a degradação moral— não são evitadas pelas mesmas. — Os estudantes dessas escolas não são puros como de se esperar, e as crianças que ali estudam não são protegidas como seria de se esperar. d. *A ausência da prática.* É fato bem conhecido que no boxe não basta treinar. Um bom boxeador precisa de experiência no ringue. Em

EDUCAÇÃO E MORALIDADE

outras palavras, precisa ter muitas lutas, defrontar-se com grande variedade de oponentes, precisa aprender muitos truques e aperfeiçoar as suas habilidades. Ele jamais poderá fazer isso enquanto ficar na academia. Por igual modo, alguns objetam às escolas cristãs com base no fato de que as crianças e os jovens das mesmas somente treinam, mas nunca enfrentam o adversário frente a frente. Em outras palavras, a escola cristã teoriza muito, mas nunca pratica.

É óbvio que os grandes cristãos sempre foram aqueles que treinaram na frente da batalha espiritual. Não louvamos as virtudes enclausuradas. Criticamos os católicos romanos por manterem os seus mosteiros, onde homens e mulheres são afastados do mundo real e de seus problemas. — Não seriam as escolas cristãs uma espécie de mosteiro para crianças e jovens? A teorização pode ser mantida durante os anos do curso primário e do ginásio. Mas, quando chegam os anos da universidade, os estudantes enfrentam graves problemas. O currículo das escolas cristãs é severamente limitado. Há muitos assuntos, especialmente científicos, que não são oferecidos nos currículos das escolas cristãs. Portanto, muitos jovens que foram treinados em escolas primárias e ginásios cristãos precisam energia para uma nova vida escolar, que lhes é estranha e para a qual estão despreparados. Portanto, eles têm de enfrentar uma guerra para a qual não se prepararam até aquele momento. Ficamos impressionados diante das biografias de grandes vultos evangélicos. Mas é que estavam enfrentando o inimigo dia-a-dia, e a espiritualidade deles guiou-os e protegeu-os. Eles não se separaram formando comunidades isoladas, onde ficavam constantemente protegidos dos ataques externos. Meditemos sobre a Igreja primitiva, nos dias da perseguição movida pelo império romano. As perseguições e as provações tornavam-nos vigorosos. Mas, a proteção excessiva faz as crianças tornarem-se espiritualmente fortes, ou meramente as afastam das múltiplas tentações do mundo?

Essas são as críticas merecidas pelas escolas cristãs. Compensa meditarmos a esse respeito.

3. Apesar do Novo Testamento não exigir a separação outorgada pelas escolas cristãs, ainda assim dá a entender que os crentes precisam enfrentar inúmeros conflitos, enquanto estão no mundo, embora encorajando-os a uma vida piedosa. Aqueles que promovem o sistema escolar cristão supõem que essa exigência possa ser melhor atendida se as crianças forem protegidas das formas crassas de imoralidade que são tão comuns no sistema moderno das escolas públicas. Além disso, também com certa justificação, eles salientam as condições de desintegração que há no sistema educacional de nossos dias, sobretudo no tocante ao aproveitamento escolar. Pelo menos em alguns casos, a reivindicação de que as escolas cristãs *educam melhor* tem-se mostrado veraz, diante de exame. Nesses casos, é difícil argumentar contra o funcionamento das escolas cristãs. Se uma escola cristã educa melhor aos seus estudantes, e, se, ao mesmo tempo, é capaz de instilar em seus alunos valores morais e espirituais, então a sua existência deve ser louvada. Mas, tal como se dá com todos os problemas complexos, não há respostas simples para essas questões. (GAB H)

EDUCAÇÃO E MORALIDADE

Esboço:

I. Definição de Termos
II. O Antigo Exemplo Judaico
III. A Continuação Cristã

IV. O Processo de Secularização
V. Uma Colheita Inesperada

I. Definição de Termos

A palavra **educação** (ver o artigo geral) vem de uma palavra que significa «criar», «nutrir». A raiz latina é *educare*, «criar». Ver o artigo referido quanto a uma discussão mais detalhada. «Moralidade» é uma palavra que vem de uma raiz latina que significa «costume», «medida», «conduta». A própria palavra sugere o pragmatismo e o relativismo no campo da ética, visto que sua raiz significa «costume». Porém, nas mãos dos autores do Antigo e do Novo Testamentos e subseqüentemente, na teologia e na ética religiosa, a idéia não é promovida. Bem pelo contrário, a moralidade baseada na revelação desenvolve-se com base na idéia de que é Deus quem revela o que é certo, e não o homem, que, por meio de sua experiência, venha a chegar a conclusões acerca dessas questões. A palavra *etica* (que vide) vem do termo grego *ethos*, «costume», «uso», «hábito», «maneiras». Portanto, essa palavra é similar ao vocábulo latino *mos, moris*. No campo da filosofia, a palavra veio a indicar *conduta ideal*, sem importar no que essa conduta consista, e sem importar os meios através dos quais essa conduta seja concretizada.

II. O Antigo Exemplo Judaico

No judaísmo não havia qualquer distinção entre a educação e a moralidade. De fato, o principal elemento a ser ensinado *era* a moralidade. Os pais tinham a responsabilidade de ensinar princípios morais corretos a seus filhos, e o sistema religioso dava apoio a esse esforço. Ver Deu. 6:4-9; 11:13-21. Vários meios eram empregados para lembrar as pessoas de sua responsabilidade diante dos preceitos da lei. Sumários desses preceitos eram afixados às vergas das portas das casas, ou postos dentro de caixinhas de couro (filactérias), postas em torno do braço ou da testa. Quando vieram os exílios e a dispersão, a sinagoga foi a instituição que se encarregou do ensino. Ver o artigo sobre a *Educação*, segunda parte, *Educação em Relação ao Antigo Testamento*.

III. A Continuação Cristã

A Igreja cristã começou como uma espécie de extensão da sinagoga, porém, não demorou a ser uma entidade essencialmente gentílica. Os cristãos, em sua maioria, eram educados nas escolas pagãs, embora levassem consigo os ideais morais e espirituais do cristianismo. Ver as seções IV e VII do artigo sobre a *Educação*, onde há uma ampla declaração sobre a questão.

Quando cessaram as perseguições contra o cristianismo, em face da conversão de Constantino, no começo do século IV D.C., a Igreja começou a agir como um poder político. Durante a Idade Média, a Igreja era a proprietária das escolas, e eram os eclesiásticos que formavam os corpos docentes das universidades. A moralidade cristã e os ensinos teológicos (apesar dos abusos), predominavam no currículo ensinado ali.

IV. O Processo de Secularização

Com o surgimento das ciências e das condições gerais da Renascença (que vide), o processo de educação foi radicalmente modificado. Pouco a pouco, a rainha das ciências (a teologia) foi sendo destronada pelo rei da ciência; e, exceto no caso das escolas religiosas, é essa a condição que prevalece em nossos dias. Diante desse acontecimento, a moralidade passou a ser a grande matéria ensinada pela Igreja e pela religião, e os cristãos, uma vez mais,

EDUCAÇÃO — EDWARDS

começaram a levar à escola a sua moralidade e espiritualidade, para enfrentarem as adversas condições da imoralidade, do agnosticismo e do ateísmo.

As instituições oficiais tornaram-se competidoras das escolas das denominações religiosas. E gradualmente aquelas instituições oficiais cresceram em número. Além disso, o currículo ensinado nessas escolas, por causa do florescimento das ciências, do estudo das línguas e do desenvolvimento das humanidades, foi ampliado em seu escopo. Se antes os clérigos haviam servido como mestres das comunidades (porque muitos deles eram professores, e não apenas líderes eclesiásticos), agora professores profissionais, de muitas especializações, passaram a assumir o controle nas escolas e universidades. Entrementes, a rivalidade religiosa, até mesmo dentro de denominações do mesmo nome, debilitava a qualidade da educação religiosa, principalmente por falta de dinheiro e de professores treinados em muitas áreas do conhecimento humano.

O material empregado no ensino havia incluído narrativas bíblicas, com ensinos morais e espirituais. Mas esse material foi substituído por uma literatura secular, e, geralmente, profana. À medida que diminuía a influência da Igreja Católica Romana, ia aumentando a influência das ciências baseadas no ateísmo. Muitos países declararam-se abertamente a favor da separação da Igreja do Estado, e o ensino das questões religiosas, nas escolas, quando não foi eliminado, foi bastante diminuído. A perpetuação da ética judaico-cristã tem sido um dos alvos mais queridos da civilização ocidental. Entretanto, a ciência assumiu, atualmente, total controle. Visto que o método científico depende das experiências, dos testes e do erro, quase sempre em meio a uma situação de relativismo, é natural que a *ética científica*, assim desenvolvida, também seja relativista.

V. Uma Colheita Inesperada

A ciência vem jactando-se de estar nos estágios iniciais da utopia. Porém, a ciência tem abandonado as raízes da civilização cristã. As guerras se vão tornando cada vez maiores e mais destruidoras; a moral do indivíduo está fraquejando horrivelmente; a taxa de criminalidade sobe cada vez mais; a pobreza e a violência vão-se generalizando; a profanação e a vulgaridade têm-se tornado parte integrante do entretenimento público; a cultura das drogas tem sido o último insulto. A ciência tem conduzido o mundo a grande sofisticação tecnológica, embora tenha deixado o espírito humano reduzido a um pigmeu. A liberdade de inquirição tem sido equiparada à liberdade de toda a moralidade, e uma amarga colheita maligna tem sido colhida pelos homens.

EDUCAÇÃO RELIGIOSA

Ver sobre **Educação Cristã**.

EDWARDS, JONATHAN

Suas datas foram 1703-1758. Foi filósofo teólogo norte-americano, líder religioso e educador. Nasceu no estado de Connecticut. Graduou-se em Yale. Tornou-se pastor em Northampton, Massachussets, e foi missionário entre os índios Stockbridge. Mais tarde, foi presidente da Universidade de Princeton. Ele foi o primeiro talento filosófico a nascer e criar-se dentro do que, mais tarde, tornou-se os Estados Unidos da América do Norte. Mostrou-se ativo durante o grande despertamento de 1740. Suas maiores contribuições foram no campo da psicologia da conversão religiosa. Era um calvinista da linha dura. No terreno da filosofia ele seguia as diretrizes de Locke, Berkeley, Hutcheson e Shaftesbury. As bases bíblicas e filosóficas do calvinismo foram expostas de modo habilidoso, e até mesmo formidável, em sua obra *Enquiry into the Freedom of the Will*, publicada em 1754.

Idéias

1. **O Idealismo** (que vide). Ele defendia a filosofia idealista, de acordo com a qual Deus e o espaço, por assim dizer, são identificados um com o outro. Todas as coisas existiriam como idéias da mente divina.

2. Esse tipo de existência, segundo o qual tudo se encontra na mente divina, naturalmente faz de Deus o Ser supremo. Todas as coisas são imediatamente causadas por Deus (*determinismo*, que vide).

3. Qualquer definição que possamos expor da *liberdade* deve ser coerente com a determinação divina. Certas coisas, segundo as aparências, seriam feitas isentas de qualquer constrangimento externo; mas, podemos estar certos (segundo pensava Edwards) de que a *necessidade* está por detrás das cenas que definem a suposta liberdade. Isso posto, a pessoa teria a capacidade de fazer o que quiser, mas o que ela quer já foi determinado pela vontade de Deus. Isso, naturalmente, é a negação do livre-arbítrio, conforme o mesmo é explicado em termos convencionais. Deus seria a única causa de todas as coisas. Tal como na teologia judaica, Edwards ignorava com freqüência as segundas causas. Quando assim fazemos, caímos no *voluntarismo* (que vide) e Deus precisa ser encarado como a causa do mal, e não apenas do bem, porquanto teremos sacrificado as causas secundárias como um princípio que é capaz de explicar o mal existente no mundo.

4. *A Queda no Pecado*. Antes da queda, os homens tinham uma genuína verdade livre. Mas esta perdeu-se por ocasião da queda e não apenas no caso de Adão, pois todos os homens, subseqüentemente, foram envolvidos. Daí por diante a graça divina tornou-se necessária para o processo redentor. Essa graça é seletiva e aplicada somente a alguns homens.

5. *A Ética*. A virtude é a coisa mais importante. A virtude seria a beleza das qualidades morais. A virtude concorda, antes de tudo, com o Ser de Deus, e então entre um ser humano e outro. A virtude é uma disposição de benevolência para com o ser em geral, e também precisa ser altruísta. A virtude maior é o amor a Deus, o Ser Supremo. Em segundo lugar, a virtude consiste no amor ao próximo, com atos altruístas daí resultantes. A virtude de Deus consiste em amar a Si mesmo, — pelo que a razão da criação foi a exaltação de Deus, ou seja, a própria glória divina. Portanto, a virtude final é uma espécie de *egoísmo divino*, que deve envolver todos os seres humanos.

6. *Uma Visão Pessimista do Homem*. Tudo quanto o homem faz está errado. Ele erra no coração, no espírito, nas atitudes, no serviço espiritual e em todas as suas ações. Volve-se totalmente para os seus próprios interesses, o pólo oposto do *egoísmo divino*. O homem é o mais perigoso de todos os animais, e mataria o próprio Deus se pudesse fazê-lo. O homem está na obrigação de arrepender-se, mas é incapaz de fazê-lo, porquanto a graça divina não é conferida a todos os homens, de maneira prática. O homem, contudo, é responsável, porque, em Adão, ele tinha a capacidade de fazer o que é certo e escolher corretamente. Quando da queda, o homem perdeu voluntariamente essa capacidade. O *pecado original* (que vide) lança toda a culpa sobre o homem. Essa

EDWARDS — EFEITO DO TOMATE

idéia, porém, não é coerente com o conceito de que tudo está contido dentro da mente divina e de que tudo é feito por meio dessa mente (a forma de *idealismo* de Edwards). A própria queda do homem deve ter feito parte da mente divina. Nenhum pensador calvinista foi capaz de dar uma explicação adequada e respeitável da existência do mal, exceto atribuindo-o a um decreto divino ativo, o que faz Deus ser a causa do mal. Quando um filósofo calvinista oferece alguma explicação adequada, nesse instante ele deixa de ser um completo calvinista. Se existe somente *Uma Causa*, então essa causa única também é a causa do mal. De acordo com Edwards, o homem faz muitas coisas que parecem atos bons; mas, na realidade, há veneno em algum lugar, e os melhores atos humanos não agradam a Deus. Portanto, até mesmo nos atos bons há algum mal, e o homem precisa arrepender-se deles. Um calvinismo realmente radical! Isso ignora o fato de que os homens serão julgados de acordo com seus atos, os bons e os maus (Rom. 2:6), o que significa que Deus haverá de reconhecer bons atos, até mesmo da parte de homens não-regenerados. De outra sorte, teríamos de dizer que Deus punirá os homens pela prática do bem, e não meramente por praticarem o mal! Isso é manifestamente absurdo.

Requisitos Desarrazoados. Se Deus requer a perfeição moral da parte de *todos* os homens, ele confere sua graça apenas aos eleitos, para que obedeçam eficazmente aos seus mandamentos. O homem regenerado, pois, está preparado para seguir a santificação ou a *obediência universal* à vontade de Deus. A graça divina garante que essa vontade será cumprida, pelo que a santidade faria parte necessária da regeneração. A graça outorgada aos eleitos não poderá falhar, pelo que a perseverança ou a segurança eterna (que vide) segue-se naturalmente à conversão. Alguns seguidores de Edwards tentaram ultrapassá-lo em seu calvinismo radical, chegando mesmo a desejarem estar condenados, se isso promovesse a glória de Deus! Mas tudo isso é uma completa distorção do amor de Deus, do intuito universal do evangelho e da benevolência de Deus. Há muitas distorções assim no *calvinismo radical*. Este sistema cria um Deus de má vontade. Ver o artigo separado sobre *Calvinismo*.

Obras. Notes on the Mind; Religious Affections; Dissertation Concerning the Nature of True Virtue; Freedom of the Will; Original Sin. (A M E F P)

EFA (MEDIDA)

No hebraico, **ephah**, **«medida»**. Essa palavra ocorre por vinte e oito vezes: Êxo. 16:36; Lev. 5:11; 6:20; 19:36; Núm. 5:15; 28:5; Juí. 6:19; Rute 2:17; I Sam. 1:24; 17:17; Isa. 5:10; Eze. 45:10,11,13,24; 46:5,7, 11,14; Amós 8:5; Zac. 5:6-10. Um efa era igual a três medidas (no hebraico, seah). Era uma medida para secos, equivalente ao *bato*, para medir líquidos. Essa medida era suficientemente grande para nela caber uma pessoa (Zac. 5:6,10). É uma medida mais exatamente descrita em Lev. 19:36. Valia por uma décima parte de um *homer*, que era a *carga* de um burro, ou seja, cerca de duzentos e vinte litros. Portanto, o efa tinha cerca de 22 litros. A maior parte das referências bíblicas ao efa está ligada a cereais. Ver Eze. 45:13; 46:14; Juí. 6:19; Deu. 25:14 e Pro. 20:10. Ver o artigo sobre *Pesos e Medidas*.

EFÃ (PESSOA)

No hebraico, «trevas». Foi o nome de vários personagens mencionados nas páginas do Antigo Testamento, a saber:

1. O filho mais velho de Midiã, que habitava na Arábia Petrea. Ele emprestou o seu nome a uma cidade (Gên. 25:4; I Crô. 1:33). Essa cidade, com algum território ao seu redor, fazia parte de Midiã, na margem leste do mar Morto. Efá tinha relações de sangue com Abraão por meio da concubina deste, Quetura. Isaías mencionou os jovens camelos de Midiã e de Efá (Isa. 60:6). As referências bíblicas aos descendentes de Efá mostram que eles estavam aparentados com os midianitas, com os ismaelitas e com a nação de Sabá, descendente de Quetura.

2. Uma concubina de Calebe, da tribo de Judá, também tinha esse nome. Ver I Crô. 2:46. Ela viveu algum tempo depois de 1860 A.C.

3. Um filho de Jadai, da tribo de Judá (I Crô. 2:47). Viveu depois de 1836 A.C. Provavelmente, esse homem era da mesma linhagem de Calebe, através de sua concubina, conforme se vê no número «dois», acima.

EFAI

No hebraico, «semelhante a um pássaro». Nome de um homem cujos filhos foram deixados no território de Judá, após o exílio babilônico (Jer. 40:8). Viveu em torno de 548 A.C. Eles parecem ter sido massacrados por Ismael (Jer. 41:3). Habitavam em Netofá, uma cidade ou grupo de aldeias perto de Belém. Eram oficiais que serviam sob Gedalias, o governante de Judá nomeado pelos babilônios.

EFATÁ

No aramaico é o imperativo passivo, que tem a força de «sê aberto». Essa foi a palavra que Jesus disse ao surdo, curando-o de sua surdez (Mar. 7:34). O incidente exibe uma daquelas raras ocasiões em que os autores dos evangelhos, que escreveram em grego, preferiram dizer-nos exatamente as palavras proferidas pelo Senhor Jesus, em aramaico. Alguns poucos estudiosos têm-se valido dessa circunstância para tentar convencer-nos de que os evangelhos originais foram escritos em aramaico. Naturalmente, esses estudiosos não dependem somente disso, em sua contenção. Como é óbvio, a tradição oral da Igreja primitiva foi preservada em aramaico, e não em grego. Porém, quando esses ensinos eram vertidos à forma escrita, o grego era o idioma usado, pois então qualquer pessoa, de todo o império romano, e até mesmo fora dele, era capaz de ler tais documentos, o que já não teria acontecido se os livros do Novo Testamento tivessem sido escritos em aramaico. Assim é que os evangelhos não dão qualquer sinal de terem sido traduzidos para o grego e nem jamais foi encontrado qualquer manuscrito neotestamentário antigo em aramaico. Além disso, aqueles de que dispomos, provenientes já de uma época posterior, dão mostras de terem sido traduzidos de um original grego.

Mas, quanto ao milagre da cura do surdo, deve haver conexão com as palavras de Isaías 35:5: «Então se abrirão os olhos dos cegos e se desimpedirão os ouvidos dos surdos; os coxos saltarão como cervos e a língua dos mudos cantará...» Nos tempos modernos, essas palavras de Jesus ao surdo são incluídas no ritual do batismo de infantes, pela Igreja Católica Romana.

EFEITO DO TOMATE

Por muito tempo, na América do Norte, as pessoas

EFER — EFÉSIOS

tinham a certeza de que o tomate não deveria ser comido, por ser tóxico. Porém, os franceses e os italianos vinham comendo tomates desde muito tempo. Apesar disso, dizer a um norte-americano, antes de 1820: «Coma este tomate, porque os italianos comem tomate», poderia provocar forte reação de repúdio. Isso era assim porque todos os norte-americanos *sabiam* que o tomate é uma fruta tóxica. Finalmente, Robert Gibbon Johnson resolveu desvendar a verdade. Assim, na escadaria do tribunal de Salém, em Nova Jérsei, aos olhos de todos os circunstantes, ele *comeu alguns tomates*. Todos ficaram olhando, esperando ver o pobre Sr. Johnson cair morto. Porém, ele continuava de pé, com um sorriso meio tolo no rosto. Somente depois disso os norte-americanos resolveram aceitar que os franceses e italianos tinham estado com a razão o tempo todo.

O *efeito do tomate* é a rejeição de alguma teoria ou idéia, porque a mesma não faz sentido para quem a rejeita. Essa rejeição é um ato *a priori*, porque não resulta de qualquer experiência comprovada. No campo da medicina, por exemplo, o «efeito do tomate», opera cada vez em que alguém afirma que descobriu algo novo, mas outras pessoas consideram isso uma impossibilidade. Na filosofia e na religião, o «efeito do tomate» entra em ação sempre que alguém diz algo que não se harmoniza com os dogmas de algum indivíduo ou de alguma denominação. É que os críticos usam um padrão de verdade que consiste naquilo que «eu» ou a minha «denominação» diz. Tudo aquilo que não concorda com isso, automaticamente torna-se um tomate tóxico.

EFER

No hebraico, «veado». Foi o nome de três pessoas diferentes, no Antigo Testamento:

1. O segundo filho de Midiã e irmão de Efá (que vide) (I Crô. 1:33). Eles estavam relacionados a Abraão por meio de sua concubina, Quetura. Abraão havia enviado esses seus descendentes mais para o oriente (Gên. 25:4-6; I Crô. 1:33). Talvez houvesse vários clãs entre os midianitas, ou então esse nome pode ter sido usado frouxamente para indicar povos que não estavam racialmente relacionados entre si. Seja como for, em tempos posteriores, alguns deles mostraram-se dispostos a ajudar Israel (Êxo. 3:1), ao passo que outros, dentre eles, eram inimigos de Israel (Núm. 31:2 *ss*; Juí. 6:1 *ss*). Efer viveu entre 1900 e 1800 A.C.

2. Um filho de Esdras, da tribo de Judá (I Crô. 4:17). Viveu em cerca de 1400 A.C.

3. O chefe de uma das famílias de Manassés, conhecido por sua habilidade como guerreiro (I Crô. 5:24). Viveu em cerca de 800 A.C.

EFES-DAMIM

No hebraico, «fronteira de sangue». Nome de um lugar onde os filisteus acamparam, entre Socó e Azeca, pouco antes de Golias ser morto por Davi (I Sam. 17:1). Esse lugar é chamado Pas-Damim, em I Crô. 11:13. Ficava localizado no território de Judá. Talvez o solo avermelhado tenha ajudado a dar o nome que o lugar recebeu, embora isso também se devesse às muitas batalhas sanguinolentas que os filisteus e os israelitas travaram nessa localidade. Tem sido identificado com a moderna *Beit Fased*, que fica a sudeste de Socó. Mas as ruínas de *Damum*, cerca de seis quilômetros e meio a nordeste de Socó, têm sido identificadas como o que resta de Efes-Damim. Portanto, o local exato é desconhecido, a menos que

uma dessas sugestões esteja com a razão.

EFÉSIOS

Esboço:
 I. O Vexatório Problema da Autoria
   a. A Confirmação Histórica
   b. A Crítica Moderna: Natureza do Problema
 II. Data e Proveniência
 III. Para Quem foi Escrita? Propósitos
 IV. Temas Centrais
 V. Conteúdo
 VI. Bibliografia

A epístola aos Efésios é um dos documentos religiosos mais elevados que já foram produzidos, e isso devido tanto à sua sublime mensagem como suas formas nobres de expressão.

Esta epístola, escrita essencialmente sem as pressões da controvérsia, e sem a necessidade de dar atenção a grandes necessidades pastorais, acima de todos os demais documentos do N.T., contém as mais significativas e profundas declarações sobre os eternos propósitos de Deus relativos aos homens, com a única possível exceção do oitavo capítulo da epístola aos Rom. (ver Efé. cap. 1). Além disso, esta epístola encerra as mais claras revelações divinas acerca da natureza e do destino da igreja (ver caps. 1,3,5). Os capítulos quatro a sexto são extraordinários em sua concisa mas eloqüente expressão sobre as conseqüências práticas da vida cristã, em face do elevado destino determinado para os remidos pelo sangue de Cristo.

I. O Vexatório Problema da Autoria

Quatro epístolas são largamente aceitas, sem qualquer disputa séria, como obras paulinas clássicas. Essas epístolas são aos Romanos, aos Gálatas, e I e II Coríntios. São tão similares quanto a questões como estilo, vocabulário e características literárias de todos os tipos, e apresentam idéias e doutrinas tão parecidas, que praticamente nenhum erudito sério tem duvidado de que todas elas tenham saído da mesma pena e que o seu autor foi o apóstolo Paulo. Comumente, outras cinco epístolas são aceitas como paulinas, com pouca disputa. Essas outras cinco epístolas são Colossenses, Filipenses, I e II Tessalonicenses e Filemom. A essas nove epístolas, a maioria dos estudiosos adicionam a epístola aos Efésios. Outros eruditos conservadores também acrescentam as chamadas epístolas «pastorais», a saber, I e II Timóteo e Tito, ao mesmo tempo que muitos sábios eruditos, e quase todos os intérpretes liberais, acreditam que essas epístolas pastorais foram escritas posteriormente, pois refletiriam uma igreja cristã mais desenvolvida, embora seu autor ou autores tivessem usado o nome de Paulo, tendo incorporado, nas mesmas, idéias nitidamente paulinas. (Quanto aos problemas de *autoria* das citadas epístolas, ver os artigos sobre cada uma delas).

a. A Confirmação Histórica

A controvérsia sobre a autoria da epístola aos Efésios não tinha qualquer significação até os primórdios do século XIX, quando, por razões de vocabulário, de ausência de situação real a que se dirigia essa epístola, de uma avançada doutrina «eclesiástica», e de certas supostas expressões posteriores, como, por exemplo, «santos apóstolos e profetas», começou-se a pôr seriamente em dúvida que Paulo tivesse sido realmente o autor dessa epístola. Todavia, se a questão da autoria dessa epístola dependesse somente da confirmação histórica, não se teria levantado qualquer questão séria.

EFÉSIOS

Embora fosse considerado um herege gnóstico, Márcion foi quem imprimiu o primeiro impulso óbvio para a formação do «cânon» do N.T., em sua forma mais primitiva. Márcion rejeitava a autoridade do A.T., mas aceitava dez epístolas paulinas, já que o apóstolo Paulo era o seu herói, bem como uma forma mutilada do evangelho de Lucas, como o seu «cânon» dos documentos sagrados. A igreja cristã, por causa disso, começou então a preparar o seu próprio «cânon», utilizando-se do «cânon» básico de Márcion. O «cânon» neotestamentário do século II D.C. consistia essencialmente de dez das epístolas paulinas e dos quatro evangelhos. Não foi senão já nos fins do século IV D.C. que todos os vinte e sete livros que hoje conhecemos tivessem sido universalmente reconhecidos como o Novo Testamento autorizado. Quanto a detalhes sobre o problema inteiro do Cânon ver o artigo.

A epístola aos Efésios fazia parte do «cânon» marcionita, embora ela ali houvesse recebido o título de Aos Laodicenses, porquanto ele cria que ela fosse a suposta «epístola perdida», referida em Col. 4:16. É deveras interessante que alguns eruditos modernos têm concordado com essa suposição de Márcion. E isso porque, desde o descobrimento do papiro «Chester Beatty» (pertencente ao início do século III D.C., que é o mais antigo documento de que dispomos, dentre as epístolas paulinas), verificou-se que as palavras «...em Éfeso...», em Efé. 1:1, não aparecem no texto original. Por conseguinte, se essa epístola foi escrita não tendo qualquer destino particular em mira, conforme indicam nossos mais antigos manuscritos (o papiro Chester Beatty, P(46), Aleph e B), então parece lógica a conclusão de que áquela a que damos o nome de «epístola aos Efésios» na realidade foi escrita à igreja de Laodicéia. Essa idéia, entretanto, não é mais fácil de ser defendida do que a tradição que afirma que ela foi escrita aos Efésios. (Ver seção III deste artigo, que mostra para quem essa epístola foi escrita, onde há detalhes sobre o destino da epístola).

Por enquanto, no que diz respeito à confirmação histórica, basta observarmos que o «cânon» neotestamentário mais primitivo, preparado por Márcion, continha a epístola aos Efésios como livro de autoria paulina, embora sob um título diferente do daquele que hoje usualmente designa essa epístola. Policarpo, que foi martirizado em 168 D.C., faz alusão a essa epístola, em sua própria epístola aos Filipenses (capítulos primeiro e décimo segundo). Isso nos mostra que essa epístola, desde os tempos mais remotos, antes mesmo dos anos da canonização dos livros neotestamentários, já usufruía de alto prestígio. Mais ou menos nesse tempo encontramos o cânon muratoriano, que dava testemunho sobre a autoridade dessa epístola. Entre as igrejas para quem Paulo escreveu, esse citado «cânon» alista Éfeso em segundo lugar. Por igual modo, Irineu, que foi martirizado em 202 D.C., cita de forma definida a epístola aos Efésios. (Ver Adv. Haer, v. 2,36:i.5,8). Esta última referência parece indicar que antes desse tempo os valentinianos aceitavam essa epístola como autêntica. Clemente de Alexandria, por semelhante modo, acrescenta o seu testemunho sobre a autoridade dessa epístola e sobre sua autoria paulina. (Ver Strom. iv.65 e Pard. i.18). Orígenes, pouco mais tarde (254 D.C.), igualmente a menciona como de autoria paulina. (Ver Phil. 6,54). Finalmente, o historiador eclesiástico, Eusébio, cita a nossa epístola aos Efésios em sua homologoumena. Pode-se observar, portanto, que a epístola aos Efésios desfruta de notável confirmação histórica, tanto como qualquer outro dos livros do N.T.

b. A Crítica Moderna: Natureza do Problema

No entanto, nos tempos modernos, vários argumentos têm sido apresentados por alguns eruditos, contrários à autoria paulina da epístola aos Efésios. Erasmo, contemporâneo de Lutero, e que foi o compilador do primeiro N.T. grego impresso, observou algumas peculiaridades de estilo da epístola aos Efésios, em contraste com outras epístolas paulinas; e isso lançou uma sombra de dúvida sobre essa epístola, como obra do apóstolo Paulo. Entretanto, não houve nenhuma dúvida verdadeira até o surgimento de Evanson, o deísta inglês, que publicou um livro sobre os evangelhos, no ano de 1782. Esse autor foi seguido rapidamente por numerosos outros críticos, como Usteri (1824), De Wette (1826), etc. Baur e os seus discípulos rejeitaram a epístola aos Efésios como paulina, juntamente com Colossenses, porquanto encontraram ali alguns traços de gnosticismo, porquanto pensavam erroneamente que o gnosticismo só surgira depois dos tempos de Paulo. Desde os dias desses críticos, pois, tornou-se costumeiro, incluindo até mesmo alguns intérpretes conservadores, supor que a epístola aos Efésios não é de autoria paulina, ainda que muitos outros a tenham defendido como tal, a despeito disso, mantendo-a dentro da coletânea dos escritos sagrados paulinos. Abaixo oferecemos as principais objeções feitas contra a autoria paulina da epístola aos Efésios:

1. Essa epístola não foi escrita para qualquer comunidade distinta, posto que as palavras «em Éfeso» não aparecem nos mais antigos manuscritos que possuímos. Não era costume de Paulo escrever uma epístola sem visar qualquer comunidade.

2. Outrossim, essa epístola não visou qualquer «situação de vida real» em particular, nem qualquer necessidade eclesiástica, o que significa que lhe falta qualquer conexão geográfica ou histórica, característica essa definidamente não-paulina, conforme se pode averiguar pelo estilo de suas outras epístolas, reconhecidamente paulinas.

3. Há vocabulário que não pertence ao vocabulário paulino. Nessa epístola comparativamente curta, existem quarenta e dois vocábulos que não são usados em qualquer outra porção do N.T., bem como oitenta e dois vocábulos que não são utilizados em qualquer das outras epístolas paulinas.

4. Há questões de estilo e de estrutura nas sentenças. Alguns estudiosos descobrem na epístola aos Efésios um temperamento diferente daquele que transparece nas epístolas reconhecidamente paulinas. Em vez de sua expressão qual torrente, encontramos uma mente calma e ruminante. Nos trechos de Efé. 1:3,14,15; 2:1-7,11-13,14-18,19-22; 3:1-19; 4:11-19, 20-24; 6:14-20, alguns estudiosos encontram uma sucessão de expressões prolongadas, de reverberações continuadas, e que eles não sentem serem paulinas. Somente em Colossenses, no primeiro capítulo, temos alguma coisa semelhante no corpus das escrituras de Paulo.

5. Há questões de expressões não-paulinas. Na epístola aos Efésios há uma forte inclinação para compostos, com a preposição grega «sun» (com), o que não pode ser observado em outras epístolas paulinas. Também há um número extraordinário de frases que contêm a palavra grega, «aion» (ver Efé. 1:21; 2:2,7 e 3:21), — que não podem ser encontradas em outras epístolas paulinas. Além disso, outros eruditos vêem algumas palavras usadas em outras epístolas de Paulo que recebem um sentido não-paulino. Por exemplo: «ta ethne» (as nações), que

280

EFÉSIOS

em outras epístolas significa «não-judeus», mas na epístola aos Efésios significa «não-cristãos». (Ver Efé. 4:17). Similar é o caso do vocábulo grego «oikonomia», que aparece em Efésios não com o sentido paulino usual de «mordomia», mas antes, recebe o sentido de «plano» ou «norma». (Ver Efé. 1:10 e 3:9). Ver igualmente o vocábulo «mistério», em relação aos crentes, em Col. 1:27 indica «Cristo em vós, a esperança da glória», ao passo que em 2:3 é Cristo «em quem estão ocultos todos os tesouros da sabedoria e do conhecimento». Porém, na epístola aos Efésios, esse mistério é o «plano» divino que procura unir todas as coisas em volta de Cristo (ver Efé. 1:10), incluindo a idéia de que os gentios são *co-herdeiros* juntamente com os judeus (ver Efé. 3:6). Em Efé. 5:32 essa mesma palavra se reveste de um significado «místico», que alguns estudiosos consideram ser um «uso helenista secundário», não podendo ser encontrado em qualquer das epístolas consideradas definitivamente paulinas.

6. Alguns conceitos existentes na epístola aos Efésios, apesar de talvez se relacionarem a idéias paulinas, parecem ser desenvolvimentos que refletem um período posterior ao de Paulo. Há grande ênfase sobre a igreja cristã e pouca saliência posta sobre questões escatológicas. O estudo sobre a doutrina dos «dons espirituais», diferente daquele que aparece na primeira epístola aos Coríntios, e a questão sobre a descida ao hades (ver Efé. 4:8-10), não aparecem como temas paulinos em nenhuma outra porção dos escritos paulinos.

7. A grande similaridade com a epístola aos Colossenses, sugere que esta epístola aos Efésios foi uma expansão com base naquela, feita por algum dos discípulos de Paulo, ou por alguém cujo herói era o apóstolo Paulo.

Aqueles que procuram defender a autoria paulina tradicional têm procurado responder a todas essas dificuldades, conforme se vê abaixo:

a. Em resposta às razões 1 e 2, esses eruditos perguntam: Por que se pensaria que Paulo não poderia ter escrito uma epístola «circular», não endereçada a qualquer comunidade em particular, não baseada em qualquer situação geográfica ou pastoral? Pois a verdade é que Paulo poderia ter escrito uma epístola geral, a fim de ensinar elevadas doutrinas, tendo-a enviado para uma localidade bem geral, como a Ásia Menor, com a esperança de que a mesma receberia boa circulação entre as igrejas cristãs, tal como esperou que acontecesse às epístolas aos Colossenses e aos Laodicenses (ver Col. 4:16). Muito presumem aqueles que pensam saber tudo acerca do método e do caráter de Paulo, acerca dos seus hábitos, ou acerca de alguma decisão diversa que ele possa ter tido.

b. O vocabulário não paulino poderia ser explicado à base simples do assunto abordado por ele, nessa epístola aos Efésios, porquanto envolvia temas conhecidos por ele mas não ventilados em qualquer de suas demais epístolas, e que, envolviam, naturalmente, palavras diversas para expressá-los. A coletânea paulina total de nove ou dez epístolas, que a maioria dos estudiosos admite como paulina, dificilmente pode ser considerada como uma demonstração do vocabulário conhecido pelo apóstolo Paulo, como se ele só conhecesse essas palavras, dependendo das necessidades da ocasião. Isso responde à objeção número (3).

c. A questão de estilo e da estrutura das sentenças, abordada na objeção de número 4, não é muito difícil para responder. Devemos nos lembrar que a quanti-

dade de material que temos em Efésios é muito pequena. A carta inteira poder ser lida facilmente em vinte minutos. A quantidade pequena de matéria simplesmente não oferece uma base adequada para os tipos de julgamentos que alguns estudiosos fazem concernentes a questões de estilo, vocabulário, termos, etc. Também, o uso de amanuenses diferentes, na produção de documentos diversos, podia ter modificado as cartas de Paulo (nas questões sob consideração) adequadamente para criar certos problemas à respeito.

d. As expressões não-paulinas. O que temos falado sob o ponto (c) também se aplica aqui. O corpo *inteiro* das cartas de Paulo, sendo relativamente *pequeno*, não pode representar todas as expressões possíveis do Apóstolo. Cada documento, portanto, deve ser uma simples representação de algumas expressões paulinas. Cada carta de Paulo, *necessariamente*, apresenta algumas expressões e idéias que as outras não contêm.

e. Os supostos *conceitos não-paulinos*, que supostamente seriam por demais «eclesiásticos» para a sua época, e que conteriam pouquíssimas idéias escatológicas, não formam uma objeção justa. Pois a epístola aos Colossenses frisa fortemente a doutrina da igreja; e não é razoável supormos que Paulo não pudesse enfatizar ainda mais esse tema, em uma ocasião posterior qualquer. Além disso, não há negligência pelo aspecto escatológico na epístola aos Efésios. Porquanto o grande e notável primeiro capítulo dessa epístola consiste principalmente de questões escatológicas. Outrossim, a questão da «descida ao hades» era um pensamento comum naquela época, no seio da igreja cristã, conforme se pode ver nos trechos de I Ped. 3:18-20 e 4:6, tema esse igualmente aludido em Fil. 2:9-11, embora ali não seja especificamente declarado. Ver a descida mencionada em Rom. 10:7. Isso responde à objeção de número 6.

f. Há estudiosos que têm considerado a óbvia similaridade entre a epístola aos Efésios e a de Colossenses, como uma prova em favor da autoria paulina, e não algo que milita contra a mesma. Pois isso pode sugerir-nos que, algum tempo depois de haver escrito a epístola aos Colossenses, em uma outra epístola, Paulo expandiu os temas que havia abordado naquela primeira. Isso responde à sétima e última dessas objeções. Não nos parece, entretanto, que a epístola aos Efésios tenha sido «copiada» da epístola aos Colossenses, em qualquer sentido, porquanto não aparece qualquer cópia *verbatim*, ou seja, palavra por palavra, conforme se esperaria no caso de alguém ter supostamente «expandido» essa epístola a fim de produzir a epístola aos Efésios.

Se Paulo não escreveu a epístola aos Efésios, qual seria a razão de um pseudônimo, isto é, de alguém que escreveu sem revelar o próprio nome, fazendo-o em lugar desse apóstolo? Por que essa epístola teria sido atribuída a Paulo? Em primeiro lugar, devemo-nos lembrar que, nos tempos antigos, não era considerado errado escrever um livro ou uma obra qualquer em nome de algum personagem famoso, com o intuito de ajudar na sua circulação e prestígio. Existem muitos documentos antigos dessa natureza, e os muitíssimos livros apócrifos do N.T. mostram exatamente esse tipo abundante de atividade literária. Embora fossem reconhecidos como pseudônimos, muitos destes livros antigos desfrutaram de grande fama e circulação, até mesmo entre alguns cristãos primitivos.

Alguns estudiosos acreditam que a epístola aos Efésios foi escrita como uma espécie de *epístola de apresentação*, para ser posta juntamente com a

EFÉSIOS

coletânea de escritos paulinos, na tentativa de restaurar o interesse pelas epístolas desse apóstolo. Goodspeed foi quem primeiro expôs essa teoria, supondo que Filemom (ou algum outro dos primeiros discípulos de Paulo) tivesse sido o seu compilador, isto é, da coleção dos escritos paulinos, bem como o autor da epístola de apresentação, que seria a de Efésios. As epístolas de Paulo tinham um interesse e uma aplicação locais; mas algum discípulo seu pode ter visto claramente a sua aplicação universal, motivo pelo qual interessou-se por reavivar o interesse pelas mesmas, tendo usado o método acima descrito para realizar o seu alvo. Goodspeed, pois, supunha que «cada linha dela (da epístola aos Efésios) mostra sua dívida para com uma ou outra das nove epístolas de Paulo», o que serviria para demonstrar quão intimamente vinculado estava o seu autor ao apóstolo Paulo, pelo menos no tocante à simpatia e ao estudo de seus escritos. Sem importar quem teria sido esse suposto autor, é evidente que ele só poderia ter sido um judeu, segundo se vê em Efé. 2:11,12, onde seu autor se expressa como se os seus leitores pertences- sem a uma categoria diferente da sua, sem nos referirmos às muitas expressões de origem semítica, como *filhos da desobediência*, «da ira», «da luz» e «obras das trevas».

Conclusão

1. Temos exposto os vários **prós e contras** sobre a autoria paulina de Efé. A posição deste artigo é que, apesar de haver dificuldades que devem ser reconhe- cidas e estudadas, não há objeções avassaladoras à autoria paulina dessa epístola. A epístola é mui provavelmente paulina, considerando-se que reflete grande gênio, profundas expressões e conceitos profundos, possuidora de qualidades que a destacam acima de todos os demais livros do N.T. Porventura Paulo teria algum *discípulo* que o ultrapassou? A epístola é muito mais que um mero sumário das idéias paulinas. Antes, é um empreendimento ambicioso, possuindo sinais de grande originalidade e poder. A epístola tenta formular uma filosofia da religião, a qual, ao mesmo tempo, é uma filosofia da história humana. É o documento teológico mais profundo do N.T., apesar de sua brevidade.

2. O real problema. Prezados amigos, conforme se dá com todos os livros do N.T., cuja autoria é disputada, nosso real problema aqui não é afirmar que «Paulo o escreveu» ou «Paulo não escreveu». Antes, nosso cuidado deveria ser: Quanto do mesmo eu já aprendi? Quanto do mesmo venho praticando? O que sei acerca de 'vir a participar de toda a plenitude divina' (3:19)? O que sei acerca de fazer de Cristo o motivo de toda a vida e viver diário (1:10)? Já fui libertado dos vícios pagãos que ele deplora? Conheço algo da inspiração, revelação e iluminação da alma, sobre o que o livro fala (1:18)?

II. Data e Proveniência

Se a epístola aos Efésios não foi escrita por Paulo, a sua proveniência não pode ser determinada, porquan- to essa questão se torna impossível de ser investigada, já que não teremos para ela qualquer conexão histórica. Além disso, se ela não é de autoria paulina, não pode ter sido escrita antes de 90 a 92 A.C., mais ou menos na época em que se fazia a coleção dos escritos paulinos, que já usufruíam de intensa circulação na igreja cristã primitiva. Assim, pois, se a teoria de Goodspeed está correta, e não existe teoria melhor, ficando assim comprovado que essa epístola não é de autoria de Paulo, então a «epístola de apresentação», que seria a nossa atual epístola aos Efésios, como já dissemos, mui provavelmente teria

surgido depois da publicação e circulação da literatura lucana; e isso indicaria, quando muito, o fim do século I D.C., como o tempo da escrita da epístola aos Efésios. As citações que aparecem nos escritos dos pais da igreja, entretanto, indicam que isso não poderia ter acontecido mais tarde que a primeira porção do século II D.C.

Por outro lado, se a nossa epístola aos Efésios é realmente paulina (que é a suposição deste autor) fiça óbvio que a mesma foi escrita ao mesmo tempo que as epístolas aos Colossenses e a Filemom. (Comparar Col. 4:7,8 com Efé. 6:21,22 e File 23 e 24, trechos que exibem circunstâncias definidamente similares, sob as quais essas três epístolas foram escritas, além de mostrarem que Paulo vinha sendo ajudado pelos mesmos companheiros de trabalho). Na epístola aos Colossenses, Onésimo, o escravo conver- tido que voltou à companhia de seu senhor, é mencionado como co-portador dessa epístola, junta- mente com Tíquico. Isso não é dito na epístola aos Efésios; mas as circunstâncias parecem indicar que o envio da epístola aos Efésios teve lugar ou pouco antes ou pouco depois do envio da epístola aos Colossenses. A maioria dos estudiosos que atribuem a Paulo a autoria da epístola aos Efésios, pensa que a mesma foi escrita pouco depois da epístola aos Colossenses, — e que foi escrita em Roma, — durante o período de aprisionamento descrito nos versículos finais do livro de Atos. Outros eruditos, contudo, atribuem-na a um período de aprisionamento anterior, em Cesaréia, descrito a partir do capítulo vigésimo terceiro do livro de Atos. Isso fazia a carta ter sido escrita cerca de dois ou três anos antes. É bem provável que Paulo tenha chegado em Roma em cerca de 58 D.C., o que significaria que as epístolas que ele escreveu dali poderiam ser datadas em qualquer ponto, entre 58 e 60 D.C., supondo-se que ele foi aprisionado pela primeira vez por um período de dois anos ou pouco mais. (Ver Atos 28:30).

Podemos observar como Paulo, em File. 22, requer que Filemom lhe prepare um cômodo, em antecipa- ção à visita que tencionava fazer para breves dias. Dificilmente Paulo poderia ter escrito tais palavras em Cesaréia, mas poderia tê-lo feito quando se aproxi- mava o fim do período de seu aprisionamento na cidade de Roma, ou, pelo menos, na esperança de que seu aprisionamento terminaria dentro de poucos dias. Os trechos de Efé. 3:1; 4:1 e 6:20 identificam definidamente essa epístola como missiva enviada da prisão. E o tradicional «primeiro aprisionamento romano» é uma boa idéia proposta pelos estudiosos para situar essa prisão, embora tal sugestão seja acompanhada de algumas dificuldades. No entanto, outros eruditos têm sugerido Éfeso como lugar onde foi escrita a epístola a Filemom, porquanto Paulo também foi aprisionado ali. A cidade de Colossos ficava nas proximidades e Paulo pode ter desejado ficar ali algum tempo, — antes de finalmente despedir-se de Éfeso, para fazer sua visita final à Macedônia e à cidade de Corinto. Ora, isso situaria o tempo da escrita da epístola a Filemom tão cedo como o verão de 54 D.C.

A alusão feita por Paulo de que ele lutou «...*em Éfeso com feras...*» (I Cor. 15:32), talvez indique que realmente Paulo tenha sido aprisionado em Éfeso, embora o livro de Atos nada nos diga a respeito. Não obstante, continua sendo forte a conjectura de que ele deveras foi aprisionado ali, apesar de que a maioria dos eruditos opine que o primeiro aprisionamento em Roma seja a sugestão mais isenta de dificuldades. Não obstante, G.S. Duncan (*St. Paul's Ephesian Ministry*, 1929) sugeriu nada menos de três períodos diversos de

EFÉSIOS

aprisionamento em Éfeso, supondo que todas as chamadas «epístolas da prisão» foram escritas daquela cidade. Esse autor tem sido secundado em suas opiniões por alguns excelentes eruditos, como E.J. Goodspeed (*History of Early Christian Literature*, 1942), bem como por outros nomes respeitáveis do mundo da literatura bíblica. Não devemos deixar de observar, entretanto, que em sua tradução, no ponto onde ele apresenta introduções a cada um dos livros do N.T., nessa época ainda aceitava a idéia de que Paulo escreveu suas «epístolas da prisão» quando estava aprisionado na cidade de Roma. Por conseguinte, a questão continua sem solução; mas, afinal de contas, não se reveste de grande importância.

Ver uma nota mais detalhada sobre este assunto no artigo sobre *Colossenses*, seção II.

III. Para Quem foi Escrita? Propósitos

A epístola aos Efésios, menos do que qualquer das demais epístolas de Paulo, tem alguma vinculação com qualquer localidade conhecida. A essa epístola faltam as saudações locais. Por essa razão, muitos eruditos têm duvidado que essa epístola tivesse qualquer endereço certo, pensando que a mesma foi escrita como mera «epístola de apresentação», por parte de algum dos discípulos íntimos de Paulo, a fim de restaurar o interesse pela literatura paulina. (Ver a seção sobre a «Autoria», no tocante a detalhes sobre essa suposição). Mas outros estudiosos têm suposto que essa epístola foi uma *circular*, enviada às igrejas locais da Ásia Menor, que poderia ter incluído a de Éfeso; e, posto que a cidade de Éfeso era a mais importante daquela região, finalmente essa epístola veio a ser chamada de «epístola aos Efésios».

Para muitos estudiosos, as palavras que aparecem no primeiro versículo dessa epístola, «...aos santos que vivem em Éfeso...», conforme aparecem em alguns dos manuscritos antigos, que são seguidos pela esmagadora maioria das traduções de todos os tempos, solucionam o problema de «para quem» essa epístola foi escrita. Infelizmente, porém, a questão não pode ser solucionada com essa facilidade; pois é fato inequívoco que a maioria dos manuscritos antigos não contém essas palavras. Abaixo oferecemos as evidências textuais a respeito:

As palavras «...*em Éfeso*...» estão contidas nos mss ADG e na maioria das versões latinas, bem como em todos os manuscritos minúsculos posteriores. As traduções ASV, BR, NE, KJ, PH e WY seguem esses manuscritos. (Quanto à identificação dessas traduções, ver a introdução ao NTI e a lista de abreviações das mesmas). Contudo, manuscritos mais antigos, como P(46), o mais antigo manuscrito existente das epístolas de Paulo, um papiro pertencente ao séc. III D.C., não contém essas palavras. Esse testemunho é consubstanciado, igualmente, pela omissão dessas palavras nos dois mais antigos mss unciais, escritos em velino, que se conhecem, a saber, os mss Aleph e B, ainda que, em ambos, um escriba posterior, naturalmente, escreveu as palavras *em Éfeso*. Os mss 424(2) e 1739 também omitem essas palavras, e os pais da igreja Márcion, Tertuliano, Orígenes e Basílio omitiram-nas também em suas referências a essa epístola. É interessante que Basílio diz especificamente que a alusão a Éfeso se fazia ausente na maioria dos manuscritos que ele conhecia. Por sua vez, Márcion diz que essa epístola foi escrita «aos Laodicenses», embora isso tivesse sido somente uma opinião, baseada na menção de Col. 4:16, onde Paulo fala de uma epístola «aos Laodicenses», que atualmente desconhecemos, mas que Márcion (além

de muitos outros estudiosos de séculos posteriores) supunha ter podido identificar com aquela que atualmente chamamos de «aos Efésios». Entretanto, nenhum manuscrito antigo diz «aos Laodicenses» ou frase semelhante, que nos permita identificar tal epístola; e todos os problemas que são contrários ao tradicional endereço, «aos Efésios», se fazem presentes no caso de Laodicéia, além do problema adicional que não existe qualquer evidência textual em favor desse suposto endereço, ao passo que pelo menos manuscritos posteriores exibem o endereço «aos Efésios».

Essa **ausência de qualquer endereço**, no teor da própria epístola, tem provocado muita discussão e controvérsia. As provas textuais de mais peso evidentemente favorecem a omissão das palavras «em Éfeso», e isso deixa a questão insolúvel, do ponto de vista textual. Outrossim, os trechos de Efé. 1:15 e 3:2 parecem indicar que o autor sagrado ainda não havia visitado o lugar para onde escrevia, embora se saiba perfeitamente bem que Paulo passou longo período de tempo em Éfeso, segundo se compreende através do décimo nono capítulo do livro de Atos. A maioria dos intérpretes, na realidade com base em pouquíssimas provas textuais, supõe que essa tenha sido uma *epístola circular*, enviada para certo número de igrejas da Ásia, mui provavelmente as mesmas que são mencionadas no livro de Apocalipse, a saber, Éfeso, Esmirna, Sardes, Colossos, Filadélfia, Laodicéia e Tiatira, incluindo até mesmo outras localidades não mencionadas no N.T. em parte alguma.

Em favor do ponto de vista ventilado no fim do parágrafo acima, pode-se dizer que a nossa epístola aos Efésios tem certa conexão com as epístolas aos Colossenses e a Filemom, pois Filemom evidentemente residia na cidade de Colossos. Tíquico estava então em sua companhia, e o apóstolo declara que ele estava pronto a informar aos leitores de sua epístola quais eram as condições de sua pessoa (Paulo estava então aprisionado). Na epístola aos Colossenses lemos que Onésimo também estava em companhia de Paulo; mas não ocorria outro tanto no tempo em que ele escreveu a epístola aos Efésios. Não obstante, Onésimo poderia já ter sido enviado de volta a seu senhor, Filemom; mas também é possível que a epístola aos Efésios tenha sido escrita antes, tendo assim precedido a visita feita por Onésimo. A comparação entre Col. 4:7,8 e Efé. 6:21,22 e File. 23,24, mostra-nos a relação bem definida entre essas três epístolas. Por conseguinte, se a epístola aos Efésios é verdadeiramente paulina, então adquire grande força a idéia de ter sido ela uma «epístola circular». Outrossim, o fato de que essas três missivas são apresentadas como epístolas escritas «na prisão», sem importar se Paulo era prisioneiro em Roma, em Cesaréia ou em Éfeso, mostra-nos haver íntima conexão entre elas, e que todas as três foram enviadas aproximadamente para a mesma localização, a saber, a Ásia Menor, da qual a cidade de Éfeso era um dos principais centros populosos.

Não obstante, se não pudermos aceitar a autoria paulina da epístola aos Efésios, então as referências que poderiam identificar a localidade aproximada para onde essa epístola foi enviada são todas artificiais, tendo sido inseridas por quem quer que tenha escrito esse livro, a fim de dar-lhe um sabor paulino. Porém, se essa epístola é deveras paulina, então as palavras «em Éfeso», naturalmente, devem ter sido ajuntadas à epístola, primeiramente por causa de sua íntima conexão com as cartas paulinas enviadas para as proximidades daquela cidade, todas as quais foram enviadas por intermédio de Tíquico; e,

EFÉSIOS

em segundo lugar, porque não havia nenhum livro de origem apostólica dirigido a Éfeso, um dos lugares mais importantes dentre aqueles onde Paulo labutou no evangelho e isso preencheria a lacuna. Além disso, posto que Éfeso era a grande capital daquela região, sendo a cidade mais populosa, cópias da «epístola circular», enviada àquela área geral, com o tempo mui naturalmente, seriam consideradas como enviadas para os crentes «em Éfeso», e não para os de qualquer outra localidade, quando alguns dos primeiros copistas desejaram emprestar-lhe uma identificação local.

Isso significaria apenas que os primeiros copistas meramente escolheram **Éfeso** por causa de seu prestígio e importância, em detrimento de qualquer outra localidade próxima, como a localidade específica para onde essa epístola foi enviada.

O motivo que mais recomenda a teoria da «epístola circular», como explicação para os destinatários da nossa epístola aos Efésios, é que ela representa a única alternativa plausível para a teoria da autoria não paulina; sendo essa a razão pela qual tantos eruditos conservadores, não tendo idéia melhor do que essa, e querendo reter sua identificação como epístola paulina, se têm apegado a essa citada teoria. Pois nenhum erudito nas questões textuais haveria de incluir as palavras «em Éfeso», que aparecem logo no primeiro versículo dessa epístola, ignorando o fato de que mui provavelmente essas palavras foram incluídas posteriormente, não refletindo realmente seus verdadeiros destinatários. Nenhum manuscrito anterior ao século IV D.C. inclui as palavras «em Éfeso»; pelo que também se pode concluir que essa epístola, apesar de não ter sido especificamente enviada para os crentes que habitavam naquela cidade, foram incluídos como habitantes de uma área geral maior, a Ásia Menor. Essa é a posição tomada pela grande maioria dos eruditos conservadores modernos, ao passo que a maioria dos eruditos liberais prefere pensar na autoria não-paulina, conforme foi descrito na seção deste artigo, intitulada «O Vexatório Problema da Autoria».

Portanto, essa epístola foi realmente endereçada «...aos santos e fiéis em Cristo Jesus...», conforme o texto grego pode ser traduzido, se omitirmos as palavras «em Éfeso». No entanto, o particípio presente do verbo grego, «ousin», conforme se verifica em certos papiros pertencentes ao século primeiro da era cristã, significa «local»; motivo pelo qual alguns estudiosos têm conjecturado que a saudação de Paulo deve ser compreendida como «aos santos locais, que são fiéis em Cristo, Jesus». Essa tradução possível favorece a teoria da «epístola circular», pois, nesse caso, ver-se-ia que essa epístola realmente teve um destino, ainda que extremamente amplo, o que explica a ausência de quaisquer referências pessoais.

Mas existem eruditos que pensam que foi deixado um espaço em branco, no manuscrito original, de tal modo que as cópias que fossem enviadas às diversas congregações locais preenchessem ali o nome das diversas localidades, segundo o caso. Todavia, esse método de envio de missivas não tem paralelo histórico quanto aos métodos literários, bastando essa razão para que ele não seja muito provável. Outrossim, se tais nomes tivessem sido inseridos, é perfeitamente certo que ao menos alguns deles tivessem sido preservados para nós, do mesmo modo que o título «aos Efésios» foi preservado em tantos manuscritos. De outro modo, teríamos de supor que todas as demais cópias se perderam, e que foram preservadas tão somente aquelas endereçadas «aos

Efésios», o que parece absurdo, devido à alta porcentagem de improbabilidade.

Além das razões que já abordamos, sobre por que razão a cidade de Éfeso veio a ser associada à nossa «epístola aos Efésios», podemos acrescentar aqui aquela outra que resulta de II Tim. 4:12, que diz: «Quanto a Tíquico, mandei-o até «Éfeso». Posto ter sido ele o portador das epístolas aos Colossenses e a Filemom, e visto que ele foi também o portador da epístola aos Efésios (ver Efé. 6:21), é apenas natural vincular essa epístola a Éfeso, supondo-se, mediante a comparação entre essas duas referências, que quando ele foi ali, levou a epístola de Paulo para eles.

Essa epístola foi enviada, segundo nos parece certo, à igreja cristã universal, uma sociedade de âmbito mundial, e não local, a saber, aos «santos e fiéis em Cristo Jesus», sem importar se foi o apóstolo Paulo ou outro qualquer que a escreveu.

Quais foram os propósitos dessa epístola *aos Efésios*, escrita para a Igreja Universal? O primeiro capítulo estabelece o *tom*, ao anunciar o elevado destino dos remidos como «plenitude daquele que preenche a tudo em todos». Devemos observar que esse primeiro capítulo é muito semelhante, quanto à sua mensagem, embora seja uma abordagem mais abreviada, ao oitavo capítulo da epístola aos Romanos, não havendo literatura religiosa mais elevada, no mundo inteiro, do que aquela que nossos olhos encontram nesses dois trechos bíblicos. Um dos propósitos centrais dessa epístola, portanto, é a de salientar esse elevadíssimo destino dos remidos, apresentando as várias aplicações desse conceito, no que diz respeito ao andar cristão diário.

Goodspeed, e aqueles que seguem as suas idéias, supõem que um discípulo qualquer de Paulo é que teria escrito a epístola aos Efésios, como uma espécie de «epístola de apresentação» para as demais epístolas paulinas, a fim de despertar novamente o interesse pelos escritos paulinos. Não há meios para confirmarmos ou negarmos essa teoria; mas, quando muito, isso deve ser reputado uma *mera hipótese*. Mas, ainda que assim realmente tivesse acontecido, e que esse tivesse sido um dos *propósitos* da escrita dessa epístola, contudo, acima dessa razão avulta aquela outra, que é a de revelar o elevadíssimo destino da igreja cristã, e o que isso deve significar em relação à conduta diária, tanto acerca da igreja cristã inteira como em relação ao indivíduo.

É evidente, na própria epístola, que se caracteriza por sua elevada cristologia, que Paulo combatia alguma forma do *gnosticismo*, tal como se verifica também no caso da epístola aos Colossenses. Sabemos atualmente que formas anteriores e mais primitivas do gnosticismo já existiam, certamente, antes do começo do movimento cristão, não sendo, portanto, um desenvolvimento doutrinário de séculos posteriores. Por conseguinte, a epístola aos Efésios deve ser classificada entre as «epístolas que combatem heresias», o que significa simplesmente que um de seus propósitos era apologético. Apesar de ter por intuito ensinar elevadas doutrinas cristãs, não foi ela escrita exclusivamente com essa finalidade, mas também tinha outros objetivos. Se porventura ela foi escrita por algum dos discípulos de Paulo, então um de seus propósitos, pelo menos parcialmente, foi exaltar a teologia paulina aos olhos da igreja cristã, sobretudo no que se relaciona a questões que envolvem a igreja e o seu destino específico, porque essas questões, apesar de serem abordadas em outros trechos, são descritas de maneira mais completa e vigorosa em nossa epístola aos Efésios.

EFÉSIOS

«Seu principal propósito era o de confirmar os seus irmãos na fé, ampliando os seus horizontes, apertando ainda mais os laços de fraternidade que já os uniam; ensinando-lhes assim que as mais profundas experiências e os mais exaltados pensamentos podem ser encontrados dentro do corpo a que todos eles pertenciam; e que na unidade deles jazia a garantia da unidade de toda a humanidade, e, de fato, da criação inteira, na pessoa de Cristo». (Francis W. Beare).

IV. Temas Centrais

Nenhuma outra epístola de Paulo se tem mostrado dotada de maior influência sobre a história subseqüente da igreja cristã do que a epístola aos Efésios. Somente as epístolas aos Romanos e aos Gálatas têm sido mais largamente usadas. E a projeção da epístola aos Efésios é resultado natural das idéias elevadas e das expressões eloqüentes existentes nessa epístola. Pode-se sentir a notável influência do apóstolo Paulo através dessa epístola, tal como a influência de Tertuliano foi transmitida através de Cipriano. Eis os grandes temas da epístola aos Efésios:

1. Cristo Jesus é aquele que *preenche tudo em todos*, *sendo* esse o seu tema principal e central. O primeiro capítulo dessa epístola tem a finalidade precípua de situar o Senhor Jesus na mais elevada posição cosmológica possível, do mesmo modo que Paulo faz nos capítulos primeiro e segundo de sua epístola aos Colossenses: «...porquanto nele habita corporalmente toda a plenitude da Divindade» (Col. 2:9). Portanto, vê-se no primeiro capítulo da epístola aos Efésios que Cristo é o mais elevado poder cosmológico, acima de qualquer ser angelical.

Mas os gnósticos, em contraste com isso, ensinavam que apesar de Cristo ter sido uma exaltada figura, certamente mais do que humana, provavelmente da ordem angelical, não pertencia, entretanto, à ordem mais elevada de todas, a ordem divina; e que, apesar dele ter sido o criador; não era o criador de «todos os mundos», mas tão somente *deste mundo*, o que fazia dele «o deus deste mundo». As epístolas aos Colossenses e aos Efésios, entretanto, contradizem essa tese gnóstica, mostrando que o Senhor Jesus é o cabeça de toda a criação, o ponto em torno de quem tudo tem sua unidade e significação, pois nada mais profundo e vigoroso do que isso poderia ter sido dito com relação à sua divindade inerente do que Paulo diz acerca de Cristo. O «mistério» de Deus consiste exatamente nessa unidade de tudo em torno de Cristo, — o que se manifestará quando ele assumir a posição que lhe compete, e vir a ocupá-la de forma universal, aos olhos de todas as criaturas inteligentes.

2. A criação inteira, portanto, está relacionada a Cristo, e, de uma maneira ou de outra, encontra nele o seu alvo e o *seu propósito de ser*. (Efé. 1:10). Não sabemos como tudo isso se concretizará, mas o segundo capítulo da epístola aos Filipenses dá-nos a entender a mesma verdade. O quarto capítulo da epístola aos Efésios, em conexão com aquele trecho antes citado, repete a idéia popular nos séculos I e II da era cristã, e que finalmente foi incorporada no chamado «Credo Apostólico», isto é, a idéia da descida de Cristo ao hades, onde ele realizou uma obra remidora. Alguns dizem que ele ofereceu salvação aos perdidos. Outros dizem que ele só *melhorou* seu estado. Ver o artigo sobre a *Descida de Cristo ao Hades*.

Essa descida de Cristo ao hades e sua subseqüente **ascensão** aos céus, são especificamente declaradas como necessárias ao fato de que ele «enchesse a todas

as coisas», isto é, que ele fosse o *Senhor de tudo*, a personagem *unificadora* de toda a criação. Com base nisso se deriva a grande esperança dos *efeitos universais* da missão de Cristo, que, apesar de não ser dito claramente esse tanto, dá-nos a entender que Cristo estabeleceu uma diferença em toda a parte, para melhor, afetando não só a igreja cristã, mas até os próprios perdidos no estado eterno, embora isso não queira dizer, sob hipótese alguma, — que eles venham a receber o *mesmo tipo* de vida dos eleitos. O evangelho apócrifo de Nicodemos também apresenta Cristo nesse ministério, como também o faz o Testamento apócrifo de Abraão, apesar de que esses livros expõem um resultado universalista, como se a descida de Cristo ao hades significasse salvação para todos. Apesar da teologia de Paulo não descer a tanto, é justo observarmos que Cristo, sendo a mais elevada figura cosmológica da história, estabeleceu uma diferença universal e cosmológica para melhor. Esse é o tema central dos capítulos primeiro e quarto da epístola aos Efésios. Efé. 1:10, certamente, ensina este conceito. Ver sobre *Mistério da Vontade de Deus*.

3. Em sua aplicação aos crentes, aos eleitos e predestinados, esse tema se eleva mais ainda. No tocante aos remidos vemos que eles são «a plenitude daquele que preenche a tudo em todos», o que, como é óbvio, eleva a pessoa de Cristo muito acima da ordem dos seres angelicais, e, por conseqüência, os remidos são elevados, em Cristo, acima dos anjos. O oitavo capítulo da epístola aos Romanos define essa elevação em termos de nossa transformação segundo a imagem de Cristo, ao passo que o trecho de II Ped. 1:4 o faz em termos de nossa participação na natureza divina.

Nessa epístola, o trecho de Efé. 1:23 é o versículo central que ensina essa doutrina. Ora, esse é o verdadeiro e completo evangelho de Cristo. Não envolve o evangelho de Cristo meramente o perdão dos pecados e a mudança de endereço para os lugares celestiais. Antes, manuseamos uma transformação celestial e divinamente determinada do ser humano, que fará os remidos subirem até à própria posição ocupada por Cristo, levando-os a herdarem aquilo que Cristo herdará. Assim nos ensinam passagens como Rom. 8:14 e *ss* e Efé. 1:11. Muitos versículos desse primeiro capítulo da epístola aos Efésios descrevem o elevadíssimo privilégio dos eleitos, motivo pelo qual esse capítulo é um dos que maiores informações nos prestam sobre o tema, perdendo em importância apenas para o oitavo capítulo da epístola aos Romanos, se é que realmente assim acontece. Até que ponto o «evangelho de Paulo» afeta os homens, pois, é um dos temas centrais da epístola aos Efésios. Esse tema central envolve outros temas secundários, como a questão inteira da predestinação e da eleição, tão disputada na história eclesiástica subseqüente. (Ver Efé. 1:4,5).

4. O segundo capítulo da epístola aos Efésios mostra-nos como essa redenção e *eleição* afetam os gentios. Eles são elevados do paganismo para os lugares celestiais. A redenção dos gentios, por conseguinte, é um dos temas centrais dessa epístola, embora seja uma subcategoria da redenção humana, conforme aparece no teor do primeiro capítulo da mesma. Um outro subproduto da reconciliação com Cristo e da unidade que foi estabelecida entre judeus e gentios, é o ensino que aqueles que estavam em inimizade serão unidos, sendo tanto os judeus como os gentios convertidos, edificados sobre o alicerce dos apóstolos e profetas, sendo o próprio Jesus Cristo a principal pedra de esquina. Portanto, na igreja cristã, judeus e gentios são unidos em Cristo, estabelecendo-

EFÉSIOS

se uma unidade que elimina as antigas divergências, conforme se vê no segundo capítulo dessa epístola.

5. Tudo isso se revestia de significação pessoal para o próprio apóstolo Paulo. Isso revelava a glória de seu chamamento, que o convocara especialmente para ser o apóstolo dos gentios. (Ver Efé. 3:14-21).

6. As consequências práticas dessa *redenção geral*, e seu elevado destino, são os temas ou assuntos centrais dessa epístola, a começar por Efé. 4:1 até o fim do mesmo. Uma maneira digna de andar é o tema geral (ver Efé. 4:1-16), o que requer a negação da vida antiga de ignorância e de hábitos pecaminosos. (Ver Efé. 4:17-32). Porém, a unidade de todos os crentes em Cristo requer a unidade da igreja como uma comunidade de seres humanos. (Ver Efé. 4:1-8). E também exige o exercício apropriado dos dons ministeriais da igreja (ver Efé. 4:9 e *ss*), porquanto Cristo capacita a todos a servirem-no de alguma maneira específica. Além disso, a unidade em Cristo também importa na unidade no lar, entre esposo e esposa, visto que essa relação é análoga à de Cristo e sua igreja. (Ver Efé. 5:22-33). A unidade em Cristo provoca o conflito contra o reino das trevas e contra os seus muitíssimos agentes que povoam ao redor da terra. Esses poderes malignos são considerados seres perfeitamente reais pelo autor sagrado, — que também ajunta que os remidos devem resistir-lhes de maneira diligente. (Ver Efé. 6:10-20). Em parte alguma das Escrituras o conflito dos crentes contra as forças malignas é salientado e descrito com maior clareza do que nessa passagem que é uma das porções mais eloqüentes da epístola aos Efésios.

7. Os *mistérios* da epístola aos Efésios. De conformidade com o vocabulário paulino, um «mistério» não é nenhum assunto insondável, que só possa ser conhecido por alguns poucos indivíduos seletos, conforme esse vocábulo é usualmente usado, sobretudo como era empregado para indicar as chamadas «religiões misteriosas» dos dias desse apóstolo. Pelo contrário, um «mistério» é um «segredo desvendado», pertencente à categoria das verdades «reveladas», visto que tais verdades não podem ser descobertas pela percepção dos sentidos ou pela razão humana. Ver o trecho de Efé. 3:5, onde essa definição essencial aparece na própria epístola. É mister desdobrarmos essa questão, conforme fazemos abaixo:

a. Efé. 1:10 apresenta-nos o maior e todo inclusivo «mistério». Trata-se da *unidade universal* de todas as coisas em redor de Cristo, a expansão total de sua obra criativa, bem como os resultados finais dessa obra. Esse mistério, naturalmente, inclui todos os outros mistérios. Ver **Mistério da Vontade de Deus**.

b. O trecho de Efé. 3:4, que introduz o tema da *igreja*, assevera que esse é um mistério. Os gentios deveriam ser salvos e equiparados em pé de igualdade com os judeus crentes, em Cristo, formando uma comunidade religiosa remida, o que era tema profético; mas a verdadeira natureza dessa comunidade, segundo a descrição de Paulo nos capítulos primeiro a quinto dessa epístola, - era um «mistério». Portanto, na qualidade de plenitude daquele que enche a tudo em todos, na qualidade de um corpo místico que incorpora tanto judeus como gentios (pois divisões entre os dois foram eliminadas em Cristo, desde que se convertam a ele), a igreja cristã era um assunto que os profetas antigos percebiam apenas mui indistintamente; e, em seu sentido completo, conforme Paulo o revelou, era algo totalmente ignorado, e, portanto, um «mistério».

c. A igreja cristã, na posição de *noiva de Cristo*, o

que envolve uma relação especial, um privilégio sem igual, é um «mistério», ilustrado pelo matrimônio terrestre. É salientada a unidade, pois é declarado que os dois (marido e mulher, que representam, respectivamente, Cristo e sua igreja) tornar-se-ão *uma só carne*. O tema do povo celestial, a noiva de Cristo, em sua relação para com o Senhor Jesus, é um «mistério», algo que antes era completamente desconhecido, mas que agora nos foi revelado pela vontade divina.

d. O trecho de Efé. 6:19 menciona o *mistério do evangelho*, isto é, o evangelho conforme o mesmo é plenamente revelado, com tudo quanto está implícito nesse ensino, relativamente à redenção humana, algo que foi totalmente oculto dos profetas antigos. O evangelho, pois, revela certas verdades anteriormente ocultas, verdades exaltadas, que falam sobre uma redenção e uma glorificação transcendentais para os crentes. Que o mero homem pudesse estar destinado para um alvo tão elevado e celestial era algo desconhecido nos tempos do A.T., mas que nos foi revelado em Cristo, através do apóstolo Paulo, o agente dessa revelação.

8. *Deus como Pai*. (Ver Efé. 1:2; 2:4,5; 3:13,15). Deus aparece nessas passagens como o cabeça de toda a criação, que é vista como se fosse muitas famílias.

9. O *Espírito Santo*, como agente da iluminação espiritual. (Ver Efé. 1:18 e *ss*). Ele é o revelador da unidade que há em Cristo (ver Efé. 3:5). O acesso a Deus Pai se dá por meio do Espírito Santo, para todos (ver Efé. 2:18). E todos os crentes se tornam uma habitação de Deus, através do Espírito (ver Efé. 2:22). Além disso, o Espírito Santo aparece nessa epístola como o poder revigorador, no homem interior, que produz a piedade prática dos crentes (ver Efé. 3:16 e *ss.*). Outrossim, a unidade entre os membros da igreja se verifica por meio do Espírito Santo (ver Efé. 4:3). O fruto do Espírito Santo é bondade, verdade e retidão. (Ver Efé. 5:9). Na batalha contra o reino das trevas, o Espírito é a nossa espada, nossa principal arma ofensiva. (Ver Efé. 6:17). É o Espírito Santo, igualmente, quem nos assegura poder na oração. (Ver Efé. 6:18).

V. Conteúdo

I. *Seção Doutrinária* —Os Elevados Propósitos de Deus quanto ao Destino Humano. 1:1-3:21.

1. Saudação (1:1,2)
2. Ação de graças e louvor (1:3-8)
3. Mistério da vontade de Deus, mediante Cristo (1:9-14)
4. Oração pedindo iluminação dos crentes (1:15-22)
5. O mais alto propósito de Deus para o homem: a igreja como a plenitude daquele que enche tudo em todos (1:23).
6. O propósito de Deus relativo aos gentios (2:1-10)
7. A unidade espiritual de todos em Cristo (2:11-22)
8. A missão de Paulo, e como a mesma se aplica à igreja e aos propósitos de Deus—o mistério da igreja (3:1-13)
9. Segunda oração: que a igreja experimente o amor de Cristo e sua plenitude habitadora (3:14-21)

II. *Seção Exortatória*—Consequências práticas das doutrinas da primeira seção (4:1-6:24)

1. Exortações à unidade e ao andar digno, à luz dos elevados propósitos de Deus para os remidos (4:1-16)
2. Segunda exortação: ponto final em todas as práticas do anterior paganismo (4:17-32)
3. Terceira exortação: amor e pureza, como filhos

EFÉSIOS — ÉFESO

da luz e a plenitude de louvor e utilidade no reino celeste (5:1-20)

4. Quarta exortação: observância da subordinação mútua entre todos os membros da casa cristã (5:21-6:9)
   a. Maridos e mulheres—o matrimônio simboliza a relação entre Cristo e sua igreja (5:21-33)
   b. Pais e filhos (6:1-4)
   c. Escravos e senhores (6:5-9)
5. Quinta exortação: necessidade de usar toda a armadura de Deus, na batalha contra o mal (6:10-17)
6. Sexta exortação: apelo à prática da oração (6:21,22)

III. *Recomendação* sobre o portador da epístola (6:21,22)

IV. *Bênção final* (6:23,24)

VI. Bibliografia
AM EN GO(1833) I IB LAN MOF NTI TI TIN VIN RO Z

ÉFESO
Esboço:
I. Localização e Caracterização Geral
II. História
III. Religião
IV. Éfeso e a Arqueologia

I. Localização e Caracterização Geral
Éfeso era uma antiga cidade grega no território da Lídia, na Ásia Menor. Ficava localizada na desembocadura do rio Caister, cerca de cinqüenta e seis quilômetros a suleste de Izmir (a antiga Esmirna mencionada no Novo Testamento). Ficava entre as duas antigas cidades de Esmirna e Mileto. Era uma das mais importantes cidades da Ásia Menor, no que atualmente é a Turquia. Na época do surgimento dô cristianismo, Éfeso também estava ficando mais importante do que as cidades vizinhas. Em parte, devia sua prosperidade aos favores feitos por seus governantes. Lisímaco chamou a cidade de Arisone, em honra à sua segunda esposa. Atalo Filadelfo construiu excelentes docas e instalações portuárias. Éfeso tornou-se o grande empório da Ásia Menor, no lado ocidental das montanhas do Taurus, conforme nos diz Estrabão (14.5.641,663). Era a capital da Ásia proconsular, uma cidade rica e o principal porto da costa ocidental da Ásia Menor. Seu nome, mui provavelmente, significa «desejável». Quanto ao aspecto religioso, era conhecida mundialmente por causa de seu famoso templo de *Ártemis*. Oferecemos ao leitor um longo artigo sob esse título, que inclui muita informação sobre Éfeso e seus costumes, sobretudo no campo religioso. O lago antigo fica agora a onze quilômetros da beira-mar, por causa do depósito de entulho, no processo de muitos séculos.

II. História
Ao que parece, Éfeso foi fundada por gregos jônicos, em cerca de 1050 A.C., especificamente sob a direção de Androclus, filho do rei ateniense, Codro. Desde os dias mais antigos, competia com Mileto e Esmirna, para ser o porto de exportação da Ásia Menor. Creso, rei da Lídia, obteve o controle de Éfeso em cerca de 562 A.C., somente para que os lídios perdessem esse controle para os persas, em 546 A.C. Os persas mantiveram o domínio sobre Éfeso até que Alexandre, o Grande, devolveu a cidade aos domínios gregos. Os macedônios (334-283 A.C.), os selêucidas (280-187 A.C.) e os pergamenes (187-133 A.C.), foram os governantes da área, em sucessão. Então

veio Atalo III, rei de Pérgamo, que, em 133 A.C., doou a cidade aos romanos. Não foi muito tempo depois disso que Éfeso tornou-se a capital da província romana da Ásia. Então ela cresceu de tal modo em importância que chegou a rivalizar com Antioquia da Síria, com Alexandria e com Constantinopla (atual Istambul, na Turquia Européia).

Éfeso tornou-se um dos grandes centros do movimento cristão primitivo. De fato, depois que Jerusalém foi destruída, no ano 70 D.C., tornou-se o centro cristão mais importante da época. Paulo passou ali três anos, evangelizando a cidade e a região em derredor, de tal modo que a Igreja cristã ficou bem estabelecida na Ásia Menor (na porção ocidental da moderna Turquia). Ver Col. 1:7 e 2:1. Paulo usava essa cidade como sua sede de operações na Ásia Menor. Durante esse tempo ele escreveu suas epístolas aos crentes de Corinto.

É bem possível que Paulo tenha lutado literalmente com feras, naquela cidade, onde pode ter sofrido um período de detenção que não é mencionado. Ver I Cor. 15:32. Alguns estudiosos supõem que as chamadas «cartas da prisão», de Paulo, ou, pelo menos, uma parte delas, tenham sido escritas em Éfeso, e não em Roma, conforme tradicionalmente se pensa. Mas, também pode tê-las escrito parcialmente em Éfeso e parcialmente em Roma.

Quando Paulo deixou a cidade, deixou Timóteo encarregado da igreja cristã local (I Tim. 1:3). E não demorou muito para que a igreja fosse invadida, juntamente com outras, por falsos ensinamentos, conforme Paulo havia predito que sucederia (Atos 20:29,30 e II Tim. 4:3).

É possível que o décimo sexto capítulo da epístola aos Romanos na realidade tenha sido uma carta enviada a *Éfeso*. Essa possibilidade é discutida no artigo sobre a epístola aos Romanos, na oitava seção, *Integridade da Epístola*. Mas, como é claro, temos a epístola de Paulo aos Efésios, que pode ter sido uma epístola «circular», e não especificamente enviada aos crentes de Éfeso, visto que as palavras «em Éfeso», no primeiro versículo do primeiro capítulo dessa epístola, não aparecem no original. Esse problema é discutido no artigo sobre a epístola aos Efésios, em sua terceira seção, *Para Quem Foi Escrita? Propósitos*. A autoria paulina dessa epístola tem sido posta em dúvida por alguns estudiosos, questão essa discutida naquele mesmo artigo, em sua primeira seção, *O Vexatório Problema da Autoria*.

As tradições também fazem o apóstolo João ter vivido ali, como também Maria, mãe de Jesus, que fora entregue por ele aos cuidados do discípulo amado, segundo se aprende em João 19:27. João, pois, teria recebido jurisdição sobre as sete principais igrejas daquela área. Mas há probabilidades de que não tenha sido ele o autor do livro de Apocalipse, que foi dirigido a essas cidades (incluindo Éfeso). Antes, o autor do Apocalipse teria sido João, o vidente, e não João, o apóstolo, embora ele também fizesse parte do grupo joanino. Isso reflete a opinião de alguns eruditos, contra a opinião de outros, que dizem precisamente o contrário. Em favor da associação de João com a cidade de Éfeso, temos o testemunho de Irineu e Eusébio (3.21), dois pais da Igreja, que deixaram registrados vários incidentes da vida do apóstolo João, que ocorreram ali. Mais tarde, Inácio (*Efésios* 11) adicionou mais algumas informações sobre a questão. Subseqüentemente, Éfeso tornou-se um importante centro do cristianismo e um certo número de concílios foi efetuado nessa cidade. Ver Sobre *Éfeso, Concílios de*.

ÉFESO

A cidade de Éfeso era vulnerável aos ataques, pelo que foi saqueada repetidas vezes por invasores. Os godos atacaram-na e obtiveram controle sobre a mesma, em 262 D.C. Os árabes, em 655 e 717 D.C. Os turcos, em 1090 e, por duas vezes, novamente, no século XIV. Os mongóis, sob Tamerlão, completaram a destruição da cidade, em 1403. Finalmente, o islamismo chegou a controlar toda aquela região, pondo fim ao poder do cristianismo naquela região do mundo. Atualmente, uma pequena cidade turca, de nome *Ayasaluk*, assinala o local antigo.

III. Religião

O décimo nono capítulo do livro de Atos fala sobre o conflito que o cristianismo precisou enfrentar para estabelecer ali um centro de operações. Desde o começo de sua história, Éfeso fora um centro forte do politeísmo. Diana (ver o artigo sobre *Ártemis*, um artigo detalhado) tornou-se a principal deusa da cidade e um grande empreendimento comercial foi estabelecido em torno de seu nome. Ártemis era o nome grego de Diana, conforme os romanos chamavam essa divindade. À semelhança de Apolo, ela era representada armada de arco e flechas, que ela usava a fim de subjugar monstros e gigantes. Era considerada uma divindade benéfica e ajudadora. Apolo era tido como o deus luminoso do dia e ela, com sua tocha, era a deusa da luz, à noite. Veio a ser identificada com a deusa da lua e da noite. Seu domínio era a natureza. Todas as feras eram consagradas e ela, embora fosse considerada uma caçadora. Também foi assumindo os aspectos da deusa da guerra, Minerva. O paganismo retrata deuses e deusas sob muitos aspectos, pelo que ela também aparecia como a Deusa Virgem, reverenciada pelas donzelas como sua protetora. No entanto, nos primeiros tempos de sua história, foram-lhe oferecidos sacrifícios humanos.

O templo de Diana, em Éfeso, chegou a ser uma das maravilhas do mundo antigo. Foi erigido em 550 A.C. Era uma obra magnificente da arquitetura jônica. Ficava em uma plataforma com cerca de cento e trinta metros de comprimento por cerca de setenta e três metros de largura. Dez degraus levavam ao pavimento dessa plataforma e mais três degraus levavam ao nível do pavimento do próprio templo. O templo tinha cem metros de comprimento por cinqüenta metros de largura. Havia duas fileiras de oito colunas cada, na frente e na parte de trás do edifício e duas fileiras de vinte colunas de cada lado do santuário, totalizando cento e dezoito colunas. Cada coluna era um monolito de mármore, com 16,75 m de altura; e dezoito dessas colunas, em cada extremidade, eram elaboradamente esculpidas. O teto era coberto com grandes telhas de mármore branco. O santuário interno era circundado por colunas, tendo trinta e dois metros de comprimento por vinte e um metros de largura. Havia uma ornamentação interna de inigualável beleza, muito intrincada. Havia obras de Fídias, de Praxíteles, de Scopas, de Parrásio e de Apeles, grandes artistas plásticos do passado.

Juntamente com a própria cidade de Éfeso, o templo de Diana teve uma história muito agitada. Sofreu vários saques e, pelo menos por duas vezes, foi incendiado. O incêndio que ficou mais notório foi o de 336 A.C., ateado por um efésio de nome Herostrato, o que ele teria feito apenas com o propósito de imortalizar o seu nome. Mas esse templo sempre era reconstruído pelos efésios, após cada novo ataque sofrido. Todavia, em 262 D.C., os bárbaros godos arrasaram-no e assim terminou a sua história.

Em Atos 19:36 nos é dada a informação de que a imagem que era adorada naquele templo havia «caído do céu». Sem dúvida isso significa que algum meteorito foi recolhido e amoldado para formar uma imagem. Somente em tempos modernos aceitou-se a queda de meteoritos. Até bem recentemente, os céticos afirmavam que é impossível caírem rochas do firmamento. O fato é que os santuários tornavam-se pontos de exploração comercial; e questões econômicas causaram maiores dificuldades para Paulo em Éfeso (ver Atos 19:23 *ss*) do que as questões religiosas, em suas lutas contra o paganismo.

O culto idólatra em Éfeso tinha o apoio de livros sagrados chamados *Ephesia grammata*, que eram numerosos livros que continham encantamentos, artes mágicas, etc. Quando o evangelho lançou raízes em Éfeso, grande quantidade desse material foi queimado, avaliado em cinqüenta mil peças de prata (equivalentes cerca de cento e sessenta anos de trabalho de um operário comum — Atos 19:19). Quanto a completos comentários a esse respeito, bem como sobre as *artes mágicas*, praticadas em Éfeso, ver as notas expositivas em Atos 19:19, no NTI. Mediante essas *artes mágicas*, os homens procuram empregar forças desconhecidas (ocultas), em seu benefício, ou, outras vezes, para prejudicar seus inimigos. Essas artes são uma espécie de excursão pelas dimensões dos poderes ocultos que os homens sempre pensam que os cercam, no mistério que é a *vida*.

Nos dias do Novo Testamento havia uma numerosa colônia judaica em Éfeso. Assim, com o vigoroso paganismo que ali medrava, com uma boa comunidade judaica e com um cristianismo crescente, Éfeso veio a ser uma cidade cosmopolita quanto a questões religiosas. E, em tempos de intolerância, isso sempre significará convite a dificuldades. O cristianismo, porém, gradualmente foi ganhando terreno, só tendo sido suplantado, séculos mais tarde, pelo islamismo, que conquistava territórios com a força da espada dos fanáticos seguidores de Maomé. Mas, antes disso, Éfeso finalmente chegou a contar com templos cristãos que procuravam copiar a majestade da adoração à deusa Diana. O imperador Justiniano edificou um templo cristão em honra a João, no local do antigo templo de Diana. É irônico que o quarto crescente do islamismo veio a rebrilhar sobre as cúpulas das anteriores igrejas cristãs. E ainda mais irônico é que, ainda mais tarde, o lugar tornou-se desolado, onde nem imagens pagãs, nem cruzes e nem quartos crescentes eram exibidos. O próprio mar retirou-se do antigo porto de Éfeso, que agora fica a onze quilômetros de distância da beira-mar. Atualmente há um pantanal cheio de canas onde, antigamente, grandes navios traziam suas mercadorias, provenientes de todas as partes do mundo antigo.

Em Éfeso esteve a igreja cristã que perdera seu primeiro amor (Apo. 2:4) e que fora advertida no sentido de que, se não se arrependesse, teria removido o seu candeeiro (Apo. 2:5). Isso acabou acontecendo, embora no processo de vários séculos. Importantes concílios cristãos foram efetuados ali, antes do triste fim da cidade. Ver o artigo separado sobre *Éfeso, Concílios de*.

IV. Éfeso e a Arqueologia

Após muita pesquisa paciente, o arqueólogo J.T. Woods descobriu as ruínas do grande templo de Diana. Isso ocorreu em 1870. Mostrou que era quatro vezes maior que o Partenon de Atenas. As escavações demonstraram a grandiosidade da estrutura, descrita na terceira seção, acima. O Instituto Austríaco de

Estrada de Mármore, Éfeso, Cortesia, Matson Photo Service

A casa tradicional do Apóstolo João e Maria, mãe de Jesus, em Éfeso, reconhecida em 1967 pelo Papa Paulo VI.

Cortesia, Fate Magazine

A Basílica do Apóstolo João, supostamente marcando a localidade de seu sepultamento.

ÉFESO — EFETUAI

Arqueologia realizou notáveis escavações nesse lugar, desde o ano de 1896; e os labores de vários outros estudiosos vieram juntar-se a isso. Ficou demonstrado que Éfeso contava com muitos edifícios públicos, típicos das cidades grego-romanas. A porção principal da cidade contava com esplêndidos teatros, banhos, bibliotecas, a *agorá* (praça do mercado) e ruas pavimentadas de mármore. A descoberta de muitas moedas e de artefatos conferem uma compreensão ainda maior quanto à cultura e à história dessa cidade. Havia sobre o monte Piom um grande teatro, com capacidade entre vinte e cinco mil a cinqüenta mil espectadores.

A arqueologia tem provado que a cidade continuou a prosperar, mesmo quando o seu porto diminuiu de importância. Sob o imperador Cláudio, foi remodelado o seu teatro (meados do século I D.C.). Nos dias de Trajano (início do século II D.C.), houve novas obras nesse teatro. Foi Cláudio quem mandou pavimentar com mármore certas ruas da cidade. Nero conferiu à cidade um estádio. Domiciano alargou e embelezou a avenida central. Outros melhoramentos foram realizados, antes do ataque dos bárbaros godos, em 262 D.C. (AM RAM UNA Z)

ÉFESO, CONCÍLIOS DE

Ver o artigo geral sobre **Éfeso** que procura mostrar a importância desse antigo centro cristão. Sua importância, como centro do cristianismo, perdurou por vários séculos. Foi apenas natural que vários concílios cristãos tivessem ocorrido ali. Ver o artigo geral sobre os *Concílios Ecumênicos*.

1. O Terceiro Concílio Ecumênico foi efetuado em Éfeso. Foi convocado pelo imperador Teodósio II. Foi presidido por Cirilo, patriarca de Alexandria e contou com a presença de cerca de duzentos bispos, quase todos eles orientais. Foi efetuado de junho a setembro de 431 D.C. Seu principal alvo foi a condenação do *nestorianismo* (que vide). Por ocasião desse concílio opunham-se uns aos outros *alexandrinos* e *antioqueanos* (ver os artigos sobre eles). Eles se reuniam formando grupos separados. O grupo alexandrino, mais numeroso, dirigido por Cirilo, posteriormente foi reconhecido oficialmente, quando houve a reconciliação. Esse concílio definiu a unidade pessoal de Cristo, afirmando ainda que a Virgem Maria era *theótokos* (mãe de «Deus»), que eram idéias a que os nestorianos se opunham. Quanto a esta última, a ênfase recaía sobre «Deus» e não sobre «mãe», conforme faz hoje em dia a Igreja Católica Romana. A idéia é de que a Maria era a mãe de Jesus Cristo, o qual é Deus, e não que Deus tem mãe.

2. O concílio dos Ladrões (no latim, *latrocinium*), conforme foi mais tarde estigmatizado, também foi convocado por Teodósio, em agosto de 449 D.C. Dióscuro, patriarca de Constantinopla, foi quem o presidiu. Estiveram presentes cerca de cento e trinta bispos de dioceses orientais. Eles endossaram o *eutiquianismo* (que vide) que era o ensino do arquimandrita de Constantinopla, *Eutíquio* (que vide). Essa decisão foi anulada pelo concílio de Calcedônia em 451 D.C., o qual declarou que esse sínodo de Éfeso não deveria ser reconhecido como verdadeiramente ecumênico. O papa de Roma, Leão I, apelidou-o de sínodo dos «Ladrões», por causa da decisão ali tomada, contrária à teologia romana.

3. Foi convocado um concílio por Polícrates, bispo de Éfeso, em cerca de 200 D.C., para discutir a data em que deveria ser observada a páscoa.

4. João Crisóstomo, patriarca de Constantinopla, convocou um concílio que se reuniu em Éfeso em 401

D.C., a fim de restaurar a disciplina clerical na Ásia Menor.

5. Timóteo II Aeluro, patriarca de Alexandria, convocou um concílio realizado em Éfeso, em 476 D.C., a fim de declarar a sé de Éfeso independente do patriarcado de Constantinopla. (AM E)

EFETUAI A VOSSA SALVAÇÃO! Fil. 2:12

O que significa essa declaração? Será não-paulina?

1. Não é idéia não-paulina, porquanto não há nela qualquer pensamento de *merecer* a salvação através de boas obras, ritos, cerimônias, sacramentos. Isso seria inteiramente oposto à teologia paulina.

2. Não obstante, o original grego indica mais do que apenas «desenvolver» nossa porção espiritual, por havermos sido salvos por Deus. Além disso, significa muito mais do que «expressar externamente» a salvação que possuímos internamente, ou «dar evidências» de que somos convertidos.

3. Pelo contrário, Paulo mostra que realmente pomos em funcionamento a nossa salvação, em termos não legalistas.

a. O processo (do princípio ao fim, da conversão à glorificação), na realidade terá de ser efetuado mediante o exercício da vontade humana, que «acolhe e encoraja» a vontade divina, para que esta opere. À acolhida à vontade divina, denominamos «fé». Portanto, em sentido importante, o desenvolvimento de nossa salvação é o exercício da fé inicial e contínua.

b. Essa fé, entretanto, é encarada como um princípio vivo e ativo, que transforma um homem segundo a imagem moral e metafísica de Cristo. Paulo dizia: «Deveis ter uma fé genuína; também deveis permitir e encorajar o Espírito, para que realize a sua obra; deveis ser verdadeiramente santificados; deveis realmente desenvolver as virtudes morais; deveis ser transformados; deveis viver a vida caracterizada pelo amor. Do contrário, não haverá a salvação em vós. Tudo isso se refere ao lado humano, e como cooperamos com o Espírito de Deus.

c. Desenvolvemos nossa salvação porque cada avanço na espiritualidade é realizado por nós, à medida que vamos cooperando com o poder divino. Nenhum avanço pode ser atingido sem essa cooperação.

d. A essência dessa idéia é a de que «somos responsáveis» por cada passo de nossa salvação, incluindo a conversão (quando nos achegamos a Cristo), a santificação (quando permitimos que o seu Espírito nos torne santos) e as boas obras (quando pomos em prática a lei do amor).

e. O versículo seguinte, naturalmente, expõe o lado divino de todo esse processo. Não poderíamos *querer* a vontade de Deus, e nem querer pô-la em prática, e realmente praticá-la, a menos que o seu Santo Espírito nos inspirasse e nos capacitasse a tanto. Assim sendo, o pêndulo balouça de volta à pura graça divina. A graça se acha no alicerce de todo o nosso ser e em tudo que estamos nos tornando. (Comparar isso com I Cor. 4:7 e 15:10).

4. Notemos como até mesmo as «boas obras» de um indivíduo, as suas atividades, a sua bondade expressa por meio de atos, e aquelas coisas que ele faz para cumprir a sua missão, tudo foi preordenado e agora recebe de Deus a energia (ver as notas em Efé. 2:10 no NTI). Por conseguinte, devemos ao Senhor as nossas próprias boas obras. Deus faz cada homem tornar-se um ser singular, em si mesmo e em sua missão (ver Apo. 2:17). Nada existe no homem decaído no pecado, que possa produzir tais resultados, sem a

EFETUAI — EFRAIM

intervenção divina.

5. Como a nossa vontade e a determinação divina operam conjuntamente, não sabemos dizê-lo. O trecho de Fil. 2:12,13 diz-nos que assim sucede. Há em tudo isso um profundo mistério, pelo que as explicações aqui oferecidas são inadequadas, embora, por certo, se revistam de certo significado.

É possível o fracasso? O versículo deixa entendido que uma pessoa, uma vez convertida, pode falhar na aplicação de sua santificação, perdendo assim sua conversão, voltando ao mundo. De fato, esta passagem, ficaria sem sentido, como uma advertência, que se torna mais vigorosa pela adição das palavras *com temor e tremor*. O trecho de II Ped. 1:10 menciona a possibilidade de *queda*; a passagem de I Cor. 9:27 mostra-nos que até mesmo um grande pregador poderia ser finalmente «desqualificado». Isso, naturalmente, cria o problema da reconciliação entre os ensinos bíblicos da «segurança eterna do crente» e da «possibilidade de desvio», conforme se percebe claramente em passagens como o nono capítulo da epístola aos Romanos e o décimo capítulo do evangelho de João. A posição deste comentário é que a possibilidade de desvio é *relativa*, mas a segurança é *absoluta*. Como isto pode ser, ver o artigo sobre a *Segurança Eterna do Crente.*

«Posto que a graça nos é dada, devemos trabalhar. O dom da graça se manifesta quando o indivíduo se torna cooperador de Deus (ver I Cor. 3:9). A salvação dada mediante a graça deve ser posta em funcionamento pelo homem, com a ajuda da graça divina (ver Rom. 6:8-19 e II Cor. 6:1). O que esse desdobramento da salvação requer é visto em Fil. 3:10; 4:1-7; Efé. 4:13—16:22 e *ss* e Col. 2:6,7. Para tanto, o crente precisa ser constantemente fortalecido pelo Espírito. A possibilidade de sucesso transparece na oração feita por Paulo, em Efé. 3:16-20. A obra de Deus precisa ser exteriorizada por nós mesmos». (Vincent, *in loc.*).

«Qualquer que seja o descanso que o cristianismo providencie para os filhos de Deus, certamente jamais é visto como algo que elimina a necessidade do esforço pessoal. E qualquer descanso que dê margem à indiferença será imoral e irreal, fabricará parasitas, e não homens. É exatamente porque Deus opera nele, como evidência e triunfo desse fato, o verdadeiro filho de Deus põe em execução a sua própria salvação, tendo-a recebido, agora a põe em funcionamento, e não como algo sem importância, como um labor supérfluo, mas antes, como temor e tremor, como é razoável e indispensável que os filhos de Deus o sirvam». (Drummond, *Natural Law and the Spiritual World*, pág. 335).

As palavras do autor citado acima concordam com a lei universal da colheita segundo a semeadura, porquanto essa lei não se aplica apenas aos incrédulos, mas também aos remidos. (Ver Gál. 6:7,8). Note-se na referência citada que a «vida eterna» é o alvo e o fruto da boa semeadura. O trecho de Gál. 5:22,23 ensina-nos que os vários aspectos do «fruto do Espírito Santo», são implantados em nós pelo Espírito de Deus, sendo aceitos, buscados e aplicados por nós; e essa é uma outra maneira pela qual apontamos para o caráter daquilo que está sendo «realizado» por nós, mediante o poder de Deus.

Salvação é palavra que deve ser aqui entendida em seu sentido absoluto e primário—a salvação começa quando da conversão, envolve a santificação e culmina na glorificação, envolvendo tudo quanto as Escrituras atribuem a esse processo. (Ver Heb. 2:3).

Uma *perseverança enérgica* é necessária para que a salvação seja vivida ou executada em nossas vidas, até o seu glorioso fim. Isso é exatamente o que o apóstolo ensinava aqui.

EFLAL

No hebraico, «juiz». Era filho de Zabade, da casa de Hezrom e de Jerameel, descendente de Judá (I Crô. 2:37). Viveu em cerca de 1618 A.C.

EFLUXOS, TEORIA DOS

Os atomistas gregos supunham que a superfície dos objetos emite, continuamente, finos filmes de átomos que eles chamavam de *idola*, *effluvia* ou *simulacra*. Presumivelmente, esses átomos impressionariam os olhos, produzindo a percepção da vista. Outras percepções dos sentidos seriam explicadas da mesma maneira. Portanto, todos os sentidos seriam tácteis. Locke, em seu *Essay on Human Understanding*, apresentou um ponto de vista não muito diferente disso. Os filósofos antigos que empregavam essa linha de raciocínio foram Empédocles, Demócrito e Epicuro (que vide). Pelo menos é verdade que o sentido do olfato envolve esse tipo de percepção que depende de leves emanações.

ÉFODE

No hebraico, «cobertura». Era pai de Haniel. Haniel foi o principal líder da tribo de Manassés, durante os seus dias. Foi-lhe determinada a tarefa de ajudar a Josué e Eleazar a dividir as terras ocidentais da terra de Canaã (Núm. 34:23). Viveu em torno de 1500 A.C.

EFRAIM (CIDADE)

Uma cidade chamada Efraim é mencionada em João 11:54. Para ali retirou-se o Senhor Jesus, depois que os judeus incrédulos resolveram que lhe tirariam a vida. Essa resolução foi tomada por eles pelo fato de que Jesus ressuscitara Lázaro. Para aquelas mentes embotadas pelo pecado, isso lhes parecia ameaçador. Eles logo imaginaram o pior: se Jesus continuasse agindo livremente, todos os judeus creriam nele e os romanos viriam e sujeitariam a nação a forte domínio. Ver João 11:47-52. Essa cidade, no dizer de João, ficava em uma região contígua ao deserto. Muitos estudiosos têm procurado identificar a cidade de Efraim. Alguns pensam em *Et Taiyibeh*, embora isso não passe de uma conjectura, tão boa quanto outra qualquer.

EFRAIM (PESSOA)

No hebraico, a palavra significa «frutífero». Efraim era o filho menor de José, mas, quando Jacó abençoou os dois irmãos, ele teve precedência sobre seu irmão mais velho, Manassés (Gên. 41:52; 48:1). Essa bênção foi um ato de adoção, mediante o qual Efraim e Manassés passaram a ser contados como filhos de Jacó, em lugar de seu pai, José. O objetivo do ato foi dar a *José*, através de seus filhos, uma dupla porção das bênçãos divinas que acompanhariam as doze tribos de Israel.

A mãe de Manassés e Efraim era Asenate, filha de Potífera, sacerdote de Om (Gên. 41:50-52). Esse é um fato interessante, porquanto injeta em Israel, em sua herança genética, o sangue egípcio, isto é, camita. Aliás, esse não foi um caso isolado, pois as duas concubinas de Jacó, Bila e Zilpa, eram egípcias e elas foram mães de quatro dos filhos de Jacó: Dã, Naftali

EFRAIM

(de Bila) Gade e Aser (de Zilpa). Se adicionarmos a isso os filhos de José, Manassés e Efraim, então teremos um total de seis, dentre os doze patriarcas ou cabeças de tribos, em Israel, que tinham cinqüenta por cento de sangue camita. E o processo de miscigenação em Israel continuou, conforme todo leitor atento do Antigo Testamento facilmente percebe. No entanto, diferente da opinião prevalecente entre os modernos rabinos judeus, a linhagem e a herança racial eram concebidas através do pai e não da mãe. Se prevalecesse o parecer rabino naquelas primeiras gerações, então nada menos de seis tribos de Israel estariam excluídas dentre o povo, logo de saída e Davi não poderia ter sido o segundo rei de Israel, pois Rute, sua bisavó, era moabita, e não israelita. Mas, para Deus, o que vale não é a pureza racial e, sim, o temor ao Senhor. Por isso mesmo, na genealogia do Senhor Jesus temos até o caso da cananéia Raabe (vide), — que, além de ter sido uma estrangeira, foi uma prostituta, antes de converter-se a Deus. O que importa não é a descendência física, mas a espiritual.

Efraim nasceu durante os sete anos de abundância, no Egito, pelo que a sua vida cobriu tanto o começo desse período como todo o período de escassez, até o fim de sua adolescência. Foi assim que ele ficou sujeito às influências do modo de viver patriarcal de Israel, bem como às promessas e bênçãos que provinham diretamente de Jacó. A natureza dessa bênção, sem dúvida, estava ligada ao fato de que José era filho da esposa favorita de Jacó, Raquel, pelo que ele ansiava por ver essa linhagem prosperar. Mas, além disso, podemos perceber a mão providencial de Deus, pois José foi um servo fiel ao Senhor como poucos. Além de pedir a José que, ao morrer, fosse sepultado em Canaã (Gên. 47:27-31), Jacó tinha a firme certeza de que as gerações futuras experimentariam o cumprimento das promessas divinas e haveriam de possuir a Terra Prometida. Ver o artigo abaixo, sobre a tribo de *Efraim*.

EFRAIM (TRIBO)

Ver o artigo sobre a pessoa desse nome, um dos dois filhos de José, e que foi adotado, juntamente com seu irmão, Manassés, como filhos de Jacó, antes da morte deste. Efraim recebeu uma bênção superior à de Manassés, da parte do grande patriarca, correspondente à maior prosperidade e importância futura de seus descendentes, dentro do povo de Israel, do que se daria com os descendentes de seu irmão Manassés.

O fato de que os descendentes de Efraim tornaram-se uma grande tribo é demonstrado pelas listas de recenseamento, em Números 1:33 (40.500 homens) e em Números 25:37 (32.500 homens). No acampamento de Israel, a tribo de Efraim ocupava posição no lado ocidental (Núm. 2:18). Homens ilustres dessa tribo incluíam Elisama (que vide), importante na vida de Moisés (Núm. 1:10) e Josué, filho de Num, um dos doze espias enviados por Moisés e que, finalmente, veio a ser o seu sucessor (Núm. 34:17). Depois de Israel ter conquistado a Terra Prometida, Josué foi nomeado, juntamente com o sumo sacerdote Eleazar, para dividir as terras conquistadas (Núm. 34:17). Quando ainda tinha uma população maior, a tribo de Efraim era a décima na ordem numérica; mas, por ocasião do segundo recenseamento, havia baixado para o décimo primeiro lugar.

Elementos da História da Tribo de Efraim.

1. *Sua posição no acampamento*. Isso já foi ventilado no parágrafo anterior. Essa posição foi mantida durante todo o tempo em que o povo de Deus ficou a vaguear pelo deserto. Nosso artigo sobre *Acampamento* ilustra bem essa circunstância. Nesse tempo, o principal líder da tribo de Efraim era Elisama (que vide). Fontes informativas rabínicas informam-nos de que o estandarte da tribo era dourado, com a figura de uma cabeça de novilho. *Oséias* foi o representante da tribo de Efraim, entre os espias, que Moisés enviou para averiguarem a terra de Canaã, como preparação para a invasão. Mais tarde, Moisés alterou-lhe o nome para *Josué*, que é a forma hebraica de *Jesus*, que chegou no português através do grego, ou seja, *Iesoũs*. A tipologia bíblica considera Josué uma figura que simbolizava Jesus Cristo, conforme fica demonstrado no artigo sobre ele.

2. *O território de Efraim*. Depois da conquista do território, a tribo de Efraim ficou bem no centro da Palestina, dona de uma região com cerca de sessenta e cinco quilômetros de leste a oeste e com cerca de dez a quarenta quilômetros de norte a sul. Na direção leste-oeste ia da margem ocidental do rio Jordão até o mar Mediterrâneo. Ao norte ficava a meia-tribo de Manassés; ao sul ficavam as tribos de Benjamim e Dã (Jos. 16:5; 18:7; I Crô. 7:28,29). As fronteiras do território da tribo de Efraim são dadas no décimo sexto capítulo do livro de Josué. Comparar isso com I Crô. 7:28,29. Quando os homens da tribo de Efraim não ficaram satisfeitos com as dimensões de seu território, foram instruídos a expandi-lo, expulsando os habitantes das montanhas e das florestas adjacentes (Jos. 17:14-18). Assim, sua fronteira sul ia desde as margens do rio Jordão até Jericó, descendo até, aproximadamente, dezesseis quilômetros ao norte de Jerusalém. Sua fronteira norte era o ribeiro de Caná. Ver Jos. 16:8.

3. *Um centro de atividades religiosas*. Antes do tempo da construção do templo de Jerusalém, a arca da aliança e o tabernáculo estavam situados em Silo, que ficava bem no âmago do território de Efraim. Ver Jos. 18:1; 22:12; Juí. 18:31; 21:19; I Sam. 1:3,9,24; 2:14 e 3:21. A arca e o culto religioso continuaram centralizados ali, até que os filisteus capturaram a arca, em batalha. E, quando a arca da aliança foi devolvida, não há qualquer indício de que ela tenha sido posta novamente em Silo. Na verdade, é provável que essa cidade tenha sido destruída pelos filisteus, quando estes foram vitoriosos na batalha durante a qual tomaram a arca da aliança.

4. *O tempo dos juízes*. Os efraimitas estiveram envolvidos em revoltas internas, na época de Gideão (Juí. 8:1-3), bem como durante o período do governo de Jefté (Juí. 12:1-6). Gideão teve a sabedoria de tratá-los com palavras lisonjeadoras, a fim de pacificá-los. Jefté, por outra parte, atacou-os ousadamente e derrotou-os.

5. *Efraim e Davi*. A princípio, os efraimitas não deram apoio a Davi (II Sam. 2:8.9); mas, após a morte de Is-Bosete, muitos efraimitas foram a Hebrom, protestar o seu apoio a Davi e tornaram-se uma importante força em favor de seu governo. No entanto, a inveja irrompeu entre Judá e Efraim (I Crô. 12:30; Sal. 60:7; II Sam. 19:40-43).

6. *Efraim e Salomão*. A tribo de Judá chegou a tornar-se a tribo liderante e Jerusalém tornou-se a cidade principal do reino. Mas, os passos preliminares do reino dividido estavam atuando, visto que havia um conflito cada vez mais aceso entre Efraim e Judá, ou seja, entre o norte e o sul.

7. *Divisão entre o norte e o sul*. Quando Salomão faleceu, Jeroboão I, da tribo de Efraim, tornou-se o

EFRAIM

primeiro rei do reino separado do norte, que tomou o nome de Israel, enquanto que o sul ficou sendo conhecido como reino de Judá, sob a direção de Reoboão, filho de Salomão. Isso ocorreu quando Reoboão insensatamente recusou-se a satisfazer às exigências das tribos do norte, o que causou a revolta das dez tribos nortistas. E Reoboão (que vide) não teve a força necessária para preservar a unidade de Israel. Assim, depois dessa divisão, Efraim tornou-se a tribo principal do reino do norte, ao ponto em que essa nação nortista chegou a ser intitulada, algumas vezes, de «Efraim».

A reunião futura entre Israel e Judá é um dos sonhos previstos pelos profetas (Isa. 7:2; 11:13; Eze. 37:15-22). Essa esperança nunca se concretizou nos dias dos profetas e acabou sendo tema de predições sobre a eventual restauração do povo de Israel. Seguiu-se uma longa série de reis, uma linhagem só em Judá e diversas linhagens em Israel. Mas, afinal, o reino do norte terminou quando do cativeiro assírio; e o reino do sul cerca de século e meio mais tarde, por ocasião do cativeiro babilônico.

8. *A restauração*. A tradição profética prediz a eventual reunião das tribos do norte (Israel) e do sul (Judá), dentro do reinado messiânico futuro. A brecha haverá de ser curada quando o grande Rei da linhagem de Davi estiver governando todas as doze tribos. Ver Ezequiel 37. Após o cativeiro, os filhos de Efraim vieram residir em Jerusalém (I Crô. 9:3 e Nee. 11).

Entre os judeus corre a idéia de que só se sabe das tribos de Judá, de Benjamim e de Levi. E muitos deles estão aguardando o encontro com as tribos restantes. Este co-autor e tradutor pertence à tribo de Judá. Os Bentes são judeus sefarditas que chegaram de Portugal ao Brasil, instalando-se, a princípio, na cidade de Belém do Pará, de onde se foram espalhando pelo resto do Brasil. Meu avô paterno, Joaquim Theodoro Bentes, ensinou aos seus quatro filhos homens como ler o hinário em hebraico. Em menino e rapazinho eu ia voluntariamente às duas sinagogas de Manaus, no Amazonas. Portanto, tenho algum conhecimento de causa acerca do que digo sobre coisas judaicas. Por outro lado, muitos estudiosos preferem pensar que, quando do retorno de Israel do exílio babilônico, houve representantes de todas as tribos e que o atual povo judeu é uma composição de elementos provenientes das doze tribos e que não se deve esperar encontrar nenhuma *tribo perdida* de Israel!

Hoje em dia o mundo já se acostumou com a existência do moderno Estado de Israel (organizado em 1948, sob a égide das Nações Unidas). Antes disso, porém, parecia que o ideal do sionismo jamais se concretizaria. Podemos estar certos de que a formação do Estado de Israel é um começo da realização de profecias bíblicas, embora a plena realização das mesmas ainda tenha de esperar até os acontecimentos preditos para o fim, acontecimentos esse que, segundo muitos eruditos da Bíblia, se iniciarão com o aparecimento do anticristo e culminarão com a segunda vinda de Cristo. E então, de acordo com as profecias bíblicas, Israel deixará de ser a cauda das nações para tornar-se a cabeça das nações. «O Senhor te porá por cabeça e não por cauda; e só estará em cima, e não debaixo, se obedeceres aos mandamentos do Senhor teu Deus, que hoje te ordeno, para os guardar e cumprir» (Deu. 28:13). Isso ocorrerá durante o *milênio* (que vide) quando as palavras de promessa do Senhor a Israel se cumprirão acima de qualquer esforço da imaginação.

Então Jerusalém tornar-se-á a capital do mundo, em uma nova e renovada civilização, em que Israel estará convertida, por inteiro, ao Senhor. Essa era a visão que o Apóstolo Paulo deixou registrada: «E assim todo o Israel será salvo, como está escrito: Virá de Sião o Libertador, ele apartará de Jacó as impiedades. Esta é a minha aliança com eles, quando eu tirar os seus pecados» (Rom. 11:26,27).

EFRAIM, BOSQUE DE

Esse bosque é claramente mencionado em II Samuel 18:16,17. Comparar com Josué 17:14-18, onde o mesmo lugar deve estar em foco. Essa alusão, no livro de Josué, talvez diga respeito à expansão dos territórios de José para o leste, quando os efraimitas conquistaram terras da Transjordânia. Mas, também podem estar em pauta os bosques da região montanhosa de Efraim. O texto massorético, em Josué 17:15, diz «terra dos ferezeus e dos refains», isto é, dos ferezeus e dos gigantes. Esse texto é seguido pela nossa versão portuguesa. Isso alude à Transjordânia e dá apoio ao que dissemos acima, quanto à primeira dessas duas possibilidades. Ali o «bosque» aparece em justaposição à «região montanhosa de Efraim». Essa área é associada a Maanaim, em II Samuel 17:27, que era a capital transjordaniana de Esbaal (II Sam. 2:8,9). Esses informes conferem-nos a localização envolvida nas diversas referências a respeito. Posteriormente, os gileaditas tomaram essa área de florestas para Efraim (Juí. 12:1-15). Interessante é observar que a palavra aqui traduzida por «bosque», *yaar*, não era usada apenas com o sentido de área arborizada esparsamente. O trecho de Jos. 17:15, ao mostrar-nos que Josué recomendou, «...sobe ao bosque e abre ali clareira...», mui provavelmente indica que o lugar era floresta densa. Foi nessa região que morreu Absalão, quando seus longos cabelos emaranharam-se nos galhos de uma árvore, quando ele fugia, após ser derrotado na revolta armada contra seu pai. Ver II Sam. 18:14,15.

EFRAIM, PORTA DE

Essa era um dos portões das muralhas de Jerusalém. Essa entrada é mencionada em II Reis 14:13; II Crô. 25:23; Nee. 8:16 e 12:39. Usualmente, os portões das antigas cidades orientais recebiam nome conforme as localidades que ficavam diretamente em frente. Essa porta de Efraim ficava na muralha leste e tem sido identificada com a porta de Damasco. Dava frente para o território de Efraim, o que lhe explica o nome. Essa porta foi reparada nos tempos de Neemias, depois que os judeus começaram a voltar do exílio babilônico (Nee. 12:39).

EFRAIM, REGIÃO MONTANHOSA DE

Essa região é mencionada em trinta e dois trechos diferentes do Antigo Testamento. Ver, por exemplo, Jos. 17:15; Juí. 3:27 e I Sam. 1:1. A região referida ficava bem no centro da Palestina, ocupada pela tribo de Efraim, o que lhe explica o nome. Mas também tinha outros nomes, como «montanhosa de Israel» (Jos. 11:21) e «montes de Samaria» (Amós 3:9). Josué foi sepultado naquelas colinas, em Timinate-Heres, no lado norte do monte Gaás (Juí. 2:9).

A expressão «região montanhosa de Efraim» refere-se à *cadeia central* dos montes de Samaria, da mesma maneira que todo o tabuleiro de Judá era chamado de «região montanhosa de Judá». Aquela era uma região frutífera, uma das poucas áreas onde Israel foi capaz de estabelecer-se em paz. Dois

EFRAIMITAS — EGÍDIO

santuários principais foram edificados ali, na época dos juízes, a saber, Betel e Silo, na região contígua a essas colinas.

EFRAIMITAS

Nome geral que indica os descendentes do patriarca *Efraim* (que vide). Ver Jos. 16:10; Juí. 12:4-6. Esse adjetivo pátrio indicava tanto indivíduos isolados dessa tribo, como a tribo em sua inteireza. O texto do livro de Josué parece indicar que os efraimitas tinham um sotaque peculiar, que os identificava, da mesma maneira que, nos dias de Jesus, os galileus falavam de uma maneira que os identificava prontamente, segundo se vê em Mateus 26:73.

EFRATA

No hebraico, «frutificação». Foi o nome de três lugares diferentes, nas páginas do Antigo Testamento, a saber:

1. Esse era o nome de uma cidade ou área associada a Belém, em Judá. Talvez tenha sido o nome mais antigo de Belém, ou então uma aldeia próxima que acabou sendo absorvida pela cidade de Belém. Elimeleque e seus familiares eram efrateus de Belém (Rute 1:2; I Sam. 17:12). Em Miquéias 5:2 os dois nomes aparecem em forma composta: «E tu, Belém Efrata...» Em Gênesis 35:19 e 48:7 aparece como o lugar onde Raquel foi sepultada. O trecho de Miquéias 5:2 é uma predição profética. Os nomes de Noemi (Rute 4:11), de Rute e de seu bisneto, Davi (I Sam. 17:12; Sal. 132:6), sem falarmos no próprio Senhor Jesus, o Messias, estão associados a Belém Efrata.

2. Há uma dificuldade que cerca Efrata, quando aparece como lugar do sepultamento de Raquel. Nos trechos de I Samuel 10:2 e Jeremias 31:5, Efrata aparece como cidade localizada dentro do território de Benjamim, e não de Judá. Além disso, o trecho de Gênesis 35:16 sugere uma considerável distância entre Belém e Efrata. Por essa razão, alguns eruditos supõem que os trechos de Gênesis 35:19 e 48:7 representam glosas inexatas do texto. Nesse caso, deve ter havido uma outra cidade chamada Efrata, na fronteira norte de Benjamim, onde também Raquel teria sido sepultada.

3. Em Salmos 132:6 uma outra região é chamada Efrata, vinculada a Quiriate-Jearim («campo de Jaar») (que vide). Foi dali que a arca da aliança foi levada para Jerusalém. Em I Crônicas 2:50-52, Efrata, Belém e Quiriate-Jearim aparecem associadas.

EFRATE

No hebraico, «fertilidade». Esse foi o nome da segunda esposa de Calebe, filho de Hezrom. Ela foi a mãe de Hur e avó de Calebe, filho de Jefuné. Seu nome aparece em I Crô. 2:50 e 4:4. Viveu em torno de 1540 A.C.

EFRATEU

Adjetivo gentílico que indica um natural ou residente de Efrata (Rute 1:2; I Sam. 17:12). Os habitantes de Belém da Judéia também eram conhecidos como *efrateus*, conforme nos mostra a referência do livro de Rute.

EFROM

Alguns estudiosos pensam que o sentido dessa palavra é desconhecido, e outros opinam que significa «forte»; e, ainda outros, pensam que quer dizer «corço», «gamo». Nas páginas do Antigo Testamento aparece como nome de várias localidades e de uma pessoa, a saber:

1. Um monte ou área montanhosa entre Neftoa e Quiriate-Jearim (que vide). Ficava na fronteira de Judá (Jos. 15:9). Entretanto, em vez de dizer «monte Efrom», a nossa versão portuguesa diz «região montanhosa de Efraim», o que certamente é um erro, devido à semelhança de nomes.

2. Abias capturou um lugar, perto de Betel, que tinha esse nome (II Crô. 13:19). O texto massorético, entretanto, diz *Efraim*. Mas a nossa versão portuguesa diz *Efrom*. Ver também II Sam. 13:23, onde o verdadeiro texto diz «Efraim». A cidade capturada por Abias ficava no território de Benjamim, cerca de treze quilômetros de Jerusalém, perto de Betel, no deserto da Judéia.

3. Uma cidade da Transjordânia, localizada entre Carmion (Astorete-Carnanaim) e Citópolis (Beisã), capturada por Judas Macabeu (I Macabeus 5:41; II Macabeus 12:27) e que também era chamada Efrom. Tem sido identificada com *Et-Taiyibeh*, a suleste do mar da Galiléia.

4. Um *heteu* (no vocabulário secular, *hitita*) que residia em Hebrom e que vendeu um campo com uma caverna, chamado de Macpela, a Abraão, a fim de que pudesse fazer do local um lugar de sepultamento para a sua família. O relato dá-nos a entender certos aspectos de como eram efetuados os negócios no antigo Oriente, com sua mescla de polidez e astúcia. A negociação foi bastante complicada. Efrom realmente queria vender a propriedade, mas também queria fazê-lo por um bom preço (Gên. 23:8). Porém, não querendo parecer ansioso, e querendo demonstrar boa educação, — e que era bom vizinho, ofereceu-se para presentear o terreno, sem estabelecer qualquer preço (Gên. 23:11). Abraão, porém, sabia que seria muita presunção aceitar o terreno como uma dádiva (o que ambos os homens reconheciam muito bem). Portanto, conforme era de esperar, Abraão insistiu em pagar pelo terreno (Gên. 23:13). Nem assim Efrom declarou que seu terreno estava à venda, embora tenha dito astuciosamente o preço do mesmo, segundo ele pensava que o terreno valia. Naturalmente, Abraão compreendeu que aquele era o preço e fez o pagamento (Gên. 23:16).

O terreno tinha uma caverna e várias árvores (Gên. 23:17). Sara foi sepultada ali. Com a passagem dos anos, houve outros sepultamentos no mesmo local. Abraão (Gên. 25:9), Isaque, Rebeca, Jacó e Lia foram todos sepultados no mesmo lugar.

Até hoje a área é conhecida. Uma grande estrutura de pedra, dos islamitas, assinala o local da caverna. Os visitantes têm permissão de entrar no edifício, mas não de adentrarem à caverna. Este é um lugar considerado por demais sagrado para ser franqueado ao público.

EGÍDIO DE LESSINES

Suas datas aproximadas foram 1230-1304. Foi um filósofo escolástico que nasceu na Bélgica. Era frade dominicano. Foi aluno de Alberto Magno, que defendia a doutrina tomista de unidade de formas, contra os argumentos de Robert Kilwardeby (que vide). Sua obra escrita principal foi *Sobre a Unidade da Forma*.

••• ••• •••

EGÍDIO ROMANO — EGITO

EGÍDIO ROMANO

Suas datas aproximadas foram 1257-1316. Foi um filósofo escolástico. Nasceu em Roma e educou-se em Paris, onde também ensinou. Era membro da ordem dos Eremitas de Santo Agostinho. Foi vigário geral dessa ordem, em 1295. Ele defendia a idéia da unidade substancial das formas, advogada por Tomás de Aquino. Ele também mantinha a real distinção entre essência e existência. Era mais intensamente influenciado por Agostinho do que por Tomás de Aquino. Seus escritos incluem os seguintes títulos: *Questões Disputadas sobre Essência e Existência; Sobre o Intelecto Possível; Sobre os Graus das Formas; Sobre o Poder Eclesiástico; Comentários sobre Aristóteles; O Livro das Causas.*

EGÍPCIO, O

No trecho de Atos 21:38, Cláudio Lísias, o comandante da guarnição romana (no grego, *chiliarchos* = chefe de mil), aproxima-se de Paulo e lhe pergunta: «Não és tu, porventura, o egípcio que há tempos sublevou e conduziu ao deserto quatro mil sicários?» Josefo também menciona esse egípcio, tanto em *Antiguidades* (186.204 e 208) quanto em *Guerras dos Judeus* (254-257). A despeito desses informes históricos, a identificação desse indivíduo é desconhecida. Seja como for, ele foi um homem violento, que reuniu em seu redor um bando de assassinos (sicários). Josefo afirma que esse homem viera de Jerusalém, afirmando ser um profeta presente, e foi capaz de conseguir um considerável número de discípulos. De certa feita, conduziu-os ao monte das Oliveiras e afirmou que, à sua ordem, as muralhas da cidade ruiriam à frente deles. Quando isso acontecesse, eles poderiam invadir e conquistar a cidade. Os discípulos do egípcio foram; o homem deu ordens, mas nada aconteceu de extraordinário. O governador Felix ficou cansado com o jogo e enviou tropas. Os soldados mataram muita gente, mas o egípcio fugiu, provavelmente procurando saber o que dera errado.

Esse egípcio representou apenas mais um elemento revolucionário que misturava a fé religiosa com o fanatismo e que tanto malefício causou à sociedade romano judaica. A última revolta dos judeus, em 66 D.C., fora bem organizada. Os sicários tomaram parte ativa nessa revolta; mas ela terminou em desastre e teve como conseqüência a destruição da cidade de Jerusalém, em 70 D.C.

Os sicários eram uma organização terrorista, como muitas outras de nossos próprios dias, fanaticamente religiosos, ao mesmo tempo, e que estavam interessados em libertar Israel do domínio romano. Abominavam a língua latina e, provavelmente, também o grego. Seja como for, o comandante romano mostrou surpresa diante do fato de que Paulo sabia falar o grego, o que não esperaria da parte de um egípcio. Ao que se presume, os egípcios, numa oportunidade dessas, falariam em aramaico. O texto mostra-nos a familiaridade da população judaica com ambas essas línguas. Ver os comentários sobre Atos 21:27 e 38, no NTI, quanto a outros detalhes sobre essa questão.

EGÍPCIOS, EVANGELHO DOS

Orígenes mencionou um evangelho com esse nome, juntamente com uma outra obra apócrifa que lhe chamara a atenção (Luc. Hom. I). Na verdade, duas obras diferentes receberam esse mesmo título, a saber:

1. Uma obra mencionada e citada por Clemente de Alexandria (*Strom.* III). Na oportunidade, Clemente estava abordando questões relativas ao casamento e à moralidade sexual, em conflito com os encratitas e outros grupos religiosos. Em seu estudo, Clemente referiu-se ao fato de que esses grupos usavam o evangelho em questão. Eles empregavam certos trechos de um suposto diálogo entre Cristo e Salomé. Também é possível que tenhamos outras menções a essa obra em II Clemente 12:1,2 e na obra de Clemente, *Excerpta ex Theodoto*, 67. Hipólito (*ref.* 5:7,8 *ss*) informa-nos de que os naassenos usavam essa obra. Epifânio (*Pan.* 62:4) diz que os sabelianos também utilizavam essa obra, embora nenhum deles nos preste informações quanto ao conteúdo desse livro.

A grande maioria de obras dessa natureza tinha tendências gnósticas, tendo surgido somente nos séculos II ou III D.C. Por isso mesmo, os eruditos acham que outro tanto se deve pensar sobre o Evangelho dos Egípcios. Contudo, não dispomos de informes suficientes que nos permitam saber qual o seu conteúdo. Curiosamente, Clemente citou a obra *Contra os Encratitas* (vide), — que eram uma seita gnóstica e ascética; e isso não parece favorecer a idéia de que essa obra fosse de origem gnóstica. Mas, como os cristãos citavam o Antigo Testamento contra os judeus, leva-nos a concluir que qualquer coisa é possível quando as pessoas argumentam sobre questões teológicas e lançam mão de textos de prova.

Também tem sido conjecturado de que essa obra era um evangelho criado por cristãos gentios do Egito, ao passo que o Evangelho dos Hebreus, outra obra apócrifa, era utilizada pelos cristãos judeus. Parece haver algum paralelismo entre o Evangelho dos Egípcios e o Evangelho Cóptico de Tomé. Entretanto, o material disponível é muito escasso e vago e não faz qualquer declaração definida.

2. Há uma outra obra chamada *Evangelho dos Egípcios*. Esse título foi dado no colofon de uma obra intitulada *Livro Sagrado do Grande Espírito Invisível*, e que é o codex III da biblioteca de Nag Hammadi. Os manuscritos de Nag Hammadi faziam parte da literatura dos gnósticos (que vide). Ver também o artigo separado sobre *Nag Hammadi, Manuscritos de*. O codex II dessa mesma coletânea também tem o título de *Livro Sagrado do Grande Espírito Invisível*. Esse codex começa com uma descrição do Grande Espírito e suas supostas emanações (incluindo o Pai, a Mãe e o Filho), concordando com uma doutrina gnóstica comum. Também há certos pontos de semelhança com a seita barbelo gnóstica (que vide) e a obra pode ter sido uma de suas produções. (CH HEN)

EGITO

Esboço:
- I. O Nome
- II. Geografia e Topografia
- III. Esboço da História do Egito
- IV. Língua e Literatura do Egito
- V. As Religiões do Egito
- VI. A Ética Egípcia

I. O Nome

O termo Egito vem do nome grego desse país, *Aigyptos*, que parece ser uma transliteração do egípcio H(wt)-k'-Pt(h). Essa palavra era pronunciada como *ha-ku-ptah*, conforme se vê nas cartas de Tell el-Amarna, de cerca de 1360 A.C., onde encontramos *hikuptah*. Esse era um dos nomes dados à cidade de Mênfis, que, na antiguidade, foi capital do Egito. Estava localizada na margem ocidental do rio Nilo,

EGITO

imediatamente acima de Cairo. Esta última, finalmente, tornou-se mais importante das duas.
— Este nome veio a ser usado para indicar o país inteiro. Atualmente, o Cairo e o Egito são ambos referidos pela palavra egípcia *Misr*.

Kemet era o nome que os próprios egípcios usavam, na antiguidade, para aludir à sua terra. Essa palavra significa «terra negra», o que fala sobre as águas de coloração escura do Nilo, que se espraiam ao longo do seu curso, em contraste com a areia avermelhada do deserto. Um outro nome antigo era *Toui*, que significa «dois países», referindo-se à comum divisão do Egito em Alto Egito e Baixo Egito. O antigo nome hebraico que aparece no Antigo Testamento, como designação do Egito, é *Misrayim*, uma forma dual que aparentemente refere-se à antiga dupla divisão do território egípcio. Essa palavra é confirmada desde tempos tão remotos quanto o século XIV A.C., sob a forma de *msrm*, nos textos ugaríticos (cananeus do norte). Nos textos assiriobabilônios de cerca de 1000 A.C., encontramos a forma variante *musri*. Essa palavra parece significar «terras fronteiriças», podendo ser usada para indicar qualquer país fronteiriço, embora muitos estudiosos rejeitem esse sentido e prefiram a idéia de *dualidade*, que já mencionamos. Têm sido feitas tentativas para entender *msr* como «fortificação», o que, se fosse verdade, faria a palavra relacionar a *i(mdr)*, «muralhas de fortificação». E isso seria uma referência às fortificações que os egípcios mantinham na fronteira com a Ásia, desde cerca de 2000 A.C. em diante. A palavra semítica *masor* quer dizer «fortificação», e isso empresta certo prestígio a essa última interpretação do nome. Porém, nenhuma certeza se tem podido adquirir com respeito a isso.

II. Geografia e Topografia

1. O Egito moderno é uma república norte-africana, que, de 1958 a 1961 fez parte da República Árabe Unida, em união com a Síria. Em 1961, a Síria separou-se da aliança, embora o título República Árabe Unida tenha sido retido pelo Egito como sua designação oficial. Jaz na porção nordeste da África e inclui a adjacente península do Sinai, que já fica no continente asiático. Limita-se ao norte pelo mar Mediterrâneo, a nordeste por Israel, a leste pelo mar Vermelho, ao sul pelo Sudão e a oeste pela Líbia. Tem um total de cerca de 1.000.000 km(2), dos quais somente cerca de 36.000 km(2) são cultiváveis e povoados. A distância máxima, de norte a sul, bem como de leste a oeste, é de cerca de 1.100 km, o que significa que tem quase o formato de um quadrado. A utilização apenas de uma pequena parte desse território deve-se a um clima extremamente seco. Alexandria desfruta de apenas 17,8 cm de chuva por ano, e o Cairo apenas ligeiramente mais do que 2,5 cm. A maior parte do território do Egito desconhece virtualmente qualquer índice pluviométrico, pelo que o rio Nilo é a linha de vida do Egito. Ao longo de seu curso é que pulsa, realmente, a vida do Egito. O recenseamento de 1966 demonstrou que o país tinha um pouco mais de trinta milhões de habitantes, e um quinto desse total vive em uma única cidade, o Cairo. O porto principal é Alexandria. É o país mais populoso de toda aquela região, excetuando a Turquia.

2. *O Antigo Egito*. Duas divisões podem ser especificadas como representações essenciais do antigo Egito: a. uma estreita faixa de terra que acompanha ambas as margens do rio Nilo, desde Mênfis (Cairo) até à primeira catarata (644 km). b. o Delta, assim chamado por causa de sua configuração como a letra grega desse nome. Essa área fica entre o mar Mediterrâneo e a cidade do Cairo, com cerca de 200 km de norte a sul e com cerca de 185 km de leste a oeste. A faixa estreita veio a ser conhecida pelo nome de Alto Egito e o Delta veio a ser conhecido como Baixo Egito. Combinando as duas regiões, obtemos o total de 885 km como o comprimento total do país, desde as margens do mar Mediterrâneo até a primeira catarata do rio Nilo.

3. *O Alto Egito*. A faixa estreita, ou seja, o vale do rio Nilo, está limitada de ambos os lados por colinas de pedra calcária, ao norte e de arenito ao sul de Esnas, ou seja, cerca de 530 km ao sul do Cairo. Essa faixa tem apenas cerca de dezenove quilômetros e meio de largura, na média, embora algumas vezes se estreite a algumas poucas centenas de metros, como sucede em Gebel Silsileh. Fora dessa região (que é regada pelas águas do Nilo), o território inteiro é desértico, estendendo-se até as colinas que a ladeiam.

4. *O Baixo Egito*. Cerca de dezenove quilômetros ao norte do Cairo, o Nilo divide-se em dois braços principais. O braço norte avança para o mar, na direção de Rosetta. O braço leste vai na direção de Damietta, cerca de 145 km distante. Do Cairo até o mar há somente cerca de 160 km. Entre os dois braços do Nilo há um delta pantanoso, composto de depósitos sedimentares que se têm acumulado através dos milênios. Muitos canais e valetas de drenagem ligam os dois braços. Heródoto disse que o Nilo tinha sete bocas que desaguavam no mar, mas os próprios egípcios identificaram apenas três. As duas áreas, o Alto e o Baixo Egito, nem sempre formaram um único país, mas, finalmente, tornaram-se unidos sob um único monarca, desde milênios antes de Cristo.

O Egito ficava localizado em rotas comerciais que ligavam a Europa e a Ásia, estando na África, e entre aqueles outros dois continentes. Portanto, era um escoadouro da África, bem como o lugar fortificado que dominava o caminho entre a Europa e a Índia, mais para o oriente. Os portos naturais do mar Vermelho e do mar Mediterrâneo emprestavam-lhe grande importância nas comunicações e no comércio antigos.

5. *O Rio Nilo*. Esse é um dos maiores rios do mundo em extensão, com um total de 5.607 km. Somente há poucos anos, exploradores descobriram as verdadeiras nascentes do Amazonas, dando a este último a honra de ser não somente o mais volumoso rio do mundo, mas também o mais longo, com um total de mais de 6 mil quilômetros. Seja como for, o rio Nilo é o mais longo e importante rio do continente africano. É formado pela união do Nilo Branco, que nasce em Uganda, e do Nilo Azul, que nasce na Etiópia. Os dois finalmente unem-se, a pouca distância abaixo de Kartum, na república do Sudão. Originalmente, seu curso era um tanto mais para oeste, onde agora fica o deserto da Líbia. Desconhece-se a razão dessa mudança de rumo para a direita. Alonga-se por cerca de 1.530 km desde a fronteira entre o Sudão e o Egito até Rosetta (Rashid), ao desembocar no mar Mediterrâneo. Sua largura varia entre 1.100 m a 16 km, sendo muito mais estreito no sul do que no norte. O vale do rio Nilo fica entre 45 m e 300 m abaixo do nível do deserto, que o ladeia. A sedimentação do Nilo encheu o que era uma antiga baía, e agora essa área forma o Delta, que se estende por cerca de 240 km de um lado ao outro. A partir de 3000 A.C., a sendimentação tem enchido cerca de 8 km mar adentro. As originais sete desembocaduras foram todas entupidas, excetuando as de Rosetta e Amietta. A fonte essencial das águas do Nilo são as chuvas tropicais que caem na parte oriental da África.

EGITO

Excetuando o Nilo, o Egito conta com bem poucos acúmulos naturais de água potável. A moderna represa de Aswan formou um grande lago artificial. Essa represa fica localizada cerca de 730 km ao sul do Cairo. Foi construída a fim de adicionar, finalmente, cerca de dois milhões de acres de terras cultiváveis.

Sem o rio Nilo, não haveria o Egito, pelo que desde a antiguidade se vem dizendo que «o Egito é o dom do Nilo». Nos tempos antigos, quando não havia ainda meios artificiais de renovação do solo, em larga escala, toda a área povoada dependia das inundações do Nilo, para que houvesse fertilidade. Nos tempos modernos, visto que a represa de Aswan retém a sedimentação, o país tem sido forçado a gastar astronômicas quantias em fertilizantes químicos. A sedimentação que o rio deixava a cada ano era ideal para o plantio. Os agricultores pouco tinham que fazer para preparar o solo, que era extremamente fértil. O rio Nilo é o único grande rio do mundo que é maior perto de suas origens do que em sua embocadura. Isso deve-se ao fato de que atravessa uma região muito árida e assim vai diminuindo ao longo do trajeto, porquanto não adquire qualquer novo suprimento de água, não tendo tributários. Desde a junção com o Atbara até a sua boca, cerca de 2.700 km, não recebe qualquer tributário. Portanto, o solo absorve muita água e a evaporação também é considerável, o que significa que o volume de suas águas vai diminuindo cada vez mais.

Topograficamente, o Egito está dividido em três regiões: 1. a leste do Nilo. Aí fica o deserto da Arábia, que, na antiguidade, continha importantes rotas comerciais e de comunicação entre o Nilo e o mar Vermelho. Ao longo da costa do mar Vermelho, essa região conta com elevadas montanhas, que atingem os 2.150 m. Antigamente, havia alguma atividade vulcânica nessa área. 2. A oeste do rio Nilo. Aí fica o deserto da Líbia, com formações causadas pelos ventos, como as dunas de areia. A infiltração de água, vindo do rio Nilo, formou uma depressão que atravessa essa região, do que resultaram os oásis de Kharga, Dakhla e Siwa. 3. O vale do rio Nilo. Essa é a estreita faixa de terras férteis, que já descrevemos.

III. Esboço da História do Egito

Juntamente com a Mesopotâmia (o moderno Iraque), o Egito tem a mais longa história registrada de qualquer nação moderna.

1. Período Pré-Histórico ou Pré-Dinástico (4000-3100 A.C.). Há evidências de que o vale do rio Nilo vem sendo continuamente habitado pelo menos há seis mil anos. Durante o período pré-dinástico, que se prolongou até cerca de 3100 A.C. segundo sabemos, havia ali povos que desenvolveram a agricultura e a domesticação de certos animais. Nesse tempo ainda não havia um Egito unificado, prevalecendo então as duas divisões principais de Baixo e Alto Egito. Biblicamente falando, os antigos egípcios eram descendentes de Cão, o filho mais novo de Noé. Ver Gên. 10. Invasões de babilônios trouxeram para o Egito povos predominantemente semitas. Outros elementos étnicos, como os núbios, penetraram e deram ao Egito um caráter de povo muito caldeado. Finalmente, o país foi dividido em quarenta e duas províncias, vinte do Baixo Egito, e vinte e duas do Alto Egito. Alguns estudiosos pensam que, ainda mais antigamente, o Egito contava com uma camada de população semítica, pelo que poderia ser considerado como um ramo dos novos semitas.

Estágios da Pré-História. a. Os primeiros povos agrícolas. Além da agricultura, também havia a mineração de cobre. Os costumes de sepultamento mostram que ali havia a crença na vida após-túmulo. Esses povos têm sido denominados pelos historiadores de *taso-badarianos*, e parece que tinham origem africana. b. Uma outra fase pré-histórica foi aquela chamada de Naqada I, onde houve algum contacto com o sul da Arábia, com o Irã e com a Mesopotâmia, por meio do Wadi Hammamat e do mar Vermelho. Por essa altura dos acontecimentos, povos semitas e, portanto, línguas semíticas, começaram a penetrar na cena egípcia, modificando a cultura do país. c. Durante o chamado período Naqada II, houve contatos com a cultura sumério-mesopotâmica. Durante esse tempo, surgiram dois reinos separados, o Baixo e o Alto Egitos. Mas isso terminou quando Narmer, Faraó do Alto Egito, conquistou a região do delta e fez o Egito tornar-se um país unificado. Foi então que surgiu a escrita hieroglífica, bem como a monumental arquitetura egípcia.

2. Período Arcaico. Dinastias I e II (3100-2686 A.C.). Menes ou Narmer pode ter sido uma figura fictícia. Seja como for, a ele é atribuída a união do Baixo e do Alto Egitos, por volta de 3110 A.C. Acredita-se que ele estabeleceu a sua capital em Mênfis, e assim teve início uma série de trinta dinastias diferentes. Presumivelmente, ele foi o primeiro monarca egípcio a governar como se fosse uma divindade, e não meramente como um agente dos deuses, conforme era a doutrina prevalente no sudoeste da Ásia. O governo era essencialmente centralizado, e os registros do governo eram conservados em tabletes de marfim. Departamentos distintos eram mantidos a fim de gerenciar melhor as duas divisões naturais e territoriais, o Baixo e o Alto Egitos. Aparentemente, houve sete monarcas que sucederam a Narmer e que eram seus descendentes diretos. Cada um desses reis tinha o seu lugar sagrado, um túmulo circundado pelas sepulturas de seus nobres. A estela ou tampo do túmulo do quarto desses reis é um notável monumento. Túmulos feitos de tijolos eram construídos com decorações muito elaboradas. Os móveis eram fabricados com madeira de ébano, incrustados de marfim, e havia vasos e instrumentos de cobre, além do que, o ouro era usado em grande abundância. Havia então uma civilização elaborada, uma complexa estrutura governamental, uma boa organização militar e toda a espécie de comércio e artigos de luxo. Tudo isso cerca de dois mil anos antes do tempo de Davi e Salomão.

3. O Reino Antigo. Dinastias III a VI (2778-2423 A.C.).

Durante esse período foi atingido um impressionante pico de prosperidade, esplendor e civilização elaborada. A terceira dinastia produziu os construtores das grandes pirâmides. A quarta dinastia também tinha seus construtores de monumentos. A arqueologia tem descoberto maciças evidências atinentes a esse período, incluindo excelentes móveis, jóias, pinturas e relevos, bem como uma religião altamente desenvolvida, com sua casta sacerdotal. Poucas evidências, sob a forma de documentos, têm sido achadas no tocante à quarta dinastia. Zoser (Djoser, 2664—2646 A.C.), foi o construtor da pirâmide de degraus, em Sakkara, e foi um notável governante desse período. Essa pirâmide foi o primeiro grande edifício de pedra do mundo, elevando-se a quase 60 m de altura em uma área fechada com cerca de 600 m de comprimento por 300 m de largura. Essa área continha um complexo de edifícios, além da pirâmide referida, tudo o que, aparentemente, estava envolvido na manutenção do culto imperial. Os sucessores de Zoser também erigiram pirâmides de degraus, mas essas pirâmides não foram completadas, devido à morte prematura

EGITO

desses governantes.

As dinastias IV a VI (2614—2181 A.C.) formaram o tipo de civilização que haveria de predominar no Egito por mil e quinhentos anos. Essa foi a era das pirâmides por excelência. O faraó era um monarca absoluto e sua posição monolítica era simbolizada pelas grandes pirâmides de Queopes, Quefren e Miquerinos, em Gizé.

A grande pirâmide de Queopes tinha quase 147 m de altura. A de Quefrem tinha o formato de uma esfinge, retratando o monarca como uma figura guardiã real divina. A terceira pirâmide, de Miquerinos, era a menor das três, mas estava revestida de pedras de granito. O formato das pirâmides provavelmente era um símbolo solar, simbolizando como os raios do sol partem de um ponto, no firmamento, e espalham-se à superfície da terra. Também é possível que, devêssemos pensar nas pirâmides como uma espécie de rampa ou meio de acesso para o rei divino subir ao céu. As pirâmides de degraus fazem-nos lembrar a escada de Jacó, por meio da qual subiam e desciam seres celestiais do céu à terra e vice-versa.

Durante esse período, a arquitetura incluiu palácios e templos suntuosos, nos quais eram usados granito e o alabastro. Havia colunas e pátios muito bem trabalhados, paredes elaboradamente decoradas e pinturas incomuns. Túmulos gigantescos para os membros da realeza eram erigidos, nos quais havia capelas fúnebres, que continham muitas pinturas representando a vida diária. A fabricação de estátuas atingiu uma qualidade sem rival em qualquer período posterior da história do mundo, antes do aparecimento da cultura grega.

A *adoração egípcia* tinha formas que requeriam as habilidades de muitos artesãos, bem como o desenvolvimento de uma sofisticada casta sacerdotal. Livros de sabedoria de considerável qualidade literária foram escritos pelos líderes da nação. Câmaras internas das pirâmides reais, estavam inscritas com inúmeros encantamentos, rituais mágicos e textos religiosos. Esses tornaram-se coletivamente conhecidos como os *textos das pirâmides*. Ver o artigo separado sobre as religiões do Egito. A esse período é que pertecem os eventos do livro de Gênesis relativos a Abraão e ao começo do período patriarcal de Israel.

4. Levantamente e Queda do Reino Médio. Dinastias VII a X (cerca de 2180-2030 A.C.).

Houve um primeiro período intermediário, que abrangeu a sétima e a oitava dinastias, com reinados curtos, com nenhuma realização especial. Todavia, a ordem estabelecida foi arruinada na área do delta egípcio. As dinastias sétima a décima primeira foram assinaladas pelo aparecimento de nobres feudais locais, o que descentralizou o poder. Os Faraós, em Mênfis, eram reconhecidos como meras figuras decorativas. O conceito de Faraós absolutos não mais funcionava no Egito. Essa descentralização também foi ajudada pelo crescente poder da casta sacerdotal que adorava o deus Rá (Ré). Prevaleceu uma certa desordem, até que a cidade de Tebas estabeleceu sua hegemonia sobre todas as rivais, já na décima primeira dinastia (2134 A.C.).

5. Reino Médio Propriamente Dito. Dinastias XI e XII (2160-1580 A.C.). Aquilo que é chamado de reino médio propriamente dito foi constituído pelas dinastias XI e XII. A cidade de Tebas estabeleceu sua autoridade sobre todas as rivais, e isso prevaleceu até o fim da dinastia XII (1786). O território egípcio foi reunificado e o poder dos Faraós foi restabelecido,

acompanhado pelo reavivamento cultural e econômico. Amenemete III (1842—1797 A.C.) tornou-se conhecido por cultivar a terra em grande escala, com o uso de sistemas de irrigação. A estabilidade interna ajudou o Egito a ampliar o seu poder no exterior. Foi durante esse período que a influência egípcia ampliou-se, em grau significativo, até à região asiática contínua, à Núbia e ao sul do Sudão.

6. Segundo Período Intermediário. Dinastias XIII a XVII (1785-1580 A.C.). A décima segunda dinastia terminou com uma rainha; a décima terceira dinastia teve uma série de reis que governaram por curtos períodos. Então entraram no Egito asiáticos (semitas ocidentais) em grande número e obtiveram o controle sobre áreas localizadas, especialmente no delta do Nilo. Finalmente, bárbaros asiáticos dominaram o Egito, em 1678 A.C., continuando a reinar ali até 1570 A.C. Esses povos asiáticos eram chamados *hicsos*, nome esse que vem de duas palavras egípcias, *kihau khasut*, isto é «governantes de terras estrangeiras». Eles estabeleceram-se principalmente no delta do Nilo, embora também tivessem podido controlar áreas no extremo sul do Egito, incluindo a cidade de Tebas. Não eram culturalmente tão avançados quanto os egípcios, mas tinham criado habilidades militares superiores, incluindo o uso do cavalo, dos carros de guerra, de armaduras de proteção do corpo e de arcos bem elaborados. É a esse período que pertence a história de José e dos patriarcas de Israel, no Egito.

7. O Império; no Novo Reino. Dinastias XVIII a XX (1551-1301 A.C.).

a. Amoses I (1551—1526 A.C.). Ele deu continuidade ao que fora iniciado pelo seu irmão mais velho, o rei Camoses, expulsando os governantes hicsos do Egito. Como ´parte das medidas que tomou, ele invadiu a Palestina. Seus sucessores deram prosseguimento à sua obra e um novo período de grande civilização foi inaugurado. De fato, durante os próximos cinco séculos (1570 a 1085 A.C.), o Egito atingiu o pináculo de seu poder e influência, exibindo sua mais impressionante grandiosidade e riqueza. Porém, esse período terminou em uma notável degeneração, que finalmente produziu a dissolução da antiga civilização egípcia. A esse período pertence o tempo de servidão de Israel, no Egito.

b. Tutmés I tinha como sua política a expansão territorial, a fim de evitar outra situação como a invasão dos hicsos. Seu neto, Tutmés III encarregou-se de conquistar a área da Síria-Palestina, por essa mesma razão, tendo procurado estabelecer as fronteiras nacionais tão longe do Egito quanto lhe fosse possível. Ele dirigiu dezessete campanhas contra a região da Síria, e estabeleceu o domínio egípcio na Palestina, na Fenícia e em grande parte do norte da Síria, chegando até as margens do rio Eufrates. Naturalmente, com isso o Egito tornou-se mais cosmopolita do que em qualquer outro período de sua história. Isso fez do Egito a maior potência militar de toda aquela região.

c. Foram cativos cananeus asiáticos, que trabalhavam nas minas de turquesas da península do Sinai que, no começo do século XV A.C., desenvolveram o alfabeto (que vide).

d. As classes militares, profissionais e sacerdotais desenvolveram-se em seu poder e organização. O sacerdócio de Amom-Rá (Amum), em Tebas, o deus oficial do império egípcio, adquiriu grande autoridade e muitas terras. Tão notável foi esse desenvolvimento que os Faraós tiveram de tomar medidas para entravá-lo. Primeiramente eles nomearam os seus próprios sacerdotes, procurando controlar a estrutura

EGITO

eclesiástica. E então, dentro dessa estrutura, eles promoveram um jogo de poder. O deus sol, Atén, cresceu em estatura, devido à promoção encabeçada pelo Faraó Amenofis III. Amon-Rá continuava sendo honrado, mas desenvolveram-se dois sacerdócios que competiam um com o outro. As denominações se digladiavam! Amenofis IV rejeitou totalmente Amon-Rá e lançou uma campanha contra a pluralidade de divindades, chegando mesmo a apagar os nomes dos deuses das inscrições e esculturas. Ele estabeleceu o monoteísmo com Aten como o único deus a ser adorado e mudou o seu próprio nome para Aquenaten. Em seguida, ele mudou a capital do império para Aquete-Aten, no médio Egito. Essa é a moderna Tell el-Amarna, de tanta fama arqueológica. Aquenaten era adorado pelo povo comum como a personificação de Aten. Essa situação tem sido vista em visões, por místicos modernos, começando algum tempo antes de 1962, como um precursor do anticristo, que, segundo alguns, teria nascido em 1962, e que, segundo alguns pensam, seria descendente biológico ou espiritual de Aquenaten. O anticristo, portanto, seria a incorporação do monoteísmo pagão egípcio, formando contraste com a verdadeira adoração ao único Deus. Esse tipo de paganismo fará guerra ao cristianismo. Ver o artigo sobre o *Anticristo*.

e. *O domínio egípcio sobre a Síria-Palestina* foi um tanto debilitado durante esse período, porquanto havia príncipes rivais que combatiam uns contra os outros, cada qual procurando o apoio dos Faraós. A correspondência que se originou dessa situação criou as famosas cartas de Tell el-Amarna, escritas em letra cuneiforme babilônica, própria da diplomacia, que usava tabletes de argila e que tanto têm contribuído para iluminar a vida humana naqueles tempos. É interessante observar que a imensa preocupação de Aquenaten com as coisas do espírito levaram-no a negligenciar questões políticas e militares, de tal modo que as lutas intestinais, que continuavam sem solução, debilitaram o império egípcio. Isso transparece claramente na correspondência encontrada em Tell el-Amarna.

f. *O monopólio de Aquenatén começou a ruir.* Ele precisou transigir. Dois anos após o seu falecimento, Tebas tornou-se novamente a capital do Egito, sob Tutancamom e Ai. A adoração a Amon-Rá foi plenamente restaurada. À medida que o poder egípcio foi afundando, os militares foram-se encorajando a estabelecer uma virtual ditadura militar.

g. *A Dinastia XIX.* Ramsés I fundou essa dinastia, mas governou por apenas um ano. A Síria caiu diante dos hititas, mas Ramsés II a reconquistou. Então surgiu um novo adversário, que forçou o Egito a aliar-se aos hititas, — como medida de proteção mútua. Esse inimigo eram os minoanos e indo-europeus das ilhas do mar Mediterrâneo. Nos dias de Ramsés III (1190—1158 A.C.), a Síria e a Palestina caíram nas mãos do inimigo. Até mesmo a península do Sinai foi perdida para esse inimigo, no tempo de Ramsés IV (1140—1138 A.C.), o que assinalou o fim do Egito como um poder imperial.

h. *Israel e a XIXª Dinastia.* A primeira metade dessa dinastia foi o tempo da opressão contra Israel e do êxodo. Ver o artigo geral sobre a *Cronologia*. Os eruditos continuam disputando sobre a questão de que Faraó teria promovido a opressão de Israel. Nesse tempo, havia muitos escravos semitas que foram utilizados no projeto de construções no Egito. Têm sido achados documentos que mencionam quão numerosos eram esses escravos. Amenofis II (1438—

1412 A.C.) fala sobre cativos que foram tomados da Síria, e afirma que havia ali 3.600 apiru, 15.200 sasu (seminômades), 36.300 horeus, etc. Portanto, nada havia de muito diferente daquilo que aconteceu aos hebreus, que foram forçados a fabricar tijolos (Êxo. 1:14). A arqueologia tem descoberto excelentes pinturas que retratam os semitas e outros fabricando tijolos, no túmulo da capela de Recmire, um governador subordinado a Tutmés III. Um ostraco desse mesmo oficial menciona obras de construção, aludindo à extração e preparo de pedras de construção, ao fabrico de tijolos, etc. Os papiros Anastasi, que pertencem a esse mesmo período, também contêm descrições sobre projetos de construção. Um outro papiro queixa-se da escassez de homens e tijolos, bem como da falta de palha para os tijolos, tudo o que nos faz lembrar o quinto capítulo do livro de Êxodo. Várias outras pinturas tumulares, ostraca e inscrições confirmam esse tipo de situação no Egito, no tempo correspondente ao período de opressão dos israelitas ali. Estrangeiros também eram empregados em outras obras, como pastores, tecelões, fabricantes de cerveja, mercadores de vinhos, porteiros, soldados, ou seja, em todas as atividades da sociedade. O sistema econômico dependia do trabalho escravo para sobreviver, o que demonstra por que razão o Faraó tanto ansiava por impedir a partida do povo de Israel. Ver o artigo geral sobre o *Êxodo*, quanto a certos detalhes relativos a essas questões.

i. *Naturalmente, alguns semitas adquiriram posições de autoridade.* Isso incluía posições no governo, nas forças militares e no sacerdócio. Alguns deles tornaram-se administradores de elevados oficiais. Si-Montu, um filho de Ramsés II, casou-se com a filha de um capitão da marinha síria, chamado Ben-Anate. As Escrituras Sagradas dizem que Moisés foi adotado pela filha do Faraó, e também que ele foi elevado à alta posição na corte real. Presumivelmente, ele poderia ter levado uma vida suave e próspera, em meio à realeza egípcia. Foi na corte real que ele aprendeu a sabedoria egípcia e a sua posição elimina a teoria que diz que Moisés era analfabeto e que dificilmente poderia ter sido autor de qualquer porção do Pentateuco. No entanto, sabemos que esse período histórico contava com escribas sábios e as descobertas arqueológicas demonstram que a capacidade de escrever não estava limitada à classe dos escribas.

j. Pelo menos a partir do tempo do reinado de Ramsés II, elementos asiáticos (semitas) eram criados nos haréns reais e treinados para ocupar importantes posições oficiais. A filha mais velha de Ramsés II tinha um nome inteiramente semita, Bint-'Anath, havendo muitas provas de palavras emprestadas dos idiomas semíticos pelos egípcios. Assim, apesar de que indivíduos semitas comuns eram escravos empregados em duros trabalhos manuais, havia aqueles que tinham uma vida próspera, em meio à abundância material. É por causa dessa circunstância que o trecho de Hebreus 11:23 *ss*, observa sobre a nobreza das escolhas espirituais feitas por Moisés, quando ele se recusou a ser chamado de filho da filha do Faraó, preferindo sofrer aflições juntamente com o povo de Deus. Ele dava mais valor às riquezas de Cristo, do que às riquezas materiais da corte do Faraó. No coração, desprezou o Egito e não temeu a ira do Faraó. Tudo isso porque prestava lealdade a um Rei maior.

1. *A Mistura de Religiões.* A arqueologia tem demonstrado que certas divindades semíticas, como Ball, Anate, Resefe, Astarte (Astarote), etc., não somente foram aceitas no Egito, mas até mesmo tinham seus templos e seus aderentes sacerdotais

EGITO

especiais. Com base nessa circunstância, os hebreus tinham plena consciência de que eram um povo separado, e as tradições orais mantinham as memórias da pátria bem vívidas em suas mentes. Outrossim, quando algum grande movimento histórico está prestes a ocorrer, há uma inspiração divina nesse sentido. Moisés foi adredemente preparado para um momento histórico em que grandes modificações tiveram lugar.

m. *Dinastia XX* (1200—1070 A.C.). Após a morte de Siptá, o último rei da XIXª Dinastia, Setnact governou durante breve tempo, como fundador da XXª Dinastia. Ele restaurou a ordem interna no Egito. Seu filho, Ramsés III, foi o último grande Faraó do império egípcio. Essa dinastia teve cerca de dez monarcas, todos com o nome de Ramsés; mas Ramsés III foi o mais importante deles. Por algum tempo, ele fora capaz de repelir povos marítimos invasores, incluindo aqueles provenientes da Palestina. Depois dele, entretanto, o declínio foi rápido e radical. Foi durante o governo de Ramsés III que a Síria e a Palestina passaram para as mãos dos invasores, que incluíam os minoanos e povos indo-europeus que vinham das ilhas do Mediterrâneo. No tempo de Ramsés VI, até mesmo Sinae foi perdida pelos egípcios, e isso assinalou o fim do Egito como um poder imperial (1148—1138 A.C.).

n. *A Arqueologia e o Novo Reino*. Evidências de todos os tipos e com abundância, confirmam esse período, incluindo muitos artefatos, pinturas, documentos escritos, capelas tumulares, inscrições, etc., pertencentes a esse tempo.

8. O Declínio: Dinastias XXIª a XXXª. A Dominação Persa e Alexandre, o Grande (1085-332 A.C.).

a. *Colapso e Desintegração*. O colapso externo do império egípcio foi acompanhado pela desintegração interna, o que quase sempre caracteriza o declínio e a queda dos grandes poderes hegemônicos. O Egito havia perdido suas possessões estrangeiras e, juntamente com isso, muito de suas riquezas e a fonte do trabalho escravo, que era uma das bases de sua economia. Estabeleceu-se, pois, a depressão econômica. A ordem pública não pôde mais ser mantida. Por volta de 1075 A.C., a antiga união política do Alto e do Baixo Egito foi rompida. O Alto Egito passou a ser dominado por Tebas; e o Baixo Egito, por Tânis. Houve um período de dominação estrangeira, com o líbio Sesonque I, da XXIIª Dinastia (940—730 A.C.). Seguiu-se então o período de dominação etíope (736—657 A.C.). De 670 a 654 A.C. o Egito foi ocupado pelos assírios. Em 663 A.C., Tebas foi conquistada e saqueada. Quando da Dinastia Saíte (664—525 A.C.), por algum pouco tempo, foi restabelecido de novo o governo nativo no delta do Egito. Porém, em 525 A.C., o domínio estrangeiro tornou-se absoluto, quando Cambises II, rei dos medos e dos persas, passou a governar o Egito. Em seguida, apareceu Alexandre, o Grande, o macedônio. Ele guerreou contra os acamenidas e, em 332 A.C., expulsou completamente os persas do Egito. No mesmo ano, Alexandre fundou a cidade de Alexandria. Ver os artigos separados sobre Alexandre e sobre Alexandria. Foi restabelecido o controle egípcio sobre a Palestina e a Síria, até que os romanos tomaram conta de toda a região, já em 30 A.C., foi então que o Egito foi reduzido a uma mera província romana.

b. *Relações com Israel Durante Esse Período*. A época dos Juízes, de Saulo, de Davi e de Salomão corresponde à XXIª Dinastia, ou seja, o começo do declínio radical do Egito. No trecho de I Reis 11:18-22, encontramos o primeiro elo mencionado especificamente. Joabe devastou Edom e seu jovem príncipe, Hadade, foi levado para o Egito. Ali ele cresceu, casando-se com uma cunhada do Faraó. Quando Davi morreu (cerca de 970 A.C.), Hadade retornou a Edom. Os historiadores muito têm-se esforçado para identificar (tentativamente) a mulher específica que se tornou esposa de Hadade, iluminando aspectos da vida dele, por meio dos quais se sabe dos costumes egípcios da época.

Salomão também envolveu-se com o Egito, por meio do casamento, tendo tomado como esposa uma filha do Faraó. Gezer (que vide), uma das principais cidades da parte norte de Sefelá, foi-lhe dada como dote. Ver I Reis 3:1 e 9:16. Os arqueólogos supõem que o Faraó assim envolvido foi Siamun. Foi encontrado um relevo em Tânis, que mostra esse monarca a ferir asiáticos, brandindo uma arma de aparência daquelas usadas no mar Egeu. Ele comandou uma campanha militar na Filístia próxima, sendo provável que foi então que ele se apossou de Gezer e que mais tarde, usou para dar a Salomão como dote. Esse incidente, sem dúvida, envolveu uma aliança com o Egito, confirmada por esse matrimônio.

Na XXIIª Dinastia, Jeroboão, filho de Nebate (I Reis 11:40), tornou-se um refugiado político no Egito. Quando Salomão faleceu, Jeroboão retornou, encabeçando a divisão do povo de Israel em dois reinos, o do norte (Israel) e o do sul (Judá). Sosenque I foi o Faraó envolvido.

Sisaque (nome com que é conhecido no Antigo Testamento) invadiu a Palestina durante o quinto ano do reinado de Reoboão, filho de Salomão (cerca de 925 A.C.). Foi encontrada uma estela em um templo, em Carnaque, que sugere que um incidente de fronteira deu ao Faraó a desculpa necessária para ordenar a invasão. Seus triunfos foram registrados em um grande relevo, na muralha sul de Carnaque. Esse Faraó tornou-se riquíssimo em face desse saque (I Reis 14:26).

Mas outras aventuras militares do Egito, na Palestina, durante a XXIIª Dinastia e que são mencionadas em II Crônicas 14:9, não foram tão bem sucedidas.

O Cativeiro Assírio de Israel ocorreu entre as Dinastias XXIIª e XXVª. Israel tentou, mas fracassou na tentativa de evitar o cativeiro, apelando para a ajuda dos egípcios (II Reis 17:4). O apelo de Oséias a So, Faraó do Egito, parece não ter sido respondido. Talvez o nome que aparece na Bíblia, «So», seja uma abreviação de Osorkon IV, o último e débil monarca da XXIIª Dinastia do Egito. Nesse caso, surgem problemas cronológicos, porquanto sua data é por demais atrasada para corresponder ao período do cativeiro assírio de Israel. Alguns estudiosos acreditam que está em foco Sabacon ou Sabaca, o etíope. Esse foi o primeiro rei da XXVª Dinastia. Talvez um nome (que vide) seja o nome de algum oficial do Faraó, e não o nome do próprio monarca egípcio. Seja como for, as datas exatas dessas dinastias egípcias têm sido postas em dúvida, pelo que é difícil descobrir paralelos históricos em muitos casos. Mas, ainda assim, sabe-se que, por esse tempo, o próprio Egito foi dividido em duas porções, tendo surgido submonarcas que somente ajudaram no declínio geral. O Egito não estava preparado para enfrentar um novo adversário.

Tiraca. Esse Faraó é mencionado em II Reis 19:9 e Isaías 27:9. Ele pertencia à XXVª Dinastia, o que tem sido abundantemente confirmado pelas inscrições

EGITO

assírias. Os egípcios ofereceram ajuda a Israel, se este quisesse resistir à Assíria; porém, a debilidade geral do Egito, nesse período, era um fato bem conhecido. O Rabe-Saqué usou de sarcasmo diante de Heze-quias, acerca de sua esperança de obter a ajuda da parte dos egípcios, tendo zombado do Faraó como «bordão de cana esmagada» (II Reis 18:21).

A *XXVI^a Dinastia*. Dois Faraós dessa dinastia foram mencionados na Bíblia, a saber, Faraó Neco e Faraó Hofra. O primeiro (II Reis 23:29) enfrentou Josias, na batalha de Megido. Josias foi morto na oportunidade. O poder desse Faraó foi quebrado por Nabucodonosor, da Babilônia, em vista do que foi escrito: «O rei do Egito nunca mais saiu da sua terra; porque o rei de Babilônia tomou tudo quanto era dele, desde o Ribeiro do Egito até o rio Eufrates» (II Reis 24:7; ver também Jer. 46).

Faraó Hofra ajudou Jeoiaquim e Zedequias em sua rebelião contra Nabucodonosor (Jer. 44). Em conseqüência, os babilônios atacaram e conquistaram o Egito; e Judá também não conseguiu resistir aos babilônios, e foram levados para o exílio, em 587 A.C. Quanto a um *completo sumário* de eventos do Antigo Testamento, no que concerne à história do Egito, ver o artigo sobre a *Cronologia*.

9. Datas Importantes da História Egípcia:

Antes de 3100 A.C.: período pré-dinástico (pré-histórico): Badarianos, Naqada I, Naqada II.

Cerca de 3100-2686: período arcaico (dinastias I e II).

Cerca de 2686-2180 A.C.: Reino Antigo (dinastias III a VI).

Cerca de 2180-2030: Primeiro Período Intermediário (dinastias VII a X).

Cerca de 2134-1991 A.C.: dinastia XI: Reino Médio

Cerca de 1991-1786 A.C.: dinastia XII

Cerca de 1786-1551 A.C.: Segundo Período Intermediário (dinastias XIII a XVII).

Cerca de 1551-1315/01 A.C.: Reino Novo (Império) dinastia XVIII

Cerca de 1315/01-1200 A.C.: dinastia XIX

Cerca de 1200-1070 A.C.: dinastia XX

Cerca de 1070-945 A.C.: Começa o período posterior (dinastia XXI)

Cerca de 945-715 A.C.: Terceiro Período (dinastias XXII e XXIII)

Cerca de 720-715 A.C.: Intermediário (dinastia XXIV)

Cerca de 715-664 A.C.: (dinastia XXV)

Cerca de 664-525 A.C.: — reavivamento Saite. (dinastia XXVI)

Cerca de 525-402 A.C: governo persa (dinastia XXVII)

Cerca de 402-341 A.C.: (dinastias XXVIII a XXX)

Cerca de 341-332 A.C.: governo persa renovado

332-331 A.C.: Alexandre e os Ptolomeus.

31 A.C.: Começo do domínio romano.

10. Cronologia Comparada

Oferecemos quadros sobre a cronologia bíblica em geral, no fim deste artigo. Esses quadros apresentam a história geral comparada entre o Egito e Israel, desde o começo da história desse povo de Deus até chegarmos, inclusive, ao período intertestamental. Além disso, a porção da história egípcia que antecede o registro do livro de Gênesis, também foi incluída.

IV. A Língua e a Literatura do Egito

1. O termo **literatura** dá-nos a entender todos os documentos escritos dos antigos egípcios. Esse material chegou até nós parcialmente sob a forma de inscrição em material perdurável, alguns móveis e outros não. Os materiais perduráveis incluem a pedra, a madeira, o vidro, os metais e a terracota. As paredes, os pisos e os tetos dos túmulos, dos templos e dos edifícios públicos têm servido de ricas fontes informativas, **quando ali se acham inscrições.** Essas são as fontes informativas imóveis. Mas materiais como a ostraca, o couro e outras substâncias são as fontes informativas móveis. Têm sido achadas inscrições em tábuas de madeira, em esquifes e em outros objetos e utensílios.

Os manuscritos em couro (velino) e em papiro representam fontes informativas móveis de extrema antiguidade. Os primeiros papiros que nos chegaram do Egito foram escritos em caracteres hieroglíficos, antecedendo até mesmo à época dos construtores das grandes pirâmides, perto de 3000 A.C.

2. Tipos de Escrita. Os veículos da linguagem escri-ta eram de três tipos diferentes: os hieróglifos puros, a escrita hierática e a escrita demótica. O tipo mais antigo é a escrita hieroglífica. Esse tipo encontra-se nos mais antigos monumentos. É impossível descrever o desenvolvimento dos hieróglifos com precisão, tão antiga é essa forma de escrita. Ver o artigo sobre o *Alfabeto*. A escrita hierática aparece pela primeira vez em papiros da XII Dinastia (cerca de 2000 A.C.). E a escrita demótica só entrou em uso já no século VIII A.C. Esses três tipos de escrita, entretanto, não representam uma mesma forma de linguagem. A escrita hieroglífica pura teve seus alicerces na antiga língua sagrada. Outro tanto pode ser dito sobre a forma hierática mais antiga; mas, a partir da XIX Dinastia (1300 A.C.), essa forma acomodou-se um tanto à linguagem falada. Já a escrita demótica representa (conforme fica subentendido nessa pala-vra) a *escrita popular*, usada pelo povo comum. Foi usada para escrever cartas ou outros materiais comuns, pessoais ou governamentais. Os hieróglifos eram usados para registrar os textos sagrados e as memórias históricas. E a escrita hierática era empregada em material poético e prosaico, ou nos estudos científicos.

3. A Língua Cóptica. Esse idioma descendia diretamente do antigo egípcio, tendo substituído inteiramente o egípcio antigo quando o cristianismo chegou ao Egito. Portanto, trata-se do desenvolvimen-to mais recente do antigo egípcio. Em cerca de 1500 D.C., entretanto, tornou-se uma língua morta, embora continue sendo usada na linguagem litúrgica da Igreja Copta. Algumas das primeiras versões do Novo Testamento foram produzidas em cóptico; e agora servem de preciosas testemunhas do texto do Novo Testamento. Ver o artigo intitulado *Manuscri-tos do Novo Testamento*, sob *Versões*, e também o artigo separado *Bíblia, Versões da.* Na língua cóptica adotou-se o alfabeto grego com pequenas modifica-ções, para representar fonemas inexistentes na língua grega. O cóptico e o demótico existiram por muito tempo lado a lado; mas a produção do Novo Testamento em cóptico eliminou, finalmente, o uso da língua mais antiga, em todas as suas formas. Entretanto, sete caracteres foram tomados de empréstimo do demótico e adicionados às letras gregas, a fim de formar-se o alfabeto. E é somente assim que o demótico continua existindo.

4. Classificação da Língua Egípcia. Essa língua pertence ao grupo de línguas semito-camíticas, juntamente com certo número de outros idiomas parecidos, existentes na África. Os eruditos, porém, não têm conseguido determinar a posição exata do egípcio, dentro desse grupo.

300

EGITO

Quatro estágios do desenvolvimento do Egípcio. Esses estágios seguem os períodos distintos de produção literária, a saber:

a. *Egípcio Antigo.* Essa era a língua literária do antigo reino (dinastias IV a VI, mais ou menos em meados do III milênio A.C.

b. *Egípcio Médio.* Da XI à XVI Dinastia (séculos XXI a XV A.C.).

c. *Egípcio Posterior.* Dinastias XIX e XX (séculos XIII e XII A.C.)

d. *Demótico.* Essa era a língua usada popularmente, e de grande parte da literatura dos fins do século VII A.C., até que foi substituída pelo cóptico. Literatura escrita em egípcio antigo, médio e posterior continuava a ser produzida na época dos Ptolomeus e dos primeiros imperadores romanos, embora sob forma modificada ou corrompida, algo um tanto parecido com o latim bárbaro depois da queda do Império Romano do Ocidente, em comparação com o latim clássico.

5. Decifração do Idioma Egípcio. No ano de 1799, elementos da expedição militar de Napoleão contra o Egito descobriram a Pedra de Rosetta (que vide), uma peça de basalto negro que trazia inscrições em escrita hieroglífica, demótica e grega, que repetiam o mesmo conteúdo. Isso proveu a chave necessária para a decifração do egípcio antigo, o que foi conseguido pelo francês François Champollion, em 1822.

6. Literatura

Existem peças literárias egípcias que chegaram a nós vindas do século XXIX A.C. A última peça literária escrita em hieróglifo data de 24 de agosto de 394 D.C. O texto demótico mais recente data de 2 e 11 de dezembro de 452 D.C. Portanto, as datas mais antiga e mais recente de textos escritos em egípcio, cobrem nada menos de trinta e três séculos. E textos produzidos em cóptico continuaram até o século X D.C. Isso significa que temos trinta e oito séculos de contínua tradição literária, se não incluirmos os tempos modernos. Isso é um recorde.

Períodos de Produção Literária
A. Terceiro Milênio A.C.

As mais bem conhecidas produções literárias do Reino Antigo e do Primeiro Período Intermediário eram de natureza religiosa e de sabedoria. Os sábios Imhotep, Hardidief (Kairos?), e até Kagemni e Photep, produziram instruções éticas e religiosas, incluindo máximas expressivas. A esse período pertencem muitas inscrições e pequenas peças literárias associadas às funções religiosas, como os Textos da Pirâmide e a Teologia Menfítica. Maiores detalhes sobre essas questões são dadas na seção V, que aborda a *Religião Egípcia.* As mais antigas obras literárias egípcias que possuímos são breves observações biográficas existentes em túmulos, em capelas ou nas proximidades, com o intuito de deixar uma boa impressão sobre os passantes. Diz uma dessas inscrições, vindas da IV Dinastia (2700-2500 A.C., época dos construtores das pirâmides): «Nenhum dos homens que fizeram este (túmulo) para mim, nenhum ficou irado. Sem importar se operário ou artífice, **satisfiz** a todos». Se esse homem expressou uma verdade, então era realmente uma pessoa bondosa!

Um outro texto deveras interessante é o de Uni, um oficial do governo (da VI Dinastia, 2423-2263 A.C.): «Sua Majestade determinou que eu julgasse (a rainha) sozinho. Nenhum ministro ou juiz principal estava presente, mas eu estava só, porque eu sou excelente, porque agrado ao coração de Sua Majestade, porque Sua Majestade encheu seu coração de minha pessoa.

Escrevi sozinho o registro, com apenas um juiz associado, embora meu ofício fosse supervisor dos domínios reais. Nunca antes alguém da minha categoria havia julgado um segredo da família real, mas Sua Majestade pediu-me para julgar porque eu era mais excelente, no coração de Sua Majestade, do que qualquer outro de seus oficiais, do que qualquer outro de seus nobres, do que qualquer outro de seus serviçais». Essa citação mostra-nos que os antigos egípcios sabiam jactar-se. Naturalmente, Uni deve ter dito a verdade, pois, de outro modo, dificilmente ele teria deixado ao léu uma peça escrita como essa.

Pertencente ao Primeiro Período Intermediário (Dinastias IX e X, 2190—2040 A.C.), a obra *Admoestações de Ipuwer* reflete o declínio e a desintegração da antiga ordem de coisas na vida egípcia. Outra obra, intitulada *Disputa de um Homem Cansado da Vida com a sua Alma,* é a obra de um homem desencorajado, que estava pensando em cometer o suicídio. Essa obra termina com quatro comoventes poemas que louvam a morte! As *Instruções do Rei Merikare* exibem grande sabedoria social e política. Nove discursos retóricos, em favor da justiça social, intitulam-se *Apelos do Aldeão Eloqüente.*

B. Começo do segundo milênio A.C.: O Reino Médio

De acordo com os peritos, o Reino Médio (2052-1786 A.C.) foi o período clássico da literatura egípcia. De acordo com certa divisão, os *Apelos do Aldeão Eloqüente* é obra pertencente a esse período. Além dessa temos a *Saga de Sinuhe.* Esta última é a história de grandes aventuras passadas na Síria-Palestina, narrada na primeira pessoa do singular, por um oficial que serviu ao rei Sesostris I (1971-1928 A.C.), quando **ele ainda era co-regente** de seu pai, Menemhet I. Ali há aventuras perigosas e ousadas. Sinuhe retirara-se para o exílio voluntário quando seu pai foi assassinado e a intriga ameaçava a sua própria vida. Conseguiu, porém, sobreviver a todos os perigos, até que sentiu saudades de sua terra natal. Sentia que fora estrangeiro por tempo suficiente, e que o Egito era o único país onde lhe convinha viver. Todavia, retornou com grande medo no coração, supondo que poderia ser morto por haver-se exilado voluntariamente. No entanto, os seus temores eram infundados. Foi recebido com grande regozijo e celebração, de uma maneira que nos faz lembrar da história do retorno do filho pródigo, contada pelo Senhor Jesus. Presentearam-no com uma excelente moradia, uma propriedade na forma de um terreno e um túmulo, e ele ajustou-se a uma vida amena, podendo esperar pacientemente a morte física, com um sepultamento condigno, em sua própria terra— um drama humano comum bem como a substância central de muitas narrativas.

Nessa época, a escrita dos egípcios exibia uma considerável variedade e era bastante diferente em sua natureza, da produção literária dos hebreus, que explorava, exclusivamente, temas religiosos. A obra *Marinheiro Náufrago* é uma fantasia náutica. A *Profecia de Neferti* é uma pseudoprofecia, com o intuito de promover Amenemhat I como salvador do Egito, e portanto, ajudá-lo em sua carreira política. Outras obras similares intitulam-se *Sehetepibre* e *Um Homem a Seu filho,* que exaltam as vantagens para quem é leal às classes governantes. As *Instruções de khety, Filho de Duauf,* também chamadas *Sátira dos Negócios,* exaltam o trabalho efetuado pelos escribas, — diminuindo a importância do que é feito em outras atividades e profissões humanas. A peça

EGITO

poética, *Hinos de Sesostris* III, foi escrita a fim de inspirar a lealdade aos reis «divinos».

C. Fins do Segundo Milênio A.C.

Nesse período, continuou a grande variedade de formas literárias. Obras como *O Príncipe Condenado pelo Destino* e *A Saga dos Dois Irmãos*, apresentam historietas de grande imaginação. A *Captura de Jopa* é uma obra de ficção um tanto similar à história de *Ali Babá e os Quarenta Ladrões*, dos tempos modernos. E o *Relatório de Wenamon* (também chamado *As Desventuras de Wenamon*), conta como ele foi enviado ao Líbano a fim de buscar madeira para a construção da barcaça sagrada do deus Amon, em cerca de 1085 A.C. Isso ocorreu nos dias infelizes de Ramsés XI. — Alguns eruditos, mediante hábeis argumentos, afirmam que o manuscrito de que dispomos é o original, escrito pelo próprio Wenamon. Se isso é a verdade, então representa o único original de qualquer obra antiga em existência. Mas, há outros especialistas que supõem que esse manuscrito foi escrito um século ou mais depois da época de Wenamon, pelo que seria apenas uma cópia muito antiga do original. Seja como for, essa obra descreve uma aventura muito movimentada, que presumimos ser fiel à vida real. Esse período também nos legou grande variedade de obras poéticas, do tipo lírico, real e religioso. Há alguns poemas de amor, que nos fazem lembrar de Cantares de Salomão, um dos livros da Bíblia. Ali diversos Faraós elogiavam os seus feitos e realizações por meio de hinos, o melhor dos quais são os de Tutmés III, Amenofis III e Ramsés II e Meremptah. Em um desses hinos, o último desses quatro Faraós menciona Israel, em uma estela. Além desses, havia numerosos hinos poéticos, louvando a diversas divindades. A literatura de sabedoria continuou a ser produzida, conforme se vê nas *Instruções de Ani e Amenacte*. E a obra intitulada *Imortalidade da Escrita*, é uma peça literária realmente notável.

D. Primeiro Milênio A.C.

Esse período não deixou para nós uma literatura tão abundante quanto o período anterior, pelo que podemos deduzir que já passara o auge da produção literária no Egito. Entre as peças existentes dessa época encontramos a *Petição de Peteesi*. Peteesi residia em Teuzoi (moderna el-Hibeh). A petição feita por ele foi um eloqüente apelo aos governantes persas da época, a fim de restaurarem a sua família à sua anterior posição de glória e utilidade pública. Essa família fora uma casta de sacerdotes importantes, mas eles haviam perdido seu poder e riquezas materiais e talvez até a sua dignidade de ofício. Uma peça literária de sabedoria chama-se *Instruções de Onkh-sheshonqy*, produzida já quase no final desse período. Foi escrita em demótico. *As Histórias dos Sumos Sacerdotes de Mênfis* foram produzidas já no começo da era cristã. Com o advento do cristianismo, na língua cóptica, houve uma renovada atividade literária.

E. Elos Entre a Literatura Egípcia e a Literatura dos Hebreus

Há peças literárias parecidas nos escritos egípcios e hebreus. Os eruditos, porém, não acreditam que tenha havido verdadeiros empréstimos ou dependências entre essas literaturas. O monoteísmo representado pelo deus-sol de Aquenaton parece ter sido um claro caso de henoteísmo. O henoteísmo diz que há muitos deuses, mas apenas um deus principal, que se relacionaria com os homens. Ora, em vista disso, não há necessidade de pensarmos que os egípcios copiaram idéias hebréias. Outro tanto sucedeu na cultura grega, como nos escritos de Platão, que

assumiu o ponto de vista agnóstico do politeísmo grego. Em seu diálogo, Leis, ele substituiu os seus universais pela palavra grega correspondente a *Deus*. Antes de Platão, Xenófanes (século VI A.C.), um teólogo especulativo, revoltara-se contra o politeísmo de sua época, tendo-se referido ao único Deus indivisível, o que, de certa forma, aproxima-se bastante do pensamento hebreu, embora, até mesmo nesse caso, não precisamos pensar em intercâmbio de idéias.

Na *Saga dos Dois Irmãos* há um incidente parecido com o que envolveu a mulher de Potifar e José, ao qual ela tentou seduzir. Porém, coisas dessa ordem sempre aconteceram, e deve ter havido muitos casos similares, que serviram de inspiração para essa obra.

Os eruditos deixam-se impressionar mais pelas similaridades entre a literatura de sabedoria de Amenenope e alguns dos provérbios da Bíblia. Mas, mesmo assim, não parece ter havido qualquer empréstimo direto, a despeito da similaridade geral. Quando algum autor aproveita os escritos de outro, quase sempre inclui algumas poucas citações diretas da obra deste; e tal atividade não se evidencia nesse caso.

O *Hino a Aten*, de Aquenaton, encerra alguns pensamentos similares aos do Salmo 104; mas as similaridades observadas envolvem expressões piedosas universais, existentes em muitas culturas diferentes. Deus, ou um deus superior, ou um deus-chefe, pode ser venerado como criador e sustentador da vida em qualquer cultura, e o que é dito para expressar tais idéias acaba sendo parecido com o que é dito a respeito em uma outra cultura. Os hinos a Zeus exaltavam-no como criador e sustentador, mas isso não faz com que Zeus seja o mesmo Yahweh dos hebreus.

Certos *salmos penitenciais* dos construtores de necrópolis tebanos, da XIX Dinastia, são similares a passagens bíblicas, como o Salmo 51. Mas as pessoas às vezes ficam muito emocionadas, por causa dos pecados que cometem, e proferem coisas similares, sem nenhuma necessidade de empréstimos literários. O rei hitita, Mursil II, quando confessou os seus pecados, não usou uma linguagem muito diferente da de Davi. As odes penitenciais dos babilônios também servem de exemplos desse tipo de literatura.

A cultura e a literatura. Pelo menos é verdade dizer que somente na literatura o povo hebreu aproximou-se, quanto à qualidade, das produções egípcias. Para Israel, a religião era tudo, e o Antigo Testamento é a grande contribuição do judaísmo para a cultura mundial. Em todos os demais aspectos culturais, os egípcios ultrapassaram os israelitas. Os egípcios desenvolveram muitas formas literárias, foram ativos nas ciências, nas artes, na arquitetura, na astronomia, na mecânica e na medicina.

V. As Religiões do Egito

1. *História envolvida e caracterização geral*. A história da religião, no antigo Egito, começa paralelamente à sua história secular, ou seja, em 3000 A.C., e, então, continua até o advento do islamismo (após 642 D.C.). Somente então podemos falar em termos do Egito medieval e do Egito moderno. Talvez somente na época do monoteísmo de Aquenaton (1372-1354) tenha havido qualquer coisa parecida com um movimento unificador na religião; mas, mesmo assim, foi um esforço de pouca duração, imposto de cima para baixo. Em tudo o mais, a religião egípcia era pluralista, estando envolvida em desenvolvimentos e práticas de cunho local, pois cada localidade tinha

EGITO

seu próprio deus, seu sacerdócio e seu culto religioso.

2. *Características mais antigas*. Muitas culturas seguem as mesmas diretrizes gerais. As primeiras divindades são sempre personificações das forças da natureza, como o sol, as estrelas, certos animais como o touro, o falcão, o crocodilo, ou então o trovão, o relâmpago, os poderes infernais (estes últimos sugeridos pelas atividades vulcânicas), a força das tempestades, dos ventos, da chuva, etc. Depois disso aparecem os espíritos dos mortos ou outros espíritos, que inspiram o terror nos homens, e os levam a adorá-los. A necessidade das colheitas, para a continuação da vida, fornecem aos homens seus deuses e deusas da fertilidade, e o desejo pelos prazeres é a inspiração dos deuses e deusas da alegria e da fertilidade. Acrescente-se a isso a inevitável atividade antropomórfica, que faz deuses e deusas serem concebidos em termos de seres humanos, embora ampliados, mas que têm virtudes e vícios melhores e piores do que as virtudes e vícios dos homens.

3. *Divindades protetoras*. Antes que Menes unificasse o Egito sob o seu governo, o país estava dividido em dois reinos (o Alto e o Baixo Egitos). Subseqüentemente, foi dividido em distritos, bem como em um certo tipo de cidades-estados. Cada cidade ou distrito contava com seu deus protetor ou patrono. Alguns dos deuses mais importantes eram os seguintes:

Anúbis, de Cinópolis, um deus com cabeça de chacal, que era o deus dos mortos. *Atom*, de Heliópolis, mais tarde identificado com o deus-sol Rá (que vide). *Bastete*, a deusa-gata de Bubástis. *Hator* (que vide), a deusa-vaca de Denderá e de Afroditópolis. *Horus*, o deus-sol, em forma de falcão, de Bedete. *Edfu*, o deus real do Egito. *Khnum*, o deus com cabeça de carneiro de Elefantina, que também era adorado sob a forma da catarata existente na região. *Khonsu*, o deus-lua de Tebas. *Min*, o deus-peixe fálico de Cóptos. *Akhmim*, um deus agrícola. *Montu*, o deus da guerra de Hermontis e que tinha cabeça de milhafre. *Amom*, o deus do carneiro sagrado, que substituiu a Montu, em Tebas. *Neite*, a deusa de Sais e de Esna. *Necbete*, a deusa corvo de El-Kab. *Ptá*, o deus-boi de Mênfis, que era considerado o patrono especial dos artistas. *Sebeque*, o deus-crocodilo de Fayum e de Kom Ombo. *Tote* (vide), — o deus com cabeça de íbis de Mermúpolis, que, supostamente, teria inventado a arte da escrita e que era o santo patrono da erudição e que era também representado pelo babuíno!

Os deuses animais patronos, no Egito. Além de adorarem deuses que eram representados por seres animalescos, os egípcios também adoravam diretamente a certos animais. Assim, havia *Ápis* (vide), um touro negro com manchas brancas, adorado em Mênfis. *Mnevis*, um boi de cor clara, que era o deus de Heliópolis. Havia ainda outros deuses-boi, relacionados a outras localidades egípcias. Outros animais sagrados, formando uma lista difícil de nela acreditarmos, incluíam o babuíno, o musaranho, o cão, o lobo, o chacal, o gato, o leão, o hipopótamo, o carneiro, a vaca e vários pássaros, como o abutre, o gavião e o ganso. Também não nos devemos esquecer da serpente, considerada uma divindade em muitos lugares do Egito. Até mesmo insetos, como o escaravelho, vieram a fazer parte do panteão egípcio. É curioso, todavia, que a adoração direta a certos animais não garantia aos mesmos uma longa vida, conforme se dá na Índia, no caso da vaca sagrada, que ninguém toca. Muito pelo contrário, os egípcios comiam o boi sagrado.

Apesar desse costume, os túmulos dos bois sagrados, em Sacara, encontram-se entre os mais impressionantes túmulos do Egito. O gato, por sua vez, era um animal considerado sagrado e muitos gatos mumificados têm sido encontrados naquele país. Ver o artigo separado sobre o *Gato*.

O deus-chacal, Anúbis, tinha a tarefa especial de proteger os espíritos dos mortos que vagueavam, no após-vida. Também havia cães de guarda para os vivos e o grande Cão de Guarda para os mortos! A imaginação dos homens mostra-se ridícula, para dizermos o mínimo.

Deuses que eram forças da natureza. Entre esses havia *Rá*, o sol; *Hapi*, o rio Nilo; *Num*, o oceano; *Sou*, o ar; *Tefnute*, o orvalho; e *Gebe*, a terra.

4. *Movimento de unificação da V Dinastia e outras unificações*. Os teólogos de Heliópolis, nesse tempo (2560-2420 A.C.), identificaram sua divindade local, *Atom*, com o deus-sol, *Rá*. Isso deu origem a uma espécie de religião nacional, embora não tivessem sido eliminados os muitos deuses locais, o que se evidencia pelas muitas divindades descritas antes. Antes mesmo desse tempo, porém, tinha havido outras unificações, como quando Sete e Ombos tornaram-se divindades especiais no Alto Egito, e Horus tornou-se outro tanto, no Baixo Egito. Em uma outra ocasião, a deusa corvo, *Necbete*, do Alto Egito, obteve proeminência maior que a de outros deuses, e o deus-serpente, Buto, tornou-se muito importante no Baixo Egito. Posteriormente, Horus foi identificado com Atom-Rá-Haracte, de Heliópolis. E foi então que se tornou a divindade real dos Faraós, conferindo-lhe grande proeminência no panteão egípcio.

5. *Amenopofis IV* (Icnaton, 1375-1358 A.C.), da XVIII Dinastia, promoveu a causa do monoteísmo, tendo negado o poder de deuses solares, como Amon, que haviam recebido a lealdade de cidades como Tebas. Esse Faraó opôs-se abertamente à casta sacerdotal de Amom, fazendo com que Atom-Rá-Haracte se tornasse o único deus-sol do Egito. Os estudiosos referem-se a *Aten* como o nome do deus que resultou dessa consolidação. Outros deuses foram proscritos no Egito, embora, aparentemente, continuassem sendo reconhecidos como entidades. Portanto, temos então muito mais o fenômeno do henoteísmo do que o fenômeno do monoteísmo dos hebreus, e também diferente do fenômeno do politeísmo pagão, embora, na prática, tivesse sido estabelecido no Egito, um monoteísmo de breve duração. Todavia, essa adoração unificada não contava com qualidades morais especiais, conforme se' verificou no monoteísmo hebreu. Aten era retratado como um criador benévolo, como sustentador da vida. É curioso que Aquenaton tenha se casado com a sua própria filha, embora isso não tivesse resultado de qualquer convicção religiosa, pois outros Faraós haviam feito a mesma coisa. Esse Faraó é que tem sido visto, nas visões de místicos modernos, como o progenitor do anticristo (biológico ou espiritualmente, ou ambas as coisas?)

6. *Osíris*. a. Pano de fundo. Os primórdios desse culto podem ser encontrados no Antigo Reino Egípcio, bastante anterior à época de Abraão e dos patriarcas de Israel. Toda uma família de deuses desenvolveu-se em torno de Osíris, o que incluía um culto muito elaborado. No entanto, nos primeiros dias do Reino Antigo, essa família divina ainda não havia sido imaginada. Ao que parece, o próprio Osíris a princípio fora o deus Nilo de Busiris, no Delta. Em tempos remotos, Osíris, Ísis, Horus e Sete tinham sido

303

EGITO

divindades tribais independentes. Horus acabou sendo adorado em companhia dela, considerado seu filho. Sete era adorado como uma espécie de figura divina igual a Horus. Osíris, quando unido a essa *família*, tornou-se o esposo de Ísis. Com a passagem do tempo, — Sete deixou de ser igual a Horus, e acabou sendo o irmão mau de Osíris. Então Osíris tornou-se o pai bom, Horus tornou-se o filho bom, e ambos faziam oposição a Sete. É deveras curioso que alguns teólogos mórmons supõem que Satanás é um irmão desviado do Filho e que tanto o Filho quanto o Pai agora se opõem a Sátanás. Assim, apesar das relações serem diferentes, a idéia é idêntica: uma família de deuses na qual um dos membros erra e sofre oposição. Além disso, Sete veio a ser imaginado como irmão de Ísis, que se casou com ela, de acordo com um antigo costume entre os egípcios. Sete também tinha uma irmã, chamada Nebate, que se casou com ele. Mas, em algumas representações, Osíris teria uma segunda esposa, essa mesma Nebate, que tinha um filho divino, Anpu, ou Anúbis.

b. *Osíris era o deus dos mortos*, o que explica a grande proeminência dessa divindade na teologia egípcia. Para uma egípcia, a felicidade eterna dependia de ser ela favorecida e transformada por Osíris. Seu nome veio a tornar-se um sinônimo virtual de *bem-aventurado*. O reino de Osíris era descrito em termos vagos e indistintos; mas, antropomorficamente, de tal modo que o após-vida era visto essencialmente como uma existência análoga à do mundo presente. O famoso Livro dos Mortos, até hoje existente em várias traduções, era o roteiro para alguém chegar ao reino de Osíris. Ver o artigo separado sobre o *Livro dos Mortos*, onde se descrevem as coisas surpreendentes e mesmo deleitosas e sábias, que se acham naquele escrito. Uma cópia desse livro com freqüência era **deixada nos túmulos**, a fim de guiar os mortos e servir-lhes como uma espécie de amuleto. Osíris atuava como um juiz. Cada alma era pesada em comparação com a verdade e era submetida a **um longo questionário referente, principalmente, àquilo que alguns chamariam de** *pecados mortais*. Se uma alma fosse aprovada, entrava na felicidade eterna. Se fosse rejeitada, ela seria expulsa sob a forma de um porco, para alguma sorte desconhecida.

c. *Osíris e a ressurreição*. Os mitos que circundavam essa família de deuses inclui a idéia de que Osíris foi assassinado por Sete. Horus, porém, conseguiu reunir os pedaços de seu corpo desmembrado, para restaurar o seu corpo à vida. Portanto, temos aí a curiosa doutrina do filho que ressuscitou ao pai, o contrário da ressurreição de Jesus Cristo, no Novo Testamento. Naturalmente, outras religiões antigas também contavam com histórias de ressurreições, pelo que não há nenhuma conexão direta entre Osíris e o Novo Testamento, excetuando aquela esperança que os homens sempre tiveram de que a morte, de alguma maneira, pode ser derrotada mediante algum ato divino. No relato da ressurreição de Osíris, também há o paralelo com o cristianismo de que essa mesma vida pode ser dada aos homens, sob a condição deles seguirem pela vereda espiritual. Em algumas versões, quem ressuscita a Osíris, após seu assassinato, não é o filho dele, Horus, e, sim, a sua esposa, Ísis.

d. *O submundo e o céu*. Osíris, antes de tudo, era o deus do submundo, das regiões infernais. Em tempos posteriores, entretanto, ele passou a ser imaginado como um habitante dos lugares celestiais, onde se encontraria sentado em um trono, para julgar todas as coisas.

e. *Faraó e Osíris*. Isso envolve uma doutrina de **filiação**, visto que o Faraó era tido como filho de Osíris, ou seja, divino por seu próprio direito. O conceito do rei divino exercia grande poder sobre a política e a religião do Egito.

f. *A imortalidade obtida por Osíris*. Um aspecto da teologia egípcia que circunda a figura de Osíris diz que ele mesmo obteve a imortalidade mediante obras piedosas, e através de ritos religiosos apropriados. Quão parecido com a doutrina católica romana! O sacerdócio que servia a Osíris é retratado como os preservadores da fórmula para a obtenção da imortalidade. Eles exortavam os homens a seguirem o exemplo deixado pelo próprio Osíris, para poderem obter o mesmo tipo de vida que ele teria obtido. Há nisso, igualmente, um curioso paralelo com a doutrina mórmon, que diz que o próprio Deus, no passado distante, foi um homem como qualquer outro, mas obteve a sua augusta posição e natureza através da obediência perfeita às leis divinas superiores.

g. *Adaptações romanas*. Nos tempos dos romanos, Osíris e Ísis foram unidos como as divindades protetoras de certa religião misteriosa que falava sobre um deus que morrera, mas foi trazido de volta à vida.

h. *Proeminência de Osíris e Ísis*. A adoração que circundava Osíris e a sua família tornou-se tão dominante nos tempos helênicos que os visitantes gregos do Egito, como Heródoto (ver II.42), tinham a impressão de que Osíris e Ísis eram as únicas divindades nacionais do Egito. Os estudiosos das religiões do mundo supõem que essa popularidade devia-se à ênfase sobre a imortalidade alcançável que esse culto prometia aos homens. De fato, a maioria das pessoas tem a esperança de sobreviver à morte, encontrando uma vida imortal melhor do que a vida atual.

i. *Unificações*. Quando Osíris **se tornou** o fator principal da fé egípcia, esse deus começou a incorporar em si mesmo as funções e poderes de outras divindades locais. Ele absorveu deuses anteriores do submundo, como Khentamentiu, o deus com cabeça de cão de Abidos, Ptá-Socar, de Mênfis, e Gebe. Visto que os mitos afirmavam que seu corpo fora desmembrado, vários santuários afirmavam possuir algum pedaço de seu corpo. Entretanto, sua cabeça estaria guardada em um certo túmulo, em Abidos. Ali, esse alegado túmulo era exibido aos visitantes, pelo que o local tornou-se um dos principais centros desse culto. O paralelo católico romano, que envolve relíquias e ossos de santos, nem precisa ser comentado. O deus Anúbis, com cabeça de chacal (um dos filhos de Osíris), era quem teria a tarefa de dar as boas vindas às almas, levando-as ao trono de julgamento. O resto que precisa ser dito sobre Osíris e seu culto pode ser lido no artigo sobre o *Livro dos Mortos*.

7. *Algumas Formas religiosas*. — Essas formas variavam de uma região para outra. A descrição sob o terceiro ponto, *Deuses Protetores*, sugere a grande variedade de formas de adoração do Egito. Antes de tudo, temos uma fantástica idolatria, que representava as divindades sob uma variedade quase interminável de figuras. Em segundo lugar, havia castas religiosas que cuidavam dos templos, com ritos os mais elaborados. Os deuses eram servidos com libações (líquidos) e com alimentos sólidos. A vida após-túmulo era retratada como um estado onde as pessoas trabalhavam, pelo que pessoas proeminentes

Memorial de Ramses I

O administrador Ken-Amún, 18ª Dinastia, c. 1500 A.C.

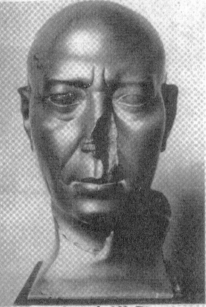
Escultura da 26ª Dinastia

Fazendo vinho, 4500 A.C.

Cortesia, Metropolitan Museum of Art

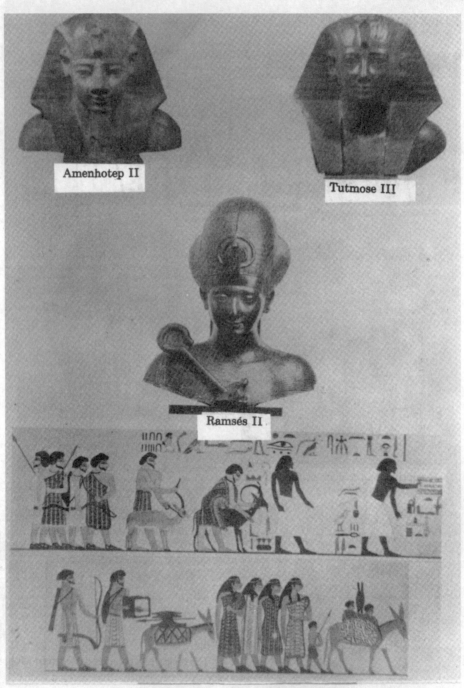

Asiáticos entrando no Egito, pintura num sepulcro
Cortesia, Oriental Insti., University of Chicago

Barco funerário, c. 2000 A.C.

Arte Egípcia

Hipopótamo do administrador, Soneb, 12ª Dinastia, c. 1786 A.C.

Cortesia, Metropolitan Museum of Art

Jóias Egípcias

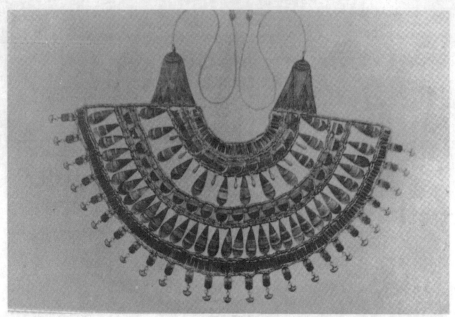

1500 A.C.

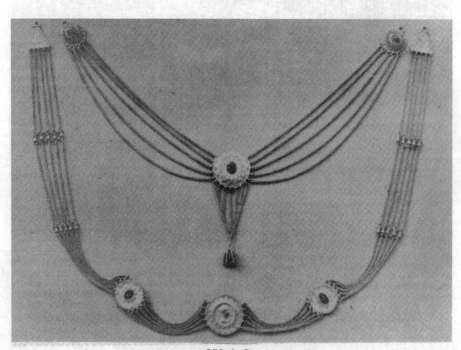

250 A.C.

Cortesia, Metropolitan Museum of Art

EGITO

teriam escravos, os quais eram mortos e sepultados juntamente com eles, para garantir que continuariam sendo servidos do outro lado da existência. Alguns eruditos pensam que sacrifícios humanos eram comuns no Egito, embora as evidências quanto a isso não sejam conclusivas. Em tempos posteriores, em vez de serem sepultados pessoas reais, bastavam estátuas representando as mesmas, pelo que a morte só envolvia os mortos.

Amuletos e encantamentos. Não havia fim desses objetos entre os egípcios, que chegaram até nós desde os tempos mais remotos. Os amuletos incluíam objetos como olhos sagrados de cavalos, imagens de deuses, cabeças de chacal, vespas e outros insetos, todos os quais teriam propriedades mágicas e divinas.

O culto a Osíris oferecia alguns fatores interessantes. A adoração efetuada nos grandes templos incluía a veneração pessoal dos deuses. Uma parte dessa veneração incluía o ato de alimentá-los (simbolicamente, através de sacrifícios). Além disso, os ídolos que os representavam eram grandemente ornamentados. Esses serviços pessoais usualmente cabiam aos sacerdotes de cada culto. Em dias de festa religiosa ou de observância cúltica, a imagem do deus (escondida por algum véu ou cortina, para dar uma aura de mistério à coisa) era transportada em uma procissão. Quando surgiu o cristianismo, o paganismo, com suas antigas formas religiosas, sofreu um retrocesso; mas, com o tempo, o paganismo ressurgiu, sob a forma de doutrinas e cerimônias, primeiramente fora da cristandade, até 390 D.C., mas, pouco a pouco, como parte do culto cristão. Nos dias de Teodósio I, foram fechados os grandes e antigos templos pagãos. A religião pagã havia percorrido um longo caminho no Egito, e agora uma nova fase da história da religião haveria de começar.

8. *A natureza e o destino da alma.* A grande pluralidade envolvida na religião, no Egito, naturalmente produziu muitos conceitos sobre a alma. Alguns aspectos são dignos de menção, embora tudo quanto se diga não represente uma doutrina unificada. Um corpo embalsamado presumivelmente poderia ressuscitar, tornando-se, novamente, um veículo da alma. O *ká*, ou seja, o congênere do corpo físico, ou o seu fantasma, teria início quando do nascimento do corpo, era imortal e ficava a vaguear após a morte do corpo físico. Não se pode duvidar que essa doutrina foi inspirada por experiências com fantasmas e formas espirituais, que, algumas vezes, podem ser vistas, até com certa freqüência, por algumas pessoas. O *ká* era associado a um outro elemento formativo do complexo humano, chamado de *khaib*, ou «sombra», simbolizado pela sombra da pessoa à luz do sol. Esses dois elementos, segundo se concebia, estariam vinculados ao corpo *material* e mesmo em algum sentido também material. Todavia, também haveria elementos *imateriais* no complexo humano, que incluíam o *bá*, a verdadeira alma, simbolizada por uma ave com cabeça humana e que voaria para dentro e para fora do túmulo da pessoa morta. Naturalmente, a *ave* é um símbolo universal da imortalidade, um dos arquétipos do espírito, dentro da psique humana. O *bá* dos monarcas era simbolizado pelo falcão. Também haveria o *khu*, ou glória, que seria o espírito, representado pelo pássaro de crista. E também haveria o *ab*, simbolizado por um coração. Igualmente havia o *sekhem*, ou força; e, finalmente, o *ran*, ou nome. Porém, exatamente como esses diversos elementos se combinavam ao *bá*, de acordo com o pensamento egípcio, e até que ponto seriam meros sinônimos de uma mesma coisa, não é muito claro.

Relação entre o Ká e o Bá. Esse é um ponto interessante, porquanto os estudos mais recentes demonstram a existência de um fantasma aparentemente semimaterial, oú vitalidade, em contraste com o corpo físico, que é verdadeiramente material. Isso posto, o homem seria composto, pelo menos, de três níveis de energia: o corpo físico (material); a vitalidade (semimaterial); e o espírito, ou alma (imaterial). Também há provas incipientes de que o homem real é o superego, um ser semelhante ao anjo guardião do pensamento cristão. Nesse caso, o verdadeiro ser humano seria um poder elevadíssimo (semelhante aos anjos, abaixo dos quais os espíritos humanos foram postos, temporariamente, conforme se vê em Salmos 8:5 e Hebreus 2:7), capaz de manipular tanto a alma quanto o corpo, quando se trata de aprender alguma coisa. Seja como for, o contraste entre o *ká* e o *bá* também pode ser observado em alguns escritores gregos, embora não com esses nomes e nem de forma sistemática e coerente. Mas, pelo menos, fica esclarecido que o *ká* é o responsável por algumas formas de aparições fantasmagóricas e, talvez, das manifestações de *poltergeist* (que vide). Também pode estar por detrás de certos fenômenos associados às sessões espíritas ou de mediunidade. Já o *bá*, ou alma verdadeira, é uma outra questão; e, algumas vezes, tem contacto com os homens mortais.

Idéias Simples. De acordo com os egípcios, após a morte física, a alma ficaria pairando por sobre o túmulo da pessoa sepultada, exigindo alimentos e bebidas, uma idéia compartilhada por muitos outros povos antigos. Isso deu origem a vários ritos religiosos, mediante os quais homens mortais cuidariam de almas imortais. Em tempos posteriores, oferendas reais foram substituídas por ofertas simbólicas, sob a forma de desenhos ou pinturas, nos túmulos. Se esses sacrifícios não fossem realizados, a alma tinha de depender da deusa árvore, a fim de receber nutrição. Essa deusa viveria nas árvores existentes nos cemitérios e nas áreas onde havia túmulos, pelo que sempre havia tal deusa, com esse propósito. Por qual motivo os homens gostam de sepultar seus mortos em áreas arborizadas, até em nossos próprios dias? Porventura alguma memória antiga da raça chegou até nós? Ou simplesmente associamos a árvore à vida física, pelo que sentimos um certo consolo, ao depositarmos os corpos de nossos mortos sob a sombra das árvores? O *bá*, segundo os egípcios, podia entrar ou sair de um túmulo, à sua vontade.

Em tempos posteriores e mais sofisticados, os egípcios supunham que a alma iria a juízo, na presença de Osíris, podendo participar de sua bem-aventurança, se fosse aprovada por ele. Da mesma maneira que Osíris conseguira atingir uma feliz imortalidade, outro tanto poderia ser feito pela alma. E, visto que um rei podia tornar-se divino, é seguro supormos que o ensino egípcio posterior dizia que as almas humanas que são aprovadas em juízo, passam a participar da natureza divina, embora eu esteja especulando quanto a isso. O que é inegável é que a imortalidade era um aspecto importante da adoração a Osíris, tendo sido o elemento responsável, pelo menos parcialmente, pela popularidade que o culto a Osíris contava entre as massas populares do Egito.

VI. A Ética do Egito

1. *Fontes informativas.* Todas as religiões estão envolvidas em questões éticas, pelo que as mesmas fontes informativas atinentes à religião egípcia, automaticamente servem para compreendermos tam-

EGITO – EGLÃ

bém a ética dos egípcios. Já pudemos ver que a literatura egípcia, embora não fosse de natureza totalmente religiosa, como era a literatura antiga de Israel, sempre contou com um fundo religioso, que representava uma parcela importante do quadro literário total do Egito. A história dos Faraós (3100-330 A.C.) contém muitos aspectos éticos. Durante a era da construção das pirâmides (cerca de 2700-2200 A.C.), foram produzidos os livros de sabedoria de Kagemni, Hardejedef e Pthahoptep, que contêm muitíssimas injunções éticas. Obras autobiográficas, encontradas em túmulos de pessoas notáveis, refletem os códigos éticos que dirigiam as vidas dessas pessoas. Nos períodos do Primeiro Reino Intermediário e do Reino Médio (2200-1780 A.C.), continuaram a ser postos escritos autobiográficos nos túmulos, juntamente com os Textos Fúnebres (encantamentos fúnebres, etc.), que também continham um sentido ético. O período do Novo Reino (1550-1085 A.C.) produziu maior quantidade de literatura de sabedoria, como as obras de Aniy e de Amenemope. O *Livro dos Mortos* (que vide) pertence precisamente a esse período, onde encontramos muitos princípios éticos da adoração a Osíris, que veio a tornar-se, com o tempo, na mais proeminente religião do Egito. O período do Reino Posterior (1085-332 A.C.) produziu ainda maior quantidade de literatura de sabedoria e autobiográfica, com muitas reverberações éticas, como as obras de Onkh-sheshonqy e Petersíris.

2. *Alguns conceitos éticos básicos*. Certos temas repetem-se na literatura egípcia que podemos até dizer, em sentido geral: «Os egípcios acreditavam nisto ou naquilo». Podemos pensar em quatro áreas principais: a. *O Princípio ético subjacente* a que devem sujeitar-se todos os seres, deuses e humanos, seria o *maat*. Esse é o princípio do bem em oposição ao princípio do mal, a justiça contra a injustiça, a ordem contra a desordem. O *maat* também misturava-se com as cerimônias religiosas, como um meio de enfatizar e empregar o princípio envolvido. b. *A ética doméstica*. Um homem deveria casar-se e cuidar de sua esposa; a esposa deveria sentir-se responsável principalmente pelo lar; os filhos deveriam honrar e obedecer aos pais. A monogamia era honrada, embora também se aceitasse a poligamia. As aventuras extraconjugais eram vistas com maus olhos, pelo que o adultério podia até mesmo ser condenado com a morte. As pinturas, os desenhos e as inscrições confirmam o grande afeto que havia na família e na sociedade egípcia em geral. À lei do amor operava, até onde os homens são capazes da mesma, sem a ajuda do Espírito de Deus. c. *Ética social*. A literatura egípcia condena unanimemente o furto, a fraude (como a falsificação de documentos e a mudança de marcos), a mentira, a violência de toda espécie, o homicídio e as atitudes e atos anti-sociais em geral. Quanto ao lado positivo, havia virtudes elogiadas, como a compaixão pelos necessitados, a imparcialidade no julgamento, a discrição, o espírito fidedigno, a habilidade na expressão lingüística, o temperamento bem controlado. d. *Virtudes dos governantes*. O Faraó reinante, filho de Osíris como era considerado, era todo poderoso e divino, era um esteio e alicerce da sociedade. Podia unir deuses e homens mediante uma boa administração. Competia-lhe manter o *maat* a todo custo. Devia servir aos deuses e aos homens, promovendo reformas sociais e cuidando do culto religioso. Tanto ele quanto os seus súditos precisavam respeitar as formalidades e os rituais religiosos, confessando os seus erros, fazendo restituição pelos erros cometidos e cuidando da conservação dos túmulos.

3. *Uso das artes mágicas*. Fórmulas mágicas eram empregadas com o intuito de afastar os males, curar o corpo, orientar o espírito e castigar a outros que, segundo o indivíduo pensasse, precisavam de punição. Pelo lado negativo, certas fórmulas mágicas foram inventadas para permitir que uma pessoa pecasse, mas escapasse às más conseqüências. Mesmo no após-vida, supunha-se que um bom mágico poderia fazer uma alma sair-se bem no julgamento que merecia. Certos pontos de vista sacramentais da cristandade também fomentam essa idéia! Pode uma alma evitar ser apanhada pela justiça, mediante algum truque mágico, por mais consagrado que seja o uso religioso desse truque? Seja como for, quando examinamos os códigos éticos dos povos antigos, como os babilônios e os egípcios, percebemos quanta verdade é expressa no segundo capítulo da epístola aos Romanos. Encontramos ali o testemunho geral do Espírito de Deus, que confere a todos os homens o senso básico daquilo que é certo ou errado, com a presença ou não de livros sagrados, que reforcem esses ensinos.

Bibliografia: AM BRE CER COT E H HAY MT ND S UN WILS Z

EGITO, ÉTICA DO

Ver sobre o **Egito**, sétimo ponto, **A Ética do Egito**.

EGITO, RELIGIÕES DO

Ver sobre o **Egito**, ponto sexto, **As Religiões do Egito**.

EGITO, RIBEIRO DO

Esse era um riacho (no hebraico, **nachal**; no árabe, *wady*) do Egito, que tem sido identificado com o presente wady el 'Arish. Desaguava no mar Mediterrâneo em El 'Arish, cerca de cento e quarenta e cinco quilômetros a leste do canal de Suez. As referências bíblicas situam-no a oeste de Gaza (Núm. 34:4,5). Deve ser identificado com a expressão hebraica *nachal-misrayim*, e com o acádico *nahal-musur*, ao qual se referiu Sargão II da Assíria, em 716 A.C. Os estudiosos, todavia, têm-no confundido com o Seor (que vide), o braço mais oriental do rio Nilo. Formava a fronteira sudoeste da Terra Prometida (Núm. 34:5), dentro do território que coube à tribo de Judá (II Reis 24:7). Seu nome moderno deriva-se da vila chamada El 'Arish, que antigamente se chamava Rinocolura (*Diod.* 1.60), situada perto de onde o riacho deságua no mar Mediterrâneo. O atual wadi el 'Arish é uma corrente larga e rasa, que forma parte da fronteira sul de Israel. Por ali deságuam águas supérfluas, durante a estação chuvosa, vindas do deserto de Parã. Seu curso forma uma linha de demarcação entre a península do Sinai, pertencente ao Egito, e a Palestina. Fica cerca de cento e cinqüenta e quatro quilômetros a nordeste de Kantara, onde o canal de Suez atravessa para o Egito propriamente dito.

EGLÃ

No hebraico, «vitela». Foi uma das numerosas esposas de Davi, e mãe do sexto filho desse monarca, chamado Itreã, o qual nasceu em Hebrom (II Sam. 3:5; I Crô. 3:3). Alguns eruditos têm-na identificado com Mical, filha de Saul, que, presumivelmente, morreu de parto, por ocasião do nascimento de Itreã.

••• ••• •••

EGLAIM — EGO

EGLAIM

No hebraico, «fonte dupla». Uma cidade jordania-na, a leste do mar Morto, em Moabe (Isa. 15:8). Eusébio, o historiador eclesiástico, situava-a a treze quilômetros ao sul de Areópolis, identificando-a com Ar de Moabe (Rabá). Isso a poria perto da fronteira norte de Moabe. Porém, a maioria dos estudiosos modernos rejeita essa identificação. Uma outra opinião é que se trata de Khirbet el-Gilime, a nordeste de er-Rabba. Outros pensam em Mazra', na península de Lisã. Seja como for, não se trata da cidade chamada En-Eglaim (que vide).

EGLATE-SELISIAS

No hebraico, «terceira Eglate», nome de uma cidade próxima de Zoar. Aparece nos oráculos que predizem o julgamento de Moabe (Jer. 48:34; ver também Isa. 15:1-9).

EGLOM

No hebraico, «semelhante a vitela» ou «vitelo». Esse foi o nome de uma cidade e de um homem, nas páginas do Antigo Testamento, a saber:

1. Uma cidade de Judá (Jos. 10:3; 15:39). Era uma das cinco cidades que formaram uma confederação com Adoni-Zedeque, rei de Jerusalém, quando do ataque contra Gibeom. Posteriormente foi atacada e destruída por Josué. Albright identificou-a com o moderno Tell el-Hesi, identificação que tem sido geralmente aceita pelos estudiosos. W.M.F. Petrie (1890) e F.J. Bliss (1891-1893) escavaram o local. Essas escavações deram início às investigações da arqueologia moderna na Palestina. Oito níveis de ocupação foram descobertos, datando desde o período do Bronze Antigo III, até o período da dominação persa. Os textos de execração do Egito fazem referência a esse lugar. Foi encontrado um tablete em escrita cuneiforme em Tell el-Hesi, que se deriva do período do Bronze posterior, contemporâneo dos textos descobertos em Tell el-Amarna. Esse tablete descreve planos traiçoeiros contra o Faraó do Egito, que estavam sendo traçados em Laquis e Jarmute, localidades próximas.

2. Eglom foi também um gordíssimo rei moabita, da época dos primeiros juízes de Israel. Ele governava o território a oeste do rio Jordão, perto de Jericó. Em ligação com os amonitas e amalequitas, ele subjugou territórios de Israel além do Jordão, bem como de certas tribos sulistas, do outro lado desse rio. Fez de Jericó uma das capitais de seu pequeno império, em cerca de 1527 A.C. As Escrituras lançam a culpa sobre a apostasia de Israel, como a causa dessas catástrofes nacionais. Esses eventos tiveram lugar sessenta anos depois que Josué capturara a cidade de Jericó. Josefo (*Anti*. 5:4,1 *ss*) afirma que Eglom edificou um palácio em Jericó, o qual, aparentemen-te, era sua residência de verão (Juí. 3:20).

Israel serviu Eglom durante dezoito anos. E então *Eúde* (que vide) foi levantado pelo Senhor a fim de pôr fim à opressão estrangeira. Foi-lhe dada a incumbên-cia de levar um presente a Eglom. Porém, esse presente era uma adaga, que ele enfiou até ao cabo, no abdome do monarca, que ficou oculta pela espessa camada de gordura. Eúde escapou e foi-se para Seirate, no monte Efraim. Após algumas horas, o cadáver de Eglom foi descoberto (Juí. 3:12-16). Ficamos perplexos diante de toda a violência e as matanças em que a raça humana se tem envolvido. Grande é a depravação humana!

EGO

Esboço:

I. A Palavra
II. O «Eu» Experimentado
III. Nas Descrições da Psicanálise
IV. Na Filosofia e na Religião

I. A Palavra

Esse termo vem do grego e do latim, **ego**, que é o pronome pessoal «eu». Portanto, refere-se ao «eu» do indivíduo. Pode referir-se ao corpo físico com sua harmoniosa unidade e suas funções, ou pode referir-se ao «eu» essencial, sem importar qual a composição do mesmo. De acordo com o pensamento oriental, essa palavra é contrastada com o *eu* real, referindo-se à ilusão da matéria e à falsa identificação do homem com a matéria. Dentro do uso popular, o «ego» é a pessoa que eu identifico com eu *mesmo*, em contraste com aquela pessoa em que me transformo, por exemplo, em alguma explosão de ira. Por isso, dizemos: «Eu não sou aquela pessoa em que me tornei temporariamente, quando eu não era *eu mesmo*».

II. O «Eu» Experimentado

O termo **ego** é usado para designar o «eu» que experimentamos, mas que não é co-extensivo nem com a mente e nem com o corpo. Antes, seria o centro da organização das atitudes para com o corpo, bem como para com o mundo físico e social, ou seja, todas as experiências que identificamos conosco mesmos e com a nossa individualidade. Trata-se de nosso ponto pessoal de referência. Para além do *ego* há aspectos do ser e da personalidade que são desconhecidos e que não nos parecem claros.

III. Nas Descrições da Psicanálise

São postuladas três divisões da personalidade, que são virtuais personalidades diversas dentro de cada indivíduo, cada uma delas com seu próprio nome e sua proposta função. 1. O *id* seria o homem em seu nível biológico básico. Seria a porção primitiva, inconsciente e não diferenciada da estrutura psíquica do indivíduo. Aí encontram-se os impulsos instintivos. 2. O *ego* seria aquela porção do homem capaz de aprender com as experiências práticas, que também controla o *id*. Essa porção da personalidade dirige as atividades da vida desperta, ou seja, ela sente, relembra, age, adapta, foge ou se integra. 3. O *superego*, aquela porção do homem que se deriva do que é esperado dele, por parte da sociedade. Há forças externas que inspiram ou entravam o ego. O superego, pois, é um distilamento das pressões e exigências da sociedade, bem como o lugar (de acordo com Freud) onde se forma a moralidade humana. O ego e o superego com freqüência precisam censurar o *id*, de tal modo que a pessoa total torne-se um elemento aceitável na sociedade. O ego com freqüência se vê aprisionado entre o *id* e o superego, e disso origina-se certa ansiedade. Com freqüência, o superego funciona de modo inconsciente, de tal modo que, apesar de ser sempre uma força influente, pode permanecer fora das possibilidades da análise.

IV. Na Filosofia e na Religião

1. **Alguns filósofos**, entre os posteriores pitagorea-nos e os sofistas em geral, referiam-se à *alma* como a harmonia entre as funções e propriedades do corpo físico e não como uma entidade separada, de essência diferente da do corpo físico. Essa alma seria o ego. A teoria da psiquiatria, descrita na terceira seção, exprime essencialmente esse ponto de vista. Alguns budistas também têm essa opinião sobre a alma, supondo que a reencarnação não envolve a alma, que migraria de um corpo para outro, mas seria somente a

EGO — EGOÍSMO

bagagem «kármica», que passaria de um corpo para outro, embora sem existência própria, independente. Essa bagagem inclui percepções, impressões, idéias, etc., ou seja, a totalidade das experiências humanas, que permanece como uma espécie de pseudo-entidade.

2. *Em várias filosofias e religiões*, a alma é concebida como o verdadeiro «ego», não devendo ser identificada com o corpo físico. Ver sobre o *dualismo*. Essa posição foi defendida por Platão, em seu *Faedo*, e também pelo hinduísmo, pelo jainismo, por alguns budistas, pelos judeus, pelos islamitas e pelos cristãos. Há o nosso *eu empírico* que é autoconsciente, mas que tem propriedades transcendentais, consistindo em mais do que é experimentado por meio da percepção dos sentidos.

3. *Segundo Aristóteles*, a alma seria a forma do corpo. Portanto, a alma não seria uma entidade distinta, embora seja mais do que a mera harmonia do corpo físico. Ela seria dotada de uma força normativa, embora não se deva esperar que ela sobreviva à morte biológica. O ego seria esse tipo de alma, nos escritos de Aristóteles.

4. Algumas religiões orientais falam sobre o *ego ilusório*. Embora o indivíduo costume identificar-se com o seu «ego», com o seu «eu» físico, prático, terreno, o homem não é isso. De fato, todas as coisas materiais, incluindo o próprio mundo, seriam ilusórias, como se fossem um profundo sonho, que se impõe sobre a realidade e a obscurece. A destruição dessa ilusão revelaria aos homens o Bramá (Deus), porquanto nele é que se encontraria a verdadeira realidade.

5. *Fichte* (que vide) supunha que postulamos tanto o «ego» quanto o «não ego» como funções necessárias que se originam na razão, com base na experiência. Não temos provas perceptíveis dessas entidades, mas a existência das mesmas deriva-se de nosso processo de postulação, que nos confere certo sentido à busca pela compreensão. Essa coisa-em-si-mesma é uma realidade que ultrapassa à nossa função postuladora, mas que talvez seja responsável pela mesma. Anterior a todo *ego* e sua postulação, existe o *Ego absoluto* (o Deus do ego). (E H EP)

EGOÍSMO

Esboço:
I. Definição
II. Egoísmo Coletivo
III. Egoísmo Religioso e Cristão
IV. Mistura do Egoísmo com o Prazer e a Fé Religiosa
V. Várias Definições do Egoísmo

I. Definição

Ver o artigo geral sobre **Altruísmo e Egoísmo**. O *egoísmo* é a idéia de que todos os atos de uma pessoa, bons e maus, são auto-orientados, isto é feitos por interesse próprio, ainda que, em alguns casos, essa atitude possa ser perfeitamente disfarçada. Hobbes (que vide) tinha certeza de que o homem é incapaz de fazer qualquer coisa que vá além de seus desejos e finalidades pessoais. Portanto, o *altruísmo* também seria uma forma de egoísmo disfarçado. Se alguém vê a outrem perecendo em um incêndio, talvez tenha a coragem para tentar salvá-lo, mesmo que pense que poderá morrer na tentativa. Por quê? Poderia ele fazer isso por motivos egoístas? A resposta dada por alguns filósofos é afirmativa. Talvez a motivação real seja que tal pessoa saiba que ficaria desgraçada, em sua própria opinião e na opinião alheia, se recusasse a tentar o salvamento. Por que um jovem vai à guerra,

mesmo sabendo que poderá ser morto? Porque prefere arriscar-se a morrer (ou realmente morrer) a sofrer a vergonha de ser considerado um covarde.

II. Egoísmo Coletivo

Um aspecto possível do egoísmo é o «ego» coletivo. O homem é um animal comunitário e os seus instintos tendentes à preservação da comunidade à qual ele pertence sempre serão muito fortes. Quando a guerra irrompe, nem é necessário convocar os jovens. Um grande número apresenta-se voluntariamente «para proteger a pátria», mais do que o serviço militar é capaz de absorver de uma vez só. Por qual razão? Porque parte da autopreservação consiste na preservação da comunidade. Portanto, um homem, em um sentido social e genético, preserva o próprio «eu» quando está defendendo a sua comunidade. Mediante esse raciocínio, o ato de salvar outro ser humano de um incêndio poderia ser uma demonstração de autopreservação, por meio da preservação da comunidade. Nesse caso, permanece verdade que a única motivação da escolha de uma pessoa depende, de algum modo, da promoção do próprio «eu».

III. Egoísmo Religioso e Cristão

Apelamos aos homens para que se voltem para Cristo, com base na idéia de que «será melhor para você, se você fizer assim». Quem se arrepende escapa do julgamento divino e atinge a vida eterna. Não há que duvidar que isso é um apelo aos interesses pessoais. Todas as filosofias que apelam para a *felicidade* (eudemonismo), na verdade estão aplicando o motivo do egoísmo à conduta humana, como o seu grande princípio orientador e inspirador. Naturalmente, ao assim dizermos, ainda não dissemos que o interesse próprio é mau. O ponto de vista cristão, naturalmente, leva-nos além desse ponto, porquanto a lei do amor é um princípio que promove o altruísmo. Na realidade, — amamos algumas pessoas, inteiramente à parte de qualquer interesse próprio, e alegremente nos sacrificaríamos por elas, se isso fosse necessário. Como é óbvio, poucos homens conseguem um amor que ultrapassa a todo o egoísmo; mas isso constitui um ideal que fala de uma verdadeira possibilidade —que algumas pessoas atingem, pelo menos em parte. Quando Deus amou ao mundo de tal maneira que deu seu próprio Filho (João 3:16), ele estabeleceu o grande exemplo de altruísmo, demonstrando que, dentro de uma autêntica espiritualidade, é possível atingirmos esse alvo.

IV. Mistura do Egoísmo com o Prazer e a Fé Religiosa

Alguns filósofos realmente afunilam o campo, supondo que o egoísmo também sempre é *hedonista* (que vide). O que os homens realmente buscariam seria o *prazer*. Esse prazer poderia ser físico, mental ou mesmo espiritual. Para alguns pensadores, como Hobbes, esse prazer seria egocêntrico. Para outros, como Bentham (que vide), esse prazer estaria vinculado a um egoísmo coletivo. O alvo da vida seria procurar o mais alto prazer de todos. O hedonismo espiritual supõe que sempre haveremos de derivar prazer do crescimento e da realização espirituais, e que isso tanto é legítimo quanto é garantido pela vontade de Deus. Essa suposição teísta dá sentido ao egoísmo e ao hedonismo; porém, é difícil supormos que somente esses princípios (por mais legítimos que possam ser), governem a espiritualidade. Na verdade, há pessoas que realmente gostam de ajudar aos outros, mostrando-se *altruístas*. Sendo esse o caso, podemos definir o altruísmo como hedonismo e egoísmo, ao mesmo tempo, embora como formas legítimas de ambos. O que precisamos combater,

EÍ – EINSTEIN

pois, são as formas destrutivas, quando o «eu» realmente é o centro e o alvo de todas as coisas.

V. *Várias Definições do Egoísmo*

A discussão acima demonstra como a linguagem pode ser manipulada de modo a fazer as palavras significarem o contrário do que esperamos que elas signifiquem. É possível definirmos o egoísmo de tal maneira que fique incluído o conceito de altruísmo. Sabemos o que é uma pessoa egoísta, sem importar as manipulações verbais de certos filósofos. O egoísmo é um pecado. O altruísmo é a ordem divina. O viver segundo a lei do amor é prova de espiritualidade (I João 4:7 *ss*).

EÍ

No hebraico, «unidade», «fraternal» ou «amigo de Yahweh». Ele foi o cabeça de uma das famílias benjamitas, conforme se aprende em Gênesis 46:21. Na passagem de Números 26:38, seu nome aparece como Airã. É possível que «Eí» fosse uma forma sintética desse nome. — A família chama-se «airamitas». Em I Crônicas 8:1, o nome aparece como «Aará»; e, em I Crônicas 8:7 como «Aías». Ainda, em I Crônicas 7:12 como «Aer»; e em I Crônicas 8:6 como «Eúde». Tão grande número de variantes, quanto a esse nome, dá a entender que houve cópias faltosas do mesmo, em diversos manuscritos. Eí viveu em torno de 1690 A.C.

EIDÉTICO (EIDOS)

Esse adjetivo vem do termo grego **eidos**, «forma», «formato», «figura». Platão identificava o *eídos* de uma coisa qualquer com sua essência ou forma. Ver sobre os *Universais*. Husserl (que vide) propôs a idéia de uma *redução eidética*, a qual, segundo ele esperava, poderia levá-lo à essência das coisas. Essa essência seria procurada através da *intuição eidética*, expressando um *juízo eidético*, que é um juízo que não postula qualquer existência individual. O seu método partia do pressuposto de que a verdade pode ser obtida através da intuição quanto às essências, e não através da crassa percepção dos sentidos. Foi através disso que ele desenvolveu o seu método fenomenológico. O artigo a seu respeito explica essa questão.

EIDOLA

Essa é a transliteração portuguesa do vocábulo grego que significa «imagens». O termo foi empregado por Demócrito (que vide) e por Epicuro (que vide) a fim de dar a entender o *contorno destacado* que os objetos físicos aparentemente deixam e que é captado pelo nosso sentido da visão.

EIDOLOGIA

Esse foi o nome dado por Herbart à sua forma de *epistemologia* e que é explicado no artigo a respeito dele, no seu terceiro ponto.

EINFUHLUNG

Termo alemão que significa **empatia**, como parte da filosofia de Theodor Lipps. Para ele, esse era um aspecto central na teoria estética. Sentimo-nos dentro dos objetos e temos impressões como se eles fossem separados de nós mesmos. Projetamos nossos sentimentos e atividades àquele objeto, sem a intenção de fazê-lo, se a forma de arte nos parece boa

e permanecemos em uma espécie de estado contemplativo, quando então percebemos a essência da mensagem que algum objeto de arte supostamente tenciona comunicar. Ver o artigo geral sobre *Arte*, segunda parte, *Teorias principais da estética*.

EINSTEIN, ALBERT

Suas datas foram 1879-1955. Foi um físico teórico judeu-alemão que se naturalizou cidadão norte-americano. Nasceu em Ulm, na Alemanha. Estudou no Instituto Federal de Tecnologia, em Zurique, na Suíça. Tornou-se funcionário do Escritório de Patentes de Berna, nesse mesmo país. Formou-se doutor de física pela Universidade de Zurique. Foi professor ali e na Universidade de Berlim. — Veio a ser diretor do Instituto Kaiser Wilhelm, onde ensinava a teoria física. Ganhou o prêmio Nobel em face de seus labores científicos. No entanto, durante o período nazista, foi privado de sua posição e de sua cidadania alemã, em 1933. Recebeu o professorado no Instituto de Estudos Avançados de Princeton, em Nova Jérsei, nos Estados Unidos da América, onde passou o resto de sua vida.

As teorias de Einstein têm grandes implicações para a metafísica, o que justifica a sua inclusão nesta enciclopédia. Suas formulações das teorias geral e especial da relatividade lançaram os alicerces da física moderna. Ele desviou-se da física clássica, mediante uma grande mudança em seu pensamento filosófico, ao propor que o observador é uma parte fisicamente importante do mundo que está descrevendo, de tal maneira que, para exemplificar, a relação temporal entre dois acontecimentos só pode ser determinada no tocante a um observador que esteja em um movimento definido, relativo a esses acontecimentos. Os seus estudos sobre o espaço e o tempo, com freqüência, têm sido considerados como um triunfo do empirismo estrito, conforme se vê o mesmo nos escritos de Hüme e de Mach. Ver os artigos separados sobre o *Operacionalismo*, sobre a *Relatividade*, sobre a *Filosofia do Espaço e do Tempo*.

Em seu livro, *Teoria Especial da Relatividade*, Einstein abandonou a suposição de que existem espaço e tempo *absolutos*. — Esse ponto de vista pressupõe que a simultaneidade pode ser obtida somente dentro de um dado sistema inerte, não sendo válida para observadores que estejam em sistemas em movimento, em relação àquele sistema. A energia de qualquer massa seria equivalente ao produto da massa pelo quadrado da velocidade da luz: $E=M(2)$. Isso significa que qualquer partícula de matéria contém uma vastíssima quantidade de energia armazenada. A velocidade da luz é considerada uma constante, mas a massa aumenta e o tempo diminui de ritmo conforme a velocidade aumenta e, então, o tempo é considerado como uma quarta dimensão. Várias conseqüências surpreendentes derivam-se desse raciocínio, a saber: 1. Um mesmo acontecimento, visto de sistemas inertes em movimento, no tocante uns aos outros, ocorrerá em tempos diferentes. 2. Os corpos adquirem diferentes comprimentos. 3. Os relógios trabalham em velocidades diferentes.

Em sua obra, *Teoria Geral*, Einstein generalizou os resultados da sua teoria especial. Assim, a gravidade aparece como o resultado da curvatura do espaço-tempo, dependendo das massas distribuídas pelo universo inteiro. Isso posto, ficou eliminada a noção de ação à distância. A descoberta da curvatura dos raios luminosos, quando passam por algum forte campo gravitacional, parece favorecer a idéia geral e

EIRA — EIRADO

também, demonstra, ao que se presume, o conceito cosmológico de um universo em expansão. Isso significa que o universo é visto como finito, embora sem limites perceptíveis.

Einstein procurou operar contrariamente às características das probabilidades da mecânica quantum (ver sobre *Mecânica*, segundo ponto), propondo uma teoria de campo unificado. Einstein acreditava que «Deus não joga dados», pensando que o universo é determinado e pode ser predito. Suas tentativas, quanto a esse terreno, ainda não foram demontradas, e certos estudos da mecânica quantum, ao que parece, negam a sua tese. Não obstante, ainda não foram obtidas todas as evidências necessárias. Einstein, todavia, acreditava que os eventos futuros já foram determinados mediante as condições de uma existência contínua, em quatro dimensões. Ele concordava com Spinoza, que concebia Deus como um ser em ordeira harmonia com todos os seres.

Atividades não-científicas de Einstein. O grande físico também esposava as causas do pacifismo, da resistência passiva (com exceção aberta apenas no caso do fascismo militante), da liberdade de consciência, do sionismo, do controle internacional da energia atômica e da necessidade de estabelecer uma ordem política internacional, para que haja a justiça e relações harmônicas entre os povos.

Algumas implicações do seu pensamento, nos campos da filosofia e da religião, são enumeradas abaixo:

1. Há existências que não obedecem às nossas noções comuns de tempo e de espaço, que sugerem a possibilidade de uma outra realidade e, portanto, de dimensões espirituais ainda desconhecidas. Podemos comparar as idéias de Einstein sobre o tempo com as idéias de Agostinho, que propôs que a totalidade, fora de nosso mundo preso ao tempo, está na eternidade. Essa idéia, naturalmente, foi expressa pela primeira vez na doutrina dos *universais* (que vide), de Platão.

2. Os estudos de Einstein, que aumentaram os conceitos das dimensões, novamente sugerem que a realidade pode envolver muito mais do que é evidente para os nossos sentidos, podendo incluir dimensões inesperadas da realidade.

3. Deus é o *unificador*, garantindo a boa ordem e a harmonia em toda a criação. Deus, nesse caso, também é a força por detrás do determinismo cosmológico.

4. Para alguns filósofos morais, a teoria da relatividade sugere a correção da relatividade nas questões morais, embora outros pensadores façam objeção a esse tipo de aplicação filosófica da cosmologia.

5. Os estudos de Einstein lançaram no descrédito o *empirismo ingênuo* que predominava na física e nas ciências em geral, antes do advento da teoria da relatividade. De acordo com a sua perspectiva, embora as conseqüências da teoria física precisem ser testadas empiricamente, os seus axiomas não são inferências automáticas com base na experiência, mas antes, são criações livres da mente humana (idéias inatas?), guiadas por considerações de natureza matemática.

6. Aplicando as idéias e os métodos de Hume e de Mach, Einstein demonstrou que a nossa metodologia precisa incluir a crítica que penetra nas idéias e nos sistemas tradicionais, se quisermos avançar na teoria e no conhecimento. A defesa constante de qualquer sistema ortodoxo faz estagnar a pesquisa pela verdade. A rejeição absoluta, por parte de Einstein, da natureza absoluta do tempo e do espaço, alerta-nos para o fato de que existem muitos alegados absolutos, no pensamento humano que, na realidade, não são absolutos. A *verdade* deve ser a nossa única ortodoxia. (AM E EP)

EIRA

Há duas palavras hebraicas envolvidas neste verbete:

1. *Idderin*, «eiras». Palavra aramaica usada somente em Dan. 2:35.

2. *Goren*, «eira». Palavra hebraica usada por dezenove vezes com esse sentido: Gên. 50:10; Núm. 15:20; 18:27,30; Rute 3:2; I Sam. 23:1; II Sam. 6:6; 24:16,18,21,24; I Crô. 13:9; 21:15,18,21,22,28; II Crô. 3:1 e Jer. 51:33. Literalmente, essa palavra hebraica significa «plano».

A eira era um terreno plano, bem batido, ao ar livre (Juí. 6:37; II Sam. 6:6). Ali eram trilhados os grãos de cereal (Isa. 21:10; Jer. 51:33; Miq. 4:12; Mat. 3:12). Algumas vezes, o alto de uma pedra grande e plana, que aparecia acima da superfície, servia de lugar conveniente para uma eira. Usualmente, trilhava-se com um «instrumento de trilhar» (Isa. 28:27). Também eram usados animais, como bois, que ficavam pisando o grão. Os bois e outros animais também puxavam certos instrumentos que ajudavam no processo. Esses instrumentos, que eram blocos de madeira ou pedras arrumadas de certa maneira, eram regularmente empregados. O trecho de Rute 3:4 mostra-nos que a eira tinha de ser cuidadosamente guardada, porque o grão já trilhado podia ser roubado, depois de tanto trabalho para separá-lo da palha. As eiras e os lagares eram as principais instalações antigas para a produção de alimentos; e, por isso mesmo, por várias vezes são mencionados juntos (Deu. 16:13; II Reis 6:27; Osé. 9:2; Joel 2:24). Os cereais, o vinho e o azeite eram os três mais importantes produtos agrícolas das terras em redor do mar Mediterrâneo. As eiras, às vezes, recebiam nomes específicos, para serem melhor identificadas, como Nacom (II Sam. 6:6), Quidom (I Crô. 13:9), Atade (Gên. 50:10), Araúna ou Ornã (II Sam. 24:18; I Crô. 21:15). Ver o artigo geral sobre a *Agricultura*.

Uso Figurado. O ato de trilhar representa a destruição, a pesada aflição (Ha. 3:12; Amós 1:3). A Babilônia foi um agente de castigo, tendo trilhado a nação de Israel (Isa. 21:10; Jer. 41:53). Mas, no dizer de Miquéias 4:13, Israel haverá de debulhar as nações trazendo o produto ao Senhor.

EIRADO, TERRAÇO, TETO

No estudo da cobertura de uma casa ou edifício, precisamos considerar duas palavras hebraicas e uma palavra grega.

1. *Gag* é a palavra hebraica mais comumente usada para indicar a cobertura de uma edificação. Significa «parte superior». No Oriente Médio quase sempre tinha a forma de uma laje plana, acessível por meio de uma escada externa. É palavra usada por trinta vezes (para exemplificar, Deu. 22:8; Jos. 2:6,8; II Sam. 11:2; 18:24; Nee. 8:16; Jer. 19:13; 32:29; Eze. 40:13). Os tetos planos usualmente eram formados de argila, compactada por roletes de pedra e sustentados por um forro de ramos que cruzavam as vigas de madeira ou troncos de palmeira. Na Babilônia e no Egito, arcos ou abóbadas de tijolos algumas vezes formavam a substrutura, ao passo que a superfície superior do teto era nivelada com argila ou com tijolos, com uma camada de argila compactada.

310

EIRADO DA ESQUINA — EL

O eirado geralmente era ocupado (ver Deu. 22:8), usado como armazém (ver Jos. 2:6), para descansar à tarde (ver II Sam. 11:2), e, igualmente, usado para a adoração idólatra (ver Jer. 19:13). Ver sobre *Arquitetura*.

2. *Qorah*, «trave». Esse termo hebraico é usado por cinco vezes (ver II Reis 6:2,5; II Crô. 3:7; Can. 1:17 e Gên. 19:8). Nossa versão portuguesa traduz essa palavra de vários modos, como «viga», «tronco», «trave» e «teto». Na última referência, acima, é traduzida em português por «teto», pois o termo hebraico para «trave» é uma expressão idiomática para lar.

3. *Stége*, «teto». Palavra grega usada por três vezes (ver Mat. 8:8; Mar. 2:4 e Luc. 7:6). Em Marcos 2:4 temos o uso literal da palavra, que nossa versão portuguesa traduz por «eirado». Nas outras duas referências há um uso idiomático, com o sentido de «lar».

EIRADO DA ESQUINA

A expressão aparece em Nee. 3:31,32. De acordo com a descrição do livro de Jeremias, havia alguma espécie de cômodo coberto, talvez uma torre de vigia ligada à esquina nordeste do templo de Jerusalém, a leste da Porta das Ovelhas e ao norte da Porta das Tropas.

EISEGESE

Esse vocábulo deriva-se de duas palavras gregas, *eis*, «para dentro», e *egeesthai*, «explicar», o verbo básico por detrás do termo grego *ago*, «dirigir», «conduzir». Nesse contexto, a direção é feita de maneira mental, envolvendo ensino. *Eisegese*, pois, consiste em injetar em um texto, alguma coisa que alguém deseja que esteja ali, mas que, na verdade, não faz parte do mesmo. Em outras palavras, quem usa de eisegese força o texto, mediante várias manipulações, fazendo com que uma passagem diga o que na verdade não se acha ali. Em contraste com isso, a *exegese* consiste em extrair de um texto qualquer, mediante legítimos métodos de interpretação, o que se encontra ali. Entretanto, quase toda a exegese feita pelos intérpretes contém um certo elemento de *eisegese*. Nenhum cientista ou teólogo aproxima-se de uma questão qualquer sem esperar, antes do tempo, o que deve encontrar na mesma. A interpretação sempre envolve um elemento de subjetividade, pelo que toda exegese (que vide) é influenciada pela *eisegese*.

Quando a eisegese pode ser uma boa atividade? Nenhum texto, ou conjunto de textos, de qualquer volume sagrado, pode estar isento de todo elemento humano, de toda aplicação antropomórfica. Outrossim, nenhum grupo de textos de prova pode conter alguma declaração absoluta de qualquer verdade. Por conseguinte, é legítima a atividade do intérprete que inclui em sua explanação aquilo que ele conhece com base em outras fontes, bíblicas ou não. Não é errado, por exemplo, suavizar declarações radicais sobre a doutrina da predestinação (que se acham em certos textos bíblicos) por meio de outras referências que enfatizam a responsabilidade e o livre-arbítrio humanos. Porém, quando um intérprete estiver fazendo isso, deveria avisar seus leitores ou ouvintes acerca do que está fazendo, sem distorcer o texto que estiver sendo interpretado, para que não diga aquilo que nunca pretendeu dizer. Um intérprete deveria dizer (por meio da exegese): «Este texto ensina isto».

Mas então deverá dizer (por meio da eisegese): «Mas também deveríamos lembrar do que se segue». Além disso, um intérprete nunca deveria limitar-se a qualquer grupo de textos, nem aqueles envolvidos na exegese e nem aqueles envolvidos na eisegese. Há verdades que ultrapassam a quaisquer textos de prova, razão pela qual tentar explicar a verdade, *somente* através do uso de textos de prova é uma atividade intelectual infantil.

Quando a eisegese é uma atividade falsa e' prejudicial? Muitos intérpretes opinam que é necessário fazer as Sagradas Escrituras amoldarem-se a alguma teologia sistemática específica. Esses presumem, erroneamente, que tal sistema pode *ser* extraído da Bíblia e que *todas* as passagens atinentes podem ser forçadas a refletirem e se amoldarem aos sistemas deles. Por conseguinte, qualquer versículo que assim *não faça*, é distorcido por eles. Essa distorção é feita através da atividade da eisegese. Eles forçam um versículo a amoldar-se às suas idéias. Para exemplificar, o trecho de João 3:16, que diz: «Porque Deus amou ao mundo de tal maneira que deu o seu Filho...» significa «Porque Deus amou aos eleitos de tal maneira que...» E a passagem de I João 2:2, que declara: «...ele (Cristo) é a propiciação pelos nossos pecados, e não somente pelos nossos próprios, mas ainda pelos do mundo inteiro», significa: «Cristo morreu pelos nossos pecados, que agora estamos entre os eleitos, bem como pelos pecados do mundo inteiro dos eleitos, incluindo aqueles que ainda não foram chamados». Os exemplos dados aqui são bem simples. Mas, qualquer comentário bíblico pode suprir o leitor com inúmeros exemplos dessa atividade. O problema começa pelo conceito que diz que qualquer verdade, grande ou pequena, pode ser entendida mediante a manipulação de textos de prova. Se as pessoas não pensassem dessa maneira, não se mostrariam tão ansiosas por manipular textos bíblicos em apoio aos seus respectivos sistemas.

EJETOS

O filósofo inglês W.K. Clifford (que vide) distinguia entre o que ele denominava de *objetos* e de *ejetos*. Os objetos, pois, são aquelas coisas que podem fazer parte da consciência humana, contrariamente aos ejetos, que nunca chegam a impressionar a consciência dos homens. O mundo compõe-se, todavia, de ejetos que são feitos de *estofo mental* e que possuem a qualidade de ferir os *sentimentos*.

EL

No hebraico, «força», «poder». Essa palavra é cognata do termo assírio *ilu*, bem como do vocábulo ugarítico *il*. Essa palavra significa «deus» (em contextos não-hebraicos), ou então «Deus» (no Antigo Testamento). Esse nome para Deus (ou para deus), não foi inventado pelos hebreus religiosos, mas foi adotado por empréstimo do uso semita pagão. O termo latino *deus*, que chegou ao português sem qualquer modificação, era o nome pagão de uma divindade similar a *Zeus*, o principal dos deuses dos gregos. Significava apenas *deus* ou *divindade*, tendo perdurado mais que os nomes específicos dos deuses, e assim tornou-se um termo genérico para indicar a natureza divina. Por essa razão, podemos dizer que a origem do termo *Deus*, em português, é pagã. A palavra correspondente em inglês, *God*, é de origem **anglo-saxônica**, referindo-se a qualquer objeto de respeito e **adoração religiosa** e, naturalmente, também estava relacionada ao paganismo. Isso ocorre

311

EL — ELÃ VITAL

no caso de qualquer outro idioma, visto que os vocábulos antecedem às revelações dadas aos hebreus e aos apóstolos de Jesus. Portanto, o mero fato de que o termo *El* é empregado como nome comum para indicar deuses, divindades, poderes divinos, etc., nas religiões semíticas, em nada detrata do valor desse vocábulo, usado no Antigo Testamento, para indicar o *Deus da Força*. Ver o artigo geral sobre *Deus*, porção VI, onde são alistados e discutidos os muitos nomes dados a Deus no Antigo Testamento, incluindo o nome *El*, sozinho ou em suas muitas combinações.

Essa palavra, como um substantivo, é um dos nomes de Deus, embora também possa ser usada como um adjetivo, com o sentido de «forte», em alusão a qualquer coisa, inclusive seres humanos (Eze. 31:11) ou anjos (Sal. 29:1). Essa palavra também pode indicar deuses pagãos, incluindo os seus ídolos representativos, conforme se vê em Êxo. 15:11; 34:14; Isa. 43:10, um fato que demonstra a larga aplicação dessa palavra, não se limitando a indicar o único verdadeiro Deus forte, conforme é usada, na maioria de suas ocorrências no Antigo Testamento.

A palavra *El* aparece isolada, algumas vezes; mais freqüentemente, porém, em combinações, como *El Elyon* (o Deus Altíssimo, Gên. 14:18), *El Shaddai* (o Deus Todo Poderoso, Gên. 17:1), e *El Hai* (o Deus Vivo, Jos. 3:10). A forma plural dessa palavra é *Elohim*, embora esse plural seja a forma intensiva e não um verdadeiro plural. A tradução de *Elohim* poderia ser algo como *Grande Deus*. Além disso, encontramos *El Olam* (o Deus da Eternidade, Gên. 21:33), *El Roi* (o Deus que vê, Gên. 16:13), *El Rehum* (o Deus da Compaixão, Deu. 4:31), *El Nose* (o Deus do Perdão, Sal. 99:8), *El Hannun* (o Deus Gracioso, Nee. 9:31), e *El Kanna* (o Deus Zeloso, Êxo. 20:5), etc.

A História pagã do termo *El* não é muito agradável. Dentro da religião dos cananeus, conforme é refletido pelo historiador fenício, Filo de Biblos (cerca de 100 D.C.), bem como na literatura religiosa desenterrada em Ras Shamra (a antiga Ugarite, no sul da Síria, 1929-1937), *El* era a divindade principal de um elaborado panteão cananeu. De acordo com essas fontes informativas, El teria três esposas, todas elas suas irmãs. Aparece ali como um tirano sanguinário, que destronou o seu próprio pai, Urano, assassinou o seu filho favorito e decapitou uma de suas filhas. Também era uma criatura sensual e mórbida. Contudo, pelo lado bom, ele era intitulado «Pai dos Anos», «Pai do Homem», e «Touro Pai». À semelhança de Zeus, deus grego, ele era imaginado como o progenitor de todos os deuses. Baal, que finalmente chegou a ser o principal objeto de adoração, era considerado filho de El. Seja como for, El foi tão importante, em certa época, que a literatura de Ras Shamra refere-se à terra de Canaã como «terra de El».

Todas as religiões, antigas ou modernas, quando descrevem Deus (ou algum deus), são forçadas a lançar mão de termos antropomórficos, quando então são atribuídas qualidades humanas à deidade. Essa é uma das dificuldades humanas, visto que a linguagem é o nosso principal meio de expressão e comunicação e que a mesma reveste-se de tão grande importância para nós, seres humanos. As religiões pagãs constantemente atribuíam aos seus deuses todas as más qualidades humanas, excetuando que os homens vão se tornando cada vez piores, multiplicando a destruição e a selvageria que caracterizam as pessoas. Encontramos algo dessa atividade nas páginas do Antigo Testamento, onde Deus é retratado com cabeça de exércitos destruidores, que exige toda a

forma de matanças. As tentativas de muitos evangélicos para justificar esse quadro sobre Deus são comuns e insistentes, mas não me convencem. É ridículo supor que uma revelação mais avançada não melhora o nosso conceito de Deus, conforme melhora tudo o mais que conhecemos a respeito da espiritualidade. Deus atua através do processo histórico e sua auto-revelação ocorre apenas em estágios e mui gradualmente. Ainda estamos a longa distância da verdadeira compreensão sobre Deus, embora saibamos muitas coisas sobre as suas obras, especialmente o que foi feito por meio de Cristo, que é o Irmão mais velho dos homens e que veio redimir e restaurar à humanidade.

ELÃ

No hebraico, «carvalho». Há seis personagens e um acidente geográfico, nas páginas do Antigo Testamento, com esse nome, a saber:

1. Um príncipe idumeu. Ver Gên. 36:41 e I Crô. 1:52. Viveu em cerca de 1618 A.C.

2. O pai de Simei, que era administrador na tribo de Benjamim, encarregado de obter provisões para a corte do rei Salomão. Seu nome aparece somente em I Reis 4:18. Viveu em torno de 1015 A.C. Quanto a uma descrição geral sobre esse serviço de superintendência e sobre os seus oficiais, ver I Reis 4:7 ss.

3. O filho e sucessor de Baasa, rei de Israel. Foi o quarto monarca do reino nortista de Israel. Reinou somente por dois anos (930-929 A.C.). A sua vida foi cortada quando foi assassinado, estando alcoolizado. Sua família também foi destruída por seu assassino, Zinri, o capitão da metade de seus carros de guerra. Também foi o último monarca da linhagem de Baasa. Essa catástrofe cumpriu as predições de Jeú (I Reis 16:6-14). O drama da morte de Elá teve lugar enquanto o seu exército atacava a cidade filistéia de Gibeton. Portanto, o rei israelita estava se divertindo enquanto o seu reino combatia. A linhagem de Baasa promoveu toda a forma de maldade e violência e a história da família acabou violentamente.

4. Um outro Elá foi o pai de Oséias, o último rei de Israel (II Reis 15:30; 17:1; 18:1,9). Ele viveu em torno de 740 A.C.

5. Um dos três filhos de Calebe, filho de Jefuné (I Crô. 4:15). Viveu por volta de 1380 A.C.

6. Um dos filhos de Uzi, um dos chefes da tribo de Benjamim e cabeça de um dos clãs que foi levado para o cativeiro babilônico (I Crô. 9:8). Através de seus descendentes, retornou à Terra Prometida. Esses descendentes estabeleceram-se em Jerusalém, em cerca de 536 A.C.

7. *O vale de Elá*. Esse nome indica o vale do *terebinto* ou do *carvalho*. Foi nesse lugar que os israelitas estavam acampados, quando Davi combateu contra Golias e o derrotou (I Sam. 17:19). Ficava situado cerca de dezoito quilômetros a sudoeste de Jerusalém. É o moderno wady *es-Sunt*, que significa *vale da acácia*. À entrada desse vale fica o Tell *es-Safiyeh*. Provavelmente trata-se do mesmo vale de Sitim, mencionado em Joel 3:18. O termo hebraico Shittah (o equivalente do vocábulo árabe Sant (ou Sunt), ambos referem-se à acácia. Essa palavra, portanto, veio a ser vinculada ao wady que assinala a sua localização. Até os dias de hoje, o leito desse curso de água é recoberto por pequenas pedras, do tipo que Davi, em sua juventude, pôde ter usado em sua funda, quando lutou contra o gigante Golias.

ELÃ VITAL

Uma expressão usada por Bergson (que vide) a fim

ELANÃ — ELÃO

de indicar o impulsionador primário, ou força essencial de todas as coisas, que opera no mundo e é responsável pelo processo evolutivo. A expressão é francesa e significa «força de vida», ou «energia vital». Seria o impulso vital criativo que permeia todas as coisas. Deus é o «élã vital» da criação, a força espiritual que faz todas as coisas serem o que são. Ver também o artigo sobre o *Vitalismo*.

ELANÃ

No hebraico, «Deus tem sido gracioso». Esse é o nome de duas pessoas que aparecem nas páginas do Antigo Testamento, a saber:

1. Um filho de Dodó, de Belém. Ele foi um dos trinta guerreiros heróicos de Davi (II Sam. 23:24; I Crô. 11:26). Entre os trinta, ele aparecia como o primeiro depois dos três maiores. Viveu em cerca de 990 A.C.

2. Um guerreiro da época de Davi, que se portou brilhantemente contra os filisteus, em Gobe, abatendo o irmão do gigante Golias (I Crô. 20:5). De acordo com II Samuel 21:19, ele era filho de Jaaré-Oregim, o belemita. Em toda essa questão há uma certa confusão, pois se em II Samuel 21:19 e 23:24 o pai de Elanã é Jaaré-Oregim, em I Crônicas-20:5, Jair aparece como seu pai. Acresça-se a isso que em II Samuel 21:19 Elanã teria morto o próprio Golias, embora, conforme seja bem sabido, Davi foi quem matou esse gigante. Por isso mesmo, algumas traduções adicionam ali «irmão de» antes de Golias, para fazer o texto harmonizar-se com I Crônicas. As diversas maneiras de tentar solucionar esse problema são as seguintes:

a. Teria havido dois gigantes com o nome de Golias, um morto por Davi e o outro morto por Elanã.

b. Golias seria um nome genérico, para representar uma família, e não apenas um indivíduo.

c. A expressão «irmão de» faz parte genuína do texto, tendo desaparecido em II Samuel por descuido escribal. Nesse caso, o versículo concordaria com o trecho de I Crônicas 20:5.

d. Mais radicalmente ainda, teria sido Elanã quem matou o gigante Golias, mas a tradição dos hebreus teria conferido essa distinção a Davi, a fim de aumentar a sua reputação.

e. Há uma tradição preservada por Jerônimo, em *Quaest. Heb. in Libros Regnum*, bem como nos *Targuns*, no sentido de que Davi e Elanã eram apenas nomes diferentes de uma mesma pessoa. Nesse caso, Davi seria o nome real (com o qual se tornou rei), ao passo que Elanã teria sido seu nome verdadeiro. Os textos de Mari trazem o nome *dawidum* com o sentido de líder; e alguns têm usado esse título em apoio a essa idéia. Na verdade, porém, o problema permanece sem solução, mas é capaz de perturbar apenas os ultraconservadores, que não são capazes de admitir problemas sem solução ou ainda não solucionados nos textos bíblicos (sem pensarem eles que não dispomos dos manuscritos escritos pelos seus próprios autores e, sim, apenas cópias que datam, na maioria das vezes, muitos séculos depois que os livros sagrados foram originalmente escritos, dando tempo a muitos erros de transcrição); ou capazes de perturbar os céticos, sempre ansiosos por utilizar-se de problemas assim com o intuito de destruir a fé nas Sagradas Escrituras.

ELÃO (Nome Pessoal)

Os eruditos não têm muita certeza sobre o que significa essa palavra, no hebraico. Entre as conjecturas temos «oculto», «terras altas», e «juven-tude». Nada menos de oito personagens têm esse nome, no Antigo Testamento. Quanto ao país e ao povo com esse nome, ver o artigo separado sobre *Elão, Elamitas* (abaixo).

1. Um dos filhos de Sem tinha esse nome; ele foi o ancestral dos elamitas, de acordo com os trechos de Gên. 10:22 e I Crô. 1:17. Viveu por volta de 4000 A.C.

2. Um dos chefes da tribo de Benjamim, filho de Sasaque, que vivia em Jerusalém, no tempo do cativeiro e/ou depois do mesmo (I Crô. 8:24). Viveu em cerca de 536 A.C.

3. Um levita coatita, o quinto filho de Meselemias. Ele servia como porteiro do tabernáculo de Israel, nos dias de Davi (I Crô. 26:3). Viveu por volta de 1000 A.C.

4. O chefe de uma família que retornou juntamente com Zorobabel, após o cativeiro babilônico. Seu clã tinha cerca de mil, duzentos e cinqüenta e quatro indivíduos (Esd. 2:7 e Nee. 7:12). Outros setenta e um membros dessa família vieram em companhia de Esdras. Foi ele quem sugeriu a Esdras que os judeus que se tinham casado com mulheres estrangeiras, enquanto estavam no cativeiro, deveriam divorciar-se delas e abandonar seus filhos com elas (Esd. 10:2-4). Ficou registrado que seis dos homens dessa família anuíram à ordem (Esd. 10:26).

5. Um sacerdote que participou nas cerimônias da dedicação das muralhas de Jerusalém, nos dias de Neemias (Nee. 12:42). Viveu em torno de 445 A.C.

6. Um dos chefes do povo judeu, que assinou o pacto juntamente com Neemias (Nee. 10:14). Viveu em cerca de 455 A.C.

7. Um outro homem, com esse nome, cuja posteridade retornou do exílio. Esse homem é mencionado em Esd. 2:31 e Nee. 7:34. Seria o mesmo do número 5, acima?

8. Um outro homem, com esse mesmo nome, cujos descendentes voltaram do exílio em companhia de Esdras (Esd. 8:7). Viveu em torno de 455 A.C.

ELÃO, ELAMITAS

Esboço:

    I. O Nome e Lugar
    II. História Geral de Elão
    III. Dissolução de Elão

I. O nome e o lugar

O nome Elão, no hebraico, parece ser um cognato da palavra acádica *elamtu*, que significa «terras altas». Esse vocábulo designa tanto a terra quanto o povo que ali habitava. O território chamado por esse nome ficava do outro lado do rio Tigre, a leste da Babilônia, limitado ao norte pela Assíria e pela Média, e ao sul pelo golfo Pérsico. Nos tempos modernos, o território fica ao sul do Irã, um platô nas montanhas do Zagros, a leste e a nordeste do vale do rio Tigre, sendo, mais ou menos, o equivalente à província de Cuzistão. Os assírios chamavam a região de Elamtu. Mas os gregos chamavam-na Susiana, devido à capital, Susa. Modernamente, essa é a cidade de Shush. O idioma falado no lugar não era semítico; porém, ainda não foi determinado qual a relação entre os elamitas e os povos das circunvizinhanças. A civilização dessa região é antiqüíssima, estando intimamente associada à cultura da baixa Mesopotâmia. Uma escrita pictográfica local veio a ser usada nessa área, pouco depois da invenção da escrita, na Babilônia. Há estudiosos que têm pensado que os modernos zíngaros, ou ciganos, seriam descendentes dos elamitas. Os ciganos são tidos como um povo originário da região oeste da Índia e os

ELÃO — ELASAR

elamitas estavam precisamente ali. Os ciganos chegaram a espalhar-se por todos os países do mundo. E as Escrituras profetizam o tempo em que os elamitas serão reunidos novamente em sua região de origem. Ver Jeremias 49:39, que diz: «Nos últimos dias mudarei a sorte de Elão, diz o Senhor».

II. História geral de Elão

A palavra «elão» ocorre pela primeira vez na Bíblia em Gênesis 10:22, como nome de um dos filhos de Sem, de quem descendia a tribo mencionada. A nação daí formada aparece em Gênesis 14:1, juntamente com o reino de Sinear, na Babilônia. Em Isaías 21:2 e Jeremias 24:25, o Elão é mencionado juntamente com a Média. A passagem de Esdras 4:9 diz que os elamitas eram uma das nações do império persa. Em Daniel 8:2, a cidade de Susa, a capital do Elão, aparece situada às margens do rio Ulai (Eulaeus ou Chaaspes), na província do Elão. Os gregos e os romanos chamavam a região de Elymais.

Várias tribos habitavam naquela região, os estudiosos classificam-nas como caucasianas não-semitas. Durante toda a história discernível, o Elão esteve culturalmente dependente da Mesopotâmia. A princípio, o Elão foi mencionado em registros mesopotâmicos não-bíblicos, sujeitos ao sumeriano Eanatum, de Lagase (2450). Quando os acádios, sob Sargão de Acade (2360-2305 A.C.), passaram a ser o poder dominante, essa dependência teve continuação. Foi então que os elamitas adotaram a **escrita cuneiforme sumero-acádica.** Várias inscrições, feitas em tabletes de argila, têm sobrevivido, produzidas pelos elamitas, com essa forma de escrita. Sabe-se que elamitas de Susa participaram na construção do templo de Gudea, de Lagase, o que ocorreu em cerca de 2000 A.C.

Os elamitas tornaram-se independentes por algum tempo, quando o poder de Acade declinou. Porém, a terceira dinastia de Ur reobteve o poder sobre aquela região. Novos *contra-ataques*, porém, libertaram os elamitas dos governantes de Ur. O último rei de Ur, Ibbi-Sin (cerca de 2030 A.C.), foi conduzido prisioneiro ao Elão, depois de haver sido derrotado. Os elamitas então destruíram a cidade de Ur, o que é lamentado em uma inscrição suméria. Kudur Mabuk tornou-se o senhor de Larsa e foi sucedido no trono por seus filhos, Warad-Sin e Rim-Sin. Posteriormente, os elamitas levaram para Susa o código de Hamurabi, onde foi descoberto em 1901 ou 1902. Hamurabi, da Babilônia, havia expulsado os elamitas em cerca de 1760 A.C., mas seu império foi posteriormente derrotado pelos amorreus e pelos elamitas, que tinham se aliado, em cerca de 1625 A.C. Os cassitas, que desceram dos montes Zagros centrais, na Babilônia, expulsaram-nos dali; uma vez mais, entretanto, eles cresceram em poder militar e reconquistaram a área. Assim, eles conquistaram a Babilônia, onde governaram, bem como na região em redor, por diversos séculos (1300 a 1120 A.C.). Entre os troféus tomados e transportados para Susa estava a famosa estela das leis de Hamurabi, que já foi mencionada acima. A arqueologia confirma o saque de cidades babilônicas por parte dos elamitas. Monumentos capturados foram postos nos átrios dos templos importantes da cidade de Susa, sendo dedicados aos vários deuses de Elão.

III. Dissolução de Elão

A história dos elamitas fica muito obscura desde cerca de 1000 A.C. até às campanhas de Sargão, da Assíria (721-705 A.C.). Senaqueribe e Assurbanipal finalmente subjugaram os elamitas e deportaram alguns deles para Samaria, na mesma ocasião em que

israelitas foram deportados para o Elão (Esd. 4:9 e Isa. 11:11). O rei do Elão, Tuemmann, foi capturado. Há um alto relevo que mostra a sua cabeça pendurada em uma árvore, no jardim do palácio onde Assurbanipal, sua rainha e seus nobres estavam se **banqueteando, desfrutando a sua vitória sobre Elão.** Assurbanipal pôs um rei títere no trono de Elão, a fim de cuidar das coisas ali. Porém, esse homem mostrou que era desleal, pelo que outra invasão armada tornou-se necessária. O rei assírio saqueou Susa e deportou a população para Samaria. Foi isso que pôs fim ao Elão, como uma nação separada.

Depois do colapso do poder assírio, povos **indo-europeus vieram** a dominar a região. Susa, finalmente, tornou-se uma das três principais cidades **do império medo-persa.** O trecho de Ezequiel 32:24 relata como os caldeus venceram militarmente os elamitas.

Isaías convocou profeticamente aos elamitas, a fim de ajudarem a esmagar a Babilônia (Isa. 21:2), por isso que, realmente, aconteceu (Dan. 8:2). Todavia, chegou a vez da derrota e destruição do poder dos elamitas (Jer. 25:25; 49:34-39; Eze. 32:24). O próximo informe que a Bíblia nos dá sobre os elamitas é em Atos 2:9, que mostra que, no dia de Pentecoste, alguns judeus vindos dali estavam presentes em Jerusalém. Podemos presumir que comunidades judaicas muito antigas sobreviveram naquele lugar, através de todos os séculos de destruição e vicissitudes, preservando a sua fé e os seus costumes tipicamente hebraicos. Alguns deles, pois, converteram-se à fé cristã. (AM BAR ND TH UN Z)

ELASA

Um lugar mencionado em I Macabeus 9:5, onde Judas Macabeu acampou com as suas tropas, quando Baquides avançava contra ele, em cerca de 160 A.C. Judas foi morto na batalha que se seguiu. O lugar tem sido identificado com a moderna Ilasa, perto de Bete-Horom.

ELASAR

Desconhece-se o sentido desse nome. Mas sabe-se que foi o nome de uma cidade no território da antiga Babilônia, mencionada por duas vezes no livro de Gênesis (14:1,9), na lista dos quatro reis da região que fizeram guerra contra os cinco reis da antiga Canaã e que os venceram. O rei de Elasar é chamado Arioque (que vide). Sua cidade, Elasar, ficava no sul da Babilônia, entre Ur e Ereque, à margem esquerda do grande canal de Shat-en-Nil. Atualmente, o sítio é assinalado por um cômoro que os nativos da região chamam de *Senkereh*. O local era um centro de adoração ao sol, durante o império babilônico. Mais ao norte, a cidade de Sipar era o centro do mesmo culto. A forma babilônica do nome de Elasar é Larsa. Em tempos mais recentes, os gregos chamavam-na *Larissa.* Não há qualquer informação quanto às suas origens, embora muita coisa se saiba no tocante a seu uso como centro do culto ao sol. Em cerca de 2400 A.C. já era um lugar importante. Os reis de Elasar também controlavam a Suméria e a Acádia. Conhecem-se somente dois nomes específicos da dinastia que ali governou, a saber: Nur-Raman e Sin-Idina. Foi este último quem construiu um importante canal, ligando Shat-en-Nil ao rio Tigre. Pouco depois da construção desse canal, os elamitas, que no tempo de Arioque haviam sido aliados, conquistaram o local, nos tempos do rei Kudur-Mabuque. Seu filho foi enviado a Elasar, a fim de manter o controle sobre a situação. O nome desse príncipe era-

314

ELATE — ELCANA

Eri-Aku. Mas, nas inscrições babilônicas ele aparece com o nome de Rim-Sin. Hamurabi, rei da Babilônia, posteriormente o derrotou, anexando o território **sobre o qual governava ao recém-fundado império babilônico.**

A identificação de Elasar com a moderna Larsa não mais é considerada absoluta. Uma outra identificação sugerida é Ilanzura, entre Carquêmis e Harã, no norte da Síria. Mas, quanto a isso, também não há qualquer certeza.

ELATE

No hebraico, «bosque de palmeiras». O nome ocorre no Antigo Testamento por três vezes: Deu. 2:8; II Reis 14:22; 16:6. Elate era uma cidade da Iduméia, dotada de um porto no braço oriental ou golfo do mar Vermelho, ou seja, o golfo de Ácaba. Eusébio localizava o lugar a dezesseis quilômetros de Petra. Ficava situada na extremidade do vale de Elgor, que corre no fundo de duas cadeias montanhosas paralelas, de norte para sul, atravessando a Arábia Petréia, do mar Morto ao norte do golfo Elanítico.

1. *História Anterior.* O trecho de Deuteronômio 2:8 menciona a localidade em conexão com a jornada dos israelitas na direção da Terra Prometida. Eles passaram pela localidade que, na época, era apenas uma vila minúscula. É possível que o príncipe idumeu, Elá (Gên. 36:41), tenha dado seu nome ao lugar. A região era essencialmente desabitada. No século XIII A.C., Elate e Ezion-Geber, nas proximidades, naquele tempo provavelmente nada mais eram do que um lugar onde havia fontes, com alguma esparsa vegetação.

2. *No Tempo dos Reis de Israel.* Davi chegou a controlar essa região (II Sam. 8:14). Salomão (em cerca de 960 A.C.) desenvolveu a mineração do cobre e do ferro imediatamente ao norte de Ezion-Geber, cerca de quatro quilômetros a oeste de Ácaba, o local de Elate. Não se tem certeza se Ezion-Geber servia como fundição, ou apenas como depósito. Tem sido identificada com o moderno Tell el Keleifeh e foi escavada por Nelson Glueck. Salomão construiu ali, às margens do mar Vermelho, um porto que servia à sua frota mercante, que ia até Ofir e até à Arábia (I Reis 9:26; II Crô. 8:17). O local foi incendiado e então foi reconstruído que não corresponde à fase II das descobertas arqueológicas feitas no local e que datam do século XIX A.C. Josafá, rei de Judá (860 A.C.), também tinha ali um porto, mas a sua frota mercante sofreu uma grande catástrofe, devido aos ventos e às rochas, existentes nas proximidades (I Reis 22:48 e II Crô. 20:36, 37). Edom revoltou-se contra Jeorão, de Judá (cerca de 840 A.C.), e então incendiou e reocupou Ezion-Geber. Cerca de sessenta anos mais tarde, Uzias (Azarias) recuperou a cidade dos idumeus (II Reis 14:22; II Crô. 26:2) e a reconstruiu. Isso representa a fase arqueológica III. Rezin, de Arã (Síria) capturou a cidade e a reintegrou novamente ao domínio elamita (II Reis 16:6). Assim, a cidade ficou sob o controle elamita durante longo tempo, do século VII ao século IV A.C., o que envolve as fases arqueológicas IV e V. Sob o domínio persa, a área tornou-se um importante centro comercial, nos séculos V e IV A.C. Ostraca ali encontrada confirma o excelente comércio ali existente, porquanto muitas mercadorias passavam por ali, em trânsito para outros lugares. A chegada dos nabateus na cidade, que substituíram os idumeus, restringiu o local ao que agora é Ácaba. Foi então que o nome do local foi alterado, passando a ser chamada Aila. Os romanos preservaram esse nome. A moderna cidade de Eilate, em Israel, compartilha do mesmo local geral, mas é possível que a cidade jordaniana de Acaba seja a que realmente ocupa o local dos tempos bíblicos.

••• ••• •••

EL-BERITE

No hebraico, «deus do pacto». Esse era o nome de um ídolo adorado em Siquém. E referido apenas em Juízes 8:33 e 9:46. Foi no templo dessa divindade que os habitantes de Siquém se refugiaram quando Abimeleque destruiu essa cidade, segundo se vê na última dessas referências.

EL-BETEL

No hebraico, «Deus da Casa de Deus». Esse foi o nome dado por Jacó a um altar por ele erigido, conforme se vê em Gên. 35:7. Provavelmente estava no mesmo local onde ele sonhara com a escada que subia até o céu. Ver Gên. 28:13.

ELCANA

No hebraico, «Deus se apossou», ou «Deus criou». Esse é o nome de oito pessoas, nas páginas do Antigo Testamento. Há muita confusão quanto à identificação exata desses indivíduos.

1. Um descendente de Coré, na linhagem de Aimote (I Crô. 6:26,35). Ele era o chefe da casa de seu pai (Êxo. 6:24,25). Seu pai chamava-se Assir e teve um filho chamado Ebiasafe (I Crô. 6:23). Viveu em torno de 1490 A.C.

2. O pai do profeta Samuel (I Sam. 1:19), um homem nascido em Ramataim-Zofim, na região montanhosa de Efraim (I Sam. 1:1). Seu pai foi Jeroão, um efraimita. Tinha duas esposas; e a favorita era Ana, a estéril. Por causa dessa circunstância, temos o drama relacionado ao final nascimento de Samuel e sua dedicação ao Senhor como sacerdote e juiz de Israel. Na verdade, Samuel foi o último juiz de Israel e o primeiro da grande linha de profetas de Deus. A outra esposa de Elcana chamava-se Penina (I Sam. 1:2). A narrativa de Elcana e sua esposa Ana contém muitos elementos parecidos com os de Sara, esposa de Abraão, e com os de Isabel, esposa de Zacarias e mãe de João Batista. Deus vence barreiras aparentemente impossíveis, para que sua vontade seja feita. Nesse caso, nasceu um notável personagem que cumpriu uma importante missão no antigo povo de Israel. Um bisneto desse homem, chamado Hemã, era cantor nos dias de Davi, pelo que a família continuou a ocupar posições de destaque posteriormente, embora nenhum deles se comparasse ao próprio Samuel.

3. Um antepassado de Samuel e descendente de Levi (I Crô. 6:25,26), por intermédio de Coate. Viveu em torno de 1490 A.C.

4. Ainda um outro descendente de Samuel, duas ou três gerações mais perto dele do que o Elcana de número «três» (I Crô. 6:26,36). Era filho de Aimote, ou Maate, e pai de Amasai. Estava na nona geração depois de Coate, filho de Levi. Viveu em torno de 1490 A.C., se, porventura, foi o mesmo homem de número «três», acima. Em caso contrário, uns setenta e cinco anos antes.

5. Um antepassado de um dos levitas, chamado Berequias e que veio habitar em Jerusalém, após o retorno do cativeiro babilônico (I Crô. 9:16). Viveu

ELCÔS — ELEALE

em torno de 500 A.C.

6. Um homem que veio juntar-se a Davi em Ziclague, quando este lutava contra Saul e estava no exílio. Foi um dos trinta poderosos guerreiros de Davi. Ver I Crô. 12:6. Viveu em torno de 1050 A.C.

7. Um porteiro do tabernáculo, nomeado por Davi. Ele era levita. Sua tarefa consistia em cuidar da arca da aliança (I Crô. 15:23).

8. Um oficial do rei Acaz, cuja autoridade só era inferior à do próprio monarca de Judá (II Crô. 28:7), Foi morto por Zicri, um guerreiro da tribo de Efraim, porquanto havia abandonado a sua fé religiosa. Viveu em torno de 735 A.C.

ELCÓS, ELCOSITA

A rigor, não aparece o nome locativo «Elcós», mas somente o adjetivo pátrio «elcosita» (Naum 1:1). O profeta Naum era natural desse lugar, de localização moderna desconhecida, embora várias conjecturas tenham sido apresentadas pelos estudiosos, a saber:

1. Um lugar da Galiléia chamada Elcesi, que Jerônimo aceitava como a localização correta.

2. Um lugar da Mesopotâmia, a norte de Mosul, localizado nas proximidades do rio Tigre. Ali existe um túmulo intitulado Naum, embora não haja como confirmar a tradição por detrás dessa identificação. Fica localizada perto da moderna Elqush, a norte de Mosul. O local era comumente visitado, em peregrinações.

3. Um local no sul do território de Judá, que talvez seja corretamente identificado com a moderna Beit Jibrin, entre Jerusalém e Gaza. Em favor dessa última localização temos o fato de que há uma antiga tradição que diz que Naum era natural de Judá.

4. Cafarnaum, cujo sentido literal é «vila de Naum». Essa cidade ficava localizada na margem norte do mar da Galiléia, onde Jesus ensinou com grande freqüência, quando ministrava na Galiléia. No entanto, a maioria dos peritos duvida da autenticidade da conexão entre esse lugar e o profeta Naum, apesar do nome. Ver o artigo geral sobre Cafarnaum.

Não há evidências conclusivas acerca de qualquer uma dessas identificações. E nem mesmo há certeza se o termo «elcosita» refere-se a uma suposta Elcós.

ELDA

No hebraico, «aquele que Deus chamou». O quinto filho de Midiã, filho de Abraão e Quetura (Gên. 25:1; I Crô. 1:32). Quetura foi a mãe de diversos povos árabes. Alguns têm dito que não se pode encontrar nenhuma tribo chamada Elda entre os árabes, mas isso não é argumento válido, pois nem sempre um indivíduo qualquer deu origem a uma tribo. Se ele deixou descendentes, podem ter-se misturado com seus parentes de sangue ou com outros.

ELDADE E MEDADE

No hebraico, o primeiro nome significa «Deus é amigo», e o segundo, «amor». Esses eram os nomes de dois dos setenta anciãos que Moisés nomeou para ajudá-lo em sua obra administrativa (Núm. 11:16,26, 27). Teriam recebido o ofício profético, da parte do Espírito de Deus. Josué, em sua inexperiência, pensou que era impróprio eles terem esse tipo de autoridade, e solicitou que Moisés os proibisse de profetizarem no acampamento. Mas isso Moisés recusou-se a fazer, asseverando que seria bom que o dom da profecia fosse distribuído por todo o povo de Deus. Ver Núm.

11:26-29.

Uma Obra Pseudepígrafa Acerca de Eldade e Medade. Ao redor dessas duas figuras, no período helenista, vários relatos, predições e ensinos desenvolveram-se, atribuídos a esses dois homens. Se esse material realmente existiu, coisa alguma chegou até nós, e as poucas citações existentes são de natureza muito duvidosa. As tradições dos Targuns palestinos fornecem outros alegados detalhes da história que os **cerca, relacionado ao trecho de Números 11:26, adicionando algum material sobre coisas que Eldade e Medade** teriam dito. Uma notável alegada citação é aquela que diz: «O Senhor está próximo daqueles que estão sendo provados». Presumivelmente, entre as profecias feitas por esses personagens, há algumas relacionadas a Deus e a Magogue, nos dias finais da história de Israel. Entretanto, essa é uma das tradições judaicas comuns, encontrando-se também no material incluído nos *Manuscritos do Mar Morto* (que vide).

A obra *Pastor de Hermas* menciona a obra apócrifa de Eldade e Medade, provendo-nos uma citação supostamente extraída da mesma: «O Senhor está próximo daqueles que se voltam para ele, conforme está escrito em Eldade e Medade, que profetizaram ao povo, no deserto». (ANF)

ELEADA

No hebraico, «Deus é testemunha». Um descendente de Efraim, cujo pai e cujo filho chamavam-se' ambos Taate (que vide) (I Crô. 7:20). Sobre Eleada nada sabemos dizer, além do fato de que ele existiu.

ELEADE

No hebraico, «Deus é testemunha» ou «Deus é defensor». Um descendente de Efraim, ou através de Sutela (que vide), ou através de seu filho, do mesmo nome. No trecho de I Crô. 7:20,21, há dois homens com o nome de Sutela, separados um do outro por seis gerações. Alguns eruditos pensam que deve ter havido nisso uma repetição de nomes. Porém, nada há de extraordinário nessa repetição, sobretudo quando os nomes são separados por tantas gerações. Porém, no caso de ter mesmo havido repetição, então está em foco o patriarca.

Eleade, juntamente com outros, foi morto pelos homens de Gate, quando vieram roubar gado, e houve um entrevero. Efraim muito se angustiou por causa do incidente, e quando nasceu o seu próprio filho, lembrou-se do caso chamando-o de «Berias» (que vide), um nome que parece estar associado à idéia de «infortúnio». Ver I Crô. 7:23.

ELEALE

No hebraico, «Deus é exaltado» ou «Deus ascende». Nome de uma cidade dos rubenitas, a leste do rio Jordão (Núm. 32:3,37; Isa. 15:4; 16:9; Jer. 48:34). Os profetas designam esse lugar como uma cidade dos moabitas, conforme se vê nas últimas três dessas referências.

A cidade tem sido identificada com a moderna El-Al, cerca de um quilômetro e meio de Hesbom. Ela fica sobre o cume de uma colina e domina uma visão magnífica. Ficava na fronteira sul da região conhecida como Gileade, quase a leste do extremo sul do mar Morto. Quando Israel ocupou a região, conquistou essa cidade; mas, posteriormente, ela foi retomada pelos moabitas, aos quais os profetas denunciaram. O território ficou sendo disputado

316

ELEASÃ — ELEAZER

entre Amom e Moabe, mas estava sob o controle dos moabitas no período dos profetas. Na região, nos tempos modernos, ainda há muitas ruínas.

ELEASÃ

No hebraico, «Deus fez». Esse foi o nome de dois personagens do Antigo Testamento:

1. Um filho de Helez, descendente de Judá, através da família de Hezron (I Crô. 2:39,40). Viveu em torno de 1305 A.C.

2. Um filho de Rafa, descendente de Saul e Jônatas (I Crô. 8:37; 9:43). Viveu em torno de 960 A.C.

ELEASA, ELEASÃ

No hebraico, «Deus fez». Nome de duas personagens bíblicas, a saber:

1. Um dos filhos de Pasur, que se desfez de sua esposa estrangeira, terminado o cativeiro babilônico (Esd. 10:22). Viveu em cerca de 445 A.C.

2. Um filho de Safã, enviado por Zedequias em missão especial à corte de Nabucodonosor. Foi na oportunidade que levou uma carta de Jeremias aos judeus exilados. Ver Jer. 29:3. Viveu em cerca de 593 A.C. Embora a palavra hebraica seja uma só, a nossa versão portuguesa grafa o nome de dois modos diferentes, «Eleasa» em Esdras e «Eleasã» em Jeremias. Algumas versões estrangeiras fazem algo parecido.

ELEÁTICOS

Um grupo de filósofos gregos dos séculos VI e V A.C. Eles tinham o seu centro em Elea, uma antiga cidade da Lucânia, na Itália. Por essa razão, aquela escola filosófica, ali existente, chamava-se escola eleática de filosofia. Nomes associados a essa escola foram Parmênides, Zeno de Elea, Xenófanes e Melisso de Samos. Eles pensavam que todo movimento e **mudança seriam apenas uma ilusão**, expondo argumentos muito sutis, mas sofistas, em prol desse ponto de vista. Ver os artigos separados sobre os vários filósofos mencionados.

ELEAZER

No hebraico, «Deus é ajudador». No grego, **Eleázar**. Nome de nove personagens referidos nas páginas do Novo Testamento, a saber:

1. O filho (sobrevivente) mais velho de Arão (Êxo. 6:23,25), que foi o chefe da tribo de Levi durante o período de vida de seu pai (Núm. 3:32). Era o terceiro filho de Arão e Eliseba, filha de Aminadabe. Arão teve quatro filhos, chamados Nadabe, Abiú, Eleazar e Itamar. Nadabe e Abiú morreram quando ofereciam fogo estranho diante do Senhor, e foram castigados por esse motivo. Isso significa que Eleazar, apesar de ter sido o terceiro filho, chegou a ser o mais velho, e assim sucedeu a seu pai na posição de sumo sacerdote. Eleazar casou-se com a filha de Putiel. Eliseba, sua mãe, era irmã de Naassom, que era chefe da tribo de Judá (Êxo. 6:23; Núm. 1:7; I Crô. 2:3-10). Viveu em torno de 1450 A.C.

Quando Arão morreu, Eleazar ocupou os deveres sumo sacerdotais (Núm. 20:25,26; Deu. 10:6). Ele supervisionava os coatitas que transportavam a arca e os utensílios sagrados, sobre os ombros, durante a marcha pelo deserto (Núm. 3:30-32). Ele também estava encarregado do tabernáculo, de seus móveis, do azeite, do incenso, etc. (Núm. 4:16). Seu irmão mais novo, Itamar, dirigia os gersonitas e os **meraritas, que transportavam o tabernáculo, as suas cortinas, as suas tábuas, etc., visto que Israel estava sempre caminhando (Núm. 4:28,33).

O ofício ocupado por Eleazar foi contemporâneo do governo militar de Josué, e, ao que parece, sobreviveu a este último. Havia um bom relacionamento entre os dois (ver Núm. 27:19-21). Josefo diz que Josué e Eleazar morreram mais ou menos ao mesmo tempo, isto é, vinte e cinco anos depois da morte de Moisés. O livro de Josué termina com uma nota sobre a morte de Eleazar. (Jos. 24:33). Ao que parece, o sumo sacerdócio permaneceu na família até Eli, inclusive. Mas, foi por razões desconhecidas que os ancestrais de Eli tornaram-se sumos sacerdotes. Posteriormente, o ofício sumo sacerdotal passou para a família de Eleazar, na pessoa de Sadoque (I Sam. 2:27; I Crô. 6:8; 24:3; I Reis 2:27). Essa linhagem de sacerdotes continuou até os dias de Esdras (I Crô. 6:1-15; Esd. 7:1-5). Eli era da linhagem de Itamar, irmão mais novo de Eleazar, o que significa que a linhagem sumo sacerdotal continuou na família imediata de Arão, através de dois de seus descendentes. Foi a iniqüidade dos filhos de Eli que causou a transferência do sumo sacerdócio para a linhagem de Eleazar.

2. Um outro Eleazar era filho de Aminadabe, que cuidava do transporte da arca da aliança, depois que a mesma foi enviada de volta a Israel pelos filisteus (I Sam. 7:1). Esse Eleazar aparentemente era sacerdote, e deve ter sido um levita, embora ele não seja especificamente alistado como tal. Viveu em torno de 1125 A.C. Como é natural, a um levita teria sido dada essa incumbência.

3. Dentre os trinta e sete heróis de Davi, três deles eram os mais destacados; e dentre esses três, estava Eleazar. Ele foi um dos três que foram buscar água no poço da aldeia nativa de Davi, Belém, quando o rei anelou por beber água dali. Esse ato impressionou profundamente a Davi, porquanto os três arriscaram a sua vida nesse ousado ato. Portanto, ele pensou que a água era por demais preciosa para ser bebida, pelo **que a ofereceu ao Senhor, em libação, (II Sam. 23:8,10,13). Esse Eleazar era filho de Dodó, talvez descendente de Aoá, da tribo de Benjamim (I Crô. 8:4). Viveu em torno do ano 1000 A.C.

4. Um levita, filho de Mali, neto de Merari. Ele é mencionado como homem sem filhos; tinha somente filhas. Estas casaram-se com «os filhos de Quis, seus irmãos», o que, no hebraico, provavelmente significa «primos» (I Crô. 23:21,22; 24:28). Viveu em cerca de 1400 A.C.

5. Um filho de Finéias, que trabalhava lado a lado com sacerdotes e levitas, cuidando do tesouro sagrado e dos vasos que foram devolvidos a Jerusalém, após o exílio babilônico (Esd. 8:33). Viveu em cerca de 457 A.C. Não sabemos dizer se ele era sacerdote ou levita, ou se simplesmente foi-lhe solicitada a cooperação.

6. Um descendente de Parós, que se casara com uma mulher estrangeira, durante os dias do cativeiro babilônico, e que teve de divorciar-se dela quando Israel voltou à sua terra (Esd. 10:25). Seu tempo girou em torno de 456 A.C.

7. Um sacerdote que esteve presente à festa da dedicação das muralhas reconstruídas de Jerusalém, sob a direção de Neemias. Ver Nee. 12:42. O tempo dele foi cerca de 446 A.C. Alguns estudiosos identificam esse homem com o de número quatro desta lista.

8. O quarto dos irmãos Macabeus, filho do sacerdote Matatias (I Macabeus 2:5). Foi morto quando um elefante caiu sobre ele, quando ele ferira o

ELEFANTE — ELEFANTINOS

animal sob o ventre, na esperança de, subseqüentemente, matar o rei Antíoco Eupator. Ele supunha que esse rei estivesse montado sobre o animal, mas estava equivocado (I Macabeus 6:43-46). Viveu em cerca de 164 A.C.

9. Um homem desse nome era filho de Eliúde, três gerações antes de José, marido de Maria, mãe de Jesus, dentro da genealogia de Cristo (Mat. 1:15). Isso quer dizer que esse Eleazar era bisavô de José.

ELEFANTE

Esse animal nunca é mencionado na Bíblia, embora apareça com freqüência nos livros de I e II Macabeus. Ver I Mac. 1.17; 3.34. No entanto, há várias referências bíblicas ao marfim; e a palavra aparece nas notas marginais em certas Bíblias, nos trechos de Jó 40:15; I Reis 10:22 e II Crônicas 9:21. Na primeira dessas referências, nossa versão portuguesa diz «hipopótamo».

A arqueologia tem demonstrado que uma espécie atualmente extinta de elefantes tinha o seu habitat na Palestina, no período Plistocênico. Até o fins do primeiro milênio A.C. o elefante asiático habitava nas regiões superiores do rio Eufrates; mas, por essa época, os caçadores o extinguiram dali. Há vários tipos de marfim, como aquele dos dentes do hipopótamo. Porém, o marfim verdadeiro é o das presas do elefante. Esse material sempre foi muito valorizado para o fabrico de itens como caixinhas, ornamentos de móveis, e muitas outras aplicações. A palavra «marfim» (ver o artigo separado a respeito) ocorre por treze vezes na Bíblia: I Reis 10:18,22; 22:39; II Crô. 9:17,21; Sal. 45:8; Can. 5:14; 7:4; Eze. 27:6,15; Amós 3:15; 6:4; Apo. 18:12. Os registros assírios confirmam a abundância de elefantes na Síria. Ali eles eram caçados principalmente através de armadilhas, grandes buracos cavados no chão, onde eles caíam e eram aprisionados.

O elefante sobrevive em duas espécies, o *Elephas indicus* (elefante indiano) e o *Elephas africanus* (elefante africano). A testa do africano é baixa; e a do indiano é alta. O africano tem dois dentes molares de cada lado do maxilar, em cima e embaixo, e somente três unhas dos pés em cada pata traseira. O asiático tem somente um dente de cada lado do maxilar, em cima e embaixo. O elefante macho asiático tem presas, mas não a fêmea, ao passo que tanto o macho quanto a fêmea do **elefante africano têm presas.** E o elefante africano tem presas com até 2,15 m de comprimento e 70 kg de peso. A tromba do elefante é um maravilhoso instrumento. É um membro elástico e cilíndrico, que pode contrair-se até dois terços de seu comprimento, ou ficar um terço mais longo. Tem quase quatro mil músculos entretecidos, de tal modo que a tromba é flexível em todas as direções. É tão bem suprida de nervos que é um dos órgãos vivos mais sensíveis que se conhece na natureza.

Os elefantes são animais pacíficos, a menos que sejam irritados por alguma coisa. Eles são animais sociáveis entre si mesmos, e reúnem-se em planícies de gramíneas ou em florestas. Além do valor de seu marfim, algumas pessoas usam-nos como montarias, até mesmo em operações militares, ou, mais geralmente, para arrastarem grandes pesos, como troncos de árvores derrubadas. Os romanos antigos caçavam-nos por puro esporte ou abatiam-nos nas arenas, o que constituiu um dos capítulos mais insensatos da história romana. Antíoco usou elefantes em suas batalhas contra os judeus (II Macabeus 13:2). (BOD S)

••• ••• •••

ELEFANTINOS, PAPIROS

Ver o artigo separado sobre **Papiros e Ostraca**. O nome *elefantino* significa «lugar de elefantes» ou «cidade de elefantes». A palavra básica é o termo egípcio *iebew*, reproduzido em papiros aramaicos posteriores como *yeb*, que significa «mercado» ou «posto mercantil».

1. *Designação*. Essa palavra era o nome de uma povoação que havia em uma ilha do rio Nilo, defronte da antiga Siene (que vide). Modernamente, esse local chama-se *Geziret Aswan*, que significa «ilha de Aswan». Faz parte do Alto Egito. O nome dessa cidade veio também a designar certos papiros provenientes do século V A.C., por terem sido achados nesse lugar.

2. *Localização Geográfica*. A antiga Siene ficava no lado oriental do rio Nilo, e Elefantina ficava no lado ocidental, bem defronte daquela. A moderna cidade de Aswan fica no local preciso da antiga Siene. Ali foi construída a grande represa de Aswan, uma das maiores do mundo. Elefantina ficava logo abaixo da primeira catarata do Nilo. O lugar servia como porto terminal para embarcações de maior calado.

3. *Elefantina e a Arqueologia*. Esse lugar é notável por causa de suas antigas ruínas egípcias, romanas e árabes. A ilha era um posto comercial e militar, além de ser um centro de culto religioso, na época dos Faraós. Nos tempos dos Ptolomeus, as atividades religiosas foram transferidas quase inteiramente para a ilha de File. As ruínas de Elefantina remontam ao século XXVIII A.C. Muitas dessas ruínas foram estragadas ou destruídas em 1822, quando o governador de Aswan explorou o lugar para aproveitamento de pedras, para diversas construções. A parte principal do nilômetro, mencionado por Estrabão, e que ficava na extremidade norte dessa ilha, foi restaurada nos fins do século XIX D.C. Muitas ostraca, especialmente recibos alfandegários, foram descobertas ali; mas, a descoberta mais famosa foi precisamente os papiros chamados de Elefantina. Ver sobre o quinto ponto, abaixo.

Vários importantes edifícios antigos foram escavados no local do templo de Ghnum (pertencentes aos séculos IV a II A.C.). No mesmo local, em tempos ainda mais antigos, foram encontrados vestígios de um templo feito com tijolos de barro. Havia um templo judaico naquela região, do século VI ou V A.C., embora não tenham sido encontradas provas arqueológicas conclusivas a respeito.

4. *Informes Históricos*. Essa região vem sendo habitada pelo menos desde a III^a Dinastia egípcia, quando foi ali construída uma fortaleza. Supõe-se que príncipes egípcios residiram ali desde a VI^a Dinastia egípcia. De 1550 a 700 A.C., o lugar foi um importante posto militar de fronteira, que ajudava a resistir os invasores e a manter abertas as rotas comerciais. Um outro fortim foi construído em Siene. Alguns dos habitantes locais tinham residências em ambos os lugares, em Elefantina e em Siene.

A Colônia Judaica. Em c. do século V A.C., foi estabelecida uma colônia judaica ali, com um templo dedicado à adoração a Yahweh. Essa colônia atuava como uma organização militar a serviço dos persas. Antes desse tempo, porém, houve ali uma outra colônia judaica, de natureza não militar. Portanto, ao que parece, essa antiga colônia tornou-se uma colônia militar, no século V A.C. Os arqueólogos supõem que, originalmente, essa colônia foi fundada no tempo do reinado do Faraó Apries (o mesmo chamado Hofra, em Jer. 44:30), entre 588 e 566 A.C. quando os judeus passaram a servir os persas, os egípcios, como

ELEFE — ELEIÇÃO

é evidente, não ficaram satisfeitos, e destruíram o templo que os judeus haviam construído ali, em 410 A.C. Todavia, esse templo foi reconstruído alguns anos depois, tendo perdurado até o tempo de Neferites I (399-393 A.C.).

Nesse lugar, a fé judaica recebeu elementos provenientes de outras culturas, de tal modo que, paralelamente ao nome de Yahweh, outros deuses, como Esembetel e Anate-Betel, foram nomeados ali, conforme se vê em escritos daquele tempo. Foi então criada uma fórmula politeísta: «Que os deuses desejam o teu bem-estar». No entanto, há evidências que mostram a preservação dos elementos essenciais da fé judaica, apesar de misturas com o paganismo. O sábado era guardado, como também a festa dos pães asmos e, mui provavelmente, a páscoa. Um certo papiro (Aram. p. 30) menciona Sambalate (governador de Samaria), e também Joanã, filho de Joiada, confirmando o que se lê em Neemias 2:10; 13:28 e 12:22, respectivamente. Esses fatos nos são dados a conhecer por meio dos papiros Elefantinos (que vide, abaixo).

5. *Os Papiros Elefantinos*. Nas ruínas de uma pequena cidade localizada na extremidade sul da ilha de Elefantina, no Alto Egito, foi encontrado um número considerável de papiros escritos em aramaico, pertencentes à primeira porção do século V A.C. Esses documentos foram produzidos pela colônia judaica que descrevemos acima, e talvez sejam anteriores à destruição de Jerusalém, por parte de Nabucodonosor. Esses papiros muito contribuíram para lançar luz sobre a vida judaica da época. Um importante documento dessa coleção é uma carta que solicitava ao governador persa da Palestina que usasse a sua influência diante do governador persa do Egito, para que permitisse que a colônia judaica reconstruísse o seu templo, para adorar Yahweh, templo esse que os egípcios haviam destruído, de cuja destruição até mesmo sacerdotes egípcios invejosos haviam participado. Esses papiros datam do século V A.C. quando a colônia judaica atuava como uma guarnição militar em prol dos conquistadores persas do Egito. O aramaico ali utilizado é idêntico ao aramaico dos livros de Daniel e de Esdras. Esses documentos têm um conteúdo bastante variado, incluindo documentos legais e missivas governamentais e particulares. As referências religiosas existentes nesses documentos provam o sincretismo religioso da colônia judaica, mas também a preservação de costumes e crenças tipicamente judaicos.

6. *Referências Bíblicas*. A cidade de Elefantina nunca é mencionada nas Escrituras Sagradas, mas podemos supor que está incluída nas referências à cidade de Siene (Eze. 29:10 e 30:6). Por igual modo, Heródoto (2.175) referiu-se às pedras extraídas em Elefantina, em cuja referência deve ter incluído Aswan, onde também havia uma pedreira. (COW DRIV)

ELEFE

No hebraico, «união» ou «raposa». Nome de uma das cidades entregues à tribo de Benjamim (Jos. 18:28). Ela é mencionada imediatamente após Jerusalém. O nome sugere que seus habitantes originais eram pastores, ou então que o local era próprio para criação de gado. Tem sido identificada com o moderno local de *Neby Samvil*, que significa «profeta Samuel», localizado cerca de duas horas de caminhada a pé de Jerusalém, para o noroeste. Outros estudiosos preferem pensar em *Salah*, também não muito longe de Jerusalém.

ELEIÇÃO

Esboço

I. Caracterização Geral
II. Vinte e Três Fatos Distintos da Eleição
III. O que Dizer sobre o Livre-Arbítrio
IV. Conceitos Relacionados
V. Antiguidade da Eleição
VI. A Implacável Doutrina da Predestinação
VII. Finalidade da Eleição

I. Caracterização Geral

1. A eleição é um dos **decretos** (que vide) de Deus. A idéia é de que Deus *escolheu* algumas pessoas, mesmo antes da existência delas, para serem seus filhos. Portanto, devem compartilhar da natureza e imagem do Filho, Rom. 8:29; II Cor. 3:18. Isto significa que, afinal, participarão da natureza divina, Col. 2:10; II Ped. 1:4. Alguns teólogos acham que a eleição foi determinada antes, e sem considerar a queda do homem no pecado (supralapsarianismo, que vide). Outros pensam que a despeito do fato de que cronologicamente foi determinada antes da existência destas pessoas, logicamente, levou em conta a queda (*infralapsarianismo*, que vide).

2. *O lado oposto* da eleição é a *reprovação* (que vide). Isto significa que os não-eleitos foram rejeitados *ativamente* por Deus, e portanto, sofrem o julgamento merecido pelos seus pecados, sem a intervenção do evangelho. Estas pessoas foram predestinadas ao julgamento eterno, e tinham só *aparentemente*, uma chance para serem salvas. Alguns teólogos rejeitam a reprovação ativa, e acham que Deus simplesmente ultrapassou estas pessoas, deixando-as sofrerem os resultados de seus pecados. Esta doutrina se chama *reprovação passiva*. De qualquer maneira, nesta segunda posição, o resultado é o mesmo. Estas pessoas, antes mesmo de seu nascimento, não tinham nenhuma chance para serem salvas, porque o evangelho, (segundo esta teologia) não é para os não-eleitos, e nunca tinha estas pessoas em mente como possivelmente sujeitas a sua mensagem. Ver sobre o *Calvinismo*, o sistema teológico que defende estas doutrinas.

3. O *Arminianismo* (que vide) se opõe violentamente a estas doutrinas, promovendo o ensino do livre-arbítrio (que vide) do homem, e a *universalidade* do evangelho, no sentido de que todos os seres humanos poderiam ser salvos se quisessem. Ver os artigos sobre os *Cinco Pontos do Calvinismo e os Cinco Pontos do Arminianismo*.

4. *Uma posição intermediária*. A reprovação de Deus (ativa ou passiva) seria uma doutrina imoral *se* os não-eleitos realmente nunca pudessem ter a oportunidade de participar da salvação, sendo condenados por um julgamento incrivelmente brutal, sem nenhum remédio possível. Mas, se Deus também fez uma obra em favor deles na restauração (que vide) geral, então ninguém pode se queixar. A restauração é parte da missão de Cristo, e leva os não-eleitos a uma glória secundária, mas magnificente, embora, comparativamente baixa, porque não resulta na participação dos não-eleitos na natureza divina (o que é o alvo da redenção). Então, neste caso, o próprio julgamento é um meio de restauração, não meramente de retribuição e castigo. I Ped. 4:6 quase certamente ensina esta possibilidade. Esta idéia concorda com o amor de Deus, o poder da missão de Cristo, e a universalidade do ato salvador-restaurador, e assim glorifica o Salvador e declara que sua missão não pode falhar. Muitas igrejas ensinam um evangelho que falha porque não realiza muita coisa,

319

ELEIÇÃO

se falarmos sobre as multidões, que a Bíblia declara que Deus *ama* (Jo. 3:16). Podemos fazer qualquer coisa menos sacrificar o amor de Deus.

5. *Opiniões do autor deste artigo e enciclopédia.*

a. Tanto o calvinismo como o arminianismo são doutrinas unilaterais, partes de uma verdade maior, na qual há uma reconciliação do livre-arbítrio com o determinismo. Se este conceito maior fosse pronunciado, provavelmente, com nosso entendimento de hoje, não compreenderíamos sua essência.

b. Devemos chamar o problema envolvido de um *paradoxo* (que vide), um ensino que *parece* ser contraditório.

c. O livre-arbítrio e o determinismo (do qual a eleição é uma subcategoria) representam pólos opostos de uma verdade maior. Ver o artigo sobre *Polaridade*.

d. A reprovação ativa (ou mesmo passiva) com a idéia correspondente de que os não-eleitos sofrem um julgamento implacável, de fogo, para sempre, é uma doutrina imoral. Ignora totalmente os ensinos do evangelho da universalidade da missão de Cristo e o poder do amor de Deus.

e. A minha fé é que os decretos de Deus são justamente aqueles poderes que garantem a realização mais alta de cada indivíduo. O amor e o desígnio benéficos de Deus governam seus decretos, inclusive a sua ira. Sua ira contra o pecado faz parte de seu amor, como um dedo de uma mão, porque *pelo julgamento* ele faz algumas coisas benéficas que não podem ser feitas de qualquer outra maneira. Isto quer dizer que seu julgamento é remedial, não somente vingativo, I Ped. 4:6.

f. Embora o julgamento possa ser severo e prolongado (e em muitos casos, será), é governado por um desígnio benéfico que garante, afinal, a *Restauração* dos não-eleitos, se não sua *redenção*. Ver o artigo sobre estes assuntos para explicações. O ato da missão de Cristo é redentor-restaurador, redentor para os eleitos, e restaurador para os não-eleitos.

II. Vinte e Três Fatos Distintos sobre a Eleição

Efé. 1:4: *como também nos elegeu nele antes da fundação do mundo, para sermos santos e irrepreensíveis diante dele em amor;*

1. Coletivamente, como no caso de uma nação ou povo (ver Isa. 45:4), como foi o caso dos israelitas, e como agora é o caso dos gentios. (O décimo primeiro capítulo da epístola aos Romanos aborda ambos os temas).

2. Mas também somos escolhidos como «indivíduos» (ver I Ped. 1:2 e Rom. 9:11-13). O presente versículo refere-se tanto à eleição dos gentios em geral como à eleição de gentios individuais. E o oitavo capítulo da epístola aos Romanos certamente alude a indivíduos como eleitos e escolhidos.

3. A eleição é para a vida eterna, para a transformação segundo a imagem de Cristo, o qual, acima de todos, é o *eleito de Deus*. A chamada de Rom. 8:29,30, a chamada da predestinação, visa conferir todas as promessas da salvação à coletividade eleita e aos indivíduos eleitos. A mera pesquisa das várias passagens que falam sobre a chamada, a eleição e a predestinação mostrar-nos-á que está em foco muito mais do que o «privilégio» de ouvir e de possuir vantagens espirituais. Romanos capítulo 8 ensina, claramente, que a eleição faz parte do evangelho, e o objeto do evangelho, é a salvação da alma. A *chamada* de Deus oferece a participação da *filiação*, portanto, na natureza divina, II Ped. 1:4.

4. Segunda a presciência de Deus. — Isto, certamente, não indica apenas que Deus previu

quem creria. Antes indica o fato de que Deus previu os próprios indivíduos, tendo-os amado de antemão e fixado neles o seu coração desde a eternidade. Cristo Jesus também foi previsto (ver I Ped. 1:20), e isso não pode significar meramente que Deus previu o que ele faria. (Essa particularidade é amplamente ventilada nas notas expositivas sobre Rom. 8:29 e I Ped. 1:2 no NTI).

5. A eleição se alicerça sobre a vontade divina, e não sobre o mérito humano ou a fé prevista. (Ver Efé. 1:11 e João 15:16).

6. A eleição foi estabelecida segundo o propósito divino (ver Efé. 1:11). Portanto, não foi algo arbitrário.

7. A eleição foi estabelecida em consonância com a salvação pela graça divina. Ver o artigo sobre *Graça*.

8. A eleição foi determinada na mente divina antes da fundação do mundo (como diz Efé. 1:4), pelo que reside exclusivamente na vontade divina, inteiramente à parte do homem, de sua fé, de suas obras, de seus esforços voluntários, etc. É pela chamada de Deus.

9. *A chamada de Deus*

Rom. 8:30: *e aos que predestinou, a estes também chamou; e aos que chamou, a estes também justificou; e aos que justificou, a estes também glorificou.*

Trata-se de uma *chamada eficaz* para que o indivíduo chamado participe da glória de Deus, e tem seus alicerces sobre a predestinação. Temos aqui, portanto, a predestinação, no que ela se aplica ao crente, na questão de sua chamada para que seja transformado segundo a imagem de Cristo. Sua base é a preocupação ou interesse amoroso, ou seja, a «presciência» de Deus, e não o *mero* conhecimento prévio de quem crerá, conforme alguns intérpretes têm reduzido a «presciência».

A eleição é posta «antes da fundação do mundo», em Efé. 1:4, e isso a localiza dentro dos *propósitos* de Deus, e não a torna dependente da escolha humana. Os homens são «escolhidos por Deus» para a salvação, conforme aprendemos em II Tes. 2:13. Os frutos de piedade na vida são uma prova da eleição divina, conforme lemos em I Tes. 1:3,4. Além disso, a eleição visa indivíduos, e não nações, como se isso significasse que certas nações receberiam a oportunidade de ouvir o evangelho, ao passo que outras não teriam esse privilégio, embora isso também expresse uma verdade. (Ver Rom. 9:11-16).

Assim como a posse da salvação é a prova da eleição *do indivíduo*, assim também a eleição é a garantia de quanto está implícito na salvação. Portanto, somos exortados a confirmar ainda mais a nossa eleição, como um fato, em II Ped. 1:10. A eleição assegura a vindicação divina contra todas as acusações e julgamentos possíveis (ver Rom. 8:33); mas isso não nos dá permissão de nos entregarmos à licenciosidade, à impiedade; pelo contrário, visto que todos os eleitos contam com a presença habitadora do Espírito Santo, isso assegura que os mesmos se distinguirão como pessoas santas. Todos os eleitos, portanto, devem contar com o fruto do Espírito Santo, pois, conforme disse o Senhor Jesus: «...pelos seus frutos os conhecereis» (Mat. 7:16). (Ver Gál. 5:22,23). A eleição é uma escolha soberana, feita por Deus, impulsionada pela própria escolha e prazer de Deus (ver Efé. 1:5,9), não estando condicionada às obras ou à vontade dos homens. (Ver Rom. 9:15-18).

A eleição não importa em uma *injustiça* da parte de Deus, em face do fato de que envolve a *graça* ou favor divino para com alguns, ao passo que os outros simplesmente são deixados à vontade, para que façam

320

ELEIÇÃO

o que bem quiserem. Isso fica melhor esclarecido quando consideramos certos particulares:

A eleição faz a salvação depender inteiramente de Deus, do princípio ao fim, como fruto da misericórdia discriminadora, divina e soberana.

10. A eleição tem Cristo como seu *centro*.

11. A eleição tem Cristo como seu *alvo*, porquanto todos os eleitos haverão de ser finalmente transformados segundo a sua imagem moral e metafísica.

12. A finalidade última da eleição é a glória de Deus. (Ver I Cor. 1:31).

13. A eleição assegura a *segurança* eterna do crente. (Ver Rom. 8:33 e *ss*).

14. A eleição é a base de todas as *ações éticas*, bem como a garantia da santidade. (Ver Efé. 5:5 e *ss*, e Col. 3:12-17).

15. O Espírito Santo leva os eleitos a crerem, e opera neles a transformação segundo a imagem de Cristo, que é o alvo mesmo da eleição deles.

16. A provisão de Deus provê a melhoria de toda a humanidade, e, de fato, de toda a criação, embora poucos, realmente, façam parte do número dos eleitos.

17. A vontade de Deus é que, finalmente, haja uma completa unidade de todas as coisas em torno de Cristo, Efé. 1:10, que fala da restauração de tudo.

18. O conceito da eleição é moralmente aceitável se aqueles que são deixados de lado também recebem alguma provisão, embora em grau inferior. Naturalmente, essa provisão também se dará através da missão cósmica de Cristo. (Ver Efé. 1:23; João 12:32).

19. A eleição é necessária à salvação, porque é algo tão elevado que o homem nada poderia fazer, por si mesmo, para alcançá-lo. E o livre-arbítrio também é necessário, pois, sem tal elemento, o homem não seria digno de ser salvo. Há um hino que diz: «Ele me conduziu, e eu o segui». Isso exprime ambos os lados da questão, mas não dá solução ao paradoxo.

20. A eleição é um índice da graça, pois se baseia nela. A vontade divina é suprema sobre a questão. (Ver o artigo sobre *Graça*).

21. A cruz confere a graça geral a todos os homens. Todos os seres humanos poderiam escolher Cristo; mas, ao mesmo tempo, só os eleitos o farão. Não há como solucionarmos esse mistério.

22. *Confronto da eleição com a santidade*. Posto que a eleição é produzida pelo Espírito Santo, e que o Espírito de Deus habita nos eleitos, é necessário que os eleitos sejam indivíduos *santos*, porquanto, de outra maneira, *não seriam* eleitos coisa nenhuma. Esse é um pensamento sério, que se reveste de grandes conseqüências, pois a vida santa, na realidade, é a *prova prática* da eleição do indivíduo. E é exatamente por essa razão que o apóstolo Pedro nos adverte sobre a necessidade de *confirmarmos* a nossa chamada e eleição. (Ver II Ped. 1:10). Por isso também é que o apóstolo Paulo, nesta passagem, responde ainda à pergunta formulada em Rom. 6:1: «Que diremos, pois? Permaneceremos no pecado, para que seja a graça mais abundante». O apóstolo dos gentios oferece-nos certa variedade de respostas, a partir desse ponto de sua epístola, respostas essas sumariadas nas notas positivas referentes ao vigésimo nono versículo deste capítulo.

23. Os não-eleitos serão restaurados a uma glória secundária, mas magnificente, porque deverá ser digna do *Logos-Cristo*, o *Mestre-Artífice*.

III. Que Dizer sobre o Livre-Arbítrio?

1. Essa também é uma verdade ensinada nas Escrituras. Sem o livre-arbítrio não pode haver responsabilidade em qualquer sistema de moral (Ver o artigo sobre *Livre-Arbítrio*).

2. Não podemos descobrir um meio para reconciliar entre si o livre-arbítrio e a eleição. A palavra «eleição», por si mesma, fala de limitação, ao passo que o livre-arbítrio afirma que todos poderiam ser salvos se quisessem, e que todos poderiam exercer a fé. Simplesmente, temos de aceitar ambos os conceitos como verdadeiros, esperando receber maior luz para entendermos como isso pode ser. Deus se utiliza do livre-arbítrio do homem sem destruí-lo, apesar de não sabermos exprimir de que maneira o faz. Isso nos apresenta um «paradoxo», isto é, um ensino que parece entrar em contradição consigo mesmo. Não deveríamos diminuir o vulto da eleição, procurando fazê-la ajustar-se ao livre-arbítrio. E nem deveríamos diminuir a importância do livre-arbítrio procurando ajustá-lo à eleição. Por que se pensaria ser estranho que os mais profundos conceitos teológicos escapam à nossa pobre capacidade de expressão? A eleição muito ensina aos homens. Portanto, ensinemo-la! O livre-arbítrio muito ensina aos homens. Portanto, ensinemo-lo!

IV. Conceitos Relacionados

Ver os artigos sobre **Determinismo, Voluntarismo, e Reprovação.**

A *compreensão intelectual* nem sempre é o critério certo para aceitarmos algum ensinamento ou doutrina. Não existe problema mais difícil, tanto para a ciência como para a filosofia (e também para a teologia) do que aquele apresentado pelas evidências dadas tanto pelo livre-arbítrio (ou liberdade) como pelo determinismo, sob o que a predestinação e a eleição podem ser classificadas como subcategorias. Por conseguinte, a antiga batalha verbal acerca das doutrinas da predestinação e do livre-arbítrio humano, que tem dividido denominações evangélicas e causado contendas entre os crentes, é uma batalha inútil e desnecessária. Ambos os lados desse conflito têm razão, embora não saibamos determinar de que maneira.

V. Antiguidade da Eleição.

Antes da fundação. Foi «nele», isto é, em Cristo Jesus, que fomos escolhidos. Fomos escolhidos por consideração a ele, para que lhe fôssemos dados como seus irmãos, mediante a sua redenção, através dos seus méritos (ver Efé. 1:6), através de sua «agência remidora» (ver Efé. 1:5), e visando ao seu alvo (ver Efé. 1:10-23). E aqui o tempo em que se processou essa escolha é determinado — ANTES DA FUNDAÇÃO DO MUNDO, ou seja, antes da criação. É interessante que essa mesma expressão é usada para indicar o amor de Deus Pai para com o seu Filho, em João 17:24. Por semelhante modo, é usada para falar sobre o fato de que Deus conheceu Cristo de *antemão*, porquanto isso também se verificou antes da fundação do mundo. E ainda em outras passagens é empregada essa expressão familiar, «antes da fundação do mundo». Por exemplo: Em Mat. 25:34, onde se vê que o reino estava adredemente preparado, desde então, para os futuros discípulos; em Luc. 11:50, onde se vê que o sangue dos profetas foi visto derramado desde aquela época; em Heb. 4:3, onde se lê que as obras de Deus estavam terminadas, no desígnio divino desde a eternidade; em Heb. 9:26, onde se aprende que os sofrimentos de Cristo estavam determinados desde o passado remoto; em Apo. 13:8, onde os ímpios não tinham o seu nome escrito no livro da vida do Cordeiro, que é reputado por morto desde aquele tempo.

ELEIÇÃO

VI. A Implacável Doutrina da Predestinação

1. A vontade de Deus é suprema nesse particular, mas jamais será uma vontade arbitrária. Há propósito por detrás de tudo quanto ela envolve. Deus sabe o que está fazendo, e porque, ainda que nossas mentes não possam penetrar em seus mistérios (ver Rom. 11:33 e ss). Por conseguinte, a predestinação, apesar de arraigada na vontade de Deus, não é irracional nem caprichosa. O voluntarismo, pois, não é um acompanhante necessário da predestinação. (Ver o artigo sobre o *Voluntarismo*).

2. Embora o propósito predestinador de Deus opere inteiramente à parte de qualquer consideração humana, (ver Rom. 9:16), ela não alcança necessariamente todos os eleitos nesta esfera terrena. Pode atingi-los além do sepulcro (ver I Ped. 4:6).

3. A eleição é uma subcategoria da predestinação, relacionando-se, especificamente à salvação do homem, mas a predestinação é a vontade de Deus por detrás de todas as coisas.

4. O lado negativo da predestinação é a reprovação. Assim, Deus *não* escolhe a alguns, e, ao mesmo tempo, *determina* os destinos dos não-eleitos. (Ver Rom. 9:10).

5. Neste artigo, toma-se a posição de que a própria reprovação ativa pode expressar uma vontade, se o que Deus fizer em prol dos não-eleitos for, finalmente, bom, e não destrutivo. Cremos que a missão de Cristo, possibilitou uma *Restauração* (que vide), que opera em favor dos não-eleitos, conferindo-lhes uma glória positiva a ser conquistada e entregue a Cristo, além de uma vida digna de ser vivida. Isso será alcançado *através* do julgamento, e não à revelia do mesmo. Esse conceito é comentado plenamente em Efé. 1:10 no NTI, pois faz parte do mistério da. vontade de Deus, que é a unidade de todas as coisas em redor de Cristo no ainda distante dia eterno. Ver o artigo sobre a *Missão Universal do Logos* (*Cristo*).

6. A restauração dos não-eleitos não pode ser comparada com a redenção dos eleitos, pois, a despeito da glória importante que certamente envolve, comparativamente falando, é uma realização secundária, pois o que perderão representa — para os eleitos — uma vantagem indescritível. Ver os artigos sobre *Salvação* e *Julgamento*.

7. O outro lado da moeda é o *livre-arbítrio* (que vide), — que também representa um princípio escriturístico que declara que todos os homens têm a responsabilidade de responder afirmativamente ao evangelho; todos os homens poderiam exercer fé; todos os homens poderiam ser salvos. É inútil tentar reconciliar esse conceito com a idéia da predestinação, embora seja correto ensiná-lo individualmente, à parte da predestinação. A verdade não depende de nossa habilidade de reconciliar doutrinas aparentemente contraditórias.

VII. Finalidade da Eleição

1. Como adoção, em que alguém é posto na posição de filho, de filho adulto, sujeito ao recebimento de uma *herança*, «através da adoção». Ao assim expor a questão, o apóstolo Paulo lança mão da metáfora do costume de adoção que havia na sociedade romana.

2. Como geração natural, conforme se encontra em João 1:12,13. Isso envolve inerentemente «a participação na mesma natureza de *Deus* Pai», que é uma verdade cristã elevadíssima.

Os remidos haverão de *participar da divindade* (Col. 2:10) e vão sendo agora transformados de glória em glória, conforme a imagem moral de Cristo, com vistas a participarem totalmente de sua própria natureza metafísica (ver II Cor. 3:18). A cabeça e o corpo têm sempre a mesma natureza, ainda que a posição da cabeça seja maior. Mas a cabeça e um dos dedos da mão, por exemplo, a despeito de ocuparem posições diversas, compartilham da mesma natureza. Naturalmente, dentro do plano da redenção, não haverá afinal um tão grande hiato entre o Irmão mais velho e os irmãos que estão sendo conduzidos à glória, como há entre a cabeça e um dos dedos em um corpo humano. A transformação será um processo *eterno* e sempre *crescente*, II Cor. 3:18.

Filiação a Deus: Hodge (em Efé. 1:5) observa sobre essa verdade como segue: «A filiação inclui: 1. A participação na natureza de Cristo, ou conformidade com a sua imagem. 2. Aprazimento do seu favor, em que os filhos são objetos especiais do seu amor. 3. Herança, ou participação na glória e bem-aventurança de Deus. Algumas vezes se destaca uma dessas idéias, e outras vezes outra aparece com proeminência. No presente caso acham-se salientes a segunda e a terceira». Acrescentamos aqui que, naturalmente, a questão da participação na natureza e imagem de Cristo envolve igualmente a participação na própria santidade de Deus Pai. (Ver Mat. 5:48 e Rom. 3:21).

Barry comentou sobre a «predestinação», destacando os seguintes pontos: «1. Sua origem é o amor divino (pensando ele que as palavras *e em amor*, que geralmente aparecem no fim do quarto versículo do primeiro capítulo de Efé., realmente pertencem ao quinto versículo, conforme a opinião da maioria dos intérpretes modernos). 2. Sua causa meritória é a mediação do Senhor Jesus Cristo. 3. O seu resultado é a adoção, de tal modo que Jesus Cristo aparece como o *primogênito entre muitos irmãos* (Rom. 8:29), os quais são amoldados à sua imagem, tendo sido remidos por ele da servidão para a filiação (ver Gál. 4:5). 4. A idéia de predestinação transparece nas palavras '...segundo o beneplácito de sua vontade...', do que tudo, finalmente, depende. 5. Seu propósito final é o de exibir a glória de Deus no dom do seu amor».

«Nós, os cristãos modernos, com freqüência pensamos que essa doutrina da eleição, que atravessa a Bíblia inteira, é difícil de ser compreendida. É que não somos suficientemente humildes. Também não temos sido disciplinados como convém pela justiça de Deus. Somos herdeiros inconscientes de dezoito séculos da graça cristã. Olvidamo-nos que somos órfãos ADOTADOS. Por natureza não somos filhos de Deus, sob hipótese alguma. Somos simplesmente pecadores. Pensamos em Deus como um servo, e não como o Senhor. Não temos nós todos o direito de exigir que o universo nos sirva? Nem mesmo os cidadãos mais iníquos de uma democracia qualquer põem em dúvida os seus direitos de serem tratados como seres dotados de valor infinito, a quem a sociedade precisa tratar com respeito. O 'valor infinito de uma alma individual', na realidade, é uma das marcas distintivas do sistema democrático. Porém, isso é um presente derivado da fé cristã dos antepassados cristãos dos democratas modernos. As sociedades totalitárias mostram-se bastante lógicas ao descartarem-se desse dogma, sem qualquer cerimônia. Pois a menos que Deus nos confira alguma posição em seu universo, 'de conformidade com a escolha que tiver feito de nós... desde antes da fundação do mundo', seremos apenas meras criaturas que existem por alguns momentos e então desaparecem da face desta terra». (Wedel, *in loc.*).

••• ••• •••

ELEIÇÃO — ELEMENTOS

ELEIÇÃO CANÔNICA

Uma pessoa recebe um ofício eclesiástico por meio de eleição canônica. Em sentido geral, o termo inclui as idéias de apresentação, benefício eclesiástico e nomeação (há artigos sobre todos estes três pontos, nesta enciclopédia). Mais precisamente, refere-se à nomeação de alguém por parte de um colégio eleitoral, como quando um cardeal da Igreja Católica Romana nomeia (elege) o papa, e quando o capítulo de uma catedral clege o bispo.

EL-ELYON

Expressão que, no hebraico, significa, «Deus Altíssimo», uma das designações dadas a Yahweh, o Deus de Israel. Ver o artigo geral sobre *Deus*, sob a seção VI, quanto aos nomes bíblicos de Deus. Ver também o artigo separado sobre *El*.

El-Elyon é um título freqüente conferido a Deus, no livro de Gênesis e nos Salmos. Quando Abraão pagou dízimos a Melquisedeque (Gên. 14:17-22), esse foi o nome pelo qual aquele sacerdote adorava a Deus, ou, pelo menos, era um dos nomes pelo qual ele indicava o verdadeiro Deus. A passagem diz: «Bendito seja Abraão pelo Deus Altíssimo, que possui os céus e a terra; e bendito seja o Deus Altíssimo, que entregou os teus adversários nas tuas mãos».

Esse título divino aparece com essa forma, e também com algumas variantes, em Sal. 7:6 e 47:2. Em Salmos 78:35 temos exatamente *El-Elyon*, no hebraico. A forma *Elyon* aparece em Núm. 24:16; Deu. 32:8; II Sam. 22:14; Sal. 9:2; 18:13; 21:7; 46:4; 50:14; 73:11; Isa. 11:14; Lam. 3:35,38, só para darmos um exemplo. Esse título, que significa «Altíssimo», também é usado para indicar os principais anjos, ou elevados seres espirituais diferentes do próprio Deus. Ver Sal. 82:6 e comparar com Gên. 6:2.

ELEMENTOS

O vocábulo **elemento** refere-se ao alegado elemento ou elementos básicos de qualquer substância, como a terra, o ar, o fogo e a água, dos filósofos pré-socráticos, ou o átomo dos atomistas, o *apeiron*, ou algum elemento indeterminado, conforme imaginava Anaximandro, de onde todos os outros elementos derivar-se-iam, pelo que também seriam secundários. Os filósofos pitagoreanos falavam a respeito de dois princípios: o princípio ilimitado (*apeiron*) e o princípio limitado (*peras*). Dentro da ciência moderna, os elementos são as partículas atômicas. Isso posto, ainda não sabemos no que consistem os elementos, ou seja, as partículas atômicas. Mas alguns especialistas têm sugerido que o átomo é apenas uma concentração de energia psíquica, e que a energia psíquica, por sua vez, depende da mente. E a mente por sua vez, depende do grande *Intelecto*, que é Deus.

A idéia básica que envolve os elementos é que estes não podem ser reduzidos a algo ainda mais simples, pelo que eles seriam as entidades mais simples da natureza. Popularmente, porém, o termo tem uma aplicação mais ampla. Em seu sentido primário, significa alguns constituintes essenciais ou finais da natureza. Os filósofos e os cientistas continuam à cata dessa entidade essencial. A química moderna emprega o termo para aludir àquele número limitado de substâncias, cada uma das quais compõe-se inteiramente de átomos que têm uma carga nuclear invariável, e nenhuma das quais pode ser decomposta por meios químicos ordinários, como o ouro, o carbono, o sódio, o actínio, o alumínio, o cobre, etc. Esses elementos químicos, até o momento, chegam ao número de cento e três.

Uso Eclesiástico. O pão e o vinho da comunhão (ou eucaristia) são chamados, na linguagem eclesiástica, de «os elementos». Ver o artigo seguinte que fala sobre o uso que o Novo Testamento faz do vocábulo *elemento*.

ELEMENTOS E ESPÍRITOS ELEMENTARES

No grego **stoikeion** (no plural, stoicheia). Esse vocábulo aparece no Novo Testamento por sete vezes: Gál. 4:39; Col. 2:8,20; Heb. 5:12; II Ped. 3:10,12. Em Hebreus 5:12 encontramos a expressão portuguesa «princípios elementares», que representa a palavra grega em questão. Os versículos restantes dão certa variedade de sentidos dessa palavra.

I. A Palavra Grega. Stoicheia significa, literalmente, «fileira», «série», os elementos básicos do alfabeto, as «letras». Os princípios fundamentais de qualquer coisa também podem ser assim chamados, ou seja, os elementos naturais deste mundo físico. Daí é que partem as aplicações filosóficas e teológicas. Ver o artigo sobre *Elementos*. O termo grego *stoichos* é um termo cognato, que significa «fileira», «curso». No grego clássico, um *stoikeion* podia ser um *poste*, um princípio básico, a matéria primária, ou qualquer tipo de elemento básico.

II. Usos no Novo Testamento

1. Em I Pedro 3:10,12 a referência provável é aos elementos *físicos* básicos deste mundo. Posteriormente, a palavra veio a aludir aos corpos celestes (seres angelicais associados ou idênticos às estrelas e aos planetas) bem como aos sinais do zodíaco, uma idéia descrita detalhadamente no quinto ponto, abaixo.

2. *Os rudimentos* (*elementos*) do mundo, Col. 2:8. No grego temos o termo *stoicheia* que literalmente significa *fileira*, *série*, como as letras do alfabeto, indicando os elementos físicos que compõem o universo (ver II Ped. 3:10,12). O uso desse vocábulo, em Col. 2:8, tem recebido diversas interpretações, a saber:

a. Seriam os *ensinamentos elementares* (Heb. 5:12), como os elementos das leis cerimoniais e das práticas judaicas (Atos 15:10 e Gál. 4:3,9).

b. O cerimonialismo, com seus ritos, carnes, abluções, bebidas, práticas ascéticas, etc., de mistura com os mistérios simbólicos dos pagãos, com seus ritos iniciatórios, seriam coisas pertencentes a um sistema moralista rudimentar. (Ver Col. 2:1,21 e Gál. 4:9). «O ABC das instruções religiosas» (Abbott, *in loc.*).

c. Mas talvez seja mais correto compreendermos em Col. 2:8,20, os *espíritos elementares*. As *stoicheia* eram, provavelmente, elementos ou representantes das emanações, dos *aeons*, que eram adorados, em competição com Cristo, dentro do sistema gnóstico. O desenvolvimento da idéia dos *espíritos*, associados aos «elementos», se originou da noção de que as substâncias (*stoicheia*) do mundo, a terra, o ar, o fogo e a água, seriam possuidoras de vida (*hilozoísmo*), isto é, toda a matéria seria realmente «animada»; e então, por um processo de rarefação e condensação, tudo quanto existe, animado ou inanimado (segundo nossos termos modernos), veio à existência. Não distante dessa idéia é o conceito de que os corpos celestes, como o sol, os planetas, as estrelas e a lua são corpos de deuses, que precisam ser adorados, através de seus corpos físicos. As antigas crenças astrológicas

ELEMENTOS — ELEUTERO

foram envolvidas em tudo isso, mediante a idéia de que esses corpos celestes influenciam as vidas dos homens. Não sabemos exatamente como os gnósticos de Colossos encaravam essas questões; mas parece que, para alguns deles, as «stoicheia» seriam uma espécie de *espíritos*, que mereciam ser adorados. Por conseguinte, diminuíam a importância da adoração a Cristo, pondo tais espíritos em atitude de competição com o Senhor. Dentro da astrologia, esse termo era empregado para indicar os corpos celestes, sendo eles considerados as moradias ou corpos dos espíritos. É possível que a mescla de tais idéias com conceitos astrológicos esteja no décimo sexto versículo deste capítulo, onde a questão da comemoração de «luas novas» e «sábados» é trazida à luz (pois isso algumas vezes, tinha a ver com as fases da lua, etc.).

d. Dentro da literatura judaica posterior, há uma influência astrológica bem clara. No livro de Enoque 82,10 *ss*, há alusão aos anjos, como se fossem estrelas que vigiam, dotados de tempos e ordens de aparecimento e influência. Quatro líderes dividiriam as estações, e então doze taxiarcas dividiriam os meses, e sobre os trezentos e sessenta dias haveria governantes especiais, os «quiliarcas» ou chefes de mil. Em Enoque 18,15, as estrelas são vistas sob o castigo de Deus, por aparecerem fora de sua ordem. No livro de Jubileus, em seu segundo capítulo, aparecem muitos anjos, dotados de muitas funções, como os anjos dos ventos, das nuvens, do calor, do frio, da geada, do trovão, etc. Tais pensamentos podem ter influenciado os trechos de Sal. 114:4 e Apo. 7:1,2; 14:18 e 16:5. Na mistura peculiar de doutrinas que caracterizava o gnosticismo de Colossos, tais noções podem ter-se desenvolvido na doutrina dos «espíritos elementares», que eles consideravam dignos de adoração. Ora, tudo isso se opunha ao reconhecimento da posição suprema de Cristo no universo.

N.B. — Aqueles que negam a interpretação dada sob o número 2. c., acima, esquecem-se de que a epístola aos Colossenses estava fazendo oposição aos gnósticos, e não à heresia dos essênios, e que a adoração aos anjos era uma característica comum entre os gnósticos. Isso envolvia a adoração das emanações dos elementos e das ordens espirituais.

Alguns protestantes realmente roubaram dos anjos o seu serviço, supondo que somente *protegem*. O papel dos anjos na Bíblia é muito maior do que isto. Para os judeus, um encontro com um anjo era, praticamente, a mesma coisa que encontrar com o Próprio Senhor. —Alguns protestantes liberais já abandonaram a crença em anjos, mas estudos psíquicos indicam a realidade de seres invisíveis, tanto maus como bons, e outros mais, no meio, como nós. Na teologia recente, todavia, anjos têm sido considerados como uma maneira pré-científica de ver a existência. Karl Barth, entretanto, deu uma consideração séria ao assunto. A teologia romana católica, enquanto preservando a angelologia antiga, em tempos recentes, não tem pronunciado qualquer coisa nova neste campo. Os abusos da doutrina não devem nos cegar ao fato de que existem grandes poderes espirituais que estão disponíveis para nos ajudar.

Uso moderno do termo «espíritos elementares»

Na parapsicologia, esta expressão fala de uma espécie, ou espécies de espíritos que têm menos poder e inteligência do que o espírito humano, sendo praticamente os *macacos* do mundo espiritual. É razoável supor que o mundo espiritual não é menos complexo do que o mundo de entidades materiais.

ELENCHUS

Vem do termo grego **elengchos**, «um meio de testar», ou seja, uma refutação, por meio de algum argumento. Ver sobre *Ignoratio Elenchi*.

ELEUSIANOS, RITOS

Ver sobre as **Religiões Misteriosas**.

ELÊUSIS

A moderna **Elêusis** está localizada cerca de vinte e um quilômetros a noroeste de Atenas, na praia norte da baía de Elêusis, diretamente ao norte da ilha de Salamina. Nos tempos antigos, era um famoso centro de adoração de Demeter (a *Ceres* dos romanos). O templo ali construído em honra à divindade, era um dos maiores edifícios sagrados da Grécia antiga. Adoradores e turistas chegavam ao local vindos de todos os lugares do mundo antigo, quando da celebração dos chamados mistérios eleusianos. Elêusis permaneceu essencialmente independente de Atenas até cerca do século VII A.C.; mas depois tornou-se parte da cidade estado ateniense. Ali adorava-se Persefone, além de Demeter. Os ritos tinham o intuito de despertar emoções fortes e promover sensações de purificação e mudança de costumes. Um molho de trigo era elevado cerimonialmente, simbolizando a morte e o renascimento. Pode-se comparar isso à declaração de Jesus, em João 12:24, acerca do grão de trigo que morre, a fim de que venha a reviver. Foi ali que nasceu o dramaturgo Ésquilo, em 525 A.C.

Arqueologia. O governo grego deu início a escavações arqueológicas nesse local, em 1882. Depois disso, muitas outras equipes arqueológicas operaram no lugar. O resultado tem sido a descoberta de um grande número de ruínas notáveis. Há remanescentes de todos os períodos históricos, desde os tempos micenianos até os dias dos romanos. Os remanescentes mais importantes são o templo e os recintos sagrados que eram dedicados aos ritos misteriosos.

A moderna cidade de Elêusis é um pequeno centro industrial e agrícola. Os produtos principais, ali produzidos são o cimento, o sabão, o azeite de oliveira e bebidas alcoólicas. Em 1961, a sua população era de 15.527 habitantes.

ELEUTÉRIO

Considerado um antigo santo cristão, papa (bispo da igreja da cidade de Roma) entre 174 e 189 D.C. Evidentemente, ele era de origem grega. Fora diácono da igreja de Roma, sob Aniceto (cerca de 154-165 D.C.), e novamente, sob Soter (cerca de 165-175 D.C.), ambos papas de Roma. Foi ele quem sucedeu este último, tendo-o tornado o décimo terceiro papa.

Foi durante o seu tempo que apareceu em Roma o movimento dos montanistas (que. vide), ao qual Eleutério se opôs. O *Liber Pontificalis* (século VI D.C.) alude a um certo rei Lúcio que, presumivelmente, teria feito perguntas a esse papa, com a idéia de converter-se ao cristianismo, embora se ponha em dúvida a historicidade do incidente. A data da festa de São Eleutério é 26 de maio.

ELEUTERO

Transliteração da palavra. grega que significa «livre». Esse era o nome de um pequeno rio que flui das montanhas do Líbano, atravessava a antiga Fenícia e desaguava no mar Mediterrâneo. As

ELEVAÇÃO — ELI

expedições comandadas por Jônatas Macabeu atingiram aquele ponto do extremo norte da Síria-Palestina (I Macabeus 11.7 e 12.30).

ELEVAÇÃO DA HÓSTIA

A certo instante da missa, a hóstia é levantada no ar, a fim de que os circunstantes a adorem. Essa prática vem da Idade Média. Essa elevação ocorre imediatamente após a consagração dos elementos do pão e do vinho, quando, segundo a doutrina católica romana, tornam-se no corpo, no sangue, na alma e na divindade de Jesus Cristo. Ver o artigo sobre a *Transubstanciação*. O ato tornou-se uma característica padrão da missa, o seu ponto culminante. Quando a hóstia é levantada, tocam os sinos, e tochas e incenso deixam escapar sua fragrância. E os católicos romanos adoram o pedacinho de pão circular, supondo que, de alguma forma especial, Jesus Cristo esteja presente ali, literalmente falando. Na verdade, porém, o costume tem origens no paganismo, quando o disco solar era adorado ao levantar-se acima do horizonte. As Escrituras Sagradas desconhecem totalmente o rito, que só começou muitos séculos depois do cânon do Novo Testamento e, por conseqüência da Bíblia, ter sido terminado.

ELI

No hebraico, literalmente, «Yahweh é elevado», mas que também significa, naquele idioma, «subida», «cume», «alto». Esse é o nome de duas personagens do Antigo Testamento, bem como uma palavra incluída em uma das exclamações soltas pelo Senhor Jesus, na cruz, e em cujo contexto significa «meu Deus» (ver Mat. 27:46, quanto a este último caso).

1. Eli era sumo sacerdote em Silo, nos dias da juventude de Samuel. Eli foi um dos juízes de Israel pelo espaço de quarenta anos, de acordo com I Samuel 4:18. Descendia de Arão por meio de Itamar (Lev. 10:1,2,12), visto que Abiatar certamente pertencia à descendência de Eli (I Reis 2:27). Abiatar teve um filho, de nome Aimeleque, que aparece expressamente como um dos filhos de Itamar (I Crô. 24:3). A linhagem sumo sacerdotal passava através de Eleazar, irmão de Itamar; mas, durante certo tempo, por razões desconhecidas, essa linhagem havia sido transferida para os descendentes de Itamar. Porém, a tragédia que circundou Eli e seus filhos fez a linhagem sumo sacerdotal voltar aos descendentes de Eleazar. Ver o artigo sobre *Eleazar*, quanto a informações adicionais sobre essa particularidade.

a. *Eli como Sumo Sacerdote*. Supostamente, Eli teria sido o primeiro sumo sacerdote da linhagem de Itamar, o filho mais novo de Arão. Isso é deduzido com base em I Crô. 24:3,6, mediante comparações com informações dadas por Josefo (*Anti.* 5:9,1). Esse fato também se evidencia diante da omissão dos nomes de Eli e de seus descendentes imediatos, na enumeração dos sumos sacerdotes da linhagem de Eleazar, em I Crô. 6:4-6.

b. *Eli Como Juiz*. Após a morte de Sansão, Eli atuou como juiz civil e religioso em Israel. É óbvio que os sumos sacerdotes também deveriam operar como juízes, por terem sido as principais autoridades em Israel, antes do surgimento da monarquia israelita. Eli, pois, serviu nessa função por quarenta longos anos pelo que deve ter sido um homem dotado de autoridade e de sabedoria, para ter perdurado no ofício por tanto tempo. No entanto, a Septuaginta só lhe atribui vinte anos como juiz. Provavelmente, o número quarenta refere-se ao total combinado de seu ofício como sumo sacerdote e como juiz; e, nesse caso, vinte anos, como sumo sacerdote, teriam corrido paralelos aos vinte anos em que Sansão foi juiz em Israel (Juí. 16:31). Eli faleceu com a idade de noventa e oito anos (I Sam. 4:15), de tal modo que os seus quarenta anos de ofício devem ter começado quando ele já estava com cinqüenta e oito anos de idade.

c. *Os Filhos de Eli*. Hofni e Finéias não temiam a Deus e nem respeitavam aos homens, tendo-se tornado culpados de imoralidade e de sacrilégio. Eli estava criando o jovem Samuel como servo do templo, e, quanto a isso, fez um excelente trabalho; mas, no caso de seus próprios filhos, falhou grandemente. Seja como for, seus melhores esforços de nada adiantaram, porquanto não fora capaz de impedir os maus intuitos e atos de seus filhos. Por causa disso, o menino Samuel foi chamado por Deus para proferir a condenação da casa de Eli, que seria retirado do ofício sumo sacerdotal (I Sam. 3:11-14). Ver também I Samuel 2:27-36. Quando o exército de Israel requereu que a arca da aliança fosse trazida para servir de uma espécie de talismã, para assegurar o sucesso da batalha, os dois filhos de Eli, que a transportavam, foram mortos; e foi então que a arca foi levada pelos filisteus. E quando Eli soube da notícia, ficou tão chocado que caiu para trás, de seu assento à porta da cidade. Nessa queda, ele quebrou o pescoço e morreu.

d. *Pais e Filhos*. Pesada responsabilidade é a dos filhos desobedientes que foram instruídos por seus pais quanto às realidades espirituais, mas as negligenciam. O profeta Baha Ullah ensinava que o pior erro que um pai pode cometer é deixar de comunicar a seus filhos as verdades espirituais, embora as conheça bem. Um pai deve a seus filhos três coisas: *exemplo... exemplo... exemplo*. Que podemos dizer, entretanto, daqueles casos em que um pai ensina e dá bom exemplo a seus filhos, mas estes não dão importância aos valores espirituais? Penso que esse fator esteve presente no caso de Eli e seus filhos, embora Eli não estivesse inteiramente isento de culpa. Não é um fenômeno incomum que os jovens que desfrutam de todas as vantagens da educação e da boa criação negligenciem seus bons costumes ensinados, e desperdicem as suas vidas, do ponto de vista espiritual, embora possam prosperar materialmente. Ver o artigo sobre a *Educação Cristã*, onde abordo algumas possíveis razões para isso.

e. *Pontos Recomendáveis em Eli*. Eli deve ter feito um bom trabalho no treinamento do jovem Samuel. Também sabemos que ele exortou Ana, mãe de Samuel, a viver piedosamente, tendo-a abençoado por causa da fé que ela demonstrou. Samuel pôde ser criado com bem maior sucesso do que no caso dos próprios filhos de Eli, porquanto era mais receptivo à espiritualidade. Em outras palavras, desde o começo era mais inclinado às verdades espirituais do que os filhos de Eli. Os pais alexandrinos da Igreja acreditavam na preexistência da alma; e, de acordo com essa doutrina, a pessoa já traz consigo, antes da alma entrar em união com o corpo físico, a bagagem que ela vem transportando até àquele ponto. Essa bagagem pode ser consideravelmente boa ou consideravelmente má. Essa doutrina pode incluir ou não a idéia da *reencarnação* (que vide). Seja como for, essa doutrina ensina que um homem não é o que é somente devido às experiências e às influências que sofre nesta vida tão breve. Os filhos de Eli, pois, chegaram a este mundo como ovos podres, e coisa alguma que o pai deles tivesse tentado teria surtido grande efeito para aprimorá-los. Em contraste com isso, Samuel já teria

325

ELI, ELI, LAMA SABACTANI

trazido consigo uma elevada espiritualidade, e Eli foi capaz de fomentá-la ainda mais. Quase certamente algo parecido com isso está em operação nas vidas das pessoas. João Batista foi cheio do Espírito Santo desde o ventre materno. Paulo era um vaso escolhido por Deus desde o começo. (Ver Luc. 1:15 e Gál. 1:15). É difícil acreditar que essas coisas acontecem somente porque Deus assim quer, sem haver qualquer razão que diga respeito ao próprio indivíduo, capaz de fazer de uma pessoa uma grande figura, mas não muito de um outro ser humano. Antes, certas missões são entregues a certas pessoas porquanto prepararam-se para as mesmas, durante muito tempo, antes de nascerem neste mundo físico. A teologia judaica também incluía a idéia da reencarnação de grandes líderes (e de outros também), a fim de darem prosseguimento às suas missões, como, por exemplo, a noção de que Moisés e Jeremias foram uma mesma pessoa, etc.

Se essas idéias exprimem uma verdade, então os irmãos do nosso Irmão mais velho também são preexistentes, tal como o Filho de Deus teve uma existência anterior à de sua vida terrena. No caso de Jesus Cristo, o nosso Irmão mais velho, sabemos, com base em Hebreus 1:9, que a grandeza dele, *como homem*, dependia de uma longa (na verdade, eterna) história de espiritualidade. A grandeza de Jesus Cristo é uma questão humana, e não apenas divina. Jesus foi um grande homem, e não meramente porque era o Logos encarnado. Os pais alexandrinos da Igreja acreditavam na preexistência do espírito humano de Jesus, e não somente na preexistência do Logos divino, o princípio do Filho, dentro da Triunidade de Deus. Nessas declarações, naturalmente, entramos profundamente na teologia especulativa. Algumas vezes, entretanto, a teologia especulativa pode lançar luzes preciosas sobre problemas que, de outra maneira, não poderiam ser explicados.

Eli presidiu o tabernáculo em Silo, durante quatro décadas. Aparentemente, ele serviu bem, se excetuarmos o problema criado por seus filhos. A arqueologia tem mostrado que Silo foi destruída em torno de 1050 A.C., ou seja, na época da morte de Eli. A tragédia de Silo durante séculos e séculos continuou sendo lembrada em Israel. Ver, para exemplificar, Jeremias 7:12.

2. Eli era o nome do pai de José, dentro da linhagem de Jesus, de acordo com Lucas 1:23. Portanto, era o avô adotivo de Jesus.

3. *Eli* faz parte da declaração de Jesus, estando ele encravado na cruz, quando disse: «Eli, Eli, lemá sabactâni» (Mat. 27:46). Ver o artigo abaixo, a respeito dessa declaração de Jesus.

ELI, ELI, Lama Sabactani

Mat. 27:46: *Cerca da hora nona, bradou Jesus em alta voz, dizendo: Eli, Eli, lamá sabactani; isto é, Deus meu, Deus meu, por que me desamparaste?*

«Por volta da hora nona, clamou Jesus...Eli, Eli, lamá sabactani...» Os mss antigos diferem ao dar essas palavras em forma transliterada. Seguindo o aramaico, alguns mss dizem «Eloi, eloi, lema sabachthanei». O Codex Vaticanos é o principal ms. que contém esse texto. Os mss Aleph e 33 dizem «Eloi, eloi», mas depois alteram levemente as palavras restantes. Outros mss, seguindo a transliteração hebraica dessas mesmas palavras, dizem: «Eli, Eli, lama zaphthanei». Todavia, isso pode ser simplesmente a transliteração de Sal. 22:1, de onde se deriva a citação, e pode ter sido diretamente copiada dali por alguns escribas antigos que compilaram mss do N.T.

O Codex D e muitos mss latinos assim registram. Outros mss misturam o aramaico e o hebraico de uma maneira ou de outra, dizendo «lema» ou «lama», «Eli», «Eloi», ou «Elei» e «sabachthanei» ou «zaphtanei». O texto adotado pelo Nestle é *Eli, Eli, lema sabachthani*, que é essencialmente aramaico, embora o *Eli* seja hebraico. Ainda que uma conclusão inteiramente certa sobre as palavras exatas que Jesus proferiu, pareça impossível de ser obtida, parece bem provável que ele deve ter usado termos aramaicos; ou então, estando em terrível agonia, realmente pode ter *misturado* os dois idiomas, o que seria um resultado natural de tão intensos sofrimentos como os que experimentou.

O evangelho apócrifo de Pedro, refletindo tendências docéticas, diz: «Meu poder, meu poder, tu me abandonaste!» Os gnósticos cerínbios diziam que o *aeon* Cristo veio habitar no homem Jesus, quando de seu batismo, tendo-o abandonado na cruz, de tal modo que somente o homem Jesus morreu, enquanto que a sua porção «divina» ou semidivina abandonou-o antes da morte. Essa idéia foi considerada herética pela igreja primitiva, e certamente não é doutrina neotestamentária quanto à pessoa e a identificação de Jesus Cristo. (Quanto a um completo tratamento sobre a identificação de Jesus, consultar o artigo intitulado *Jesus, Identificação, Ministério e Ensinos*. Ver notas sobre o «Filho de Deus», em Mar. 1:1; sobre o «Filho do homem», em Mar. 2:7 e Mat. 8:20 e sobre a humanidade de Cristo, em Fil. 2:7 no NTI).

Esse clamor de desolação foi solto ao término das três horas de escuridão e, mui curiosamente, é a única das sete declarações da cruz dada ao mesmo tempo por Marcos e Mateus.

«...hora nona...» No começo da tarde de sexta-feira, um novo grupo de sacerdotes, de levitas e de 'auxiliares', que eram os representantes de todo o povo de Israel, chegaram a Jerusalém; e então, tendo-se preparado para o período festivo, subiram ao templo. A aproximação do sábado, e seu início real, foram anunciados por três sinais de trombeta, soprados pelos sacerdotes. Os três primeiros toques tiveram lugar quando um terço do culto do sacrifício verpertino terminara, ou seja, cerca da hora nona; isso era cerca de 15:00 horas da sexta-feira (Edershein, *Temple*). Por conseguinte, o grito dado por Jesus na cruz e a sua morte, seguiram-se quase imediatamente, e isso correspondeu ao tempo em que terminavam os sacrifícios.

Muita discussão se tem centralizado em volta *do sentido* desse clamor de desamparo. Naquele ponto, após aquelas horas de trevas, Jesus sentiu mais agudamente o seu horrendo estado de separação de Deus, porquanto suportava os pecados do mundo, e se identificou perfeitamente com o pecador, que está separado de Deus. Alguns intérpretes acreditam que Deus abandonou Jesus naquele momento, sendo ele o representante dos homens pecaminosos; porém, parece mais provável que tenha ocorrido exatamente o contrário. Deus não abandonou Jesus, porquanto naquele momento (como em todos os momentos em que esteve na cruz), quando Jesus expressou seu grito de total desolação, Deus aceitou não somente a ele, mas também toda a humanidade em sua pessoa; pois tão grande é o seu valor, como homem representativo, que, mediante identificação com ele, somos aceitos nele. Por isso mesmo é que o Sal. 22, de onde se deriva esta declaração, termina com uma nota de triunfo, e não de desespero ou derrota. Diríamos, portanto, que a pessoa de Cristo é tão grande que o abandono de sua pessoa por parte de Deus Pai era simplesmente uma impossibilidade. Naquele momento, todavia, Deus

ELIÃ — ELIAQUIM

teve *de aceitar todos os homens* em sua pessoa; e o valor de Cristo é tão grande que isso se tornou possível, e realmente se tornou realidade. Dessa forma, o valor de Jesus envolveu o mundo inteiro, a raça inteira dos homens. E agora, em Jesus Cristo, a raça humana inteira é aceita, sob condição de arrependimento e fé.

O que não devemos perder de vista nesta passagem, no clamor de Jesus, é que uma vez mais fica comprovada a sua verdadeira humanidade, porque ele não era um mero ator a desempenhar um papel. Era homem autêntico, tendo compartilhado plenamente de nossa natureza, tendo experimentado os sofrimentos humanos, e tendo sido aperfeiçoado em sua natureza humana por meio desses sofrimentos, como também se fica sabendo em Heb. 5:9. Quanto a uma nota sobre a grande importância dessa doutrina, tão freqüentemente ignorada pela igreja moderna, ver o artigo sobre a *Humanidade de Cristo*.

O *grito de desamparo* de Jesus foi registrado apenas por Mateus e Marcos, sendo a única declaração feita por Jesus, estando na cruz, registrada em ambos esses evangelhos. Quanto a uma discussão sobre as declarações de Jesus da cruz, ver o artigo sobre as *Sete Declarações de Jesus da Cruz*.

ELIÃ

No hebraico, «Deus do povo» ou então «Deus é aparentado». Esse é o nome de duas pessoas, nas páginas do Antigo Testamento:

1. O pai de Bate-Seba, uma das esposas de Davi (II Sam. 11:3). Em I Crônicas 3:5, seu nome aparece com a forma de Amiel. Nesse mesmo texto, o nome de Bate-Seba torna-se Bat-Sua. O nome Amiel rearranja os fonemas de Eliam, mas o sentido continua sendo o mesmo.

2. O filho de Aitofel, o gilonita. Ele foi um dos trinta poderosos guerreiros de Davi (II Sam. 23:34). Viveu em torno de 1050 A.C. Uma antiga tradição judaica faz dele o mesmo que o Eliã acima (número um). Em I Crônicas 11:36 ele também é chamado de Aías, o pelonita. Esse nome, «Aías», significa «irmão de Yahweh».

ELIABA

No hebraico, «aquele a quem Deus esconde». Era um saalbonita, um dos trinta grandes guerreiros de Davi (II Sam. 23:32; I Crô. 11:33). Viveu em torno de 1046 A.C.

ELIABE

No hebraico, «Deus é pai». Esse foi o nome de seis personagens do Antigo Testamento:

1. Um filho de Helom, chefe da tribo de Zebulom, que viveu no tempo em que foi feito o recenseamento no deserto do Sinai (Núm. 1:9; 2:7; 7:24,29; 10:15), isto é, em cerca de 1657 A.C. Eliabe foi um dos ajudadores de Moisés. Ele trouxe uma oferenda ao Senhor, que foi usada para fomentar a obra do tabernáculo da aliança. Ver Núm. 7:24-29 quanto a detalhes a esse respeito, bem como o capítulo inteiro, quanto ao contexto envolvido. Dentro de Israel, Eliabe foi líder de um total de 57.400 pessoas (Núm. 1:9; 2:7).

2. Esse também foi o nome de um filho de Palu, que pertencia a uma das famílias mais importantes da tribo de Rúben. Seus descendentes, Datã e Abirã, foram líderes de um levante contra Moisés, registrado em Núm. 26:8,9; 16:1,12 e Deu. 11:6. Ele viveu

algum tempo após 1856 A.C.

3. O irmão mais velho de Davi tinha esse nome (I Crô. 2:13; I Sam. 16:6; 17:13,28), cuja filha, Abiail, casou-se com Reoboão, seu primo de segundo grau (II Crô. 11:18).

4. Um levita que era porteiro e músico, no tabernáculo, na época de Davi (I Crô. 15:18,20; 16:6). Viveu em torno de 1013 A.C.

5. Um refugiado gadita que, quando fugia de Saul, foi bem acolhido por Davi e começou a suportar a sua causa (I Crô. 12:9). Viveu por volta de 1000 A.C.

6. Um levita, filho de Naate, um dos antepassados do profeta Samuel (I Crô. 6:27). Ele também aparece com os nomes de Eliel (I Crô. 6:34) e de Eliú (I Sam. 1:1). Viveu por volta de 1250 A.C.

ELIADA

No hebraico, «Deus sabe». Foi o nome de três homens do Antigo Testamento:

1. O penúltimo dos filhos de Davi, que nasceu após o governo de Davi que ele estabeleceu em Jerusalém (II Sam. 5:16; I Crô. 3:8). Parece que ele era filho de uma das esposas legítimas de Davi, e não de uma de suas concubinas. Em I Crô. 14:7 ele é chamado Beeliada. Esse nome tem Baal como base, e não o nome divino *El* (que vide). É impossível determinar por que existia essa variação ou mudança no nome. mas podemos supor que os nomes de deuses pagãos foram incorporados em nomes próprios pessoais e locativos, embora sem nenhuma intenção de honrar as divindades assim envolvidas. A verdade é que a maioria dos nomes divinos que os hebreus davam a Deus tinham um pano de fundo pagão, pelo que nada existe de estranho no uso desses nomes para servirem de nomes pessoais. Ver o artigo sobre *Deus*, seção VI, quanto aos nomes bíblicos para Deus. Viveu depois de 1000 A.C.

2. O pai de Rezom, que derrotou Hadadezer e se tornou rei da Síria (I Reis 11:23,24). Viveu em torno de 960 A.C.

3. Um guerreiro benjamita de considerável habilidade, que dirigia duzentos mil homens de sua tribo. Eles foram arqueiros, no tempo de Josafá, rei de Judá (II Crô. 17:17). Viveu em cerca de 945 A.C.

ELIALIS

Um filho de Bani, um daqueles que, terminado o cativeiro babilônico, precisou divorciar-se de sua esposa estrangeira, que havia adquirido, estando no exílio (I Esdras 9:34). Seu nome não figura no trecho paralelo de Esd. 10:38.

ELIAQUIM

No hebraico, «Deus está levantado». Esse foi o nome de cinco personagens aludidos no Antigo Testamento, a saber:

1. Um filho de Hilquias, mordomo de sua casa ou guarda do palácio durante o tempo do rei Ezequias (II Reis 18:18,26,37). Ele foi escolhido, juntamente com dois outros, para negociar com o exército assírio que cercava Jerusalém (701 A.C.). Os assírios exigiam a rendição incondicional de Jerusalém, e essa mensagem ameaçadora foi transmitida ao monarca judeu. O trecho de Isaías 22:20-24 mostra-nos que Eliaquim estava destinado a tomar o lugar de seu indigno pai no governo. A natureza exata do ofício de Eliaquim tem sido debatida entre os eruditos. A Septuaginta, muitos escritores antigos, inclusive Jerônimo, pensa-

327

ELIAS

vam que esse ofício seria de natureza sacerdotal, mas a descrição que aparece em Isaías 22:22 diz: «Porei sobre o seu ombro a chave da casa de Davi...», dando a entender uma função governamental, e não sacerdotal, a qual exigiria «...a chave da casa de Deus...» Isso, pois, incluiria a posição de subgovernador, o que incluía funções próprias de um embaixador.

2. Eliaquim era o nome original de Jeoaquim (qu. vide), rei de Judá (II Reis 23:34; II Crô. 36:4). Ele foi entronizado pela autoridade do Faraó Neco, depois que os egípcios depuseram Jeoacaz e o levaram para o Egito, onde acabou morrendo. Foi nessa ocasião que mudaram o nome de Eliaquim para Jeoaquim, que significa «Yahweh levanta». Corria, aproximadamente, o ano de 605 A.C. Com relutância, entretanto, Jeoaquim tornou-se rei títere dos egípcios. Ver II Reis 23:34—24:6; II Crô. 36:4-8; Jer. 22:13-19,25,26,35, 36, quanto à narrativa bíblica a seu respeito.

3. Um sacerdote que ajudou a Neemias quando da dedicação da nova muralha de Jerusalém (Nee. 12:41) em cerca de 446 A.C. Naquela ocasião, ele tocou uma trombeta.

4. Um irmão de José e pai de Azor, na genealogia de Jesus, em Mat. 1:13. É provável que seja idêntico ao Secanias, referido em I Crônicas 3:21. Seu nome também figura em Luc. 3:30.

5. Um filho de Meleá e pai de Jonã, dentro da genealogia de Jesus, conforme se lê em Luc. 3:30,31. Viveu em cerca de 1010 A.C. Parece ter sido neto de Natã, um dos filhos de Davi.

ELIAS

Esboço:
- I. O Nome
- II. História Pessoal
- III. Passado Formativo
- IV. Eventos Resultantes
- V. Translação de Elias
- VI Estatura de Elias e sua Posição nas Escrituras

I. O Nome

Elias é a transliteração da forma grega do nome hebraico *eliyyahu*, onde há uma combinação com os nomes divinos *Yahweh* e *El*. O nome poderia ser traduzido por «Yahweh é (meu) Deus».

II. História Pessoal

À semelhança de Melquisedeque (Gên. 14:18; Heb. 7:3), Elias aparece no texto bíblico sem qualquer menção a pai, mãe ou árvore genealógica. Essa circunstância tem ocasionado muitas especulações inúteis, incluindo a invenção de mitos e lendas que circundam essa figura. O trecho de I Reis 17:1 refere-se a ele como o *tesbita* e, também, que ele habitava em Gileade. Talvez o adjetivo «tisbita» indique que ele era natural de Tisbe de Naftali. A Septuaginta diz «Tisbe da Galiléia», o que parece indicar que havia uma cidade na Galiléia com esse nome. E Josefo parece concordar com a idéia (*Anti.* 8:13,2). Todavia, não sabemos se essa conjectura pode ser comprovada. A tradição judaica aponta para um lugar cerca de treze quilômetros ao norte do ribeiro de Jaboque, na Galiléia. O local moderno seria, ao que se presume, Listibe, no árabe, *el Istib*, a vinte e um quilômetros a noroeste de Gerasa. Alguns estudiosos têm sugerido um erro textual, que eliminaria qualquer alusão a Tisbe, substituindo aquele adjetivo pátrio por *jabesita*, isto é, alguém natural de Jabes de Gileade (que vide).

Características Pessoais. Embora virtualmente

nada saibamos sobre a história pessoal e da família de Elias, várias características pessoais podem ser facilmente reconhecidas, com base nas fontes informativas que temos, acerca de sua vida. Mui provavelmente, Elias era um habitante das regiões desérticas, na Transjordânia. Foi uma espécie de João Batista do Antigo Testamento, conforme as suas vestes sugerem: «Era homem vestido de pêlos, com os **lombos cingidos por um cinto de couro. Então disse ele: É Elias, o tesbita».** Deve ter sido um homem dotado de grande autoridade espiritual, pois, do contrário, não teria tido acesso tão fácil ao rei. Também era homem fisicamente forte, o que é indicado por sua capacidade de correr adiante do carro de Acabe, desde o monte Carmelo até a entrada de Jezreel (I Reis 18:42-46). Era homem dedicado à oração e de grande poder espiritual, evidenciados por sua vida e por seu ministério em geral. Contudo, o seu lado humano ficou demonstrado por seu desencorajamento e pelo fato de ter fugido diante das ameaças de Jezabel. A passagem de Tiago 5:17,18 salienta tanto a sua espiritualidade quanto à sua condição humana natural, incluindo suas fraquezas. Elias estava interessado na educação formal e no treinamento de profetas e de líderes religiosos, pelo que não era do tipo eremita, apesar do muito que se tem dito em contrário. Por ocasião de sua translação ao céu, nada menos de cinqüenta «filhos dos profetas» (estudantes de teologia, digamos), estavam nas proximidades (II Reis 2:7,16-18).

III. Passado Formativo

Supõe-se que seu ofício como presidente da escola de profetas o colocou em uma posição de oposição às tendências e aos acontecimentos em Israel. O rei Acabe tomara como esposa a Jezabel, uma mulher pagã, cananéia. Ao rei faltavam convicções religiosas, pelo que ela estabelecera a adoração típica dos fenícios em larga escala, em território israelita. E Israel ficou repleta de sacerdotes e profetas de Baal. Mas os profetas de Yahweh eram perseguidos e muitos deles morreram por causa disso. Outros ocultaram-se em cavernas, a fim de escaparem da morte. O movimento perseguidor foi tão generalizado que a adoração a Yahweh quase chegou a ser extinta em Israel. De fato, o propósito de Jezabel era eliminar totalmente o sacerdócio levítico, bem como as instituições que cercavam o mesmo. Ver I Reis 18:4,13,22; 19:10,14; II Reis 9:7.

Elias, na qualidade de principal profeta da época, precisou fazer finca pé, e, subitamente, compareceu diante do rei Acabe, a fim de anunciar a iminente vingança de Yahweh. Antes de tudo, Elias anunciou uma grande e próxima seca, que haveria de paralisar o país inteiro (I Reis 17:1). Sem dúvida alguma isso provocou uma tremenda agitação e a vida de Elias começou a correr perigo. O próprio Senhor Deus ordenou que ele fugisse (I Reis 17:2 *ss*).

IV. Eventos Resultantes

1. Elias fugiu para perto do ribeiro de Querite, a leste do rio Jordão, onde todos os dias os corvos lhe traziam algum alimento. Não se conhece a localização exata desse ribeiro, mas talvez seja o wady Kelt ou o wadi Yabis. Mas ali Elias teve um refúgio apenas **temporário, pois as águas do ribeiro secaram, provavelmente quando a estação do ano mudou.**

2. Em seguida, Elias retirou-se para Sarepta, no território de Sidom. Ali Deus apontou uma viúva para cuidar do profeta. — Essa cidade também é mencionada no Novo Testamento (ver Luc. 4:26), a qual é identificada com a moderna Sarafande, localizada entre Tiro e Sidom. De acordo com I Reis

ELIAS

17:8-16, ali Elias encontrou um suprimento inesgotável. A farinha de trigo e o azeite da viúva renovavam-se miraculosamente. E foi predito que aquele suprimento haveria de perdurar até o retorno das chuvas. Desse modo, um suprimento substituiria outro, à medida que as vicissitudes da vida de Elias o transportassem a maiores realizações. Uma declaração que exprime a idéia, no Novo Testamento, é a de Filipenses 4:19, que diz: «E o meu Deus, segundo a sua riqueza em glória, há de suprir em Cristo Jesus, cada uma de vossas necessidades».

A Ajuda Mútua. A viúva de Sarepta ajudava a Elias. A presença do profeta garantia para ela, por igual modo, o devido suprimento alimentar. Quando o filho pequeno da viúva morreu, ela, em um momento de tensão emocional, chegou a pensar que Elias, de algum modo, era o culpado. Ela supunha que a santidade dele trouxera à tona os pecados dela, fazendo Deus resolver julgá-la. Porém, explosões emocionais não conseguiram fazer Deus cessar na execução de sua vontade. Elias clamou fortemente em oração, na qual dizia que Yahweh fizera sobrevir a desgraça sobre a família da viúva, por causa da presença dele naquela casa; e rogou que o Senhor fizesse algo para reverter aquela calamidade. Segundo podemos supor, o Senhor sorriu diante de tais clamores, porquanto ele sabia o que estava fazendo, durante o tempo todo. Não foi difícil trazer de volta à vida o menino, e o menino foi devolvido com vida à viúva. Diz o texto sagrado, em I Reis 17:22: «O Senhor atendeu à voz de Elias; e a alma do menino tornou a entrar nele, e reviveu». Portanto, no mínimo, temos no incidente um caso de experiência perto da morte, ou mesmo um caso de morte real, com total rompimento do *fio de prata* (que vide), pois, sem dúvida, Deus é poderoso para restaurar o mesmo. Ver também sobre *Experiências Perto da Morte*, quanto a informes sobre o que a ciência atual tem descoberto no tocante a esse tipo de experiências e o que acontece nos primeiros estágios da morte física. Então a viúva comentou: «Nisto conheço agora que tu és homem de Deus e que a palavra do Senhor na tua boca é verdade» (I Reis 17:24). — Também podemos ter a certeza de que a autoconfiança de Elias lhe foi devolvida. Deus continuava com ele, embora ele parecesse ter sido abandonado pelo Senhor. Algumas vezes precisamos de alguma intervenção divina em nossas vidas, para que possamos prosseguir.

3. *Elias Enfrenta Novamente a Acabe.* Passaram-se três anos e seis meses. Não caía nenhuma chuva em toda a terra de Israel (Tia. 5:17). A fome estava extingüindo toda espécie de vida. Mas, quando Elias apresentou-se pela segunda vez ao rei Acabe, descobriu que o velho pecador em nada se tinha corrigido. Jezabel continuava entusiasmada com o seu paganismo e com os seus ídolos. Realmente, é muito difícil reformar os pecadores.

4. *Quem Havia Prejudicado o Povo de Israel?* Elias teve um encontro com Obadias (um servo autêntico do Senhor) —que estava servindo temporariamente na corte de Acabe. Por intermédio de Obadias, pois, Elias conseguiu uma entrevista com o rei. E, quando houve o encontro, Acabe indagou: «És tu, o perturbador de Israel?» (I Reis 18:17). Mas Elias rechaçou a pergunta do rei, declarando que Acabe é quem era o verdadeiro perturbador de Israel, ajuntando, «...porque deixaste os mandamentos do Senhor e seguistes os Baalins» (vs. 18). Foi nessa mesma oportunidade que Elias desafiou a Acabe para que enviasse seus falsos profetas e seus sacerdotes de Baal ao monte Carmelo, para que se tirasse a prova de quem estava com a razão e se Deus ou os deuses pagãos é que tinham poder. I Reis 18:19-40.

5. *O Conflito do Monte Carmelo.* O décimo oitavo capítulo de I Reis narra a história que qualquer aluno de Escola Dominical pode contar-nos. Acabe enviou ao monte Carmelo quatrocentos e cinqüenta profetas de Baal e quatrocentos profetas de Aserá, todos eles subsidiados pelo Estado. E muita gente se fez presente, para ver o que sucederia. Elias, com seus cabelos desgrenhados, com suas roupas rústicas e com a sua capa de pele de ovelha, estava sozinho, conforme ele mesmo disse: «Só eu fiquei dos profetas do Senhor e os profetas de Baal são quatrocentos e cinqüenta...» (I Reis 18:22). Aqueles que temiam ao Senhor precisavam ver uma vitória do profeta solitário, porquanto até então escondiam-se para não perder a vida. Mas Elias estava plenamente confiante. Elias fez uma pergunta de grande efeito, aos circunstantes, ainda incapazes de tomar posição: «Até quando coxeareis entre dois pensamentos? Se o Senhor é Deus, segui-o; mas se é Baal, segui-o» (I Reis 18:21). Realmente, uma pessoa que não é capaz de tomar posição e que permanece vacilante, não é conhecida de mente decidida. Por isso, o povo ouviu as palavras de Elias, mas ninguém lhe respondeu uma só palavra. Visto que Elias estava sozinho na ocasião, sem contar com o assessoramento de qualquer outro profeta do Senhor, então estes, se os havia, perderam uma grande demonstração do poder divino. E nisso também está encerrada uma profunda lição. Quantos acontecimentos importantes perdemos, porque não participamos dos mesmos!

O Desafio do Fogo. O sinal solicitado, para mostrar quem era o verdadeiro Deus, consistia em que o verdadeiro Deus faria o sacrifício posto sobre o altar ser consumido a fogo. Aos profetas de Baal foi dada a oportunidade inicial. Eles provocaram grande gritaria durante muitas horas e terminaram golpeando-se com lanças e adagas, a fim de mostrarem sua grande devoção e sinceridade. Entrementes, Elias zombava deles, sugerindo que era possível que Baal estivesse pensando, ou teria feito alguma viagem e que só poderia ouvir se fosse feita uma barulheira ainda maior. Era um espetáculo lamentável, como certos cultos religiosos o são. E, quando ficou evidenciado que Baal não atendia aos seus quatrocentos e cinqüenta profetas, Elias erigiu um altar, derramou muita água sobre o mesmo, — bem como na trincheira que circundava o mesmo, por três vezes em seguida, encharcando tudo. Quando a tarde ia chegando ao fim, as coisas estavam preparadas para o grande final. Elias invocou o Deus de Abraão, de Isaque e de Jacó para que enviasse fogo do céu. E o fogo caiu *imediatamente.* Há vezes em que precisamos de respostas imediatas da parte do Senhor; e, algumas vezes, Deus no-las concede. O fogo que caiu do céu consumiu tudo. O povo caiu de bruços diante do Senhor, o que haviam deixado de fazer por longo tempo. A isso seguiu-se uma grande matança de profetas falsos, os quais pereceram todos.

6. *A Seqüela.* Agora podiam vir as chuvas novamente, porquanto o bem estava voltando a imperar em Israel. Mas o trecho de I Reis 18:41-46 narra-nos uma outra história dramática. Elias ouviu o ruído de uma grande chuva. Ele teve uma visão com impressões auditivas, anunciando que a chuva estava próxima. Então recomendou a Acabe que se apressasse, porque, se não o fizesse, seria apanhado pela chuvarada. O firmamento estava recoberto de pesadas nuvens, prenunciando chuva. E veio um vendaval com muita chuva. «A mão do Senhor veio sobre Elias...» (I Reis 18:46). A seca de três anos e

ELIAS

meio chegara ao fim.

História Moderna de um Conflito Similar. Meu irmão mais velho, que é missionário evangélico no Suriname, teve uma experiência um tanto similar à de Elias, resguardadas as devidas proporções. Tendemos por pensar que os milagres só sucediam nos tempos bíblicos. E há pessoas que pensam que milagres nunca aconteceram e nem nunca acontecerão. Esses são os céticos, que nunca se aproximaram do poder espiritual e nem desejam fazê-lo. Seja como for, esse meu irmão trabalha em uma região muito primitiva, onde prolifera o paganismo e a bruxaria mais primitivos. Ele foi convidado por um bruxo da selva para assistir à demonstração de uma caminhada sobre brasas e pedaços de vidro quebrado. Esses fenômenos são conhecidos na África e em outros lugares do mundo. Meu irmão de nada suspeitava. Ele foi e tomou lugar entre muitas outras pessoas, incluindo crianças de sua escola. A demonstração foi realizada e o bruxo e seus auxiliares realmente caminharam por cima do fogo, sem usar sapatos ou qualquer outra proteção para os pés; e, em seguida, pularam sobre vidro quebrado, sem se cortarem. E foi então que o feiticeiro indagou: «Se a religião de vocês é verdadeira, por que vocês não podem fazer a mesma coisa?» Foi somente então que meu irmão percebeu por qual motivo havia sido convidado. Fora convidado para que o bruxo destruísse a fé dos novos convertidos na religião evangélica, que ele havia introduzido naquela região.

Em vista disso, meu irmão aceitou o desafio. Ele tirou os sapatos e saltou sobre as brasas. Tempos depois, quando me narrava pessoalmente o acontecido, ele contou-me que sentira o calor, mas não queimaduras e nem dor. E, quando notou que não sofria nenhum dano, ficou pulando por cima das brasas, dançando como um louco (um missionário evangélico dançando!), apagando as brasas com os pés descalços. Em seguida, saltou sobre os vidros quebrados (feitos de garrafas de cerveja!) e dançou sobre os cacos de vidro. E, quando viu que o vidro não o estava golpeando, saltou sobre os cacos, quebrando-os em pedaços ainda menores. Houve um tremendo debate e, finalmente, a reunião terminou.

Naquela noite, quando meu irmão preparava-se para dormir, ajoelhou-se ao lado de sua cama e falou com o Senhor: «Se amanhã houver queimaduras ou golpes em meus pés, tu, Senhor, terás sofrido uma grande derrota!» No dia seguinte, ele saltou da cama e pôs-se a examinar os próprios pés. Não havia um único corte ou queimadura. E quando vários habitantes da vila vieram vê-lo, disseram: «Missionário, queremos examinar os seus pés». E meu irmão lhes mostrou os seus pés. Não havia o menor sinal de ferimentos. E eles disseram: «Oh, isso é o poder de Deus!» Sim, a mão do Senhor também pode vir sobre nós, os crentes, se ao menos crermos e aceitarmos essa realidade.

7. Jezabel não ficou impressionada com o feito de Elias (I Reis 19:1-18). Ele ordenara a matança dos profetas de Baal e ela jurara que faria a Elias exatamente o que ele fizera aos profetas falsos. A rainha chegou mesmo a fazer um juramento, invocando os seus deuses para tirar-lhe a vida, se ela não tirasse a vida de Elias. E Elias temeu e fugiu novamente. Nisso encontramos uma lição importante. Nem mesmo a maior vitória possível garante-nos uma longa e poderosa vida. Podemos ceder diante das nossas fraquezas. Sempre estaremos sujeitos à derrota. O homem que enfrentara quase mil profetas falsos, zombara deles no rosto, e que foi capaz de invocar fogo do céu, agora fugia com medo de uma mulher! Nessa fuga, Elias chegou a Berseba, em Judá, e se sentou só, no deserto (I Reis 19:1-4). Elias sentou-se debaixo de um junípero, desencorajado, desejoso de morrer. Apareceram comida e bebida de modo miraculoso. Ele comeu e bebeu. Um anjo apareceu de súbito e tocou em Elias. **Algumas vezes** precisamos do toque divino, quando tudo o mais fracassa. Esse anjo deu instruções a Elias. E o profeta, fortalecido pelo emissário angelical, partiu, caminhando durante quarenta dias e quarenta noites, até chegar em Horebe, o monte de Deus (I Reis 19:8).

8. *Um Outro Dramático Incidente.* Elias ocultou-se em uma caverna. Veio o Senhor e lhe perguntou: «Que fazes aqui, Elias?» (I Reis 19:9). Elias queixou-se de que servira com grande zelo ao Senhor, em oposição ao paganismo que tomara conta do povo de Israel, mas que tudo resultara em nada, afinal. Era chegado o momento de Elias ser testemunha de outra demonstração do poder divino. Portanto, o Senhor chamou-o para fora da caverna. O Senhor passou e houve um terrível vento, que partia tudo; em seguida, um terremoto esfarinhou as rochas. Também houve fogo. Mas o Senhor não estava nem no vento, nem no terremoto e nem no fogo. Finalmente, houve um cicio tranqüilo. E Deus estava naquele sussurro. O Senhor falava, instruindo Elias. E disse-lhe que agora haveria de atuar entre monarcas. Elias foi enviado pelo Senhor à Síria, para ungir Hazael como rei daquele país; e também foi enviado para ungir Jeú como rei de Israel. A grande mudança não ocorreria em um único dia: mas Deus, finalmente, agiria, e Elias seria vindicado em sua fé. A vontade divina cumprir-se-ia e, onde houvera apenas desapontamento, haveria triunfo. Hazael e Jeú seriam dois instrumentos usados por Deus para limpar a terra. Os ímpios que escapassem da espada de um seriam abatidos pela espada do outro. Além disso, um outro grande profeta, Eliseu, estava prestes a aparecer. Eliseu seria o sucessor de Elias, um homem de espiritualidade suficiente para dar continuidade à obra iniciada por Elias. Além disso, foi dada a Elias a informação adicional de que havia, em Israel, sete mil homens que não haviam dobrado os joelhos diante de Baal. Esses homens não constituíam grandes poderes espirituais e nem podiam ser comparados com Elias; mas haviam permanecido fiéis ao Senhor Deus. Nunca o quadro é tão negro quanto imaginamos, em nossos momentos de depressão.

Lições a Serem Aprendidas. Nem sempre Deus está onde está o grande espetáculo. Apreciamos os números e a excitação. Pensamos que as multidões representam poder. Os eventos e os espetáculos grandiosos nos impressionam. Os sinais de poder nos chamam a atenção. Algumas vezes, entretanto, Deus fala através de um cicio suave, na tranqüilidade de nosso coração, em nossos momentos de reflexão.

Uma outra lição a ser aprendida é que Deus tem um plano que transcende à nossa imaginação e os nossos débeis esforços. Há aqueles que fazem parte daquilo que estamos tentando realizar. Acabe e Jezabel pareciam invencíveis, mesmo depois que os sacerdotes de Baal haviam sido executados. Porém, dois homens estavam chegando a posições-chaves, pois o plano de Deus continuava a desdobrar-se. Esses homens eram Hazael e Jeú. Eles seriam instrumentos que endireitariam muitas coisas. Portanto, o labor espiritual não seria inútil e nem sofreria perda, mesmo que Elias, que não era nenhum poder desprezível, viesse a desaparecer.

9. *Eliseu.* Elias encontrou Eliseu em Abel-Meolá.

ELIAS

Eliseu estava arando a terra, mas Deus tinha outros planos para ele. Elias lançou por cima dele a sua capa de profeta, feita de pêlos de ovelhas. Um novo destino começava a formar-se. Elias e Eliseu ficariam juntos, até o tempo do arrebatamento de Elias. Ver I Reis 19:19-21.

10. *Outro Confronto e a Morte de Acabe.* Passaram-se seis anos. Acerca desses seis anos, nada sabemos. Então Elias foi novamente enviado a Acabe, a fim de pronunciar contra ele o julgamento divino. Jezabel acabara de arranjar a morte do inocente Nabote (que vide) a fim de tomar posse das terras dele. Agora o cálice de Acabe e de Jezabel estava cheio. Elias encontrou-se com Acabe no caminho e proferiu contra ele uma terrível maldição (I Reis 21:19-25). Era cerca de 869 A.C. A maldição assustou Acabe e ele deu mostras de haver-se arrependido. Isso lhe deu mais algum tempo de oportunidade, mas seu dia, finalmente, chegaria.

Israel e Judá alinharam-se em batalha contra a Síria. Acabe participava da batalha disfarçado. Em meio à refrega, um arqueiro sírio retesou o arco e atirou sua flecha ao acaso, a qual atingiu Acabe bem em uma junta de sua armadura. O sangue começou a empapar o chão do seu carro de guerra. Acabe ainda sobreviveu por algumas horas, mas, finalmente, faleceu. O carro de guerra foi levado à beira do açude de Samaria. Vieram cães, e puseram-se a lamber o sangue de Acabe e algumas prostitutas lavaram-se naquelas águas, quando vieram usar as mesmas. Isso cumpria a maldição proferida contra a casa de Acabe, por motivo de sua vida geralmente maligna e porque permitira a morte do inocente Nabote (I Reis 21:19).

11. *Elias e Acazias.* Agora Acabe estava morto e Acazias, seu filho, governava Israel em lugar do pai (II Reis 1). A linhagem iníqua continuava. Acazias, porém, caiu de modo fatal, tendo ficado seriamente ferido. Então Acazias enviou mensageiros para que consultassem Baal-Zebube (*senhor das moscas*) quanto às suas possibilidades de recuperação. Elias, entretanto, interceptou os mensageiros e forneceu-lhes a correta informação de que precisavam. Acazias haveria de morrer. Mediante as descrições dadas, Acazias entendeu que a mensagem fora dada pelo profeta Elias. O rei ficou enfurecido e enviou cinqüenta homens para aprisionarem Elias. Mas o profeta invocou fogo do céu, que pôs fim à primeira e à segunda tentativas dos homens de Acazias. Quando um terceiro grupo foi enviado, seu comandante, com espírito humilde, induziu Elias que comparecesse à presença do rei. Isso Elias fez, mas, simplesmente, repetiu o que já havia mandado dizer por meio dos emissários. O rei haveria de morrer, o que, de fato, aconteceu.

V. Translação de Elias

Elias havia cumprido a sua missão. Jezabel continuava no poder, mas ela não haveria de perdurar ainda por muito tempo. Elias nada mais precisava provar. Eliseu haveria de terminar a tarefa. O trecho de II Reis 2:1-12 narra o arrebatamento de Elias. Algum tempo antes, entretanto, Eliseu solicitou a Elias que lhe fosse dado o dobro do seu poder espiritual. Esse duplo poder só lhe seria outorgado, contudo, *se* Eliseu visse Elias ser arrebatado pelo poder divino, quando o grande profeta fosse transportado para outra dimensão da existência. Subitamente, o arrebatamento de Elias teve lugar. Os dois foram separados por um carro e cavalos de fogo. Um grande redemoinho arrebatou Elias. Eliseu contemplava tudo, enquanto Elias era tirado da cena terrestre e exclamou, em sua grande excitação: «Meu

pai, meu pai, os carros de Israel e seus cavaleiros!» (II Reis 2:12). Elias foi-se deste mundo. Eliseu não mais podia vê-lo. Mas, o manto de Elias jazia no solo. Eliseu, pois, ajuntou-o. Agora dispunha do poder necessário para completar a sua tarefa, completando a obra iniciada por Elias. Quanta excitação espiritual houve naquele dia! Até mesmo os homens de Deus se excitam, quando vêem que o poder de Deus está operando!

A ocorrência de *arrebatamentos* tem seu lugar na história da religião. Pode-se ouvir ou ler sobre algum caso, com grande raridade. Há uma realidade que é obscurecida por muitos mistérios. Paulo explicou: «Eis que vos digo um mistério...» (I Cor. 15:51). Um mistério, nas Escrituras, é algum segredo antes oculto, mas então revelado. Algum dia, nos tempos finais, todos os verdadeiros crentes serão arrebatados, em massa. Nenhum deles ficará neste mundo. Isso **ocorrerá nos dias da Grande Tribulação, que, segundo cremos, ocorrerá em nossos próprios dias.** Os teólogos têm debatido sobre exatamente quando e de que maneira esse arrebatamento terá lugar. Mas todos concordam que haverá essa realidade e a maioria pensa que será *em breve.* Ver o artigo sobre a *Parousia.* Ver outras descrições sobre os arrebatamentos, no artigo sobre *Eliseu,* quarto ponto.

Fim de Jezabel e da Casa de Acabe. Elias havia predito esse final (I Reis 21:21). E Eliseu confirmou essa predição (II Reis 9). Foi Jeú quem executou essa sentença divina. Houve uma tremenda matança e o povo de Israel foi purificado de maus elementos (II Reis 10:10,17). Ver os artigos sobre *Acabe* e sobre *Jezabel.*

VI. Estatura de Elias e sua Posição nas Escrituras

Elias foi uma daquelas grandes vidas humanas que desafiam qualquer explicação natural. Ver o artigo sobre *Satya Sai Baba,* quanto a um exemplo moderno que também desafia explicações naturais. Elias foi um homem cujas ações e realizações não conseguem ser explicadas em termos humanos. Muitos escritos e tradições orais surgiram, na tentativa de descrevê-lo e explicá-lo. Isso sempre acontece quando algum gênio criativo, religioso ou científico, aparece entre os homens. Alguns homens não podem ser explicados, em face do que acontece a eles, desde o nascimento até que chegam à idade adulta. Há poderes maiores em operação. Elias foi um precursor dos profetas e os escritos dos profetas, a partir de seus dias, adquiriram imensa proeminência nas Escrituras. Ele deu um tremendo exemplo de poder espiritual e de busca pela verdade, pela justiça e pela santidade em Israel, tudo o que veio a tornar-se temas dos profetas que se seguiram.

Além dos feitos históricos em sua vida, Elias ocupa um importante papel na tradição geral das Escrituras. O trecho de Malaquias 4:5 prediz que Elias reapareceria, a fim de cumprir uma outra missão, antes do grande e terrível dia do Senhor. Essa predição tornou-se uma tradição do judaísmo e foi transferida para o Novo Testamento. João Batista foi identificado como Elias, por alguns e, provavelmente, a ele se referiam aquelas predições bíblicas. Ver Luc. 1:17. Ver, igualmente, Mat. 11:14 e 17:10-13. Seja como for, é uma doutrina cristã comum que ele reaparecerá nos últimos dias. A passagem de Apocalipse 11:6 parece identificá-lo como uma das duas testemunhas do Apocalipse, que farão oposição ao anticristo. Ver notas completas sobre a questão no NTI, naquele versículo. O poder demonstrado por Jesus era tão grande que alguns pensaram que Ele fosse Elias, que voltara (Mat. 16:14; Mar. 6:15; 8:28).

ELIAS — ELIEL

Lembremo-nos, porém, que Elias seria apenas o precursor do Senhor, apesar de sua grandeza.

Outras Informações. Jesus usou o acolhimento de Elias, por parte da viúva de Sarepta, a fim de ilustrar a falta de fé do povo de Israel (Luc. 4:25,26). Interessante é observar que Elias se fez presente, juntamente com Moisés, por ocasião da transfiguração de Jesus (Mat. 17:4). Quando Jesus clamou, estando na cruz, «Eli, Eli, lemá sabactâni» (Mat. 27:46), alguns pensaram que ele estivesse invocando Elias. Ver Mat. 27:46-49. Paulo, quando falava acerca do remanescente de Israel, reservado pela graça divina (pela eleição), ilustrou o caso com os sete mil da época de Elias, que não tinham dobrado os joelhos diante de Baal (Rom. 11:2). Há um Elias, referido em I Crônicas 8:27, como um dos chefes da tribo de Benjamim. Seria o mesmo profeta Elias? Alguns estudiosos pensam que sim. (AM PEAK S UN WALL)

ELIAS (Outros que Não o Profeta)

No Antigo Testamento aparecem outros três homens com o nome de Elias, a saber:

1. Um certo Elias, não o grande profeta desse nome, foi chefe de uma das famílias da tribo de Benjamim (I Crô. 8:27).

2. Um sacerdote que, estando na Babilônia, no cativeiro, casara-se com uma mulher estrangeira, teve de divorciar-se dela, após o exílio, nos dias de Esdras. Era um dos filhos de Harim. Ver Esd. 10:21.

3. Um filho de Elão, um homem que se casara com uma mulher estrangeira, durante o exílio babilônico e que teve de divorciar-se dela, terminado o cativeiro (Esd. 10:26).

ELIASAFE

No hebraico «Deus acrescentou». Esse é o nome de duas personagens do Antigo Testamento:

1. Um filho de Deuel ou Reuel e chefe da tribo de Dã, quando o recenseamento foi feito, no monte Sinai (Núm. 1:4; 2:14; 7:42; 10:20). Ele viveu em torno de 1438 A.C.

2. Um filho de Lael, um chefe entre os levitas (Núm. 3:24). Viveu em cerca de 1450 A.C. Estava encarregado das coberturas do tabernáculo, das cortinas do átrio e do altar principal.

ELIASIBE

No hebraico, «Deus restaurará». Esse é o nome de seis pessoas, nas páginas do Antigo Testamento:

1. Um sacerdote da época de Davi, que ocupava o décimo primeiro lugar nas vinte e quatro ordens dos dirigentes do santuário (I Crô. 24:12). Viveu por volta de 1013 A.C.

2. Um sumo sacerdote da linhagem de Eleazar, que sucedeu a Joaquim, no templo de Neemias (Nee. 2:1,20,21). Viveu em cerca de 445 A.C.

3. Um filho de Elioenai, da família real de Judá (I Crô. 3:24). Também viveu em torno de 445 A.C.

4. Um músico dos dias de Esdras, que se casara com uma mulher estrangeira mas que concordou em divorciar-se dela, depois do retorno do cativeiro babilônico (Esd. 10:24). Viveu em torno de 458 A.C.

5. Um filho de Zatu, um leigo, que se casara com uma mulher estrangeira durante o cativeiro babilônico, mas que se divorciou dela, após o retorno a Jerusalém (Esd. 10:27). Viveu em torno de 458 A.C.

6. Um filho de Bani (Esd. 10:36), um homem que tomara esposa estrangeira durante o cativeiro babilônico, mas que se divorciou dela após o retorno a Jerusalém. Viveu em torno de 458 A.C.

ELIASIMO (ELIASIBE)

Um dos filhos de Zatu (ou Zamote) que se casou com uma mulher estrangeira na Babilônia, durante o exílio, mas que se divorciou dela, após a volta a Jerusalém (I Esdras 9:28). No trecho de Esd. 10:27 seu nome aparece como «Eliasibe» e que é o mesmo Eliasibe do número 5, no verbete acima.

ELIASIS

Um filho de Bani, das famílias não-levíticas, não-sacerdotais. Ele se casou com uma esposa estrangeira durante o cativeiro babilônico, mas divorciou-se dela quando houve o retorno para Jerusalém (I Esdras 9:28). O paralelo de Esd. 10:36,37 não alista o seu nome.

ELIATA

No hebraico, «Deus vem». Era filho de Hemã, um profeta do templo, que participava na adoração musical do templo de Jerusalém. Sob a orientação de seu pai, ele e seus irmãos tocavam os címbalos, a harpa e a lira (I Crô. 25:4). Esse serviço foi designado por Davi. O vigésimo curso pertencia a Eliata, a seus filhos e a seus irmãos (I Crô. 25:27).

ELICA

No hebraico, «Deus, seu rejeitador». Foi um dos trinta guerreiros heróicos de Davi (II Sam. 23:25). Seu nome não figura na lista paralela de I Crô. 11:27. Ele era charodita, ou seja, natural de um lugar chamado Charode. Viveu em cerca de 1046 A.C.

ELIDADE

No hebraico, «Deus amou». Esse foi o nome de um dos filhos de Quislom, um benjamita, oficial nomeado para ajudar a distribuir as terras, em Canaã, quando Israel conquistou o território (Núm. 34:21). Viveu em cerca de 1390 A.C. A região que ele ajudou a dividir ficava no lado ocidental do rio Jordão. Talvez seja o mesmo indivíduo chamado Eldade, em Núm. 11:26 ss. Ver sobre *Eldade e Medade*, em artigo separado nesta enciclopédia. Eldade tinha o ofício de profeta.

ELIEL

No hebraico, «Deus dos deuses». Ou então, de acordo com outros estudiosos, «Meu Deus é Deus». Esse é o nome de nove, ou talvez de dez pessoas do Antigo Testamento:

1. Um chefe da tribo de Manassés, que residia na porção oriental do rio Jordão (I Crô. 6:34). É descrito como homem valoroso. Viveu em cerca de 1612 A.C.

2. Um filho de Toá e pai de Jeroão, que foram antepassados de Hemã, um levita cantor (I Crô. 6:34). Talvez ele seja idêntico ao *Eliabe* do vs. 27 e ao *Eliú* de I Sam. 1:1. Foi o bisavô de Samuel.

3. Um descendente de Berias e Sema, chefes de uma família benjamita, em Jerusalém (I Crô. 8:20) e que viveu na época de Davi, em cerca de 1000 A.C. O nome do pai dele era Simei.

4. Um descendente de Sasaque, chefe de uma família benjamita de Jerusalém (I Crô. 8:22) e que também viveu na época de Davi.

ELIENAI — ELIFAZ

5. Um maavita, um dos trinta guerreiros poderosos de Davi (I Crô. 11:46). Viveu em cerca de 990 A.C.

6. Outro dos trinta poderosos heróis guerreiros de Davi (I Crô. 11:47).

7. Um herói gadita, que atravessou o rio Jordão e juntou-se às forças de Davi, em seu refúgio no deserto, quando fazia oposição a Saul e era perseguido por ele (I Crô. 12:11). Os gaditas eram guerreiros habilidosos, velozes na corrida e muito fortes fisicamente. Dizia-se que o menor deles equivalia a cem homens ordinários, um exagero tipicamente oriental, naturalmente. Alguns identificam-no com os homens do mesmo nome, em «5» ou «6», acima.

8. Um dos oitenta levitas hebronitas que foram escolhidos por Davi para trazerem a arca de volta a Jerusalém, para ser instalada no tabernáculo. Quando Davi se tornou rei de todo o Israel, estabeleceu uma adoração condigna e santa (I Crô. 15:9,11). Viveu em cerca de 980 A.C.

9. Um levita nomeado por Ezequias para cuidar das ofertas e dos dízimos que foram dedicados ao templo e ao seu culto (II Crô. 31:13). Viveu em cerca de 720 A.C.

ELIENAI

No hebraico, «meus olhos voltam-se para Yahweh». Nome de um descendente de Simei, um chefe de uma das famílias de Benjamim e que habitava em Jerusalém (I Crô. 8:20). Viveu em torno de 1340 A.C.

ELIEZER

No hebraico, «Deus do socorro». Através de um processo de abreviação surgiu o nome «Lázaro», no Novo Testamento. É possível que a parábola acerca de Lázaro (Luc. 16:23) **aluda ao nome de Eliezer**, a quem Abraão considerara como seu herdeiro, antes do nascimento de Ismael e Isaque. Seja como for, esse nome designa nada menos de onze indivíduos no Antigo Testamento:

1. O servo principal de Abraão (Gên. 15:2), que alguns estudiosos pensam haver sido um escravo nascido em sua casa. Na ausência de herdeiros naturais, caberia a ele tornar-se o herdeiro de Abraão, uma prática comum na antiguidade (2070 A.C.). Supõe-se que esse foi o homem enviado à Mesopotâmia para buscar esposa para Isaque, o que ilustra a grande confiança que Abraão tinha nele (Gên. 24:2). Mas outros rejeitam essa identificação, supondo que houve dois homens de nome Eliezer envolvidos. De fato, há certa dificuldade quanto a Gên. 15:2, onde é dito que o homem era «damasceno», isto é, de Damasco, ao passo que em Gên. 15:3 lemos que ele, no dizer de Abraão, era «um servo nascido na minha casa». Todavia, essa descrição simplesmente poderia significar que seus familiares eram de Damasco. Mas outros estudiosos pensam que não devemos entender o texto hebraico como se dissesse, no vs. 3, que o homem *nascera* na casa de Abraão, pois a passagem deveria ser mais corretamente traduzida por «filho da possessão de minha casa», isto é, ele seria o possuidor da casa, das propriedades, do gado, etc. Nesse último caso, é possível que Eliezer fosse, realmente, de Damasco e poderia ter sido um parente próximo e não um mero escravo. Se esse homem **tivesse sido apenas um escravo, por que motivo Ló, um sobrinho, não seria considerado o herdeiro?** Porém, se Eliezer tivesse sido um parente e talvez até mais próximo de Abraão do que Ló, podemos entender que Eliezer tivesse a primazia sobre Ló. Em questões

como essa, porém, temos de envolver-nos em muitas conjecturas, não havendo como obter certeza quanto a elas e nem mesmo elas são importantes o bastante.

2. O segundo dos dois filhos de Moisés, que nasceu estando ele exilado na terra de Midiã (Êxo. 18:4). Esse filho de Moisés, por sua vez, teve um filho de nome Zebadias (I Crô. 8:17). Viveu por volta de 1500 A.C.

3. Um dos filhos de Bequer, que era neto de Benjamim (I Crô. 7:8). Viveu por volta de 1650 A.C.

4. Um sacerdote que foi nomeado por Davi para acompanhar o transporte da arca da aliança, quando esta foi retirada do casa de Obede-Edom, a fim de ser instalada no tabernáculo de Jerusalém (I Crô. 15:24). Viveu em cerca de 1043 A.C.

5. Um filho de Zicri, um chefe rubenita da época de Davi (I Crô. 27:16). Viveu em torno de 1010 A.C.

6. Um profeta, filho de Dodava (II Crô. 20:37). Ele repreendeu a Josafá, em face da aliança deste com Acazias. Sua profecia previa como Deus destruiria as obras do rei, reduzindo a nada os seus esforços. Viveu em torno de 895 A.C.

7. Um filho de Jorim e descendente de Natã, filho de Davi (Luc. 3:29). Foi um antepassado de José, pelo que aparece na genealogia de Jesus. Viveu em algum tempo entre Davi e Zorobabel.

8. Um oficial de Israel que foi enviado por Esdras a Casifia, em uma missão especial (Esd. 8:16). Viveu em torno de 455 A.C. O trecho de I Esdras 9:19 grafa seu nome com a forma de *Eleazar*.

9. Um sacerdote que, na época de Esdras, concordou em divorciar-se de sua esposa estrangeira, com quem se casara durante o cativeiro babilônico, depois de seu retorno a Jerusalém (Esd. 10:18). Viveu em cerca de 455 A.C.

10. Um outro levita que se envolvera em situação idêntica e fez a mesma coisa que o Eliezer de número «9» acima. Ver Esd. 10:23. Ele talvez seja o mesmo Joná, referido em I Esdras 9:23. Viveu em cerca de 455 A.C.

11. Ainda um outro israelita que se envolveu em um casamento misto, tendo-se divorciado de sua esposa estrangeira, terminado o exílio babilônico (Esd. 10:21). Talvez deva ser identificado com o Elionas de I Esdras 9:32. Viveu por volta de 455 A.C.

ELIFAL

No hebraico, «Deus julgou». Era filho de Ur. Foi um dos trinta guerreiros poderosos de Davi (I Crô. 11:35). Ver sobre Elifelete, número «três». As passagens paralelas de II Samuel e de I Crônicas têm uma certa confusão de nomes, talvez devido ao fato de que, em Israel, as pessoas tinham mais de um nome, o que, de fato, era algo bastante comum. Ou então tal confusão devia-se a variações criadas pelos copistas. — Outras vezes, as modificações deviam-se a erros nas abreviações.

ELIFAZ

No hebraico, «Deus é vitorioso». Esse foi o nome de um dos três «amigos» ou «consoladores» de Jó. Ele era idumeu de Temã. Era homem conhecido por sua sabedoria, rico e dirigente de homens. Ele foi o líder do grupo que tomou sobre si a incumbência de examinar o caso de Jó: *por que os homens sofrem?* O livro de Jó é uma excelente obra poética, que examina esse complicado problema humano. Damos um artigo separado sobre o *Problema do Mal*, que aborda a questão de forma detalhada, um dos problemas mais

ELIFELETE — ELIMAIS

delicados e críticos da filosofia e da teologia.

Elifaz, a princípio, dirigiu a palavra a Jó com delicadeza e respeito (capítulos quarto e quinto), embora tivesse certeza de que as tribulações de Jó deviam-se a algum pecado seu secreto. Ele tivera um sonho que o impressionara muito. Falava sobre a pecaminosidade do homem diante de Deus (Jó 4:12-21) e procurou impressionar a Jó com a necessidade de arrepender-se, pois Deus estaria esperando ansiosamente pela volta do pecador. No entanto, em seu segundo discurso, Elifaz mostrou-se irritado devido ao fato de que Jó não dera ouvidos ao seu conselho e assim premiu mais ainda os seus argumentos. Ver Jó 15. No seu terceiro discurso, Elifaz já havia perdido inteiramente a paciência com Jó, porque a sua tese fora repelida por este. Poderia um homem qualquer sofrer, sem ser culpado de algum grave pecado? Jó se declarava inocente, mas a teologia de Elifaz não podia aceitar tal coisa. Nossa teologia com freqüência desvia-se do reto caminho da verdade e os homens sempre ficam irritados, quando alguém sugere que a teologia deles não corresponde às questões vitais da vida. Elifaz começou a inventar coisas, acusando Jó de praticar muitos vícios e pecados vis. Porém, retornando à sua primeira atitude, uma vez que exibira sua consternação diante do que lhe parecia ser a teimosia de Jó, em sua conclusão ele ofereceu esperança ao sofredor, enfatizando a misericórdia de Deus, sempre pronta a perdoar e acolher o pecador. Ver o artigo sobre Jó, quanto a uma descrição geral sobre a filosofia e o conteúdo desse livro.

ELIFELETE

No hebraico, «Deus é livramento». Nome de seis personagens nas páginas do Novo Testamento:

1. Davi teve muitas esposas e concubinas, o que ilustramos mediante um gráfico, no artigo a seu respeito. As concubinas e os filhos delas com ele são referidos apenas mediante números, sem nomes específicos. Suas muitas esposas, contudo, são ali mencionadas por seus nomes, bem como os filhos delas. Elifelete foi o terceiro dos nove filhos de Davi que nasceram em Jerusalém, se não incluirmos os filhos de Bate-Seba (I Crô. 3:6 e 14:5). Os tradutores têm criado algumas variantes na soletração desse nome, como Elifalate e Elifalete.

2. Um outro dos filhos de Davi, que também nasceu em Jerusalém (I Crô. 3:8; 14:7; II Sam. 5:16). Esse era o seu nono filho, na ordem dos nascimentos. Há uma certa dúvida se os Elifeletes aqui representados como «um» e «dois» não seriam a mesma pessoa. Todavia, o mesmo nome poderia ter resultado de uma repetição errônea, feita pelos copistas. O livro de Samuel não fala em dois Elifeletes, filhos de Davi; mas as listas separadas em I Crônicas incluem ambos, e o total dos filhos, que então aparece, inclui ambos. Isso parece conclusivo quanto à existência de dois filhos de Davi com um mesmo nome.

3. Um dos trinta heróicos guerreiros de Davi tinha esse nome. Em II Samuel 23:34 ele é chamado «Aasbai», filho de um maacatita. Mediante erro e abreviação ele é chamado Elifal, filho de Ur, em I Crô. 11:35. Ver sobre *Elifal*.

4. O terceiro dos três filhos de Ezeque, um benjamita descendente de Saul e Jônatas (I Crô. 8:39). Viveu em torno de 830 A.C.

5. Um dos três filhos de Adonicão, que retornou do cativeiro babilônico em companhia de seus irmãos e de sessenta outros homens (Esd. 8:13), nos tempos de Artaxerxes. Viveu por volta de 455 A.C.

6. Um descendente de Hasum, que se casara na Babilônia com uma mulher estrangeira, durante o exílio, mas que se divorciou dela quando voltou a Jerusalém (Esd. 10:33). Viveu em torno de 455 A.C.

ELIFELEU

No hebraico, «separado por Deus». Esse era o nome de um levita que Davi nomeou como músico. Esteve presente por ocasião do transporte da arca da aliança da casa de Obede-Edom para Jerusalém, a fim da mesma ser instalada no tabernáculo, quando Davi governava Israel. Elifeleu cantava e fazia soar os címbalos de bronze, enquanto outros tocavam as liras, com o *tom de oitava* (I Crô. 15:18-21). Sabemos que a música era muito importante para Davi, sendo ele, igualmente, um músico perito. É difícil determinar exatamente quais habilidades se tinham desenvolvido quanto aos vários instrumentos de música então existentes; todavia, podemos conjecturar que os instrumentos de corda eram tocados com grande maestria, não menos que nos nossos dias.

ELIM

No hebraico, «árvores». Esse foi o nome da segunda parada, onde Israel acampou no deserto, quando vagueava pelo Sinai, antes de entrar na terra de Canaã (Êxo. 15:27; Núm. 33:9). Os israelitas ficaram nesse lugar pelo espaço de um mês (Êxo. 16:1). O local contava com dez fontes de água e setenta palmeiras, o que explica o nome que recebeu. Portanto, era um pequeno mas aprazível oásis, embora o povo de Deus estivesse se encaminhando para algo muito melhor. Desconhece-se a localização exata de Elim, visto que o próprio monte Sinai ainda não foi identificado de modo absoluto. Se a localização tradicional é a correta, isto é, a porção inferior da península do Sinai, então Elim é um dos oásis nos wadis, ao longo da rota principal que penetra naquela região. O local talvez fique dentro do wadi Gharandel. Mas, se o monte Sinai não ficava nas proximidades dessa região, segue-se daí que não há como localizar Elim. Alguns estudiosos têm conjecturado de que Elim deve ser identificada com Elate, referida em I Reis 9:26, no começo do golfo de Ácaba, perto de Ezion-Geber. Porém, isso não concorda com o que se lê em Números 33:36, que indica que a área foi atingida bem mais tarde, durante a jornada.

ELIMAIS

Esse foi o nome de uma província da antiga Pérsia. Ficava localizada a leste do rio Tigre, ao sul da Média e ao norte de Susiana. A cidade de Susa, uma antiga capital, ficava nesse território. No cânon veterotestamentário não há nenhuma alusão a essa província persa, mas o trecho de I Macabeus 6:1 refere-se a uma cidade com esse nome. Seria uma cidade conhecida por suas riquezas em ouro e em prata. No entanto, não há nenhuma *cidade* com o nome de Elimais, pelo que, quando muito, deveríamos entender que a alusão é a uma cidade (cujo nome não é dado), dentro da província chamada Elimais. Alguns estudiosos têm identificado essa província com o Elão (que vide) do Antigo Testamento, o que é uma forte possibilidade. Não há muitas fontes informativas dignas de confiança que descrevam os reis dessa região; mas, um certo número de moedas e inscrições, descobertas naquela área, nos fornecem alguma noção a respeito.

ELIMAS — ELIOENAI

Sabe-se, por exemplo, que os seus habitantes falavam o aramaico.

ELIMAS

No grego **Elúmas**, «feiticeiro», «bruxo». Esse termo grego evidentemente deriva-se do árabe *ahman*, onde tem o sentido de «sábio». Em Atos 13:6-11, Lucas interpreta-lhe o título como «o mágico». Paulo encontrou-se com esse falso profeta judeu durante a sua primeira viagem missionária. Esse homem, cujo nome em hebraico era *Barjesus* («filho de Jesus» ou «filho de Josué»), atuava como uma espécie de guru para Sérgio Paulo, o procônsul romano da ilha de Chipre. O procônsul era homem inteligente e, evidentemente, interessava-se por questões filosóficas e religiosas. Foi por isso que ele convidou Paulo e Barnabé para lhe exporem as suas idéias.

Alguns mestres e filósofos itinerantes adquiriam grande fama e alguns deles, em vista disso, tornavam-se mestres nas escolas da época. Barjesus, no dizer de Juvenal (6:562; 14:248), deve ter sido um daqueles homens bem treinados nas ciências ocultas ou que muitas vezes eram convidados a aconselhar ou auxiliar oficiais do governo, quando estes mostravam-se crédulos quanto a essas coisas. Aliás, esse costume está bem vivo em muitos países, inclusive no nosso Brasil, onde os «pais de santo» são consultados quanto a decisões importantes. Ver também Horácio (*Sat.* 1.2,1). Na Babilônia, os judeus haviam desenvolvido essas habilidades psíquicas e astrológicas. Não devemos olvidar de que não eram *buenas dichas* populares apenas, mas eram, freqüentemente, homens de grandes conhecimentos, tanto nas ciências quanto nas artes. Isso explica melhor o sucesso deles diante dos governantes da antigüidade. Já os modernos «pais de santo» brasileiros são apenas uns espertalhões, semi-analfafetos, que só são ouvidos por motivo da credulidade de nosso povo.

Mas, voltando a Elimas, esse mágico tinha uma boa posição e haveria de perder muita coisa se Sérgio Paulo orbitasse para a influência de Paulo e Barnabé, ou seja, do evangelho e, assim, se libertasse de Barjesus para tornar-se servo de Jesus Cristo. Por isso mesmo é que Elimas procurava perturbar os encontros entre Sérgio Paulo e os missionários cristãos. Houve um momento, porém, em que Paulo perdeu a paciência com o bruxo e proferiu contra ele uma maldição que resultou em cegueira total «por algum tempo».

O incidente nos é bastante instrutivo. Antes de tudo, todo juízo divino tem um aspecto remediador e não apenas punitivo. Portanto, podemos presumir que aquela cegueira temporária deve ter resultado em alguma vantagem posterior para Elimas. Em segundo lugar, o incidente teve o propósito de mostrar a Sérgio Paulo onde estava a verdade de Deus. O resultado foi que este, «vendo o que sucedera, creu, maravilhado com a doutrina do Senhor» (Atos 13:12).

Josefo (*Anti.* 20:7,2) descreveu um mágico judeu de Chipre, que ajudou o ímpio Félix a conquistar amorosamente a Drusila (ver Atos 24:24), fazendo-a abandonar o seu esposo, Aziz de Emessa. É possível que Josefo estivesse tecendo comentários sobre o mesmo homem, Elimas. Os *conhecimentos* psíquicos dele, — sem dúvida — haviam lhe dado o título de Elimas, «o mágico». Damos um artigo ainda mais detalhado sobre esse homem, sob o título de Barjesus (que vide). Os poderes psíquicos podem ser naturais, sobrenaturais ou demoníacos. Esses poderes, por si mesmos, são neutros. Todas as pessoas possuem capacidades psíquicas menos ou mais desenvolvidas. Em caso contrário, nem ao menos poderiam movimentar seus corpos físicos, pois o homem é um espírito que se utiliza de seu corpo material. Todas as capacidades, físicas ou psíquicas, podem ser usadas para o bem ou para o mal. Ver o artigo sobre a *Parapsicologia*.

ELIMELEQUE

No hebraico, **«Deus é rei»**. Esse era o nome de um homem nativo de Belém. Era esposo de Noemi e pai dos dois filhos do casal, Malom e Quiliom. Elimeleque viveu em torno de 1370 A.C. Em certo período de fome na Terra Prometida, ele deixou o território de Judá (onde era um dos chefes) e emigrou para Moabe, buscando melhores condições de sobrevivência. Com os anos, Elimeleque morreu entre os moabitas. Seus filhos, já adultos, casaram-se com mulheres moabitas, Malom casou-se com Rute, mas morreu não muito depois. Outro tanto sucedeu a Quiliom, que se casara com Orfa.

Após quase dez anos, Noemi e Rute, ambas viúvas, voltaram a Israel. Boaz era aparentado de Elimeleque (Rute 2:1,3) e, com o tempo, devido ao direito de parentesco, comprou de Noemi o terreno que antes fora de Elimeleque. Em seguida, casou-se com a moabita Rute, nora de Elimeleque e Noemi e que era bem mais jovem do que ele (Rute 4:3,9). Desse casamento nasceu Obede, que foi pai de Jessé, pai de Davi. Naturalmente, isso fez com que a moabita Rute fosse uma das antepassadas do Senhor Jesus (ver Mat. 1:5 e Luc. 3:32, embora neste último versículo haja menção somente a Boaz e não a Rute). A graça de Deus! Os moabitas não podiam, segundo a lei mosaica, fazer parte do povo de Israel, nem mesmo da décima geração (Deu. 23:3).

ELIOENAI

No hebraico, **«meus olhos voltam-se para Yahweh»**. Uma leve variante de *Elienai* (que vide). Há seis pessoas com esse nome, no Antigo Testamento:

1. Um descendente de Benjamim e cabeça de uma das famílias que provinham de Bequer (I Crô. 7:8). Viveu em cerca de 1860 A.C.

2. Cabeça de uma das famílias simeonitas (I Crô. 4:36). Viveu em torno de 1620 A.C.

3. Um neto de Coré e filho de Meselemias, um levita. Com seu pai e com dezesseis de seus irmãos e parentes, ele guardava o portão oriental do templo de Jerusalém. Seis levitas serviam nesse trabalho a cada dia, pelo que a vez de Elioenai chegava de três em três dias (I Crô. 26:3,17). Viveu em torno de 960 A.C.

4. O filho mais velho de Nearias, filho de Semaías, sete gerações depois de Zorobabel (I Crô. 3:23,24). Viveu em torno de 460 A.C.

5. Um filho de Pasur, um sacerdote da época de Esdras. Ele se casara com uma mulher estrangeira quando do cativeiro babilônico e teve de divorciar-se dela quando retornou a Jerusalém (Esd. 10:22). Talvez se trate do mesmo indivíduo aludido em Neemias 12:41 e que ajudou a tocar as trombetas quando foram dedicadas as novas muralhas de Jerusalém. Viveu em cerca de 455 A.C.

6. Um filho de Zatu, um cantor. Tomara uma mulher estrangeira durante o cativeiro na Babilônia e divorciou-se dela depois de voltar a Jerusalém (Esd. 10:27). Viveu em cerca de 455 A.C.

••• ••• •••

ELIONAS — ELISAMA

ELIONAS

Esse nome aparece na lista de I Esdras 9:22, onde aparecem os homens que se tinham casado com mulheres estrangeiras, durante o exílio babilônico, mas que se divorciaram delas, depois de voltarem a Jerusalém. Duas pessoas são assim denominadas, correspondentes ao *Elioenai* de Esdras 10:22 e ao *Eliezer* de Esdras 10:31.

ELIOREFE

No hebraico, «Deus do outono». Foi um oficial de Israel nos dias de Salomão (I Reis 4:3). Era filho de Sisa. Foi um dos escribas mais importantes que serviram ao rei (I Reis 4:3). Viveu por volta de 1015 A.C. Seu irmão, Aias (que vide), era o outro escriba. Ambos eram homens de cargo importante, cujos deveres ultrapassavam a simples produção de documentos e o cuidado pelos mesmos, pois chegavam a ser confidentes do rei de Israel.

ELIPANDO

Foi arcebispo de Toledo, na Espanha (780 D.C.) e fez oposição ao islamismo e ao nestorianismo. Contudo, apoiava a teoria adopcionista da cristologia (que vide) e que tantas dificuldades criou à teologia posterior. Ele distinguia entre o Filho natural de Deus (o Jesus divino) e o Filho adotivo de Deus (o Jesus humano). Essa posição foi considerada herética, tendo sido condenada por Adriano I, em 785 D.C., um papa romano. Ver o artigo geral sobre o *Adopcionismo*.

ELISA

No hebraico, «Deus é salvação». Um dos filhos de Javã (Gên. 10:4 e I Crô. 1:7). Aparentemente as *ilhas de Elisá* receberam seu nome por causa desse neto de Jafé. Essas ilhas são descritas como centros exportadores, especialmente de tecidos de cor púrpura e escarlate. Tiro era um dos mercados distantes para onde tais tecidos eram enviados. A identidade dessas ilhas (ou ilha) tem sido disputada. Ezequiel (27:7) associa essas ilhas às costas do mar Mediterrâneo, dando ainda a entender que Elisá é a mesma Quitim, ou Chipre (que vide). Trata-se da mesma Alashia, referida nas cartas de Tell el-Amarna. Chipre, juntamente com o Peloponeso e as ilhas e costas marítimas do mar Egeu eram ricos em conchas produtoras de púrpura, um coränte muito usado na antiguidade.

Alguns eruditos identificam os descendentes de Elisá com os eólios, um antigo povo de sangue grego. Isso era o que Josefo dizia; e alguns estudiosos modernos concordam com a idéia. Mas outros eruditos têm proposto Cartago, uma nação do norte da África, como o lugar em pauta. De acordo com certa tradição antiga, teria sido Elissa, uma princesa tíria, quem fundou Cartago, e, por isso, alguns pensam que seu nome está refletido no nome *Elisá*. Na verdade, porém, Cartago é de origem fenícia e, **portanto, semito-camita e não jafetita**, conforme o **são os gregos**. A idéia moderna mais persistente é que estão em foco as ilhas do mar Egeu, que tinha íntimas associações com os descendentes de Javã e com a indústria de tecidos tingidos.

A pessoa de nome Elisá era o filho mais velho dos quatro filhos de Javã. Ver Gên. 10:4. Alguns supõem que os descendentes de Javã povoaram a Grécia, embora a opinião não seja compartilhada por todos.

Talvez fosse mais certo dizer que os descendentes de Javã ocuparam as terras que margeavam a parte norte ao longo do mar Mediterrâneo e que a Grécia foi ocupada principalmente por descendentes de Elisá. Em grego, Grécia é *Ellás*. Mas como os gregos muito se espalharam, até no sul da Itália, havia muitos gregos. Na antiguidade, a porção sul da Itália era chamada Magna Grécia, antes da formação do império romano. Que Javã se subdividiu em vários povos e línguas, somos informados em Gênesis 10:4,5: «Os de Javã são: Elisá, Társis, Quitim e Dodanim. Estes repartiram entre si as ilhas das nações nas suas terras, cada qual segundo a sua língua, segundo as suas famílias, em suas nações». A expressão «ilhas das nações», na opinião de todos os estudiosos, indica as terras ao redor do mar Mediterrâneo.

ELISAFÃ, ELIZAFÃ

No hebraico, «Deus é protetor». Esse foi o nome de duas personagens referidas no Antigo Testamento:

1. Filho de Uziel, tio de Arão e cabeça da família de Coate (Núm. 3:30; Êxo. 6:22). Moisés ordenou-lhe que tirasse do acampamento os cadáveres de Nadabe e Abiú, no incidente descrito no décimo capítulo de Levítico, quando ofereceram «fogo estranho» diante do Senhor. Os descendentes de Elisafã, mais de quatro séculos mais tarde, ajudaram na cerimônia do transporte da arca da aliança para Jerusalém, na época de Davi (I Crô. 15:8) e, mais tarde ainda, tomaram parte ativa no reavivamento que houve sob a direção de Ezequias (II Crô. 29:13). Os coatitas tinham a responsabilidade de cuidar da arca da aliança, — da mesa dos pães da proposição, do candeeiro de ouro e dos vasos do santuário, etc. Ver I Crô. 16:8; II Crô. 29:13.

2. Com a grafia Elizafã, temos um filho de Parnaque, que foi líder da tribo de Zebulom. Assessorou Moisés na divisão da terra conquistada de Canaã, em porções para cada tribo (Núm. 34:25). Viveu em torno de 1490 A.C.

ELISAFATE

No hebraico, «Deus do juízo». Um filho de Zicri. Ajudou Joiada, o sumo sacerdote, a estabelecer Joás como rei de Judá (II Crô. 23:1). Viveu em cerca de 846 A.C. Foi um dos capitães de grupos de cem homens armados, que ajudaram a destronar a rainha Atalia.

ELISAMA

No hebraico, «Deus ouviu». Esse é o nome de sete pessoas, no Antigo Testamento:

1. Um filho de Amiúde, príncipe da tribo de Efraim, no deserto do Sinai (Núm. 1:10; 2:18; 7:48,53). Ele viveu em torno de 1440 A.C. A genealogia de I Crônicas 7:26 informa-nos de que ele era neto de Josué.

2. Um filho de Davi que nasceu depois que ele retornou e reconquistou o poder em Jerusalém (II Sam. 5:16; I Crô. 3:8; 14:7). Viveu em cerca de 1050 A.C. Em I Crônicas 3:16 esse nome é atribuído a um outro filho de Davi; mas, nas demais listas ele é chamado *Elisua* (que vide). Nove nomes aparecem em I Crô. 3:8, e treze nomes em I Crô. 14:7 e, esta última, ao que parece, inclui algumas filhas de Davi.

3. Um outro filho de Davi, nascido em Jerusalém e que recebeu o mesmo nome (I Crô. 3:6).

4. Um filho de Jecamias, descendente de Judá por meio de Perez (I Crô. 2:41). Teria vivido em torno de 1280 A.C.

ELISEBA — ELISEU

5. O avô de Ismael. Ele matou Gedalias, governador de Israel, nomeado por Nabucodonosor (II Reis 25:25). Ver também Jer. 41:1. Viveu em torno de 535 A.C.

6. Um escriba dos dias do profeta Jeremias, que ouviu a leitura do rolo da lei por parte de Baruque (Jer. 36:12). O rolo foi guardado em uma câmara, até que foi levado para ser lido na presença do rei (Jer. 36:20,21). Viveu em algum tempo depois de 604 A.C.

7. Um dos sacerdotes que foi enviado por Josafá para ensinar a lei ao povo de Judá (II Crô. 17:8). Ele tem sido identificado com os homens de número «quatro» e «cinco». Viveu algum tempo após 875 A.C.

ELISEBA

No hebraico, «Deus é jurador». Outros pensam em «aliança de Deus». Corresponde, no Novo Testamento, a Isabel (que vide). Era esposa de Arão e mãe de toda a família sacerdotal de Israel. Era filha de Aminadabe e irmã de Naason e, portanto, da tribo de Judá. Ver Êxo. 6:23. Viveu em torno de 1490 A.C. Os filhos dela foram quatro: Nadabe, Abiú, Eleazar e Itamar. Os dois primeiros perderam a vida por castigo do Senhor (Núm. 3:4). Os dois últimos tiveram descendentes que ocuparam o ofício sumo sacerdotal, em diferentes épocas da história de Israel. Eleazar foi o sucessor imediato de Arão (Núm. 20:25-28).

ELISEU

Esboço:
  I. Nome
  II. Família e Origens
  III. Sua Chamada e Esboço de seu Ministério
  IV. Incidentes Específicos de sua Vida
  V. Conclusão

I. Nome
No hebraico, **Elisha**, «Deus é salvação» ou «Deus, sua salvação». A forma grega, na Septuaginta, é *Elisá*. No Novo Testamento, *Elisaíos* (Luc. 4:27).

II. Família e Origens
Há mais informações sobre o passado formativo de Eliseu, do que no caso de Elias (que vide), embora também não muita coisa. O pai de Eliseu chamava-se Safate e era natural da cidade de Abel-Meolá, que alguns estudiosos identificam com o moderno Tell Abu Sifri, a oeste do rio Jordão e cerca de meio caminho entre o mar Morto e o mar da Galiléia. O trecho de I Reis 19:19-21 é que nos fornece essas informações. Entretanto, não se sabe dizer onde Eliseu nasceu, embora possamos supor que foi no mesmo lugar em que nasceu seu pai, Abel-Meolá (ver I Reis 19:16).

III. Sua Chamada e Esboço do seu Ministério
Depois de Elias, Eliseu tornou-se o presidente da escola dos profetas de Israel. Os discípulos dos profetas eram chamados de seus «filhos», o que explica a expressão «filhos dos profetas» (que vide). Entre os jovens discípulos de Elias, estivera Eliseu. Se datarmos o ministério de Eliseu a partir de seu chamamento, então esse ministério foi realmente longo, desde os reinados de Acabe, Acazias, Jeorão, passando por Jeú e Jeoacás, e até Joás, um período de mais de cinqüenta anos. Os textos bíblicos que narram a história de Eliseu são o décimo nono capítulo de I Reis e os capítulos dois a nove e treze de II Reis. Esses textos fornecem-nos dezoito diferentes e significativas crônicas, que poderíamos considerar como uma seleção entre tantos outros incidentes. É

inútil tentar descobrir a cronologia desses incidentes, porquanto há interrupções óbvias na seqüência dos mesmos. Comparar II Reis 6:23 com 6:24; 6:27 com 8:4,5; 13:13 com 13:14 *ss*.

Após o arrebatamento de Elias, Eliseu tomou o seu lugar, como cabeça da escola dos profetas. Ele recebera a dupla porção do poder espiritual de Elias (II Reis 2:9,10). Por esse motivo, as narrativas a que aludimos contam muitos sinais e prodígios feitos por Eliseu, alguns dos quais tiveram um interesse nacional. Portanto, Eliseu foi um autêntico substituto de Elias, não representando qualquer declínio quanto ao poder espiritual, conforme, com tanta freqüência, acontece quando um grande mestre é substituído por algum de seus discípulos, posto que, liderante. Eliseu é retratado como um profeta popular, a quem aldeões e reis, igualmente, apelavam, pedindo ajuda. As grandes tensões criadas na nação de Israel por causa da adoração ao deus pagão Baal, tinham amainado, pelo que também o ministério de Eliseu foi mais pacífico que o de Elias.

IV. Incidentes Específicos de sua Vida
1. **Testemunha da Translação de Elias.** Quando ainda era jovem, Eliseu foi chamado por Elias para tornar-se um de seus «filhos», isto é, *discípulo*. Elias fizera isso a mando do Senhor, e pôs seu manto de pêlos de carneiro sobre os ombros de Eliseu, como sinal de sua nova ocupação. Eliseu foi despedir-se dos seus pais, ofereceu uma festa aos seus amigos, e passou a acompanhar Elias, como seu criado e aprendiz. Ver I Reis 19:19-21. Tudo isso faz-nos lembrar o poder de Jesus, quando convocou os seus primeiros discípulos. Que teria impulsionado aos discípulos de Jesus a abandonarem tudo e se tornarem discípulos de um homem pobre, cuja vida era ponteada por tantas incertezas financeiras? Eles fizeram isso porque haviam encontrado um grande Mestre e tinham consciência do fato. Há pessoas deveras extraordinárias, que dominam a outras com o seu magnetismo pessoal. Elas têm uma presença avassaladora, um poder mental que projeta e cativa. Jesus foi um homem assim. Séculos antes disso, Elias foi reconhecido como um grande Mestre. Creio que Satya Sai Baba, em nossos próprios dias, é um homem assim, resguardadas as devidas porções. Ver o artigo acerca dele. As profecias, bíblicas e outras, asseguram-nos de que o anticristo será uma figura de grande envergadura. Quando algum grande mestre chama, as pessoas o *atendem!*

Elias chamou e Eliseu o atendeu. Seguir a um mestre não garante uma vida fácil e brilhante. Quase todos os discípulos de Jesus sofreram o martírio e, antes mesmo da morte libertá-los, tiveram muitas tribulações. Porém, o que caracteriza todos os verdadeiros discípulos do Senhor é que eles têm vidas úteis, sendo capazes de cumprir alguma missão condigna neste mundo. É com esse motivo que estamos neste mundo e não para adquirirmos vantagens pessoais.

O Grande Dia de Eliseu. Após o seu chamamento, não ouvimos mais falar em Eliseu, até o grande dia do arrebatamento de Elias. Eliseu não largava o profeta mais idoso por nenhum motivo, mesmo quando instado a isso. Sabia que estava prestes a perder a sua companhia. Os estudantes da escola de teologia (os «filhos dos profetas») sabiam que o tempo de Elias, neste mundo, estava chegando rapidamente ao fim. Disseram a Eliseu, naquele dia, por mais de uma vez: «Sabes que o Senhor hoje tomará o teu senhor elevando-o por sobre a tua cabeça?» (II Reis 2:5). E, —cada vez, Eliseu dava a mesma resposta:

ELISEU

«Também eu o sei; calai-vos». É evidente que Eliseu estava nervoso e irritado. Estava prestes a experimentar uma grande crise, que constituía um evento incomum, extraordinário. Eliseu estava muito tenso. Elias dividiu as águas do rio Jordão. E ambos passaram para a margem oposta. Então Elias perguntou se haveria algum favor que Eliseu gostaria de pedir-lhe, antes de sua partida deste mundo. E Eliseu solicitou a dupla porção do Espírito de Elias. Elias disse que o pedido era dificílimo, mas prometeu que tal pedido seria conferido a Êliseu, se este visse a partida dele para o céu. Os dois continuaram andando e conversando. Subitamente, o ar ficou carregado de grande poder. Uma carruagem de fogo, com cavalos de fogo, desceu e separou os dois homens. Elias foi arrebatado em um redemoinho e levado para os céus. *E Eliseu viu a cena!* E, em sua excitação e admiração, exclamou: «Meu pai, meu pai, os carros de Israel, e seus cavaleiros!» (I Reis 2:12). Agora, Elias se fora definitivamente. Em sua consternação, choque e saudades, Eliseu rasgou suas próprias vestes e, então, ajuntou do chão o manto deixado por Elias. Voltou à margem do Jordão, invocou o Senhor e dividiu as águas do rio, tal e qual Elias havia feito e atravessou para a outra margem. Agora o poder do Espírito, em dupla dose, estava com Eliseu, conforme ele havia solicitado.

Um detalhe deveras interessante. Os filhos dos profetas, aproximando-se de Eliseu, observaram: «O espírito de Elias repousa sobre Eliseu» (I Reis 2:15). Agora, pois, Eliseu era o grande mestre e bastava a sua presença para mostrar àqueles estudantes de teologia que o seu novo «senhor» tinha toda a estatura espiritual do anterior.

Que Dizer sobre Translações e Arrebatamentos? Os céticos lêem relatos como esses, sobre Elias e Eliseu, sorrindo, a fim de demonstrar que sabem mais do que essas histórias dizem. Para eles, essas narrativas não passam de lendas fantásticas, criação de mentes fanáticas, talvez com a ajuda de condições mentais patológicas. Essa avaliação é errada, pois a verdade é que esses relatos refletem experiências religiosas humanas reais, visto que as *translações espirituais* ocorrem, posto que mui ocasionalmente. Não ficamos dependendo de uma ou duas histórias. Eu mesmo, de certo modo, cheguei perto de um caso desses. Em Salt Lake City, no estado de Utah, nos Estados Unidos da América do Norte, eu tinha um amigo que era dono de uma livraria. O nome dele era Wilson. Por sua vez, ele tinha uma amiga de nome Analee Skarin. Ela vinha do meio mórmon, mas tinha sido rejeitada por eles, por causa de algumas de suas crenças. Ela afirmava que não é necessário uma pessoa morrer, pois é possível a qualquer pessoa ter uma experiência de translação. Wilson dizia que sua amiga era uma pessoa incomumente santificada. Ele defendia a integridade dela. Analee vivia em companhia de uma família em Salt Lake City. Os membros dessa família tinham consciência de que ela estava esperando ser arrebatada, porquanto *fora informada* por autoridades espirituais de que isso haveria de acontecer. Isso seria uma indicação da veracidade de seus ensinos, uma convocação para os homens buscarem maior espiritualidade, em seus próprios corações.

Chegado o dia do esperado acontecimento, a família estava reunida. Subitamente, Analee foi circundada e permeada por uma grande luz. A cena assemelhava-se àquela em que o Senhor Jesus foi transfigurado (Mateus 17). A família contemplou uma Analee transformada, vendo-a desaparecer diante de seus olhos. Eles nada tinham a ganhar, ao

contarem o sucedido, exceto o ridículo lançado por outras pessoas, que não haveriam de aceitar ou entender tal acontecimento como real. A história tem sido recontada em um livro publicado sobre a história intitulado: *Onde Está Analee Skarin?* As testemunhas afirmam que ela foi transladada. Isso aconteceu há cerca de quinze anos atrás (no início da década de 1970).

O bispo anglicano Pike e sua esposa, Diane, sempre julgaram ser engraçado que os líderes das grandes religiões tivessem experimentado «ascensões». No entanto, quando o bispo Pike morreu, no deserto da Judéia, onde se perdera, sua esposa viu a *ascensão* dele, sob a forma de uma visão. Embora o casal sempre se tivesse mostrado cético acerca de coisas assim, pensando que as mentes religiosas estão sujeitas a todos os tipos de exagero, ela exclamou: *Tudo isso é verdade!* Coisas assim assumem a forma de uma visão. Eliseu viu uma carruagem e cavalos de fogo. Não é mister supormos que a coisa foi literal. Antes, pode ter assumido a forma de uma visão, embora resultante de um poder real. Os discípulos de Jesus viram-no subindo em uma nuvem. Essa nuvem deve ter sido a nuvem própria das experiências místicas, alguma forma de energia e não uma nuvem formada de vapor de água.

Uma das grandes doutrinas da Bíblia é a do arrebatamento geral dos crentes, quando da «parousia» ou segunda vinda de Jesus Cristo. Ver I Cor. 15:51 *ss* e o nosso artigo sobre a *Parousia*. Essa doutrina, um dos *mistérios* ensinados por Paulo, segundo muitos crentes esperam, haverá de cumprir-se ainda nos dias desta geração. Portanto, ainda que duvidemos que tais coisas possam acontecer, elas são solidamente confirmadas pela experiência religiosa; e essas experiências, algumas vezes, chegam bem perto de nós, tocando em nós com a sua graça.

No caso de Elias, porém, os filhos dos profetas queriam ter certeza de que a coisa havia mesmo acontecido. Eles buscaram por Elias, procurando encontrá-lo, mas tudo em vão. Elias tinha-se ido deste mundo. Realmente acontecera! Cinqüenta homens ficaram procurando por ele. Passaram três dias nessa busca. E, quando regressaram, Eliseu zombou deles, dizendo: «Não vos disse que não fôsseis?» (II Reis 2:18). No entanto, eles tinham de averiguar as coisas com os próprios olhos. Algumas vezes, precisamos ver uma coisa para acreditar nela. Às vezes, precisamos ter certeza. Quando obtemos essa certeza, então sentimos o poder do evento. Nenhum daqueles filhos dos profetas desistiu de continuar. Estavam vivendo grandes dias de espiritualidade.

2. *Sanando as Águas de Jericó.* Após a translação de Elias, Eliseu foi habitar em Jericó (II Reis 2:18). Com ele estava também o seu grupo de discípulos proféticos. Os cidadãos de Jericó queixavam-se da péssima qualidade da água que ali se tomava. Eliseu remediou a situação lançando um pouco de sal na fonte das águas, em nome de Yahweh (II Reis 2:19-22).

3. *A Morte dos Meninos.* Eliseu saiu de Jericó e mudou-se para Betel. Mas, ao longo do caminho, alguns meninos viram-no e começaram a caçoar dele, por ser ele calvo. O profeta considerou a zombaria como uma afronta contra Deus e não apenas contra ele mesmo. Duas ursas saíram da floresta e despedaçaram quarenta e dois daqueles meninos. O texto não diz especificamente que todos eles morreram. Talvez tenha sido apenas um grande susto. Mas John Gill afirma, nesse ponto, que os meninos foram realmente mortos, declarando que o

ELISEU

castigo não se deveu apenas ao incidente com Eliseu, mas também atingiu os pais deles, porquanto haviam-nos criado na *impiedade*. John Gill também pensava que os pais dos meninos é que os tinham mandado para zombar do profeta. Seja como for, não aprecio muito a história. Jesus não tinha atitudes assim. Mas o texto sagrado diz que Eliseu amaldiçoara os meninos e aquele foi o resultado. Ver II Reis 2:23-25. O trecho de Lucas 9:54 mostra-nos que Jesus não aprovou os seus discípulos, quando eles quiseram destruir, mediante o fogo, àqueles que o tinham rejeitado (imitando os atos severos de Eliseu). Jesus, entretanto, era dono de um espírito profético diferente, sem dúvida mais excelente ainda que o de Eliseu. O Novo Testamento informa-nos de que Jesus veio para salvar e não para destruir.

4. *A Derrota dos Moabitas*. Israel e Judá estavam em luta contra Moabe. Havia escassez de água no deserto por onde estavam marchando e um exército **não luta bem sem bem-estar físico. Josafá, rei de Judá, pediu a ajuda de Eliseu. A princípio o profeta** recusou-se, mas depois, mudou de parecer, ao ouvir música. O profeta declarou que não veriam vento e nem chuva, mas que, a despeito disso, o leito seco do ribeiro ficaria cheio de água. Na manhã seguinte, desceu grande quantidade de água, da direção dos montes de Edom. E na região houve água em abundância. Mui provavelmente, esse foi um acontecimento natural, tendo havido chuvas nas cabeceiras **do riacho, cujas águas agora chegavam até onde estavam os israelitas. Seja como for, Eliseu, com a ajuda da música (II Reis 3:15), foi capaz de prever o que** sucederia, sem importar se, no acontecido, havia algo de miraculoso ou não. A música é usada pelos místicos para provocar um estado de transe, mediante o qual as coisas chegam a ser conhecidas por meios místicos e espirituais; e esse é um interessante aspecto da narrativa. Eliseu também predisse a esmagadora vitória de Israel e Judá sobre os moabitas, com a ajuda do rei de Edom. Ver II Reis 3:4-24 quanto a esse relato. Há um paralelo desse incidente na batalha que, muito depois, houve entre os romanos e Jugurta. Uma chuva súbita e inesperada trouxe refrigério (e, portanto, a vitória) a um exército romano extremamente sedento.

5. *O Azeite da Viúva*. O suprimento básico de alimentos permanece uma grave dificuldade para muitas pessoas, em nosso mundo moderno, apesar de todo o avanço da ciência humana. Elias fora miraculosamente alimentado pelos corvos; e a viúva com a qual ele ficara hospedado também pôde alimentá-lo durante todo o tempo restante da seca, por meios miraculosos. Algumas vezes, esse suprimento nos é dado através de algum ato direto de Deus. Outras vezes, está ao alcance das nossas próprias mãos suprir as nossas necessidades materiais. Uma pobre viúva, —conhecida de Eliseu, queixou-se a ele de um credor que estava prestes a **escravizar seus filhos, — como meio de receber a dívida. Ora, a única coisa que a viúva tinha ao seu** dispor era uma botija de azeite. O profeta então instruiu-a para que pedisse emprestado todos os tipos de vasos vazios, da parte de suas vizinhas. Então ela derramou da botija o azeite, enchendo todos aqueles vasos. O azeite continuou vertendo da botija para os vasos; e assim ela foi capaz de pagar a dívida, vivendo ainda da renda produzida pela venda do azeite. Deus pode fazer as árvores produzirem dinheiro, se isso é o que tem de ser feito, a fim de dar aos seus santos o que eles precisam. Ver II Reis 4:1-7.

6. *O Filho da Mulher de Suném*. Uma rica mulher de Suném prestou a Eliseu um grande favor, ao construir para ele um quartinho onde ele podia hospedar-se. O quartinho era um *alijah*, um cenáculo, um aposento em andar superior e, portanto, talvez fosse o lugar mais desejável da casa. Eliseu queria recompensá-la por isso, mas uma de suas ofertas de ajuda foi rechaçada por ela. No entanto, Geazi, servo de Elias, destacou que a mulher não tinha filhos. E Eliseu predisse o nascimento de um menino, filho daquela mulher. Isso efetivamente, sucedeu. Alguns anos depois, o menino adoeceu gravemente, de repente, e acabou morrendo. A mulher foi até o monte Carmelo, em busca da ajuda de Eliseu. A princípio ele enviou Geazi com o seu cajado, para que o pusesse sobre o rosto da criança. Mas isso em nada ajudou. Portanto, Eliseu foi pessoalmente ressuscitar o menino dos mortos. O que nos chama a atenção nesse incidente foi que a primeira tentativa feita por Eliseu não deu certo. Algumas vezes, os curadores podem curar à distância. Outras vezes, os objetos podem ser permeados com poder de cura, podendo curar sem qualquer intervenção direta do curador. Outras vezes, entretanto, somente a presença pessoal do curador surte efeito. Jesus, porém, curava e até ressuscitava mortos à distância.

7. *A Panela com Veneno*. Houve um tempo de fome em Israel. Eliseu chegou a Gilgal e ordenou que se preparasse comida para os filhos dos profetas, isto é, os discípulos de sua escola de profetas. Acidentalmente, porém, alguém misturou com a comida colocíntidas venenosas. Quando foi dado o brado de alerta, o profeta fez o cozido tornar-se novamente bom para o consumo humano, mandando pôr na panela um pouco de farinha de trigo (II Reis 4:38,41).

8. *Multiplicação de Pães*. Certo homem, vindo de Baal-Salisa, trouxera vinte pães de cevada e algumas espigas verdes em seu alforje. Eliseu ordenou que isso fosse posto diante de cem homens. Porém, era tão óbvio que o alimento não era suficiente, que seu servo protestou. Mas, quando a palavra do profeta foi obedecida, o alimento foi-se multiplicando miraculosamente, de tal maneira que houve o suficiente para todos, II Reis 4:42-44. Os céticos riem-se de histórias dessa natureza e até, mesmo a multiplicação de pães, por duas vezes, por parte de Jesus, não escapa do ridículo deles. No entanto, em nossos próprios dias, Satya Sai Baba (que vide), com certa freqüência cria alimentos perfeitamente comestíveis sem dispor de qualquer fonte visível que possa ser transformada. Em outras palavras, ele tem transformado energia em substância comestível.

9. *A Cura de Naamã*. Naamã era comandante do exército sírio, nos dias de Eliseu. Naamã era um homem que merecia o respeito de todos. Mas, o fato de que ele era leproso maculava o quadro inteiro. A sua cura começou a ocorrer quando uma menina israelita escrava, que servia na casa dele, falou sobre o profeta de Israel que seria capaz de fazer cessar o opróprio do general sírio. O general sírio resolveu não mostrar-se cético e dirigiu-se ao rei de Israel, após ter obtido autorização do rei da Síria. Mas o rei de Israel entrou em pânico, porquanto pensava que um ataque militar estava sendo arquitetado astuciosamente. No entanto, ele não tinha necessidade alguma de temor, pois tudo quanto estava envolvido era o problema de saúde pessoal de Naamã. Eliseu ordenou que o general fosse mergulhar no rio Jordão por sete vezes em seguida. Isso não agradou ao general sírio, porquanto o rio Jordão é um rio muito lamacento, ao passo que, na Síria, havia muitos rios de águas cristalinas. Além disso, Naamã nunca esperara uma ordem tão tola.

339

ELISEU

Quando Naamã já se dispunha a não anuir, seus servos persuadiram-no a seguir a recomendação, por mais simples que a mesma fosse, argumentando que se Eliseu tivesse requerido alguma coisa extraordinária, ele o teria atendido. Quando Naamã começou a mergulhar no rio, primeira, segunda, terceira, quarta vez... nada sucedeu. Porém, quando ele saiu do rio, pela sétima vez, —não somente estava curado, mas também a sua pele tornara-se limpa como a de uma criança pequena. Em outras palavras, ele conseguira a reversão dos efeitos da idade, sobre o seu organismo.

Há vezes em que Deus nos faz esperar por muito tempo por seus milagres; mas quando eles ocorrem, são maiores do que tudo quanto esperávamos e tínhamos pedido. Essa história teve uma interessante seqüela. Naamã tentou oferecer a Eliseu alguma recompensa monetária pelo milagre recebido. Chegou a insistir, mas Eliseu não estava interessado nem por dinheiro e nem por meras coisas. Todavia, nem todos compartilhavam de sua despreendida atitude. Geazi, o principal servo de Eliseu, observou o quão ansioso Naamã estava por recompensar o profeta. E isso o interessou muito. Portanto, quando Naamã despediu-se, Geazi foi atrás dele. E, chegando à presença do general sírio, Geazi disse uma mentira, afirmando que Eliseu mudara de opinião e resolvera aceitar alguma recompensa. Eliseu teria acabado de receber dois filhos dos profetas, vindos de Efraim e queria dar-lhes dinheiro e vestes. Naamã creu na mentira e deu a Geazi dois talentos de prata e duas vestes festivais.

Quando Geazi retornou, Eliseu, naturalmente, sabia o que havia acontecido. O profeta perguntou onde Geazi estivera. E o servo respondeu: «Teu servo não foi a parte alguma». Essa era uma segunda mentira. A cobiça pelo dinheiro faz muitas pessoas tornarem-se mentirosas. Eliseu, pois, repreendeu a Geazi por sua ganância e especialmente, porque a mesma estava misturada com um grande milagre, que acabara de ter lugar. Não era ocasião própria para Geazi pensar em coisas puramente materiais. E Eliseu proferiu a sentença : a lepra que fora removida de Naamã sobreviria a Geazi. E Geazi afastou-se, coberto de lepra. A lição assim ensinada é perfeitamente clara. É um perigo brincar com as realidades espirituais. Ver II Reis 5:1-27.

10. *O Machado Flutuante — um Caso de Levitação.* As instalações onde residiam os estudantes de teologia eram pequenas demais para o grupo, pelo que resolveram mudar-se. Foram até um lugar perto da margem do rio Jordão e começaram a construir novos alojamentos. Durante o trabalho, um machado de ferro escapuliu do cabo e caiu dentro do rio. O ferro do machado desapareceu nas águas, para grande consternação dos estudantes. Eliseu chegou, jogou um pedaço de madeira nas águas e o pedaço de madeira flutuou. E o ferro do machado subiu juntamente com o pedaço de madeira, até a superfície da água, sendo facilmente retirado do rio. Ver II Reis 6:1-7.

A levitação de objetos tem uma longa história nos **fenômenos religiosos e psíquicos.** Usualmente, as pessoas são capazes de levantar apenas pequenos objetos, de pouco peso. Ocasionalmente, porém, surge alguém que pode elevar grandes e pesados objetos, deixando-os suspensos no ar por algum tempo. A gravidade é uma das forças naturais que menos conhecemos; mas, sob certas circunstâncias, determinadas pessoas podem vencer a força da gravidade, fazendo com que os objetos flutuem no ar. Um grande poder espiritual, como foi o de Eliseu, não

deveria ter encontrado grande dificuldade para fazer o ferro do machado flutuar. Jesus foi capaz de caminhar por sobre a superfície do lago, o que significa que era capaz de suspender o seu próprio peso, contra a força da gravidade. Ver João 6:19. O fenômeno da levitação não é necessariamente espiritual. Uma força psíquica poderosa é capaz do feito, sob circunstâncias que nada têm a ver com questões religiosas e por pessoas que não temem a Deus. Certos santos católicos romanos têm sido vistos a levitar espontaneamente, quando em meditação; e não há qualquer necessidade de duvidarmos de tais acontecimentos. Há muitos poderes e forças misteriosas. **Sem dúvida, passar-se-á muito tempo antes de compreendermos direito coisas dessa ordem.**

11. *Espionagem Espiritual.* Em diversas ocasiões, quando os sírios e os israelitas estiveram em guerra, Eliseu ajudou seu povo a obter a vitória, revelando os atos e as intenções dos sírios, mediante meios psíquicos ou espirituais, assim conferindo a Israel uma vantagem logística nas operações militares. Em nossos dias, tanto os Estados Unidos da América quanto a União Soviética estão pesquisando seriamente sobre como a telepatia, a clarividência e o conhecimento prévio podem ser aplicados às questões da espionagem e da guerra. Os relatórios indicam que muitos bilhões de cruzados estão sendo gastos nessas questões, por ambas as grandes potências. É óbvio, pois, que fenômenos assim podem ser psíquicos e não somente espirituais. Entretanto, algumas vezes, é difícil estabelecer a linha divisória entre um fenômeno espiritual e um fenômeno psíquico. Sem dúvida, certos fenômenos psíquicos só se tornam espirituais por causa de sua aplicação ou utilidade espiritual. Para exemplificar, Eliseu pode ter tomado consciência dos planos sírios mediante a telepatia. Não seria necessário, nesse caso, qualquer operação especial da parte do Espírito de Deus. Na verdade, os estudos feitos demonstram que todas as pessoas, visto que são almas (têm psique), são dotadas de poderes psíquicos. Ver o artigo geral sobre a *Parapsicologia.*

Há pessoas que pensam que todos os fenômenos psíquicos procedem do diabo. Se isso fosse verdade, então todas as pessoas seriam endemoninhadas, especialmente quando estão sonhando, porquanto a telepatia, a clarividência e o conhecimento prévio são acontecimentos comuns e universais quando sonhamos. Ver o nosso artigo sobre os *Sonhos.* Ademais, é o poder da mente, através da *psicocinese* que controla as ações do corpo. Portanto, sem poderes psíquicos (ver o artigo sobre o *Problema do Corpo-Mente*), seria impossível uma pessoa utilizar e movimentar o **seu próprio corpo. Por que motivo as pessoas temem o aspecto psíquico de seus próprios seres? O relato** sobre a espionagem espiritual de Eliseu, na Bíblia, encontra-se em II Reis 6:8-10.

12. *Dificuldades em Dotã.* A reputação de Eliseu chegou à Síria e os sírios resolveram aprisioná-lo. O problema específico era a espionagem espiritual de Eliseu, que acabamos de descrever, acima. O rei sírio, como é óbvio, queria pôr fim a esse estado de coisas, tirando a vida do profeta. Portanto, enviou homens armados a Dotã, com a finalidade de capturarem Eliseu. Chegando, os sírios cercaram a cidade com um grande contingente de homens, cavalos e carros de guerra. Porém, forças espirituais ainda em maior número protegiam Israel, embora invisíveis a todos quantos estavam no acampamento, excetuando o próprio Eliseu. E o servo de Eliseu, que o acompanhava, teve os seus olhos abertos, para poder divisar o grande exército espiritual protetor. Muitos sermões, utilizando-se desse texto, têm sido usados

340

ELISEU

para mostrar como os nossos olhos espirituais podem ser abertos. A próxima coisa que aconteceu, porém, foi que Eliseu feriu de cegueira os soldados sírios. Então, ele mesmo os conduziu até a cidade de Samaria, capital do norte, Israel. Ali, eles estavam prisioneiros; e então os seus olhos foram abertos. O rei de Israel pretendia executá-los, mas Eliseu lembrou ao monarca de que se eles tivessem sido aprisionados em guerra, não teriam sido mortos. Até os prisioneiros de guerra, algumas vezes, têm direitos reconhecidos. Portanto, em vez de castigá-los, Eliseu ordenou que lhes fosse oferecido um banquete. De fato, segundo lemos nas Escrituras, eles tiveram «um grande banquete, comeram e beberam» (II Reis 6:23). E, em seguida, foram mandados embora em paz. E o resultado é dado logo em seguida: «...e da parte da Síria não houve mais investidas na terra de Israel» (mesmo versículo). Esse foi um dos mais estranhos acontecimentos da história militar do mundo inteiro. É possível que algo similar já tenha ocorrido por mais de uma vez. No entanto, quando a memória do acontecido se apagou das mentes dos sírios, Ben-Hadade, rei da Síria, novamente preparou um exército invasor, que sitiou a cidade de Samaria, em Israel, II Reis 6:24 ss.

13. *Fome, Guerra e Festividades em Samaria.* Ben-Hadade, o rei sírio, havia atacado e sitiado a cidade de Samaria. Sob o cerco, os habitantes da cidade estavam passando fome. Algumas mulheres de Israel chegaram ao extremo da miséria de terem de comer as carnes de seus próprios filhinhos mortos! Jeorão, o rei de Israel, estava horrorizado diante de tais acontecimentos. E, em um momento de ira, de frustração e de desvario, de alguma maneira chegou a pensar que Eliseu era o responsável por aquela situação. Talvez ele tenha pensado assim porque Eliseu impedira a morte de tantos soldados sírios, embora tivesse feito adiar um novo ataque sírio por algum tempo, mas agora, de alguma maneira, parecia ter falhado. O trecho de II Reis 6:33 mostra-nos que o rei de Israel chegou a culpar o próprio Senhor por aquela drástica situação. Portanto, como principal representante de Deus, Eliseu era o alvo de toda a indignação real. O rei enviou um homem para que assassinasse Eliseu; mas o profeta, sem dúvida por meios psíquicos, percebeu o plano traiçoeiro e ordenou que o porta de entrada fosse fechada, impedindo a entrada do mensageiro. Em vista do fracasso da missão homicida, o próprio rei de Israel veio queixar-se pessoalmente a Eliseu. E Eliseu garantiu ao monarca de que as coisas haveriam de melhorar *em breve.* Naquela mesma noite, as tropas sírias fugiram, tomadas de pânico, porquanto tinham ouvido o ruído da aproximação de muitos cavalos e carros de guerra, imaginando que Jeorão tivesse conseguido **defechar um contra-ataque,** mediante tropas mercenárias egípcias e hititas. No entanto, aquele ruído foi divinamente produzido. Seja como for, os sírios fugiram e deixaram para trás todo o seu grande suprimento de alimentos. Ao raiar do dia, quatro leprosos israelitas, vendo o acampamento sírio abandonado, vieram anunciar a notícia de que havia grande quantidade de alimentos à espera dos habitantes da cidade de Samaria. Há ocasiões em que Deus prepara para nós uma mesa, na presença mesma de nossos inimigos (Sal. 23:5). Nesse caso, a mesa dos próprios inimigos de Israel foi entregue ao povo de Deus, repleta de coisas apetitosas. Poderíamos comentar que Deus atuou de forma nada ortodoxa, a fim de conferir aos israelitas tão grande suprimento. Ver a narrativa bíblica no trecho de II Reis 6:24—7:20, onde há detalhes interessantes, não

referidos aqui, mas que são dignos de nossa atenção.

14. *A Propriedade da Mulher Sunamita.* No sexto ponto, acima, vimos que Eliseu tinha uma amiga dileta, uma mulher sunamita. Consciente de tempos difíceis que se aproximavam, incluindo sete anos de fome, Eliseu aconselhou-a a abandonar aquele lugar, Suném. Foi o que ela fez. Mas, quando o período de escassez terminou, ela voltou à sua casa, somente para descobrir que outras pessoas haviam se apossado de sua propriedade. Instruído por Geazi, o rei de Israel resolveu fazer algo a respeito, em defesa da mulher. Todas as propriedades da mulher lhe foram devolvidas. Ver II Reis 8:1-6 quanto a esse incidente. As provisões divinas podem incluir a restauração daquilo que nos pertencia; e isso pode acontecer com a ajuda de pessoas amigas. Algumas vezes, essa restauração nos é feita depois de atravessarmos algum tempo de necessidades.

15. *O Estranho Caso de Hazael.* Ben-Hadade, inimigo de Israel desde muito tempo e que era o rei da Síria, adoeceu um dia. Mui estranhamente, o monarca resolveu mandar consultar o profeta Eliseu, em Israel, para saber das possibilidades de sua recuperação. O rei sírio enviou Hazael, um de seus oficiais, para fazer a consulta. Eliseu informou então ao homem que *ele,* Hazael, haveria de ser o próprio rei da Síria. De volta à Síria, Hazael resolveu apressar o cumprimento da profecia e sufocou o débil monarca sírio com um cobertor molhado, depois de haver dito a ele uma mentira. Foi assim que Hazael tornou-se o rei que sucedeu a Ben-Hadade no trono da Síria e que este foi castigado por suas maldades. Existe aquilo que se poderia chamar de profecia que se cumpre a si mesma. O relato desse incidente fica em II Reis 8:7-16.

16. *Jeú torna-se Rei de Israel.* Essa crônica fica em II Reis 9:1—10:36. Na história acerca de Acabe e sua mulher, Jezebel, no relacionamento inamistoso que tiveram com Elias, somos lembrados de que nunca houve em Israel um rei e uma rainha tão corruptos e violentos. O juízo divino teria de sobrevir algum dia. Elias havia predito que o próximo rei de Israel seria Jeú e que o próximo rei de Síria seria Hazael. Ver I Reis 19:16-18. Elias havia profetizado que Jeú, o rei de Israel, e que Hazael, o rei da Síria, poriam fim à casa de Acabe. Em confirmação à profecia feita por Elias, Eliseu enviou um estudante da escola de teologia para que ungisse a Jeú como o futuro rei (II Reis 9:1-3). Isso teve lugar em Ramote-Gileade. O nono capítulo do segundo livro dos Reis registra o começo do cumprimento dessa predição. Jezabel teve o seu cadáver devorado pelos cães, conforme Elias havia predito. E o décimo capítulo desse mesmo livro conta o resto da história, de como chegou ao fim a casa reinante de Acabe. O próprio Jeú reinou sobre Israel pelo espaço de vinte e oito anos, tendo-lhe sido prometido que a sua linhagem manter-se-ia sobre o trono de Israel por quatro gerações. Jeú também destruiu a adoração a Baal no reino do norte, Israel. No entanto, ele mesmo cometeu inúmeros erros e Hazael foi usado por Deus para impor a disciplina sobre Israel, nessa conjuntura.

17. *Eliseu e Jeoás.* No decurso da enfermidade de que veio a falecer, Eliseu profetizou que Jeoás, rei de Israel, haveria de derrotar os sírios. Jeoás visitou o profeta quando este já estava em seu leito de morte. Jeoás era neto de Jeú e estava muito triste em face da partida iminente do grande profeta. Quando Jeoás feriu a terra com suas flechadas, por apenas três vezes, Eliseu ficou indignado, dizendo que ele deveria tê-lo feito por mais vezes, porquanto assim teria

ELISEU — ELIÚ

destruído totalmente os sírios, mas agora só obteria três vitórias contra eles: pela sua própria timidez, pois, não obteria uma vitória decisiva. Ver II Reis 13:14-19, onde essa história é relatada.

18. *Uma Ressurreição Póstuma*. Estava sendo efetuado um funeral, no cemitério onde Eliseu fora sepultado. Quando se aproximaram alguns atacantes, o cadáver foi lançado às pressas na cova. E, quando, o cadáver tocou nos ossos do profeta Eliseu, foi devolvido à vida. Ver II Reis 13:20,21. A lição espiritual nisso encerrada é que o poder de um verdadeiro profeta prossegue mesmo depois de sua morte. Isso pode ocorrer através de seu exemplo, de seus escritos, ou de alguma organização ou escola de pensamento por ele iniciada. No caso de Eliseu, a questão foi ilustrada de maneira realmente estranha. Há casos de pessoas santificadas cujos corpos não se decompõem. Vários santos católicos romanos, segundo se diz, nunca se decompuseram. Há nisso algum poder que não compreendemos, mas não há como negar a realidade do fenômeno.

19. *Eliseu nas Páginas do Novo Testamento*. Em contraste com a freqüência de alusões a Elias, no Novo Testamento, Eliseu é ali mencionado apenas por uma vez. Quando Jesus pregava em Nazaré, lembrou os seus ouvintes acerca da cura de Naamã, o general sírio, por parte de Eliseu. Assim ele ilustrava quão fraca era a fé do povo de Israel, observando que, nos dias de Eliseu, havia muitos leprosos em Israel, mas foi um *estrangeiro* quem se beneficiou do poder do profeta. Um profeta não é aceito em sua própria terra, mas encontra seguidores nos lugares mais inesperados. Ver Lucas 4:27.

V. Conclusão

Eliseu solicitou receber a dupla porção do espírito de Elias. E isso foi-lhe concedido. O fato de que o Novo Testamento fala mais sobre Elias do que sobre Eliseu e também a profecia sobre uma missão final de Elias nos últimos dias, obscurecem, até certo ponto, a vida impressionante de Eliseu. Porém, quando lemos o relato bíblico a respeito de Eliseu, não podemos considerá-lo inferior a Elias, em coisa alguma, pelo menos do ponto de vista de suas realizações espirituais. No entanto, o estilo de vida de Eliseu era muito diferente do de Elias. Elias habitava no deserto e era um filho do deserto. —Eliseu, por sua vez, era um homem citadino, um cavaleiro civilizado que vivia em íntimo contacto com reis. A missão de Elias teve lugar em uma época em que a casa real de Israel estava muito corrompida e ele via-se forçado a manter-se sempre em posição de ataque, envolvendo-se em grandes conflitos. Mas Eliseu, embora tivesse compartilhado um tanto dessa atividade, era um curador e conselheiro de reis. Muitos de seus milagres foram prodígios de cura e restauração. Os maiores milagres efetuados por Elias foram exibições de desfavor divino, com o propósito de impor julgamento e purificar a nação.

Embora Eliseu pudesse ter tirado grande proveito financeiro, de seus contactos com reis e líderes importantes, que muito o respeitavam, ele não ganhou qualquer dinheiro com essas atividades religiosas, em contraste com tantos líderes religiosos que enriquecem em face das associações que fazem. Eliseu serviu de ilustração daqueles poucos líderes espirituais que podem tornar-se homens poderosos, ao mesmo tempo que retêm a sua simplicidade. (G GEI WALL)

ELÍSIOS, CAMPOS

Esse é o nome do paraíso nos escritos de Homero e Hesíodo. Na Odisséia (4:563), encontramos a seguinte declaração: «Os campos elísios, onde a vida é mais fácil para os homens. — Ali não cai neve, não há grandes tempestades e nem chuvas; mas o oceano envia a brisa do fresco Ocidente, para refrescar os homens». Poetas posteriores, porém, começaram a usar a expressão «campos elísios» para indicar o mundo infernal. Homero descreveu essa planície como um lindo prado, localizado na extremidade ocidental da terra, às margens do rio Oceano. Segundo se dizia, Zeus teria levado certos seres humanos, altamente favorecidos, para aquele lugar, sem terem tido de passar antes pela morte física; e é mediante essa informação lendária que ficamos sabendo que havia alusão ao paraíso celestial, apesar dos limites geográficos que lhe eram atribuídos.

Acresça-se a isso que, nessa ficção dos campos elísios, achamos uma versão grega da doutrina do *arrebatamento*. Ver o artigo sobre a *parousia*. Os homens chegariam ali de outras maneiras, equivalentes a um processo remidor. Píndaro supunha que os homens que vivem bem no decurso de três gerações, são recompensados com a bem-aventurança dos campos elísios. Os titãs, depois que se reconciliaram com Zeus, teriam recebido asilo nesses campos. E, mesmo quando o lugar começou a ser associado com as regiões infernais, ainda assim reteve certas características paradisíacas. Tal como o paraíso da teologia judaica, seria um lugar separado do sofrimento dos perdidos, embora localizado em algum lugar, no centro da terra. (E OS)

ELISUA

No hebraico, «Deus é salvação». Um filho de Davi, que lhe nasceu em Jerusalém (II Sam. 5:15; I Crô. 14:5). Ele é chamado Elisama em I Crô. 3:6, por meio de alguma variação escribal. Em I Crô. 3:6,8 há uma dúvida quanto a esse nome. Ver sobre *Elisama*. Viveu em cerca de 1050 A.C.

ELITE, TEORIA DA

Ver o artigo sobre **Pareto**, primeiro ponto.

ELIÚ

No hebraico, «Ele é o meu Deus» ou então «Meu Deus é Pai». Cinco homens têm esse nome, nas páginas do Antigo Testamento, a saber:

1. Um filho de Toú e avô de Elcana, pai de Samuel (I Sam. 1;1). Aparentemente, ele também era conhecido como *Eliabe*, segundo se vê em I Crô. 6:27 e por Eliel, em I Crô. 6:34, visto que, nas listas de nomes que ali aparecem, esses nomes correspondem à posição ocupada por ele. Os eruditos pensam que Eliú era o seu verdadeiro nome e que os outros dois eram apenas variantes escribais.

2. Um chefe ou capitão da tribo de Manassés, que seguiu Davi a Ziclague pouco antes da batalha de Gilboa e que o ajudou a derrotar os amalequitas (I Sam. 30:1-20). Ver I Crô. 12:20, o único trecho bíblico onde ele é mencionado. Viveu em torno do ano 1000 A.C.

3. Um membro da família de Obede-Edom e que era porteiro do tabernáculo durante o reinado de Davi (I Crô. 26:7). Cabe aqui o reparo de que o termo «porteiro» não indica apenas quem desempenhava um papel de espécie de guarda. Os porteiros estavam encarregados de várias tarefas, incluindo o serviço militar e alguns deles foram guerreiros notáveis.

4. Um homem desse nome teria sido um dos irmãos

ELIÚDE — ELOHIM

de Davi, podendo ser identificado com o *Eliabe* de I Samuel 16:6. Ver I Crô. 27:18. Foi um dos líderes da tribo de Judá.

5. Um dos chamados «amigos» ou «consoladores» de Jó. Era jovem ainda quando se envolveu nas intricadas discussões existentes no livro de Jó acerca do problema do mal. Por que os homens sofrem? Ver o artigo separado sobre o *Problema do Mal*. Eliú ficou indignado ante os raciocínios de Jó e consternado diante do fracasso dos outros «amigos» que não conseguiam derrotar a Jó na argumentação. Eliú, pois, apresentou um longo discurso, no qual argumentou que o sofrimento tem certo propósito disciplinador (Jó 32:6—37:24). De fato, essa é uma **resposta comum para tentar explicar** *por que motivo* **o ser humano sofre, e como é evidente, reveste-se de** algum valor, embora existam outras respostas. Eliú é descrito (Jó 32:2) como «filho de Baraquel, o buzita, da família de Rão». Isso pode significar que ele descendia de Buz, filho do irmão de Abraão, Naor. O livro de Jó tem sido considerado por muitos como uma lenda ou parábola, porquanto não aparecem ali genealogias no tocante a Jó, o que parece ser uma displicência imperdoável (do ponto de vista judaico) se é que, de fato, Jó foi uma personagem histórica. No entanto, temos aqui um informe genealógico, no tocante a uma das personagens envolvidas no debate. Também deveríamos pensar que não é dada a genealogia de Elias e, nem por isso, ele é conhecido como uma mera figura lendária. A questão relativa a Jó é mais amplamente discutida no artigo sobre esse livro.

ELIÚDE

No hebraico, «Deus é glória». Um antepassado de Jesus, alistado na genealogia de Mateus (1:14,15), na quinta geração antes do próprio Jesus. Era filho de Aquim e pai de Eleazar. Ver notas completas sobre essa genealogia, no NTI, *in loc.*

ELIZUR

No hebraico, «Deus é rocha». Um filho de Sedeur, um dos chefes da tribo de Rúben (Núm. 1:5; 2:10; 7:30,35; 10:18). Viveu em torno de 1210 A.C.

ELMADÃ

No grego, **Elmodám** ou **Elmadám**. Seu nome aparece na genealogia lucana de Jesus (Luc. 3:28) onde aparece como pai de Cosã, da linhagem de Davi. Seu nome, entretanto, não aparece no Antigo Testamento. No tocante ao que se sabe a seu respeito, nessa genealogia, ver o NTI, *in loc.* Ele viveu seis gerações antes de Zorobabel.

ELNAÃO

No hebraico, «Deus é agradável», ou «Deus é deleitoso». Ele foi o pai de Jeribai e Josavias, dois dos poderosos guerreiros de Davi (I Crô. 11:46). Viveu em torno do ano 1000 A.C. Na Septuaginta, Josavias aparece como filho e não como irmão de Jeribai. E o próprio Elnaão é quem é mencionado como um dos guerreiros de Davi. É dificílimo julgar o mérito dessa variante.

ELNATÃ

No hebraico, «Deus é doador». Pode-se notar que um dos nomes de Deus, *El* (que vide), faz parte desse nome pessoal. Quando esse elemento vem no fim, e

não no começo da outra palavra, o resultado é *Natanael* (que vide). Elnatã é o nome de várias personagens do Antigo Testamento, a saber:

1. Um habitante de Jerusalém. Sua filha, *Neusta*, foi a mãe do rei Joaquim (II Reis 24:8). Viveu em cerca de 595 A.C. Esse homem tem sido identificado com o filho de Acbor, que o rei Jeoaquim enviou para trazer do Egito o profeta Urias (Jer. 26:22). Foi na presença de Elnatã, entre outros, que o rolo do profeta Jeremias foi lido. Elnatã solicitou que esse rolo fosse preservado, tendo convencido o rei de que o ato era certo (Jer. 36:12,25).

2. Vários outros homens com esse nome são mencionados como levitas liderantes, homens dotados de sabedoria e discernimento nos dias de Esdras (Esd. 8:16, onde há menção a três homens com esse nome). Os levitas eram escassos naqueles dias e a passagem fala da busca que foi feita para localizar o maior número possível deles. E os que foram achados foram convidados a acompanhar Esdras até Jerusalém. A época geral era 455 A.C.

ELOÁ

Essa é **a transliteração, para o português, da forma** singular do termo hebraico que comumente aparece no plural, no Antigo Testamento, *elohim* (que vide). A forma singular aparece por um total de cinqüenta e sete vezes no Antigo Testamento, das quais somente dezesseis fora do livro de Jó. Mas, naturalmente, a palavra nunca aparece transliterada no texto portu- **guês, pois sempre é traduzida como «Deus». Para** exemplificar, ver II Crô. 32:15; Jó 12:6; Dan. 11:37-39 e Hab. 1:11. O vocábulo hebraico referia-se **ao verdadeiro Deus e sua forma plural não assinalava qualquer sentido politeísta, mas chama-se «plural majestático», que destaca a importância da pessoa** assim tratada. Ver o artigo sobre *Deus, Nomes Bíblicos de.*

ELOHIM

É patente que **El é a raiz desse nome de Deus, que** está no plural. Tem o sentido de «poderoso» ou «forte». Ver o artigo separado sobre *El*. Todavia, os eruditos não concordam entre si quanto à natureza exata da combinação. *Elohim* é a forma plural de *Eloá* (que vide). Alguns têm pensado que essa palavra significava *forte*. Ver o artigo geral sobre *Deus, Nomes Bíblicos de*, onde esclarecemos os sentidos desses nomes, entre os quais está *Elohim*. A forma **plural, além de ser um** *plural majestático* **também indicava** *deuses*, **um emprego legítimo no hebraico.** Contudo, reiteramos que, nos escritos em hebraico, o nome de Deus torna-se mais proeminente quando está em sua forma plural, porquanto tem então uma função aumentativa. No plural, esse vocábulo hebraico também era usado para indicar os anjos, como representantes de Deus, além de serem, eles mesmos, grandes poderes espirituais. Por semelhante modo, os magistrados humanos podiam ser assim chamados, meramente por causa da idéia de «força» ou «autoridade», neles investida e não por serem divindades. Interessante é o uso que Jesus fez do termo, na citação que aparece em João 10:34,35, de Salmos 82:6, que alude aos poderes humanos como «deuses». Portanto, Jesus podia estar dando a entender a participação potencial dos homens na natureza divina (II Ped. 1:4). Oferecemos comentários pormenorizados sobre essa questão, no NTI, em João 10:34,35. O ponto culminante da salvação que Deus nos deu é a participação na natureza divina. Ver

ELOI — ELQUESAÍTAS

o artigo geral sobre a *Salvação*. O trecho de Salmos 82:6, no original hebraico, usa a palavra *elohim*.

Algumas vezes, a literatura ugarítica trazia o uso aumentativo da palavra *elohim*, que alguns estudiosos chamam de «plural majestático». Em Deu. 4:35,39; I Reis 8:60; 18:39; Isa. 45:18, encontramos menção a Deus, com o uso dessa palavra no plural. Porém, em trechos como Êxo. 18:11; 20:23; I Sam. 4:8; II Reis 18:33, etc., os *deuses* pagãos são mencionados. A mesma palavra envolve juízes ou governantes humanos, conforme se vê em Êxo. 21:6 e 22:28. Os anjos também são chamados assim, em Jó 1:6; 2:1 e 38:7. Ver também Sal. 82:6. O Novo Testamento, seguindo a Septuaginta, cita Salmos 97:7 como uma alusão aos *anjos*; e, naquele salmo, aparece a palavra hebraica *elohim*.

Com a chegada do *monoteísmo* (que vide). uma graduação acima do *henoteísmo* (que vide), foi retida a forma plural, *elohim*, embora entendida em um sentido singular (aumentativo). E foi feito o contraste entre os deuses pagãos (*elohim*) e o verdadeiro Deus dos hebreus (*Yahweh*).

ELOI, ELOI, LEMÁ SABACTÂNI

Ver sobre **Eli, Eli, Lemá Sabactâni**.

ELOÍSTA

Esse termo designa o suposto autor ou editor da chamada fonte informativa «E» do Pentateuco, que usava freqüentemente a palavra hebraica *Elohim* como nome de Deus em seus escritos. Presumivelmente, segundo os criadores da teoria, esse documento ter-se-ia originado em cerca de 750 A.C. no reino do norte, Israel, tendo sido mesclado com outros documentos (o que significaria a multiplicidade de autoria), para formar o que chamamos de Pentateuco. Essa teoria chama-se teoria *J.E.D.P.(S.)*. Cada uma das letras dessa sigla seria uma fonte informativa separada: jeovista, eloísta, deuteronômica e sacerdotal. Ver também sobre cada uma das letras dessa sigla. Ver também o artigo sobre o *Código Sacerdotal*, bem como sobre os livros de *Gênesis, Êxodo, Levítico, Números e Deuteronômio*.

ELOM

No hebraico, «forte», «homem» ou «carvalho». Foi o nome de várias personagens referidas no Antigo Testamento:

1. Um heteu, pai de Basemate, uma das esposas de Esaú, filho de Isaque (Gên. 26:34). Ela causava muita consternação para Isaque e Rebeca, sua esposa. No trecho de Gên. 36:2 ela é chamada *Ada*. Em Gên. 36:3 há uma outra Basemate, filha de Ismael e irmã de Nebaiote. Isso significa que duas das esposas de Esaú tinham o mesmo nome, Basemate. É possível, pois, — que a primeira tenha recebido o apelativo *Ada*, a fim de ser distinguida da segunda.

2. O segundo dos três filhos de Zebulom (Gên. 46:14). Ele foi cabeça da família dos «elonitas», mencionado em Números 26:26. Encontrava-se entre aqueles que desceram ao Egito, em companhia de Jacó. Viveu em torno de 1700 A.C.

3. Houve um juiz em Israel, da tribo de Zebulom, que atendia por esse nome (Juí. 12:11). Dirigiu Israel durante dez anos. Quando faleceu, foi sepultado em Aijalom, no território de Zebulom (Juí. 12:12). É interessante observar que, no hebraico, *Elom* e *Aijalom* são palavras formadas exatamente com as mesmas letras do alfabeto hebraico. Por essa razão,

alguns estudiosos pensam que esse lugar veio a ser assim chamado porque ali Elom veio a ser sepultado. Ele deve ter vivido um pouco antes de 1100 A.C.

ELOM (CIDADE)

Havia uma cidade com esse nome, nos dias do Antigo Testamento. Ela tornou-se parte da herança da tribo de Dã. Ficava entre Itala e Timna (Jos. 19:43). A aldeia do wadi 'Alin assinala o antigo local, a um quilômetro e meio a leste de 'Ain-Shems (Bete-Semes). Trata-se da mesma Elom, referida em I Reis 4:9. Nessa referência, está em foco um dos doze distritos de onde foram escolhidos superintendentes para prover mantimentos — para a corte de Salomão.

Ainda em I Reis 4:9 encontramos uma questão de interpretação. Algumas versões dizem Elom-Bete-Hanã, ao passo que a nossa versão portuguesa separa os nomes, «Elom» e «Bete-Hanã», como se fossem duas cidades e não uma só. Ver também sobre Bete-Hanã.

ELOM-BETE-HANÃ

Ver sobre **Elom (Cidade)**, último parágrafo.

ELOTE

Ver sobre **Elate**.

ELPALETE

Ver sobre **Elifelete**.

EL-PARÃ

No hebraico, «carvalho das cavernas». Com essa forma, aparece somente em Gên. 14:6. Mas também é chamado «monte Parã» e «Parã» (Gên. 21:21; Núm. 10:12; 12:16; 13:3,26; Deu. 1:1; 33:2; I Sam. 25:1; I Reis 11:18 e Hab. 3:3). Ver também o artigo sobre *Parã*.

Era um lugar ao sul de Canaã e a oeste do território de Edom, onde os horeus habitavam, em Seir. Era um lugar ermo, desértico, que se estendia para além de Sur e para o sul, até o golfo Elanítico. Foi até ali que chegou Quedorlaomer, com suas tropas e seus reis aliados, quando guerreava contra os horeus do monte Seir. A leste ficava o wadi Arabá, localizado ao norte do golfo de Ãcaba. Os montes de Edom, que modernamente chamam-se cadeia do Jebel-esh-Shera, alongavam-se a sudoeste do golfo de Ãcaba. El-Parã é o nome mais antigo de Elate (modernamente, *Eilat*), o porto marítimo do extremo norte do golfo de Ãcaba. Israel foi residir no deserto de Parã, depois que ele e sua mãe, Hagar, foram expulsos por Sara (Gên. 21:21). El-Parã é o único «oásis» a meio caminho da estrada principal que atravessa o deserto de Parã. Posteriormente, veio a ser conhecido como *Qala at Nukhl* ou *Castelo Nahkl*, isto é, «Castelo da Palmeira».

ELQUESAÍTAS

Assim eram chamados os seguidores de Elquesai, o qual, ao que se presume, teria recebido visões e revelações da parte de um anjo. Os ensinos daí resultantes prometiam o perdão dos pecados daqueles que aceitassem certa forma de batismo, juntamente com as doutrinas ensinadas em uma versão escrita das visões. Esse livro surgiu em Roma no século III D.C.

ELQUIAS — ELVIRA

Hipólito (que vide) fez oposição à heresia inteira, de forma vigorosa. O movimento, contudo, foi forte, porquanto consistia em uma pequena denominação que contava com uma escola muito influente, que se mostrou ativa posteriormente, até na Babilônia. Persistiu até tão tarde quanto o século X D.C., na Arábia.

ELQUIAS

Um indivíduo mencionado no livro apócrifo de Judite (8:1), onde figura como filho de Ananias, neto de Gideão e pai de Oziel.

EL-ROÍ

Em algumas versões, aparecem essas palavras em Gênesis 16:13, onde a nossa versão portuguesa diz, corretamente, «Deus que vê». Efetivamente, «El-Roí» é resultado de uma cópia com pontos vocálicos defeituosos, no texto massorético, como se fosse um dos nomes de Deus. Hagar foi quem usou o nome pela primeira vez, no incidente no qual ela foi protegida por Deus, após ter sido expulsa, juntamente com Ismael, por Sara. Deus é *aquele que vê*, isto é, aquele que «protege». Alguns intérpretes têm pensado que a expressão significa «Deus da Visão».

EL-SHADDAI

Esse nome divino também nunca aparece em nossa versão portuguesa, a exemplo de El-Roí e de outros. Todavia, diferente do caso de El-Roí, El-Shaddai não é um erro textual e, sim, um dos nomes autênticos de Deus, dentro do texto hebraico. A nossa versão portuguesa a traduz sempre por «Deus Todo-Poderoso». Algumas referências bíblicas são: Gên. 17:1; 28:3; 35:11; 43:14; Êxo. 6:3; Núm. 24:4,16; Rute 1:20,21; Sal. 68:15; 91:1; Joel 1:15; Eze. 1:24. Somente no livro de Jó, a expressão é usada por trinta e uma vezes. Ver o artigo geral sobre *Deus, Nomes de*, onde esse nome é amplamente ventilado.

O elemento isolado, *Shaddai*, deve ser traduzido por «Poderoso». Tem raízes na palavra hebraica *sadad*, «violento». A Septuaginta traduz a expressão inteira por *pantokrátor*, «todo-poderoso». Conforme pensam alguns estudiosos, é possível que originalmente o nome indicasse algum deus tribal (que vide); mas, firmando-se o monoteísmo, tornou-se apenas um título para o verdadeiro Deus, entre outros títulos, na concepção dos hebreus. Os trechos de Deuteronômio 32:17 e Josué 24:2 podem ser entendidos como alusivos a uma época ainda politeísta em Israel. O politeísmo foi-se modificando para o henoteísmo e este, por sua vez, para o monoteísmo. Não há como negar que o conceito de Deus foi se aprimorando com a progressão da história e da revelação escrita. E isso sucedeu tanto em Israel como entre muitos outros povos. Há documentos egípcios que confirmam esse título, embora com a forma de *Shadai-'ammi*.

Há estudiosos que pensam que *shaddai* seria uma referência aos seios femininos, dando a entender, simbolicamente, a idéia de nutrição e força. É possível que as primeiras representações da divindade que usava esse nome tivessem o formato de uma figura com muitos seios. Diana dos Efésios (ver Atos 19:24), segundo a arqueologia tem demonstrado, era uma figura feminina com mais de uma dúzia de seios. Ver o artigo sobre *Artemis*. Todavia, no que toca ao nome El-Shaddai, tudo isso é pura conjectura de alguns.

••• ••• •••

ELTECOM

No hebraico, «Deus é reto» ou «Deus é firme». Esse era o nome de uma cidade existente no distrito montanhoso de Judá (Jos. 15:59). O local tem sido tentativamente identificado com a moderna Khirbet ed-Deir, cerca de seis quilômetros a oeste de Belém.

ELTEQUE

No hebraico, «Deus é seu temor». O nome dessa cidade aparece somente em Jos. 19:44 e 21:33. Era uma cidade do território de Dã, que os levitas utilizavam. Em 701 A.C., Senaqueribe, rei da Assíria, destruiu essa cidade, a caminho de Timna e Ecrom. Foi nas proximidades de Elteque que houve uma batalha decisiva entre os assírios e os egípcios (II Reis 18:13 *ss* e 19:8 *ss*). Senaqueribe foi o vencedor da refrega. É provável que entre os que lhe fizeram resistência estivessem muitos judeus, que combatiam ao lado dos ecronitas e dos egípcios. A moderna Khirbet el-Muquenna identifica o antigo local de Eltaque. Fica esta a quase dez quilômetros a suleste de Ecrom e a onze quilômetros e meio a noroeste de Timna.

ELTOLADE

No hebraico, «Deus é gerador», «Deus é parente» ou «aliado a Deus». Foi uma cidade do território de Judá, mencionada somente em Jos. 15:30. Quando da divisão da terra, foi dada aos homens da tribo de Simeão (Jos. 19:4; I Crô. 4:29). Alguns pensam que esse nome significa «lugar de obtenção de crianças» e, então, supõem que o local foi, em algum tempo, o lugar onde havia um templo de fertilidade; mas isso é uma interpretação fantasiosa. A cidade é mencionada juntamente com *Azém*, que é, seguramente, a moderna Abu 'izam e também com *Hormá*, que, sem dúvida, é o Tell es-sab', o que serve para identificar a área em geral. Ficava em algum ponto entre Arará e Berseba.

ELUL

Nome do sexto mês do calendário religioso dos judeus. Alguns pensam que o sentido da palavra é desconhecido, mas outros pensam em «mês da respiga». Quanto ao ano civil judaico, era o décimo segundo mês. Corresponde ao nosso agosto-setembro. Ver o artigo geral sobre o *Calendário*, onde também há um estudo sobre o calendário judaico, juntamente com um quadro ilustrativo. É evidente que o nome ELUL deriva-se do babilônico *elulu* ou *ululu*, «purificação». A única referência bíblica a esse mês dos hebreus fica em Nee. 6:15.

ELUZAI

No hebraico, «Deus é a minha força» ou «Deus é defesa». Ele é mencionado somente em I Crô. 12:5. Foi um guerreiro benjamita que veio ajuntar-se às tropas de Davi, em Ziclague, quando este fugia e se ocultava de Saul. Era perito no uso da funda (que vide), que sabia utilizar com maestria com ambas as mãos. Viveu em torno de 1000 A.C.

ELVIRA, SÍNODO DE

Esse sínodo efetuado em Elvira, lugar esse que, provavelmente, corresponde — à moderna cidade espanhola de Granada, em 306 D.C. Neste sínodo fizeram-se presentes dezenove bispos e vinte e seis

345

ELZABADE — EMANAÇÃO

presbíteros. Teve lugar um ano depois que terminou a perseguição dirigida por Diocleciano, imperador romano. O bispo Hósio (que vide) foi a figura principal. Ele era bispo de Córdova, na Espanha. Os cânones desse sínodo incluíam uma severa condenação às imoralidades pagãs. Promoviam uma estrita disciplina eclesiástica. Hósio era um dos conselheiros do imperador Constantino, o que lhe emprestava grande prestígio. Um total de oitenta e um cânones foram adotados, versando, principalmente, sobre questões como idolatria, celibato, casamento, falta de castidade, penitência e a determinação de não ser servida a Ceia do Senhor a certas classes.

ELZABADE

No hebraico, «dado por Deus». Foi o nome de duas personagens do Antigo Testamento, a saber:

1. Um dos trinta heróicos guerreiros do exército de Davi (I Crô. 12:12). Ele veio juntar-se a Davi, quando este estava com os filisteus, em Ziclague.

2. Um levita coreíta, filho de Semaías, da família de Obede-Edom (I Crô. 26:7). Ele servia de porteiro do templo de Jerusalém e seus parentes e descendentes, ao que parece, ocupavam-se no mesmo serviço. Ambos esses homens viveram como contemporâneos de Davi.

EMADABUM

Esse nome encontra-se no livro apócrifo de I Esdras (5:8), embora seja omitido no trecho paralelo de Esd. 3:9. Ele teria sido chefe de uma linhagem de levitas que ajudaram a reconstruir o templo de Jerusalém, nos dias de Josué e Zorobabel. Algumas traduções dos livros apócrifos fazem esse nome ser um sobrenome de Josué.

EMANAÇÃO

Essa idéia exprime aquela doutrina que diz que todas as coisas que existem emanaram do Ser ou Realidade Suprema. Essa teoria tem recebido larga aceitação e aplicação, tanto no campo das especulações filosóficas como no campo da fé religiosa. À medida que as supostas emanações se vão afastando de seu ponto originador, vão-se tornando menos e menos divinas (se é que poderíamos chamar o ponto originador de divino), embora sempre retendo a natureza divina, posto que de formas mais e mais modificadas. Assim sucederia porque, de acordo com esse modo de pensar, haveria somente uma natureza essencial e as emanações implicariam, necessariamente, em um monismo (que vide). Para os gnósticos e neoplatônicos, a idéia de emanação constituía uma importante doutrina. Ver os artigos sobre o Gnosticismo e sobre o Neoplatonismo. Os gnósticos, mais especificamente, pensavam que Cristo seria a mais elevada emanação de Deus, talvez associada ao Logos (que vide). Para Paulo, porém, Cristo não seria apenas uma emanação de Deus, posto que a mais importante. Antes, seria a totalidade dessa emanação, ou a pleroma, palavra grega que ele usou em Colossenses 2:8-10. Nossa versão portuguesa diz ali: «...nele (em Cristo) habita corporalmente toda a plenitude da Divindade...» Para Paulo, portanto, ficavam eliminados todos os níveis de emanações, que seriam seres mediadores angelicais. Isso sem prejuízo de uma outra sua crença (conforme se vê em Efé. 1:21), que mostra que ele cria em muitas ordens de seres angelicais. É na pessoa de Jesus Cristo,

igualmente, que o crente se torna plenitude de Deus (Col. 2:10: «Também nele estais aperfeiçoados»). E isso só pode significar que Paulo antecipava a participação dos remidos na natureza divina, tudo mediado através do Filho de Deus.

Embora a idéia das emanações tenha algumas aplicações úteis, a teologia cristã a tem rejeitado, porquanto, quase necessariamente, envolve a noção panteísta: tudo é Deus e Deus é tudo. O trecho de Hebreus 1:3, que chama Jesus Cristo de «resplendor da glória e a expressão exata» do Ser de Deus, é uma metáfora alicerçada sobre a idéia das emanações, embora sem o mínimo intuito de promover o panteísmo. O Filho de Deus é o resplendor de Deus Pai, e os filhos de Deus são reflexos da glória do Filho.

A palavra emanação deriva-se de dois termos do latim: e (fora) e mano (fluir). Os gnósticos empregavam a idéia de uma existência que teria saído de Deus, a fim de tentarem explicar a natureza da realidade e, também, para tentar encontrar solução para o problema do mal (que vide). A fim de isentarem Deus da responsabilidade pelo mal, eles imaginavam que o mal ocorre muito longe de Deus, quando suas emanações estão muito distantes. Portanto, Deus não seria o causador do mal, pelo menos não diretamente. Outrossim, Deus não entraria em contacto com a matéria e com o mal, mas manipularia tanto uma quanto a outra coisa por meio de suas emanações. O Demiurgo seria uma emanação um tanto distante, que estaria envolvida com a criação do mundo. Os gnósticos identificavam-no com o Deus do Antigo Testamento, que era pintado como um criador imperfeito, o que explicaria todos os problemas existentes no mundo.

Os místicos da era medieval usavam o termo «emanações» a fim de indicarem aqueles estados mentais que servem de degraus para alguém subir na direção de Deus. Que há tal gradação, na aproximação a Deus, é algo óbvio, embora os termos e as designações cunhados para descrever essa gradação sejam sempre inexatos.

Na Filosofia. O neoplatonismo está particularmente associado ao conceito das emanações, embora tal idéia seja mais antiga ainda que a filosofia grega. Plotino (que vide) expôs uma clara formulação da idéia e, com base em seus escritos, a noção passou, pelo menos quanto a alguns de seus aspectos, para o pensamento judaico, para o pensamento medieval e para o pensamento islâmico. A tarefa espiritual consistiria, dentro de um universo emanado, a regressar por todo o caminho que distancia Deus do homem, de tal modo a restaurar a comunhão e a renovar uma espiritualidade superior. A ciência moderna, do ponto de vista físico, lançou totalmente no descrédito qualquer idéia de emanação envolvida na criação; mas, em um sentido religioso, esse conceito tem alguma coisa com que contribuir. Mesmo que nada tenha a ver com a criação física, a idéia das emanações diz alguma coisa, se pensarmos que a Mente de Deus, através de suas várias disposições, emanou os estados físicos existentes. Em outras palavras, a Mente é o arquiteto de todas as coisas, bem como o poder por detrás de todas as realizações.

Emanação em Hebreus 1:3

Heb. 1:3: sendo ele o resplendor da sua glória e a expressa imagem do seu Ser, e sustentando todas as coisas pela palavra do seu poder, havendo ele mesmo feito a purificação dos pecados, assentou-se à direita da Majestade nas alturas,

O resplendor da glória. No grego é usado o termo

346

EMANAÇÃO — EMANUEL

apaugasma, que significa *refulgência*, «reflexo», como sentidos possíveis. Considerando que estamos tratando com a linguagem do Filo, precisamos entender que «resplendor» significa «emanação». Pensar que Cristo é meramente aquele que «reflete» a glória de Deus é ficar muito aquém da cristologia inerente ao primeiro capítulo da epístola aos Hebreus, e também é contradizer a idéia inteira do «Logos». Esse «Logos» é sempre participante da divindade, a própria manifestação da divindade à criação, pelo que dificilmente pode ser mero reflexo da glória divina. Deus é o grande Sol central. Ele se manifesta enviando os seus raios. A primeira intensidade desses raios, que participa da natureza mesma do Sol, é o «Logos». Dentro da metafísica estóica e neoplatônica, isso era posto sob moldes panteístas, como se esses raios também constituíssem todas as coisas vivas, que gradualmente se tornariam menos resplandecentes, à medida que se afastassem do Sol central, o que criaria o mundo espiritual e até mesmo o nosso mundo material, onde a luz desse Sol chegaria tão fraca que a matéria habitaria em trevas totais, o que, por sua vez, explicaria o pecado e a impiedade desta terra física e dos seus habitantes. Mas nosso autor não estende tal pensamento, e portanto, não cria qualquer conceito panteísta.

Á Metáfora da Emanação

1. Com quase absoluta certeza, neste ponto o autor sagrado tomou por empréstimo uma metáfora extraída das religiões contemporâneas, sob a influência do neoplatonismo e do estoicismo. Deus, o Fogo central, emana os seus raios, e esses raios são exatamente os diversos aspectos da criação.

2. O Logos, que seria o ser mais próximo de Deus, seria a emanação primária e mais forte do Pai, partícipe de sua natureza e intermediário entre Deus e todas as suas demais emanações.

3. Essa metáfora enfatiza o elevado poder, a majestade e a glória do Logos, bem como a sua posição de «primeiro junto ao Pai», e de «Senhor de toda a criação», por ser a sua causa e sustentáculo. Isso pode ser comparado com o que ensina o trecho de Col. 1:16,17.

4. O uso dessa metáfora, por parte dos antigos, tinha um sentido panteísta; e, por essa razão, normalmente tal metáfora era evitada pelos autores cristãos.

O Filho de Deus resplende em glória,
Por demais brilhante para o perscrutarmos;
Mas podemos enfrentar a luz que emana
Do ser do Filho do homem.

Três Explicações Possíveis

1. Vários dos mais antigos escritores cristãos, a fim de evitarem a noção panteísta inerente no conceito de emanação, interpretaram a expressão «plenitude», aqui usada, como se quisesse dizer «reflexo». E assim, o Filho, em consonância com essa explicação, seria o reflexo do Pai, tal como a lua reflete a luz do sol. Porém, isso empresta um significado bem pobre a este texto.

2. Outros opinavam que a luz procedente do Pai, transforma-se em um outro corpo luminescente, igual ao primeiro; e que esse novo corpo luminescente (portador de luz em si mesmo) é exatamente o Filho. Tal interpretação, todavia, é por demais sutil e complexa, para ser aquilo que o autor sagrado tencionava dizer.

3. A única interpretação que satisfaz o texto, é a de emanação, posto que sem distorções panteístas, conforme se esclarece acima.

4. O Filho, na qualidade de *Luz*, ilumina os homens, e estes, por sua vez, se tornam *luzes*, participantes da natureza do Filho. (Ver as notas sobre esse conceito em João 1:4,9 no NTI).

O Sol não pode existir sem irradiar os seus raios, sem o seu resplendor. Portanto, dizer «Pai» é, ao mesmo tempo, dar a entender a idéia de «Filiação». E, de acordo com a figura simbólica deste versículo, isso significa que o Filho compartilha da glória do Pai, sendo sua eterna e gloriosa refulgência para os outros. A idéia da geração eterna fica assim bem ilustrada nesse simbolismo. O sol não poderia existir sem o seu glorioso resplendor. Portanto, também não houve começo na Filiação de Deus, trata-se de um fato eterno. Portanto, a idéia de «geração», não fala sobre algum «começo», quando aplicamos essa idéia às relações divinas entre Deus Pai e Deus Filho.

«...somos relembrados de que, sem Cristo, também não há luz divina, mas apenas trevas; pois assim como Deus é a única luz verdadeira pela qual convém que sejamos todos iluminados, assim também essa luz é derramada sobre nós, por assim dizer, apenas por irradiação». (Calvino, *in loc.*). (AM B E F NTI)

EMANCIPAÇÃO DA MULHER

Ver o artigo sobre **Mulher, Posição da**.

EMANUEL

Esboço:

I. Significado e Usos Bíblicos
II. O Significado de Isaías 7:14
III. A Teologia do Emanuel
IV. Deus Está Conosco e Nós Estamos com Deus

I. Significado e Usos Bíblicos

A palavra «Emanuel» é de origem hebraica e tem o sentido de «Deus conosco». Aparece somente por três vezes na Bíblia inteira, duas vezes no Antigo Testamento e uma vez no Novo Testamento: Isa. 7:14; 8:8 e Mat. 1:23. Alguns pensam que o trecho de Isa. 8:10 também pode haver empregado esse nome, onde encontramos as palavras «...porque Deus é conosco».

II. O Significado de Isaías 7:14

Em nosso artigo sobre o *Nascimento Virginal de Jesus*, no começo do mesmo, apresentamos um tratamento sobre Isa. 7:14, conforme foi utilizado em Mat. 1:22,23. Esse artigo expõe abundantes informações sobre a questão, em relação ao nome Emanuel, que se tornou um dos nomes de Cristo. Ali há uma firme declaração sobre a doutrina da encarnação (que vede), pois de maneira especial, na encarnação, Deus fez-se presente com os homens.

Várias Interpretações sobre Isaías 7:14

1. *Interpretação Não-Messiânica*. As interpretações dessa classe tentam eliminar qualquer elemento profético daquele texto de Isaías. Suas palavras são aplicadas a algum menino já nascido ou prestes a nascer, de alguma mulher judia. A identidade da mãe e seu filho é tema controvertido. A palavra «virgem» é substituída por «mulher jovem», eliminando assim qualquer elemento miraculoso do texto. Apesar do original hebraico poder ser assim traduzido, no artigo *Nascimento Virginal de Jesus* damos razões pelas quais a tradução «virgem» é preferível. O texto requer que esse nascimento fosse um *sinal*. Apesar de que nem todos os sinais de Deus têm de ser, necessariamente, miraculosos, algum nascimento realmente incomum foi antecipado por Isaías. Além disso, estava em foco uma mulher solteira. Poderia isso significar solteira até esse tempo, mas casada mais

EMANUEL — EMAÚS

tarde? Ou deveríamos traduzir a palavra hebraica *alma* simplesmente por «mulher jovem»? Historicamente, o sinal pode ter sido apenas o livramento de Israel de seus inimigos políticos, o que também aparece no contexto. Nesse livramento, Deus estava presente entre os homens (Emanuel). Alguns estudiosos pensam que a questão refere-se a Ezequias, que efetuou certa forma de livramento. Ele era filho do rei Acaz, a quem o sinal foi dado. Essa explicação, entretanto, tem de enfrentar duas grandes dificuldades: Ezequiel já havia nascido. E, se Ezequiel conseguiu livrar Jerusalém de ser capturada, cerca de dois terços da população de Judá foi morta ou foi levada para o cativeiro, pelas tropas de Senaqueribe, rei da Assíria; e isso não parece ter sido nenhum grande sinal.

2. *Interpretações Semimessiânicas.* De acordo com essa posição, a profecia de Isaías 7:14 tinha um duplo sentido: aplicava-se aos dias de Acaz, mas também olhava para o futuro ministério do Messias.

3. *Interpretações Francamente Messiânicas.* A profecia de Isaías, de acordo com essa terceira posição, foi verdadeiramente messiânica, que esperava um real livramento de Israel de seus inimigos, através do Messias. Mateus, pois, estava correto em sua avaliação sobre Jesus, — como Deus conosco (Emanuel), por meio da sua encarnação.

III. A Teologia do Emanuel

Yahweh é freqüentemente apresentado como quem estava com o povo de Israel de maneira especial. Ver Êxo. 24:8; 33:16; Núm. 23:21; Deu. 2:7; 5:2; 20:1; Juí. 6:13; I Reis 8:57; I Crô. 22:18; II Crô. 15:2; 13:12; 32:7,8. A Bíblia inteira, no Antigo e no Novo Testamentos, é um livro altamente teísta, e não deísta. O teísmo ensina que Deus está com os homens, recompensando ou punindo, e também intervindo na história da humanidade. O deísmo, por sua parte, ensina que apesar de talvez existir uma força cósmica ou Deus que começou as coisas, esse Deus abandonou a criação, deixando-a ser governada pelas meras leis naturais. Apesar de ser possível Deus estar com os homens, mesmo sem qualquer encarnação da divindade na humanidade, é através da encarnação que ele permanece mais significativamente conosco. Ver sobre a *Encarnação*, quanto a um completo desenvolvimento sobre essa doutrina.

IV. Deus Está Conosco e Nós Estamos com Deus

O Filho de Deus veio para compartilhar da natureza e das condições humanas (João 1:14), a fim de que o homem pudesse compartilhar de sua natureza e condição divinas (Col. 2:10; I Ped. 1:4; II Cor. 3:18). Esse é o significado do nome Emanuel. O sinal de Emanuel foi dado ao rei Acaz, para que ele deixasse de temer aos seus inimigos. «Se Deus é por nós, quem será contra nós?» (Rom. 8:31).

EMAÚS

A palavra grega da qual é transliterada esse vocábulo significa «fontes» ou «termas». Há uma cidade com esse nome no Novo Testamento e outra nos livros apócrifos, mencionada, igualmente, por Josefo.

No Novo Testamento, *Emaús* era uma aldeia cerca de doze quilômetros de Jerusalém, mas que, modernamente, tem sido variegadamente identificada. Foi para esse local que dois dos discípulos de Jesus caminhavam, quando ele mesmo veio ao encontro deles, sem ser reconhecido, depois que ressuscitou e ficou conversando com eles até chegarem ao lugar e entrarem na casa onde se instalaram, até que foi reconhecido por eles no ato do partir do pão. O relato constitui uma das mais dramáticas aparições do Senhor Jesus, após a sua ressurreição. Ver Luc. 24:13-35.

Identificações. Não há que duvidar que Emaús ficava perto de Jerusalém, mesmo porque o percurso podia ser feito em um lance apenas de caminhada. Mas, sua localização exata já é outra questão, pelo que continua sendo disputada, desde a antiguidade.

1. Josefo alude à existência de uma cidade de Emaús, localizada cerca de sete quilômetros e meio de Jerusalém, — que teria sido selecionada por Vespasiano como local de uma colônia de soldados romanos, após o ano 70 D.C. Ver *Guerras* 7:6,6.

2. Emaús também tem sido identificada com a moderna Qaloniyeh, com base na hipótese de que este último nome é uma corruptela da palavra latina *colônia*.

3. Emaús também tem sido identificada com a localidade de Amwas, que ficava cerca de vinte e oito quilômetros de Jerusalém, na estrada para Jope e que, posteriormente, recebeu o nome de Nicópolis.

4. Também havia uma Emaús na Galiléia, que se tornou famosa por causa de suas fontes termais e medicinais (Josefo. *Ant.* 18:2,3). Essa cidade estava situada cerca de pouco mais de um quilômetro e meio de Tiberíades. É provável, no entanto, que a Emaús mencionada em Lucas 24, ficasse perto da área geral de Jerusalém e qualquer identificação deve satisfazer a essa exigência.

5. *Identificações Específicas, Próximas de Jerusalém.* El Kubeibe, Kaliyeh, 'Amwas, Abu Ghosh, el Khamsa e Artas. Essas seis localidades ficam a um raio de seis e meio a trinta e dois quilômetros de Jerusalém. El Kubeibe tem sido identificada como Emaús desde os tempos das cruzadas. Os franciscanos encontraram restos de objetos deixados pelas cruzadas, naquele lugar. Josefo informa-nos a respeito de uma colônia romana onde Vespasiano estacionou cerca de oitocentos soldados. Amwas é descrita em I Macabeus 3:40 e 4:1-15. Judas Macabeu, em 166 A.C., derrotou Gorgias, nesse local. No entanto, muitos estudiosos pensam que esse lugar é muito distante de Jerusalém para corresponder à Emaús do Novo Testamento. Em Abu Ghosh foi construída uma Igreja Católica Romana das cruzadas, presumivelmente a fim de identificar o local como a Emaús do Novo Testamento. Esse templo foi construído sobre um fortim romano, o que significa que havia ali habitação humana antiga; mas o lugar parece distante demais de Jerusalém. El Khamsa, onde havia fontes termais (daí o seu nome), também parece muito distante.

A Mensagem de Emaús. A desolação dos discípulos transmutou-se em júbilo quando o Senhor demonstrou que a morte não era capaz de retê-Lo. Ver o artigo geral sobre a *Ressurreição*, bem como a exposição sobre Lucas 24:13-25 no NTI.

Aqueles que se encontraram com o Senhor, no caminho para Emaús, não queriam perder a sua presença, conforme é expresso pelo belo hino de H.F. Lyte:

Fica comigo; desce depressa a escura noite;
As trevas se aprofundam, ó Senhor, fica comigo;
Quando falham outras ajudas e o consolo foge,
Ajuda dos desamparados, Oh! fica comigo.

Rápido se aproxima o fim da breve vida;
O júbilo terreno diminui, sua glória passa;
Mudança e decadência em tudo vejo ao meu redor;
Ó Tu, que não mudas, fica comigo!
......

F. Ittenbach.

A Ceia em Emaús

Jesus ofereceu provas irrefutáveis de sua sobrevivência da morte biológica e assim fortaleceu a fé de todos os homens de todos os tempos. Uma das histórias mais dramáticas relacionadas à ressurreição de Jesus foi aquela de Lucas 24:13 ss. Dois discípulos encontraram com o Jesus ressurrecto no caminho para Emaús.

••• •••

Uma das histórias mais dramáticas relacionadas à ressurreição de Jesus foi aquela de Lucas 24:13 *ss*. Dois discípulos encontraram com o Jesus ressurrecto no caminho para Emaús.

———————

...indo eles falando entre si, e fazendo perguntas um ao outro, o mesmo Jesus se aproximou, e ia com eles. Mas os olhos deles estavam como que fechados, para que o não conhecessem.

...

Jesus lhes disse: Ó néscios, e tardos de coração para crer tudo o que os profetas disseram!

...

Começando por Moisés, e por todos os profetas, explicava-lhes o que dele se achava em todas as Escrituras.

...

Chegaram à aldeia...
Eles o constrangeram, dizendo:
    fica conosco porque já é tarde.

...

E aconteceu que, estando com eles à mesa, tomando o pão o abençoou e partiu-o, e lho deu. Abriram-se-lhes os olhos e o conheceram.

...

E disseram um para o outro:
    Porventura não ardia em nós o nosso
    coração quando, pelo caminho nos falava
    e quando nos abria as Escrituras?

••• •••

EMBAIXADA — EMBAIXADOR

EMBAIXADA

No grego, *presbeia*, «embaixada». Palavra usada por Jesus por duas vezes, no sentido de «grupo de uma embaixada» a um rei mais poderoso, pedindo condições de paz. Na parábola das minas, em Lucas 19:11-27, certos cidadãos enviaram uma embaixada a um nobre malquerido, com a mensagem de que não queriam que ele reinasse sobre eles. Ver os detalhes sobre esses versículos no NTI. (NTI Z)

••• ••• •••

EMBAIXADOR

No hebraico é **malak**, «mensageiro», **sir**, «enviado». e *melis*, «intérprete» ou «embaixador». Usualmente eram oficiais temporários, escolhidos para alguma missão especial. (Ver II Crô. 32:31; 35:21; Isa. 30:4; I Mac. 9:70). Qualquer desrespeito para com eles era considerado desrespeito para com seu soberano, o que poderia levar à declaração de guerra (II Sam. 10:4). Isso mostra a grande identidade existente entre um soberano e seus embaixadores.

No Novo Testamento, a palavra traduzida por «embaixador» é o termo grego *presbeutes*, II Cor. 5:20: «...somos embaixadores em nome de Cristo...» Em forma verbal, a palavra aparece em II Cor. 5:20 e Efé. 6:20. *Presbeia*, «embaixada», aparece em Luc. 14:32.

Os ministros cristãos, vistos como encarregados de uma missão especial, que visa a promover o ministério salvatício de Cristo, são chamados Seus embaixadores. Nessa missão, eles tornam-se porta-vozes do Rei dos reis, o que não é papel pequeno. O trecho de Apo. 2:17 diz que os homens têm missões distintas, baseadas em caracteres sem-par. Consequentemente, o valor de uma alma é verdadeiramente grande (Mar. 8:36). O uso dessa vida sem-par como porta-voz de Cristo é um ofício distintivo. Consideremos a tarefa de um embaixador:

1. Ele constrói pontes do reino celeste para este mundo.

2. Ele é representante do Rei, e anuncia a Sua mensagem, que contém o anúncio da salvação (ver o artigo a respeito).

3. Ele tem a solene responsabilidade de cumprir bem a sua tarefa.

4. Está investido de grande honra, e suas palavras devem ser respeitadas, tal como seu Rei deve ser respeitado.

5. Não pode envolver-se na preguiça, em atos errados, em linguagem dúbia, e em qualquer coisa que impeça sua missão e eficácia.

6. Precisa possuir a atitude de conciliador e diplomata. Deve saber conquistar os homens, com conhecimento, espírito enérgico e dedicação.

7. Deve apresentar sua mensagem mediante palavras, atos e caráter bem formado. Não pode dar-se ao luxo de embotar sua mensagem.

8. Deve ser uma pessoa que promova e viva a lei do amor (ver o artigo sobre *o amor*), visto ser essa a principal virtude espiritual. Quem for pugnaz e exigente, dogmático e violento, só conseguirá atrapalhar sua mensagem.

9. Deve conhecer intimamente o seu Rei, a fim de poder representá-lo bem, o que envolve um elevado grau de desenvolvimento espiritual.

10. Ele deve ser humilde. Ele não é a mensagem. Portanto, deve evitar o orgulho humano e o exibicionismo. Seu propósito não é atrair a atenção para si mesmo.

Embaixador em II Corintios

II Cor. 5:20: *De sorte que somos embaixadores por Cristo, como se Deus por nós vos exortasse. Rogamo-nos, pois, por Cristo que vos reconciliais com Deus.*

Embaixadores. A forma verbal *presbeuomai* é aqui usada, a qual significa «ser enviado como embaixador», «trabalhar como embaixador», «ir como representante», e isso em prol de um governante ou oficial de alguma sorte. A forma verbal se encontra somente nesta passagem e em Efé. 6:20. A forma nominal, «presbeian» (embaixada), é usada em Luc. 14:32 e 19:14. E nesta última passagem tal palavra pode ser traduzida por «mensagem». A raiz dessa palavra, no grego, é «ancião», talvez devido ao fato de que a maioria dos embaixadores se compunha de homens idosos. A palavra aqui usada é aquela que designava o legado de um imperador, o que empresta prestígio ao emprego dela aqui, — como designação — dos mensageiros especiais — de Cristo. Paulo, pois, era o portador da mensagem do grande Rei, o Senhor Jesus Cristo, sendo, ao mesmo tempo, um representante comissionado do Senhor. E todos os crentes, de certa maneira, compartilham desse ofício; todavia, Paulo era um apóstolo, o que quer dizer que era um embaixador especial e elevado de Cristo.

A tarefa de um exmbaixador: sumário detalhado.

1. Um embaixador é um **construtor de pontes**. Em sua missão ele deve representar um poder elevado, e então leva aqueles a quem é enviado a agirem favoravelmente para com aquele que o enviou. Em sentido espiritual, deve o embaixador levar os homens a compreenderem a sua necessidade da benevolência daquele que o enviou, e, portanto, se reconciliarem com ele, porquanto serão contados como inimigos enquanto essa reconciliação não for efetuada.

2. Um embaixador é comissionado como *representante* daquele que o envia, pelo que também deve ser um reflexo do mesmo, conhecendo e transmitindo os seus desejos, e tendo cuidado com a sua conduta, para que não lance uma luz adversa sobre o caráter de seu enviador.

3. Um embaixador tem uma grande responsabilidade, que está na obrigação de cumprir.

4. Um embaixador também está investido de uma elevada honra, que ele está na obrigação de respeitar em toda a sua conduta e maneira de falar.

5. Um embaixador não pode envolver-se nos atos errados e desviados daqueles para quem é enviado; antes, compete-lhe manter os elevados padrões de conduta daquele que o tem enviado. Por conseguinte, o embaixador cristão deve ser uma pessoa distinta, respeitosa, e deve permanecer como tal.

6. Um embaixador deve ser habilidoso para *conciliar*, possuidor de um espírito diplomático, porquanto é realmente um diplomata. Deve saber como conquistar os homens para o ponto de vista de seu enviador. Não pode ser uma pessoa crua, embotada e ofensiva, atitudes essas que certamente mais alienam do que conciliam.

7. Um embaixador tem uma *mensagem a anunciar*, bem como certa norma de conduta a pôr em efeito, além de uma causa que ele representa. É mister que o embaixador cristão desenvolva certas habilidades para realizar o seu trabalho. Deve aprender como «expor» a sua mensagem, e deve, antes de tudo, estar pessoalmente convicto de sua veracidade e vitalidade.

8. Em um sentido espiritual, um embaixador cristão deve caracterizar-se pelo amor, pelo altruísmo

EMBAIXADOR — EMBALSAMAR

e pela paciência. Deve ser capaz de sofrer afrontas, persuadindo os homens a passarem para o seu lado, embora sejam seus inimigos naturais. Também deve mostrar-se paciente para com a cegueira humana, para com a pequenez dos homens, sem jamais rebaixar-se à posição deles. Em tudo isso, pois, o embaixador cristão deve ser semelhante ao grande Rei que o enviou, suportando as contradições dos pecadores. Não sofrerá dano por ser homem de erudição, até o ponto em que suas circunstâncias lhe permitam; mas, acima de tudo, deve conhecer com grande intimidade ao seu Rei.

Paulo enfatiza aqui a sua elevada posição de embaixador de Cristo, usando a mesma palavra que designava os representantes do imperador romano. A sua dignidade repousava sobre o fato de que o seu chamamento era divino, e não humano, algo que nem mesmo um embaixador romano poderia afirmar sobre si. (Ver os trechos de I Cor. 1:1; II Cor. 1:1 e Gál. 1:16).

«O embaixador, antes de agir, recebe comissão da autoridade que representa. Um embaixador, enquanto age, atua não somente como um agente, mas igualmente como representante do seu soberano. Finalmente, o dever de um embaixador consiste não meramente de transmitir uma mensagem definida ou de agir segundo certa norma de conduta; mas está na obrigação de esperar por oportunidades de estudar os caracteres, de aguardar expedientes, a fim de que possa apresentar a sua mensagem aos ouvintes em sua forma mais atrativa. Ele é um diplomata». (Lightfoot em seu livro, *Ordination Addresses*, pág. 48).

Como se Deus exortasse por nosso intermédio. Deus apela aos homens, o que é um fato extremamente significativo; e isso somente por motivo do seu amor condescendente, conforme sabemos que o Senhor possui. (Ver João 3:16). Não é muito freqüente que um soberano terreno pleiteie ou implore qualquer coisa para quem quer que seja. Um soberano é elevado demais para isso. Que pensamento tremendo, por conseguinte, que Deus não se sinta importante por demais (embora seja o grande Soberano do universo) para exortar aos homens.

Exortasse. No original grego é «*parakaleo*», que significa «convidar», «convocar», «conclamar», «apelar», «exortar», «encorajar», «implorar». A *mensagem de convite*, mediante a qual Deus apela aos homens, é transmitida através de seus embaixadores. Ser «exortado por Deus», neste ponto, equivale em espírito ao que diz o A.T.: «Assim diz o Senhor».

Em nome de Cristo. Literalmente traduzida, essa frase diria «em favor de Cristo», em seu lugar, falando em lugar dele. É em favor de Cristo porque Jesus foi o grande Embaixador, e aquele trabalho é seu. Também é em favor de Cristo por causa do seu interesse que os homens venham a ele, porquanto grande é o seu amor e grande é a glória que ele outorga aos homens. (Ver Rom. 8:30 e II Tes. 1:10,12). A glória e o benefício são recíprocos, conforme esses versículos o mostram.

Rogamos que vos reconcilieis com Deus. No original grego, *rogamos* é tradução da palavra «deomai», que significa «implorar», uma palavra forte de condescendência. Não são muitos os embaixadores que se humilham até esse ponto; mas os ministros de Cristo, devido ao seu amor às almas, e desejando dar-lhes o conhecimento da vida eterna, devem fazer os apelos mais pungentes, as exortações mais vigorosas. A reconciliação é o alvo, e da reconciliação se origina a vida eterna, a promessa de algo mais significante, mais elevado e mais duradouro do que

qualquer soberano deste mundo poderia apresentar àqueles a quem envie um embaixador.

«Que condescendência sem paralelo, e que ternas misericórdias divinas se refletem neste versículo! Algum juiz jamais implorou a um criminoso condenado que aceite o perdão? Um credor jamais instou com um devedor arruinado que recebesse o perdão completo de sua dívida? Não obstante, nosso todo-poderoso Senhor e Juiz eterno, não somente condescendeu em oferecer-nos essas bênçãos, mas igualmente nos exorta, solicitando-nos com a ternura mais importuna a não o rejeitarmos». (João Wesley).

Deus, o ofendido altíssimo Deus,
Envia embaixadores aos rebeldes;
Seus mensageiros tomam o seu lugar,
E Jesus implora que lhe sejamos amigos,
A nós, em lugar de Cristo, eles rogam,
A nós, em lugar de Cristo, eles pedem.
Que lancemos fora nossos pecados,
E encontremos perdão aos seus pés.
Nosso Deus, em Cristo, a tua embaixada
E tua misericórdia oferecida aceitamos;
E alegremente reconciliados contigo,
Louvamos tua misericórdia condescendente.
Pobres devedores, por pedido do Senhor,
Recebei um perdão completo;
E criminosos, com perdão bendito,
Nós, sob o pedido do Senhor, vivemos.
(Charles Wesley)

«Não imagineis que somos nós quem vos estamos rogando; é o próprio Cristo quem vos roga, é o próprio Pai que pleiteia junto a vós, por nosso intermédio. O que pode ser comparado com tal amor? Os inúmeros benefícios de Deus têm sido tratados com insolência; mas não somente ele não baixou penalidade, mas até mesmo deu o seu Filho, a fim de que com ele sejamos reconciliados. E quanto àqueles para quem ele foi enviado a princípio não se deixaram reconciliar a ele, mas antes, mataram-no, ele uma vez mais enviou outros mensageiros; e ao enviá-los é que ele agora roga convosco». (Crisóstomo, *in loc.*). (A B S Z)

EMBALSAMAR (EMBALSAMAMENTO)

Esboço:
1. O Vocábulo
2. A Arte do Embalsamamento
3. Embalsamamento Entre os Egípcios
4. Embalsamamento Entre os Hebreus
5. Os Campeões do Embalsamamento: Os Antigos Chilenos

1. O Vocábulo. A palavra hebraica envolvida, **chanat** (usada por quatro vezes no livro de Gênesis — 50:2,3,26), fala sobre «condimento», «temperar». Portanto, era de modo mais ou menos parecido com que uma boa cozinheira conserva os alimentos, com o uso de temperos, que os antigos embalsamadores preservavam os cadáveres postos aos seus cuidados. No entanto, a base da palavra moderna é *bálsamo*, o que é um termo geral, que significa aromáticos, exudações resinosas produzidas por vários tipos de árvores ou arbustos. Nos tempos modernos, o embalsamamento verifica-se mediante o uso de substâncias de princípio ativo muito mais eficiente do que meros extratos vegetais, pois são elementos químicos poderosos. Ver o artigo sobre *Taxidermia*.

2. A Arte do Embalsamamento. O mundo antigo oferece-nos vários exemplos da prática do embalsamamento. A prática mais notável é a dos egípcios (ver abaixo). Essa arte parece ter-se originado no Egito

EMBALSAMAR

entre 3110 e 2884 A.C., ainda na primeira dinastia do Egito. Foi praticada desde esse tempo até o período bizantino, já no século VII D.C. Os propósitos dos egípcios, no embalsamamento, eram essencialmente religiosos, conforme explicamos sob o terceiro ponto, abaixo.

a. Métodos de Embalsamamento. Heródoto refere-se a três métodos de embalsamamento, assegurando-nos de que eram empregados especialistas nesse mister. O *primeiro método*, mais dispendioso. A maior parte possível do cérebro era retirada por meio das narinas, por intermédio de um instrumento de ferro e com o uso de drogas. Era feita uma incisão no lado do abdome, para retirar os órgãos internos do tronco. O interior do tronco, agora vazio, era lavado com vinho de palmeiras e com aromáticos e recheado de especiarias próprias. Em seguida, o cadáver era mergulhado em carbonato de sódio por setenta dias. Essa substância era encontrada no lago do deserto da Líbia. Então o corpo era lavado e envolto, do alto da cabeça até os pés, com faixas de linho fino, besuntadas em resina. Então o cadáver era devolvido aos parentes do morto, que o punham em um esquife apropriado, usualmente uma caixa de madeira com a forma de um corpo humano. Então o esquife era colocado em uma câmara mortuária pertencente à família, usualmente encostado em uma parede. O *segundo método*, menos dispendioso do que o primeiro, não envolvia qualquer incisão. Antes, — óleo de cedro — era inserido no abdome do cadáver, por meio de seringas. Então o corpo era mergulhado em carbonato de sódio durante setenta dias. O óleo de cedro, que fora injetado, era retirado e o estômago e os intestinos eram extraídos. Não havia enrolamento em faixas, como no primeiro método. O *terceiro método*, aplicado a pessoas das classes pobres, envolvia somente a remoção dos intestinos e o mergulho do cadáver em carbonato de sódio, por setenta dias. O cadáver também não era envolto em faixas.

b. No Novo Mundo. Os índios incas conheciam as técnicas de embalsamamento. Alguns estudiosos chegam a supor que a técnica deles foi tomada por empréstimo dos egípcios, mas os peritos mais recentes têm razão em pensar que não foi isso que sucedeu. Certos povos africanos usam certo tipo de embalsamamento, no caso de figuras proeminentes. Assim, alguns chefes da tribo Ashanti são sepultados com pó de ouro enchendo-lhes as sete aberturas do corpo. Os índios jívaros, da América do Sul, no Peru e no estado brasileiro do Amazonas, são capazes de encolher e preservar as cabeças de seus inimigos. Talvez eles façam isso devido à crença de que a cabeça possui propriedades mágicas. Os caçadores de cabeça, que então as ressecam e preenchem, conforme se vê na Melanésia e em certas porções da América do Sul, provavelmente são impelidos por crenças similares. Quanto ao *embalsamamento no antigo Chile*, ver o quinto ponto, abaixo.

c. Nos Tempos Modernos. Alguns países modernos, como os Estados Unidos da América do Norte e o Canadá praticam largamente o embalsamamento. Em certos estados norte-americanos o embalsamamento é requirido por lei, nos casos de morte por enfermidades contagiosas. O processo também assegura uma boa apresentação do cadáver, para o sepultamento, o qual pode ser então efetuado dias após o óbito, sem quaisquer problemas. Na União Soviética, corpos dos líderes principais, como Lenin e Stalin, têm sido embalsamados e deixados expostos ao público, como emblemas do estado.

3. Embalsamento Entre os Egípcios. No segundo ponto, acima, foi descrito como os egípcios embalsamavam, mediante seus três métodos. Essa arte atingiu o seu ponto culminante na XXI Dinastia (cerca de 1075-945 A.C.) e perdurou por mais mil e setecentos anos. A principal função do embalsamamento era impedir a decomposição do cadáver e, desse modo, perpetuar a identidade pessoal do indivíduo, para a sua viagem para o outro mundo. Dentro das cerimônias mágicas, o ato de abrir a boca de uma múmia era considerado o modo de permitir que o espírito retornasse e assim, reanimasse o corpo morto. Tal como na maioria das culturas, não havia somente uma idéia acerca da alma e de como perpetuá-la, para o seu destino final, dentro da cultura egípcia. Aqueles que praticavam a mumificação julgavam que a preservação do corpo físico era necessária para a preservação da identificação pessoal e para a continuação da própria vida, mas nem toda a teologia dos egípcios estava assim tão presa ao corpo físico. Uma doutrina vaga afirmava que a perpetuação da vida da alma dependia, pelo menos em parte, da preservação do corpo físico, que antes usara como veículo de expressão.

Os antigos egípcios embalsamavam animais sagrados, que tinham vivido em recintos sagrados, como **gatos, cães, macacos, bois, pássaros, crocodilos e peixes.** Havia cemitérios para os animais, o que demonstra um grande respeito dos egípcios pelo reino animal.

Exageros Tipicamente Egípcios. Governantes importantes, como Tutancamon, eram sepultados com um fastígio quase inacreditável. Além dos métodos de embalsamamento da mais apurada técnica, eles eram postos em esquifes tremendamente elaborados. Oficiais de menor importância eram postos em esquifes de papiro ou de madeira. Mas os mais importantes eram postos em esquifes de ouro. A caixa interna era de ouro sólido, com aplicações de lápis lazúli, cornalina e esmalte, segundo se vê no esquife de Tutancamon. Inúmeras jóias e escaravelhos, com o selo real, assinalavam o túmulo.

Ver o artigo geral sobre *Sepultamento*, *Costumes de*.

4. Embalsamamento Entre os Hebreus. Poderíamos supor que o embalsamamento fosse uma questão importante para os hebreus, por causa de sua doutrina da ressurreição. No entanto, eles mesmos nunca puseram em prática um verdadeiro embalsamamento. É verdade que José foi embalsamado, ao estilo dos egípcios (Gên. 50:2,26), mas isso foi por causa de sua vinculação com os egípcios. Em Israel, os ricos apenas tinham seus corpos untados e envoltos em tiras de linho, polvilhadas com especiarias aromáticas (João 19:39), mas esse processo em nada contribuía para preservar o cadáver por qualquer período considerável.

5. Os Campeões do Embalsamamento: os Antigos Chilenos. A arqueologia tem demonstrado, bem recentemente, que, contrariamente a todas as expectativas, quase três mil anos antes dos egípcios mumificarem os seus Faraós, um povo que habitava na região que hoje é o norte do Chile, na América do Sul, usava técnicas ainda mais complexas e perfeitas, para preservação de seus cadáveres. Arqueólogos de várias regiões do globo têm ido a certo local de escavações arqueológicas com a finalidade de investigarem um notável exemplo de cultura pré-colombiana. Como é que um presumível povo primitivo, que ainda não conhecia nem a agricultura e nem a cerâmica, poderia utilizar-se de conhecimentos de anatomia que, segundo tudo indica, eram mais avançados que os conhecimentos dos egípcios?

EMBLEMA — EMERSON

Múmias descobertas no Chile têm sido datadas, pelo método do carbono, desde 6000 A.C. em diante, em uma atividade que prosseguiu ininterrupta por quatro mil anos. As primeiras múmias chilenas foram descobertas em 1983, por operários de obras sanitárias que estavam colocando canos de água. Noventa e seis corpos foram desenterrados, cinqüenta e dois de adultos e quarenta e quatro de crianças.

Marvin Allison, um patologista norte-americano que trabalha na Universidade de Tarapaca, em Arica, no Chile, demonstrou que algumas das técnicas empregadas por esses mumificadores chilenos ainda são mais avançadas que as empregadas pelos egípcios, cujas múmias mais antigas datam somente de 3200 A.C. e, portanto, dois mil e oitocentos anos mais recentes que as do Chile. Além disso, o processo chileno era bem diferente. Eles tiravam a pele do cadáver, extraíam os músculos principais, esvaziavam as cavidades do corpo e ressecavam o corpo a fogo. Uma camada de certo material era posto em volta dos ossos, como se fosse a colocação de uma luva. E as cavidades do corpo eram recheadas de minerais. Em seguida, a pele era novamente posta no lugar e cuidadosamente costurada. Pelo lado de dentro, o corpo era reforçado com varas, aparentemente com o intuito de transformar o corpo em uma estátua, capaz de ser posto de pé.

Presume-se que alguma motivação religiosa inspirava esse processo, conforme também se dava no Egito. Mas os cientistas, em face da ausência de inscrições e registros escritos de qualquer espécie, talvez nunca descubram as razões.

Bibliografia. AM COT (1960) FAT (junho de 1986) GB HER UN

EMBLEMA

No grego, **parásemos**, «emblema», «insígnia». Esse vocábulo grego aparece somente em Atos 28:11, onde se refere a um símbolo na proa de um navio alexandrino, no qual Paulo viajou até à cidade de Roma, após ter sido detido em Jerusalém e ter estado aprisionado por dois anos, em Cesaréia. Esse emblema era dos Gêmeos (no grego, *Dióskouri*; que vede), ou seja, Castor e Pólux, filhos de Zeus. Supostamente, esse emblema traria boa sorte aos marinheiros, porquanto os gêmeos eram divindades especialmente veneradas pelos marinheiros antigos.

EMBOSCADA

No hebraico, **awrab**, «emboscar», na fraseologia militar consiste em ocultar um exército ou um destacamento em algum lugar onde o inimigo precisa passar, a fim de atacá-lo de surpresa, e portanto, em desvantagem. Com freqüência, a manobra inclui a provisão de não se permitir a fuga do inimigo. Temos o exemplo dado por Josué em *Ai* (ver o artigo a respeito). Ver Jos. 8:21.

Na tentativa de surpreender Siquém (ver Juí. 9:30 ss.), a operação, como manobra militar, não foi feita com habilidade, embora tivesse obtido sucesso, afinal. Esse vocábulo é usado metaforicamente para indicar as astúcias dos ímpios (Sal. 10:8; 59:3; Pro. 1:11,18; 24:15; Jer. 9:8). (S Z)

EMEQUE-QUEZIZ

No hebraico, «terreno baixo». Nome de um vale de Queziz, uma fissura geológica. O vocábulo é cognato do ugarítico *'m q*, do cananeu *'amq*, e do acádico de Mari, *hamqum* e *q'siys*. Essa última palavra significa «decepar». O nome figura na Bíblia somente em Jos. 18:21, onde aparece certo número de cidades fronteiriças, entre Jericó e o mar Morto. Alguns estudiosos pensam que se trata do moderno wadi el-Kaziz, um braço do ribeiro do Cedrom. Mas essa identificação foi posteriormente rejeitada, pelo que o local continua sem identificação precisa. Todavia, aquele nome preserva o nome antigo.

EMERSON, RALPH WALDO

Suas datas foram 1803-1882. Foi um filósofo norte-americano, ensaísta e místico religioso. Nasceu em Boston, estado de Massachussets. Formou-se na Universidade de Harvard, em 1821, e também na Harvard Divinity School. — Serviu como pastor da Segunda Igreja Unitária. Mas acabou se demitindo do cargo, porque desprezava os sacramentos. Foi conferencista e veio a ser a figura central do *Transcendentalismo* da Nova Inglaterra (que vide). Mudou-se para Concord e passou a fazer preleções sobre grandes homens, sobre literatura inglesa, sobre filosofia da história e sobre outros assuntos. A maioria de seus livros foram compilados com base em suas inúmeras conferências. Tornou-se doutor em Letras pela Universidade de Harvard, em 1866.

Seu primeiro livro, intitulado *Nature* (1836), continha a essência das suas idéias, as quais foram expandidas em um outro volume, com título em inglês *The American Scholar*. Uma famosa série de suas preleções intitulou-se *Divinity School Adress*. Emerson exerceu uma poderosa influência sobre o pensamento liberal, na Inglaterra e nos Estados Unidos da América do Norte.

Idéias:

1. Emerson objetava à super-secularização dos homens, sobretudo por meio do comercialismo, e desejava contra-atacar isso exortando os homens a conhecerem seu senhor, isto é, «ensinou o finito a conhecer o seu senhor».

2. Um homem precisa voltar-se para si mesmo e para a sua própria mente. É ali que encontramos a *idéia pura*, que faz contraste com o materialismo. Há grandes facetas e proporções na vida que permanecem ocultas na maioria dos homens, — que são arrebatados na correria louca em busca das riquezas materiais e das vantagens mundanas. Assim, um homem precisa desenvolver a *autodependência*, tornando-se um indivíduo que saiba que existem coisas a buscar no seu próprio interior e que não são representadas nos brinquedos deste mundo.

3. Há grandes vultos da história que servem de exemplos a serem seguidos. A autodescoberta pode ser ajudada por meio de bons exemplos e quando o indivíduo descobre a si mesmo, torna-se um exemplo para outras pessoas.

4. *Autodesenvolvimento do indivíduo* é algo que se reveste de máxima importância; e o homem está naturalmente equipado para isso, embora precise investigar e cultivar esse campo. O homem é um *microcosmo* do *macrocosmo*, de tal modo que há uma certa correspondência entre a alma humana e todas as coisas que existem na natureza. A intuição supre-nos a maneira certa de tomar conhecimento da natureza que nos cerca.

5. Em todas as coisas vivas há um desígnio em operação. A pessoa a quem faltam dons e capacidades em um setor, descobre que foi *compensada* quanto a outro setor, de tal modo que todos podem obter bom êxito, se o tentarem. O ato de filosofar é uma ajuda ao

EMINS — EMOÇÕES

homem que está procurando compreender e utilizar os poderes de sua própria mente. Emerson advogava uma espécie de processo de respiga com base na filosofia, na religião, r as artes, na literatura, ou seja, em todos os aspectos culturais, em sua busca por auto-realização, de tal maneira que os resultados e as *supostas conclusões*, em vários campos do conhecimento humano, não sejam considerados de importância, além das medidas convenientes.

6. Ele defendia certa doutrina da sobrealma, o aspecto mais elevado do nosso ser, de onde o indivíduo pode extrair discernimento, inspiração e renovadas forças.

7. Um homem teria *poderes intuitivos* que se assemelham às faculdades intuitivas mentais que Kant supunha poder impor ao mundo a realidade que elas têm (*idealismo subjetivo*, que vide). Essas seriam forças fidedignas, que nos ajudam em nosso autodesenvolvimento e, também, para chegarmos a conhecer realidades superiores.

8. Emerson dava maior valor à cultura do que ao comércio, como atividade que os governos mundiais deveriam promover. Os cidadãos deveriam enfatizar a justiça e os verdadeiros interesses humanos, não salientando apenas o que é crassamente material. Ver o artigo separado sobre o *Transcendentalismo*, quanto a maiores detalhes sobre essa questão.

EMINS

No hebraico, «terrores». Esse nome, no plural, designava uma raça numerosa de gigantes que, nos dias de Abraão, ocupava a região de além do Jordão, um território que os moabitas vieram a ocupar, tempos mais tarde (Gên. 14:5; Deu. 2:1). Os emins ocupavam a área em redor de Quiriataim (que vide), que ficava a leste do mar Morto. O trecho de Gên. 14:5 diz-nos que eles foram derrotados pelas tropas dos quatro monarcas invasores. Moisés descreveu-os com as palavras: «...dantes habitavam nela...» isto é, como os primeiros habitantes da região que depois tornou-se conhecida como Moabe. Ainda segundo Moisés, os emins eram um «...povo grande, numeroso e alto como os enaquins» (Deu. 2:10).

Há quem pense em uma derivação diferente desse nome, supondo que está em pauta uma palavra cognata de *aima*, «tribo», «horda». A Bíblia informa-nos de que a parte leste do Jordão era ocupada por várias raças de gigantes: os *refains*, que viviam em Basã; os *zanzumins* (cujas terras os amonitas conquistaram, Deu. 2:20,21) e que, talvez, sejam os mesmos *zuzins* de Gên. 14:5; os *emins* (cujas terras os moabitas conquistaram); e os *horeus* (cujas terras foram conquistadas pelos idumeus).

EMMET, DOROTHY

Ela nasceu em 1904. É uma filósofa inglesa. Estudou em Oxford e Manchester e tornou-se professora de filosofia em Manchester. — Ficou melhor conhecida por sua defesa da validade da metafísica, dentro da filosofia. Para ela, a atividade pensante analógica é uma atividade generalizada e legítima. A metafísica leva ao raciocínio analítico, até mesmo nas ciências. Expressa-se melhor através de metáforas. A metafísica é a mais abstrata de todas as disciplinas humanas, e tem a incumbência de expressar uma coerência sobre toda a experiência, incluindo aquela obtida pelas ciências. Pensamos sobre certas coisas como autoevidentes e temos razão. Uma das funções da metafísica é obter essa coerência. E uma outra função é a da projeção. Acima daquilo

que conhecemos e experimentamos, projetamos significados transcendentais. Dessa maneira, fazemos «juízos importantes». Emmet também estava interessada pela Ética, relacionando-a à Sociologia, como uma co-disciplina necessária.

Escritos. Whitehead's Philosophy of Organism; Philosophy and Faith; The Nature of Metaphysical Thinking; Function, Purpose and Power; Rules, Roles and Relations. (EP P)

EMMONS, NATHANIEL

Teólogo norte-americano da escola calvinista. Era seguidor de Samuel Hopkins (vide), que, por sua vez, era seguidor de Jonathan Edwards. Em nosso artigo sobre Edwards, demonstramos até que ponto o calvinismo radical participa de sua doutrina de Deus, como a *única Causa* e que problemas teológicos são causados por essa posição. Emmons procurou reconciliar a atividade e a responsabilidade humanas com a total dependência, tanto dos virtuosos quanto dos pecaminosos, a Deus, como a primeira e única causa onipotente. O calvinismo tem dado ênfase demasiada àquelas passagens bíblicas que dão essa idéia, às expensas daqueles trechos que projetam o pólo oposto óbvio, que é o da responsabilidade humana. O homem é um ser criativo, apenas um pouco menor do que os anjos e o calvinismo radical não tem conseguido perceber esse aspecto do que está envolvido no ser humano. Ver o artigo geral sobre o *Calvinismo* e o outro, sobre o *Arminianismo*. Ver também os *Cinco Pontos* dos dois sistemas.

EMOÇÕES

Esboço:

1. Definições
2. Emoções Básicas
3. O Poder das Emoções
4. Emoções Certas e Erradas
5. Teorias Básicas sobre as Emoções
6. As Emoções e o Bom Equilíbrio

A filosofia ensina-nos que um termo tão importante e amplo como esse não pode ser definido com grande sucesso. Terminamos fazendo muitas descrições. No entanto, há algumas teorias fundamentais que estão por detrás das nossas emoções, explicando por que elas fazem parte da experiência humana.

1. Definições. Uma emoção é qualquer manifestação ou perturbação forte da mente consciente normal ou da mente inconsciente; geralmente de forma involuntária, conduzindo, muitas vezes, a complexas alterações no corpo e nas formas externas da conduta. Uma emoção é o poder do sentimento mental. O termo latino básico é *emovere*, que significa «agitar», porquanto uma emoção é algo que nos agita mentalmente. Trata-se de algum desvio do estado de calma ou tranqüilidade mental.

2. Emoções Básicas. René Descartes (1596-1650), o filósofo racionalista, preparou uma lista com as seis emoções básicas: o desejo, o ódio, o amor, a alegria, a tristeza e a admiração. Esses são estados mentais. John Broadus supunha que um infante humano tem três emoções naturais, não-aprendidas: amor, temor e raiva. Pode-se multiplicar o número das emoções, mediante subcategorias. Assim, a ira seria uma subcategoria do ódio. Por outro lado, após exame mais detido, parece que a ira pode existir independentemente do ódio, podendo resultar de alguma irritação, sem a presença do ódio. Sendo esse o caso, a ira deveria ser adicionada à lista de Descartes, do que

EMOÇÕES

resultariam sete emoções fundamentais. A ternura, por sua vez, é uma emoção relacionada ao amor. A piedade é uma emoção vinculada à tristeza ou ao temor. O orgulho e a altivez são parentes do amor próprio, talvez com alguma mistura de ódio contra outrem. O desdém certamente é um aspecto do ódio. A saudade é uma emoção complexa, combinando o amor, o desalento e o desejo. O desalento parece ser um aspecto do temor misturado com a tristeza.

3. O Poder das Emoções. Qualquer trabalho torna-se mais fácil quando o indivíduo sente grande desejo, amor e entusiasmo pelo que está fazendo. É qualquer trabalho torna-se mais difícil quando há emoções negativas vinculadas ao caso. O tédio é uma forma de desalento, talvez. Tal emoção faz um trabalho parecer mais difícil e parece que o tempo se alonga. As emoções fortes podem fortalecer-nos espiritualmente e o amor é a grande coluna isolada dos atos morais. O ódio está por detrás de muitos atos pecaminosos e egoístas. As emoções são um dos instrumentos principais, senão mesmo o instrumento mais básico, do poder dos evangelistas, dos políticos e dos professores eficientes. Mas isso, por sua vez, produz muitos abusos, porquanto as emoções podem provocar todas as formas de reações erradas e de crenças errôneas. As emoções podem distorcer a verdade, até mesmo a mais evidente, como quando um político desperta emoções e crenças que, na realidade, são contrárias àquilo que é certo e justo. Um sermão embotado pode vir, subitamente, à vida, se o pregador contar um relato ou dois que despertem as emoções. O perigo é que um sermão pode ser muito emocional, mas não ter substância real, de tal modo que não haverá efeitos duradouros sobre os ouvintes.

Conta-se a história de uma datilógrafa que não gostava de seu trabalho e acabou apanhando artrite nas mãos. Seu médico foi suficientemente sábio para notar que sua condição era psicossomática. Tentou chegar às raízes do problema da datilógrafa. E descobriu que a verdadeira razão das dificuldades dela é que ela desprezava o seu patrão. O médico recomendou: «Mude a sua atitude para com seu patrão, ou então mude de emprego». Ela escolheu esta última alternativa e não demorou muito para desaparecer o seu «artritismo».

Manifestações Psicossomáticas. A história que acabamos de contar demonstra o poder das emoções sobre as alterações que se processam no organismo. A medicina moderna está atualmente proclamando que a maioria das condições patológicas tem causas emocionais, ou pelo menos, são agravadas por essas emoções. As religiões orientais, entretanto, vêm-nos dizendo isso há séculos. Diz o trecho de Provérbios 23:7: «Porque, como imagina (o homem) em sua alma, assim ele é...» E isso aplica-se tanto às questões espirituais quanto às questões físicas. Tem sido amplamente demonstrado que as emoções afetam a respiração, a circulação, a pressão sangüínea, a transpiração, o ritmo cardíaco, podendo provocar até mesmo crises circulatórias, com lesões reais ao coração. Por outra parte, as emoções podem combater as enfermidades e até mesmo o câncer. A famosa revista *Seleções* do *Reader's Digest* publicou largamente a história de como um homem foi curado de uma séria desordem nervosa por meio da alegria e do riso. Os praticantes da ioga chegam a fazer parar sua respiração e seu coração mediante a força do pensamento e dos desejos, algo que, normalmente, seria uma condição fatal, embora não para eles, devido ao seu longo treinamento.

As Emoções e o Comportamento. A maioria das pessoas age em conformidade com as suas emoções.

As mulheres são acusadas de serem especialmente suscetíveis às suas emoções. Por essa razão, alguém já disse: «As mulheres são apenas uma longa emoção flutuante e contínua». Deve haver nisso certo exagero, mas a sentença inclui uma grande verdade. Também é óbvio que as emoções são mais poderosas do que a razão. Consideremos o temor de apanhar a chamada «AIDS». Esse temor tem contribuído mais para modificar a conduta sexual das pessoas do que puderam fazê-lo, durante todos os séculos, a religião e a filosofia.

4. Emoções Certas e Erradas. Alguns filósofos morais supõem que não existem conceitos morais fixos que nos guiem a conduta. Antes, querem que creiamos que os nossos supostos conceitos e padrões morais são apenas reações emocionais, disfarçadas como regras sobre o que é direito ou errado. Assim, quando uma pessoa qualquer diz: «Roubar é errado», não somente terá proferido uma regra alicerçada sobre uma verdade, mas também terá reagido emocionalmente contra aquele ato. Essa é apenas uma outra maneira de expressar os conceitos da ética relativista e situacional. Apesar dessa explicação envolver certa verdade óbvia, é absurdo pensar que as questões do que é certo e do que é errado são apenas reações emocionais. Não obstante, é evidente que as nossas emoções inspiram em nós atos bons e atos maus, os quais, por si mesmos (à parte das nossas emoções), revestem-se de boas ou de más qualidades. Ver o artigo sobre o *Emotivismo*.

5. Teorias Básicas sobre as Emoções. Essas teorias, quando generalizadas, são apenas três, a saber:

a. *O Naturalismo.* As emoções seriam ações e reações cérebro-químico-fisiológicas de seres físicos, nada tendo a ver com a mente ou com o espírito. As reações emocionais resultariam de um longo período de desenvolvimento no mundo animal. Darwin opinava que muitas emoções resultam da difusão de impulsos nervosos a vários músculos e glândulas e que a causa das mesmas são situações inesperadas, com as quais os organismos envolvidos não estariam acostumados. As reações emocionais seriam herdadas biológica e geneticamente, pelo menos em parte, de tal maneira que até os recém-nascidos teriam certas emoções não-aprendidas, como o amor, o temor e a raiva.

De acordo com essa teoria, pensa-se que as emoções resultam de modificações psicológicas, sendo *sentidas* quando tomamos *consciência* de tais mudanças. Há em tudo isso uma certa verdade; mas, a própria palavra «consciência» demonstra que as emoções envolvem mais do que a simples fisiologia. De fato, as condições psicossomáticas demonstram que as emoções ocorrem primeiro e que as reações físicas resultam dessas emoções e não ao contrário. Uma droga pode produzir euforia ou depressão. Porém, a euforia espontânea pode produzir modificações químicas no corpo, podendo até mesmo servir de instrumento em um processo de cura.

b. *A Teoria Psicológica.* Essa teoria distingue entre a mente e o cérebro. As emoções seriam uma propriedade mental, que afetaria a porção material do homem. As emoções, pois, demonstrariam a existência da mente. A mente, ao emanar emoções, é capaz de curar ou de prejudicar. Em sua *interação*, tanto a mente quanto as funções do organismo podem produzir e mediar emoções. Ver o artigo sobre o *Problema Corpo-Mente*. Jamais será possível explicar o homem apelando apenas para a sua natureza física. Visto que o homem é um ser intrincado e complexo, havendo interações entre sua mente e seu

EMOÇÕES — EMOTIVISMO

corpo físico, as emoções, naturalmente, participam de ambos os aspectos. Uma condição patológica no corpo pode criar uma emoção negativa. Porém, uma disposição mental positiva pode produzir excelentes efeitos sobre o corpo físico.

c. *A Teoria Espiritual*. As emoções humanas não poderiam ser totalmente explicadas mediante o apelo ao corpo físico ou à mente, e nem mesmo mediante o apelo a ambos, ao mesmo tempo. Visto que o homem é um *espírito*, estando sujeito a influências espirituais, as emoções certamente também originam-se de sua natureza espiritual. Acresça-se a isso que as emoções também podem ser causadas por poderes espirituais externos, tanto positivos quanto negativos. A mente é uma qualidade do espírito e tanto a mente quanto o espírito podem estar envolvidos em nossas emoções. Não há como explicar um *grande amor*, somente com base no cérebro ou na mente. O espírito humano está envolvido em uma emoção assim. O amor de Deus pode ser infundido no crente e essa é uma qualidade espiritual, tal e qual o são todas as virtudes morais.

6. As Emoções e o Bom Equilíbrio. Podemos abusar das emoções das pessoas. Um pregador ou evangelista erra quando tenta manipular as emoções das pessoas, sem equilibrá-las com as forças correspondentes do intelecto, da erudição e do conhecimento. As reações emocionais aos sermões podem ser impressionantes, mas elas são notórias por causa de sua curta duração. Aristóteles estava com toda a razão quando caracterizou Deus como *o Intelecto* e os homens como intelectos. Sem importar as críticas que possam ser feitas contra Joseph Smith, fundador do mormonismo, há uma afirmação sua que **está acima de qualquer crítica: «A glória de Deus é a inteligência».** A natureza inteira dá provas disso. A imensa inteligência de Deus permeia a todas as coisas. A razão é o vigia que monta guarda à porta e protege o ser de excessos e abusos; um dos abusos pode ser o emocionalismo. Um homem é uma complexidade de fatores e um desses fatores são as emoções. Mas um outro fator é a razão. A estabilidade obtém-se por meio do *bom equilíbrio* e não através da ênfase exagerada quanto a um desses fatores, com quase total esquecimento do outro.

As Emoções e o Enriquecimento Espiritual. Uma pessoa inclinada à melancolia propaga a inércia. Mas a pessoa feliz inspira à ação. Paulo era dotado de *convicções* emocionais quanto à sua fé religiosa e propagava-a com grande entusiasmo. Deus *amou* e, assim, deu o Seu Filho unigênito. Quando amamos a alguém, tendemos por dar-lhe o melhor que temos. As emoções emprestam colorido e riqueza à vida de uma pessoa, injetando valor naquilo que ela possui. Uma dona-de-casa gosta muito de seu belo carpete e alegra-se quando o vê. Um autor sente alegria quando contempla um livro seu, que está sendo bem distribuído. E essa satisfação nos enriquece a alma. Um homem generoso encontra-se com algum necessitado e sente-se feliz quando é capaz de aliviar tal condição. Um pai alegra-se quando vê um filho seu ser bem-sucedido nos estudos ou na carreira que escolheu. O indivíduo que se compadece de outro e o ajuda, empresta ao Senhor e haverá de receber de volta uma rica recompensa, com juros (ver Pro. 19:17). A permanência do Espírito de Deus em nós leva-nos a não temer a morte do corpo físico (Mat. 10:28). As belas artes são bons veículos das boas emoções. A arquitetura, a música, a pintura e a escultura são bons veículos para a expressão das nossas emoções. Sentimo-nos bem acerca do mundo, quando estamos em um ambiente decorado artisticamente. Porém, as mais excelentes emoções são

aquelas de fundo espiritual. Mostra-se correto aquele hino evangélico que diz: «Há alegria no serviço a Jesus». As experiências místicas fazem-nos entrar em êxtase de alegria. (AM EP H P)

EMOTIVISMO (Emoções e a Ética)

Essa é a teoria que afirma que os valores estão alicerçados sobre as nossas atitudes emocionais. E esses valores não seriam certos ou errados por seus próprios méritos, mas somente em relação às nossas emoções. A princípio, essa teoria era aplicada somente às questões éticas; mas agora, também, tem sido aplicada a outros aspectos da filosofia, como os aspectos estéticos e sociais.

David Hume falava sobre normas éticas como normas aprovadas ou desaprovadas por alguém ou por alguma coisa. Mas isso pode tornar-se muito subjetivo, pelo que não envolve, realmente, o que diz respeito ao que é certo ou errado. Charles Stevenson (que vide), pensava que a maioria dos valores, bem como todos os valores éticos, têm níveis de sugestão ou significado emotivo por detrás deles. Isso teria o poder de produzir reações em outras pessoas. Por conseguinte, as discussões sobre questões éticas são uma atividade em que as pessoas tentariam forçar sobre outras, as suas próprias atitudes, fundamentadas sobre suas reações subjetivas às diversas situações. No entanto, o certo e o errado podem ser questões inteiramente independentes de nossas emoções. Todavia, reconhecemos que elas podem ser qualidades subjetivas, o que impossibilita qualquer definição mais exata. Seja como for, as declarações éticas, de acordo com essa teoria, não seriam nem falsas e nem verdadeiras, mas apenas exclamações carregadas de emoções, com base em meros sentimentos subjetivos.

Os proponentes mais extremados dessa teoria chegam mesmo a objetar ao subjetivismo de que os acusamos. Os subjetivistas objetam a normas absolutas no campo da ética, asseverando que quando uma pessoa faz uma reivindicação moral, na verdade é como se ela estivesse dizendo: «Gosto disto»; ou então: «Não gosto daquilo». Em outras palavras, ela estaria declarando os seus próprios sentimentos e não o que é, realmente, certo ou errado. Os emotivistas radicais, bem ao contrário, não pensam que uma declaração moral seja, ao menos, uma afirmativa. Para eles, seria apenas uma exclamação sobre sentimentos, como quando alguém solta uma gargalhada diante de uma boa piada, ou como quando alguém chora diante de uma notícia triste. Para eles, tais reações podem ser próprias ou impróprias, mas nunca verdadeiras ou falsas. Entretanto, há questões onde se torna difícil estabelecer tais distinções. Assim, um homem choraria por causa de algum sentimento subjetivo, por causa de alguma avaliação que faz diante de um acontecimento qualquer. E rir-se-ia porque uma piada tocou nele em alguma coisa que o divertiu, subjetivamente falando. Os emotivistas também costumam acrescentar o detalhe de que as declarações ou exclamações emocionais de uma pessoa têm uma finalidade persuasiva, de tal modo que leve as reações emocionais de outras pessoas harmonizarem-se com as suas próprias.

Críticas Contra essa Teoria. Há seis objeções a serem feitas a essa teoria do emotivismo, a saber:

1. O emotivismo é uma forma de subjetivismo, estando sujeito às mesmas críticas levantadas, com toda a razão, ao subjetivismo. É mister que haja

EMPATIA — EMPÉDOCLES

realidades objetivas, dignas de serem compartilhadas com nossos semelhantes. Não podemos julgar o mundo somente com base naquilo que pensamos ou sentimos. Ver o artigo sobre *Subjetivismo e Objetivismo*.

2. O emotivismo, na realidade, não é uma teoria moral, mas é apenas propaganda feita por certas pessoas acerca do que elas pensam que deveria ser a teoria moral.

3. O subjetivismo reduz o juízo moral a uma mera propaganda. É preciso que haja algo mais palpável do que isso, em uma teoria acerca das nossas emoções.

4. O subjetivismo exclui a racionalidade, que certamente faz parte da composição do ser humano.

5. O subjetivismo exclui a revelação divina, onde são dados valores morais provenientes de fontes superiores ao homem e aos seus sentimentos.

6. O subjetivismo ignora as qualidades da alma humana e zomba das questões morais sérias. Não há que duvidar que as declarações acerca do homicídio de uma pessoa envolvem muito mais do que o riso diante de uma piada ou o choro diante de uma notícia entristecedora. (F H EP)

EMPATIA

Essa palavra vem dos termos gregos en (em) e patheia (sentimento, emoção, experiência). O vocábulo foi cunhado no começo do século XIX, em relação a expressões e sentimentos estéticos, referindo-se à capacidade de alguém, por assim dizer *entrar em* uma obra de arte, ou nos sentimentos de outrem, perdendo a sua própria identidade e fundindo-se na identidade alheia. Na linguagem da psicanálise, a palavra tem sido usada para indicar a capacidade de adotar, em relação a alguma outra pessoa, uma atitude de aceitação e que não se ponha a julgar. Alguns pensam que a *empatia* é um importante método ou chave para a obtenção da compreensão das experiências estéticas.

Dentro do contexto cristão, o termo aponta para a participação nos problemas e tristezas de outra pessoa, identificando-se com ela, com aquilo que ela sente e sentindo a devida compaixão (que vide). Isso, porém, não elimina a necessidade da verdade, porquanto algumas situações só podem ser corrigidas quando há uma genuína mudança de atitude, um autêntico modo diferente de tratar com os nossos semelhantes. Cumpre-nos dizer a verdade em amor (Efé. 4:15), pois isso envolve ambos os elementos necessários para a cura. O indivíduo inclinado a julgar os outros distancia-se do próximo e acaba sendo conhecido como um destruidor e não como um reconciliador e curador, mesmo que costume dizer a verdade. Jesus tornou-se conhecido por sua imensa compaixão, mas não se sabe de nenhum caso em que ele transigiu, sacrificando a verdade ou algum princípio espiritual.

EMPÉDOCLES

Um filósofo grego que nasceu e viveu em Agrigentum, na ilha da Sicília. Ele era muito respeitado por outras pessoas, algumas das quais chegaram a honrá-lo como se ele fosse uma divindade. Há lendas que foram criadas em torno de sua pessoa, dizendo que ele chegou a realizar muitos milagres. Isso significa que devemos estar tratando com uma pessoa incomum. Além de ser um filósofo, ele trabalhava como médico e imiscuía-se em assuntos políticos. Foi essa última questão que o levou à sua

queda. Ele ajudou a derrubar uma oligarquia e a estabelecer a democracia. Porém, o poder político mudou de mãos (como sempre costuma acontecer) e isso o deixou em uma posição de desfavor. O novo regime mandou-o para o exílio, onde acabou morrendo. Viveu entre 490 e 430 A.C.

Idéias

1. **Não existiria tal coisa como vir absolutamente à existência ou sair da existência. Começos e fins são** apenas processos dentro de um contínuo eterno, o que produz misturas e separações.

2. Na natureza, o processo da mistura envolve os elementos básicos da terra, do ar, do fogo e da água e todas as coisas seriam formadas pelas distinções quantitativas, produzidas por essas misturas. Todavia, não haveria tal coisa que tenha surgido do nada.

3. Há um princípio cósmico de atração e repulsão, que opera nas misturas. Falamos sobre essas coisas, metaforicamente, como amor e esforço. Há um processo envolvido. *a*. As coisas começam dentro da harmonia do amor. *b*. As coisas são separadas quando começam as contendas. *c*. As contendas chegam a dominar e isso produz separações absolutas. *d*. O amor reaparece e restaura a anterior unidade e harmonia.

4. A vida vem à tona no segundo e no terceiro estágios desse processo. A vida física resultaria de um processo evolutivo. A evolução, por causa da contenda atuante, produz todas as formas de má combinação e de aparentes equívocos. Mas as coisas que são misturadas de modo ordeiro, são capazes de sobreviver. Os mitos falam sobre animais estranhos, monstros, centauros, górgonas, tudo o que consiste em más misturas temporárias, dentro do processo evolutivo, mas que não são capazes de sobreviver.

5. Quanto ao pensamento metafísico, Empédocles cria na transmigração das almas, na doutrina da queda da alma e na necessidade de sua restauração, através da roda do renascimento, por meio da purificação. As suas crenças religiosas podem ser explicadas como influenciadas pelas idéias de Pitágoras e pelos mistérios de Orfeu. Ele opinava que o homem é um *daemon decaído* (uma divindade secundária), cujas vagueações por este mundo teriam sido a causa de sua queda. Declarou ele: «Um homem deve vaguear por trinta mil vezes, desde onde habitam os bem-aventurados, nascendo no tempo e em todas as **variedades de forma mortal, mudando de uma vereda** cansativa para outra». Ele descrevia a si mesmo como um desses exilados, um «vagabundo que se afastou dos deuses». E afirmava que era capaz de lembrar sua vereda de inúmeras vicissitudes, desde o reino animal até o estado de ser humano; e que, uma vez tendo chegado a ser homem, foi vários seres humanos. Descrevia a morte como uma separação entre o elemento fogo e os demais elementos, o que deixaria fria a mistura. No frio, todas as coisas morreriam. Em seguida, os elementos passariam por transformações, até emergirem novamente como coisas vivas. Essa idéia parecia ser incoerente com seu ponto de vista sobre a transmigração das almas; porém, penso que ele falava sobre modificações que têm lugar no veículo físico e não no espírito imortal que vem habitar no veículo físico, a fim de expressar-se por meio do mesmo. Ver o artigo geral sobre a *Reencarnação*, que inclui uma descrição do que está sendo feito, nos meios científicos, a fim dessa idéia ser examinada.

Escritos. On the Nature of Things; Hymns of Purification. Ambas essas obras foram escritas como poesias de várias centenas de linhas cada.

••• ••• •••

EMPIRIOCRITICISMO — EMPIRISMO

EMPIRIOCRITICISMO

O nome Richard Avenarius (que vide) está vinculado a esse termo. A palavra alude a uma abordagem do mundo através da experiência pura, destituída de pressupostos. Essas experiências seguem o princípio da menor energia, ou seja, o indivíduo exclui sistematicamente, de seu conteúdo mental, todos os elementos que não entrem especificamente nas experiências diretas, através dos sentidos físicos. Desse modo, evita-se o *dualismo*, porque se a única coisa que alguém pode saber está associada aos sentidos e seus sujeitos, então essa pessoa não estará pensando muito sobre realidades imateriais, como Deus, o espírito ou a alma. Todas as chamadas experiências mentais são integradas de tal modo no que é material que o indivíduo obtém uma única experiência. A mim, porém, parece que essa teoria é uma maneira tímida e covarde de evitar pensar sobre coisas acima de nós mesmos. O método representa uma visão do mundo totalmente inadequada, uma experiência muito estreita e deficiente da realidade. Ver o artigo geral sobre o *Empirismo*, mormente o ponto sexto, onde apresento críticas àquele sistema e que também se aplicam a este assunto.

EMPIRISMO

Esboço:

I. Definição
II. O que é Combatido pelo Empirismo
III. Estágios do Empirismo
IV. Elementos do Empirismo
V. Filósofos Específicos e o Empirismo
VI. Críticas Contra o Empirismo

I. Definição

A palavra portuguesa **empirismo** deriva-se do grego *empeiría*, «experiência», «teste». A forma adjetivada é *empeíros*, que significa «experiente». O *empirismo* é a tese que diz que todo o conhecimento (excetuando as proposições puramente lógicas, como as da matemática) está alicerçado sobre a *experiência*. Os empiristas puros argumentam que essa experiência tem sua origem na *percepção dos sentidos*. Já o *empirismo ingênuo* supõe que um conhecimento verdadeiro e completo pode ser obtido através da percepção dos sentidos. Nesse caso, o conhecimento seria um juízo verdadeiro, com uma descrição *completa*. Por exemplo, quando digo: «Esta é uma mesa», isso expressa o meu juízo. Se eu não tiver confundido um objeto com outro qualquer (fazendo assim um falso juízo) então poderei passar a descrever aquela mesa. E a minha descrição me levará além de coisas óbvias, como configuração geométrica, volume, cor, etc., levando-me até a teoria atômica da matéria. Somente com uma completa e perfeita descrição do átomo terei obtido o conhecimento. O empirismo ingênuo supõe que tal descrição está ao nosso alcance. Ignora a possibilidade de que o próprio átomo pode não ser a unidade básica da natureza material e que pode ser apenas uma manifestação da energia ou da mente. Porém, se tivéssemos de adotar essa idéia, então teríamos de dar prosseguimento às nossas descrições, incluindo aquilo que está por detrás das manifestações da matéria.

Por sua vez, o *empirismo crítico* abandonou de vez a tentativa de chegar a uma descrição completa, atolando-se no ceticismo e no pragmatismo (que vide). A verdade, nesse caso, torna-se algo prático e não uma teoria perfeita. A ciência moderna representa o empirismo crítico, porquanto confessa abertamente que o nosso conhecimento acerca do átomo é muito incompleto e que a percepção de nossos sentidos não é digna de confiança. Portanto: «Vemos o mundo da maneira que *nós somos* e não da maneira que o mundo realmente é». — Em outras palavras, a percepção dos nossos sentidos impõe ao mundo aquilo que somos obrigados a pensar a seu respeito. Essa percepção não descobre a natureza real do mundo. Quando olhamos algo por meio de um microscópio, o que vemos é determinado pelo poder de aumento do microscópio, bem como de minha boa visão. Posso ver um pequeno organismo magnificado centenas de vezes e ficar admirado; mas nunca verei os átomos que compõem aquele organismo e nem chegarei a entender a verdadeira natureza dos átomos, somente porque olhei algo através de um poderoso microscópio eletrônico. E mesmo que eu pudesse ver os átomos e pudesse entendê-los, nem por isso teria compreendido o poder do Criador, que deu vida às coisas. E nem o meu microscópio eletrônico conseguirá ver formas invisíveis de vida, como a alma. Por conseguinte, estarei sempre manuseando com verdades parciais. O meu conhecimento sempre será apenas provincial, sempre será duvidoso.

II. O que é Combatido pelo Empirismo

Pode-se compreender melhor o empirismo considerando aqueles pontos de vista sobre a teoria do conhecimento que o empirismo combate. Assim, o empirismo opõe-se ao *racionalismo* (que vide) que é a idéia de que só podemos conhecer as coisas por meio da razão, sem as experiências obtidas pelos sentidos físicos. O empirismo reconhece que existem *juízos analíticos*, conforme se dá nos raciocínios matemáticos, que podem ser conhecidos e demonstrados pela razão; mas pensa que esses raciocínios são meras definições ou tautologias. Para exemplificar, uma esposa, por definição é uma mulher casada. Dois mais dois, por definição, é igual a quatro. Não é preciso fazer qualquer experiência para que se chegue a essa conclusão. A razão diz-nos que isso é uma verdade, mas nem por isso teremos adquirido qualquer conhecimento empírico sobre o mundo e sobre nós mesmos. O empirismo nega que possamos aplicar juízos analíticos a qualquer outra coisa, além das tautologias. O empirismo também nega a existência das *idéias inatas*, afirmando que todas essas idéias começam nos informes obtidos pela percepção dos sentidos. E também nega que possamos ter *intuições* que nos dêem conhecimento sem a mediação dos sentidos. Os empiristas usualmente suspeitam de qualquer reivindicação de conhecimento que diga estar apoiado sobre alguma fonte superior ao homem, como é o caso das revelações dadas por Deus, embora certos empiristas não neguem, necessariamente, essas coisas. Mas o empirismo nega as idéias do idealismo, mediante as quais a mente de um homem supostamente já vem equipada com idéias que correspondem ao mundo das idéias, conforme foi descrito por Platão.

III. Estágios do Empirismo

Na antiga filosofia grega, encontramos um empirismo ingênuo em Aristóteles (que vide). Já os atomistas (que vide) são empiristas céticos. Platão negava que este mundo é um objeto de conhecimento verdadeiro e que as percepções tenham o poder de atingir o conhecimento. Ele fazia o conhecimento alicerçar-se sobre o mundo real, isto é, o mundo dos universais (ou idéias). Para ele, este mundo é objeto da razão, da intuição e das experiências místicas (nessa ordem ascendente de importância). A percepção dos sentidos envolve apenas o mundo menos real,

357

EMPIRISMO

o mundo dos particulares ou objetos materiais; e não se poderia dizer, realmente, que esteja envolvido na busca pelo conhecimento, visto que não é o mundo *real*. Aristóteles era um cientista que negava essa abordagem ao conhecimento e pensava que os particulares são os objetos da nossa busca pelo conhecimento. A ciência moderna tem demonstrado que Platão estava com a razão acerca da natureza insegura da percepção de nossos sentidos e, assim, aceita o antigo ceticismo como uma abordagem válida do conhecimento, pelo menos até onde vai o ceticismo. No entanto, a ciência moderna também acrescenta o espírito prático ou pragmatismo, como uma condição normativa para aquilo que chamamos de conhecimento.

Em vista disso tudo, temos quatro fases no empirismo, a saber: 1. O *empirismo ingênuo*, que pensa que um conhecimento definitivo pode ser obtido através dos sentidos, talvez com alguma ajuda da razão. 2. O *ceticismo*, que abandona essa noção e termina desesperando de obter o conhecimento, considerando isso uma impossibilidade. 3. O *pragmatismo*, que aceita a idéia de que o conhecimento teórico é impossível, embora também diga que o que opera é o conhecimento e a verdade. Isso posto, a praticalidade torna-se o grande objetivo da nossa inquirição. Essa busca seria governada pelo método empírico da tentativa e do erro. 4. O *pragmatismo científico*, conforme se vê no *positivismo lógico* (que vide) assevera que nossa inquirição empírica deve ser governada essencialmente pela disciplina das pesquisas científicas, em laboratório, porquanto somente as coisas descobertas e confirmadas dessa maneira poderiam ser consideradas objetos do nosso «conhecimento». Mas, até mesmo esse conhecimento ainda não é absoluto, mas apenas um meio para fazermos o que queremos e atingirmos o que queremos atingir. No positivismo lógico, portanto, temos um ceticismo científico-prático-pragmático.

IV. Elementos do Empirismo

1. De acordo com o que pensava John Locke (que vide), começamos a nossa vida sem nenhum conhecimento, como uma *tabula rasa*. De acordo com ele, a mente humana, que consistiria no cérebro e não em alguma entidade imaterial, chegaria a este mundo inteiramente vazia, quando do nascimento do bebê. Os informes obtidos através da percepção dos sentidos iria marcando esse quadro limpo (a *tabula rasa*), com suas impressões e nisso consistiria o conhecimento, nos seus primeiros estágios. Não haveria *idéias inatas*, já impressas sobre a *tabula rasa*, quando chegamos a este mundo.

2. As *experiências*, as formais e as informais, deixam marcas sobre a *tabula rasa* e isso é o começo do nosso conhecimento.

3. As experiências recebem *nomes* e isso assinala o desenvolvimento da linguagem, que, por sua vez, torna-se o principal veículo do conhecimento.

4. A linguagem torna-se possível por causa da *memória*, que organiza os nomes em ordem, para que se tornem veículos eficazes da expressão.

5. Com base no desenvolvimento da linguagem, temos a *faculdade discursiva*, que possibilita todas as vastas sutilezas da intelecção humana.

6. Com base na experimentação, emergem certas *leis* da natureza. Há experimentações que sempre terminam dando os mesmos resultados. Alguns resultados contrários podem exigir — a revisão de uma lei, ou mesmo a sua rejeição final.

7. Aquelas leis que resultam de muitas experimentações e que não são eliminadas por provas em contrário, agrupam-se formando *teorias*.

8. A *refutação* é uma questão importante, conforme foi enfatizado por Karl Popper (que vide). Teorias estabelecidas precisam ser abandonadas, se puderem ser destruídas por algumas poucas bem aplicadas refutações. Popper falava em termos de *falsidade*. Isso ele pensava ser mais importante, como um modo de se obter conhecimento, do que a possibilidade de verificação. Mas, como é óbvio, as duas coisas precisam caminhar de mãos dadas.

9. Quando alguma teoria conta com uma confirmação respeitável e mostra-se isenta de defeitos debilitantes ou de falsificações, então ela representa um *conhecimento tentativo*. Visto que as experimentações nunca terminam, o conhecimento, por igual modo, nunca é completo. No entanto, pode tornar-se prático e útil; e os homens, a despeito de todas as suas fraquezas, têm conseguido levar o conhecimento até esse ponto.

V. Filósofos Específicos e o Empirismo

1. Antes de tudo, encontramos Aristóteles contrariando Platão, conforme foi salientado acima. Aristóteles preocupava-se com as ciências empíricas. Alguém já observou que todos os homens são platonistas ou aristotelianos em sua ênfase. Alguns preferem o conhecimento através da razão e da intuição, buscando um conhecimento extraterreno. Mas outros buscam o conhecimento próprio deste mundo, mediante testes e experiências. As profissões que os homens ocupam podem ser divididas de acordo com essas duas preferências fundamentais. Ambas as preferências são úteis e há quem faça combinações entre esses dois extremos.

2. Demócrito e Epicuro (os atomistas em geral; que vide), eram empiristas puros, pensando que todo conhecimento é obtido pela percepção dos sentidos e estando mais interessados pelo que é material, em contraste com aquilo que é espiritual. Eles foram nominalistas (ver sobre o *nominalismo*), supondo que o universal seria apenas um *nome*, que vinculamos às classes de coisas.

3. O *empirismo britânico*, conforme visto nos escritos de Roger e Francis Bacon (que vide) criaram uma base para as ciências empíricas. A Inglaterra foi a primeira nação do mundo a industrializar-se. John Locke (que vide) fomentou ainda mais a teoria do empirismo. David Hume exagerou em seu empirismo e desenvolveu um ceticismo moderno, que exerceu poderosa influência sobre o pensamento posterior e que levou Kant a lançar para um lado o seu dogmatismo e a começar a pensar e a investigar.

4. O empirismo dos ingleses foi exportado para o continente europeu no século XVIII. Condillac (que vide) foi discípulo de Locke, e de'Alembert (que vide) antecipou idéias de J.S. Mill (que vide), ao tentar demonstrar que até mesmo a matemática é empírica.

5. J.S. Mill salientava a lógica indutiva, bem como o desenvolvimento de métodos empíricos para analisar relações de causa e efeito. Ele falava sobre a matemática como uma ciência empírica, e pensava que a matéria nada mais é do que a permanente possibilidade de alguma sensação.

6. O *pragmatismo*, como um movimento moderno (os *sofistas*, da época de Sócrates, eram pragmatistas), teve início no século XIX e floresceu no século XX. O pragmatismo é um empirismo prático. William James (que vide) intitulava a sua filosofia de *empirismo radical*.

7. O *positivismo lógico* (que vide) tentava *purificar*

EMPIRISMO — EMPREGO

a filosofia de seus elementos não-empíricos, fazendo dela a base de uma filosofia da ciência. O Círculo de Viena tornou-se conhecido por essa tentativa. A.J. Ayer e Herbert Feigl foram os principais exponentes desse sistema. Ver o artigo que trata sobre eles. De modo geral, eles falavam sobre a distinção entre o juízo *analítico* e o juízo *sintético*, atribuindo o primeiro à matemática, às definições e às tautologias e o segundo às ciências, ónde quer que o verdadeiro conhecimento (embora sempre limitado) possa ser encontrado.

8. O *fenomenalismo* (que vide) consiste na tentativa de construir um sistema de conhecimentos apenas à base de informes empíricos. H.H. Price fez uma declaração acerca do *padrão sólido*, descrito como uma convergência de famílias de informes captados pelos sentidos, que é uma dessas tentativas. Ver o artigo sobre ele, no primeiro ponto.

VI. Críticas Contra o Empirismo

O sistema do empirismo é um **provincialismo**. Todos os sistemas assim têm os seus pontos fortes e os seus pontos fracos. É óbvio que a ciência alicerça-se essencialmente sobre sistemas assim. Entretanto, cientistas como Einstein, e inventores como Edison, têm afirmado que muitas de suas idéias lhes ocorreram através da *intuição* (que vide) e não como resultado do acúmulo de informes empíricos. Einstein considerava a mente humana uma entidade cognitiva, capaz de ter pensamentos originais e de fazer descobertas sem a ajuda dos informes da percepção dos sentidos. Evidentemente, ele acreditava em *idéias inatas* (que vide). Em outras palavras, a mente não seria uma *tabula rasa*, conforme John Locke afirmou. Não obstante, uma idéia científica, uma vez detectada pela intuição, precisa ser desenvolvida por meio do método empírico. Outrossim, muitas idéias, bem como o uso que lhes é dado, resultam do acúmulo gradual de informes obtidos pelos sentidos. Muitos, se não mesmo a maioria dos empiristas, concordam que também precisamos apelar para a razão a fim de organizar e implementar os experimentos, dizendo ainda que esse poder de raciocínio está por detrás do que é diretamente sugerido pela percepção dos sentidos e as suas manipulações.

Os filósofos racionalistas e intuitivos insistem que apesar do empirismo estar por detrás das máquinas, a razão e a intuição são capazes de investigar melhor os problemas éticos. Mas, quanto a elevadas idéias espirituais, nós, os evangélicos, confiamos mais no *misticismo* (que vide), do qual a revelação divina é uma subcategoria. A *parapsicologia* (que vide) tem demonstrado, de maneira adequada, mediante o uso de métodos científicos, que a percepção dos sentidos não é o único meio de adquirirmos conhecimentos. Figuras poderosas e extraordinárias, a quem podemos atribuir uma mentalidade universal, como Platão, Jesus e Tomás de Aquino, têm provado, em suas vidas e em seus ensinos, que neste mundo há mais do que os nossos sentidos nos são capazes de dar conhecimento. Um moderno exemplo disso é o de *Satya Sai Baba* (que vide). Os estudos feitos no campo da regressão hipnótica de pessoas, até os seus nascimentos, têm revelado que mesmo então eles tinham consciência do que estava sucedendo ao seu redor, como, para exemplificar, até o estilo de penteado de suas mães, podendo lembrar e até mesmo compreender diálogos que estavam sendo efetuados na sala do parto! Certo médico ainda recentemente observou que um bebê é uma *pessoa inteira*, presa em um corpo infantil. Isso demonstra, acima de toda dúvida, que a mente de um bebê em nada se assemelha a uma *tabula rasa*, quando ele nasce. Poderia um infante entender um diálogo em um idioma que ele ainda não aprendeu? Ou então, quando já adulto, pode ele compreender tal idioma, porquanto o mesmo foi preservado em sua memória? Os estudos parecem indicar a primeira dessas duas possibilidades. Nesse caso, precisamos postular a existência de uma *mente*, em contraste com o cérebro. A antiga distinção entre a mente e o cérebro está sendo salientada cada vez mais em nossa época, até mesmo através dos métodos científicos. Aqueles que têm experimentado a *projeção da psique* (que vide) têm descoberto, acima de qualquer dúvida, a realidade da mente, completamente à parte da associação com o corpo físico. Em outras palavras, o conhecimento está à nossa disposição, sem qualquer mediação do corpo físico e da percepção de seus sentidos. Estudos sobre as *experiências perto da morte* (que vide) mostram que a parte não-material do ser humano pode separar-se do corpo e observá-lo, retendo plenamente a sua memória e o seu poder de raciocinar. As percepções do espírito podem assemelhar-se às do corpo físico; mas o espírito é dotado de uma percepção superior, um conhecimento intuitivo que bem poucas pessoas, em associação com seu corpo, são capazes de exercer.

O Empirismo e os Mistérios. Não há que duvidar que esta vida está repleta de imensos mistérios, alguns poucos dos quais vão sendo lentamente desvendados. O empirismo, a despeito de suas contribuições, não é capaz de revelar os grandes mistérios.

O Empirismo, O Materialismo e o Ateísmo. Ser materialista ou ser ateu não é um corolário necessário para quem é um empirista. No entanto, a história da ciência mostra que certos homens revoltaram-se contra o dogmatismo da Igreja; e, nessa revolta, chegaram a extremos. Esses extremos incluíam o materialismo e o ateísmo. Em algumas universidades, ser ateu é quase um pré-requisito para ser um cientista. Mas essa atitude está se modificando. De fato, atualmente é evidente que a obtenção de provas em prol da existência e sobrevivência da porção imaterial do homem, a alma, está quase ao alcance da ciência empírica. Os cientistas, e não os filósofos e os teólogos, são os que, provavelmente, desfecharão o golpe fatal no materialismo! — A princípio, isso será feito por certos pioneiros, mas, onde estes traçarem uma vereda, seguir-se-ão outros que ampliarão essa vereda até tornar-se uma auto-estrada. Quando a ciência tiver posto, finalmente, o materialismo, em seu sepulcro, então haverá um notável avanço em todo o conhecimento humano e isso abrirá toda a forma de possibilidade para o avanço na obtenção de conhecimentos, como quase nem podemos imaginar no presente.

A crença na existência da alma é aliada da crença na existência de Deus. Algumas pessoas têm conseguido separar as duas coisas, a exemplo de John Ellis McTaggar (que vide), o qual acreditava na existência da alma (como um produto da evolução), mas não na existência de Deus. Contudo, essas duas crenças usualmente seguem paralelas, porquanto a imortalidade não tem valor algum, se Deus também não existir, porquanto ele é a fonte e o sustentador de toda a vida, aquele cujo poder faz a vida tornar-se digna de ser vivida. (AM EP F MM P)

EMPREGO

Naturalmente, muitos problemas éticos estão envolvidos na questão do *emprego*, o que justifica a inclusão desse assunto, em nossa enciclopédia. Consideremos os três pontos abaixo:

EMPREGO — EM VERDADE

1. Definição. O emprego é um relacionamento entre aquele que dá o emprego (o patrão, ou empregador) e o empregado. E a base desse relacionamento é algum acordo voluntário. Se não houver esse acordo, então também não haverá emprego e, sim, alguma forma de escravidão. O sistema de empregos contratados, pois, — visa o benefício mútuo, dos dois lados envolvidos: o patrão e o empregado.

2. Condições. As leis dos países e dos governos estaduais estipulam as condições básicas, atendendo a circunstâncias locais. Se essas condições não estiverem sendo observadas, haverá alguma injustiça, haverá algum desrespeito à legislação aplicável ao caso. Além das condições estipuladas por lei (como o salário mínimo, por exemplo), tanto o empregador quanto os empregados têm o direito de estabelecer outras normas, para benefício mútuo. De modo geral, é o patrão quem determina o tipo de serviço de que precisa, e por quanto tempo ele precisa dos serviços. No Brasil, o tempo diário de trabalho está estabelecido por lei. Mas, as classes trabalhistas estão lutando para conseguir a estabilidade que evitaria a temida rotatividade. Esta última significa que quando um operário obtém um emprego, ele sabe que, dentro de algum tempo, seu patrão haverá de querer despedi-lo, para que possa substituí-lo por alguém que aceite um salário menor do que ele está ganhando no momento. O ideal, nesse campo, deve ser algo como sucede no Japão, onde uma pessoa geralmente faz carreira em uma única firma, durante toda a sua vida, sem temer a rotatividade. Mas, para isso, também é preciso uma criação doméstica que, desde o berço, inculque nas pessoas o senso de lealdade e honestidade, compreende o leitor? Afinal, os patrões também precisam de certas garantias. Portanto, isso envolve muito uma questão de cultura, pessoal e coletiva.

Se a pessoa a ser empregada tem muito poder na determinação das condições, então já não haverá uma situação real de emprego e, sim, de *contrato* particular. Este último caso, passamos a exemplificar mediante duas ilustrações: posso contratar os serviços de um advogado, que cuide de meus interesses sobre uma questão qualquer, mas isso não fará dele um empregado meu. Também posso contratar um pedreiro, que faça para mim um serviço na casa; mas este poderá decidir sobre muitas coisas, quanto ao que deverá ser feito e não será um empregado meu. Em casos assim, já nos aproximamos da idéia da sociedade em um empreendimento qualquer. A sociedade dar-se-á nos casos em que ambas as partes envolvidas são impelidas pelo forte desejo de ver um trabalho realizado. Então o «empregado» não se preocupará em cumprir somente condições mínimas de desempenho, mas fará além do que lhe for exigido, despendendo energias de um modo como um empregado comum dificilmente faria.

3. Obrigações Morais. A situação empregatícia envolve obrigações morais da parte do patrão e da parte dos empregados. O patrão precisa prover condições de trabalho razoáveis, um lugar de trabalho seguro e um salário justo, mesmo que não generoso. Deve haver provisões que satisfaçam às leis trabalhistas básicas. Um patrão tem o direito de pagar a um empregado mais do que a outro, dependendo dos serviços realizados, dos anos de trabalho dedicados à firma e de diferentes níveis de dedicação que os empregados demonstrem. Ver Mat. 20:1-15 quanto à exemplificação desse princípio. Os patrões precisam tratar seus empregados de maneira digna (Efé. 6:8,9).

Um patrão beneficiará a si mesmo e a seus empregados, se conseguir instilar neles a ufania pelo que eles estiverem fazendo. Por sua vez, os empregados devem ao menos uma diligência básica, de tal modo que o trabalho que lhe for dado para fazer seja bem-feito e dentro do prazo marcado razoável. Um empregado precisa ser diligente, pontual e leal. Também precisa ser honesto, evitando qualquer dano que possa ser feito por descuido, desmazelo ou furto. Um empregado também pode prejudicar à firma em que trabalha mediante a resistência passiva, quando só faz o mínimo necessário, ocupando-se, durante as horas de trabalho com atividades tolas, que nada produzem. Os princípios bíblicos que requerem corretas atitudes da parte dos empregados são encontrados em Efésios 6:5-8 e Tito 2:9,10.

Vivendo a Vida Caracterizado pelo Amor. Todos os relacionamentos humanos prosperam quando as pessoas envolvidas fazem o esforço de pôr em execução a lei do amor. Então surgirá em cena a generosidade. Um empregador generoso receberá um serviço generoso da parte de seus empregados, com raras exceções. Mas, o patrão que dá o menos possível, receberá um serviço deficiente e de má qualidade, porquanto far-se-á ausente o tempero da gratidão e da amizade, por parte dos empregados.

EMPRESTAR, TOMAR EMPRESTADO

Seis palavras hebraicas são usadas para indicar o ato de emprestar, ou tomar emprestado. Essas palavras são: *Nashah*, «emprestar com usura» (Deu. 24:11; Jer. 15:10); *shaal*, «pedir» (Êxo. 12:36; I Sam. 1:28); *lavah*, «emprestar» (Êxo. 22:25; Deu. 28:12,44; Sal. 37:26, etc.); *nathan*, «dar» (Lev. 25:37), *abat*, «entretecer» (Deu. 15:6); *maat*, «pouco» (II Reis 4:3). No grego temos duas palavras: *Daneizo*, «emprestar» ou «pedir emprestado» (Mat. 5:42; Luc. 6:34,35); e *kíchremi*, «negociar» (Luc. 11:5).

A prática de emprestar e tomar emprestado era regulada pela lei mosaica. Israel podia emprestar aos pagãos e cobrar juros (Deu. 15:6); mas outro tanto era proibido no caso de compatriotas israelitas (Deu. 23:19,20). Aqueles que não devolviam o que tomavam emprestado, sem importar se dinheiro ou objetos, eram considerados ímpios (Sal. 37:21). No entanto, no êxodo, quando os israelitas pediram emprestado dos egípcios, e não devolveram a eles o emprestado, não foram considerados errados (Êxo. 3:22; ver também Juí. 5:25; 8:24). Talvez fosse uma compensação pelos muitos prejuízos e danos sofridos pelos israelitas, no Egito, naquela geração. Mas, apesar da legislação mosaica a respeito, havia quem exigisse penhor e oprimisse aqueles que não devolviam o empréstimo, por absoluta falta de condições (Deu. 24:10-13,17; 15:1-6; Pro. 6:1; 22:7; Mat. 18:28).

Nos dias do Novo Testamento já se haviam desenvolvido costumes similares àqueles que encontramos nos nossos dias. Havia cambistas, banqueiros, e lucros comerciais cobrados sobre os empréstimos, conforme se vê em passagens como Mat. 25:14-30; Luc. 19:11-27; João 2:13-17. Não há nenhum mandamento neotestamentário que condene a usura, embora o Novo Testamento ensine que se deve usar de misericórdia para com nossos devedores (Mat. 18:23-35). Ver também sobre *Dívida* e *Devedor*. (DEIS LAN)

EM VERDADE, EM VERDADE

João 1:51: *E acrescentou: Em verdade, em verdade*

EM VERDADE — ENCANTADOR

vos digo que vereis o céu aberto, e os anjos de Deus subindo e descendo sobre o Filho do homem.

Por detrás da tradução «*em verdade*», encontramos no original o vocábulo *amém*, que é literalmente retido por algumas traduções. O autor sagrado do evangelho de João sempre usa a afirmação em forma dupla, e jamais simples, como, por exemplo, «em verdade vos digo». Não sabemos dizer, contudo, qual fórmula exata Jesus empregava regularmente. Ele pode ter usado uma forma simples e uma forma dupla; mas as diferenças existentes entre os evangelhos sinópticos e o evangelho de João, neste particular, provavelmente se derivam meramente da escolha pessoal dos seus respectivos autores, e não são necessariamente, um reflexo de qualquer imitação direta e perfeita do que Jesus costumava dizer. Todavia, quer Jesus usasse a fórmula simples ou a fórmula dupla, o sentido é o mesmo, e a fórmula dupla de forma alguma é mais augusta ou autoritária do que a simples, *em verdade*.

No original, o termo *amém* se deriva de uma raiz que expressa as idéias de «certamente», «verdadeiramente», «fielmente». Era palavra hebraica usada nas orações e liturgias religiosas, como palavra final de aclamação devota. (Ver Deut. 27:15-26; Sal. 41:13; 89:52). Também é empregada como afirmação das próprias palavras de alguém, a exemplo de Jesus e de Paulo (ver Rom. 9:5 e 11:36). Quando usada como palavra inicial, significa «veríssime», «certíssime», isto é, «verdadeiramente», «em verdade». Esse termo deveria ser familiar no hebraico e no uso cristão primitivo, pois de outro modo João tê-lo-ia explicado. Os evangelhos sinópticos se utilizam do termo por cerca de cinqüenta vezes, e ocorre no evangelho de João (na forma dupla), por cerca de vinte e cinco vezes. Sem contar os evangelhos, aparece por mais outras setenta vezes, a maioria delas nas epístolas de Paulo, em I Pedro, em II Pedro, em I e II João, e no livro de Apocalipse. O seu propósito é o de destacar a *autoridade* das declarações que vêm em seguida.

ENÃ

No hebraico, «fonte dupla(?)» Outros estudiosos preferem «par de olhos». Esse foi o nome de uma cidade e de um homem, a saber:

1. Uma cidade nas terras baixas da tribo de Judá (Jos. 15:34). Há eruditos que pensam que se trata da mesma Enaim (Gên. 38:14,21) (que vide).

2. O pai de Aira, mencionado por cinco vezes no Antigo Testamento (Núm. 1:15; 2:29; 7:78,83; 10:27). Enã era líder da tribo de Naftali, nos dias em que o povo de Israel vagueava pelo deserto do Sinai. Foi nomeado por Moisés para ajudar no recenseamento feito no Sinai e trouxe as oferendas tribais apropriadas.

ENAIM

No hebraico, **pethach enayim**, que, literalmente, significa «entrada dos dois olhos», uma rara forma dual no hebraico. No hebraico e em alguns outros idiomas, o dual era o plural de pares. A expressão ocorre somente em Gên. 38:14,21. A nossa versão portuguesa traduz, respectivamente, por «entrada de Enaim» e «caminho de Enaim». Em Josué 15:34 há menção à cidade de *Enã* (ver o verbete anterior, com esse título). Alguns estudiosos supõem que estava em foco um par de fontes. Porém, a palavra hebraica tem uma longa e complicada história e o que esses estudiosos têm dito é pura conjectura.

••• ••• •••

ENANTÃ

Esse nome encontra-se no livro apócrifo de I Esdras 8:44. Nas listas paralelas de Esdras 8:16, o nome é *Elnatã* (que vide). Enantã não aparece no cânon palestino.

ENCAIXES

No hebraico, **yad**, «mão». Mas, com esse sentido, em Êxo. 26:17,19 e 36:22,24. Talvez a referência seja a tarugos ou presilhas, usadas nas beiras das tábuas que formavam as paredes laterais do tabernáculo armado no deserto, pelos israelitas. Um tarugo é usualmente uma projeção, em uma tábua, que se encaixa em perfurações, em outra tábua, atuando como se fosse uma espécie de prego de madeira.

ENCANTADOR

No hebraico temos oito vocábulos que devem ser levados em conta quanto a este verbete, a saber:

1. *Nachash*, «sussurrar», «usar de encantamentos», «encantador». Essa palavra é usada por sete vezes: Deut. 18:10; Núm. 23:23; 24:1; II Reis 17:17; 21:6; Lev. 19:26 e II Crô. 33:6.

2. *Anan*, «observar as nuvens», «encantador». Esse termo é usado por nove vezes: Jer. 27:9; Lev. 19:26; Deu. 18:10,14; II Reis 21:6; II Crô. 33:6; Isa. 2:6; Miq. 5:12; Isa. 57:3.

3. *Lachash*, «sussurro», «amuleto». Vocábulo usado por cinco vezes: Ecl. 10:11; Jer. 8:17; Sal. 58:5; II Sam. 12:19; Sal. 41:7.

4. *Lat*, «encantamento», «segredo». Termo empregado por três vezes: Êxo. 7:22; 8:17,18.

5. *Cheber*, «encantamento». Palavra que ocorre por três vezes: Sal. 58:5; Isa. 47:9,12.

6. *Lehatim*, «brilhos». Palavra que aparece apenas por uma vez: Êxo. 7:11.

7. *Ittim*, «prestidigitador», «ilusionista», «impostor». Palavra que aparece por apenas uma vez: Isa. 19:3.

8. *Chabar cheber*, «fascinar». Expressão usada por duas vezes: Deu. 18:11 e Sal. 58:5.

A idéia de «sussurro», por detrás de certas palavras hebraicas envolvidas neste verbete, refere-se aos augúrios daqueles que buscavam consultar os baalins (Núm. 24:1). Talvez haja nisso uma referência à adivinhação por meio de serpentes (*ofiomancia*). Os encantamentos por meio de palavras proferidas destacam-se em Isa. 47:9,12, onde é usada a palavra hebraica *cheber*. Ver o artigo geral sobre *Adivinhação*

O Antigo Testamento proibia a prática da adivinhação, sob qualquer de suas formas; mas o fato é que os hebreus praticavam encantamentos como parte de sua cultura. Assim, o *Urim e o Tumim* (que vide) envolviam o lançamento de sortes, ou alguma forma de bola de cristal. É possível que esses objetos (pois seus nomes estão no plural) fossem pedras preciosas que o sumo sacerdote ficava olhando, produzindo nele uma espécie de transe hipnótico, que facilitava o discernimento profético. O sentido da palavra hebraica *urim*, «luzes», favorece essa idéia, embora ninguém tenha certeza quanto ao que estava envolvido. Ver o uso desses objetos, com propósitos oraculares, em Deuteronômio 33:8,10 e Números 27:21. Fora da cultura dos hebreus, embora conhecido por eles, havia o encantamento por meio de serpentes (Ecl. 10:11 e Jer. 8:17). O «sussurro» talvez fosse uma alusão ao «silvo» das serpentes.

Também havia a profissão dos astrólogos (Dan.

ENCANTADORES — ENCARNAÇÃO

2:10, etc.). É que as pessoas interessam-se por todos os meios que, supostamente, prevêem o futuro ou dão conselhos sobre o que deve ser feito neste ou naquele caso, porquanto uma evidente incerteza permeia a vida e todas as suas vicissitudes. A maioria dessas coisas, reconhecidamente, são apenas jogos, como se esses pudessem orientar as pessoas. Na falta de orientação mais segura, serve mesmo o acaso, o azar! Todavia, tambem estão envolvidas atividades psíquicas, algumas das quais envolvem as intervenções demoníacas. O artigo sobre *Adivinhação* aborda, com detalhes, essas questões.

ENCANTADORES

Ver sobre **Adivinhação** e sobre **Mágica**.

ENCANTAMENTO

Os encantamentos são aquelas práticas, comuns entre os povos primitivos, de usar fórmulas verbais ou ritos mágicos que encorajariam os poderes sobrenaturais a entrar em ação, praticando o bem ou o mal, abençoando ou amaldiçoando as pessoas, exorcisando os demônios, provocando experiências místicas ou curando enfermidades. Essas fórmulas verbais são faladas ou entoadas e, geralmente, fazem parte de rituais para todos os tipos de ocasiões.

Em seus primórdios, um encantamento era um desejo envolto em fortes emoções, expresso *por meio de palavras*. Segundo é mundialmente entendido, um encantamento é alguma combinação de palavras que, supostamente, está carregada de uma potência misteriosa qualquer, capaz de cumprir aquele desejo expresso. Um amuleto, por sua vez, é um *objeto material* qualquer que, supostamente, mostrar-se-ia eficaz na obtenção de certos benefícios. Um encantamento em forma escrita sobre um objeto, torna-se um amuleto. A distinção entre encantamento e amuleto geralmente é esquecida, pelo que, muita gente chama os amuletos de encantamentos, embora equivocadamente. Os amuletos devem ser usados em contacto com a pessoa. Visto que sua função essencial é a de cumprir desejos, espera-se que os amuletos confiram riquezas, forças físicas, boa sorte, sucesso nas conquistas amorosas, vitória nas batalhas, proteção diante dos perigos, cura de enfermidades, proteção à saúde, proteção contra tentativas de morte, proteção contra os ataques de demônios e fantasmas, proteção contra a inveja, contra o mau-olhado, etc. Ver os artigos separados sobre *Amuletos, Mágica* e *Feitiçaria*.

É evidente que recursos dessa espécie ficam bem em pessoas de mente obscurecida pelo paganismo da pior espécie. Poderíamos juntar a isso as chamadas «rezas», como as de São Cipriano, etc., que supostamente fazem as pessoas até mesmo tornarem-se invisíveis, podendo escapar à detecção da polícia. Muitas pessoas que entram pela senda do crime procuram proteger-se sob o manto dessas superstições. Os amuletos e as pessoas que os usam se equiparam.

ENCANTAMENTO DE SERPENTES

A prática antiga do encantamento de **serpentes** é referida por duas vezes nas páginas da Bíblia, e ambas as vezes em sentido metafórico. A primeira dessas menções fica em Salmos 58:4,5. Nesse trecho, os ímpios são comparados a serpentes peçonhentas, que não dão ouvidos à voz dos encantadores, ou seja, não dão ouvidos à razão, mas fazem ouvidos surdos

para todos os conselhos. Na passagem de Jeremias 8:17, Deus adverte aos israelitas que enviaria entre eles serpentes venenosas contra as quais não haveria defesa, ainda que apelassem para encantamentos. Antes, eles seriam mordidos por elas. Sem dúvida, essa linguagem oculta uma alusão aos babilônios, que haveriam de conquistar militarmente a Judéia, levando os seus habitantes para o exílio. Foi precisamente o que aconteceu, em 587 A.C.

Diversas palavras hebraicas são usadas com a idéia de «encantamento». Porém, quando se trata de encantamento de serpentes, devemos destacar o vocábulo hebraico *lachash*, que significa «sussurro», «encantamento», conforme o mesmo aparece no trecho de Eclesiastes 10:11, onde se lê: «Se a cobra morder antes de estar encantada, não há vantagem no encantador».

As serpentes eram muito numerosas na Palestina, por isso a arte de encantar serpentes era praticada na região. Mas, se havia serpentes susceptíveis a essas técnicas de encantamento, outras resistiam a tudo (ver Sal. 58,4,5; Jer. 8:17). É possível que o trecho de Isaías 3:3 também se referia ao encantamento de serpentes. Na passagem de Jeremias 8:17, o encantamento de serpentes é usado metaforicamente para descrever os adversários de Judá, que eram «áspides contra as quais não há encantamento e vos morderão», no dizer do Senhor. E, em Salmos 58:4,5, os ímpios são caracterizados como serpentes peçonhentas e como a «víbora surda», que tapa os ouvidos para não ouvir a voz dos encantadores, ou seja, que não dão ouvidos às advertências de Deus, através de seus pregadores e profetas.

ENCANTO

Ver os artigos sobre **Adivinhação e Mágica**.

Um encantamento é lançado mediante a palavra falada ou escrita, ou através de símbolos apropriados ao propósito. O objetivo de um encantamento é modificar, anular ou provocar eventos, operando alterações na natureza das coisas, ajudando a alguém ou a alguma coisa, impedindo ou prejudicando a alguém ou a alguma coisa. Com freqüência, os encantamentos são falados ou escritos com supostas palavras poderosas que atraem a cooperação de espíritos e deuses. A maioria das religiões envolve algo de *encanto* de maneira aberta ou sutil.

ENCARNAÇÃO (DE CRISTO)

Ver também sobre *Encarnações*.

I. O Fato da Encarnação
II. A Natureza da Encarnação
III. A Confissão da Encarnação
IV. O Grande Efeito da Encarnação
V. A Operação da Encarnação pela Água e Pelo Sangue

I. O Fato da Encarnação

João 1:14: *E o Verbo se fez carne, e habitou entre nós, cheio de graça e de verdade; e vimos a sua glória, como a glória do unigênito do Pai.*

E o Verbo se fez carne. Ver o artigo sobre *Verbo (Logos)*. O majestático prólogo foi desenvolvendo impacto até este ponto, demonstrando a história do Logos antes de sua encarnação, a sua eternidade essencial, a sua divindade, a sua função criadora; e agora é exposta aquela característica distintiva da doutrina joanina do «Logos», que faz contraste com a doutrina da primitiva filosofia grega, da teologia

362

ENCARNAÇÃO DE CRISTO

hebraica, dos pensamentos do neoplatonismo, como aqueles que foram esposados por Filo. (Quanto a uma completa discussão acerca da doutrina do «Logos» e seu desenvolvimento, ver as notas existentes em João 7:1-3 no NTI).

Este versículo 14 faz parte integral da seção que cobre os vss. catorze a dezoito, e que serve de coroa da doutrina do *Logos*, parte essa que contém a mesma mensagem essencial do evangelho inteiro de João. A declaração «E o Verbo se fez carne...» é um repúdio definido contra todo e qualquer ensinamento gnóstico, tanto no tocante à natureza do *Logos*, como no que se refere ao repúdio à natureza física humana. Os *gnósticos* ensinavam que o corpo é a residência do princípio do mal, e também diziam que aquilo que fazemos com os nossos corpos pouca diferença faz para as nossas almas; e que é por ocasião da morte que o espírito fica liberto desse princípio do mal. No entanto, o N.T., apesar de encontrar muito maior valor no espírito humano do que no corpo do homem, não declara que este contenha o princípio do mal; que seja um obstáculo, está certo, mas não que seja inerentemente perverso. O corpo não pode mesmo ser inerentemente mal, porquanto o próprio «Logos», o mais elevado de todos os seres espirituais, pôde manifestar-se em carne, isto é, em uma verdadeira encarnação. Ora, uma das mais bem salientadas doutrinas do evangelho de João é justamente esta—a encarnação foi real, Jesus foi um homem autêntico, e não um fantasma; Jesus sofreu as tristezas humanas e teve uma morte vergonhosa. Tudo isso seria impossível, caso fossem verdadeiros os ensinamentos dos gnósticos. O apóstolo Paulo afirma a mesma verdade em Rom. 8:3. Alguns gnósticos ensinavam que o Cristo Espírito (o «Logos») teria descido sobre o homem Jesus, por ocasião de seu *batismo*, tendo-se afastado dele quando da *crucificação*, porquanto o verdadeiro «Logos», na opinião deles, não poderia nem nascer como homem e nem morrer. Dessa maneira, os gnósticos julgavam que o versículo catorze do primeiro capítulo do evangelho de João se referia ao batismo de Jesus, e não ao seu nascimento. Não obstante, os vss. 32-34 desse mesmo primeiro capítulo mostram, mui claramente, que foi o Espírito Santo que desceu sobre o Senhor, por ocasião de seu batismo, e não o «Logos».

«O vs. 14 contém a idéia central do prólogo—o evangelho e o sistema do cristianismo—sim, até mesmo a idéia central da história inteira do mundo. Pois a história antiga, anterior à encarnação, foi uma preparação para a vinda de Cristo, como cumprimento de todos os tipos simbólicos, profecias e mais nobres aspirações dos homens; e a história, após esse acontecimento, é subserviente à propagação e ao triunfo do cristianismo, até que Cristo venha a ser tudo em todos. A teologia joanina é cristológica do princípio ao fim (comparar com I João 4:2,3); a teologia de Paulo, nas epístolas aos Romanos e aos Gálatas é antropológica e soteriológica, mas, nas epístolas aos Colossenses e aos Filipenses é, por semelhante modo, cristológica, ao passo que no trecho de I Tim. 3:16 o apóstolo Paulo faz da encarnação o fato central de nossa religião. Contudo, a idéia da encarnação, o grandioso mistério da piedade, não deve ser confinada ao mero nascimento de Cristo, mas deve ser estendida a toda a sua vida divina humana, à sua morte e à sua ressurreição; trata-se de Deus manifestado na carne». (Philip Schaff, *in loc.* no Lange's Commentary).

II. A Natureza da Encarnação

1. Ele participou de nossa natureza por destruir as forças do mal (quando de sua morte), Heb. 2:14.

2. Ele assumiu nossa natureza para que, por nossa vez, pudéssemos assumir a sua natureza, Fil. 2:7 e Col. 2:9,10.

3. Ele participou da nossa miséria, para que pudéssemos participar de sua plenitude, Efé. 1:23 e 3:19.

4. Ele andou em nossas trevas, para que pudéssemos participar de sua luz, João 1:9 e Col. 1:13.

5. Ele é o Caminho (João 14:6), mas também é o Pioneiro, o primeiro a andar por esse caminho, Heb. 5:9.

6. Ele experimentou nossas fraquezas, para que pudéssemos participar de sua vida eterna, Rom. 8:3 e Heb. 2:9.

7. O trecho de ˙Rom. 8:3 fornece-nos uma importante *definição* acerca da natureza da encarnação: «Porquanto o que fora impossível à lei, no que estava enferma pela carne, isso fez Deus, enviando o seu próprio Filho, em semelhança de carne pecaminosa, e, no tocante ao pecado; e, com efeito, condenou Deus, na carne, o pecado». Isso demonstra, de forma conclusiva, que o «carne» que Jesus tomou para si mesmo era idêntica à de todos os outros homens, isto é, ele era um homem real, e não uma imitação de homem ou uma representação humana parcial. Dessa forma, as conjecturas que asseveram que ele não tinha alma humana (Prázeas, Kostlin, Zeller e outros) são todas falsas. Outrossim, cumpre-nos rejeitar idéias semelhantes às do gnosticismo, que dizem que apesar dele ser humano, contudo, em sua humanidade, ele era uma espécie de super-homem, e que, nessa qualidade, ele foi exaltado acima das limitações materiais dos homens (conforme ensinava o sistema valentiniano).

O Logos se tornou carne, e acerca disso declarou Ewald (segundo foi citado no **Lange's Commentary**): «De todas as palavras que expressam a natureza humana, João selecionou as mais vis e as mais desprezíveis, isto é, a *carne*, vocábulo esse que, no V.T., denota a porção mais inferior, perecedora, corruptível do homem; porém, nem mesmo o «Logos» desprezou a «carne», e por isso ele se tornou homem no sentido mais absoluto do termo. A expressão utilizada pelo apóstolo Paulo, 'carne pecaminosa', serve para destacar esse particular. Cristo não pecou, e no entanto tomou sobre si aquela natureza humana que se deixara envolver demasiadamente no princípio do mal, e assim ficara debilitada, a fim de que a pudesse elevar até os lugares celestiais. (Quanto a versículos que falam sobre a alma de Cristo, ver João 11:33; 13:21; 19:30).

8. *Habitou entre nós*. Essas palavras implicam em mais do que a tradução em português parece indicar. A palavra grega traduzida por *habitou*, neste caso, se deriva do substantivo que significa *tenda*, e é bem provável que apesar desse vocábulo ser usado no simples sentido de «habitar», sem qualquer referência à sua etimologia, contudo, o místico autor do evangelho de João talvez tenha querido fazer uma definida *alusão ao tabernáculo*, armado no deserto, onde o Senhor viera habitar no meio do seu povo. (Ver Êxo. 25:8,9 e 40:34). Estamos lembrados das manifestações visíveis da presença de Deus, como no caso da coluna de fogo e nuvem, que pairava por cima da tenda da congregação, e isso servia de sinal externo de que Deus, em forma perfeitamente real, habitava com o seu povo antigo.

9. *A presença* de Deus, de acordo com o uso judaico posterior, veio a ser designada como a *Shekina*, que

363

ENCARNAÇÃO DE CRISTO

poderia sugerir, aos judeus bilíngües, o vocábulo grego de pronúncia semelhante *skene*, isto é, «tenda». Dessa maneira, a presença de Deus, em João 1:14, é salientada; e essa presença se tornara agora visível por intermédio do «Logos» na carne, a saber, Jesus Cristo. Assim sendo, Deus *contava com seu tabernáculo* entre os homens. (Ver Lev. 27:11; II Sam. 7:6; Sal. 78:67 e Ezé. 37:27). Nas páginas do V.T., o tabernáculo era tanto o lugar da habitação de Deus como o lugar de encontro entre Deus e os homens. Assim também o «Logos» veio ter com os homens, tornou-se homem, e, ao mesmo tempo, era Deus manifestado aos homens. O termo «tabernáculo» também pode dar a entender uma permanência apenas temporária; e isso expressa a verdade, em certo sentido, porquanto o «Logos» desde há muito passou para uma dimensão mais elevada, e está em um estado de glória. Não obstante, o tabernáculo de Deus, de outras formas, está sempre entre os homens, como também é indicado pela passagem de Apo. 21:3, que diz: «...Eis o tabernáculo de Deus com os homens. Deus habitará com eles. Eles serão povos de Deus e Deus mesmo estará com eles». (Ver também o trecho de Apo. 7:15).

Entre nós. — Indubitavelmente temos aqui uma **alusão de um contato face a face com o Logos.** «De acordo com o espetáculo se apresentava ante a mente do evangelista, e considerando como a memória mais pessoal as palavras 'entre nós', isso se tornou para ele o objeto de uma deleitosa contemplação». (Godet, *in* João 1:14).

Referência semelhante, embora mais completa, é nos oferecida por esse mesmo autor sagrado, em I João 1:1,2, onde ele diz: «O que era desde o princípio, o que temos ouvido, o que temos visto com os nossos próprios olhos, o que contemplamos e as nossas mãos apalparam, com respeito ao Verbo da vida, e a vida se manifestou, e nós a temos visto, e dela damos testemunho...»

Apesar de que isso alude, de forma definida, ao testemunho ocular de João, que pôde contemplar ao *Logos* e à sua glória, com os seus próprios olhos, por extensão, isso significa que o «Logos» habitou entre os homens, no meio da humanidade em geral; e assim ele pôde ser contemplado, porquanto aqueles que o viram pessoalmente haveriam de ser testemunhas oculares dessa visão, tendo descrito a mesma, bem como a sua importância, para todos os homens. Por isso mesmo compreendemos que essa revelação visava todos os homens, a humanidade inteira, e certamente os efeitos dessa revelação têm por intenção ser aplicados a todos os homens de todos os lugares da terra. Os trechos de I Ped. 3:18,19 e 4:6 ensinam os efeitos universais da encarnação, da morte, da ressurreição e da glorificação do «Logos», onde aprendemos que até os níveis espirituais mais inferiores foram soerguidos por essa visitação de Deus na pessoa do «Logos». Dante, no sétimo canto de seu poema *Paraíso*, fala sobre o *Logos* e a encarnação como segue:

...a espécie humana, lá em baixo
Jaz enferma por muitos séculos, em grande erro,
Até que ao Verbo de Deus agradou descer
Até onde a natureza, de seu próprio Criador
Se alienara, Ele se uniu a Ele, em pessoa
Por ato exclusivo de Seu eterno amor.

10. *Contraste às Idéias do Gnosticismo.* A encarnação nega o *Docetismo* (que vide) e também a idéia da *possessão do Logos* do corpo de *Jesus*—sendo o Logos e Jesus vistos como entidades distintas. Ver o artigo sobre *Gnosticismo*.

III. A Confissão da Encarnação

I João 4:2: *Nisto conheceis o Espírito de Deus: todo espírito que confessa que Jesus Cristo veio em carne é de Deus;*

O teste exposto pelo autor sagrado é bastante simples, mas certamente é inadequado para testar todos os casos de falsos profetas. (Ver os comentários sobre «provai os espíritos», no primeiro versículo do quarto capítulo de I João no NTI). Neste ponto o autor sagrado menciona apenas uma questão crítica, o «docetismo».

O gnosticismo cria ser impossível a «encarnação» do «Logos» (uma emanação elevadíssima de Deus), e até mesmo de um «aeon» qualquer (uma das emanações angelicais, entre os quais enfileirava o «Espírito-Cristo»). Para eles a «matéria» era o princípio mesmo do mal, pelo que seria impossível que uma emanação de Deus (um ser espiritual), dotado de qualquer grau de santidade, pudesse encarnar-se realmente. Portanto, não criam que «Jesus» e o «Cristo» fossem a mesma pessoa. Antes, um «aeon» ter-se-ia apossado do corpo de Jesus de Nazaré, quando de seu batismo, tendo-o abandonado por ocasião da crucificação. Não teria havido nisso qualquer «encarnação». Portanto, o «Espírito-Cristo» teria de homem apenas a «aparência». Também não teria sofrido, pois certamente não poderia morrer. A morte de Jesus, por essa razão, não teria valor expiatório. Além disso, o Cristo teria vindo somente «pela água» (isto é, foi autenticado em seu batismo), mas não «pelo sangue», não havendo autoridade para sua morte como expiação; mas ver I João 5:6.

O docetismo puro. Alguns gnósticos acreditaram que o **Espírito-Cristo** não tinha um corpo físico, nem possuía o corpo de um homem (Jesus), mas sim, fez uma encenação, *como se fosse homem*. Neste caso seu suposto corpo físico era somente uma *ilusão* teatral, não um corpo verdadeiro.

Ver o artigo sobre *Docetismo* que oferece explicações, tanto da forma *pura* como da teoria *da possessão* que é uma forma de meio docetismo.

Da noção de que o Espírito-Cristo apenas *parecia* humano, mas não era, é que obtemos a palavra «docetismo», que se deriva do termo grego «dokeo», que significa «parecer». A maioria dos gnósticos não identificava o «aeon» (emanação angelical) chamado «Cristo» com o «Verbo» ou «Logos», pois este seria uma elevadíssima emanação divina, não podendo contaminar-se pela aproximação à matéria. Por isso mesmo, para a maioria deles, Cristo teria sido apenas um dentre muitos poderes angelicais dotados de uma missão terrena. Mas essa missão teria sido efetuada mediante o «uso» do corpo do homem Jesus de Nazaré por alguns anos. Porém, ainda segundo pensavam os gnósticos, haveria muitos salvadores, pequenos deuses e mediadores. Muitos dos gnósticos nem ao menos faziam de Cristo o principal «aeon», embora estivesse encarregado de uma missão especial nesta esfera terrena. Notemos, entretanto, que segundo diz a epístola de I João, «Jesus Cristo» veio na carne. O autor sagrado identifica Jesus com o Cristo, como uma única e só pessoa, que se uniram mediante uma autêntica encarnação. E a passagem de I João 1:1 mostra-nos que o autor sagrado identificava esse «Cristo» com o «Verbo» ou «Logos».

IV. O Grande Efeito da Encarnação

A encarnação do «Logos» subentende a **fusão** da divindade e da humanidade em Jesus, o Cristo. E essa fusão é o arquétipo ou modelo da futura fusão do divino com o humano, nos outros filhos, porquanto também haverão de participar da natureza divina (ver

364

ENCARNAÇÃO DE CRISTO

II Ped. 1:4), após terem sido transformados segundo a imagem do próprio Cristo. Desse modo, pode-se perceber quão vital é a doutrina da «encarnação do Logos», pois é o fundamento de nossa salvação eterna, e não apenas a base para uma melhor compreensão sobre a natureza de Cristo. Cristo identificou-se plenamente com os homens, a fim de que, na eternidade, mediante um processo eterno, os homens pudessem identificar-se plenamente com Ele. Esse conceito é comentado amplamente nas notas expositivas sobre Col. 2:10 no NTI.

O trecho de II Cor. 3:18 pinta o crente a olhar para o *espelho espiritual*, que é Cristo. Quando olha para esse espelho, vê, não a si mesmo, mas antes, ao «Homem ideal». Nesta contemplação do *homem ideal* (que é Cristo), o crente vai sendo gradualmente transformado em sua imagem, de um estágio de glória para outro. Esse processo é ativo e é mantido pelo Espírito Santo. O grande alvo é que ao olhar para o espelho, veja a Cristo Jesus, e não a si mesmo, pois a natureza e os atributos de Cristo tornar-se-ão reais possessões suas. Porquanto o Filho participa infinitamente da natureza e dos atributos de Deus, ele sempre será ímpar; mas a eternidade inteira terá por desígnio ir diminuindo a diferença entre o Filho de Deus e os filhos de Deus. Trata-se de uma inquirição eterna; não haverá qualquer estagnação, e Cristo será sempre o alvo de toda a existência. Ele é o «Alfa»; mas é igualmente o «Ômega».

V. A operação da Encarnação pela Água e pelo Sangue

I João 5:6: *Este é aquele que veio por água e sangue, isto é, Jesus Cristo; não só pela água, mas pela água e pelo sangue.*

Veio. Por ocasião de sua missão terrena, *na encarnação*. Cristo Jesus foi *enviado* pelo Pai, o que subentende as seguintes verdades:

1. A sua preexistência e missão messiânica, em favor da redenção humana.

2. Sua união com o Pai, em unidade de propósitos.

3. Seu ofício intermediário, que pertence exclusivamente a ele, não tendo sido compartilhado por qualquer sucessão sombria de *aeons* ou poderes angelicais.

4. Sua autoridade, recebida da parte do Pai.

5. O fato de que ele é o representante das regiões celestiais, com o intuito de levar até ali os homens, mediante o seu ofício remidor. Esse tema se encontra no evangelho de João por cerca de quarenta vezes. (Ver João 3:17 no NTI quanto a notas expositivas completas a esse respeito. Comparar também com I João 4:9,10,14). O Espírito Santo é testemunha dessa missão de Cristo, mas não veio a este mundo no mesmo sentido em que Cristo veio, porquanto o Espírito nunca se encarnou.

Por meio da água. Consideremos os pontos seguintes:

1. A alusão aqui feita é ao batismo de João, ao tempo de sua unção pelo Espírito Santo. Sua missão tornou-se autoritária por essa unção.

2. Os gnósticos pervertiam isso, supondo que o homem Jesus de Nazaré fora «possuído» pelo «aeon» que seria o *Espírito-Cristo*, por ocasião de seu batismo. Mediante essa noção, mantinham a «distinção» de pessoas entre o *Espírito-Cristo*, e Jesus de Nazaré, desse modo negando inteiramente a verdade bíblica da encarnação.

3. Por extensão, o Espírito Santo nos confere a mesma unção e autoridade, porquanto a nós também foi dado o dom do Espírito (ver as notas

em Atos 2:4 no NTI).

4. Não há qualquer alusão ao batismo cristão, como aquilo que é o meio de mediação do Espírito. O batismo em água, entretanto, talvez tenha por intuito simbolizar a regeneração; mas até mesmo isso é duvidoso. Seja como for, o intuito do autor sagrado é salientar as questões *históricas* relativas à missão do Cristo encarnado, e não algum sacramento da cristandade posterior. A idéia do sacramento só pode ser introduzida aqui como uma «alusão», que quiçá se faça presente, mas não por implicação direta.

E sangue. Está em foco a expiação pelo sangue de Cristo. Jesus, o Cristo, morreu, e isso fez expiação pelo pecado. (Ver I João 2:2). Os gnósticos supunham que Cristo, o *aeon*, não poderia sofrer e nem morrer, e que a morte de Jesus não foi a mesma coisa que a morte de Cristo, não tendo havido qualquer valor expiatório nessa morte. Quando muito, Jesus teria morrido como mártir, em defesa de uma boa causa. Na verdade, entretanto, Cristo viera «pelo sangue». Em outras palavras, o sucesso de sua missão dependia da expiação pelo sangue. (Ver o artigo sobre a doutrina da *Expiação*).

Naturalmente, a menção do sangue fala sobre os benefícios que os homens recebem devido à expiação pelo sangue de Cristo, e, apenas mui indiretamente, através da Ceia do Senhor, que celebra isso.

«A ênfase recai sobre a vinda de Cristo 'por' e 'com o sangue' (ver João 19:34,35), porque sua morte sobre a cruz e a sua significação eram negadas pelos docéticos, pelos seguidores do Batismo e também por outros grupos». (Wilder, *in loc.*). Esses benefícios são transmitidos misticamente, e não através de cerimônias, conforme se aprende em Rom. 6:3 e Col. 3:1,2. Em outras palavras, o Espírito Santo é quem os torna reais para nós, transformando-nos de acordo com a morte e a vida ressurrecta de Cristo.

A *encarnação* é uma verdade (como acabara de ser afirmada). Inclui tanto o batismo como a expiação, como aspectos de seu propósito. Aquele que confia no Cristo encarnado, que foi ungido pelo Espírito Santo, por ocasião de seu batismo, e que fez expiação pelos pecados, mediante sua morte, haverá de vencer o mundo. O autor sagrado diz, indiretamente, que o *Cristo-aeon* postulado pelos gnósticos era um *pseudo-cristo* e não o verdadeiro Cristo.

Não somente com água. Temos aqui uma enfática reiteração dos princípios postulados, de tal modo que ninguém viesse a equivocar-se acerca do que o autor sagrado queria dizer. Para o autor sagrado, essas verdades são tão fundamentais e importantes que não podem ser enfatizadas em demasia; a vida eterna, no caso dos homens, depende delas.

Pai, se Ele, O Cristo, foi teu revelador,
Em verdade, o Primogênito do Senhor,
Então deves ser Sofredor e Curador,
Transpassado no coração pela tristeza da espada.

Então deve significar, não somente que tua tristeza
Feriu-te certa vez, sobre aquela cruz solitária,
Mas que hoje, esta noite, e pela manhã,
Ainda assim virá, ó Deus galante, a Ti.

(G.A. Studdert-Kennedy)

Os gnósticos ensinavam que a salvação vem pelo «conhecimento», de forma mágica, mística e cerimonial. Pelo contrário, no dizer do autor sagrado, há um único Salvador, em quem esse grande benefício é dado aos homens. Cumpre-nos «conhecer» a Cristo. E disso consiste a vida eterna. (João 17:3). «Havia algo no...amor de Deus que a água não poderia expressar. Havia algo na necessidade humana que a água não podia satisfazer adequadamente, mas somente o

ENCARNAÇÕES — ENCÍCLICAS PAPAIS

sangue». (Law, Tests of Life, pág. 122).

Há interpretações inferiores e falsas acerca de I João 5:6.

1. Alguns imaginam estar aqui em foco o que é puramente sacramental, o que faz a palavra «água» aludir ao batismo cristão, ao passo que o «sangue» seria a Ceia do Senhor. Mas é o que sucedeu na vida de Cristo que está aqui em foco, e não as ordenanças cristãs do batismo e da Ceia do Senhor.

2. Também não podemos dividir os dois elementos, fazendo com que a «água» aponte para o batismo cristão, como uma cerimônia, ao passo que o «sangue» seria a expiação de Cristo, como acontecimento histórico. Ou então, vice-versa, a *água*, indicaria o batismo de Cristo, ao passo que o «sangue» apontaria para a Ceia do Senhor.

3. Nem está em foco a vida «inteira» de Cristo, que envolveu esses dois acontecimentos importantes, o batismo e a morte. Essa interpretação, contudo, não contradiz a verdade; pois a *encarnação* que naturalmente incluiu a missão terrena inteira de Cristo, teve esses dois eventos centrais. Poder-se-ia argumentar, porém, que o termo *veio* indica a missão encarnada de Cristo; e, nesse caso, essa vinda é definida pelos dois termos, «água» e «sangue». Se realmente esse é o intuito do autor sagrado, então essa é a interpretação correta do versículo. Seja como for, o contexto geral ensina exatamente isso, porque a encarnação está em foco em I João 3:1-5.

4. A água e o «sangue» não são aqueles elementos aludidos em João 19:34, o fluxo desses líquidos do lado de Cristo, depois que o soldado o feriu com a lança.

ENCARNAÇÕES

Ver o artigo separado sobre a **Encarnação de Cristo**. A doutrina da Encarnação é comum a todas as religiões. Fica pressuposto que uma entidade divina (ou demoníaca) pode assumir controle, temporário ou pela vida inteira, em um animal ou em um corpo humano. Isso pode acontecer com bons ou maus propósitos. Várias culturas têm suposto que seus principais líderes e suas grandes figuras religiosas foram assim usadas pelos deuses ou por espíritos. Ver o artigo separado sobre a *Deificação*.

1. *Formas de Relacionamento*. O poder encarnador encarna-se a fim de dar alguma revelação ou visão, a fim de dotar com algum poder especial ou ofício, a fim de outorgar autoridade para governar, estabelecendo a autoridade de alguma dinastia real, ou a fim de dar poder para curar, para prover um desenvolvimento espiritual mais elevado, para iluminar, para amaldiçoar ou para abençoar.

2. *Pessoas Específicas*. A glória real dos monarcas persas, os demônios ou gênios dos gregos e romanos, a luz divina dos imãs xiitas islâmicos, o poder por detrás dos Faraós egípcios são incidentes bem conhecidos dessa doutrina. No caso dos egípcios, supunha-se que o deus-sol, Rá, tomava a forma de um monarca governante, a fim de impregnar a rainha, —e dar continuidade à linhagem real. De acordo com a teologia hindu, Deus encarnar-se-ia periodicamente a fim de dar orientação em ocasiões especialmente difíceis e testadoras.

A religião grega popular tinha estórias sobre encarnações temporárias, quando um dos deuses vinha para realizar algum serviço especial, como alterar o curso de alguma batalha, vingando-se ou para ser o pai divino de alguma criança nascida de uma mulher humana. Os muitos casos amorosos de

Zeus tornaram-se um dos escândalos da religião grega, uma vez que os homens começaram a meditar mais detidamente sobre seus deuses e sobre si mesmos.

No hinduísmo, o benéfico Vishnu é quem está envolvido na maioria das estórias de encarnação. Essa divindade viria para consolidar o quadro, porquanto, na antiguidade, havia histórias sobre outros deuses, que teriam vindo para centralizá-lo e unificá-lo. Isso posto, Vishnu seria uma virtual figura de Filho (falando em termos cristãos), nessa fé. Quando o mundo afunda na depravação, quando a iniqüidade consegue dominar as coisas, quando a decadência envolve todas as coisas, quando os homens encontram-se em dificuldades que não podem solucionar, Vishnu encarnar-se-ia em algum grande profeta, conferindo aos homens alguma nova direção e experiência espiritual. E assim os bons ensinamentos seriam restaurados. As encarnações de Vishnu seriam inúmeras, em corpos de animais, em corpos de seres humanos, em santos, em governantes, etc.

Embora o budismo fosse, originalmente, uma religião ética, com poucas especulações metafísicas, posteriormente veio a ensinar que os homens podem chegar ao ideal de Buda, com a ajuda da presença de alguma divindade. Assim os homens seriam capazes de adquirir poder, sabedoria e bondade divina. Gautama, naturalmente, seria uma figura dessa ordem.

No Tibete, o Dalai Lama e o Tashi Lama seriam encarnações do Bodhisattva Avalokitesvara celestial e do Buddah Amitabha, respectivamente. Ver o artigo separado sobre o *Bodhisattva*.

3. No *cristianismo*, temos a encarnação de Cristo, uma doutrina cêntrica deste sistema, em sua expressão conservadora. Além disso, a presença permanente do Espírito Santo, que faz do homem um templo seu, é uma espécie de encarnação.

4. No *espiritismo* (que vede), os médiuns são usados como veículos de supostas encarnações, da parte de espíritos humanos desencarnados.

5. Na *reencarnação* (que vede) algum espírito humano retorna para residir em algum outro corpo humano; ou então, de acordo com certa variedade de reencarnação, a *transmigração*, até mesmo em um corpo animal.

6. Nas *possessões demoníacas*, alguma entidade espiritual negativa, como um anjo caído, algum espírito humano desencarnado, ou outro nível de ser espiritual, desconhecido, viria habitar corpos humanos ou de animais, a fim de viverem seus desígnios pervertidos, através daquele corpo.

ENCÍCLICAS PAPAIS

No termo grego kuklos, «círculo», encontra-se à raiz da palavra portuguesa *encíclica*. Designa uma carta de instruções enviada pelo papa a um círculo de dioceses. Porém, quando se trata de uma questão de grande importância, pode ser enviada uma encíclica ao mundo inteiro. Trata-se, pois, apenas de um vocábulo eclesiástico correspondente a «carta circular».

Esses documentos papais começam sempre com essa palavra, o que lhes explica o nome. O conteúdo dos mesmos é alguma instrução e um decreto dogmático. Em contraste com as encíclicas, as bulas papais encerram a definição de algum dogma ou de dogmas, visando à instrução geral da Igreja. As encíclicas também devem ser distinguidas dos *decretos*, que determinam alguma ordem ou proibi-

ENCICLOPÉDIAS — EN-EGLAIM

ção. E também há os *rescriptai* (que vide) que são missivas pessoais ou locais, a menos que sejam especificamente endereçadas a alguma comunidade maior. As encíclicas são escritas primeiramente em latim e, então, são traduzidas para o idioma ou idiomas apropriados.

ENCICLOPÉDIAS DA BÍBLIA

Ver o artigo sobre os **Dicionários da Bíblia.**

ENCICLOPEDISTAS

Certo grupo de escritores franceses do século XVIII tornou-se conhecido por esse título. Sob a liderança editorial de Diderot e de D'Alembert, eles compuseram a comissão que produziu a *Encyclopédie* (1751-1765). Essa era uma extensa enciclopédia, com grande escopo de interesses, como as artes, as profissões, as ciências e a religião. Essa obra incluía artigos de autoria de Voltaire (que vide) e Helvécio (que vide), além de outros intelectuais. Isso significa que a obra caracterizava-se pela atitude de ceticismo diante de assuntos religiosos, exprimindo avançadas idéias liberais quanto a questões sociais e políticas. Em vários pontos, a obra exprimia a idéia de que os males sociais podem ser eliminados por meio da propagação do conhecimento. Essa obra, que consistia em trinta e cinco volumes, tinha por intuito enfeixar todo o conhecimento da época em uma única coleção de escritos. O próprio Denis Diderot (que vide) foi quem escreveu a maioria dos artigos sobre assuntos religiosos, da história antiga e da teoria política. E também contribuiu para artigos sobre filosofia. Combatida por oponentes na Igreja Católica Romana, na corte real e na própria Sorbonne, a obra acabou sendo suprimida, em 1752 e em 1759. Circulavam muitos panfletos contrários à mesma e produções teatrais faziam alusões pejorativas à mesma. Mas Diderot resistiu a todos esses ataques e foi capaz de lançar os primeiros volumes em 1772.

Alguns afirmam que foi essa obra que iniciou o conflito entre a religião e a ciência; e, em um sentido moderno, há muita verdade nessa acusação. Historicamente, essa enciclopédia teria sido um dos fatores que provocaram a Revolução Francesa, embora os seus autores, quase todos eles aristocratas, dificilmente poderiam haver antecipado tal resultado. Todos os seus autores criam no poder da razão humana e outros eram agnósticos ou ateus. Essa obra desempenhou um importante papel na história das idéias; mas do ponto de vista da religião, foi um verdadeiro *marco*, porquanto refletia a primeira dúvida combinada e expressa acerca da revelação divina e seus resultados, de maneira organizada, por meio de uma coleção de documentos. Era uma espécie de depósito de todas as avançadas idéias céticas da Iluminação Francesa (que vide). (AM C E P)

ENCRATITAS

O sentido dessa palavra é «autodisciplinados». O termo refere-se a certos cristãos do século II D.C. considerados hereges. Tornaram-se conhecidos pelas suas tendências ascéticas. Essa heresia foi criada ou adotada por Taciano. As principais doutrinas deles eram a natureza maligna da matéria, a proibição do casamento, a abstinência de vinho e, talvez, de carne. Também parece que Taciano acreditava na existência dos «aeons» (que vide) um dos quais teria sido o Demiurgo ou criador deste mundo. Ele também negava a salvação de Adão, o primeiro homem. E,

quando celebrava os mistérios (isto é, a Ceia do Senhor), usava somente água e não vinho. Taciano escreveu vários livros. Nesses livros, embora haja menção freqüente à recuperação da vida, o que seria obtido mediante a união com o Logos, não há qualquer alusão às doutrinas da encarnação ou da expiação. Ver sobre *Taciano*.

Com a passagem do tempo, o nome «encratitas» veio a ser aplicado a uma atitude gnóstica de vários grupos e não somente a uma única seita. Os escritores patrísticos, como Irineu, usavam esse vocábulo para indicar seitas como as dos ebionitas, dos gnósticos e dos docetistas, ou seja, os principais envolvidos na produção e uso dos evangelhos apócrifos. Uma das coisas mais estranhas dos encratitas é eles nunca mencionavam o nome de Cristo. Taciano fez de Antioquia da Síria o centro de suas atividades. Entre seus discípulos podemos mencionar Rodon e, talvez, Apeles e Clemente de Alexandria.

Movimentos heréticos dessa natureza foram previstos pelos apóstolos. Paulo, por exemplo, escreveu: «...o Espírito afirma expressamente que, nos últimos tempos, alguns apostatarão da fé, por obedecerem a espíritos enganadores e a ensinos de demônios... que proíbem o casamento, exigem abstinência de alimentos, que Deus criou para serem recebidos com ações de graça, pelos fiéis e por quantos conhecem plenamente a verdade...» (I Tim. 4:1 *ss*). Até mesmo entre os modernos evangélicos tem havido movimentos ascéticos, que proibem certos alimentos. Geralmente essas proibições são de pouca duração, sendo substituídas por outras regras.

ENDOGAMIA Ver **Exogamia.**

EN-DOR

No hebraico, «fonte de dor», isto é, «fonte do círculo». Uma cidade da Galiléia entregue à tribo de Manassés, na divisão das terras conquistadas por Israel, Jos. 17:11. O lugar é mencionado em conexão com a vitória de Débora e Baraque sobre Jabim e Sísera, Sal. 83:9

De conformidade com Salmos 83:9, a cidade fazia parte da planície de Quisom, e, portanto — também do campo de batalha de Megido. Tem sido identificada com Endur, a pouco mais de seis quilômetros ao sul do monte Tabor e a quase dez quilômetros a suleste de Nazaré, na vertente norte do **Pequeno Hermom (Nebi Dahi). — Foi ali que o exército de Saul acampou**, antes da derrota desastrosa durante a qual ele morreu. E, naturalmente, era ali, igualmente, que residia a feiticeira de En-Dor, que foi consultada por Saul, em um incidente que tem ocasionado tantas discussões. Ver I Sa. 28:7 *ss*. O nome dessa cidade nunca aparece no Novo Testamento. Nos dias do império romano, a cidade contava com uma numerosa população. Chegou a ser ocupada pelos árabes, que foram forçados a abandoná-la em 1948, quando da guerra entre árabes e judeus, naquele ano. Israel estabeleceu ali uma povoação, chamando-a de *Ein Dor*.

EN-EGLAIM

No hebraico, «fonte das duas novilhas». Esse era o nome de uma cidade de Moabe (Eze. 47:10), que Jerônimo afirmou ficar na extremidade norte do mar Morto, perto da embocadura do rio Jordão. Mas, os eruditos modernos não crêem que o lugar tenha sido identificado de modo absoluto, embora muitos pensem que ficava a poucos quilômetros ao sul de

EN-GANIM — EN-MISPATE

Khirbet Qumran (que vide). O lugar é mencionado em referência a Israel, em seus dias áureos. A profecia ali existente afirma que naquele lugar, ao sul de En-Gedi (que vide) a meio caminho da praia ocidental do mar Morto, pescadores haveriam de lançar suas redes, a fim de pescarem. Isso indica que o mar Morto deixará de ser morto e tornar-se-á piscoso. A sua atual elevada concentração de sal impede que ali vivam peixes. O grande Lago Salgado, no estado de Utah, nos Estados Unidos da América do Norte, bem maior do que o mar Morto (embora também bem mais raso) e que contém mais ou menos a mesma concentração de sal (mais de vinte por cento do volume da água), só consegue sustentar um pequeno camarão, o que significa que aquele lago também é morto. É possível que nos eventos cataclísmicos preditos para o fim dos tempos, novas fontes de água potável venham a derramar ali as suas águas e que o mar Morto obterá uma saída para o oceano, o que faria com que o mar Morto se tornasse um lago de águas potáveis. No estado de Utah, em tempos remotos, houve um grande lago, que ocupava a maior parte da porção norte daquele estado e outras porções de estados vizinhos, porquanto era do tamanho do atual lago Michigan e era, então, um lago de águas frescas. Mas, quando diminuiu o suprimento de água potável e todas as saídas foram fechadas, esse vasto lago foi diminuindo e se tornando gradativamente mais salgado. O mesmo processo deve ter formado o mar Morto. **Mas certos cataclismos**, como terremotos, poderão reverter o processo.

EN-GANIM

No hebraico, «fonte dos jardins». Esse foi o nome de duas cidades que figuram nas páginas do Antigo Testamento:

1. Uma cidade do território de Judá (Jos. 15:34), localizada na Sefelá (terras baixas), não muito longe de Bete-Semes. Jerônimo situava-a perto de Betel. Tem sido identificada com a moderna Beit Jemal, mas isso é duvidoso.

2. Uma cidade levítica no território de Issacar (Jos. 19:21; 21:29). Foi dada aos gersonitas, quando da divisão da terra. A cidade de *Aném*, que aparece em I Crô. 6:73, é uma corruptela escribal desse nome. Provavelmente é a mesma Bete-Hagã aludida em II Reis 9:27. Algumas traduções dizem, neste último trecho, «casa do jardim». O local é a moderna Jenin, cerca de vinte e quatro quilômetros ao sul do monte Tabor. Continua sendo um local com muita água e com jardins, embora ali haja poucos habitantes.

EN-GEDI

No hebraico, «fonte do cabrito» ou «fonte de Gade». Nome de três locais diferentes, nas páginas do Antigo Testamento:

1. A fonte e o riacho resultante que manava das rochas de pedra calcária no lado ocidental do mar Morto, na direção quase leste de Hebrom. O trecho de II Crônicas 20:2 diz «Hazazom-Tamar, que é En-Gedi». Porém, é possível que não se trate do mesmo lugar que tem esse nome, em Gên. 14:7. Essa região ficava dentro do território da tribo de Judá.

2. Esse mesmo nome é usado para indicar uma cidade de Judá, na mesma região. Davi foi residir ali, quando fugia de Saul (Jos. 15:62; I Sam. 24:1-4). Se tivermos de supor a identificação da mesma com Hazazom-Tamar, então trata-se da mesma cidade mencionada em Gên. 14:7. Esse nome mais antigo, Hazazom-Tamar, sugere a existência de palmeiras, o

que pode apontar para algum oásis no deserto da Judéia. O trecho de Cantares 1:14 menciona as «vinhas de En-Gedi»; mas quando os islamitas ocuparam a Palestina, transformaram tudo em área desértica. Um moderno povoado israelense, existente no local, reviveu a agricultura daquela região, através do uso de irrigação. A água continua abundante ali, manando da fonte de Ain-jidy, que produz um riacho de águas cristalinas. Ao que parece, na antiguidade, a descida se fazia por meio de terraços, onde havia plantações e jardins. Ao sopé da colina existem ruínas antigas e a cidade adquiriu o seu nome com base na fonte.

3. O deserto de En-Gedi é a área adjacente e desolada dos lugares acima mencionados. Trata-se de uma das porções mais desoladas e ermas do deserto da Judéia. O trecho de I Crônicas 20:1 *ss*, relata como Amom, Moabe e Edom tentaram invadir Judá através dessa região desolada. É possível que eles pensassem que uma invasão, vinda daquela direção, não fosse esperada pelos habitantes de Judá. Porém, uma vez que se soube o que estava sucedendo e foi dado o aviso, a invasão fracassou. Foi nessa área que Davi e seus homens esconderam entre as rochas e as cabras selvagens e onde ele cortou a fímbria das vestes de Saul, na caverna (I Sam. 24:1-5). Esse lugar está coalhado de cavernas, que serviam de esconderijos para Davi e seus homens. Através da história, os ladrões têm tirado vantagem desse tipo de terreno, para se ocultarem. Ver *Hazazom-Tamar*.

EN-HACORÉ

No hebraico, «fonte do que clama» ou «fonte daquele que chamou». Sansão bebeu das águas dessa fonte, após ter massacrado muitos filisteus em Leí (Juí. 15:14-19). O local moderno de Leí não tem sido identificado. A palavra *leni* significa «queixada». E isso tem feito alguns tradutores enganarem-se, pensando eles que a água saiu da queixada do jumento, embora fosse apenas o nome de um lugarejo. Ver Juí. 15:19.

EN-HADÃ

No hebraico, «fonte rápida» ou «fonte aguda». Era o nome de uma cidade mencionada somente em Jos. 19:21. Quando da divisão da Terra Prometida, a cidade coube aos homens da tribo de Issacar. Eusébio menciona um lugar com esse nome, entre Eleuterópolis e Jerusalém, a dezesseis quilômetros da primeira. Os eruditos modernos supõem que esse lugar ficava entre cinco a dez quilômetros a leste do monte Tabor.

EN-HAZOR

No hebraico, «fonte da vila». Esse era o nome de uma das cidades muradas (fortificadas), na herança que coube à tribo de Naftali. Não deve ser confundida com Hazor (Jos. 19:37). A Bíblia inclui pelo menos cinco localizações que incorporam a palavra *Hazor*. A própria cidade desse nome estava localizada, igualmente, na região que ficou com a tribo de Naftali, a noroeste do mar da Galiléia. No entanto, a localização de En-Hazor é desconhecida. Contudo, alguns estudiosos identificam-na com a moderna 'Ainitha.

EN-MISPATE

No hebraico, «fonte do julgamento». Diz Moisés, em Gênesis 14:7, que Quedorlaomer e seus aliados, tendo atravessado o deserto de Parã, chegaram a «En-Mispate (que é Cades)». Alguns pensam que essa

368

EN-RIMOM — ENDURECIMENTO

explicação, «(que é Cades)», foi acrescentada por algum escriba posterior, a fim de identificar a área envolvida. Seja como for, En-Mispate é identificada com *Cades* (que vide). Está em foco um oásis na porção nordeste da península do Sinai.

EN-RIMOM

No hebraico, «fonte da romã». Esse foi o nome de uma vila que foi reocupada depois que os judeus voltaram do cativeiro babilônico (Nee. 11:29). Provavelmente é correta a sua identificação com Aim e Rimom, mencionadas em Jos. 15:32, ou, pelo menos, ficava localizada na mesma área geral. Ver Aim e Rimom, em Jos. 19:29; I Crô. 4:32 e Nee. 11:29. Algumas versões dizem, nestas duas últimas passagens, Aim-Rimom, como se fossem uma só cidade. Nossa versão portuguesa prefere distinguir uma da outra, em todos os casos. A região foi entregue a princípio à tribo de Judá, na divisão da Terra Prometida; mas, mais tarde, foi transferida para Simeão. Os arqueólogos nunca escavaram o local proposto. Originalmente, pode ter-se constituído por duas aldeias, próximas uma da outra, mas que, depois, uniram uma à outra, tornando-se uma única cidade. Ou então, há algum erro de cópia envolvido, dando a entender que uma única vila era, na verdade, duas, com diferentes nomes, embora localizadas na mesma área geral. Talvez corresponda à Rimom que aparece em Zac. 14:10. O local tem sido identificado com a moderna Khirbet Umm er-Rumamin, que fica cerca de catorze quilômetros e meio ao norte de Berseba.

EN-ROGEL

No hebraico, «fonte do lavandeiro», ainda que o sentido original dessa localidade pareça ter sido «fonte do pé», mas que, subseqüentemente foi entendido pelo comentário dos Targuns como «fonte do lavandeiro», porquanto os lavandeiros pisoteavam os tecidos que queriam branquejar. En-Rogel é uma fonte bem ao sul de Jerusalém, no vale do Cedrom. Nos tempos antigos, esse manancial era mais ativo e suas águas borbotavam espontâneamente até a superfície. Atualmente, as águas sobem através de bombas à gasolina. — O lugar é chamado — *Bir Ayyub*, ou seja, «poço de Jó». A outra fonte a leste de Jerusalém chama-se Ain Sitti Miriam, isto é, «Fonte de Nossa Senhora Maria», também conhecida como *Fonte da Virgem*. Essa fonte tem sido identificada com a antiga En-Rogel, embora a outra identificação provavelmente seja mais correta. Seja como for, estão separadas apenas por algumas dezenas de metros. Talvez a *Fonte da Virgem* seja a fonte de Giom, mencionada em I Reis 1:33. O nome En-Rogel aparece, pela primeira vez, em Jos. 15:7 e 18:16, onde se aprende que ficava localizada na fronteira entre Judá e Benjamim. Davi deixou ali dois de seus espiões, Jônatas e Aimaás, quando Absalão, seu filho, obteve temporariamente o poder. Ver II Sam. 17:17. O lugar também é mencionado em conexão com a tentativa de Adonias para usurpar o poder real. Ele ofereceu sacrifícios perto da Pedra da Serpente (em nossa versão portuguesa, «pedra de Zoelete», conforme se vê em I Reis 1:9).

EN-SEMES

No hebraico, «fonte do sol». Essa fonte servia de marco fronteiriço entre Judá e Benjamim (Jos. 15:7; 18:17). Ficava localizada a leste do monte das Oliveiras. Tem sido identificada com a moderna '*Ain el-hod*, cerca de cinco quilômetros de Jerusalém, no caminho para Jericó, no vale do rio Jordão. Também tem sido chamada de *Fonte dos Apóstolos*. A região é essencialmente seca e essa fonte é a única que, segundo dizem, existe no caminho entre Jericó e Jerusalém.

EN-SOI

Expressão francesa que significa «em si mesmo», tradução da expressão latina *in se* e que em alemão se expressa por *an sich* (que vide). Sartre (que vide, quinto ponto) contrastava essa expressão com *pour-soi*.

EN-TAPUA

No hebraico, «fonte de Tapua», um manancial existente perto da cidade chamada *Tapua* (que vede). Esse nome aparece somente em Jos. 17:7. Essa fonte seria um dos marcos de fronteira da tribo de Manassés. Tem sido comumente identificada com o moderno Tell Sheikh Abu Zarad, localizado cerca de treze quilômetros ao sul de Siquém. Os cananeus contavam com uma fortaleza naquele lugar, que resistiu, durante algum tempo, a invasão dos israelitas. Na divisão da Palestina, a princípio ficou com a tribo de Manassés, mas, posteriormente, passou a ser considerada como parte do território de Efraim.

ENDRO

No grego, *ánethon*. Uma das plantas alistadas em Mat. 23:23, acerca das quais os fariseus pagavam dízimos. Essa planta tem sementes aromáticas muito procuradas como condimento e para propósitos medicinais. Era planta que crescia selvagem em Israel, embora também fosse cultivada. As sementes eram postas em pães ou bolos, podendo ser reduzidas a pó e usadas em líquidos, porquanto acreditava-se que a substância tinha valor como remédio para certas doenças. Alguns a têm identificado com o anis (*Pimpinella anisum*). De fato, o verdadeiro anis medra atualmente na Palestina. Entretanto, a maioria dos estudiosos nega que essa identificação esteja correta, preferindo pensar no *Anethum graveolens* como a planta referida em Mateus 23:23. É uma planta daninha cuja aparência se assemelha à salsa.

Lições Contidas no Endro. Jesus acusou certos líderes religiosos de seus dias de serem hipócritas, porquanto apesar de se mostrarem ansiosos e mesmo fanáticos quanto a darem os dízimos do endro (uma questão de ínfima importância), na verdade ignoravam seus deveres éticos e espirituais, que realmente eram importantes, como o juízo, a misericórdia e a fé. A espiritualidade de quase todas as pessoas é maculada por esse tipo de atitude. É fácil alguém dar pouca importância ao que é importante, e dar muita importância ao que não é importante. É facil termos uma hierarquia distorcida de valores.

ENDURECIMENTO DO CORAÇÃO

As idéias envolvidas nessa expressão são a obstinação, o embotamento da consciência, a cegueira proposital do entendimento e da sensibilidade. Tanto o Antigo quanto o Novo Testamentos contém certo número de expressões que se referem a essas condições, algumas vezes envolvendo a palavra «coração», e de outras vezes, não. Em II Crô. 30:8 há

ENDEADAS — ENFERMIDADES

alusão à dura cerviz (pescoço duro); em Êxo. 7:3 lê-se acerca do endurecimento do coração; em Eze. 2:4; Deu. 2:30 e II Crô. 36:13 há menção ao fato de que alguns endureciam o coração contra o Senhor. Lemos em Êxo. 7:3 e 14:4 que Deus endureceu o coração de Faraó. E Paulo, em Rom. 9:18, aproveita isso para ensinar sua doutrina da *predestinação* incondicional. Ver os artigos sobre esse assunto e sobre o *Voluntarismo*. Ver também sobre o *Determinismo*.

Quando alguém endurece o seu coração, ou seja, torna-se rebelde e insensível quanto às questões espirituais, e então age em consonância com essa insensatez auto-imposta, então torna-se merecedor de castigo (Pro. 29:1). Consideremos as condições do povo de Israel, em Meribá (Sal. 95:8). A recusa em atender a bons conselhos também é um endurecimento do coração (II Reis 17:14; Nee. 9:16,17 e Heb. 3:8).

Os discípulos de Jesus tinham corações endurecidos, por não serem capazes de entender os seus ensinos mais profundamente espirituais (Mar. 6:52; 8:17). Os gentios incrédulos encontram-se nessa condição, em sua alienação de Deus (Efé. 4:18). Aqueles que não pertencem ao grupo dos eleitos de Deus estão endurecidos, talvez por ato de Deus, ou por circunstâncias criadas por eles mesmos (Rom. 11:7). O povo de Israel, em seu presente estado de apostasia, acha-se endurecido (Rom. 11:25). Aqueles que vivem destituídos de sensibilidade espiritual, condicionados pela iniqüidade, têm os corações endurecidos (Mat. 19:8).

ENEADAS

Esse é o título da obra em seis volumes, escrita por Plotino (que vide), que foi a sua *magnum opus*. Os princípios ali ensinados aparecem no artigo a respeito dele.

ENÉIAS

Um paralítico de Lida, curado por Pedro (ver Atos. 9:33,34). O termo grego significa *louvor*. Essa cura, de uma paralisia de oito anos, foi instrumental na atração de muita gente para o cristianismo. (S Z)

ENERGEIA

Transliteração do termo grego que significa «energia», «ação», «operação». Aristóteles usava essa palavra com os seguintes sentidos:

1. Um estado de potencialidade concretizada.
2. Uma atividade que conduz a essa situação.

Em qualquer desses sentidos, a palavra é contrastada com outro termo grego, *dúnamis*, que era usado para indicar uma *potencialidade não-concretizada*. É mais difícil perceber a diferença entre *energeia* e *enelecheia*. Esta última palavra grega é usada para indicar *plena concretização* de alguma essência, ou seja, tem um sentido igual ao da primeira definição de *energeia*. Portanto, o vocábulo *energeia* é empregado para indicar os *meios* através dos quais a *entelecheia* é concretizada. Isso posto, o termo *entelecheia* é usado para indicar a perfeita concretização de *energeia*. (Ep P)

ENERGIA ATÔMICA

A física entrou no campo da **ética** quando produziu o grande poder destruidor das armas atômicas. A energia atômica, extraída do núcleo atômico, torna-se disponível através de dois processos: 1. a fissão de um núcleo volumoso, como se dá com o urânio,

transformando-o em dois núcleos; 2. a fusão de dois núcleos de hidrogênio, para que formem um núcleo maior. Há muito que se fazem aplicações industriais, com problemas colaterais como segurança e poluição terrestre e atmosférica (lixo atômico), o que tem implicações éticas. Alguns chegam a objetar aos atos da descoberta e do uso dos segredos da natureza dessa maneira, mas principalmente aos resultados indesejáveis que tais coisas podem trazer ao meio ambiente.

A questão mais crítica, porém, é o poder de destruição das armas atômicas. Têm sido testadas com sucesso bombas produzidas por fissão ou por fusão. A primeira bomba por fissão, lançada sobre a cidade japonesa de Hiroshima, matou oitenta mil pessoas. Equivalia à explosão de 20 mil toneladas de TNT. Mas algumas bombas de hidrogênio (até 1980), tinham o poder explosivo de 50 milhões de toneladas de TNT. Até soldados de infantaria (nos exércitos modernos) podem manusear armas atômicas táticas de grande poder destrutivo. O resultado é que as grandes potências atômicas presumivelmente se protegem, ameaçando de aniquilamento em massa as potências adversárias. A conseqüência é um equilíbrio de terror. Alguns cientistas agonizam diante do fato de que tudo isso tem se sucedido sem a aplicação de qualquer princípio ético e religioso, e os homens parecem estar-se precipitando cegamente para a destruição mútua. Os profetas procuram consolar-nos, salientando que isso será necessário, porque tal destruição terá o trabalho de baixar as nações gentílicas, para que Israel possa assumir seu papel de cabeça das nações, o que dará início ao milênio, ou «era áurea» (ver o artigo a respeito). Os antigos ciclos históricos sempre terminam na destruição, sendo substituídos por algo melhor. Nisso, pois, há um avanço espiritual. Ver o artigo sobre *A Tradição Profética e o Nosso Tempo*. Desnecessário é dizer que tais assuntos são intensamente debatidos. (H NTI)

ENFEITES

No hebraico, as principais palavras são **hadar**, «beleza», «honra» (por exemplo, Jó 40:10; Sal. 110:3; Pro. 20:29; Lam. 1:6; Deu. 33:17; Sal. 90:16; Isa. 2:10,19,21; 5:14; Miq. 2:9 — uma palavra usada por mais de trinta vezes); e *yophi*, «beleza» «formosura» (por exemplo, Est. 1:11; Sal. 45:11; 50:2; Pro. 6:25; 31:30; Isa. 3:24; 33:17; Lam. 2:15; Eze. 16:14,15,25; 27:3,4,11; 31:8; Zac. 9:17 — uma palavra usada por dezoito vezes).

Os enfeites femininos em geral, como pendentes, braceletes, véus, etc., podiam ser coletivamente mencionados como «enfeites». Ver Isa. 3:18. O exagerado uso de enfeites foi atacado pelos profetas e o juízo divino foi ameaçado e executado contra esses excessos. O evangelho cristão requer moderação quanto a esses enfeites, embora não os proíba. Ver I Ped. 3:3,4 quanto ao ensino neotestamentário. Existem adornos do espírito que não podem ser substituídos por enfeites do corpo. Existem aquelas jóias imperecíveis de um espírito gentil e tranqüilo, com que uma mulher crente deveria adornar-se.

ENFERMIDADES NA BÍBLIA

Ver também sobre **Medicina (Médicos)** e **Medicina, Ética da**.

Esboço:

I. Enfermidades Físicas

II. Enfermidades Mentais

III. Tratamento das Enfermidades na Antiguidade

IV. A Teologia da Doença

ENFERMIDADES NA BÍBLIA

Declaração Introdutória:

Os homens sempre se preocuparam muito com suas condições físicas. Muita gente, quando adoece, dificilmente pode falar sobre qualquer outra coisa. Cremos na existência da alma, mas apegamo-nos de tal modo ao corpo físico, em nosso presente estado, que qualquer ameaça ao corpo físico nos parece uma ameaça à própria existência. Os filósofos e os teólogos falam sobre as doenças no contexto do PROBLEMA DO MAL (que vide). Por que razão os homens sofrem? Temos algumas respostas, mas elas parecem funcionar melhor quando é alguma *outra* pessoa que está doente, ou quando alguma outra pessoa é que sofreu alguma espécie de tragédia. Deus, sem dúvida, preocupa-se com a questão das enfermidades, pois, de outro modo, não teria provido o dom de curas, para alívio do sofrimento físico, causado pelas enfermidades do corpo. Tornou-se uma questão de discussão teológica determinar até que ponto, a enfermidade é uma experiência normal dos crentes, ou se ao menos os crentes podem adoecer sem que isso seja resultado de algum pecado. Esse problema é comentado no quarto ponto deste artigo.

Muitas enfermidades físicas são mencionadas na Bíblia. Os hebreus estavam sujeitos a enfermidades comuns aos climas semitropicais, como aquele que domina o Oriente Médio. As descrições de doenças, que aparecem na Bíblia, geralmente são vagas, e segundo presumimos, algumas vezes são inexatas. Podem ser mencionados sintomas como a febre, as hemorragias, as purulências, as dores, as coceiras, etc. Mas é quase sempre impossível dizer com certeza quais doenças estão em pauta. É quase certo que algumas identificações de doenças, como algumas supostas formas de lepra, na realidade não eram aquilo que hoje chamamos por este ou aquele nome. Para exemplificar, o nome lepra provavelmente envolve certo número de enfermidades da pele que os antigos não sabiam distinguir da verdadeira lepra. Portanto, devemos antecipar uma certa inexatidão no tocante a essa questão, porquanto, na Bíblia, estamos às voltas com escritos de natureza religiosa, que ocasionalmente mencionam alguma enfermidade, e não com relatórios médicos.

I. Enfermidades Físicas

1. *Alcoolismo*. Até mesmo hoje, com todo o avanço da ciência, — não sabemos até que ponto o alcoolismo pode ser considerado uma enfermidade, ou um vício moral, isto é, um distúrbio da alma, e não do corpo físico. Que há um fator hereditário mostra que a explicação como uma *enfermidade* está parcialmente correta; mas também é por demais óbvio para precisar ser provado que os alcóolatras *se fazem*. Portanto, parece que ambas as explanações desse problema têm suas razões. A sociedade judaica entregava-se ao vinho e às danças. Simplesmente não temos ali uma típica comunidade evangélica. Era bom que cada indivíduo contasse com sua própria vinha e com sua própria figueira; e a Bíblia refere-se laudatoriamente ao vinho, como parte das bênçãos de Deus (Gên. 27:28). É um equívoco falar sobre o vinho mencionado na Bíblia como se fosse apenas suco de uva, ainda não fermentado. Por outro lado, a fermentação natural do suco da uva produz apenas cerca de oito por cento de álcool. Mas essa porcentagem é suficiente para causar intoxicação alcoólica, com graves problemas. Parece haver certo descontrole químico, no organismo de certas pessoas, que as fazem desejar ardentemente as bebidas alcoólicas. Uma vez que a pessoa se torna alcóolatra, esse vício torna-se muito difícil de interromper. E dentre aqueles que supostamente foram libertados, as estatísticas demonstram que setenta e cinco por cento retornam ao vício, embora possam ficar libertos durante alguns meses, ou, em alguns casos, durante alguns anos. A Bíblia aconselha-nos a moderação em todas as coisas. Paulo sugeriu que Timóteo tomasse um pouco de vinho, por causa dos problemas estomacais de que ele sofria (ver I Tim. 5:23).

Luzes da Ciência Moderna. A ciência tem demonstrado que qualquer quantidade de álcool, na corrente sangüínea, mata células do cérebro. Esse é um fato que os escritores sagrados da Bíblia desconheciam. Se Paulo tivesse tido conhecimento disso, é quase certo que ele teria proibido a ingestão de qualquer quantidade de bebida alcoólica, com base no princípio de que os nossos corpos são templos do Espírito Santo. Ver I Cor. 3:16,17 e 7:19. Não é justo matarmos, propositalmente, algumas células do cérebro. Ver os artigos separados sobre o *Vinho*, sobre o *Alcoolismo* e sobre as *Bebidas Fortes*.

2. *Febre*. No hebraico, *qaddachath* (Lev. 26:16 e Deu. 28:22). Um termo geral que indica um sintoma de várias moléstias, resultando de diversas infecções, como a febre tifóide, o paratifo ou a malária. A malária era bastante comum nas terras bíblicas, sendo bem provável que as febres causadas por motivos não identificados estivessem ligadas à malária.

3. *Atrofia*. No hebraico, *qamat*. O termo hebraico aparece somente em Jó 16:8 e 22:16. Nossa versão portuguesa o traduz por «encarquilhado» e «arrebatado», respectivamente. Especialmente a primeira dessas passagens parece apontar para essa enfermidade. Aparentemente, Jó foi afetado por várias enfermidades ao mesmo tempo. A distrofia muscular é uma condição segundo a qual os músculos recusam-se a absorver os nutrientes que lhes são trazidos pela corrente sangüínea. Em resultado disso, os músculos vão se debilitando e afinando cada vez mais. A pessoa termina imobilizada, e, finalmente, morre. O cérebro não é envolvido nesse processo. O trecho de Lucas 6:6 (onde nossa versão portuguesa usa o adjetivo «ressequida») talvez seja uma outra referência a essa condição. Podemos supor que a poliomielite era comum, embora não identificada, nas terras bíblicas. O homem de mão mirrada talvez tivesse sobrevivido a um caso dessa doença, tendo resultado em um aleijão. Mas o poder de Jesus foi capaz de restaurar até mesmo certa má formação, o que diz muita coisa sobre a estatura espiritual do Grande Mestre e Curador. Uma estela descoberta no Egito, com data do século XIII A.C., retrata um homem com uma perna atrofiada, talvez por causa de poliomielite.

4. *Calvície*. No hebraico, *gorchah*, palavra que aparece por nove vezes: Lev. 21:5; Deu. 14:1; Isa. 3:24; 15:2; 22:12; Jer. 47:5; Eze. 7:18; Amós 8:10 e Miq. 1:16. Os egípcios não gostavam de ter pêlos e cabelos no corpo, pelo que se rapavam e barbeavam constantemente. Os judeus, entretanto, muito gostavam de deixar seus cabelos compridos, e suas barbas luxuriantes eram muito admiradas por eles. Ver o artigo sobre a *Barba*. Os estrangeiros que viviam entre os judeus podiam rapar a cabeça e a barba (Isa. 15:2), embora essa prática fosse vedada aos judeus (Deu. 14:1). Pode-se perceber facilmente, pois, por qual razão a calvície era considerada uma grave aflição. A calvície pode ser hereditária; mas outras condições patológicas podem ser sua causa, como a dermatite seborréica, os fungos e a tinha.

5. *Defeito*. No hebraico, *mum*, palavra usada por dezenove vezes: Lev. 21:17-18,21,23; 22:20-23;

ENFERMIDADES NA BÍBLIA

24:19,20; Num. 19:2; Deu. 15:21; 17:1; II Sam. 14:25; Jó 31:7; Pro. 9:7; Deu. 32:5; Jó 11:15; Can. 4:7. Essa é uma designação inexata de certa variedade de enfermidades, sobretudo da pele, que desqualificavam um homem para o sacerdócio.

6. *Cegueira*. No hebraico temos duas palavras: *sanverim*, «coberturas», «véus»; essa palavra ocorre por três vezes: Gên. 19:11; II Reis 6:18. E *ivvaron*, «fechar»; essa palavra ocorre por duas vezes: Deu. 28:28 e Zac. 12:4. A ignorância a respeito das infecções bacteriológicas, as condições de sujeira entre a pobreza, tudo encorajado por um clima muito quente, além de certas infecções por vírus, defeitos genéticos e acidentes, causavam um grande número de casos de cegueira. O Oriente até hoje é muito afetado por essas condições. A cegueira prevalecia ali muito mais do que qualquer coisa que podemos observar no Ocidente moderno. A causa mais comum de cegueira parece que era e continua a ser a infecção vaginal pela gonorréia, o que passa para os olhos do bebê, por ocasião do nascimento.

7. *Tumores*. No hebraico, *shechin*, palavra que aparece por treze vezes: Êxo. 9:9-11; Lev. 13:18-20, 23; II Reis 20:7; Jó 2:7; Isa. 38:21; Deu. 28:27,35. Esses tumores apareciam isolados ou em grupos. Provavelmente as diversas referências bíblicas indicam certa variedade de afecções da pele. Algumas delas eram causadas por estafilococos e outras eram abscessos, glândulas infeccionadas e doenças da pele de várias origens. Há informações arqueológicas recentes, provenientes da Babilônia, que dizem que o tratamento de tumores era uma questão séria. O médico que sarjasse um tumor tinha que fazê-lo com extremo cuidado, porquanto, se seu paciente falecesse, ele perdia ambas as mãos, que eram decepadas. Se o morto fosse um escravo, então o médico não perdia as mãos, mas teria de substituir o escravo morto por um vivo.

8. *Pé quebrado* ou *mão quebrada*. No hebraico, *sheber regel* e *sheber yad*. Essa condição é mencionada somente em Lev. 21:19, e desqualificava qualquer homem para ser sacerdote.

9. *Câncer*. No grego, *gággraina*, «gangrena». O termo figura exclusivamente em II Tim. 2:17. A referência pode ser a diferentes tipos de úlceras; ou mesmo o temido câncer pode estar em foco. Ver sobre *Gangrena*.

10. *Tísica*. No hebraico, *shachepheth*, uma palavra que aparece somente por duas vezes: Lev. 26:16 e Deu. 28:22. É possível que esteja em foco certa variedade de enfermidades, desde a tuberculose à malária, embora também possam estar em vista várias formas de disenteria e outras doenças consumidoras.

11. *Corcova*. No hebraico, *gibben*, palavra que é usada apenas em Lev. 21:20. O sentido dessa palavra é *arcado*. A corcunda podia ser causada por defeitos genéticos, acidentes ou por carregar de maneira errada objetos pesados. — Esse era outro dos defeitos que impedia um homem de Israel de servir como sacerdote do Senhor.

12. *Surdez*. No hebraico, *cheresh*, palavra que ocorre por nove vezes: Êxo. 4:11; Lev. 19:14; Sal. 38:13; 58:4; Isa. 29:18; 35:5; 42:18,19; 43:8. No grego, *kofós*, «surdo», «embotado». Essa palavra grega aparece por quinze vezes: Mat. 9:32,33; 11:5; 12:22; 15:30,31; Mar. 7:32,37; 9:25; Luc. 1:22; 7:22; 11:14. As causas da surdez podiam ser infecções, defeitos genéticos e acidentes. As condições de clima árido do Oriente Médio, com muita areia e poeira, encorajavam o bloqueio dos canais do ouvido e piorava

as infecções. As Escrituras, além de se referirem à surdez literal (ver Êxo. 4:11; Lev. 19:14; Mar. 7:32; Mat. 11:5; Luc. 7:22), também usam a palavra em sentido metafórico, para indicar a insensibilidade espiritual das pessoas impenitentes (ver Isa. 28:18).

13. *Hidropisia*. No grego temos o adjetivo *udropikós* somente em Luc. 14:2. Essa doença consistia de um acúmulo anormal de fluido seroso nos tecidos do corpo em uma das suas cavidades, — sobretudo no abdômen. As causas usuais eram disfunções renais ou descompensação cardíaca. A cirrose hepática, provocada pelo alcoolismo, pode encher o abdômen com muitos litros de líquido, que dificultam a respiração. Se esses fluidos forem retirados mediante uma agulha e seringa, o paciente sente um alívio temporário; mas os fluidos não demoram a acumular-se novamente.

14. *Nanismo*. No hebraico, *daq*, «pequeno», «anão». Essa palavra ocorre por doze vezes, embora somente por uma vez com o sentido de *anão*, isto é, em Lev. 21:20. Por ocasião do nascimento, os anões parecem normais. Porém, não se desenvolvem segundo os padrões normais, e sua condição não demora a tornar-se evidente. Uma das causas pode ser uma deficiência das funções da glândula pituitária. Essa mesma glândula, quando se mostra superativa, causa o gigantismo. O nanismo pode ser uma característica herdada, como no caso dos pigmeus da África e de certas ilhas do oceano Pacífico. Alguns casos são devidos a deficiência alimentar (como se dá quando das secas do Nordeste brasileiro) ou à absorção insuficiente dos nutrientes pelo intestino delgado. Outras causas podem ser enfermidades crônicas dos rins ou más formações do coração. Em Israel, os anões não podiam ser sacerdotes, conforme se vê na referência de Levítico.

15. *Mutismo*. No hebraico, *illem*, palavra usada por seis vezes: Êxo. 4:11; Pro. 31:8; Sal. 38:13; Isa. 35:6; 56:10; Hab. 2:18. No grego, *álalos*, termo que figura por três vezes: Mar. 7:37; 9:17,25. Esse defeito indica a total incapacidade de falar (mutismo), ou então a incapacidade de falar de modo claro e coerente (afasia ou gagueira; ver Mar. 9:32). Algumas vezes, há causas psíquicas, e não físicas, como nos casos de histeria. Mas certas lesões cerebrais também podem causar a condição. A pessoa que nasce surda normalmente fica muda por muitos anos, porquanto não pode ouvir sons e nem aprender como manipular os sons. No entanto, com o correto treinamento, tal pessoa pode aprender a falar. Essa palavra também é usada para indicar a incapacidade temporária de falar, devido a alguma forte emoção (Sal. 38:13 e Atos 9:17). Também é usada metaforicamente para caracterizar os ídolos (I Cor. 12:2), os quais são considerados como importantes por seus adoradores, mas nem ao menos são capazes de falar. A Igreja cristã ficaria muito melhor sem esse tipo de mutismo!

16. *Disenteria*. A rigor, essa enfermidade só é mencionada no Novo Testamento, em Atos 28:8 (onde é usada a palavra grega *dusentería*). Essas infecções intestinais podem ser causadas por amebas, bactérias e vermes, causas abundantemente representadas no Oriente Médio. A condição pode ser acompanhada por severas cólicas abdominais, bem como o desenvolvimento de hemorróidas e a protrusão dos intestinos para fora do ânus. Esta última condição é mencionada em II Crô. 21:18 *ss.*, onde é mencionada a morte lenta e agônica de Jeorão, rei de Judá. Públio (ver Atos 28:8) sofria de febre e disenteria, mas ele foi curado através do ministério de Paulo.

17. *Epilepsia*. Essa palavra nos veio diretamente do grego, onde significa *ataque*. Os ataques epilépticos

ENFERMIDADES NA BÍBLIA

podem ser muito superficiais, manifestando-se como um tique no rosto ou em uma das mãos. Porém, os ataques severos levam o paciente a perder a consciência, passando por contorções e convulsões, chupando a língua e espumando pela boca. Esses ataques duram de, cinco a vinte minutos. A enfermidade ocorre em cerca de uma em cada duzentas pessoas. Os antigos, naturalmente, ligavam essa condição à possessão demoníaca (o que, algumas vezes, correspondia à realidade dos fatos); ou então, ao oposto, à possessão por parte de alguma divindade, pelo que também era chamada de *doença sagrada*. O trecho de Mat. 4:24 a alista entre outras doenças. Temos um outro caso em Mat. 17:15, atribuído à atividade demoníaca. Os tumores e injúrias cerebrais podem causar a condição; mas há casos hereditários, que também podem envolver lesões cerebrais.

18. *Calor ardente*. No hebraico, *charchur*, palavra que aparece somente em Deu. 28:22. Pode estar em foco alguma febre altíssima, ou a insolação. Essa condição tem lugar quando a temperatura do corpo aumenta muito. Cessa a sudorese e segue-se a inconsciência. O trecho de II Reis 4:19 evidentemente registra uma morte por essa causa.

19. *Rosto mutilado*. No hebraico, *charam*. Essa palavra ocorre somente em Lev. 21:18. Parece haver dúvida quanto ao seu sentido, porquanto há traduções que a traduzem por «nariz chato», embora a própria palavra hebraica nada tenha a ver com a idéia de nariz. O certo é que essa condição desqualificava um homem do sacerdócio levítico.

20. *Aleijado*. No grego, *cholós*, termo que aparece por catorze vezes: Mat. 11:5; 15:30,31; 18:8; 21:14; Mar. 9:45; Luc. 7:22; 14:13,21; João 5:3; Atos 3:2; 8:7; 14:8; Heb. 12:13. Essa palavra aponta para alguma condição das pernas ou dos braços, causa de defeitos genéticos, acidentes, amputação ou qualquer tipo de deformidade. Nossa versão também diz «coxo», em alguns trechos.

Outra palavra grega, também traduzida por «aleijado», em nossa versão portuguesa, é *anápeiros*, que só aparece em Luc. 14:13,21. Também devemos levar em conta o vocábulo grego *kullós*, «manco», que ocorre por quatro vezes: Mat. 15:30,31; 18:8 e Mar. 9:43. Essa palavra significa «torto», «distorcido».

21. *Hemorragia*. No grego, *rúsei aímatos*, «fluxo de sangue». A expressão aparece em Luc. 8:42-48, no caso da cura da mulher hemorrágica. Refere-se a alguma constante e freqüente perda de sangue, como a hemorragia vaginal ou retal daquela mulher. A condição pode ser provocada por distúrbios hormonais ou por algum tumor. Esse tumor pode ser de caráter maligno ou benigno.

22. *Menstruação*. No hebraico, *davah*. Essa palavra só ocorre por uma vez, em Lev. 12:2. A rigor, não temos aí uma enfermidade, mas uma condição feminina normal. A enfermidade seria, antes, a suspensão das regras mensais. No entanto, entrou na lista porque algumas traduções dizem ali, «enfermidade», no que estão equivocadas.

23. *Inflamação*. No hebraico, *dalleqeth*. Essa palavra é usada exclusivamente em Deu. 28:22. É sintoma de muitas doenças e injúrias. Trata-se de um estado mórbido dos tecidos ou órgãos, caracterizado por inflamação, vermelhidão, inchaço e dor.

24. *Gagueira*. No grego, *mogilálos*. Esse termo aparece somente em Mar. 7:32. Modernamente, chamaríamos essa doença de «afasia motora». As pessoas sabem o que querem dizer, mas os músculos da boca e da face não correspondem às suas tentativas para falar, resultando na gagueira. Os impedimentos

da fala também se devem a certas anormalidades do rosto ou da boca, como aquilo que popularmente se chama «língua presa». O lábio leporino é uma condição genética bastante comum, resultando em uma voz muito nasalada. O lábio leporino não atinge apenas o lábio superior, mas também a arcada dentária, o septo nasal e até o palato duro da boca. As crianças já nascem com esse defeito, tendo muita dificuldade para mamar, enquanto pequeninas.

25. *Indigestão*. Segundo lemos em I Tim. 5:23, Timóteo tinha problemas estomacais. A indigestão é causada, geralmente, por excesso de acidez. Se esse foi o problema de Timóteo, a ingestão de vinho teria piorado sua condição. Também há pessoas que não se dão bem com certos alimentos. O que é bom para uma pessoa pode não ser bom para outra. Os pratos excessivamente condimentados são difíceis de digerir. Os médicos e as companhias de seguros reconhecem que os temperos em demasia a longo prazo podem causar até o câncer. O vinho não é tão prejudicial quanto a pimenta do reino, para exemplificar; mas até mesmo o suco de uva é ácido demais para certos estômagos. Sabemos que a glutonaria é um pecado. Muitos pecados são castigados por vias naturais. Usualmente, quando sofremos de alguma indigestão, estamos pagando por esse tipo de pecado.

26. *Prurido*. No hebraico, *cheres*, palavra que figura somente em Deu. 28:27. Uma palavra sinônima mais popular seria «coceira». Os pruridos têm muitas causas, como irritações da pele, muitos tipos de parasitas, enfermidades diversas, produzidas nos climas tropicais e semitropicais. Alguns parasitas enterram-se na pele; outros ocultam-se entre os cabelos e pêlos do corpo. Os piolhos pertencem a três tipos gerais: os que infestam a cabeça; os que infestam o corpo em geral e os que infestam a região púbica. Deus ameaçou os israelitas que, se abandonassem a sua fé, sofreriam de pruridos (Deu. 28:27), entre várias outras enfermidades.

27. *Lepra*. No hebraico, *tsaraath*. Esse vocábulo ocorre por trinta e cinco vezes, quase todas no livro de Levítico 13 e 14, mas também em Deu. 24:8; II Reis 5:3,6,7,27 e II Crô. 26:19. No grego, *lépra*, que ocorre por quatro vezes: Mat. 8:3; Mar. 1:42; Luc. 5:12,13 (o adjetivo, «leproso», ocorre por mais nove vezes, sempre nos evangelhos sinópticos). A enfermidade assim chamada na Bíblia não é só a verdadeira lepra moderna (causada pelo bacilo de Hansen), porquanto as descrições bíblicas da mesma incluem outras afecções da pele. A lepra verdadeira era conhecida sob várias formas. Há dois tipos gerais, o tipo *lepramatoso* e o tipo *tuberculóide*, que são, respectivamente, as formas mais e menos severas. Ambos os tipos começam com a descoloração da pele, uma mancha branca ou rósea, que pode aparecer na testa, no nariz, na bochecha, no queixo ou em qualquer outra parte do corpo. As glândulas sudoríparas são destruídas naquela área, pelo que nunca há transpiração na região atingida; e essa área também fica insensível ao tato e à dor. No tipo lepromatoso, a mancha pode espalhar-se rapidamente em todas as direções. Resultam disso inchaços, tipos de tumores esponjosos. Essa enfermidade também afeta os órgãos internos. Aparecem deformidades nas mãos e nos pés quando os ossos se deterioram e começam a desaparecer. As extremidades dos nervos sensórios não mais respondem ao calor ou aos ferimentos. Por sua vez, a lepra tipo tuberculóide é menos severa. Suas manchas tendem por ser limitadas, e mesmo nos casos sem tratamento a enfermidade pode ficar inteiramente sanada após um a três anos. Isso talvez

ENFERMIDADES NA BÍBLIA

explique a informação dada no Antigo Testamento acerca daqueles que eram enviados para se mostrarem aos sacerdotes, de que estavam curados. Mas esse tipo de lepra também pode tornar-se crônico, embora seja menos debilitante.

Em 1873, um médico norueguês. de nome G. Armauer Hansen descobriu o bacilo chamado *Myobacterium leprae*, que causa essa enfermidade. Por esse motivo, os leprosos também são chamados hansenianos.

Metaforicamente falando, essa enfermidade representa o pecado, que é uma condição da alma que se propaga, contagia e é crônica, tal e qual aquela enfermidade. No Antigo Testamento, os leprosos não podiam conviver em sociedade com os sãos (Núm. 12:14,15) e eram considerados «imundos» (Lev. 13:12,17). A lepra também atacava roupas, paredes, etc., o que parece apontar para diversos tipos de fungos, e não a lepra propriamente dita.

Um leproso, naturalmente, nunca podia tornar-se um sacerdote (Lev. 22:2-4), da mesma maneira que um pecador impenitente não pode ser um sacerdote espiritual, estando alienado de Deus. Jesus curou muitos casos de lepra (Mat. 8:3), sendo ele a propiciação pelos pecados até mesmo do mundo inteiro (ver I João 2:2).

28. *Obesidade*. No hebraico, *bari*. Essa palavra ocorre por seis vezes, com o sentido de «gordo»: Gên. 41:4,18,20; Juí. 3:17; I Reis 4:23 e Zac. 11:16. Na referência do livro de Juízes há menção a Eglom, rei de Moabe, um homem gordíssimo, que foi morto por Eúde, o segundo juiz de Israel, com uma adaga. A adaga desapareceu dentro do abdômen desse rei, porque a gordura fechou-se em torno da mesma, em grandes camadas.

A obesidade nem sempre é uma doença. Pode ser resultado do excesso de calorias ingeridas na alimentação. Quando é uma doença, geralmente deve-se a algum distúrbio glandular. Os cirurgiões queixam-se da dificuldade de operar pessoas excessivamente gordas. As causas da obesidade podem ser: a. hereditárias; b. distúrbios glandulares; c. comer em demasia; d. distúrbios psicológicos, por causa dos quais a pessoa come demais, como uma compensação por outros apetites, que não podem satisfazer; e. em algumas culturas, as pessoas gordas são consideradas saudáveis e bonitas. A ciência moderna, porém, tem demonstrado um grande número de problemas de saúde vinculados à obesidade, ou peso excessivo, geralmente acumulado no abdômen. Essas doenças são distúrbios cardiovasculares, veias varicosas, arteriosclerose, diabete, um período de vida mais curto, problemas da coluna vertebral, devido ao excesso de peso do corpo.

29. *Idade avançada*. Isso também não constitui uma enfermidade por si mesma, mas o desgaste físico, imposto pelos anos, acarreta vários resultados maléficos ao bem-estar e à saúde.O nosso organismo começa a debilitar-se em uma idade relativamente prematura, quando a substituição das células não é tão imediata como antes. Uma pessoa adquire um conjunto inteiramente novo de células a cada sete anos, mais ou menos. Infelizmente, porém, os corpos sucessivos não são tão resistentes e saudáveis quanto os anteriores. Somente até cerca dos vinte anos de idade a substituição de células continua sendo feita em um bom regime. Os cientistas ainda não compreendem bem o processo do envelhecimento, e nem sabem como encorajar as novas células, substitutas, a serem tão vigorosas quanto as

anteriores. Cada pessoa, entretanto, tem o seu próprio relógio biológico, umas envelhecendo mais rapidamente, e outras com um pouco mais de lentidão. Antes da época de Noé, as pessoas viviam várias centenas de anos. É perfeitamente possível que isso ocorra novamente, uma vez que a ciência conquiste o problema do envelhecimento. O envelhecimento precoce chega a ser incrível em alguns casos. Essa condição chama-se «progéria».

Para a maioria das pessoas, viver uma longa vida é algo muito desejável. Atualmente, vemos o ridículo espetáculo de serem congelados os cadáveres, na tola esperança de que, algum dia, possam ser revivificados. A grande ansiedade de viver muito tempo e trazer de volta à vida corpos congelados são sinais de baixa espiritualidade, e de uma visão distorcida do que está envolvido na vida. O corpo físico nos foi dado como um instrumento de manifestação neste mundo físico. A força física nos é prometida perdurar tanto quanto os «teus dias», o que dá a entender que esse período nos é dado, de acordo com a resistência física programada a cada um pela vontade de Deus (Deu. 33:25). Um indivíduo que tenha vivido vinte anos mas tenha terminado a missão que lhe fora dada para realizar, poderia estar dilapidando seus dias aqui, se vivesse mais do que isso. Um homem que se aposenta aos sessenta e cinco anos de idade e então vive até os noventa e cinco, e que nada faz durante aqueles trinta anos senão a rotina de comer, dormir e divertir-se, na realidade está vivendo uma vida inútil. Por outro lado, se ele usar aqueles trinta anos para alguma boa causa, incluindo a busca pelo conhecimento, — vivendo segundo a lei do amor, então estará investindo o seu tempo de uma forma espiritual, embora talvez não seja tão economicamente produtivo quanto antes. Quanto ao homem espiritual, o Senhor provê forças físicas. «O Senhor é a fortaleza da minha vida; a quem temerei?» (Salmos 27:1; ver também Sal. 118:4). Todos nós estamos sujeitos ao processo do envelhecimento, e o sofrimento e a lamentação que isso causa, e que é uma das porções mais horríveis do problema do mal, levam, finalmente, à morte biológica. Ver sobre o *Problema do Mal*. A morte biológica é considerada, por alguns, como a pior de todas as calamidades; mas o homem espiritual sabe que a morte do corpo é apenas o portal de uma vida nova e gloriosa, e que Deus tem, sob o seu controle, a situação inteira.

30. *Paralisia*. No Novo Testamento, sempre encontramos o adjetivo, *paralutikós*, «paralítico», palavra usada por onze vezes: Mat. 4:24; 8:6; 9:2,6; Mar. 2:3-5,9,10; Luc. 5:24. Esse termo grego significa «frouxo», «solto». As causas conhecidas da paralisia são estas: a. inflamação do cérebro e da coluna espinal, o que pode levar a uma paralisia parcial ou completa; b. injúrias da coluna vertebral; c. pressão na curvatura da espinha; d. tumores que deformam a espinha; e. apoplexia, causada por alguma lesão vascular do cérebro, ou por causa de uma hemorragia, como no caso de uma congestão. Jesus curou pessoas desse tipo de enfermidade, embora a ciência continue essencialmente impotente diante da mesma.

31. *Pestilência*. No hebraico, *deber*, palavra que ocorre por quarenta e nove vezes, desde Êxodo 5:3 até Heb. 3:5. No grego, *loimós*, palavra que aparece por duas vezes: Luc. 21:11 e Atos 24:5. Ambas essas palavras podem indicar uma grande variedade de enfermidades que atacam grande número de pessoas ao mesmo tempo. Certo pecado cometido por Davi foi punido com uma praga que arrebatou setenta e cinco mil vidas (II Sam. 24:15). Todos estamos familiariza-

374

ENFERMIDADES NA BÍBLIA

dos com as pragas do Egito, antes do êxodo de Israel. Não há como determinar quais vírus ou bactérias foram as causas deste ou daquele caso. A cólera provavelmente era uma das pestilências mais comuns nos tempos bíblicos. É propagada por água ou alimentos contaminados por bacilos fecais, uma das maneiras mais comuns de propagação de enfermidades.

32. *Pústula*. No hebraico, *mispachath*, vocábulo usado por três vezes: Lev. 13:6-8. Era alguma espécie de erupção da pele, com a formação de pústulas, um sintoma de diversas afecções cutâneas. Algumas pústulas chegam a provocar calvície, uma calamidade para uma mulher (ver Isa. 3:17).

33. *Tinha*. No hebraico, *netheq*, um termo que aparece por treze vezes: Lev. 13:30-37 e 14:54. Esse é um termo geral para indicar erupções cutâneas, um sintoma de várias enfermidades.

34. *Sarna*. No hebraico, *garab*, palavra que aparece por três vezes: Lev. 21:20; 22:22 e Deu. 28:27. Algumas traduções dizem ali «escorbuto», mas o termo hebraico provavelmente indica várias enfermidades que causam coceira, e não o verdadeiro escorbuto, que é provocado por uma deficiência de vitamina C na alimentação. Os sintomas do escorbuto são manchas lívidas debaixo da pele, gengivas inchadas e sangrentas e grande prostração. Os hebreus eram um povo agrícola e tinham muito vinho. Não é provável que eles conhecessem o verdadeiro escorbuto, exceto, talvez, em período de fome prolongada.

35. *Feridas*. No hebraico, *makkah*, palavra que ocorre por cerca de quarenta e cinco vezes, como em Isa. 1:6; I Reis 22:35; II Reis 8:29; II Crô. 22:6; Jer. 6:7; 10:19; 30:12,14,17; Miq. 1:9; Naum 3:19; Zac. 13:6. No grego, *élkos*, «úlcera», que figura por três vezes: Luc. 16:21; Apo. 16:2,11. Ambos os termos tinham um uso geral, indicando vários tipos de úlceras ou ferimentos, causados por diversos agentes.

36. *Úlcera*. No hebraico, *yabbal*, que indica uma úlcera que supura pus e sangue. Essa palavra aparece por apenas uma vez, em Lev. 22:22 (nossa versão portuguesa diz «ulceroso»). Alguns estudiosos pensam que se trata de alguma forma de quisto, que aparece no homem ou em certos animais.

37. *Vermes*. Os parasitas intestinais são quase onipresentes, encontrando-se entre os mais abundantes vermes do globo terrestre. As autoridades sobre o assunto informam-nos que há mais de meio milhão de espécies identificáveis. Os próprios cientistas pensam que essa variedade imensa é quase inacreditável. Os tipos mais comuns são a lombriga, a tênia solitária, o verme trematódeo, o nematelminto, o ancilóstomo, o nematódeo e o oxiúro. Esses parasitas provocam toda espécie de dano quando fixam residência no corpo humano, havendo até mesmo casos de morte, nos casos mais radicais. Alguns vermes são minúsculos; outros alcançam gigantescas proporções; alguns enterram-se sob a pele; outros viajam no sangue e chegam até os órgãos internos vitais. Não há que duvidar que Israel, tal como outros povos antigos, era infestado por vermes, tanto ou mais que as nações modernas. O caso mencionado em Atos 12:23 onde se lê que Herodes foi comido de «vermes», pode apontar para larvas de moscas, que podem ter sido depositadas em alguma ferida aberta do corpo dele, embora não haja maneira de determinar exatamente o que esteve envolvido.

II. Enfermidades Mentais

1. **Loucura**. No hebraico, **shigganon**, que ocorre apenas por duas vezes: Deu. 28:28 e Zac. 12:4. Os trechos de I Sam. 21:15 e Pro. 26:18 mencionam casos de loucura. Temos o famoso caso da insanidade temporária de Nabucodonosor, e que o profeta disse que foi castigo por seu orgulho (Dan. 4:25,32-34). No grego, *seleniázomai*, «lunático», que aparece somente por duas vezes: Mat. 4:24 e 17:15. Na primeira dessas referências, esse estado mental é distinguido da influência demoníaca. Esse termo grego vem do latim, *luna*, «lua», referindo-se à suposta influência da lua sobre as mentes dos homens, tornando-os loucos ou, pelo menos, desequilibrados. Há alguma evidência científica em favor da idéia. Há pessoas que realmente sofrem efeitos dessa ordem. Os antigos, porém, inclinavam-se por atribuir todas as enfermidades à atividade dos demônios, sobretudo quando havia algum distúrbio mental patente. É verdade, contudo, que certos casos de insanidade são causados por influências ou possessões demoníacas, casos esses que podem ser instantaneamente curados pelo *exorcismo*. Outros casos, entretanto, têm causas físicas ou psicológicas, como o desequilíbrio da química do cérebro, a ausência de hormônios, ou injúrias contra o cérebro.

2. *Possessão demoníaca*. Fazia parte da crença dos antigos que todas as formas de enfermidade, incluindo aquelas de natureza mental, eram causadas pela atividade de espíritos destrutivos e invisíveis. O Novo Testamento reflete essa crença, embora o trecho de Mateus 4:24 faça distinção entre a verdadeira insanidade e os casos de possessão demoníaca. Jesus podia curar todos os casos, sem importar a natureza exata dos mesmos. O trecho de Marcos 5:1-20 fala sobre um caso de insanidade causado por poderes demoníacos. Os antigos acreditavam que a mente humana está sujeita a mentes malignas espirituais. Um exemplo cru dessa crença era o costume que eles tinham de fazer uma perfuração no crânio da pessoa afetada, — para permitir a saída do espírito maligno pelo buraco. Muitos cemitérios antigos testificam isso. Um cemitério desses mostrou que dos cento e vinte crânios examinados, seis haviam sido perfurados. As demonologias antigas falavam sobre demônios específicos que causavam enfermidades específicas. Havia muitos nomes de demônios supostamente envolvidos nessa especialidade. Apesar das cruas noções que os antigos tinham, há provas abundantes, nos tempos modernos, em prol da crença que *alguns* casos de insanidade são, realmente, causados por entidades espirituais externas, e não por agentes psicológicos ou físicos da própria pessoa. Tais casos podem ser curados imediatamente pelo exorcismo bem-sucedido. Ver os artigos separados sobre a *Loucura*, a *Possessão Demoníaca* e os *Demônios*.

III. Tratamento das Enfermidades na Antiguidade

Sempre houve a esperança de alguma cura divina ou espiritual, e quase todas as culturas antigas compartilhavam da crença nessa possibilidade. Ver o artigo separado sobre *Curas*. Ver também sobre *Curas, Dom de*. Visto que os extratos de plantas continuam sendo um importante aspecto das curas físicas, não há razão para duvidar que todas as culturas antigas haviam descoberto muitas curas por meio de plantas. As descobertas arqueológicas mostram que há milênios os cirurgiões vêm fazendo intervenções em pacientes; e evidências recentes chegam a mostrar casos de cirurgias no cérebro. Os hebreus, porém, eram grandemente inferiores a seus poderosos vizinhos do Egito, da Assíria e da Grécia, em todas as formas de atividade científica, incluindo a medicina. No Antigo Testamento não há qualquer alusão sobre atividades científicas relacionadas às doenças, e nem mesmo relacionadas a qualquer outro

ENFERMIDADES NA BÍBLIA

campo do conhecimento humano. A religião era tudo em Israel, excetuando as instruções militares, que também eram ministradas, se não nas escolas, em quartéis, de maneira formal. Os vizinhos de Israel, em contraste com isso, envolviam-se nas ciências da matemática, da astronomia, da lógica, da metafísica, da lei e da medicina. Muitos livros ou porções de livros chegaram até nós, tratando sobre questões científicas. Mas, dos tempos veterotestamentários, dentre a cultura dos hebreus, temos somente o próprio Antigo Testamento; e, de tempos posteriores, outros volumes sagrados. A despeito de ter estado no Egito por várias gerações, onde as ciências floresciam, Israel não se interessou por questões científicas. Os estudos talmúdicos foram extensos, tendo havido muitos grandes mestres e estudantes diligentes; mas as questões religiosas sempre foram o assunto apaixonante, e qualquer outra matéria de estudo entrava nesses estudos apenas incidentalmente.

Devido à ausência de referências a qualquer tipo de profissão médica ou de ciências, no Antigo Testamento, podemos ter quase absoluta certeza de que em Israel não havia tais atividades. Há menção a parteiras (ver Gên. 35:17; 38:27-39; Êxo. 1:15), e podemos presumir que, através da prática, elas aprenderam muita coisa sobre a questão; mas elas não formavam uma classe profissional, devidamente instruída. Não há qualquer alusão à existência de médicos que se ocupassem em cuidar dos enfermos e curá-los. Havia a operação simples da circuncisão, que era realizada pelos chefes de família ou por outras pessoas (Gên. 17:10-14,23-27), até mesmo por mulheres (Êxo. 4:25), mas não havia qualquer classe que se ocupava profissionalmente da medicina.

A lei mosaica tinha algumas provisões concernentes às curas (Exo. 21:19), mas não havia nenhum código médico. O trecho de Gênesis 50:2 mostra que os médicos egípcios embalsamaram Jacó; mas esses médicos eram egípcios, e não judeus. Jó também menciona médicos (Jó 13:4), o que parece ser uma das raríssimas alusões a alguma classe de pessoas ocupada nessa atividade. Entretanto, esse termo veio a ser compreendido em sentido geral, como aqueles que procuravam curar, mas sem indicar qualquer classe profissional. Os médicos de Asa (II Crô. 16:12) poderiam ser nativos ou estrangeiros. É possível, contudo, que, na época desse rei, uma classe médica tivesse começado a surgir. Apesar de haver alusão a médicos na expressão «Acaso não há bálsamo em Gileade? ou não há lá médico?» (Jer. 8:22), não subentende, necessariamente, a existência de uma classe médica, mas somente aqueles que usavam vários remédios caseiros, que procuravam curar doentes. Outro tanto pode ser dito acerca de trechos como Prov. 3:8; 12:18; 17:22; 20:30; 29:1 e Ecl. 3:3, que, presumivelmente, mostram que Salomão era versado em assuntos de medicina. O que é certo é que os hebreus, como todos os outros povos, tinham suas medicinas naturalistas, que empregavam ervas medicinais; mas não há qualquer evidência sólida da existência de uma classe de médicos profissionais. As referências muito gerais e inexatas às enfermidades, nas páginas do Antigo Testamento, mostram que não havia qualquer ciência médica em Israel.

Em contraste com isso, temos os egípcios que mostravam um conhecimento notavelmente preciso de questões anatômicas, talvez por causa de sua prática de embalsamamento. Eles conheciam até mesmo a anatomia dos animais. Eles tinham um sistema de patologia, cultivavam ervas medicinais e até tinham médicos especializados em condições patológicas específicas. Os israelitas, excetuando alguns poucos

indivíduos, geralmente eram analfabetos, pelo que conseguiram derivar do Egito um conhecimento científico bem pequeno. A lei mosaica incluía certo número de excelentes medidas higiênicas; mas, quando se tratava de curar enfermidades, os israelitas deixavam muito a desejar. Eles tinham a tendência de retornar aos rituais religiosos, bem como à providência divina, na cura das enfermidades (Êxo. 15:26; Sal. 103:3; 147:3; Isa. 30:26). Quando Asa buscou os médicos, e não ao Senhor (II Crô. 16:12), aparentemente ele foi considerado como quem laborava em erro. O comentário de John Gill sobre essa passagem é bastante instrutiva no que diz respeito à questão inteira dos médicos, no tocante à cultura dos hebreus. Ele supôs que esses médicos eram encantadores, talvez até mesmo adivinhos pagãos, que usavam ervas, encantamentos, etc. Diz John Gill que essa é a primeira vez que, entre os judeus, são mencionados médicos, dando-nos uma série de referências à literatura judaica, de onde podemos extrair as seguintes idéias:

«**Os judeus não tinham os médicos em boa conta; os** melhores dentre eles, diziam os judeus, merecem o inferno, e aconselhavam que os homens não vivessem em uma cidade onde o homem principal fosse médico». Em contraste com isso, John Gill salienta que o livro de Eclesiástico (38:1-8) recomenda efusivamente a profissão médica. E o imperador Juliano honrava aos médicos, pensando que certamente estavam com a razão os filósofos que diziam que a arte da medicina caiu do céu. A aversão dos judeus pelos médicos provavelmente origina-se no fato de que os encantamentos dos pagãos, ou mesmo a mais franca bruxaria, faziam parte das mais antigas práticas médicas. Ver o artigo separado sobre os *Medicina (Médicos)* e *Medicina, Ética da.*

Nos tempos do Novo Testamento encontramos um período que reflete o acúmulo de conhecimentos derivados das culturas antigas, dos egípcios, dos babilônios, dos gregos e dos romanos. Essas sociedades haviam cultivado várias ciências. Havia uma classe médica; e Lucas, o evangelista, aparece como médico, em Colossenses 4:14. Paulo teve a coragem de chamá-lo de «médico amado», juntando esses dois termos de um modo como nunca teria sido feito nos dias do Antigo Testamento. Portanto, a profissão médica havia feito grandes progressos, no conceito dos hebreus e na cultura judaica. É significativo e interessante observar que foi esse médico educado que nos proveu a história de Lucas-Atos, o maior bloco de material escrito por qualquer autor isolado do Novo Testamento. Apesar de Paulo haver escrito treze epístolas, o volume total é menor que o dos escritos de Lucas. O excelente grego usado por Lucas reflete sua educação superior, melhor que a da maioria dos outros autores do Novo Testamento. Os trechos de Marcos 5:26 e Lucas 8:43 mostram que a classe dos médicos era numerosa. Substâncias vegetais e animais eram usadas como medicamentos, incluindo o anis, o bálsamo, o cálamo, a cássia, o cinamomo, a galha, a hortelã, a mirra e o vinho, além de outras numerosas demais para serem mencionadas. Naturalmente, os antigos ritos pagãos e os encantamentos prosseguiram, juntamente com a prática do exorcismo. Apesar de que, segundo os padrões modernos, a medicina antiga fosse crua, ela era capaz de manusear pelo menos uma boa variedade de enfermidades. Jesus teve o intervir quando os médicos falharam (Mar. 5:26). Além disso, eles cobravam altos proventos, como até hoje (Luc. 8:43), pelo que uma pessoa podia gastar tudo quanto possuía, em busca de cura.

ENFERMIDADES NA BÍBLIA

IV. A Teologia da Doença

Deus tencionava que os homens adoecessem? Deus deixa que os homens adoeçam por causa do pecado? O homem espiritual precisa sofrer enfermidades? Na expiação pelo sangue de Cristo está incluída a cura dos males físicos? Qual é a origem das enfermidades? Qual será o resultado final de tudo isso? Essas são as perguntas que os filósofos e teólogos continuam fazendo.

1. Origem das Enfermidades. A resposta bíblica moral, e também aquela refletida pelos teólogos cristãos, é que o pecado encontra-se à raiz do problema das enfermidades. Presumivelmente, o primeiro homem era um ser *físico* imortal, e poderia ter continuado a viver nesse estado. Como ser imortal, ele não estava sujeito às doenças. Porém, o pecado pôs fim a essa forma de imortalidade, e foi justamente então que as enfermidades entraram no quadro. O conceito que derivamos dos escritos de Platão é que a própria *matéria* está sujeita à desintegração, inteiramente à parte do problema moral. Portanto, quando a alma humana resolveu experimentar a cena terrestre, e rebaixou-se moralmente, tornou-se sujeita à materialidade. Tornando-se sujeita à matéria e suas manifestações, ela teve de sofrer, naturalmente, a enfermidade, e até mesmo a morte, o que, felizmente, liberta a alma de sua prisão ou sepulcro, conforme Platão denominava o corpo físico. Até onde sou capaz de ver as coisas, por mais inexatos que tenham sido os detalhes oferecidos por Platão, sua idéia central é superior àquela outra. Penso que é altamente improvável que o homem tenha sido alguma vez um ser imortal *material*; é mais improvável ainda que ele tivesse podido manter-se nesse estado. A matéria por si mesma desintegra-se, decompõe-se, e coisa alguma material pode ser imortal ou eterna. Não é provável que o pecado tenha rebaixado a qualidade da *matéria*, reduzindo-a a algo que, antes, ela não havia sido. Estou convencido de que a teologia cristã tem explorado demasiadamente a narrativa do livro de Gênesis, fazendo-a dizer mais do que ela tenciona dizer ou poderia dizer, no tocante ao problema da imortalidade física e das subseqüentes enfermidades e morte do corpo. É melhor dar aqui uma resposta existencial. A matéria envolve desintegração, enfermidade e morte, por sua própria *natureza*, mesmo que não haja o concurso do pecado. E o espírito envolve a imortalidade, por sua própria natureza, embora, no momento, toda imortalidade dependa do Espírito de Deus e de sua graça sustentadora.

2. Conexão Vital entre o Pecado e as Enfermidades. Apesar de não termos de olhar para o pecado como a explicação absoluta da *origem* das enfermidades físicas e da morte, nos casos práticos a conexão entre essas duas coisas é por demais óbvia para precisar de defesa. Há uma conexão vital entre o pecado e as enfermidades. Muitos pecados produzem doenças específicas, como é o caso conspícuo das doenças venéreas. A medicina moderna cada vez mais está ligando hábitos e atitudes mentais às enfermidades. Mesmo quando isso não *causa* as enfermidades como agentes primários, eles encorajam a atividades das bactérias e dos vírus, baixando a atividade dos sistemas de defesa natural do corpo físico. Aquele que odeia e vive com o coração rancoroso, está convidando o câncer, embora, como é óbvio, o câncer possa ocorrer inteiramente à parte dessas influências. Era comum na teologia dos hebreus relacionar doenças específicas a pecados específicos, e essa idéia tem continuado a ser defendida por alguns pensadores modernos.

Aqueles que acreditam na reencarnação dizem-nos que o elo entre o pecado e as enfermidades não se aplica somente a esta vida. Eles afirmam que os problemas mentais e morais de vidas anteriores podem manifestar-se na vida presente, produzindo enfermidades. Em favor dessa suposição é o fato de que as curas, algumas vezes, podem ser produzidas pela regressão hipnótica (ou psicoterapêutica). Quando uma pessoa percebe *por que* se acha doente de certa maneira, algumas vezes pode ser curada prontamente. — **Esse porquê** nem sempre pode ser explicado pelas circunstâncias da vida presente. Médicos de grande reputação têm-se envolvido nessa forma de cura. Alguns acreditam na teoria por detrás da idéia, de que o desvendamento de *causas* em vidas anteriores pode ajudar na cura de enfermidades presentes. Outros não crêem nessa teoria, supondo que o que então acontece é que os mecanismos naturais de cura de uma pessoa podem ser ativados se a pessoa *acredita* que descobriu a razão para sua enfermidade. Mas tal descoberta mostra-se eficaz, mesmo que a razão descoberta resida em uma pseudovida passada, que a mente subconsciente da pessoa inventa com esse propósito. Sem importar qual seja a verdade envolvida em tudo isso, o que é óbvio é que há uma fortíssima ligação entre o pecado e as enfermidades. As pessoas dotadas de mente saudável, o que inclui a saúde espiritual, mostram-se mais saudáveis no corpo. A evidência em favor disso é avassaladora.

3. O Homem Espiritual Pode Adoecer? As enfermidades são necessárias? Platão teve a boa sorte de desfrutar de grande saúde física. Quando já tinha mais de oitenta anos de idade, continuava conservando suas forças. O dia em que ele morreu foi como qualquer outro. — Ele estava com seus amigos, por ocasião da festa de casamento de um amigo, e estava ocupado em seus usuais diálogos filosóficos. Estava planejando um novo diálogo, uma nova investigação. Subitamente, faleceu. Teria sido um derrame cerebral? Teria sido um ataque cardíaco? Não sabemos dizê-lo; mas sabemos que sua morte foi rápida e fácil, e que Platão não experimentou um longo período de enfermidade e incapacidade física, que, finalmente, chegou a um desfecho. A morte pode sobrevir dessa maneira a todos os homens espirituais? Vamos além dessa proposição, fazendo a seguinte indagação: a morte é necessária, afinal? Algumas pessoas profundamente espirituais têm postulado a idéia de que uma grande espiritualidade poderia libertar-nos tanto das enfermidades quanto da morte, porquanto isso resultaria em uma espécie de arrebatamento espiritual, como aquele que Elias experimentou. Tenho lido apenas sobre um caso moderno, que parece ser genuíno. Seja como for, não é provável que, por enquanto, esse ideal possa ser atingido por muitas pessoas. Isso nos deixa debatendo com as enfermidades e com a morte. Portanto, precisamos ainda ventilar a pergunta: o homem espiritual pode adoecer, ou suas enfermidades seriam um sinal de defeitos secretos e pecados? A resposta dada por Paulo é que um homem espiritual *pode* adoecer, pois ele mesmo sofreu uma aflição que não foi aliviada, embora ele tivesse procurado curar-se da mesma, por três vezes, com grande diligência. A resposta obtida por ele foi que sua enfermidade tinha um *propósito*, a saber, que ele precisava aprender a confiar no Senhor, e não em si mesmo, e que a fraqueza do homem pode ser transformada em fortaleza, se o homem depender devidamente do Senhor. Ver II Cor. 12:7 ss.

4. Propósitos das Enfermidades. Observe o leitor o

ENFERMIDADES — ENGANO

plural, «propósitos». Aqueles que ensinam que o homem espiritual nunca deveria adoecer, esquecem-se de alguns fatos importantes: a. Em *primeiro lugar*, tudo quanto estiver envolvido na matéria, forçosamente precisa passar pelo processo de degeneração, e isso inclui as enfermidades. Esse é o nosso estado como seres mortais. Essa regra funciona cem por cento, porquanto, de outro modo, as pessoas não morreriam. b. Em *segundo lugar*, o pecado não é a *única* causa das enfermidades. Há *outras causas*. No caso de Paulo, ele recebeu uma aflição, um espinho na carne, a fim de manter-se humilde, em meio a todas as suas exaltadas experiências espirituais. Evidentemente, ele poderia ter ficado muito orgulhoso de sua espiritualidade (como sucede a tanta gente!). Supõem os intérpretes que Paulo sofria de alguma afecção dos olhos (ver a exposição sobre Gál. 6:11, no NTI). Por três vezes ele buscou ao Senhor, pedindo livramento. Mas este não lhe foi concedido porque, em sua *debilidade*, ele deveria aprender a confiar na força do Senhor (II Cor. 12:9). Portanto, aquele espinho tornou-se uma medida da *graça divina* para fortalecê-lo, conforme esse mesmo versículo nos mostra. Portanto, podemos falar em enfermidades em termos de graça divina, e não em termos de castigo contra o pecado, pelo menos em alguns casos. c. Em *terceiro lugar*, a experiência humana demonstra que as pessoas espirituais não são menos sujeitas às enfermidades que as pessoas ímpias. A experiência humana também mostra que *todos* aqueles que dizem que o crente não precisa ficar doente, e que se consideram pessoas santificadas, finalmente adoecem, e mesmo morrem. Nunca vi uma exceção a essa regra. A menos que seja morto em algum acidente, o corpo humano só morre por causa de alguma condição patológica. Algumas dessas condições atuam lentamente; outras atuam rapidamente; mas todas elas são formas de enfermidade. 4. Em *quarto lugar*, a experiência humana demonstra que as enfermidades produzem certo benefício espiritual para algumas pessoas, que aprendem como tirar proveito da sua condição. Como é óbvio, é melhor estarmos bem do que estarmos doentes; mas a escolha nem sempre é nossa, e, finalmente, não temos escolha: acabamos doentes.

5. Há cura na Expiação de Cristo? Se contássemos apenas com o trecho de Isaías 53:4 que é interpretado como se incluísse as enfermidades referidas em Mateus 8:17, poderíamos supor que a expiação no sangue de Cristo incluiu, automaticamente as enfermidades físicas. O contexto do oitavo capítulo de Mateus é o ministério de cura de Jesus. Se a expiação inclui a cura das enfermidades, então temos o direito de viver livres de doenças, da mesma forma que temos o direito de viver livres das conseqüências eternas do pecado. No tocante a isso, quero observar estes pontos: a. embora isentos do pecado no sentido judicial que não seremos condenados por causa do mesmo, nossas vidas ainda têm muitos pecados. b. *Logo*, mesmo que tivéssemos o direito de estar livres das enfermidades e tivéssemos o direito de orar pela cura, em face da expiação, ainda assim poderíamos estar cheios de enfermidades. Isso sucede assim porque somente no estado imortal os efeitos da expiação serão levados à sua mais plena fruição. No presente, no tocante ao pecado e às enfermidades, o conflito continua. Já recebemos a primeira prestação, mas ainda não entramos na plena possessão que nos pertence. c. Outrossim, apesar de termos esse texto de Mateus 8:17, a doutrina da expiação, conforme é esboçada por Paulo, nunca inclui o problema das enfermidades físicas, pelo que é duvidoso que se possa fazer essa inclusão de forma dogmática. Notemos igualmente, no mesmo contexto do oitavo capítulo de Mateus, foi a *vida terrena* de Jesus que trazia a cura de enfermidades físicas, e não a sua expiação. Podemos afirmar, portanto, que Mateus usou aquele texto de Isaías de maneira bastante livre, indicando certa variedade de benefícios derivados do ministério do Messias. Ele não estava fazendo uma declaração dogmática acerca da expiação. d. Não obstante, visto que, em um sentido muito geral, todos os benefícios que recebemos da parte de Cristo dependem, antes de tudo, de sua bem sucedida expiação pelo pecado, podemos considerar que a cura das mazelas do corpo está ligada ao ato expiatório, embora não dogmaticamente garantida pelo mesmo. e. No sentido *escatológico*, a expiação é uma das causas da eliminação das enfermidades, embora não a cura necessária do corpo humano. O corpo espiritual não estará sujeito às enfermidades; pelo que no mundo espiritual há cura, mas não do corpo físico. Antes, há uma *substituição*, de modo a eliminar todos os problemas da *mortalidade*, incluindo as enfermidades. (ND NTI SHO UN Z)

ENFORCAMENTO

Ver o artigo geral sobre **Crimes e Castigos**. Há alusões bíblicas a verdadeiros enforcamentos, como nos casos de Aitofel (II Sam. 17:23) e de Judas Iscariotes (Mat. 27:5), ambos por suicídio. Ver também Tobias 2:3; 3:10 e Josefo (*Anti.* 16:11,7). A crucificação não era um enforcamento, embora também haja alusão ao ato de ficar pendurado (na cruz). Ver Gál. 3:13, que alude a Deu. 21:23. E também havia a prática de pendurar cadáveres em uma árvore, para ficarem expostos, sujeitos à ignomínia, conforme se vêm em Gên. 40:19,22; 41:13; Deu. 21:23.

A forca (no hebraico, *ets*, «árvore», «madeiro») só é mencionada na Bíblia no livro de Ester (5:14; 6:4; 7:9,10; 8:7; 9:13,25). Hamã mandou fazer uma imensa forca, a fim de nela executar o judeu Mordecai. Porém, muitos eruditos acreditam que o texto do livro de Ester não se refere ao enforcamento, no sentido moderno. Antes, na Pérsia praticava-se a *empalação*.

ENGANO, ENGANAR

Há várias palavras hebraicas e gregas envolvidas neste verbete:

1. *Hathal*, «enganar», «zombar». Palavra hebraica usada por dez vezes, como em Gên. 31:7; Jer. 9:5; Juí. 16:10,13,15; I Reis 18:27; Jó 13:9.

2. *Kachash*, «mentir», «fingir». Palavra hebraica que ocorre por vinte e duas vezes. Para exemplificar: Zac. 13:4; Osé. 7:3; 10:13; 11:12; Naum 3:1.

3. *Nasha*, «guiar errado». Palavra hebraica usada por treze vezes, como, por exemplo, em I Reis 18:29; 19:10; II Crô. 32:15; Isa. 36:14; 37:10; Jer. 4:10; 29:8; 37:9; 49:16; Oba. 3:7.

4. *Pathah*, «enganar», «persuadir». Termo hebraico que aparece por vinte e sete vezes, como, por exemplo, em II Sam. 3:25; Pro. 24:28; Jer. 20:7; Eze. 14:9; Êxo. 22:16; Juí. 14:15; 16:5; Pro. 1:10; 16:29.

5. *Ramah*, «enganar», isto é, «deixar de lado». Termo hebraico usado por oito vezes com esse sentido. Para exemplificar: I Sam. 19:17; 28:12; II Sam. 19:26; Pro. 26:19; Lam. 1:19; Gên. 29:25; Jos. 9:22.

6. *Shalah*, «enganar», «desviar». Palavra hebraica que ocorre por somente uma vez, com esse sentido, a

ENGANO, ENGANAR — ENGELS

saber, em II Reis 4:28.

7. *Apatáo*, «enganar». Palavra grega que, como verbo ou substantivo, ocorre por dez vezes: Efé. 5:6; I Tim. 2:14; Tia. 1:26; Mat. 13:22; Mar. 4:19; Efé. 4:22; Col. 2:8; II Tes. 2:10; Heb. 3:13; II Ped. 2:13.

8. *Eksapatáo*, «enganar gravemente». Palavra grega que figura por seis vezes: Rom. 7:11; 16:18; I Cor. 3:18; II Cor. 11:3; II Tes. 2:3; I Tim. 2:14.

9. *Paralogízomai*, «raciocinar errado». Termo grego usado por duas vezes: Col. 2:14 e Tia. 1:22.

10. *Planáo*, «enganar». Vocábulo grego que aparece por trinta e oito vezes como verbo e por dez vezes como substantivo. Alguns exemplos do verbo: Mat. 18:12,13; Mar. 12:24,27; Luc. 21:8; João 7:12,47; I Cor. 6:9; Gál. 6:7; Tito 3:3; Heb. 3:10; Tia. 1:16; I Ped. 2:25; I João 1:8; Apo. 2:20; 12:9; 13:14. Como substantivo: Mat. 27:64; Rom. 1:27; Efé. 4:14; I João 4:6; Jud. 11.

11. *Phrenapatáo*, «enganar a mente». Palavra grega que ocorre exclusivamente em Gál. 6:3 como verbo, e em Tito 1:10 como substantivo.

Enganar é dizer ou realizar atos cujo propósito é iludir outras pessoas, em face de algum motivo ou intuito ocultos. Enganar é dar uma falsa impressão. As Escrituras sempre condenam o ato (Jer. 23:26). Por detrás do engano, quase sempre há um motivo egoísta. Mas, há casos em que o propósito é misericordioso e altruísta, como aquele caso clássico de não informar um ente amado de que ele (ou ela) tem uma doença fatal, sendo melhor não preocupar a pessoa enferma com pressões psicológicas, se ela viesse a saber de seu verdadeiro estado. Os filósofos discutem essa questão e buscam determinar se, em tais casos, o engano é permissível, ou mesmo desejável. Uma solução razoável para o problema parece ser que o ludíbrio, quando motivado pelo egoísmo, é errado. Porém, em alguns casos, nos quais o motivo é misericordioso ou altruísta, é permissível enganar, o que pode envolver, até mesmo, um ato de amor. Esse ato, porém, dève ser distinguido daqueles nos quais a pessoa enganada realmente está sendo prejudicada e burlada, sem o saber. Se, mediante um truque sujo, por exemplo, eu defraudo a alguém para tirar-lhe o dinheiro ou a propriedade, eu poderia raciocinar que se esse alguém nunca viesse a descobrir o fato, ele ficará psicologicamente calmo, pelo que seria melhor nunca vir a saber da realidade. Pois, embora tal pessoa tenha sido enganada (pois poderia ter ganho alguma coisa, mas não ganhou), ela não sabe disso, e, consequentemente, não sofre. Isso não poderia ser tachado de ato de misericórdia, mas sim, — um ato de furto, pois a vítima sofreu uma *perda*, e não um benefício. O engano só é permissível quando a pessoa enganada ganha alguma coisa.

Satanás é o grande mestre do engano (I Tim. 2:14; Apo. 20:8,10). Em contraste com isso, no Senhor Jesus nunca se achou dolo (I Ped. 2:22). O trecho de II Coríntios 12:16 não pode ser usado como texto de prova de que enganar seja apropriado em qualquer sentido, pois ali Paulo fala de modo irônico.

Enganar uma pessoa é persuadi-la a acreditar em algo que não corresponde à realidade dos fatos, ou fazê-la pensar que o lógico é ilógico, e vice-versa. Satanás enganou Eva (Gên. 3:13). Os midianitas iludiram o povo de Israel para que praticassem idolatria e imoralidade (Núm. 25:18). Os gibeonitas, fingindo-se de viajantes que vinham de longe, enganaram a Josué (Jos. 9:22).

O Novo Testamento adverte contra os falsos mestres que são especialistas no engodo (Rom. 16:18;

Col. 2:18; II Ped. 2:14; II Tes. 2:3; Col. 2:24). Essas advertências referem-se por duas vezes à narrativa do engodo em que caiu Eva (II Cor. 11:3; I Tim. 2:14). Uma das piores formas de engano é aquela em que **uma pessoa se impõe**, a fim de preservar crenças somente para manter a sua tranqüilidade mental, sustentando alguma falsidade, mesmo quando acumulam-se evidências acerca da falsidade daquelas crenças. (A Z)

ENGELS, FRIEDRICH

Suas datas foram 1820-1895. Foi um filósofo marxista. Nasceu em Barmen, na Alemanha. Era filho de um industrial que tinha extensos interesses comerciais em Manchester, na Inglaterra. Engels foi co-fundador do movimento marxista, além de ter sido o amigo mais íntimo de Karl Marx (que vide) e seu colaborador por muitos anos. Foi o estruturador da filosofia marxista, após o falecimento de Marx, tendo editado o segundo e o terceiro volumes da obra *Capital*, além de haver cuidado de sua publicação.

1. Quanto a um sumário geral da filosofia marxista, ver o artigo sobre o *Marxismo* (especialmente em seu terceiro ponto). Ver também sobre o *Comunismo*. No tocante à sua moderna aplicação teológica, ver sobre a *Teologia da Libertação*. Esta é tão importante, dentro da história do catolicismo romano, que o papa foi forçado a aceitar suas idéias, para não haver um terceiro cisma, semelhante àquele que dividiu a Igreja Católica em Igreja Católica Romana e em Igreja Ortodoxa Oriental e àquele que resultou na formação das igrejas protestantes. Se esse terceiro cisma se concretizasse, teríamos uma grande divisão do catolicismo romano, na América do Sul. Uma das contribuições de Engels, para a estrutura filosófica do comunismo, foi a introdução da dialética hegeliana, com sua tríada, conferindo-lhe uma filosofia dogmática da história. Esse detalhe é explicado no artigo sobre o *Comunismo*. Nessa conexão, ver uma completa explicação sobre o uso que Hegel fazia sobre a tríada de *tese-antítese-síntese*, no artigo a seu respeito.

2. O próprio Engels não fazia da *economia* um elemento todo-poderoso em seu sistema, mas parece que acreditava que os fatores econômicos são uma das forças que, juntamente com outras, como o fator político, moldam a natureza de um Estado. Outras entidades culturais, além da econômica, são forças contribuintes.

3. A filosofia resultante tornou-se toda-poderosa na União Soviética, de tal maneira que *todos os filósofos*, nas universidades russas, precisam submeter-se à teoria básica do comunismo, sob pena de não poderem tornar-se professores. Portanto, temos ali uma incrível destruição do espírito naturalmente pesquisador e especulativo dos filósofos. Na verdade, somente através da cóerção ou da exclusão se consegue chegar ao consenso de opiniões entre os filósofos, sobre qualquer assunto, mormente sobre um assunto tão importante quanto é o da *filosofia política* (um dos seis ramos tradicionais da filosofia).

4. É curioso observar que o dinheiro que sustentava Marx, possibilitando a propagação de suas idéias, tenha provindo de seu amigo Engels, cujo pai tinha fábricas na Inglaterra. Portanto, seu sustento provinha de meios capitalistas! Também é curioso que, ajudado por esse dinheiro, Engels tornou-se o fundador da Liga Comunista dos socialistas holandeses, ingleses, franceses e alemães; e então, em parceria com Marx, ele organizou a Primeira Socialista Internacional, em 1864. Mais tarde na vida,

ENGI SHIKI — ENOM

Engels retirou-se da gerência industrial e passou a viver de rendas, das suas propriedades! Em seu testamento, Engels deixou todas as suas propriedades para os filhos de Karl Marx, de tal modo que eles tornaram-se proprietários, em contradição direta com o ideal comunista. Portanto, temos nisso o espetáculo de um rico aristocrata que financiou o nascimento e os primeiros passos do movimento comunista. Antes de sua morte, porém, Engels nunca quis desfazer-se de suas possessões e propriedades; e, quando morreu, enriqueceu os filhos de Karl Marx, os quais, presumivelmente, passaram a viver confortavelmente apoiados no dinheiro aplicado aos moldes capitalistas, isentos dos fatores debilitantes do ideal comunista. A grande verdade é que o comunismo funciona melhor — conforme alguns governos comunistas têm reconhecido ultimamente — quando algum dinheiro e alguns métodos capitalistas são injetados no mesmo. Em nossos dias, a China está buscando financiamento capitalista, bem como a **tecnologia ocidental, porquanto, segundo as autoridades políticas chinesas mesmas têm admitido, as** teorias de Karl Marx não são adequadas para solucionar os problemas chineses.

Escritos. As obras de Engels foram de natureza principalmente polêmica, em defesa de sua crença no determinismo econômico da história (à la Hegel). Ele também procurou mostrar as debilidades dos estados democráticos, afirmando que tanto a revolução popular quanto a ditadura são necessárias para estabelecer o socialismo no mundo. Suas obras principais, com títulos em inglês, são: *Conditions of the Working Class in England; Herr Eugen Duhring's Revolution in Science; The Origin of the Family, Private Property and State*; e o segundo e o terceiro volumes de *Das Kapital* foram editados e publicados por ele. Em parceria com Karl Marx, ele publicou o *Manifesto Comunista* (1848), que foi a obra mais famosa dos dois. (AM P)

ENGI SHIKI

Em japonês, «As Cerimônias de Engi». Essa obra consiste em uma compilação feita por Engi Era, que viveu na primeira metade do século X D.C., contando a história do Japão. Essa compilação foi publicada em 927 D.C., envolvendo uma coleção de cinqüenta livros, que relatam a antiga vida na corte e as cerimônias efetuadas nos santuários xintoístas.

ENIGMA

No hebraico, tal como no grego (**ainigma**), a palavra significa declaração obscura, quebra-cabeça. Os enigmas eram de uso comum, por todo o mundo bíblico. Arbitrariamente, pode-se distinguir entre um **quebra-cabeça e uma fábula ou um enigma. Mas o ponto central de um quebra-cabeça é deixar o ouvinte** confuso. Os enigmas podem ser concebidos como declarações místicas que, embora difíceis de compreender, não são difíceis quanto ao seu desígnio. O que cria a dificuldade pode ser a falta de melhores informações por parte do ouvinte. Por sua vez, uma fábula é apenas uma narrativa fictícia (com freqüência envolvendo membros da flora ou da fauna), relatada a fim de transmitir alguma mensagem ou idéia espiritual. Uma fábula, embora possa ser difícil de entender, não o é necessariamente.

A principal palavra hebraica, usada por dezessete vezes, é traduzida por «enigma», «intriga», «perguntas difíceis», etc. (ver, por exemplo, Juí. 14:12-19; Eze. 17:2; I Reis 10:1; II Crô. 9:1). A raiz da palavra

hebraica significa «torcer», «evitar». Talvez a idéia é que um enigma seja uma declaração «indireta» e «**distorcida**». — **Sobre Moisés é dito que ele comungava com Deus, «face a face»,** o que é posto em contraste com as comunicações enigmáticas (ver Núm. 12:8). Estas últimas às vezes precisavam da ajuda de um intérprete. Algumas vezes a palavra é usada como um paralelo de «provérbio», como em Sal. 49:4,5, no original hebraico. O enigma de Sansão, no décimo quarto capítulo do livro de Juízes, é o mais notável exemplo de enigma de todo o Antigo Testamento. A rainha de Sabá apresentou-se a Salomão a fim de «prová-lo com perguntas difíceis» (I Reis 10:1). De acordo com Josefo, Salomão e Hirão entraram em uma competição de enigmas, e este último, com alguma ajuda, saiu-se vitorioso. O trecho de Eclesiástico 47:15 declara que Salomão era criador de enigmas. Em face disso, é surpreendente que a palavra hebraica que significa «enigma» só apareça por uma vez no livro de Provérbios (1:6), embora haja seções naquele livro que bem podem ser classificadas como enigmáticas. O trecho do décimo sétimo capítulo de Ezequiel provavelmente é mais uma fábula do que um enigma, visto que membros dos reinos animal e vegetal representam outras coisas. Poderíamos citar apenas de passagem trechos obscuros ou enigmáticos em Jer. 25:26 e 51:1.

Um enigma autêntico figura em Apocalipse 13:18, onde o número «666» aparentemente é uma referência obscura a algum indivíduo. As tentativas para interpretá-lo formam legiões, não havendo consenso entre os intérpretes. Sabemos, pelos oráculos sibilinos, que referências numéricas como essa eram comuns no mundo antigo. A palavra grega *ainígma* aparece em I Coríntios 13:12, dentro da frase: «Porque agora vemos como em espelho, obscuramente...» Alguns têm sugerido que a melhor tradução dessa sentença seria: «...como em espelho, por meio de uma palavra enigmática...»

Algumas das declarações de Jesus podem ser classificadas como enigmas (ver Luc. 22:36; João 3:1-3; 4:10-15; 6:53-59). Grande cautela precisa ser exercida na interpretação das «declarações obscuras» da Bíblia. Um cuidado especial precisa ser tomado quanto ao sentido exato das palavras nos idiomas originais. Nessa conjuntura, o contexto sempre se reveste de capital importância.

ENIPÓSTASE

Uma das muitas contorções feitas pelos teólogos, na tentativa de explicar o *mistério* da encarnação da divindade em um ser humano (no caso de Jesus), é o da *enipóstase*. Ver o artigo sobre a *Cristologia*, quanto a uma descrição sobre as muitas tentativas que têm sido feitas nesse sentido, algumas das quais reputadas ortodoxas e outras heréticas. A *enipóstase* é a doutrina que diz que a *hipóstase* (isto é, pessoa) da Deidade, que se encarnou em Cristo, incluía todos os atributos humanos em sua perfeição e que, em vista disso, a pessoa de Cristo, embora divina, era perfeitamente humana. João Damasceno (falecido em cerca de 749 D.C.) advogava essa idéia. O termo *hipóstase* também tem sido sujeitado a muitas distorções e distinções sem base, que conferem à Cristologia uma natureza intrincada, até mesmo exasperada, porquanto os homens tentam reduzir um **mistério divino à maneira de pensar dos homens. Ver o artigo separado sobre Mistério.**

ENOM

No grego, **fontes**, nome de um lugar perto de Salim,

ENOQUE — ENOQUE, LIVRO DE

onde João Batista imergia os penitentes. (Ver João 3:23). Ali havia muita água, pelo que o ato de batismo ou imersão tornava-se conveniente. Visto que o batismo cristão, quanto à forma, seguia o modelo do batismo judaico de prosélitos; havia a prática da imersão. Ver o artigo geral sobre o *batismo*. Quanto à localização exata, os eruditos não têm certeza. Eusébio (Onomasticon 40) situava o local a oito milhas romanas ao sul de Citópolis (Bete-Sã), e a cinqüenta e três milhas romanas a nordeste de Jerusalém. Mas outros pensam que se trata do Wady Far'a, a oito quilômetros ao norte de Jerusalém.

A alusão à «muita água», naquele trecho de João, situa essa localidade longe do vale do rio Jordão, entretanto, era bem conhecido que, no vale do Jordão, havia muita água. Todavia, essa observação pode ter sido feita de modo trivial, simplesmente porque ali se realizavam atos de imersão, o que, como é óbvio, requeriam muita água. Alguns arqueólogos têm identificado Enom com a atual Salim, a pouco mais de cinco quilômetros a leste de Nabus (Siquém). Há uma *Ainum* ali, que pode ser reflexo do nome antigo. Tem-se descoberto no local uma extensa ocupação romana, havendo fontes (no árabe, *ain*) próximas do local, no Wadi Far'a. — **Nas páginas do Novo Testamento, foi nesse lugar que houve uma discussão acerca do papel de João Batista, em face da crescente popularidade de Jesus. Devemos lembrar que João conseguiu um grande número de adeptos, e que muitos consideravam-no o Messias. Ver o NTI em Atos 18:25, acerca dessa questão. (DE S UN Z)**

ENOQUE

O significado desse nome não é certo, mas, entre as conjecturas encontramos «iniciado», «ensino», «professor», «treinado» e «dedicado». A palavra parece ser cognata da palavra hebraica por detrás das palavras de Provérbios 22:6, «Ensina a criança...» Vários personagens bíblicos tinham esse nome, a saber:

1. O filho de Caim, que deu nome à primeira cidade que Caim construiu (Gên. 4:17,18). Essa cidade ficaria a leste do Éden e talvez o seu nome tenha sido preservado em *Hanuchta*, que Ptolomeu situava na Susiana. Outras localizações têm sido propostas, mas nada se sabe com certeza. E nem se sabe sobre o homem assim chamado, exceto essa circunstância.

2. Um filho de Jarede, da linhagem piedosa de Sete. Ele foi o pai de Matusalém, que detém o recorde da mais longa vida registrada na Bíblia. Sem dúvida, Enoque foi uma pessoa incomum, homem de poder e de notável influência. Lemos a seu respeito: «Andou Enoque com Deus e já não era, porque Deus o tomou para si» (Gên. 5:24). Naturalmente, isso significa que ele foi a primeira pessoa a ser arrebatada, sem passar pela morte. Ver sobre a *Parousia*, quanto a elementos sobre o *arrebatamento cristão*, que promete generalizar, entre todos os remidos, a experiência de Enoque. Elias também passou por essa experiência. Em nosso artigo sobre *Eliseu*, quinto ponto, «Testemunha do Arrebatamento de Elias», oferecemos comentários que o leitor achará interessantes, incluindo casos modernos de translação.

Enoque foi arrebatado depois de ter vivido trezentos e sessenta e cinco anos. O trecho de Hebreus 11:5 alista-o como um dos heróis da fé. A tipologia cristã faz dele um tipo de Igreja que, na opinião de alguns, será arrebatada antes da Grande Tribulação, da mesma maneira que Enoque foi arrebatado antes do dilúvio, um tipo da Grande Tribulação. Enoque foi o avô de Noé.

Figuras como Enoque sempre criam lendas a seu respeito. E, usualmente, alguns livros são atribuídos a personagens assim, o que se deu também com Enoque. Visto que Enoque teria sido levado corporalmente para o céu, isso fez com que escritores posteriores produzissem por escrito o que ele (presumivelmente) viu. Os escritos apócrifos sempre tentam preencher os hiatos, sobre os quais nada se conhece. Os livros a ele atribuídos (ver sobre *Enoque, Livros de*), de acordo com alguns são os mais importantes entre os livros pseudepígrafos, por servir de pano de fundo ao Novo Testamento. Comumente diz-se que os autores do Novo Testamento não se utilizaram dos livros apócrifos e pseudepígrafos; mas, qualquer pessoa que tenha examinado o Novo Testamento, versículo após versículo, sabe que há algumas citações, muitas alusões e muitas idéias extraídas daquelas obras. Ver o artigo geral sobre as obras *pseudepígrafas*.

Enoque é glorificado na crônica judaica. Ele teria sido o inventor das letras, da matemática e da astronomia. De fato, é reputado como o primeiro autor de livros e supõe-se que vários livros emanaram dele. Também teria sido homem que recebeu muitas visões e profecias. Presumivelmente, a literatura por ele deixada foi posta nas mãos de seu filho, e foi preservada por Noé, chegando aos dias de depois do dilúvio. Tudo isso tipifica como a matéria apócrifa é manuseada. E esse material é datado de tempos muito remotos. E aqueles que falam em uma data posterior dão explicações não muito convincentes a esse respeito. Temos algo similar no caso do *Livro de Mórmon* (que vide, sob o título *Livros Apócrifos Modernos*). As placas de ouro supostamente teriam sido enterradas em uma data antiga e, então, teriam sido descobertas no século XIX, quando, finalmente, o conteúdo dessas placas foi revelado. O Alcorão (Sur. xix) refere-se a Enoque como *o sábio*, título esse que deve ter resultado do conhecimento das tradições judaicas que circundam o livro de Enoque.

Em nossa discussão sobre as coisas curiosas que resultaram da vida de Enoque, não podemos esquecer o verdadeiro significado de sua vida. Ele demonstrou que é possível ao homem atingir uma elevadíssima espiritualidade. A epístola aos Hebreus com toda a razão incluiu o seu nome entre os heróis da fé, por causa de suas realizações espirituais.

3. Um filho de Midiã, filho de Abraão e Quetura. Ele foi o ancestral das tribos dos midianitas (Gên. 25:4; I Crô. 1:3).

4. O primeiro filho de Rúben, filho de Jacó (Gên. 46:8,9; Êxo. 6:14; Núm. 26:5; I Crô. 5:3).

ENOQUE, CIDADE DE

Uma cidade edificada por Caim, mencionada em Gên. 4:17, recebeu esse nome. Coisa alguma se conhece acerca desse lugar, exceto aquilo que é dito nesse versículo. Foi edificada e chamada *Enoque* em honra ao filho de Caim. Essa é a primeira *cidade* a ser mencionada na Bíblia. Ver sob Enoque, primeiro ponto, quanto a outros detalhes.

ENOQUE, LIVROS DE

Era apenas natural que alguns livros fossem atribuídos a Enoque. A Bíblia esclarece que ele foi arrebatado corporalmente para o céu, pelo que **se encontrava em posição de receber elevadas revelações divinas. — A curiosidade das pessoas** encarregou-se do resto. O que Enoque aprendeu? A resposta é: o que está contido nos *livros de Enoque*. Naturalmente, Enoque não foi o autor desses livros; porém, apesar disso, eles são importantes, porque

ENOQUE ESLAVÔNICO

contêm algum material que entrou no Novo Testamento, por meio de citações, de alusões e de substância de idéias, mormente no que diz respeito à tradição profética. Além disso, por si mesmos, esses livros são importantes porque constituem parte de obras não-canônicas, mas relacionadas à Bíblia, que são sempre ricos modos de ilustrar o que as pessoas associavam à herança da literatura judaico-cristã. O material descoberto que constituiu os *Manuscritos do Mar Morto* (vide) incluía várias obras pseudepígrafas, o que nos permite saber que bem perto das portas de Jerusalém, pelo menos algumas pessoas consideraram estes documentos inspirados e dignos de serem usados. Ver os artigos gerais sobre os *Livros Apócrifos* e sobre os *Pseudepígrafos*.

Há três livros que estampam o nome de Enoque. Esses livros são o Enoque Etíope (I Enoque); o Enoque Eslavônico (II Enoque); e o Enoque Hebreu (III Enoque). Abaixo discutimos sobre os mesmos, nessa ordem.

ENOQUE ESLAVÔNICO (II ENOQUE)

Esse livro também é chamado *Livro dos Segredos de Enoque*. Ver o artigo sobre o *Enoque Etíope* (I Enoque), quanto a comentários sobre o *material* usado nos livros de Enoque, que constituem a primeira porção daquele artigo.

Esboço:

I. Caracterização Geral
II. Conteúdo
III. Crenças Refletidas em II Enoque
IV. Linguagem e Proveniência
V. Data
VI. Autoria
VII. Influência Exercida por II Enoque
VIII. Descoberta de II Enoque; Texto Crítico

I. Caracterização Geral

II Enoque é um livro bastante diferente de I Enoque. Essa é outra obra atribuída a Enoque (que vide), o patriarca antediluviano que, naturalmente, não escreveu pessoalmente essa obra. Por essa razão, chamamo-la de livro *pseudepígrafo* (escrito sob um falso nome). Tem sido preservado em sua versão eslavônica, o que lhe explica o nome *Enoque Eslavônico*. Parece que algumas porções do mesmo foram originalmente escritas em grego e, outras, em hebraico. Tem algumas características que nos fazem lembrar de I Enoque, embora não haja qualquer conexão real entre esses dois livros. II Enoque contém sessenta e oito capítulos, os quais, por motivo de conveniência, podem ser divididos em três seções.

II. Conteúdo

1. *Viagens pelos sete céus* (1.1—21.5). Enoque foi arrebatado, no fim de seu período de vida na terra e foi escoltado por anjos em sua viagem celeste. No *primeiro céu* ele viu anjos que governam as estrelas, bem como os depósitos das condições atmosféricas, como a chuva, o orvalho e a neve. No *segundo céu*, ele encontrou uma situação similar à do hades, onde os *anjos* são torturados e há profundas trevas. No *terceiro céu*, ele encontrou o jardim do Éden celestial, o lugar dos bem-aventurados.Comparar com II Cor. 12:2-4, onde se lê que Paulo visitou esse terceiro céu, o qual, como é óbvio, não deve ser identificado com o lugar onde Deus habita. Ao norte desse terceiro céu, havia um outro lugar similar ao hades, embora ali estivessem pecadores *humanos*, sendo atormentados. No *quarto céu* seria o lugar do sol e da lua, onde também seres como a fênix e outros entoam louvores a Deus. O *quinto céu* seria o lugar dos anjos malignos, chamados *grigori*, os quais, sob a orientação de seu ímpio príncipe, Satanail, rejeitaram o Senhor da Luz. O *sexto céu* é a residência dos elevados e santos anjos, e onde está localizado o trono do Senhor. Mas, a *presença* de Deus só é encontrada no décimo céu.

2. **O** *décimo céu* é visitado em II Enoque 21:6-35:3. Esse décimo céu conta com a presença de Deus. Ali Enoque foi instruído quanto ao mistério da criação e da queda de Adão, bem como dos mistérios das coisas futuras.

3. *A volta à terra* (II Enoque 35.4—68.7). Enoque foi enviado de volta à terra a fim de dar instruções a seus filhos. Ele lhes entregou trezentos e sessenta e seis livros, que escreveu estando no céu. Tendo cumprido essa tarefa de comunicação, ele foi novamente arrebatado e levado de volta ao mais alto céu.

III. Crenças Refletidas em II Enoque

1. A preexistência da alma. As almas são pintadas como criadas antes mesmo da criação do mundo físico.

2. Existem céus e infernos que acolhem as almas, após a morte biológica de seus corpos físicos, tudo dependendo de suas obras boas ou más.

3. As almas foram criadas todas boas, mas caíram por terem sido investidas com genuíno livre-arbítrio e assim escolheram o mal. A habitação em um corpo físico surtiu influências prejudiciais, tendo sido parte da causa, se não mesmo a principal causa da queda no pecado.

4. Os homens receberam cuidadosa instrução sobre os *dois caminhos*, mas isso não conseguiu impedi-los de cair no pecado.

5. Há descrições sobre o inferno que são típicas do material pseudepígrafo e que, em alguns lugares, chegaram a entrar no Novo Testamento. Essas descrições não foram extraídas do Antigo Testamento e, sim, desses citados livros. Certos trechos do Novo Testamento ultrapassam essa maneira de pensar. O trecho de Efésios 1:10 antecipa uma restauração geral, como acontecimento final. Ver o artigo intitulado *restauração*. O trecho de I Pedro 4:6 (a declaração final, que dá o sentido da descida de Cristo ao hades) revela-nos que o próprio julgamento tem por finalidade obter um bom resultado, a saber, *doar a vida*. Isso significa que o julgamento é remedial. O livro de II Enoque, entretanto, não antecipa esse ensino.

6. Há muitas instruções éticas excelentes em II Enoque, seguindo o melhor estilo do Antigo Testamento.

7. O paraíso das almas humanas. Este está localizado no *terceiro céu*, que é mencionado ou tem paralelo em II Coríntios 12:2-4. Essa era uma crença aparentemente popular do século I D.C., compartilhada pelo autor de II Enoque e pelo apóstolo Paulo. Não sabemos qual a fonte original dessa noção.

8. Alguns supõem que o lugar de julgamento dos anjos maus, no segundo céu, talvez tenha reflexos em Efésios 3:10 e 6:12, onde Paulo situa os anjos malignos nos *lugares celestiais*.

9. Enoque predisse que o tempo da duração do ciclo terreno, antes da inauguração do estado milenar, será de seis mil anos, correspondentes aos seis dias da criação. Em seguida, ele fala sobre um período de mil anos de descanso e bem-aventurança, correspondente ao sábado original da semana da criação. Portanto, temos aí o conceito de um *milênio*. Essa é a escatologia popular na Igreja cristã atual, em muitos

ENOQUE — ENOQUE ETÍOPE

lugares, que fala sobre sete mil anos de duração, desde a criação até o estado eterno. Quando muito, isso pode ser verdadeiro apenas em sentido simbólico, visto que o homem tem estado neste mundo há muito mais tempo do que isso. Depois desse período, «o tempo deixará de existir», uma declaração paralela ao que se lê em Apocalipse 10:5,6. Esse conceito milenar penetrou no Apocalipse (20:6), sendo evidente que era uma idéia do meio ambiente teológico do século I D.C. Ver a nota geral sobre o *Milênio*. Em II Enoque não há qualquer menção à ressurreição.

IV. Linguagem e Proveniência

Pelo menos uma parte desse livro foi originalmente escrita em grego. O nome Adão é derivado das letras iniciais das palavras gregas que indicam os pontos cardeais, leste, oeste, sul e norte. E é evidente que a Septuaginta está sendo seguida, quando o Novo Testamento se manifesta, e não o Antigo Testamento hebraico. Além disso, há alusões à versão grega de Ben Siraque e ao Livro da Sabedoria. Algumas porções, entretanto, parecem ter tido uma origem hebraica. É provável que o autor tenha atuado como um compilador, com empréstimos de várias fontes informativas, em vários idiomas. Especulações e expressões tipicamente helenistas apontam para uma origem egípcia, provavelmente Alexandria. Não há ali nenhuma doutrina messiânica, embora apareçam serpentes ao estilo egípcio. A narrativa da criação é sincretista, de acordo com o estilo dos judeus helenistas.

V. Data

O estabelecimento de uma data para esse livro depende, essencialmente, de observarmos seus paralelos literários. O *Testamento dos Doze Patriarcas* (que vide) usa II Enoque e isso pode significar que certas porções do mesmo pertencem a um período pré-cristão. Porém, II Enoque utiliza-se de I Enoque e do Livro da Sabedoria e isso subentende uma data após 30 A.C. Há paralelos literários e também paralelos de pensamento, em relação às idéias do século I D.C. Em II Enoque 51:4, o livro menciona a adoração efetuada no templo de Jerusalém, pelo que deve ter sido escrito antes do ano 70 D.C. quando a cidade foi destruída pelos romanos. É provável que o escrito final (que empregou fontes informativas mais antigas) tivesse sido efetuado na primeira porção do século I D.C.

VI. Autoria

Não há como identificar algum autor específico. O livro é uma obra pseudepígrafa, o que significa que um áutor qualquer se aproveitou do nome de Enoque para dar maior prestígio ao seu livro, um esquema literário antigo. Considerando-se o caráter do livro, parece que o autor foi um judeu helenista, talvez alguém que fazia parte da dispersão (ver o artigo sobre a *Dispersão*), mas que retornara a Jerusalém.

VII. Influência Exercida por II Enoque

Aparentemente o livro era muito usado no século I D.C., por autores judeus e cristãos e, um pouco mais tarde, pelos primeiros pais da Igreja. As alusões ao mesmo encontram-se no Livro de Adão e Eva, no Apocalipse de Moisés, no Apocalipse de Paulo, nos Oráculos Sibilinos, na Ascensão de Isaías e no Testamento dos Doze Patriarcas. A epístola de Barnabé, bem como os pais Irineu e Orígenes, em seus escritos, aludem ao livro de II Enoque. Além disso, o próprio Novo Testamento tem muitas passagens que refletem verbalmente o livro, havendo algum paralelo quanto às idéias entre os dois, conforme demonstramos no terceiro ponto, acima. Quanto a problemas criados pelo uso dos livros

pseudepígrafos no Novo Testamento, ver o artigo sobre *I Enoque*, em sua sétima seção.

VIII. Descobertas de II Enoque: Texto Crítico

Esse livro não era conhecido no mundo ocidental senão quando Robert Henry Charles supôs (e então ficou provado, mais tarde, que ele estava correto) que um certo manuscrito, publicado por A. Popov, em 1880, não era uma versão diferente de I Enoque, mas antes, um livro distinto. William Richard Morfil traduziu esse manuscrito escrito em eslavônico para o inglês, em 1896. E somente então reconheceu-se que uma outra obra pseudepígrafa havia sido acrescentada à coletânea desse nome. Vários outros manuscritos desse mesmo livro têm sido traduzidos e publicados. Uma edição crítica do livro foi publicada em 1952, por André Vaillante, com base em doze diferentes manuscritos em eslavônico.

Bibliografia. AM CH J Z

ENOQUE ETÍOPE (I ENOQUE)

Esboço:
   I. O Material de Enoque
   II. Conteúdo
   III. Data, Integridade e Autor(es)
   IV. Linguagem e Proveniência
   V. Manuscritos
   VI. I Enoque e o Novo Testamento
   VII. Problemas Criados pelo Uso dos Livros Pseudepígrafos no Novo Testamento
   VIII. I Enoque e a Literatura Cristã Posterior; Cânon

I. O Material de Enoque

Esse livro, I Enoque, também é chamado Enoque Etíope porque, antes da descoberta dos *Manuscritos do Mar Morto* (que vide), ele era melhor preservado em sua versão etíope.

Os livros de Enoque foram uma coletânea complexa de literatura popular judaica, constituída por muitos fragmentos frouxamente vinculados entre si. Esse material veio a ser preservado em três livros: I Enoque, também chamado Enoque Etíope; II Enoque, também chamado Enoque Eslavônico, ou Livro dos Segredos de Enoque; e III Enoque, ou Enoque Hebreu. Essas obras contêm as narrativas de muitas alegadas visões e experiências místicas de Enoque (que vide), o patriarca antediluviano referido em Gênesis 5:23,24. Esses livros, além de outros, são chamados «pseudepígrafos» por terem sido escritos no nome de outrem, que não foi o verdadeiro autor. Diferente dos livros apócrifos do Antigo Testamento, que obtiveram posição canônica na versão da Septuaginta do Antigo Testamento, esses livros, como um grupo, não tiveram nunca essa honra. No entanto, o fato de que foram preservados mostra-nos que alguns deles eram aceitos como inspirados, sendo respeitados de tal modo que muitos não queriam que os mesmos perecessem. Foram os livros *Pseudepígrafos* que desenvolveram a tradição profética que começara no Antigo Testamento, sobretudo no livro de Daniel. De modo geral, o Novo Testamento adotou, com muitas adições, essa tradição. Assim, aquele que está familiarizado com o sistema de profecias do Novo Testamento admira-se de encontrar ali tantos empréstimos feitos dos livros Pseudepígrafos, uma vez que comece a examinar esses livros, para ver o que têm a dizer. O uso feito pelo Novo Testamento dos livros *Pseudepígrafos*, entretanto, não se limita a isso, conforme é ilustrado no sexto ponto do presente artigo, *I Enoque e o Novo Testamento*.

ENOQUE ETÍOPE

Os eruditos do Novo Testamento pensam que os livros mais importantes, entre as obras *Pseudepígrafas*, são os *Apocalipses*. Ver o artigo separado sobre *Apocalípticos, Livros* (Literatura Apocalíptica). Dentro dessa coleção, os mais importantes são os *Livros de Enoque*. Vários manuscritos de I Enoq. foram encontrados entre os manuscritos do Mar Morto, perto de Jerusalém, o que prova que até mesmo na Palestina esses livros tinham considerável influência e, sem dúvida alguma, eram conhecidos pelos cristãos primitivos.

No seu todo, a literatura pseudepígrafa lança luzes sobre o período de preparação para o evangelho. Esses livros surgiram em uma época de grande perplexidade, onde era difícil reconciliar as promessas do Antigo Testamento com os desastrosos eventos que estavam ocorrendo. O material apocalíptico previa a reversão desses acontecimentos, declarando-se em favor da vitória de Israel e da justiça. Precisamos considerar isso mais do que um truque psicológico, em busca de conforto mental, supondo que esses livros contêm profecias genuínas, ao menos em forma de esboço. A principal idéia dessas predições é que se aproxima uma época que terá origem e natureza sobrenaturais e que substituirá a ímpia era da criação do homem. Isso teria lugar após uma era áurea intermediária (equivalente ao milênio do Novo Testamento), ou então imediatamente depois da era da criação do homem, quando a nova era substituiria, repentinamente, a antiga (amilenialismo). Ambas as idéias fazem-se presentes nas obras *pseudepígrafas*, embora o número de anos da idade áurea seja de mil, tal como aparece no Novo Testamento, no Apocalipse. O conceito messiânico é transcendental no livro de I Enoque e encontra reflexos nas páginas do Novo Testamento. Apesar do nacionalismo judaico ser ali preservado, há um tom de universalidade que ultrapassa a tudo no Antigo Testamento. E isso também é antecipado na mensagem do Novo Testamento, naturalmente.

II. Conteúdo

O livro de I Enoque compõe-se de cento e oito capítulos, arranjados em cinco seções, ou livros, que supomos correspondam, cada um, a uma fonte informativa específica usada pelo autor da compilação. À totalidade foi acrescentada uma introdução e uma conclusão. Também é provável que o compilador tenha adicionado material de sua própria lavra e pode ter havido mais de um autor, envolvido em diferentes seções. Alguns preferem agrupar o material desse livro em oito e não em cinco seções.

Esboço do Conteúdo:

1. Capítulos 1—5. Essa seção anuncia a vinda do evento escatológico, quando Deus, que é chamado o Grande, aparecerá subitamente na terra, forçando e estabelecimento da paz, destruindo os ímpios e estabelecendo a retidão. Os pecadores estão perdidos, mas os eleitos herdarão a terra. Porções dessa seção (1:3-9 e 5:4-9) foram escritas em forma poética. Essa seção age como um peça introdutória, provendo os grandes temas do fim da antiga era, o começo da nova era, o castigo, as recompensas e a vitória do bem sobre o mal. Conforme o leitor pode ver, essa é a mesma idéia geral apresentada pelo Novo Testamento.

2. Capítulos 6—16. A História dos Anjos Caídos. Supõe-se que, originalmente, esse trecho constituía um livro separado, embora agora unido a uma unidade maior, a saber, I Enoque. Nisso temos uma tentativa de explicar como o mal veio a existir. O ensino consiste, essencialmente, em elaborações daquilo que é apenas sugerido em Gênesis 6:2. Os **filhos de Deus** (os anjos) casam com as filhas dos homens e, então, começam a acontecer muitas coisas interessantes. Em primeiro lugar, os deuses (anjos) ensinam aos homens muitas artes, habilidades e conhecimentos. A astrologia, a mágica, a metalurgia e a cosmetologia são algumas das questões ensinadas. Todavia, esse ensino é acompanhado por certas coisas desagradáveis. Da união entre anjos e mulheres **nascem monstros sobre-humanos.** E estes ficam matando animais e homens, bebendo o sangue deles e devorando-se mutuamente. As coisas chegam a um ponto que há a intervenção divina e os monstros são mortos. Porém, isso não põe fim à história. Enoque aprende, mediante revelação, que os *espíritos* dos monstros permanecem ativos e que continuarão perseguindo à humanidade até o juízo final. Isso seria a explicação da origem dos *demônios* (que vide). Dessa seção originam-se várias idéias teológicas, que exerceram imensa influência sobre os séculos que se seguiram. O *problema do mal* (que vide) recebe uma explicação rudimentar. O *dualismo* (que vide) explica esse problema. Existem forças boas e forças más. Deus não é a causa do mal. Há um poderoso reino inimigo que luta contra os retos; mas, finalmente, o bem vencerá. Portanto, não temos nisso aquele dualismo puro, que conserva para sempre o princípio do mal, mas apenas um dualismo temporário. O mal prevalecerá por algum tempo, mas chegará ao fim, em algum tempo no futuro distante.

Essas idéias substituem o monismo essencial do Antigo Testamento, de acordo com o qual é muito difícil explicar a origem do mal (sem lançar a culpa em Deus). O calvinismo (que vide) tem incorrido no erro de tentar preservar o monismo. O dualismo puro retrata dois princípios eternos. Algumas vezes, eles misturam-se, do que resulta a luta entre o bem e o mal. A vitória do bem, porém, não ocorre através da *destruição* do mal, mas somente pela *separação* (temporária) entre os dois princípios, de tal modo que o bem deixará de ser vexado pelo mal. Um dualismo temporário é o ponto de vista que diz que o bem vencerá e, finalmente, destruirá o princípio do mal, de tal modo que este último deixará de existir.

A forma de dualismo concebida em I Enoque é o dualismo adotado pelo Novo Testamento. Alguns estudiosos supõem que o comentário paulino, em I Coríntios 11:10, que dá uma das razões pelas quais as mulheres devem usar véu na igreja, ou seja, «por causa dos anjos», é um reflexo das atitudes de I Enoque. Para afastar os ataques indesejados de anjos malignos, que desejam as mulheres, seria útil usar um véu. Naturalmente, há outros para quem tal interpretação é uma tolice. Esse versículo, é óbvio, tem sido interpretado de outras maneiras, e apresento uma noção geral sobre a questão no NTI, *in loc*. Em favor da teoria dos anjos malignos, deve-se notar que várias outras obras pseudepígrafas apresentam essa mesma idéia e que alguns dos primeiros pais da Igreja, como Tertuliano, promoveram a mesma. Seja como for, a idéia tornou-se generalizada, sendo bem aceita na Igreja antiga, embora uma idéia mais comum seja a de que os anjos bons observam a boa ordem das igrejas locais, mostrando-se zelosos por essa boa ordem, pelo que, com toda a propriedade e decência, as mulheres deveriam cobrir-se com o véu.

3. Capítulos 17-36. A História das Viagens de Enoque. Novamente, temos nessa seção um livro separado (que recebeu tratamento variegado, por parte dos editores) e que foi incorporado na obra maior que se tornou I Enoque. Parece que o documento original era constituído pelos capítulos

ENOQUE ETÍOPE

21—36. E os capítulos 17—19 parecem ser um *sumário* posterior, que foi então posto no começo dessa terceira seção. Enoque viajou para **a. vários** lugares do mundo, incluindo a região ao sul onde Deus assentar-se-á em juízo, o jardim do Éden, ao oriente e aos portões de onde fluem as condições atmosféricas do inverno. **b.** Ele também visitou outros lugares (não terrestres), onde corpos celestes e anjos caídos são mantidos em cadeias. **c. Mais importante** ainda, ele visita o submundo, o hades, onde encontra quatro grupos distintos de pessoas: 1. os justos que desfrutaram de felicidade na terra, e que agora são **mais bem-aventurados ainda;** 2. os pecadores, que sofreram na terra; 3. os justos, que sofreram na terra, mas agora são bemaventurados; 4. os grandes pecadores e criminosos que escaparam do castigo na terra, mas que agora recebem o que merecem. Nesse trecho há uma forma peculiar de ressurreição: aparentemente, os dois primeiros grupos não precisarão ressuscitar, porquanto podem permanecer exatamente da maneira como são. Porém, os dois últimos grupos precisam ressuscitar, para que seu julgamento (ou recompensa) seja apropriado. Seja como for, **temos ali a idéia da imortalidade da alma à parte da ressurreição. Naturalmente, antes mesmo desse livro** ter sido escrito, o judaísmo posterior já havia incorporado essa idéia em seu sistema. Todavia, podemos supor que essa incorporação não era absolutamente universal entre os judeus. Nessa seção percebe-se um pano de fundo oriental quanto às idéias cosmológicas, em contraste com as noções semicientíficas da cultura helênica. Nesta última, deuses e anjos misturam-se com os corpos celestiais, ou são, eles mesmos, esses corpos celestiais.

A passagem de I Pedro 3:18—4:6 (que fala sobre a descida de Cristo ao hades) de acordo com alguns eruditos, teria sido sugerida por I Enoque, na seção que ora estamos comentando. Talvez seja verdade. Porém, deve-se notar que, em I Enoque, o profeta ora apaixonadamente pela redenção dos anjos caídos (capítulos 12—16), mas, no fim, é forçado a proferir a condenação dos mesmos. De acordo com a versão de Pedro, o próprio Cristo intervém em favor dos perdidos do Antigo Testamento, anunciando-lhes o evangelho (I Ped. 4:6). Portanto, o benefício que Enoque desejara ver ser feito em favor dos anjos, é feito em favor dos homens, de acordo com I Pedro. Alguns supõem que os anjos estão em foco, na passagem petrina; mas isso é totalmente contrário ao texto bíblico. Quem está ali em foco são os mortos humanos, que antes haviam sido desobedientes (I Ped. 3:20). Noé não pregou a anjos caídos, mas a homens que tinham preferido não dar atenção à sua mensagem, pelo que foram devidamente julgados. Não obstante, é provável que tenha havido certa dependência literária, embora apenas de forma sugestionada, e não detalhada.

Relatos sobre *descidas* eram comuns nas obras pseudepígrafas e nos livros apócrifos do Novo Testamento, bem como nos escritos pagãos. Portanto, há uma forte tradição literária em favor dessa doutrina, que penetrou no Novo Testamento em alguns lugares. Há um longo artigo sobre o assunto, com o título de a *Descida de Cristo ao Hades*. É significativo que as *Experiências Perto da Morte* (que vide; que aparentemente dizem-nos o que sucede a uma pessoa, nos primeiros estágios da morte física) **apresentam evidências em favor da idéia de que há missionários trabalhando entre as almas perdidas em** lugares como o hades. Para mim, penso que isso é fundamental para o conceito que diz que, algum dia, Cristo tornar-se-á tudo para todos os seres (Efé. 1:23).

Portanto, a mensagem geral de que Cristo estava interessado pelos perdidos, tendo feito algo acerca do estado dos mesmos, é uma mensagem verdadeira. É encorajador que Pedro tenha visto maior esperança, envolvida na descida de Cristo ao hades, do que Enoque foi capaz de perceber. O chamado evangelho de Nicodemos retrata Cristo a esvaziar o hades totalmente, assim obtendo uma vitória final sobre o mal e as suas forças. Ver o artigo sobre os *Livros Apócrifos do Novo Testamento*.

4. Capítulos 37-71. As Parábolas de Enoque. Novamente, ao que parece temos o que era um livro separado, que foi incorporado na compilação intitulada I Enoque. São apresentadas três parábolas principais nesta seção. Ali o profeta é visto mais como um sábio, que dá soberbas instruções e não tanto como um profeta que anuncia a condenação. Há ali uma visão apocalíptica (caps. 70 e 71), onde ele vê o *ancião de dias* (Dan. 7:9,13). Porém, essa seção é essencialmente didática. Há alguns excelentes provérbios e declarações impressionantes. No trecho que aborda questões escatológicas, temos o nome do *Eleito*, o Messias, o *Filho do homem*. Pela primeira vez, pois, o Messias é identificado com o Filho do homem. Ver Dan. 7:13 quanto a algo parecido, trecho que pode ter sido o pano de fundo dessa passagem de I Enoque. O paralelo assemelha-se tanto ao Novo Testamento que alguns têm pensado que algum escritor cristão foi autor desse trecho. No entanto, não temos ali o motivo neotestamentário da crucificação, morte e ressurreição do Messias, o que um escritor cristão, inevitavelmente, haveria de incluir. Talvez seja melhor supormos que houve nisso o espírito de revelação, acompanhando o desenvolvimento da tradição profética. E, por mais imperfeitamente que esse espírito de revelação tenha operado, mostrou ter um pré-conhecimento genuíno. Os estudos no campo da *parapsicologia* (que vide) têm demonstrado amplamente que a natureza humana, inteiramente à parte de qualquer força externa, é capaz de ter conhecimento prévio. Isso deve ter operado muito mais no caso de homens que estavam buscando a verdade religiosa e escrevendo sobre ela, de acordo com as tradições judaicas que, afinal de contas, prepararam o caminho para o cristianismo. Isso não equivale a dizer que as obras que eles escreveram foram divinamente inspiradas, mas somente que certos *elementos* dessas obras fizeram parte genuína de uma crescente tradição profética, dotada de elementos genuínos, de predições genuínas. Seja como for, essa seção parece ter sido obra de dois autores diferentes, embora o compilador tenha conseguido uma boa harmonia na sua apresentação do material.

Essa seção também descreve a bem-aventurança dos santos, que são vistos do *terceiro paraíso* (ver a referência de Paulo, em II Cor. 12:2) onde o paraíso é medido (comparar com a mediação da Jerusalém celestial, em Apo. 21:15 *ss*), o julgamento dos reis e dos poderosos (comparar com o tema similar dos capítulos dezessete e dezoito do Apocalipse) e os nomes e funções dos anjos caídos.

5. Capítulos 71—82. O Livro dos Luminares Celestes. Essa seção é essencialmente uma pequena amostra da antiga pseudociência, com apenas uma breve menção a Enoque, em suas viagens (descritas sob o terceiro ponto, acima). Nessas jornadas ele obtém informações sobre o sol, sobre a lua e suas fases, sobre o ano lunar, sobre os doze ventos, sobre os quatro quadrantes da terra, sobre as sete montanhas, sobre os sete rios e sobre as estrelas que determinam as estações do ano e os meses. Ele tenta

ENOQUE ETÍOPE

obter essas informações usando informes astronômicos existentes no Antigo Testamento. Argumenta em favor da mediação do tempo por meios solares e não lunares e termina obtendo um ano de 364 dias, embora tenha consciência de que o número mais exato é 365-1/4 dias. Mas, em 20.2-8, o autor volta a fazer predições, anunciando que, nos últimos dias, haverá distúrbios nos corpos celestes, um tema comum da profecia neotestamentária. Os capítulos 83 e 84 apresentam uma visão que prediz o dilúvio (como uma compreensão tardia, do que deveria ter sido, naturalmente).

6. Capítulos 85—90. O Apocalipse dos Animais. Nessa seção, o autor passa em revista a história da raça eleita (Israel) desde a criação até o julgamento final e assim expõe uma espécie de filosofia da história. O título do livro, conforme é dado aqui, origina-se do fato de que o autor usa animais que simbolizam as coisas que ele descrevia: as *ovelhas* representam o verdadeiro Israel; os bois representam os patriarcas judeus; as *aves* simbolizam os pagãos; o *grande chifre*, associado às ovelhas, provavelmente representa Judas Macabeu; e o *touro branco* é o Messias vindouro. Esse touro tem grandes chifres, o que indica o seu vasto poder. A visão termina com uma cena da *Nova Jerusalém*, com a conversão dos gentios, com a ressurreição dos justos e com o estabelecimento do reino messiânico. Os paralelos com o Novo Testamento são tão óbvios que nos admiram e nem requerem comentários. O simbolismo com animais faz-nos lembrar de certos trechos do livro de Daniel, podendo indicar uma data da época dos Macabeus, onde a maior parte dos eruditos liberais situa o livro de Daniel, embora isso seja fortemente disputado. Ver sobre o livro de Daniel, quanto à questão de sua *Data*.

7. Capítulos 91 e 93. O Apocalipse das Semanas. Essa seção procura contar a história da humanidade mediante dez semanas simbólicas. Essa história é caracterizada por muitas tristezas e desastres. Há a predição do fim desses infortúnios mediante *inúmeras* semanas felizes, o que é um excelente toque poético. Essas semanas inumeráveis emergem das dez semanas, ou mesmo *constituem* essas dez semanas. A tristeza, pois, tem um limite que pode ser determinado. É nessa seção que encontramos um precedente para a doutrina do milênio, embora a extensão da era messiânica, que antecederá ao estado final, não seja dada como mil anos. Porém, o conceito é o mesmo: uma era messiânica será inaugurada, antes do estado final. Cada semana começa com um evento especial. Assim, a primeira semana começa com o nascimento de Enoque, a segunda com a chamada de Abraão, etc. E a sétima semana começa com a publicação do material escrito de Enoque, pelo que temos aí um autor que realmente se levava a sério! Na nona semana, o mundo estará preparado para a destruição. E a décima semana será interminável, pelo que haverá inúmeras semanas. E é então que aparecem a era messiânica e o estado eterno.

8. Capítulos 92, 94-108. Exortações e Advertências Finais. O autor denuncia violentamente, nessa seção, àqueles que não crêem na retribuição após a morte física. É possível que ele estivesse atacando, disfarçadamente, um grupo de judeus helenistas, que teria abandonado a doutrina da imortalidade da alma, bem como a doutrina da ressurreição. Nisso eles copiavam aos filósofos epicureus, que se contentavam em imaginar uma vida que terminaria com a morte biológica. Os capítulos 106 e 107 alicerçam-se sobre o livro anterior de Noé (que vide), relatando a grande multiplicação do pecado após o dilúvio e chegando a

um extremo fantástico, antes da inauguração do reino messiânico. Esses capítulos finais mencionam a recompensa dos justos e o julgamento dos ímpios.

III. Data, Integridade e Autor(es)

Os eruditos sentem-se capazes de distinguir várias fontes informativas que algum compilador teria usado para compor o livro de I Enoque. Cada seção contribuinte pode ter tido um autor ou mais, mas não há como identificar qualquer compilador específico. A diversidade de materiais dificulta a tarefa de datar o livro. Os capítulos sexto a décimo sexto parecem ser a porção mais antiga, podendo ser anteriores à época dos Macabeus, ou seja, antes de 168 A.C. Não há qualquer alusão a perseguições religiosas, o que teria sido muito difícil de evitar durante o período dos Macabeus. Em I Enoque 14:19-22, há uma alusão ao trecho de Daniel 7:10, pelo que deve ter sido escrito depois do livro de Daniel. Contudo, a data do livro de Daniel continua sendo disputada, posto que a maioria dos eruditos liberais pensa que esse livro pertence ao período dos Macabeus. Os capítulos dezessete a trinta e seis, e setenta e dois a oitenta e dois mostram grande dependência ao livro de Daniel; mas, novamente, isso não nos ajuda muito, a menos que se encontre um meio de datar o livro de Daniel sem a menor sombra de dúvida. Os capítulos oitenta e cinco a noventa, noventa e um e noventa e três nada têm que nos ajude a datar o livro; mas os capítulos trinta e sete a setenta e um e, então, noventa e quatro a cento e oito parecem refletir controvérsias entre os fariseus e Alexandre Janeu, livro esse que data esses capítulos em algum tempo depois de 95 A.C. Os capítulos sexto a décimo primeiro e, então 54.7—55.2; 60; 65.1—69. 25; e os capítulos cento e seis e cento e sete, aparentemente, são a parte mais antiga, pertencendo, originalmente, a alguma compilação anterior, associada a Noé e não a Enoque. Apesar de certos trechos do livro poderem pertencer a uma data anterior a 170 A.C. (antes dos Macabeus), a sua compilação provavelmente teve lugar entre 95 e 63 A.C., ou mesmo mais tarde, embora não dentro da era cristã.

IV. Linguagem e Proveniência

Os estudiosos concordam, de modo geral, que a língua originalmente usada na escrita de I Enoque era uma língua semítica, o hebraico ou o aramaico, ou mesmo ambas. R.H. Charles atribui os capítulos 1—5 e 37—105 a um original hebraico, mas os capítulos 6-36 a um original aramaico. O livro de Daniel, naturalmente, compartilhava dessa dupla qualidade lingüística. Todas as coisas apontam para uma origem palestina de I Enoque.

V. Manuscritos

O livro de I Enoque é chamado também de Enoque Etíope porque, durante muito tempo, o livro era melhor conhecido em sua versão etíope, embora tivesse sido originalmente escrito em hebraico e aramaico. Porém, a descoberta dos *Manuscritos do Mar Morto* (que vide) alterou essa situação. A versão etíope desse livro era representada por vinte e nove manuscritos diferentes, o que significa que havia uma sólida tradição preservada nesse idioma. A maioria desses manuscritos exibe a obra completa, ao passo que, em outros idiomas, há somente partes da mesma. Entretanto, os manuscritos etíopes são bastante tardios, quase todos eles pertencentes ao século XVI. Dois manuscritos gregos, pertencentes ao século VIII D.C., — ou mesmo mais tarde, foram encontrados em um sepulcro cristão, em Akhmim, no Egito; mas, nesses manuscritos, apenas certos trechos de I Enoque estavam preservados. Sincelo (cerca de 800 D.C.) preservava algumas outras porções. Certo

ENOQUE ETÍOPE

manuscrito grego, na biblioteca do Vaticano, também contém porções do livro. Já se conseguiu determinar que a versão etíope é uma tradução do grego, pelo que o etíope é uma tradução de uma tradução. Os papiros de Chester Beatty (ver sobre os *Papiros de Chester Beatty*) trazem um fragmento desse mesmo livro. Alguns manuscritos latinos preservam, em forma fragmentar, certas minúsculas porções da última parte desse livro.

Os Manuscritos de Qumran. Cerca de dez fragmentos do livro de I Enoq. foram encontrados na caverna IV de Qumran, escritos em aram., correspondentes aos capítulos 1 e 6 do livro. Há provas de que antes eram obras separadas e não porções constitutivas de uma única compilação. Quatro manuscritos escritos em aramaico representavam a seção sobre os Luminares Celestiais (ver sobre o quinto ponto, acima). O começo do Apocalipse das Semanas (ver o sétimo ponto, acima), é representado por um manuscrito fragmentado, encontrado em Qumran. Os capítulos 37—71 (ver sobre o quarto ponto, acima), não é ali representado por qualquer manuscrito. Porém, foi descoberta a *Carta de Enoque a Shammazya*, um escrito associado ao nome de Enoque, mas que antes disso era desconhecido.

VI. I Enoque e o Novo Testamento

O livro de I Enoque exerceu considerável influência sobre a literatura do seu período, sobre o Novo Testamento e sobre os escritos dos primeiros pais da Igreja. Há muitas afinidades entre esse livro e outros escritos judaicos, como o Livro dos Jubileus, o Testamento dos Doze Patriarcas, a Assunção de Moisés, II Baruque e IV Esdras.

No Novo Testamento, encontramos estes paralelos específicos:

1. Os evangelhos sinópticos têm um ponto de vista similar do reino, o que é óbvio mediante a comparação entre I Enoque 104:4,6 e Mar. 12:18-27; Mat. 22:23-33; Luc. 20:27-36.

2. A figura messiânica de Enoque é similarmente descrita, em comparação com o Novo Testamento, sendo chamado *o Justo* (I Enoque 38:2; 4:3; 53:6, comparados com Atos 3:15; 7:52; 22:14); *o Eleito* (I Enoque 40:5; 54:3,4; 51:3,5, comparados com Lucas 9:35 e 23:35); *O Filho do homem* (I Enoque 46:2,3, comparado com inúmeras referências do Novo Testamento, como Mat. 9:6; 10:23; 11:19; Mar. 2:10; 10:45; Luc. 6:22; 17:22, etc).

3. A doutrina do *Messias celestial* é um surpreendente aspecto de I Enoque, comparável com o chamado Jesus teológico do Novo Testamento, que alguns intérpretes consideram uma invenção da Igreja, em contraste com o Jesus histórico. A segunda parábola de I Enoque, caps. 45-57, trata sobre o Eleito, o Filho do homem sentado para julgar. Ele é um ser celestial majestático, que exerce governo universal, sobre os homens e sobre os anjos. Isso pode ser comparado com trechos do Novo Testamento como Mat. 26:64; Fil. 2:5 *ss*; Heb. 1 e Atos 17:31.

4. Muitas alusões, usos similares de termos, frases e também idéias similares. A *Zondervan Pictorial Encyclopedia of the Bible* comenta sobre essa circunstância, afirmando: «Podemos citar paralelos com I Enoque praticamente de qualquer seção do Novo Testamento, embora provavelmente seja um exagero dizer que cada escritor do Novo Testamento estava necessariamente familiarizado com esse livro...»

5. A descida de Enoque ao hades e sua intercessão pelos anjos caídos tem um paralelo claro em I Ped. 3:18—4:6. Alguns peritos supõem que Pedro tomou a idéia diretamente por empréstimo de I Enoque. Ver I Enoque 12—16 e também 67.4—69.1,12. No artigo intitulado Descida de Cristo ao Hades, em sua quarta seção, demonstramos que a história, em I Pedro, tem paralelos literários com vários livros judaicos e cristãos. Na seção sexta desse mesmo artigo, mostramos que espíritos humanos desobedientes ouviram a pregação e não espíritos eleitos e nem anjos caídos, na versão de Pedro. Ver também a seção décima primeira desse artigo quanto a referências a relatos pagãos sobre a descida de heróis e deuses, ao mundo infernal, por certa variedade de razões. Suponho que a consciência humana tem a percepção de que o amor de Deus requer que algo seja feito em prol dos espíritos humanos perdidos e que a salvação, somente nesta esfera terrestre, é inadequada para satisfazer às exigências da missão de Cristo e que a sua missão não poderia ser adequadamente cumprida sem a dimensão do hades, suplementando aquilo que ele fez e está fazendo na terra e nos céus.

6. O trecho de I Coríntios 11:10, que requer que as mulheres usem o véu nos cultos, *por causa dos anjos* (ou seja, espíritos malignos que poderiam cobiçar as mulheres sem véu, de acordo com certa interpretação, ou então anjos bons, cujo intuito é verificar a boa ordem desses cultos), poderia ser paralelo ao ensino de I Enoque 6-16, que depende, parcialmente, do trecho de Gên. 6:2 e que, talvez, seja a origem desse conceito. Outras obras pseudepígrafas também contêm tal ensino, acerca do que damos uma completa descrição no NTI, *in loc*.

7. *Demonologia.* Os espíritos dos gigantes e dos monstros, produzidos pelos anjos caídos e pelas mulheres humanas, permanecem neste mundo para vexar os homens até o tempo do juízo, embora esses monstros físicos tenham sido destruídos por intervenção divina. Isso promove a idéia de que os demônios são anjos caídos, sendo uma das idéias que o Novo Testamento tem acerca da origem dos demônios. Comparar I Enoque 6—16 com Jud. 6 e Apo. 11:4.

8. *A era áurea*, ou reino messiânico, como um período entre o fim do antigo ciclo terrestre (em que vivemos) e a era eterna (milenismo, sem a especificação dos mil anos) é um conceito contido em Enoque, que foi aproveitado pelo Novo Testamento. Comparar I Enoque 91 e 93 com Apo. 20:6.

9. *O esboço profético geral* de I Enoque é o mesmo adotado pelo Novo Testamento, incluindo os muitos ciclos da degradação humana, o fim dessa degradação mediante uma destruição generalizada, o reino messiânico (a era áurea) e o estado eterno que virá em seguida. I Enoque introduz aqui a idéia do juízo universal das almas. Ver I Enoque 91 e 93. Os paralelos com o Apocalipse são patentes, conforme o sabe qualquer estudioso do Novo Testamento.

10. Judas 14,15 cita I Enoque diretamente. Ver I Enoque 1.9; 5.4; 27.2; 60.8 e 93.2. O vs. 9 da epístola de Judas é um empréstimo feito de outro livro pseudepígrafo, a saber, *Assunção de Moisés*. Orígenes, em seus *Primeiros Princípios* (3.2,1) comenta quanto a esse uso feito por Judas; e muitos dos primeiros pais da Igreja respeitavam as obras pseudepígrafas como inspiradas, ou, pelo menos, como úteis para estudo e aplicação. Alguns intérpretes evangélicos, entretanto, sentem-se ameaçados pelo uso das obras pseudepígrafas por autores do Novo Testamento. E alguns chegam ao extremo de tentar mostrar, **mediante pseudo-evidências**, muito ridículas, que isso não sucedeu. Alguns aproveitam o ensejo para tentar provar que Judas não se utilizou de I Enoque. Mas o que é mais trágico, em toda essa

ENOQUE ETÍOPE

atividade, é que eles não têm consciência da *grande* influência do livro de I Enoque sobre o Novo Testamento. Portanto, é ridículo atacar esse ponto somente em Judas 14,15, como se essa fosse a única ocasião em que isso sucedeu. Mas, a atitude de vários dos primeiros pais da Igreja, quanto ao uso das obras pseudepígrafas, contradiz a atitude moderna de alguns estudiosos, que preferem interpretar com desonestidade, contanto que não percam seu conforto mental. Antes, deveriam admitir abertamente que o Novo Testamento contém referências, alusões e empréstimos da parte dos livros apócrifos e pseudepígrafos. Quanto aos problemas criados por essa circunstância, ver a sétima seção deste artigo. A descoberta dos *Manuscritos do Mar Morto* demonstra que, na própria cidade de Jerusalém, tanto as obras apócrifas quanto as obras pseudepígrafas eram utilizadas e respeitadas, e que pelo menos alguns consideravam-nas obras inspiradas. Estes últimos exageravam, evidentemente. E note-se que isso não ocorreu somente entre os judeus da dispersão. Temos que admitir, entretanto, que essas obras são de qualidade inferior, de modo geral, em relação ao cânon palestino do Novo Testamento; mas, essa inferioridade não significa que não eram obras usadas.

11. *O ponto de vista geral sobre o julgamento vindouro* (que vide), com seus terrores, com sua universalidade e com sua eternidade, são características comuns não somente de I Enoque, mas também do material pseudepígrafo em geral. Várias passagens do N. Testamento, especialmente no *Apocalipse,* refletem esse material. Pouca dúvida resta de que a idéia geral do N. Testamento foi emprestada das obras pseudepígrafas. Ver I Enoq. 93:6-16. O fogo do inferno foi aceso, pela primeira vez, em I Enoque.

VII. Problemas Criados pelo Uso dos Livros Pseudepígrafos no Novo Testamento.

1. Para os estudiosos liberais, o que dissemos acima não constitui problema, porquanto sempre foi uma das teses deles que o Novo Testamento, tal como qualquer outra obra produzida pelos homens, envolve empréstimos literários, adoções de idéias mais antigas, etc. Nada há para estranhar no fato de que os autores do Novo Testamento — cuja maioria, sem dúvida, tinha consciência da existência dos livros apócrifos e pseudepígrafos e os usava — acabaram incorporando algum material proveniente dessas obras em seus escritos, embora dependessem supremamente do cânon palestino do Antigo Testamento. Os estudiosos liberais, que não têm idéias rígidas sobre a questão da inspiração, podem ver pequenas parcelas de inspiração nessas obras, e também em produções de origem totalmente pagã. Aceitamos o Novo Testamento como obra inspirada, mas não devemos adorar qualquer livro. Não somos culpados de *bibliolatria* (que vide). Todos os chamados livros sagrados encerram pontos falhos e concepções incompletas, visto que a verdade é algo crescente e progressivo e não algo que possa ficar estagnado em uma única coletânea. Como Deus poderia ser reduzido a um grupo de livros?

2. Porém, aqueles que estabelecem uma rígida e radical distinção entre os Livros Sagrados e outras obras, acham difícil acreditar que o Novo Testamento como um documento inspirado, — tenha lançado mão de obras como o I Enoque. Alguns justificam essa posição dizendo que isso não difere da citação de poetas pagãos por parte de Paulo (ver Atos 17:28). Essa explicação, contudo, ignora o uso *extensivo* de I Enoque no Novo Testamento, o que lhe

confere um peso muito maior do que se poderia dar a um pagão casualmente citado. Alguns eruditos têm sugerido que I Enoque pode ter figurado entre os setenta livros sagrados, mencionados em IV Esdras 14:46, que eram respeitados como divinamente inspirados pela cultura judaica, embora não fossem incluídos entre os livros canônicos do Antigo Testamento. Tertuliano aceitava o livro de I Enoque como inspirado, e admirava-se do fato de que escapara das destruições do dilúvio! Mas outros pais da Igreja repeliam esse livro como inspirado e houve, até mesmo, quem rejeitasse a epístola neotestamentária de Judas, por haver citado I Enoque! Vemos que as opiniões têm diferido enormemente quanto a essas questões.

3. Tradição Profética. Consideramos que as passagens proféticas do Novo Testamento são inspiradas. Mas, se algumas delas dependeram do esboço fornecido pelos livros pseudepígrafos, em que sentido poderíamos dizer que o Novo Testamento é inspirado quanto a esse aspecto da questão? Neste ponto, é bom lembrarmos que a tradição profética, como qualquer outro aspecto de nosso conhecimento da verdade, é um desenvolvimento e não uma revelação feita em uma única ocasião. A profecia bíblica começa no Antigo Testamento. Por que não poderia ter continuado nos livros pseudepígrafos? A experiência mostra que os místicos modernos, de modo geral, concordam com o esboço da tradição profética, conforme se vê nos livros canônicos da Bíblia. Além disso, fora da tradição cristã, encontramos o esboço acerca do futuro, em outros escritos proféticos. Estou informado de que até mesmo a astrologia — uma vez que se deixe de lado aquilo que é conjectura óbvia — fornece o mesmo esboço profético. Parece, pois, que os homens, de maneira geral, têm consciência do futuro do mundo. Isso é melhor enfocado em alguns livros e por algumas pessoas do que em outros livros e por outras pessoas, mas, *trata-se de uma propriedade comum.* Sendo essa a verdade, não admira que os escritos religiosos dos autores judeus, que foram criados no judaísmo e mostravam-se sensíveis para com as questões religiosas, tivessem consciência, de modo especial, das coisas que teriam de acontecer a Israel e ao mundo, sempre que os acontecimentos internacionais estivessem vinculados ao povo de Deus.

E o Novo Testamento, alicerçando-se sobre esse material, expandiu-o e tornou-se um aspecto mais avançado da crescente tradição profética. Os místicos têm representado uma outra faixa dessa tradição, preenchendo alguns detalhes. Deve-se dizer, porém, que a tradição profética, como qualquer outra atividade em que a verdade é buscada, não é perfeita, ao menos pelo fato de que é parcial. Assim, no Antigo Testamento, torna-se claro que as predições concernentes ao período pós-exílico antecipavam um *imediato* estabelecimento do reino de Deus, bem como o levantamento de Israel entre as nações, como a mais importante delas. No entanto, isso ainda não ocorreu. A cronologia dessas predições estava equivocada, por haver deixado de lado todo o período intermediário da Igreja, a era da graça (uma revelação que só foi dada no Novo Testamento). O décimo sétimo capítulo do Apocalipse mostra que o autor sagrado esperava o fim imediato do império romano. Ele não antecipava uma longa era da Igreja, que já se prolonga por praticamente dois mil anos. Antes, pensava que o império romano terminaria no seu sétimo imperador, com um oitavo que surgiria dentre os sete e que o sexto desses imperadores já estava governando. Ver Apo. 17:10 *ss*. Como é óbvio,

ENOQUE ETÍOPE

ele estava equivocado quanto a essa idéia. O império romano continuou por mais alguns séculos. E nós, que lemos essas previsões bíblicas, extrapolamos o cumprimento das mesmas para o tempo do fim. Mas, voltando ao que dizem essas predições bíblicas, nenhuma manipulação dos textos é capaz de fazê-los dizer outra coisa, além daquilo que acabamos de destacar. Que esses erros entrem nas questões proféticas não aniquila a profecia. Pois nenhuma profecia dá todos os detalhes e nem mostra um quadro completo. Explica o apóstolo Paulo: «...porque em parte conhecemos e em parte profetizamos...» (I Cor. 13:9). Tudo isso demonstra que a verdade profética é semelhante a qualquer outra verdade, ou seja, é parcial, sempre incompleta, enquanto estivermos deste lado da existência. A verdade profética é sempre parcial, por ser revelada apenas *gradualmente*. Não sabemos muita coisa sobre qualquer assunto dado. E por que isso haveria de surpreender-nos?

O Novo Testamento é o nosso melhor documento espiritual, levando avante a tradição profética de modo todo especial, conferindo-lhe um rumo fidedigno. As profecias ali contidas foram dadas por inspiração divina. Mas isso não excluiu os empréstimos, bem como o material inédito. Alguns desses empréstimos vieram das obras pseudepígrafas, incluindo o esboço geral dos eventos vindouros. Só encontramos dificuldades no tocante a essas questões se exigirmos demais, através de dogmas muito rígidos, acerca de como as coisas *devem* ter lugar, de como a inspiração divina *deve* operar e acerca de qual *deve* ser o resultado. Todos esses «deves» envolvem os *dogmas* humanos acerca da verdade. Não refletem necessariamente a verdade, conforme ela é. Porém, sempre será muito difícil separar os dogmas humanos da verdade. As duas coisas não correspondem uma à outra, necessariamente.

4. O Messias Celestial. Neste ponto, o problema torna-se mais sério, embora possa ser explicado do mesmo modo que se dá com qualquer outro aspecto da tradição profética, conforme esclarecemos no terceiro ponto, acima. O autor de I Enoque talvez estivesse cônscio do fato de que o Messias teria maior estatura e seria uma personagem superior às comuns expectações judaicas sobre o Messias. Por outra parte, alguns suspeitam que o precedente para o Jesus *teológico* do Novo Testamento, em contraste com o Jesus *histórico*, encontra-se nas obras pseudepígrafas. Pelo menos é verdade que a noção do julgamento, incluindo suas várias descrições, encontradas em alguns versículos neotestamentários, especialmente os versículos aterrorizantes do Apocalipse, foi tomada por empréstimo dos livros pseudepígrafos. E eu, pessoalmente, acredito que certas porções do Novo Testamento ultrapassam aquela visão do juízo e antecipam uma *restauração* geral (que vide). O juízo será um meio de produzir a restauração, não lhe sendo contrário. De fato, o juízo divino é uma maneira de Deus exprimir seu amor e não um fator contrário a esse amor.

Várias outras coisas poderiam ser ditas sobre o problema do suposto Jesus teológico e o suposto Jesus histórico. Em primeiro lugar, o exaltado e divino Messias de I Enoque não é diferente do Messias retratado em Isa. 9:6 *ss*. O segundo Salmo também expõe uma figura exaltada quando fala no Messias, sendo ele o próprio Filho de Deus, em sentido especial, e o governante universal. Em segundo lugar, Jesus citou Salmos 110:1: «Disse o Senhor ao meu Senhor: Assenta-te à minha direita, até que eu ponha os teus inimigos debaixo dos teus pés», a fim de ensinar aos fariseus que o Messias não era apenas (ou

principalmente) o Filho de Davi, conforme eles supunham. De fato, sua posição era muito maior do que isso, porquanto era o próprio Senhor de Deus, a quem *o Senhor* dera a promessa de domínio universal. (Ver Mateus 22:43-45). Em terceiro lugar, Jesus tinha plena consciência de sua exaltada posição como o Messias, de uma maneira que ultrapassava a todas as expectações dos fariseus (ver Mat. 26:64). Em quarto lugar, não devemos fingir ser capazes de definir, com precisão, qual a posição cósmica exata de Cristo, embora de nada adiante negar a tese geral. Em quinto lugar, o livro de I Enoque pode ter apresentado um genuíno discernimento profético quanto a essa questão, mesmo sem ser uma obra inspirada, ou pode ter se valido, simplesmente, de passagens bíblicas como o Salmo segundo ou o nono capítulo de Isaías, para servir de base à formulação dessa doutrina, mediante a razão. E, desse modo, o livro de Enoque pode ter ido além da doutrina messiânica normal do judaísmo. A figura do Filho de Deus, em Daniel 3:25, bem como o exaltadíssimo Filho do Homem, de Daniel 7:13,14, que recebeu domínio universal e glória eterna, da parte do Ancião de Dias, provavelmente está por detrás da elaboração de I Enoque quanto à sua doutrina do Filho do homem, tendo servido de fator contribuinte para o ensino neotestamentário acerca do Messias. Torna-se claro, pois, que se a Igreja cristã primitiva inventou um Jesus teológico, distinto do Jesus histórico, então o deve tê-lo feito com base nas profecias do Antigo Testamento e não apenas alicerçada sobre as idéias das obras pseudepígrafas. A grande estatura espiritual de Jesus, o Messias, Filho de Deus, leva-nos a acreditar que essas profecias são corretas e verdadeiramente proféticas. Há pessoas realmente extraordinárias, que desafiam o nosso conhecimento e as nossas supostas leis científicas. Quanto a um exemplo moderno, ver o artigo sobre *Satya Sai Baba*.

VIII. I Enoque e a Literatura Cristã Posterior; Cânon

Talvez I Enoque tenha sido um dos setenta livros sagrados da cultura judaica, mencionados em IV Esdras 14:46. Nesse caso, isso explicaria o seu prestígio, tanto diante dos autores do Novo Testamento como diante de autores cristãos posteriores. O livro, todavia, nunca obteve estado canônico. Há nele algum material bastante fantástico e muito de pseudociência, de tal modo que, apesar das suas virtudes, nunca obteve posição canônica. Mas, conforme já vimos, o livro foi largamente usado pelos autores do Novo Testamento, tendo sido diretamente citado em Judas 14 e 15. A Epístola de Barnabé (14:4) parece citar o livro de I Enoque como se fosse Escritura Sagrada. Comparar esse trecho dessa epístola de Barnabé com I Enoque 89:56,66. Tertuliano (160?—230? D.C.) pensava, de modo bem definido, que I Enoque é um livro inspirado e chegou a admirar-se de que o mesmo tenha sido preservado apesar do dilúvio. Zózimo de Panópolis (século V D.C.) também utilizou-se desse livro como Escritura Sagrada. Bede reverenciava o livro porque o Novo Testamento chegou a basear-se nele (637-735 D.C.). A maioria dos pais da Igreja e autores cristãos posteriores, porém, rejeitaram I Enoque como livro inspirado. Jerônimo (340-419? D.C.) e Agostinho (354-440 D.C.) referiram-se a esse livro especificamente como um livro apócrifo. E as Constituições Apostólicas (século IV D.C.) concordavam com esse parecer. Essa opinião também era compartilhada pelo pseudo-Atanásio e por Nicéforo (século VIII D.C.). Porém, na igreja etíope, o livro foi incluído no seu cânon do Antigo Testamento. A tradição católica

389

ENOQUE HEBREU — ENSINO

alista o livro como uma obra apócrifa, mas os grupos protestantes tratam-no como um livro *pseudepígrafo*. Essa distinção existe porque aquilo que os protestantes chamam de *apócrifo*, os católicos romanos chamam de *deuterocanônico*, ao se referirem a livros que somente mais tarde vieram a fazer parte do cânon do Antigo Testamento.

Bibliografia. AM CH J Z

ENOQUE HEBREU (III ENOQUE)

Esse livro não é uma obra antiga, conforme o são I e II Enoque. De fato, o livro pertence à literatura mística do judaísmo da era medieval. Contém quarenta e oito capítulos que falam sobre a ascensão do rabino Israel, a fim de receber uma série de revelações. O agente dessas revelações foi o anjo Metatron, — que é o mesmo Enoque, já na vida eterna. Uma doutrina comum das obras pseudepígrafas é que o maior grau de glorificação humana é tornar-se a alma um ser angelical. Isso aparentemente é refletido em Lucas 20:36, onde Jesus diz que os homens tornar-se-ão semelhantes aos anjos. Isso já seria uma elevada glória; mas o Novo Testamento ensina-nos que o nosso destino é compartilhar da imagem do próprio Filho de Deus (Rom. 8:29), mediante a operação transformadora do Espírito, mediante muitos estágios em gradação (II Cor. 3:18), de tal modo que chegaremos a compartilhar da própria natureza divina (Col. 2:10; II Ped. 1:4). Ver o artigo geral sobre a *Salvação* e também sobre a *Transformação Segundo a Imagem do Filho*. Esse livro evidentemente incorpora materiais provenientes de tão cedo quanto o século IV D.C. E é citado no Talmude (Berakoth 7a). Entretanto, a sua parte principal é de proveniência bastante tardia. Utiliza-se de I e II Enoque como fontes e também é incorporado algum material proveniente da literatura mandeana (que vide).

Há um encontro com Enoque no sétimo céu, aparentemente o mais elevado desse livro, ao passo que II Enoque situa a presença de Deus no décimo céu. As discussões de Enoque sobre a vida de Adão e sobre a sua própria vida refletem os conceitos de II Enoque e podem ter tido uma origem hebréia. O livro é atribuído ao rabino Ismael, uma proeminente figura durante a rebelião de Barcocheba. Este foi líder da revolta dos judeus contra Adriano, imperador romano (132-135 D.C.) e que alguns de seus contemporâneos disseram ser o Messias, um título que ele aceitou. Ele desfechou uma longa e corajosa batalha, mas que, no fim, mostrou ser inútil. Morreu durante a batalha de Betar, em 135 D.C. O rabino Ismael foi uma personagem histórica genuína, embora seja impossível que ele tenha sido o autor de III Enoque.

Esse livro acha-se preservado principalmente em um manuscrito pertencente à Biblioteca Bodleiana, em Oxford, Inglaterra, publicado por Hugo Odebert, em 1928.

Bibliografia. AM CH J OD Z

ENOS

No hebraico, «homem» ou «humanidade», embora alguns estudiosos prefiram o sentido de «mortal» ou «decadência». Foi um dos filhos de Sete e pai de Cainã. Morreu quando estava com novecentos e cinco anos. Ver Gên. 5:6-11. E o trecho de Gênesis 4:26 diz que, na época de seu nascimento, os homens começaram a invocar o nome do Senhor. Em Luc. 3:38, aparece o seu nome alistado dentre os

antepassados do Senhor Jesus.

ENOTEÍSMO Ver Deus, III. 2, Enoteísmo.

ENS (ENTE)

Esse termo é o particípio presente do verbo latino *esse* (ser). Dentro da filosofia escolástica, essa palavra era usada para referir-se a qualquer tipo de ser, dentro ou fora da mente de alguém. Abaixo damos os usos do termo:

— *ens reale*, algo que existe independente da mente de alguém;

— *ens in potentia*, um ser em potencial;

— *ens in acto*, um ser concretizado;

— *ens rationis*, um ser que existe como razão, dentro da mente.

ENS REALISSIMUM

Essa é a expressão latina que significa «ser mais real», que vários filósofos têm usado como um título para Deus, a fonte e a força sustentadora de todos os seres.

ENSINO

I. A Importância do Ensino Cristão

1. Ensinemos por meio de palavras, pela mensagem dos hinos, pela força do exemplo. O ensino faz parte da Grande Comissão (ver Mat. 28:20).

2. Os dons espirituais existem para servir de auxílio no ministério do ensino, e o alvo de tudo é a maturidade espiritual, o crescimento e o aperfeiçoamento dos santos (ver Efé. 4:11 e *ss*).

3. Os verdadeiros mestres são dádivas divinas à igreja, para seu benefício (ver Efé. 4:11). E o dom do «conhecimento» é dado especialmente aos mestres, a fim de que sejam eficazes em seu ministério (ver I Cor. 12:8).

4. O ensino tem um efeito «edificador». Portanto, é importante, se a igreja tiver de ser «edificada». O ensino é vital para esse propósito.

5. As Escrituras Sagradas nos foram transmitidas nessa forma escrita a fim de que o ministério do ensino fosse facilitado e se tornasse mais eficaz.

6. Acima de tudo o mais, Cristo foi o Mestre supremo. Se seguirmos o exemplo que nos deixou, sem dúvida haveremos de ensinar.

7. Aqueles que somente evangelizam, negligenciando o ensino cristão, terão de contentar-se com uma igreja infantil, carnal, com disputas e cisões na igreja local. Um povo faminto espiritualmente, será um povo infeliz.

8. A ausência de ensino cristão arma o palco para a apostasia (ver Heb. 6:1 e *ss*).

9. Chega um tempo, na vida de cada crente, que se espera que ele se torne um mestre, e não um aprendiz (ver Heb. 5:12).

10. Observemos a importância emprestada por Paulo à necessidade de haverem homens bons que sejam mestres de outras pessoas na fé cristã, para que esta possa passar de uma geração à outra (ver II Tim. 2:2).

II. Em Rom. 12:7

O que ensina, esmere-se no fazê-lo. Uma vez mais, o original grego diz tão-somente, *aquele que ensina, no seu ensino*, deixando subentendida a idéia de «dedicação» ou «diligência». Aquele cujo ofício consiste em ensinar, deveria esforçar-se por aprimorar os seus conhecimentos, por melhorar a eficácia dos seus métodos de ensino, aumentando o seu interesse

O Ensino

JESUS PREGANDO PERTO DO MAR DA GALILÉIA

ENSINANDO NA SINAGOGA

••• ••• •••

Ensina ou perece.

O mestre efetua a eternidade. Ele nunca
pode saber onde sua influência parará.
    (Henry Adams)

Saber como sugerir é a grande arte
do professor. (Henri-Frédéric Amiel)

O maior amigo da verdade é o tempo.
Seu inimigo maior é o preconceito.
O seu companheiro constante é a humildade.
    (Charles C. Colton)

Deus oferece a cada mente a escolha entre
duas alternativas: o sossego ou a verdade
Você nunca pode ter os dois.
    (Ralph Waldo Emerson)

Todos os livros que eu li
me transformaram — um pouco.
    (John Updike)

O que de mim, entre muitas testemunhas,
ouviste, confia-o a homens fiéis, que
sejam idôneos para também ensinarem
os outros.
    (II Tim. 2:2)

••• ••• •••

ENSINO

pessoal por aqueles que são os seus alunos. Um dos mais graves escândalos das modernas igrejas evangélicas é que a grande maioria dos seus mestres em nada melhora com a passagem dos anos, incluindo-se nisso tanto o conhecimento como os métodos empregados, como também não demonstram crescente interesse pessoal pelo bem-estar de seus alunos. — Pois não é verdade que muitos pastores e outros ministros, depois de terminarem algum curso bíblico, em um instituto bíblico ou em um seminário qualquer, nunca mais envidam esforço para *melhorarem,* — mas ano após ano não apresentam qualquer mudança para melhor, dizendo sempre as mesmas coisas e da mesma maneira? Poderíamos-nos admirar, portanto que, neste nosso mundo moderno, onde o conhecimento geral aumenta de forma assustadora, tantos se sintam enfadados das igrejas, até que finalmente se desviam de todo? Não é suficiente proferir dogmas contínuos, sem variação e sem imaginação. Ninguém pode tolerar esse tipo de ministério para sempre. Esse tipo de ministério não corresponde aos problemas de nossa complexa sociedade contemporânea. No entanto, que o ensino bíblico é importante se torna imediatamente evidente através do fato de que a Grande Comissão ordena-nos não somente evangelizar, mas igualmente ensinar, e ensinar «todas as coisas» que ele nos ordenou. (Ver Mat. 28:18-20, acerca dessa particularidade).

Ensinar mediante o «exemplo» também é importante, embora se trate de um aspecto olvidado por tantos mestres cristãos. (Há notas expositivas sobre essa questão em Atos 12:25 no NTI. Ver também a distinção entre «profetas» e «mestres», em Atos 13:1 e Efé. 4:11). A distinção é que os mestres, apesar de serem-no por dom celestial, não se encontram sob inspiração imediata, de modo que lhes permita revelar alguma coisa nova, embora tenham à sua disposição certa forma de inspiração, que empresta autoridade àquilo que dizem. A inspiração dos mestres, entretanto, é muito mais sutil que a inspiração dos «profetas», pois a inspiração dos «mestres» vem mais por meios naturais, e não tanto por meios mais obviamente sobrenaturais e externos. Os *mestres* não precisam possuir quaisquer habilidades «psíquicas», o que sempre assinala o ofício dos «profetas».

Deveria tornar-se evidente, com base neste texto da epístola aos Romanos, que o *ensino* é um dom e ministério, e que somente os indivíduos assim dotados deveriam ensinar. E os crentes possuidores desse ministério deveriam procurar aprimorar-se na aplicação de sua chamada. O mestre cristão que espera pelo Espírito Santo, para que o Senhor o guie em suas pesquisas e em seus pensamentos, poderá expor aos seus ouvintes muitos tesouros, alguns antigos e outros novos, mas todos proveitosos e expressos de maneira tão convincente que possam transformar as vidas dos homens, porquanto as suas palavras podem ser usadas pelo Espírito de Deus visando exatamente a essa função.

«Há muitos anos passados, na Convenção Keswick, na Inglaterra, estava eu voltando, cerca de sete horas da manhã, de um passeio matutino. Passei pelo 'Salão Drill', e eis que apareceu Macgregor (G.H.C.). o qual me saudou. E eu lhe disse: 'Seu rosto está pálido; está se sentindo bem?' 'Oh, sim, respondeu ele, apenas um pouco cansado'. E então, fazendo outras indagações, acabei por descobrir que ele acabara de entrevistar-se com o último caso, deixado da reunião da noite anterior! Isso era realmente ensinar. Ele havia trabalhado pacientemente a noite inteira, a fim de expor, a uma pessoa após outra, 'o caminho de Deus mais perfeitamente'!» (William R. Newell)

III. O Exemplo de Paulo

Atos 20:20: *como não me esquivei de vos anunciar coisa alguma que útil seja, ensinando-vos publicamente e de casa em casa.*

Paulo geralmente falava sobre o que era agradável e gentil, mas também sabia repreender, quando a reprimenda se tornava necessária. O apóstolo dos gentios não tinha a idéia de um amor que destrói a necessidade da severidade; mas o seu senso de amor era tão profundo que garantia um ministério de piedosa preocupação e interesse por aqueles para quem ele ministrava. Portanto, Paulo agia como um pai maduro e bem disciplinado entre aqueles novos convertidos, exigindo da parte deles o mesmo espírito de disciplina. Paulo tomava a sério as suas responsabilidades espirituais, porquanto sabia que estava cuidando de almas que são eternas e que têm imenso potencial nos planos de Deus. Jamais agiu como um *ministro profissional do evangelho*, não agindo como quem cumpria os seus deveres a fim de receber o seu salário mensal, dando de si mesmo somente o que fosse considerado necessário para merecer o dinheiro.

Jamais deixando. «Uma expressão pitoresca aparece aqui no original grego. Originalmente, o sentido da palavra grega era *atrair* ou *contrair*. Era usada para indicar velas enfunadas ou dedos que se fechavam; ou para indicar um recuo até um abrigo; ou ocultar os próprios pensamentos; e os médicos usavam essa palavra para indicar que certos alimentos eram negados aos seus pacientes. Todavia, é demasiado dizer, a exemplo de Canon Farrar, que Paulo estava se utilizando de uma metáfora náutica, sugerida por seu ouvir constante de que as velas estavam enfunadas, durante suas viagens marítimas. As metáforas de Paulo se baseavam principalmente nas questões da vida militar, da arquitetura, da agricultura e dos jogos esportivos dos gregos...Paulo queria dizer aqui que ele nada suprimira da verdade, temendo ofender a alguém. Comparar com Gál. 2:12 e Heb. 10:32». (Vincent; *in loc.*).

Importância do ministério de ensino na igreja cristã. Isso transparece nas palavras de Paulo: *...publicamente e também de casa em casa...»* Devemos observar quão grande valor Paulo dava ao ministério do *ensino*, embora tão freqüentemente esse ministério seja negligenciado até mesmo nas igrejas evangélicas modernas, devido a mania pela evangelização, com detrimento a quase todas as demais atividades cristãs. Faríamos bem em lembrar que a instrução dada aos crentes faz parte integrante da Grande Comissão: «...ensinando-os a guardar todas as cousas que vos tenho ordenado». (Ver Mat. 28:20).

Sabemos qual foi o zelo de Paulo nesse sentido, na escola de Tirano, em Éfeso (ver Atos 19:9,10), onde ficava ensinando diversas horas por dia. — Ficámos sabendo aqui que nem ao menos ele se satisfazia com a intensidade desse ministério, mas ia de casa em casa e também publicamente, sem dúvida alguma, falando ao ar livre, nos mercados e onde quer que encontrasse um grupo de pessoas disposto a dar-lhe ouvidos. Dificilmente algum mestre cristão pode comparar-se em zelo e diligência ao apóstolo Paulo, sendo ele o grande exemplo que nos convém imitar. De fato, ele exortava mesmo aos outros cristãos que fossem seus imitadores (como se vê em I Cor. 4:15; 11:1 e Fil. 3:17).

Na verdade, o ministério do ensino cristão exige *muito mais* do que a dedicação a esse mister por algumas horas diárias. É necessário que haja um

ENSINO — ENSINOS DE JESUS

mestre bem treinado e experiente, um mestre na Palavra de Deus, um homem de erudição suficiente, que entenda bem quais ensinos estão explícitos e implícitos ha palavra de Deus escrita. Uma erudição formal é com freqüência necessária e útil para a preparação de bons mestres bíblicos. Muita coisa há para ser aprendida dentro da variedade bíblica: fundos históricos, idiomas, manuscritos antigos, conhecimento sobre o *cânon* sagrado, literatura cristã primitiva extrabíblica, cultura geral sobre os costumes dos tempos e povos bíblicos, tudo o que não pode ser fácil e adequadamente apresentado somente na igreja, mas que requer horas extras de estudo dedicado.

Não há limites para o conhecimento bíblico que um homem pode adquirir, e tudo serve para ajudá-lo a compreender mais perfeitamente ao cristianismo e à pessoa de Cristo. O mais importante de tudo, entretanto, é a iluminação conferida pelo Espírito Santo, porque, sem essa, qualquer conhecimento meramente intelectual que um homem possa adquirir, não lhe será de grande proveito, quando tiver de ensinar aos outros os caminhos da piedade cristã.

«É digno de nossa atenção que esse maior de todos os pregadores pregava de casa em casa, e que suas visitas não eram meras obrigações sociais». (Robertson, *in loc.*).

«Portanto, a negligência daqueles homens é inexcusável, os quais tendo apresentado um sermão qualquer, como se já se tivessem desincumbido de sua tarefa, passam no ócio o resto do tempo de que dispõem; como se suas vozes estivessem encerradas dentro das paredes do templo, pois logo em seguida, emudecem...Esses são mais ursos do que ovelhas, pois não garantem que a voz do pastor seja ouvida em outros lugares fora do púlpito...» (Calvino, *in loc.*). Há notícias de que Calvino ensinou pessoalmente a dois mil pregadores, os quais se ocuparam de igrejas reformadas, pelo que vemos que ele seguiu diligentemente o exemplo deixado pelo apóstolo Paulo.

Atos 20:21: *testificando, tanto a judeus como a gregos, o arrependimento para com Deus e a fé em nosso Senhor Jesus.*

Qual a natureza do ministério de ensino do apóstolo Paulo? Matthew Henry (*in loc*), comentando sobre a natureza desse ministério paulino, deixou para nós as seguintes notas, tão dignas de nossa atenção, que separamos em diversos pontos, para melhor compreensão do leitor:

1. O próprio Paulo era *exemplo digno* de como se deve ensinar aos outros: «Ele se conduzira bem, desde o primeiro dia em que chegara na Ásia; em todos os instantes...ninguém podia encontrar falta nele...E fizera de sua grande ocupação o serviço ao Senhor...Fizera o seu trabalho com mente humilde... Sempre se mostrara muito terno, afetuoso e compassivo entre eles...Lutara com muitas dificuldades. Muitos mestres cristãos desqualificam sua própria mensagem por causa de sua falta de coerência e pela preguiça que deixam transparecer em sua vida diária. Outros perdem terreno nesse ponto por causa de pouca erudição, ou devido à sua experiência insuficiente no Espírito Santo.

2. A mensagem de Paulo era clara: «Eu vos tenho mostrado e ensinado. Sim, o apóstolo não os divertira com belas especulações, e nem os conduzira às nuvens das noções e expressões exaltadas, deixando-os naquele ponto; mas mostrara-lhes as patentes verdades do evangelho, que são da maior importância e conseqüência, ensinando-os como se ensina aos próprios filhos».

3. A mensagem de Paulo era poderosa: «Pregava como alguém *obrigado* por juramento, convicto plenamente, ele mesmo, das verdades que pregava, e desejoso de convencer seus ouvintes a respeito das mesmas, influenciando-os por meio delas».

4. A mensagem de Paulo era proveitosa: «Em toda a sua pregação o seu alvo não era o de agradar, e, sim, de fazer o bem àqueles para quem pregava; ele apresentava o que tendia a torná-los mais sábios e melhores; informá-los sobre os juízos que tinham de fazer e reformar os seus corações e as suas vidas. Ensinam debaixo de Deus, aqueles que ensinam aos homens, visando o proveito dos mesmos. Ver Isa. 48:17».

5. Sua mensagem era *criteriosa*, diligentemente *completa*: «Ele foi extremamente industrioso e infatigável em seu trabalho; pregava publicamente e de casa em casa, não imaginando que um dos métodos excluía-o da necessidade de ocupar-se do outro método».

6. O ministério de Paulo era *fiel*: «ele não somente pregava o que era proveitoso; mas tudo quanto ensinava podia ser aproveitado; porque também não reteve nenhuma verdade de seus ouvintes...embora nem tudo parecesse próprio e aceitável para alguns. Não abafava as reprimendas, quando estas eram necessárias, com temor de ofender a alguém; e nem deixava para segundo plano a pregação da cruz, embora bem soubesse que para os judeus isso era um escândalo, e que para os gregos era uma insensatez».

7. A pregação de Paulo era *universal*: «Testificava tanto para os judeus como para os gentios, igualmente...Os ministros devem pregar o evangelho com imparcialidade, porquanto são ministros de Cristo em prol da igreja universal».

8. Finalmente, Paulo mostrou ser um pregador verdadeiramente cristão e evangélico: «não pregava meras idéias filosóficas, nem questões duvidosas e disputadas, e nem questões políticas, mas antes, a fé e o arrependimento, as duas notáveis graças do evangelho, a natureza e a necessidade das mesmas».

ENSINOS DE JESUS

Ver o artigo separado sobre **Jesus**, seção III *Ensinos*. Em volume, esta seção do artigo citado é maior do que o artigo que segue, portanto, deve ser consultada e comparada.

Nenhum outro aspecto do ministério de Jesus é tão freqüentemente salientado nos evangelhos como o seu ensino. Até mesmo questões como a pregação e os milagres envolviam, necessariamente, o ato de ensinar. Em certo sentido, pode-se afirmar que tudo quanto Jesus dizia e fazia tinha por finalidade dar-lhe oportunidade de apresentar o seu ensino. Embora Jesus tenha sido muito mais do que um mestre, a certa altura foi caracterizado como «...Mestre vindo da parte de Deus...» (João 3:2). Pensamos que poderemos examinar melhor esse assunto, dividindo-o como segue:

    I. Autoridade
    II. Eficácia
    III. Habilidade
    IV. Métodos
    V. Conteúdo

I. Autoridade

Os ouvintes de Jesus ficavam atônitos diante de seu ensino em face do tom de firme autoridade com que ele falava (Mat. 7:28,29). A origem dessa autoridade, como é evidente, provinha da consciência de que ele tinha de ser o perfeito porta-voz de Deus Pai, por ser o

ENSINOS DE JESUS

Filho encarnado. «Porque a lei foi dada por intermédio de Moisés; a graça e a verdade vieram por meio de Jesus Cristo» (João 1:17). Essa natureza foi sendo gradualmente desvendada, conforme se vê nos títulos sucessivos que lhe foram sendo aplicados:

1. *Rabi.* As pessoas dirigiam-se a Jesus com o título usual de respeito, *Rabi.* Essa palavra vem diretamente do hebraico, onde significa «grande». Quando usada com o pronome possessivo, resultava em «meu grande», embora nunca seja traduzida como tal em nossa Bíblia portuguesa. Tanto os discípulos de Jesus (Mat. 26:25,49; Mar. 9:5; 11:21; João 1:38,49; 4:31; 9:2; 11:8) quanto outras pessoas (João 3:2; 6:25) trataram-no desse modo. Que tanto ele mesmo quanto os seus discípulos consideravam esse termo uma indicação de elevada posição pode ser visto no fato de que os discípulos não deveriam chamar-se mutuamente «...*mestres* (no original grego, *rabbi*), porque um só é vosso *Mestre* (no grego, *didáskalos*), e todos vós sois irmãos» (Mat. 23:8; os itálicos são nossos).

2. *Mestre.* A palavra grega mais freqüentemente traduzida por «mestre» é *didáskalos.* Nas páginas do Novo Testamento, esse termo indica alguém que ensina as realidades de Deus e os deveres dos homens. Esse vocábulo grego, por sua vez, quase sempre é tradução do termo hebraico *rabi.* Jesus usava esse vocábulo grego, acima de tudo, para indicar a si mesmo (Mat. 23:8). Ainda que muitos gostem de chamar-se «mestres», os crentes só têm um verdadeiro Mestre, Jesus Cristo, o Mestre Divino, enviado por Deus. Nos evangelhos, esse termo é empregado repetidas vezes em contextos onde se tenciona exprimir uma extrema deferência (sem importar se sincera ou não). Ver Mat. 12:38; 22:16,24,36; Mar. 4:38; 10:17, onde há as mais variadas situações. Queremos destacar o relacionamento que havia entre Jesus e seus discípulos (João 13:13). Nesse versículo, é a palavra *mestre* (no grego, *didáskalos*) que está associada a «Senhor».

3. *Profeta.* O papel desempenhado por Jesus como proclamador e intérprete das revelações divinas é indicado pelo termo grego *prophétes*, «profeta». Literalmente, esse termo significa «alguém que fala por outrem», nem sempre destacando o elemento preditivo. Moisés havia predito que um Profeta sempar apareceria entre o povo (Deut. 19:15). Após a ascensão de Jesus, Pedro proclamou, no templo de Jerusalém, que Jesus era esse profeta (Atos 3:22). Estêvão repisou o mesmo ponto, quando era julgado (Atos 7:37). Durante o decurso de seu ministério terreno, com freqüência, Jesus foi chamado de «profeta». Ver, para exemplificar, João 4:19. Embora Jesus nunca tivesse considerado essa designação adequada para descrever a sua missão à terra, ele admitia tal categoria de uma maneira frouxa, geral, pelo menos (Mar. 6:4; Luc. 4:24; João 4:44).

4. *Senhor.* A autoridade do ensino de Jesus como rabi, mestre e profeta repousava ainda sobre uma outra e mais ampla dimensão de seu ser. Ele também é o *Senhor* (no grego, *kúrios*). Em algumas instâncias, nas narrativas dos evangelhos, é impossível dizermos se esse termo meramente indicava respeito, ou então o reconhecimento de que Jesus não era apenas um ser humano. Mas há instâncias que indicam claramente uma referência religiosa que aponta para a sua deidade. O vocábulo «Senhor» designa Jesus em muitas citações do Antigo Testamento, no Novo Testamento. Ver Mat. 3:3; 22:44,45; Mar. 1:2,3; 12:36,37; Luc. 3:4; 20:42-44; João 1:23; Atos 2:34; I Cor. 1:31; Rom. 10:13; Heb. 1:10; I Ped. 2:3 e 3:15. Se excetuarmos a questão das citações,

Mateus e Marcos narram que Jesus chamou a si mesmo de «Senhor». Ver Mat. 21:3 e Mar. 11:3. Os quatro evangelhos registram que Jesus foi freqüentemente tratado como «Senhor». Lucas alude a Jesus, por certo número de vezes, como «o Senhor». Essa terminologia é tão comum no resto do Novo Testamento, que ficam dispensadas as referências. Particularmente claras são expressões como «Senhor Jesus» (Atos 7:59; 19:5,13,17) e «Senhor Jesus Cristo» (Rom. 1:3; 5:1; 15:30 etc.). Na Septuaginta, *kúrios* foi termo grego usado para indicar dois dos nomes de Deus, a saber, *Yahweh* e *Adonai.* Isso é repetido no Novo Testamento. Logo, quando Jesus é chamado *kúrios* (em português, Senhor), no Novo Testamento, ele está sendo chamado de *Yahweh* e *Adonai*, ambos títulos divinos muito sugestivos. Ver Gên. 15:2, onde o nome divino, *Adonai*, é usado, pela primeira vez, por Abraão. E ver Êxo. 6:3, que mostra o momento em que Deus revelou seu novo nome, Yahweh (o que transparece mais claramente, é óbvio, no original hebraico, pois nossa versão portuguesa diz apenas «...mas pelo meu nome, O Senhor, não lhes fui conhecido»).

5. *Filho de Deus.* Um quinto título completa a estrutura de autoridade que subjazia às palavras e atos de Jesus. Ele é o «Filho de Deus» (no grego, *uíos toū theoū*). Por duas vezes isso foi dito por alguma voz proveniente do céu (Mat. 3:17; Luc. 9:35), em cujas vezes era exigido — que os homens dessem ouvidos a Jesus. Isso é muito sugestivo, porquanto há quem diga que Jesus só lentamente teria tomado consciência de sua missão divina. Assim foi assaltado por dúvidas neste respeito. No entanto, em Mat. 3:17, a voz vinda do céu esclareceu tudo, assim que Jesus saiu da água, quando foi imerso no Jordão e, por conseguinte, bem no começo de seu ministério. E em Luc. 9:35, a ocasião foi a sua transfiguração. Antes, deveríamos dizer que os próprios discípulos só com muita lentidão entenderam a natureza divina de Jesus. A primeira confissão clara nesse sentido foi a de Pedro, em Mateus 16:13-17. Jesus sempre se afirmou o Filho de Deus, até mesmo sob juramento (Mat. 26:63,64), e edificou o seu ministério, o seu ensino e a redenção que viera realizar sobre esse fato fundamental. Sua grande oração sumo sacerdotal, de João 17, não teria qualquer sentido sem esse fato básico. Nos evangelhos, ele é chamado «Filho de Deus», de vez em quando (Mar. 1:1; 3:11; 5:7; Luc. 1:35; João 1:49). E também no resto do Novo Testamento, implícita ou explicitamente (Atos 9:20; Gál. 2:20; Efé. 4:13, etc.). Quem, a exemplo de Pedro, recebeu revelação divina acerca da identidade de Jesus, não demonstra dúvidas quanto a isso e nem hesita em chamá-lo de «o verdadeiro Deus» (ver I João 5:20).

II. Eficácia

É impossível medirmos a eficácia do ensino de Jesus mediante a utilização de um único padrão qualquer. Os métodos que ele empregava estavam inseparavelmente trançados com a sua divina revelação. Tudo quanto Jesus disse ou fez era parte integrante de sua missão. Apesar disso, as técnicas por ele usadas, como o Grande Mestre que ele foi, até hoje são o mais excelente modelo a ser seguido por aqueles que querem aprender a ensinar. A didática de Jesus era perfeita.

1. *Aclamação.* Após a popularidade sem precedentes, obtida por João Batista, a reputação de Jesus, ainda no começo de seu ministério, é que ele fazia e batizava mais discípulos do que João (João 4:1). Embora Jesus fosse oficialmente rejeitado pelas autoridades religiosas de Jerusalém, no começo do seu

ENSINOS DE JESUS

ministério na Judéia, muitos confiaram nele (João 2:23). Nicodemos, o mestre fariseu, exprimiu mais do que apenas a sua opinião pessoal, quando confessou: «Rabi, sabemos que és Mestre vindo da parte de Deus; porque ninguém pode fazer estes sinais que tu fazes, se Deus não estiver com ele» (João 3:2). Na Galiléia, houve momentos em que a multidão que se reunia para ouvi-lo era tão grande, que os discípulos nem ao menos tinham tempo para comer (Mar. 6:31). E quando Jesus se retirava para lugares ermos, a fim de escapar das multidões, era seguido por milhares de pessoas (Mat. 14:13-21; 15:29,30,38). É claro que muitos vinham somente para ver os seus milagres, e não tanto para ouvir os seus ensinamentos. O doutrinamento, por si mesmo, por muitas vezes era menos popular (João 6:66). Para sempre havia alguns que reconheciam o inestimável valor de suas instruções, e se apegavam a ele por esse motivo. Ver João 6:67-69. Até mesmo os oficiais que tinham vindo com a finalidade precípua — de deter Jesus, retornaram de mãos vazias, com a desculpa de que «Jamais alguém falou como este homem» (João 7:46). E os próprios fariseus e os principais sacerdotes testificaram, diante do Sinédrio, que o poder de seu ensino era inigualável: «Se o deixarmos assim todos crerão nele; depois virão os romanos e tomarão não só o nosso lugar, mas a própria nação» (João 11:48). Segue-se, portanto, que Jesus deve ter-se mostrado admiravelmente eficaz em seu ensino e em seus atos.

2. *Resultados*. Os efeitos duradouros dos ensinos de Jesus foram temporariamente obscurecidos pelos eventos de sua paixão e morte. Não fora a continuação de seu ministério, — pela atividade de seus discípulos, muitos dos resultados do ensino de Jesus ter-se-iam perdido. Por outra parte, não fora a eficácia do seu impacto sobre o povo, bem como o seu sucesso, no treinamento dos seus discípulos, e teria sido impossível o incrível sucesso da Igreja apostólica. Não há que duvidar que dezenas de milhares de pessoas haviam ficado permanentemente impressionadas e significativamente transformadas em resultado dos ensinos de Jesus. Seja como for, os resultados daquilo que Jesus ensinou e fez (Atos 1:1,2) o que teve prosseguimento através da Igreja, deixam-nos sumamente admirados. Os seus seguidores, em nossos dias, ultrapassam o número dos seguidores de qualquer outro mestre; e as nações que professam seguir-lhe os ensinos, embora de longe e mui imperfeitamente, são as nações que encabeçam a civilização do mundo. Jesus ensinou aos homens as mais elevadas verdades espirituais e morais, embora tenha-o feito com grande simplicidade, usando as técnicas pedagógicas certas, de tal maneira que o povo comum o ouvia com satisfação.

III. Habilidade

Em última análise, o poder de Jesus como mestre era muito mais do que mera técnica e habilidade. O que estava por detrás desse poder era sua deidade e sua missão redentora. Mas, até mesmo isso tinha de ser apresentado de tal modo que cativasse a atenção dos ouvintes e os motivasse a uma participação nos benefícios espirituais por ele oferecidos. A habilidade de Jesus, na comunicação de sua mensagem, só pode ser equiparada à perfeição da graça divina, que ele oferecia aos homens.

1. *Aptidão*. Cinco são as qualificações para quem queira ser um mestre universal. Essas qualificações são aquelas observadas na vida do Senhor Jesus. São as seguintes:

a. Uma visão global, que envolva toda a humanidade.

b. O conhecimento profundo sobre o coração humano.

c. O total domínio da matéria a ser ensinada.

d. A aptidão para ensinar.

e. Uma vida diária que corresponda fielmente ao ensino.

Conforme Jesus esclareceu a Nicodemos, somente ele podia falar como alguém que descera do céu (João 3:13). Portanto, somente Jesus tinha perfeita compreensão da disciplina a ser ensinada, e uma correspondente habilidade para transmitir a mensagem certa.

2. *Alvo*. O ensino eficaz não acontece por acidente. As palavras e os atos de Jesus sempre exibiram uma notável estratégia, cujo desígnio era atingir os propósitos pelos quais ele veio a este mundo. Esse propósito central encontrava expressão em muitos outros alvos menores, mas, imediatos. Jesus, pois, tem sido intitulado de «estrategista com objetivos».

3. *Visão*. Embora Jesus nunca tivesse viajado para muito longe da Palestina, ele sempre tinha em mira a humanidade inteira. Convinha-Lhe atrair também as «outras ovelhas», ao seu rebanho (João 10:16). Importava-lhe atrair a si todos os homens (João 12:32). Ele comissionou os seus seguidores para que saíssem pelo mundo inteiro e pregassem «o evangelho a toda criatura» (Mar. 16:15). Competia-lhes fazer «discípulos de todas as nações» (Mat. 28:19). A visão de Jesus, que ele procurou transmitir aos seus discípulos, era intensiva e extensiva. Os aprendizes deveriam partir da teoria para a prática, não ficando somente naquela: «...ensinando-os a guardar todas as cousas que vos tenho ordenado» (Mat. 28:20). E as palavras «todas as cousas», dentro dessa citação, mostram que coisa alguma, de tudo quanto Jesus ensinou, deveria ser omitida. E as palavras finais da Grande Comissão: «E eis que estou convosco todos os dias, até à consumação do século» (mesmo versículo), mostram que essa tarefa deve prosseguir até o fim da atual dispensação da graça.

4. *Atenção*. O Senhor Jesus conquistava de tal modo a atenção de seus ouvintes que, em certas ocasiões, chegavam a atropelar-se aos outros a fim de se aproximarem dele, para vê-lo e ouvi-lo (Luc. 12:1). Quase vinte séculos depois, praticamente ninguém consegue ficar neutro diante de suas idéias. Um menor número ainda o ignora. Aquilo que Jesus é, o que ele disse, como ele o disse, e o que ele fez, tornam-no o centro de todas as atenções. As pessoas sentem-se naturalmente envolvidas por ele. Uma atenção involuntária é acompanhada por profundas motivações, que mantêm o interesse e atraem as pessoas a ele. Jesus cultivava deliberadamente a arte de chamar e conservar a atenção das pessoas, conforme veremos, quando estivermos considerando os métodos por ele usados.

5. *Motivação*. Jesus compreendia perfeitamente bem as profundas motivações do coração humano. Os apelos de Jesus eram saudáveis e mostravam-se à altura de sua missão sem-par Todavia, eram apelos poderosos e compelidores. Jesus apelava aos homens quanto ao auto-interesse e ao altruísmo, e também a motivos naturais ou intrínsecos e a motivos extrínsecos, como os motivos do recebimento de galardões ou do recebimento de punição. Ele também advertia contra a tragédia do mal e suas conseqüências. Estando plenamente consciente de que os motivos obedecem a uma escala de gradação, a despeito disso ele sempre se mostrou francamente prático. Dirigia o seu apelo às necessidades e capacidades de cada um. No entanto, para ele, o valor espiritual e moral

394

ENSINOS DE JESUS

definitivo é o amor que devemos devotar a Deus e aos nossos semelhantes (Mar. 12:30,31).

6. *Participação.* Jesus sabia perfeitamente bem que mais do que meras preleções se fazem necessárias, se as pessoas tiverem de ser transformadas para melhor. Os interesses de cada indivíduo precisam ser despertados de tal modo que ele chegue ao ponto de querer participar. É mister que as pessoas peçam, busquem e **batam** (Mat. 7:7,8). Precisam participar ativamente, tomando iniciativas em busca da vontade do Senhor. Esse princípio subjaz a toda a sua metodologia. Jesus apreciava iniciar debates, questões, projetos, exemplos concretos e tarefas.

7. *Quadros Mentais.* Jesus evitava empregar formas abstratas de expressão, sempre que isso lhe foi possível. Ele dirigia-se às mentes e aos corações daqueles que viviam vendo, ouvindo e fazendo as coisas. Ele referiu-se, como ilustrações, a traves e ciscos, **quando se referiu** ao espírito de crítica acerba (Mat. 7:4,5). A incoerência foi por ele comparada com o ato de coar um mosquito, para, em seguida, escancarar de tal modo a boca que se pudesse engolir um camelo (Mat. 23:24). Sal, luz, sementes, árvores, lírios, cidades, rios e céus, em seus lábios, resplandeciam de insuspeitos significados, para o tempo e para a eternidade.

8. *Senso Artístico.* O encanto da metodologia e da incrível habilidade de Jesus, como professor, dependia do domínio da arte do ensino, em que ele era o mais perfeito mestre. Os princípios pedagógicos por ele usados não eram truques desconexos, mas faziam parte do senso artístico de um perfeito artista, que fazia bem todas as coisas (Mar. 7:37). Não havia qualquer esforço menos digno, em busca de mero efeito. A beleza e força de atração de Jesus é que ele falava como ninguém jamais falou (João 7:46).

IV. Métodos

Apesar de que o ensino de Jesus continha um único conteúdo, não havendo quem lhe possa igualar como mestre, devido à perfeição da comunicação de suas idéias, o que não pode ser duplicado, por outro lado há métodos de ensino que podemos discernir e estudar, a fim de os emularmos em nosso próprio ministério de ensino.

1. *As Parábolas.* Um dos métodos mais notáveis, usados por Jesus em seu ensino, era o das parábolas. Uma parábola podia ser uma história longa ou uma declaração de grande sabedoria; mas sempre transmite alguma verdade espiritual por meio de alguma comparação com fatos familiares. Alguns estudiosos têm contado cerca de vinte e oito breves comparações, e talvez vinte e cinco narrativas diferentes, nas palavras de Jesus, registradas nos evangelhos. No evangelho de Marcos, cerca de uma quarta parte de todas as palavras proferidas por Jesus fica dentro dessa categoria. Era através de parábolas que, por muitas vezes, Jesus obtinha e conservava a atenção dos seus ouvintes. Ele falava ao coração das pessoas, em palavras que se repetiriam com sentidos cada vez mais profundos, quando elas meditavam sobre a comparação ou comentário interessante. Dessa forma, era possível dizer coisas, nas entrelinhas, sob a capa de uma figura simbólica, como não se poderia fazê-lo em um discurso mais direto. (Ver Mat. 22:1). Por muitas vezes, em vez de contar alguma história, Jesus usava algum milagre, por ele realizado, como base de seu ensino. Entre outras vantagens desses milagres, havia essa vantagem adicional de servir de vívida ilustração para algum ensino de Jesus (por exemplo, João 6:11,27,35,63).

2. *Os Provérbios.* Epígrames, provérbios, aforis-mos, máximas e paradoxos comprimem, da maneira mais breve possível, algum gérmen de verdade que a mente popular compreende muito bem, capaz de produzir, mais tarde, o desencadeamento de uma série de pensamentos. Felizmente para nós, os ensinamentos de Jesus abundavam de recursos dessa natureza. Dependentes como eram os primeiros cristãos da tradição oral, eles tinham bem pequena dificuldade para preservar e usar essas declarações compactas.

3. *A Poesia.* Alguns ensinos de Jesus revestem-se de uma qualidade rítmica que se evidencia até mesmo nas traduções (por exemplo, Luc. 6:27). Alguns estudiosos têm chegado a sugerir que Jesus moldou o âmago de sua doutrina de acordo com um certo padrão rítmico, como um artifício pedagógico. À semelhança de outros rabinos de sua época, é possível que ele tenha exigido que seus discípulos memorizassem o cerne de sua doutrina, sob a forma de declarações compactas. Se isso, realmente, sucedeu, então, visto que é muito mais fácil reter um trecho em verso, e não em prosa, é possível que ele tenha feito isso com essa finalidade, e não para obter algum efeito de beleza de expressão.

4. *Indagações.* Um outro método favorito de Jesus era o das perguntas e respostas. Essa técnica era um convite à participação direta, por parte de seus ouvintes, dentro da questão que estivesse sendo enfocada. Era capaz de despertar a consciência, desviar um ataque, despertar as emoções, cativar o interesse e sondar as profundezas de qualquer questão. Em certas oportunidades, podia até mesmo silenciar aqueles que procuravam pôr um ponto final ao seu ministério (Mateus 22:46).

5. *Discursos.* Havia ocasiões, entretanto, — que a verdade podia ser comunicada com maior rapidez e eficácia mediante um discurso bem concatenado, ou sermão. O supremo exemplo disso é o Sermão do Monte (Mat. 5 — 7). A verdade precisava ser organizada e preservada em uma forma sistemática, que pudesse ser examinada de vez em quando. Outros exemplos notáveis dessa técnica aparecem no discurso do monte das Oliveiras (caps. 24 e 25), e do cenáculo (João 14 — 16).

6. *Citações.* O uso de citações extraídas do Antigo Testamento tem um lugar central no ensinamento de Jesus. Ele tinha a mais absoluta confiança nesses documentos (Mat. 5:18), tendo-os usado para refutar as idéias de seus adversários (Mat. 22:41-45), para explicar a sua própria missão, com base nessas Escrituras (Luc. 24:27), e até mesmo para servirem de trampolim para as suas doutrinas mais avançadas (Mat. 5:22).

7. *Projetos.* A seqüência formada por impressão-expressão, com freqüência dentro do contexto de um projeto qualquer, ajudava a conseguir um efeito de modificação permanente nos ouvintes de Jesus. Jesus não somente informava aos seus discípulos como ministrar a outras pessoas, e o que haveriam de encontrar; ele também os enviava ao campo, para obterem experiência direta com o trabalho a ser feito, e então convidava-os para sessões em que prestavam relatório. Os discípulos, portanto, aprendiam fazendo, instruindo a outros e discutindo sobre os assuntos a serem ensinados (Luc. 9:1-10).

8. *Símbolos.* Um símbolo concreto torna-se um emblema que tipifica o que é apenas abstrato. A propriedade e firmeza de um símbolo tende por impedir que aquilo que é apenas uma idéia abstrata se desvie e desintegre. Jesus enfatizou o batismo e a Ceia do Senhor como métodos apropriados para ensinar os

ENSINOS DE JESUS

conceitos fundamentais de seu reino. Por semelhante modo, ele lavou os pés dos seus discípulos a fim de impressioná-los acerca da necessidade de serem humildes (João 13:4-7), e recomendou que seus discípulos sacudissem a poeira dos pés, a fim de salientarem a indignidade daqueles que rejeitassem a sua mensagem ou os seus mensageiros (Mar. 6:11).

9. *A Força do Exemplo*. Jesus era o supremo exemplo vivo de seus próprios ensinamentos. Ele vivia aquilo que ensinava. Conforme ele mesmo disse, ele santificava-se a fim de que os seus seguidores também fossem santificados (João 17:19). Quando estava lavando os pés dos seus discípulos, Jesus esclareceu: «Porque eu vos dei o exemplo, para que, como eu vos fiz, façais vós também» (João 13:15). Portanto, Jesus ensinava por meio de seus atos, tanto quanto por meio de suas palavras. Sua vida continua sendo, até hoje, a maior inspiração de santidade para os homens.

V. Conteúdo

Os ensinamentos de Jesus teriam sido reduzidos a quase nada, a despeito de toda a sua habilidade, não fora o conteúdo de seus ensinamentos. Jesus revelava quem era Deus e como era Deus (João 14:8-11). Jesus, conforme ele mesmo esclareceu, é o caminho, a verdade e a vida (João 14:6). Ele veio a este mundo a fim de que os homens tivessem vida, e a tivessem em abundância (João 10:10).

1. *Deus*. Em parte alguma Jesus argumentou quanto à existência de Deus. Ele sempre tomava a existência de Deus como ponto pacífico, como verdade indiscutível. Na verdade, Jesus revelou a Deus. Jesus pareceu um tanto ressentido porque estivera em contacto com Filipe, por tanto tempo, mas aquele apóstolo não estava ainda satisfeito com a revelação de Deus nele. Em termos humanos concretos, Jesus tornou Deus conhecido como o nutridor — o Pai que cuida de toda a humanidade. Jesus sempre chamou Deus de «Pai» ou de «Deus», exceptuando nas citações do Antigo Testamento, onde Deus é chamado «Senhor» (que vede).

2. *Sua Própria Pessoa*. Embora Jesus nunca tivesse apresentado uma doutrina sistemática acerca de sua própria pessoa, sua autoconsciência transparecia mediante declarações formais ou incidentalmente. Entre as mais específicas indicações de sua divindade, poderíamos pensar nestas três: «...porque eu vim de Deus e aqui estou; pois não vim de modo próprio, mas ele me enviou» (João 8:42). «Em verdade, em verdade eu vos digo: Antes que Abraão existisse, eu sou» (João 8:58). «Vim do Pai e entrei no mundo; todavia, deixo o mundo e vou para o Pai» (João 16:28). Mas, paralelamente aos atributos de deidade e à missão sem-par de que fora revestido, havia o seu constante senso de que participava das experiências comuns à humanidade. Para ele, o tempo, o espaço, a pobreza, a solidão, a fadiga e a tristeza eram tão reais quanto eram as suas qualidades e habilidades transcendentais. Todas essas coisas ele não somente sentia, mas também exprimia diante dos seus seguidores.

3. *O Espírito Santo*. O ensino de Jesus sobre o Espírito Santo girava em torno da obra do Espírito em favor dos crentes. Ele enfatizou que o homem entra no reino de Deus ao nascer por operação do Espírito de Deus (João 3:5); e que o crente encontra seu cumprimento na vida abundante do Espírito (João 7:38,39). Jesus também atribuía o poder de seu ministério ao mesmo Espírito Santo (Mat. 12:27,28), o qual, segundo Jesus também esclareceu, haveria de permanecer para sempre com os crentes, vindo residir neles (João 14:16,17).

4. *As Escrituras*. Embora Jesus nunca tivesse feito qualquer exposição sistemática das Escrituras, ele apresentou as mais firmes declarações acerca do caráter fidedigno da Bíblia. Ao argumentar em defesa de sua vida, Jesus asseverou: «...e a Escritura não pode falhar». E, noutra oportunidade, declarou: «Porque em verdade vos digo: Até que o céu e a terra passem, nem um *i* ou um *til* jamais passará da lei, até que tudo se cumpra» (Mat. 5:18). Jesus anunciava «a palavra» às multidões (Mar. 2:1,2). Jesus sempre apelava à Palavra de Deus, convocando as autoridades religiosas do povo judeu para que dessem ouvidos e voltassem ao que estava escrito. Sua queixa acerca da tradição secular dos judeus é que, via de regra, fazia a Palavra de Deus tornar-se sem efeito (Mat. 7:13). Em suma, Jesus ensinava que a Palavra de Deus é a verdade (João 17:17).

5. *A Vida Cristã*. Jesus não expunha a vida cristã segundo termos legalistas. Deveria haver uma vitalidade espiritual, produzida por meio de um novo relacionamento entre o homem e ele, por meio da fé (João 5:24). Nenhuma outra verdade merecia tanta atenção e nem recebeu ênfase maior, dentro do ensinamento de Jesus, do que o fato de que ele era a própria vida dos homens. Assim, ele se declarou o pão da vida (João 6:35), a luz da vida (8:12), o caminho, a verdade e a vida (14:6), a ressurreição e a vida (11:25). A conduta cristã é a expressão dessa vida, em consonância com os princípios divinos e com os preceitos da Palavra de Deus. Isso posto, há dois mandamentos fundamentais que se reduzem a um só — o amor. Amar a Deus com todas as fibras do ser, e amar ao próximo como a nós mesmos, é a vida focalizada em termos éticos (Mar. 12:30,31). O outro lado do amor é a santidade, isto é, a semelhança com Cristo. Foi por esse motivo que Jesus orou ao Pai: «Santifica-os na verdade; a tua palavra é a verdade» (João 17:17).

6. *O Reino de Deus*. Um dos temas mais constantemente repetidos, dentro do ensino de Jesus, era o reino de Deus, ou reino dos céus. O reino de Deus é o governo de Deus, quer simplesmente nos corações dos homens, quer em alguma forma de estabelecimento neste mundo. Tem começo nas vidas dos crentes (Luc. 17:21), mas é também um fato capaz de ser ampliado e de ter pleno cumprimento, até que Deus venha a ter de volta a soberania que lhe cabe por direito, sobre todas as suas criaturas, dentro de uma perfeita ordem de coisas (Mat. 6:10). «Percorria Jesus toda a Galiléia, ensinando nas sinagogas, pregando o evangelho do reino...» (Mat. 4:23).

7. *A Igreja*. O reino de Deus assume forma palpável na Igreja, na presente ordem mundial. A Igreja é a assembléia daqueles que se submeteram voluntária e jubilosamente ao governo de Deus, por meio da redenção que há em Cristo. Jesus tinha plena consciência do surgimento da coletividade dos crentes, os remidos pelo seu sangue. Ele chamou essa coletividade de a Igreja, afirmando-se o seu fundador (Mat. 16:18).

8. *Escatologia*. Para Jesus, as questões escatológicas eram uma simples extensão dos princípios morais e espirituais que ele ensinava, levadas às suas consequências lógicas, sob o governo de Deus. Ficam subentendidos a responsabilidade moral, a vida futura, o céu, o inferno, o julgamento, as recompensas, os castigos, o triunfo final de Deus e de seu povo, e a perdição eterna daqueles que se perderem. Aqueles que rejeitarem a Jesus Cristo e ao Espírito Santo não têm qualquer esperança (Mat. 12:30,31). E aqueles a quem Jesus conferir a vida eterna jamais perecerão (João 10:28).

A ENTRADA TRIUNFAL

Munkacsy. FIGURA DE JESUS

Rubens. JESUS É AÇOITADO

ENTALHE — ENTRADA TRIUNFAL

ENTALHE

Ver sobre **Artes e Ofícios**. O entalhe é uma obra artística em madeira, pedra, marfim, bronze, ouro, prata e até mesmo vidro. O objeto de arte é obtido mediante o processo gradual de desbastamento, corte, moldagem, raspagem e incisão. Ver os trechos de Isa. 40:19,20; 41:7 e 44:9-17 quanto a uma descrição bíblica. A primeira menção dessa arte aparece na Bíblia em Gên. 38:18, no tocante ao anel de selar de Judá. A arte foi empregada na decoração dos móveis do tabernáculo, particularmente em seus objetos de ouro e de prata (Êxo. 31:4,5; 35:32,33). A capacidade para se fazer esse trabalho de arte era atribuída a um dote divino (Êxo. 31:2-35). O povo de Israel deve ter observado muito trabalho artístico no Egito, sendo provável que muito desse trabalho de lavor tenha sido tomado por empréstimo das habilidades egípcias. No entanto, quando o templo de Salomão foi decorado, ele importou artesões de Tiro (I Reis 5:1-18). Essa arte desenvolveu-se de tal modo que incluiu técnicas como a fundição, entalhe e blindagem (Isa. 40:19,20). Naturalmente, essa era uma arte que muito se prestava às finalidades da idolatria (Lev. 26:1; Núm. 33:52; Jer. 2:27), e, quanto a isso, os principais inspiradores de Israel eram seus vizinhos cananeus. Porém, em Israel, os ricos empregavam tal arte por pura ostentação, o que foi condenado por Amós como um pecado (ver Amós 3:15). O marfim era um dos materiais preferidos pelos entalhadores. No templo de Salomão havia painéis de madeira, pedras artisticamente lavradas e portas decoradas com imagens de palmeiras e lírios (I Reis 6:18). Além disso, havia as grandes imagens dos querubins, entalhadas em madeira e recobertas com chapas de ouro (I Reis 6:23; II Crô. 3:11). Os suportes da pia do templo também foram laboriosamente entalhados (I Reis 7:31). (Z)

ENTELÉCHEIA

Ver o artigo sobre **Energeia**, que inclui informações sobre essa palavra grega.

ENTELÉQUIA

Palavra que se deriva do grego **en-telos** (no fim) e *echeim* (ter), ou seja, *realidade* ou *estar completo*. A palavra tem sido usada em mais de um sentido, segundo mostramos abaixo:

1. Nos escritos de *Aristóteles* (que vide), a *enteléquia* de alguma coisa é tanto a sua realidade completa como o seu poder de atingir a perfeição, ou o estado completo. Aristóteles contrastava essa palavra com a idéia de potencialidade.

2. Em *Leibniz* o termo é empregado para indicar as nômadas, com a idéia que elas possuem a capacidade que Aristóteles atribuía a essa palavra.

3. No *vitalismo* (que vide) o vocábulo é usado por Hans Driesch (que vide) a fim de referir-se à força controladora interna dos organismos biológicos que determina o desenvolvimento e a utilidade dos órgãos. Essa força é não química, é imaterial.

De acordo com os estudos de Aristóteles, a alma (*psiche*) era definida como a forma da realidade (enteléquia) do corpo físico, que é potencialmente dotado de vida. De acordo com esse pensamento, a alma é que confere à porção material do homem a sua realização e estado completo. Assim pensando, porém, Aristóteles não concebia, necessariamente, que a alma sobreviveria à morte física do corpo. Ver os artigos sobre *Alma* e *Imortalidade*.

ENTERRO

Ver **Sepultamentos, Costumes de** e **Túmulo**.

ENTIA NATURAE

Expressão latina que significa «coisas da natureza». Ver o artigo sobre a *Natureza*.

ENTIA RATIONIS

Expressão latina que significa «coisas da razão».

ENTIDADE

Essa palavra portuguesa vem de **ens, entis**, «coisa», «ser», palavra latina. Dentro da filosofia escolástica, a palavra indica qualquer ser real. Este último sentido veio a incluir qualquer coisa que tem *existência separada*, incluindo os pensamentos, que podem ser usados para apoiar predicações. Portanto, até mesmo um conceito ou pensamento, considerado como completo em si mesmo, é chamado de *entidade*.

ENTORPECENTES Ver o artigo sobre **Drogas**.

ENTRADA TRIUNFAL

Mat. 21:1 — 23:39 contém a história da *última semana* da vida de Jesus, antes da crucificação. Nesta seção é apresentada uma série de breves narrativas que **evidentemente têm** por desígnio explicar como foi crescendo a oposição contra Jesus, como ela foi organizada, e como isso resultou em sua morte. A cena na cidade de Jerusalém, a Cidade Santa, que não obstante se mostrou cidade ímpia, porquanto Jesus não foi o primeiro profeta a perecer ali, e também porque naquele período da história ela estava cheia de hipocrisia por todos os lados, pelo que era dificílimo encontrar qualquer expressão religiosa autêntica. O *protomarcos* é a fonte básica, pois o autor deste evangelho segue de perto o esboço do evangelho de Marcos. Entretanto, a fonte «Q» também forneceu alguns subsídios, o que se vê em Mat. 22:1-10; 23:4,13,23-29. É muito difícil termos certeza sobre as origens das seguintes passagens: Mat. 21:28-32; 23:2,3,5; 8:10 e 15:22,24. Essas adições podem ter se derivado parcialmente da fonte «M» ou seriam simples comentários editoriais feitos pelo próprio autor.

O evangelho de João registra *quatro* visitas de Jesus a Jerusalém; mas o de Marcos, que é a principal fonte informativa dos evangelhos sinópticos, fala apenas de uma visita declarada, embora os trechos de Mar. 11:2,3 (Mat. 21:2,3) mostrem que ele era bem conhecido nessa região da Palestina, sendo provável que tenha havido mais visitas a Jerusalém que os evangelhos sinópticos não registraram. Os evangelhos não explicam o propósito de sua última visita, exceto que foi para celebrar a páscoa, o que era exigido de todos os homens de Israel. As narrativas se limitam às palavras e feitos de Jesus, sem dar quaisquer notas interpretativas. Talvez os evangelistas tivessem pensado ser um sacrilégio tecer comentários, pensando que as palavras e as ações de Jesus falam por si mesmas. Um espírito de admiração e perplexidade interpenetra nessas narrativas. As idéias que dizem que Jesus subiu a Jerusalém a fim de fazer — uma última tentativa — para estabelecer o reino literal, não estão bem fundadas nos fatos, pois parece perfeitamente claro que Jesus sabia que não sobreviveria a essa visita. O que é certo é que Jesus foi anunciar uma mensagem, caracterizada principalmente pela condenação à dureza de coração das autoridades religiosas, que dificilmente pareciam ainda ser capazes de deixar-se comover por qualquer ensino de Jesus. «*A reserva reverente* é apropriada tanto ao comentarista como aos evangelistas. Só podemos dizer que os acontecimentos redundaram na glória de Deus, e que o próprio Jesus não poderia desejar mais do que isso»

ENTRADA TRIUNFAL — ENTUSIASMO

(Sherman E. Johnson, *in loc.*).

Os paralelos deste trecho são Mar. 11:1-11; Luc. 19:28-40 e João 12:12-19. Este é um dos poucos relatos acerca da vida de Jesus, quer se trate de simples incidentes históricos, quer se trate de narrativas sobre milagres ou ensinos, que foram registrados por todos os quatro evangelistas. A exposição aqui oferecida inclui os elementos dos outros evangelhos que não aparecem na narrativa de Mateus.

Lições Espirituais Envolvidas no Incidente:

1. A *resolução de Jesus* em cumprir a sua missão, mesmo em face dos perigos evidentes, foi digna de nota. Ele não foi a Jerusalém meramente a fim de cumprir deveres religiosos. Foi ali a fim de promover a causa de sua missão de origem celestial.

2. A *inconstância* das multidões é algo proverbial. Os mesmos que, dias antes, haviam-no aclamado Rei, já na semana seguinte exigiam a sua crucificação. Os números estatísticos nunca servem de indicação segura de realização espiritual.

3. Os *números* nunca indicam realização ou autenticidade espiritual. Quanto maior o espetáculo, maior a multidão que se reúne para ver. Até mesmo hoje, em muitas igrejas evangélicas, os pregadores pensam que é vantajoso atrair grandes multidões. Pensam que isso evidencia o sucesso de seu trabalho.

4. No caso de Jesus, houve uma genuína *autenticidade* em sua postura real, porquanto havia autoridade espiritual por detrás de sua entrada triunfal em Jerusalém, conforme sabemos, com base em Mat. 21:5: «Eis aí te vem o teu Rei...» Uma predição bíblica se cumpriu nesse evento.

Significação da Entrada Triunfal:

Mat. 21:8: *E a maior parte da multidão estendeu os seus mantos pelo caminho; e outros cortavam ramos de árvores, e os espalhavam pelo caminho.*

Primeiro Domingo de Ramos: três são as principais interpretações sobre a significação da entrada triunfal de Jesus em Jerusalém:

1. Que Jesus tencionava fazer, com esse ato, uma *proclamação messiânica.* — Por muitas vezes, Jesus relutara em revelar os seus propósitos acerca disso, talvez por temer que a verdadeira natureza de tal proclamação viesse a ser mal-entendida, como se fosse uma medida política, com finalidades materialistas. Pouco tempo depois, entretanto, declarou-a abertamente a Pilatos.

2. Outros acreditam que a proclamação veio *por puro acidente* e que Jesus não tivera qualquer intenção de fazer tal proclamação; mas que os discípulos, misturando esperanças terrenas e espirituais, haviam forçado a situação e incitado a multidão; ou então que as próprias multidões juntamente com os discípulos, fizeram tal proclamação, contra os desejos das autoridades religiosas. Esta interpretação tem certo elemento de verdade, se lhe dermos o sentido de proclamação de ambições políticas intencionais. É verdade que Jesus não tinha qualquer intenção de ser rei, no sentido que o povo almejava. Jesus foi sempre um líder religioso, um reformador e um inovador; mas jamais foi um político. Também é verdade que as profecias messiânicas não somente subentendem mas até mesmo exigem ações políticas, mas essa parte das profecias messiânicas pode ser melhor entendida se for aplicada à sua segunda vinda e ao seu reino milenar. Essa distinção, todavia, nunca foi compreendida pelo povo. É verdade que Jesus veio a fim de inaugurar um reino, e que esse reino, necessariamen-

te, incluirá o domínio político. Não obstante, Jesus jamais agiu como mero político. Os conselhos de Deus podem explicar plenamente essas circunstâncias, apesar de não podermos compreender ou reconciliar completamente as ocorrências entre si. Mas, pelo menos, parece que, de conformidade com as exigências dos conselhos de Deus, especialmente que envolve o elemento tempo, Jesus sentia intuitivamente quais as ações exatas que deveria tomar e quais deveriam ser por ele evitadas.

3. Outros acreditam que o cortejo fez, realmente, parte da celebração da *festa dos Tabernáculos*, e que os seguidores de Jesus, transbordados de alegria, tiraram proveito do ensejo para honrá-lo como seu rei e profeta. As profecias indicam que Deus estava por detrás de tudo quanto ocorria, e que isso era um acontecimento necessário na vida de Cristo. O incidente não representou um movimento popular, pois a própria população da cidade ficou quase inteiramente indiferente. Diz Buttrick (*in loc.*): «Os homens continuavam a falar sobre o preço do trigo e acerca da ocupação romana. Não conheceram o *tempo da visitação de Deus* (Luc. 19:44). Alguns esperavam que o Cristo viesse ser um Messias terreno; outros demoraram-se nas proximidades esperando vê-lo realizar um milagre. Talvez alguns poucos tivessem podido apreender a grandeza de sua alma, e talvez tenham sido esses os que estenderam suas vestes à frente dele, conforme de certa feita o povo recepcionou o rei Jeú (ver II Reis 9:13). Provavelmente a maioria das pessoas da multidão que se formou deu pouca atenção ao sentido do hosana!»

ENTUSIASMO

No grego, significa «ter um deus em si mesmo», ou seja, estar debaixo da influência inspiradora de alguma divindade. O sentido comum da palavra, porém, é um sentimento ardoroso, intenso, ardente, que resulta na feitura de alguma coisa com grande zelo. Outras vezes, a palavra é associada à irracionalidade e a pensamentos e atos exagerados. Assim, um *entusiasta* é alguém inclinado a pensamentos e atos ardorosos, algumas vezes bem controlados e dirigidos; mas, outras vezes, o termo indica alguém que age impelido por impulsos dúbios e prejudiciais. Seja como for, os produtores são aqueles que se mostram entusiasmados com aquilo que fazem. E, em alguns casos, pode-se supor que há uma inspiração genuína por detrás desse entusiasmo. Em alguns poucos casos, também podemos pensar que seres espirituais externos, de vários níveis e tipos, podem estar envolvidos no entusiasmo. Nesse caso, o sentido do vocábulo grego cumpre-se de forma literal.

Na história eclesiástica e na teologia, essa palavra tem sido usada, algumas vezes, para referir-se aos movimentos e aos indivíduos carismáticos. E isso tanto em sentido elogioso quanto em sentido zombeteiro. Esses movimentos usualmente frisam um retorno às raízes neotestamentárias, quando o entusiasmo cristão era grande. Esses entusiastas advogavam a renovação dos dons carismáticos. Geralmente tornam-se conhecidos por seu zelo. Tendem por minimizar a importância dos ritos, das cerimônias e dos sacramentos e por dar maior valor às experiências espirituais. Por igual modo, na maioria das vezes (mas nem sempre), eles são antiintelectuais, supondo que somente a revelação divina (através das Escrituras Sagradas, ou através dos dons espirituais, para casos particulares, sem aplicações genéricas) é válida como fonte de conhecimento. Esses supõem que o Espírito Santo inspira todos os tipos de

ENUMA ELISH — ENXOFRE

experiência mística, especialmente aquelas alistadas nos escritos de Paulo, quando se refere aos dons do Espírito.

Na época da Reforma protestante, o termo *entusiastas* foi aplicado a várias seitas que se diziam possuidoras de inspiração divina, como os anabatistas e os schwenkfeldianos (que vide). Dentro do vocabulário de Lutero, o termo é aplicado a todos aqueles que supõem que o Espírito de Deus atua imediatamente, de forma independente das Escrituras e dos sacramentos. Outros movimentos religiosos considerados entusiastas são os swedenborgianos, os quacres e os pentecostais. Ver os artigos separados sobre o *Movimento Carismático* e os *Dons Espirituais*.

ENUMA ELISH

Essas são as palavras iniciais e, portanto, o título de um importante texto cosmológico da Mesopotâmia. Ver os artigos separados sobre *Cosmogonia* e *Cosmologia*.

Essa obra é um antigo mito mesopotâmico sobre os começos da criação, com algum paralelo na narrativa bíblica. Essa obra reveste-se de grande importância quanto à compreensão das idéias cosmológicas dos povos que viviam naquela região, desde as eras mais remotas, embora tenha qualidade inferior a outros textos mais eloqüentes, como os de *Gilgamés*, *Ludlul Bel* e *Nemequi*. As evidências apontam para um fundo comum de idéias acerca das origens. Os paralelos bíblicos do que diz a obra babilônica Gilgamés são mais exatos; mas são de natureza tal que é impossível dizer-se que não há qualquer conexão entre essa obra e certos relatos bíblicos. Quanto a uma pesquisa sobre a questão, ver o artigo separado sobre *Cosmogonia*. Alguns estudiosos argumentam que o relato bíblico tomou por empréstimo elementos daquelas obras babilônicas lendárias e da obra *Gilgamés*, em particular, ao passo que outros asseveram que os informes bíblicos é que foram usados e deturpados. Porém, a verdade mais provável é que um fundo comum de idéias foi usado, de onde se derivam todos esses relatos, bíblicos ou outros. A narrativa bíblica é mais elevada e equilibrada, posta dentro do contexto do monoteísmo, ao passo que os outros relatos são altamente politeístas.

A obra *Enuma Elish* foi escrita em sete tabletes, no dialeto acádico da Babilônia. Era usada nas cerimônias épicas do ritual do Ano Novo, no grande templo de Esagila. Isso significa que tal obra era reputada uma composição sagrada. A versão padrão do texto data do primeiro milênio A.C., embora incorpore outros materiais, posteriores. Cópias desse livro foram recuperadas em Nínive, Assur e Quis. Não se sabe, entretanto, onde essa composição foi originalmente escrita.

Conteúdo:

Primeiro tablete. Vêm à existência os deuses e as forças cósmicas originais. Tiamate aparece como a deusa do mar.

Segundo tablete. Tiamate e os seus monstros preparam-se para a batalha contra os deuses que tinham, como seu grande herói, o deus Marduque (mas outros manuscritos substituem esse deus por Assur).

Terceiro tablete. A assembléia dos deuses predeterminou o resultado da batalha iminente e glorificou a Marduque.

Quarto tablete. Marduque derrotou Tiamate em uma sangrenta batalha e subseqüentemente, dissecou o seu cadáver.

Quinto tablete. Então Marduque atuou como arquiteto criador, trazendo as cores à existência, utilizando-se dos restos mortais de Tiamate.

Sexto tablete. Um dos ajudantes de Tiamate, Kingu, é morto, seu corpo é dissecado e seu sangue é usado para ser criado o homem.

Sétimo tablete. Nesse tablete temos uma lista dos nomes mágicos de Marduque, juntamente com um breve epílogo.

Tal como se dá na maioria das religiões, um *dualismo* original (que vide) arma o palco para uma longa luta. As forças do bem, finalmente, saem-se vitoriosas. Nessa lenda, temos o excelente discernimento de que o próprio mal é transformado em bem, tão grande é o poder do bem. O bem pode proceder até mesmo do mal, o que concorda com o sentimento expresso por Paulo, em Romanos 8:28. (HEI Z)

ENUMERAÇÃO

Na filosofia, essa palavra é usada de duas maneiras principais, a saber:

1. *Definição*. Uma coisa qualquer pode ser definida por uma enumeração de pontos e subpontos. A combinação de todos os pontos e subpontos, pois, torna-se a definição desejada.

2. *Indução*. A indução pode ser realizada mediante a simples enumeração de elementos constitutivos e de fatos que se relacionam a um assunto qualquer. Esse método também se intitula indução perfeita ou completa. Francisco Bacon criticou esse método de investigação, por dar preferência ao *método experimental*.

ENXERTO

No grego, **egkentrizo**. Palavra que aparece por seis vezes, sempre no décimo primeiro capítulo da epístola aos Romanos (vs. 17,19,23 e 24).

Usualmente, faz-se o enxerto de um ramo de espécie vegetal cultivada em uma árvore inculta. Isso pode ser feito em uma planta da mesma espécie, ou em planta de outra espécie ou variedade. A planta que recebe o enxerto chama-se matriz. E o enxerto é a muda. A matriz torna-se a fonte de nutrição da muda; mas esta continua a produzir, segundo seu tipo original, com leves modificações. Assim, a lima pode ser enxertada na laranjeira e o resultado será a laranja-lima; ou vice-versa. O uso que Paulo faz do procedimento aparece em Rom. 11:17-24. Em sua metáfora, ele imaginou que aquilo que era «contra a natureza» (vs. 24), ou seja, a oliveira brava (os gentios), tinham sido enxertados na boa oliveira, no povo de Israel, os beneficiários do pacto abraâmico). Parece que o apóstolo Paulo quis indicar que tal enxerto, no mundo religioso e espiritual, não daria fruto; mas Deus, em seu plano misericordioso, faz esse enxerto funcionar.

Além disso, continuando na mesma linha de pensamento paulino, quando o povo de Israel vier a converter-se, então será reenxertado em sua própria boa oliveira, da qual, por motivo de apostasia, fora arrancado, sendo substituído pelos ramos da oliveira brava. Seja como for, os ramos de oliveira brava, de onde ninguém esperava que houvesse fruição espiritual, tornaram-se frutíferos na Igreja.

ENXOFRE

No hebraico, **gophrith**, no grego, **theion**. O termo

ENXOFRE — EPÊNETO

hebraico, derivado de uma árvore, provavelmente indicava a goma produzida pela mesma. Posteriormente, passou a indicar toda espécie de substância inflamável. O termo hebraico ocorre por sete vezes (Gên. 19:24; Deu. 29:23; Jó 18:15; Sal. 11:6; Isa. 30:33; 34:9 e Eze. 38:22). O termo grego deriva-se da idéia de «divino», aparecendo no Novo Testamento por sete vezes: Luc. 17:29; Apo. 9:17,18; 14:10; 19:20; 20:10 e 21:8.

O enxofre é um elemento não metálico, de cor amarela, normalmente encontrado sob a forma de cristais, mole, que se dissolve à temperatura de 113° centígrados. Queima com uma chama azul e produz uma fumaça malcheirosa e sufocante, composta de gás dióxido. Encontra-se na camada rochosa das cúpulas de sal, em leitos sedimentares e em regiões onde há atividade vulcânica, como, por exemplo, em torno do lago de Tiberíades e na Síria, onde o monte Hebrom é um vulcão importante. É possível que sua associação aos vulcões também tenha originado a idéia de que fazia parte do meio ambiente do hades (que vide). Os povos antigos acreditavam que o hades estava localizado sob a superfície do globo terrestre, e que os vulcões penetravam até ele. A alusão em Apocalipse 21:8, do lago que arde com fogo e enxofre, o *lago sulfuroso*, está relacionada a esse conceito. Ver também Isaías 30:33. É possível que a palavra usada em relação ao fogo e ao enxofre, caídos como chuva, em Salmos 11:6, seja uma referência à chuva de matéria ígnea de alguma forte erupção vulcânica. Alguns intérpretes acreditam que a destruição de Sodoma e Gomorra, historiada em Gênesis 19:24, foi devida a uma erupção dessa natureza.

Uso Figurado. A palavra é usada na Bíblia para denotar punição, destruição e julgamento (Deu. 29:23; Jó 18:15; Sal. 11:6; Isa. 30:33; Luc. 17:29 e Apo. 8:17). E, naturalmente, em Apocalipse 21:8, encontramos o lago de fogo e enxofre, destino final dos iníquos. Alguns estudiosos, mesmo em nossos dias, insistem na literalidade do julgamento, mediante fogo literal. Mas, nesse caso, tal fogo nada significaria para as almas imortais. De fato, tentar castigar as almas imateriais com o fogo literal seria como querer atingir o sol com uma pedrada. Ou dizer que essas almas receberão corpos físicos, de tal modo que possam sentir os efeitos consumidores das chamas literais, expõem uma idéia por demais ridícula para lhe darmos atenção séria. Os trechos de Efé. 1:10 e I Pedro 4:6 fornecem-nos um ponto de vista bem equilibrado do destino final dos perdidos. (NTI S Z)

EPAFRAS

Esse nome provavelmente é uma contração de *Epafrodito*, que significa *belo, encantador*. Ele foi um importante mestre da igreja cristã de Colossos, a quem Paulo chamou de «nosso amado conservo» e de «fiel ministro de Cristo» (Col. 1:7 e 4:12). Com base na epístola de Paulo a Filemom, parece que Epafras foi aprisionado juntamente com o apóstolo dos gentios, em Roma. O trecho de Colossenses 1:17 pode sugerir que Epafras foi o fundador da igreja cristã em Colossos. Mui provavelmente ele foi o instrumento da proclamação do evangelho nas três cidades frígias de Colossos, Hierápolis e Laodicéia, tendo levado o ministério apostólico até àqueles lugares, na ausência de Paulo. Ver as referências a Epafras em Col. 1:7,8; 4:12,13; File. 23. Não devemos confundir Epafras com o Epafrodito da igreja de Filipos (Fil. 2:25; 4:18). Talvez fosse, originalmente, um convertido de Paulo, durante o tempo de seu ministério em Éfeso, segundo se vê em Atos 19:10. E então tornou-se assistente de

Paulo, na propagação da mensagem cristã nas cidades circunvizinhas.

Uma das coisas destacadas nas menções de Paulo a Epafras é o fato de que ele levava avante um fervoroso ministério intercessório pelas igrejas do vale do rio Lico (Col. 4:12,13), o que significa que era homem dedicado à oração, e não apenas um homem de ação. Esses dois fatores não se excluem necessariamente.

EPAFRODITO

No grego, «encantador», «belo». Foi um mensageiro da igreja de Filipos para o apóstolo Paulo, quando este encontrava-se em Roma, passando necessidades. A igreja cristã de Filipos enviou Epafrodito a Roma, levando ofertas a Paulo que, provavelmente, constituíram tudo quanto ele ganhou enquanto estava ali. Ver Fil. 2:25-30 e 4:18. Esse nome grego é o equivalente ao latim *Venustus*, que significa «pertence a Vênus», o que, mui provavelmente, indica que ele era um gentio, e não de origem judaica. Alguns identificam-no com o Epafras (que vide) de Col. 1:7 e 4:12 (cujo nome é uma contração de Epafrodito), mas não há qualquer evidência em favor dessa conjectura.

O fato de que ele foi comissionado para entregar ofertas enviadas pela igreja de Filipos a Paulo indica que ele era um dos líderes da igreja dali, embora não saibamos dizer se ele era pregador do evangelho. Chegando em Roma, Epafrodito adoeceu e esteve à beira da morte. A cansativa viagem talvez tenha sido um fator contribuinte, tendo enfraquecido a sua resistência, pois as viagens, na antigüidade, eram perigosas e cansativas. Em Filipenses 2:30, Paulo diz que Epafrodito «se dispôs a dar a própria vida», a fim de desincumbir-se de sua missão em favor de Paulo. Recuperou-se lentamente e foi enviado de volta a Filipos. Paulo enviou a epístola aos Filipenses pelas mãos de Epafrodito, o que é uma interessante informação histórica. A epístola aos Filipenses, pois, é uma espécie de expressão de agradecimento missionário, embora, como é claro, Paulo tenha aproveitado a oportunidade para escrever uma missiva repleta de instruções, algumas delas positivas e outras corretivas. Paulo chamou-o de «irmão», de «cooperador» e de «companheiro de lutas» (Fil. 2:25), descrições essas que parecem indicar que ele era pregador do evangelho, — e não apenas um mensageiro da igreja. Um bom sinal de um servo autêntico de Cristo é que ele chega a arriscar a própria vida a fim de realizar a sua tarefa. A vida de um crente assim é usada e desgastada no serviço do Senhor. Jesus ensinou que o discipulado cristão requer que o indivíduo perca a sua própria vida, a fim de encontrá-la (Mar. 8:35).

EPAGOGE

Esse termo português deriva-se do grego diretamente e tem o sentido de «trazer», embora seja substantivo, e não verbo. Os filósofos gregos usavam essa palavra com o sentido de «indução». Os exemplos de indução, por isso mesmo, algumas vezes são chamados de *silogismos epagógicos* ou *demonstrações epagógicas*.

EPÊNETO

No grego, «louvado». Um crente que residia em Roma (ou na Ásia Menor, se o décimo sexto capítulo da epístola aos Romanos originalmente foi uma pequena epístola enviada à Ásia Menor). Epêneto foi uma das pessoas para quem Paulo enviou saudações

EPÍCLESIS — EPICTETO

especiais. Ver Rom. 16:5. Ele foi o primeiro convertido na Ásia Menor. Alguns dizem ali *Acaia*, mas isso representa uma variante inferior. Comparar com I Cor. 16:15, que deve ter originado a variante «Acaia», em Rom. 16:5. Seu nome aparece depois dos de Priscila e Áquila, o que pode sugerir que, juntamente com eles, ele era um dos líderes da igreja local da Ásia Menor (ou de Roma?) Talvez ele tenha sido convertido por instrumentalidade de Priscila e Áquila, antes que Paulo tivesse retornado a Éfeso (ver Atos 18:27). É possível que Epêneto fosse natural de Éfeso; e muitos estudiosos pensam que o último capítulo da epístola aos Romanos pode ter sido originalmente endereçado àquele lugar. Esse problema é amplamente tratado no artigo sobre a epístola aos Romanos, em sua oitava seção, *Integridade da Epístola*. Essa seção incorpora os nomes de vinte e cinco pessoas. É possível que Paulo conhecesse pessoalmente muitos dos membros da igreja romana, pelo que pôde dirigir-se a eles pessoalmente, embora nunca tivesse estado ali. E, nesse caso, não pode ter sido o pai espiritual da igreja daquela cidade?

Seja como for, Epêneto foi chamado de «querido», por Paulo, o que subentende um forte amor cristão e uma amizade que vinha sendo cultivada por algum tempo. E outro tanto poderíamos supor no caso de outras pessoas, que aparecem nessa mesma lista.

EPÍCLESIS

Esse é o título da **petição** feita durante a **anáfora** (que vide), ou seja, a porção principal da cerimônia da eucaristia. Nessa petição, solicita-se ao Espírito Santo que desça sobre os elementos, transformando-os no corpo e no sangue de Cristo. Segundo a Igreja Oriental Ortodoxa acredita-se que essa petição é atendida no momento em que é proferida. Nesse instante ocorreria a transformação. Os católicos romanos, em contraste, supõem que essa transformação ocorre somente quando o padre oficiante profere as palavras da consagração. A maioria dos teólogos ortodoxos acredita que tanto as palavras de consagração quanto a *epíclesis* são essenciais.

A origem da *epíclesis* é obscura. Tem havido muitos debates a respeito, sem qualquer resultado definitivo. No Livro de Orações de 1549, da Igreja Anglicana, o arcebispo Cranmer (que vide) inseriu uma epíclesis (do Espírito e da Palavra) antes das palavras dominicais; mas, em 1552 e em 1662, essas palavras foram omitidas. No entanto, revisões anglicanas posteriores retiveram a petição. O rito temporariamente autorizado pela Igreja Anglicana, em 1967, não inclui a *epíclesis*. (C E)

EPICTETO

Suas datas foram 60 e 138 D.C. Foi um **filósofo grego**; nasceu em Hierápolis; frequentava conferências feitas pelos filósofos estóicos, especialmente aquelas de Musonius Rufus, um dos melhores filósofos estóicos romanos. Epicteto começou sua carreira de mestre de filosofia quando ainda era escravo em Roma. Então foi libertado, continuou ensinando em Roma e, mais tarde, foi expulso, juntamente com todos os outros filósofos, pelo imperador romano Domiciano, em 90 D.C. Em seguida foi para o Épiro, onde se devotou ao estudo e ao ensino. Um de seus alunos, Flávio Arriano, registrou o material ensinado por Epicteto e grande parte desse material sobrevive até hoje.

Idéias:

1. A única atividade realmente importante em que um homem pode ocupar-se consiste em conduzir-se de modo ideal. A conduta humana ideal alicerça-se, essencialmente, sobre a descoberta de que no homem há um grande poder de controle e também, sobre a descoberta de nossas inadequações, às quais devemos ajustar nossos atos e atitudes. Essa posição exprime o típico *estoicismo* (que vide).

2. O que somos capazes de controlar não é aquilo que acontece, mas os tipos de atitudes que assumimos diante dos acontecimentos. O ser humano pode ceder diante da tristeza e de outras reações negativas, ou então pode triunfar dentro de si mesmo. Os estóicos costumavam dizer que se uma esposa amada falecer, ou se alguém deixa cair no chão um vaso de barro e ele quebra-se, tudo dá na mesma coisa. Ambos os eventos são simplesmente inevitáveis. Esses acontecimentos poderão entristecer-nos ou poderemos ficar indiferentes diante dos mesmos; e essa é a única coisa que somos capazes de controlar. Assim, a vontade do homem é de natureza tal que pode resistir a todas as reações negativas. Porém, um homem fraco é aquele que *prefere* deixar-se abalar pelos acontecimentos.

3. A racionalidade humana é uma manifestação divina dentro dele. A racionalidade do homem segreda-lhe que ele é um companheiro dos deuses. Assim, apesar de um homem ser membro da humanidade, dentro dos limites de países e cidades, ele também é um membro da comunidade dos deuses. Isso posto, quando o homem percebe a elevada estatura que tem, não se preocupa com as coisas externas, com as inquirições materiais, com as vantagens deste mundo, etc. Nenhum acontecimento é capaz de abalá-lo. O homem está acima de todas as vicissitudes. Preciosa doutrina a de Epicteto. Mas, quem pode agir desse modo, sem ajuda do Espírito de Deus?

4. Deus, em última análise, é quem dirige todas as coisas. Ver sobre o *Determinismo*. Os estóicos defendiam a idéia de um determinismo absoluto. Portanto, aquilo que sucede, acontece por motivo de necessidade. Inútil é o homem lutar contra a vontade de Deus; portanto, a paz vem quando aplicamos a atitude de apatia diante dos acontecimentos desagradáveis, bem como a atitude de tranqüilidade diante dos acontecimentos desejáveis. Há paz para aquele que confia de modo absoluto na vontade de Deus.

O estoicismo, tal como o antigo judaísmo, mostrava-se inadequado quanto às causas secundárias. Portanto, eles lançavam a culpa de tudo sobre o princípio divino, que permeia a todas as coisas. Cícero se considerava um bom estóico, até que uma sua filha, de cerca de vinte anos, a quem ele muito amava, faleceu. Foi preciso muito tempo para ele recuperar sua postura tipicamente estóica. Cícero ficou arrasado. E quanto aos cristãos? Paulo diz que nos *entristecemos*, mas não como os demais, «que não têm esperança» (I Tes. 4:13). Portanto, ele mostrou-se mais realista que os estóicos. Um autômato seria um perfeito estóico, mas não um ser humano! Mas, se o crente não pode ficar indiferente diante das desgraças que lhe sobrevêm, ele sabe que, no tempo certo, tudo será devidamente sanado e compensado pelo Senhor. E, mais tarde, Paulo ainda pôde perceber uma esperança mais profunda. Dentro da doutrina da *restauração* (que vide) ele percebeu que todos, afinal, devido à beneficente vontade de Deus, podem ter esperança. Ver Efé. 1:9,10 quanto a essa esperança. Por esse ângulo, pois, a confiança dos estóicos parece estar justificada. A longo termo, *a vontade de Deus* opera em favor de *todos* os homens, fazendo valer a missão de Cristo entre os homens, embora em mais de um nível. Por conseguinte, podemos descansar na vontade de Deus, em meio às piores tempestades da

401

EPICTETO — EPICURO

vida. Acreditamos que a bondade de Deus está solidamente alicerçada sobre o determinismo e que até mesmo a sua ira é manifestação de seu amor. Ver o artigo sobre a *Predestinação*.

5. Deus está em tudo e em todos os lugares. Ele permeia a natureza inteira. A sua vontade é que faz todas as coisas existirem e expressarem-se. Deus não incorre em equívocos. Para o crente, aí está a nossa confiança.

6. Cada ser humano tem um papel específico a desempenhar na vida, uma missão especial, só sua. Isso também é absolutamente controlado pela vontade do Senhor. Epicteto usava a palavra *pessoa* a fim de referir-se ao indivíduo, ao desempenhar o seu papel. Esse vocábulo acabou entrando na legislação romana, retendo o sentido que Epicteto lhe conferira.

7. A *felicidade* dependeria da vontade humana e, mais especificamente, de como o homem reage diante dos acontecimentos, e não dos acontecimentos em si mesmos. Um homem é tão feliz quanto quiser sê-lo. As coisas externas não têm qualquer importância quanto a essa questão. O indivíduo feliz é aquele que é dotado de uma mente satisfeita consigo mesma. Epicteto acreditava que Deus cuida dos homens e que o caos não vem da parte de Deus. Portanto, um homem pode ter uma mente satisfeita, se depender dessa confiança.

8. Todos os homens são filhos de Deus, pelo que deveriam amar-se uns aos outros. O cristianismo não concorda com a primeira parte dessa avaliação, senão de maneira qualificada; mas concorda com a segunda parte — todos deveríamos amar-nos mutuamente, porquanto todos pertencemos à mesma raça adâmica!

Escritos. *Discursos de Epicteto* e *Encheirídion* ou seja, «Manual», onde Epicteto sumariou os ensinos em seus *Discursos*.

Há alguma evidência no sentido de que Epicteto foi influenciado pela mensagem de missionários cristãos contemporâneos. Ele se considerava um missionário enviado a homens de baixa condição. Ele sabia como esses homens sofrem, com base em seu próprio passado como escravo. Seu famoso lema era «Suporta tudo e renuncia». Era com uma atitude assim que ele enfrentava este mundo tão duro. Um sábio preocupa-se com sua liberdade e contentamento internos, e não com acontecimentos tempestuosos no mundo exterior. O indivíduo precisa desempenhar bem o seu papel neste mundo. Ele precisa ser uma *pessoa*. E uma pessoa, ao desincumbir-se do papel que lhe foi conferido, poderá atingir o estado de felicidade interna.

EPICURISMO

Esse sistema filosófico antigo foi descrito com abundância de detalhes no artigo intitulado *Escolas Filosóficas do Novo Testamento*. Essa filosofia era comum no império romano, durante e depois da era apostólica. Foi fundada por *Epicuro* (que vide) que viveu entre 342 e 270 A.C. A leitura desses dois artigos conferirá ao leitor uma perfeita compreensão da filosofia envolvida.

EPICURISMO (ESBOÇO HISTÓRICO)

Podemos traçar a história dessa escola filosófica através de seis pontos:

1. No começo houve apenas a escola de Epicuro (que vide), que começou em Atenas, em 306 A.C.

2. Houve os sucessores de Epicuro, Hermarco e Polistrato; e então seguiram-se vários outros.

3. No século I A.C., um certo número de filósofos adotou essa filosofia, em parte, por propósitos específicos, ou como um grupo. Entre esses filósofos poderíamos citar Lucrécio, Filodemo e Asclepíades (ver os artigos a respeito deles). Foi salientada a abordagem empírica ao conhecimento, conforme também se via no deísmo de Epicuro. Cícero (que vide) misturava o epicurismo com o estoicismo e outros sistemas (como noções de Aristóteles e de Platão), o que significa que era um pensador muito *eclético*.

4. Nos séculos II e III D.C., Diógenes de Oinoanda (que vide) e Diógenes (que vide) utilizaram-se e promoveram a ética de Epicuro.

5. Nos séculos XV e XVI surgiu uma forma de epicurismo cristão, dentro das filosofias de Lorenzo Valla e de Erasmo (que vide). A ética era o fator mais enfatizado. Thomas More (que vide) fazia da ética de Epicuro a base mais importante de sua *Utopia*.

6. No século XVII houve um forte reavivamento do interesse pelo *atomismo*. Os filósofos Berigard, Gassendi e Maignan (ver os artigos sobre eles) foram os principais pensadores envolvidos nessa atividade.

EPICURO

Ver o artigo separado intitulado *Escolas Filosóficas do Novo Testamento*, onde damos informações essenciais sobre *Epicuro* e suas idéias e onde também mostramos como o seu sistema cresceu em importância e tornou-se um dos grandes movimentos na *história das idéias*.

Epicuro foi um filósofo grego. Nasceu na ilha de Samos. Foi influenciado por *Demócrito* e pelos *atomistas* (ver os artigos a respeito). Ele iniciou a sua escola filosófica em Atenas, no ano de 306 A.C. Contava com um grupo de estudantes que o ajudavam no ensino. Ensinava e vivia uma maneira simples e mesmo austera de viver, enfatizando os prazeres mentais, e não os prazeres físicos. Tinha muitos discípulos, tendo-se tornado muito popular. As fontes informativas antigas descrevem as multidões que ele atraía.

Idéias:

1. O seu cânon era uma alusão à sua **gnosiologia**, constituindo uma das três divisões em que ele dividia a sua matéria. As outras divisões eram a *metafísica* (atomismo) e a *ética*. O ponto de partida de todas as suas considerações eram os cinco sentidos físicos humanos, que ele pensava serem capazes de outorgar-lhe os *fatos*. Rejeitava as especulações metafísicas e era um *deísta*, no tocante à divindade. Segundo Epicuro, os deuses talvez existam; mas, se existem, podemos ter a certeza de que não se interessam por nós. O *deísmo* (que vide) admite que alguma força ou forças divinas trouxeram as coisas à existência; mas também pensa que essas forças mostram-se indiferentes ao cosmo e o homem e sua vida, exceto que estabeleceram leis naturais para controlar os acontecimentos. Mas nem coisas boas e nem coisas más sucederiam aos homens por causa de Deus ou dos deuses.

2. À percepção dos sentidos, a pessoa deve adicionar a analogia e a elucidação, ou explicação, incluindo a não contradição. Epicuro não se importava muito com explicações finais, mas somente com a vida diária, prática, ou seja, com questões de *ética* (que vide).

3. O *atomismo* (que vide). Era conveniente para Epicuro adotar a teoria atômica de Demócrito, a fim de contar com um apoio metafísico para a sua teoria

EPICURO — EPIFANIA

do conhecimento e da ética. Se pudéssemos explicar todas as coisas em termos de partículas físicas chamadas *átomos* (isto é, partículas tão pequenas que não podem ser divididas), então não teríamos de incluir os deuses em nossas considerações, na tentativa de explicar as operações do universo. Os átomos seriam elementos não compostos, sem qualquer espaço interior. Nisso, Demócrito estava equivocado, conforme a física moderna tem demonstrado sobejamente. Mas, segundo ele, os átomos variariam indefinidamente quanto às dimensões e ao formato, embora não infinitamente, embora exista um número infinito de átomos de todos os formatos. Os átomos existiriam dentro de um vazio infinito (seu nome para o *espaço*). Os movimentos seriam possíveis devido a esses vazios e não porque, dentro dos átomos, movem-se em círculos as partículas componentes, conforme se vê na moderna teoria atômica. Mas, voltando a Demócrito, a realidade básica consistiria em espaço (o vazio) e o átomo, sendo inútil descer a especulações metafísicas que postulem mais do que isso. Para Epicuro, se existe tal coisa como a alma (e ele não aceitava a noção da sobrevivência da alma ante a morte física), essa também deveria estar envolvida no sistema dos átomos e do vazio. Os átomos estariam em perpétuo movimento dentro do vazio. Esse movimento seria *para baixo*. E teriam a curiosa capacidade de dar *guinadas*, sem qualquer causa aparente. Essas guinadas produziriam a colisão dos átomos. Quando os átomos colidissem, começariam a rodopiar. É nesse movimento de rodopio que todas as coisas se formam. Todas as coisas aconteceriam pela mais pura chance.

4. *Epicuro* aplicava o princípio do *acaso* (conforme seria visto nos movimentos dos átomos), à vida inteira e a todas as coisas vivas. Ele considerava que coisa alguma está determinada; e assim negava um princípio fundamental da doutrina dos estóicos. O homem seria livre para fazer o que bem quisesse e os deuses nunca interfeririam. O futuro poderia ser moldado através daquilo que resolvemos fazer. Logo, deveríamos viver livres do temor do que os deuses possam estar preparando para nós.

5. A *alma* e a *mente* seriam concentrações de átomos minúsculos e rápidos de tipo especial, mas não seriam imateriais. Os átomos formadores da alma existiriam disseminados por todo o corpo, embora os átomos vinculados à racionalidade se encontrem na região peitoral. Portanto, o homem teria qualidades de alma como a razão e as emoções, enquanto vive. A morte física, entretanto, desintegraria todos os átomos, pelo que também a alma deixaria de existir. Todos os átomos exigiriam a proteção do corpo para preservarem suas concentrações específicas. E assim, quando o corpo morresse, cessariam todas as concentrações.

6. A *percepção*. Os corpos compostos projetariam imagens (*eidola*), as quais impressionam os nossos cinco sentidos físicos. O equívoco era explicado pelas colisões entre essas imagens, antes delas chegarem à atenção do observador. Epicuro acreditava na existência dos deuses (ou do princípio da *divindade*), porque nos homens há uma profunda crença neles, o que deveria originar-se da *eidola* em operação, visto que a percepção dos sentidos seria a nossa única maneira de chegar a conhecer as coisas. Quando sonhamos, podemos perceber mais claramente as *eidola* divinas; mas, quando estamos despertos, essas impressões confundem-se com as impressões da vida diária, o que obscurece aquelas.

7. *O divino*. Não nos prejudicaria em coisa alguma

admitir a existência do *princípio divino*. Somos prejudicados a partir do instante em que, erroneamente, descrevemos a natureza dos deuses. Quando os misturamos com as — vidas humanas —, tornamo-los objetos de nosso respeito e temor, então criamos alguma filosofia prejudicial. A divindade também seria atômica, como todo o resto da natureza e podemos supor que as coisas e as entidades divinas vivem na mais perfeita felicidade. Porém, não teriam motivo algum para interessar-se pelos homens, e nem fazem a vida humana tornar-se miserável. Em outras palavras: *deísmo* puro.

8. *Felicidade*. Ser feliz é o grande alvo da vida humana. Isso seria obtido por meio dos prazeres, embora não do tipo físico, sensual. Há informações no sentido de que Epicuro sofria dificuldades estomacais, pelo que mostrava-se cauteloso quando se tratava de satisfazer seus apetites físicos. É possível que, se não sofresse dessa mazela, tivesse promovido o puro hedonismo (que vide). Seja como for, a felicidade é melhor conseguida em meio à *ataraxia*, isto é, o estado de tranqüilidade. Não devemos forçar demais as coisas; nem ser muito gananciosos. Antes, cumpre-nos satisfazer-nos com as coisas simples da vida, enfatizando os prazeres mentais, e não os físicos. É melhor o homem viver imperturbado do que excitado. A prudência deveria impelir-nos em todos os nossos empreendimentos. Asseverava ele: «Não podemos viver agradavelmente sem viver sábia, nobre e retamente». O verdadeiro prazer não consistiria nos deleites sensuais, mas no bem mais elevado de cada indivíduo. Ele valorizava a amizade e os prazeres mentais, os quais eram considerados como os maiores fatores promotores do bem de cada indivíduo. No campo da amizade, não devemos buscar os prazeres crassos, que usualmente prejudicam a outras pessoas.

Escritos. Sobre a Natureza (originalmente existia em 37 volumes, dos quais restam apenas nove); *O Cânon* e *Cartas* a vários indivíduos. Cerca de trezentas obras têm sido atribuídas a ele, mas a maioria não é de sua autoria. (AM BE E EP)

EPIFANIA

Transliteração de uma palavra grega que significa «manifestação». Esse é o nome da festa religiosa celebrada a 6 de janeiro, comemorando a *manifestação* de Deus em Cristo, por ocasião da *encarnação* (que vide). Na Igreja Oriental originalmente era a festa da natividade, conforme continua sucedendo entre os armênios. Nesse segmento da cristandade, agora essa festa comemora, primariamente, o *batismo de Jesus*. E, na Igreja Ocidental, celebra a visita dos *magos* (que vide).

O termo grego, dentro do contexto politeísta, falava sobre a suposta manifestação dos deuses, em certos homens, especialmente aqueles que se destacam nos campos da religião, da política e da guerra. Assim, temos o notório Antíoco IV Epifânio, que presumivelmente foi um homem dotado de poder divino a impulsioná-lo. Também temos a filosofia grega da religião epifânica, que supunha que a divindade manifestava-se em todas as coisas, formando uma espécie de religião natural, sem quaisquer revelações específicas. Essas coisas antecipam, mas não duplicam a verdadeira *epifania* ou «manifestação» de Deus em Cristo, por meio de quem Deus tornou-se conhecido. Ver João 1:18.

A mais antiga alusão a essa festividade nos é dada por Clemente de Alexandria, já nos fins do século II D.C., em *Stromata* 1.146. Essa referência informa-nos de que certos cristãos gnósticos observavam a data

EPIFANIA — EPIFÂNIO

de 6 ou 10 de janeiro, em comemoração ao batismo de Jesus. Portanto, nesse caso, a palavra «manifestação» poderia referir-se à manifestação do Espírito Santo, ou então a de Jesus Cristo, em seu ministério público.

Não sabemos quando essa festividade foi adotada pela Igreja Oriental; mas, no século IV D.C., veio a ser universalmente comemorada ali, relembrando o nascimento, o batismo e o primeiro milagre de Cristo, este último efetuado em Caná da Galiléia. Igualmente no século IV D.C., embora ligeiramente mais tarde, essa festividade começou a ser observada na Igreja Ocidental em conexão com a natividade, isto é, a 25 de dezembro. Por sua vez, mais ou menos na mesma época, o Natal, que começou a ser observado no Ocidente, também começou a ser observado no Oriente. Entretanto, a Igreja Armênia não adotou esse costume ocidental. O Ocidente associava a visita dos magos com a epifania. Jesus, o Cristo, revelou-se tanto aos judeus quanto aos gentios. Essa foi a sua *epifania*, ou «manifestação». As liturgias orientais mantêm, até hoje, a tríplice comemoração, mas a lição do evangelho, associada à mesma, no que toca ao batismo, representa a observância original (gnóstica). A Igreja também combina com essa comemoração a chamada *bênção das águas*, das fontes, dos mananciais, dos rios, dos lagos e dos mares.

Não há como fixar datas acerca de qualquer dos vários elementos (antigos acontecimentos) da festa da epifania. É provável que datas fixas competissem com feriados pagãos. Em Alexandria, uma festa que durava uma noite inteira celebrava o nascimento do deus Aeon, o qual, por sua vez, parece ter estado ligada à observância ainda mais antiga do solstício do inverno dos egípcios e aos ritos de Osíris, associados às enchentes anuais do rio Nilo. Também há lendas que narram como as fontes de água misteriosamente manavam vinho, a 5 e a 6 de janeiro. Um santuário envolvido com essa crença foi descoberto pelos arqueólogos, em Gerasa (que vide), que modernamente se chama Jerash, uma das dez cidades da Decápolis (que vide). Uma igreja cristã foi edificada nesse local, no século IV D.C.

Durante a Idade Média, a Igreja Ocidental celebrava o advento dos magos com peças teatrais que falavam em milagres. Essa prática sobreviveu na Inglaterra até o período elizabetano, onde passou a ser a conclusão das celebrações natalinas. Os ingleses chamavam aquele dia de «décima segunda noite», porquanto ocorria no décimo segundo dia de celebrações. Shakespeare usou esse título para dar nome a uma de suas peças, —que é sempre encenada no dia da epifania. (AM C E)

EPIFANIA

Hoje, o dia da epifania,
Que alegria, que esperança,
Que mensagem nova ela traz?

Coros celestes, em alegre cântico,
Montes, vales ressoam, ecoando,
Os humildes habitantes da terra cantam alegres.

6 de janeiro, o dia certo? só por grande acaso;
Para mim, saber o dia não aumentaria sua glória.

Sábios orientais, trouxeram-Lhe ricos presentes,
E para eles, por sua vez, foi mostrado o Grande
Rei.

Alguns julgam-nos «reis», e outros dizem que eram
«três»;
Detalhes, como esses não me são importantes.

Sua importância, a aura que agora desce sobre meu
cérebro,

É o sentido histórico, retratado na escolta no
deserto:
Epifania.
Cristo, por muitos séculos cansativos oculto,
Agora, aos gentios humildes é revelado.

(Russell Champlin ao meditar, a 6 de janeiro de 1973, sobre o sentido da *manifestação*, isto é, da Epifania).

EPIFÂNIO

Suas datas foram 315-403 D.C. Foi bispo de Constância (Salamina), capital da ilha de Chipre. Foi eleito para esse ofício em 367 D.C. Tornou-se conhecido por sua violenta perseguição contra qualquer forma de heresia que ele encontrasse (ou imaginasse haver encontrado). Opunha-se amargamente aos ensinos de Orígenes (que vide). Seu escrito mais proeminente foi o *Panarion*, uma espécie de antigo *Caos dos Cultos*, onde combatia os erros doutrinários de sua época. Ali ele descrevia e refutava cerca de oitenta sistemas que ele considerava heréticos. Essa obra existe até hoje, juntamente com o seu *Ancoratus*, uma obra sobre doutrinas cristãs. Ele atacava àqueles que dessem apoio a qualquer forma de ensino que ele combatia, como o bispo João, de Jerusalém, e o monge ocidental Tirânio Rufino, que simpatizava com Orígenes.

Pouco antes de sua morte, ainda na prática da sua obsessão hostil, ele esteve em Constantinopla a fim de denunciar João Crisóstomo (que vide) por haver favorecido os origenistas. — João Crisóstomo não concordava com a doutrina deles, mas, visto que estavam sendo perseguidos, agia com humanidade para com eles. Epifânio, em contraste, gostava de perseguir ao próximo, incluindo àqueles que exerciam bom senso, em defesa dos direitos humanos. Porém, uma severa reprimenda do patriarca Crisóstomo anulou os planos de Epifânio, que estava se intrometendo onde não era chamado. E Epifânio morreu na viagem de volta a Chipre.

Talvez a maior contribuição de Epifânio tenha sido o seu livro sobre as heresias, porquanto, de outra sorte, nunca teríamos recebido informações sobre certos movimentos religiosos do passado. Porém, quanto a vários casos, não há como confirmar se o seu relatório era veraz ou preconcebido. Os caçadores de heresias usualmente exageram muito e não são bons repórteres.

O Exemplo Contrário. Algumas pessoas têm, como seus heróis, figuras como Epifânio, imitando-os com deleite. Tenho minhas dúvidas quanto a essa atividade destroçadora, como uma atitude contrária à lei do amor. Até mesmo quando criticamos doutrinas e sistemas com os quais não concordamos, sem importar quão fortes sejam os nossos sentimentos em contrário, deveríamos agir no espírito de instrução e de amor cristão. Quando não fazemos assim, mas exibimos ódio e espírito contencioso, tornamo-nos piores do que os erros (verdadeiros ou supostos) que atacamos. Na verdade, muitos desses ataques estão baseados no orgulho, na altivez de espírito e no exclusivismo, e não na verdade. Todas as denominações da Igreja cristã atacam-se umas às outras, para nada dizermos a respeito das religiões não-cristãs. Toda essa atividade de combate não passa de um grande escândalo religioso. A prova da espiritualidade é o amor, e não quão doutrinariamente corretos somos. Paulo recomendou a Timóteo: «Ora, é necessário que o servo do Senhor não viva a contender e, sim, deve ser brando para com todos, apto para instruir, paciente; disciplinando com mansidão os que se opõem, na

EPIFÂNIO — EPISCOPAL

expectativa de que Deus lhes conceda não só o arrependimento para conhecerem plenamente a verdade, mas também o retorno à sensatez...» (II Tim. 2:24-26). (AM E)

EPIFÂNIO, ANTÍOCO IV

Ver sobre **Antíoco IV Epifânio.**

EPIFENOMENALISMO

Ver o artigo geral sobre o *Problema do Corpo-Mente*, que inclui o epifenomenalismo como um dos seus elementos. A palavra «epifenomenalismo» vem do grego *epi* (sobre) e *phainómenon* (aparição). Portanto, um epifenômeno é uma *aparição lateral*, algo incidental no tocante a um outro fenômeno qualquer. O termo indica a idéia de que a consciência — bem como os fenômenos psíquicos — é meramente incidental dentro dos processos neurológicos, pelo que também não têm existência separada, como se dá com a alma imaterial, que tem existência própria. Em outras palavras, essa doutrina é uma tentativa de explicação dos chamados fenômenos mentais, por parte de pensadores materialistas. Assim, eles negam que os eventos mentais existam à parte de causas físicas. Porém, quanto mais aprendemos acerca da personalidade humana e suas potencialidades, menos aceitamos idéias dessa ordem. A própria ciência moderna, através da parapsicologia (que vide), além de fenômenos como aqueles que se verificam nas *experiências perto da morte* (que vide), vem-se manifestando cada vez mais em favor do *dualismo*: o ser humano é um composto de uma parte material e de outra imaterial (a alma). A mente existe e tem a capacidade de produzir fenômenos físicos. A matéria existe e pode ser afetada pelas substâncias imateriais. Ver o artigo geral sobre a *Alma*.

EPIFI

Esse era o nome do décimo primeiro mês do calendário egípcio. Ver o artigo geral sobre *Calendário*. Corresponde ao período de 25 de junho a 24 de julho do nosso próprio calendário. O livro de III Macabeus diz que os judeus, no Egito, deveriam ser destruídos, por ordem do monarca Ptolomeu IV Filopater (221-203 A.C.), durante um período de quarenta dias, desde o dia 25 do mês Pacon (que corresponde aos nossos 26 de abril e 25 de maio) até o quarto dia do mês Epifi. A matança dos judeus deveria ocorrer entre os dias cinco e sete do mês Epifi (III Macabeus 6:38). Mas, ainda de acordo com esse livro, uma série de eventos miraculosos, criados por intervenção divina, livrou os judeus da extinção no Egito. (Z)

EPISCOPAL (Membro da Igreja Anglicana)

No artigo intitulado *Igreja da Inglaterra* (*Anglicana*), fornecemos informações gerais sobre esse assunto. A isso adicionamos algumas observações que completam o que dissemos no artigo *Episcopado*.

I. Caracterização Geral

O termo **episcopal** é um vocábulo amplo, que pode indicar qualquer pessoa que acredita que o governo tipo episcopal é o único tipo de governo eclesiástico determinado por Deus, ou, pelo menos, é o melhor entre vários tipos de governo eclesiástico. Entre esses poderíamos incluir os antigos católicos, os católicos romanos, os ortodoxos orientais, a Igreja Anglicana e alguns grupos protestantes.

II. Dentro do Contexto Anglicano

1. *Os Eclesiásticos da Alta Igreja*. Esses são aqueles que querem ser chamados *católicos*, julgando que a Igreja Católica Romana não é a única proprietária legítima do termo. Esses salientam que a congregação judaica contava com três ordens em seu ministério: o sumo sacerdote, os sacerdotes e os levitas. Eles pensam que deveria haver um paralelo exato entre esse sistema judaico e a economia do Novo Testamento, por meio de três ordens eclesiásticas: bispo, padre e diácono. Essa opinião é mantida embora a própria Bíblia não estabeleça esse paralelismo. Assim, eles acreditam no episcopado como o governo eclesiástico próprio do Novo Testamento. Quase todos eles acreditam, igualmente, na idéia da sucessão apostólica (que vide) e, por igual modo, na presença real de Cristo, em corpo e sangue, nos elementos da eucaristia ou Ceia do Senhor. Além disso, quase todos esses grupos acreditam na regeneração batismal. E, talvez um ponto que não deve ser esquecido é que esses grupos não vêem a Igreja como um organismo espiritual (composto de crentes regenerados, já na glória ou ainda militando na terra), mas somente como uma organização religiosa na terra. Daí o seu temor em relação à fragmentação organizacional. Se vissem a Igreja como um organismo espiritual, aceitariam como conseqüência lógica, a sua unidade. Nesse sentido espiritual, a Igreja não sofrerá, jamais, fragmentação, mas ela é o corpo único do Cabeça único, que é Jesus Cristo. Ver Efésios 4:15,16. Conforme pode ser deduzido, esses grupos são anglo-católicos(que vide). Muitos deles estão aguardando a reunião com a Igreja Católica Romana, pensando que isso seria uma medida proveitosa e desejável.

2. *Os Eclesiásticos da Igreja Baixa*. Esses outros também acreditam que o episcopado é, no mínimo, a melhor forma de governo eclesiástico, mesmo que não seja a única forma aceitável. Esses grupos talvez falem em «regeneração batismal». Porém, quando suas idéias são submetidas ao mais profundo escrutínio, verifica-se que eles não crêem em qualquer forma reconhecida dessa doutrina errada. Muitos deles são batistas, evangélicos quanto à sua postura doutrinária, embora empreguem um vocabulário que confunde seus ouvintes.

3. *Os Eclesiásticos da Facção Liberal da Igreja Anglicana*. Esses favorecem a forma episcopal de governo eclesiástico, embora não acreditem que seja a única forma aceitável de operação eclesiástica. Eles acreditam que a forma episcopal conta com o respaldo da tradição antiga, pelo que é desejável, visto ser uma forma de governo eclesiástico consagrada pelo uso. Todavia, permitem que outras pessoas acreditem e pratiquem o que quiserem, — não julgando que isso se situe fora da Igreja. Muitos dos que pertencem a esse grupo são liberais declarados ou têm tendências liberais.

4. *Os Episcopais Reformados*. Esses favorecem a forma episcopal de governo eclesiástico, embora não se mostrem radicais ou fanáticos quanto a esse assunto. Eles supõem que apesar dessa forma de governo não ser imprescindível para a *existência* da Igreja, ela contribui para o seu bem estar. Eles eliminaram o vocábulo «padre» de seus livros de orações, rejeitaram a doutrina da regeneração batismal e a doutrina da transubstanciação. Recebem membros provenientes de outros grupos cristãos, sem os forçarem a receber o rito da confirmação. Também recebem ministros vindos de outros grupos cristãos, sem os obrigarem a uma nova ordenação. Entretanto, rejeitam o rito e as cerimônias da Igreja Alta, não

EPISCOPAL — EPISTEMOLOGIA

contando com altares de sacrifícios, paramentos especiais, velas, etc.

EPISCOPAL, IGREJA

Ver os artigos sobre **Comunhão Anglicana** e **Episcopalismo**.

EPISCOPALISMO

O termo grego por detrás desse vocábulo é *epískopos*, «supervisor» e, por extensão, resultou no termo português «bispo». Na literatura em geral foi usado para indicar o próprio Deus, como em Ésquilo (*Sept.* 272), em Sófocles (*Ant.* 1148), em Filo (*Migr. Abr.* 115); ou então para indicar Cristo (I Ped. 2:25), pessoas dotadas de funções liderantes nas igrejas (Fil. 1:1; Atos 20:28; I Tim. 3:2; Tito 1:7). Tem sido disputado até que ponto, nos tempos do Novo Testamento, ou imediatamente depois, alguns anciãos ou pastores passaram a ser considerados «bispos», porquanto, nas páginas do Novo Testamento, essas três palavras designam apenas funções diferentes de um mesmo ofício eclesiástico. Quanto a uma discussão sobre isso, ver o artigo geral sobre *Anciãos*.

Dentro do uso moderno, o *episcopado* é uma forma de governo eclesiástico onde o «bispo» é o chefe das três ordens: bispos, padres e diáconos. Ver o artigo separado sobre cada um desses títulos. Portanto, a característica básica dessa forma de governo eclesiástico é que o bispo (embora possa ter assistentes) é chefe de uma diocese. Essa organização eclesiástica não segue um modelo neotestamentário e, sim, um modelo da religião pagã romana, inclusive na escolha dos termos chaves, como «diocese» (que vide). Todavia, um bispo não é um déspota. É um oficial ordenador, aquele que consagra os *padres* e os *diáconos*. As funções dos bispos (católicos romanos e outros) têm sofrido alterações no decorrer dos séculos. Os bispos já atuaram como ministros de paróquias; como evangelistas ou missionários; como conselheiros reais; como nobres feudais; como políticos e como administradores e juízes. Não obstante, em qualquer época, sua função essencial e declarada é a de *pastor*, embora sua autoridade extrapole a essa função. Ele é o supervisor de sua própria diocese; é uma espécie de pai espiritual de seu povo. Envolve-se diretamente nos ritos e sacramentos da Igreja (católica romana ou outra).

O termo *episcopado* pode ser empregado para indicar o ofício ou então o indivíduo que ocupa o ofício, ou seja, o bispo. Na época da Reforma Protestante, a forma episcopal de governo foi repudiada. Antes de tudo por causa de abusos e corrupções que tinham entrado na mesma; e, em segundo lugar, porque os reformadores julgaram que as evidências neotestamentárias em favor desse tipo de governo não são nada convincentes. No entanto, grupos como os antigos católicos, os católicos romanos, os ortodoxos orientais e as igrejas anglicanas têm retido o sistema. Essas igrejas praticam esse sistema dentro do contexto da idéia da *sucessão apostólica* (que vide). Alguns grupos luteranos também retiveram essa prática. E uma certa forma da mesma também foi adotada pelo metodismo norte-americano. No entanto, os bispos metodistas são considerados apenas anciãos investidos de funções adicionais, como o da ordenação de ministros.

Alguns segmentos da cristandade pensam no episcopado como o *esse* (a própria essência) da Igreja,

sem o que a Igreja não poderia existir, porquanto haveria fragmentação. Ainda outros chamam o episcopado de *bene esse*, ou seja, algo benéfico, embora não necessário para a existência da Igreja. Todos os cristãos concordam que a Igreja cristã precisa de *supervisão* espiritual; mas, de que maneira exata essa supervisão deve ser posta em prática, continua sendo tema de debates. Em alguns segmentos, o episcopado é concebido como uma extensão da supervisão do próprio Cristo sobre a sua Igreja, algo necessário, sem importar se essa noção é combinada ou não com o conceito da chamada sucessão apostólica.

Aqueles que se opõem à forma *episcopal* de governo eclesiástico, como os congregacionais (ver sobre o *Congregacionalismo*), são forçados a negar que qualquer aspecto do ofício dos apóstolos tenha sido transferido para a história eclesiástica posterior. Não é mister defendermos a transferência de funções assim, como quando dizemos: «Há apóstolos na Igreja atual», para reconhecermos a sabedoria de uma organização centralizada, na qual os bispos outorguem coesão e unidade à igreja local. Nada é mais evidente do que o fato de que, no sistema congregacional, de acordo com o qual cada igreja local é autônoma e independente, que isso conduz, inevitavelmente, à *fragmentação*. Basta-nos examinar o Novo Testamento para averiguar que, por meio dos apóstolos, havia um tipo de governo eclesiástico episcopal. Portanto, para negar totalmente o governo episcopal nas igrejas, temos de estar preparados para provar que, após a morte dos apóstolos, foi instaurado o tipo de governo democrático nas igrejas. Porém, só podemos fazer isso mediante uma *eisegese* (que vide), lendo nas páginas do Novo Testamento o que ali não está escrito, mediante a manipulação de textos de prova e ignorando o ofício apostólico. Não é fácil defender a idéia da sucessão apostólica, com base exclusiva no Novo Testamento. É mais fácil defender a sabedoria da retenção do espírito do ofício apostólico, se não mesmo a autoridade absoluta envolvida no termo «apóstolos». Concluímos que é mais justo dizermos que várias formas de governo eclesiástico podem ser defendidas nas páginas do Novo Testamento. Portanto, a aceitação de qualquer dessas formas, com a conseqüente rejeição das demais, é muito mais uma questão de preferência pessoal. Cada forma de governo eclesiástico oferece sua própria série de vantagens e desvantagens, criando seus próprios abusos. Algumas vezes, esses abusos são gerados pelo uso errado da autoridade investida em um bispo. A história eclesiástica ilustra amplamente essa forma de abuso. (AM C E R)

EPISTEMOLOGIA (GNOSIOLOGIA)

Oferecemos um completo e detalhado artigo sobre esse assunto, com o título de o *Conhecimento e a Fé Religiosa*. Além dos ramos tradicionais da gnosiologia, incluímos as principais teorias da verdade, todas elas relacionadas à fé religiosa.

A palavra *epistemologia* é mais usada pelos filósofos de fala inglesa, indicando a teoria geral do conhecimento, incluindo o método científico. Em português dá-se preferência ao vocábulo *gnosiologia*, que indica a teoria geral do conhecimento, ao passo que *epistemologia* é usada para indicar a teoria científica do conhecimento. No grego, *episteme* significa «conhecimento», e é um sinônimo de *gnosis*, o que significa que, do ponto de vista do vocábulo, trata-se apenas de uma escolha de diferentes raízes gregas, mas sempre indicando um mesmo sistema

EPÍSTOLA

teórico. A epistemologia (ou gnosiologia) é um dos seis ramos tradicionais da filosofia. Os outros cinco ramos são: a lógica, a política, a estética, a ética e a metafísica. Cada um desses ramos conta com um artigo separado. O assunto da estética é tratado sob o título de *Arte*.

EPÍSTOLA

Esboço:
- I. A Palavra
- II. Distinções
- III. Composição e Entrega
- IV. Classificação dos Escritos Neotestamentários
- V. Elementos Comuns nas Epístolas Antigas

Bibliografia

I. A Palavra

No grego, **epistole**, «carta», «despacho», sempre indica alguma espécie de comunicação escrita. E também indica a palavra portuguesa «epístola», que já é uma forma de missiva mais formal que uma simples carta. Uma epístola teria uma maior qualidade literária que uma carta, além de conter uma mensagem mais importante, que faz contraste com o caráter informal, algumas vezes, superficial, de uma simples carta. A raiz verbal dessa palavra grega é *epistello*, que significa «enviar a», «enviar uma carta», «expedir uma ordem ou comando», «anunciar». O vocábulo também pode significar, naturalmente, «escrever uma carta». Todavia, o termo grego *epistole* não contém qualquer distinção entre uma epístola formal e uma carta informal, conforme se dá no português.

II. Distinções

As epístolas, missivas de natureza mais formal, incluem os tratados religiosos, as orações públicas, os tratados filosóficos, os tratados políticos, as exortações morais, etc. A arqueologia, mediante documentos antigos preservados até nós, oferece-nos abundante confirmação disso quanto a todas essas variedades de epístolas. E aquilo que chamamos de «cartas» (as missivas menos formais) também é abundantemente confirmado. Centenas de cartas, de correspondência pessoal, escritas em papiro, provenientes do período intertestamentário, do Novo Testamento e posteriormente, chegaram até nós. Uma epístola é uma obra de arte; uma carta é um pedaço da vida diária. A primeira é como uma pintura feita com arte. A segunda assemelha-se a uma fotografia feita apressadamente, sem qualquer cuidado. O Antigo Testamento contém algumas indicações de cartas. Ver II Sam. 11:14, 15; I Reis 21:8,9; II Reis 19:14; Jer. 29. Cartas, no seu sentido comum, são mencionadas em Atos 9:2; Rom. 16:1 *ss* e I Cor. 7:1. Os eruditos têm feito bem em chamar as cartas do Novo Testamento de *epístolas*, visto que, em sua grande maioria é precisamente o que são, mesmo no caso de cartas de correspondência pessoal. Sem dúvida, um dos fatores de sua preservação foi o próprio fato de que eram comunicações formais e sérias, e não apenas informes sobre acontecimentos diários, corriqueiros. A epístola aos Filipenses é ligeiramente mais informal; porém, foi tão bem preparada que é uma pequena peça de literatura clássica. Portanto, até mesmo nesse caso a palavra «epístola» fica melhor do que a palavra «carta». A segunda e a terceira epístolas de João, no entanto, aproximam-se um pouco mais das cartas comuns. Em contraste, a primeira epístola de João é uma epístola autêntica. As cartas às sete igrejas da Ásia Menor (Apo. 2 e 3) com freqüência têm sido

intituladas cartas; porém, o seu caráter formal e a sua solenidade também as transformam em pequenas mas verdadeiras epístolas.

III. Composição e Entrega

As cartas dos tempos helenistas eram escritas em folhas de papiro (que vide) com uma pena de cana e tinta. Quando terminadas, as cartas eram enroladas ou dobradas e, algumas vezes, eram seladas. A selagem era feita com dois propósitos: privacidade e autenticação. A assinatura do missivista também autenticava uma carta. Ver II Reis 21:17; Est. 3:21; 8:8; Dan. 12:4 e Apo. 5:9. Algumas cartas antigas eram escritas em tabletes com uma fina camada de cera, com um estilete. Essa forma era muito econômica, pois as letras podiam ser apagadas para um novo texto ser escrito. Os romanos tinham uma espécie de sistema postal, o *cursus publicus*; todavia, o serviço não servia ao público em geral, mas estava reservado aos negócios do governo. Por isso, uma carta escrita a um amigo ou a uma igreja (como no caso das epístolas do Novo Testamento), exigia alguém que as levasse pessoalmente ao destinatário. Esses transportadores de cartas são mencionados em Atos 15:22; II Cor. 8:16-23; Fil. 2:25 e Col. 4:7,8.

É evidente que Paulo teve uma correspondência muito maior do que o número de epístolas que ficaram preservadas, de sua autoria, no Novo Testamento. O trecho de I Coríntios 7:1 indica que havia uma regular troca de cartas entre Paulo e a igreja cristã de Corinto. Há estudiosos que pensam que I e II Coríntios representam nada menos de quatro, e não apenas duas epístolas. E sem dúvida outro tanto deve ter ocorrido no caso da correspondência paulina com outras igrejas locais. Podemos estar certos, contudo, que as epístolas que ficaram preservadas no Novo Testamento representam toda a gama de seu pensamento essencial, embora, mui provavelmente, alguns preciosíssimos documentos tenham se perdido nesse processo. Ver I Cor. 5:9 e Col. 4:16.

Os eruditos disputam se Paulo e outros escritores do Novo Testamento tinham consciência do valor duradouro de seus escritos e se antecipavam que esses escritos tornar-se-iam parte de um novo cânon das Sagradas Escrituras. Podemos apenas conjecturar a esse respeito; embora, seja provável que eles não tivessem tais pensamentos em mente, quando escreveram tais composições, ainda que haja indícios bem claros de que eles tinham consciência de que haviam sido impelidos pelo Espírito de Deus. Contudo, as «Escrituras» referidas em II Timóteo 3:16 são o Antigo Testamento, e não porções do Novo Testamento. Ver o artigo geral sobre as *Escrituras*, em sua terceira seção, quanto a uma discussão detalhada sobre a questão da *Inspiração das Escrituras*.

IV. Classificação dos Escritos Neotestamentários

A palavra **epístola** é usada para designar vinte e um dos vinte e sete livros do Novo Testamento. Além disso, os livros de Lucas e Atos dos Apóstolos são ambos prefaciados por uma carta enviada por Lucas a Teófilo, um amigo seu, o qual, ao que parece, era oficial romano. Os *Evangelhos* (que vide) são um tipo literário *sui generis*, criado pela Igreja primitiva, porquanto um *evangelho* não é apenas uma biografia. O livro de *Atos dos Apóstolos* é uma peça histórica, que cobre alguns poucos anos da história da Igreja primitiva; mas também é uma obra polêmica e uma obra de defesa dos pontos de vista cristãos. Esse livro assemelha-se muito com um tratado, de tal modo que podemos dizer que é um tratado histórico polêmico.

EPÍSTOLA — EPÍSTOLAS CATÓLICAS

O *Apocalipse* é um típico apocalipse judaico. Ver sobre *Apocalípticos, Livros*. O resto dos livros do Novo Testamento é constituído por epístolas. O Apocalipse é introduzido por sete cartas, dirigidas às igrejas da Ásia Menor (capítulos segundo e terceiro). As chamadas *Epístolas Católicas* (que vide) foram escritas a grupos cristãos em geral.

Os Autores. De acordo com uma estimativa muito rígida, poderíamos afirmar que as epístolas do Novo Testamento foram escritas por *cinco* pessoas. Essas pessoas foram Paulo, Pedro, João, Tiago e Judas. Porém, alguns estudiosos pensam que há outros autores envolvidos nas chamadas epístolas paulinas, especialmente as chamadas «epístolas pastorais»; mas há outras epístolas de autoria paulina duvidosa, como Colossenses e Efésios. A segunda epístola de Pedro não é atribuída a Simão Pedro, pela maioria dos estudiosos; e, até mesmo, a primeira epístola de Pedro é posta em dúvida, quanto à autoria petrina, devido ao grego excelente em que foi escrita. Alguns estudiosos supõem que um ou mais autores estiveram envolvidos nas epístolas joaninas; e, naturalmente, a epístola aos Hebreus não foi escrita por Paulo. O problema de autoria é debatido nos artigos referentes a cada um desses livros. O que fica claro em tudo isso é que não sabemos exatamente quantos autores estiveram envolvidos na produção dessas epístolas, e nem o assunto reveste-se de grande importância. O que é importante é se estamos pondo em prática os ensinamentos ali contidos.

Assuntos Abordados. É impossível fazer um sumário dos muitos e grandiosos assuntos tratados nas epístolas do Novo Testamento em um único parágrafo. Porém, certas diretrizes básicas podem ser salientadas: 1. *Escatologia* (I e II Tessalonicenses); 2. *soteriologia* (Gálatas, Romanos, I e II Coríntios); 3. *cristologia* (Colossenses, Efésios, Filipenses); 4. *eclesiologia* (I e II Timóteo, Tito); 5. *problemas pessoais* (Filemom); 6. *ética* (Tiago); 7. *polêmica e heresias* (Judas, II Pedro); 8. *considerações pastorais* (I e II Pedro; I, II e III João); 9. *polêmica e teologia comparadas* (Hebreus).

Esse tipo de esboço, naturalmente, é apenas uma sugestão, visto que as categorias se justapõem. Para exemplificar, oito dos livros do Novo Testamento contêm ataques contra a antiga heresia gnóstica, pelo que, pelo menos em parte, são obras polêmicas. Essas epístolas são: Efésios, Colossenses, I e II Timóteo, I, II e III João e Judas. O evangelho de João e o livro de Apocalipse também contêm material dessa natureza.

V. Elementos comuns nas Epístolas Antigas

As epístolas do Novo Testamento são bastante parecidas com as epístolas da cultura helenista, quanto à sua apresentação básica. Estes são os elementos comuns: 1. Uma saudação pessoal, com a usual palavra grega *charis*, «graça», como parte dessa saudação; 2. Uma espécie de ação de graças ou louvor; 3. Expressão de desejo pelo bem-estar dos leitores da epístola, o que, no Novo Testamento, geralmente assume a forma de uma oração; 4. O tratamento da mensagem principal a ser comunicada, o que, no Novo Testamento, inclui instruções doutrinárias e éticas, de mistura com informes pessoais; 5. Uma bênção, que geralmente contém alguma forma de saudação pessoal; 6. A assinatura, para propósitos de identificação e autenticação. Ver Gál. 6:11 e II Tes. 3:17. As epístolas neotestamentárias diferiam das cartas da sociedade secular quanto a seu conteúdo de natureza religiosa. Outrossim, as saudações introdutórias e as despedidas eram cristianizadas.

Gênero Literário. Como é óbvio, os escritores do NT não inventaram o gênero literário da *epístola*. Mesmo assim, deram para ela uma utilização espiritual extraordinária, através de alguns documentos de valor histórico indisputável.

Bibliografia. DEIS IB ID FAR Z

EPÍSTOLA DOS APÓSTOLOS
Ver sobre **Apóstolos, Epístola dos**.

EPÍSTOLAS APÓCRIFAS

Os livros apócrifos do Novo Testamento são estruturados de acordo com o modelo deixado pelo próprio Novo Testamento. Esses livros apócrifos são epístolas, evangelhos, atos e apocalipses. Quanto às epístolas apócrifas do Novo Testamento, ver o artigo geral intitulado *Livros Apócrifos do Novo Testamento*.

EPÍSTOLAS CATÓLICAS

1. O Termo e as Obras Envolvidas. Um dos sentidos da palavra «católica» é universal (que vide); ou geral, em contraste com específico. Nesse sentido, o vocábulo é aplicado a várias epístolas do Novo Testamento. A idéia é que essas epístolas foram escritas para a Igreja em geral, e não para indivíduos ou igrejas locais específicas. As epístolas assim intituladas são sete: Tiago, I e II Pedro, I, II e III João e Judas. Esse título é um tanto inexato se o aplicarmos a todas essas sete epístolas, pois II e III João foram dirigidas a indivíduos. Além disso, a epístola de Judas foi escrita às doze tribos da dispersão judaica, e I Pedro aos estrangeiros eleitos da dispersão. No entanto, os endereçados representam grupos tais que o título «católico» continua sendo razoável no caso dessas epístolas. Outros sentidos do vocábulo «católico» foram sugeridos no tocante a elas.

2. Sumário de Possíveis Usos da palavra «católico», no tocante a essas epístolas:

a. Conforme foi dito acima, essas foram epístolas enviadas à Igreja em geral, e não a pessoas ou igrejas locais específicas.

b. Elas são epístolas instrutivas *gerais*, que cobrem muitos assuntos.

c. Visto que vários autores estiveram envolvidos, como uma coletânea elas podem ser consideradas gerais, e não específicas, no tocante à sua autoria.

d. Visto que essa coletânea ensina uma doutrina «católica» (tanto geral quanto ortodoxa), em oposição à idéias e movimentos hereges, o título lhes é apropriado.

e. I Pedro e I João foram consideradas, desde o começo, porções genuínas do cânon neotestamentário, e foram *universalmente* aceitas. As demais epístolas que receberam esse nome, conforme foram sendo acrescentadas, também foram sendo assim intituladas, pela mesma razão. Dentre esses diversos significados, o primeiro é o mais largamente aceito. Seja como for, os eruditos tratam essas sete epístolas como uma unidade separada, dentro da coletânea de livros do Novo Testamento, embora, como é óbvio, elas tratem de uma grande variedade de assuntos, não tendo elas qualquer tema unificador.

3. Dentro da Coleção de Manuscritos, a ordem dessas sete epístolas tem variado consideravelmente, excetuando que I João e I Pedro sempre estiveram à testa da coletânea, presumivelmente por terem sido as melhores epístolas gerais autenticadas no processo de canonização. Em algumas listas canônicas, bem como em alguns antigos manuscritos, essas epístolas são

EPÍSTOLAS — EPÍSTOLAS PASTORAIS

postas entre o livro de Atos e às epístolas paulinas. Em outras listas, porém, seguem-se às epístolas paulinas e antecedem o livro de Atos. Os primeiros manuscritos tendiam por incluir os livros de acordo com categorias, não contendo essas listas todos os nossos vinte e sete livros do Novo Testamento, isto é, apresentavam os evangelhos juntos, o livro de Atos em separado, as epístolas paulinas como um grupo, etc.

4. Utilidade. a. As epístolas católicas fornecem-nos uma seção cruzada de idéias da Igreja cristã primitiva, sobre certa variedade de assuntos. **b.** Elas consubstanciam, em suas idéias, várias obras anteriores, como as epístolas paulinas. A primeira epístola de Pedro tem muito em comum, provavelmente através de empréstimo, como as epístolas paulinas. I João muito tem em comum com o evangelho de João. **c.** Há nelas muitas e variegadas instruções éticas. **d.** I Pedro, em suas considerações sobre a descida de Cristo ao hades (que vide), em 3:18-4:6, confere-nos uma luz mais intensa sobre a dimensão do evangelho, que não aparece tão claramente no resto do Novo Testamento. Vemos ali, especificamente em I Pedro 4:6, que o poder de Cristo pode atingir os homens em todo lugar, até mesmo no além-túmulo, no lugar do próprio juízo! **e.** I João fornece-nos um estudo profundo sobre a natureza do amor e sua lei, mostrando que essa lei encontra-se à base da espiritualidade dos vivos. Ver especificamente I João 4:7 até o fim do capítulo. **f.** II Pedro 1:4 contém a ousada declaração de que a salvação envolve a participação na natureza divina. Esse ensino também aparece, sob forma metafórica, na doutrina paulina de que a salvação consiste na participação na natureza do Filho de Deus (Rom. 8:29). Ver as notas no NTI em Col. 2:10, -quanto a explicações detalhadas sobre essa verdade. Ver também o artigo separado sobre a *Salvação*. (ID NTI UN Z)

EPÍSTOLAS DOS PAIS APOSTÓLICOS

Os chamados **pais apostólicos** foram os líderes principais da Igreja cristã que foram contemporâneos dos apóstolos. Alguns deles converteram-se através do ministério de algum apóstolo ou de algum discípulo de apóstolo. — As epístolas a eles atribuídas revestem-se de grande e especial importância. Algumas dessas epístolas, entretanto, provavelmente não foram genuínas, no sentido de que não foram escritas para as pessoas a quem são atribuídas, como é o caso da Epístola de Barnabé (ver sobre *Barnabé, Epístola de*) e a segunda epístola de Clemente. Ademais, precisamos levar em conta as epístolas apócrifas, atribuídas a apóstolos ou a discípulos dos mesmos, mas que não foram escritas pelos tais. Ver sobre *Liv os Apócrifos do Novo Testamento*. Consideremos estas várias composições:

1. *As Epístolas de Clemente* (Clemens Romanus). Provemos para o leitor um artigo separado sobre os escritos de Clemente de Roma (ou seus supostos escritos). Ver sob o título *Clemente, Epístolas de*. Ver também os dois artigos separados sobre *Clemente* e *Clemente I de Roma* (papa?)

2. *Inácio*. Tanto a pessoa quanto as epístolas de Inácio são discutidas em artigos separados.

3. *Policarpo*. Tanto a pessoa quanto a epístola de Policarpo são discutidas em um artigo separado.

4. *Pastor de Hermas*. Ver o artigo separado intitulado *Hermas, Pastor de*. Alguns estudiosos pensam que essa obra foi escrita ainda durante o tempo dos apóstolos, mas outros pensam em uma data posterior.

••• ••• •••

EPÍSTOLAS PASTORAIS: I, II TIMÓTEO, TITO

Esse título coletivo, que indica a Primeira e a Segunda Epístolas a Timóteo e a Epístola a Tito, foi dado às mesmas desde o século XVIII. Trata-se de apropriada designação para as mesmas, porquanto abordam problemas eclesiásticos, tendo por intuito ajudar os pastores em seu trabalho, especialmente no ministério do ensino e na vigilância em favor da igreja cristã, mormente no tocante aos assédios dos ensinamentos falsos. Essas epístolas tratam essencialmente de temas de natureza prática, como a ordem e a disciplina eclesiásticas, a seleção dos oficiais da igreja e o caráter e os deveres dos membros da comunidade cristã. Essas três epístolas estão tão intimamente entrosadas, em sua estrutura, fraseologia e propósitos, que não podem ser encaradas como unidades separadas. Por isso mesmo, este artigo é para as três, ainda que apareçam qualidades distintas em cada uma.

    I. O Vexatório Problema de Autoria
    II. Dependência Literária
    III. Data e Proveniência
    IV. A Quem Foram Dirigidas
    V. Motivos e Propósitos
    VI. Integridade e Confirmação Histórica
    VII. Ensinamentos e Temas
    VIII. Importância das Epístolas Pastorais
    IX. Conteúdo de I Timóteo
    X. Conteúdo de II Timóteo
    XI. Conteúdo de Tito
    XII. Bibliografia

Com base em questões como pontos gramaticais e estilo literário, vocabulário e temas, são universalmente considerados como escritos clássicos paulinos, as epístolas aos Romanos, Primeira e Segunda aos Coríntios e Gálatas. A aceitação de qualquer dessas como paulina exige a aceitação de todas as demais; e, vice-versa, a rejeição de uma delas exige a rejeição de todas, tão convincentes são as evidências internas de que procederam da mesma pena inspirada. Por essa razão, pouquíssimos em extremo têm sido os críticos que se têm aventurado a negar a origem e a natureza autenticamente paulina dessas citadas epístolas. Ainda outras cinco epístolas têm sido adicionadas a essa lista com pequena hesitação, tanto por estudiosos liberais como por conservadores, por críticos antigos ou modernos. Essas cinco outras são Filipenses, Colossenses, Primeira e Segunda aos Tessalonicenses e Filemom. Portanto, nada menos de nove epístolas são aceitas como paulinas com pouca disputa. Depois dessas nove epístolas citadas, surge a epístola aos Efésios, que a maioria dos eruditos conservadores acolhe como paulina, com o que concorda uma minoria de estudiosos liberais. (Ver o artigo sobre a epístola aos Efésios, sob o título *Autoria*, quanto a uma discussão acerca desse problema). E as epístolas que vinham sendo reputadas como paulinas desde tempos antigos, mas que vieram a ser postas em dúvida como tais, por questões de estilo, de vocabulário e de algum conteúdo que parece refletir uma situação pós-apostólica, são a Primeira e a Segunda epístolas a Timóteo e a epístola a Tito. As discussões abaixo abordam amplamente esse problema inteiro.

As Epístolas da Prisão: Dentre as treze epístolas comumente atribuídas ao apóstolo Paulo, sete são reputadas «epístolas da prisão», o que significa que foram elas escritas estando ele encarcerado. No entanto, em tempos modernos, não há concordância,

EPÍSTOLAS PASTORAIS

entre os eruditos, de que todas essas epístolas foram escritas na cidade de Roma, conforme dizia a idéia antiga, mas que se tornou sujeita a objeções sérias. Sabemos que o apóstolo dos gentios esteve aprisionado em Jerusalém, em Cesaréia, em Roma e provavelmente, em Éfeso. É bem possível que essas epístolas—Filipenses, Efésios, Colossenses, I e II Timóteo, Tito e Filemom—não foram escritas na mesma cidade, e nem mesmo na mesma época, conforme o demonstram as considerações internas. As circunstâncias eram diferentes, as expectações concernentes à soltura do apóstolo eram diferentes, a gravidade da situação de Paulo era diferente, e até mesmo os companheiros de Paulo eram diferentes; de onde se conclui que é quase certo que os «lugares» e as «ocasiões», ligadas a essas diversas epístolas, também eram diferentes. Dentre essas sete epístolas, aquelas aos Colossenses, aos Efésios e a Filemom formam um grupo comum. Muitos eruditos acreditam, hoje em dia, que isso reflete um período anterior de aprisionamento, que importava em menor perigo, e que talvez tenha ocorrido em Éfeso. A epístola aos Filipenses poderia ter sido escrita durante o «primeiro» aprisionamento em Roma, e estas epístolas «pastorais», se foram genuinamente paulinas, poderiam ter sido escritas em um «segundo» período de aprisionamento, e que conduziu ao martírio do grande apóstolo. A primeira epístola a Timóteo poderia ter sido escrita durante o intervalo entre esses dois períodos de encarceramento (ver I Tim. 3:14), o que também pode ter sido o caso da epístola a Tito (ver Tito 3:12), mas a segunda epístola a Timóteo reflete a expectação pelo fim, uma missão terminada, a coroa do martírio (ver II Tim. 4:6 e ss). (Quanto a detalhes acerca da «proveniência» e da «data» das três epístolas a Colossenses, aos Efésios e a Filemom, ver as discussões a respeito no artigo sobre a epístola aos Colossenses. Quanto a essas mesmas questões, referentes às «epístolas pastorais», ver sob «Data e Proveniência», nas notas expositivas mais abaixo).

Em termos bem amplos, as epístolas paulinas têm sido divididas em dois grupos, a saber, as **primeiras** e as **últimas.** Nas «primeiras» são postas todas as suas epístolas, com exceção das «epístolas da prisão», isto é, Gálatas, I e II Tessalonicenses, I e II Coríntios e Romanos. O grupo das «últimas» inclui aquelas epístolas tratadas acima, dentre as quais as epístolas pastorais surgem em último lugar. Esse tipo de classificação, entretanto, em tempos recentes, tem sido reputada altamente artificial, porquanto algumas das epístolas da «prisão» podem ter sido produzidas relativamente «cedo» na carreira ministerial de Paulo, em alguma prisão que não a da cidade de Roma.

Normalmente, se tem pensado ser correto colocar a primeira e a segunda epístolas aos Tessalonicenses no início cronológico da coletânea paulina; mas existem bons argumentos para que essa posição seja ocupada pela epístola aos Gálatas. Parece quase certo que a epístola aos Gálatas foi escrita antes do «concílio de Jerusalém», talvez tão cedo quanto o ano de 48 D.C. (Quanto a explicações sobre essa questão, ver o artigo sobre esse livro, sob *Data*). Pelo menos, a primeira e a segunda epístolas aos Tessalonicenses ocorreram pouco mais tarde, embora antes de todas as demais epístolas de Paulo. Pode-se supor, por conseguinte, a seguinte ordem para as epístolas de Paulo: a. Gálatas, em cerca de 48 D.C.; b. I e II Tessalonicenses, em 50—51 D.C.; c. então o grupo formado por Colossenses, Efésios e Filemom, em cerca de 54 D.C., escritas durante um período de aprisionamento anterior ao de Roma; d. então I e II

Coríntios e Romanos, em 54—57 D.C., embora alguns estudiosos situem-nas tão cedo quanto 52 D.C. e. Segue-se então Filipenses, produzida em Roma, durante o «primeiro» aprisionamento ali, em cerca de 61—63 D.C.; f. finalmente, surgem as «epístolas pastorais», escritas durante o «segundo» aprisionamento, em 65—68 D.C., embora a primeira epístola a Timóteo e a epístola a Tito possam ter sido escritas no intervalo entre esses dois aprisionamentos. Alguns eruditos pensam que o primeiro aprisionamento de Paulo ocorreu já em 58 D.C. Nesse caso, todas as datas aqui propostas teriam de ser igualmente adiantadas. No tocante à cronologia do N.T., devemo-nos lembrar que várias das epístolas paulinas antecederam aos evangelhos, ou mesmo a qualquer outro livro neotestamentário, pelo que também são os primeiros grandes escritos que deram início àquela soberba série de documentos que, finalmente, veio a formar nosso N.T.

I. O Vexatório Problema de Autoria

Intensa controvérsia se tem centralizado em torno desse problema, com imenso dispêndio de energia e muito material escrito, defendendo ou rejeitando a autoria paulina da primeira e segunda epístolas a Timóteo e da epístola a Tito. Na realidade, porém, esse problema se reveste de muito menor importância do que se pensaria, ao examinar esse vasto acervo de estudos, posto que essas epístolas, desde os tempos mais remotos, têm sido aceitas como «canônicas», tendo sido acolhidas pela igreja como tais, possuindo assim autoridade na formação da fé cristã, sem importar se Paulo foi o autor das mesmas ou não. Sendo essa a verdade da questão, o que realmente importa, nesses três livros, é o que os mesmos procuram ensinar-nos, quão bem temos aplicado esses ensinamentos à vida eclesiástica e particular, e não tanto quem teria sido o autor dos mesmos. No entanto, estaria fora de ordem não abordar um problema assim, em um artigo desta natureza. Por isso mesmo, as posições favorável e contrária à autoria paulina são expostas da maneira mais abreviada possível, a fim de que a questão não tenha sua importância ampliada além do que convém.

Os argumentos contrários à autoria paulina das «epístolas pastorais».

Todos eruditos concordam ao menos acerca do ponto que essas três epístolas formam um grupo distintivo, visto terem o mesmo estilo, o mesmo vocabulário geral, os mesmos temas e os mesmos propósitos—procederam da mesma pena, portanto. Assim sendo, o problema da «autoria» se aplica a todas essas três epístolas ao mesmo tempo, sendo a questão assim examinada nas notas expositivas abaixo.

1. Não era incomum, nos tempos antigos, um autor escrever no nome de alguma pessoa famosa, normalmente para aumentar a autoridade da obra e para garantir-lhe uma maior circulação. Era tão comum essa prática, naqueles tempos, que se sabe de pelo menos cem dessas obras, produzidas em nome de famosos elementos cristãos.

No tocante às «epístolas pastorais», as *razões* pelas quais isso poderia ter sido feito (segundo alguns eruditos) poderiam incluir as seguintes: a. Uma pessoa, que considerava Paulo como seu grande herói, em humildade, ao escrever, não daria o seu próprio nome como autor, mas apresentaria o nome de seu herói, pensando assim ajudar a sua causa. Nesse caso, estaria escrevendo esquecendo-se de si mesmo; e na moralidade antiga nada havia que condenasse essa forma de ação. b. Havia uma heresia ou heresias a

410

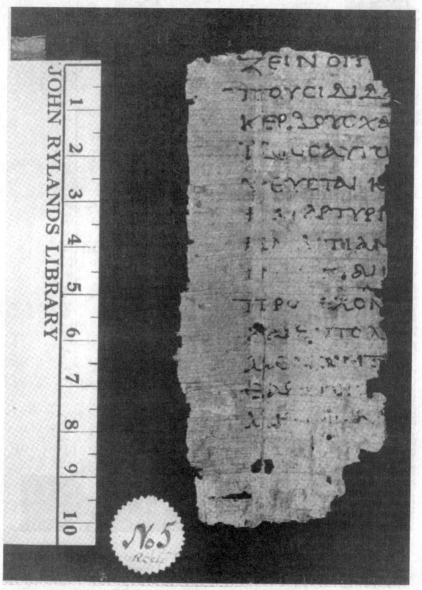

P(32) c. 200, Tito 1:11-15 — recto
Cortesia, John Rylands Library

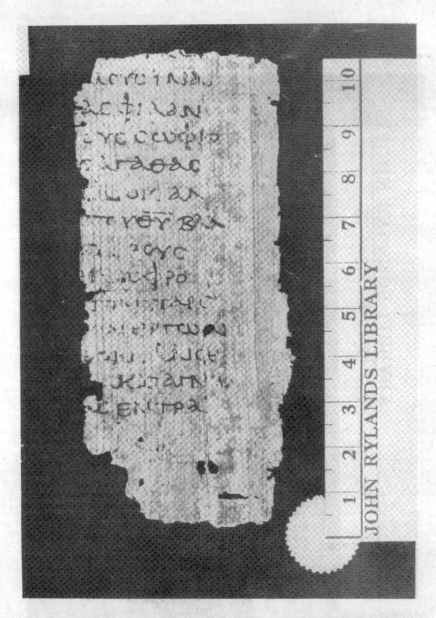

P(32) c. 200, Tito 2:4-7 — Verso
Cortesia, John Rylands Library

EPÍSTOLAS PASTORAIS

combater, na igreja cristã primitiva, após o período apostólico, e as «epístolas pastorais» tinham exatamente o propósito de fazer oposição às mesmas. O apóstolo Paulo mesmo se opusera à intromissão de heresias na igreja, conforme nos mostra a epístola aos Colossenses, e o autor das epístolas pastorais reforça mais ainda essa oposição à heresia mediante o uso do nome de Paulo, muito mais do que poderia fazer se tivesse usado o seu próprio nome. Bastaria isso para justificar o uso do nome do apóstolo dos gentios, e a mentalidade antiga não condenava essa atitude. O autor sagrado se opunha aos hereges, à ilusão satânica, no intuito de proteger a igreja, de convocar os homens de volta à fé apropriada em Cristo. O uso do nome de Paulo o fortalecia em sua causa, que era digna e recomendável. c. Ao fazer «Paulo» tornar-se o campeão do ponto de vista «universal» sobre a igreja daquele tempo, e o autor das epístolas pastorais reforça rias, o autor sagrado esperava livrar Paulo da pecha de suposto representante de posições heréticas (pois os hereges tinham a Paulo como um de seus campeões; e um dos exemplos notáveis disso foi Márcion, o gnóstico). Portanto, o autor sagrado deve ter pensado em prestar um notável serviço a Paulo e à igreja cristã, longe de imaginar que sua ação era condenável, digna de censuras.

2. Além da «possibilidade histórica» que alguns dos livros do N.T. tenham sido composições pseudônimas, essencialmente quatro outras questões têm sido levantadas, nas quais a autoria paulina das «epístolas pastorais» é posta em dúvida. Essas questões são o «problema histórico», o «problema doutrinário», «o problema lingüístico», e o «problema comparativo».

O Problema Histórico

a. As heresias. Alguns estudiosos pensam que as heresias atacadas nos livros que ora consideramos, refletem um período posterior ao da era apostólica. Sob o ponto V deste artigo, intitulado «Motivos e Propósitos», são discutidos os «tipos» de heresia que se refletem nas epístolas pastorais. Essa questão é nublada por grande número dos mais variados argumentos. Porém, um quadro claro emerge: estamos considerando ali um período — pós-apostólico —. Nas próprias epístolas pastorais, em contraste com a epístola aos Colossenses, por exemplo, principalmente os aspectos «morais» das heresias são estudados, e não os aspectos doutrinários. Os hereges aparecem como homens ímpios, impostores, que enganam e são enganados, corruptos em seus princípios morais, carregados de pecados, conduzidos por diversas concupiscências, gananciosos de lucro. A raiz de tudo isso foi certa forma de gnosticismo judaizante. Apesar de que, em Colossenses, em termos bem gerais, se faz oposição ao mesmo tipo de heresia, o ponto destacado pelos que se opõem à autoria paulina das «epístolas pastorais» é que as descrições são bastante diferentes, apesar de que devem estar descrevendo uma espécie de gnosticismo encontrado nas áreas de Éfeso e Colossos, posto que aquela região geral era onde Timóteo, supostamente, trabalhava. Já o gnosticismo do território em foco, nos tempos de Paulo, era essencialmente *ascético* (ver Col. 2:20 e *ss*), ao passo que aquele tipo atacado nas epístolas pastorais é definidamente «libertino». Sabemos que ambas as formas existiam, entretanto, sendo extremamente difícil apresentar um bom argumento nesse caso, pois simplesmente não sabemos o bastante acerca do gnosticismo, no tocante às suas manifestações em cada período e localidade, para poder argumentar muito sobre a matéria, para um lado ou para outro. (Ver o artigo acerca do *Gnosticismo*).

Em todos os seus pontos essenciais, o gnosticismo teve origem anterior à do surgimento do cristianismo, e todas as suas tendências e idéias já se achavam presentes nos dias de Paulo, incluindo sua tentativa de fazer do cristianismo uma mera teosofia, reconciliando-o com idéias filosóficas mais antigas e com religiões místicas orientais. Os estudiosos ainda estabelecem mais um ponto, sobre essa questão, dizendo que as «formas de tratamento» são diferentes, no tocante às heresias, entre aqueles escritos reconhecidamente paulinos e as «epístolas pastorais». Na epístola aos Colossenses, por exemplo, Paulo ataca, exata e incisivamente, pontos específicos do sistema por ele combatido, contrastando tal sistema com a verdade cristã definida. No entanto, nas epístolas pastorais, as acusações são gerais e graves e falsos mestres de muitas espécies são indiscriminadamente denunciados. Isso se aceita como uma abordagem «não paulina», contrária ao gênio dos escritos legitimamente paulinos. Este segundo ponto é mais forte que a simples assertiva que «diferentes tipos» de heresia estão sob ataque, mas não é muito convincente.

b. A norma eclesiástica. Um dos mais comuns argumentos contra a autoria paulina das epístolas pastorais diz que elas refletem um período histórico posterior, pois os tipos de governo eclesiástico são diferentes daqueles que poderíamos deduzir como características dos tempos anteriores. Nas primeiras epístolas de Paulo, universalmente aceitas como tais, parece haver pouco ou nenhum traço de ofícios eclesiásticos formalmente constituídos. Nas primeiras de suas epístolas, os termos «bispos e diáconos» falam sobre funções na igreja, mas não sobre ofícios formais, ao passo que nas *epístolas pastorais* essas funções passaram para a categoria de ofícios formais. Notemos que na lista formal de funções da igreja, conforme se vê em Efé. 4:11, os termos «bispos e diáconos» nem ao menos são mencionados. Antes das epístolas pastorais, os líderes da igreja seriam «indivíduos espiritualmente dotados», levantados pelo Espírito Santo, dentre a comunidade geral, de maneira informal, ao passo que nas epístolas pastorais existem *ofícios formais*, para os quais seus ocupantes eram «nomeados» por pessoas ainda mais poderosas. As epístolas pastorais reconheceriam os bispos, os diáconos e os presbíteros, as mesmas três ordens distintivas que aparecem nas epístolas de Inácio, as quais datam de 100—118 D.C. Apesar de que tais distinções são ainda mais evidentes naquelas epístolas, as epístolas pastorais estariam a meio caminho de estabelecer tais distinções, já que se afastam da atitude espiritualmente informal acerca dos líderes da igreja, conforme o reflexo que vemos nas primeiras epístolas de Paulo.

B.H. Streeter observa sobre este ponto: «O autor das epístolas pastorais, segundo podemos inferir, aceita o episcopado monárquico como questão pacífica. Para ele, as figuras de Timóteo e Tito são importantes, não tanto como personagens históricas, mas como quem nos fornece tipos de bispo ideal. Timóteo é o bispo ideal em suas relações para com a sua própria igreja, em uma província como Éfeso, onde já havia igrejas locais organizadas em todas as cidades provinciais. Tito, por outro lado, seria o bispo missionário ideal, o bispo de alguma província longínqua, onde as igrejas, fora da própria igreja-sede do bispo, se encontram fracas e desencorajadas». (*The Primitive Church*, Nova Iorque, Macmillan Col, 1929, págs. 118-119).

Cumpre-nos observar que Timóteo e Tito são mais do que simples «anciãos», no sentido paulino anterior. Eles é que «nomeavam» outros anciãos, conforme o

EPÍSTOLAS PASTORAIS

estilo de tempos posteriores, como se fosse uma espécie de primeiro passo na direção de uma verdadeira hierarquia eclesiástica (ver o terceiro capítulo da primeira epístola a Timóteo e o trecho de Tito 1:5 e *ss*).

Contra tais idéias normalmente se salienta que o avanço do governo eclesiástico, na direção de formas eclesiásticas posteriores, não é tão grande como aquele avanço refletido nas epístolas de Inácio, e de que temos pouco conhecimento acerca de quão rapidamente tais formas governamentais realmente se desenvolveram, e, por conseguinte, o que se acha refletido nas epístolas pastorais que poderia coincidir com os últimos anos do ministério de Paulo e com um desenvolvimento natural, que teria partido do tipo informal de governo que caracterizava a igreja cristã primitiva, conforme transparece nas primeiras epístolas daquele apóstolo. Pelo menos é certo que as *epístolas pastorais* são um tanto vagas sobre questões de ofícios eclesiásticos e sobre a expressão governamental daquele tempo, pelo que também nenhum argumento sólido pode ser erigido sobre o reflexo de um «período posterior». Se o autor sagrado estivesse interessado em informar-nos acerca dessa questão, facilmente poderia tê-lo feito, e é lamentável que em vista das epístolas pastorais serem os únicos livros do N.T. devotados à pessoa e ao trabalho dos pastores, que informações mais claras não nos tenham sido conferidas sobre a estrutura real do governo eclesiástico, o que se revestiria de grande interesse histórico.

O Problema Doutrinário:

Alguns estudiosos objetam à idéia de que as «epístolas pastorais» sejam genuinamente paulinas, com base no argumento de que doutrinas diferentes se refletem nelas, algumas vezes similares às de Paulo, mas outras vezes bem diferentes do que ele dizia e até mesmo contraditórias a seus escritos. Por exemplo, as questões como a morte e a ressurreição de Cristo não aparecem mais como temas centrais, mas são reduzidas a meras alusões. O conceito da justificação e da nossa transformação segundo a imagem de Cristo, como alvo mesmo da vida cristã, não aparece aqui. — Os ensinamentos das epístolas pastorais são primariamente éticos, muito semelhantes ao estilo dos ensinamentos ministrados nas sinagogas judaicas. A «eusebia» (piedade) toma o lugar que a «pistis» (fé) ocupa nas epístolas paulinas, o que, uma vez mais caracteriza uma fé mais judaizante. Essa palavra «eusebia» é usada por doze vezes nas epístolas pastorais, e nunca nas demais epístolas paulinas. Somente nos trechos de I Tim. 1:16 e II Tim. 3:15 é que a fé surge claramente com o seu antigo sentido de meio para a apropriação da salvação. Nas demais menções, a fé perde sua função distintivamente salvadora, sendo reduzida a uma das «virtudes cardeais». Conforme comenta C.H. Dodd, *The Johannine Epistles* (pág. 30): «Pará os hebreus... conhecer a Deus não era primariamente um exercício intelectual e nem uma inefável experiência mística; antes, consistia em reconhecer a Deus nos seus caminhos com o homem reconhecendo suas reivindicações sobre o homem, compreendendo suas leis com a intenção de obedecê-las».

Alguns intérpretes asseguram que esse é o ponto de vista essencial das «epístolas pastorais», que abandona o misticismo tipicamente paulino. (Ver I Cor. 1:4 acerca desse elemento nos escritos de Paulo). Alguns intérpretes, entretanto, vão longe demais a esse respeito, insistindo que a «salvação pelas obras» é destacada nas epístolas pastorais, o que é distintiva-

mente contrário à clara declaração de Tito 3:5. Contudo, o trecho de I Tim. 1:7 e *ss* põe certa ênfase sobre a lei, dando-lhe uma importância que dificilmente pode ser reconciliada com o que se lê nas epístolas aos Romanos e aos Gálatas, ainda que o nono versículo daquela passagem também torne duvidosa tal idéia. No entanto, a idéia de «salvação pelas obras» pode ser vista implícita em I Tim. 6:12, que diz, «Combate o bom combate da fé. Toma posse da vida eterna, para a qual também foste chamado, e de que fizeste a boa confissão, perante muitas testemunhas». (Ver igualmente I Tim. 5:8). Entretanto, isso não diz coisa alguma mais do que aquilo que se encontra em Fil. 2:12: «Assim, pois, amados meus, como sempre obedecestes, não só na minha presença, porém muito mais agora na minha ausência, desenvolvei a vossa salvação com temor e tremor».

Outrossim, esses indícios podem ser exagerados ou mesmo distorcidos, por estudiosos ansiosos por apresentar argumentos favoráveis ou contrários à autoria paulina. Por exemplo, é salientado por alguns eruditos que o tema muito enfatizado por Paulo, o da «união vital» com Cristo, não se pode encontrar nas epístolas pastorais. Porém, a consulta a uma boa concordância bíblica mostra-nos que as expressões «em Cristo» ou «nele», denotando exatamente essa união (e que figura por cento e sessenta e quatro vezes em suas epístolas, ver as notas expositivas a respeito, em I Cor. 1:4 no NTI) também se acham com freqüência nas epístolas pastorais, isto é, nada menos do que nove vezes, de uma maneira ou de outra. (Ver I Tim. 1:15; 2:7; 3:13; II Tim. 1:1,9; 2:10 e 3:12,15).

Diferenças quanto às expressões doutrinárias podem ser explicadas com base nas diferenças de propósito e de intuito do apóstolo. As grandes doutrinas que foram expressas naquelas epístolas, onde alguma atividade polêmica era exercida, visavam atender especificamente a situações locais. Nenhuma das epístolas de Paulo (com a exceção única, talvez, da epístola aos Efésios) foi escrita apenas para expor doutrinas, inteiramente à parte das necessidades especiais das igrejas locais para as quais ele escreveu; e normalmente foram pronunciadas em oposição a idéias falsas, correntes na igreja particular para a qual ele escrevia. As expressões doutrinárias, por conseguinte, dependiam das circunstâncias locais. Visto que essas circunstâncias diferiam, havia doutrinas centrais, consideradas nitidamente paulinas, que apareciam ou não nas diferentes epístolas que ele escreveu. Assim, ao passo que alguns, como McGiffert (*History of Christianity in the Apostolic Age*, pág. 402), têm asseverado que as diferenças doutrinárias são o argumento mais «decisivo» contra a autoria paulina das «epístolas pastorais», parece antes que essas diferenças podem ser adequadamente explanadas, embora não tão conclusivamente para eliminar todo o problema.

O Problema da Escassez de Material

Alguns intérpretes têm caido no erro de «ver demais», em certas porções minúsculas de material escrito. As supostas diferenças de conceitos doutrinários entre epístolas de pequenas dimensões, que foram escritas para atender a situações meramente locais, dificilmente podem ser premidas para resolverem problemas de autoria, por exemplo. Essas epístolas não foram escritas como teologias sistemáticas; e declarações isoladas, aqui e acolá, uma vez extraídas de seus respectivos contextos, facilmente podem ser interpretadas como se fossem contraditórias.

As epístolas de Paulo não foram escritas como manuais destinados a estudos doutrinários. Supomos

412

EPÍSTOLAS PASTORAIS

mesmo que a maioria delas foi escrita com bastante espontaneidade. Paulo, sem dúvida, acreditava em grande número de coisas sobre as quais jamais escreveu nas epístolas que possuímos. Outrossim, também, deve ter tido muitos pontos de vista sobre coisas que costumava afirmar, mas sobre as quais nunca escreveu, nas epístolas que chegaram até nós. Por conseguinte, é muito precário edificar teorias de autoria por causa de aparentes discrepâncias doutrinárias, a menos, naturalmente, que essas diferenças sejam realmente evidentes.

O Problema Lingüístico

Na realidade, é neste ponto que se tem registrado mais objeção à autoria paulina das «epístolas pastorais». É fato bem conhecido, por aqueles que lêem muito vários autores, que cada um deles tem seu próprio estilo de expressão, o qual pode ser breve, profuso, complicado, simples, confuso, claro, eloqüente, pedante, sem falarmos no uso de termos e expressões idiomáticas favoritos. Geralmente é fácil até mesmo perceber quando um autor começa a «tomar por empréstimo», embora não se identifique diretamente, ou quando começa a «citar», sem importar se ele se identifica ou não a sua fonte informativa. Outrossim, é extremamente difícil alguém imitar o estilo alheio, exceto mediante citações diretas; antes, assim que um escritor começa a falar *por si mesmo*, deixa transparecer a sua mentalidade e estilo. Poderíamos mesmo dizer que o estilo de um autor, sua escolha de palavras e suas expressões em geral são tão peculiares a ele como suas impressões digitais. E essas questões transparecem até mesmo através da «tradução» de um idioma para outro. Em outras palavras, o estilo de um autor se deixa ver até mesmo quando sua obra é bem traduzida para outra língua. O estilo de um autor é como que as *impressões digitais* de sua mente. Ora, é justamente aqui que muitos intérpretes vêem uma «impressão digital» diferente do que aquela que aparece nos comuns e «primeiros» escritos paulinos.

O vocabulário das epístolas pastorais.

Existem novecentas e duas palavras que formam a base das «epístolas pastorais». O estudo mais completo a respeito foi feito por P.N. Harrison, em seu livro *Problem of the Pastoral Epistles* (Londres, Oxford University Press, 1921). Cinqüenta e quatro dessas palavras são nomes próprios, pelo que ficam fora da discussão. Trezentas e seis dessas palavras, o que representa mais de um terço do total, não se encontram nas demais dez epístolas atribuídas a Paulo. Dessas, cento e setenta e cinco nem ao menos ocorrem em qualquer outra porção do N.T. Cento e trinta e uma ocorrem em outras porções do N.T. (em conjunção com as «epístolas pastorais»), mas não em qualquer das comumente aceitas epístolas paulinas. Existem quinhentas e quarenta e duas palavras, nas epístolas que ora comentamos, compartilhadas com outros escritos paulinos. Cinqüenta dessas termos podem ser reputados exclusivamente paulinos, no sentido de que não figuram em qualquer outro lugar do N.T. Muitos desses vocábulos, contudo, são empréstimos evidentes, extraídos de outros escritos paulinos, sobretudo da epístola aos Romanos. Dessa porção do vocabulário, que não concorda com outras epístolas de Paulo, duzentas e onze palavras têm sido aceitas atualmente como parte do vocabulário dos escritores cristãos do período de 95—170 D.C. Dentre as seiscentas e trinta e quatro palavras que Paulo usou, e que parece terem desaparecido do vocabulário do século II D.C., no grego representado pelos escritos dos pais apostólicos, quinhentas e noventa e cinco não são usadas nas «epístolas pastorais», o que, talvez,

mostre que tais vocábulos tenham caído em desuso, e que o vocabulário das três epístolas se aproxime mais do vocabulário dos pais da igreja do século II D.C. do que do grego de Paulo. Finalmente, aquelas palavras existentes nas epístolas pastorais, mas que não se acham em qualquer outra porção do N.T., e nem mesmo nos escritos dos pais apostólicos, e nem nos escritos dos primeiros apologistas cristãos, encontram companhia com os escritos não-cristãos da primeira metade do século II D.C., como Epicteto (60—120 D.C.), Diom Crisóstomo (40—115 D.C.), Dioscordes (100 D.C.), Plutarco (120 D.C.), Ariano (100-170 D.C.), Marco Aurélio (121-180 D.C.), além de outros autores que viveram na mesma época, o que, uma vez mais, indica um vocabulário grego «posterior».

Alguns poucos dos termos especiais, usados nas «epístolas pastorais», o que forma um vocabulário teológico e eclesiástico, não usados em outros escritos paulinos, aparecem aqui para satisfazer a curiosidade dos leitores: *«Didaskalia»*, que significa «corpo de doutrinas» (encontra-se por quatro vezes na primeira epístola a Timóteo, por duas vezes na segunda epístola a Timóteo, e por três vezes na epístola a Tito, isto é, em I Tim. 1:10; 4:1,6,13,16; 5:17; 6:1,3; II Tim. 3:10,16, 4:3; Tito 1:9; 2:1,7,10); *«pistis»* que quer dizer «fé», em sentido «objetivo», a «fé ou credo cristão», rara no restante do N.T., embora essa palavra seja de ocorrência freqüente com outro sentido (encontra-se na primeira epístola a Timóteo por oito vezes, aparecendo também ali o sentido «subjetivo», isto é, «a fé que alguém exerce»; ver os exemplos em I Tim. 1:2,19; 3:9,13; 4:1; 5:8; 6:10,21; na segunda epístola a Timóteo aparece por duas vezes, e em Tito por três vezes, isto é, em II Tim. 13:8; 4:7 e Tito 1:4,13 e 3:15). A palavra *«eusebeia»*, que significa «piedade», aparece por dez vezes, e duas vezes como advérbio, isto é, em I Tim. 2:2; 3:16; 4:7,8; 6:3,5,6,11; II Tim. 3:5; Tito 1:1; e adverbialmente, em II Tim. 3:12 e Tito 2:12. Essa lista poderia ser ampliada até incluir trezentas e seis palavras. O *Expositor's Greek Testament*, editado por W. Robertson, alista bem mais de cem dessas referências.

Além disso, faltam termos e expressões paulinos comuns, nas «epístolas pastorais», como o «Espírito Santo», que aparece por oitenta vezes em «outras» epístolas paulinas, mas apenas por três vezes nestas epístolas, o que certamente indica certa diferença de ênfase. O termo «justificar» figura apenas em Tito 3:7, ao passo que «justiça» ou «retidão» recebem uma qualidade ética, não figurando aqui como uma relação religiosa com Deus (ver I Tim. 6:11 e II Tim. 2:22). Em vez dos vocábulos paulinos «revelar» e «revelação», estas epístolas pastorais usam «aparecimento» e «aparecer». Paulo usa «Senhor», em contraste com «escravo», ao passo que as epístolas pastorais usam o termo «despotes», que significa «mestre», «déspota». Observações similares podem ser feitas com relação aos termos «injusto», «imundo», «pacto», «andar» (metáfora sobre a conduta espiritual) e «corpo», com subentendidos éticos. Esta última palavra é usada por setenta e uma vezes nos quatro escritos clássicos paulinos, isto é, Romanos, Gálatas, I e II Coríntios.

Palavras que dão estilo. O termo grego *gar*, freqüente nas «outras» epístolas paulinas, é mui raramente empregado nas «epístolas pastorais». «Ara» ou «ara oun» não aparece nas epístolas pastorais, o que também se dá no caso de outras partículas de ligação, expressões e partículas adverbiais, como «anti», «achri», «dio», «dioti», «emprosthen», «eneken», «epeita», «eti», «ide», «idou», «mepos», «opos», «ouketi», «oute», «palin», «para» (com o acusativo),

EPÍSTOLAS PASTORAIS

«em panti», «pote», «pou», «sun», «osper». Não há nas epístolas pastorais qualquer traço do hábito de Paulo—aplicar diferentes preposições ao mesmo objeto em uma sentença, com o propósito de defini-lo mais acuradamente, conforme se vê em Gál. 1:1 e Rom. 1:17. O uso freqüente do termo «tou», pelo apóstolo Paulo, antes de infinitivos, não figura aqui. Seu uso freqüente do artigo, antes de sentenças inteiras, advérbios, interjeições, numerais, e, especialmente, antes de verbos no infinito, também não aparece aqui. Apesar de que alguma diferença no vocabulário naturalmente pode ser explicada com base na «diferença» de tema, é extremamente difícil explicar, para satisfação de todos, por que motivo as palavras de estilo, conforme aquelas que aparecem acima, não se fazem presentes, uma vez que são partículas que aparecem constantemente nos escritos de Paulo, sem importar qual o tema explorado. Situações similares exigem diferentes usos adverbiais nas «epístolas pastorais». Por exemplo, o familiar termo grego «oun» é substituído por «meta».

Notemos que se a saudação coerente de Paulo é «Graça a vós e paz», em todas as suas *primeiras* epístolas, estas três «epístolas pastorais» dizem «Graça, misericórdia e paz»; e apesar de que essa é uma questão diminuta, poderia facilmente indicar um autor que, apesar de tentar imitar o apóstolo dos gentios, ainda assim usava certas questões de estilo todo pessoal.

Estilo. Até mesmo aqueles que admitem a autoria paulina das «epístolas pastorais», confessam que as «primeiras» epístolas de Paulo têm um estilo mais vigoroso, mais explosivo, mas incisivo. Alguns estudiosos supõem que a «idade avançada» o tornou mais suave, ao passo que outros pensam em certa perda de «energia mental» devido à idade.

«Quem está perfeitamente familiarizado com o estilo e a dicção de Paulo, ao ler estas epístolas, de imediato fica impressionado com a diferença que há entre elas e as suas demais epístolas. Sente-se que ali há uma atmosfera retórica estranha. As sentenças não têm o seu impacto familiar. O pensamento não se movimenta com a pressa costumeira. A verve das epístolas aos Coríntios e aos Gálatas, o vigor dialético da epístola aos Romanos, a majestade da epístola aos Efésios, não transparecem ali. A associação de idéias é frouxa, a construção não é compacta, a movimentação é lenta e desajeitada. Faz falta ali a expressão profunda de Paulo. O pensamento é escasso, em proporção ao volume de palavras; conforme declara Holtzmann: 'Sentimos falta daquelas frases carregadas de sentido profundo'. Tambem se fazem ausentes os anacolutos comuns, os parênteses não fechados, as digressões repentinas, as obscuridades que se derivam do ímpeto do pensamento e dos sentimentos. A construção das sentenças é simples, os pensamentos são simples, expressos sem adornos, tudo de acordo com regras e com suavidade, mas sem impulso e sem cor. Estranhas palavras compostas, palavras profundíssimas, dão início à vereda: os pensamentos paulinos aparecem sob vestes diretas; a voz é a voz de Jacó mas as mãos são as mãos de Esaú». (Vincent, *Word Studies*, introdução às Epístolas Pastorais, pág. 190).

«A sintaxe é mais inflexível e mais regular do que nas primeiras epístolas, mais compacta e menos fluente. As cláusulas são reunidas juntamente, e surge a tendência para o paralelismo». (Lightfoot, *Biblical Essays*, pág. 402). Exemplos desse tipo de fenômeno: I Tim. 1:9; 2:1,2; 3:16; 4:12,13,15; 5:10; 6:9,11-13, 15,18; II Tim. 2:11,12; 3:1-8; 3:10-13,16; 4:2,5,7; Tito 1:7-9; 2:7,12 e 3:1-3.

O Problema Comparativo:

Interpretações mais antigas consideravam a impossibilidade de encaixar as epístolas pastorais dentro do arcabouço histórico do livro de Atos. Assim sendo, acusavam tais epístolas de serem cartas forjadas, sem bom fundamento nos fatos históricos. Muito tempo e energia têm sido gastos, em alguns comentários, na tentativa de fazê-las se encaixarem na narrativa do livro de Atos. Mas atualmente quase todos os estudiosos concordam que, se elas são genuínas, refletem um período histórico posterior ao do livro de Atos, talvez envolvendo uma viagem de Paulo ao Ocidente, até à Espanha, durante um intervalo entre seu primeiro o seu segundo períodos de encarceramento. Até mesmo aqueles eruditos que não acreditam que isso realmente sucedeu, ainda assim crêem que o autor sagrado, sem importar quem foi ele, tencionava que seus leitores entendessem ter havido um pano de fundo histórico. Há certas evidências acerca da «viagem ao Ocidente», de um aprisionamento final e, finalmente, do martírio. Por isso é que o fragmento muratoriano sobre o «cânon», descoberto na Biblioteca Ambrosiana, em Milão, na Itália, que supostamente não teria sido escrito após o ano de 170 D.C., diz: «Nos Atos dos Apóstolos, Lucas relata a Teófilo acontecimentos dos quais ele fora testemunha ocular... mas omite a viagem de Paulo de Roma à Espanha... uma epístola a Tito, e duas a Timóteo, — que embora escritas somente por motivo de afeto pessoal, continuam sendo consagradas no respeito da igreja universal, bem como no arranjo da disciplina eclesiástica».

Naturalmente, não se sabe quais as autoridades ou provas que serviram de base para essa declaração do fragmento muratoriano; e confirmações posteriores dessa tradição, nos escritos dos chamados pais da igreja, podem ter sido apenas a repetição de uma tradição fundamentada apenas no que se lê em Rom. 15:24, onde o apóstolo dos gentios expressou o desejo de fazer tal viagem, que foi interrompida pelo seu encarceramento, sem base em qualquer confirmação histórica. No trecho de Atos 28:31 no NTI, são apresentadas notas expositivas acerca do que se sabe sobre esta conjectura — atinente às atividades missionárias de Paulo após o período histórico que se reflete na narrativa do evangelho de Lucas. Seja como for, sem importar qual seja a verdade sobre a questão, isso não importa em qualquer objeção à autoria paulina das *epístolas pastorais*, na suposição de que tal autoria seria uma contradição com a narrativa do livro de Atos, o que se torna perfeitamente evidente quando se faz a devida comparação.

A Refutação

Uma típica refutação aos argumentos contrários à *autoria paulina das epístolas pastorais*: com base nas dificuldades, com a confirmação da autoria paulina. Trata-se do que disse A.T. Robertson, a fim de que o leitor possa ter exemplo dos tipos de argumentos que são expostos pelos intérpretes a fim de apoiar a autoria paulina tradicional dessas epístolas.

Diz, pois, A.T. Robertson: «É mister discutir questões introdutórias atinentes a essas três (epístolas) porque elas são comuns a todas elas. É verdade que alguns eruditos modernos admitem como paulinas as passagens pessoais, em II Tim. 1:15-18 e 4:9-22, ao mesmo tempo que negam a genuinidade do resto. Mas essa crítica cai por seu próprio peso, porquanto precisamente as mesmas características de estilo aparecem tanto nessas passagens admitidas como no resto; e nenhuma razão terrena pode ser apresentada que explique por que Paulo teria escrito

EPÍSTOLAS PASTORAIS

meros trechos esparsos, ou que explique a omissão de outras porções e a preservação dessas porções por um forjador do segundo século da era cristã.

As evidências externas em prol da autoria paulina são fortes e conclusivas (Clemente, Policarpo, Irineu, Tertuliano, Teófilo e o cânon muratoriano). «Traços de sua circulação na igreja, antes do tempo de Márcion, são mais claros que aqueles referentes às epístolas aos Romanos e II Coríntios». (Zahn, *Introduction to the N.T.*, II, pág. 85). Márcion e Taciano rejeitavam-nas porque nelas Paulo condena o ascetismo.

As objeções quanto a questões internas seguem as normas ditadas por Baur, seguidas por Renan. São principalmente quatro. A mais decisiva, conforme é argumentado por McGiffert (*History of Christianity in the Apostolic Age*, pág. 402), é a que diz que o cristianismo das epístolas pastorais não é o cristianismo de Paulo. Ele pensava em Paulo, conforme o conhecemos em outras epístolas. Mas essa acusação não é veraz. É verdade que Paulo alista ali a fé juntamente com outras virtudes, mas ele também faz isso em Gál. 5:22. Em nenhuma outra porção Paulo nos apresenta uma exposição mais exaltada sobre a fé do que em I Tim. 1:12-17. Uma outra objeção apresentada é que a organização eclesiástica, vista nas *epístolas pastorais*, pertence ao segundo século e não ao tempo da vida de Paulo. Além disso, contamos com a epístola de Inácio, da segunda metade do século II D.C., na qual a palavra 'bispo' é posta acima da palavra 'anciãos', acerca do que não há nenhum traço no Novo Testamento. (Lightfoot). Um forjador do século II D.C. certamente teria reproduzido a organização eclesiástica daquele século, em vez da do primeiro século, conforme encontramos nas epístolas pastorais. Nestas se vê apenas o desenvolvimento normal de bispo (=*ancião*) e de diácono. Uma terceira objeção se tem feito com base de que não haveria espaço, dentro da vida de Paulo, conforme a conhecemos pelo livro de Atos e de outras epístolas paulinas, para os acontecimentos aludidos nas epístolas pastorais; e também se tem argumentado, com base em testemunhos posteriores e não conclusivos que Paulo foi morto em 64 D.C., tendo sofrido apenas um período de aprisionamento em Roma. Se Paulo foi executado em 64 D.C., então esse argumento se reveste de vigor, embora Bartlet (*The Apostolic Age*) tenha tentado abrir espaço para elas no período coberto pelo livro de Atos. Duncan faz idêntica tentativa em favor dos trechos esparsos paulinos admitidos por ele como pertencentes ao hipotético período de aprisionamento em Éfeso. Porém, se admitirmos que Paulo foi libertado da primeira ocasião de encarceramento em Roma, então surge espaço suficiente, antes de sua execução, em 68 D.C., para os acontecimentos referidos nas epístolas pastorais, para que ele tenha escrito essas epístolas (sua ida para leste, para Éfeso, Macedônia, Creta, Trôade, Corinto, Mileto, Nicópolis e Roma), incluindo a visita à Espanha, antes de sua ida a Creta, uma vez que a mesma fora planejada (ver Rom. 15:24,28), tendo sido mencionada por Clemente de Roma como um fato(«o limite do oeste»). A quarta objeção envolve a linguagem destas epístolas. Mui provavelmente, maior número de pessoas é influenciada por esse argumento do que por qualquer outro. A mais hábil exposição dessa dificuldade foi feita por P.N. Harrison, em *The Problem of the Pastoral Epistles*, (1921). Além dos argumentos, o dr. Harrison imprimiu o texto grego de modo a ajudar os olhos perceberem os fatos. Palavras que não aparecem em outras epístolas paulinas figuram em vermelho, frases paulinas (extraídas das outras dez epístolas) são sublinhadas, e *hapax legomena* são assinaladas por um asterisco. À primeira vista, pode-se ver que as palavras dessas três epístolas, que não se acham em outras epístolas paulinas, bem como frases paulinas comuns, são mais ou menos iguais. Os informes acerca de meras palavras, são mais ou menos como seguem, segundo disse Harrison: — palavras nas epístolas pastorais, que não figuram em qualquer outra parte do N.T. (nas epístolas pastorais são 'hapax legomena'), 175 (167, conforme Rutherford); palavras nas outras dez epístolas paulinas que não se encontram em qualquer outra porção do N.T. 470 (627, conforme Rutherford). As variações nos manuscritos talvez expliquem algo da dificuldade de contagem. É claro que há uma maior proporção de novas palavras, nas epístolas pastorais (mais ou menos o dobro) do que em outras epístolas paulinas. No entanto, as tabelas de Harrison igualmente demonstram diferenças notáveis em outras epístolas. A média de tais palavras por página, na epístola aos Romanos, é de quatro, mas em II Coríntios é de 5,6, em Filipenses é de 6,2, embora apenas de 5 em Filemom.

Parry (Comm., pág. CXVIII) observa que das oitocentas e quarenta e cinco palavras, existentes nas epístolas pastorais, em comparação umas com as outras, é que duzentas e setenta e oito ocorrem somente na primeira epístola a Timóteo, noventa e seis, apenas em Tito, e cento e oitenta e cinco apenas na segunda epístola a Timóteo. 'Se considerarmos apenas o vocabulário, isso indicaria uma autoria separada para cada uma dessas epístolas'. No entanto, é evidente que o mesmo estilo aparece em todas essas três. Afinal de contas, o vocabulário não é um problema inteiramente pessoal. Varia segundo a idade, numa mesma pessoa, e também de conformidade com os temas abordados. Precisamente, tais diferenças existem nos escritos de Shakespeare e de Mílton, conforme os críticos desde há muito têm observado. O único problema que resta é se essas diferenças são tão grandes, nas epístolas pastorais, a ponto de impedir a autoria paulina quando *Paulo, o velho*, escreveu sobre o problema da liderança pastoral a dois dos jovens ministros treinados por ele, que tinham de enfrentar a mesma heresia gnóstica incipiente, que o apóstolo já havia enfrentado em suas epístolas aos Colossenses e aos Efésios. Meu parecer é que, levando-se em consideração todas as coisas, o conteúdo e o estilo das epístolas pastorais são genuinamente paulinos, suavizados pela idade e pela sabedoria, escritas talvez aquelas epístolas por sua própria mão, ou, pelo menos, pelo mesmo amanuense, em todas as três instâncias. Lock sugeriu que Lucas talvez tenha sido o amanuense de Paulo nas epístolas pastorais.

«A conclusão de Lock é de que 'ou elas são (epístolas) genuínas ou são artificiais'. (*Int. Crit. Comm.*, pág. xxv). Se elas não são genuínas, então foram cartas forjadas no nome de Paulo (seriam pseudepígrafes). 'O argumento com base no estilo favorece a autoria paulina; o argumento baseado no vocabulário é fortemente contrário a essa autoria, embora não de maneira conclusiva'. (Lock, *op cit.*, pág. xxix).

Eu deveria ter afirmado ainda mais fortemente o caso em favor da autoria paulina do que fiz, e de agora por diante tratarei essas epístolas como produzidas por Paulo. Bem que Parry (*Comm.*, pág. cxiii) diz: 'Não é razoável esperar-se que uma carta particular, dirigida a um amigo pessoal, para sua própria instrução e consideração, exiba as mesmas

EPÍSTOLAS PASTORAIS

características de uma epístola dirigida a uma comunidade para ser publicamente transmitida mediante leitura oral'». (A.T. Robertson, *Introdução às Epístolas Pastorais*).

Testemunho negativo antigo. Em contraste com a aceitação geral, desde os primeiros *tempos* do cristianismo, da autoria paulina das «epístolas pastorais», apareceram algumas dúvidas no começo do século II D.C. acerca dessa autoria. A autoria paulina foi negada tanto por Basílides como por Márcion (ver Tert. *Adv. Marc.* v.21). Taciano aceitava a epístola a Tito como paulina, mas negava como tais a primeira e a segunda epístolas a Timóteo (ver Jerônimo, *Prol. at Titum*); e havia outros, normalmente considerados hereges, que concordavam com tais avaliações, conforme aprendemos nos escritos de Clemente (Alex. *Strom.* ii.11) e de Tertuliano. Clemente e Jerônimo asseveravam que essas negativas foram motivadas pelo fato de que alguns não apreciavam seus ensinamentos antiascéticos. Nos tempos modernos, alguns críticos têm aceito uma ou outra dessas três epístolas como paulinas, embora tenham negado a outras. O professor H.J. Rose (*Journal of Theological Studies*, outubro de 1923), com base no ritmo dos finais das sentenças, em toda a coletânea de escritos paulinos, concluiu que a segunda epístola a Timóteo é genuinamente de Paulo, mas rejeitou totalmente a primeira epístola a Timóteo, deixando a epístola a Tito em posição duvidosa.

II. Dependência Literária

Não se pode demonstrar ter havido qualquer dependência das «epístolas pastorais» aos evangelhos canônicos. As declarações que *parecem* refletir tal dependência (ver I Tim. 5:18 e 6:3) provavelmente foram apenas ecos da mesma tradição oral sobre os quais os próprios evangelhos se fundamentaram. Entre essas passagens poderíamos alistar I Tim. 2:6 (ver Mar. 10:45); 4:8 (ver Luc. 18:30); 5:5 (ver Luc. 2:37); 5:18 (ver Luc. 10:7, que concorda verbalmente com o fraseado de Paulo, em contraste com o fraseado de Mat. 10:11); 6:17-19 (ver Luc. 12:20,21); II Tim. 2:19 (ver Mat. 7:23); 4:18 (ver Mat. 6:13); Tito 1:15 (ver Mar. 7:19 e Luc. 11:41); e 3:5 (ver João 3:5).

Também podem ser percebidas similaridades no fraseado em Rom. 16:26 (ver I Tim. 1:1,17); 13:10 (ver I Tim. 1:5); 3:30 (ver I Tim. 2:5); 9:1 (ver I Tim. 2:7). A segunda epístola a Timóteo também contém alguns poucos trechos similares à epístola aos Romanos, como segue: II Tim. 1:3 (ver Rom. 1:18); 1:7 (ver Rom. 8:15); 1:8 (ver Rom. 1:16); 1:9 (ver Rom. 16:26); 1:14 (ver Rom. 8:11); 2:11-13 (ver Rom. 6:8 e 8:17). Tito também contém algumas poucas passagens similares à epístola aos Romanos, a saber: Tito 1:1-4 (ver Rom. 16:26); 1:15 (ver Rom. 14:20); 3:1 (ver Rom. 13:1).

Os pontos de acordo com a primeira epístola aos Coríntios, quanto ao fraseado, são os seguintes: I Tim. 1:12,13 (ver I Cor. 7:25 e 15:10); 2:11,12 (ver I Cor. 14:34); 4:4 (ver I Crô. 10:30); 5:18 (ver I Cor. 9:9); 5:17 (ver I Cor. 9:14); II Tim. 2:4-6 (ver I Cor. 9:7); Tito 3:3 (ver I Cor. 6:9-11).

Com a segunda epístola aos Coríntios temos o seguinte ponto de contato quanto ao fraseado: I Tim. 1:11 (ver II Cor. 4:4).

Com a epístola aos Efésios: II Tim. 1:18 (ver Efé. 4:1); 1:9 (ver Efé. 1:4 e 2:8); Tito 3:3 (ver Efé. 2:3); 3:5 (ver Efé. 2:8 e 5:26).

Com a epístola aos Filipenses: II Tim. 4:6 (ver Fil. 1:23 e 2:17).

Algumas poucas e esparsas referências são similares a outras porções do N.T., como Tito 2:14, em comparação com I Ped. 2:9; Tito 3:5, em comparação com I Ped. 1:3 e 3:21; Tito 2:14, em comparação com I Ped. 1:18. Mas não há que duvidar que esses casos são mera coincidência, embora haja a dependência à coletânea paulina, como não se pode duvidar. Tal dependência mostra uma data *posterior* para as «epístolas pastorais», em comparação com as *primeiras* epístolas de Paulo.

Existem outras citações espalhadas, extraídas de hinos ou de declarações cristãs bem conhecidas, em I Tim. 1:15 e 3:16.

Também há algumas citações extraídas do A.T., usualmente aquelas passagens que também são citadas nas «primeiras» epístolas paulinas: I Tim. 5:18 (ver Deut. 25:4, a única citação explícita). Mas outras passagens do A.T. são claramente inferidas, a saber: I Tim. 1:9,10 (os dez mandamentos); 2:13,14 (terceiro capítulo de Gênesis); 4:3-5 (primeiro capítulo de Gênesis); 5:19 (ver Deut. 19:15); II Tim. 2:19 (possível reflexo de Núm. 16:5); 4:14 (ver Sal. 6:2-12); 4:17 (ver Sal. 22:21); Tito 2:14 (ver Sal. 130:8 e Deut. 14:2).

Os livros apócrifos judaicos também são citados, conforme se vê em II Tim. 3:8, quanto à ilustração sobre Janes e Jambres. (Comparar com II Tim. 2:19).

Há o aproveitamento de fontes informativas extrabíblicas. É possível que epígrames helenistas sejam a fonte originária dos trechos de I Tim. 1:9; 3:1; 4:8; 5:5; 6:7-10; II Tim. 2:4-6,20; 4:7 e Tito 1:12,15.

Regulamentação da ordem eclesiástica. É provável que, neste particular, o autor sagrado tenha regulamento à proporção que ia escrevendo, conforme as necessidades da igreja no momento; mas também é possível que algumas das normas encontradas nas «epístolas pastorais» dependam de regras já formuladas, conforme aquelas que se acham na *Tradição Apostólica de Hipólito* ou nas *Constituições Apostólicas*. (Ver I Tim. 2; 3:1-13; 5:3-16; 5:17-22; 6:1,2; Tito 1:6 e *ss*; 2:1 e *ss*, que são seções onde tais empréstimos podem ter tido lugar).

III. Data e Proveniência

Se essas **epístolas pastorais** porventura não são genuinamente paulinas, então as questões de data e proveniência são artificiais, quando aplicadas à vida de Paulo. Com base em questões de vocabulário, julgaríamos que essas epístolas datam dos fins do século I D.C., ou do começo do século II D.C. Qualquer tempo após 64-68 (tempo em que Paulo foi martirizado) teria sido possível, até cerca de 115 D.C., mas, mais provavelmente ainda, entre 60 e 90 D.C. Márcion (100-150 D.C.) menciona e rejeita essas epístolas como paulinas, o que significa que já estavam em circulação pelo menos no começo do segundo século de nossa era. Alguns estudiosos vêem nas epístolas de Clemente (95 D.C.) algumas reminiscências das *epístolas pastorais*, o que talvez indique que elas já circulavam por esse tempo. Em cerca de 140 D.C., as epístolas pastorais foram traduzidas e incorporadas nas versões siríaca e latina. Há notáveis coincidências de linguagem nas epístolas de Inácio e Policarpo, o que significa que as epístolas pastorais já eram bem conhecidas pelos cristãos antes de 115 D.C. É significativo que o conhecimento sobre as epístolas pastorais, antes do tempo de Márcion, parece preceder (pelo menos como forma de evidência) algumas das inquestionáveis epístolas paulinas, como Romanos e II Coríntios. Não se pode dizer sem mentir que elas já fossem conhecidas antes de outras epístolas paulinas; mas as evidências sobre o

416

EPÍSTOLAS PASTORAIS

conhecimento de pelo menos algumas delas, depois da era apostólica, são mais fortes do que no caso de algumas das epístolas comumente aceitas como paulinas.

Há eruditos que pretendem datar as «epístolas pastorais» entre 140 e 180 D.C., supondo que são, essencialmente, documentos antimarcionistas. Mas tal data é atrasada demais, em face das considerações expostas mais acima, como também em face do fato de que refletem uma organização eclesiástica anterior à época de Inácio, o que significa que precisam ser datadas em antes de 110 D.C. (Ver as notas expositivas sobre «A Quem Foram Dirigidas», que discutem sobre as epístolas de Inácio, em comparação com estas «epístolas pastorais»). Notáveis semelhanças com os escritos de Policarpo podem ser vistas nas seguintes comparações: Policarpo *Fil.* 4:1 (ver I Tim. 6:10,17); Policarpo, *Fil.* 9:2 (ver II Tim. 4:10); Policarpo, *Fil.* 5:2 (ver II Tim. 2:12 e I Tim. 3:8); Policarpo, *Fil.* 11:4,11 (ver II Tim. 2:25); Policarpo, *Fil.* 12:3 (ver I Tim. 2;1,2).

— Parece que todos esses casos refletem as epístolas pastorais nos escritos de Policarpo. Os casos nos escritos de Clemente e de Inácio são por demais fragmentares e vagos para fazermos um juízo certo a respeito.

Se Paulo realmente escreveu as «epístolas pastorais», então podemos situá-las juntamente com as outras «epístolas da prisão», como a epístola aos Filipenses (escrita em cerca de 64 D.C.), e a cidade de Roma teria sido o local de sua composição. Ou poderíamos aceitar a tradição, preservada no fragmento muratoriano (ver as notas expositivas sob o ponto quinto da discussão acerca da *Autoria*) e nos dizeres de alguns dos pais da igreja, no sentido de que Paulo foi solto da prisão, durante cujo período as epístolas aos Filipenses e a outros foram escritas, tendo passado algum tempo em liberdade, embora não saibamos dizer quanto tempo. (Comentado no NTI, Atos 28:31). Se realmente esse foi o caso, então, mui provavelmente, a primeira epístola a Timóteo e a epístola a Tito foram escritas primeiro, sem importar qual das duas realmente foi a primeira; e depois teria sido escrita a segunda epístola a Timóteo. (Ver I Tim. 3:14; Tito 3:12 quanto ao fato de que Paulo pode ter estado em liberdade quando escreveu essas citadas epístolas, pois vê-se que não estava sob ameaça de morte imediata). A passagem de II Tim. 4:6 e *ss*, entretanto, indica que ele esperava o martírio para breve. Que a segunda epístola a Timóteo deve ser encarada como a última das epístolas do apóstolo dos gentios, pouca dúvida resta; mas é difícil dizer se antes foi escrita a epístola a Tito ou a primeira epístola a Timóteo. Seja como for, todas essas três epístolas devem ter sido escritas depois de 64 D.C., mas até 68 D.C., o mais tardar.

Se as **epístolas pastorais** devem ser agrupadas juntamente com aquelas escrituras no primeiro aprisionamento, então todas as três foram escritas em Roma. Mas se Paulo escreveu a primeira epístola a Timóteo e a epístola a Tito, no intervalo entre dois períodos de encarceramento, então devem ter sido elas escritas em algum lugar no Ocidente, talvez na Espanha. Nesse caso, a segunda epístola a Timóteo deveria ter sido escrita em Roma, durante o *segundo* aprisionamento de Paulo. Na verdade, é impossível reconstituirmos esse período da vida de Paulo, acompanhando-o em todos os seus movimentos, porquanto estes não estão contidos na narrativa do livro de Atos; e não temos outras fontes informativas além dessa, exceto algumas poucas observações esparsas nos escritos dos pais da igreja.

A questão se torna um tanto mais fácil no tocante à segunda epístola a Timóteo, pois esse próprio livro assevera seu aprisionamento e seu martírio esperado para breve, o que só poderia apontar para a capital do império romano. O trecho de I Tim. 1:3 mostra-nos que Paulo estivera recentemente nas vizinhanças de Éfeso, e a passagem de Tito 1:5 mostra-nos que é bem provável que o apóstolo tivesse estado, recentemente, na ilha de Creta. Em Tito 3:12 Paulo exorta a Tito para vir reunir-se a ele em Nicópolis, para ali passarem o inverno. É bem possível que haja aqui alusão à cidade situada às margens do rio Épiro (na porção noroeste da Grécia), sendo essa a única referência sobre uma visita de Paulo àquela região. Porém, onde o apóstolo dos gentios esteve, antes disso, podemos apenas conjecturar. E foi desse lugar desconhecido que Paulo enviara a epístola a Tito; e talvez não muito distante dali escreveu sua primeira epístola a Timóteo.

Alguns estudiosos têm pensado que Paulo escreveu a primeira epístola a Timóteo e a epístola a Tito antes de sua viagem ao Ocidente, e que Filipos, ou algum outro centro cristão, tenha sido o local de sua composição. A passagem de I Tim. 1:3 pode indicar que Filipos foi o local de onde Paulo enviou essas epístolas. Após a sua *quarta* viagem missionária, ele pode ter sido aprisionado em Nicópolis (ver Tito 3:12). Que Paulo estava em Roma, quando escreveu a segunda epístola a Timóteo, é percebido em II Tim. 4:16,18.

IV. A Quem Foram Dirigidas

Se as «epístolas pastorais» são genuinamente paulinas, então os jovens ministros, Timóteo e Tito, foram os endereçados. Timóteo é mencionado no N.T. fora das duas epístolas que têm seu nome, em Atos 16:1; 17:14,15; 18:5; 19:22; 20:4; Rom. 16:21; I Cor. 4:17; 16:10; II Cor. 1:2,19; Fil. 1:1; 2:19; Col. 1:1; I Tes. 1:1; 3:2,6 e File. 1. Seu nome também figura em I Tim. 1:2,18; 6:20 e no título. Por semelhante modo, seu nome aparece nos títulos da primeira epístola aos Coríntios, na segunda epístola a Timóteo e em II Tim. 1:2. (Notas expositivas completas são dadas a seu respeito, em Atos 16:1 no NTI). Por sua vez, Tito é mencionado no N.T. em I Cor. 2:13; 7:6,13,14; 8:6,16,23; 12:18; Gál. 2:1,3; II Tim. 4:10; Tito 1:4 e nos títulos da segunda epístola aos Coríntios e na epístola a Tito. Notas expositivas completas sobre «Tito» são dadas em II Cor. 2:13 no NTI

A tradição supõe que Timóteo trabalhou em Éfeso e nas regiões vizinhas, e isso, sem dúvida alguma, se baseia nos trechos de I Tim. 1:3; II Tim. 1:18 e 4:12. Tito é apresentado a trabalhar em Creta, conforme a afirmação em Tito 1:5. Se estas «epístolas pastorais» são realmente paulinas, então aquelas são as regiões para onde elas foram enviadas. Alguns supõem que o «anjo» de Apo. 2:1 seja Timóteo.

Ainda que essas epístolas tenham sido dirigidas a Timóteo e a Tito como crentes individuais, é muito provável que essas epístolas tenham um desígnio instrutivo para qualquer crente que aspire à *liderança* na igreja, para que saibam quais as qualidades e os deveres que se esperam dele.

Notemos que as personagens de Timóteo e Tito, nessas epístolas, são muito mais que simples pastores, dois entre muitos, que compartilhavam da liderança de igrejas locais, o que é o caso normal no restante do N. Testamento. Pelo contrário, eram figuras de *grande autoridade*, capazes de nomear outros pastores, ou, pelo menos, de exercerem algum controle sobre a nomeação dos mesmos. Isso talvez reflita o desenvol-

EPÍSTOLAS PASTORAIS

vimento da maquinaria eclesiástica dos fins do século I D.C.

Nas próprias «epístolas pastorais» há indícios que parecem justificar as especulações expostas acima; mas é difícil determinarmos até que ponto isso é verdade. Mas pelo menos se percebe que a simplicidade primitiva do governo eclesiástico já tinha começado a tornar-se mais complexa.

As epístolas de Inácio e as epístolas pastorais. Inácio de Antioquia escreveu sete epístolas, enquanto se encaminhava da Síria à cidade de Roma, onde seria martirizado, entre 110 e 117 D.C. Essas epístolas foram enviadas às igrejas cristãs de Éfeso, Magnésia, Trales, Filadélfia e Esmirna; outra foi enviada a Roma, e ainda outra, a Policarpo, que era o pastor de Esmirna. Nessas epístolas, o termo «igreja católica», isto é, «igreja universal», aparece pela primeira vez; e parece que a igreja cristã realmente tinha atingido um estágio de desenvolvimento — que merecia tal denominação.

É interessante observarmos que até mesmo nessa data tão anterior se reconhece o *primado* da igreja de Roma, um passo gigantesco para o desenvolvimento posterior do papado, embora, nos tempos de Inácio, nada houvesse equivalente a isso. Em relação às *epístolas pastorais* é importante observarmos que, pelo tempo de Inácio, a hierarquia de bispos, sacerdotes e diáconos já estava bem estabelecida, e isso ao ponto em que é óbvio que as epístolas pastorais refletem um estágio *anterior* ao dessa situação. Isso significa que as epístolas que ora consideramos não podem ser datadas além de 110 D.C., e que talvez tenham de ser datadas consideravelmente *mais cedo* que isso. Entretanto, alguns estudiosos, como Bauer (Rechtglaubigkeit und Ketzerei im altespen Christentum, Tubingen, 1934), supõem que os documentos que possuímos desvalorizam propositadamente os movimentos heréticos e exageram os padrões de fé «ortodoxos», fazendo com que a igreja da suposta corrente principal tivesse mais autoridade e domínio do que realmente sucedia. Inácio, por exemplo, bem poderia ter sido líder de um grupo de minoria, que procurava impor a outros grupos a sua autoridade, o que significaria que seu «episcopado monárquico» não representava, necessariamente, a verdadeira situação da igreja nos primórdios do século II D.C. É possível, pois, que o suposto padrão «avançado» de governo eclesiástico, representado nas epístolas de Inácio, represente mais um ideal distante do que um fato consumado.

Com as presentes informações de que dispomos, é impossível averiguar-se quanto há de verdade nessas *especulações*. Mas, se porventura essas especulações estão com a razão, então não haveria grande diferença entre o estado do governo eclesiástico, refletido nas *epístolas pastorais* — e nas epístolas de Inácio. No entanto, o próprio fato de que Inácio pôde descrever um governo eclesiástico mais desenvolvido, existente em qualquer área da igreja cristã, serve para mostrar-nos que houve desenvolvimento a partir do que é refletido nas «epístolas pastorais», sendo difícil crermos que tudo quanto Inácio disse sobre esse ponto foi um «esforço da imaginação». Nesse caso, a natureza *totalmente conjectural* das sugestões de Bauer recebe um vigor antes insuspeitado. Pelo menos, nas «epístolas pastorais», fica subentendida a existência de uma situação eclesiástica composta de bispo-pastor-diácono. Não há nessas citadas epístolas qualquer tentativa de defender as formas de governo eclesiástico já existentes, ou de impô-las a terceiros (como parece ter sido o caso das epístolas de Inácio); pelo contrário, nas epístolas pastorais há apenas a tentativa de assegurar que homens qualificados ocupassem as funções representadas por esses termos. Timóteo e Tito representariam esses homens devidamente qualificados.

V. Motivos e Propósitos:

Há três impulsos primários que podem ser observados nas «epístolas pastorais», a saber: a. a necessidade de combater as heresias; b. a necessidade de encorajar a nomeação de homens espiritual e moralmente qualificados para o ministério, o que exigiu várias instruções sobre as qualificações desses homens; c. a necessidade de instrução no caminho da «piedade», que envolve a vida prática e moral. Nesse ponto, as epístolas pastorais ocupam terreno comum com todas as demais epístolas paulinas. Abaixo oferecemos considerações sobre cada um desses três pontos colimados.

A. As Heresias:

Grande parte dessas epístolas visa direta ou indiretamente, refutar as doutrinas falsas e confundir os hereges. O autor sagrado, na sua intensidade de espírito, acumula epítetos adversos contra seus oponentes de diversas naturezas, dificultando assim a identificação das heresias específicas envolvidas. Parece quase certo que ele se opunha a mais de uma forma de heresia, o que explicaria a variedade do tratamento e a falta de ataque organizado e específico. O autor sagrado assediou homens maus, que propagavam doutrinas de demônios, apanhados nas armadilhas do diabo, enganadores que por sua vez eram enganados. Então, como se isso não fosse golpe suficientemente rude, ele amontoou contra seus adversários uma lista de vícios constante de dezoito terríveis itens, conforme se lê em II Tim. 3:2-5. É difícil imaginar qualquer povo religioso, que reivindique autoridade espiritual, baseada no nome de Cristo, envolvido nos defeitos e distorções sugeridos nessa lista. Podemos distinguir ali duas queixas gerais contra eles, a saber: — 1. estavam envolvidos em especulações, em discussões vãs, em conversas ímpias; 2. e isso encorajava-os à degradação moral, à destruição da consciência, à perversão da sinceridade (ver I Tim. 1:4,5; 1:9 e *ss*; II Tim. 3:1 e *ss*; II Tim. 4:3 e *ss*; Tito 2:2,7,12; 3:9 e *ss*). O autor sagrado chama por nome — *alguns* indivíduos, conforme se lê em I Tim. 1:20 e II Tim. 1:15.

A tentativa de amálgama de várias vigorosas crenças religiosas e idéias filosóficas daquela época, como o judaísmo, as religiões misteriosas, o misticismo oriental, o neoplatonismo, com algumas novas idéias produzidas pelo pensamento cristão, talvez arme o palco para grande variedade de combinações, algumas das quais penetraram na igreja cristã, exercendo influência sobre a mesma. Isso era apenas natural para os *convertidos* da época, provenientes de sociedades onde prevaleciam tais amálgamas, que naturalmente traziam consigo suas idéias distintivas favoritas, das quais não podiam desfazer-se imediatamente, e das quais talvez nunca se desfizeram, apesar de terem prestado sua lealdade a Cristo, como o Messias (no caso de judeus), ou como o Salvador e Senhor (no caso de gentios).

Acrescenta-se a isso o fato de que, naquela época, não havia a coletânea do N.T., que teria tido a função de prover autoridade e que teria limitado e restringido tais idéias, pelo menos até certo ponto. Na igreja cristã, a autoridade ainda dependia muito das tradições orais, e essas tradições não estavam igualmente distribuídas, estando sempre abertas a dúvidas. Duas forças principais vieram a exercer influência sobre o cristianismo: a. o judaísmo, em sua

EPÍSTOLAS PASTORAIS

variedade helenista; e b. o mundo helenista pagão, permeado por várias religiões misteriosas e filosoficamente dominado pelo neoplatonismo, isto é, uma interpretação religiosa das idéias de Platão, de mistura com a metafísica dos estóicos. O próprio cristianismo era considerado, por muitos, como simples «heresia judaica». Nunca medrou abundantemente em solo judaico; mas, quando foi transplantado para o mundo helenista e pagão, propagou-se como um incêndio, ao ponto que, excetuando seus princípios éticos, virtualmente perdeu sua identificação judaica. Há grande verdade na afirmativa de Gealy (ibid., pág. 351), que «Embora a história nunca possa certificar-se nem mesmo em nossos dias, sobre qual proporção exata dos ingredientes judaicos e helenistas deve ser misturada higidamente em sua fé, seus líderes têm reconhecido que o cristianismo se propaga melhor quando nem judeus e nem gregos podem excluir um ao outro, quando certa tensão entre eles é mantida, mas quando o espírito ético e profético judaico é reconhecido». Até certo ponto, essas *epístolas pastorais* procuram conservar esse equilíbrio, pois o cristianismo não poderá nunca ser totalmente identificado como o judaísmo, mas também nunca poderá ser inteiramente separado do mesmo (ver I Tim. 1:7 e *ss*). Não obstante, a igreja cristã era um fenômeno essencialmente *gentílico*, embora não pudesse aceitar muitas contribuições culturais do mundo gentílico, que lhe eram adversas à saúde espiritual.

De maneira geral, pois, as heresias combatidas nas «epístolas pastorais» continham elementos judaicos e pagãos, de natureza principalmente gnóstica. Alguns intérpretes acreditam que o elemento judaico era o mais forte; mas outros acham que o elemento mais forte era o gnóstico. Essas idéias normalmente se baseiam sobre a data proposta dessas epístolas. Se foram escritas (alguns dizem) para combater o gnosticismo, então uma data posterior deve ser preferida; mas, se uma data anterior for preferida, então a tendência será considerar a heresia atacada como alguma corrupção do judaísmo. Entretanto, isso é uma distinção *artificial*, porquanto se sabe hoje em dia que o gnosticismo, em seus elementos essenciais, surgiu antes mesmo da época de Paulo e que facilmente poderia possuir as formas que transparecem nos escritos bíblicos. (Ver o artigo sobre *Gnosticismo*, uma heresia que perturbou a igreja por cerca de cento e cinqüenta anos, e contra a qual não apenas as «epístolas pastorais», mas igualmente a epístola aos Colossenses e as epístolas joaninas foram dirigidas).

Identificações Propostas das Heresias Envolvidas

1. Heresias judaico-cristãs. (Ver Tito 1:4 sobre os «mitos judaicos»; ver Tito 3:9 sobre as «querelas acerca da lei», e ver Tito 1:10 acerca do «partido da circuncisão»). As intermináveis genealogias, que promoviam especulações (ver I Tim. 1:4), talvez fossem interpretações alegóricas do A.T., que seguiam métodos existentes no Haggada ou na Mishnah. O livro dos Jubileus (135-105 A.C.) provê um típico exemplo dessa forma de atividade, segundo o estilo da Midrash judaica. Nesse livro é reescrito o livro de Gênesis, na tentativa de expor a lei em uma forma posterior, que faz do sábado e da circuncisão ordenanças eternas, praticadas até mesmo pela hierarquia dos anjos. Os «hereges», por conseguinte, poderiam ser tais judeus, influenciados pela cultura helenista. Talvez se alicerçassem sobre algumas de suas «práticas mágicas», sobre a «astrologia» e sobre outros elementos comuns ao judaísmo helenista. Os indivíduos descritos na passagem de II Tim. 3:6-9

podem ter sido mágicos, místicos falsos, videntes, que exerciam domínio sobre as mulheres, o que não é raro em tais casos. O ascetismo sobre os alimentos (ver I Tim. 4:3) talvez tivesse ligações com o judaísmo. Os essênios eram celibatários, e todos sabem quantas regulamentações sobre os alimentos estavam contidas no judaísmo.

Parece que o que provocou a escrita das «epístolas pastorais», se quisermos dizê-lo de maneira bem abreviada, foi um tipo de heresia judaica. (Ver o artigo sobre *Circuncisão, Partido da*). A simples leitura das «epístolas pastorais», mostra-nos que a heresia atacada, a despeito de reter certas formas judaicas, ultrapassa em muito a qualquer coisa jamais sonhada pela facção legalista da igreja. Notemos que esses homens eram, não apenas, ascetas, mas também libertinos (ver II Tim. 3:6), e que não há quaisquer evidências de que eles tenham tentado reintroduzir a circuncisão e as leis levíticas comuns, sobre alimentos, na igreja cristã, que eram características distintivas dos primeiros legalistas cristãos. Em contraste com os hereges de Colossos (ver Col. 2:16), não tentavam forçar a igreja a observar o sábado judaico, que era uma das principais preocupações do partido legalista da igreja primitiva.

2. Heresias gnósticas. Parece haver pouca dúvida que a heresia enfrentada nas epístolas pastorais era uma das variedades do movimento gnóstico greco-oriental, que tinha muitas facetas. Alguns eram ascetas e outros eram libertinos, e aqueles que entravam em contato com o cristianismo normalmente traziam algumas formas de pensamento judaico. Isso ocorreu em Colossos, bem como nos lugares descritos nas epístolas joaninas. Todos os elementos do gnosticismo já estavam presentes no mundo, antes da época de Paulo, e poderiam ser formulados formando um sistema que caracterizasse o gnosticismo posterior, ainda que alguns dos mais famosos «movimentos gnósticos», relacionados à igreja cristã devam ser atribuídos a uma data posterior. No entanto, muitos eruditos pensam que o gnosticismo teve início antes da era cristã, por ser, essencialmente, um «misticismo oriental pré-cristão», conforme diz a *Encyclopedia of Religion*, editada por Vergilius Ferm, em seu artigo sobre o gnosticismo, na pág. 300. Ao entrar em contato com o judaísmo e com o cristianismo, o gnosticismo assumiu formas distintivas, mas até mesmo em seus primeiros contactos com o cristianismo já exerceu influência sobre o mesmo. (Ver o artigo sobre *Gnosticismo*). O gnosticismo, em sua expressão normal, era tanto pré-cristão como anticristão. Se o gnosticismo porventura houvesse ganho a batalha, o cristianismo teria sido reduzido a apenas outra das religiões misteriosas do Oriente. Por isso mesmo, alguns eruditos fazem objeção ao termo «hereges», aplicado aos gnósticos, porquanto um herege é alguém que teve vinculação a algum sistema ou crença, para em seguida pervertê-lo ou abandoná-lo; e ao abandoná-lo torna-se um «apóstata». Contudo, é óbvio que os elementos contra os quais se voltam as epístolas aos Colossenses e as joaninas, bem como as epístolas pastorais, estavam vinculados à igreja cristã e sobre ela exerciam influência; e muitos reputavam-nos autênticos discípulos de Cristo. Portanto, o apelativo «herege» (conforme se vê em Tito 3:10), pode ser apropriadamente aplicado a eles.

O gnosticismo era mais que a «helenização aguda do cristianismo», no dizer de Harnack, embora isso também diga uma verdade. Era muito mais uma tentativa de transformar o cristianismo em uma «*teosofia*», desconsiderando a alma judaica do A.T.,

EPÍSTOLAS PASTORAIS

que lhe dera origem (conforme também disse Harnack). A «forma» que assumiu o gnosticismo, quando entrou em contacto com o cristianismo, foi uma «novidade», provocada por esse contacto. Mas todos os seus elementos essenciais, como um movimento histórico, eram anteriores ao cristianismo. Os gnósticos sentiam a necessidade de explicar a vida e o poder grandiosos de Jesus de Nazaré; e lançaram mão de idéias já existentes, como as hierarquias angelicais, etc., a fim de formularem sua tentativa de explanação.

«O gnosticismo é um termo geral para indicar uma fase da religião, que apareceu no paganismo, no judaísmo e no cristianismo; mas foi no cristianismo que o gnosticismo se tornou mais agressivo». (Samuel Angus, *The Religious Quests of the Graeco-Roman World*, Nova Iorque, Charles Scribner's Sons, 1929, pág. 377).

Nas epístolas pastorais são negadas certas doutrinas distintivamente gnósticas, sobre os seguintes pontos essenciais:

a. Não existem dois deuses, um maligno, que teria criado a matéria, e o outro bondoso, que teria criado os espíritos. O dualismo radical do gnosticismo é negado e rejeitado nestas epístolas, como também se dá no caso de todo o pensamento cristão refletido nas páginas do N.T. Paulo, por exemplo, apesar de reconhecer que o nosso «corpo» físico serve de instrumento fácil para o pecado (ver o sexto capítulo da epístola aos Romanos), jamais permitiu que se pensasse que o corpo é mau por si mesmo, fora do alcance da redenção, segundo diziam erroneamente os mestres gnósticos. Deus é o Salvador, nas «epístolas pastorais», como também é o Criador —portanto, é o Criador e o Salvador. Já os gnósticos supunham a existência de uma imensa linhagem de mediadores, de tal maneira que ninguém poderia entrar em contacto direto com o próprio Deus, pois a matéria bruta só poderia contaminá-lo. (Ver a expressão «Deus, nosso Salvador», em I Tim. 1:1; Tito 1:3, 2:10 e 3:4).

b. Não há uma grande hierarquia de mediadores entre Deus e o homem, mas o único mediador é o Senhor Jesus Cristo, o qual é igualmente denominado de «Salvador» (ver I Tim. 2:5). Ele é o grande Mediador, que aboliu a morte. (Ver II Tim. 1:10).

c. A salvação não se verifica mediante o retorno das «emanações» ao Sol central, que seria Deus, conforme diziam os gnósticos, através do «conhecimento secreto» que seria conferido exclusivamente aos iniciados nos mistérios gnósticos. Antes, a salvação é outorgada ao homem mediante a fé obediente e através da graça divina (ver Tito 2:12-15 e 3:5).

d. Não são apenas alguns *poucos iniciados* os que podem ser salvos, ao passo que a grande maioria dos homens estaria fora da possibilidade de «salvação», visto estarem esses totalmente preocupados com a matéria, motivo por que, finalmente, deveriam perecer, conforme ensinavam os gnósticos. Para os gnósticos havia três classes de pessoas, a saber: os «espirituais», que seriam indivíduos altamente capazes da redenção, que significaria a reabsorção em Deus; os «psíquicos», que já não seriam tão inclinados para a redenção; e os «hílicos» ou «materialistas», a grande massa da humanidade, totalmente incapaz de ser remida. Pelo contrário, faz parte da vontade de Deus salvar a todos, e de fato, em Deus há poder para tanto, visto que não há qualquer sentido de exclusividade na salvação. (Ver I Tim. 2:1-6; 4:10 e Tito 2:11). Não há distinções entre os homens, como «pneumatikoi», «psychikoi» e «hylikoi», conforme diziam os gnósticos.

e. Não há um Cristo *docético*, isto é, que seja humano apenas na aparência, mas que seja um «elevado *aeon*» que veio à terra fingindo-se homem. O mediador é antes o «homem Cristo Jesus» (ver I Tim. 2:5), que se manifestou na carne (ver I Tim. 3:16). (Ver também as epístolas joaninas, que são enfáticas sobre esse ponto, conforme se vê, por exemplo, em I João 4:2 e *ss*).

f. Além disso, o cristianismo bíblico rejeita o sistema ético do gnosticismo, tanto em seu ascetismo (ver I Tim. 4:3 e *ss*) como em seu espírito libertino (ver II Tim. 3:4 e *ss*). A variedade gnóstica que havia em Colossos era essencialmente asceta (ver Col. 2:20 e *ss*); mas ambas essas variedades existiam e perturbavam à igreja. Os gnósticos ensinavam que o corpo encerra o princípio mesmo do pecado, até onde o homem está envolvido, sendo inerentemente maligno e totalmente incapaz de ser remido. Portanto, não importaria o que fazemos com o mesmo, podendo os homens abusar do mesmo e ceder ante suas paixões, como meios que apressariam o processo pelo qual nos livramos do corpo, levando-o à sua destruição necessária, como algo que participa do processo cósmico. Mas o cristianismo bíblico nega que o corpo humano seja inerentemente maligno; pois, bem pelo contrário, requer sua consagração ao Senhor, tanto quanto a consagração do espírito (ver Rom. 12:1,2), seguido pela vereda da *moderação*, em toda a ação ética, exceto nos casos em que o *princípio do pecado* esteja envolvido, — em cujos casos está proibida qualquer forma de participação. Por isso, longe de proibir o matrimônio, as «epístolas pastorais» apresentam o casamento como um dos pré-requisitos essenciais para quem queria ser diácono ou pastor (ver I Tim. 3:2 e Tito 1:6). É possível que alguns dos gnósticos fossem «antinomianos», mas as «epístolas pastorais», em contraste com isso, ordenam a obediência da parte das esposas e dos escravos, e em tudo o mais desencorajam o espírito de revolta. (Ver I Tim. 2:8-15; 5:3-16 e 6:1,2).

3. Alguns estudiosos, pretendendo atribuir uma data posterior para estas epístolas, crêem que elas fazem oposição à heresia marcionita. Márcion foi um importante elemento herege do século II D.C., que tinha a Paulo como seu herói, e que aceitava apenas uma forma mutilada do evangelho de Lucas (sem as narrativas do nascimento de Jesus) entre os evangelhos, e dez das epístolas paulinas, em seu «cânon» do N.T. Foi o fato de que ele formou o seu «cânon do N.T.», que deu origem à formação do cânon do novo pacto. Portanto, a ele devemos pelo menos isso, indiretamente. Mas Márcion rejeitava o A.T. em sua inteireza, crendo que um «aeon» inferior estaria envolvido na criação da matéria, e que esse «aeon» seria o Deus apresentado no A.T., de natureza maligna, e não benigna, porquanto viveria em contacto demasiadamente íntimo com a matéria. Márcion foi o mais versátil e inteligente empreendedor herege — do século II D.C. —, e por conseguinte, foi também o mais perigoso de todos. Era gnóstico, da cabeça aos pés. Procurou «expurgar» o cristianismo de todas as suas influências judaicas. Pode-se notar que a polêmica das «epístolas pastorais» ataca os seus ensinamentos centrais, a saber: a. o dualismo (ver I Tim. 2:5); b. a rejeição ao A.T. (ver II Tim. 3:14-17); c. o ascetismo quanto aos alimentos e bebidas (ver I Tim. 4:3,4) e quanto ao casamento (ver I Tim. 3:2; 4:3 e 5:14).

Todavia, argumentar que as epístolas que ora consideramos pertencem à época de Márcion, devido ao fato de que combate muitas de suas idéias, é algo impossível de ser comprovado, porquanto as citações

EPÍSTOLAS PASTORAIS

e alusões existentes nas «epístolas pastorais» também aparecem nos escritos de Policarpo, e talvez nos escritos de Inácio e Clemente de Roma, que foram cristãos ainda anteriores a Policarpo. (Ver evidências a esse respeito sob o título «Data»). Outrossim, nada havia na heresia marcionita que fosse exclusivo dele, porquanto todos os itens mencionados acima também caracterizavam os gnósticos de algum tempo anterior a esse. A grande «crise gnóstica» da igreja, todavia, teve lugar entre 150 e 180 D.C., mas é evidente que as «epístolas pastorais» já faziam oposição a uma forma gnóstica previamente existente. Naturalmente, é verdade que Márcion e alguns poucos outros dentre os chamados «pais da igreja» rejeitavam as *epístolas pastorais*, mas isso não indica que elas tenham sido especificamente escritas contra ele.

B. Problemas de Organização Eclesiástica, quanto à sua Liderança

Temos aqui o segundo grande impulso por detrás da escrita das «epístolas pastorais». Consideremos os pontos abaixo, para melhor entendimento sobre esse aspecto:

1. Solenes exortações são feitas a Timóteo, no sentido de que ele se desincumba de seus deveres de conformidade com sua elevada chamada (ver II Tim. 1:5-8,13 e *ss*; 2:1,22; 3:14 e 4:1 e *ss*). Tito e Timóteo tinham a obrigação de pelejar em prol da pureza de doutrinas; deveriam ansiar por ensinar a verdade cristã pura aos outros, resistindo às heresias (I Tim. 4:11; 6:2; II Tim. 3:1 e *ss*, e Tito 2:1,15). Somente dessa maneira poderiam ser líderes da igreja cristã, aceitando as pesadas responsabilidades que tinham de nomear outros para os ofícios eclesiásticos.

2. A igreja da época coberta pelas «epístolas pastorais», sem importar se isso envolvia o tempo de Paulo, no fim de sua vida, ou algum período subsequente ao do apóstolo dos gentios, precisava de uma organização apropriada, bem como da nomeação de líderes qualificados. Para garantir que isso estaria sendo apropriadamente feito é que foram escritas essas epístolas. (Ver I Tim. 3:1 e *ss* e Tito 1:5 e *ss*).

3. São mencionadas as relações entre vários grupos existentes no cristianismo, e o trabalho pastoral, no que diz respeito a esses grupos, é elaborado com minúcias, detalhando as questões que caracterizam o ministério ideal de um líder cristão. (Ver I Tim. 2:8 e *ss*; 5:1 e *ss*; 6:1 e *ss* e Tito 2:1 e *ss*).

4. Um dos principais propósitos das *epístolas pastorais* é o de garantir o devido funcionamento do ministério, o que é descrito neste artigo em seu ponto VII, intitulado «Ensinamentos e Temas».—Ver igualmente, nessa seção, a descrição da posição e a função dos ofícios eclesiásticos. Delinear tais coisas foi o *propósito* principal destas epístolas.

C. Instruções acerca da Piedade Cristã

O terceiro grande impulso por detrás da escrita das «epístolas pastorais» foi o desejo de fornecer instruções sobre a *piedade*, na vida cristã diária, permitindo ao crente um alto padrão de moralidade cristã. Os mandamentos morais acham-se dispersos por todas essas três epístolas, não formando qualquer seção específica nas mesmas. Notemos que a palavra grega «eusebeia» (isto é, «piedade»), é apenas uma outra forma do vocábulo usado por doze vezes nestas epístolas, dentre um grande total de dezessete ocorrências, na totalidade do N.T., isto é, em I Tim. 2:2; 3:16; 4:7,8; 6:3,5,6,11; II Tim. 3:5; Tito 1:1 (adverbialmente, em II Tim. 3:12 e Tito 2:12). As instruções dadas a diferentes grupos são de natureza essencialmente ética, sem quaisquer relações específi-

cas para com as heresias ou para com outros problemas ali contidos. (Ver I Tim. 2:8 e *ss*; 5:2 e *ss*; 6:1 e *ss*; Tito 2:2 e *ss* e 3:1). Alguns estudiosos supõem, entretanto, que os mestres gnósticos estivessem defendendo alguma forma de filosofia antinomiana, que estivesse impelindo tais grupos de mulheres e de escravos a oferecerem resistência às autoridades diversas, pelo que tais seções se tornaram necessárias como reprimendas. Todavia, isso não passa de mera conjetura, não estando a questão sujeita a comprovações ou negações.

VI. Integridade e Confirmação Histórica

Integridade. Se estas «epístolas pastorais» são genuinamente paulinas, então há pouca razão para supormos que não teriam sido preservadas até nós praticamente como foram escritas. Somente quando imaginamos que Paulo não as escreveu é que caímos em dificuldades acerca de sua forma original. Mas a maioria dos eruditos modernos rejeita a autoria paulina, supondo que o verdadeiro autor, tendo escrito após o martírio de Paulo, entrara em contacto com certos escritos autênticos de Paulo, incorporando-os em sua composição, sendo talvez ajudado nessa empresa pelas tradições orais existentes acerca da vida do apóstolo dos gentios. Isso explicaria as várias «porções pessoais». Essas porções são passagens como I Tim. 1:3,20; II Tim. 1:5,15-17 e 4:9-21.

Vários outros estudiosos consideram-nas autênticas quanto às informações que nos prestam, ilustrando uma *quarta* viagem missionária, após o primeiro período de encarceramento do apóstolo, em Roma, um período da vida de Paulo completamente fora da narrativa do livro de Atos. Esses informes particulares, entretanto, mostram-nos que Paulo ainda estava bem distante de Roma quando escreveu, pois talvez tenham sido escritas pouco depois de sua soltura, talvez em Filipos (I Tim. 1:3). Outros textos, como I Tim. 1:12 e *ss*, e 5:9-16, facilmente poderiam ter-se alicerçado sobre material escrito por Paulo.

Na primeira epístola a Timóteo, as passagens abaixo citadas têm sido recebidas (por alguns eruditos) como genuinamente paulinas, incorporadas pelo autor em sua epístola: I Tim. 1:1-10,18-20; 4:1-16; 6:3-16,20 e *ss*. Outros eruditos dividem em duas seções ou localizações de onde teriam vindo materiais paulinos incorporados nestas «epístolas pastorais», cada seção composta em um local diverso: De Corinto (I Tim. 1:3 e *ss*; 1:18-20; 2:1-10; 4:12; 5:1-3,4-6,11-13,19-23,24 e *ss*). De Cesaréia (I Tim. 1:12-17; 3:14-16; 4:1-11; 5:7 e *ss*; 6:17-19; 1:5-11; 6:2,20,21). Naturalmente, esses «refinamentos» se baseiam em puras conjeturas, sendo mencionados apenas para mostrar que tipo de atividade os eruditos levam a efeito, quando abordam o problema da integridade.

Na segunda epístola a Timóteo, dois pensamentos diversos são entrelaçados. O primeiro diz: «Vem e reúne-te a mim em Roma». O segundo diz: «Faz teu trabalho como evangelista, em Éfeso». E essas duas declarações se neutralizam, exceto se a vinda a Roma foi proposta apenas como uma visita. Por outro lado, essas questões pessoais podem ter sido incorporadas na composição de um autor posterior, de modo um tanto desajeitado. Por isso é que alguns estudiosos têm proposto a vinculação de duas epístolas, uma particular (ver II Tim. 4:9-21), à qual pertenceriam saudações pessoais (ver II Tim. 4:22 *ss*), e a outra uma epístola geral e pastoral (ver II Tim. 1:14-18). Lock (*Internacional Critical Commentary*), na introdução às «Epístolas Pastorais» (xxxiii), acredita que porções de duas epístolas paulinas genuínas foram

421

EPÍSTOLAS PASTORAIS

incorporadas em uma única composição, por parte de um autor posterior, a saber: II Tim. 1:1—4:8, escrita de Roma—e II Tim. 4:9-22, escrita algum tempo antes daquela. Cria aquele autor que a segunda epístola a Timóteo é essencialmente paulina, mas que a primeira epístola a Timóteo e a epístola a Tito seriam essencialmente não-paulinas, com algumas inserções de material paulino genuíno.

Os fragmentos genuínos de material paulino, (segundo alguns estudiosos), na epístola a Tito, podem ser os trechos de Tito 1:1-4 e 3:12,13 (segundo Von Soden); ou Tito 1:1-6 e 3:1,7,12,13 (segundo McGiffert); ou mesmo Tito 3:12-15 (segundo Harrison). Muito mais poderia ser dito acerca da integridade das «epístolas pastorais», mas assim fazendo entraríamos em grande número de especulações essencialmente infrutíferas, praticamente destituídas de importância. O leitor curioso poderia consultar a introdução às Epístolas Pastorais por Walter Lock, no *International Critical Commentary*, xxxi-xxxv. Em tempos mais recentes, a tendência tem sido negar que qualquer material genuinamente paulino tenha sido incorporado nessas epístolas, mas que todos os informes pessoais e as localidades mencionadas, que parecem ter tido ligação com a pessoa de Paulo, foram criações do autor dessas epístolas. Se essa opinião está com a verdade, isso significaria que não há qualquer problema de «integridade», mas tão-somente de «autoria».

Podemos confiar muito pouco nas muitas especulações sobre os problemas de integridade, e temos mencionado estas coisas somente para satisfazer a curiosidade do leitor.

Confirmação Histórica. A confirmação histórica, em favor da autoria paulina e da canonicidade das «epístolas pastorais» se assemelha muitíssimo com o caso das demais epístolas existentes de Paulo. Todas elas foram citadas como livros de autoria de Paulo por Irineu (180 D.C.), em seu *Cont. Haer. Praef.* ii.14.7 e iv.16:3 (I Timóteo); iii.2,3 e iii.14:1 (II Timóteo); e i.16.3 (Tito). Essas epístolas foram incorporadas nas traduções latina e siríaca, pelos meados do segundo século de nossa era. Há várias coincidências de linguagem que podem indicar que elas já eram conhecidas por Clemente de Alexandria e por Inácio. Não há que duvidar que Policarpo também as conhecia, em cerca de 135 D.C. (Ver evidências a esse respeito, sob a discussão acerca da «Data» das epístolas pastorais, na seção III deste artigo).

Após o segundo século da era cristã, a confirmação se torna normal nos escritos de quase todos os pais da igreja. Clemente de Alexandria (em Alex. *Strom.* lib. 2) Tertuliano (em *De praescript. hearet.*, cap. 25); Teófilo (em *Ad Auto.*, cap. 3 acerca da primeira epístola a Timóteo). Os mesmos autores citam também as duas outras «epístolas pastorais». Eusébio (em H.E. 11.22) cita a segunda epístola a Timóteo; e em sua obra, *Homologoumena*, alista todas as três epístolas como documentos aprovados do «cânon» do N.T.

Também há evidências negativas acerca da autoria paulina das «epístolas pastorais», conforme se vê nos escritos de Basílides (130 D.C.) e de Márcion (150 D.C.), conforme se sabe através dos escritos de Tertuliano (*Adv. Marc.* v.21) e de Taciano (150 D.C.), que aceitavam a epístola a Tito mas rejeitavam as outras duas (Jerônimo, *Prol. ad Titum*). Clemente de Alexandria (*Strom.* iii.11) diz-nos que havia outros «hereges» que se sentiam igualmente repelidos pelas «epístolas pastorais». Isso poderia ser devido ao tom antignóstico e/ou antiascético dessas epístolas.

VII. Ensinamentos e Temas

Acerca desse aspecto das «epístolas pastorais»; consideremos os pontos abaixo discriminados:

1. *As heresias*. (Quanto a um estudo completo sobre os ensinamentos contrários às heresias, e sobre o que seriam essas heresias, ver a seção V deste artigo, parte A).

2. *Funções do ministério*. (Ver as exortações feitas a Timóteo, que instam com ele para que seja digno ministro de Jesus Cristo, em I Tim. 4:11; 6:2; II Tim. 1:5-7; 1:8,13 e *ss*; 2:1,22; 3:14; 4:1 e *ss* e II Tim. 2:1,15). Dotado de tal preparação, um homem será capaz de realizar seus deveres necessários. As funções específicas de um ministro da Palavra são as seguintes:

a. Confirmar e conservar a *ortodoxia*, resistindo às heresias. Esse tema é enfatizado muito mais nas «epístolas pastorais» do que em qualquer outro livro do N.T. (Ver I Tim. 1:10 e *ss*; 3:15 e *ss*; 4:11 e *ss*; 6:3 e *ss*; II Tim. 1:13 e *ss*; 2:23 e *ss*; 3:1 e *ss*; 4:2 e *ss*; Tito 1:9 e *ss*; 2:1 e 3:9 e *ss*).

b. *Pregar com intensa devoção*. O pregador não deve esquecer-se de cumprir adequadamente seu trabalho, como um ministro que anuncia a Palavra. Não pode ser meramente alguém que combate as heresias. (Ver I Tim. 4:16; II Tim. 1:13,14 e 2:15). Mas ele mesmo deve ser um exemplo que os crentes imitem. (Ver I Tim. 4:12 e Tito 2:7,8). Não deveria apreciar as controvérsias, mas antes, deveria ser alguém dedicado a seu ministério, de modo positivo (ver I Tim. 6:4; II Tim. 2:23 e Tito 3:9). Sua pregação deveria ser prática, e não especulativa (ver I Tim. 1:5,15; 4:10 e II Tim. 3:15-17). Também deve dispor-se a sofrer perseguições devido a seu ministério fiel, tornando-se um bom soldado de Jesus Cristo (ver II Tim. 2:3; 4:5 e I Tim. 6:13, seguindo o exemplo do próprio Cristo; e ver II Tim. 2:8,9, seguindo o exemplo do próprio Paulo).

c. Ter cuidado na seleção de outros *pastores*, a fim de que a igreja cristã conte com seus ministros apropriados. A tradição cristã será melhor preservada se for posta sob a guarda de homens fiéis. que se submetam à autoridade do apóstolo Paulo e de seus auxiliares. (Ver I Tim. 3:1 e *ss*; 5:22; II Tim. 2:2 e Tito 1:6 e *ss*).

d. Sustentar o ministério e *disciplinar* o mesmo. Os ministros do evangelho não devem ser amantes do dinheiro, trabalhando por motivo do ganho (ver I Tim. 3:3 e 6:6-10); não deveriam ser anelantes pelas vantagens pessoais (ver I Tim. 3:8 e Tito 1:7). Não obstante, têm o direito de receber sustento financeiro apropriado (ver I Tim. 6:8). Alguns pastores, especialmente aqueles que dirigem bem e são bons mestres, podem receber com justiça um duplo salário, ou alguma forma especial de reconhecimento. (Ver I Tim. 5:17).

e. Os líderes cristãos têm a *responsabilidade* de supervisionar os cultos de adoração, quanto aos seguintes itens: — nas orações (ver I Tim. 2:1,2), na participação exclusivamente masculina na pregação e no ensino (ver I Tim. 2:8-15) e na leitura das Sagradas Escrituras (ver I Tim. 4:13; II Tim. 3:16 e 4:2).

f. Também devem proteger os que sofrem necessidades *especiais*, provendo o necessário para os mesmos, como as viúvas que não são sustentadas por seus parentes. (Ver I Tim. 5:5 e *ss*).

3. *Exortações éticas em geral*. (Quanto a esse tema, ver a parte C da seção V deste artigo. No tocante aos próprios ministros do evangelho, isso pode ser percebido especialmente em I Tim. 4:1-16).

VIII. Importância das Epístolas Pastorais

EPÍSTOLAS PASTORAIS

Dentre todos os escritos do N.T., as «epístolas pastorais» são os únicos livros devotados a mostrar quais são as qualificações dos pastores e qual é o seu ministério. É lamentável apenas que a porção organizacional da igreja não seja ali mais claramente definida. A despeito da brevidade de seu texto, estas epístolas se têm tornado os livros de texto padronizados para as qualificações dos líderes e para ensinar os tipos de ministério que esses líderes têm a cumprir. Certas passagens (ver I Tim. 3:1 e ss; II Tim. 4:2-7 e Tito 1:6 e ss) se têm tornado parte da liturgia de consagração de várias denominações evangélicas. E à parte da própria consagração de ministros, muitas expressões das «epístolas pastorais» têm encontrado caminho até à liturgia da igreja. Essas expressões incluem «Rei dos séculos», «Salvador dos homens», «Deus, nosso Salvador», «Nosso grande Deus e Salvador», «o Senhor seja com o teu espírito». Na liturgia da igreja anglicana, essas epístolas são citadas, sobretudo quando da consagração de bispos, com exortações e orações de diferentes formas. O famoso documento antigo, *Didache*, toma por empréstimo muitas expressões dessas epístolas, tal como o fazia a Ordem Eclesiástica Egípcia e as mais antigas Ordens Eclesiásticas existentes. Há citações das mesmas encontradas nos *Cânones de Hipólito*, bem como em outros famosos escritos sobre a ordem eclesiástica e sobre o ministério, como aqueles de Crisóstomo, *De Sacerdotio*, e de Gregório o Grande, *Regulae Pastoralis Liber*. Há outras passagens de elevadíssima qualidade, que têm sido memorizadas e citadas através da história da igreja, como I Tim. 1:15; 6:10; II Tim. 1:12; 2:15; 3:16 e 4:7,8.

No contexto histórico, as «epístolas pastorais» têm sido usadas para combater modificações debilitantes e pervertidas, embora alguns radicais tenham lançado mão de seus preceitos severos contra as heresias, fazendo com que os mesmos se apliquem a tudo quanto esses radicais combatem. Mas não se pode negar o fato de que essas epístolas ensinam que há uma «verdade» a ser promovida, e «erros» a serem combatidos, e que o Senhor Jesus Cristo se acha no centro dessa verdade. Esses livros, a despeito de estereotipados e de usarem expressões comuns, nem por isso deixam de ser heróicos, porquanto conclamam-nos para uma devoção intensa e incansável a Cristo e a seu evangelho, à lealdade a ele, em meio a este mundo hostil. As epístolas pastorais até mesmo convidam os homens ao martírio, se porventura isso tornar-se necessário. É nessas epístolas que podemos achar aquelas imortais palavras de Paulo: «Quanto a mim, estou sendo já oferecido por libação, e o tempo da minha partida é chegado. Combati o bom combate, completei a carreira, guardei a fé. Já agora a coroa da justiça me está guardada, a qual o Senhor, reto juiz, me dará naquele dia; e não somente a mim, mas também a todos quantos amam a sua vinda» (II Tim. 4:6-8). E onde mais se poderia encontrar palavras mais despertadoras do que «...todavia não me envergonho; porque sei em quem tenho crido, e estou certo de que ele é poderoso para guardar o meu depósito até aquele dia» (II Tim. 1:12)? Qual instituição, devotada ao ensinamento da Palavra de Deus, ou então qual pastor, que recomende o estudo das Escrituras, em algum tempo ou outro, não se utilizou das palavras, que dizem: «Procura apresentar-te a Deus aprovado, como obreiro que não tem de que se envergonhar, que maneja bem a palavra da verdade» (II Tim. 2:15)? Qual pregador, ansioso por comprovar a autoridade das Escrituras, não tem usado a passagem de II Tim. 3:16, que diz: «Toda Escritura é inspirada por Deus e útil para o ensino,

para a repreensão, para a correção, para a educação na justiça...»? Quão terna é a apresentação das últimas palavras de Paulo, proferidas já na expectação do martírio, suas palavras de despedida, simples mas belíssimas, em II Tim. 4:6-22, onde, conforme disse também Sócrates, ao morrer, o trivial e mundano se mistura com declarações eivadas de grandes sentimentos.

IX. Conteúdo de I Timóteo

   I. Saudação (1:1,2)
  II. Necessidade de refutar os falsos ensinamentos (1:3-7)
 III. O uso apropriado da lei (1:8-11)
 IV. Paulo, o ministro ideal e suas experiências (1:12-17)
  V. A comissão de Timóteo (1:18-20)
 VI. A fé cristã é para todos os homens (2:1-7)
VII. A adoração pública e as mulheres (2:8-15)
VIII. Qualificações dos pastores (3:1-7)
 IX. Qualificações dos diáconos (3:8-13)
  X. A igreja em seu caráter ideal (3:14-16)
 XI. Os adversários da igreja (4:1-5)
XII. O ministro ideal de Cristo (4:6-10)
XIII. O exemplo de um bom ministro (4:11-16)
XIV. A função do ministro quanto a grupos específicos (5:1,2)
XV. As viúvas e a igreja (5:3-16)
XVI. Sustento e disciplina dos ministros (5:17-25)
XVII. Injunções miscelâneas (6:1-19)
    a. Sobre os escravos e os senhores (6:1-2)
    b. Sobre os falsos mestres (6:3-5)
    c. Sobre o dinheiro (6:6-10)
    d. Sobre os motivos de um homem de Deus (6:11-16)
    e. Sobre o dinheiro, novamente (6:17-19)
XVIII. Exortações Finais. Um apelo à fidelidade. (6:20,21)

X. Conteúdo de II Timóteo

O artigo a esta segunda epístola a Timóteo está incluído no artigo sobre as *epístolas pastorais*, que são a primeira e a segunda epístolas a Timóteo e a epístola a Tito. Essas três epístolas possuem o mesmo estilo, o mesmo vocabulário, os mesmos propósitos e formam uma unidade dentro dos documentos do N.T. Quanto às questões como autoria, dependência literária, a quem dirigida, motivo e propósitos, integridade e confirmação histórica, ensinamentos e temas, importância e bibliografia, o leitor deveria consultar o presente artigo.

   I. Saudação (1:1,2)
  II. Timóteo, o Ministro Ideal (1:3-7)
 III. Necessidade do Ministro defender o Verdadeiro Evangelho (1:8-14)
 IV. Exemplo de Outros quanto à Lealdade a Paulo (1:15-18)
  V. O Ministro Ideal é Soldado de Cristo (2:1-7)
 VI. O Significado Verdadeiro da Vida (2:8-13)
VII. Relações do Ministro Ideal e suas Reações contra os Ensinamentos Falsos (2:14-19)
VIII. O Caráter e o Ministério de Ensino do Ministro Ideal (2:20-26)
 IX. Advertência contra os Hereges (3:1-9)
  X. Paulo deu o Exemplo de Dedicação (3:10-13)
 XI. Relações do Ministro Ideal para com as Escrituras (3:14-17)
XII. Como o Ministro Ideal Cumpre seu Ministério (4:1-5)
XIII. Paulo é o Modelo do Ministro Ideal (4:6-8)

EPÍSTOLAS PASTORAIS — ER

XIV. Questões Pessoais relativas a Paulo (4:9-18)

XV. Saudações e Exortações Finais (4:19-22)

As *Epístolas Pastorais* não foram escritas meramente para o benefício de dois homens, Timóteo e Tito, e, sim, para que os «ministros» do evangelho tivessem instruções regulamentadoras sobre como se deve agir nas igrejas locais. Ver a seção intitulada «A Quem Foram Dirigidas», que é a seção IV do artigo sobre as *Epístolas Pastorais*. Estas epístolas refletem um governo eclesiástico em *desenvolvimento*, que ultrapassa um tanto o resto do N.T., ainda que não tão «eclesiástico» em seu caráter como a situação refletida nas epístolas de Inácio, onde o «bispo» ou «supervisor» já alcançara aquela posição virtual que hoje damos a essa palavra, no conceito moderno, isto é, um homem que exercia autoridade sobre uma região inteira, e não somente sobre uma igreja local. Ver notas expositivas a esse respeito, na seção do artigo sobre as *Epístolas Pastorais*, «A Quem Foram Dirigidas», além de outros comentários dados em I Tim. 5:17 no NTI, os quais demonstram que, nas Epístolas Pastorais, parece que havia três ofícios distintos, os «bispos» ou «supervisores», os «anciãos» e os «diáconos», ao mesmo tempo que, enquanto no restante do N.T. «bispos» e «anciãos» eram termos intercambiáveis, o mesmo não acontecia nestas *Epístolas Pastorais*. (Quanto aos períodos de aprisionamento de Paulo, ver o artigo sobre a Epístola aos Colossenses, sob o título, «Proveniência». Quanto à tradição que Paulo foi aprisionado por duas vezes na cidade de Roma, com um intervalo de liberdade entre esses dois períodos, durante o qual supostamente cumpriu seu antigo desejo de visitar a Espanha. Ver o artigo *Aprisionamento de Paulo em Roma*.

XI. Conteúdo de Tito

Os principais problemas que envolvem as **Epístolas Pastorais** são amplamente comentados no presente artigo. Essas três epístolas, I e II Timóteo e Tito, formam uma unidade dentro do N.T., porquanto todas as três foram escritas pelo mesmo autor, essencialmente com os mesmos propósitos. Portanto, a introdução a uma destas epístolas serve de introdução às demais. Questões como a de autoria (tema muito debatido no que diz respeito a estas *Epístolas Pastorais*), de data, de proveniência, dos endereçados, de temas centrais, de motivos, de propósitos, de integridade, de confirmação histórica e de material geral de pano de fundo, já foram discutidas. É impossível alguém compreender o verdadeiro significado de diversas declarações existentes nestas cartas, bem como seu propósito geral de ensinamento, se porventura não tiver ao menos um entendimento parcial acerca dessas questões incorporadas neste artigo. Portanto, ao leitor solicitamos que dedique tempo à leitura deste artigo, o que tornará muito mais vitais e significativas essas *Epístolas Pastorais*.

Em adição a isso, precisamos apenas esboçar o conteúdo desta epístola a Tito:

I. Saudação (1:1-4)

II. Qualificações dos Anciãos ou Supervisores (1:5-8)

III. Dever dos Supervisores de Combater os Falsos Ensinamentos (1:9-16)

IV. Deveres dos Supervisores quanto às suas Congregações (2:1-10)

V. Conduta dos Supervisores em face da Volta de Cristo (2:11-15)

VI. A Conduta Cristã Ideal em relação ao Mundo Pagão (3:1-7)

VII. A Conduta Cristã Ideal deve ser Demonstrada nas Obras (3:8-11)

VIII. Instruções e Saudações Finais (3:12-15)

XII. *Bibliografia*. AM EN I IB KELL LAN MOF NTI SIM TI TIN VIN RO Z

EPOCHÉ

No grego, significa «suspensão de juízo». Esse termo era usado pelos céticos e pelos membros da segunda e da terceira Academias de Platão, para indicar a reação apropriada de uma pessoa diante dos problemas atinentes ao conhecimento. Visto que, de acordo com a doutrina deles, na verdade não podemos tomar conhecimento real das coisas, é mostra de sabedoria suspender todo o juízo. Isso daria lugar à *ataraxia*, isto é, atitude de «tranqüilidade».

Por outra parte, existem aqueles que buscam tranqüilidade mental apegando-se a juízos não examinados, os quais então tornam-se dogmas. O fator psicológico, dentro da teoria do conhecimento e da crença, sempre será um fator preponderante. Com freqüência, cremos em coisas que nos fazem sentir bem, em vez de nos darmos ao trabalho de buscar o conhecimento. Husserl (que *vide*, no sexto ponto do artigo sobre ele) empregava essa palavra para assinalar um certo estágio da redução fenomenológica.

EQUER

No hebraico, «estrangeiro», «transplantado». Outros pensam que significa «raiz». Ele descendia de Judá por meio das famílias de Jerameel e Hezron (I Crô. 2:27). Viveu em torno de 1800 A.C.

EQUIPROBABILISMO

Esse é o nome da teoria ética que afirma que quando não pode ser resolvida alguma questão moral debatível, quando então surgem alternativas aparentemente iguais, então o indivíduo pode adotar uma ou outra dessas alternativas. Essa posição ocupa meio caminho entre o probabilismo (que vide) e o *probabiliorismo* (que vide).

EQUÍVOCO

Essa palavra vem do latim **aequa** (igual) e **vox** (voz). Temos aí o uso de uma palavra com dois sentidos ou mais. Isso pode produzir falácias e jogos de palavras. Aristóteles explicou: «Diz-se que as coisas são nomeadas *equivocadamente* quando, embora tenham um nome comum, as definições correspondentes ao nome diferem em cada caso» (*Categorias*, 1.). Quem usa de casuísmos (que vide), algumas vezes lança mão de equívocos. O equívoco deve ser teoricamente distinguido da mentira, porquanto quem erra por equívoco não tem consciência do fato e nem pretende fazer passar uma inverdade como se fosse uma verdade, pois o seu intuito não é enganar. Na lógica, o equívoco é contrastado com o *unívoco* (que vide). Nos campos da religião e da moral reconhece-se que todas as pessoas e sistemas estão sujeitos a elementos que envolvem equívoco. Todos nos enganamos acerca de muitas coisas, embora nos pronunciemos com convicção quanto a elas.

••• ••• •••

ER

No hebraico, «vigia». Há três pessoas com esse

ER — ERA

nome nas páginas da Bíblia, duas no Antigo Testamento e uma no Novo Testamento, a saber:

1. O filho mais velho de Judá, que, já adulto, casou-se com Tamar. Por causa de sua iniqüidade, morreu prematuramente (Gên. 38:7; Núm. 26:19). Viveu por volta de 1896 A.C.

2. Um filho de Selá, outro filho de Judá (I Crô. 4:21). Viveu em torno de 1859 A.C. Sua mãe era filha de Sua, o cananeu.

3. Um homem que aparece na genealogia de Jesus de acordo com o terceiro evangelho. Ali ele aparece como filho de Josué e pai de Elmadã. Deve ter vivido em torno de 725 A.C.

ER, MITO DE

Platão, em sua obra, **República**, no seu décimo livro, tem várias parábolas. A última dessas é o *mito de Er*, cujo intuito é ensinar algo sobre a vida para além da morte física. Aparentemente, o guerreiro *Er* foi morto em batalha e teve certas experiências do outro lado da vida biológica; mas foi-lhe permitido voltar à vida terrena, para contar a sua história. Foi-lhe mostrado no outro lado da existência, que a busca pela sabedoria e pela justiça é a única salvaguarda da alma contra a insensatez e a degradação. Er também entendeu que a alma precisa reencarnar-se e que pode escolher quanto a essa questão. A parábola termina com a visão de Er acerca dos *juízes* e de como as vidas dos mortos são passadas em revista. Recompensas ou castigos aguardam os espíritos dos mortos, de acordo com as obras de cada um, durante esta vida terrena. Porém, podem reencarnar-se, escolhendo a vida que quiserem viver. Uma vez feita a escolha, precisam passar pelo trono da *necessidade*, o que fixa a escolha feita. Então atravessam a planície do *esquecimento*, para esquecerem a sua vida anterior. Chegam então à beira do rio da *indiferença*, cujas águas não podem ser contidas por qualquer vaso. São compelidos a sorver dessa água; e, quando o fazem, olvidam-se das muitas jornadas que tinham feito antes, porquanto, quem poderia trazer o fardo da eternidade sobre os ombros? Eles descansam por algumas horas, mas, ao soar a meia noite, há um raio, um trovão e um terremoto e, no instante seguinte, as almas humanas voltam a ocupar corpos humanos, como se fossem uma massa de estrelas atiradas aqui. *Er*, entretanto, não bebeu daquelas águas e retornou ao corpo físico, embora sem saber como. Abriu os olhos ao amanhecer o dia e descobriu que estava deitado sobre a pira fúnebre, considerado morto, embora tivesse retornado à vida. Platão então adverte a seus leitores de que essa estória foi preservada desde tempos *antigos*, não tendo desaparecido, porque contém uma advertência severa. Para ele, é muito importante o que fazemos aqui. A alma pode escolher entre o bem e o mal, e haverá de prestar contas por aquilo que tiver feito.

Vários intérpretes modernos, com razão, têm encarado essa estória como o relato de um antigo retorno após a morte biológica. Sem dúvida, houve então elaborações e adornos dogmáticos, de acordo com as idéias religiosas da época. Porém, o relato retém os elementos essenciais daquilo que ocorre a uma pessoa que entra nos primeiros estágios da morte física e retorna. Foi preparado um artigo, nesta enciclopédia, intitulado *Experiências Perto da Morte*, que dá as informações essenciais a respeito. Cientistas e filósofos estão estudando a questão e parece que essa é a nossa melhor esperança de demonstrar, *cientificamente*, a existência da alma e sua sobrevivência diante da morte biológica.

ERA

Uma era é alguma época histórica durante a qual as datas são contadas a partir de algum evento histórico significativo. No entanto, muitos usam a palavra *era* como se fosse sinônimo de *época*. Aqueles que fazem distinção entre essas duas palavras entendem que uma época é de menor duração, de tal modo que, dentro de uma era, pode haver várias épocas. Para exemplificar, dentro da era cristã têm havido várias épocas, como a dos apóstolos, a dos cristãos antigos, a dos cristãos medievais, a da Renascença, a moderna, etc.

Pode-se conceber uma era como um período caracterizado por algum fenômeno co-extensivo ou ordem de coisas, com condições sociais, religiosas, intelectuais, políticas ou físicas todas próprias. Uma época, à semelhança de uma era, também começa com algum acontecimento importante. Assim, falamos sobre a época da bomba atômica como aquela que teve início quando da explosão de duas bombas atômicas, lançadas sobre o Japão, nos últimos dias da Segunda Guerra Mundial, em agosto de 1945.

I. Eras Judaicas:

1. A época dos patriarcas (Gên. 7:11; 8:13).
2. Da saída do Egito (Êxo. 19:1) à construção do templo de Jerusalém.
3. Da construção do templo (I Reis 9:10; II Crô. 8:1) ao fim do período da monarquia judaica.
4. Do começo do cativeiro babilônico (Eze. 1:1; 33:21) à dedicação do segundo templo de Jerusalém.
5. Período dos governantes selêucidas, que começou em 312 A.C.
6. Uma grande era foi calculada a partir do tempo em que começou a monarquia em Israel (I Reis 15:1).
7. O Talmude data todas as coisas a contar da suposta data da criação, fixada pelos rabinos em 3761 A.C. Naturalmente, isso é uma completa falácia, pois não há informes bíblicos que nos permitam retroceder até à data da criação do mundo. Ver o artigo sobre a *criação*.

II. Eras Profanas:

1. A primeira Olimpíada (jogos atléticos) foi o princípio de uma era comum para as várias populações helênicas. Estaria correndo o ano 3228 da criação do mundo, correspondente ao nosso 776 A.C. Isso faria retroceder a data da criação do mundo para 4004 A.C.
2. A conquista de Tróia, pelos gregos, assinalou uma era, sendo o ano 2820 A.C. do mundo, correspondente ao nosso 1184 A.C.
3. A viagem feita para adquirir o velocino de ouro, sendo o ano do mundo de 2760.
4. A fundação de Roma, 753 A.C.
5. A era de Nabonassar, 747 A.C.
6. A era de Alexandre, o Grande, que começou quando ele obteve a vitória sobre Dario, o persa, 330 A.C.
7. A era juliana, que é a data da reforma do calendário, por Júlio César, a 1º de janeiro de 45 A.C.
8. A era de Diocleciano, desde o ano em que ele tornou-se imperador, 29 de agosto de 285 D.C.
9. A Hegira dos islamitas, 622 D.C. A *Hegira* (no árabe, «partida») refere-se à fuga de Maomé de Meca para Medina.
10. A era de Yezdegirde III, 16 de junho de 632 D.C., assinala uma era para as persas.

Entretanto, alguns pensam em um quadro diferente, quando calculam as eras profanas, a saber:

425

ERA — ERA (AEON, AION)

1. A era que começou com a fundação do império assírio, 1267 A.C.

2. A era de Nabonassar, quando da morte de Sardanapalo, 747 A.C.

3. O reinado de Ciro, sobre a Babilônia, 538 A.C.

4. O reinado de Alexandre, O Grande, sobre os persas, também é contado como um ponto inicial, 330 A.C.

5. A era iniciada pela instituição do calendário juliano, 1º de janeiro de 45 A.C.

III. Era Cristã:

Durante um longo tempo os cristãos não falaram em termos de sua própria era cristã, em distinção às datas fixadas pelos pagãos. Porém, a lista de datas, abaixo, pode ser considerada como sancionada pelos cristãos, ou como parte integrante de sua história:

1. *A era cristã mundana*, ou seja, a suposta data da criação, 4004 A.C. Essa data foi calculada inicialmente por John Lightfood (1602-1675) e, então, também foi adotada por James Ussher (1581-1656). A Bíblia inglesa *King James Version*, em suas notas marginais, popularizou essa data. Essa data foi calculada com base nos registros genealógicos do Antigo Testamento. Mas os eruditos concordam que essa data só pode ser simbólica, não tendo qualquer valor histórico, pois os dados bíblicos não permitem que alguém recue até à data da criação. Ver os artigos sobre *Criação; Antediluvianos* e *Cosmogonia.*

2. As *eras judaicas*, conforme mostramos acima, foram largamente adotadas pelo pensamento cristão.

3. A *era cristã* é um grande marco histórico, a começar pelo nascimento do Senhor Jesus Cristo. Em 527 D.C., calculou-se que isso teria acontecido no ano 1 D.C. Porém, cálculos posteriores mais exatos mostram que devemos pensar em cerca de 4 A.C. para a data do nascimento de Jesus. Se isso está com a razão, então sempre devemos somar quatro anos a mais, em relação à data de qualquer ano, para sabermos há quanto tempo o Senhor Jesus nasceu. O ano de 1986 marca 1990 anos desde o seu nascimento, para exemplificar.

4. A *era de Diocleciano,* ou era dos mártires, iniciada a 29 de agosto de 284 D.C., quando Diocleciano tornou-se imperador de Roma. Seguiram-se dois séculos quase ininterruptos de perseguições contra os cristãos, por parte do governo romano.

5. A *era armênia*, que data da retirada da Igreja Armênia da comunhão com o patriarca de Constantinopla, a 9 de julho de 552 D.C.

6. A *era bizantina* ou de Constantinopla, que fixou a data da criação como 5508.

7. A *era da Igreja Oriental,* quando ela se separou de Roma, em 1054.

8. A *era da Reforma protestante*, iniciada na primeira metade do século XVI.

9. A *era das missões modernas*, que começou no século XIX.

ERA (Aeon, Aion)

Tradução do termo hebraico **alam**, um longo e indefinido período de tempo, limitado apenas pelo contexto.

Usos veterotestamentários:

1. *Tempo passado indefinido*. Amós 9:11; Miq. 7:14; Isa. 58:12; Jer. 28:8 em várias conexões. Joel 2:2 e Isa. 64:4 usam o termo para indicar a história humana inteira. Em alusão a Deus, o termo pode significar eterno (Sal. 93:2). Ver também *o Deus da antiguidade*, em Gên. 21:33; Isa. 40:28 e Jer. 10:10.

2. *Tempo futuro indefinido*. Indica o tempo em que um homem viverá, Deu. 15:17; a eternidade da Terra, Sal. 104:5; o ato final do juízo e da redenção, Ageu 2:6; o futuro indeterminado, Isa. 32:14; Eze. 25:15; objetos como o templo de Salomão, I Reis 9:3; a observância da páscoa, Êxo. 12:24; a cidade santa, Sal. 125:1. Mas, quando aplicado a Deus, indica Sua eternidade, Isa. 40:28; Deu. 32:40. O plural intensifica a palavra, dando a entender o futuro interminável, Isa. 45:17, ou a salvação eterna, *idem*.

3. *Passado ou futuro indefinidos*. Da eternidade passada à eternidade futura, como a existência de Deus, Sal. 90:2; 106:48. Indica a duração do amor de Deus. Sal. 103:17; Seu louvor, Nee. 9:5; e a promessa da terra a Israel, Jer. 7:7; 25:5.

Usos neotestamentários:

No grego é *aion*.

1. *Tempo passado indeterminado*. Luc. 1:70; Atos 3:21. Em Judas 25, significa «antes de todas as eras».

2. *Futuridade, duração contínua*. É assim usado por 27 vezes no Novo Testamento, cada vez definido pelo contexto. Ver Mat. 21:19; João 13:8 e I Cor. 8:13, onde significa «nunca». A eternidade futura é vista em João 6:51;58; II Cor. 9:9; Heb. 5:6, etc. O plural reforça a idéia de interminável, como «antes de todas as eras», I Cor. 2:7; «dos séculos», Col. 1:26. A idéia de «eterno propósito» aparece em Efé. 3:11. Um outro termo, «pelos séculos dos séculos» é a forma enfática de dizer «para sempre», Mat. 6:13; Rom. 1:25. Judas 25 tem «por todos os séculos». Assim, a eternidade é vista como uma interminável sucessão de eras ou ciclos. O eterno governo de Deus é pintado pela expressão «rei dos séculos», I Tim. 1:17 e Apo. 15:3.

3. *Um segmento de tempo de considerável duração*. Assim, a blasfêmia contra o Espírito não é perdoada nesta era e nem na vindoura (Mat. 12:32). Jesus Cristo é exaltado nesta e na outra era (Efé. 1:21). A «era vindoura», ou seja, a eternidade que aguarda (Mar. 10:29-30). A presente era terminará com a *parousia* de Cristo (Mat. 24:3). Esta era chegará ao fim com a separação entre os bons e os maus (Mat. 13:39-42). A era vindoura será a era da vida eterna (Mar. 10:30). Esta era faz agudo contraste com a vindoura, quanto ao caráter e à glória (Gál. 1:4). Podemos amar demais a esta era, o que prejudica a alma (II Tim. 4:10). Mediante a morte de Cristo, somos libertos dos males desta era (Gál. 1:4). O reino de Deus pertence à era vindoura (Mat. 25:34). Portanto, as realidades remidoras são escatológicas, embora prefiguradas desde o presente.

4. *O mundo físico*. A palavra «mundo» (kosmos) é usada de modo intercambiável com *aion*. Assim, temos menção à sabedoria deste *mundo* (I Cor. 2:6), e talvez à criação dos *mundos* (Heb. 1:2).

5. *Como uma pessoa*. Na religião helênica, o *aion* era um ser semidivino, superior ao homem mas inferior a Deus, um tipo de ser intermediário, poderoso e mesmo capaz de criar. Alguns gnósticos pensavam que Cristo seria um *aion*, um representante de Deus nesta esfera. Ver Efé. 2:2, sobre o *aion* (maligno) que governa este mundo. Os trechos de Col. 1:26 e Efé. 3:9 e 2:7 talvez usem a palavra para indicar os seres angelicais. O gnosticismo usava o termo para falar sobre a longa sucessão de seres angelicais medianeiros entre o céu e a terra. Esses também eram chamados de *emanações*, e, coletivamente, eram o *pleroma*, ou «plenitude». Ver o NTI quanto a essa palavra, em Col. 2:9, e sobre o *pleroma*. (B E S Z)

••• ••• •••

ERA, É E SERÁ — ERA ÁUREA

ERA, É E SERÁ (CRISTO); APO. 1:4

Que é

Cristo, tanto quanto Deus Pai, é aquele *que é*. Esse conceito foi tomado por empréstimo do trecho de Êxo. 3:14, onde é aplicado ao Deus do A.T. Nisso, naturalmente, é ensinada de forma indireta a divindade de Cristo. Fica subentendido, pois, em consonância com a exaltação geral atribuída a Cristo em Apocalipse, que aquilo que é dito acerca do Pai, também se aplica a Cristo, por aplicação e implicação, ainda que não por declaração direta. Ambos são o Alfa e o Ômega. (Comparar com Apo. 1:8—acerca do Pai; e com Apo. 1:11—acerca do Filho). (Ver também Heb. 1:3 no NTI, onde há notas expositivas completas sobre esse tema e sobre a «divindade de Jesus Cristo»). A série inteira ensina a mesma coisa—Cristo é o eterno «passado», «presente» e «futuro». Isso só poderia mesmo ser atribuído a uma pessoa «divina».

Que era, Apo. 1:4.

Nenhum «acúmulo» de tempo passado é assim designado; deve-se compreender aqui o «passado absoluto», isto é, todo o tempo passado possível, a «eternidade passada» de Cristo. Isso também o identifica como divindade, porque isso poderia ser dito exclusivamente acerca de Deus. Os grandes versículos cristológicos, como os de João 1:1-3, identificam o Filho com o Pai, de tal modo que aquilo que é dito sobre um é dito também sobre o outro. Assim também em Apo. 1:4, a graça e a paz vêm da parte de Deus Pai e de Deus Filho, pois, como membros da Trindade que são, ambos *eram, são,* e *serão,* embora o Pai seja particularmente salientado aqui. Isso com o segundo versículo daquele mesmo capítulo: «Ele estava no princípio com Deus». (Ver também o oitavo versículo, onde é reiterada essa descrição de Deus).

Que há de vir. Apo. 1:4.

Essas palavras aludem à «eternidade futura», bem como à «imutabilidade» de Deus. Provavelmente há aqui uma alusão à segunda vinda de Cristo, quando sua glória futura será vivamente retratada diante dos homens, porque então o filho transmitirá plenamente o Pai aos homens.

Os sentidos diversos desse título, a saber:

1. Aquele que «era», «é» e «será» é uma espécie de paráfrase do «indizível» nome divino. Ele é aquele ser que envolve o tempo todo, toda a criação dentro do tempo.

2. Sua imutabilidade é salientada.

3. Sua divindade autêntica destaca-se sobre tudo.

4. Seu caráter «diferente» é afirmado, pois somente ele pode ser assim descrito.

5. A «tríplice» designação pode dar a entender o Deus «triúno», embora Deus Pai é quem esteja aqui especificamente em foco. Essa referência é possível, tendo sido defendida por alguns bons intérpretes.

6. O «senhorio» de Deus é inerente em tudo isso, pois somente o Deus imutável e intemporal pode ser o verdadeiro Senhor dos homens.

7. Portanto, ele é o Alfa e o Ômega, a fonte e o alvo da criação, o tudo para todos (ver Efé. 1:23 e os versículos oito e onze do primeiro capítulo de Apoc.). O próprio livro de Apoc. serve de prova da estatura divina do Filho. O primeiro capítulo da epístola aos Efésios ilustra como, finalmente, ele será o centro e o cabeça de toda a criação. A vida inteira encontrará nele o seu cumprimento, ainda que nem todos receberão a vida dos eleitos; pois, de alguma maneira, em alguma medida, ele restaurará «tudo» a si mesmo, tal como ele é o criador de «tudo». (Ver Col. 1:16, acerca desse conceito). Biblicamente falando, portan-

to, aquilo que é dito sobre Deus Pai, em Apoc. 1:4, aplica-se a Deus Filho, em outros lugares.

ERA APOSTÓLICA

É aquele período da história da Igreja, registrado no livro de Atos, e que cobre cerca de trinta anos, além de um período imediatamente posterior, em tempos neotestamentários, e que vai do Pentecoste à morte de João, o último apóstolo. Comumente está dividida em três períodos: 1. do Pentecoste à segunda viagem missionária de Paulo (cerca de 41 D.C.); 2. daí até o falecimento de Paulo (cerca de 67 D.C.); 3. o período joanino, que se prolonga até cerca do ano 100 D.C. Esse terceiro período não é historiado pelo livro de Atos, e nos leva até depois do término do livro de Apocalipse.

Eventos principais. 1. Inauguração da era apostólica (30-33 D.C. - Atos 2), mediante a descida do Espírito Santo, na festa do Pentecoste. Começa aí o poder e a realização da Igreja, e o cristianismo começa a emergir como uma religião separada do judaísmo. 2. Martírio de Estêvão (Atos 7:2-8:2). Completa-se a separação entre o cristianismo e o judaísmo, e o cristianismo é forçado a propagar-se, por causa da perseguição. 3. Conversão de Saulo (Paulo) e suas subseqüentes viagens missionárias, o que faz a Igreja tornar-se principalmente uma entidade gentílica, algo novo no mundo (Atos 8:1 em diante, incluindo capítulos posteriores do livro de Atos). 4. Concílio de Jerusalém, em cerca de 48 D.C. (Atos 15). Esse foi o primeiro concílio cristão, refletindo os conflitos que aumentavam e as tentativas de separatismo, desde os primeiros dias da Igreja. Ocorre um cisma judaico-gentio, embora esse concílio tenha procurado impedir tal coisa. — O sucesso foi apenas temporário. A graça divina alça-se acima do legalismo. 5. Missão ao mundo gentílico, mediante a qual a Igreja muda-se de Jerusalém, tornando-se poderosa em lugares como Éfeso (Atos 13-28). A Igreja avança para o Ocidente. O evangelho espalha-se por todo o mundo então conhecido (Col. 1:6). Esse admirável avanço, dentro da própria era apostólica, é confirmado nos escritos de muitos dos primeiros pais da Igreja, como Justino Mártir, Tertuliano, Lactânio e Clemente de Roma. (S WR Z)

ERA ÁUREA

A crença em uma futura era áurea é quase universal no pensamento e na literatura humanos. Hesíodo, um dos autores dos tempos gregos clássicos, esboçou quatro eras diferentes: a do ouro, a da prata, a do bronze e a do ferro, caracterizando assim a degeneração geral que, segundo ele pensava, os homens tinham atravessado, para chegarem ao estado de depravação em que se encontravam. Isso é paralelo, a grosso modo, do conceito hebreu cristão do paraíso, com a subseqüente queda do gênero humano no pecado. Daniel refere-se a algo parecido, embora não em relação à degeneração da humanidade, e sim, em relação a quatro grandes impérios mundiais sucessivos, a começar pela Babilônia, em seus próprios dias, seguida pela Média-Pérsia (também em seus dias), pela Grécia e, finalmente, por Roma (ver Dan. 2:31 *ss*). A mitologia grega falava sobre a suposta época da inocência paradisíaca, sob o governo do deus Cronos, filho de Urano (o céu) e de Gea (a terra), que foi interrompida por motivo de um ato de rebeldia.

Aspecto Futuro. O Antigo Testamento, os livros pseudepígrafos e as porções proféticas do Novo

ERA — ERASTO

Testamento exibem, diante dos homens, uma era áurea final, que algumas vezes aparece como equivalente ao estado eterno e, de outras vezes, aparece como equivalente ao reino messiânico. Na verdade, não há nisso qualquer discrepância, pois o reino messiânico é que abrirá as portas para o estado eterno, este como conseqüência daquele. A moderna tradição profética, igualmente, aponta para uma era áurea futura, que haverá de seguir-se ao período mais atribulado da história do mundo. Isso concorda com o quadro bíblico, que diz que a Grande Tribulação chegará ao fim com a segunda vinda de Cristo, e que o Senhor, então inaugurará o seu reino milenar. Ver o artigo sobre o *Milênio*, que corresponde à expectação judaica-cristã sobre a *era áurea*.

ERA, Vigilante

No hebraico, «vigilante». Filho de Sutela, filho de Efraim (Nú. 26:36). Ele foi o fundador da família dos eranitas. A passagem paralela de I Crô. 7:20 não menciona Erã, embora mencione Eleada, como descendente de Sutela (pai de Erã). Ele viveu em torno de 1450 A.C.

ERASMO, DESIDÉRIO

Nasceu em 1467 e faleceu em 1536. Foi uma proeminente figura da Renascença (que vede). Foi homem de letras e humanista. Nasceu na Holanda, estudou em Paris, Oxford, Louvain e Turim. Ensinou em Cambridge. Então mudou-se para Basiléia, na Suíça, a fim de trabalhar com Froben. Publicou seus escritos. Foi o compilador do primeiro Novo Testamento Grego impresso, o que pôs fim à grande massa de variantes textuais, que foi criada por causa da produção de manuscritos. O seu texto do Novo Testamento recebeu o nome de *Textus Receptus*. Embora composto de textos inferiores e mesclados, serviu como base da tradução para os primeiros Novos Testamentos impressos, em vários idiomas. Ver o artigo separado sobre o *Textus Receptus*, e também sobre os *Manuscritos do Novo Testamento*.

A vida de Erasmo foi caracterizada por uma incessante atividade. Enquanto Lutero atraía as pessoas comuns, Erasmo influenciava toda a classe intelectual de sua época. Mas, apesar de favorecer vários pontos da doutrina reformada (que vede), ele nunca se separou formalmente da Igreja Católica Romana. Erasmo também desejava a reforma, mas feita através da erudição, e não através do confronto e do debate. Lutero não tinha essa paciência. Erasmo sentia-se revoltado diante do cru fervor evangélico, mas deixava-se atrair por várias idéias advogadas por Lutero. No entanto, foi Lutero quem possibilitou a reforma, e não Erasmo.

Idéias:

1. O **humanismo** (que vide) de Erasmo **era exposto** de modo conciliador, ocupando um terreno intermediário entre o programa de reformas de Lutero e o tradicionalismo católico romano. Intitulava seus pontos de vista e sua abordagem de *filosofia de Cristo*, salientando a simples piedade e detestando as distinções teológicas sobre questões secundárias, que dividem as pessoas. O Novo Testamento era sua principal fonte de teoria moral.

2. Ele defendia a idéia do livre arbítrio humano (que vede) em vista do que foi violentamente atacado por Lutero. Erasmo usava os princípios do ceticismo em seus argumentos. Ele salientava que a Igreja cristã, através da história, sempre ensinava o livre arbítrio como uma base necessária para a moralidade.

Visto que a nossa razão não pode explicar os problemas que surgem quando as doutrinas paralelas do determinismo divino e do livre-arbítrio humano são postas em conflito uma com a outra, de acordo com Erasmo, seríamos forçados a aceitar os ensinos da Igreja sobre o assunto. Porém, comentando sobre essa solução de Erasmo, afirmamos que é melhor depender do princípio da *polaridade* (que vede) que mostra que algumas verdades são o extremo oposto de outras verdades, como se fossem os pólos positivo e negativo de um ímã, em cujo caso a verdade consistiria na doutrina combinada. Também poderíamos exprimir essa idéia afirmando que a Bíblia, às vezes, olha a verdade do ponto de vista divino, para então olhá-la do ângulo do homem. No caso em foco, o determinismo seria o lado divino e o livre-arbítrio seria o lado humano. Deus utiliza-se do livre-arbítrio humano para atingir os seus fins. O homem escolhe o bem ou o mal, por sua livre escolha; mas Deus já determinara quem são os seus escolhidos. Mais do que isso, não nos ajuda a revelação divina, pois a Bíblia reconhece que há verdades mais profundas que Deus reservou para si mesmo e que o homem não consegue penetrar. Ver Deu. 29:29.

3. No campo da *moralidade*, Erasmo advogava uma espécie de epicurismo (que vede) em moldes cristãos. Há prazer para quem serve a Cristo e isso neste mundo e nesta vida terrena. Outrossim, as atividades neste mundo imortalizar-se-iam através do poder de Cristo, pelo que teriam valor permanente e seriam uma fonte de prazer espiritual. Epicuro teria identificado corretamente certos prazeres humanos, que Deus determinou para nosso aprazimento legítimo. Esses prazeres seriam quase todos de natureza mental, em contraste com os prazeres físicos. Teríamos a liberdade de desfrutar desses prazeres.

4. Erasmo era defensor sério daquela *atitude gentil* de que o mundo necessita tão urgentemente. No entanto, a sua mensagem perdia-se em meio ao caos e ao fanatismo que caracterizaram a sua época. A despeito disso, ·deixou uma impressão duradoura sobre a classe intelectual. Todavia, a sua mensagem era por demais calma, por demais gentil e por demais profunda para aquele mundo violento dar-lhe ouvidos. Homens como Erasmo não conseguem impor reformas, mas a contribuição deles é óbvia.

Obras: Desprezo ao Mundo; Chiliades Adagidrum; Louvor à Insensatez; Diatribe sobre o Livre-Arbítrio; O Epicúrio; O Novo Testamento Grego; e escritos sobre os *Pais da Igreja.* (AM EP P)

ERASTIANISMO

Esse é o ensino que diz que o Estado é supremo quanto a questões religiosas. Esse ensino argumenta com base na filosofia de Tomás Erasto, o que lhe explica o nome. Erasto acreditava que os pecados dos cristãos professos deveriam ser punidos pelas autoridades civis, — em vez de lhes serem negados os sacramentos. Suas idéias influenciaram o pensamento de Thomas Hobbes. Em sua obra, *Leviatã*, ele conferia ao Estado total poder quanto a questões religiosas. Jesus, porém, negou-se a intrometer-se nos negócios do governo, mesmo quando instado a isso. E a conclusão lógica de seu ensino, na ocasião, é que o Estado também não pode intrometer-se nas questões religiosas. «Dai, pois, a César o que é de César, e a Deus o que é de Deus» (Mat. 22:21).

ERASTO

No grego, «amado». Nome de três homens

Erasmo

Desiderus Erasmus — 1467-1536

Erasmo, homem letrado e erudito da Renascença; moderado por natureza e defensor de uma forma de humanismo cristão. Publicou o primeiro texto imprimido do Novo Testamento grego que recebeu, depois, o título de *Textus Receptus*.

••• •••

Erasmo de Roterdã

...

Erasmo era um humanista cristão, reconciliador, e espírito humilde cuja voz suave não foi bem ouvida no tumulto da Reforma. Tinha um intelecto brilhante e antecipou teologias e modos de pensar modernos.

Seu dogma fixo era a necessidade de imitar o Senhor Jesus Cristo, em palavra e ato.

Com outros dogmas ele não mostrou muita paciência. Erasmo soube que a linguagem humana não pode aprisionar o infinito. O dogma representava para ele um desenvolvimento histórico que continua crescendo com o progresso espiritual do pensamento humano.

Ele defendeu com vigor a —
liberdade de investigação.

ERASTO — ERIGENA

mencionados nas páginas do Novo Testamento, embora haja quem pense em apenas um homem, conforme se vê abaixo:

1. Um crente de Corinto, discípulo de Paulo, cujas saudações ele enviou de Corinto para os membros da igreja de Roma. Em Romanos 16:23 ele é mencionado como «tesoureiro da cidade», isto é, da cidade de Corinto. Isso significa que ele era figura de considerável importância em Corinto. A descrição feita por Josefo (*Anti.* 7.8,2), acerca dos «tesoureiros de cidades», mostra a importância do cargo. Com freqüência, esses oficiais eram abastados. Em 1929, arqueólogos descobriram uma inscrição latina em Corinto, que dizia: «Erasto, comissário das obras públicas, fez esta pavimentação às suas próprias custas». É possível, embora não seja provável, que esteja em foco a mesma personagem do Novo Testamento. Também não é muito provável a sua identificação com a personagem mencionada, com esse nome, em Atos 19:22.

Tesoureiro. No grego original temos a palavra *oikonomos*, que pode significar também «mordomo». (Ver Luc. 16:1. Ver Atos 12:20 acerca desse ofício). Todavia, a tradução «tesoureiro» não está errada, sendo provavelmente esse o sentido do termo neste caso. Tal encargo incluía a administração dos fundos públicos e das obras públicas. Seria ele o coletor dos impostos e cobranças, sendo responsável pela utilização do dinheiro em favor da cidade.

Erasto, portanto, pode ter facilmente sido o homem mais influente e importante da comunidade cristã do lugar, se levarmos em conta a posição social e política; mas, na igreja cristã, ele era apenas mais um irmão na fé, que enviava suas saudações juntamente com os demais.

2. Um ajudante de Paulo, enviado juntamente com Timóteo, de Éfeso à Macedônia, em uma missão (Atos 19:22).

3. Paulo tinha um companheiro de viagens, com esse nome, que deixou em Corinto (II Tim. 4:20). Nada é dito acerca dele, na Bíblia, além desse fato.

Se houve três, dois, ou apenas um homem com o nome de Erasto, nas páginas da Bíblia, é algo que ninguém pode desvendar.

EREMITA Ver Mosteiro; Monasticismo; Eremita.

EREQUE

No hebraico, «extensão», «tamanho». No acádico, o nome dessa cidade é *Uruk* e, no sumério, *Unug*. Essa foi a segunda cidade fundada por Ninrode. Ele aparece como fundador das cidades de Babel (Babilônia), Ereque, Acade, Nínive, Reobote-Ir, Calá e Resen, sete ao todo (Gên. 10:10,11). Alguns salientam, contudo, que a rigor não é dito que ele foi o construtor dessas cidades, mas somente que estabeleceu sua autoridade sobre elas. Isso significaria que algumas delas, pelo menos, já existiriam antes dele. Ereque ficava localizada na margem esquerda do rio Eufrates. O local antigo é assinalado pela moderna *Warka*, situada cerca de cento e sessenta quilômetros a sudeste da cidade de Babilônia, em uma área pantanosa do Eufrates. Nesse mesmo lugar, foram encontrados pelos arqueólogos, dois antigos *zigurates* (que vede). Serviam de torres de templos e ali foram encontrados selos cilíndricos (que vede). O mais antigo desses zigurates data do começo do quarto milênio A.C. Ereque, juntamente com Ur, Lagase e Eridu, representam as mais antigas cidades do sul da Babilônia de que se tem notícia.

Entre as inscrições encontradas nesse lugar, muitas delas são dos dias dos reis Dungi, Ur-Bau, Gudea, Singaside, Merodaque-Baladã. Também têm sido encontrados no lugar tabletes pertencentes aos reinados de Napopolassar, Nabucodonosor, Nabonido, Ciro, Dario e os selêucidas. Além disso, muitos artefatos têm sido encontrados, como peças de cerâmica esmaltada, esquifes, muitos tipos de receptáculos e sepulcros.

A vila original chamada Culabe, foi fundada por pessoas do período Ubaide (cerca de 4000 A.C.). A principal pessoa envolvida nisso foi o governante semítico Mesquiagaser, da primeira dinastia. Uruque (Ereque) foi a capital do rei heróico mítico, Gilgamés, cujas lendas são paralelas, em muitos pontos, à narrativa da criação do livro de Gênesis. Ver o artigo sobre *Cosmogonia*. A literatura assíria e babilônica tem muitas referências a Ereque. Nos tempos assírios, ao que parece, a cidade tornou-se uma espécie de necrópole nacional.

O local foi escavado a partir de 1850. E após essa data, houve muitas outras escavações arqueológicas. Além das coisas já mencionadas, deveríamos destacar que foram encontrados ali dois zigurates, vários templos e uma grande biblioteca, com muitos documentos, alguns deles pertencentes até 70 A.C. Canais artificiais traziam água para a cidade. As referências ao lugar indicam que, antigamente, a cidade ficava situada em uma área fértil, embora atualmente seja um virtual deserto.

O culto a Anu talvez fosse a mais importante expressão religiosa de Ereque, porquanto a divindade desse nome era um dos deuses mais proeminentes da Babilônia. Um outro culto importante do lugar era o de Istar. (EL UN Z)

ERI

No hebraico, «vigia». Seu nome é mencionado em Gên. 46:16 e Núm. 26:16. É possível que o seu nome estivesse ligado ao verbo que significa «despertar-se». Ele era o quinto filho de Gade, filho de Jacó. De acordo com a segunda dessas referências, foi o progenitor dos eritas. Viveu em torno de 1700 A.C.

ERIGENA, JOÃO ESCOTO

Suas datas foram 810-877 D.C. Foi eclesiástico e filósofo irlandês. Foi educado em um mosteiro irlandês. Veio a fazer parte da corte de Carlos, o Calvo, rei da França. Ensinou na escola Palatina. Traduziu escritos do pseudo Dionísio (que vede), do grego para o latim e produziu comentários sobre esse material. Era seguidor das idéias de Agostinho, bem como das do pseudo-Dionísio. Também traduziu as obras de Gregório de Nissa. Foi uma figura enigmática, em redor de quem surgiram várias lendas. Seus escritos incluíam elementos do agnosticismo, do misticismo e do panteísmo.

Idéias:

1. Ele definia a natureza como a **totalidade** das coisas, incluindo aquelas que consideramos existentes e não existentes. Com base nisso, ele dividia a existência em quatro partes: a. a natureza não criada; b. a natureza que foi criada e que cria; c. a natureza que foi criada, mas não cria; d. a natureza que nem foi criada e nem cria. Deus seria representado tanto por «a» quanto por «d». A posição «a» representaria a doutrina padrão; mas a posição «d» refere-se a Deus como uma parte da natureza. E é através de idéias assim que descobrimos o seu panteísmo. Apesar disso, contradizia a si mesmo, dizendo que Deus está

ERIGENA — ERRO

acima da natureza. Também há estudiosos que dizem que Deus é o cabeça da natureza, e que a criação é o corpo de Deus. A posição «b» fala sobre as idéias, padrões e atos divinos eternos, através dos quais as coisas individuais teriam sido formadas. Isso é uma adaptação da doutrina platônica das *idéias* e dos *universais* (que vede). E a posição «c» representaria o mundo das coisas criadas (ou emanadas), equivalente aos *particulares* de Platão (que vede).

2. O homem é o *microcosmo* do universo, da mesma forma que Deus é o seu *macrocosmo*. Como tal, ele compartilha, em alguma coisa, de toda a criação. Para exemplificar, juntamente, com as plantas ele compartilha da capacidade da nutrição e do crescimento; com os animais, compartilha das sensações e das emoções; e, com os anjos, compartilha da razão.

3. O *homem caído no pecado* pode ser e será remido pelo Logos, chamado Cristo em sua encarnação. Isso significa que *todos os homens*, de uma forma ou de outra, haverão de adquirir alguma forma de união glorificada com Deus e, finalmente, existirá em uma forma glorificada. Há um *retorno* a Deus, da mesma maneira que cada indivíduo *proveio* de Deus. Essa *saída* de Deus foi justamente o ato da criação. E o retorno a Deus será o ato de restauração final. Esse retorno será tão inevitável quanto foi a saída. Ambos são atos divinos inevitáveis. Toda a criação haverá de reverter, finalmente, à essência das idéias e padrões eternos. Assim como houve um padrão de emanação, descrito no primeiro ponto, acima, por igual modo haverá um padrão de retorno, que reverterá o processo. Assim como o homem proveio do universal eterno, que é Deus, assim também haverá de retornar. Isso exprime a idéia da *restauração* (que vede)! Naturalmente, temos nisso a aplicação de noções platônicas e estóicas. Ver o artigo sobre as *Emanações*.

4. *Duas Maneiras de Abordarmos a Deus*. a. A maneira *afirmativa*. Observamos alguma propriedade no homem ou na natureza, e então, atribuímo-la a Deus. Quando encontramos um homem sábio, dizemos que Deus é *sábio*, somente que em escala maior. Ou vemos algum ato de bondade e afirmamos que Deus é *bondoso*, supremamente bondoso. b. A maneira *negativa*. Deus também é *não-sábio*, no sentido de que a sua sabedoria não pode ser descrita com sucesso, mediante qualquer analogia com a sabedoria humana, porquanto ele possui uma *supersabedoria*, que desafia qualquer descrição por meio da linguagem e do pensamento humanos. As categorias humanas, positivas ou negativas, não vão muito longe em sua descrição de Deus; mas pelo menos isso já representa uma tentativa, um começo. Além desses modos, temos o misticismo (que vede) que também é imperfeito, mas que oferece uma promessa maior do que no caso dos outros meios. Ele conferia um grande peso à razão, afirmando que até mesmo a revelação precisa ser controlada pela razão. A discussão sobre essas maneiras de conhecer a Deus (a forma positiva e a forma negativa) foram tomadas por empréstimo do pseudo-Dionísio (que vede).

5. *Deus*. Deus concentra em si mesmo toda a causa, a causa material, a formal, a eficiente e a final. Ver sobre Aristóteles quanto a uma discussão sobre essas quatro modalidades de causa. Por ser Deus a causa final, todas as coisas haveriam, finalmente, de retornar a Deus, encontrando nele a vida eterna e compartilhando de sua natureza. As nossas categorias de substância, como qualidade, quantidade, tempo e espaço não se aplicam a Deus em qualquer sentido absoluto, podendo tão-somente descrever os seus

modos de expressão dentro da criação. O mundo existiria dentro de Deus. Tanto é eterno quanto é criado, dependendo do ângulo que o consideramos.

6. *Predestinação Benévola*. A criação sairia e retornaria a Deus, de acordo com a sua benevolente vontade. Erigena era dotado de um excelente otimismo místico, de acordo com o qual tudo quanto acontece é controlado pelo amor de Deus. Qualquer evento, dentro do relacionamento de Deus com os homens, é compatível com sua natureza toda amorosa. Em outras palavras, a predestinação divina corresponde ao propósito restaurador de Deus.

7. *Salvação*. Ser salvo seria retornar a Deus e ser reabsorvido em sua essência divina, isto é, na *Idéia Ideal* da existência. Finalmente, a alma, mediante um vôo místico, é absorvida por Deus, mais ou menos como o ar mescla-se com a luz, ainda que, de alguma maneira misteriosa, preserve a sua identidade. Assim sucederia à alma. O grande místico alemão, Meister Eckhart (que vede) quatrocentos anos mais tarde recebeu e elaborou as idéias de Erigena.

Escritos. *Sobre a Predestinação Divina; Sobre as Divisões da Natureza*, além de várias traduções e comentários.

Desnecessário é dizê-lo, Erigena foi finalmente condenado por concílios eclesiásticos, como o de Paris, de 1210, o de Sens, em 1225 e pelo papa Gregório XIII, em 1585. No entanto, sem dúvida alguma, ele foi o maior pensador dos seus dias, tendo assinalado a transição do pensamento medieval anterior para o escolasticismo. (AM E EP MM)

ERÍSTICO

Esse adjetivo vem do termo grego **éris**, «contenda». É aplicado ao argumento que tem por seu alvo a vitória na disputa. Aristóteles afirmava que um argumento dessa categoria diferia tanto da ciência quanto da dialética. A escola Megariana de Filosofia (que vede) tornou-se famosa por usar esse tipo de argumentação. Há pessoas que pensam que esse é um elemento essencial na vida cristã. As disputas e as batalhas verbais sempre foram uma praga para a Igreja.

ERMO

Ver sobre **Deserto.**

ERQUEBEL

Uma localidade mencionada no livro apócrifo de Judite (7:18), perto de Cusi, às margens do ribeiro de Mocmur. Provavelmente deve ser identificada com a moderna aldeia de Akrabeh, cerca de quarenta quilômetros ao norte de Jerusalém, na região montanhosa, a poucos quilômetros do poço de Sicar.

ERRO

Esse termo português vem de uma palavra latina, *errare*, que significa «vaguear». Estudemos o erro dentro da filosofia e dentro das idéias bíblicas.

I. **Na Filosofia.** Como é que alguém cai em erro? Há **várias respostas, dadas pela filosofia:**

1. *Sócrates*. Ele acreditava que o homem não erra voluntariamente, e que o erro é resultante da ignorância. Portanto, supostamente o conhecimento seria capaz de corrigir o erro humano. Entretanto, isso exprime um ponto de vista por demais otimista da natureza humana.

2. *Platão*. Ele associava o erro a uma identidade

ERRO — ERVAS

equivocada. Em um aviário, uma pessoa pode procurar uma certa ave. Mas ela poderá identificar erroneamente uma ave, como se fosse aquela que ela quer. Portanto, quanto ao conhecimento, pode formar uma opinião equivocada sobre alguma coisa e, portanto, incorrer em erro. Porém, ainda que tenhamos opiniões perfeitas sobre os *particulares*, ou seja, as coisas de nosso mundo físico, isso ainda não confere um verdadeiro conhecimento. O verdadeiro conhecimento precisa envolver o *universal* (que vede), ou seja, a realidade última. E isso nos é conferido não pela percepção dos sentidos, mas pelos poderes envolvidos na razão, na intuição e, finalmente, no misticismo, que envolve a contemplação direta dos objetos do conhecimento. Ora, isso só pode ocorrer após esta vida física, quando a alma é libertada e purificada da matéria crassa, com os seus imperfeitos envolvimentos.

3. *Descartes*. Ele cria que o erro ocorre quando a vontade do homem vai além da sua razão. Portanto, não se deveria apenas à falta de conhecimento, conforme Sócrates pensava.

4. *Royce*. Ele criou um curioso argumento sobre a existência de Deus com base no erro. O erro não descobre a verdade, mas subentende que a verdade deve existir, pois, doutra sorte, como poderíamos cair em erro acerca da verdade? A pessoa que tem alguma idéia errônea é um *conhecedor*. A existência do conhecedor, pois, implica na existência de Alguém que trouxe o conhecedor à existência. Essa fonte da vida é Deus. Temos aí uma aplicação do conhecimento através da dúvida, postulado por Descartes. Antes de tudo, não podemos duvidar da existência de Deus. Em seguida, não podemos duvidar da nossa própria existência, crendo que Deus não nos levaria a pensar que existimos, a menos que, realmente, existamos.

5. *No campo da ética*. Um ato que contradiga os padrões da conduta ideal, e que subentenda e usualmente inclua algum resultado prejudicial, para o próprio indivíduo e seus semelhantes, é um erro.

6. *No campo das crenças religiosas*. É erro qualquer opinião que se desvie da verdade espiritual. Todavia, o grande problema consiste em definir a verdade espiritual, e também por qual ou quais meios essa verdade espiritual deve ser adquirida. Como é óbvio, todos nós erramos muito no tocante a essa questão. Isso nos envolve no problema de *autoridade* (que vede).

II. Idéias Bíblicas. O conhecimento falso envolve-nos no erro (I Tim. 6:20,21; II Tim. 2:18). O erro é a negação de alguma verdade específica, como a realidade da ressurreição (Miq. 12:18,27). Também é um desvio da conduta certa (Núm. 15:22; Sal. 119:21; Jud. 11). O erro pode ocorrer por meio do descuido ou da falta de previsão; mas, por muitas vezes, os homens querem errar. O primeiro capítulo de Romanos assim nos ensina. Ver Atos 26:5. Paulo foi um fariseu zeloso e não procurava errar propositalmente. Somente a iluminação divina, porém, foi capaz de fazê-lo perceber o seu erro. A heresia é um erro agravado. A apostasia é o agravamento da heresia. Há um desvio da fé hígida e da reta conduta que pode destruir a nossa comunhão com Deus (í João 4:6; Tia. 5:19; Rom. 1:27). O erro, todavia, pode ser corrigido mediante a devida aplicação das Escrituras, ou então pela aplicação do poder de Deus (Mat. 22:29; Sal. 19:7-12; I João 4:6).

ERVAS

Há seis palavras hebraicas e duas palavras gregas envolvidas neste verbete:

1. *Orah*, «erva brilhante». Palavra hebraica usada por duas vezes, com esse sentido: II Reis 4:39 e Isa. 26:19.

2. *Or*, «erva brilhante». Palavra hebraica que aparece por apenas uma vez com esse sentido, em Isa. 18:4.

3. *Deshe*, «relva». Palavra hebraica que figura por treze vezes no Antigo Testamento, como em II Reis 19:26; Sal. 37:2; Isa. 37:27; 66:14; Gên. 1:11,12; Jer. 14:5.

4. *Chatsir*, «feno», «relva». Palavra usada por vinte vezes, como em I Reis 18:5; II Reis 19:16; Jó 40:15; Sal. 37:2; 90:5; Isa. 35:7; 37:27; 40:6-8; 44:4; 51:12; Jó 8:12.

5. *Yaraq*, «erva verdejante». Termo hebraico usado por três vezes com esse sentido: Deu. 11:10; I Reis 21:2; Pro. 15:17.

6. *Eseb*, «erva». Palavra hebraica empregada por trinta e três vezes, segundo se vê, por exemplo, em Gên. 1:11,12,29,30; 2:5; 3:18; Êxo. 9:22,25; 10:12, 15; Sal. 104:14; Pro. 27:25; Isa. 42:15; Jer. 12:4.

7. *Botáne*, «erva», «relva». Palavra grega usada somente por uma vez, ou seja, um *hapax legómenon*, em Heb. 6:7.

8. *Lachánon*, «erva de jardim». Termo grego usado por quatro vezes: Mat. 13:32; Mar. 4:32; Luc. 11:42; Rom. 14:2.

Certa variedade de espécies vegetais são chamadas por esses nomes, nas páginas da Bíblia, porquanto, então, ainda não havia qualquer classificação botânica. O termo hebraico *deshe* indica vários tipos de capim. Mas os outros termos hebraicos também podem indicar vários tipos de relva. Israel comeu ervas amargosas, juntamente com o pão da páscoa (Êxo. 12:8; Núm. 9:11), em memória às amargas experiências que eles tinham tido, quando escravos no Egito. Ver Êxo. 1:14. A *Mishnah* alista cinco plantas que cabiam dentro da categoria das ervas amargosas: a alface, a chicória, a endívia, a urtiga e o marroio branco. Ver o artigo separado sobre as *Ervas Amargas*.

O trecho de II Reis 4:39 menciona como um dos discípulos dos profetas recolheu ervas amargosas, para preparo de uma refeição para estudantes de teologia. É provável que a *yaraq*, usada por três vezes no Antigo Testamento (ver acima), seja a nossa alface. O texto afirma que é melhor ter uma refeição com esses humildes produtos da terra, onde habita o amor, do que ter um suntuoso banquete de carnes gordas, onde impera o ódio.

No Novo Testamento, o *lachánon*, usado por quatro vezes (ver acima), provavelmente refere-se a plantas usadas com propósitos medicinais. Todavia, a palavra tem um lato significado, incluindo todos os tipos de verduras comestíveis.

ERVAS AMARGAS

No hebraico, **merorim**, «amargores». É palavra usada apenas por três vezes no Antigo Testamento (Êxo. 12:8; Núm. 9:11 e Lam. 3:15). O hebraico diz apenas «amargores», uma palavra tão geral que agora não sabemos quais ervas poderiam estar em foco. Alguns têm pensado em verduras como a chicória, a alface, a acelga, a azeda, etc. Alguns pensam no agrião. Nos tempos modernos, os judeus empregam a escarola e outras verduras, em um total de cinco espécies, para conseguirem uma salada amargosa. Alguns intérpretes supõem que, nos livros de Êxodo e Números, as ervas amargas eram apenas a hortelã.

Uso de Ervas na Páscoa. Nas Escrituras, o

ESÃ — ESAÚ

«amargor» simboliza aflição, miséria e servidão (Êxo. 1:14; Rute 1:20; Pro. 5:4), a iniqüidade (Jer. 4:18) e também o luto e a tristeza (Amós 8:10). Em face desses significados simbólicos, os israelitas receberam ordens para celebrar a páscoa utilizando-se de ervas amargas para relembrarem a amarga escravidão que haviam sofrido no Egito (Êxo. 12:8; Núm. 9:11). Os documentos escritos que chegaram até nós, provenientes do antigo Egito, mostram que eles usavam várias ervas amargosas em suas saladas, e é bem possível que Israel tivesse empregado algumas delas na celebração da cerimônia da páscoa (ver o artigo).

ESÃ

No hebraico, «inclinação» ou «apoio». O nome ocorre somente em Jos. 15:52. Havia um grupo de nove cidades capturadas por Israel, na área de Hebrom, em Judá. Esã é a terceira dessas cidades a ser nomeada. A Septuaginta diz *Somá*, sendo possível que Esã seja uma forma corrompida dessa palavra. Nesse caso, as ruínas de *Simia*, ao sul de Daumeh, talvez assinalem a antiga localização. Seja como for, o lugar tornou-se parte da herança de Judá.

ESAR-HADOM

No acádico, «Assur deu um irmão». Foi um poderoso imperador assírio, filho mais jovem de Senaqueribe e seu sucessor. Governou o império assírio de 680 a 669 A.C. Ver o artigo geral sobre a *Assíria*. Nas páginas do Antigo Testamento, Esar-Hadom é mencionado por três vezes: II Reis 19:37; Esd. 4:2 e Isa. 37:38.

1. *Fontes de Informação.* A crônica babilônica, a crônica de Esar-Hadom e muitas inscrições reais suprem-nos abundantes informações. O Antigo Testamento (II Reis 19:37 e Isa. 37:38) informa-nos que ele foi filho e sucessor de Senaqueribe. E alguns estudiosos supõem que ele tenha sido o mesmo «afamado Asnapar», referido em Esdras 4:10.

2. *Sua Família e Ascensão ao Trono.* É espantoso como as famílias reais da antiguidade envolviam-se em homicídios, a fim de obterem e manterem o poder. A própria nação de Israel não pôde isentar-se disso, como a história de seus reis demonstra a sobejo. Senaqueribe foi assassinado em 681 A.C. por seus dois filhos, Adam-Meleque e Sarezer. Entre outros motivos, é que tinham ciúmes do favorito do rei, um outro filho, Esar-Hadom. Quando houve o assassinato, este estava ausente, ocupado em uma campanha militar; mas imediatamente retornou a Nínive. Assumiu o poder e seus irmãos parricidas escaparam para a Armênia. Sua esposa teve dois meninos gêmeos. Com o tempo, eles tornaram-se governantes da Assíria e da Babilônia. O poder foi assim dividido, a fim de que não ocorresse uma nova luta pelo trono. Uma inscrição narra que Esar-Hadom entrou em luta contra seus dois irmãos, alguns meses após ter subido ao trono, procurando vingar seu pai. Mas isso parece ter dado em nada e os dois filhos de Senaqueribe prosperaram na Armênia, onde suas respectivas famílias passaram a residir permanentemente.

3. *Atos de Esar-Hadom como Rei.* — Conforme dissemos acima, Esar-Hadom fez guerra contra seus dois irmãos parricidas. Também consolidou o seu poder executando os nobres que tinham dado apoio àqueles dois. Esar-Hadom teve a sua cota de guerras usuais. Combateu as tribos dos cimérios (679 A.C.) para pôr fim aos seus ataques contra os territórios governados pelos assírios e porque estavam perturbando as rotas comerciais. Também declarou

guerra contra os elamitas, que estavam-se tornando um incômodo, devido às suas constantes hostilidades. Esar-Hadom transportava prisioneiros para lugares distantes de onde eram naturais, o que punha fim, de modo eficaz e permanente, ao poder dos seus inimigos (Esd. 4:9,10). No território mencionado nesse trecho bíblico, ele deixou como governador a um seu títere, Naide-Marduque, de Bit-Yakin, filho do rebelde Merodaque-Baladã. Isso garantiu um longo período de paz e prosperidade naquela região. Esar-Hadom também lutou contra os habitantes de Bete-Eden e contra os árabes (676 A.C.). Assediou Sidom e outras cidades, cobrou tributo de treze reis das ilhas das costas mediterrâneas e das áreas costeiras e de doze reis das regiões interioranas, incluindo Tiro, Sidom, Edom, Moabe, Gaza, Asquelom, Ecrom, Gilgal, Asdode, Bete-Amom e Manassés (em acádico, *Menasi*), de Judá. Manassés foi deportado (II Crô. 33:11).

Em 675-674 A.C., Esar-Hadom voltou sua atenção para o Egito, contra o qual enviou duas expedições militares. Obteve o controle do delta do Nilo e governou a região através de reis suseranos. Nínive, todavia, estava enfrentando os seus próprios problemas com revoltas e intrigas locais. Tiraca, Faraó do Egito, que se havia retirado para a Núbia, encabeçou um contra-ataque no Egito. Esar-Hadom apressou-se a voltar ao Egito, a fim de abafar o levante, mas caiu doente no caminho e faleceu em Harã. Seu sucessor foi Assurbanipal.

4. *Obras.* Esar-Hadom restaurou a cidade de Babilônia e encetou um considerável projeto de construções. Edificou vários palácios e trinta templos, «resplendentes de prata e de ouro», em diferentes regiões de seu reino. Ele jactava-se de um de seus palácios, dizendo que o mesmo era tão suntuoso que os reis antes dele nunca tinham feito igual. Governou durante treze anos sobre a Babilônia, e durante um total de vinte anos sobre todos os seus reinos, pelo que teve tempo suficiente para desenvolver os seus interesses. Construiu um novo palácio-fortaleza em Car-Esar-Hadom, perto de Assur, em Calá, que ficava para o suleste. Templos foram restaurados, antes meio arruinados em Nínive, Nipur, Babilônia e outras cidades.

Em suas inscrições ele se vangloriava um pouco: «Sou poderoso, sou todo-poderoso. Sou um herói, sou gigantesco, sou colossal». Para provar isso, ele conquistou o Egito e assumiu o título de «rei dos reis do Egito». Conquistar o Egito foi um empreendimento fácil para ele. A fim de melhor provar a sua grandeza, entre outras façanhas, ele se tornou eficiente matador em massa: «Diariamente, sem cessar, matei multidões de seus (de Tiraca) homens. A ele feri por cinco vezes, com a ponta de minha lança, com ferimentos sem recuperação. Mênfis, a sua cidade real, em meio dia, mediante solapagens, túneis, assaltos, eu cerquei, eu capturei, eu destrui, eu derrotei, eu incendiei» (Lukenbill II, seções 577-583). (BOR FA UN Z)

ESAÚ

No hebraico, «hirsuto», «cabeludo», conforme também explica Gên. 25:25. Ele era irmão gêmeo de Jacó e filho de Isaque e Rebeca. Viveu por volta de 1837 A.C. É mencionado pessoalmente por setenta e cinco vezes no Antigo Testamento, mormente no livro de Gênesis (25:25 até 36:43). O nome Esaú, usado como patronímico, para indicar os seus descendentes e a nação que eles formaram, ocorre por mais catorze vezes. É no Novo Testamento, por três vezes: Rom. 9:13; Heb. 11:20 e 12:16.

ESAÚ

1. Relações de Família. Era filho de Isaque e Rebeca, o irmão gêmeo mais velho de Jacó. Também era conhecido como *Edom*, isto é, «vermelho», uma alcunha derivada do incidente do prato de guisado de lentilhas, por causa do qual perdeu o seu direito de primogenitura (Gên. 25:30).

2. Incidentes de sua Vida Pessoal. A Bíblia informa-nos de várias ocorrências importantes, em fases variadas de sua vida, a saber:

a. Quanto à sua meninice e juventude, nada se sabe. Tão-somente ele é descrito como habilidoso caçador e homem do campo. O trecho de Gên. 25:22-26 fornece-nos as poucas informações que temos sobre os primeiros dias de sua vida. Ele nasceu gêmeo com Jacó. Mas, durante o parto de Rebeca, este último agarrou o calcanhar de Esaú, o que deu motivo para a escolha de seu nome, Jacó, ou seja, «aquele que segura o calcanhar» ou «aquele que suplanta». Isaque, o pai dos gêmeos, tinha sessenta e cinco anos de idade quando eles nasceram. Os dois meninos cresceram juntos. Jacó era mais caseiro. Esaú, porém, tornou-se um habilidoso caçador, um autêntico filho do deserto. Isaque demonstrava preferência por Esaú, especialmente porque provia alimentos para a casa. Mas Rebeca favorecia Jacó.

b. Vários anos são deixados de lado na narrativa e, então, aparece o incidente do prato de lentilhas. Esaú estava extraordinariamente faminto naquele dia e chegou ao extremo de vender o seu direito de primogenitura por um prato de lentilhas avermelhadas com guisado. As Escrituras, pois, dizem que Esaú «desprezou» o seu direito de primogenitura (Gên. 25:34). Podemos supor com segurança que Esaú demonstrou pouco caso quanto à questão da primogenitura, não tendo sido a fome a causa principal de sua desistência. A lição moral envolvida no incidente é perfeitamente óbvia. Algumas vezes, coisas valiosas são trocadas por pequenas e passageiras vantagens. As pessoas têm seus momentos de loucura espiritual e moral.

c. Com quarenta e dois anos de idade, Esaú casou-se com duas mulheres, com pequeno intervalo de tempo entre o primeiro e o segundo casamentos. Ambas as mulheres eram cananéias e isso causou dificuldades consideráveis para a família. O trecho de Gên. 27:46 registra a consternação de Rebeca acerca da questão. Uma terceira esposa foi escolhida entre a sua própria parentela, chamada Basemate, também conhecida como Maalate (Gên. 28:9), irmã de Nebaiote e filha de Ismael, filho de Abraão e Hagar (Gên. 36:3).

d. *A bênção furtada.* Os intérpretes crêem que o fato de Esaú casar-se com mulheres estrangeiras, não relacionadas ao povo compactuado com Deus, serviu de sinal da pouca importância que ele dava às coisas espirituais. Isso serviu de trampolim para a perda da bênção paterna, por parte de Esaú. Rebeca e Jacó planejaram fazer o idoso, débil e quase cego Isaque pensar que Jacó era Esaú. Assim, quando Isaque estava abençoando a Jacó, pensava que estava abençoando a Esaú. Mas, na verdade, este estava caçando. Quase imediatamente depois da cena da bênção paterna, Esaú voltou e, com profunda consternação, tomou conhecimento do que havia acontecido. Com lágrimas insistentes, conseguiu arrancar de Isaque uma bênção secundária. Privado da bênção maior, Esaú veio a odiar Jacó e planejava tirar-lhe a vida. Ao saber disso, Jacó fugiu para a propriedade ancestral, no norte da Mesopotâmia. Ali, Jacó casou-se e começou a constituir sua própria família. Foi então que Esaú, vendo que seus pais agradavam-se diante de casamentos com mulheres pertencentes ao clã, resolveu casar-se com sua prima, Maalate, filha de Ismael (Gên. 28:6-9). Todavia, isso não reverteu o seu erro, e nem lhe devolveu a bênção perdida. Quanto ao relato da bênção furtada, ver Gênesis 27. No tocante à atitude de Jacó podemos elogiá-lo e repreendê-lo, ao mesmo tempo. Elogiá-lo porque ele deu valor à bênção espiritual; repreendê-lo porque não hesitou em tirar proveito de um momento de fraqueza de seu irmão gêmeo para apossar-se da bênção. Deus, por sua vez, utilizou-se de tudo isso para chegar aos seus fins, porquanto Jacó era o escolhido do Senhor, antes mesmo dos gêmeos nascerem. Ver o comentário de Paulo a respeito, em Romanos 9:11-13.

O relato sobre a bênção paterna levanta algumas interessantes questões. É óbvio que a bênção paterna era ansiosamente buscada na antiguidade. Sem dúvida acreditava-se que, uma vez proferida, a bênção era *causa* das coisas preditas. Se fosse considerada como um mero *conhecimento prévio* (que vede), porque era tão anelantemente cobiçada? Se fosse um conhecimento prévio, ter ou não uma bênção assim em nada alteraria o destino de alguém. Mas, no caso em foco, uma bênção secundária foi considerada capaz de determinar certos aspectos do destino de Esaú e seus descendentes. Acerca dessas questões, conjecturo o seguinte: desde o começo, a bênção maior pertencia a Jacó. Por causa disso, as circunstâncias envolvidas causaram as mudanças, apesar das dúbias atividades de Jacó e Rebeca. Ademais, mesmo sem tal manipulação da parte deles, algum outro conjunto de circunstâncias ter-se-ia formado, assegurando que Jacó recebesse a bênção maior. A bênção paterna de Isaque estava revestida de poder e as coisas ali previstas realmente sucederam, porquanto já correspondiam à vontade de Deus. Por sua vez, Isaque deve ter pensado que suas palavras de bênção tinham o poder de fazer suceder o que dissesse; e também não se pode duvidar que os demais membros da família também acreditavam assim. No entanto, o contrário é que está com a razão. Os eventos, fixados pela vontade divina, emprestaram à bênção o poder que tinham. Tanto Esaú quanto Jacó teriam seguido os seus respectivos destinos, com ou sem alguma bênção paterna específica. Outrossim, essas circunstâncias terrenas nada tinham a ver com os destinos eternos dos dois gêmeos, ou com os acontecimentos intermediários, não podendo alterar a utilidade ou o bem estar espiritual deles, a longo prazo. Na história do povo de Israel, Jacó foi favorecido e usado por Deus com propósitos que ultrapassavam àqueles determinados para seu irmão gêmeo. Contudo, a graça de Deus é muito grande e, quanto mais otimistas nos mostrarmos quanto a isso, mais perto chegaremos das grandes verdades ensinadas no Novo Testamento. Ver o artigo sobre a *Restauração*.

e. *Esaú no monte Seir* (Gên. 32:3). Podemos supor que Esaú e suas esposas pagãs, que provavelmente continuaram praticando sua religião idólatra, serviam de contínua irritação para Isaque e Rebeca. É possível que essa tenha sido uma das razões que levou Esaú a mudar-se, com seus familiares, para uma nova localidade.

f. *A reconciliação com Jacó.* Esaú estava residindo no monte Seir fazia alguns anos. Jacó retornou de Padã-Arã, onde até então estivera residindo com o seu sogro, Labão. Jacó retornava à propriedade da sua família. No entanto, cumpria-lhe atravessar o território de Esaú e um reencontro entre os dois parecia inevitável. Por isso, enviou mensageiros à sua

ESAÚ — ESCABELO

frente, na esperança de pacificar Esaú, a quem tinha razões para temer. No entanto, não era mister aquele receio, pois a passagem dos anos retirara do coração de Esaú todo o ódio. No entanto, Jacó tomou um susto que bem merecia. Esaú enviou um grupo de quatrocentos homens armados, à sua frente. Jacó chegou a pensar que chegara o momento do fim de sua vida terrena. Desesperado, ele enviou as mulheres e as crianças à frente do grupo com que ficou, na esperança de que Esaú sentisse misericórdia. Então, ao chegar à presença de Esaú, prostrou-se diante dele por *sete* vezes. Vale a pena ser humilde. Mas, então, veio a boa parte. Esaú viu Jacó à distância, mais ou menos como, na parábola de Jesus, o pai viu o seu filho pródigo que ia chegando. — E Esaú correu para ir abraçar o seu irmão gêmeo. — Assim, os dois abraçaram-se em meio a soluços e lágrimas. O amor, portanto, cobrira uma multidão de pecados. O doce perfume do perdão tomou conta da atmosfera, e pessoas felizes rodopiaram ao redor, enquanto dois irmãos, de relações antes estremecidas, perdoaram-se e reconciliaram-se. Sempre as coisas poderiam acontecer dessa maneira, se ao menos deixássemos.

Esaú admirou-se diante das esposas, filhos e bens materiais que Jacó fora capaz de amealhar. Jacó, por sua vez, ofereceu-lhe presentes, mas que ele rejeitou, porquanto, afinal de contas, ele também tinha esposas, filhos e riquezas materiais. Jacó, entretanto, insistiu e Esaú recebeu os presentes. O texto sagrado não esclarece quais foram esses presentes, mas podemos ter a certeza de que Jacó mostrou-se generoso na oportunidade. Esaú ainda quis acompanhar Jacó por um pouco; mas seus passos haveriam de separar-se e distanciar-se cada vez mais e, assim, cada qual seguiu por seu próprio caminho. Toda a narrativa encontra-se nos capítulos trinta e dois e trinta e três do livro de Gênesis.

g. *Acontecimentos posteriores.* Aparentemente, os dois gêmeos não se encontraram novamente até chegado o momento de sepultar a Isaque, o que eles fizeram juntos. Evidentemente, eles mantiveram um relacionamento de respeito e temor mútuos. Não se misturavam, mas também não se combatiam. Juntos, depositaram o corpo de Isaque, seu pai, na caverna de Macpela, que Abraão comprara como parte de um terreno. Ver Gên. 35:29. Esaú ficou com uma boa parte das riquezas de Isaque, sob a forma de gado e outras coisas valiosas. Sem dúvida isso foi feito de acordo com a vontade expressa de Isaque e com o consentimento pleno de Jacó, porquanto aquilo representava a legítima herança de Esaú. Então Esaú retornou para o seu próprio lugar (Gên. 36:6). No relato de Gênesis, apenas por uma vez mais lemos o nome de Esaú, ou seja, na tabela genealógica de Gên. 36:43. Mas há menções pessoais a Esaú, por seis vezes, em outros livros do Antigo Testamento: Jos. 24:4; I Crô. 1:34,35; Mal. 1:2,3.

3. Esaú no Novo Testamento. Na tradição judaica, Esaú não é visto com muitos bons olhos, o que se reflete nas referências neotestamentárias a ele. Em Romanos 9:13, Deus é retratado a amar a Jacó e a aborrecer a Esaú, e o contexto descreve como a eleição (que vede) dividiu famílias e os próprios descendentes de Abraão. Na verdade, porém, não é que essa divisão afete apenas nações e povos. De acordo com o texto sagrado, somente um remanescente eleito será salvo, de conformidade com a inexorável vontade de Deus. Cumpre-nos lembrar que a teologia judaica era fraca quanto a causas secundárias, pelo que atribuía a Deus muitas coisas que deveriam ser atribuídas à perversão dos homens. Quanto a meus pontos de vista sobre a predestinação, ver os artigos sobre a *Predestinação e*

o *Livre-Arbítrio* e sobre o *Determinismo.* Ver também os artigos sobre a *Reprovação* e sobre a *Eleição.*

A passagem de Hebreus 11:20 declara que foi mediante a fé que Isaque abençoou tanto a Jacó quanto a Esaú. E Hebreus 12:16 considera Esaú uma pessoa imoral e irreligiosa, porquanto vendeu o seu direito de primogenitura por uma simples refeição. Posteriormente, embora quisesse recuperar a bênção perdida, não o conseguiu, a despeito de tê-lo feito com lágrimas diligentes (Heb. 12:17). A lição que está encerrada no incidente é uma advertência para nós, para não tratarmos com menoscabo as bênçãos e vantagens espirituais que nos forem oferecidas. Pois, se o fizermos, isso nos poderá ser fatal. Esse pensamento deve ser confrontado com o que se lê em Hebreus 6:1-6. Os intérpretes reconhecem o caráter natural superior de Esaú, embora supondo que ele represente apenas o *homem natural* (que vede). Creio que a graça divina alcançou também Esaú, e que, atualmente, ele encontra-se dentro do rebanho de Deus, ainda que tenha sido necessário o Espírito de Deus procurá-lo no estado desincorporado (conforme I Pedro 4:6 nos sugere). Não acredito que um homem que desempenhou o papel que teve, dentro da família patriarcal, possa ter-se perdido. Também acredito que o poder da graça de Deus, conforme ele manifesta-se na missão universal de Cristo, ultrapassa à mensagem do nono capítulo de Romanos.

ESBÃ

No hebraico, «herói sábio», «homem de compreensão», ou então, alguns estudiosos pensam que o nome tem um sentido desconhecido. Ele era um chefe horeu, filho de Disã (Gên. 36:26 e I Crô. 1:41). Vivia na região do monte Seir, por volta de 1750 A.C.

ESBAAL

No hebraico, «homem de Baal». O nome desse homem figura somente em I Crô. 8:33 e 9:39. Uma alternativa desse nome, em algumas traduções, é Is-Bosete. Uma outra tradução possível desse nome hebraico é «homem de vergonha». Ele foi o quarto filho do rei Saulo. Em II Samuel, capítulos segundo a quarto (por exemplo, 2:8,10,12,15), esse homem é chamado Is-Bosete.

O nome dele era formado pelo nome do detestável deus pagão, Baal, encontrado em muitos nomes mesopotâmicos. Bosete ou Bsete eram formas alternativas comuns. Assim, Jerubsete teve seu nome mudado para Jerubaal, e Mefibosete para Meribaal. A palavra hebraica *bosheth* significa «vergonha». Isso exprimia a repugnância dos adoradores de Yahweh por qualquer coisa vinculada aos cultos da terra de Canaã, especialmente aquilo ligado a *Baal* (que vede).

Is-Bosete foi feito rei de Israel, sob iniciativa de Abner, em repúdio às reivindicações de Davi ao trono. Os direitos de Is-Bosete eram hereditários, mas os de Davi eram divinos e carismáticos. Ver II Samuel 2:8 quanto ao registro a respeito dessa nomeação. Tinha quarenta anos de idade quando foi entronizado em Maanaim, mas reinou apenas por dois anos (II Sam. 2:10). Posteriormente, Abner mudou de opinião e passou a apoiar Davi. E Is-Bosete acabou sendo morto. Assim sendo, Is-Bosete não obteve grande apoio à sua causa e acabou assassinado.

ESCABELO

No hebraico, **kebesh**, «lugar para pisar», palavra usada somente por uma vez, em II Crô. 9:18; e *hadom*

434

ESCADA — ESCAMAS DE PEIXES

regel, «escabelo», expressão hebraica usada por seis vezes: I Crô. 28:2; Sal. 99:5; 110:1; 132:7; Isa. 66:1 e Lam. 2:1.

No grego, *upopódion*, «escabelo», «sob o pé», palavra empregada por nove vezes no Novo Testamento: Mat. 5:35; 22:44; Mar. 12:36; Luc. 20:43; Atos 2:35; 7:49; Heb. 1:13; 10:13 e Tia. 2:3.

Essa pequena peça de mobiliário era usada para apoiar os pés, especialmente quando alguém estava sentado em algum trono ou assento alto (II Crô. 9:18). Somente nessa referência bíblica há uma alusão literal ao móvel. Ali é dito que o trono de Salomão «tinha seis degraus e um estrado de ouro, a ele pegado». No Novo Testamento também só há uma referência literal, em Tia. 2:3, onde também é empregada a palavra portuguesa «estrado». Todas as outras referências são figuradas. 1. O templo de Jerusalém aparece como um escabelo ou estrado (I Crô. 28:2; Sal. 10:5). 2. A terra é o escabelo de Deus (Sal. 110:1; Mat. 5:25). 3. O templo também é o escabelo de Deus (Sal. 99:5; 132:7; Lam. 2:1). 4. Os inimigos do Messias são comparados a um escabelo para os pés. Pois, na qualidade de Rei, ele haverá de subjugar a todos eles (Sal. 110:1; Mat. 22:44; Mar. 12:36; Luc. 20:43; Atos 2:35; Heb. 1:13; 10:13).

ESCADA

Ver também **Degrau, Grau.**

No hebraico precisamos considerar três palavras, e no grego, uma, a saber:

1. *Maalah*, «subida», «degrau». Esse vocábulo grego também significa «grau», como dos relógios de sol. Mas, com o sentido de «degrau», aparece por dezesseis vezes: II Reis 9:13; Nee. 3:15; 12:37; Eze. 40:6; 43:17; Êxo. 20:26; I Reis 10:19,20; II Crô. 9:18,19; Eze. 40:22,26,31,34,37,49.

2. *Maaleh*, «subida», «degrau». Embora ocorra por catorze vezes, apenas por uma vez esse vocábulo hebraico tem o bem definido sentido de «degrau», isto é, em Nee. 9:4.

3. *Sullam*, «escada». Essa palavra hebraica ocorre somente em Gên. 28:12, dentro do sonho de Jacó.

4. *Anabathmós*, «subida». Esse vocábulo grego ocorre por apenas duas vezes: Atos 21:35,40.

A primeira das três palavras hebraicas era o vocábulo comum, usado no Antigo Testamento, para indicar escadas. No caso de casas com dois pisos, a escada ficava do lado de fora, usualmente feita de pedra, sem balaústre. As casas com dois andares geralmente tinham escadas do lado de dentro, além de um lance exterior de escadas, da sacada ao eirado plano. Quando o terreno de uma cidade era em dois níveis diferentes, geralmente havia escadas que facilitavam o acesso de um nível para o outro, conforme se vê em Nee. 3:15: «...até aos degraus que descem da cidade de Davi». Esses degraus foram escavados pelos arqueólogos na extremidade sul da colina sul da área do templo de Jerusalém, perto da porta da Fonte. No caso de poços profundos, que tinham a boca muito maior do que os modernos poços de muitas cidades do Brasil, havia escadas em caracol, pelas paredes internas, conforme se via em Gibeom, Gezer, Medigo e Bete-Zur. Quanto às escadas do templo ideal de Ezequiel, ver sobre *Templo de Jerusalém*.

A palavra hebraica *maaleh*, em Neemias 9:4, segundo muitos eruditos, ficaria melhor traduzida por «palanque» ou «estrado». Nossa versão portuguesa prefere esta última palavra: «Jesus, Bani, Cadmiel, Sebanias, Buni, Serebias, Bani e Quenani se puseram

em pé no estrado dos levitas...»

No caso da «escada» de Jacó, que ele viu em um sonho, em Gênesis 28:12, onde aparece o termo hebraico *sullam* (única ocorrência), não há certeza se era uma escada com degraus ou uma rampa. Essa passagem é, pelo menos, sugerida pelo Senhor Jesus. em seu diálogo com Nicodemos (João 3:13); também em conversa com seus discípulos (João 6:62). E, novamente, no trecho onde Jesus se declara «o caminho, e a verdade, e a vida» (João 14:6), oportunidade em que Jesus mostrou que ele é o único caminho ascendente de acesso até o Pai: «...ninguém vem ao Pai senão por mim».

A palavra grega *anabathmós* aponta para os degraus que levavam do átrio do templo de Jerusalém até o palácio ou fortaleza de Antonia. Quando Paulo estava prestes a ser linchado por furiosos judeus, que julgavam que ele tinha profanado o templo, foi arrebatado do meio da multidão por soldados romanos. Ao chegarem àquela escada, os soldados tiveram de carregá-lo, para que escapasse da fúria da multidão. Instantes depois, tendo obtido permissão do comandante do destacamento, para dirigir a palavra à multidão, Paulo, agora de pé na escada, apresentou sua famosa defesa diante da turba, cada vez mais furiosa. Ver Atos 21:44—22:29.

Uso Figurado. A escada de Jacó representa a providência e os desígnios de Deus. Representa acesso e revelação, bem como as boas coisas que nos são dadas através dessas agências. Cristo tornou-se o Mediador das promessas divinas e a garantia do pacto.

ESCADA DE TIRO

Esse é o nome de uma estreita faixa de território costeiro, que ficava entre Tiro e Aczibe, onde as colinas da Galiléia descem quase até à beira-mar. Na média, essa faixa de território tem oito quilômetros de largura. É pontilhada por uma série de baixas colinas calcárias, intermitentes; e é bem provável que, por causa dessa conformação, é que o território ganhou essa designação. A região não é mencionada nem no Antigo e nem no Novo Testamentos; mas pode ser encontrada menção a mesma em I Macabeus 11:59, onde se lê que Antíoco confirmou Jônatas como sumo sacerdote, e o seu irmão como capitão da área desde a Escada de Tiro, no norte, até às fronteiras com o Egito, no extremo sul. — Josefo refere-se à área (*Guerras* 2.88), localizando-a cerca de dezenove quilômetros da Ptolemaida romana (Aco), perto da atual Ras en-Naqura.

ESCAMAS DE PEIXES

No hebraico, **qasqeseth**, «escama», «armadura». Palavra que aparece por oito vezes: I Sam. 17:5 (onde indica a «couraça de escamas» do gigante Golias); Lev. 11:9,10,12; Deu. 14:9,10; Eze. 29:4. No grego temos *lepís*, «escama», que figura somente em Atos 9:18, referindo-se às excrecências que surgiram nos olhos de Saulo de Tarso, depois que ele vira o Senhor Jesus na estrada para Damasco, provavelmente devido ao resplendor extraordinário que ele viu, mais brilhante que o sol do meio-dia, e que caíram quando Ananias, a mando do Senhor, lhe impôs as mãos.

As escamas de peixes são a proteção externa dos peixes, e são removíveis mediante raspagem. Os israelitas só podiam comer peixes dotados de barbatana dorsal e de escamas. «De todos os animais que há nas águas, comereis os seguintes: todos que tem barbatanas e escamas, nos mares e nos rios, esses

ESCAPAR — ESCÁRNIO

comereis» (Lev. 11:9).

Um uso figurado aparece em I Sam. 17:5,38, na menção à cota de malhas do gigante Golias e também em Eze. 29:4 onde se mencionam as escamas do enorme crocodilo que simbolicamente representa o Faraó do Egito.

ESCÂNDALO Ver Skándalon (Escândalo).

ESCAPAR

Há duas palavras hebraicas principais e cinco termos gregos, envolvidos neste verbete:

1. *Malat*, «escapar», «fugir». Essa palavra hebraica é usada por noventa e seis vezes, como, por exemplo, em Gên. 19:17,19,20,22; Juí. 3:26,29; I Sam. 19:10,12,18; 22:1,20; 27:1; 30:17; II Sam. 4:6; I Reis 18:40; 19:17; 20:20; II Reis 19:24,37; II Crô. 16:7; Est. 4:13; Pro. 19:5; Ecl. 7:26; Isa. 20:6; 37:38; Jer. 32:4; 34:3; 38:18, 23; 41:15; 46:6; 48:8,19:

2. *Yatsa*, «sair» «escapar». Verbo hebraico extremamente comum, mas que tem um claro sentido de «escapar» apenas por duas vezes: I Sam. 14:41 e Jer. 11:11.

3. *Apopheúgo*, «escapar para longe». Verbo grego usado por três vezes: II Ped. 1:4; 2:18,20.

4. *Diapheúgo*, «escapar por caminho diferente». Verbo grego empregado apenas por uma vez, em Atos 27:42.

5. *Ekpheúgo*, «fugir para fora». Verbo grego que aparece por oito vezes: Luc. 21:36; Atos 16:27; 19:16; Rom. 2:3; II Cor. 11:33; I Tes. 5:3; Heb. 2:3; 12:25.

6. *Pheúgo*, «fugir». Verbo grego que aparece por trinta e uma vezes: Mat. 2:13; 3:7; 8:33; 10:23; 23:33; 24:16; 26:56; Mar. 5:14; 13:14; 14:50,52; 16:8; Luc. 3:7; 8:34; 21:21; João 6:15; 10:5,12; Atos 7:29; 27:30; I Cor. 6:18; 10:14; I Tim. 6:11; II Tim. 2:22; Heb. 11:34; Tia. 4:7; Apo. 9:6; 12:6; 16:20 e 20:11.

7. *Eksérchomai*, «sair», verbo gr. que aparece por cerca de 220 vezes, desde Mat. 2:6 até Apo. 20:8.

Essa palavra é usada na Bíblia no seu sentido comum, literal, mas também em sentido simbólico. No sentido literal, temos o escape de Paulo, de Damasco, em uma cesta (II Cor. 11:33. Ver também Atos 27:42). Isso serve de exemplo do uso literal do vocábulo. Simbolicamente, a palavra é usada para indicar nosso livramento de perigos espirituais. O escape de Ló, de Sodoma e Gomorra (Gên. 19:17 *ss*), indica o livramento da destruição em decorrência do pecado. Porém, o êxodo de Israel do Egito é o maior símbolo de escape do cativeiro da injustiça. Ver Êxodo 12. O caso de Barrabás representa um outro tipo de escape, esse concretizado por meio dos sofrimentos de Jesus, representando qualquer indivíduo que sai livre em resultado da missão de Cristo. (Mat. 27:16 *ss*).

A tentação pode assaltar-nos, mas há um «livramento» que nos foi provido (I Cor. 10:13). A salvação nos confere uma oportunidade espiritual de grande magnitude. Se negligenciarmos no tocante à salvação, como poderíamos escapar ao *julgamento* prometido? Ver Heb. 2:3. Para nós, Deus é Deus de livramento ou escape. E isso envolve o escape da morte espiritual. Ver Sal. 68:20. Naturalmente, a salvação envolve muito mais do que escapar de algo. A salvação envolve até mesmo a *participação* na plenitude de Deus (Col. 2:10), pelo que se reveste de uma natureza nitidamente divina (II Ped. 1:4).

ESCARLATA

No hebraico há quatro palavras envolvidas, e no grego, uma. As palavras hebraicas são: *Argevan*, «púrpura», palavra que figura por apenas três vezes, em Dan. 5:7,16,29. *Shani*, «escarlata», palavra que figura por cerca de quarenta vezes, como em Gên. 38:28,30; Êxo. 25:4; Lev. 14:4,49; Isa. 1:18; etc. *Tola*, «escarlata», palavra que figura, com esse sentido, apenas em Lam. 4:5 e Isa. 1:18. E *tala*, «tinto (de escarlata)», que só aparece em Naum 2:3. No grego temos a palavra *kókkinos*, «escarlata», que figura em Mat. 27:28; Heb. 9:19; Apo. 17:3,4; 18:12,16.

O corante usado para colorir lã e fios de cor escarlate, sem dúvida alguma, era produzido com base no inseto cientificamente chamado *Coccus ilicis*. Trata-se de um inseto daninho que ataca certa espécie de carvalho, o *Quercus coccifera*. Esse carvalho, que nunca chega a mais de seis metros de altura e não perde as folhas no outono, tem folhagem muito densa. As bolotas dessa espécie de carvalho aparecem isoladas ou aos pares, com cerca de 2,5 cm de comprimento, meio ocultas em um cálice espinhento.

Se não houver o controle daquele inseto pestífero, não demora a encobrir os ramos novos do carvalho com um tipo de escamas. Essas escamas produzem um tufo fofo e branco, similar ao algodão. Na verdade, a cor produzida por esse corante assemelha-se muito mais ao carmesim do que ao escarlate. Acredita-se que eram os fenícios que preparavam esse corante, embora todos os estudiosos concordem que os egípcios foram os mestres dos israelitas, no preparo desse corante. Também é evidente que esse corante escarlate era conhecido desde cerca de 1700 A.C., pois a parteira pôs um fio escarlate em torno do pulso de Zera, a fim de deixar certo de que ele era o primogênito dos gêmeos (ver Gên. 38:27-30).

A palavra hebraica *karmil* (II Crô. 2:7,14; 3:14), corresponde, realmente, ao nosso carmesim. Parece que o importante versículo de Isaías 1:18 quer dar a entender que embora nossos pecados sejam como a escarlata (como aquele corante produzido na antiguidade), tornar-se-ão brancos como a neve, mediante a volta ao Senhor, de todo o nosso coração.

ESCÁRNIO, ESCARNECEDORES

No hebraico temos nove palavras diferentes envolvidas, e, no grego, apenas duas, a saber:

1. *Qalas*, «zombar». Palavra usada por quatro vezes: Hab. 1:10; Eze. 16:31; II Reis 2:23; Eze. 22:5.

2. *Laag*, «escarnecer». Palavra usada por dezoito vezes. Para exemplificar: II Reis 19:21; Jó 22:19; Isa. 37:22.

3. *Bazah*, «desprezar». Palavra usada por quarenta e três vezes. Exemplos: Est. 3:6; Gên. 25:34; Núm. 15:31; I Sam. 2:30; Sal. 22:24; Pro. 14:2; Eze. 22:8.

4. *Mischag*, «riso». Palavra usada por apenas uma vez, em Hab. 1:10.

5. *Luts*, «zombar». Palavra usada por vinte e três vezes. Por exemplo: Sal. 1:1; Pro. 1:22; 3:34; 22:10; 24:9; Isa. 29:20.

6. *Latson*, «escarnecimento». Palavra usada por três vezes: Pro. 1:22; 29:8; Isa. 28:14.

7. *Latsats*, «zombador». Palavra usada somente em Osé. 7:5.

8. *Tsechoq*, «gargalhada». Palavra usada apenas por duas vezes: Eze. 23:32 e Jó 12:4.

9. *Sachaq*, «brincar». Palavra usada por trinta e cinco vezes. Para exemplificar: Jó 39:7,18; II Crô. 30:10; I Sam. 18:7; I Crô. 13:8; Sal. 104:26; Zac. 8:5.

10. *Empaízo*, «zombar», «tratar como criança». Palavra grega usada por treze vezes: Mat. 2:16; 20:19;

ESCÁRNIO — ESCATOLOGIA

27:29,31,41; Mar. 10:34; 15:20,31; Luc. 14:29; 18:32; 22:63; 23:11,36.

11. *Empaíktes*, «zombadores». Palavra grega usada por duas vezes: II Ped. 3:3 e Judas 18.

Nas Escrituras está em pauta principalmente a recusa de aprender o caminho do Senhor, zombando daqueles que o fazem.

1. *Uso Veterotestamentário*. No livro de Provérbios, os zombadores são caracterizados por sua recusa em aprender o caminho da sabedoria, que é a base da verdadeira sabedoria. Visto que ter sabedoria é mais do que haver atingido elevado grau de intelectualidade, porquanto também envolve a atitude ético religiosa da outorga a Deus; zombar envolve mais do que uma questão de ignorância ingênua; antes, envolve um orgulho pecaminoso e insensato (Pro. 9:7-10; 21:24; 24:9).

A narrativa da expulsão de Hagar de casa, que passou a zombar de sua senhora, Sara, mostra-nos a atitude de Deus para com tal escárnio (Gên. 16:4-6). Deus castiga o seu povo desobediente enviando contra eles a *sua* reprimenda, o que reverbera na atitude das nações pagãs (Sal. 79:12-14; Jer. 24:9; 42:18; 44:8,12; 49:13; Sof. 2:8-10). Essa reprimenda divina foi suportada por um Mediador, o ungido do Senhor (Sal. 89:50,51). Aquele que leva o opróbrio, por amor a Deus, a fim de que não caia o mesmo sobre outros (Sal. 69:6-12; João 2:17), palavras essas que foram proferidas pelo Senhor Jesus na cruz (Sal. 22:7; cf. Mat. 27:46).

2. *O Opróbrio e a Vindicação de Cristo*. O predito opróbrio do Messias teve cumprimento específico no julgamento judaico e no julgamento romano, culminando na coroação zombeteira (Luc. 22:63; 23:11). A própria cruz é sinal de opróbrio (Gál. 3:13), e a pregação da cruz era considerada uma ofensa e uma tolice (I Cor. 1:23; Gál. 5:11); até mesmo o anúncio da ressurreição de Cristo serviu de motivo de zombarias (Atos 17:32). Nisso, como em outras coisas, os seguidores de Cristo não estão acima de seu Senhor, devendo compartilhar de seu sofrimento e rejeição (Mat. 10:17). Os heróis da fé, em todos os séculos, têm sido cruelmente zombados (Heb. 11:36). Moisés considerou as ofensas recebidas por amor a Cristo a sua maior possessão (Heb. 11:26). No entanto, a humilhação de Cristo conduziu-o à sua exaltação, e o seu triunfo sobre os poderes tenebrosos capacitou-o a vilipendiá-los publicamente (Col. 2:13). Na realização de Cristo podemos perceber que Deus escolhe as coisas fracas e insensatas deste mundo, a fim de envergonhar as fortes e sábias (I Cor. 1:18-31). A vitória de Cristo sobre Satanás humilha os adversários do Senhor (Luc. 13:17).

3. *O Triunfo do Crente sobre as Zombarias*. O motivo subjacente às zombarias contra Cristo era o desejo de autojustificar-se (Luc. 16:11), a recusa de aceitar a Cristo como a única justiça do indivíduo. Para aqueles cuja honra está em Cristo, é impróprio que eles busquem desonrar a quem quer que seja (Tia. 2:6). Cair alguém de Cristo indica sua exclusão de qualquer arrependimento futuro, pois isso sujeitaria Cristo, novamente, ao opróbrio (I Cor. 11:27 e Heb. 6:6).

Até o fim haverá zombadores, pondo em dúvida a segunda vinda de Cristo (II Ped. 3:3; Jud. 18); mas Deus não se deixará escarnecer, e, realmente, virá em julgamento (Gál. 6:7). A vergonha da cruz também inclui a sua «insensatez»; mas Cristo se tornou para nós sabedoria (I Cor. 1:17-31). Mas a vida de fé não se envergonha do opróbrio de Cristo (Heb. 11:26,36), ufanando-se em Jesus Cristo e nos irmãos na fé (II

Cor. 7:14; 9:4).

Essa ufania alicerça-se sobre a vitória de Cristo sobre o mal, de acordo com a qual ele zomba da derrota total da malignidade (I Cor. 1:27-29; Col. 2:15; cf. Luc. 13:17). Se a autojustificação é uma zombaria contra Cristo (Luc. 16:14,15), então gloriar-se nele deve ser identificado com a justificação mediante a fé posta exclusivamente nele. A vida de fé, necessariamente, é uma vida que leva a pessoa a abandonar tudo a fim de seguir ao Senhor Jesus. Qualquer coisa menos que isso merece a devida zombaria (Luc. 14:29).

ESCATOLOGIA

Esboço:

I. Definição e Caracterização Geral

II. Alguns Aspectos Históricos da Escatologia

III. Temas Principais da Escatologia do Antigo Testamento

IV. Temas Principais da Escatologia dos Livros Apócrifos e Pseudepígrafos

V. Temas Principais da Escatologia do Novo Testamento

VI. A Escatologia e os Princípios Éticos

I. Definição e Caracterização Geral

Os termos gregos por detrás dessa palavra são *éschatos*, «último», e *logos*, «estudo». Portanto, a escatologia é o estudo das últimas coisas. E o termo grego cognato, *éschata*, significa «últimas coisas». Está em pauta a tradição profética relativa às últimas coisas que haverão de suceder nos lances finais do presente ciclo histórico. No entanto, o período do milênio e o estado eterno também são enfocados nesse estudo, embora os mesmos representem novos começos e não façam parte das coisas preditas acerca do fim de nossa própria era. Em conseqüência, na tradição profética não há interesse apenas pelo fim de nossa dispensação, mas também pelo que ocorrerá depois da mesma. De fato, estão em mira as intermináveis e sucessivas eras da eternidade futura. Pode-se perceber, com base nessa caracterização, que o termo «escatologia» não se ajusta bem às expectações da tradição profética, embora seja uma palavra tradicionalmente usada a fim de servir de sinônimo das profecias preditivas da Bíblia, de modo geral. Há um outro artigo, intitulado *Tradição Profética e a Nossa Época*, nesta enciclopédia, onde são oferecidas muitas predições, bíblicas ou de místicos modernos, acerca do que se espera no tocante ao futuro do mundo. Também escrevi um livro sobre profecias bíblicas, intitulado *Profecias para o Nosso Tempo: Quarenta Anos Finais da Terra?*, publicado pela Nova Época Editorial, São Paulo, SP, Brasil.

A tradição profética concentra a atenção sobre o modo como Deus fará fruir e concretizar os seus propósitos remidores. Isso porá fim a um antigo ciclo (o nosso), dando início a um novo ciclo. A consumação de nossa era, pois, será também o começo de uma nova era. Todos os ciclos históricos terminam em meio à destruição, e então tem começo um novo ciclo. Essa circunstância foi predita a respeito de nossos próprios dias.

Cerca de vinte e cinco por cento da revelação divina têm natureza preditiva. Esse fato demonstra a importância do assunto. As teologias mais antigas de modo geral negligenciavam o assunto; mas, nos tempos modernos, à medida em que os eventos preditos se aproximam, desperta-se um interesse cada vez maior sobre a questão, de tal maneira que não somente a Bíblia, mas vários místicos modernos têm

ESCATOLOGIA

atraído a atenção do público em geral para o assunto. Até mesmo a indústria cinematográfica tem explorado temas dessa ordem, incluindo um filme sobre o *anticristo* (que vide).

Esboço da Escatologia Bíblica:

1. Tanto no Antigo quanto no Novo Testamentos, o tema escatológico mais comum é aquele que diz respeito ao Messias, — que também aparece ali como o Senhor e o Governante universal. Seus ofícios como Profeta, Sacerdote e Rei são descritos, e então relacionados à redenção dos homens. Tanto o seu primeiro como o seu segundo adventos foram preditos pelos profetas, embora sem que fizessem uma clara distinção entre esses adventos, apresentando-os como se fossem um só. Algumas passagens do Antigo Testamento, e muitas passagens do Novo Testamento, descrevem a natureza transcendental de Cristo, o seu exaltado papel celestial e a sua missão universal. No Antigo Testamento, destacam-se trechos como o segundo Salmo e Isaías 9:6. No Novo Testamento há material em muito maior abundância a esse respeito. O livro de Apocalipse é uma longa explicação sobre o tema.

2. Os pactos do Antigo Testamento são retratados como tendo conseqüências a longo prazo, e então são mesclados no Novo Pacto, que abarca a humanidade inteira. As operações de Deus na história passada e no futuro dizem respeito à redenção dos homens. Essa deve ser a principal razão pela qual existem as profecias preditivas da Bíblia. Ver o artigo separado sobre os *pactos*.

3. As nações gentílicas são retratadas como partes ativas dentro da tradição profética. A redenção e o julgamento de nações são descritos. Ver Luc. 21:24 e o livro de Apocalipse, em sua totalidade. Ver também o chamado «pequeno Apocalipse», do vigésimo quarto capítulo de Mateus.

4. O reino do mal é descrito como sujeito ao controle futuro do «homem do pecado» (o anticristo) do falso profeta e do próprio Satanás, formando uma trindade maligna. Ver os artigos separados sobre cada um deles. Esses serão grandes antagonistas que haverão de manifestar-se claramente nos últimos dias, opondo-se ao plano redentor do Senhor Deus.

5. O curso da história da Igreja é predito na escatologia. Esse curso terminará, por uma parte, na apostasia (que vide); e, por outra parte, na plena redenção (que vide). Os capítulos dois e três do livro de Apocalipse aparentemente têm por intuito fornecer-nos um esboço desse curso, nas cartas às sete igrejas da Ásia.

6. Também precisamos considerar, nos estudos escatológicos, o arrebatamento da Igreja. Ver o artigo sobre a *Parousia*, ou segunda vinda de Cristo. A idéia do *julgamento* (que vede) é uma das principais fases desse estudo, incorporando muitas questões afins. Antes do julgamento final, porém, ocorrerá a era messiânica de mil anos; e, depois do julgamento, seguir-se-á o estado eterno. Surpreendentemente pouco nos é descrito na Bíblia, a respeito do estado eterno, em resultado do que quase total é a nossa ignorância sobre o mesmo. Entretanto, sabemos de uma grande verdade, isto é, que a Igreja terá parte ativa na obra que consistirá em fazer Cristo ser tudo para todos (Efé. 1:23), o que produzirá uma restauração geral (que vede). O trecho de Efé. 1:9,10 é o principal texto de prova dessa doutrina.

7. O *estado eterno* haverá de caracterizar-se por grande atividade, envolvendo o aspecto da restauração. Todavia, não sabemos dizer até que ponto, e nem por quanto tempo. A passagem de Efésios 1:10,

entretanto, parece indicar que um certo número de longos ciclos estará envolvido nessa realização restauradora. E isso levanta a pergunta: «Uma vez realizada a restauração, as coisas continuarão para sempre em um estado utópico e impecável?» A maioria dos teólogos opta por uma resposta afirmativa. Orígenes, contudo, especulava que atualmente estamos em meio a um ciclo redentor; mas que já houve muitos outros ciclos semelhantes, com suas subseqüentes *novas quedas*, o que, por sua vez, exigiu novos reinícios. Ele acreditava que uma vez que o nosso atual ciclo remidor se complete, finalmente haverá uma nova queda, e as coisas serão reiniciadas uma vez mais. Isso, porém, não passa da mais pura especulação teológica. Embora talvez seja uma idéia atrativa para alguns, não há como defender tal idéia pelas páginas da Bíblia, e nem nos deve preocupar. Todavia, pode haver algum elo de ligação entre as grandes eras da própria criação e os ciclos remidores. Pelo menos há dezesseis bilhões de anos atrás, pode ter havido uma *grande explosão* (ver sobre a teoria do *Big Bang*), que deu início ao nosso atual ciclo. E alguns pensam que pode ter havido muitas outras explosões como essa, no passado. Teriam sido acompanhadas por outros ciclos de vida e de redenção? Ver o artigo sobre a *Astronomia*, quanto a especulações sobre essa questão. Como é evidente, os estudos de *escatologia* dizem respeito somente ao nosso próprio ciclo, e não aborda outros supostos ciclos, passados ou futuros. Somente alguns poucos teólogos têm especulado sobre outros ciclos. Seja como for, sem dúvida é uma verdade que aquilo que sabemos e esperamos para o futuro representa apenas uma minúscula parcela da criação e do plano de Deus em sua totalidade. Restam muitos mistérios para serem desvendados.

II. Alguns Aspectos Históricos da Escatologia

1. A palavra «escatologia» não foi usada antes de 1844; mas, no começo, havia um certo sentido depreciador no termo. Até mesmo os comentadores bíblicos falavam em termos bastante vagos sobre o futuro e o assunto não atraía grande atenção. Havia alguns estudos sobre a *parousia*, mas nenhum deles satisfatório. Naturalmente, na Igreja antiga, após a era apostólica, houve grande interesse sobre o assunto. Os anabatistas (que vede), na época da Reforma (que vede) pensavam que a *parousia* poderia ocorrer a qualquer instante; e alguns deles chegaram mesmo a marcar datas quanto à mesma. A atitude que prevalecia na era apostólica era que a *parousia* ocorreria em breve e os crentes viviam na expectativa diária da mesma. Porém, quando isso não sucedeu, gradualmente a Igreja foi aceitando uma longa jornada, que, agora, já se prolonga por quase vinte séculos. E foi por esse motivo que as profecias preditivas também se foram tornando menos importantes nas teologias.

2. No segundo quarto do século XIX, houve uma explosão de estudos críticos do Novo Testamento. Isso trouxe em sua esteira um renovado interesse pelas questões escatológicas. A idéia de que Jesus conhecia o futuro em termos precisos e sem qualquer erro foi abandonada por muitos e teve começo a busca pelo Jesus histórico, em contraste com o Jesus teológico. Alguns teólogos decidiram que as predições bíblicas sobre o futuro do mundo eram meras invenções da Igreja primitiva, em face de seu amargo desapontamento ante o fracasso do aparecimento imediato da *parousia*. E o *reino de Deus* passou a ser interpretado como o governo presente e imanente do Espírito Santo no coração e nas vidas dos homens. Isso significa que

ESCATOLOGIA

o livro de Apocalipse passou a ser desconsiderado nos estudos escatológicos. Quase todas as expectativas da autêntica escatologia foram abandonadas como delírios de indivíduos entusiasmados, mas sem qualquer base na verdadeira inspiração. Em outras palavras, a escatologia passou a ser vista como um envoltório artificial do cristianismo antigo, do qual nos podemos desfazer sem incorrer em grande perda.

3. *Albert Schweitzer*, entretanto, entre 1901 e 1906, em sua obra *The Quest of the Historical Jesus*, lançou uma bomba no mundo teológico. Ele demonstrou, nesse e em outros livros, e de modo bastante vigoroso e convincente, que a erudição crítica havia imposto a si mesma certas limitações artificiais. Na verdade, ele destacava que a escatologia devia ocupar uma posição central, e não periférica, no ensino de Jesus. Mais do que isso, ele afirmava que a escatologia ensinada por Jesus era a chave à correta compreensão de sua vida e de sua doutrina. Conforme ele dizia, Jesus veio para proclamar uma crise que resultaria na consumação da história. Mas Schweitzer deu uma distorção toda sua à questão, ao afirmar que quando Jesus percebeu que estava prestes a ser condenado, e que o reino de Deus não se materializaria em seus dias, ele resolveu que deveria tomar deliberadamente, sobre si mesmo, os «ais» apocalípticos, oferecendo-se como o resgate que permitiria a Deus inaugurar, finalmente, uma nova era. Presumivelmente, de acordo com essa teoria, Jesus dirigiu-se a Jerusalém a fim de provocar a sua própria morte, a fim de que Deus, mediante a sua morte, pudesse produzir os outros acontecimentos que haveriam de constituir a consumação. Seu clamor de abandono, na cruz, deixa-nos na dúvida se Jesus manteve ou não, até o fim, as suas convicções a respeito. Não obstante, a menos que contemplemos a Jesus sob essa luz escatológica, somos quase forçados a retroceder para o ceticismo sobre a vida e a significação de Jesus, exceto que podemos continuar admirando os seus ensinamentos éticos.

4. *A reação: uma escatologia realizada*. Muitos estudiosos rejeitaram a teoria de Schweitzer, mas essa teoria exerceu uma longa influência. O material encontrado nas cavernas de Qumran exibe uma escatologia mais complexa e menos bem arrumada, e uma esperança messiânica menos nítida do que ele havia antecipado. C.H. Dodds, na década de 1930, restaurou um pouco o equilíbrio, ao mostrar que o Novo Testamento, sobretudo no livro de Atos e nas epístolas paulinas, já fala sobre um reino que nos é acessível, que não espera por eventos cataclísmicos para tornar-se uma realidade espiritual. Em outras palavras, desde *agora* já existe um reino pelo qual podemos e devemos viver e lutar. Não podemos preocupar-nos somente com a futura *crise* inerente na escatologia. Com base nisso, Dodds procurou mostrar que Jesus também via as coisas por esse prisma, não contemplando meramente uma crise. Na verdade, ele ressaltava o complexo de eventos que Jesus deflagrou por meio de Seu nascimento, vida, ensinamentos, morte e ressurreição. Esse complexo de eventos trouxe o reino de Deus até os homens. No entanto, conforme costuma suceder entre os eruditos, Dodds exagerou em sua posição, ao pensar que os ensinos apocalípticos de Jesus não eram realmente seus e, sim, da Igreja primitiva, mas postos nos lábios de Jesus. A teoria de Dodds veio a ser conhecida como *escatologia realizada*.

5. *A escatologia inaugurada*. Esse é o nome dado à teoria de R.H. Fuller, exposta em seu livro, *The Mission and Achievement of Jesus* (1954). Jesus teria visto, conforme ele pensava, o reino de Deus em ligação ao seu próprio ministério, embora não plenamente revelado e nem atuante senão após a grande crise da sua morte e da subseqüente vindicação dele, mediante a sua ressurreição. Naturalmente, a tentativa de decidir qual teria sido o verdadeiro ensino de Jesus a respeito do reino está vinculada ao problema inteiro do Jesus histórico versus o Jesus teológico, uma questão criada artificialmente pelos estudiosos. Bultmann (que vede) desistiu da tentativa de recuperar um quadro completo sobre a vida e os ensinamentos verdadeiros de Jesus, porquanto supunha que uma espessa nuvem de mitos e atividades eclesiásticas obscurecia a questão inteira. Mas, permanecem questões intensamente disputadas exatamente o quanto Jesus conseguiu prever, se ele antecipava ou não uma era da Igreja, se ele pensava ou não em termos apocalípticos, e quantos acontecimentos apocalípticos restam para se manifestarem. — Schweitzer havia asseverado de que aqueles que não aceitassem uma escatologia coerente, nos ensinamentos de Jesus, terminariam por cair no ceticismo; e, pelo menos, quanto a esse particular, a história eclesiástica subseqüente lhe tem dado apoio.

6. *A espiritualização da escatologia*. John Arthur Robinson, que seguia a tradição iniciada por Dodds, pensava que a *parousia* de Cristo deve ser entendida não como uma série de futuros eventos literais, mas antes, descreveria «o que deve acontecer, e já está acontecendo, todas as vezes que Cristo se manifesta em amor e poder, onde possam ser detectados os sinais de sua presença, sempre que as marcas de sua cruz puderem ser vistas. O dia do julgamento seria um quadro dramatizado e idealizado de todos os dias» (pág. 69 de seu livro, *In the End, God*). Sentimentos como esses têm o seu valor, mas é ridículo dizer que Jesus estava falando apenas uma linguagem mitológica ou simbólica, e não predizendo, verdadeiramente, o futuro. Robinson sentiu-se capaz até mesmo de distorcer trechos bíblicos como o de Marcos 14:62 *ss* («Eu sou /o Filho do Deus Bendito/, e vereis o filho do homem assentado à direita do Todo Poderoso e vindo com as nuvens do céu»), como se o Senhor não estivesse falando sobre qualquer *parousia* literal, futura. Ele supunha tão-somente que declarações assim afirmam que Ele haveria de ser vindicado diante do tribunal de Deus, em contrário aos atos humanos, que o rejeitavam.

7. *Os teólogos evangélicos conservadores*. Naturalmente, esses continuam a levar muito a sério as porções escatológicas da Bíblia. Contudo, tem havido a penetração de certos abusos entre esses grupos, como no caso dos Adventistas do Sétimo Dia, que têm marcado datas para a *parousia*, sem qualquer sucesso. Além disso, seitas fanáticas têm exagerado o quadro escatológico tendo exprimido toda a forma de previsões que nunca tiveram cumprimento.

8. *Os místicos modernos*. Antigamente, o interesse pelas profecias confinava-se à Igreja cristã. Porém, atualmente o assunto tem-se tornado muito popular. Os místicos modernos têm-se manifestado ativamente, como no caso dos livros de Jeanne Dixon e de outros, que têm despertado o interesse pelo assunto, em muitos lugares onde a Bíblia não era lida e nem estudada. Interessante é observar que o esboço profético advogado pelos místicos modernos concorda essencialmente com a tradição bíblica. Mas eles acrescentam detalhes que não figuram nas páginas sagradas. Se esses detalhes extrabíblicos são certos ou verdadeiros, não sabemos dizê-lo. Somente o cumprimento das profecias mostrará isso. Pessoalmente creio que a popularização da profecia é um acontecimento necessário, controlado por um propósito divino. Até

ESCATOLOGIA

mesmo o jornal oficial da União Soviética, *Tass*, tem publicado, em derrisão, naturalmente, o que certos profetas têm dito no tocante ao papel da Rússia nos últimos dias, com uma predita invasão russa da Palestina, e que seria uma das principais causas da Terceira Guerra Mundial. Nos debates havidos entre o presidente Reagan (que acredita nas profecias) e Mondale, antes da segunda eleição de Reagan, este foi consultado sobre a sua opinião sobre as profecias concernentes aos eventos vindouros. Em sua resposta, ele não afirmou que cria nas profecias de condenação, como verdadeiras ou iminentes, mas também não negou a validade das mesmas. Ele meramente asseverou que *se* essas predições são verdadeiras, ele não tinha como determinar exatamente *quando* elas teriam cumprimento. Portanto, essas predições não deveriam fazer parte de nossas considerações no tocante à diplomacia em favor da paz. O fato de que uma questão dessa natureza tenha entrado nos debates presidenciais, televisionados para todos os países do mundo, mostra-nos até que ponto questões escatológicas são importantes em nossos dias. Acredito que assim está sucedendo porque o mundo *deve tomar conhecimento*, por vários meios, bíblicos e extrabíblicos, até que ponto a degradação nos está levando. De fato, uma parte dessas predições é que elas deverão ser conhecidas em geral, entre as grandes massas populacionais do mundo, antes que aqueles eventos tenham lugar.

9. *O aumento de interesse já serve de sinal sobre o fim*. Consideremos este fato: à minha frente, neste momento, está aberta uma enciclopédia bíblica que foi escrita há quase cem anos atrás. Ela dedica três breves parágrafos ao título *Escatologia*. Em contraste com isso, a *Zondervan Pictorial Encyclopedia of the Bible* dedica dezesseis páginas inteiras ao assunto. À medida que os eventos preditos se forem aproximando, mais vital ir-se-á tornando o interesse por essas predições.

III. Temas Principais da Escatologia do Antigo Testamento

1. *No Pentateuco* não há, virtualmente, qualquer idéia sobre a vida para além da morte biológica, para as almas humanas. O Novo Testamento corrigiu a situação ao esclarecer que o Deus de Abraão, de Isaque e de Jacó (Êxo. 3:6) não é Deus de mortos, mas de vivos (Luc. 28:38). Isso significa que existem pessoas mortas no mais verdadeiro sentido da palavra. Porém, esse não é um discernimento que nos tenha sido dado pelos primeiros escritos do Antigo Testamento. O Pentateuco é um documento eminentemente moral; mas a moralidade não estava alicerçada sobre as recompensas ou as punições esperadas para além da morte biológica.

2. *A Doutrina do Sheol e da Alma*. Gradualmente, os hebreus começaram a tomar a posição de que há a continuação da vida para além da morte física. A princípio, essa vida do além-túmulo era considerada uma vida nebulosa; mas, posteriormente, o *sheol* foi dividido em compartimentos separados: o paraíso para as almas salvas e um lugar de duro julgamento, para as almas perdidas. Há um artigo detalhado sobre o *hades*, onde esse desenvolvimento é esboçado e descrito. Na antiga teologia judaica, até mesmo nos salmos (ver Sal. 88:10 *ss* e Isa. 39:28) o *sheol* não era visto como um lugar onde se pudessem ouvir louvores a Deus. Mas o trecho de Jó 19:25 *ss* faz soar uma nota mais esperançosa. Assim faz, igualmente, o trecho de Salmos 139:8. Declarações mais explícitas ainda, sobre a expectação da vida após o túmulo, encontram-se em Eze. 37:11, embora possamos

limitar a mesma à ressurreição nacional, e não à ressurreição pessoal. A ressurreição individual é explicitamente declarada em Dan. 12:2. Certos segmentos da sociedade judaica (como os saduceus) porém, nunca adotaram o ponto de vista mais otimista. No entanto, por muitos séculos, na filosofia e nas religiões orientais, a imortalidade da alma era uma doutrina muito ensinada e respeitada. Quanto a uma completa declaração sobre essas questões, ver os artigos sobre a *Alma* e sobre a *Imortalidade*, onde estão registradas crenças bíblicas e extrabíblicas.

Os trechos bíblicos que se manifestam em favor da existência e imortalidade da alma, inciuem os seguintes: Sal. 86:13; Pro. 15:24; Eze. 26:20; 32:21; Isa. 14:9,10; Ecl. 12:7; Jó. 32:8; Mat. 10:28; 17:1-4; Mar. 8:36,37; Luc. 16:19-31; 23:43; Atos 7:59; Fil. 1:21-23; II Cor. 5:8; 12:1-4; Heb. 12:23; I Ped. 3:18-20; 4:6; Apo. 6:9,10; 20:4.

3. *O Dia do Senhor*. Esse é um tema escatológico muito comum no Antigo Testamento. Ver Amós 5:18-20. Esse conceito não é simples. Pode referir-se a alguma espécie de maciço e decisivo julgamento temporal, para dentro de pouco tempo, ou muito remoto; também pode falar sobre o reinado soberano de Deus sobre tudo (Sal. 93; 95 — 100). Pode haver uma espécie de expectação milenar, terrena (Isa. 11:9; Zac. 14:9). Aponta para quando Yahweh tiver de manifestar-se, como uma *teofania* (ver Zac. 14:3 *ss*). A idéia geral é que Deus manifesta-se de modo especial no julgamento, na salvação, no governo sobre todas as coisas, na sua majestade, nos eventos da natureza e nos principais acontecimentos da história da humanidade. As nações também participarão das bênçãos temporais e espirituais de Deus (como na salvação). Nisso consistirá o dia do Senhor (Isa. 54:3; Dan. 7:26; Isa. 45:14; 49:23). A própria natureza será visitada por Deus, em um dos seus *dias* (Isa. 2:12 *ss*; Isa. 13 e 14; Osé. 10:8; Joel 2 e 3; Amós 5:18; Zac. 1). O dia do juízo divino é referido como próximo, como ameaçador (Isa. 13:6; Joel 1:15; 2:1). Os estudiosos supõem que algumas dessas predições, pelo menos, incluem tanto os avisos sobre o julgamento temporal (como no caso de alguma nação invasora, ou como um cativeiro), como quanto sobre o julgamento espiritual da alma. Quanto ao *Dia do Senhor*, no contexto neotestamentário, ver o artigo desse nome.

4. *A Esperança Messiânica*. O livramento ou salvação pertence ao Senhor (Sal. 3:8), e o livramento nacional ou pessoal vem da parte do Messias. Ele está relacionado a Deus e aos homens, por ser o Filho de Deus e o Filho do homem (Isa. 9:6 *ss*). A ele está prometido o domínio universal (Sal. 2). Desde os dias do oráculo de Natã, a esperança messiânica passou a girar em torno da família de Davi (II Sal. 7:12-16). Esse conceito foi transportado para o Novo Testamento, onde aparece com freqüência. Ver Mat. 1:1; 9:27; 21:9; Mar. 12:35; João 7:42; Rom. 1:3, etc. (Isa. 42:1-7; 49:1-6; 50:4-9; 52:13 — 53:12 são trechos que contêm os cânticos do Servo-Messias). O trecho de Lucas 2:32 cita Isaías 49:6, nessa conexão. Está em pauta uma luz para *todas* as nações. Ver o artigo sobre *Jesus*. A figura celestial do Messias, como o exaltado Filho do homem, aparece no trecho de Dan. 7:13,14.

5. *A Restauração de Israel*. O trecho de Isa. 43:6 exprime essa esperança. Israel haveria de retornar dos exílios assírio e babilônico (ver os artigos a respeito). Os profetas do Antigo Testamento não contemplavam um grande período de tempo, antes disso acontecer. O Novo Testamento, conforme se vê, por exemplo, em Rom. 11:25-27, transfere isso para depois da era da Igreja,

440

ESCATOLOGIA

embora Paulo também não antecipasse qualquer longo período de tempo. Gradualmente, conforme o tempo se passava e essa predição não se cumpria, veio a tornar-se parte integrante de uma distante era messiânica, a era áurea. O retorno dos exilados, e então a formação do estado de Israel, em nossos próprios dias, após a Segunda Guerra Mundial, despertou novamente as expectações da restauração de Israel. Os trechos de Amós 9:11-15 e Isa. 43:2 *ss*, exprimem essa esperança; mas o elemento tempo é sempre incerto, dentro das predições bíblicas. Os estudiosos do Novo Testamento associam essa restauração ao milênio, ou mesmo ao estado eterno. Ver o artigo separado sobre o *Milênio*. Em Rom. 11:5 *ss*, Paulo aborda a teologia envolvida nessa doutrina.

IV. Temas Principais da Escatologia dos Livros Apócrifos e Pseudepígrafos

Ver o artigo geral sobre os livros *Pseudepígrafos*. No artigo sobre *I Enoque* mostramos que dificilmente há alguma seção do Novo Testamento que não demonstre alguma dependência a esse livro. Na sexta seção desse artigo, alistamos e discutimos onze paralelos onde o Novo Testamento utilizou-se de doutrinas desenvolvidas na literatura pseudepígrafa. No que se relaciona especificamente à escatologia, há três itens: (1) 1. *o reino*; (2) 2,3. *a personagem messiânica* (Messias celestial, ver também VII. 4); (3) 8. *a era áurea*, ou seja, o reino messiânico que separará o antigo ciclo (então destruído) do estado eterno. E em 3:8 o ponto de vista geral sobre o *julgamento*, seu fogo, sua fornalha, o lago de fogo, e os terrores gerais do mesmo. As descrições do Novo Testamento, acerca dessas questões, procedem de livros pseudepígrafos, e não do Antigo Testamento. Na sétima secção do artigo sobre I Enoque, discutimos os problemas criados pelo uso que os autores do Novo Testamento fizeram das obras pseudepígrafas. No terceiro item daquela secção propomos que a tradição profética teve um desenvolvimento genuíno naqueles documentos, que foi além daquilo que está contido no próprio Antigo Testamento, antecipando um maior desenvolvimento ainda no Novo Testamento. E sob o quarto ponto da sétima secção, discutimos sobre o Messias celestial de I Enoque, e como isso se relaciona a ensinos similares do Novo Testamento.

Além desses paralelos, oferecemos aqui os seguintes desenvolvimentos:

1. O *após-vida*. O *sheol* é retratado então como uma residência temporária dos justos, com a promessa de que deixarão aquele lugar por ocasião da ressureição. Ver Salmos de Salomão 146,7; II Macabeus 7:9; 14:46. Mas o *sheol* permanece ali como um lugar de punição para os injustos. A interessante passagem de II Macabeus 12:43-45 apresenta Judas Macabeu a orar pelas almas de seus companheiros mortos em batalha. Isso significa que pelo menos uma parte da tradição judaica, nesse ponto, pensava que as orações podiam alterar as condições em que se encontravam os mortos. O catolicismo romano usa esse versículo a fim de tentar provar a validade da doutrina geral do *purgatório* (que vede). Deveríamos lembrar que o que os protestantes chamam de «livros apócrifos», os católicos romanos chamam de «livros deuterocanônicos». Assim, essa passagem em II Macabeus tem autoridade para os católicos romanos. Contudo, *sheol* do Antigo Testamento não é a mesma coisa que o *purgatório* da teologia católica romana. Mas, se quisermos crer na autoridade de II Macabeus, então diremos que esse é um texto de prova razoável em favor da existência do purgatório, porquanto todas as doutrinas passam por um desenvolvimento histórico — o purgatório, pois, poderia ser relacionado à parte melhor do *sheol*, ainda que com muitos reparos, pois o *sheol* nunca foi concebido como um lugar de sofrimentos, como se dá no caso do purgatório.

Sabe-se que há um lado bom no sheol; ou, talvez, que há uma residência separada para as almas em foco no Apocalipse de Moisés 33:4; Baruque 21:23 *ss* e IV Esdras 7:75. Pode-se ver, com base nesses versículos, que o Novo Testamento incorpora esses pontos de vista em alguns lugares, como em Lucas 16:19 *ss*. Nas obras pseudepígrafas há várias histórias de descidas ao hades, paralelas ao trecho de I Pedro 3:18 — 4:6. Discuto sobre isso em meu artigo detalhado sobre a *Descida de Cristo ao Hades*, em sua seção quarta, onde são mencionadas certas dependências literárias. Essas histórias têm importantes implicações, quanto ao estado final dos homens, e também no tocante às formas de oportunidade que os homens ali terão de obter a salvação.

2. *O Messias e o seu reino*. Temos exposto algo dos ensinos de I Enoque a esse respeito e como há paralelos no Novo Testamento. Ensinos similares acham-se nos Oráculos Sibilinos 3:652-660; Salmos de Salomão 17.27,31,37,41. Entretanto, o livro de IV Esdras não alude ao reino messiânico. Vários dos livros apócrifos e pseudepígrafos reiteram a esperança na restauração de Israel.

3. A ressureição também aparece no Apocalipse de Moisés 41:3, tanto para os justos quanto para os injustos. A questão é abordada de forma literal. Deus é retratado a formar corpos humanos similares aos corpos que morreram. Desse modo, as pessoas ressurrectas seriam reconhecidas. Ver Oráculos Sibilinos 4.179 *ss*, que parece ser também o ensino de II Macabeus 7.9. Mas parece que o ensino deste último trecho discorda um tanto do de 25:4 do mesmo livro, pois, nesta última passagem há menção somente à ressureição de justos. Enoque faz do corpo ressurrecto uma *vestimenta* de glória (62.15,16), o que é semelhante a expressão de Paulo em I Coríntios 15. O ponto de vista de II Baruque 50 não tem paralelo. Ali os corpos dos ressurrectos assemelham-se aos corpos físicos anteriores. Mas, o corpo ressuscitado dos justos vai adquirindo glória cada vez maior, até ultrapassar a glória dos próprios anjos, transformando-se em estrelas gloriosas. Por outra parte, os corpos dos ímpios vão se dilapidando e entrando em decadência. Em acréscimo à consternação destes últimos, como um castigo, eles podem contemplar o progresso dos justos, em um esplendor cada vez mais ofuscante, ao passo que eles mesmos vão murchando.

4. *O julgamento*. Temos mostrado, em nossa discussão sobre I Enoque (o que sumariamos no começo desta seção), que várias idéias do Novo Testamento derivam-se diretamente desse livro. Mas, há outros paralelos. Os trechos de Enoque 47.3; 90.2-27 e IV Esdras 7.33 fazem o julgamento proceder do trono de Deus, segundo se vê no vigésimo capítulo do Apocalipse. Deus ou o Messias é o Juiz, nessas cenas. Recompensas ou castigos seriam distribuídos de acordo com as obras de cada um. Os ímpios são consignados ao *sheol*, que ficaria sob a superfície da terra. Os justos, por sua vez, entrarão no paraíso, o que seria ou a porção boa do *sheol* ou um lugar separado, como um dos muitos céus. O terceiro céu é o mesmo paraíso de II Enoque; mas, nesse livro, a habitação de Deus fica no sétimo céu.

V. Temas Principais da Escatologia do Novo Testamento

441

ESCATOLOGIA

1. *Influências*. O Novo Testamento não se desenvolveu em um vácuo. Buscou subsídios tanto no Antigo Testamento como nos livros apócrifos e pseudepígrafos, quanto às suas idéias escatológicas. Isso foi amplamente ilustrado no artigo sobre I Enoque, sexta seção, o que é reiterado na introdução à quarta seção deste artigo. O Novo Testamento não foi o criador da tradição profética. Antes, foi apanhando informes onde os encontrou, levando-os avante. Também preservou o esboço geral, fazendo acréscimos que tornaram esse esboço mais cristológico. Além disso, acrescentou alguns conceitos importantes, o que se evidencia na discussão abaixo.

2. *O Reino*. Esse é um assunto extremamente complexo. Nos evangelhos sinópticos encontramos o reino político. Israel será restaurado, tendo o Messias como seu cabeça. Mas isso também *inclui* a idéia do reino entre os homens, porque o Rei estará entre eles. No evangelho de João, porém, o reino é um sinônimo virtual da salvação ou vida eterna, o que significa que esse conceito é ali totalmente espiritualizado. Em Romanos 14:17, o reino é um sinônimo virtual da atual espiritualidade cristã. Quanto a uma completa descrição dessa doutrina, ver o artigo sobre o *Reino de Deus*.

3. *O Apos-Vida*. As teologias sistemáticas gostam de harmonizar todas as coisas, pedindo-nos que aceitemos que todos os autores sagrados ensinaram a mesma coisa. Porém, o Novo Testamento expõe certa variedade de pontos de vista sobre o que acontece aos homens após a morte biológica. O *hades* (correspondente ao *sheol* do Antigo Testamento) continua fazendo parte do estado intermediário. Os trechos de Apocalipse 11:7 e 17:8 apresentam o *anticristo* (que vede), que sairá do hades e voltará a este mundo a fim de realizar a sua missão diabólica. E o hades intermediário será lançado no inferno (lago de fogo) permanente, em Apocalipse 20:13. Mas, em contraste com isso, o trecho de I Ped. 3:8 —4:6 fala de uma missão misericordiosa no hades, de tal modo que seus malignos habitantes ainda podem chegar a crer e participar da própria vida de Deus, conforme diz, corajosamente, o trecho de I Pedro 4:6. Mas o trecho de Hebreus 9:27, ao fazer do juízo divino um ponto definitivo após a morte de um ser humano, não apresenta tal concepção. O Novo Testamento antecipa um estado de existência da alma antes da ressurreição, mostrando que um homem não deixa de existir quando perde o seu veículo físico, o corpo. Ver Mat. 10:28; 17:1-4; Mar. 8:36,37; Luc. 16:19-31; 23:43; Atos 7:59; Fil. 1:21-23; II Cor. 5:8; 12:1-4; Heb. 12:23; I Ped. 3:18-20; 4:6; Apo. 6:9,10 e 20:4 quanto à sobrevivência da alma, tanto no caso dos justos como no caso dos ímpios. Além disso, a *ressurreição* é prometida como a restauração de um veículo físico para a alma, embora um veículo não material e glorioso, e não um corpo composto de átomos, como o nosso. Ver o artigo geral sobre a *Ressurreição*.

4. *O Julgamento Divino*. Nesta enciclopédia, há um artigo separado sobre esse assunto. Novamente, o Novo Testamento não tem somente um ponto de vista. Um julgamento de terror e fogo, conforme é descrito nos escritos pseudepígrafos, é preservado em algumas passagens do Novo Testamento. O Apocalipse é uma longa declaração nesse sentido, chegando ao seu ponto culminante no seu vigésimo capítulo. O julgamento é descrito nos termos mais aterrorizantes, e também aparece como eterno. Porém, a *descida de Cristo ao hades* (que vede) lança um grande raio de esperança nessa situação. Pode-se escapar do hades, antes do mesmo ser lançado no lago do fogo.

Precisamos reconhecer que essa também é uma antiga tradição que não teve começo no Novo Testamento. É um conceito alternativo do ponto de vista tradicional do hades, como um lugar permanentemente destituído de esperança. Ultrapassa a outra visão do hades. É uma visão mais sábia. É uma visão mais ampla. Harmoniza-se melhor com o amor de Deus, pelo que é mais razoável. O trecho de I Pedro 4:6 mostra que o juízo tem um sentido remedial, e não apenas retributivo. Há uma nobre realização a ser cumprida, porquanto Deus pode fazer certas coisas, por meio do julgamento, melhor do que através de outro meio qualquer. O julgamento divino será uma expressão do amor de Deus, e não de ódio. Será um dedo da amorosa mão de Deus. Contudo, poderá perdurar por longo tempo, no tocante a cada indivíduo. Perdurará o tempo que for necessário, e não mais.

5. *O Inferno*. O hades poderá ser revertido; mas, poderá ser revertido depois da *Parousia*? Haverá qualquer esperança para as almas perdidas, após a *parousia*? Penso que sim. O trecho de Efésios 1:9,10 refere-se à vontade de Deus a longo prazo, isto é, o *mistério* de sua vontade. Ali Paulo revela, pela primeira vez (doutra sorte, não estaria descrevendo um *mistério*, que vede) que, finalmente, *todas as coisas* terão em Cristo o seu centro e ele será tudo para todos. Ele haverá de tornar-se todas as coisas para todos os homens. Ele será o centro de toda a criação, finalmente. Coisa alguma poderá escapar ao escopo de sua missão benevolente. À minha frente está uma enciclopédia que supõe que o julgamento no inferno será justo, porque não será mera vingança contra uma pessoa, meramente por causa daquilo que ela praticou de errado, estando no seu corpo físico. Antes, o autor da mesma quer-nos fazer acreditar que as pessoas confinadas no inferno continuarão em sua revolta, aumentando seus pecados e sua rebeldia, e, assim sendo, o julgamento delas será sempre mais justo, mesmo porque os pecadores estão ficando cada vez piores. O mesmo autor supõe que Satanás prefere reinar ali como rei, — em vez de ocupar posição meramente subordinada, em algum outro lugar. E também opina que, durante a vida física de cada indivíduo, ele escolhe o seu caráter, um caráter que nunca mais pode ser mudado. De acordo com a escolha de cada um, assim continuará ele a agir. Se aqueles que estiverem no hades não se sentirem felizes com a sua sorte, também não aspirarão chegar ao céu, porquanto isso seria contrário ao caráter deles. No entanto, tudo isso é contra a mensagem do primeiro capítulo da epístola aos Efésios, onde Deus altera o caráter de todos os homens, de tal modo que encontrem em Cristo a sua grande razão para existirem. Esse texto sagrado ensina certa unidade, a saber, aquela em que todos os homens tornar-se-ão *um em Cristo*.

6. *O Mistério da Vontade de Deus: a Restauração*. Quando Deus revelou-nos uma certa doutrina nova acerca das últimas coisas, chamou-a de *mistério*, como se estivesse dizendo: «Isto é o que Deus fará, finalmente». Essa revelação olha para além de tudo quanto fora anteriormente ensinado acerca do estado final do homem. O trecho de Efésios 1:9,10 contém esse mistério. Esse mistério refere-se à restauração e à unidade final de todas as coisas, em torno de Cristo. O julgamento desempenhará certo papel necessário para se chegar a esse resultado porquanto, em seu amor, Deus castiga os homens e faz com que o busquem. Não castiga aos homens a fim de fixá-los em seu caráter maligno. Bem pelo contrário. O trecho de Efésios 4:8 *ss* mostra-nos que a descida de Cristo ao hades teve o mesmo propósito que a sua

442

ESCATOLOGIA E A ÉTICA

ascensão, ou seja, fazer dele tudo para todos, para ele «encher todas as coisas». O estado de juízo poderá perdurar por um longo tempo para muitas pessoas, porquanto é muito difícil convencê-las. Porém, a missão de Cristo transformará *todos os homens*, finalmente, mas não no mesmo grau e nem da mesma maneira. Ver sobre *Mistério da Vontade de Deus*.

7. *A Redenção*. Os eleitos chegarão a participar da imagem e da natureza de Cristo, o nosso Irmão mais velho (Rom. 8:29). Eles vão sendo transformados de um estágio de glória para outro, interminavelmente, porquanto não podemos imaginar que haverá estagnação no estado eterno. O alvo final é a participação na própria natureza divina (Col. 2:10; II Ped. 1:4). Essa glória será muito maior do que a dos *restaurados* (todos os outros homens). Mas a missão de Cristo é que realizará ambos esses nobres propósitos universais. Ver o artigo separado sobre *Divindade, Participação dos Homens na*. Ver também sobre a *Restauração*, no tocante a um artigo detalhado sobre esse assunto.

8. *Outras Questões Importantes*. Ver os artigos separados sobre o *Céu*, o *Anticristo*, a *Parousia*, o *Milênio* e o *Julgamento do Crente por Deus*.

VI. A Escatologia e os Princípios Éticos

Ver o artigo separado com esse título. Nos artigos separados, referidos no parágrafo acima, tenho assumido a posição otimista sobre o que sucederá, finalmente, às almas humanas. O julgamento final será uma terrível realidade, mas não destituída de propósito. Parte desse propósito será o de transformar àqueles que forem julgados. Há referências neotestamentárias em favor dessa posição, conforme temos demonstrado. O ponto de vista de que alguns poucos serão salvos, e que o resto sofrerá um tormento interminável, em meio a torturas, apesar de concordar com algumas referências do Novo Testamento, é ultrapassado por outras passagens, deixando para trás essa posição pessimista. O evangelho que deixa os homens na tempestade é um evangelho pessimista. Mas o evangelho de Cristo ultrapassa a essa posição parcial. Haverá um novo dia, passado o temporal. Todos nós chegaremos lá. (AM B BRUN(1954) CH CHA NTI STE Z)

ESCATOLOGIA E A ÉTICA

Esboço:
   I. Jesus, a Escatologia e a Ética
   II. A Ética e as Recompensas
   III. Considerações Paulinas
   IV. A Ética e a Metafísica

I. Jesus, a Escatologia e a Ética

1. *O Reino*. Os hiperdispensacionalistas não vêem a ética para a Igreja no Sermão da Montanha, do Senhor Jesus, mas supõem que ele estaria aludindo às condições milenares do reino de Deus. Os estudiosos liberais desconsideram o material apocalíptico e rebuscam a essência de seus ensinamentos éticos, aplicáveis a qualquer época da história. Albert Schweitzer dava aos ensinamentos e à missão de Jesus uma interpretação apocalíptica radical. De acordo com ele, os princípios éticos ali contidos são considerados como *interinos*, ou seja, aguardam a grande crise e, presumivelmente seriam diferentes, quanto a alguns aspectos, se tivessem sido proferidos sob circunstâncias normais. A *escatologia realizada*, de C.H. Dodds, retrata a ética envolvida nos ensinos de Jesus como parte do reino que trará a ordem eterna ao que é temporal, pelo que seria algo de valor supremo.

2. Todos esses pontos de vista talvez tenham algum valor, até onde eles vão. Porém, poderíamos afirmar ainda outras coisas, porque todas essas noções têm os seus pontos de fraqueza. Apesar de que, tecnicamente, Jesus ainda estava em terreno veterotestamentário, quando proferiu os seus ensinos, a verdade é que o evangelho de Mateus foi escrito entre quarenta e cinqüenta anos dentro da era cristã; e os princípios éticos de Jesus foram registrados sem qualquer comentário, demonstrando que os primeiros cristãos consideravam esses ensinamentos como pertencentes à Igreja, e não meramente aos judeus, ou não somente para algum reino divino futuro. Além disso, esses ensinos são eternos, alicerçados sobre valores próprios do Antigo Testamento, o que significa que não podem ser reduzidos a meras declarações éticas interinas.

3. Jesus introduziu um novo tom ético, falando com autoridade. Doutra sorte, ele não poderia ter dito: «Ouvistes que foi dito... Eu, porém, vos digo...» (Mat. 5:21,27,33,38,43). Todavia, a totalidade do Sermão da Montanha é puro judaísmo, e não entra nos méritos da revelação da doutrina da graça, que compõe uma parte ponderável dos escritos paulinos. Ver sobre a *Graça*.

4. Jesus objetava às formalidades éticas externas, tendo acusado os escribas e os fariseus de promoverem meras externalidades (Mat. 5:20). Ele enfatizava o caráter interno que subjaz às realizações éticas externas, conforme demonstra a sua reiterada declaração: «Eu, porém, vos digo...»

5. Em outros trechos, ele demonstrou que a ética é provada no discipulado, – que consiste na renúncia, sob pena do mesmo ser incompleto ou mesmo ser nulo (Mat. 8:34 *ss*; Luc. 14:26).

II. A Ética e as Recompensas

O judaísmo posterior fazia das recompensas e das punições uma importante consideração na busca da conduta ética apropriada. Jesus reiterou o tema. Ver Mat. 5:12,46; 6:14,18. A principal recompensa é o próprio reino, dado àqueles que o merecem (Mat. 5:3,10). Em contraste com isso, o julgamento espera pelos violadores da lei de Deus (Mat. 10:28). Esse versículo mostra que há questões eternas em jogo, e não meramente questões temporais, conforme se nota em Mar. 8:34 *ss*. A ética da graça tem um lugar no ensino de Deus, conforme é ilustrado pela parábola dos trabalhadores da vinha. Ver Mat. 20:1-16. Os homens devem buscar o reino de Deus e os seus benefícios; mas é a graça de Deus que, afinal de contas, concede o que é buscado (Luc. 12:31,32. Ver também Luc. 18:9-14).

III. Considerações Paulinas

1. Os crentes serão julgados em relação aos seus atos (Rom. 14:10; II Cor. 5:10). Importa muito aquilo que fazemos, mas tudo será devidamente revisado e punido ou recompensado (II Cor. 3:12 *ss*).

2. Todos os homens serão julgados de acordo com suas obras, o que significa que a conduta é uma questão séria (Rom. 2:6).

3. Há uma inexorável lei da colheita segundo a semeadura, a que todos nós estamos sujeitos (Gál. 6:7,8). Sempre presume-se que a lei da colheita conforme a semeadura não se restringe a esta vida terrena, porquanto ninguém é devidamente recompensado ou castigado durante esta peregrinação terrena.

4. Uma disciplina severa é necessária, se tivermos de ser vitoriosos na corrida da vida (I Cor. 9:24).

5. É a graça de Deus que faz de nós o que somos, pelo que toda a glória deve ser atribuída a Deus; mas

ESCAVADORES — ESCOLA DE MADRI

os homens têm o direito de escolher e utilizar as operações do Espírito em sua vida. Efé. 2:10 e Fil. 2:12,13.

6. A própria salvação, a longo prazo, é constituída pela questão das recompensas pela conduta apropriada, em acordo com a transformação espiritual. Isso significa, finalmente, a transformação segundo a imagem do Filho (Mat. 8:29), de acordo com o cultivo dos frutos espirituais (Gál. 5:22,23).

7. A *parousia* (que vede) deve ser ansiosamente esperada e essa espera deveria levar-nos à pureza de vida (I João 3:3). Isso concorda com os sentimentos expressos por Paulo em I Coríntios, capítulo quinze, onde, no vs. 58, ele conclui a sua discussão sobre a ressurreição, exortando-nos a uma conduta que leve em conta esse fato.

Aquilo que cremos no tocante ao futuro, necessariamente afeta a nossa maneira de agir.

IV. A Ética e a Metafísica

É verdade, geralmente aceita, que a transformação metafísica de um crente é acompanhada e até mesmo provocada por sua transformação ética. Sem a santificação, ninguém jamais verá ao Senhor (Heb. 12:14). Ninguém adquire a imagem do Filho, vivendo de maneira negligente. O mesmo Espírito que nos transforma metafisicamente, em primeiro lugar e, correspondentemente, muda a nossa própria natureza, a fim de irmos participando da natureza do Filho e, conseqüentemente, do Pai. A nossa conduta é um importante fator nessa busca. Ver Mat. 5:48. (H CHANTI STE)

ESCAVADORES

O título vem da idéia de **nivelamento**. Ver sobre os *Niveladores*. Os Escavadores foram um grupo de revolucionários, nos dias do governo de Cromwell sobre a Inglaterra, no século XVII. Eles pensavam que a revolução política deveria resultar em melhor qualidade econômica para o país, e que todas as reformas políticas são superficiais e, finalmente, inúteis, a menos que envolvessem mudanças de base no sistema econômico. Seus membros provinham das classes sem terras, representando o primeiro aparecimento de uma filosofia do proletariado, na Inglaterra. Era uma espécie de movimento comunista utópico. Com freqüência eles eram contidos à força, tendo sido esse o fator que, finalmente, pôs fim ao movimento. Seus líderes foram William Everald, um soldado, e Gerara Winstanley, um escritor visionário. Eles desafiavam os proprietários de terras e estabeleciam comunas. Os Niveladores, por sua vez, eram um grupo menos radical. O título Escavadores veio a designá-los, por causa de seu cântico que evocava a liberdade, que começava com as seguintes palavras: «Vós, nobres Escavadores, levantai-vos agora, levantai-vos agora».

ESCOL

No hebraico, «cacho de uvas», Esse é o nome de uma pessoa, de um lugar e de certas plantas, nas páginas da Bíblia, a saber:

1. Um chefe amorreu com quem Abraão entrou em aliança, quando estava acampado perto de Hebrom. Escol aliou-se a Abraão na perseguição a Quedorlaomer e seus aliados, na tentativa de libertar Ló, que havia sido sequestrado com todos os seus (Gên. 14:13,24). Viveu em cerca de 1955 A.C.

2. Escol também era o nome do vale onde chegaram os espias que foram investigar a terra de Canaã, e

onde obtiveram um excelente cacho de uvas, que levaram de volta, a fim de mostrar quão frutífera era a terra (Núm. 13:34). É possível que esse vale tenha tomado seu nome do homem mencionado no primeiro ponto. Uma tentativa de identificação do lugar é o wadi que fica imediatamente ao norte de Hebrom, onde há uma fonte chamada Ain-Eshkali. Ainda há excelentes vinhas naquele local.

3. A própria palavra hebraica indica um «cacho», ou mais, apropriadamente, o ramo onde fica pendurado o cacho. E assim é usado para indicar uvas, em Isaías 65:8 e Miquéias 7:1. Além disso, em Cantares 7:8, são mencionados os «cachos da vide», como se fossem a palmeira que produz a tâmara. Em Cantares 1:4, a palavra também indica a florescência da hena.

ESCOLA

Temos oferecido ao leitor um extenso artigo sobre a *Educação*, que cobre a questão das escolas na antiga nação de Israel e durante o período helenista. Também há um artigo separado sobre a *Educação Cristã*. Outros pontos de interesse, nesses artigos, foram providos, relacionados às escolas e ao trabalho que elas procuram realizar. Ver abaixo, o artigo sobre as *Escolas dos Profetas*.

ESCOLA DE ATENAS

Esse é o nome dado à Academia de Platão, depois que a mesma tornou-se o centro do neoplatonismo (que vede) (cerca de 380 — 529 D.C.). Essa escola procurava reconciliar entre si os sistemas de Platão e de Aristóteles. Os principais filósofos dessa escola, sobre quem apresentamos artigos separados, foram Plutarco, de Atenas, Siriano, Proclo, Damáscio e Simplício. Simplício tinha ligações com a escola alexandrina do neoplatonismo. Essa escola foi fechada quando Justino (529 D.C.) publicou um édito, proibindo o ensino da filosofia em Atenas! Damáscio, Simplício e outros membros então foram para o exílio, na Pérsia, onde, podemos estar certos, deram prosseguimento às suas atividades filosóficas.

ESCOLA DE BAGDÁ

Uma famosa escola de eruditos e tradutores árabes, originada nos esforços de certos indivíduos das dinastias Omaiades, em 750 D.C. As obras gregas de Platão, Aristóteles, Porfírio e Amônio foram traduzidas para o árabe. Também foi traduzida a *Institutio Theologica* (*Liber de Causa*, ou *Livro das Causas*) como se a mesma fosse de autoria de Aristóteles, embora tivesse sido escrita por Proclo. Essa obra, juntamente com outra obra pseudo-aristotélica, *A Teologia de Aristóteles* (igualmente traduzida), foi responsável por muitas interpretações errôneas de Aristóteles, por parte dos neoplatonistas. Esses equívocos só foram corrigidos no século XIII. O resultado dessa obra foi a propagação da filosofia grega nos países de fala árabe. (P)

ESCOLA DE HEIDELBERG

Ver sobre **Heidelberg, Escola de**.

ESCOLA DE MADRI

Ver sobre **Madri, Escola de**.

••• ••• •••

ESCOLA — ESCOLAS DOS PROFETAS

ESCOLA DE TIEN-TAI
Ver **Tien-Tai, Escola de.**

ESCOLA DE TUBINGEN
Ver sobre **Tubingen, Escola de.**

ESCOLA DE UPPSALA
Ver sobre **Hagerstrom.**

ESCOLA DO PALÁCIO
Ver **Palácio, Escola do.**

ESCOLA DOMINICAL Ver sobre **Sunday School.**

ESCOLA PAROQUIAL
Ver **Paróquia, Escola da.**

ESCOLA TEOLÓGICA DE ANTIOQUIA

Não uma escola, no sentido de instituição de ensino, mas uma atitude teológica, talvez iniciada por Luciano (ver o artigo) de Antioquia, associada a esse lugar até depois da condenação de Nestório (ver o artigo), em 433 D.C. Essa escola opunha-se fortemente ao método alegórico de interpretação da escola alexandrina (ver sobre Teologia Alexandrina). Os aderentes da escola de Antioquia empregavam o método gramático-histórico. (Ver o artigo sobre *Crítica da Bíblia*). Esse método, todavia, era aplicado das mais diversas maneiras, expressando muitos pontos de vista. Sua cristologia, entretanto, aproximava-se usualmente da dos *nestorianos* (ver o artigo a respeito).

Os principais líderes dessa escola foram Deodoro de Tarso (falecido em cerca de 390), Teodoro de Mopsuéstia (falecido em 428), Teodoreto de Cirro (falecido em cerca de 458) e seu contemporâneo, Nestor. Seus ensinos, nos séculos IV e V D.C., deram origem à distinta escola antioqueana.

Pano de fundo. O livro de Atos mostra-nos que foi em Antioquia que pela primeira vez os seguidores de Cristo foram chamados cristãos (11:26). Dali partiu Paulo em suas várias viagens missionárias, e ali foram publicadas as decisões do concílio de Jerusalém (15:30 *ss*). *Inácio* de Antioquia foi um proeminente bispo dessa cidade, no começo do século II D.C. Ele defendia a plena divindade e humanidade de Cristo, juntamente com ensinamentos padrões ortodoxos. *Teófilo* de Antioquia, nos fins do século II D.C., empregou algumas formas da doutrina do *Logos* (ver o artigo) a fim de exprimir suas idéias. Foi o primeiro a empregar o termo *trias*, a fim de aludir à deidade.

No século III D.C., Paulo de Samosata tornou-se bispo de Antioquia. Começou a salientar fortemente a humanidade de Cristo, o que assinalaria a escola de Antioquia tempos mais tarde. O Logos, uma força divina, parte da mente do Pai, habitou em Jesus desde o Seu nascimento, como era usual pensar-se. Jesus, que não deveria ser adorado como Deus, estaria unido ao Pai quanto ao propósito, à vontade e ao amor, mas o Filho não seria idêntico ao Logos. Poder-se-ia falar do Logos e do Pai como uma pessoa só, mas isso não poderia ser aplicado ao homem Jesus. Paulo de Samosata foi excluído, e perdeu sua influência.

Após a queda de Paulo, Luciano assumiu proeminente liderança em Antioquia. Sua obra principal foi o texto grego da Bíblia. Sua cristologia era mais ortodoxa do que a de Paulo de Samosata.

Com Deodoro (falecido cerca de 390) começa aquilo que historicamente se conhece como escola de Antioquia. Ele tinha um tipo de conceito de dupla personalidade da pessoa de Cristo, não tendo desenvolvido a doutrina da unidade das naturezas divina e humana em Jesus Cristo. Um de seus alunos foi João Crisóstomo, dotado de grande eloqüência na prédica e na palavra escrita, tendo sido um dos maiores pregadores do cristianismo.

A maior contribuição de Teodoro de Mopsuéstia foi de colocar a exegese sobre bases textuais e históricas. Mais tarde, Teodoreto levou avante o seu trabalho. Sua cristologia foi influenciada por seu amigo, Nestor (ver o artigo a respeito), o mais influente membro da escola de Antioquia. Nestor enfatizava a humanidade de Cristo e ensinava que a união do divino e do humano em Jesus era um arranjo voluntário, embora houvesse, de alguma maneira, apenas uma pessoa em Jesus Cristo. Ninguém jamais encontrou solução para esse dilema, e Nestor não foi exceção. Nestor opunha-se a chamar Maria de *mãe de Deus*, que já se popularizara em seus dias. Sua ênfase recaía sobre a separação de pessoas em Cristo, e a violência de sua ênfase causou dificuldades entre ele e outros teólogos. O concílio de Constantinopla, em 553, chamado Quinto Concílio Ecumênico, condenou os escritos da escola de Antioquia, principalmente com base em citações distorcidas. A separação entre a igreja imperial dos bispos e os seguidores de Nestor, produziu o cisma nestoriano e a captura de Antioquia, em 637, por forças islamitas, pôs fim ao desenvolvimento distintivo dessa escola teológica. (B C E)

ESCOLAS DOS PROFETAS

Ao que parece, as primeiras escolas teológicas foram organizadas por Samuel (I Sam. 10:5; 19:20); e então foram mais firmemente estabelecidas por Elias e Eliseu, no reino do norte, das dez tribos (II Reis 2:3,5; 4:38; 6:1). Essas escolas seguiam o modelo do ideal hebreu da relação entre professor e aluno. Eles viviam em comunidades e o ensinamento era bíblico, místico e através do exemplo pessoal. É indubitável que os profetas eram homens dotados de dons espirituais, que haviam despertado em si mesmos poderes espirituais e psíquicos. Eles transmitiam a seus discípulos esses poderes, e não meramente instruções. Sabemos pela experiência com os poderes carismáticos que usualmente isso é transmitido da parte de quem já é dotado para aqueles que buscam essas manifestações. Alguma forma de energia está envolvida no processo, a qual opera melhor quando há um transmissor. Ver o artigo geral sobre o *Movimento Carismático*, onde são destacados aspectos positivos e negativos do mesmo.

Escolas de profetas foram estabelecidas em Ramá e, provavelmente, Gibeá (I Sam. 19:20; 10:5,10). Também havia centros desse tipo de atividade em Gilgal, Betel e Jericó (II Reis 4:38; 2:3,5,7,15; 4:1; 9:1). Cerca de cem estudantes teológicos (chamados «filhos», isto é, discípulos dos profetas) acompanhavam Eliseu, nas refeições em Gilgal (II Reis 4:38,42,43). Cinqüenta desses discípulos achavam-se com Elias e Eliseu, quando eles foram até o rio Jordão (II Reis 2:7,16,17). Aparentemente, eles viviam em uma casa comum, na companhia dos profetas, ou, pelo menos, em uma mesma comuna (II Reis 6:1). Alguns deles eram casados, e tinham seus próprios lares (II Reis 4:1). A profecia e seus poderes acompanhantes, e o ministério, eram dádivas da parte de Deus. Não precisamos supor que todos esses estudantes eram assim espiritualmente dotados, mas é

445

ESCOLAS FILOSÓFICAS NO N.T.

indiscutível que todos eles tiravam proveito de sua associação com grandes homens de Deus. Há alguma indicação de que havia música sacra e poesia, envolvida no currículo, ou, pelo menos, que pessoas habilidosas nesses campos, associavam-se com os estudantes de teologia (I Sam. 10:5). A música espiritual de boa qualidade tem efeitos benéficos sobre o espírito dos homens, da mesma maneira que a música de má qualidade corrompe.

ESCOLAS FILOSÓFICAS No Novo Testamento

Esboço
I. Cínicos
II. Hedonistas
III. Epicureus
IV. Estóicos

Atos 17:18: *Ora, alguns filósofos epicureus e estóicos disputavam com ele. Uns diziam: Que quer dizer este paroleiro? E outros: Parece ser pregador de deuses estranhos; pois anunciava a boa nova de Jesus e a ressurreição.*

Qual teria sido a origem das escolas éticas da filosofia? Todas as escolas éticas da antiga filosofia se derivam diretamente de Sócrates, o que se interessava sobretudo pela ética, e não pela metafísica. Os fundadores dessas escolas filosóficas foram discípulos de Sócrates.

I. Cínicos

Os filósofos **cínicos** punham em dúvida **todos os valores** geralmente aceitos — pela sociedade humana, e não aceitavam nenhum deles. Afiançavam que a virtude é o único bem. Para eles, entretanto, a virtude consistia na *independência* de todos os ensinamentos e restrições próprios da sociedade. Denunciavam como errôneas todas as inquirições mundanas e todos os interesses materiais, bem como todas as idéias filosóficas e metafísicas. Também denunciavam a busca do prazer como algo infrutífero e pensavam que a conduta ideal consiste na rejeição completa da sociedade, com todos os seus valores. E assim conservavam uma atitude independente face a tudo quanto a sociedade reputava digno do interesse humano. *Diógenes* (412-323 A.C.) foi o principal filósofo dessa escola. Diz-se que ele vivia em uma banheira, no centro de Atenas, a fim de demonstrar a sua austeridade e a rejeição a todos os valores humanos e publicamente vivia como um cão. Disso é que se derivou a nossa palavra portuguesa «cínico», derivado de um vocábulo grego que significa «cão» (*kynon, kynos* é sua forma grega). Os cães são independentes da sociedade, segundo ela é governada pelos homens, e assim também o seriam os filósofos cínicos. O cinismo, pois, na realidade é uma «cachorrada». De fato, esses filósofos não diferiam muito dos cães, em sua forma de vida (exceto que viviam com grande austeridade) e se assemelhavam extraordinariamente aos modernos «hippies». Diógenes se tornou famoso por causa da história, a seu respeito, de que saiu pelas ruas, com uma lanterna acesa, em pleno dia, em busca de um homem honesto.

Nos tempos modernos, a palavra «cínico» tem tido o seu significado muito modificado, não estando mais associada a um determinado espírito nobre, crítico e independente, mas antes, a uma atitude amarga e zombeteira para com a vida. Atualmente é mais um sinônimo de uma forma amarga de pessimismo, que, em sua expressão extremada, ensina que a própria existência é má, e que «o pior crime cometido por um homem é que ele tenha nascido», conforme foi expresso por Schopenhauer.

O moderno espírito do cinismo foi admiravelmente bem expresso no seguinte poema:

Arda de raiva contra mim a intriga,
Morra de dor a inveja insaciável;
Destile teu veneno detestável
A vil calúnia, pérfida inimiga.
Una-se todo, em traiçoeira liga
Contra mim só, o mundo miserável.
Alimente por mim ódio entranhável,
O coração da terra que me abriga.

Sei rir-me da vaidade dos humanos;
Sei desprezar um nome não preciso;
Sei insultar os cálculos insanos.

Durmo feliz sobre o suave riso,
De uns lábios de mulheres gentis, ufanos;
E o mais que os homens são, desprezo e piso.

(Junqueira Freire, 1832-1855, Bahia)

II. Hedonistas

A palavra vem de um voc**é**bulo grego, «*edone*», que significa **prazer**. Esse grupo de filósofos, cujos principais representantes foram Aristipo (435 A.C.), Hegesias o ateu, Aníceres e Antístenes, não mostrava qualquer interesse pela metafísica, exceto para afirmar que nada pode ser realmente conhecido sobre a natureza do universo, pelo que também formava uma escola ética. Ensinavam eles que os prazeres físicos são o *único alvo* importante desta vida, e que todo esforço e pensamento devem ser dirigidos com a finalidade de obter uma maior soma de prazeres, pelo tempo mais longo possível. O fato de que talvez viessem a sofrer por causa de alguns efeitos adversos, daí decorrentes, em nada os preocupava. — Se eles vivessem nos tempos modernos, então diríamos que quando uma festa fosse efetuada, eles é que trariam o «whisky». Não admitiam qualquer noção de uma vida após a morte física, e imaginavam que tudo quanto se pode conhecer e experimentar nos chega através dos cinco sentidos físicos. Por conseguinte, de conformidade com esses princípios filosóficos, a experiência nos ensinaria que o único bem que se pode derivar da existência é o prazer. Evitar a dor era algo vinculado a essa doutrina, como parte integrante da mesma. Os hedonistas eram materialistas e ateus dos mais ordinários.

No que diz respeito à *gnosiologia*, os hedonistas acreditavam que a única maneira pela qual podemos chegar ao conhecimento das coisas é por intermédio da *percepção* dos cinco sentidos, porquanto a intuição, a fé, o misticismo e a razão não seriam meios fidedignos de obtermos conhecimentos. Por conseguinte, juntamente com os filósofos epicureus, os hedonistas supunham que a percepção dos sentidos ensina-nos que somente a inquirição pelos prazeres forma uma atividade digna do ser humano, porque somente essas coisas agradariam a percepção dos nossos sentidos. Ora, é patente que essa percepção dos sentidos se limita ao corpo físico. E assim, ao morrer o corpo material, terminariam tanto os sentidos como todo e qualquer prazer.

Conforme já dissemos, nenhum dos filósofos hedonistas aceitava qualquer noção de uma existência após-túmulo. Pelo que também ensinavam que tudo quanto nos é dado usufruir, devemos desfrutá-lo agora mesmo. Segundo diziam eles, a razão existe realmente, mas a sua função exclusiva consiste em — orientar o homem na busca pelos prazeres, ensinando-o a aproveitar a vida terrena pelo tempo mais dilatado possível e instruindo-o sobre como pode desfrutar dos prazeres mais intensos. Em contraste com os filósofos epicureus, os hedonistas não

446

ESCOLAS FILOSÓFICAS NO N.T.

estabeleciam distinção alguma entre as qualidades diversas de prazer; o seu interesse se concentrava quase exclusivamente em torno da intensidade do prazer.

Nesta nossa época moderna, a despeito dos homens usarem outros termos para descreverem os nossos tempos, estamos cercados de *hedonistas* por todos os lados, os quais, vãmente, imaginam que a vida consiste meramente em agradar o corpo material. O indivíduo que assim pensa reduziu a si mesmo a um mero animal, somente que um pouco mais inteligente que os animais irracionais.

O evangelho de Cristo, todavia, tem por finalidade mostrar aos homens como podem eles ser elevados à posição de criaturas superiores aos próprios anjos, no que diz respeito à sua estatura metafísica, visto que lhes é oferecido o direito de serem feitos autênticos filhos de Deus, conformados segundo a imagem moral e metafísica do Senhor Jesus Cristo, o Filho de Deus. Isso significa que terminado esse processo divino em nossos corações e vidas, nos tornaremos legítimos participantes da natureza divina, conforme a expressão de II Ped. 1:4.

III. Os Epicureus

Os Epicureus tinham como seus principais filósofos *Epicuro* (300 A.C.), Teodoro e Hégesias. Na Realiadade, os epicureus não estavam coisa alguma interessados pelas questões metafísicas, mas haviam tomado por empréstimo a doutrina dos atomistas gregos, como alicerce para as suas teorias éticas. A antiga teoria atomista sustentava que tudo quanto existe, tudo quanto a respeito do que podemos adquirir qualquer conhecimento certo, é a matéria em movimento; e a matéria, em sua forma mais básica, consistiria no átomo, havendo uma variedade infinita de tipos de átomos. Por afinidade, pois, os átomos se reuniriam uns aos outros, sendo assim formados todos os objetos físicos. Por conseqüência, os atomistas foram os mais antigos *materialistas*.

No que tange à idéia de Deus, foi Epicuro quem criou a doutrina designada pelo nome de *deísmo*, doutrina filosófica essa que faz contraste com aquela outra doutrina, comprovada pelas Sagradas Escrituras, à qual se convencionou chamar de *teísmo*. O deísmo ensina que um deus qualquer, ou mesmo vários deuses, talvez existam; mas essas divindades não têm por fito manter qualquer associação com o nosso mundo, não estando interessadas em punir ou galardoar os homens, e nem procurando determinar qualquer processo histórico ou individual, mediante sua intervenção. E, se porventura, essas divindades realmente tiveram algum papel a desempenhar na criação, desde há muito que abandonaram as suas criaturas. Portanto, é lógico que devemos desconsiderar tais divindades, porquanto não têm mais conseqüência para os homens do que meras teorias hipotéticas. O teísmo, por sua vez, em oposição às idéias de Epicuro, ensina-nos que realmente existe um Deus, ou talvez vários deuses, mas que criaram o mundo e os homens, e que jamais abandonaram a sua própria criação. Pelo contrário, guiam os homens e dirigem os acontecimentos, estando profundamente interessados em punir ou galardoar os homens, de acordo com as suas ações.

Dentro do campo da *gnosiologia*, os epicureus ensinavam que tudo quanto se pode conhecer nos chega ao intelecto por intermédio dos cinco sentidos. E *esses* sentidos serviriam para instruir-nos que o único bem real consiste do *prazer*, ainda que o epicurismo puro ensinasse o *prazer mental*, e não o mero prazer físico, no que fazia contraste com os seguidores do hedonismo, que punham toda a ênfase sobre os prazeres materiais.

Alguns pensadores têm crido que Epicuro rejeitava o prazer físico como o grande alvo da existência humana porque sofria de males do estômago, além de ser dotado, de forma geral, de um organismo físico bastante debilitado. Por isso mesmo não poderia ele seguir os prazeres puramente físicos, como outros talvez pudessem fazer melhor do que ele. Entretanto, os escritos de Epicuro encerram muitas gemas preciosas, e o vocábulo «epicureu», segundo se entende o mesmo no vocábulo moderno, não representa exatamente os pensamentos mais profundos desse filósofo. Ele ensinava que a *eliminação* dos desejos, e mesmo a abstinência dos mesmos, é melhor do que o seu cumprimento ou tentativa de satisfação, porquanto o chamado cumprimento dos prazeres físicos —requer meramente— uma satisfação ainda mais intensa.

Neste ponto podemos considerar alguma coisa sobre o chamado *«summum bonum»*, isto é, o supremo bem. O prazer, considerado por si mesmo, não pode ser esse «summum bonum» do epicurismo original, embora formas posteriores dessa filosofia tenham degenerado até esse ponto de vista tão inferior. Pelo contrário, o prazer através da prudência, como também a própria prudência, conforme essa filosofia ensinava a princípio, é que deveriam tornar-se a nossa norma de vida diária. A vida prudente, isto é, bem organizada e orientada, deveria ser reputada como algo de maior valor do que tudo o mais, posto que uma felicidade genuína e duradoura é inquestionavelmente sua concomitante. A vida prudente seria a vida «divina», por ser o tipo de conduta que se poderia esperar dos deuses. Dessa forma seriam evitadas todas as ações excessivas, porquanto essas ações perturbam a tranqüilidade e a paz de espírito que procuramos. Assim sendo, o epicurismo original combatia contra os prazeres procurados pelos devassos, tais como a carnalidade, as orgias alcoólicas, a lascívia, etc., e ensinava uma conduta pessoal discreta. «Medita, portanto, sobre essas coisas, e outras semelhantes, noite e dia, contigo mesmo, como teu companheiro, e jamais ficarás perturbado sobre a comida ou o sono, mas antes, viverás como um deus entre os homens. Pois o homem que vive entre bênçãos imortais não se parece a um ser mortal». (*Epicuro a Meneceu*).

O grande equívoco de Epicuro foi que ele ignorou a existência da alma e da vida após-túmulo, e por haver ensinado que tudo quanto podemos saber e possuir se limita a esta vida terrena. Porém, no tocante a uma orientação sensata para com a vida diária, ele era dono de muitas idéias valiosas.

Traços do pensamento epicureano podem ser encontrados no livro de Eclesiastes, como lemos, por exemplo, em Ecl. 5:18: «*Eis o que eu vi*: boa e bela cousa é comer e beber, e gozar cada um do bem de todo o seu trabalho, como se afadigou debaixo do sol, durante os poucos dias da vida que Deus lhe deu; porque esta é a sua porção». (Ver também Ecl. 3:18; 7:15 e 9:7). Naturalmente não devemos imaginar que Salomão se tenha escudado em Epicuro ao falar assim, porquanto aquele sábio rei judeu viveu séculos antes desse filósofo. Tão-somente houve uma certa harmonia entre as conclusões a que ambos chegaram. Mesmo assim, o filósofo não chega aos pés do outro, porquanto jamais conseguiu atingir a altura do pensamento revelado que Salomão expressa no fim desse seu livro: «De tudo o que se tem ouvido, a suma é: Teme a Deus, e guarda os seus mandamentos;

ESCOLAS FILOSÓFICAS NO N.T.

porque isto é o dever de todo homem. Porque Deus há de trazer a juízo todas as obras, até as que estão escondidas, quer sejam boas, quer sejam más» (Ecl. 12:13,14).

Já o livro apócrifo da *Sabedoria* apresenta a impressão feita pelas idéias de Epicuro sobre um judeu religioso e pensador, ainda que não inspirado por Deus: «Nosso tempo é uma simples sombra que se esvai. Portanto, vamos desfrutar das boas coisas que são presentes... Coroemo-nos com botões de rosas, antes que eles se ressequem... Que nenhum de nós deixe de gozar a sua parte de nossa volúpia». (Sabedoria 2:5-9).

Essas citações salientam o papel desempenhado pelo epicurismo na formação de muitas idéais. Essa filosofia frisava que somente as boas coisas da vida podem ser consideradas como dignas de valor para os homens, porquanto o futuro (isto é, após a morte física) é um tema sobre o qual nada sabemos. Os epicureus suspeitavam seriamente que não existe essa vida após-túmulo.

Algumas das odes de Horácio refletem esse mesmo sentimento:

Não te esforces pela oportunidade do amanhã para saberes,
Mas considera tudo que a Sorte te propiciar,
Como algo que é dado para o teu proveito.
   (Odisséia 1:9).

E também:

Sê sábio, e que teu vinho flua claramente,
E ao saudares cada novo ano, tão passageiro,
Refreia os vôos ilusórios da esperança:
Até mesmo quando falamos, nossa vida se esvai:
Goza de cada momento, conforme passar
E não confies nos dias distantes.
   (Odisséia 1:11).

Lucrécio, um poeta romano (95-55 A.C.), apreciava o pensamento de Epicuro, que negava a existência dos deuses e sua fúria, porquanto tais deuses estariam fundados sobre mitos e sentimentos religiosos antigos. Também aprovava a negação da imortalidade, que era um dos pontos fortes de Epicuro. Lucrécio parecia temer que a imortalidade pudesse ser uma realidade, e com paixão, em todos os seus escritos, procurava negar essa possibilidade. Por isso mesmo é que escreveu acerca de Epicuro com aprovação e louvor:

Quando esta nossa vida jazer esmagada ante os
   homens humanos,
Por baixo do jugo do Fado, o qual, do alto,
Com aspecto horrendo assustou corações mortais,
Foi um grego, ele mesmo um homem mortal,
Quem primeiro teve a coragem de elevar os olhos,
E resistir-lhe na cara. Contos sobre deuses
E raios do céu, com as suas ameaças todas,
Não puderam fazê-lo parar,
E assim, finalmente,
O Fado por sua vez, jaz pisoteado aos pés,
E, através dele, triunfamos sobre o céu.

(De Rerum Natura, I. 67-80)

Nesse poema nos é dado observar como Lucrécio exaltou o ateísmo «prático» de Epicuro, isto é, que a conduta da vida deve ser dirigida pelo princípio que declara *Não há nenhum deus*. E isso apesar de que teoricamente, pelo menos no caso de Epicuro (mas não de Lucrécio), ele defendesse uma doutrina da divindade, ou seja, o «deísmo». (No tocante a várias outras idéias filosóficas e teológicas acerca de Deus, ver Atos 17:27).

Em contraste com isso, Paulo pregou a doutrina de um Deus vivo, beneficente e interessado por nós, que não somente criou todas as coisas, mas que também continua presente, guiando-nos, punindo-nos e recompensando-nos. Essa é a posição do teísmo. Foi o evangelho que trouxe a vida e a imortalidade para os homens; e isso é agradável para quase todos os homens, — porquanto, a maioria deles, contrariamente a Lucrécio, pensa que a existência é boa. Para o apóstolo Paulo, o supremo bem consiste na nossa transformação segundo a imagem de Cristo, através da qual os remidos se tornarão autênticos filhos de Deus, ou seja, participarão de sua própria natureza divina. (Ver Rom. 8:29; Efé. 1:23 e II Ped. 1:4). Quão mais elevado e nobre é esse pensamento do que as idéias de Epicuro, a despeito de seus bons conselhos acerca da conduta que devemos ter na vida presente.

E até mesmo do ponto de vista da *conduta diária*, o caminho cristão é muito mais excelente, por ser o caminho orientado e iluminado pelo Espírito de Deus. O caminho cristão faz parte da eternidade, e não é algo sujeito aos assaltos do tempo. Epicuro, ao levantar objeção contra os horríveis mitos relativos à conduta dos deuses, concentrou o seu interesse sobre a vida física, e todas as suas regras dizem respeito ao governo da vida material. Já o apóstolo Paulo e os demais escritores sagrados, do Antigo e do Novo Testamento, falavam de uma alma imortal e eterna, que pode elevar-se em uma hierarquia do ser ao ponto de ser transformada de acordo com a própria imagem moral e metafísica de Deus, tornando-se criatura de muito maior grandeza pessoal do que aquela imaginada pelos gregos a respeito dos seus deuses hipotéticos; maior em sua grandeza, e certamente mais perfeita, moralmente falando.

IV. O Estoicismo.

Acredita-se que o fundador dessa escola filosófica tenha sido Zenão (cerca de 300 A.C.), que foi discípulo de Antístenes, o cínico. Sêneca foi um famoso estóico romano (contemporâneo de Paulo). Marco Aurélio, imperador romano, foi um famoso estóico; porém, Epicteto (90 D.C.), o estóico romano, e ex-escravo, foi o mais eloqüente e poderoso advogado do estoicismo.

Dentro do campo da metafísica, os filósofos estóicos ensinavam um determinismo absoluto, pensando que o *Logos* (ou razão universal) é que determinava todas as coisas, em seus mínimos detalhes, e que todos os acontecimentos tinham lugar por pura necessidade. Segundo esse ponto de vista filosófico, a liberdade consistiria na aceitação desse desígnio da «natureza»,— em vez de rebeldia contra o mesmo. Assim sendo, o indivíduo que aceita a tudo como inevitável é verdadeiramente livre, ao passo que aquele que luta contra a natureza é um pervertido escravo do destino. Além disso, todos os acontecimentos ocorreriam por ciclos; e cada ciclo, que pode perdurar por qualquer número de anos ou épocas, é exatamente igual ao anterior. Aquilo que denominamos de «Deus» é tudo; e tudo é Deus. Por conseguinte, ensinavam o panteísmo que afirma que o mundo é o corpo de Deus e que Deus é a alma do mundo.

Disso os estóicos tiravam a conclusão de que todas as coisas são *emanações* de Deus. E, em conseqüência, não existiria o mal. Pelo contrário, aquilo que chamamos de *mal* na realidade é necessariamente bom, mas é assim chamado porque homens perversos assim o designam. Não seria de maior conseqüência a morte de uma esposa ou filho do que se se partisse um vaso de barro, porquanto sabemos que essas coisas são igualmente sujeitas à dissolução, e todos os homens não passam de mortais. Por conseguinte, por

ESCOLAS FILOSÓFICAS NO N.T.

que ficaríamos surpreendidos, perturbados e ressentidos, se finalmente chegará o tempo em que ficará provado aquilo que já sabemos? (Quanto à doutrina do «Logos», segundo apresentada pelos estóicos, que é aplicada em João 1:1 de uma maneira cristã, ver no NTI as notas expositivas nesse versículo).

No que diz respeito à **imortalidade**, não há consenso geral de opinião entre os estóicos. Alguns desses filósofos acreditavam que a morte é o término da personalidade humana; outros criam em uma imortalidade condicional, ou seja, somente os homens bons e virtuosos sobreviveriam; e outros, ainda, criam que a imortalidade é um conceito verdadeiro, mas não algo de duração eterna, porquanto a alma, à semelhança do corpo, estaria também sujeita à dissolução.

Os filósofos estóicos acreditavam que a alma é feita de matéria, ainda que mais excelente que a do corpo, uma idéia preservada na igreja primitiva dos primeiros séculos pelo pai da igreja, Tertuliano. Os estóicos ensinavam a doutrina do «traducionismo», tal como Agostinho. Alguns deles pensavam que todas ou algumas almas haveriam de sobreviver até a grande conflagração que haveria de assinalar o final de cada ciclo. Essa conflagração consistiria no retorno de Deus ao seu lar, após ter ele emanado a si mesmo, assim criando todas as coisas. Uma vez que Deus se cansasse de emanar a si mesmo e de dirigir esses ciclos, voltaria para seu lar, e todas as coisas regressariam ao elemento primário, que é o fogo. Deus seria o fogo, e ele pode emanar ou retornar. Quando ele retorna, todas as almas são absorvidas por ele, que é uma idéia perfeitamente comum em diversos sistemas panteístas.

A **ética estóica**, especialmente da variedade romana, talvez fosse de melhor qualidade que os seus princípios metafísicos. Segundo o estoicismo grego, «apatia» é o grande lema. Posto que todas as coisas foram previamente determinadas, convém que não exercitemos qualquer emoção, no que diz respeito a qualquer e a todos os acontecimentos. Não deveríamos ficar tristes quando coisas aparentemente más sucedem, porquanto, através da doutrina do determinismo, deveríamos aceitar tudo quanto sucede é simplesmente inevitável. Outrossim, não deveríamos nos sentir alegres quando algo de bom acontece, porquanto tal sentimento seria o exercício de uma emoção perturbadora, que não demora a modificar-se por causa da própria alternação dos acontecimentos, que pode ocorrer ao surgir ou desaparecer o sol, no começo ou fim do dia.

O que é que prejudica a um homem? Seria algum acontecimento qualquer? Não, porquanto nada que seja exterior a um indivíduo pode realmente prejudicá-lo. O que realmente o prejudica é a sua reação emocional aos acontecimentos, julgando-os bons ou maus, agradáveis ou desagradáveis. Por conseguinte o indivíduo capaz de controlar completamente as suas emoções já se aproxima da liberdade; e o indivíduo que pode eliminar totalmente as suas emoções é verdadeiramente livre, e nada será capaz de atingi-lo. Assim sendo, a «apatia» seria a virtude e o alvo mesmo da vida humana. Esse princípio é expresso pelo lema estóico que diz: «Vive de conformidade com a natureza». Com isso eles queriam indicar a total sujeição a tudo quanto nos acontece.

Os romanos, práticos como eram, não podiam pôr em prática essa forma de apatia; e por isso, às mãos dos filósofos estóicos romanos, a apatia grega se romanizou, tomando um aspecto mais moderado.

Segundo os estóicos romanos, as emoções eram permitidas; porém somente em doses moderadas, porque mostrar-se alguém por demais emotivo, feliz ou perturbado, acerca de qualquer coisa, faz com que esse alguém duvide da inevitabilidade de todas as coisas. Outrossim, em tudo devemos procurar a moderação. Podemos comer, beber e sentirmo-nos felizes, ainda que com moderação. Também podemos desfrutar dos prazeres, mas com moderação. Igualmente podemos sentir alegria ou tristeza, mas com moderação, sem brandir o punho fechado em revolta contra a natureza.

A cidade de **Tarso**, onde o apóstolo Paulo nasceu, era um dos grandes centros do estoicismo romano. Todos quantos lêem os escritos de Paulo e Sêneca (o estóico romano contemporâneo de Paulo) reconhecem a grande similaridade de expressões que se encontra nos escritos de ambos. Não se há de duvidar que Paulo tomou por empréstimo algumas expressões dos pregadores estóicos romanos, os quais podiam ser ouvidos nas esquinas das praças concorridas e nos mercados de Tarso. O simbolismo de uma corrida com a finalidade de obter uma coroa, além de diversas expressões comuns entre os estóicos, que descrevem poeticamente esta vida terrena em que nos encontramos e as vitórias possíveis que podem ser conquistadas, são outros tantos desses empréstimos. As ilustrações baseadas na luta e no boxe, que Paulo empregou, também são de natureza estóica. (Ver I Cor. 9:24,27 e Fil. 3:13,14).

Existem algumas epístolas apócrifas de *Paulo a Sêneca*, como também outras endereçadas por Sêneca a Paulo. E a própria existência dessas epístolas mostra a afinidade de certos pensamentos e expressões paulinos com as idéias desse filósofo, embora nenhum dos eruditos modernos considere essas epístolas como autênticas.

O nome «estóico» se deriva de um vocábulo grego, «stoa», que significa pórtico. Zenão, o fundador do estoicismo grego, costumava dar as suas instruções na «*Stoa Poikile*», ou «Pórtico Pintado», assim chamado por estar adornado com pinturas feitas pelos melhores mestres. Esse lugar era uma espécie de pórtico aberto, com colunata, parte do qual, pelo menos, senão em sua inteireza, ainda era visível aos tempos de Paulo, não muito distante do lugar onde agora ele pregava aos atenienses.

Apesar de que dentre todos os antigos sistemas éticos, depois do sistema de Platão, o estoicismo era o melhor, especialmente depois de reformado pela mente prática dos romanos, a doutrina exposta pelo apóstolo Paulo lhe era muitíssimo superior, porquanto substituía o panteísmo por um verdadeiro teísmo, oferecendo aos homens uma autêntica e incondicional esperança de vida eterna, através do verdadeiro e eterno *Logos*, a saber, o Senhor Jesus Cristo, parte de cuja glória a doutrina estóica havia antecipado. Outrossim, Paulo apresentava uma doutrina de absorção na divindade, embora por intermédio de Cristo, paralelamente à *retenção* da *individualidade*, pensamentos esses, uma vez mais, superiores às idéias dos estóicos. Ver Col. 2:9,10.

A menção do fato de que os *epicureus* e os *estóicos* eram os grupos principais entre os filósofos que — debatiam em Atenas —, nos dias de Paulo, é uma — observação histórica autência —, porquanto esses dois grupos, — exatamente, é que haviam chegado a dominar o pensamento ético-filosófico de Atenas. Além desses grupos distintos, todavia, havia ainda o do ecletismo romano, ou seja, um sistema de filosofia que combinava as idéias de

449

ESCOLAS — ESCOLAS SOCRÁTICAS

diversas escolas. Cícero era um dos principais filósofos desse tipo. Porém, até mesmo nesse sistema eclético, os elementos predominantes continuavam sendo aqueles tomados por empréstimo dos estóicos e dos epicureus. Dentre esses dois sistemas, entretanto, o estoicismo era o que contava com um maior número de seguidores, como também era o que exercia mais poderosa influência.

Os epicureus têm sido considerados como os *«saduceus da filosofia»*, e os estóicos como os *fariseus da filosofia*. Vemos que nos escritos de Josefo (ver Vit. cap. 2) ele compara os estóicos aos fariseus, por causa de sua atitude moral e de sua conduta na vida.

«Muitos filósofos estóicos eram procurados para servirem de tutores de filhos de famílias nobres, e ocupavam uma posição de influência não dissemelhante da dos confessores e diretores jesuítas, na França, nos séculos XVII e XVIII. As principais desvantagens do estoicismo eram: 1. Porquanto tinham por escopo a apatia pessoal, não mostravam simpatia para com seus semelhantes, como se estes fossem perturbadores de sua tranqüilidade; 2. visto que se esforçavam por atingir a perfeição ética, segundo a força de sua própria vontade, antecipavam a posição assumida pelos pelágios, na história da igreja cristã; e 3. tal como sucedia entre os fariseus, os elevados ideais com freqüência eram apenas uma máscara que ocultava vidas corruptas e egoístas. Por isso mesmo eram indivíduos geralmente «hipócritas», porquanto desempenhavam um papel aos olhos do mundo com o qual não correspondia o seu verdadeiro caráter. Na linguagem de um satirista:

Apresentam-se como heróis, mas vivem como beberrões. (Juvenal, Sat. II.3).

É evidente que sem dúvida havia muitos pontos de concordância e simpatia entre os melhores representantes dessa escola filosófica, os estóicos, e o apóstolo Paulo. Mas também para eles, aquela mensagem que falava de Jesus e sua ressurreição, em que Deus enviou o seu Filho ao mundo para ser crucificado e ressuscitado dentre os mortos, sem dúvida parecia um sonho vão; —Também repeliram sem dúvida o pensamento de que precisavam de perdão e redenção, e de que nada de verdadeiramente bom e autêntico poderiam produzir com suas próprias forças, sem a assistência da graça de Deus». (E.H. Plumptre, *in loc.*).

Os méritos do estoicismo, entretanto, podem ser alistados conforme expomos abaixo:

1. Mantinha um exaltado conceito da *dignidade* do homem, certamente não totalmente estranho ao ensino cristão da transformação dos remidos segundo a imagem de Cristo, ensino esse que é a mais elevada de todas as doutrinas concernentes ao destino do homem.

2. O estoicismo romano encorajou o estabelecimento *da lei* romana e de códigos legais de toda a sorte, que demonstram uma tendência para o bem, até mesmo em nosso mundo moderno.

3. A negação dos estóicos quanto à importância absoluta das coisas, dos acontecimentos, e das influências externas, — foi duplicada dentro do pensamento cristão, e, sem dúvida, ajudou muitos gentios a perceberem o valor do sistema cristão.

4. Idéias estóicas exageradas influenciaram o ascetismo entre os cristãos, especialmente aquela atitude que despreza o corpo. Todavia, essas mesmas idéias, quando não levadas ao ponto do extremismo, são um dos temas centrais do cristianismo. (Ver II Cor. 4:18).

No tocante às dificuldades enfrentadas- pelo indivíduo, disse Epicteto, um dos melhores filósofos dessa escola (ver *Discursos*): «As dificuldades é que desvendam o caráter dos homens. Por conseguinte, quando tiveres de enfrentar uma crise difícil, lembra-te de que és o jovem inexperiente com quem Deus, o treinador, está lutando».

Acerca da morte declarou ele: «...não é a morte ou a dor que devemos considerar como temíveis, e, sim, o temor da dor ou da morte. Portanto, louvem os homens àquele que disse: 'Não a morte, mas a morte vergonhosa, é que deve ser temida'».

No tocante a acontecimentos adversos e trágicos, opinou ainda o mesmo filósofo: «Jamais digas a respeito de qualquer coisa: 'Eu a perdi', mas antes, 'Eu a devolvi'. O teu filho morreu? *Foi devolvido*. Tua esposa faleceu? Ela também foi *devolvida*. Tuas propriedades te foram tiradas? Porventura também não teriam sido elas devolvidas? Mas talvez objetes: 'Aquele que as tomou era mau'. Porém, que te importa através de quem o Doador te pediu essas coisas em devolução? Enquanto ele as estiver dando, cuida delas embora não como tuas próprias; trata delas como um viajante considera uma hospedaria». (*Discursos*, 11).

No tocante à vontade invencível, que é a atitude que liberta a um homem, disse ele ainda: «Portanto. o que é que perturba e confunde à multidão? Seria o tirano e seus guardas? Não, jamais! Porque é impossível que aquilo que é livre por natureza seja perturbado ou impedido por qualquer coisa fora de si mesmo. Os próprios julgamentos de um homem é que o perturbam. Pois quando um tirano diz a um homem qualquer 'Mandarei acorrentar-te pela perna', aquele que dá valor à sua perna diz: 'Não, mas tem misericórdia'. Porém, aquele que dá mais valor à sua própria vontade diz: 'Se isso te parece proveitoso, acorrenta-a. 'Não queres dar-me ouvidos?' 'Não, não te dou ouvidos: *Mostrar-te-ei que sou senhor de mim mesmo'».*

E igualmente: «Quando qualquer coisa, desde a escala mais ínfima para cima, parecer-te atrativa ou proveitosa, ou mesmo um objeto de tua afeição, nunca te esqueças de dizeres para ti mesmo: 'No que consiste a natureza disto?' Se por acaso gostares de um vaso, diz que gostas de um vaso, para que não fiques perturbado ao quebrar-se o mesmo. Se oscularus um filho teu ou tua esposa, diz para ti mesmo que tão-somente estás osculando um ser humano, pois então, se a morte chegar a feri-los, não te sentirás perturbado». (*Anual* 3 e 11).

ESCOLAS SOCRÁTICAS

Essa expressão é usada para referir-se à escolas de pensamento filosófico que foram fundadas através da influência de Sócrates, mesmo quando foram consideráveis as modificações feitas em seu pensamento filosófico. Todas aquelas escolas afirmavam-se as melhores representantes das idéias do mestre. A Academia de Platão (que vede) era uma dessas escolas, apesar do fato de que o nome de Platão figurava no nome da mesma, e não o nome de Sócrates. Também podem ser consideradas socráticas as escolas dos cínicos, dos cirenaicos e dos megarianos. — Ver os artigos sobre cada escola. Os filósofos envolvidos nessas escolas socráticas foram Antítenes e Diógenes (cinismo); Aristipo (cirenaísmo); Euclides de Megara (megarianismo). Cada um desses nomes é tratado, nesta enciclopédia, em um artigo separado.

••• ••• •••

ESCOLASTICISMO — ESCOLTA

ESCOLASTICISMO

I. Caracterização Geral

1. O *escolasticismo* é a doutrina, as idéias e os sistemas dos escolásticos, aquele movimento que abarcava a Europa medieval. É impossível marcarmos datas exatas para um movimento dessa natureza. Alguns dizem que já estava em seus primórdios, aí pelo século VII D.C., tendo prosseguido seu desenvolvimento até o século XV D.C. A maioria dos estudiosos concorda que o escolasticismo atingiu o seu ponto culminante nos séculos XII e XIII D.C., quando foram publicados os grandes *Summae*, ou sumários, de teologia e de filosofia.

2. *A Palavra*. A palavra vem do termo latino *scholasticus*, «conferencista». O termo grego *scholē*, «lazer», veio a significar *escola*, isto é, um lugar onde as pessoas têm lazer suficiente para se devotarem aos estudos. Historicamente, porém, a palavra *escolasticismo* denota os ensinos das escolas eclesiásticas, fundadas por Carlos Magno, no século VIII D.C. (que vede). Essas escolas foram fundadas a fim de reestabelecer a erudição cristã, que sofrera um eclipse por causa da invasão da Gália pelos crentes. Em um senso mais amplo, refere-se ao longo período da erudição ocidental que foi dominada pela Igreja, intensamente controlada pela teologia e pela filosofia, desde o século IX ao século XV D.C. (na opinião da maioria dos eruditos). Deveríamos lembrar que, durante esses séculos, a educação era essencialmente uma das funções da Igreja, no mundo cristão, pois quase todos os professores eram ministros eclesiásticos. Portanto, o ensino estava intimamente vinculado à Igreja e às suas doutrinas. Uma outra característica era o rigoroso formalismo lógico dos sistemas envolvidos.

II. Principais Períodos e Filósofos

a. Escolasticismo Primitivo (séculos IX a XI D.C.) Alcuíno introduziu o estudo das artes liberais, com as divisões seguintes: i. o *trivium*, que consistia na gramática, na retórica e na dialética; e ii. o *quadrivium*, que consistia na aritmética, na geometria, na astronomia e na música. Foram feitas traduções das obras do pseudo Dênis, o areopagita, por João Scoto Erigena (que vede), o que introduziu um pesado elemento neoplatônico. Foram tratados os problemas dos *universais* (que vede); do nominalismo de Roscelino (que vede); do conceitualismo (que vede) de Abelardo; e do argumento ontológico, de Anselmo. As fontes informativas eram os escritos de Platão, Aristóteles, do neoplatonismo e de Agostinho.

b. *Era Áurea do Escolasticismo* (século XIII D.C.). As obras de Aristóteles foram traduzidas e passaram a ser largamente usadas. As universidades de Paris, de Oxford e de Bolonha foram fundadas. As ordens religiosas dos franciscanos e dos dominicanos mostravam-se ativas na promoção das escolas. Os principais filósofos, cujos artigos eram estudados nas universidades, eram o árabe Averróis, que promovia sua própria forma do aristotelianismo; Tomás de Aquino, que tentava harmonizar toda a filosofia e a religião, utilizando-se de Aristóteles como base lógica; Duns Scoto, Boaventura, Avicena, Avicebron e Maimonides. Nesse período foram produzidas as grandes obras *Summa Theologiae* (de Tomás de Aquino), e *Summa Theologica* (de Boaventura).

c. *Escolasticismo Posterior* (séculos XIV e XV D.C.). Esse período foi caracterizado por um excessivo formalismo quanto aos métodos, remoto dos problemas da vida diária, pelo seu dogmatismo, pelos sofismas. Mas, foi surgindo uma crescente tensão entre o secular e o religioso. Guilherme de

Ockham foi a figura mais importante desse tempo.

d. *Escolasticismo Moderno* (século XIX ao presente). Eruditos católicos romanos têm-se ocupado na reformulação das antigas idéias, aplicando-as aos tempos modernos, com valiosas adições, modificações e sugestões.

A Atividade Filosófica e Científica do Escolasticismo. Os escolásticos desenvolveram quase todos os ramos da lingüística, da lógica e da filosofia. A metafísica, a epistemologia, a filosofia da mente, a ética, a política, a teoria da lei, a ótica, a mecânica, a astronomia e, na verdade, todo o conhecimento do período foi organizado, reformulado e sistematizado. A partir da renascença, entretanto, o escolasticismo adquiriu uma má reputação. Os humanistas redescobriram a literatura e as idéias pagãs e atacaram o suposto estilo bárbaro, o assunto árido da matéria e os exageros religiosos do sistema escolástico. Os humanistas faziam objeção à excessiva dependência dos escolásticos à autoridade, à Bíblia, à Igreja, etc. Porém, em anos mais recentes, o escolasticismo moderno tem demonstrado o muito de boa filosofia e de pensamento que havia nas variedades mais antigas do pensamento escolástico. O escolasticismo serviu de elo de ligação na história, na cultura e no mundo das idéias, entre tudo o que não pode ser negligenciado e descartado de modo superficial. (AM E F P)

ESCOLHER, ESCOLHA

Essas palavras são sinônimas de **eleger** e **eleição**. Ver os artigos sobre *Eleição, Determinismo e Livre-Arbítrio*.

ESCOLTA DE QUATRO SOLDADOS

No grego, **tetrálion**. Essa palavra ocorre exclusivamente em Atos 12:4. Refere-se às quatro escoltas, de quatro soldados cada uma, que se revezavam, a mando do rei Herodes Agripa, a fim de vigiarem o prisioneiro Simão Pedro. Essa vigília ocorria durante as quatro divisões da noite. Portanto, cada escolta guardava o apóstolo por cerca de três horas.

No grego, trata-se de um vocábulo raro, até mesmo na literatura clássica, e parece ter tido origem helenista. Seu uso nos papiros é raro, aplicando-se a maços de papel, aos dias do mês e em uma ocasião, à duração da febre quartã, ou seja, de quatro em quatro dias.

No livro de Atos lemos que Pedro dormia acorrentado a dois soldados, enquanto outros dois soldados montavam guarda à porta do cárcere (Atos 12:6). Entretanto, quando do aparecimento do mensageiro angelical, tanto as correntes caíram como os quatro soldados que o vigiavam no momento, não despertaram (vs. 10).

Talvez seja interessante notarmos o fato de que esse termo grego, embora peculiar à Ásia Menor, conforme nos informam os estudiosos, foi incluído na narrativa lucana. Talvez isso possa ser explicado dizendo-se que os herodianos estavam resolvidos a helenizar a nação judaica. Eles repudiavam o uso do hebraico, e em todas as atividades públicas empregavam o grego. Esse termo grego foi usado por Filo, o filósofo judeu helenista de Alexandria, como também por Filostrato, o sofista, e, séculos mais tarde, já no período bizantino, por Vegétio, o grande especialista nas questões militares de Teodósio I. No Novo Testamento, o vocábulo grego significa, literalmente, «quarteto».

••• ••• •••

451

ESCOLTAS — ESCORPIÃO

ESCOLTAS

Nossa versão portuguesa, seguindo o exemplo de algumas traduções modernas em outros idiomas, evita a dificuldade criada pela palavra rara «quaternion», usada em algumas versões mais antigas, em Atos 12:4, dizendo: «...entregando-o (Pedro) a quatro escoltas de quatro soldados cada uma...»

ESCONDER

Seis palavras hebraicas e uma palavra grega estão envolvidas neste verbete:

1. *Chaba*, «esconder», «esconder-se». Palavra hebraica usada por trinta e duas vezes, conforme se vê, por exemplo, em Gên. 3:8,10; Jos. 10:16; Juí. 9:5; I Sam. 10:22; 13:6; 14:11,22; 19:2; 23:23; I Crô. 21:20; II Crô. 18:24; Jó 24:4; 29:8; Dan. 10:7; Amós 9:3.

2. *Chabah*, «esconder». Termo grego usado por cinco vezes: Isa. 26:20; Jos. 2:16; I Reis 22:25; II Reis 7:12; Jer. 49:10.

3. *Sathar*, «estar escondido», «oculto». Verbo hebraico usado por cerca de setenta vezes; vê-se por exemplo, em Deu. 7:20; I Sam. 20:5,19,24; I Reis 17:3; Jó 13:20; 34:22; Sal. 55:12; 89:46; Pro. 22:3; 27:12; 28:28; Isa. 28:15; Jer. 23:24; Amós 9:3; Isa. 45:15.

4. *Ataph*, «cobrir», «ocultar». Palavra hebraica usada por três vezes com esse sentido: Jó 23:9; Sal. 73:6; 65:13.

5. *Alam*, «esconder-se». Vocábulo hebraico empregado por vinte e três vezes com esse sentido, como em Deu. 22:1,4; 23:3; Sal. 55:1; Isa. 58:7; II Reis 4:27; Sal. 10:1; Lam. 3:56; Eze. 22:26.

6. *Amam*, «esconder». Palavra hebraica usada por duas vezes: Eze. 28:3; 31:8.

7. *Tsaphan*, «esconder». Termo hebraico usado por dezesseis vezes com esse sentido, segundo se vê em Êxo. 2:2; Jos. 2:4; Jó 10:13; 14:13; 17:4; Sal. 119:11; Pro. 2:1; 27:5,16.

8. *Taman*, «ocultar», «secreto». Palavra hebraica usada por trinta vezes, conforme se vê em Gên. 35:4; Êxo. 2:12; Jos. 2:6; Jó 31:33; Sal. 9:15; Pro. 19:24.

9. *Kachad*, «cortar fora», «ocultar». Palavra hebraica usada por vinte vezes com esse sentido, como se vê, por exemplo, em Gên. 47:18; Jos. 7:19; I Sam. 3:17,18; II Sam. 14:18; Jó 15:18; Isa. 3:9; Jer. 38:14.

10. *Kasah*, «ocultar». Termo hebraico que ocorre por nove vezes com esse significado: Gên. 18:17; 37:26; Deu. 13:8; Pro. 11:13; Jó 33:17; Sal. 32:5; 40:10; 143:9; 10:18.

11. *Chashak*, «obscurecer», «reter». Palavra hebraica usada apenas por uma vez com o claro sentido de «esconder», em Sal. 139:12.

12. *Nus*, «remover rapidamente». Palavra hebraica empregada apenas uma vez no hifil, com esse sentido, em Juí. 6:11.

13. *Krúpto*, vocábulo grego usado por vinte vezes no Novo Testamento, por exemplo: Mat. 5:14; 13:35 (citando Sal. 78:2); Luc. 11:52; Col. 3:3; I Tim. 5:25.

14. *Apokrúpto*, «esconder de». Palavra grega usada por quatro vezes: Luc. 10:21; I Cor. 2:7; Efé. 3:9; Col. 1:26.

15. *Perikrúpto*, «esconder por aí». Palavra grega usada somente por uma vez, em Luc. 1:24.

16. *Kalúpto*, «esconder», «cobrir». Verbo grego usado por nove vezes: Mat. 8:24; 10:26; Luc. 8:16; 23:30; 24:32; II Cor. 4:3; Tia. 5:20; I Ped. 4:8.

Como se vê acima, muitas palavras estão envolvidas neste verbete. Quanto às palavras gregas, não demos os substantivos referentes aos verbos, o que aumentaria ainda mais o número desses termos. Quase todos os usos, tanto no Antigo quanto no Novo Testamento, indicam ações literais. Mas os usos metafóricos também se revestem de interesse. Deus, em seus conselhos onipotentes, oculta certas coisas dos homens (II Reis 4:27). Há coisas que Deus revelou, e que nos pertencem, para as observarmos; e há coisas que Deus ocultou, e que são responsabilidade exclusiva dele (Deu. 29:29). Isso pode ser comparado com a explicação paulina, em Rom. 11:33-36. Ele oculta o seu rosto, e assim priva os desobedientes de suas graças (Deu. 31:17; Sal. 13:1). Jesus confirmou o Antigo Testamento, ensinando que a revelação é um processo misterioso, exceto para aqueles a quem Deus deseja fazer conhecidas as suas idéias, os seus planos (Mat. 11:25). A esses é conferida a sabedoria oculta, o maná escondido (I Cor. 2:7; Apo. 2:17). A revelação é dada em meio à comunhão entre Deus e o homem (Col. 3:3).

ESCÓRIA

No hebraico, **sug** ou **sig**, «refugo». Palavra usada, por exemplo, em Sal. 119:119; Pro. 25:4; Isa. 1:22,25; Eze. 22:18,19. Refere-se às impurezas que são separadas dos metais, como a prata, mediante o processo de refino (Pro. 25:4; 26:23). O termo também aplica-se ao próprio metal, antes de purificado (Isa. 1:22,25; Eze. 22:18,19).

Simbolismo. 1. As corrupções, morais e espirituais, características de pessoas profanas. Tais pessoas estão se contaminando a si mesmas e a outras; mas Deus pode purificá-las. Ver Isa. 1:25; Sal. 119:119; Eze. 22:18 *ss*. 2. A prata torna-se em escória, e o vinho é misturado com água, quando a Palavra de Deus é misturada com as tradições e os erros humanos (ver Isa. 1:22).

ESCORNEAR

No hebraico **nagach**, «empurrar», «chifrar». Com este último sentido, essa palavra é usada por dez vezes, em Êxo. 21:28,29,31; Deu. 33:17; I Reis 22:11; II Crô. 18:10; Sal. 44:5; Eze. 34:21; Dan. 8:4; 11:40. Usualmente, a palavra é usada dentro de contextos militares, como em Deu. 33:17; Sal. 44:5 e Dan. 8:5. O texto de Êxo. 21:28-32 fornece-nos as leis relacionadas ao touro que escorneasse a uma pessoa e quais as providências relativas ao incidente. No sentido metafórico, temos menção às ovelhas nédias de Israel, que afastavam às marradas as ovelhas mais débeis (Eze. 34:21).

ESCORPIÃO

Em hebraico, **aqrah**, palavra que aparece por seis vezes: Deu. 8:15; I Reis 12:11,14; II Crô. 10:11,14; Eze. 2:6. No grego, *skorpíos*, vocábulo que é usado por cinco vezes: Luc. 10:19; 11:12; Apo. 9:3,5,10.

Dentre as cerca de quinhentas espécies de escorpiões que há no mundo, doze delas têm seu habitat em diversas regiões da Palestina, desde o desértico Neguebe até os úmidos bosques do norte. Embora os escorpiões variem quanto às dimensões, proporções e cores, a figura de um escorpião, com seu par de pesadas pinças, e uma cauda encurvada para cima, com a ponta munida de um ferrão, torna-o imediatamente reconhecido. O tamanho não é indicação da potência do veneno, pois pelo menos uma espécie do Oriente Médio tem uma ferroada dolorosíssima, embora nenhum escorpião seja capaz de matar a uma pessoa saudável. Os escorpiões

ESCORPIÃO — ESCRAVIDÃO

podem ser classificados juntamente com as aranhas, e, tal como elas, os escorpiões são inteiramente carnívoros. O ferrão é usado com grande precisão, para paralisar a presa; então esta é consumida mediante a injeção de sucos digestivos que dissolvem os tecidos, os quais são, em seguida, sugados.

Em Israel, há lugares onde os escorpiões abundam. Na rota para uma das elevadas escarpas do deserto do Neguebe, fica a Subida dos Escorpiões.

Ao anoitecer, os escorpiões emergem dos buracos e das fendas onde passam o dia, e começam a vaguear, atrás de presas. Normalmente, os escorpiões não atacam os seres humanos, mas reagem instintivamente se forem pisados. Nas Escrituras, os escorpiões são mencionados quase sempre de modo figurado, aludindo ao perigo que representam. A menção feita por Roboão: «...meu pai vos castigou com açoites, porém, eu vos castigarei com escorpiões» (I Reis 12:11), segundo é provável, alude não a um desses aracnídeos, e, sim, a um tipo de chicote munido com pedacinhos de metal nas pontas (ver I Macabeus 6:51). A referência feita pelo Senhor Jesus: «Ou, se lhe pedir um ovo lhe dará um escorpião?» (Luc. 11:12), bem pode ter sido feita enquanto ele apontava para um escorpião, escondido sob uma pedra de uma estrada qualquer. O contraste é notável: o segmento do «corpo» do escorpião, pelo menos em algumas espécies, é tufado e gordo, quase chegando a ter o formato de um ovo, mas essa declaração de Jesus pode ser reflexo de algum provérbio.

ESCOTISMO Ver **Duns Scotus**.

ESCRAVIDÃO Ver também **Escravo, Escravidão**.

Esboço:
I. Cristianismo e a Escravidão
II. Aplicações Modernas
III. Em I Cor. 7:21
IV. Atitudes Estóicas
V. Oportunidade da Escravidão
VI. Aplicações Espirituais

I. Cristianismo e a Escravidão

A **Escravidão** era um problema profundo que vexava a igreja primitiva, o que fica demonstrado pelo grande espaço dado à questão, no N.T. (Ver Efé. 6:5-7; Col. 3:22-25; I Tim. 6:1,2 e Tito 2:9,10). O livro de Filemom foi escrito a fim de moderar o tratamento que um senhor cristão daria a seu escravo fugido, após a volta deste. No artigo sobre aquele livro, seção V, o problema inteiro da relação entre o «cristianismo» e a «servidão» é examinado.

Ficamos, naturalmente, desapontados ante certos aspectos do tratamento dado pelo cristianismo primitivo a essa instituição social extremamente má. Ninguém poderia esperar que o cristianismo tentasse eliminar a escravatura do império romano. Isso seria desastroso, além de ser uma tarefa impossível. Contudo, no seio da própria igreja os crentes poderiam ser proibidos de terem escravos, de terem outros homens como sua propriedade, o que é obviamente contrário *à lei do amor*, propagada pelo cristianismo. Contudo, pode-se dizer que a igreja primitiva modificou essa instituição de vários modos importantes:

1. Insuflou na mesma a lei do amor, o que forçou a modificação do tratamento dado aos escravos.

2. Conferiu aos escravos o senso de valia pessoal, liberando-os em espírito, se não em corpo.

3. Tornou os escravos elementos do mesmo nível, na igreja, paralelamente a seus próprios senhores, embora não os tenha libertado fora da esfera

espiritual. Em outras religiões antigas, os escravos não podiam nem ao menos participar do «culto».

4. O cristianismo trouxe a lei do amor, que finalmente destruiu a servidão, embora isso tivesse exigido longo tempo.

5. O cristianismo elevou o nível moral dos escravos, devido à sua submissão forçada; em muitos casos isso sucedeu como que a uma classe, porque os escravos tinham-se tornado pouco melhores que os animais irracionais em sua atitude e em seus hábitos morais.

6. O cristianismo elevou imensamente a avaliação do trabalho feito pelos escravos, porquanto agora tal serviço passou a ser visto como um serviço prestado a Deus.

7. Além disso, o cristianismo prometeu aos escravos um galardão final, a vida eterna, em troca do serviço fiel, sendo, portanto, um galardão igual ao de qualquer outro crente. (Ver Col. 3:24).

Até onde estão envolvidas as exortações do cristianismo, o que é recompensada é a obediência, e não a rebeldia. Aos escravos se recomenda que suportem com paciência toda a sua carga, como se uma missão divina lhes tivesse sido dada; porque, em qualquer condição social, os homens podem aprender a servir a Deus, e suas circunstâncias sociais são organizadas por Deus como meios para discipliná-los e ensiná-los.

É possível que uma das razões por que o cristianismo não tentou abolir a instituição da escravatura se origine do fato de que a maioria dos cristãos primitivos esperava a volta de Cristo em seu próprio período de vida. Por conseguinte, a necessidade urgente não era a revolução social, e, sim, o evangelismo. (Ver I Cor. 15:51 e I Tes. 4:15 quanto à expectação da igreja sobre a *volta iminente* de Jesus Cristo). Portanto, cabia obedecer fielmente aos senhores de escravos, até mesmo aos malignos, porquanto o retorno do Senhor em breve alteraria o estado de coisas.

II. Aplicações Modernas

1. Há formas modernas de servidão, nas instituições sociais. Os homens fazem de outros homens seus escravos econômicos. O cristianismo aplica a isso a lei do amor. Tende por levar os homens a se mostrarem justos no trato a seus semelhantes. Quantas mulheres crentes reduzem suas criadas a pouco mais que escravas, exigindo trabalho longo e árduo, em troca de um salário ridiculamente pequeno, simplesmente porque as mulheres de classes mais baixas não têm meios para se educarem melhor, devendo ganhar a duras penas o dinheiro que lhes é pago.

2. As relações entre empregadores e empregados, bem como os deveres de uns e de outros, são elementos dos textos sobre os *escravos*. Os empregadores devem ser generosos; os empregados devem ser honestos e zelosos no seu trabalho, merecendo assim a generosidade. A relação inteira entre eles deveria basear-se sobre o respeito mútuo e a ajuda mútua, compreendendo que todos os homens têm um Senhor nos céus, a quem terão de prestar contas.

3. Os crentes, no seu trabalho e na sociedade em geral, descobrem muita coisa que não pode ser imediatamente modificada, e que lhes parecem abusos. Os crentes, pois, devem ajustar-se o melhor possível a tal situação; se porventura se mostrarem ativos na busca pela alteração das circunstâncias, deveriam fazê-lo através de meios legais e não violentos, para que não se tornem piores criminosos do que aqueles que estão combatendo.

III. Em I Corintios 7:21.

ESCRAVIDÃO

Foste chamado sendo escravo? não te dê cuidado; mas se ainda podes tornar-te livre aproveita a oportunidade.

É verdade que nem Paulo e nem os demais cristãos primitivos trabalharam primariamente em prol da emancipação dos escravos, ou pela abolição da instituição da escravatura. Estavam aqueles primeiros cristãos por demais atarefados na abolição da escravidão ao pecado e seus maus efeitos, tanto no mundo em geral como sobre a alma individual. O cristianismo primitivo, em meio a grandes dificuldades, lutava ao menos para sobreviver; — embora houvesse modificado a face da terra, do ponto de vista moral, não procurou produzir reformas sociais em larga escala, mas tão-somente nas vidas dos crentes individuais.

Existe um versículo no N.T., I Tim. 1:10, que conforme dizem alguns tradutores e intérpretes, alista a prática da escravidão entre os males *mais vis*. Mas isso expressa um julgamento de valores, e não um esforço coletivo para eliminar um mal social como é a escravatura, como uma instituição humana. Paulo apelou em favor do tratamento justo de Onésimo, um escravo fugitivo; porém, embora o seu senhor, Filemom, também fosse crente, nem mesmo assim Paulo insistiu para que Onésimo fosse libertado. Há tradições que dizem que subseqüentemente Onésimo foi libertado. Talvez essa tivesse sido a esperança secreta de Paulo, que ele nunca se expressou abertamente. E possível que nem tivesse ocorrido, na mente dos primitivos cristãos (conforme sucede aos crentes mais socialmente conscientes da era moderna), que uma das funções possíveis do cristianismo pudesse ser a tentativa de provocar reformas sociais. Certamente, existem muitos fatores na doutrina cristã que favorecem isso, embora a ênfase da doutrina cristã sempre recaia sobre a salvação eterna das almas. A reforma social é uma aplicação legítima do cristianismo, apesar de não ser seu alvo original primário.

IV. Atitudes Estóicas

A atitude de Paulo quanto à questão da transformação social é bem próxima da atitude do estoicismo. As grades de uma prisão não conseguem ser um cárcere, se a alma de um homem é livre. E nem pode o fato de ser alguém escravo de outrem, isto é, realmente escravo, de mente e alma, se esse alguém permanece livre em seu serviço a Deus. O estoicismo afirmava que a despeito de circunstâncias externas adversas, o homem interior pode permanecer livre. Paulo, aplicando a esperança cristã, contendia que nenhuma circunstância exterior pode separar-nos de Cristo Jesus. (Ver Rom. 8:32 e *ss*). Assim sendo, um homem pode cumprir o seu destino, obedecendo a Deus, sem importar sua posição e suas circunstâncias sociais. Outrossim, Paulo esperava que Cristo retornasse em sua própria época. E essa talvez tenha sido uma das razões pelas quais ele não via a propriedade da igreja cristã atarefar-se em algum movimento em grande escala em favor das mudanças sociais, em um mundo já totalmente alienado de Deus, preparado apenas para o julgamento imediato. O cristianismo primitivo simplesmente não estava interessado em qualquer esforço coletivo para obtenção da melhoria das condições materiais; e isso porque olhava fixamente para o mundo superior, para além das estrelas distantes, para o raiar de um novo mundo, a ser governado por Jesus Cristo, em meio a total justiça e retidão.

Por causa dessa atitude geral, que se volta para as coisas do *outro mundo,* Paulo aconselhava aos crentes escravos que se contentassem por continuarem na servidão, não se rebelando e nem criando confusão e dificuldades, na sua busca pela liberdade. Contudo, se a liberdade tornar-se possível, então essa liberdade deve ser recebida com prontidão e alegria, de forma que o novo estado, tal como o estado antigo, seja usado como meio de servir e glorificar a Jesus Cristo.

Outrossim, não nos devemos olvidar que uma única declaração feita pelos líderes cristãos, favorecendo a emancipação dos escravos, facilmente poderia ter provocado uma revolta generalizada entre os escravos, um banho de sangue, cujas principais vítimas sem dúvida alguma seriam os próprios cristãos. Estes seriam encarados como «traidores da pátria», e o cristianismo sofreria tremendo dano. O império romano já havia sofrido desastrosos efeitos por causa de certas revoltas servis, as quais, por duas vezes, no século anterior ao do aparecimento do cristianismo, havia envolvido a Sicília em um dilúvio de sangue. Assim, pois, se o cristianismo tivesse feito oposição à escravatura, transformar-se-ia em abrigo e esconderijo de muitos políticos radicais, que não tinham qualquer interesse por doutrinas espirituais. Outrossim, para o apóstolo dos gentios, a escravidão, para os cristãos escravos, já constituía uma verdadeira liberdade, posto que de natureza espiritual. Por conseguinte, a não interferência, sem dúvida, foi reputada como a melhor norma a ser seguida, sem importar quais fossem os desejos pessoais e as preferências dos apóstolos do cristianismo.

V. Oportunidade da Escravidão

Aproveita a oportunidade. Esta expressão pode significar: «Se tiver a oportunidade, para ser livre, aproveite-a, e use esta nova condição para servir a Cristo». Outros intérpretes apresentam a idéia oposta: «Use a oportunidade que já tem como escravo para servir a Cristo naquele nível da sociedade, embora tenha a oportunidade para ser livre». A maioria fica com a primeira idéia. Tentativas de resolver o problema do grego são inúteis. Um escravo pode ser um bom cristão (Efé. 6:5; Col. 3:22; Tito 2:9), e o não-escravo também. Aproveite das suas oportunidades. As condições sociais não podem destruir a expressão cristã no mundo.

VI. Aplicações Espirituais

1. I Cor. 7:22: *Pois aquele que foi chamado no Senhor, mesmo sendo escravo, é um liberto do Senhor; e assim também o que foi chamado sendo livre, escravo é de Cristo.*

Com este versículo se devem comparar os trechos de Gál. 3:28; Col. 3:11 e I Cor. 12:13, quanto aos sentimentos paulinos acerca da igualdade de escravos e libertos em Cristo. Todos os crentes são escravos do mesmo Senhor, que é Cristo. Porém, essa escravidão espiritual é uma real liberdade, visto que significa a libertação do pior e mais autêntico senhor de escravos, Satanás. O diabo conta com poderosos instrumentos de pecado e depravação, com os quais procura interromper e macular a gloriosa liberdade desfrutada pelos filhos de Deus. (Ver Rom. 8:21). A verdadeira escravidão consiste na servidão à corrupção, à corrupção deste decaído sistema mundano, à corrupção da alma. A verdadeira servidão consiste na perda da livre-vontade de fazer o bem, na escravização da vontade à maldade, com seus resultados malévolos acompanhantes na vida, tudo o que resulta em total alienação entre o pecador e Deus. Essa é a verdade envolvida na questão, ainda que os homens incrédulos, devido à perversão em que estão, se imaginem livres.

O escravo que se voltava para Cristo era espiritualmente libertado, e isso era a única coisa que

ESCRAVIDÃO

realmente tinha importância, segundo pensava o apóstolo dos gentios. Nenhum crente, portanto, é realmente um escravo, do ponto de vista de qualquer legítima avaliação espiritual. Além disso, Paulo esperava para breve o retorno de Cristo, e considerava todos os arranjos humanos, como a escravatura e a liberdade, como algo completamente temporal. A vinda de Cristo, pois, haveria de libertar todos os escravos, já tendo libertado no espírito a todos os escravos da época que se tinham voltado para o Salvador.

Torna-me cativo, ó Senhor
e então é que serei livre.

(George Matheson)

2. Um homem pode ser livre, na sociedade deste mundo. Entretanto, sem importar as vantagens que possa ter, não poderá ter vantagens autênticas se não é um remido pelo sangue de Cristo; pois a verdadeira liberdade é aquela que nos livra das algemas do pecado, de seu poder e servidão. Os homens livres na carne, mas que não são escravos de Jesus Cristo, são automaticamente verdadeiros escravos do pecado, das paixões e da degradação. Cristo Jesus é quem liberta o homem da escravidão ao pecado, o qual é o verdadeiro senhor de escravos. (Ver Rom. 6:18 e Gál. 5:1). Ora, ser alguém livre de tão cruel senhor é ser verdadeiramente libertado da servidão para a justiça, embora se trate da liberdade segundo um ponto de vista espiritual. Porquanto isso é agir como o próprio Deus age. E quem é livre, senão Deus?

«Inácio faz uma tocante alusão a passagem de I Cor. 7:22, *ad Rom.* 4, como segue: 'Até o momento presente sou um escravo; porém, se vier a sofrer, serei liberto de Jesus Cristo, e serei erguido, na ressurreição, como homem livre!'» (Findlay, *in loc.*).

«Por conseguinte, a distinção entre senhor e escravo é aqui virtualmente obliterada. Ser alguém liberto do Senhor, e ser escravo do Senhor, são uma só e a mesma coisa. O liberto do Senhor é aquele que o Senhor redimiu do poder de Satanás, tendo-o comprado para si mesmo; e o escravo do Senhor é também aquele que Cristo adquiriu para si mesmo. Portanto, o senhor e o escravo estão situados no mesmo nível, aos olhos de Cristo. Comparar com Efé. 6:9». (Hodge, *in loc.*).

«Privado da falsa liberdade da autocomplacência, ele se torna um servo de Cristo. O amor aperfeiçoa o serviço de Cristo. (Ver Mat. 11:29,30, Gál. 5:13 e I Ped. 2:16)» (Faucett, *in loc.*).

«...Esta declaração tem por finalidade fornecer consolação aos servos (os escravos) e, ao mesmo tempo, derrubar a altivez daqueles que nasceram como homens livres». (Calvino, *in loc.*).

«A liberdade cristã e o serviço prestado a Cristo não são, de forma alguma, incoerentes entre si; e nem deveríamos entreter quaisquer outras noções de liberdade, senão aquelas que se coadunam com a idéia de servir ao Senhor; qualquer coisa que a liberdade contradiga, não é a verdadeira liberdade; embora tenha a sua exata aparência, não se trata de outra coisa senão da escravidão». (John Gill, *in loc.*).

3. Com a passagem de I Cor. 7:22 se pode comparar o trecho de Rom. 8:18 e *ss*, que descreve as mais elevadas alturas da salvação. Essa salvação é a libertação da alma da servidão ao princípio do mal, em suas variegadas formas, bem como é a obtenção da liberdade, como filhos de Deus que somos. Tudo quanto está envolvido na salvação, portanto, de acordo com certo ponto de vista, consiste na passagem da servidão para a liberdade.

«A causa da liberdade é a causa de Deus». (William Lisle Bowles, 1762-1850).

«Nenhum homem é livre se não é senhor de si mesmo». (Epicteto, *Discursos*).

«Nenhum homem é verdadeiramente livre. É escravo das riquezas, da sorte ou das leis, ou mesmo outras pessoas impedem-no de agir de conformidade com a sua vontade apenas». (Eurípedes, *Hecuba*, 480-406 A.C.).

«Aqueles que negam a liberdade para outros, não merecem desfrutá-la, e, debaixo de um Deus justo, não poderão retê-la por muito tempo». (Abraão Lincoln, em uma carta datada de 1859).

Ó Senhor, quero ser livre, quero ser livre;
Um arco-íris sobre os ombros, asas nos pés.

(Autor desconhecido, uma canção negra *espiritual*).

«Ninguém pode ser perfeitamente livre, enquanto todos não forem livres». (Herbert Spencer, *Social Statics*, 1817-1862).

Espírito eterno da mente sem cadeias!
Mais brilhante em masmorras, Liberdade! és tu.

(Lord Byron, *The prisioner of Chillon*, 1778-1817).

O presente versículo é paralelo ao trecho de I Cor. 6:20, com uma aplicação diferente, embora ambas essas passagens falem sobre o *preço* pago para conduzir os homens de volta a Deus. A idéia de «ser comprado por preço», isto é, a noção de «resgate», são expressões comuns do N.T. para dar a idéia de «expiação», o que é ilustrado através de outras referências bíblicas (Isa. 53; Tito 2:14; I Tim. 2:6). Em I Cor. 7:23 a posse exclusiva é mencionada a fim de mostrar como o crente não pode deixar-se escravizar por outro homem (na outra porção deste versículo), embora, de maneira geral, isso também ilustra a qualidade da nossa submissão a Cristo, mostrando que nossa servidão é total, e que todos os crentes são escravos dessa ordem. Disso se conclui que é questão indiferente que um crente, que nasceu escravo ou que se tornou escravo no decurso de seus anos, venha a procurar tornar-se livre. Pois, sem importar que estejam «livres» ou em «servidão», conforme os homens consideram a questão, a verdade é que todos os crentes se encontram em verdadeira servidão ao verdadeiro Senhor, Jesus Cristo, ainda que seja assim que realmente desfrutem da mais completa liberdade que os homens possam conhecer. (Ver I Cor. 7:22).

5. *Escravos de homens*. A metáfora da escravatura evidentemente levou Paulo a ver na passagem de I Cor. 7:23, incidentalmente, outro argumento contra as «facções», que é o assunto que fora por ele abordado extensamente nos capítulos primeiro a quarto de I Coríntios. Ao seguirem líderes cheios de si, os crentes tinham se escravizado a tais homens, perdendo assim a sua individualidade, embora não devido à servidão ao Senhor genuíno das almas. Antes, aqueles crentes de Corinto tinham-se contentado em fazer-se escravos de outros homens, que na realidade não eram senhores. Ora, isso furtava a Cristo de seu *direito exclusivo*, algo que é obviamente contrário ao intuito de sua grande expiação, de seu resgate em favor da humanidade.

A passagem de II Cor. 10:9 parece indicar que essas palavras de Paulo foram usadas contra ele, e que ele fora acusado de fazer-se um tirano. Mas ele emprega essa idéia contra os líderes facciosos de Corinto, de

ESCRAVIDÃO DO PECADO

forma mais vívida e mais amarga, em II Cor. 11:20. Nessa passagem, tais líderes são vistos como homens brutais, que os escravizavam, que os devoravam, que lhes furtavam os direitos, que lhes batiam na face, ao mesmo tempo em que se exaltava a si mesmos. Isso nos mostra como Paulo sentia profundamente todas essas coisas.

4. I Cor. 7:23: *Por preço fostes comprados; não vos façais escravos de homens.*

A completa falta de controle sobre o próprio destino, conforme era a sorte dos homens expostos nos mercados de escravos, nos dias de Paulo, era algo sentido intensamente, por causa do fato de ser isso uma realidade brutal na antiga estrutura social. O homem moderno, que nada tem conhecido sobre a escravidão em primeira mão, não pode apreciar plenamente o impacto das ilustrações apresentadas por Paulo, que incluem certos aspectos próprios do negócio de compra e venda de escravos. O homem ou a mulher comprados por um negociante de escravos se tornava a propriedade dele no sentido mais estrito da palavra. Tinha tal senhor a liberdade de matar um escravo seu, o que geralmente era feito através da crucificação. E não havia lei que pudesse chamá-lo a prestar contas perante a justiça. De fato, qualquer tentativa nesse sentido teria sido reputada ridícula. Certa quantia em dinheiro adquiria o direito de usar legalmente a pessoa escravizada; e se havia alguns poucos senhores humanos, havia um número enorme de senhores desumanos, do que resultavam muitíssimas atrocidades contra toda a razão e a dignidade humanas. O uso da instituição da escravatura dava a entender os seguintes pontos:

1. A sujeição total do escravo a seu senhor.
2. A posse completa do escravo por seu senhor.
3. O poder de vida e morte que o senhor exercia sobre o escravo.
4. A «destruição» da independência do escravo.
5. A integração da personalidade do escravo na personalidade de seu senhor.
6. Somente a morte física podia livrar um escravo do domínio de seu senhor, ou, se um senhor assim quisesse fazê-lo, poderia vender um escravo seu a outrem, havendo assim a transferência de direitos sobre o citado escravo.
7. Neste versículo, o apóstolo Paulo enfatiza a exclusividade da posse do senhor de escravos, a fim de descrever uma situação espiritual. (Comparar com o trecho de Rom. 7:2). Todo escravo só podia ter um senhor de cada vez, o qual exercia toda a autoridade sobre ele.

Paulo lança mão da instituição da escravatura a fim de ilustrar o seu ponto de que o crente deve viver em total submissão a Cristo; a fim de ilustrar que Jesus Cristo, por direito de compra, através de seu sangue expiatório, que libertou os escravos do pecado e da tirania do pecado, tem direitos totais sobre o crente; a fim de ilustrar o fato de que, possuindo «direitos totais», Cristo tem autoridade completa sobre o crente; a fim de ilustrar que o crente deixa de ser um indivíduo, mas que a sua personalidade começa a ser integrada na vontade do seu Senhor; e a fim de ilustrar que nem mesmo a morte física pode livrar o crente de sua total imersão na personalidade de Cristo, porquanto lhe pertencemos tanto na vida como na morte. (Ver Rom. 14:8).

A enormidade do preço. O ponto dentral deste versículo gira em torno do «preço» que foi pago para garantir a libertação do crente. A redenção faz com que o crente se torne totalmente pertencente a Cristo,

visto que o preço pago pelo Filho de Deus foi enorme. (Ver as notas expositivas sobre a «expiação», em Rom. 5:11; e sobre a «propiciação», em Rom. 3:25 no NTI). A «enormidade» do preço foi exposta visando impressionar os crentes acerca da totalidade do *senhorio* de Cristo sobre a sua igreja e sobre cada indivíduo existente na mesma.

ESCRAVIDÃO DO PECADO

«...eu...vendido à escravidão do pecado...» Rom. 7:14. Não que o homem não-regenerado não possa sair dessa situação; mas, para todos os propósitos práticos, isso é o que Paulo quer dizer. Portanto, em essência, diz Brown (*in loc.*): «O 'eu', neste caso, naturalmente não é o homem regenerado, pois certamente o que é dito aqui não acontece com ele; porém (conforme transparecerá mais adiante), também não está em foco o homem não-regenerado, pois o apóstolo já havia deixado para trás o caso do homem não-regenerado. Resta, pois, pensarmos no princípio pecaminoso que ainda existe no homem renovado, o que é expressamente declarado em Rom. 7:18».

Não obstante, o princípio do pecado pode ser tão poderoso que pode levar o «eu» do homem regenerado a viver na servidão aqui descrita.

A afirmativa paradoxal de Paulo, em Rom. 7:14, é típica da experiência humana. O apóstolo retorna aqui, ao mencionar a *escravidão,* à figura simbólica que tanto usara no sexto capítulo da epístola aos Romanos. E que o pecado é um tirano poderosíssimo, cujo poder é aumentado ainda mais pelas exigências provocantes da lei, que mexem com a natureza humana inclinada para o erro. Se precauções espirituais apropriadas não forem tomadas, esse poder não tardará a dominar não meramente o homem não-regenerado, mas também até mesmo o crente. Paulo já havia demonstrado que ninguém pode ser servo de dois senhores (ver Rom. 6:14-23), onde é francamente declarado que o pecado não pode dominar o homem regenerado porque agora o crente tem um novo senhor, que é Deus, o qual, através do seu Santo Espírito, renova o homem interior, produzindo assim a expressão da justiça.

Por essa razão, neste ponto o apóstolo parece entrar em contradição consigo mesmo, ao afirmar que o «eu» pode tornar-se escravo do pecado, ao ponto que ele fazia aquilo que odiava. Porém, o próprio fato de que ele odeia o mal e ama a justiça mostra-nos que não está em foco um homem não regenerado. Como podemos explicar essa aparente contradição lógica? Talvez a mesma possa ser respondida simplesmente dizendo-se que devemos mesmo esperar de Paulo declarações paradoxais. Pois no sexto capítulo da epístola aos Romanos, ele fala sobre o ideal, isto é, aquilo que, finalmente, sucederá ao crente, como também aquilo que devemos esperar seja a expressão diária da vida do crente. Na passagem de Rom. 7:14, entretanto, o apóstolo mostra que os próprios crentes podem, ao menos temporariamente, cair sob a antiga servidão ao pecado. Mas esse paradoxo não é mais perturbador do que a natureza da própria vida cristã, quando um homem descobre que passa através de ambas as experiências. Não obstante, Paulo supõe, por toda a parte, que haverá a *vitória final,* a despeito dos retrocessos temporários. Ele nos assegura que venceremos a guerra, afinal, embora tenhamos de perder algumas batalhas, ao longo do caminho.

ESCRAVIDÃO — ESCRAVO

Um Escravo mas não um Escravo

1. O poder do pecado é grande, e algumas vezes vence ao crente. Essa é a experiência humana do crente, por mais desagradável que ela seja.

2. Portanto, por algum tempo, o crente ainda retrocede até à servidão ao pecado. Porém, não é mais um bom escravo, porquanto sabe que gosto tem a liberdade, e o tempo todo, planeja escapar.

3. Se tal pessoa é realmente um indivíduo regenerado, é inevitável que assim aja, pois apesar de dominado por algum tempo pelo pecado, odeia-o a cada minuto.

4. Seja como for, na realidade ele não é escravo do pecado, porquanto os lapsos no pecado não chegam a caracterizá-lo, pois nenhum indivíduo regenerado pode permanecer debaixo do pecado, a ponto de tornar-se um vício de caráter (ver Efé. 5:5-7).

«Eu, Paulo, considerado como um pecador, visto à parte de Cristo, 'sou carnal', um filho do 'eu', 'vendido ao pecado', sim, e não somente quando em Adão, minha natureza se vendeu ao pecado, no princípio; mas isso continua comigo, permanentemente, enquanto eu for considerado à parte de Cristo, e até o ponto em que, na prática, eu viver à parte de Cristo, sempre que eu 'reverter', mesmo que por um instante, à minha antiga vida do 'eu'». (Moule, em Rom. 7:14).

ESCRAVIDÃO ESPIRITUAL

Rom. 8:15: *Porque não recebestes o espírito de escravidão, para outra vez estardes com temor, mas recebestes o espírito de adoção, pelo qual clamamos: Aba, Pai!*

A expressão *espírito de escravidão* tem sido compreendida pelos intérpretes de diversas maneiras, como segue:

1. Seria uma referência à dispensação do A.T., governada pela lei. O espírito dominante na mesma levaria à escravidão, porquanto os que estavam debaixo da antiga dispensação ficavam sujeitos a muitas leis e cerimônias, pesadas e insuportáveis, as quais não oferecem qualquer possibilidade de transformação íntima, necessária para cumprir as exigências feitas. Não há que duvidar que o apóstolo Paulo tinha esse aspecto da realidade em mente, sem importar se aludia especificamente ou não ao mesmo.

2. Agostinho pensava que se trata de uma alusão a *Satanás*, autor do espírito de servidão (ver Heb. 2:14,15); e, por semelhante modo, Lutero aplica esta expressão a Caim, em oposição ao espírito de graça manifesto por Abel. É verdade que aquela referência na epístola aos Hebreus contém a idéia dada por Agostinho, mas não parece que Paulo se referia a isso, neste versículo da epístola aos Romanos. No entanto, em outras instâncias de seus escritos, Agostinho mostrou esposar uma interpretação similar à que aqui ocupa o primeiro lugar.

3. Alguns estudiosos vêem aqui ambos os *espíritos*, isto é, o da servidão e o da adoção, como alusão a disposições espirituais subjetivas, portanto, estaria em foco o espírito de servilismo, bem como o espírito livre de um filho, o qual é adotado com plenos direitos na família divina. Essa interpretação, contudo, não expressa o sentido específico de Rom. 8:15, embora, naturalmente, contenha certa verdade, implícita aqui, embora não explicitamente declarada.

4. Alguns eruditos pensam que o *Espírito Santo* é focalizado em ambas as referências, tanto na referência ao «espírito de servidão» como na referência ao espírito da liberdade dos «filhos de Deus», mediante a adoção. O espírito de «servidão» seria o ofício penal atribuído ao Espírito Santo, mencionado em João 16:8. Isso expressa uma verdade, mas provavelmente ainda não é a idéia central de Rom. 8:15, e nem a questão específica tencionada.

5. O mais provável é que esteja em mira aqui o fato de que o Espírito Santo deve ser considerado somente como o agente da adoção e não como se ele levasse os homens à servidão. Sua suposta conexão com a servidão é apenas uma hipótese, criada por Paulo, para fazer contraste com a verdadeira natureza de sua influência habitadora e serviço em favor dos crentes. Pois o Espírito Santo não é nenhum agente de escravidão, *como o era a lei*, pelo contrário, é o poder vivo que transforma os homens em filhos de Deus, levando-os a entrarem na plenitude de sua herança.

Outra vez atemorizados. A lei lançava o temor nos corações dos homens, porquanto revelava claramente o pecado deles, bem como a penalidade necessária para tal pecado, isto é, a morte eterna. Os homens, pois, tornavam-se escravos pelo temor, um temor que esperava a morte. Ora, o Espírito de Deus livra-nos de tudo isso. A lei era, essencialmente, um sistema refreador, por ameaças, e ameaças reais, e não meramente hipotéticas. Quanto melhor se compreendia os requisitos da lei, tanto mais se compreendia como a lei era um sistema de temor. As palavras «outra vez», que aqui figuram, mostram-nos que as pessoas para quem o apóstolo escrevia haviam sido anteriormente escravizadas à lei; e isso significa que o apóstolo Paulo falava a uma igreja local que desfrutava de bom entendimento sobre o que significa estar alguém sob a lei, a despeito do fato de que a igreja local da cidade de Roma se compunha, principalmente de elementos gentios.

6. *Escravidão do pecado*. As escrituras afirmam que o pecado leva os homens à escravidão. Ver o artigo sobre *vícios* que são verdadeiras prisões do espírito, e que roubam do homem seu poder espiritual. A lei torna-se um agente para reforçar o poder do pecado. Efésios cap. 6 afirma que poderes malignos cósmicos também estão envolvidos na redução do homem ao estado do escravo. Ver o artigo sobre *Escravidão do Pecado*.

ESCRAVO, ESCRAVIDÃO

No hebraico, **ebed**, termo que figura por mais de setecentas e cinqüenta vezes, desde Gên. 9:25 até Mal. 4:4. No grego, *doûlos*, palavra que figura por cento e vinte e uma vezes, desde Mat. 8:9 até Apo. 22:6.

A escravidão é o domínio de uma pessoa por parte de outrem, de tal modo que um escravo é visto muito mais como uma propriedade do que como uma pessoa. A escravidão era um aspecto profundamente arraigado da estrutura social e econômica do antigo Oriente Próximo e do mundo greco-romano.

Esboço:

    I. A Escravidão no Antigo Testamento
        A. Fontes Literárias
        B. Terminologia
        C. Aquisição de Escravos
            1. Cativos de Guerra
            2. Por Compra

ESCRAVO, ESCRAVIDÃO

3. Por Insolvência
4. Como Presente
5. Como Herança
6. Por Nascimento

D. Posição Legal e Direitos dos Escravos
1. Alforria
2. Direitos Religiosos
3. Direitos Civis
4. Matrimônio
5. Pecúlio
6. Asilo e Extradição
7. Marca de Identificação do Escravo

E. Escravos Publicamente Possuídos
F. A Importância da Escravidão

II. A Escravidão no Novo Testamento
A. Alforria
1. Freqüência da Alforria
2. Duração do Serviço Antes da Libertação
3. Posição Econômica dos Libertos
4. Libertos Judeus
B. Posição dos Escravos

I. A Escravidão no Antigo Testamento

A escravidão era uma prática generalizada no Oriente, — nos dias do Antigo Testamento. Porém, o número de escravos em Israel provavelmente nunca foi tão elevado como nos tempos clássicos. Em Israel saía mais barato contratar empregados assalariados, para fazerem trabalhos pesados, do que conservar escravos. O uso de escravos parece ter-se confinado principalmente aos deveres domésticos e ao trabalho nos campos, juntamente com o chefe da família e seus familiares.

A. Fontes Literárias

A legislação do Antigo Testamento aparece em Êxodo 21, Levítico 25 e Deuteronômio 15. Há numerosas referências a escravos, por todo o Antigo Testamento. Mas os informes extrabíblicos sobre a escravidão entre os judeus limitam-se aos papiros Elefantinos, provenientes da colônia judaica no Egito, do século V A.C. Os documentos públicos e privados do antigo Oriente Próximo, do terceiro milênio A.C., e daí até os dias do Novo Testamento, estão repletos de alusões à prática da escravidão nas culturas contemporâneas.

B. Terminologia

Um total de três vocábulos era usado, no Antigo Testamento, para indicar «escravo», a saber: escravo, *ebed* e dois outros para indicar o escravo masculino, e a escrava feminina. Também eram usadas expressões como «jovem», «pessoa» e «alguém comprado a dinheiro». Nos códigos bíblicos aparecem com freqüência termos e expressões como «hebreu», «teu irmão hebreu» e «tua irmã hebréia». O Talmude sugere que esses códigos aplicam-se aos escravos hebreus quando aparecem essas designações; em caso contrário, estariam em foco escravos não-hebreus. Entretanto, tal interpretação apresenta consideráveis dificuldades quando começamos a interpretar os textos onde essas designações aparecem.

C. Aquisição de Escravos

1. *Cativos de Guerra*. O mais antigo método de aquisição de escravos, no Oriente Próximo, era a conquista militar. Milhares de homens, mulheres e crianças foram assim reduzidos à servidão. A selvageria da época pode ser julgada pelo fato de que isso era considerado um melhoramento humanitário, pois a prática ainda mais antiga consistia em executar todos os prisioneiros de guerra (Núm. 31:7-35; Deu. 20:10-18; I Reis 20:39; II Crô. 28:8-15). Os códigos do Antigo Testamento procuravam limitar os excessos dos castigos brutais que os cativos recebiam. Se um soldado israelita visse uma bela mulher entre os cativos e se casasse com ela, teria de tratá-la, dali por diante, como uma pessoa livre (Deu. 21:10-14). E não podia vendê-la como escrava, se viesse a desistir dela. No entanto, muitos povos estrangeiros, como os fenícios, os filisteus, os sírios, os egípcios e os romanos, escravizavam judeus em grandes números.

2. *Por Compra*. O Antigo Testamento estipulava que estrangeiros podiam ser comprados e vendidos como escravos, sendo então considerados mera propriedade (Lev. 25:44-46). Há alusões freqüentes a escravos que haviam sido importados para a Palestina (I Crô. 2:34,35). Mas os hebreus também eram vendidos como escravos em outras terras. Isso explica a pena de morte imposta sobre os que seqüestrassem pessoas livres (Êxo. 21:16; Deu. 24:7). O Antigo Testamento cita casos incríveis, como um pai que vendeu sua filha como escrava (Êxo. 21:7; Nee. 5:5); uma viúva que vendeu seus filhos para pagar a dívida de seu marido falecido (II Reis 4:1), ou homens ou mulheres que se vendiam como escravos (Lev. 25:39,47; Deu. 15:12-17).

O preço dos escravos variava muito. Ver Êxo. 21:32 e Lev. 27:3-7. Havendo desacordo quanto ao preço, podia apelar para um sacerdote (Lev. 27:8). Nos tempos intertestamentais, quarenta siclos era o preço médio que se pagava por um escravo (II Macabeus 8:11). Um dos piores costumes era a venda de crianças à servidão. Os casos mais comuns eram de donzelas ainda adolescentes e solteiras. Todavia, havia estipulações que procuravam impedir que essas jovens escravas fossem reduzidas à prostituição (Êxo. 21:11).

Há algumas evidências de que os hebreus faziam comércio escravagista, uma prática bastante comum no Oriente Próximo. Uma escrava egípcia é mencionada em II Crô. 2:34. Havia dois preceitos legais que abordavam a questão da escravatura: Êxo. 21:16 e Deu. 24:7. Ambos os trechos proibiam a prática do seqüestro para vender as pessoas como escravas. A pena contra esse crime era a execução capital. No entanto, José foi tratado desse modo por seus próprios irmãos (Gên. 37:28). Uma segunda lei (Deu. 23:15,16) proibia a extradição dos escravos fugitivos, talvez devamos pensar em algum hebreu que tivesse escapado de seu proprietário, em um país estrangeiro.

Uma prática comum, entre os israelitas, era a de se venderem como escravos. A lei do Êxodo (21:5,6) e a lei de Deuteronômio (15:16,17) estipulavam condições deste negócio. Ambas as passagens aludem ao homem que recusasse a liberdade, após ter servido como escravo por certo período de anos. O trecho de Levítico 25 descreve como se deveria tratar ao israelita que se vendesse voluntariamente como escravo. Havia provisão para a libertação dos escravos, a cada ano de jubileu, que ocorria de cinqüenta e cinqüenta anos. O valor de um escravo era calculado segundo o número de anos que ainda lhe restavam, até o ano de jubileu.

3. *Por Insolvência*. Na Palestina, um dos mais constantes motivos de escravização era o das dívidas que as pessoas não conseguiam saldar. As leis dos livros de Êxodo (21:2-4) e de Deuteronômio (15:12) tratam desse caso. O princípio da servidão por motivo de insolvência fica claro nos termos de Êxo. 22:2. A lei também provia que os ladrões deveriam ser vendidos como escravos, não por haver furtado alguma coisa, mas por serem incapazes de recompensar o proprietário — pela perda de sua propriedade.

458

ESCRAVO, ESCRAVIDÃO

Muitos seguidores de Davi, quando ele andava fugindo de Saul, eram homens endividados (I Sam. 22:2). Os trechos de II Reis 4:1 e Neemias 5:1-5 aludem a crianças escravizadas para satisfazer certos credores. Isaías referiu-se a essa horrível prática quando escreveu estas palavras, vindas de Deus: «Assim diz o Senhor: Onde está a carta de divórcio de vossa mãe, pela qual eu a repudiei? ou quem é o meu credor, a quem eu vos tenha vendido? Eis que por causa das vossas iniqüidades é que fostes vendidos, e por causa das vossas transgressões vossa mãe foi repudiada» (Isa. 50:1).

Uma das razões da insolvência eram as altas taxas de juros que se cobravam no mundo antigo. A legislação dos livros de Êxodo, Levítico e Deuteronômio protegia os israelitas de coisas assim, pelo menos em teoria, pois essa legislação proibia a exploração de israelitas por seus próprios compatriotas.

4. *Como Presente*. Escravos não-hebreus podiam ser adquiridos como um presente. Foi assim que Lia recebeu Zilpa como sua escrava (Gên. 29:24).

5. *Como Herança*. Escravos não-hebreus podiam ser passados de uma geração para a outra. O trecho de Lev. 25:46 provia a servidão perpétua dos habitantes de Canaã, por esse intermédio.

6. *Por Nascimento*. Os filhos de escravos, nascidos na casa de seu proprietário, tornavam-se propriedades do senhor, mesmo que o pai desses filhos mais tarde viesse a tornar-se um homem livre (Êxo. 21:4; Lev. 25:54).

D. Posição Legal e Direitos dos Escravos

1. *Alforria*. A lei veterotestamentária sobre a alforria de escravos aparece em três passagens diferentes: Êxo. 21:1-11; Lev. 25:39-55; Deu. 15:12-18. A primeira delas dizia que um escravo hebreu podia ser libertado após ter servido por seis anos. Se ele tivesse casado antes de ter sido escravizado, sua esposa sairia livre juntamente com ele; mas, se ele tivesse recebido esposa, por parte de seu senhor, quando já escravo, ele mesmo sairia forro, mas sua esposa e seus filhos continuariam escravos.

Uma escrava já era tratada de modo bem diferente pela lei. Diante da lei ela passava a ser concubina ou esposa do proprietário ou de um de seus filhos. Por isso mesmo, só sob condições extraordinárias uma escrava recebia alforria. Todavia, havia três motivos pelos quais uma escrava era libertada: a. Se seu proprietário ficasse desgostoso com ela; b. se ela fosse prometida a um dos filhos do proprietário, então tinha de ser tratada como filha; c. se o proprietário tomasse outra mulher como esposa, ainda assim tinha o dever de prover o necessário para sua concubina.

Havia leis da soltura em Êxodo 20—23; Deuteronômio 15 e Levítico 25:39-55, que o leitor deve examinar atentamente. No entanto, não podemos dizer que os judeus observavam seus próprios preceitos quanto a esse particular. Antes, Jeremias repreendeu os príncipes de Judá, que haviam desobedecido o decreto de Zedequias (Jer. 34:8-17).

2. *Direitos Religiosos*. Um escravo era considerado parte da família do proprietário. Portanto, compartilhava da vida religiosa dessa família. As leis (Êxo. 20:10; 23:12) garantiam-lhe o direito do descanso sabático. O livro de Deuteronômio (12:12; 16:11,14) concedia aos escravos a participação nas festas religiosas judaicas. Um estrangeiro não podia participar dessas festas, por ser incircunciso; mas um escravo, por fazer parte da família, era circuncidado (Êxo. 12:43-45). Até mesmo a esposa de um sacerdote, se se tivesse casado com um estrangeiro, não circuncidado, não podia participar das ofertas

(Lev. 22:10-12).

3. *Direitos Civis*. Os escravos eram muito protegidos de tratamentos desumanos. Assim, o assassinato de um escravo era punido com a execução capital (Êxo. 21:12). Se um escravo espancado morresse, seu proprietário deveria ser castigado, embora não houvesse certeza sobre o tipo de castigo (Êxo. 21:20,21). Se um proprietário aleijasse a um seu escravo, este tinha de ser posto em liberdade (Êxo. 21:26). Uma escrava era libertada se o espancamento resultasse ao menos na perda de um dente (Êxo. 21:27). Também havia preceitos atinentes à venda de pessoas à escravidão e à devolução de escravos fugidos.

4. *Matrimônio*. Os escravos hebreus tinham permissão de casar-se. Mas, ao receber a liberdade, não podiam levar consigo sua esposa e seus filhos. Por muitas vezes, isso foi causa de servidão perpétua (Êxo. 21:5,6).

5. *Pecúlio*. Desde os tempos mais remotos, os escravos tinham o direito de juntar propriedades. O pecúlio podia ser de qualquer natureza, incluindo até mesmo escravos (II Sam. 9:10). Esse direito era reconhecido desde o código de Hamurabi, da antiga Babilônia. O Antigo Testamento (Lev. 25:47-55) provia que um homem que se tivesse vendido como escravo podia ser remido por seu parente mais chegado, e também que «...se lograr meios, se resgatará a si mesmo» (vs. 49), provavelmente com o seu próprio pecúlio.

Os escravos hebreus eram especialmente beneficiados pela legislação de Deuteronômio 15:13-15. O escravo liberto em ano sabático recebia presentes dentre as riquezas aumentadas de seu senhor, como um lembrete do fato de que todos os hebreus haviam sido libertados da servidão no Egito.

6. *Asilo e Extradição*. É difícil interpretar a provisão legal sobre esse aspecto, em Deu. 23:15,16: «Não entregarás ao seu senhor o escravo que, tendo fugido dele, se acolher a ti. Contigo ficará, no meio de ti, no lugar que escolher, em alguma de tuas cidades onde lhe agradar; mas o oprimirás». Isso pode significar que todo escravo fugido de Israel tinha que receber asilo. E talvez incluísse escravos fugidos de outros países para Israel, o que significa que não deveriam ser extraditados. Há paralelos quanto a esse tipo de provisão em outros antigos códigos do Oriente Próximo. Naturalmente, as modernas leis de extradição dizem respeito aos criminosos. Portanto, a situação é inteiramente diferente em um e em outro caso.

7. *Marca de Identificação do Escravo*. Visto que um escravo era considerado uma propriedade, havia várias maneiras, no Oriente, para indicar essa condição. No Egito, os escravos eram marcados com o nome do seu proprietário, além do que os seus cabelos eram cortados de uma maneira toda especial. Na Babilônia, além desses métodos, os escravos também eram obrigados a usar pulseiras de identificação, no pulso, no tornozelo ou mesmo em torno do pescoço. Entre os israelitas, o escravo que quisesse permanecer como escravo, após seis anos, tinha uma das orelhas furada com a ajuda de uma sovela (Êxo. 21:6; Deu. 15:17).

E. Escravos Publicamente Possuídos

A servidão pública existia desde os dias mais remotos, no Oriente Próximo. As primeiras menções a esse costume aparecem em Josué 16:10 e Juízes 1:28. Isso se tornou ainda mais generalizado e mais viável, economicamente falando, quando foi estabelecido o governo davídico em Israel. «Quanto a todo o povo

ESCRAVO, ESCRAVIDÃO

que restou dos amorreus, heteus, ferezeus, heveus e jebuseus, e que não eram dos filhos de Israel... a esses fez Salomão trabalhadores forçados, até hoje» (I Reis 9:20,21). Em Esdras 2:55-58 e Neemias 7:57-60, esses foram combinados com os servos do templo, quando do recenseamento e o número dos mesmos aparece como um total de trezentos e noventa e dois.

Escravos do templo eram comuns nos dias do Antigo Testamento, por todo o Oriente Próximo. Todavia, na Bíblia não há menção a eles antes dos tempos pós-exílicos. Foram trazidos para a Palestina por Zorobabel e Esdras, provenientes da Babilônia (Esd. 2:43-54; Nee. 7:46-56). Esdras 7:20 fala sobre duzentos e vinte dos tais. Aparentemente viviam em aposentos contíguos ao templo e trabalhavam sob supervisores (Nee 3:31; 11:21). Antes mesmo disso, certos cativos midianitas foram forçados a servir aos israelitas, no tabernáculo (Núm. 31:28-30,40) e os gibeonitas foram forçados a tornar-se lenhadores e carregadores de água (Jos. 9:23) porém, é duvidoso que eles tenham servido como escravos no templo de Jerusalém.

F. A Importância da Escravidão

Os códigos legais definem os limites do tratamento que um homem deve dar a seus semelhantes; mas todos eles dizem bem pouco o que significava ser um escravo no antigo Oriente. Quanto a isso temos de examinar o Antigo Testamento, nas narrativas onde os escravos foram figuras importantes. Já notamos que os escravos tornavam-se virtuais membros da família, — agrupados juntamente com as mulheres e crianças (Êxo. 20:17). As crianças, tal como os escravos, podiam ser compradas e vendidas. Era difícil distinguir entre uma esposa legítima e uma mera concubina. Conforme Paulo sugeriu em Gál. 4:1, em Israel, uma criança «...em nada difere de escravo...», pois ambos podiam ser açoitados (Êxo. 21:20-27; Prov. 13:24), mas eram os escravos que eram protegidos de receber injúrias permanentes e não as crianças.

Geralmente, em Israel, as famílias não tinham escravos em grandes números, conforme se viu nos Estados Unidos da América ou no Brasil, no tempo da escravidão negra. Antes, ali os escravos eram usualmente domésticos de famílias abastadas, não sendo usados no trabalho braçal agrícola. Um grande afeto também se instaurava entre os proprietários e os seus escravos. De fato, os códigos bíblicos proviam para os escravos que preferissem tornar-se escravos permanentes de seus senhores. Tal relação deve ter existido entre Abraão e Eliezer, tanto assim que houve tempo em que este último chegou a ser considerado o herdeiro de Abraão (Gên. 15:1-4). E, algum tempo depois, Eliezer foi incumbido da difícil tarefa de conseguir esposa, de um lugar distante, para Isaque, filho de seu senhor. Por semelhante modo, um escravo de Saul (I Sam. 9:5; 16:22), que nossa versão portuguesa chama de «moço de Saul», tornou-se o confidente e o conselheiro de seu senhor. O mesmo se deu no caso de Geazi, que servia a Eliseu (II Reis 4:12 e 8:4). Jará, um escravo egípcio, recebeu como esposa a própria filha de seu senhor (I Crô. 2:35). Por conseguinte, entre os proprietários e os seus escravos havia um clima de afeição mútua e não aquelas atitudes odiosas e racistas que caracterizaram a escravidão negra, que se prolongou até às décadas finais do século XIX, no Novo Mundo.

II. A Escravidão no Novo Testamento

Há um estranho silêncio, por parte de Cristo e de seus apóstolos, no tocante à escravatura, na época em que eles viveram. Longe de condenarem a escravidão, Paulo e Pedro lembraram seus leitores, que eram escravos, que obedecessem a seus senhores. Ver Efé. 6:5-8; Col. 3:22-25; I Tim. 6:1,2; I Ped. 2:18-21. O primeiro desses apóstolos chegou a sugerir a um escravo fugido que retornasse a seu senhor (File. 10-16). Em parte alguma é sugerido que os cristãos desistissem de seus escravos, dando-lhes liberdade, embora os proprietários de escravos tivessem sido exortados a tratar de seus escravos com brandura e consideração (Efé. 6:9; Col. 4:1). Em suma, a instituição da escravatura não é condenada no Novo Testamento, embora seus abusos sejam condenados. Talvez a atitude dos escritores sagrados do Novo Testamento possa ser explicada em face da maneira ímpar como os romanos do século I D.C. tratavam os seus escravos, dando-lhes a liberdade com facilidade e em grandes números. Porém, talvez a maior razão da escravatura não ser diretamente condenada no Novo Testamento seja o fato de que o cristianismo não foi instituído para impor mudanças sociais e, sim, para pregar o reino de Deus, um ideal que só terá cumprimento no milênio e, em sentido ainda mais amplo, no estado eterno futuro. Quando o reino de Deus for instituído na terra, não haverá mais escravidão. E então ver-se-á que o método usado pelas Escrituras (mormente do Novo Testamento) para eliminar o mal, em todas as suas formas, é o melhor. Cristo não foi um reformador social; foi um reformador de corações—daqueles que aceitam o seu Senhorio, tornando-se escravos voluntários do melhor de todos os Proprietários.

A escravidão já tinha longa história no mundo greco-romano — quando foi produzido o Novo Testamento. A instituição foi introduzida na sociedade romana por ocasião das conquistas militares entre os séculos III e I A.C. Isso continuou até que o número de escravos chegou a superar em muito ao número dos cidadãos. Entretanto, não devemos imaginar que os romanos dos séculos anteriores ao cristianismo mostrassem o bárbaro tratamento aos escravos como se viu no Novo Mundo, entre os séculos XVII e XIX. E nem a escravidão envolvia apenas alguma raça espezinhada e aviltada, conforme se viu, por exemplo, no Brasil e praticamente em todos os países norte, centro e sul-americanos. Antes, quando começou o século I D.C., já haviam sido introduzidas no império romano medidas radicais, melhorando a condição dos escravos naquela sociedade.

Tal como nos dias do Antigo Testamento, homens tornavam-se escravos de várias maneiras diferentes. A maioria deles era composta de escravos adquiridos ou herdados. Os primeiros usualmente eram prisioneiros de guerra, ou pessoas seqüestradas ilegalmente por piratas ou negociantes de escravos. Não obstante, houve um pequeno número de negociantes de escravos que chegou a criar escravos, como se cria o gado, a fim de vendê-los. De fato, esse horrendo comércio chegou a tornar-se comum desde os primeiros séculos da escravidão romana. De conformidade com Cícero (Par. 35), a dívida era uma causa de escravidão no começo da história romana, mas essa prática tornou-se proibida por lei, em 326 A.C.

A. Alforria. A escravidão era uma instituição perfeitamente integrada na sociedade romana, por volta do século I D.C. Os cativos eram educados e treinados quanto aos costumes e maneiras dos romanos, antes de poderem tornar-se cidadãos. Plínio, o Moço, em uma carta, explicou que dera liberdade a seus escravos porque desejava ver sua pátria contar com um maior número de cidadãos (Ep. 7.32,1). Outros disseram ou escreveram a mesma coisa. Porém, talvez a maior razão dessa libertação de

ESCRAVO — ESCRAVIDÃO

escravos em grande número tenha sido o fato de que Roma estava enfrentando um grande declínio no número de cidadãos nascidos livres. E assim, com o nome e o patrocínio de seu ex-senhor, um escravo, agora liberto, podia ocupar-se de funções do Estado e a mais importante das funções, sem dúvida, era o serviço militar. Mas, sem importar os motivos exatos deles, a verdade é que há provas de vários tipos que os romanos libertavam seus escravos em grandes números.

1. *Freqüência das alforrias.* Há provas históricas, bem documentadas, que demonstram que somente no período entre 81 e 49 A.C., foram libertados cerca de quinhentos mil escravos. Esse grande número torna-se ainda mais significativo ao nos lembrarmos de que a cidade de Roma, em 5 A.C., tinha uma população calculada em apenas oitocentos e setenta mil habitantes! César enviou oitenta mil pessoas pobres, quase todas elas ex-escravas, da cidade de Roma para certas províncias, como colonos, entre os anos 46 e 44 A.C. E mesmo antes disso, em 57 e 56 A.C., muitos proprietários de escravos deram liberdade a seus cativos, por razões financeiras. Isso mostra que não era somente por motivos humanitários que os escravos recebiam sua alforria!

Em um estudo feito em treze mil e novecentos inscrições tumulares, ficou provado que oitenta e três por cento tinham nomes estrangeiros, e setenta por cento tinham nomes gregos. Isso é indicação segura de que o indivíduo ali sepultado fora um escravo, ou que, talvez, fosse um filho ou filha de um escravo ou liberto. Todavia, os estudos demonstram que os descendentes de pessoas com nomes estrangeiros não demoravam a preferir para seus filhos nomes tipicamente latinos. Por legislação baixada por Augusto, por ocasião da morte de algum proprietário de escravos, seus escravos eram todos postos em liberdade. Tudo isso serve para demonstrar que os escravos, na Roma antiga, eram libertados em grandes números.

2. *Duração do serviço.* Há escassas informações sobre o tempo em que um escravo tinha de esperar pela sua libertação. Cícero, porém, parece indicar que um escravo digno poderia esperar sua liberdade para dentro de sete anos (Fil. 8:32), uma figura numérica que coincide notavelmente com o que preceitua o Antigo Testamento (Êxo. 21:2).

3. *Situação econômica dos libertos.* Quando um senhor libertava um escravo, com freqüência estabelecia o liberto como um negociante ou artífice, do qual seu ex-senhor tornava-se seu sócio. Usualmente um escravo aprendia uma profissão na casa de seu senhor. Então, mediante trabalho extra, ele ia poupando dinheiro suficiente para comprar sua liberdade, ou esta lhe era conferida gratuitamente pelo seu senhor. Houve mesmo muitos casos de ex-escravos que se tornaram abastados negociantes. Em Óstia, porto marítimo de Roma, até mesmo uma boa proporção dos magistrados compunha-se de libertos. — Outros tornavam-se cavaleiros. — Ora, para que alguém se tornasse um cavaleiro era mister que tivesse bens avaliados em mais de cinqüenta mil sestércios. Muitos conseguiam enriquecer como negociantes com cereais, carpinteiros, mercadores de vinhos, fabricantes de móveis ou inspetores. Em Óstia, dois outros prósperos libertos eram, um deles, ourives e o outro dono de um moinho.

Na própria capital do império a situação não era diferente. Havia uma rua de lojas (a Sacra via) especializadas em joalheria. — Todos os proprietários dessas lojas eram libertos. Entre eles havia sete negociantes de pérolas, dois joalheiros, dois fundidores de ouro, um gravador e um fabricante de peças de prata. Os registros históricos abundam de testemunhos no sentido de que muitos negociantes, profissionais e patrões eram libertos, dentro do império romano.

4. *Os libertos judeus.* Os judeus de Roma formavam um grupo humano muito interessante. Muitos deles tinham chegado à capital como escravos, nos períodos finais da república ou no começo do império. Mas, estudos feitos nas inscrições das catacumbas demonstram que não havia um único escravo entre os judeus ali sepultados. Isso confirma a declaração de Filo, escritor judeu, no sentido de que muitos judeus chegavam a Roma como escravos, mas não demoravam a ser postos em liberdade. Além disso, os judeus escondiam a sua identidade por detrás de exaltados nomes próprios tipicamente romanos; e não teriam sido descobertos como judeus, se não tivessem sido sepultados nas catacumbas dos judeus.

Tudo o que dissemos até aqui evidencia o fato de que, em Roma, os escravos não serviam perpetuamente, mas podiam esperar alegremente pelo dia da oportunidade da sua liberdade. Tornou-se prática comum entre os romanos dar alforria a seus escravos, para então estabelecê-los como sócios em algum negócio ou profissão. E, em muitos casos, um ex-escravo chegava a tornar-se mais abastado do que o seu ex-senhor.

B. A Situação dos Escravos. Os escravos, quanto a certos aspectos, tinham em Roma direitos iguais àqueles dados aos que nasciam livres. E, em outros aspectos, até tinham algumas vantagens sobre os livres. Por volta do século I D.C., aos escravos tinham sido dados quase todos os direitos que cabiam aos homens livres. Muitos deles dispunham de consideráveis quantias de dinheiro à sua disposição e tinham o direito de constituir família. Em 20 D.C. o senado romano decretou que os escravos que se tornassem criminosos tinham o direito de serem julgados com as mesmas garantias que os homens livres. A vida dos escravos também chegou a ter tais garantias que houve mesmo casos de intervenções militares para lhes garantirem a vida. Um caso deveras interessante ilustra a proteção dada aos escravos. O imperador Adriano foi atacado por um escravo que enlouquecera. Mas, — em vez de ser executado, o atacante foi entregue aos cuidados de um médico.

Nas residências, embora houvesse divisões especiais para os escravos, as dependências estavam ligadas ao resto da casa e incluíam facilidades como cozinhas e latrinas. No tocante à qualidade das vestes e da alimentação, um escravo bem preparado em seu ofício não era considerado inferior a qualquer outra pessoa, a tal ponto que era difícil distinguir os escravos dos livres, quanto à sua aparência externa. A situação chegou a tal extremo que Sêneca informa-nos de que o senado romano decretou que os escravos usassem certa veste especial, a fim de poderem ser distinguidos dos livres. (Sêneca, *de Clementia* 1:24,1).

Nos dias do Novo Testamento, os trabalhadores livres dificilmente desfrutavam de melhores circunstâncias do que os escravos. Um trabalhador comum, em Roma ou nas províncias do império, geralmente ganhava um denário por dia. Pelo menos, isso é o que transparece na parábola de Jesus sobre os trabalhadores da vinha (Mat. 20:2). Os soldados das tropas de Júlio César nem ao menos recebiam essa quantia, porquanto seu salário era de 225 denários anuais, embora pudessem receber alguns benefícios extras sob a forma de alimentos e de despojos conquistados

461

ESCRAVO, ESCRAVIDÃO — ESCRIBA

do inimigo. E esse salário médio foi diminuindo lentamente, até que, na época de Diocleciano, quando os preços dos alimentos estavam inflacionados, por decreto imperial os trabalhadores não especializados deveriam receber entre meio e um denário por dia, como salário. Isso permitia que esses trabalhadores contassem com uma dieta de pão, legumes e frutas, nada mais. Se o indivíduo não dormisse pelas ruas—o que sucedia com um grande número de pessoas—então a moradia consumia noventa denários ou trinta sestércios anuais (um sestércio equivalia a três denários) o que representava uma considerável parcela do salário anual de uma pessoa comum. No entanto, os escravos, além de terem garantidas essas necessidades fundamentais à vida, também recebiam cinco denários por mês, para gastarem como bem entendessem. Com base nesses dados estatísticos, pode-se chegar à óbvia conclusão de que o homem livre ordinário, no império romano, não vivia melhor do que um escravo. Na verdade, em períodos de aperto econômico, eram os escravos e não os homens livres que tinham garantias das necessidades básicas da vida. Obviamente, também sofreram brutalidades e mortes injustas, freqüentemente.

Tudo isso poderia ser tentativamente comparado com a situação dos habitantes ordinários dos países subdesenvolvidos ou em desenvolvimento. Em nosso Brasil, o assalariado recebe um salário que mal dá para sua sobrevivência. Alie-se a isso o fato de que o Brasil é um país onde a taxa de aumento demográfico é das mais altas do mundo, onde as famílias pobres contam com um número excessivo de filhos e compreender-se-á por qual razão cada vez mais, nas grandes cidades brasileiras, vai aumentando a olhos vistos o número de favelados, vivendo de subempregos ou de pequenos expedientes. Se não fosse a superpopulação dos cárceres onde são amontoados, os detentos viveriam em melhores condições do que a maioria dos favelados, se desconsiderarmos a perda de liberdade de que sofrem! Tudo isso mostra-nos tanto a necessidade de urgentes reformas sociais, com melhor distribuição da renda, como também que as condições de vida, no antigo império romano, apenas têm-se perpetuado em certos países menos favorecidos, cuja herança cultura é greco-romana, como é o caso de nosso querido país! É possível que estejamos sendo pessimistas, mas parece que as condições de vida ir-se-ão deteriorando cada vez mais, no mundo em geral, à medida que nos aproximarmos da segunda vinda de Cristo. Ele mesmo disse: «...os pobres sempre os tendes convosco, mas a mim nem sempre me tendes» (João 12:8). E o Apocalipse prevê, para os últimos dias, grande escassez e fome. Quando o Senhor Jesus abriu o terceiro selo, revela-nos João: «Então vi, e eis um cavalo preto e o seu cavaleiro com uma balança na mão. E ouvi uma como que voz no meio dos quatro seres viventes, dizendo: Uma medida de trigo por um denário; três medidas de cevada por um denário; e não danifiques o azeite e o vinho» (Apo. 6:5,6). Essa projeção para o futuro não é nada lisonjeadora para a nossa civilização! E também parece que, durante a Grande Tribulação, será novamente instituída a escravatura, pois lemos que os mercadores da terra, entre outras coisas, negociarão com «escravos, e até almas humanas» (Apo. 18:13).

ESCRIBA

No hebraico, *saphar* ou *sapher*. No grego, *grammateús*. Essa forma grega aparece tanto na LXX quanto no Novo Testamento grego.

1. Uso no Antigo Testamento. No antigo Israel, a arte do escrivão confinava-se quase inteiramente a certos clãs, os quais, sem dúvida, preservavam essa arte como uma profissão de família, passando esse conhecimento essencial de pai para filho. Entre os queneus, havia as famílias dos tiratitas, dos simeatitas e dos sucatitas, que eram «famílias dos escribas» e que habitavam em Jabez (I Crô. 2:55). A conexão entre o sogro de Moisés, que era sacerdote de Midiã (Êxo. 3:1), e os queneus (Juí. 1:16; 4:11), serve de indicação de que a arte de escrever nunca esteve muito distante do sacerdócio.

Durante a monarquia unificada de Israel, e durante a posterior monarquia judaica, um número substancial de escribas vinha dentre os levitas. O ponto de contacto entre as funções rituais e escribais deriva-se das exigências da organização fiscal das operações do templo de Jerusalém (por exemplo, na Mesopotâmia e no Egito quase todas as primeiras porções escritas estão ligadas aos registros dos templos). Um levita registrou as obrigações sacerdotais (I Crô. 24:6), e um escriba real ajudou a contar os fundos públicos, coletados a fim de fazer reparos no templo de Jerusalém (II Reis 12:10,11; Crô. 14:11). Visto que o fornecimento de cópias escritas da lei era uma responsabilidade levítica (escribal) (Deu. 17:18), as reformas de Josafá (cf. II Crô. 17) não podem ser dissociatas da função escribal. Embora a extensão da alfabetização, dentre a antiga sociedade israelita, seja, para nós, uma questão complexa, pelo menos um dos *profetas escritores* achou ser conveniente, se não mesmo necessário, empregar um amanuense (Jer. 36:26,32), o que nos sugere fortemente que outros desses profetas escritores fizeram o mesmo.

A função escribal de compor documentos legais particulares é largamente confirmada na Mesopotâmia e no Egito, desde antes, durante e após o período bíblico. Embora não tenha sido declarado que algum escriba compôs o texto de um documento de venda, em Jer. 32:10-12, isso pode ficar subentendido, visto que o documento foi confiado a Baruque, diante de testemunhas.

Os escribas mais importantes eram aqueles que serviam no governo. Esses podem ter servido de conselheiros (por exemplo, I Crô. 27:32), ou podem ter tido a responsabilidade de convocar o exército (II Reis 25:19). O escriba governamental da mais alta importância era o escriba do rei. É difícil julgarmos agora a sua posição no gabinete, visto que as listas ministeriais podem não ter sido dadas segundo a seqüência hierárquica. Porém, se o gabinete de Davi alistava os nomes na seqüência hierárquica (II Sam. 8:16-18; cf. I Crô. 18:15-17), então o escriba real só ficava abaixo do comandante militar, do «cronista» e do sumo sacerdote, embora acima dos «sacerdotes do palácio», sem importar se estes eram «filhos de Davi» (II Sam. 8:18), ou eram outras pessoas (II Sam. 20:25; notar uma ordem diferente em II Sam. 20:23-26). A lista dos oficiais de Salomão bem pode ter sido preparada segundo uma ordem ascendente (I Reis 4:2-6). Azarias, mui provavelmente, era o «sacerdote do palácio», visto que ele não figura em nenhuma outra lista. Em seguida aparecem dois escribas, filhos do escriba de Davi, Sisa (ou Seva, pois trata-se de duas formas diferentes do mesmo nome semítico); e em seguida aparecem o «cronista» e o novo comandante do exército, juntamente com os dois sumos sacerdotes que serviam conjuntamente. Um novo oficial, o «mordomo», aparece acima do escriba.

Durante a monarquia unificada, pelo menos, portanto, o escriba ficava acima do «cronista». Talvez isso não mais ocorresse na época da monarquia dividida, visto que o escriba por duas vezes é alistado

462

ESCRIBA

entre o «cronista» e o «mordomo» (II Reis 18:18,37; cf. Isa. 36:3,22). Nesse caso, o escriba serviu como um dos três ministros nomeados para negociar com Senaqueribe, o qual exigira a rendição de Jerusalém. Outrossim, durante o governo de Josias, o escriba antecedia ao *cronista* (bem como ao «governador da cidade»; II Reis 22:3-13; II Crô. 34:8-21), o que nos sugere que a relação entre o «escriba» e o «cronista» tinha sofrido uma reversão, desde a era de Davi. A elevada posição da família desse escriba, Safã, é evidente com base nas carreiras de seu filho, Aicão, e de seus netos, Gedalias e Micaías, filho de Gemarias. Gedalias era o «encarregado do palácio» e, posteriormente, foi nomeado governador de Judá, na época da dominação babilônica. Micaías serviu aos ministros principais do estado, sob Jeoaquim (Jer. 36:11). Esses escribas reais tinham escritórios (36:12), evidentemente localizados no complexo de edifícios do palácio real da Judéia, o que serve para ilustrar a elevada posição do escriba do rei, dentro do governo judaico. Os profetas também tinham consciência de uma contraparte acádica do escriba real, igualmente investido em elevada posição (cf. Naum 3:17) e responsável por funções militares (cf. Jer. 52:25). O caráter multilíngue e pluralista do período persa, por semelhante modo, requeria o uso de especialistas administrativos (Est. 3:12; 8:9), e os comandantes das províncias dispunham igualmente de escribas, como segundos homens no comando (Esd. 4:8,9,17,23).

2. Esdras e o Período Intertestamentário. Esdras assinalou a linha divisória entre a antiga e a nova compreensão sobre o que era um «escriba». De fato, a transição é sugerida desde o livro de Esdras, pois, no decreto real (Esd. 7:12-26), a palavra «escriba» é usada em sentido administrativo, e na narrativa geral (Esd. 7:6,11), o termo refere-se a Esdras, o qual, em razão de sua erudição, fora capaz de interpretar a lei para o povo comum. Outrossim, devido à sua linhagem sacerdotal (Esd. 7:6), ele simbolizava a íntima conexão entre o sacerdócio e a interpretação oficial da lei, o que continuou sendo uma atividade até o século II A.C., com toda a probabilidade. Essa conexão parece ser a continuação da associação entre as funções escribais e as funções religiosas dos dias anteriores. De acordo com o decreto da corte persa, a lei de Moisés tornou-se civilmente obrigatória para os judeus que viviam «dalém do Eufrates», isto é, a oeste desse rio (Esd. 7:25 *ss*). A tarefa essencial dos intérpretes da lei de Moisés lhes foi conferida oficialmente, dentro dessa nova capacidade civil, aos sacerdotes (Esdras) e aos levitas (cf. Nee. 8:6-9).

As fontes informativas acerca da questão, durante os séculos seguintes, são quase exclusivamente rabínicas, em sua literatura religiosa. Entretanto, a hegemonia sacerdotal sobre a correta interpretação da lei dificilmente pode ser posta em dúvida. Durante o período persa, e quase todo o período dos monarcas Ptolomeus, o sumo sacerdote era o oficial local mais importante do governo, sendo membro categorizado da aristocracia local. Ele era a figura preferida para receber grandes figuras, como Alexandre, o Grande (Talmude Babilônico, *Yoma* 69a; Josefo, *Anti.* xi.8,4,5), sendo escoltado por nobres, de quem também se esperava que operasse como oficial local superior sob o governo dos Ptolomeus (Josefo, *Anti.* xii.4.1). Tão tarde quanto o reinado de Antíoco III na Palestina, o sumo sacerdote era o oficial local principal (II Macabeus 3:1-4), ao passo que os sacerdotes e levitas dominavam os papéis de funcionários especialmente privilegiados, na carta de isenções de Antíoco (Jos. *Anti.* xii.3.3). Muito significativamente, «escribas do templo» foram incluídos entre os dispensados do pagamento de certas taxas.

O papel exato dos «escribas» continua um tanto obscuro, por falta de material informativo. De acordo com certa tradição rabínica (*Pirke Aboth* 1.1), a lei oral (também dada a Moisés, no Sinai, de acordo com a teologia rabínica) foi mediada dos profetas para a geração de Simeão, «o Justo» (sua identificação é disputada—ou o sumo sacerdote, de cerca de 300 A.C., ou o seu neto, de cerca de 210 A.C.), pela *grande assembléia*. Quando essa tradição é confrontada com as regras citadas na literatura rabínica, que teriam sido produzidas pelos «escribas», parece bem provável que os «escribas» dos períodos persa e ptolemaico eram idênticos (ou, pelo menos, participantes) a esse grupo de formuladores da lei oral.

As regras e práticas estabelecidas pelos escribas adquiriram uma autoridade obrigatória, particularmente entre os ortodoxos de tempos posteriores, ou seja, já na época do Novo Testamento. Certa tradição atribui maior autoridade aos ensinos deles do que à própria lei escrita (*M Sanh.* 11.3). Dos prosélitos requeria-se que eles obedecessem às tradições orais dos escribas, tanto quanto às leis escritas (Siphra sobre Lev. 19:34). Os escribas eram, essencialmente, intérpretes bíblicos, porquanto regras escribais ocasionais, não alicerçadas sobre as Escrituras, fizeram os rabinos posteriores sentirem-se consternados (*Kelim* 13:7). Essa situação ajusta-se bem aos decretos de um grupo ou classe de intérpretes, que operaram durante os períodos persa e ptolemaico.

A partir do século II A.C., dispomos de duas fontes de informação adicionais sobre os escribas. No livro de Ben Siraque (Eclesiástico), cujo autor reputava-se claramente dentro da tradição escribal, há uma «ode» ao «escriba perfeito» (Eclesiástico 38.24—39.11). Essa ode confirma o quadro de um escriba bem instruído na lei e na sabedoria religiosa, capaz de entender as implicações tanto da lei oral quanto da lei escrita. Em resultado dessa erudição, os escribas desfrutavam de posição proeminente nas assembléias públicas, sendo entendidos sobre a justiça, e aplicando-a entre o povo. Outrossim, os escribas eram considerados elementos particularmente piedosos, em virtude do conhecimento que tinham da verdade revelada de Deus. Se o livro de Eclesiástico tem origem saducéia (ou, mais apropriadamente, proto-saducéia), então há nisso mais um ponto de conexão entre o sacerdócio estabelecido e a classe dos escribas. Além disso, durante a revolta dos Macabeus, um grupo de escribas «buscou justiça» da parte do sumo sacerdote Álcimo, nomeado como tal pelo monarca Selêucida, na confiança de que ele era o «sacerdote da linhagem de Arão» (I Macabeus 7.12 *ss*), e nada tinham a temer. Embora a confiança deles tivesse pouca duração, o fato reflete uma permanente cooperação entre os escribas e o sacerdócio oficialmente estabelecido. Entretanto, a cooperação entre os «piedosos» (*chasidim*) e os escribas, dá a entender um desenvolvimento posterior, quando os saduceus sacerdotais opunham-se àqueles que descendiam de escribas: os rabinos e os fariseus. Por ocasião da revolta dos Macabeus, porém, as «divisões partidárias», com toda a probabilidade, ainda não haviam surgido.

3. Uso Neotestamentário. É nas páginas do Novo Testamento que encontramos o testemunho final sobre o emprego da palavra «escriba», indicando alguém que era um erudito e autoridade na lei mosaica. Os «escribas» são ali achados ligados ao partido sacerdotal (os saduceus—por exemplo: Mat.

ESCRIBA — ESCRITA

2:4; 21:15), e também ao partido dos fariseus (cf. Mat. 23). Os eruditos deste último partido eram os líderes que, mais tarde, haveriam de tornar-se o judaísmo rabínico, mas que, posteriormente, passaram a ser conhecidos como «sábios», e, mais tarde ainda, como «rabinos». Porém, os escribas (ou eruditos) de ambos os partidos desafiaram Jesus, principalmente devido ao fato de que ele não observava as práticas tradicionais ditadas pela lei oral. Para exemplificar: comer com as mãos sem lavá-las, o que era uma quebra da tradição oral—Mat. 15:2; Mar. 7:51; ou comer com os que não observavam essas tradições—Mar. 2:16. Em Mateus 23—paralelo em Lucas 11—temos a condenação clássica da abordagem escribal quanto à vontade de Deus. Os eruditos de ambos os partidos, sem dúvida alguma, participaram de todos os procedimentos legais efetuados contra Jesus, na semana de sua paixão. Mas as mui complexas questões da legalidade desse processo (levado a efeito sob o domínio romano), tornam muito tênues as nossas conclusões a respeito.

Paulo interpretava os escribas como mestres da dialética (I Cor. 1:20-25), aplicada à lei escrita e às tradições orais. Mas essa dialética, do ponto de vista paulino, não passava de insensatez, diante da obra salvatícia de Deus, na pessoa de Cristo. Entretanto, pelo menos em certos segmentos da Igreja primitiva, a função dos escribas, como eruditos e instrutores cristãos da responsabilidade legal, foi preservada (Mat. 8:19; mas, especialmente, Mat. 13:52 e 23:34), de tal modo que ali interpretava-se que a lei mosaica não havia sido abolida e, sim, reaplicada às necessidades da Igreja cristã, mais espirituais do que no caso da congregação judaica. A única menção aos «escribas», no evangelho de João, acha-se na passagem considerada não-autêntica, sobre bases textuais e lingüísticas, a saber, João 7:53—8:11.

Após o período do Novo Testamento, a palavra «escriba» passou a descrever um mestre de crianças e compositor de documentos legais; e os títulos «sábio», e então, «rabino», substituíram o termo «escriba». Portanto, os atuais rabinos correspondem aos antigos escribas.

Jesus foi mártir, entre outras coisas, da causa do retorno à exclusividade da Palavra escrita, como regra de fé e prática, com a conseqüente eliminação das tradições orais dos escribas e mestres da lei, por serem tais tradições contrárias e lesivas aos mandamentos divinos. Jesus acusou os escribas em termos que não dão margem a dúvidas: «Negligenciando o mandamento de Deus, guardais a tradição dos homens... invalidando a palavra de Deus pela vossa própria tradição, que vós mesmos transmitistes; e fazeis muitas outras cousas semelhantes» (Mar. 7:1-23).

ESCRITA

Esboço:

I. Expressão e comunicação
  A. Comunicação horizontal
  B. Comunicação vertical
  C. Memória: pessoal—institucional—social
  D. Tipos de sistemas semióticos
    1. Semasiográfico (sinais com sentido)
    2. Fonográfico (sinais audíveis)
II. Origem da comunicação vertical
  A. Sistemas pré-históricos de escrita
    1. Proto-eufrateano
    2. Protobalcodanubiano
    3. Hieróglifos asiáticos ocidentais

III. Escrita cuneiforme
  A. Suméria
  B. Acádica
    1. Babilônia
    2. Assíria
    3. Acádico periférico
  C. Elamita
  D. Hitita
    1. Proto-atiano
    2. Luviano
    3. Palaiano
  E. Ugarítico
  F. Urartiano
  G. Hurriano
  H. Persa
IV. Hieróglifos
  A. Egípcio
  B. Hitita
V. Semita ocidental e grego
  A. Pictográfico cretense
  B. Protofenício silábico
  C. Alfabético fenício
  D. Hebraico antigo
  E. Árabe do sul (etiópico)
  F. Aramaico
    1. Hebraico (escrita quadrada)
    2. Siríaco
    3. Árabe
  G. Grego
VI. Escrita nas Escrituras
  A. Antigo Testamento
  B. Novo Testamento

I. Expressão e Comunicação

O pensamento humano, reduzido a seus aspectos moleculares, começa com trocas eletroquímicas de energia, dentro e fora das células neurais do cérebro. Porém, é fato bem conhecido que, através da repetição constante, o corpo humano pode reagir a percepções visuais e auditivas sem que forme, aparentemente, essas sensações em palavras. Isso posto, definir com exatidão a natureza da expressão e da comunicação parece ser uma atividade muito mais metafísica do que científica. Portanto, estuda-se melhor o tema da escrita como um processo histórico da invenção de um dos mais úteis instrumentos do homem, baseado em uma das mais cêntricas de suas faculdades, a da expressão. O homem pode exprimir seus pensamentos individuais quase através de cada porção e função de seu corpo. No entanto, os seres humanos de qualquer época histórica têm dependido da visão e da audição como as principais vias de recolhimento e transmissão de dados. Visto que não se pode conceber um homem que não pensa, assim também não se pode imaginar um homem que não se expresse ou comunique.

A. Comunicação horizontal. É a transferência de informes de uma fonte para um ou mais receptores, no mesmo lugar e tempo. Isso requer que quem fala e quem ouve, ou exibidor e observador, estejam no mesmo lugar, ao mesmo tempo. As artes plásticas são o meio de expressão mais conveniente, e quadros, estátuas, etc., podem fazer-nos retroceder até pelo menos o quinto milênio A.C., ao passo que aparelhos de gravação podem recuperar sons e vozes até à guerra da Criméia (1854 D.C.). Qualquer tradição baseada na comunicação oral é apenas a contínua reiteração de uma comunicação horizontal. Cânticos,

ESCRITA

estórias, poemas, narrativas, sagas e até mesmo estatísticas podem ser e têm sido preservadas desse modo, mas a sua exatidão é extremamente duvidosa. Os informes assim transmitidos são simplificados de tal modo que o material original é deformado por sua forma posterior artística ou literária. As lendas antigas são o principal exemplo de tal digressão.

B. Comunicação vertical. Essa é a transmissão de informes que atravessa o tempo, além do período de vida do indivíduo ou de seu grupo social. Quase sempre é um processo mecânico, em que o pensamento toma forma com um artefato, uma construção ou um artigo fabricado. Nem é preciso ser dito que quanto mais simples for a noção, mais fácil e universalmente ela pode ser comunicada. Exemplo disso são os desenhos toscos de supernovas, feitos pelos índios americanos pré-históricos. Visto que o pensamento expresso sob a forma de imagens é mais facilmente comunicado verticalmente, tornou-se evidente que o pensamento expresso pela fala teria de ser vinculado ao pensamento expresso sob a forma de imagens, a fim de obter a mesma continuidade vertical. De fato, isso era feito mediante símbolos, ou sistemas semióticos.

C. Memória. Essa envolve certos aspectos. A memória não somente é um depósito de experiências individuais, pois ela pode ser também concebida como uma espécie de memória coletiva. Pode-se conceber uma cidade como se fosse um computador. Há uma justificativa para essa idéia quando se pensa que todos os antigos sistemas de escrita parecem ter-se originado em áreas urbanas que produziam alimentos. Os padrões sociais exigem ainda mais uma coisa, além das dimensões horizontal e vertical: exibição. Essa exibição assume a forma de códigos, de anais do passado, de inscrições em edifícios, etc. Esses três fatores combinados—a dimensão horizontal, a dimensão vertical e a exibição—nas sociedades urbanas, criaram a necessidade da escrita, e então a sua invenção.

D. Tipos de sistemas semióticos. Estão em foco os símbolos de vários tipos, produzidos na era inicial da escrita. Os primeiros sistemas não eram fonéticos, pelo que são chamados semasiográficos.

1. *Sistemas semasiográficos*. São aqueles que pertencem a uma destas categorias: a. Pictográficos, ilustrações simples de uma idéia isolada. b. Fraseográficos, geralmente várias ilustrações pictográficas de modo a indicar alguma ação, que com o tempo torna-se, ela mesma, uma unidade. c. Logográficos são os símbolos em que uma palavra é combinada com um sinal. Um exemplo de logográfico é o «$», que todo mundo entende como símbolo de dinheiro. Os antigos sistemas escritos envolviam muitos desses sinais, tornando-se a sua interpretação virtualmente impossível. É uma espécie de economia de espaço, mas, com o tempo, resulta que um sinal tem mais de um som fonético que o exprime.

2. *Sistemas fonográficos*. Tal como nos sistemas semasiográficos, estes também foram variados, a saber: a. Silábicos, em que cada sinal representa não apenas algum som isolado, mas também alguma combinação de vogais ou de vogais e consoantes, ou de consoantes e vogais, ou mesmo de consoantes, vogais e consoantes. Esses sistemas funcionam bem no caso de idiomas monossilábicos. b. Fonêmicos, em que cada símbolo representa um som ou fonema, vogal ou consoante. c. Prosódicos, quando indicam todas as nuances da palavra falada. Um exemplo é a pauta musical, onde podem ser registradas todas as nuances de uma peça musical.

II. Origem da Comunicação Vertical

A antiga Ásia ocidental não foi apenas o berço da civilização ocidental, mas também dos primeiros sistemas de escrita, onde surgiram todos os estágios dos sistemas semasiográficos e fonográficos. Sempre que houve necessidade de registros escritos, a escrita foi inventada.

Sistemas pré-históricos de escrita. — Para chegarmos a eles, precisamos extrapolar dos sistemas posteriores mais conhecidos, retrocedendo para esses sistemas pré-históricos. Os mais antigos documentos escritos que se conhecem foram escavados no local da antiga cidade de Uruque (na Bíblia, *Ereque*; ver Gên. 10:10), inscritos em cerca de 3000 A.C. São tabletes sumérios, com textos econômicos. O sumério era uma língua não-semita, não indoeuropéia. Todavia, tem-se descoberto ultimamente que esse sistema, bem como todos os textos sumérios posteriores, provavelmente não foram criados pelos sumérios, embora eles possam ter modificado e expandido os mesmos, ajustando-os a seu idioma monossilábico.

1. *Proto-eufrateano*. É o sistema literário anterior ao sumério, porque acredita-se que tenha sido criado às margens do rio Eufrates. Ultimamente, descobriu-se um sistema muito parecido com o de Uruque, na vila, do período neolítico inicial de Tartária, na Transilvânia da Romênia, pertencente a cerca de 3000 A.C. E isso talvez leve os estudiosos ao evasivo sistema proto-eufrateano.

2. Talvez a melhor solu.ão seja designar os textos de Tartária como *protobalcodanubianos*. Visto que esses textos são logográficos, se não mesmo silábicos, parece que sistemas ainda mais antigos terão de ser procurados.

3. *Hieroglíficos asiáticos ocidentais*. Embora os sistemas de Uruque e Tartária sejam os mais antigos que se conhecem, logo foram seguidos por outros sistemas de escrita que resistem a todo esforço para decifrá-los. Todos esses outros sistemas apareceram na Ásia ocidental, sendo de natureza mais hieroglífica. Parecem mais simples desenhos de objetos, e a quantidade muito grande de sinais indica que dificilmente representavam sílabas. Algum tempo depois de 3000 A.C., os elamitas, do sudoeste do Irã, produziram um elaborado sistema de escrita, que os eruditos chamam de proto-elamítico. Visto que o elamita não está relacionado a qualquer outro idioma conhecido, não sendo semita e nem indo-europeu, os textos escritos nesse idioma ainda não foram decifrados. De cerca de 2300 A.C., foi encontrado um outro sistema que foi criado por um grupo de cidades às margens do rio Indus. A escrita hieroglífica usualmente está associada ao Egito. Essa escrita também evoluiu, onde cada símbolo foi sendo paulatinamente simplificado quanto ao seu desenho. Com o tempo, a escrita de Uruque foi sendo estilizada, até que dali foi criada a chamada escrita cuneiforme, que é o tema do ponto III, abaixo.

III. Escrita Cuneiforme

A. Suméria. O predecessor da escrita cuneiforme clássica, apareceu em documentos econômicos do templo de Uruque. Foram encontrados mais de mil tabletes referentes a pequenos negócios, ainda que alguns contenham as complexas regras gramaticais usadas para ensinar o sumério e o sistema escrito dos dois milênios seguintes. Os sinais desses tabletes são mais pictográficos do que cuneiformes, embora envolvendo alguns valores fonéticos, usados na escrita simplificada posterior. Apesar das dificuldades, mais de setecentos sinais usados nos tabletes de Uruque,

465

ESCRITA

dentre os mil e cem sinais ali encontrados são incorporados nestes tabletes. Tais sinais são quase todos de natureza semasiográfica. O sistema aritmético é uma surpreendente mistura do sistema decimal e do sistema sexagesimal. Após muitas simplificações, chegaram ao eficaz silabário de Ur III. Parece que o sumério era uma linguagem tonal, como muitas línguas modernas afro-asiáticas, isto é, dependiam também do tom da voz, e não somente dos fonemas. Com o tempo, o acádico foi superando o sumério, embora os dois idiomas tivessem convivido e influenciado mutuamente por longo tempo.

B. Acádica. Esse idioma entrou em uso como língua escrita após as conquistas de Sargão de Agade (Acade), o primeiro grande conquistador mundial que invadiu a Mesopotâmia central, em 2.371. O acádico não se ajusta bem ao silabário sumério, porque é língua polissilábica, e tem difíceis combinações de sons consonantais. As vogais também variam mais que no caso do sumério. Portanto as adaptações não eram perfeitas, e a escrita acádica sempre sofreu por esse motivo.

1. *Babilônia.* O próximo passo na escrita, o babilônico antigo, tal como o seu contemporâneo, o assírio das colônias comerciais capadócias, usava poucos logogramas e determinativos, escrevendo silabicamente a maioria das palavras. No entanto, a representação escrita não correspondia precisamente à língua falada. Certos sons tinham de ser repetidos na escrita, ao passo que não eram repetidos na fala.

2. *Assíria.* Com o ressurgimento assírio entre 1365-1330 A.C., houve o predomínio de certos símbolos escritos melhor adaptados ao dialeto assírio. Antes mesmo de Assurbanipal (668-631 A.C.), os reis eram os cultivadores dos estudos da escrita cuneiforme, e esse monarca coligiu textos que representavam todos os períodos anteriores. Basta dizer que os reis do século VI A.C. eram capazes de decifrar textos com dois mil e quinhentos anos de antiguidade na época, escritos em cuneiforme. O acádico, a *língua franca* do período, propagou sua escrita cuneiforme por toda a parte. Os escribas da corte de Faraó, o palácio do governante indo-europeu de Mitani e os chefes de clãs da área da Síria e Palestina, todos correspondiam-se em escrita cuneiforme.

3. *Acádico periférico.* Era o acádico modificado para pior, quanto à gramática e a sintaxe, dependendo da língua original dos escribas que o usavam. Isso produziu alterações que tornaram a escrita mais fonográfica, com certas adaptações engenhosas, mas trabalhosas. A escrita cuneiforme, por causa de sua supremacia e por causa da extensa literatura mesopotâmica disponível, foi se propagando até entre os povos que falavam línguas diferentes do acádico.

C. Elamita. Essa língua tinha sua própria escrita pictográfica até cerca de 2500 A.C. quando então foi introduzido um sistema fonográfico, baseado na escrita cuneiforme acádica. O novo sistema tinha apenas 131 sinais silábicos, 25 logogramas e sete determinativos. O elamita tornou-se uma das línguas oficiais do império persa. — Com o tempo, o sistema foi reduzido a 102 sinais silábicos, oito logogramas e três determinativos. Muitos textos elamitas têm sido encontrados e esperam publicação.

D. Hitita. Essa é a mais antiga língua indo-européia que se conhece. Ali eram usados, simultaneamente, dois sistemas de escrita, um cuneiforme e outro hieroglífico, cada um com seu conjunto de sinais. 1. O proto-atiano, ou simplesmente hatiano, era uma língua sacra, que aparecia apenas em certos textos rituais. Não é aparentada do hitita, e era escrita de forma inteiramente silábica, sem quaisquer logogramas. 2. Há um maior número de citações em luviano, idioma escrito nos hieróglifos hititas, também escrito apenas silabicamente. Um subdialeto desse idioma tornou-se a língua do reino da Lícia, na área da Anatólia entre as ilhas de Creta e Chipre. Os lícios chamavam sua língua de *Treknemli*. 3. *Palaiano.* Esse é o menos conhecido dos dialetos do império poliglota dos hititas. É indo-europeu quanto à sua estrutura, sendo escrito exclusivamente com a ajuda de um silabário.

E. Ugarítico. Centenas de tabletes de argila foram descobertos em Ras Shamra na costa N da Síria (1929-1939). A maioria deles contém a escrita *cuneiforme* (vide) que foi decifrada com a ajuda de inscrições bilíngües. Esta escrita é semelhante a escrita cananéia, fenícia e hebraica. Os tabletes forneceram informações sobre os elementos da sociedade de c. 1400 A.C. e foram valiosos para iluminar o estudo das línguas semitas daquele tempo, inclusive o hebraico do Antigo Testamento. Estes tabletes, embora se referissem a assuntos variegados, foram essencialmente religiosos em seu caráter.

F. Uratiano. A civilização que deu origem a essa língua floresceu às margens do lago Van, na Anatólia do norte, entre cerca de 1100 e 600 A.C. É língua relacionada aos idiomas do Cáucaso, e também é conhecida pelo nome de vânico. As inscrições uratianas são escritas em cuneiforme neo-assírio, com grande porcentagem de escrita logográfica.

G. Hurriano. Essa é uma das mais antigas línguas do Oriente Próximo, sendo falada pelos habitantes dos altos rios Tigre e Eufrates, e também do norte da Síria e Palestina, desde o segundo milênio A.C. Suspeita-se de que esse grupo lingüístico foi que transmitiu a civilização acádica à Síria, à Palestina e à Anatólia. Textos hurrianos, escritos em cuneiformes quase inteiramente silábicos, com poucos logogramas, têm sido escavados em locais habitados por povoações hititas, ugaríticas e mesopotâmicas. A Bíblia chama os hurrianos de «horeus» (ver Gên. 14:6, etc.). A língua hurriana, que era aglutinativa, não sendo nem indo-européia e nem semítica, era quase inteiramente escrita de forma silábica. Os seus sinais cuneiformes assemelham-se aos sinais do acádico periférico, mencionado acima. O reino hurriano central estava na região do alto e médio rio Tigre, de nome Mitani. O estado mitaniano consistia de uma plebe hurriana e de nobres indo-europeus, o que significa que era uma confederação poliglota e mista, racialmente falando.

H. Persa. Esse era o idioma dominante do império medo-persa, — que chegou a dominar o Oriente Próximo e o Egito, no século VI A.C. Havia ali três línguas oficiais da corte: o persa antigo, o elamita e o acádico; e também era utilizado o aramaico para fins administrativos. Mas a escrita cuneiforme persa tinha pouca semelhança com o acádico, pois era principalmente silábica. Após o eclipse do império persa, a escrita cuneiforme foi desaparecendo rapidamente. Após as conquistas de Alexandre e a fundação dos reinos helenistas, houve uma tentativa de renascimento dessa forma de escrita, mas mesmo assim nunca foi usada em documentos, mas apenas na vida religiosa dos templos, no tempo dos monarcas selêucidas. O surgimento do cristianismo provocou uma reação do sacerdócio pagão, que tentou restaurar a escrita cuneiforme. Mas os últimos documentos escritos em argila, em escrita cuneiforme, são de 75 D.C. Depois disso, desapareceu uma tradição escrita que retroce-

ESCRITA

dia por nada menos de 3200 anos até suas origens. É provável que nenhum outro evento tenha alterado e ampliado tanto o nosso horizonte histórico como o deciframento e o estudo dos textos escritos em cuneiforme.

IV. Hieróglifos (Ver o artigo sob este título).

A. Egípcio. O termo foi cunhado por historiadores gregos. Alude somente à forma pictográfica dos sinais egípcios. No uso comum da palavra, envolve uma escrita pictográfica, logográfica e silábica. As inscrições hieroglíficas tinham um fundo religioso. Visto que os Faraós eram considerados divinos, suas proclamações eram registradas nessa espécie de escrita sagrada. A origem dos hieróglifos egípcios remonta pelo menos a 3000 A.C., alicerçada sobre a escrita suméria, pelo que muitas características são comuns a essas duas escritas. Essencialmente, o sistema hieroglífico é um silabário do tipo que se desenvolveu na Suméria, isto é, o peso da escrita recai sobre as consonantes, ao passo que as vogais são vagamente expressas. Exemplificando, o sinal para *ka* podia ser lido como *ka, ku, ko, ke* ou *ki*, havendo sinais monoconsonantais, biconsonantais e triconsonantais. Esses hieróglifos foram sendo lentamente modificados, segundo as vicissitudes históricas dos povos que os empregavam. Podemos pensar nas modificações que, partindo dos hieróglifos do antigo reino egípcio, passaram pelas fases do reino médio, do hierático, do demótico, do meróitico e do cóptico. Essas modificações tendiam para uma simplificação cada vez maior. Todos aqueles sinais poderiam ter sido reduzidos a um alfabeto, mas isso nunca sucedeu durante a longa história da escrita hieroglífica. A última fase da escrita hieroglífica, a cóptica, apareceu após a conquista persa do século VI A.C. Foi adotado um alfabeto grego modificado, embora ainda retendo o sistema básico do antigo silabário. Uma das variantes da fase meróitica, extremamente simplificada, começou a ser usada em papiros e ostraca (pedaços de argila, depois secos ao sol). O número de sinais diminuiu sensivelmente, até equiparar-se em número às letras gregas, e também contendo letras vogais verdadeiras.

B. Hitita. Os hieróglifos dos heteus foram criados independentemente por eles, pois nenhum dos sinais é distintamente egípcio. Essa forma de escrita floresceu entre 1500 e 700 A.C. Passou por vários estágios, até chegar a um sistema cursivo estilizado. Havia cerca de sessenta sinais. As origens do silabário hitita devem ser buscadas na área do mar Egeu. Perto do fim do terceiro milênio A.C., as mesmas migrações que haviam trazido povos indo-europeus ao Irã e à Anatólia, também trouxeram novos povos às praias do norte do mar Mediterrâneo. Nos séculos posteriores, essas imensas migrações seriam relembradas nos poemas homéricos. A civilização assim fundada é conhecida como minoana, tendo florescido de 2400 a 1400 A.C. Têm sido feitas tentativas para associar esses habitantes minoanos com as civilizações ugaríticas e cananéias da costa da Síria; mas, as evidências assim deduzidas continuam sujeitas a muitas controvérsias. (Ver C.H. Gordon, *Evidence for the Minoan Language*, 1966; e M.C. Astour, *Hellenosemitica*, 1965).

V. Semita Ocidental e Grego

Embora essas duas famílias lingüísticas, o semita ocidental (ugarítico, cananeu, fenício e hebraico) e o grego sejam totalmente distintas uma da outra, os sistemas de escrita que elas empregavam, através de alguns milênios, dependiam um do outro. No tocante aos sistemas semióticos envolvidos, essas duas famílias podem mesmo ser consideradas como uma unidade.

A. Pictográfico cretense. Essa escrita hieroglífica data desde cerca de 2500 A.C., tendo surgido uma variante quinhentos anos mais tarde. Tabletes escritos com essa escrita têm sido encontrados tanto em Creta como na península grega. Os estudiosos falam na escrita linear A e na escrita linear B, pertencentes a essa escrita. Em 1956 foi provado que a linguagem da linear B era grego escrito de forma estranha. A linguagem *linear A* quase certamente não é grega, havendo pouca possibilidade que seja qualquer outro idioma indo-europeu. Essa forma prestava-se à criação de muitas formas escritas derivadas. A importância dessa forma escrita é que ela podia ser usada facilmente em papiro ou pergaminho, ao passo que a escrita cuneiforme tinha que ser impressa sob argila mole, que em seguida era ressecada ao sol, para que houvesse permanência.

B. Protofenício silábico. Na verdade trata-se de uma construção teórica, de um sistema intermediário entre o semítico oriental ugarítico, por um lado, e o egípcio por outro lado. Os mais antigos textos palestinos que já foram encontrados são inscrições fragmentárias e problemáticas, feitas em cacos de barro, que alguns estudiosos datam entre os fins do século XVIII e o começo do século XVII A.C., descobertos em Gezer, Siquém e Laquis. É interessante notar que essas experiências silábicas tiveram lugar durante o período dos hicsos, quando havia conflitos constantes entre as tribos nômades do Oriente Próximo e os pequenos reinos de habitantes sedentários. Qualquer conexão entre esses primeiros textos palestinos não decifrados e os fragmentos paleo-sinaíticos é meramente especulativa. Há nessas inscrições um passo decisivo na direção da adoção de uma escrita alfabética, embora não completa. Foi com base nelas que se desenvolveu a antiga escrita fenícia. As mais antigas e completas inscrições a serem decifradas pertencem a Biblos, vindas do século XII A.C. O fato que importa notar é que sistemas de escrita já existiam na Palestina quinhentos anos antes da época de Davi, e que esses sistemas podem ter sido usados para grafar o hebraico.

C. Alfabético fenício. Essa foi uma das línguas escritas dominantes do Oriente Próximo, tendo atravessado todo o período helênico e romano, até o começo da era medieval. O sistema fenício era um silabário com a adição de algumas poucas vogais, como o *aleph*, fonema «a», embora também pudesse ser usado como uma letra consoante. No sistema fenício nunca foi ultrapassada a tênue linha entre a escrita silábica e a escrita alfabética. Têm sido descobertas algumas poucas inscrições hebraicas escritas em caracteres muito parecidos ao fenício. A mais antiga delas é o chamado Calendário de Gezer, do século IX A.C. (que vide).

D. Hebraico antigo. Essa é a forma escrita e a linguagem das inscrições anteriores ao cativeiro babilônico. Parece com o fenício linear contemporâneo a ela. Não há que duvidar que as mais antigas cópias dos livros bíblicos foram escritas com tais caracteres. O semita do sul desenvolveu-se segundo linhas diferentes e não tardou a tornar-se inteiramente distinto. Suas raízes talvez recuem à escrita paleo-sinaítica. Era usado na península árabe.

E. Árabe do sul (etiópico). Temos aí derivados de um sistema separado de escrita cursiva do ramo semita ocidental. Por volta de 300 D.C., essas escritas árabes terminaram sendo absorvidas pelo sistema árabe clássico, —que o islamismo encarregou-se de

ESCRITA

propagar. Esse sistema teve um desenvolvimento independente do hebraico da Bíblia, tendo aparecido somente cerca de meio milênio após ter sido escrito o último livro do Antigo Testamento. E somente quando foi exportado pelos negociantes árabes, chegou a tornar-se um autêntico alfabeto, o que significa que era ainda um silabário. Teria sido impossível uma reversão ao etiópico mais primitivo, a língua oficial do reino cristão de Axum, no início do período medieval, melhor conhecido como Geez, a língua ritual da igreja copta. Esse último sistema deriva-se da escrita dos sabeus, que continha vinte e nove caracteres. Com algumas modificações, é a escrita moderna em que se manifestam as várias línguas semíticas da Etiópia. Ali a língua oficial é o amárico, havendo outras seis línguas e um bom número de dialetos.

F. Aramaico. Trata-se de um idioma semita com grandes conexões com o acádico, em seu período médio. Foi um dos dialetos que se desenvolveram depois que os semitas orientais começaram a migrar mais para o ocidente. Suas origens podem ser encontradas entre os amorreus — era uma língua muita falada por toda a área da Mesopotâmia e da Síria e Palestina, algum tempo antes do segundo milênio A.C. A partir de 1750 A.C., o semita oriental, sob a forma do amorreu, e o semita ocidental, podem ser distinguidos entre si. Não há que duvidar que, por volta de 1400 A.C., o hebraico, o fenício e o aramaico eram claramente distinguidos um do outro.

1. *Hebraico* (escrita quadrada). Depois que os hebreus instalaram-se na Palestina, houve vários dialetos distintos na Palestina: o hebraico, o fenício, o aramaico, o moabita e alguns derivados sul-arábicos. Todos os dialetos nortistas e ocidentais eram escritos segundo o alfabeto fenício. Parece que foi o aramaico que introduziu os familiares *caracteres quadrados*. Essa era uma das línguas administrativas da Pérsia. Daniel, Esdras e Neemias mostram, em seus livros, que eram eficientes escritores nessa língua. Há provas abundantes da rápida propagação da «escrita quadrada» por toda a área ocupada pelas línguas semitas ocidentais. Não demorou para que houvesse a indicação de sinais vocálicos, que teve início antes mesmo da era cristã, até que o aramaico e o hebraico tornaram-se escritas alfabéticas plenas. Os eruditos judeus da renascença medieval homogenizaram os vários sistemas de sinais vocálicos, primeiramente na Babilônia, onde foi escrito o Talmude, e, mais tarde, após a conquista árabe da Espanha, nesse país do extremo ocidente europeu, com o esforço de harmonizar com o trabalho que já fora feito pelos gramáticos árabes.

2. *Siríaco*. Com o tempo, o aramaico foi cedendo lugar ao siríaco e seus dialetos cristãos posteriores. O siríaco tem usado vários sistemas de escrita, incluindo o cursivo árabe e a «escrita quadrada» aramaica. Um derivado desse desenvolvimento é o mandeano, língua de uma seita quase judaica do Irã, que criou o seu próprio sistema de «escrita quadrada». Após a divisão do império romano em oriental e ocidental, e a fundação da Igreja Católica Ortodoxa, missionários nestorianos foram à Ásia e à Eurásia com a mensagem cristã. A escrita siríaca deles tornou-se o primeiro sistema alfabético a ser usado por muitos povos de língua uraloaltaica. Inscrições em siríaco têm sido encontradas até mesmo na China ocidental, de uma época tão antiga como o século VII D.C.

3. *Árabe*. A cultura islâmica adotou o método de sinais vocálicos do aramaico e do hebraico. Visto que tanto a Bíblia quanto o Alcorão proíbem o fabrico de imagens de escultura, a escrita tornou-se um elemento de ornamentação. E tanto as mesquitas árabes quanto as sinagogas judaicas da era medieval eram recobertas de artísticas inscrições douradas, paralelamente a uma fantástica interpretação das Escrituras judaicas, que dependia do valor numérico emprestado a seus caracteres. A recuperação da ortodoxia, quando do renascimento do estudo científico dos textos sagrados, foi dificultada por causa dessas adições fantasiosas. A escrita hebraica é a única escrita semita que sobreviveu à era helênica. Também é a mais econômica, pois tem apenas vinte e dois sinais. O fenício degenerou no púnico. O hebraico medieval produziu o sistema Yiddish, que reproduz e transcreve a fonética germânica para a escrita quadrada hebraica. O silabário hebraico envolve a comunicação vertical mais excelente, pelo que tem exercido profunda influência sobre a civilização ocidental.

G. Grego. A princípio era escrito em um silabário complicado e antieconômico, mas depois houve a criação de uma forma cursiva e abstrata. A tradição grega testifica unanimemente da derivação da escrita grega e da escrita fenícia, embora não se saiba quando e onde houve essa grande transmissão cultural. Os sistemas semitas ocidentais escreviam da direita para a esquerda, e no começo os gregos faziam o mesmo. Após algum tempo uma linha era escrita da direita para a esquerda, e a próxima linha da esquerda para a direita, e assim por diante. Os fonemas da língua grega não existentes nas línguas semitas, receberam sinais inventados pelos gregos, entre eles uma lista completa de letras vogais. E houve certas adaptações, como o aleph semita, que passou a indicar o fonema «a», com o nome de *alfa*. Portanto, se houve derivação fenícia, os gregos não foram meros copiadores. A escrita grega chegou ao período clássico, onde atingiu seu zênite. Depois simplificou-se, embora de forma homogênea, no grego «koiné», o grego espalhado pela tropas de Alexandre, o Grande, por todas as terras por ele conquistadas. Com o tempo, o grego «koiné» tornou-se tão importante que passou a ser a *língua franca* de todo o império romano durante seis séculos. Esse foi o tipo de grego usado na escrita do Novo Testamento. Paulo escreveu aos romanos em latim, mas em grego. A epístola aos Hebreus não foi escrita em hebraico ou aramaico, mas em grego. O latim só suplantou o grego, no império romano, a partir do século IV D.C. João pôde sumariar a onipresença e a eternidade do Cristo glorificado com estas palavras simples: «Eu sou o Alfa e o Ômega...» (Apo. 22:13).

VI. Escrita nas Escrituras

A. Antigo Testamento. Abraão, quatrocentos anos antes de ter sido escrito o Pentateuco (os primeiros cinco livros da Bíblia), poderia ter observado cinco sistemas de escrita distintos e completos. Corria o segundo milênio A.C. O Antigo Testamento é, acima de tudo, um registro escrito. Ali são usadas várias palavras para indicar o conceito de «escrita». Não havia escribas somente entre os israelitas, mas estes, embora pouco mencionados no Antigo Testamento, chegavam a formar uma classe profissional, geralmente adjuntos da corte real ou da classe sacerdotal. À medida que o hebraico foi sendo esquecido e que o aramaico foi sendo falado em Israel, os escribas tornaram-se cada vez mais os intérpretes dos textos sagrados, que eram lidos nas sinagogas. É possível que tenha sido por essa razão que, quando já na cruz, o Senhor Jesus tenha citado o Salmo 22:1 segundo o aramaico (ver Mat. 27:46).

468

ESCRITA

O ALFABETO HEBRAICO
ATRAVÉS DOS SÉCULOS

Equivalente em Português	Fenício	Forma Quadrada	Forma Simplificada	Forma Rabínica	Letra Cursiva
)		א			
b, v		ב			
g		ג			
d		ד			
h		ה			
v		ו			
z		ז			
ḥ		ח			
ṭ		ט			
y					
k, kh		כ, ך			
l		ל			
m		מ, ם			
n		נ, ן			
s		ס			
(		ע			
p, f		פ, ף			
ṣ		צ, ץ			
q		ק			
r		ר			
ś, ś		ש			
t		ת			

Cortesia, Baker Book House

Ver os artigos sobre *Alfabeto* e *Hebraico*.

ESCRITA

SIMILARIDADES ENTRE O GREGO E O FENÍCIO

Hebraico	Fenício	Grego
א	𐤀	A
ר	△	Δ
ה	𐤄	E
ט	⊗	Θ
כ	𐤊	K
ל	𐤋	Λ
מ	𐤌	M
נ	𐤍	N
ש	𐤔	Σ
ת	𐤕	T

Cuneiforme Babilônica

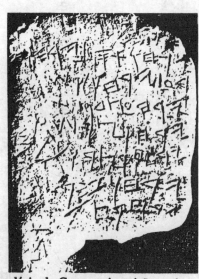

O Calendário de Gezer, a inscrição mais antiga do hebraico — c. 925 A.C., descoberto nas escavações da cidade bíblica, Gezer.

Cortesia, Baker Book House

ESCRITURAS

B. Novo Testamento. Ali fica pressuposto que o Antigo Testamento é um documento escrito, e também que o Novo Testamento é o cumprimento escrito do Antigo. Esse conceito simples ilumina muitos pontos existentes no Novo Testamento. Que Jesus estava familiarizado com a escrita «quadrada» aramaica é patente, em face da menção que ele faz, em Mat. 5:18, de duas pequenas peculiaridades da «escrita quadrada»: o pequeno *iota* elevado e o *keraía*, que era um «chifrinho» e servia de insignificante sinal diacrítico.

No Novo Testamento sempre encarece a importância do sentido gramatical exato das Escrituras. Ponto importante é que o verbo grego, em voz passiva, *gráfomai*, «está escrito», dá também a entender «para não ser alterado». Isso demonstra até que ponto os escritores do Novo Testamento consideravam inalterável o texto sagrado, tanto no caso do Antigo Testamento como no caso dos escritos neotestamentários que expõem a encarnação, a paixão e a glorificação de Cristo, que servem de base da pregação do evangelho cristão. (ALL AM DIR ID Z)

ESCRITURAS

Esboço:

I. Terminologia Neotestamentária
   A. Termos descritivos
      1. Enfocando a atenção sobre a forma escrita
      2. Enfocando a atenção sobre outras qualidades da literatura
      3. Termos compostos
   B. Fórmulas de introdução
      1. Salientando a forma escrita
      2. Em termos sugestivos de uma voz viva
      3. Em termos de cumprimento
   C. Sumário

II. Inspiração das Escrituras
   A. O termo *inspiração*
   B. Declaração sucinta
   C. Relação entre a inspiração e a revelação
   D. A inspiração do Antigo Testamento
      1. Fenômeno veterotestamentário da inspiração
      2. Testemunho de Cristo sobre sua inspiração
      3. Testemunho dos escritores do Novo Testamento
   E. Inspiração do Novo Testamento
      1. Apóstolos e profetas do Novo Testamento como homens do Espírito
      2. A consciência que eles tinham da inspiração
   F. Caráter da inspiração bíblica
      1. O Espírito como autor final de tudo quanto corretamente se chama de Escritura
      2. Toda a Escritura é inspirada
      3. O controle dos escritores sagrados pelo Espírito
      4. O uso da individualidade dos escritores pelo Espírito
      5. O caráter *verbal* da inspiração
      6. Inspiração como uma obra terminada
      7. A inspiração e as dificuldades da Escrituras
   G. O problema de II Timóteo: *Toda Escritura*

III. A Autoridade das Escrituras
   A. Sua relação com a inspiração
   B. A autoridade do Antigo Testamento
      1. Seu reconhecimento dentro do período do Antigo Testamento
      2. Seu reconhecimento por Cristo
      3. Seu reconhecimento pelos escritores do Novo Testamento
   C. A autoridade do Novo Testamento
      1. A natureza do apostolado
      2. A natureza da tradição apostólica
      3. A apostolicidade e a autoridade do Novo Testamento

IV. O Uso das Escrituras
   A. Finalidades práticas da outorga das Escrituras
   B. As Escrituras e a iluminação espiritual
   C. A Interpretação das Escrituras
      1. A importância da interpretação
      2. O divino intérprete
      3. O propósito das Escrituras
      4. As Escrituras interpretam a si mesmas
      5. O princípio gramático-histórico
      6. O princípio teológico
   D. Segundo II Timóteo 3:16,17

V. Níveis e Tipos de Inspiração

I. Terminologia Neotestamentária
A. Termos Descritivos.
1. Enfocando a atenção sobre a forma escrita. A palavra **Escritura** (graphé) ocorre com alguma freqüência no Novo Testamento, algumas vezes no singular e outras vezes no plural, usualmente com o artigo, embora algumas vezes sem o mesmo. Todavia, mesmo quando o artigo se faz ausente, alguma outra característica indica definição. Por exemplo, o uso de algum adjetivo (João 19:37; Rom. 16:26). Embora seu uso extrabíblico seja mais lato, a palavra sempre é utilizada no Novo Testamento com o sentido de Escritura Sagrada. A forma plural denota as Escrituras Sagradas como um todo (Mat. 21:42; João 5:39; I Cor. 15:3,4), pelo que sua força é mais coletiva do que distributiva. Não há nenhuma passagem em que a forma plural indique, claramente, «os livros», considerados como entidades separadas, embora o trecho de II Pedro 1:16 use a forma plural de uma maneira que quase se aproxima desse sentido, embora haja estudiosos que mantêm que a expressão significa «as outras passagens».

O uso da palavra «Escritura», no singular, tem provocado um certo debate. Alguns afirmam que a palavra sempre se refere a alguma passagem particular do Antigo Testamento, ao passo que outros asseguram que algumas vezes a palavra, no singular, tem o mesmo sentido que a palavra no plural. Esta opinião leva alguma vantagem nesse debate. No dizer de certo estudioso, o trecho de Gálatas 3:8,22 mostra que a personificação de *graphé* torna quase inconcebível que Paulo tivesse em vista apenas algum texto isolado. Uma expressão como «esta escritura» evidencia claramente que uma passagem isolada qualquer está em foco (por exemplo, Mar. 12:10; Luc. 4:21; Atos 8:35; cf. João 19:37). Também é provável, embora não haja certeza quanto a isso, que *graphé* denote alguma afirmação isolada, sempre que for seguida por alguma citação (por exemplo, João 7:38; 13:18; 19:24,36). Mesmo em tais casos pode haver uma alusão às Escrituras como um todo. Mas o uso do singular, para indicar a totalidade do Antigo Testamento certamente não é freqüente fora do Novo Testamento, embora seja difícil eliminá-lo do próprio

ESCRITURAS

Novo Testamento. O termo *graphaí agíai*, Escrituras Sagradas, ocorre por uma vez (Rom. 1:2), embora o uso autoritário do Antigo Testamento como um documento divinamente inspirado, torne o termo uma descrição perfeitamente apropriada.

A palavra grega *grámma*, «escrito», ocorre mui raramente nas páginas do Novo Testamento, aludindo às Escrituras propriamente ditas. A expressão *ierà grámmata*, «as Santas Escrituras» (II Tim. 3:15), é o único caso claro, embora o trecho de João 5:47 aproxime-se desse sentido técnico. Quando Paulo usa o vocábulo grego *grámma*, com freqüência ele o faz em sentido um tanto depreciatório (Rom. 2:29; 7:6; II Cor. 3:6,7; cf. II Cor. 3:14-16). Segundo se depreende do uso geral que Paulo faz do Antigo Testamento, sua intenção não era minimizar a lei mosaica como Escritura, mas tão somente quando a lei era concebida como causa da salvação, através das obras da carne. Portanto, Paulo aparentemente fazia oposição entre a Escritura e o Espírito, embora soubesse que o Espírito era o autor das Escrituras (Atos 28:25).

A expressão grega *tò gegramménon*, «a coisa escrita», é de ocorrência freqüente na LXX, em sua forma plural (por exemplo, I Crô. 35:26; Dan. 9:11). Tal expressão também ocorre no Novo Testamento, tanto no singular (por exemplo, Luc. 20:17; II Cor. 4:13; cf. I Cor. 15:54) como no plural (Luc. 18:31; Gál. 3:10; cf. João 12:16), e refere-se a alguma passagem ou a um grupo de passagens, em termos de seu conteúdo. É interessante observar que a expressão também ocorre nos trechos de Apocalipse 1:3 e 22:18,19, referindo-se a um dos livros do Novo Testamento. A impressionante natureza do contexto confirma essa opinião.

A expressão *tò biblíon*, «o livro», é um termo usado na LXX para indicar algum livro particular das Sagradas Escrituras (ver Deu. 17:18; Jer. 25:13; Naum 1:1). Em Daniel 9:2, sua utilização, na forma plural, poderia ser uma alusão à coletânea da literatura profética. O uso neotestamentário da expressão, no singular, é de natureza similar (Luc. 4:17), ao passo que a forma no plural, em II Timóteo 4:13, poderia referir-se a certo número de rolos de livros do Antigo Testamento. A expressão *e bíblos*, «livro», é usada de maneira similar, no singular (ver Jos. 1:8; Atos 1:20), não ocorrendo nunca no plural, na Bíblia grega. Embora essas duas palavras não se tivessem ainda estabelecido como expressões, esse é seu uso mais característico, tanto na LXX quanto no Novo Testamento. A exceção mais significativa é apenas aparente, pois o livro mencionado em Apocalipse 5:1 *ss* é sagrado, embora seja celestial e não tenha sido escrito por qualquer mão humana (cf. também Apo. 17:8; 20:12; e, mui significativamente, Apo. 22:7,9,10,18,19).

2. Enfocando a atenção sobre outras qualidades da literatura. A expressão **o lógos tou theoû**, a palavra de Deus», centraliza a atenção sobre a origem divina da Palavra, sendo usada em Mar. 7:13; João 10:35; Rom. 9:6; Heb. 4:12. O conceito da Palavra de Deus, ou, mais comumente, da Palavra do Senhor, é extremamente comum no Antigo Testamento, e a forma plural também ocorre com freqüência (por exemplo, Jer. 18:1,2). É significativo que o evangelho, conforme foi anunciado autoritariamente a princípio, pelo próprio Senhor (Luc. 8:21; 11:28) e por seus apóstolos (Atos 6:7; 11:1; I Tes. 2:13; II Ped. 1:23), também é chamado de «a palavra de Deus». Isso sugere que o Novo Testamento pertence à mesma categoria das Escrituras do Antigo Testamento.

Igualmente importante é o grande valor conferido às «palavras do Senhor», isto é, as palavras do Senhor Jesus, no Novo Testamento (cf. Atos 20:35; I Cor. 7:10,12,25). O trecho de I Timóteo 5:18 aparentemente cita como Escritura não somente Deuteronômio 25:4, mas também Lucas 10:7, ou diretamente do terceiro evangelho ou com base na tradição oral das palavras de Jesus. Uma vez mais, encontra-se aí a extensão do conceito da «Palavra de Deus», transferido do Antigo para o Novo Testamento.

A expressão *tà lógia toû theoû*, «os oráculos de Deus», que ocorre em Atos 7:38; Rom. 3:2; Heb. 5:12 e I Ped. 4:11, usualmente é entendida como uma referência ao Antigo Testamento, ainda que em I Ped. 4:11 possa referir-se às declarações inspiradas dos profetas cristãos dos dias neotestamentários. Se alguns estudiosos preferem pensar que isso diz respeito à história salvatícia, contida na Bíblia, há outros intérpretes que argumentam com grande força em favor do ponto de vista tradicional (Doere, 111-123; Warfield, 251-407). Conforme a expressão é usada na literatura clássica e na literatura helenista, segundo esse último erudito, ela não significa apenas «palavras», mas «declarações oraculares», ou seja, comunicações autoritárias divinas, diante das quais os homens quedam-se respeitosos, prostrando-se humildes; e esse elevado significado não é meramente implícito, mas também aparece explícito no termo.

A palavra grega *nómos*, «lei», é usada segundo certa variedade de maneiras, no Novo Testamento (cf. J. Murray, «Law», NDB, 721-723); mas, quando é usada na literatura sagrada, normalmente designa a literatura mosaica, pelo que, algumas vezes, é chamada de «a lei de Moisés» (cf. Mat. 12:5; Luc. 2:22) ou «a lei do Senhor» (Luc. 2:23). Entretanto, há passagens onde ela aponta, evidentemente, para o Antigo Testamento como um todo, conforme se vê em João 10:34; 15:25. E o trecho de I Coríntios 14:21 cita de Salmos e de Isaías, chamando-a de «a lei». O equivalente hebraico significa «instrução», porquanto o Antigo Testamento inteiro consiste em instruções divinas para o povo de Deus.

A expressão *oi prophétai*, «os profetas» é usada tanto em sua forma plural (Mat. 5:17; Rom. 1:2; cf. Mat. 26:56) quanto em sua forma singular (Mat. 2:5; Luc. 3:4), indicando a literatura profética do Antigo Testamento. Tal como o termo «lei», entretanto, aquela expressão pode indicar o Antigo Testamento inteiro, pois Mateus 11:13 registra que «...todos os profetas e a lei profetizaram até João». Parece provável que os trechos de Mateus 26:56 e Romanos 16:26 sejam referências ao Antigo Testamento em sua inteireza, e não apenas à literatura sagrada estritamente profética. Isso porque o Antigo Testamento é profético, por ser o recado enviado por Deus aos homens, através de canais humanos, apontando para a pessoa de Jesus Cristo (Luc. 24:27).

A expressão *e palaiá diathéke* («o antigo pacto», II Cor. 3:14) parece ser uma alusão ao registro escrito da lei mosaica (cf. v. 15), mas provavelmente deu origem (através de uma tradução diferente do grego subjacente, refletida nas traduções que dizem «antigo testamento»; nossa versão portuguesa diz «antiga aliança») à divisão patrística posterior do Antigo e Novo Testamentos, para designar as duas grandes divisões do cânon sagrado.

3. Termos compostos. Os judeus empregavam a expressão «a lei e os profetas», como também a expressão «a lei, os profetas e os escritos», para designar a totalidade do Antigo Testamento. Os

ESCRITURAS

«escritos» eram os outros livros bíblicos que não eram suficientemente homogêneos para receber um título geral. No entanto, «a lei e os profetas» era a expressão mais usada entre as duas, o que significa que o Antigo Testamento era conhecido através de seus dois tipos principais de literatura. Nas páginas do Novo Testamento há referências freqüentes a «a lei e aos profetas» (Mat. 5:17; 22:40; Luc. 16:16; Rom. 3:21) ou então a «Moisés e os profetas» (Luc. 16:29). Em Lucas 24:44 encontramos a expressão «...está escrito na Lei de Moisés, nos Profetas e nos Salmos», onde a última designação talvez aponte para o primeiro e maior dos «escritos», talvez aquele que fale mais claramente a respeito de Cristo. Assim como vimos que «a lei» e também «os profetas» podem ter sentidos mais amplos ou mais estritos, assim também o termo «escritos», no Novo Testamento, usualmente alude à totalidade do Antigo Testamento (ver especialmente Lucas 24:27, onde o sentido mais amplo provavelmente é o que está em foco, mas onde talvez haja uma rápida visão em direção ao sentido mais limitado).

B. Fórmulas de Introdução.

1. Salientando a forma escrita. O verbo grego *gégraptai* pode ser traduzido como «está escrito» ou «permanece escrito». Sua utilização implica na existência de um documento escrito autoritário, sem apelo superior ao mesmo. No grego clássico, a palavra era usada para indicar documentos legais, ao passo que, no Novo Testamento, ela é uniformemente usada para indicar as Escrituras do Antigo Testamento. Ocorre com maior freqüência nos evangelhos sinópticos, no livro de Atos e nas epístolas paulinas. Algumas vezes é adicionado o lugar de onde a citação foi feita. Por exemplo: «Porque na lei de Moisés está escrito...» (I Cor. 9:9); ou então: «Conforme está escrito na profecia de Isaías» (Mar. 1:2). O evangelho de João também a usa, embora apenas ocasionalmente preferindo empregar seu equivalente perifrástico *está escrito* (no grego, *gegramménon estín*), o que, de fato, é peculiar no evangelho de João, em todo o Novo Testamento (João 2:17; 6:31, etc.). O estudioso Shrenk (745) salientou o fato de que João usou dessas formas de expressão (João 20:30,31), em relação ao seu próprio evangelho, e então declarou: «No entanto, não há ênfase menos solene sobre o testemunho escrito, em I João». E esse mesmo escritor passa a referir-se à convicção da significação revelatória dos escritos do Apocalipse. (Ver I João 1:4; 2:1; 2:12-14; 5:13; Apo. 1:11,19; 14:13; 22:19). Aqui, pois, encontramos novas evidências que apontam na direção de uma extensão do conceito de Escritura, incluindo os escritos pertencentes ao Novo Pacto.

2. Em termos sugestivos de uma voz viva. As palavras *légei*, «diz» ou *phesí*, «fala» ocorrem com alguma freqüência no Novo Testamento. Algumas vezes, essas palavras são acompanhadas por um sujeito expresso, como Deus (Mat. 19:4,5; Atos 4:24,25), ou o Espírito Santo (Atos 28:25; Heb. 3:7), e talvez até mesmo Cristo (10:5); e mais freqüentemente ainda, a Escritura (João 7:38,42; Rom. 4:3; Tia. 4:5). Em alguns desses exemplos, e em outros, outros tempos verbais são usados, ou mesmo, ocasionalmente, outros verbos que indicam o ato de falar, como *laléo*, «falar». Certo estudioso chamou atenção para a fórmula *légei kúrios*, «o Senhor diz», no Novo Testamento, mormente nos escritos de Paulo (Rom. 12:19; I Cor. 14:21; cf. Atos 7:49; Heb. 8:8-12). Essa fórmula é de ocorrência muito freqüente nos livros proféticos do Antigo Testamento, mas os escritores do Novo Testamento incluem-na em suas citações, mesmo quando ela se faz ausente no texto veterotestamentário. Outrossim, fórmulas como essa

algumas vezes são empregadas para indicar as declarações (Atos 21:11) ou os escritos (Apo. 14:13; 1:8) dos profetas do Novo Testamento.

O que dizer sobre textos cujo verbo não exprime o sujeito, não ficando o mesmo claramente implícito no contexto? Essas passagens são muito freqüentes, especialmente nas epístolas paulinas (Rom. 9:15; Efé. 4:8; 5:14; e também Tia. 4:6). Visto que o sujeito não está expresso, alguns estudiosos entendem tais passagens como «Deus diz», mas outros preferem pensar em «as Escrituras dizem», ao passo que ainda outros estudiosos asseguram que elas querem dizer «foi dito», com a suposição de que a fonte da citação não é importante. O trecho de Efésios 5:14 apresenta alguns problemas, pois a matéria citada não pode ser encontrada com essas palavras exatas, no Antigo Testamento. Talvez o trecho represente um grupo de passagens, naturalmente, mas alguns escritores modernos têm sugerido que se trata de um primitivo hino cristão. A fórmula introdutória sugere fortemente a sua inspiração, e assim, se nenhum equivalente veterotestamentário convincente pode ser encontrado, é melhor encará-la como uma declaração profética do Novo Testamento.

3. Em termos de cumprimento. A expressão portuguesa «para se cumprir» é, usualmente, a tradução de *plerothēnai*, de *teleiothēnai* ou de alguns de seus compostos. Essa linguagem ocorre mui comumente no Novo Testamento, embora com maior freqüência nos evangelhos de Mateus e João. Ela mostra a unidade da revelação bíblica em termos de profecia e cumprimento, de tipo e antitipo. João também viu o mesmo princípio operando em relação às declarações de Jesus (João 18:9; cf. 2:22).

C. Sumário. O uso da terminologia acima considerada serve de notável testemunho da crença de que os escritores do Novo Testamento viam o Antigo Testamento como um livro divinamente inspirado e autoritário. Essa crença poderia ser indicada sem o emprego de tais termos, naturalmente, e o livro de Apocalipse, que não contém qualquer citação neotestamentária acompanhada de alguma fórmula de citação, a despeito disso demonstra a mais completa dependência ao Antigo Testamento, a cada passo. Também é digno de nota que os escritores do Novo Testamento exibam alguma tendência para aplicar sua própria linguagem técnica às declarações e aos escritos de pessoas impulsionadas pelo Espírito, no Novo Pacto.

II. Inspiração das Escrituras

A. O Termo «Inspiração». Segundo é aplicado às Escrituras, o vocábulo «inspiração» tem sido muito bem definido como «uma influência sobrenatural, exercida pelo Espírito Santo, sobre homens divinamente escolhidos, em virtude da qual seus escritos tornam-se fidedignos e autoritários» (C.F.H. Henry, *Inspiração*, BDT 1960, pág. 286). A palavra grega *theópneustos*, «soprada por Deus», é traduzida como «inspirada por Deus», em nossa versão portuguesa, em II Tim. 3:16. O termo português «inspiração» leva alguns a terem um entendimento errado sobre o que está envolvido, porquanto tanto pode significar «aspirado»,—em vez de «soprado», como também dá a idéia de que os escritores sagrados é que foram «inspirados», e não as Escrituras, devido à semelhança de expressões populares como, por exemplo, «um poeta inspirado».

Observações Preliminares. Os Estados Místicos e a Inspiração Verbal. O artigo sobre as **Escrituras** salienta o fato de que a inspiração pode assumir muitas formas e níveis. Não há qualquer precedente

ESCRITURAS

bíblico para apoiar a teoria do *ditado* como o único modo de inspiração. Também não podemos afirmar que todos os autores sagrados foram inspirados do mesmo modo e com a mesma extensão. Ilustramos isso na discussão geral sobre a *Inspiração*, e agora relembraremos alguns detalhes do assunto.

Estados Místicos e Inspiração Verbal. Visto que os homens utilizam-se da linguagem a fim de se comunicarem, podemos supor, com toda a segurança, que a inspiração geralmente ocorre em forma verbal, para que haja comunicação. Não obstante, as pessoas que insistem que a inspiração só pode ser mediada verbalmente, não entendem os modos que as experiências místicas podem tomar. Antes de tudo, devemo-nos lembrar de que a *revelação* e a *inspiração* são subcategorias do *misticismo* (que vide). Aqueles que têm estudado os estados místicos, bem como aqueles que os têm experimentado, dizem claramente que quanto maior for a experiência mais *inefável* ela é. Paulo informa-nos que quando ele esteve no «terceiro céu» ouviu e viu coisas que não tinha permissão (ou talvez nem pudesse) de revelar, e nem poderia exprimir adequadamente em linguagem humana. Mas, aqueles que insistem que a inspiração só pode ser verbal, esquecem-se da declaração de Romanos 8:26: «...mas o mesmo Espírito intercede por nós sobremaneira com gemidos inexprimíveis». A tradução inglesa, Revised Standard Version, diz: *com sinais profundos demais para serem expressos por meio de palavras*. Sim, o Espírito de Deus tem acesso a meios de comunicação que são por demais profundos para serem expressos através da linguagem humana. Isso significa que quão mais profunda for a inspiração divina, mais ela afastar-se-á da linguagem humana. E isso resulta no fato de que, finalmente, há experiências místicas que só podem ser sentidas e apreciadas, mas jamais transmitidas sob a forma de palavras. No entanto, há pessoas que pensam que estão prestando a Deus um serviço, em defesa da verdade e da ortodoxia, quando insistem sobre uma rígida forma de inspiração verbal. Embora sem perceberem, — tentam fazer o Espírito de Deus operar somente segundo um nível humano e, portanto, inferior. Portanto, é possível que uma profunda experiência mística possa ter um significado que ultrapasse à linguagem humana.

O indivíduo que recebe esse tipo de experiência talvez seja capaz de formar alguma *idéia* a respeito, *sentindo* ou *intuindo* o seu significado. E, então, esse alguém procurará exprimir isso por meio de palavras. Haverá de sentir-se muito frustrado nessa tentativa, comunicando suas idéias de maneira parcial e inexata. Apesar disso, poderá exprimir *grandes verdades*, embora declaradas mediante termos parciais e inexatos. Precisamos, contudo, respeitar essa forma de inspiração, e também o tipo de revelação que ela produz, ainda que, ordinariamente, suponhamos que a inspiração, a fim de comunicar algo aos homens, deva ser-nos dada em linguagem humana. Todavia, podemos ter a certeza de que *certas* revelações do Novo Testamento foram dadas dessa maneira mais profunda, não verbal. E, então, quando elas foram reduzidas à forma escrita, sofreram alguma perda de significado e de impacto, embora ainda úteis para nossa instrução e conhecimento. Por conseguinte, o conhecimento é uma inquirição e uma luta constantes. A revelação e a inspiração são grandes realidades; mas, à semelhança de outros aspectos da teologia, têm sido popularizadas e simplificadas, por pessoas que pensam que estão prestando a Deus um grande serviço, ao reduzirem todas as coisas ao nível humano e ao entendimento humano. As teologias dogmáticas sempre serão culpadas desse tipo de erro, um erro gravíssimo. O motivo psicológico por detrás dessa atividade é o conforto mental, que algumas pessoas valorizam mais do que a aquisição da verdade divina.

As declarações feitas aqui têm apenas o intuito de salientar os problemas que envolvem a questão. O artigo geral sobre as *Escrituras*, em sua segunda secção, *Inspiração das Escrituras*, aborda o assunto de modo detalhado. Esses comentários não devem ser olvidados. É mais importante conhecer a verdade do que apoiar as idéias humanas a respeito da revelação divina, popularizando e simplificando a comunicação divina. Nenhum de nós, afinal de contas, apesar de toda a nossa pretensão, sabe muita coisa sobre Deus, ou sobre a sua verdade. Também não sabemos muita coisa sobre como ele comunica essa verdade, exceto que há uma considerável variedade de métodos. A *inspiração verbal* conta *uma* das histórias, mas não toda a história da atividade comunicadora de Deus.

B. Declaração Sucinta

1. Rejeitamos a idéia de que o N.T. é, simplesmente, uma seleção antiga de literatura cristã. A observação e a inteligência espirituais nos ensinam que o desígnio de Deus coopera com e transcende o processo histórico. A coleção, como existe hoje, é o produto do desígnio.

2. Embora II Tim. 3:16 não tenha, dogmaticamente, (e diretamente) uma aplicação ao N.T., estamos ansiosos para afirmar que *espiritual*, e *logicamente*, tais declarações devem *aplicar-se* ao N.T., e não somente ao Velho. O desígnio de Deus tem feito uma unidade do Velho e Novo Testamentos. Se não afirmarmos isto, pode ser que tenhamos pouca fé na operação do Espírito de Deus no mundo.

3. **Indicações no N.T. de sua inspiração:**
   a. As declarações e ensinos de Jesus, desde o princípio, foram considerados autoritários pela igreja, no nível do V.T., ou em um nível ainda mais alto. Ver as notas sobre I Tim. 6:3 no NTI.

   b. Embora Paulo não reivindique que suas cartas, como uma coleção, foram inspiradas, certamente, reivindica que as distintas doutrinas cristãs que formam o coração da mensagem, das cartas, foram dadas por inspiração. Ver Gál. 1:12 e II Cor. 12:1.

   c. Apo. 1:3 e 22:19 demonstram que existia, antes do fim do primeiro século, um cânon do N.T. em formação. O escritor deste livro quis que sua profecia fosse considerada inspirada e digna de ter parte no cânon da Nova Revelação.

   d. II Ped. 3:16 mostra que as cartas de Paulo, em um tempo muito remoto, foram recolhidas e consideradas autoritárias como Escritura.

4. *O N.T. é sua própria autenticação.* Como uma coleção, o N.T. representa a maior literatura de todos os tempos. A história o atesta. Tem sido traduzido em mais de 1000 línguas e tem sido a força atrás de muitas vidas transformadas.

5. *A natureza de inspiração* tem sido muito discutida. Oferecemos as seguintes sugestões:
   a. A inspiração é normalmente, mas *nem sempre* verbal, porque o pensamento humano *quase sempre* se expressa em formas verbais.

   b. Alguns trechos do N.T. foram dados em visões extáticas e podem ser considerados «ditados». Nesta categoria colocaríamos algumas passagens imortais de Paulo, como Rom. 8, Efé. 1, I Cor. 13,15 etc.

   c. Os ensinos de Jesus (ele sendo o Messias), devem ser considerados na categoria dos trechos

ESCRITURAS

extáticos como jóias de valor incalculável.

d. Alguns trechos, ou livros do N.T., como o livro de Tiago, podem ser considerados os frutos de vidas espirituais e de *fundos* de sabedoria, mas não necessariamente dados por experiência «extática». Nestes casos, o Espírito *usou* e aprovou da sabedoria desenvolvida por muitos anos, nas vidas dos autores sagrados, mas não agiu através de uma intervenção imediata e especial, como em uma visão. Assim afirmando, estamos dizendo que a revelação pode operar em níveis diferentes, usando, ou transcendendo à condição humana. A inspiração pode ser dramática ou sutil. Pode ser imediata ou o fruto de muito tempo de direção e desenvolvimento espiritual.

e. A revelação pode transcender a realização verbal do escritor, ou, como é evidente em muitos casos, pode usar o fundo cerebral do autor. No evangelho de Marcos, por exemplo, temos um grego da rua, incorporando os erros gramáticos comuns do tempo, *erros que podiam ter sido ouvidos nas* esquinas de qualquer cidade greco-romana do tempo. No Apocalipse, encontramos um grego *aprendido* como uma segunda linguagem. O autor ignora a sintaxe grega, expressando seus pensamentos em moldes aramaicos. O grego de Paulo é um bom koiné literário, mas aquele de Hebreus é bem polido, e quase clássico.

f. Nos Evangelhos sinópticos pode ser observado que os escritores nem sempre foram cuidadosos em agrupar os mesmos ensinos de Jesus, com os mesmos acontecimentos históricos. Ver notas sobre este problema na introdução a Luc. cap. 10, no NTI. Cada escritor, segundo seu próprio desígnio, maneja seus materiais de maneira diferente, não satisfazendo as exigências de alguns críticos modernos.

g. Os pontos *e* e *f* ilustram que alguns níveis de revelação não transcendem elementos humanos. A revelação incorpora tais coisas, sem ser prejudicada. Muito pelo contrário: O Cristo eterno foi encarnado na carne humana, para elevar a condição humana. O Verbo Vivo foi encarnado em um corpo humano e foi feito sujeito às condições humanas, como Fil. cap. 2 nos mostra claramente. A Palavra Escrita também foi encarnada no que é humano, e usou elementos humanos.

6. *A inspiração é uma espada de dois gumes:* está no Livro e está no leitor do livro. Ver Apo. 1:3 sobre a segunda verdade. Aquele que ousa fazer muito das Escrituras na vida dele, entregando todo o seu intelecto a elas, logo vai descobrir que elas têm uma força espiritual espantosa. O Espírito Santo observa as pessoas que são sérias na inquirição espiritual e as ajuda a compartilhar à imagem de Cristo, o que é o propósito do Evangelho. (Ver Rom. 8:29).

7. *O grande problema* não é, portanto, se as Escrituras são inspiradas ou não. Isto aceitamos como um fato provado, histórica, espiritual, e experimentalmente. O problema envolve o nosso uso das Escrituras. Até que ponto temos permitido que os documentos divinos nos transformem à imagem de Cristo? Seremos julgados segundo o nosso uso ou abuso desta Revelação.

C. Relação Entre a Inspiração e a Revelação. As duas idéias estão intimamente ligadas entre si, sem serem idênticas. A revelação diz respeito ao desvendamento da verdade aos homens, ao passo que a inspiração é a comunicação, em forma verbal, dessa revelação conferida. Teologicamente falando, o termo «inspiração» deveria ser reservado à Palavra escrita, embora, naturalmente indique também a Palavra falada, que o Espírito exprimia através dos profetas

do Antigo Testamento ou dos escritores do Novo Testamento, antes mesmo dela adquirir forma escrita. Pois, para que a revelação obtenha forma permanente, é mister que seja posta sob forma escrita, o que significa que a inspiração é serva da revelação. Isso não significa, contudo, que as Escrituras sejam mero registro da revelação divina (embora sejam isso também), porquanto elas possuem um caráter revelatório todo seu, conforme se vê nas citações neotestamentárias de passagens do Antigo Testamento como «a palavra de Deus» (por exemplo, João 10:35; Rom. 3:2). Grande parte da teologia moderna nega o elemento proposicional da revelação, pelo que não é de surpreender encontrarmos o retorno da noção de «revelação» a uma posição central na teologia, mas sem um interesse paralelo renovado, na idéia de «inspiração». No entanto, na Bíblia estão envolvidos ambos esses fenômenos, embora a raridade da palavra «inspiração», nas Escrituras, não reflita a importância que a idéia realmente tem. Sumariando, os homens de Deus foram «impulsionados» pelo Espírito, a fim de produzirem Escrituras «inspiradas».

D. A Inspiração do Antigo Testamento.

1. Fenômeno veterotestamentário da inspiração. Muitos dos canais veterotestamentários da revelação exibem lúcida consciência de que seus escritos eram inspirados. Isso é particularmente verdadeiro no caso dos profetas de Moisés em diante. À luz do trecho de Ii Samuel 23:1-3, é instrutivo notarmos que Davi é considerado profeta, pelo Novo Testamento (Atos 2:30). De modo geral, parece que os verdadeiros profetas não somente eram impulsionados pelo Espírito, mas também tinham consciência desse fato.

Os profetas, mediante o emprego de expressões como «Assim diz o Senhor» ou «Veio a mim a palavra do Senhor, dizendo», etc., demonstraram que tinham a consciência da inspiração das comunicações orais das verdades divinas que receberam. Naturalmente, somente aquelas profecias que posteriormente foram registradas por escrito sobreviveram até nós; mas, não há que duvidar que a inspiração de uma comunicação não precisava esperar que essa comunicação assumisse forma escrita, para ser autêntica (Jer. 36). Enquanto a comunicação permanecesse inalterada, não importava quantos canais humanos fossem empregados, antes da mensagem chegar a seus destinatários. Moisés, por exemplo, recebeu a Palavra de Deus, mas ele a transmitia ao povo por intermédio de Arão (Êxo. 4:15,28,30). Embora o produto final, nesse caso, fosse uma declaração feita por Arão, a mensagem não perdia coisa alguma de seu caráter de Palavra divina, por causa desse processo de mediação. Moisés também reduziu à forma escrita as palavras do Senhor (Êxo. 24:3,4,7). O livro da aliança, portanto, é tanto a Palavra do Senhor quanto eram as duas tábuas de pedra, que Deus mesmo escreveu sobre o monte (Êxo. 31:18).

Uma importante qualidade da palavra dos homens divinamente impulsionados é o seu caráter divino e objetivo. Isso não significa que a Palavra de Deus incluía qualquer coisa com base nas experiências dos próprios profetas—nos casos de homens como Davi, Jeremias e Oséias, é claro que isso sucedeu com freqüência—mas significa que essa Palavra nunca era simplesmente seu próprio pensamento e palavra, mas sempre o pensamento e a palavra do Senhor. O profeta Natã foi capaz de distinguir entre os seus próprios pensamentos e a Palavra de Deus (II Sam. 7:33 *ss*).

O que distingue, acima de tudo, um profeta verdadeiro de um profeta falso é a origem divina da

ESCRITURAS

Palavra inspirada, embora, como é óbvio, isso não se preste a qualquer teste direto. As comprovações da profecia são critérios como o cumprimento e a confirmação das revelações anteriores, especialmente aquelas dadas através de Moisés (Deu. 13:1 *ss*; 18:15 *ss*, Jer. 23:9 *ss*; Eze. 12:21—4:11). Há uma excelente discussão sobre a profecia verdadeira e a falsa, no artigo de J.A. Totyer, «Prophecy», «Prophets», NDB, 1041 *s*, onde ele nos mostra que não era tanto o cumprimento da palavra dos profetas verdadeiros, e, sim, o não-cumprimento da palavra dos profetas falsos, que era o teste. É digno de atenção que embora os profetas normalmente fossem homens piedosos, e que a palavra deles sempre era adaptada aos propósitos divinos da santidade, não era nem mesmo sua piedade e caráter que os constituíam verdadeiros profetas, conforme fica claramente demonstrado no caso de Balaão (embora tal caso seja admissivelmente incomum) (Núm. 22:1—24:25; 31:16; II Ped. 2:15 e 16; Apo. 2:14). O que importa é essa palavra era simplesmente o produto da mente humana (Eze. 13:2,3), de um espírito maligno (I Reis 22:19,20), ou se era a verdadeira Palavra do Deus vivo.

Essa discussão da inspiração do Antigo Testamento gira em torno, principalmente, da questão da profecia, porquanto os profetas tinham consciência da inspiração divina. Outros escritores, como os historiadores e poetas, não exibem tal consciência de forma explícita. Entretanto, a inspiração não deve ser equiparada à declaração a respeito, e nem mesmo à consciência acerca da inspiração. Há outros testemunhos a respeito da inspiração em outros escritos do Antigo Testamento.

2. Testemunho de Cristo sobre sua inspiração. O Senhor reconheceu que os livros do Antigo Testamento tinham autores humanos (Mat. 15:7; 22:43; 24:15; Mar. 7:10; João 5:46), mas ele os via como instrumentos do Espírito de Deus. A Palavra de Deus viera «por intermédio» dos profetas (Mat. 21:4,5; Luc. 18:31), o que sugere que eles eram instrumentos de outrem, que foi o verdadeiro Autor das mensagens deles. Para Jesus, as Escrituras são «a palavra de Deus» (João 10:34,35). Torna-se claro, em Marcos 7:1-13 (um trecho que merece estudo muito mais detalhado do que lhe damos aqui), que o Senhor rejeitava a autoridade das «tradições dos anciãos», e que, para ele, o que «Moisés disse» (vs. 10), constituía, realmente, «a palavra de Deus» (vs. 13). Em Marcos 12:35-37, Jesus vinculou um argumento, já em si mesmo conclusivo, a uma afirmação sobre a inspiração divina quando Davi escreveu o Salmo 110. «Como dizem os escribas que o Cristo é filho de Davi? O próprio Davi falou, pelo Espírito Santo: Disse o Senhor ao meu Senhor: Assenta-te à minha direita, até que eu ponha os teus inimigos debaixo dos teus pés. O mesmo Davi chama-lhe Senhor; como, pois, é ele seu filho?»

3. Testemunho dos escritores do Novo Testamento. Sempre e em qualquer lugar que alguém abre o Novo Testamento, acha exatamente a mesma atitude para com o Antigo Testamento como aquela demonstrada por Jesus. À semelhança dele, os escritores do Novo Testamento reconheceram o lado humano, na autoria dos livros sagrados. O escritor do tratado aos Hebreus, entretanto, parece evitar fazer qualquer alusão aos autores humanos, sempre que possível, a fim de sublinhar a autoria divina das Escrituras (para exemplificar, cf. Heb. 1:5-8,13 com 2:6). Isso é apenas uma ênfase posta sobre o fato de que é uma característica geral dos escritores do Novo Testamento a sua aceitação, sem discussão, da origem divina das Escrituras do Antigo Testamento. Assim, os profetas

«falaram em nome do Senhor» (Tia. 5:10). No evangelho de Mateus, por exemplo, há uma certa variedade no uso das fórmulas introdutórias de citações, mas sempre fica claro nas mesmas que, para Mateus, os escritores sagrados do Antigo Testamento foram instrumentos de Deus, cuja Palavra foi dada «por intermédio do profeta». (Cf. também Atos 1:16; 2:16; 28:25; Rom. 9:25). As Escrituras são «os oráculos de Deus» (ver Atos 7:38; Rom. 3:2; Heb. 5:12). Warfield ressaltou o grande significado do uso da palavra «Escritura» em lugar de Deus, em certas passagens (Rom. 9:17; Gál. 3:8,22; cf. também Tia. 4:5,6).

A importância desse fenômeno é que o mesmo exibe um fato psicológico de grande importância para percebermos a estimativa paulina quanto ao conceito de Escrituras do Antigo Testamento. Um paralelo parcial dos lábios do Senhor pode ser encontrado no trecho de Mat. 19:4,5, onde se torna claro que, para ele, a Escritura e Deus podiam ser equiparados, quando falavam.

E. A Inspiração do Novo Testamento

1. Apóstolos e profetas do Novo Testamento como homens do Espírito. O Espírito de Deus não cessou a sua obra de inspiração quando foi completado o cânon do Antigo Testamento. Após um período de silêncio, raiou uma nova era de profecias, pouco antes do advento de Jesus Cristo e como testemunho a seu respeito, conforme se vê claramente, sobretudo em Lucas (caps. 1 e 2). O ato de profetizar é mencionado na passagem de Joel de onde Pedro extraiu uma citação, no dia de Pentecoste (Joel 2:28,29; Atos 2:17,18). Além disso, há diversas referências a profetas, no livro de Atos, bem como em outros livros do Novo Testamento (Atos 11:28; 13:1; 15:32; 21:10,11; I Cor. 12:28,29; Efé. 4:11, etc.).

Porém, ainda mais importantes que os profetas, foram os apóstolos de Jesus. Os doze foram especialmente selecionados pelo Senhor e foram instruídos pessoalmente por ele, durante o seu ministério. Ele lhes confiou promessas especiais concernentes às realizações do Espírito Santo neles, como o Espírito da verdade (João 14:16,17,25,26; 15:26; 16:12-15). O Espírito haveria de testificar de Cristo aos apóstolos, fazendo-os lembrar o que dizia respeito a Cristo, trazendo à memória deles os ensinamentos do Mestre, e também mostrando-lhes coisas vindouras. Dessa maneira, o Espírito complementaria e completaria as instruções que o Senhor Jesus lhes havia dado.

2. A consciência que eles tinham da inspiração. Os profetas do Antigo Testamento deram mostras de ter *consciência* do fenômeno da inspiração, e o mesmo fenômeno aparece nos homens que foram usados para produzir os livros inspirados do Novo Testamento. Nessa conexão, o trecho de I João 4:1-6 reveste-se de profundo interesse, visto que diz respeito às profecias falsas. Após prescrever um teste confessional, diz João: «Eles procedem do mundo; por essa razão falam da parte do mundo, e o mundo os ouve. Nós somos de Deus; aquele que conhece a Deus nos ouve; aquele que não é da parte de Deus não nos ouve. Nisto reconhecemos o espírito da verdade e o espírito do erro». Com base no pressuposto que essa epístola foi produzida por um dos apóstolos, quando lemos a assertiva posta na primeira pessoa do plural, «Nós somos de Deus», devemos pensar nos apóstolos e no testemunho que eles davam de Cristo (cf. I João 1:1-5). As palavras «o Espírito da verdade», em João 14-16, nos fazem lembrar do discurso de Jesus no cenáculo. Temos ali uma clara indicação da

474

ESCRITURAS

consciência da inspiração divina. Notemos, igualmente, o mesmo fenômeno, que pode ser discernido nos seguintes trechos bíblicos: I Cor. 2:9,10,13; 7:40; Efé. 3:5; I Tim. 4:1; Apo. 1:1-3,10 ss, 22:18.

Uma vez mais, cumpre-nos lembrar que quando algum escritor sagrado deixava de mencionar a inspiração de seus escritos, isso não serve de indicação da ausência da inspiração divina, da mesma maneira que a afirmação da inspiração, por si só, não prova a sua autenticidade. Paulo tinha consciência de que a sua palavra seria aceita como Palavra de Deus, pelos crentes tessalonicenses, mediante a fé (I Tes. 2:13), à medida que o Espírito Santo injetasse convicção dessa verdade em seus corações (I Tes. 1:5). Também é importante lembrarmos que a única forma que dispomos das declarações inspiradas dos homens usados por Deus, tanto no Antigo quanto no Novo Testamentos, é a forma escrita.

F. Caráter da Inspiração Bíblica.

1. O Espírito como autor final de tudo quanto corretamente se chama de Escritura. A Bíblia não consiste em mera literatura humana, mas tudo quanto corretamente se chama de «Escritura» foi soprado por Deus (ver II Tim. 3:16). Esse versículo, em seu contexto, alude primeiramente ao Antigo Testamento, mas seu princípio é igualmente aplicável ao Novo Testamento, isto é, a qualquer outra literatura que mereça o nome de «Escritura Sagrada». A delimitação precisa da expressão que é dada dentro do estudo do «cânon» das Escrituras. Não obstante, podemos observar que a reivindicação da inspiração ocorre tanto no Novo quanto no Antigo Testamentos, pois Pedro considerava as epístolas de Paulo como Escritura (II Ped. 3:15,16).

2. Toda a Escritura é inspirada. A declaração de II Tim. 3:16 fala sobre «toda Escritura». Ver o problema da interpretação deste versículo em I Tim. 3. G.

3. O controle dos escritores sagrados pelo Espírito. Afirma o trecho de II Pedro 1:21: «...porque nunca jamais qualquer profecia foi dada por vontade humana, entretanto homens (santos) falaram da parte de Deus, movidos pelo Espírito Santo». Comentando sobre esse trecho bíblico, escreveu Warfield: «O que foi 'movido' foi impulsionado pelo poder 'impulsionador' e transmitido por esse poder e não pelo poder dos instrumentos, de acordo com os propósitos do poder impulsionador, e não de acordo com os instrumentos usados» (pág. 137). Portanto, a inspiração não consiste na mera exaltação dos poderes dos escritores escolhidos, mas consiste no controle deles pelo Espírito Santo.

4. O uso da individualidade dos escritores pelo Espírito. A inspiração divina não suprimiu ou abafou a individualidade de qualquer escritor sagrado; pelo contrário, utilizou-se dela. A Palavra de Deus veio à existência através de muitos e diferentes canais humanos, e a evidência das variações de estilo dá testemunho da realidade desse fator humano. Isso se dá até mesmo no caso dos profetas do Antigo Testamento, onde a forma em que a palavra foi freqüentemente recebida—em alguma visão ou sonho—testifica fortemente sobre a sua objetividade. Mas tal aspecto torna-se mais evidente ainda em escritos como as epístolas. As cartas de Paulo, por exemplo, dão sinais de sua individualidade. Muita pesquisa foi necessária para a produção de um livro como o evangelho de Lucas (ver Luc. 1:1-4). Assim, quando os reformadores protestantes lançaram mão do termo «ditado», eles parecem tê-lo empregado simplesmente para frisar a origem divina das Escrituras, e não a fim de definir seu método

invariável de produção.

5. O caráter «verbal» da inspiração. A idéia de inspiração refere-se á comunicação verbal da verdade. Apesar de reconhecer a superintendência exercida pelo Espírito, sobre todo o processo que jaz atrás da obra *escrita* (ou de elocução), o termo «inspirada» refere-se ao produto acabado. Isso posto, a Escritura é que foi soprada por Deus (II Tim. 3:16). Na natureza do caso, pois, a inspiração, normalmente, é verbal, visto que diz respeito à comunicação da verdade em linguagem humana. Isso não significa, entretanto, que consiste em mero ditado de palavras, mas significa que os diversos processos que jazem por detrás da questão, envolvendo aspectos como a individualidade dos escritores, o meio ambiente, o treinamento, a experiência deles, além de outros fatores, foram de tal modo manipulados por Deus que o resultado foi que as palavras registradas não são apenas do homem, mas são plenamente de Deus.

A inspiração, que precisa ser expressa por meio de palavras, vê-se assim limitada pelos poderes humanos de expressão por meio da linguagem. Os estados místicos, que servem de intermédio da inspiração, *certamente ultrapassam* à nossa capacidade de expressão lingüística, o que significa que a inspiração pode ser *inefável*, e as tentativas para descrevê-la são, naturalmente, débeis e inadequadas. Ver a quinta seção, intitulada *Níveis e Tipos de Inspiração*.

••• ••• •••

Também, — não devemos cair no equívoco oposto de imaginar que os vocábulos usados nas Escrituras revestem-se de qualquer importância, à parte do sentido que eles transmitem. O sentido é que é todo importante, sendo essa a razão pela qual os escritores sagrados do Novo Testamento algumas vezes empregaram alguma tradução livre de certas passagens do Antigo Testamento, quando isso podia transmitir, com maior precisão e vigor, o ponto que eles estavam querendo salientar. A questão tornar-se-ia um problema somente se o sentido da passagem original fosse violado nesse processo. Isso levanta a questão inteira do uso do Antigo Testamento pelos escritores do Novo Testamento, o que já pertence ao tema da interpretação. Ver seção V para uma discussão sobre niveis e graus de inspiração.

6. Inspiração como uma obra terminada. A inspiração que é uma obra terminada do Espírito Santo, não deve ser confundida com a *iluminação*, que é uma operação *contínua*. Entre os manuscritos originais inspirados e nos mesmos há um ou dois processos. Se os idiomas originais são conhecidos por um leitor qualquer, então o único processo envolvido será a transmissão do texto. A ciência da crítica textual das Escrituras é uma ciência muito refinada e exata. Seu estudo demonstra que o texto, embora não tenha sido completamente preservado dos processos normais de corrupção, que afetam toda a transmissão de idéias, foi admiravelmente protegido, de tal modo que a mensagem que nos é transmitida pelas Escrituras tem sido oferecida a cada geração sucessiva. Os tradutores, por sua vez, têm o dever de reverenciar o fraseado do texto original, procurando passar para outro idioma, o pensamento que se encontra nos originais hebraico e grego. O extenso uso da LXX (uma versão grega do Antigo Testamento) pelos escritores do Novo Testamento mostra-nos que essa tradução é legítima, confirmando a opinião de

475

ESCRITURAS

muitos de que uma tradução, quando bem feita, pode ser—e, de fato, *deve* ser—tratada como Palavra de Deus, na extensão em que transmitir fielmente o pensamento dos textos originais.

7. A inspiração e as dificuldades das Escrituras. O crente recebe a Palavra de Deus com base no próprio testemunho divino. Isso não significa, naturalmente, que o leitor reverencioso das Escrituras nunca encontrará problemas. No entanto, essas dificuldades da Bíblia impelem o leitor a buscar pela iluminação divina e a estudar diligentemente as Escrituras. Essas dificuldades não devem servir de justificativa para que o leitor desista de inquirir pelas doutrinas mais elevadas das Escrituras. A convicção de um cientista, sobre a unidade do universo, não sofre uma reviravolta quando ele encontra problemas em suas investigações. Por igual modo, a convicção do crente, quanto à unidade das Escrituras, não deve ser abandonada em face das dificuldades da Bíblia. Alguns têm afirmado que a doutrina das Escrituras deveria alicerçar-se sobre todos os fenômenos bíblicos, incluindo as suas dificuldades. É questionável se tal método é praticável, pois a avaliação e a harmonização de todos os ditos fenômenos são consideravelmente maiores que a obra de uma vida inteira. Além disso, a própria Bíblia contém claras afirmativas concernentes à sua própria inspiração. Portanto, sobre essas claras afirmativas bíblicas é que a doutrina da inspiração deve estar alicerçada. A aceitação das Escrituras como divinamente outorgadas, sobre essa base, implanta em nós a convicção da unidade da Bíblia; e assim podemos agora abordar esse problema, encontrando-lhe solução gradual, à luz desse fato

G. O problema de II Tim. 3:16

II Tim. 3:16: *Toda Escritura é divinamente inspirada e proveitosa para ensinar, para repreender, para corrigir, para instruir em justiça*;

Este é um dos mais famosos e um dos mais utilizados versículos dentro das «epístolas pastorais»; mas também é um dos mais disputados versículos bíblicos, quanto ao seu exato significado. No tocante às dificuldades de sua tradução, observemos os três pontos abaixo:

1. Alguns preferem traduzir por «...*Toda a Escritura é dada por inspiração de Deus*...»

2. Outros opinam em favor de «...*Toda a Escritura que é inspirada*...», o que nos dá a idéia de que há trechos bíblicos que não são inspirados.

3. Literalmente traduzida, a frase diria «...*cada Escritura*...», talvez dando a entender «cada passagem bíblica». Todavia, cumpre-nos notar a ausência do artigo definido, no original grego, o que poderia fazer a expressão referir-se a «Escrituras» ou «escritos», além do A.T. E se a ausência do artigo torna vaga a identificação exata do que significa «escritos», então *este versículo* poderia ser mais corretamente traduzido por «Cada escrito que é inspirado por Deus...», distinguindo tais escritos de outras obras escritas, que não são inspiradas. Neste caso, presumivelmente, o A.T. inteiro é reputado como inspirado divinamente.

Devemos notar também, neste ponto, que o vocábulo traduzido aqui por «Escritura» é o termo grego comum que significa *escrito*, pelo que a alusão pode ser a qualquer tipo de escrito, e não meramente aos escritos bíblicos. Nesse caso, ficaria salientado que somente os escritos «inspirados» são os proveitosos para os propósitos frisados no versículo. Vários intérpretes e tradutores têm compreendido a questão por esse prisma; e isso não é contrário à melhor

tradução literal do original grego. No entanto, em I Ped. 2:6 e II Ped. 1:20, também encontramos uma frase similar, sem o artigo definido; mas fica ali salientada uma passagem particular e bem «definida» do A.T. E isso serve para ensinar-nos, uma vez mais, que tanto no grego do Novo Testamento como no grego helenista em geral, não são seguidas regras gramaticais estritas e absolutas, e que a presença ou ausência do artigo definido nem sempre é significativa. Portanto, não deveria haver qualquer objeção à tradução «Toda a Escritura é dada por inspiração de Deus».

Avaliação

1. Como é patente, devemos rejeitar a segunda interpretação, oferecida no começo dos comentários sobre este versículo. Apesar de que, gramaticalmente, o original grego possa dar margem a que se compreenda que algumas passagens do A.T. são inspiradas por Deus e outras não. É impossível que essa tenha sido a intenção do autor sagrado, pois Paulo, do princípio ao fim da segunda epístola a Timóteo, sempre enfatizou a ortodoxia e a piedade, e isso segundo os termos do A.T. (Ver, por exemplo, II Tim. 1:5 e *ss*, 2:15).

2. A interpretação de número três, pode estar com a razão. Pois o autor sagrado pode estar contrastando o A.T. com «outros escritos», mas atribuindo a inspiração divina exclusivamente às Escrituras judaicas, em contraposição a quaisquer outros supostos livros sacros.

3. Sem embargo, a interpretação mais provável é a primeira delas. O grego helenista empregava o vocábulo «pasa» (todo), sem o artigo definido, a fim de indicar «inteiro», «a totalidade de». De acordo com os padrões do grego clássico, não havendo a presença do artigo definido, preferiríamos a tradução «cada». (Ver C.F.D. Moule, *An Idiom Book of N.T. Greek*, págs. 94 e 95, quanto a essa particularidade gramatical do grego). Daí, a melhor tradução, no idioma português, seria: «A Escritura inteira é inspirada por Deus...» Ou mesmo: «Cada Escritura é inspirada por Deus...» Por conseguinte, deve-se depreender dessa declaração paulina, que não existe qualquer porção das Escrituras Sagradas que não tenha sido bafejada pelo Espírito Santo, emprestando-lhe vida e autoridade divinas.

Isso derruba por terra idéias estranhas como aquela que diz que só são divinamente inspirados, os trechos bíblicos que comovem o leitor, enlevando os seus sentimentos. Segundo esse ponto de vista ficariam de fora da inspiração divina largas passagens bíblicas, como as genealogias, as enumerações e outras informações dessa natureza. A falácia dessa posição se comprova pelo fato de que, apesar de ser difícil alguém enlevar seu espírito com meros dados estatísticos, como há muitos na Bíblia, na verdade há ali informações de natureza tal que nos iluminam espiritualmente, como é o caso bem conhecido da genealogia do Senhor Jesus. Acresça-se a isso que um trecho que para mim pode parecer inteiramente frio e desinteressante, para outro leitor da Bíblia pode revestir-se de tremendo interesse espiritual.

Além disso, pode-se observar que falta no original grego o verbo «ser», na terceira pessoa do singular, «é». Contudo, pode-se considerá-lo como subentendido, conforme aparece em outros trechos bíblicos. Por conseguinte, poderíamos entender esta frase de três maneiras diferentes, a saber:

1. «Toda Escritura inspirada por Deus 'é' também proveitosa». etc.

2. «Toda Escritura 'e' inspirada e proveitosa», etc.

476

ESCRITURAS

Ambas essas formas têm sido usadas em traduções diversas, pois os intérpretes têm compreendido o versículo de uma ou de outra maneira. Em alguns manuscritos, bem como nos escritos de alguns dos pais da igreja, a cópula «é» é deixada de lado, porque isso poderia ser reputado como elemento perturbador da construção, mas certamente o «é» faz parte genuína do texto sagrado.

3. Uma terceira possibilidade de tradução, conforme já salientamos acima, é «Cada Escritura é inspirada por Deus...»

Quanto ao que é ensinado em II Timóteo 3:16, as traduções possíveis, acima discriminadas, não diferem essencialmente, contanto que entendamos que os «escritos» aqui referidos são as Escrituras do A.T., ou coletivamente, como na tradução «Toda a Escritura...», ou distributivamente, como em «Cada escrito...» (individualmente considerado).

«...Escritura...» Uma maior dificuldade ainda consiste em compreendermos exatamente quais «livros sagrados» devem ser inclusos nesse vocábulo, pois nem mesmo o «cânon do A.T.» fora fixado nos tempos do Senhor Jesus. Havia, essencialmente, «três» Antigos Testamentos, a saber:

1. Os saduceus aceitavam somente o Pentateuco, isto é, os cinco livros de Moisés. E essa é a razão pela qual rejeitavam os ensinamentos bíblicos sobre a existência dos espíritos, sobre a ressurreição, etc., porquanto tais ensinamentos não figuram claramente naqueles cinco primeiros livros bíblicos.

2. Os fariseus que habitavam na Palestina aceitavam a Lei, os Salmos e os Profetas, isto é, os mesmos trinta e nove livros do «cânon protestante do A.T.».

3. Os judeus da dispersão, isto é, aqueles que moravam fora da Palestina, aceitavam, em adição a isso, catorze livros apócrifos, doze dos quais também passaram a ser aceitos como parte do «cânon católico romano do A.T.,» por decisão do concílio de Trento (realizado em 1545—1563). Os grupos protestantes nunca aceitaram a adição desses e de quaisquer outros livros apócrifos. Quanto a «epístolas pastorais», é óbvio que o autor sagrado rejeitava o «cânon saduceu», embora não disponhamos de quaisquer meios para saber qual dos outros «cânones» ele aceitava. Todavia, a questão não se reveste de particular importância, já que o significado da passagem em nada se altera, e visto que o Cristo predito será sempre o mesmo, sem importar o «cânon» particular que estiver sendo seguido; e isso é o que interessava ao autor sagrado.

É interessante que alguns estudiosos adicionariam a essa «Escritura» os escritos apostólicos e outros que vieram a fazer parte do «cânon do N.T.», e que já estavam escritos antes das «epístolas pastorais», a saber, algumas das epístolas de Paulo e os quatro evangelhos. Mas, historicamente falando, tal acréscimo prescinde de quaisquer bases históricas, no tocante ao desenvolvimento do «cânon do N.T.», sendo algo contrário ao sentido simples do texto que ora consideramos. Notemos, por semelhante modo, que a «Escritura», referida neste versículo, deve ser igual às «sagradas letras» (ver o versículo anterior), que serviram de base ao treinamento de Timóteo, desde a sua infância. É óbvio que seu treinamento religioso não tinha incluído qualquer livro do N.T., pois nenhum desses livros fora ainda escrito. Portanto, supor que o décimo quinto versículo fala somente sobre o A.T., ao passo que o décimo sexto versículo inclui alguns dos livros do N.T. é submeter a fé a um teste demasiado, não sendo uma afirmação de fé. Aqueles que pretendem incluir aqui o N.T., fazem-no sob o impulso do desejo de encontrar, em alguma porção do N.T., alguma afirmativa sobre a inspiração do N.T. como um todo. Esse tipo de afirmação, naturalmente, nem existe.

A grandiosidade do N.T., é que serve de tal afirmação, não precisando nós de qualquer exegese distorcida para descobrir algum texto de prova que atribua inspiração divina ao corpo inteiro dos escritos neotestamentários.

III. A Autoridade das Escrituras

A. Sua Relação com a Inspiração. A inspiração e a autoridade das Escrituras são questões distinguíveis, mas inseparáveis. As questões religiosas revestem-se de tão capital importância que a mera autoridade humana é insuficiente. Não são os autores humanos como tais que dão à Bíblia a sua autoridade, e, sim, o seu Autor divino. É devido ao fato de que a Bíblia originou-se em Deus e que sua mensagem deve ser recebida e nela devemos confiar. De conformidade com isso, a questão da inspiração das Escrituras é corretamente discutida antes de ser ventilada a questão da autoridade, não podendo haver doutrina estável da autoridade bíblica se não houver doutrina estável da inspiração das Escrituras.

B. A Autoridade do Antigo Testamento

1. Seu reconhecimento dentro do período do Antigo Testamento. Um exame dos livros históricos do Antigo Testamento desvenda o fato de que a lei era tratada como autoritária por aqueles que a liam. Nas fronteiras da Terra Prometida, Deus orientou Josué quanto à lei, dizendo: «Tão somente sê forte e mui corajoso para teres o cuidado de fazer segundo toda a lei que meu servo Moisés te ordenou; dela não te desvies, nem para a direita nem para a esquerda, para que sejas bem-sucedido por onde quer que andares. Não cesses de falar deste livro da lei; antes, medita nele dia e noite, para que tenhas cuidado de fazer segundo a tudo quanto nele está escrito; então farás prosperar o teu caminho e serás bem-sucedido» (Jos. 1:7,8). Cf. 8:30-35; 22:5; 23:6; I Reis 2:3; II Reis 14:5; 22:8 ss. No trecho de II Reis 23:24,25, o fraseado mostra-se particularmente significativo: «Aboliu também Josias os médiuns, os feiticeiros, os ídolos do lar, os ídolos e todas as abominações que se viam na terra de Judá e em Jerusalém, para cumprir as palavras da lei, que estavam escritas no livro que o sacerdote Hilquias achara na casa do Senhor. Antes dele não houve rei que lhe fosse semelhante, que se convertesse ao Senhor de todo o seu coração, e de toda à sua alma, e de todas as suas forças, segundo toda a lei de Moisés; e depois dele nunca se levantou outro igual». Conforme estamos verificando, há uma íntima ligação entre converter-se ao Senhor e obedecer aos preceitos da lei. Quanto ao reconhecimento da autoridade da lei, em outras porções do Antigo Testamento, ver também Salmos 119; Daniel 9:10-13; Amós 2:4 e Malaquias 4:4.

A lei, como é óbvio, destinava-se à posteridade, e não somente àquela geração à qual foi originalmente entregue, não havendo falta de evidências que o mesmo se dava com as revelações proféticas (ver Isa. 30:8; Jer. 30:1 ss, 36:1 ss, Hab. 2:2 ss). O trecho de Daniel 9:1,2 afirma: «No primeiro ano de Dario, filho de Assuero, da linhagem dos medos, o qual foi constituído rei sobre o reino dos caldeus, no primeiro ano do seu reinado, eu, Daniel, entendi, pelos livros, que o número de anos, de que falara o Senhor ao profeta Jeremias, em que haviam de durar as assolações de Jerusalém, era de setenta anos». A

477

ESCRITURAS

oração de Daniel, que se seguiu imediatamente a essa descoberta, deixa claro que Daniel considerava a Palavra de Deus, através de Jeremias, como totalmente autoritária. O Salmo 89 também mostra o salmista reivindicando as promessas de Deus, feitas a Davi (II Sam. 7), de tal modo que nos mostra que ele aceitava essas promessas em sua autoridade divina.

2. Seu reconhecimento por Cristo. Jesus nunca citou algum rabino como autoritário, mas constantemente citava as Escrituras como tais. Antes, ele contrastou as tradições dos escribas com a Palavra de Deus no Antigo Testamento (Mat. 15:1-6). Sua fórmula constantemente reiterada, *gégraptai*, «está escrito», no grego posta no tempo perfeito, — poderia ser traduzida como «está permanentemente escrito», porquanto dá a entender sua presente relevância, e não apenas que isto ou aquilo encontra-se registrado nas Escrituras do Antigo Testamento (para exemplificar: Mat. 11:10; Luc. 22:37; João 6:45). Também deveríamos observar o uso do tempo presente (ação contínua), usado por Jesus, no original grego de Mateus 13:14; Lucas 20:42 e João 5:45. Consideremos, por exemplo, o uso das palavras «vos» (caso oblíquo de «vós») em Mat. 22:31,32. Dirigindo-se aos saduceus, perguntou Jesus: «E quanto à ressurreição dos mortos, não tendes lido o que Deus *vos* declarou: Eu sou o Deus de Abraão, o Deus de Isaque e o Deus de Jacó?» Portanto, para Jesus, o Antigo Testamento era um livro que falava e continua falando com uma voz viva, dotado de autoridade permanente. O ensino de Jesus, em Mateus 5:21-48, algumas vezes é interpretado como se envolvesse certo desprezo ao Antigo Testamento, em contraste com as suas próprias instruções. Mas tal interpretação apenas compreende erroneamente essa passagem. As fortes declarações concernentes à lei, que antecedem a tal trecho (ver Mat. 5:17-20), mostram-nos que não pode ter sido essa a intenção de Jesus. Na verdade, ele estava demonstrando quão profundas são as implicações da lei, ao desvendar padrões ainda mais elevados do que aqueles que haviam sido revelados pela lei, e corrigindo certas inferências equivocadas que os judeus tiravam da lei. A assertiva parentética de João 10:35 sumaria a sua atitude em relação às Escrituras do Antigo Testamento: «...e a Escritura não pode falhar...»

Jesus tratava o Antigo Testamento como autoritário até mesmo em relação à sua vida. O ponto mais fortemente frisado, nas narrativas da tentação (Mat. 4:1-11; Luc. 4:1-13) é justamente que era dever do Senhor Jesus, na qualidade de verdadeiro Homem, dar ouvidos à voz de Deus, através do Antigo Testamento e não dar ouvidos à voz de Satanás.

O Senhor Jesus partia do pressuposto que os menores detalhes do Antigo Testamento são dignos da nossa confiança. Jesus referiu-se a muitos eventos cuja historicidade é posta em dúvida por muitas pessoas em nossos dias: o casamento de Adão e Eva (Mat. 19:4,5), e os relatos sobre Abraão (João 8:56), Noé, e Ló e sua esposa (Lucas 17:26-32). Alguém poderia objetar a isso dizendo que histórias fictícias podem ser empregadas para transmitir verdades espirituais. Todavia, tal argumento não pode ser coerentemente aplicado ao uso que o Senhor Jesus fez do Antigo Testamento. Ele falava a pessoas que acreditavam na veracidade literal das narrativas veterotestamentárias. Não há qualquer indício de que Jesus tomasse essas narrativas em outro sentido além desse, havendo mesmo algumas passagens onde o ponto inteiro que estava sendo ressaltado seria destruído, se essas narrativas não fossem históricas. É impossível compreender a linguagem usada por Jesus, em

Mateus 12:41 e Lucas 11:50,51 a menos que os eventos do Antigo Testamento, aos quais ele aludiu ali, tivessem sido absolutamente históricos e factuais. Como é que homens que são declarados penitentes, em uma história supostamente fictícia, poderiam ressuscitar em um julgamento final real, para condenar homens reais?

3. Seu reconhecimento pelos escritores do Novo Testamento. Judeus e cristãos estavam acordes sobre a autoridade das Escrituras do Antigo Testamento. De acordo com isso, um dos principais fatores do testemunho cristão aos judeus, nos dias do Novo Testamento, era a demonstração de que o Antigo Testamento testifica de Jesus Cristo. Isso caracterizou a pregação de Pedro, no dia de Pentecoste, bem como todos os sermões dirigidos aos judeus, no livro de Atos (por exemplo: Atos 2:24-36; 17:2,3; 11:18,28; 28:23). Não era que o testemunho dos profetas fosse tratado pelos apóstolos como autoritário somente para os contemporâneos dos profetas, e, sim, que suas profecias, sob forma escrita, revestiam-se de validade permanente (Rom. 1:1,2; 16:26; Mar. 1:2; II Tim. 3:16; I Ped. 2:6; II Ped. 1:20). Tanto para os escritores do Novo Testamento quanto para Jesus, o Antigo Testamento tem uma autoridade presente. Eles, igualmente, usaram a fórmula «está escrito» constantemente, usando verbos no tempo presente (ação contínua, no grego), nas passagens abaixo, que deveriam ser examinadas: Romanos 4:3; 9:25,27; Gálatas 4:30; Heb. 8:13; II Pedro 1:19. O caráter atualizado do Antigo Testamento também transparece em certas passagens importantes, onde se lê que o mesmo foi expressamente escrito com os crentes do Novo Testamento em mente e não apenas com os homens do Antigo Testamento em mira. Para exemplificar, Paulo, escrevendo a respeito de Abraão (Gên. 15:6), diz como segue: «E não somente por causa dele está isso escrito que lhe foi levado em conta, mas também por nossa causa, posto que a nós igualmente nos será imputado, a saber, a nós que cremos naquele que ressuscitou dentre os mortos a Jesus, nosso Senhor, o qual foi entregue por causa das nossas transgressões e ressuscitou por causa da nossa justificação» (Rom. 4:23-25). Cf. Atos 7:38; 13:47; Rom. 15:4,5; I Cor. 9:9,10; 10:6-11; II Cor. 7:1.

C. A Autoridade do Novo Testamento.

1. A Natureza do Apostolado. É vitalmente importante apreendermos o fato de que os apóstolos de Cristo foram nomeados por ele para um ofício muito especial, único e sem repetição. Em retrospecto, podemos ver que uma das principais tarefas dos apóstolos foi a produção do corpo da literatura neotestamentária. Lightfoot, mostrando a diferença entre *ággelos*, «mensageiro», e *apóstolos*, «enviado», diz: «Quando aplicado a uma pessoa, a palavra *apóstolos* denota mais do que *ággelos*. Um «apóstolo» não era apenas um mensageiro mas um delegado da pessoa que o enviara. Ao apóstolo é dada uma missão a cumprir, bem como poderes lhe são conferidos» (*Galatians* (1865), pág. 89). É verdade que não se sabe com certeza quantas pessoas foram consideradas apóstolos de Cristo, nas páginas do Novo Testamento. Todavia, pelo menos quanto aos doze apóstolos originais e a Paulo, não podem restar dúvida, pois Paulo, tal como aqueles outros, foi especialmente nomeado por Cristo (I Cor. 9:1; Gál. 1:1; cf. Atos 1:8,22). Alguns estudiosos consideram que a palavra continuava sendo usada nesse sentido especial quando foi aplicada, por exemplo, a Andrônico e Júnias (Rom. 16:7), a Barnabé (Atos 14:14; cf. 13:1) e a Tiago, irmão do Senhor (I Cor. 15:7; Gál. 2:9), os quais também poderiam ser incluídos no círculo dos

ESCRITURAS

apóstolos de Cristo. Entretanto, há evidências de um uso um tanto mais amplo do vocábulo «apóstolo» a fim de denotar enviados especialmente designados pelas igrejas, com algum propósito particular (II Cor. 8:23; Fil. 2:25). Esses não podem ser categorizados juntamente com os apóstolos originais de Cristo.

Todavia, se a objeção ao título alicerça-se sobre a produção literária do Novo Testamento, cujos autores geralmente foram apóstolos, então essa objeção perderia a sua força. Subentende-se que a continuação do ofício apostólico forçosamente envolveria a continuação da produção de livros canônicos do Novo Testamento. Porém, cumpre-nos considerar estes dois pontos: 1. Marcos, Lucas, Tiago e Judas não faziam parte do colégio apostólico, mas escreveram cinco livros dentre os vinte e sete do Novo Testamento, a saber: o evangelho de Marcos; o evangelho de Lucas e Atos dos Apóstolos; a epístola de Tiago; e a epístola de Judas. 2. O ofício apostólico não garantia que seus retentores escreveriam obras inspiradas. Dentre os doze apóstolos originais (considerando-se que Matias substituiu a Judas Iscariotes, Atos 1:15-26), os seguintes em nada contribuíram para a formação do cânon do Novo Testamento: Tiago, irmão de João; André; Filipe; Tomé; Bartolomeu; Tiago, filho de Alfeu; Simão, o Zelote; Judas, filho de Tiago; e Matias—uma grande maioria, portanto.

O Senhor Jesus evidentemente considerou a seleção do grupo original apostólico como questão de grande importância, porquanto preparou-se para a nomeação por um extenso período de oração (Mar. 3:13-19; Luc. 6:12 ss). O trecho de Mateus 10:1—11:1 fornece-nos os termos da comissão dos apóstolos, durante o período do ministério terreno de Jesus. O Senhor concentrou sua atenção sobre esses homens, conferindo a eles maior tempo de instrução do que a quaisquer outros. Se eles mostraram-se certos, ao escolherem Matias, após a ascensão de Cristo, é algo que tem sido sujeitado a algum debate. Seja como for, eles perceberam que era a escolha divina que realmente importava, acima de toda outra consideração (ver Atos 1:24,25).

Paulo com freqüência associou a seu nome os nomes de outros crentes que com ele estiveram, no título de suas epístolas; mas, é digno de nota que ele nunca os chamou de «apóstolos» (I Cor. 1:1; II Cor. 1:1; Col. 1:1; I Tes. 1:1). As palavras «embora pudéssemos, como enviados de Cristo» (I Tes. 2:7), mui provavelmente, não constitui uma exceção à regra, mas tão-somente a utilização literária do «nós» (subentendido no «pudéssemos»), em sentido singular. Cf. I Tes. 3:1: «...pareceu-nos bem ficar sozinhos em Atenas», onde Paulo referia-se somente a si próprio.

2. A natureza da tradição apostólica. A palavra «tradição» significa «aquilo que foi transmitido a outrem». Os judeus tinham um extenso vocabulário vinculado à idéia de tradição. Usavam a palavra para indicar as tradições orais de rabinos anteriores, passadas para os seus seguidores. Trata-se de uma debilidade humana, essa de respeitar as opiniões humanas, acima daquilo que o Senhor Deus ensina. O mesmo fenômeno que se via entre os judeus, vê-se também na Igreja Católica Romana, e em grau menos patente, mas, igualmente presente, entre os grupos protestantes. Jesus combatia as tradições rabínicas, sempre que fossem contrárias ao espírito da Palavra de Deus (Mar. 7:1-13; cf. Gál. 1:14). Os escritores do Novo Testamento tiraram proveito desse vocabulário e aplicaram-no às verdadeiras tradições cristãs, ou seja, ao depósito do testemunho apostólico (ver, por exemplo, a fraseologia de Lucas 1:2; Atos 2:42; Romanos 6:17; I Coríntios 11:2,13; 15:1 ss; Gálatas 1:9,12; Filipenses 4:9; I Tessalonicenses 2:13; 4:1; II Tessalonicenses 2:15; 3:6 e Judas 3). O que empresta validade a essa tradição cristã, quando as tradições judaicas não eram válidas? É que nesses trechos está em pauta o depósito de ensinos entregue pelo próprio Senhor Jesus, antes e depois de sua ressurreição (Atos 1:1,2). Assevera Paulo: «Porque eu recebi do Senhor o que também vos entreguei...» (I Cor. 11:23). Essas tradições cristãs traziam o selo da suprema autoridade do Senhor Jesus.

Os apóstolos eram perfeitamente harmônicos como transmissores do ensinamento autoritário, dado pelo próprio Senhor Jesus (I Cor. 15:9-11). Porventura, o trecho de Gálatas 2:11 ss constitui uma exceção? Deve-se observar, contudo, que essa passágem não se refere aos ensinamentos de Pedro, e, sim, a um evento em sua vida; e segundo Paulo indicou, Pedro estava ali agindo de modo contrário às suas próprias convicções (e não apenas contra Paulo, conforme alguns comentadores têm dito), e, assim sendo, presumivelmente contradizendo o que o próprio Pedro ensinaria a outras pessoas. A veracidade do ensino de Pedro não é ali posta em dúvida, de maneira alguma. O trecho de Gálatas 2:1-10 mostra-nos que Paulo e os apóstolos que haviam sido chamados antes dele concordavam perfeitamente em questões de doutrina.

Paulo mostrou qual o seu ensino sobre a Ceia do Senhor. Por causa de seu apostolado, esse ensino conta com a autoridade do Senhor Jesus, contrária às práticas indisciplinadas dos crentes de Corinto, as quais não contavam com o respaldo da autoridade de Cristo (I Cor. 11). No grego, em I Cor. 11:23, o primeiro «eu» é enfático, dando a entender: «Porque eu, como apóstolo, recebi do Senhor...» Naturalmente, os apóstolos não somente transmitiram tradições da parte do Senhor Jesus; mas, visto que eram impulsionados pelo Espírito, que é o Espírito da verdade e o Espírito de Cristo, também davam pareceres sobre questões a respeito das quais a tradição fazia silêncio. Acerca de certas questões atinentes ao casamento, Paulo nada encontrou nas tradições sobre os ensinos de Jesus, a esse respeito, mas ofereceu a sua opinião, como apóstolo dirigido pelo Espírito de Cristo (I Cor. 7:25,40; cf. 14:37). Há um toque de ironia nas palavras de I Coríntios 7:40 «...e penso que também eu tenho o Espírito de Deus». É precisamente essa distinção entre a tradição oficializada e o discernimento dado pelo Espírito que faz por detrás das distinções que Paulo fez em I Coríntios 7:10,12,25. Há um grande esclarecimento a esse respeito no sexto versículo desse mesmo capítulo: «E isto vos digo como concessão, e não por mandamento». É que não somente mandamentos, mas até mesmo permissões, precisam ser autoritariamente declaradas, e Paulo fez isso na sua capacidade de apóstolo de Cristo. Nesse sétimo capítulo de I Coríntios, pois, encontramos Paulo transmitindo tradições e oferecendo pareceres; mas fez ambas as coisas em sua capacidade apostólica, como alguém especialmente comissionado por Cristo, especialmente dotado pelo Espírito, precisamente com essa finalidade.

3. A apostolicidade e a autoridade do Novo Testamento. Paulo refere-se à Igreja, dizendo que ela está edificada «sobre o fundamento dos apóstolos e profetas, sendo ele mesmo, Cristo Jesus, a pedra angular» (Efé. 2:20). O exame da epístola aos Efésios torna altamente provável que os profetas ali referidos são os do Novo Testamento, e não os profetas do

479

ESCRITURAS

Antigo Testamento, e também que eles são descritos como alicerce da Igreja por causa do caráter fundamental do ensino profético (cf. 3,4,5; 4:11). Os convertidos no dia de Pentecoste, segundo lemos, «perseveravam na doutrina dos apóstolos» (Atos 2:42), doutrina essa que, naturalmente, era totalmente centralizada em Cristo e por ele controlada. O Novo Testamento reconhece a possível existência de falsos profetas, pelo que é significativo que a verdade apostólica seja o teste de todas as reivindicações de profecia que emana do Espírito de Deus. «Se alguém se considera profeta, ou espiritual, reconheça ser mandamento do Senhor, o que vos escrevo» (I Cor. 14:37; cf. I João 4:1-6). Judas confrontou os falsos mestres, exortando os seus leitores a batalharem «diligentemente pela fé que uma vez por todas foi entregue aos santos», lembrando-se «das palavras anteriormente proferidas pelos apóstolos de nosso Senhor Jesus Cristo» e edificando-se na nossa santíssima fé, que a nós foi conferida (Jud. 3:17,20). Quanto a essa conexão observemos a significação de trechos como I Tes. 5:19-22 e II Tes. 3:6,11-14.

Não há qualquer sugestão, nas páginas do Novo Testamento, que devamos esperar sucessores dos apóstolos originais, como mestres autorizados. O ofício apostólico, em sentido pessoal, ao que parece, foi temporário, embora trate-se de um dom permanente de Cristo à Igreja, devido ao testemunho que eles deixaram, sob a forma de documentos escritos que participam do Novo Testamento. Pois é somente através desses documentos que os ensinos apostólicos atualmente são postos à nossa disposição, de tal modo que os homens podem confiar em Cristo através da palavra deles (João 17:8,14,20). Os crentes, pois, continuam devotando-se ao ensino apostólico por esse intermédio. A noção comum de que os apóstolos não percebiam que estavam escrevendo literatura inspirada e autoritária não corresponde aos fatos, porquanto puseram considerável ênfase sobre a autoridade de seus escritos (ver I Cor. 14:37; I Tes. 5:27; II Tes. 3:14 e Apo. 22:18,19).

O cânon do Novo Testamento (que vide) jaz fora do escopo deste artigo. Porém, deve-se notar que, de acordo com o próprio Novo Testamento, havia outras pessoas impulsionadas pelo Espírito Santo, nos dias da Igreja primitiva, além dos apóstolos, a saber, os profetas do Novo Testamento. O teste de suas declarações proféticas era a verdade ensinada pelos apóstolos. Pode-se mostrar facilmente a harmonia entre os escritos não-apostólicos do Novo Testamento e os escritos apostólicos. O N. Testamento, como um todo, apresenta uma maravilhosa unidade no tocante à doutrina, embora *ali haja evolução* doutrinária e *graus* de revelação (ver seção V).

Ver o artigo geral sobre *Autoridade*. Há autoridades além das Escrituras.

IV. O Uso das Escrituras
A. Finalidade Prática da Outorga das Escrituras.
É altamente significativo que um dos mais importantes trechos bíblicos que exibem a doutrina bíblica da inspiração esteja ligado a um dos trechos de uso prático das Escrituras. «...desde a infância sabes as sagradas letras que podem tornar-te sábio para a salvação, pela fé em Cristo Jesus. Toda Escritura é inspirada por Deus e útil para o ensino, para a repreensão, para a correção, para a educação na justiça, a fim de que o homem de Deus seja perfeito e perfeitamente habilitado para toda boa obra» (II Tim. 3:15-17). Portanto, a função da Bíblia é servir-nos de orientações instrutivas, e sua finalidade é levar os homens à salvação, preparando-os para o serviço santificado. O quádruplo propósito, que encontramos nesses versículos, acima citados, indica que o uso das Escrituras deve ser tanto teológico quanto ético, porquanto instrui-nos a mente na verdade divina e orienta-nos no reto caminho. E também há aspectos positivos e negativos, porquanto «repreensão» e «correção» dão a entender que há erros, nas idéias e nas ações, que precisam ser corrigidos.

A função instrutiva das Escrituras nunca é meramente intelectual, pois é igualmente prática. Seu alvo é produzir não apenas o conhecimento, mas também sabedoria e aplicação pessoais. «As cousas encobertas pertencem ao Senhor nosso Deus; porém as reveladas pertencem a nós e a nossos filhos para sempre, para que cumpramos todas as palavras desta lei» (Deu. 29:29; cf. Deu. 32:46,47; Jos. 1:7,8; Tia. 1:25 *ss* e Apo. 1:3).

B. As Escrituras e a Iluminação Espiritual.
É mister distinguir entre a inspiração e a iluminação, observando a relação que há entre essas duas coisas. Isso é claramente indicado no trecho de I Cor. 2:1-16. Ao falar sobre o «testemunho de Deus» que, como apóstolo, — Paulo havia proclamado aos coríntios (ver vs. 1) — que esse testemunho lhe fora divinamente revelado, e que tal revelação fora comunicada pelos canais humanos da inspiração, àqueles capacitados a recebê-la. «Disto também falamos, não em palavras ensinadas pela sabedoria humana, mas ensinadas pelo Espírito, conferindo cousas espirituais com espirituais. Ora, o homem natural não aceita as cousas do Espírito de Deus, porque lhe são loucura; e não pode entendê-las porque elas se discernem espiritualmente...» (vs. 13,14). Portanto, as verdades espirituais são um terreno desconhecido para aqueles que não são regenerados, e é a Palavra de Deus que o Espírito Santo usa como instrumento para produzir o novo nascimento (Tia. 1:18; I Ped. 1:23-25). A regeneração é descrita de vários modos no Novo Testamento, mas uma de suas analogias mais significativas é aquela que diz respeito ao resplendor de uma grande luz, ao raiar de um novo dia (II Cor. 4:6; Efé. 5:14). Mediante o poder do Espírito, que vem habitar no crente, a norma da vida cristã é a de um avanço progressivo na iluminação e no entendimento espirituais (Efé. 1:17 *ss*; cf. Sal. 119:18, 97-104,144; Pro. 14:18). Estritamente falando, a obra do Espírito não consiste tanto na iluminação da própria Palavra de Deus (esse é o conceito neo-ortodoxo da questão), consiste muito mais na iluminação do coração humano, para que possa compreender a Palavra. Em outras palavras, as Escrituras são claras em si mesmas (o termo técnico aqui aplicável é a «perspicuidade das Escrituras»). Mas o coração humano, enegrecido e obscurecido pelo pecado, requer uma operação sobrenatural do Espírito Santo, antes que possa compreender e acolher a verdade de Deus.

C. A Interpretação das Escrituras.
1. A importância da interpretação. Se a Bíblia é uma revelação inspirada e autoritária da parte de Deus, então é de suprema importância que ela seja devidamente compreendida. É possível uma pessoa distorcer as Escrituras, para sua própria condenação (II Ped. 3:16; cf. II Cor. 4:2; I Tim. 1:3-11). Satanás aplicou as Escrituras de uma maneira que violava os contextos dos trechos citados, quando tentou ao Senhor Jesus (Mat. 4:6). Jesus e os fariseus estavam acordes quanto à inspiração e autoridade do Antigo Testamento, embora com freqüência divergissem quanto à sua interpretação. Mateus, em particular,

ESCRITURAS

mostra-O por muitas vezes repreendendo os líderes judaicos por não compreenderem corretamente o significado de certas passagens do Antigo Testamento (Mat. 9:13; 12:3-8; 21:42 e 22:23-32).

2. O divino intérprete. Durante o ministério do Senhor Jesus, os discípulos foram os beneficiários de suas instruções sendo que grande parte das mesmas envolvia a questão da interpretação do Antigo Testamento. É o Senhor continuou a instruí-los a esse respeito, mesmo após a sua ressurreição (Luc. 24:25-27,32,44-47). As interpretações dadas por Jesus estavam escudadas na autoridade de sua própria pessoa divina. Jesus prometeu que o Espírito Santo continuaria a instruir os discípulos quanto à verdade divina (João 16:12 ss). Ao crente é proporcionado um certo «instinto» espiritual no tocante à verdade, devido à presença do Espírito. Diz João a esse respeito: «Isto que vos acabo de escrever é acerca dos que vos procuram enganar. Quanto a vós outros, a unção que dele recebestes permanece em vós, e não tendes necessidade de que alguém vos ensine; mas, como a sua unção vos ensina a respeito de todas as cousas, e é verdadeira, e não é falsa, permanecei nele, como também ela vos ensinou» (I João 2:26,27; cf. I João 2:20,21). O crente é assim instruído de que não há necessidade de ser ele iludido por falsos ensinos. O falso ensino também é aludido em II Pedro 1:20,21, onde se lê: «...sabendo, primeiramente, isto, que nenhuma profecia da Escritura provém de particular elucidação; porque nunca jamais qualquer profecia foi dada por vontade humana, entretanto homens falaram da parte de Deus, movidos pelo Espírito Santo». As palavras «de particular elucidação» mais provavelmente aludem ao próprio profeta, em cujo caso, elas meramente sublinham o fato de que toda profecia é de origem não-humana, mas é divina. Por outra parte, pode se referir aos leitores (porquanto os leitores de Pedro haviam sido convidados a darem atenção à palavra profética, no vs. 19), o que significa que em vista do fato da profecia ter sido dada pelo Espírito, agora só pode também ser interpretada pelo Espírito. O «direito de julgamento privado» não nos dá licença para distorcer as Escrituras, e nem para nos entregarmos a uma exegese desequilibrada e fantasiosa; antes, esse direito fala sobre a liberdade que temos de seguir os próprios princípios de interpretação usados pelo Espírito Santo, a saber, aqueles princípios hermenêuticos ensinados pelas próprias Escrituras Sagradas. Ver *Hermenêutica* e *Interpretação da Bíblia*.

3. O propósito das Escrituras. Naturalmente, a interpretação de qualquer obra escrita deve estar relacionada a seu propósito; e o propósito da Bíblia é claro e francamente prático. As Escrituras nos foram outorgadas a fim de que, como povo de Deus, sejamos aperfeiçoados na vida da piedade. A posição evangélica clássica é que quando a Bíblia aborda qualquer questão de história, ciência, etc., ela o faz em conformidade inflexível com a verdade. Naturalmente, a Bíblia foi escrita em linguagem popular, não técnica. Há muitas porções históricas no volume sagrado, mas as questões científicas usualmente são abordadas de modo apenas incidental. Mas essa abordagem é necessária, devido à própria natureza da questão envolvida. Pois, se Deus quisesse falar-nos em linguagem técnica e científica, usaria a linguagem divina (escudada na sua infinita sabedoria) ou a linguagem humana? E, neste último caso, as Escrituras refletiriam a ciência humana de qual século? Portanto, Deus precisou falar em linguagem não técnica, a fim de que pudesse ser entendido em todas as épocas. Além disso, a Bíblia não foi escrita para nos ensinar verdades científicas, e, sim, para nos ensinar como deve ser o nosso relacionamento para com Deus e para com os nossos semelhantes, isto é, verdades teológicas e éticas. É correto, pois, mantermos a inerrância das Escrituras, até mesmo quando estas abordam questões científicas. Ver o artigo *Ciência na Bíblia*. Essa inerrância deve-se ao fato de que as Escrituras foram «sopradas por Deus», e o produto resultante é a verdade do Espírito. Contudo, reiteramos que é um erro perder de vista o fato de que o grande propósito da Bíblia é ensinar aos homens as verdades de Deus. Tudo o mais que ali existe é apenas incidental, contribuindo com sua parcela ao resultado final.

4. As Escrituras interpretam a si mesmas. A autoria múltipla das Escrituras transparece em grande variedade de estilos, vocabulário e ênfases que ali se vêem. Mas, por baixo dessa grande variedade, existe uma unidade básica de doutrina. Os estudos modernos sobre o *kérugma* («a coisa proclamada») do Novo Testamento têm tendido a sublinhar a unidade dos pregadores e escritores da Igreja Primitiva. Estudos similares quanto ao Antigo Testamento, desvendam-nos que ali a unidade gira em torno da pessoa do Deus soberano e justo, que redimiu do Egito ao seu povo de Israel, conduzindo-o à Terra Prometida. Outrossim, a unidade dos dois Testamentos é o constante pressuposto dos autores sagrados do Novo Testamento. Essa unidade, naturalmente, é resultado da obra inspiradora do Espírito de Deus, o real Autor das Escrituras. Isso significa, por sua vez, que a verdadeira interpretação das Escrituras demonstrará a harmonia da Bíblia consigo mesma. E isso não requer nenhum método artificial ou forçado, e, sim, procura fazer justiça tanto ao sentido natural de cada trecho bíblico como à unidade das Escrituras como um todo. Isso não quer dizer, por outro lado, que a interpretação de cada texto nos seja dada através de um sistema dogmático adredemente preparado. Mas significa que devemos conservar em mente o fato de que, por detrás de todos os autores humanos avulta o Espírito Santo, porquanto isso é o que a própria Bíblia afirma a seu respeito. Também importa não nos olvidarmos do fato de que a Bíblia contém muitos exemplos de interpretação, porquanto os próprios autores do Novo Testamento interpretaram o Antigo Testamento. E os princípios hermenêuticos por eles aplicados têm a chancela da inspiração divina do Espírito, por detrás de suas interpretações. Nisso vemos que o Espírito Santo é o nosso guia na correta interpretação das Santas Escrituras.

5. O princípio gramático-histórico. A Bíblia é divina em sua origem, mas tem elementos humanos. A sua linguagem também é totalmente humana, bem como sua maneira de exprimir-se, porque em nenhum momento o Espírito inspirador anulou a instrumentalidade humana, nas suas comunicações da verdade. Por essa razão, as Escrituras, no tocante à sua interpretação, devem ser encaradas como se fossem outra literatura qualquer, onde são encontradas linguagem e expressões tipicamente humanas. Isso posto, devemos dar cuidadosa atenção as palavras, frases e sentenças. e cada declaração particular precisa ser compreendida em relação a seu contexto próximo e remoto. Ver *Hermenêutica*.

A Bíblia encerra muitos exemplos de artifícios literários geralmente utilizados na literatura comum. Entre esses podemos citar omissões (Atos 2:40), compressões (contrastar Mar. 1:29-31 com 1:32-34), parênteses (Efé. 4:9,10) e elipses (por exemplo, em Heb. 8:7, a palavra «aliança» não aparece no texto grego, embora possa ser inferida com base no

481

ESCRITURAS

contexto). Também ocorrem muitas figuras de linguagem. Algumas das mais importantes dentre elas são as seguintes: ironia (I Reis 18:27); litotes (Lucas gosta muito dessa figura de linguagem, por exemplo, Atos 12:18); hipérbole (II Sam. 1:23); sinédoque (Luc. 24:44), onde a palavra «salmos» provavelmente ocupa o lugar de «Escritos», pois o livro de Salmos era o primeiro livro da terceira divisão do cânon hebraico. Símiles e metáforas ocorrem de modo quase incontável. E também deveríamos lembrar que a Bíblia contém certa variedade de formas literárias, como prosa, poesia, parábola, alegoria, etc. As características de cada uma dessas formas literárias precisam ser estudadas, para sabermos interpretá-las corretamente.

O contexto histórico também é importante, e os leitores da Bíblia deveriam sempre procurar descobrir o que qualquer dado trecho bíblico deve ter significado para os seus leitores originais, na situação particular deles, e em termos de pano de fundo histórico deles. Isso significa que o conhecimento da história do período bíblico e da geografia das regiões bíblicas, bem como os costumes dos hebreus e de outros povos aludidos na Bíblia, produz uma acentuada vantagem a quem aborda as Escrituras com tais informações.

6. O princípio teológico. A abordagem gramático-histórica não é o único nível em que se deve fazer trabalho de interpretação. O intérprete precisa lembrar sempre o fator da unidade das Escrituras, compreendendo que qualquer trecho em particular só é realmente entendido à luz da totalidade da Bíblia. Isso significa que o estudioso deve procurar entender não somente o autor humano em seu contexto (o livro particular em que ocorre uma passagem), mas, acima desse autor, o Autor divino da Bíblia (a Bíblia como um todo). Por exemplo, ele deve lembrar que nas Escrituras a verdade é exposta de maneira progressiva—de tal modo que a verdade vai sendo desdobrada gradativamente (sem a necessidade de nos irmos «esquecendo» das verdades anteriormente reveladas), e que Cristo é o ponto culminante e o clímax desse processo revelatório divinamente controlado (Heb. 1:1,2). Cristo não é o único Alvo da revelação bíblica, mas é o grande Tema da primeira à última página das Sagradas Escrituras (Luc. 24:27; João 5:45-47; Rom. 3:21 ss; I Ped. 1:10-12; etc.). O caráter cristológico da Bíblia emerge de várias maneiras. O Antigo Testamento prediz acerca de Cristo (Mat. 2:5,6; Rom. 9:33, etc.). Ali Ele também é tipificado, ou seja, há certa correspondência entre alguns eventos, instituições e indivíduos do Antigo Testamento e a pessoa de Cristo, de tal modo que, no Antigo Testamento, encontramos uma antecipação divinamente tencionada, mais ou menos parcial ou imperfeita, mas que retrata algo da pessoa ou da obra de Cristo. Todavia, grande cautela deve ser exercida nesse campo da tipologia, e o claro ensino do Novo Testamento é o único guia seguro para os elementos tipológicos no Antigo Testamento. Os escritores do Novo Testamento descrevem Cristo como o último Adão (I Cor. 15:45), como nosso Cordeiro pascal (I Cor. 5:7) e como nosso grande Sumo Sacerdote (Heb. 4:14). Essas descrições alicerçam-se sobre esse princípio tipológico. Os escritores do Novo Testamento também parecem referir-se ocasionalmente a uma real presença de Cristo na narrativa do Antigo Testamento (I Cor. 10:4), embora não se possa exagerar quanto a esse aspecto, conforme alguns estudiosos muito zelosos têm feito. Muitos intérpretes evangélicos salientam a presença de diferentes dispensações (períodos administrativos que envolvem métodos um tanto diferentes do trato divino com os seres humanos), enquanto que outros intérpretes preferem salientar a importância do conceito de pacto nas Escrituras, como algo que exibe a unidade que há em todos os estágios da atividade remidora de Deus. Cada uma dessas duas escolas tende por criticar à outra. No entanto, não devemos perder de vista que seus princípios hermenêuticos mais importantes são idênticos, porquanto ambos partem do pressuposto de que a Bíblia demonstra «unidade em meio à diversidade». A compreensão evangélica acerca da interpretação das Escrituras poderia ser sumariada nessas cinco palavras: «unidade em meio à diversidade», porquanto são apenas uma outra maneira de dizer que a Bíblia é, ao mesmo tempo, plenamente humana e plenamente divina, nos pensamentos que ela nos transmite. Os intérpretes evangélicos também concordam que nenhum princípio filosófico estranho (como o existencialismo, empregado pela escola de Bultmann) deveria constituir pressupostos com base na interpretação, porquanto **toda e qualquer filosofia** humana deve ser sujeitada ao julgamento da Palavra escrita de Deus. Ver *Inspiração* e *Revelação*.

D. Segundo II Timóteo 3:16 e 3:17

Toda Escritura é divinamente inspirada e proveitosa para ensinar, para repreender, para corrigir, para instruir em justiça; para que o homem de Deus seja perfeito, e perfeitamente preparado para toda boa obra.

Útil. No grego é *«ophelimos»*, que significa «benéfico», «vantajoso», «útil». As Escrituras Sagradas não visam satisfazer à curiosidade da teologia especulativa, mas foram escritas para serem aplicadas à vida diária. Nisso é que reside a sua «utilidade».

Para o ensino. No grego o substantivo é *didaskalia*, palavra essa que usualmente se reveste de sentido formal, nestas «epístolas pastorais», isto é, *doutrina*, em contraste com qualquer simples instrução. Nestas epístolas, além disso, «doutrina» indica o «cristianismo ortodoxo», a «doutrina paulina ortodoxa». As Escrituras do A.T., quando são verdadeiramente entendidas, refletem a mensagem paulina. Neste versículo, entretanto, devemos compreender toda e qualquer forma de «instrução», sobre questões doutrinárias e práticas. Este vocábulo figura por onze vezes nestas epístolas pastorais. (Ver I Tim. 1:10 no NTI quanto a notas expositivas mais completas sobre seu uso).

Para a repreensão. No grego original é *«elegmos»* (ou «elegchos»), que aparece somente aqui e em Heb. 11:1, onde tem o sentido de *prova*, «evidência». Essa palavra também indica a «convicção», a «condenação» de um criminoso, ou então «reprimenda», «punição». As Escrituras nos repreendem devido às nossas transgressões; têm uma função *corretiva*, aplicável às ações morais. É bem provável que esse termo seja polêmico—as Escrituras repreendem e corrigem os «ensinamentos falsos» e os seus «mestres» (ver Tito 1:9,13),— como também repreendem o pecado (ver I Tim. 5:20; Tito 2:15 e comparar com Efé. 5:13 e João 16:8).

Para a correção. No original grego é *«epanorthosis»*, que significa «correção», «aprimoramento». Esse vocábulo se encontra exclusivamente aqui, em todo o N.T., pelo que é uma das cento e setenta e cinco palavras que aparecem somente nas «epístolas pastorais». (Ver o artigo sobre as *epístolas pastorais*, em sua primeira seção, quarta parte, que aborda as «peculiaridades lingüísticas das epístolas pastorais»).

Para a educação na justiça. No grego, *educação* é *paideia*, que significa «educação das crianças»,

482

ESCRITURAS

«criação», «treinamento», «disciplina», «instrução». No tocante à «...justiça...» (que no grego é «dikaiosune»), fica indicado o «treinamento naquilo que é reto» (conforme diz a tradução inglesa de Williams, aqui vertida para o português). Porém, no sentido cristão, «praticar o que é reto» consiste em cultivar o caráter moral de Cristo, o qual, por sua vez, duplica a moralidade de Deus Pai em nós; pois somente dotado dessa *retidão* é que poderemos chegar à presença de Deus. (Ver as notas expositivas sobre a «retidão», no NTI em Rom. 3:21). Essa justiça é «de Deus»; mas também é tornada nossa, à proporção que vamos sendo — moralmente transformados segundo a imagem de Cristo. A «justiça» divina não nos é outorgada apenas «forensicamente», ou seja, apenas como declaração ou decreto de Deus, embora isso também expresse uma verdade. Na verdade, o Espírito Santo (ver Gál. 5:22,23) cria no crente a sua natureza moral—e disso é que consiste a autêntica retidão divina, a única aceitável pelo Senhor Deus. As Escrituras Sagradas, pois, revelam-nos o que Deus espera de nossa parte (ver Rom. 3:19,20), já que pela lei vem o pleno conhecimento do pecado (e também da boa conduta), mas somente o Espírito Santo pode tornar isso real em nós.

A inspiração tem produzido escritos que são absolutamente sem paralelo em toda a literatura mundial. Até mesmo no que diz respeito ao mérito literário, esses escritos têm poucos rivais. Porém, sua beleza literária não é a única coisa de que consiste seu caráter ímpar. Isso consiste muito mais de sua exaltada *espiritualidade*, de sua inexaurível capacidade de instrução e consolo, de sua ilimitada adaptabilidade a todas as idades e a todas as circunstâncias; acima de tudo, consiste em seu incessante poder de satisfazer as aspirações e anelos mais nobres do coração humano». (Plummer, *in loc.*).

Todos os poderes e tesouros da Bíblia têm por finalidade levar o homem à perfeição que há em Cristo, o que está incluído no processo da salvação, no que as Escrituras nos tornam «sábios» (ver II Tim. 3:15).

Homem de Deus. (Essa expressão é usada e explicada nas notas expositivas sobre I Tim. 6:11 no NTI). Indica o autêntico ministro de Cristo, alguém que recebera autoridade da parte de Cristo, por intermédio de Paulo, propagando seu evangelho e doutrina, em contraste com os falsos mestres, cujo «evangelho» era falsificado. Timóteo, pois era o «representante» dessa classe de homens.

Perfeito. No grego é *artios*, que significa «capaz», «eficiente», «completo» e, por conseguinte, capaz de satisfazer todas as exigências que lhe forem impostas como ministro de Cristo. Essa é uma das cento e setenta e cinco palavras encontradas somente nas «epístolas pastorais», e é usada exclusivamente em II Tim. 3:17. Não está em foco a «perfeição» total, que é o grande alvo da vida cristã, embora o fato do ministro tornar-se «completo» e «eficiente», em sua vida pessoal e em seu ministério, faça parte disso. A santidade pessoal dos ministros do evangelho, a sua eficiência no conhecimento bíblico, a sua utilidade nos dons espirituais—tudo faz parte desse «aprimoramento». E isso ocorre através do ministério do Espírito Santo, em comunhão mística com ele, o que também se dá no caso de todo e qualquer progresso na vida espiritual.

Perfeitamente habilitado. No original grego temos aqui um único vocábulo, «eksertismenos», o particípio perfeito de «eksartidzo», que significa «equipar», «terminar», «completar», «fornecer», «receber apti-

dão» para algum propósito específico. O homem de Deus deve ser equipado espiritualmente, através de sua dedicação a Cristo, mediante as Sagradas Escrituras. E isso é uma operação constante, que emana da natureza de sua experiência e de seu caráter espirituais, conforme o modo perfeito o indica. (No grego, o perfeito mostra uma ação no passado cujos resultados prosseguem até o presente). Notemos, por igual modo, a forma intensificada com o prefixo preposicional; portanto, a adição feita pelos tradutores, «...*perfeitamente*...», expressa corretamente essa intensificação. A raiz grega do vocábulo, é a mesma que no caso de «artios», a palavra grega anterior.

Para toda boa obra. O ministro de Deus não é apenas um teólogo teórico. Antes, toda a sua espiritualidade visará às boas obras, à expressão prática de sua fé. Que homens dedicados às «boas obras» são formados mediante o uso correto das Sagradas Escrituras, é prova de sua inspiração, de sua origem divina, do fato de que a Bíblia foi produzida pelo «sopro de Deus». A doutrina gnóstica, por sua vez, não produzia essa qualidade de homens. Mui provavelmente isso é subentendido em II Tim. 3:17. Por conseguinte, não basta alguém ser bom; é mister também praticar o bem.

O estudo da Bíblia é *um* dos meios do desenvolvimento espiritual. Apresento todos os meios no artigo sobre *Espiritualidade*, seção VI. *Os Meios do Desenvolvimento Espiritual*.

V. Níveis e Tipos de Inspiração

1. Em primeiro lugar, deveríamos observar que apesar do ensino da inspiração da Bíblia poder ser exposto com a ajuda de argumentos convincentes, também é verdade que os homens têm acumulado os seus *dogmas* em torno desse assunto. Ao fazerem assim, os homens têm ido muito além do que as próprias Escrituras dizem acerca delas. E isso tem criado problemas desnecessários. Os *dogmas* que deveríamos mencionar são os seguintes: 1. *O dogma de que não há qualquer tipo de erro na Bíblia*. Aquele que estuda as Escrituras, versículo após versículo, fica convencido de outra coisa. Há muitos erros gramaticais, até mesmo no Novo Testamento grego, o texto original, especialmente no evangelho de Marcos e no livro de Apocalipse. Ver o artigo sobre a *Historicidade dos Evangelhos*, onde isso é ilustrado. Há erros históricos no sétimo capítulo do livro de Atos, no discurso de Estêvão, onde ele segue uma tradição diferente daquela que figura no Antigo Testamento. O Antigo Testamento contém algumas *idéias* primitivas sobre Deus, que o Novo Testamento deixa de lado. O Antigo Testamento também reflete uma filosofia de justificação pelas obras, que o Novo Testamento abandona totalmente, mormente nos escritos de Paulo. Não se deve pensar que a justificação pela fé era o ensino permanente do judaísmo. Qualquer rabino pode mostrar que não era assim. As palavras de Jesus são arranjadas de modo diferente, nos diversos relatos dos evangelhos, pelo que temos de concluir que certas conexões são artificiais. Assim, quando os vários autores sagrados combinaram os eventos com as declarações de Jesus, eles o estavam fazendo apenas por conveniência literária, e não por amor à exatidão histórica. Esse fato é amplamente ilustrado no artigo sobre a *Historicidade dos Evangelhos*. Dentro do próprio Novo Testamento encontramos um desenvolvimento da exposição teológica, que faz certas doutrinas tornarem-se obsoletas, parciais, incorretas. O próprio evangelho passa por uma fase de transição, dos evangelhos

483

ESCRITURAS

sinópticos para a transformação segundo a imagem de Cristo, que já é um conceito paulino. Um juízo brutal, inexorável e eterno, sob chamas que não se extinguem, o que foi um conceito extraído diretamente dos escritos pseudepígrafos (como em I Enoque), cede lugar ao amor de Deus e ao conceito da restauração final, em Efésios 1:9,10. Ver o artigo sobre a *Restauração*, onde procuro demonstrar esse fato. As antigas idéias *cosmológicas* dos hebreus (ilustradas nos artigos Astronomia e Cosmogonia) mostram-se muito incorretas, a despeito do fato de que há referências bíblicas que as apóiam. A consulta dos artigos referidos dá provas suficientes disso.

Os teólogos têm forçado sobre a Bíblia certas idéias sobre a inspiração divina. A tentativa deles era de eliminar certos erros; mas a tentativa falhou, e não resistiu de pé, sob exame. Contudo, não nos deveria surpreender que isso tenha sucedido. Também não devemos defender meros dogmas humanos. A verdade deve ser a nossa única ortodoxia.

2. Outro **dogma** é aquele envolvido no ensino sobre a inspiração que diz que Deus **estagnou**, e nada mais haverá de nos revelar. O trecho de Apocalipse 22:18,19 tem sido usado como texto de prova dessa idéia; mas os eruditos sabem que aquele trecho não foi escrito com esse intuito. Ver a minha exposição sobre aqueles versículos no NTI, *in loc.* — A Deus cabe resolver quando e sob quais circunstâncias ele poderá dar-nos maiores revelações, até mesmo com outras Escrituras. Alguns têm dito que isso já tem acontecido em tempos modernos; mas as evidências que eles têm apresentado não são convincentes. Contudo, teoricamente, isso poderia acontecer a qualquer tempo escolhido pelo Senhor.

3. O modo de revelação e inspiração também tem sido dogmatizado. Alguns supõem que cada palavra da Bíblia foi inspirada por meio de ditado, mas isso resultaria na inescapável conclusão de que o Espírito Santo foi um mau gramático e um deficiente organizador de material! A inspiração divina ocorre em muitos níveis, seguindo muitos métodos. O método do ditado é apenas um desses métodos. Ilustramos isso na seção II. A e B deste presente artigo. Ver também seção V inteira.

4. Finalmente, alguns supõem e dogmatizam que não pode haver níveis variados de inspiração, de tal modo que afirmam que toda a Escritura, tanto do Antigo quanto do Novo Testamentos, são de igual valor, autoridade e iluminação espirituais. Esse dogma é claramente falso. Quando comparamos o Antigo com o Novo Testamento, mesmo que queiramos muito respeitar o Antigo Testamento, vemos claramente que o Novo Testamento o ultrapassa em muitas coisas, trazendo à luz uma compreensão mais clara sobre muitas doutrinas. Quando confrontamos os escritos de Paulo com os escritos de Tiago, certamente obtemos uma visão mais clara sobre a salvação da alma. Além disso, — cada vez — que encontramos algum *mistério* paulino, temos uma declaração acerca de alguma nova realidade, descrita sob a forma de uma doutrina. Se assim não fora, não haveria o envolvimento de qualquer mistério. Um mistério neotestamentário é algum *segredo desvendado*, algo trazido à tona, mas que estivera oculto até àquele ponto. Isso posto, é óbvio que até mesmo no Novo Testamento o espírito da revelação avança, e que alguns escritores sagrados receberam revelações mais profundas do que os outros. — Nota-se que Tiago continuava na sinagoga quando escreveu sua epístola, embora ele tenha ensinado doutrinas distintamente cristãs. Ele continuava promovendo a justificação

pela fé e pelas obras, uma antiga idéia judaica. Paulo, entretanto, leva-nos para além dessa maneira de pensar.

O fundo mental e espiritual das pessoas foi usado pelo Espírito Santo em alguns trechos bíblicos, provavelmente sem qualquer inspiração imediata, sem qualquer êxtase, ou coisa semelhante. Em outros casos, houve visões da mais elevada ordem, estados de êxtase e ditado puro. Ainda em outros casos, esses dois métodos foram combinados. Em alguns casos, um autor sagrado simplesmente diz o que sabia, e não devemos imaginar que, naquele momento, ele estivesse prestando informações perfeitas, inspiradas palavra por palavra.

Mamadeira Espiritual

Preparamos **fórmulas** de mamadeira para nossos *bebês*, tudo muito perfeito, de modo que tudo quanto eles têm a fazer é sugar. Apesar de que a verdade, algumas vezes, chega até nós assim preparada, como um presente de Deus, na maioria das vezes a questão assemelha-se mais a um campo que precisa ser cultivado, — ou a uma mina que precisa ser explorada mediante muito trabalho árduo. Há uma certa infantilidade quando alguém exige uma mamadeira de revelações perfeitas, completas, extáticas. Os adultos espirituais não pensam que isso é necessário. Deus revelou-se na natureza, nas Escrituras e na pessoa de Jesus Cristo. Ele tem contado com Seus instrumentos, o que sucede até os nossos próprios dias. Muitas e grandiosas verdades têm sido transmitidas a nós mediante a inspiração e a revelação. Basta-nos saber disso, seguindo aquilo que nos foi dado. Também é verdade que sabemos mais do que aquilo que praticamos. A espiritualidade consiste, em parte, em saber como pôr em prática aquilo que tivermos aprendido. As Escrituras oferecem-nos uma orientação para o conhecimento e a prática. E também *há outras* autoridades. Ver o artigo sobre a *Autoridade*. As Escrituras Sagradas, entretanto, são o nosso guia principal. Não prestamos a Deus qualquer favor quando dogmatizamos alguma doutrina, ultrapassando assim o que as próprias Escrituras dizem e requerem. Também não prestamos a Deus qualquer favor quando negligenciamos muitas e grandes verdades que a Bíblia nos ensina. Em última análise, não nos será perguntado no que acreditávamos, e, sim, o que fizemos com aquilo em que acreditávamos. Quanto de nossas crenças temos posto em prática? Essa é a questão crucial.

Aceita-se universalmente entre os cristãos que o Novo Testamento encerra uma revelação que ultrapassa à do Antigo. E, por igual modo, é óbvio que certas porções do Novo Testamento são mais avançadas que outras. Porém, por alguma razão, muitos intérpretes não querem confessar essa circunstância, quanto ao próprio Novo Testamento. A expressão do evangelho, na epístola de Tiago, por exemplo, é rudimentar e, em certo sentido, errônea, embora precisemos qualificar essa declaração. O autor refuta ali a doutrina paulina da justificação pela fé, no seu segundo capítulo, de acordo com o ponto de vista legalista cristão refletido, por exemplo, no décimo quinto capítulo do livro de Atos. Apesar desses defeitos, a epístola de Tiago foi incorporada no cânon cristão. Isso não significa, contudo, que possa ser comparada, quanto à profundeza, com o grupo de epístolas paulinas. Além disso, dentro dos próprios escritos de Paulo, encontramos diversos níveis de revelação, e os níveis mais profundos são expressos como *mistérios*, que ultrapassam a tudo quanto se sabia até então. Quando Paulo fala em revelar algum

ESCRITURAS

mistério (como em Efésios 1:9,10 e I Coríntios 15:51), ele estava dizendo que, até aquele tempo, o assunto que exprimia estava oculto nos conselhos divinos. Se isso não fosse assim, não teríamos um mistério, ou seja, um segredo de Deus que ali naquele instante, foi dado a conhecer. Não posso concordar com os hiperdispensacionalistas que dizem que somente as epístolas da prisão são autoritárias para formação da doutrina cristã. Essa é uma posição extrema e absurda. No entanto, também é verdade que as epístolas da prisão têm certas doutrinas, sobretudo acerca da Igreja, que têm uma visão mais ampla do que o resto do Novo Testamento. Uma das mais importantes doutrinas que aparecem nessa porção mais avançada da revelação neotestamentária diz respeito ao «mistério da vontade de Deus», de conformidade com a cuja vontade ele fará todas as coisas unificarem-se em torno de Cristo, através da restauração geral (que vide — ver Efé. 1:9,10). As implicações dessa doutrina são vastíssimas, e certamente vêm além de qualquer coisa que fora dito antes sobre o destino final do homem, no que diz respeito ao julgamento divino. É um erro tentar anular um *mistério* por algo que já se conhece. Os mistérios não somente ultrapassam, mas também chegam a anular doutrinas anteriores, da mesma maneira que Cristo, em seu grande sacrifício único, anulou todo o sistema de holocaustos do Antigo Testamento.

5. Tipos de Revelação e Inspiração. Já pudemos acompanhar certa explicação a esse respeito. **Agora,** sumariando, dizemos o seguinte:

a. A inspiração pode ser *extática,* ultapassando o depósito de conhecimentos cerebrais do autor, e entrando em novas áreas de pensamento e compreensão. O autor revela então a sua revelação, em estado de transe, ou seja, em um estado alterado da consciência. Nesses casos, bem podemos pensar na teoria do ditado; mas esse modo é limitado a somente certas porções dos livros de certos autores sagrados.

b. Cambando para o oposto extremo, a inspiração pode ser dada em um estado constante de *iluminação,* que se desenvolve juntamente com a espiritualidade pessoal do autor. Um homem santificado, iluminado, que está crescendo no conhecimento espiritual, tem algo a dizer inteiramente à parte de qualquer estado de transe. Tal homem já acumulou conhecimentos e discernimentos que o capacitam a escrever um livro iluminador, onde diz muitas coisas úteis, fruto de sua busca espiritual. Os livros devem ser julgados dignos de serem incluídos entre os livros sagrados em face da sabedoria que exibem, tornando-se assim parte de um cânon sagrado, embora não tenha havido qualquer experiência imediata e especial de revelação divina. Um notável exemplo disso, no Antigo Testamento, é o livro de Eclesiastes, — **que, embora** contenha alguns pensamentos duvidosos (segundo alguns opinam), por causa de certas passagens e declarações excelentes, foi finalmente incluído no cânon veterotestamentário. E, no Novo Testamento, temos o caso da epístola de Tiago, que poderíamos descrever do mesmo modo, baseado como foi na vivência diária do autor sagrado, o que faz de seu livro uma obra acentuadamente prática, e bem pouco teórica. Embora o seu segundo capítulo sempre tenha deixado vexados a muitos da Igreja cristã, contém excelentes trechos que a Igreja nunca quis perder. Assim, apesar de sua visão do evangelho ser bastante rudimentar, o livro foi incluído no cânon do Novo Testamento. Todavia, a epístola reflete aquilo que se poderia esperar da parte de um rabino, quando falava em uma sinagoga, em qualquer dia de sábado, mesmo porque pertence à época em que a Igreja ainda não se separara inteiramente do judaísmo, conforme se deu depois da destruição do templo de Jerusalém. Em face de sua própria natureza, essa epístola de Tiago não exigiu qualquer revelação especial e imediata para ser escrita.

c. *As obras históricas* (os evangelhos e o livro de Atos) são exatamente isso, narrativas sobre os primórdios cristãos, incluindo dados das vidas de Jesus e dos apóstolos. Supomos que, pelo menos em sua maior parte, não houve qualquer necessidade de revelações especiais e imediatas. Os autores simplesmente foram levados pelo Espírito de Deus a escrever suas composições, por serem testemunhas de grandes e poderosos acontecimentos, sobre os quais a humanidade precisava tomar conhecimento. Nesses casos, a inspiração consiste mais na orientação imprimida pelo Espírito para registrar coisas importantes e não na revelação de verdades novas, de maneiras específicas. Marcos registrou a sua obra com vários erros gramaticais, sobretudo de sintaxe; mas, por haver registrado com fidelidade informes sobre a vida de Jesus, a mensagem foi transmitida com grande poder, apesar de algumas deficiências literárias pessoais. Mateus e Lucas adicionaram a isso declarações feitas por Jesus, não havendo qualquer necessidade de inspiração extática para tanto. Tudo quanto precisaram fazer foi registrar fielmente o que as tradições orais (e algumas escritas) já haviam provido para eles seguirem. As declarações do Senhor comunicam profundo sentido exatamente pelo fato de terem sido fielmente registradas. Não houve qualquer necessidade de segundas revelações para aumentar o valor desses registros.

d. A doutrina da *inspiração* requer que tenhamos fé de que o Espírito Santo influenciou o processo da formação do cânon, ou que ele controlou todo o processo. Porém, ele pôs as mãos sobre a questão em diferentes sentidos e níveis, e usualmente usou instrumentos humanos de tal maneira que não ultrapassou às qualidades humanas dos autores, com seus poderes e deficiências. Aquela teoria de inspiração que insiste que houve *somente* o fenômeno do ditado é apenas um dogma humano que, quando investigado, mostra-se falso. Porém, o fenômeno do ditado foi *uma* das maneiras pelas quais o Espírito Santo usou homens para a produção de certos trechos das Sagradas Escrituras. Mas outros modos foram usados, segundo já sugerimos. Qual vantagem se obtém com a insistência dogmática de que o Espírito Santo sempre limitou-se a usar somente o método do ditado, dentro do fenômeno da inspiração? Nenhuma. O que importa é entender que o produto final é um guia fidedigno para a vida e a prática cristãs. Esse resultado é maior do que qualquer expressão isolada do fenômeno, nas vidas dos homens. Com isso damos a entender que nenhum ser humano jamais seguiu essa orientação tão completamente quanto pode ser feito. Ninguém viveu completamente à altura desse admirável fenômeno. **Isso sempre nos convida** a uma espiritualidade superior, de tal modo que, quanto melhor procurarmos aplicar esses princípios às nossas vidas, mais excelente espiritualidade haveremos de desenvolver.

e. *O estado místico, não-verbal.* A revelação pode ultrapassar as categorias da intelecção humana. Ver uma declaração sobre este tipo de *inspiração* em seção II A, segundo parágrafo, que começa com as palavras *Observações Preliminares: Os Estados Místicos e a Inspiração Verbal.*.

Bibliografia. AM B BART C IB ID NTI ORE Z

••• ••• •••

485

ESCRITURAS

ESCRITURAS E AS TRADIÇÕES

Ver o artigo separado sobre **Tradição**. As igrejas Católica Romana, Oriental Ortodoxa e Anglicana respeitam as tradições como autoritárias. Johann Maier Eck forçou Lutero a admitir que ele não aceitava os escritos dos pais da Igreja e as tradições como autoritárias (sem erro); e foi daí que emergiu o grito de guerra protestante: «As Escrituras somente!» Esse lema parece nobre, mas perde de vista um ponto importante: *Tradição é interpretação*. Alguém precisa interpretar as Escrituras, e então dizer: «Isto é o que esta passagem significa». Isso cria um problema de difícil solução. Uma das soluções é aquela imposta de cima para baixo, como faz, por exemplo, a Igreja Católica Romana. Esta tem a vantagem de emitir uma voz mais ou menos coerente; mas a desvantagem é que essa coerência acaba sendo em torno de idéias antibíblicas. Por outro lado, quando a interpretação fica ao sabor de cada indivíduo, como no protestantismo, o resultado inevitável é a *fragmentação*. A verdade da questão é que a revelação de Deus precisa ser iluminada pelo Espírito, para que seja corretamente entendida; e o próprio intérprete precisa crescer, se tiver de entender as verdades mais profundas, e isso não depende somente de cada indivíduo, mas da soberana vontade do Senhor. Em outras palavras, o verdadeiro intérprete das Escrituras é o Espírito Santo, e não o homem, quer coletiva, quer individualmente.

Cada denominação, queira ela admiti-lo ou não, torna-se uma tradição organizada em torno de uma série de interpretações. Portanto, aquilo que foi despejado pela porta da frente, reentra pela porta dos fundos — e a tradição torna-se autoritária, por meio da interpretação, a despeito dos altos protestos em contrário, por aqueles cujo lema é: «As Escrituras somente!» Assim, o fato é que não podemos depender somente de uma autoridade. A verdade é vastíssima e a autoridade precisa ser múltipla. Ver o artigo geral sobre a *Autoridade*, quanto as minhas idéias sobre a questão. Ainda uma *outra verdade*, que não é levada em conta por aqueles que defendem as tradições, é que nenhuma autoridade é perfeita, sem erro e final. A verdade simplesmente não é assim. Antes, é uma inquirição eterna; e, nessa inquirição, ainda haveremos de sofrer muitas surpresas, sem dúvida.

Há dois extremos que precisam ser evitados: aquele que aceita as tradições, sem cotejá-las com a Bíblia, e acaba confiando cegamente nas tradições; e aquele que repele toda tradição, até mesmo aquela que concorda com a Bíblia, termina criando inúmeras teologias e cai no *subjetivismo*.

ESCRITURAS HERMÉTICAS

Uma coletânea de escritos gregos e latinos, representando uma nobre filosofia religiosa do período helenista. Fundia o pensamento platônico e estóico com idéias orientais. Os escritos em foco foram atribuídos a Hermes Trismegistus, nome dado ao deus egípcio Thoth. O corpo principal desse material é conhecido como *Corpus Hermeticum* ou *Hermética*. Data dos séculos II ou III D.C.

1. *O Título*. O título dessa literatura, conforme já adiantamos, deriva-se do nome de *Hermes Trismegistus*, ou seja, Hermes Três Vezes Grande. O mensageiro dos deuses, Hermes, era identificado com o deus egípcio Thoth. 2. *Origem e Caráter*. É provável que esse material tenha sido produzido no Egito, embora escrito em grego, demonstrando forte sincretismo helenista. Presumivelmente, Hermes revelou segredos atinentes à vida humana, à conduta e à salvação dos homens. Essa literatura mescla idéias neoplatônicas (ver sobre o *Neoplatonismo*), estóicas (ver sobre *Escolas Filosóficas do Novo Testamento*), idéias de Filo, do gnosticismo (que vede) e elementos do evangelho de João, com alguns pontos de contraste, além de elementos do Antigo Testamento. O material foi apresentado sob a forma de diálogos, discursos, epístolas e declarações. Há dezoito obras principais, artificialmente reconstituídas com base em fragmentos, algumas das quais encontram-se na biblioteca gnóstica de *Chenoboskion* (o texto de Nag Hammadi), acerca desta biblioteca temos oferecido um artigo distinto.

3. *Obras Mais Conhecidas*. O tratado bem mais conhecido desse material todo é o *Poimandres*. O livro de Asclépio, escrito em latim, mostra dependência a essa obra. O vocábulo Pomandres pode significar algo como Pastor de Homens, ou então, conforme alguns têm sugerido, «Conhecimento de Deus-Sol». Seja como for, o nome representa um ser espiritual que trouxe as informações contidas naqueles escritos. Ali temos um relato sobre a origem do mundo, sobre a queda do homem e sobre a sua restauração, por meio do conhecimento, tudo segundo moldes gnósticos. Embora existam empréstimos extraídos da narrativa de Gênesis, segundo a Septuaginta, a cosmogonia envolvida é bastante diferente. Temos ali as sucessivas gerações de seres intermediários, incluindo a *Luz* (identificada com a *Nous*, ou *mente*), o *Logos* (o Filho de Deus e demiurgo, que criou o mundo material). O homem, anteriormente um ser imortal, tornou-se mortal por motivo do seu desejo; mas agora, pode ser restaurado por meio da *gnosis*, ou «conhecimento». A alma atravessa muitas esferas, até chegar à deidade. Essa restauração é ali denominada regeneração. A alma passa por um drama sagrado de purificação e de transformação metafísica, até que, finalmente, vem a descansar em Deus.

4. *A Ênfase*. Outras obras da mesma coletânea, embora menos coerentes, incorporam os temas centrais do corpo mortal como uma maldição, a necessidade de purificação e o processo regenerador, por meio do conhecimento. Hinos fervorosos e a ética devocional assinalam algumas dessas obras, o que lhes empresta o caráter de literatura grandiosa. Há em todas elas uma certa piedade mística, de mistura com a filosofia comum estóica e platônica.

5. *Relações com o Novo Testamento*. Já pudemos observar de que maneira essa literatura alicerça-se sobre o Gênesis do Antigo Testamento, fazendo empréstimos ou apresentando paralelos. O Logos, nesses escritos, é cósmico, e também é uma atividade da alma, mas não um ser pessoal. A idéia do *renascimento* faz-se presente; mas não nos moldes normais do Novo Testamento. «Ninguém pode ser salvo antes do renascimento» (*Tratado* 13:1). Porém, esse renascimento é o longo drama da alma, em sua jornada de volta à divindade. Idéias joaninas de vida e morte, de luz e trevas, de crença e de testemunho, encontram-se ali, pelo que talvez tenha havido uma influência direta do Novo Testamento nessa obra, embora isso não possa ser demonstrado de maneira absoluta. A Hermética surgiu depois do Novo Testamento, mas pode ter-se derivado de tradições antigas, algumas das quais, pelo menos, anteriores ao Novo Testamento. Os pontos de vista são diferentes, ainda que no vocabulário haja alguns paralelismos. O pecado dever-se-ia à ignorância e aos desejos, devendo ser gradualmente eliminado mediante um longo período de purificação, fazendo contraste com a radical operação efetuada pelo Espírito Santo, que aparece na conversão e na santificação neotestamen-

ESCRITURAS — ESCUDO

tárias. A salvação envolve a deificação, um conceito do Novo Testamento, embora quase não ouvido no seio da Igreja evangélica e limitado a alguns poucos trechos bíblicos, como Colossenses 2:10 e II Ped. 1:4. Em suma, podemos criticar esse material hermético da mesma maneira que criticamos os escritos gnósticos. Há alguns pontos paralelos com o Novo Testamento, quanto a alguns conceitos fundamentais, mas que, no entanto, recebem um *modus operandi* diferente do que se vê no Novo Testamento, e aos quais são adicionadas tradições místicas, neoplatônicas e gnósticas. (C ND NOK Z)

ESCRIVÃO DA CIDADE

No grego **grammateús**, palavra usada por **sessenta** e uma vezes, apenas por quatro vezes no livro de Atos, por uma vez em João, por uma vez em I Coríntios, e por cinqüenta e cinco vezes nos evangelhos sinópticos. Essa palavra usualmente é traduzida por «escriba». Mas, em Atos 19:35, lemos: «O escrivão da cidade, tendo apaziguado o povo, disse...» Na linguagem secular, um *grammateús* era um escrivão, que registrava e guardava os documentos e arquivos de uma cidade. Seu ofício incluía a redação de decretos oficiais, para então lê-los nas assembléias públicas. Foi o escrivão da cidade de Éfeso, nessa passagem do livro de Atos, que tentou e conseguiu apaziguar a multidão agitada, quando Demétrio provocou um grande distúrbio popular. Na Ásia Menor, sob o governo romano, os escrivães tinham o direito de presidir às reuniões públicas e de submeter as questões debatidas à solução pelo voto. Inscrições descobertas pelos arqueólogos ilustram bem essas questões. Um escrivão era uma espécie de secretário de estado. Os nomes de alguns desses oficiais aparecem em moedas e inscrições, o que demonstra que alguns deles foram figuras de considerável influência. Alguns deles também estavam encarregados do tesouro da cidade. Com base em evidências arqueológicas, algumas delas provenientes de inscrições descobertas em Éfeso, sabemos que esse oficial também atuava como uma espécie de *prefeito*, embora se ocupasse de funções que, hoje em dia, são entregues a outros oficiais. Como é óbvio, os deveres dos escrivães variavam de cidade para cidade, de conformidade com os costumes locais.

ESCRUPULOSIDADE

A palavra latina **scrupulus** significa «escrúpulo», alguma dúvida ou incerteza acerca de qualquer questão moral. A base da palavra é o termo *scrupus*, «pedra afiada». As pessoas escrupulosas, por assim dizer, têm pedras afiadas em sua consciência, o que as proíbe de agirem de certos modos. Pode-se comparar isso com Paulo, antes de sua conversão, que vinha escoiceando contra os aguilhões, enquanto perseguia os cristãos (Atos 9:5). Pessoas extremamente conscienciosas têm aguilhões que as ferem na mente. A *escrupulosidade* pode ser positiva ou negativa. Se está alicerçada sobre princípios verdadeiros, em que o Espírito guia a consciência por meio das Escrituras, então temos uma escrupulosidade positiva. Mas, se estiver fundamentada sobre preferências pessoais exageradas e patológicas, então assume a forma de ascetismo (que vede), o que já é uma atitude negativa. Neste último caso, as alegrias da vida são esmagadas e a pessoa torna-se negativa diante de tudo. Tais pessoas geralmente argumentam em torno de coisas triviais, não se distinguindo muito dos fariseus, que davam tão estrita atenção a coisas minúsculas da lei,

mas esqueciam-se das questões realmente importantes, como a retidão e a misericórdia. São aqueles que «coam o mosquito, mas engolem o camelo», no dizer do Senhor Jesus. A infância espiritual é uma das causas dessa excessiva escrupulosidade, embora não seja a única causa, e talvez nem a mais importante.

A *moderação* é o princípio que se aplica à questão inteira, sendo a melhor diretriz em todas as ações éticas. O décimo quarto capítulo de Romanos alude a indivíduos superescrupulosos, que estavam perturbando a Igreja primitiva, tentando forçar sobre os cristãos antigas e ultrapassadas idéias judaicas, além de ritos e cerimônias. O segundo capítulo da epístola aos Colossenses mostra-nos como os gnósticos (da variedade ascética) costumavam inventar muitos escrúpulos desnecessários. Não obstante, em nossos dias, vê-se na Igreja moderna muito mais lassidão do que escrupulosidade. A lassidão é pior do que a escrupulosidade, mas isso não empresta à escrupulosidade qualquer qualidade positiva. Um interessante trecho para servir de guia de meditação dos crentes, a esse respeito, é o de I Coríntios 10:23-33. Destacamos, nessa conexão, o vs. 29: «Pois por que há de ser julgada a minha liberdade pela consciência alheia?»

ESCRUTÍNIO

Esse vocábulo português vem do latim **scrutinium**, de *scrutari*, «examinar», «pesquisar», «verificar». Na linguagem eclesiástica tem sido usado em vários sentidos, a saber:

1. O exame feito quanto às crenças daqueles que haverão de receber o batismo cristão, com vistas a descobrir a natureza e a qualidade de sua fé, bem como se já estão preparados ou não para o discipulado.

2. O exame de um candidato que está prestes a ser ordenado ao ministério cristão, em qualquer de suas capacidades.

3. Uma forma de eleição eclesiástica, por meio de voto escrito ou por meio de pronunciamento verbal do nome escolhido, diante, exclusivamente, dos *escrutinadores*. A primeira dessas formas de escrutínio é empregada na eleição dos papas. Desde o ano de 1139, essa eleição vem sendo feita pelos cardeais, requerendo-se dois terços do voto da maioria para que alguém seja escolhido papa. A fim de preservar o sigilo da votação, os votos são queimados, depois de contados.

ESCUDO

Ver o artigo sobre **Armas, Armadura.**

No hebraico, *magen*, «escudo», palavra que aparece por sessenta vezes (por exemplo: II Sam. 22:31; I Crô. 5:18; II Crô. 23:9; Jó 15:26; Sal. 18:2,32; Can. 4:4; Jer. 46:3). *Tsinnah*, «escudo grande», palavra que figura por vinte vezes (por exemplo: Sal. 32:2; Eze. 23:24; 39:9). *Socherah*, «escudo», palavra que ocorre por somente uma vez, em Sal. 91:4. *Shelet*, «escudo», palavra que aparece por sete vezes: II Sam. 8:7; II Reis 11:10; I Crô. 18:7; II Crô. 23:9; Can. 4:4; Jer. 51:11; Eze. 27:11. No grego temos *thuréos*, «escudo grande», em Efé. 6:16.

Salomão fez escudos de ouro, de elevado valor, I Reis 10:16,17; II Crô. 9:15,16. Os escudos usualmente eram feitos de bronze, embora também os houvesse de couro, bem mais leves. O escudo era um aparato usado para aparar as flechas lançadas pelo inimigo, os golpes de lança e de espada. Era segurado com a mão esquerda, deixando a mão direita livre para brandir a espada, ou alguma outra arma ofensiva. Os

ESCURIDÃO — ESCUTAR

escudos conquistados do inimigo com freqüência eram triunfalmente exibidos. A torre de Davi contava com cerca de mil desses escudos, que ele exibia (Can. 4:5). Foi preciso morrer muita gente, para que isso se tornasse possível! Nossa versão portuguesa procura fazer alguma distinção entre os escudos, falando em paveses e escudos (por exemplo, II Crô. 23:9) mas essa dupla distinção é insuficiente. Salomão tinha duzentos paveses e trezentos escudos (menores que aqueles) feitos para serem pendurados na casa da floresta do Líbano, provavelmente para serem usados pelos homens de sua guarda pessoal. Sisaque levou-os para o Egito, e Reoboão mandou fazer outros, de bronze, a fim de substituí-los.

Usos Metafóricos. O Senhor, que nos protege em todas as nossas situações, é o nosso escudo (Sal. 91:4). A verdade é assim simbolizada. Em Efésios 6:16, lemos sobre o escudo da fé, mediante o qual são apagados os dardos inflamados do mal. (ID S)

ESCURIDÃO, METÁFORA DA
Ver **Trevas, Metáfora das**.

ESCURIDÃO SOBRENATURAL

Mat. 27:45: *E, desde a hora sexta, houve trevas sobre toda a terra, até a hora nona.*

Desde a hora sexta até a hora nona houve trevas. Mateus emprega designações judaicas da passagem do tempo. As trevas tiveram início ao meio dia e se prolongaram até às 15:00 horas. A passagem de Mar. 15:25 diz-nos que a crucificação começou na terceira hora, maneira judaica de aludir às 9:00 horas da manhã. (Ver João 19:14 para uma discussão sobre o problema de harmonia em relação à hora da crucificação). O evangelho apócrifo de Pedro diz: «Era *meio-dia*, e as trevas se apossaram da Judéia inteira». Por conseguinte, poderíamos compreender que «toda a terra» se refere a um fenômeno local, e não ao «mundo inteiro». O trecho de Luc. 23:45 pode indicar um eclipse do sol; mas não é necessário que se compreenda o versículo desse modo. Sabemos que um eclipse era algo astronomicamente impossível durante a lua cheia do período da páscoa; e, além disso, nenhum eclipse ter-se-ia prolongado por três horas. Os evangelistas, sem a menor dúvida, estavam pensando em um grande milagre. Todavia, tem havido diversos estranhos períodos de *trevas durante o dia*. A terra está cruzando o espaço à velocidade de cerca de trinta mil quilômetros por hora; mas de forma alguma o espaço é uma expansão vazia. Bilhões de minúsculas partículas são varridas para a atmosfera da terra diariamente. Existem massas de poeira e de gases, as quais, evidentemente, são capazes de, ocasionalmente, bloquear os raios do sol.

A 26 de abril de 1884, em Preston, na Inglaterra, segundo está registrado, houve *trevas dramáticas* em pleno meio-dia. O céu simplesmente se escureceu como se uma gigantesca cortina houvesse sido baixada. As pessoas não enxergavam, a ponto de não poderem andar nas ruas. Algumas pessoas pensaram que se tratasse do fim do mundo; os devotos puseram-se a orar. Mas a escuridão desapareceu tão subitamente como começou. Em Aitkin, no estado de Minnessota, nos Estados Unidos da América, a 2 de abril de 1889, aconteceu a mesma coisa, como também já acontecera a 19 de março de 1886, em Oshkosh, estado de Wisconsin, no mesmo país. Ali, a escuridão, negra como carvão, perdurou apenas dez minutos. Outras cidades, mais a oeste, também viram o fenômeno. Em setembro de 1950, grande parte dos

Estados Unidos da América presenciou um estranho sol azul, que parecia estar filtrado por um espesso filtro. Dois dias mais tarde, na Escócia e na Inglaterra houve o mesmo fenômeno. Mais ou menos nesse mesmo tempo, a Dinamarca também deu notícias sobre fato idêntico em seu território. Portanto, essas coisas realmente acontecem. (Informações extraídas do livro *Stranger than Science*, Frank Edwards, cap. 24). Por conseguinte, é provável que, ao tempo da crucificação de Jesus, mediante providência de Deus, o firmamento simplesmente se tivesse obscurecido, evidentemente por causa de algum fenômeno astronômico ainda desconhecido, e não devido a um eclipse do sol. Quando da crucificação de Jesus, a natureza mostrou seu desprazer com o que os homens faziam. Os cristãos primitivos apelavam para a declaração de Flegon, cronista que viveu ao tempo do imperador Adriano, que apoiava a realidade dessa ocorrência. Eusébio cita essas palavras (data, quarto ano da 202ª olimpíada): «Ocorreu o maior escurecimento do sol de que já se teve notícia; tornou-se noite ao meio-dia, de forma que as estrelas brilharam no firmamento. Um terremoto gigantesco na Bitínia, destruiu parte de Nicéia». Essa mesma passagem foi citada por Júlio Africano (222 D.C.), em Syncellus's *Chron.* 257, *Ven.* 322. (Entretanto, alguns acham que ele aludiu tão-somente a um eclipse do sol). Assim sendo, vemos que o falecimento do Senhor Jesus foi acompanhado por uma extraordinária ocorrência neste mundo físico. Era como se a natureza física protestasse contra os maus desígnios dos homens. «No momento em que Cristo, o Príncipe da criação, princípio da vida da humanidade e do mundo, expirou, todo o mundo físico se convulsionou também». (Comentário de Lang, *in loc.*). Assim também, quando Cristo nasceu, uma grande luz brilhou ao redor dos pastores, e a noite tornou-se como o dia. Quando Cristo morreu, o sol foi encoberto e o dia transformou-se em noite. Suidas relata que Dionísio, o Aeropagita (nessa época ainda pagão) exclamou, ao observar esse fenômeno: «Ou Deus está sofrendo, e o mundo simpatiza com ele, ou então o mundo está se precipitando para a destruição». Pelo menos as trevas cerraram as bocas dos escarnecedores.

Deve-se observar que embora os primitivos escritores cristãos, tais como Tertuliano e Orígenes, tivessem citado autores pagãos em apoio às narrativas dos evangelhos, muito se tem escrito mais recentemente para mostrar que esse material foi mal citado e mal compreendido. Não obstante, o fato real do escurecimento parece ter sido perfeitamente certo.

Os mss Aleph (1), 248 e a versão latina 1 omitem as palavras *sobre toda a terra*. Todavia, a evidência uniforme, dada pelos mss, favorece o texto familiar, e nenhuma das traduções utilizadas para efeito de comparação neste artigo, omite essas palavras.

ESCUTAR

Jó indagou: «Porventura o ouvido não submete à prova as palavras, como o paladar prova as comidas?» (Jó 12:11). Está em pauta o entendimento espiritual, simbolizado pelo sentido da audição. Lemos que, diante de certas atividades extraordinárias de Deus, os ouvidos dos que ouvem falar sobre elas ficam tinindo (I Sam. 3:11). Há revelações divinas que são feitas «aos ouvidos» dos profetas, conforme se vê em Isa. 22:14. As pessoas que dão ouvidos à mensagem divina, passando a agir de conformidade com ela, segundo disse Jesus, têm ouvidos bem-aventurados. Ver Mat. 13:16. Em contraste, aqueles que não querem dar ouvidos, ou seja, que não querem

ESCUTAR — ESDRAS

obedecer, são dotados de ouvidos «incircuncisos» (Jer. 6:10). O idioma hebraico não tem um verbo específico para a idéia de *obedecer*, pelo que usava o verbo «ouvir» com esse significado.

A tradição hebraica fala sobre o *Bath Kol* ou *Bath Qol*, de acordo com o que, ao que se presume, uma voz audível, vinda do céu, era ouvida pelos profetas, a fim de comunicar-lhes alguma mensagem. Oferecemos um artigo separado sobre essa questão, onde há menção aos incidentes bíblicos do fenômeno. Tal experiência pode ter sido uma experiência inteiramente mística, ouvida pela percepção intuitiva. De fato, as experiências místicas são uma maneira especial de se ouvir a Deus, aprendendo-se assim sobre mistérios profundos. Ver sobre o *Misticismo*.

O Ato de Ouvir e o Evangelho. Como alguém poderia aceitar a mensagem cristã, antes de ouvi-la? E como poderia alguém ouvir, antes que alguém pregasse? Essas são perguntas feitas por Paulo, a fim de mostrar a necessidade de ser anunciada a mensagem do evangelho. Ver Rom. 10:14.

ESDRAS (A PESSOA)

O nome «Esdras» é abreviação do nome hebraico *Azarias*, que significa «ajuda». Esse é o nome de três personagens do Antigo Testamento, uma das quais é a mais importante das três e a mais bem conhecida, a saber:

1. Um descendente de Judá e pai de vários filhos. No entanto, não é dito o nome de seu pai. Em nossa versão portuguesa, o seu nome tem a forma de Ezra (I Crô. 4:17). Era da linhagem de Calebe. Não há certeza quanto à data em que viveu.

2. O chefe de um dos vinte e dois turnos sacerdotais, que retornou do cativeiro babilônico com Zorobabel e Josué (Nee. 12:1), em cerca de 536 A.C. Seu filho, Mesulão, era o chefe de sua família no tempo do sumo sacerdote, Joiaquim (Nee. 12:15). No vs. 33 do mesmo capítulo, aprendemos que ele era um dos líderes da primeira divisão que circundou as muralhas de Jerusalém, quando as mesmas haviam sido reconstruídas, em cerca de 445 A.C.

3. *Esdras, do Livro de Esdras*. Um sacerdote hebreu do período persa acamenida, que residia na Babilônia. Liderou a segunda expedição de judeus que retornou do cativeiro babilônico (que vede). Aparentemente, foi o autor do livro bíblico de Esdras. Nos últimos quatro capítulos daquele livro, ele fala na primeira pessoa do singular.

a. *Família*. Ele era descendente de Finéias, que foi neto de Aarão (Esd. 7:1-5). Era filho de Seraías, que era neto de Hilquias, sumo sacerdote durante o reinado de Josias. O trecho de Esd. 7:6,7 chama-o de «escriba»; e o vs. 12 intitula-o tanto «sacerdote» quanto «escriba».

b. *Seu Ofício*. O seu título de «escriba» pode significar que ele era secretário oficial na corte persa, tendo servido na posição mais tarde chamada *exilarca* (*rish galutha*), ou seja, uma espécie de conselheiro do rei, em questões pertinentes aos judeus cativos. Ver Nee. 11:24. Seja como for, no tocante às questões judaicas, era escriba e sacerdote da linhagem de Aarão, o que significa que se encontrava em posição de assumir a liderança, ajudando a fazer o povo de Israel voltar à sua terra.

c. *História*. Nada se sabe sobre o começo de sua vida. Sabemos somente o que ele fez, em um momento crítico da história de Israel. O trecho de Esd. 7:10 alude à sua espiritualidade e às suas qualificações para realizar a tarefa. Encontramo-lo

entre os exilados que viviam na Babilônia. Quanto ao pano de fundo histórico a esse respeito, ver o artigo sobre o *Livro de Esdras*, segunda seção. Sentiu-se impelido a ajudar seu povo a voltar à Palestina, e assim solicitou do monarca persa a permissão para tanto. E foi comissionado pelo rei para efetuar essa missão. Isso envolvia a propagação da lei mosaica e a organização de tribunais para pô-la em execução. Seu protetor real foi o rei Artaxerxes, cuja identidade tem sido debatida pelos estudiosos. Os detalhes concernentes às suas relações com Neemais e a cronologia envolvida também são questões debatidas.

O texto bíblico faz Esdras e Neemias serem contemporâneos; mas alguns estudiosos têm emendado o texto, com o resultado de que as atividades de Esdras teriam ocorrido por volta de 432 A.C., entre a primeira e a segunda administrações de Neemias. Alguns pensam que Esdras chegou na Palestina antes de Neemias, em 458 A.C.; mas essa opinião parece menos provável. A história de Esdras encontra-se, principalmente, no livro de Esdras; mas sua seqüência foi prejudicada e parte da narrativa foi deslocada para o livro de Neemias. A ordem apropriada da narrativa, cronologicamente falando, está sujeita a dúvidas; mas os eruditos têm-na reconstruído como segue: Esd. 7:1 — 8:36; Nee. 7:73b — 8:18; Esd. 9:1 — 10:44; Nee. 9:1-5.

Tem sido sugerido que o rei Artaxerxes do livro de Esdras foi o *primeiro* monarca persa a ter esse nome. Nesse caso, a data da chegada de Esdras na Palestina poderia ser fixada em cerca de 458 A.C. Porém, é possível que ele tenha sido o segundo dos reis persas a exibir esse título, em cujo caso, a data dessa chegada seria tão tarde quanto 397 A.C. Os textos usados em apoio a essa data posterior, sob Artaxerxes II, são Esd. 9:9 (a muralha já estava construída); 10:1 (uma grande multidão de judeus havia voltado, o que discorda do pequeno grupo sob as ordens de Esdras); 10:6 (Joanã é mencionado como contemporâneo de Esdras; e os papiros elefantinos falam de um homem com esse nome como o sumo sacerdote judeu, em 408 A.C.). Todavia, o Joanã de Esd. 10:6 e o Joanã dos papiros elefantinos podem não ter sido o mesmo homem. Essa disputa ainda não ficou resolvida, mas a data mais antiga é a que pode ser mais facilmente defendida. Seja como for, Esdras liderou um grupo de judeus de volta à Palestina, totalizando cerca de mil setecentas e cinqüenta e quatro pessoas (Esd. 8); e os eruditos pensam que esse grupo fazia parte do grupo mencionado no sétimo capítulo do livro de Neemias. Esdras também levou consigo uma grande oferta voluntária em ouro, prata e vasos de prata, para cujo fundo haviam contribuído outros judeus, o rei da Pérsia e seus conselheiros. Esdras também tinha a permissão de valer-se do tesouro real na Palestina, sempre que para isso houvesse necessidade. Também tinha a autoridade para nomear magistrados e juízes na Judéia; bem como para impor a sua própria liderança (Esd. 7:11-28). Suas credenciais foram endossadas pelos sete principais membros da corte real da Pérsia (Esd. 7:14).

O grupo reuniu-se às margens do rio Aava, onde habitaram em tendas pelo espaço de três dias. Dali, partiram para Jerusalém. Ver o relato em Esd. 8:15 ss.

Em Jerusalém. A viagem até Jerusalém ocupou cerca de quatro meses. Uma vez chegados ali, antes de tudo houve um culto religioso, foram oferecidos holocaustos e foram apresentadas credenciais (Esd. 8:32-36). De acordo com o decreto real, agora Esdras era o chefe de Jerusalém. E ele pôs-se a corrigir as adversas condições que ali imperavam, incluindo a

ESDRAS — ESDRAS (O LIVRO)

dissolução de casamentos mistos dos judeus, a fim de que pudesse ser restaurado um povo puramente judaico. A angústia e a intensidade espiritual de Esdras, nessa tarefa, são demonstradas em Esd. 9:1-15. Seu movimento reformador, nesse período, conquistou para ele o título de *segundo fundador* da nação judaica. Suas atividades em relação às Escrituras, durante esse período, foram muito importantes no tocante ao seu cânon, que, finalmente, foi estabelecido. Alguns estudiosos pensam que foi Esdras quem, virtualmente, estabeleceu o cânon do Antigo Testamento, embora, para outros, isso constitua um exagero. Alguns estudiosos também pensam que foi ele quem introduziu as letras aramaicas quadradas, que se tornaram precursoras do presente alfabeto hebraico. Essa forma de escrita chama-se *assíria*.

História Posterior. Depois daqueles acontecimentos, nada mais lemos a respeito de Esdras, até que a Bíblia relata a leitura da lei, por parte de Esdras, no oitavo capítulo do livro de Neemias. Isso ocorreu em cerca de 444 A.C. Aparentemente, ele teve participação ativa na liderança de Israel, depois que as muralhas de Jerusalém haviam sido reconstruídas. Em Nee. 12:36 *ss*, somos informados de que Neemias liderou um grupo que circundava por sobre as muralhas, em uma direção, quando da dedicação das mesmas, enquanto Esdras liderava o outro grupo, que caminhava na direção contrária.

Esdras tornou-se proeminente na tradição judaica pós-bíblica. No livro apócrifo de II Esdras (cap. 14), é dito que Esdras reescreveu e publicou vinte e quatro livros do cânon hebraico, que haviam sido queimados durante o cativeiro babilônico. Entretanto, essa tradição afirma também que Esdras ditou esses livros com tremenda velocidade, com a ajuda da orientação divina. Não há que duvidar que coisas assim são próprias dos livros apócrifos. Portanto, embora talvez haja no relato algum fundo de verdade, o mais provável é que o mesmo envolva elementos mitológicos ou lendários.

Josefo informa-nos de que Esdras faleceu pouco depois da celebração da festa dos Tabernáculos. Sua missão estava terminada. Não tinha razões para queixas, para remorsos. Foi sepultado em Jerusalém, com grande pompa. Alguns estudiosos judeus têm dito que Esdras morreu no ano em que Alexandre chegou diante de Jerusalém Presumivelmente, naquele mesmo ano morreram os profetas Ageu, Zacarias e Malaquias, disso resultando que a profecia escrita se encerrou. Parece que houve um número exagerado de falecimentos num mesmo ano, soando como tradição humana, muito mais do que como história autêntica. Uma outra tradição assevera que Esdras retornou à Babilônia, onde faleceu, com a idade de cento e vinte anos. Há uma declaração do Talmude que afirma que Esdras morreu em Zamzumu, uma cidade à beira do rio Tigre, quando estava a caminho de Jerusalém para Susa, a fim de consultar o rei Artaxerxes sobre certos acontecimentos em Jerusalém. Portanto, os informes tradicionais parecem não harmonizar-se uns com os outros. Por muito tempo, um certo túmulo, cerca de trinta e dois quilômetros da junção do rios Tigre e Eufrates, era exibido como o sepulcro de Esdras. Não há como julgar o valor histórico dessas diversas tradições. Ver a bibliografia oferecida no fim do artigo sobre o livro de *Esdras*.

ESDRAS (O LIVRO)

Esboço:
I. Pano de Fundo Histórico

II. Esdras, o Homem e a sua História
III. Relações e Características Literárias
IV. Autoria e Data
V. Cânon
VI. Alguns Problemas
VII. Esboço do Conteúdo
    Bibliografia

I. Pano de Fundo Histórico

O ataque dos exércitos assírios resultara na queda de Samaria, capital do reino do norte, em 722 A.C. Disso proveio o *cativeiro assírio* (que vede). A dominação assíria de Judá começou em 721 A.C., quando caiu o reino do norte; mas Judá nunca se tornou, realmente, uma província assíria. Todavia, Judá teve de pagar tributo aos monarcas assírios. Com o surgimento da Caldéia, sob Nabucodonosor (605-562 A.C.), a situação de Judá deteriorou-se rapidamente. Em 592 A.C., Nabucodonosor invadiu Judá e levou para o cativeiro o seu rei, Jeoaquim, e os líderes principais da nação. O trecho de II Reis 24:15 mostra-nos que Ezequiel encontrava-se entre os cativos. Presumivelmente, antes disso, uma deportação anterior já tivera lugar. Então veio a deportação na qual Ezequiel esteve envolvido. Na Babilônia, ele predisse a destruição de Jerusalém e de seu templo, o que seria seguido ainda por uma terceira deportação. Em 586 A.C., Nabucodonosor, segundo Ezequiel havia predito, deixou Judá em ruínas, abafando a revolta nacionalista que havia arrebentado ali. Isso completou a destruição de Judá e mais habitantes de Jerusalém foram levados para a Babilônia. Ver a narrativa completa no artigo sobre o *Cativeiro Babilônico*.

Após relatar a história da monarquia e do templo, até o exílio, o autor do livro de Esdras passa por cima do tempo em que o templo ficou arruinado, quando os principais homens de Judá encontravam-se na Babilônia, e registrou o retorno predito, o que, finalmente, levaria à reconstrução do templo, sob as ordens de Zorobabel (da linhagem de Davi) e de Josué (da linhagem de Aarão). Em seguida, o autor sagrado descreveu o estabelecimento da nova comunidade judaica, durante o período de 538-433 A.C.

A sorte mudou e os judeus, no cativeiro, caíram sob o domínio da Pérsia, quando Ciro conquistou a Babilônia, em 539 A.C. O livro de Esdras alista certo número de reis persas. Se considerarmos os livros de Esdras e Neemias como uma única unidade, então acharemos ali os nomes de Ciro (539-530 A.C.), que permitiu que alguns cativos judeus retornassem à Palestina; Cambises (530-522 A.C.); Gaumata (pseudo Esmerdis, 522 A.C), que foi um usurpador; Dario I (522-486 A.C.), referido nos capítulos quinto e sexto do livro de Esdras; Xerxes I (486-465 A.C.), referido em Esdras 4:6; Assuero, da rainha Ester; Dario e Xerxes invadiram a Grécia, mas sem obterem sucesso (a história narrada por Heródoto); Artaxerxes I (464-424 A.C.), aludido em Esd. 4:7-23 e 7:1 — 10:44. O ministério inteiro de Neemias cabe dentro desse último período. Mas, conforme já pudemos mencionar, alguns estudiosos situam Esdras dentro do tempo de Artaxerxes II, o que transferiria as suas atividades para cinqüenta anos mais tarde.

II. Esdras o Homem e a sua História

Esse ponto foi manuseado em um artigo separado. Ver sobre *Esdras* (*Pessoa*), em seu terceiro ponto. Esse artigo, além de mostrar para o leitor o que se sabe acerca de Esdras, também presta informações sobre o passado histórico do livro, que suplementa a primeira seção do presente artigo.

ESDRAS (O LIVRO)

III. Relações e Características Literárias

O livro de Esdras fazia parte original de uma obra literária mais extensa, que incluía os dois livros de Crônicas e o livro de Neemias. Por isso, os eruditos falam sobre *o cronista* como o autor ou compilador de todo esse material. — Seu relacionamento com Esdras tem sido causa de debates. Ver sobre *Autoria*. É evidente que a unidade Esdras-Neemias tem o intuito de dar prosseguimento à narrativa iniciada nos livros de Crônicas. Comparar os versículos finais de II Crônicas com os versículos iniciais do livro de Esdras. Esdras-Neemias foi preparado para suplementar os livros de Crônicas, com base em documentos aramaicos e hebraicos, então existentes. Esses documentos continham as memórias de Neemias e as memórias de Esdras. Os livros de Crônicas terminam com a destruição de Jerusalém e a conseqüente deportação dos judeus para a Babilônia. Esdras dá prosseguimento a esse propósito, narrando como um remanescente retornou, a fim de reestabelecer a nação judaica em torno de Jerusalém. O cronista, pois, via aqueles pioneiros como um remanescente piedoso, dotado de uma missão espiritual. E a história tem confirmado essa avaliação.

Os intérpretes vêem algumas deslocações cronológicas na unidade Esdras-Neemias, pelo que a leitura contínua desses dois livros não fornece a devida seqüência dos acontecimentos. O livro apócrifo de I Esdras com freqüência preserva melhor a ordem histórica dos acontecimentos. Se alguém ler as porções seguintes, na ordem aqui apresentada, obterá uma melhor seqüência cronológica: Esd. 1:1 — 2:70; Nee. 7:7-73a; Esd. 3:1 — 4:6; 4:24 — 6:22; 4:7-23; Nee. 1:1 — 7:5; Nee. 11 — 13; 9:38 — 10:39; Esd. 7 — 10; Nee. 8:1 — 9:37. Um certo editor, ao tentar evitar essa confusão cronológica, procurou melhorar a situação mediante várias inserções, como aquela em que punha o nome de Neemias em Nee. 8:9, e o de Esdras em Nee. 12:26 e 36.

O livro de Esdras é complexo, consistindo em uma porção em aramaico (Esd. 4:7 — 6:18; 7:12-26) e de uma porção em hebraico (7:1-10; 7:27 — 10:44). Alguns eruditos supõem que as duas porções, antes, existiam separadas, mas que um editor qualquer as reuniu; ou então que a porção hebraica foi unida à porção aramaica, a fim de compor uma única narrativa. O decreto real (Esd. 7:12-26) provavelmente consistia em um documento separado, que foi juntado à história. A própria narrativa é complexa, porquanto uma parte da mesma consiste em autobiografia (Esd. 7:27 — 9:15), ao passo que a outra parte é biográfica (7:1-26; cap. 10). Além disso, parte do material pertencente a Esdras foi transplantado para o livro de Neemias, como porções do capítulo sétimo, até o nono capítulo.

Nos tempos antigos, vários livros circularam sob o nome de Esdras. Ver os artigos separados sobre I e II Esdras, que são livros apócrifos.

O livro canônico de Esdras faz parte da terceira divisão do cânon hebraico, chamada *Escritos* ou *Hagiógrafos* (que vede). No hebraico, aparecia originalmente combinado com Neemias, formando uma única unidade. A tradição judaica atribui o livro de Esdras a Esdras. Pelo menos, suas memórias estão incluídas no livro.

IV. Autoria e Data

Questões como estilo, abordagem, propósito comum e repetição de usos verbais apontam para um compilador que trabalhou sobre os livros de Crônicas, Esdras e Neemias, como se formassem uma só unidade. Várias fontes informativas podem ser percebidas; pelo que, se Esdras foi o autor, então ele atuou quase sempre como mero compilador de materiais já existentes. Precisamos reunir em um único bloco os seguintes materiais:

1. *As memórias de Esdras* (Esd. 7:27 — 9:15). O emprego da primeira pessoa do singular, nessa seção não significa, necessariamente, que Esdras, e somente ele, tenha escrito a unidade inteira, conforme alguns pensadores têm dito. 2. *As memórias de Neemias* (Nee. 1:1 — 7:5; 11:27-43; 13:4-30). 3. *Os documentos em aramaico* (sendo essa linguagem diplomática da época; Esd. 4:8-24), que, evidentemente, pertencem, em ordem cronológica, um pouco antes do primeiro capítulo do livro de Neemias. Ver Esd. .4:21 em comparação com Nee. 1:3. No aramaico, temos a carta a Dario I e sua resposta (Esd. 5:1 — 6:18). Além disso, nesse idioma, temos a autorização de Artaxerxes, permitindo que os judeus retornassem do cativeiro à sua terra (Esd. 7:12-26). 4. Em seguida, há várias listas de nomes, que foram inseridas com certa variedade de propósitos: *a.* os exilados que retornaram (Esd. 2; comparar com Nee. 7); *b.* aqueles que se tinham casado com mulheres gentias, e tiveram de divorciar-se delas, quando da reforma religiosa de Esdras (Esd. 10:18-43); *c.* os construtores das muralhas de Jerusalém e os trechos das mesmas em que trabalharam (Nee. 3); *d.* os líderes que apuseram seu selo ao pacto estabelecido, em torno da restauração de Israel e seus novos começos (Nee. 10:1-27); *e.* a alocação do povo, em Jerusalém e nas circunvizinhanças (Nee. 11); *f.* as listas de sacerdotes e levitas, até Jadua (Nee. 12:1-26). Talvez esse tenha sido o Jadua que foi sumo sacerdote durante o reinado de Dario II (338-331 A.C.). Supomos que listas como essas estavam guardadas nos arquivos do templo. Um autor qualquer dificilmente poderia tê-las arranjado sozinho. 5. Depois disso, temos a porção *narrativa* do próprio autor compilador, procurando reunir todo esse material, unificando as diversas inserções feitas. A tradição judaica piedosa atribui a obra inteira a Esdras; mas a maioria dos eruditos modernos pensa que algum compilador desconhecido mostrou-se ativo. O próprio livro é anônimo, pelo que não há como chegarmos a conclusões indubitáveis sobre a questão da autoria.

Data. As várias datas atribuídas ao livro dependem da identidade do rei Artaxerxes, referido no livro, isto é, se foi Artaxerxes I ou Artaxerxes II. Isso cria uma diferença de cinqüenta anos, de 458 A.C. para 397 A.C. Alguns estudiosos supõem que a escrita real pode ter tido lugar cem anos ou mais depois dos eventos descritos. Se o Jadua de Nee. 12:11,22 fosse identificado com o sumo sacerdote desse nome, do reinado de Dario III (338-331 A.C), então o livro de Esdras, em sua forma final, poderia datar dessa época. Uma cópia atualizada, entretanto, pode ter sido feito com base nessa adição e o restante pode ter sido preparado algum tempo antes.

V. Cânon

A canonicidade de Esdras-Neemias nunca foi posta seriamente em dúvida. Esdras, como uma espécie de segundo Moisés, foi o fundador da segunda república judaica, por assim dizer, pelo que também tinha um enorme prestígio dentro das tradições judaicas. Ver o artigo geral sobre o Cânon do Antigo Testamento. A unidade Esdras-Neemias aparece no terceiro grupo do cânon hebraico, intitulado *Escritos* ou *Hagiógrafos* (que vede). Ilogicamente, antecede os livros de Crônicas, naquela coletânea hebraica; mas, provavelmente, isso deve-se ao fato de que os livros de

ESDRAS (O LIVRO) — ESDRAS I

Crônicas são paralelos aos livros históricos de Samuel e Reis, pelo que os livros de Crônicas poderiam ser lidos como um suplemento dos mesmos, e não como uma continuação histórica dos mesmos.

VI. Alguns Problemas

Os informes históricos existentes no livro de Esdras nem sempre concordam com aquilo que se sabe, através da história secular. Além disso, alguns estudiosos vêem certas discrepâncias internas entre as várias fontes informativas incorporadas pelo livro. Consideremos os três pontos abaixo:

1. Ciro, em Esd. 1, reconheceu o Deus dos judeus, Yahweh. Mas, um monarca pagão faria tal coisa? Qualquer político teria o cuidado de tratar respeitosamente as crenças religiosas de um povo. Os registros contemporâneos, que envolvem Ciro, ilustram precisamente isso, por parte dos decretos reais.

2. Em Esdras 3:8 lemos que Zorobabel lançou os alicerces do templo de Jerusalém; mas, em Esdras 5:16, isso é atribuído a Sesbazar, que é referido ali como alguém que já havia falecido. Alguns estudiosos pensam que a construção se processou em dois estágios: um iniciado por Sesbazar e o outro iniciado por Zorobabel. Ou então Sesbazar foi o líder oficial, ao passo que Zorobabel foi um entusiasta ativo, tanto em 536 A.C., como posteriormente, em 520 A.C.

3. Com base em Ageu 2:18, aprende-se que os alicerces do templo foram lançados em 520 A.C.; mas Esdras 3:10 parece indicar que isso aconteceu em 536 A.C. Alguns supõem que ambos os informes dizem a verdade, e que o intervalo de dezesseis anos, entre a primeira e a segunda arrancadas é considerado um começo. É possível que isso tenha acontecido, e que mais de uma pedra oficial de fundação tenha sido lançada, cada qual assinalando um esforço específico de reconstrução.

Explicações como essas são apenas conjecturas, embora elas não sejam questões importantes para a fé, mesmo que sejam encontradas algumas discrepâncias. Os próprios livros sagrados não reivindicam perfeição. Essa é a reivindicação de teólogos, que injetam nas Escrituras idéias que elas mesmas não exprimem. Já vimos que a compilação da unidade Esdras-Neemias foi feita com algum defeito de arranjo cronológico. As deslocações cronológicas também formam um problema nos evangelhos; mas isso não envolve questões de fé, exceto para os harmonizadores que queiram obter perfeição a qualquer preço.

VII. Esboço do Conteúdo

O livro de Esdras divide-se em duas partes principais, a saber:

I. O Retorno dos Exilados sob Zorobabel (1:1 — 6:22)

  1. Retornam os primeiros cativos (1:1 — 2:70)

    a. Ciro favorece aos judeus com seu decreto (1:1-11)

    b. A lista dos exilados (2:1-7)

  2. A adoração judaica é restaurada (3:1 — 6:22)

    a. O templo é reconstruído (3:1 — 6:15)

    b. A dedicação do templo (6:16-22)

II. Reformas de Esdras — O Reinício de Israel (7:1 —10:44)

  1. A segunda leva de exilados (7:1 — 8:36)

  2. Divórcio forçado das esposas estrangeiras; a purificação (9:1 — 10:44).

Bibliografia. AM E I IB ID JBL (xl, 1921, «The Date and Personality of the Chronicler») TOR WBC WES YO Z.

••• ••• •••

ESDRAS, I

Esse é o primeiro livro na coletânea de obras apócrifas do Antigo Testamento. Mas, na Vulgata Latina e na Septuaginta, é chamado de III Esdras, visto que I e II Esdras são os nomes dados aos nossos livros canônicos de Esdras e Neemias. O livro de I Esdras é comumente chamado de *Esdras Grego*, a fim de distingui-lo do Esdras hebraico do cânon palestino das Escrituras. Esse nome também distingue-o do Apocalipse de Esdras, — que foi preservado principalmente em sua tradução latina. Ver o artigo geral sobre os *Livros Apócrifos*.

Esboço:

  I. O Nome do Livro e sua Caracterização Geral

  II. Conteúdo

  III. Elementos Importantes

  IV. Data

  V. Autor

I. O Nome do Livro e sua Caracterização Geral

Esdras é a forma latinizada do Esdras hebraico, derivado do Esdras grego. O livro de I (ou III) Esdras foi compilado essencialmente com base nos livros canônicos de Crônicas, Esdras e Neemias, excetuando a história dos três jovens hebreus, que residiam na corte de Dario I, da Pérsia. Não é anterior ao século II A.C., tendo sido preservado em uma tradução grega, de um original hebraico aramaico. O livro de III Esdras é uma obra pseudo-histórica, baseada nas fontes mencionadas, suplementadas com diversas lendas.

II. Conteúdo

O período histórico coberto vai desde a páscoa celebrada por Josias (Esd. 1:1-24) até o papel desempenhado por Esdras, em Jerusalém, como líder de Israel (Esd. 9:37-55).

1. A páscoa celebrada por Josias, a sua batalha contra Faraó Neco, do Egito, e a morte resultante desse monarca judeu. A invasão babilônica que cumpriu as profecias de Jeremias (Esd. 1:1-68).

2. Ciro, rei da Pérsia, mediante um decreto, permite o retorno de um remanescente judeu e a reconstrução de Jerusalém (Esd. 2:1-15).

3. Oficiais persas obtêm permissão da parte de Artaxerxes, rei da Pérsia, para fazerem cessar a reconstrução de Jerusalém. Essa permissão foi dada como resposta de uma carta que lhe enviaram. Esd. 2:16-30. Ver também Esd. 4:7-24.

4. A história do rei Dario e dos três jovens hebreus. Aos três jovens hebreus foi feita a pergunta: Qual a coisa mais forte que existe? Cada qual respondeu, por sua vez: o vinho, o rei e as mulheres. Mas, acima de tudo isso, ficava a *verdade*, na opinião de um deles. Esta última resposta, que reunia dois elementos, as mulheres e a verdade, foi dada por Zorobabel. O rei ficou satisfeito diante dessa resposta e deu permissão para a continuação da reconstrução de Jerusalém. Esse relato, naturalmente, não tem paralelo no cânon hebreu. Evidentemente, trata-se de uma versão adaptada de alguma estória persa (Esd. 3:1 — 5:6).

5. A lista dos judeus que retornaram à Palestina e a narrativa da reconstrução do templo, nos dias do rei Ciro (Esd. 5:7-73).

6. Os profetas Ageu e Zacarias dão maior impulso ao processo de reconstrução, o qual é levado a bom termo no sexto ano do rei Dario (515 A.C.) (Esd. 6:1 - 7:15).

7. A história do retorno de Esdras, juntamente com seus companheiros, a Jerusalém, onde eles se ocupam em atividades de administração, reconstrução e ensino. Ele assim fez escudado em uma comissão

ESDRAS I - ESDRAS II

dada pelo rei persa, Artaxerxes (Esd. 8:1-67).

8. Oração e confissão de Esdras (Esd. 8:68-90). Esse trecho é paralelo ao nono capítulo do livro canônico de Esdras.

9. O povo judeu arrepende-se. Houve várias reformas. Os casamentos mistos, com mulheres estrangeiras, terminam (Esd. 8:91 — 9:36).

10. A leitura da lei, por parte de Esdras. O trabalho dos levitas, no ensino (Esd. 9:37-55). Isso é paralelo ao trecho de Nee. 7:73 — 8:12.

III. Elementos importantes

1. **Conteúdo.** Os trechos históricos do livro foram essencialmente tomados por empréstimo dos livros canônicos antes mencionados, embora com variações de menor importância. A seleção do material deixa de lado certas partes de Esdras e Neemias. O nome de Neemias nunca figura no livro. Esdras é chamado de «sacerdote e leitor», sendo exaltado como o grande líder religioso do período de restauração, após o exílio babilônico. A maior parte do livro canônico de Esdras é incorporado em I Esdras, como também o trecho de Neemias 7:73 — 8:12

2. *A Lei.* É assumida a posição hebraica padronizada. A lei foi escrita por Moisés (1:11; 5:49 e outros trechos). Foi dada por Deus (9:39). A obediência à lei é exigida, incluindo o aspecto dos sacrifícios (1:10,11; 7:6-9). Deveria ser incorporada na vida diária (9:37-41,46,47,49-55).

3. A história dos três jovens hebreus reflete a literatura judaica de sabedoria, embora tenha tido um original persa. Diferentes visões da vida e de seus valores aparecem ali. O vinho, o rei, as mulheres, mas, acima de tudo, a *verdade*, são os interesses principais. A verdade excede a todos os outros, acima da política e dos prazeres. Zorobabel, a princípio, teria dito que as mulheres constituem o poder maior de todos; mas depois concluiu que «a verdade é grande e mais forte que todas essas coisas» (4:35). Mas ele valorizou as mulheres acima do vinho e dos reis, porquanto, as mulheres são as que produzem homens e cultivam a uva que é transformada em vinho. Contudo, as mulheres envolvem-se na injustiça. A verdade, entretanto, é livre de tal envolvimento, pelo que deve ser o maior de todos os valores. Daí surgiu uma declaração proverbial, que no latim diz: *magna est veritas et praevalet.* «Grande é a verdade e maior do que tudo!» Dario ficou tão satisfeito diante dessa analogia que prometeu a Zorobabel qualquer coisa que ele quisesse. O que ele mais queria era ver Jerusalém reconstruída. E assim Dario ordenou que isso tivesse lugar.

IV. Data

Várias datas são mencionadas pelos estudiosos. desde 150 até 50 A.C., para o livro de I Esdras. O livro demonstra certa dependência ao livro de Daniel (ver I Esd. 4:58-60, comparando com Dan. 2:20-23). Deve ter sido publicado após o livro de Daniel, que teve lugar durante o período dos Macabeus (ver o problema da data no artigo sobre Daniel).

V. Autor

Não há como determinar quem teria escrito esse livro. O certo é que não foi Esdras quem o fez. Era um costume antigo usar o nome de alguma pessoa famosa, como autor de um livro, a fim de emprestar-lhe maior prestígio e ajudar em sua distribuição. As pessoas pensavam que estavam honrando a pessoa cujo nome era assim usado. (AM CH JAM Z)

ESDRAS II

Quanto a uma introdução geral que se aplica a esse livro, ver o começo do artigo sobre Esdras, I, acima. Se intitularmos Esdras e Neemias de I e II Esdras (conforme se vê na Septuaginta e na Vulgata Latina) então II Esdras torna-se IV Esdras. Um nome alternativo para esse livro é *Apocalipse de Esdras*. Esse livro contém visões e material apocalíptico atribuídos a Esdras. Alguns eruditos supõem que os capítulos primeiro, segundo, décimo quinto e décimo sexto foram adicionados mais tarde, por escritores cristãos. Nesse caso, os capítulos primeiro e segundo são chamados V Esdras, ao passo que os capítulos quinze e dezesseis são considerados VI Esdras, visto que, de fato, são tidos como obras distintas.

Esboço:
   I. Caracterização Geral
   II. Conteúdo
   III. Temas e Idéias
   IV. Data e Autoria

I. Caracterização Geral

Algum autor desconhecido atribuiu a Esdras muitas visões, de tal modo que esse livro pode ser caracterizado como um *apocalipse*. Ver sobre os *Livros Apocalípticos*. De conformidade com vários eruditos, há interpolações cristãs, conforme se vê através das declarações introdutórias. Essas adições não aparecem em algumas versões orientais, o que servem de evidência sólida de que não faziam parte do original. O livro original consistia em sete visões. Parte desse material alicerça-se sobre o livro de Daniel. A visão final, no décimo quarto capítulo, é de interesse especial para nós, porquanto menciona noventa e quatro livros que eram considerados sagrados na história dos hebreus. Vinte e quatro desses livros fazem parte do cânon hebreu, e setenta deles são obras apocalípticas esotéricas, as quais segundo supomos, incluíam alguns dos livros que atualmente chamamos de pseudepígrafos, especialmente I Enoque, que parece ter gozado de um considerável prestígio. Ver o artigo separado sobre aquele livro. Está preservado em diversas versões antigas, com base em um original hebraico aramaico. Dessas traduções, a mais importante é a latina. Com base nessa circunstância, algumas vezes o livro de IV Esdras é chamado de Esdras Latino. Como uma compilação, tem mais de uma data, embora seja sabido que seu corpo principal tenha sido escrito em cerca de 70 D.C.

II. Conteúdo

1. A genealogia de Esdras e suas comunicações originais, da parte do Senhor Deus (1:1 — 2:48).

2. Esdras vê, com perplexidade, o estado arruinado de Jerusalém, em contraste com o esplendor da cidade de Babilônia e indaga como a justiça pode ter tido um papel nessa situação (3:1 — 5:20). Isso ocorreu trinta anos após a queda de Jerusalém.

3. Sua primeira visão ocorre sete dias mais tarde. Esse material levanta a pergunta sobre o «porquê» do estado lastimável de Jerusalém e seu tom parece-se com o do livro de Jó. O anjo Uriel responde que não há como solucionar o problema do mal (embora não com essas palavras exatas). Os bons e os maus sofrem, igualmente. Os opressores e os oprimidos sofrem, igualmente. Não obstante, estava chegando uma era que traria a salvação. Ver o artigo geral sobre o *Problema do Mal.* A solução parece ser um reflexo do livro de Apocalipse, do cânon neotestamentário. Ver 5:21 — 6:24.

4. Oito dias mais tarde, ocorre uma longa visão. Esdras ficou perplexo diante do problema de como tão poucas pessoas são salvas, ao passo que a imensa

493

ESDRAS II

maioria se perde. Até hoje os homens ficam meditando sobre esse problema. Acredito que o ensino sobre a restauração (que vede), em contraste com a doutrina da eleição (que vede) dá solução a esse problema. Porém, foi somente a revelação do *mistério da vontade de Deus*, por parte de Paulo (ver Efé. 1:9,10,23) que nos forneceu a solução. Poucos seres humanos serão remidos, mas todos serão restaurados, finalmente. E o próprio julgamento divino servirá de meio para produzir esse resultado. Essa seção, em IV Esd., também assegura-nos de que Israel, finalmente, haverá de herdar a terra. Em seguida, é provida uma vívida descrição sobre o julgamento divino. Os vs. 36-105 não se encontram em muitos manuscritos, sendo provável que representem uma interpolação, que teria o propósito central de proibir as orações em favor dos mortos (6:35 — 9:25).

5. Em uma visão, Esdras viu uma mulher que chorava, por haver perdido seu filho, que morrera. Em seguida, apareceu uma cidade com alicerces gigantescos. De alguma maneira, a mulher fora transformada naquela cidade. A visão indicava que a mulher (a Jerusalém celestial) chorava por sua contraparte terrestre (o filho morto). A morte desse filho representava a destruição de Jerusalém. Contudo, foi prometida a restauração da mesma (9:26 — 10:59).

6. Aparece uma águia gigantesca, com doze asas e três cabeças. Essa águia emergira do mar e passou a reinar sobre o mundo inteiro. Porém, após um breve período de tempo, um leão proferiu contra a águia as palavras do Deus Altíssimo. Essa águia corresponde ao quarto reino das visões de Daniel (Roma), ao passo que o leão é o Messias. A visão talvez seja um reflexo do reinado de Domiciano (11:1 — 12:51).

7. Vê-se um homem que emerge do mar. Ele aniquila uma multidão de antagonistas. Como arma, ele usava fogo, que saía de sua boca. Esse homem corresponde ao Filho do homem, da visão de Daniel (7:13). Ele destruirá os inimigos do povo de Deus e Deus haverá de reunir novamente o seu povo (13:1-58).

8. *A Visão Final*. O profeta escreveu essa visão durante quarenta dias. Durante esse tempo, escreveu noventa e quatro livros. Desses, vinte e quatro deveriam ser publicados, mas setenta deveriam ser mantidos em segredo, para uso exclusivo dos sábios entre o povo. Os vinte e quatro livros representam o cânon da Bíblia hebraica, composto de cinco livros da *lei*, oito livros dos *profetas* e onze *escritos*. Os outros setenta são livros sagrados, provavelmente incluindo algumas das obras apócrifas e pseudepígrafas. Isso reflete um tipo de cânon antigo e, o que é deveras interessante, divide os livros em públicos e particulares, dependendo de quão bem preparados estivessem os homens para recebê-los e conhecê-los (15:1 — 16:78).

III. Temas e Idéias

O livro é artificialmente posto na Pérsia (1:1-3), onde, supostamente, Esdras teria recebido comunicações divinas durante o reinado de Artaxerxes. Porém, o livro serve de meio de propaganda de várias mensagens, incluindo, segundo supomos, pseudovisões. Nas obras apocalípticas, esse era um artifício literário comum, sendo difícil determinar o quanto de experiências místicas válidas havia por detrás dessas visões.

1. O interesse pelo futuro, e como Israel estaria relacionada a esse futuro, é um dos temas principais. Nesse ponto, pois, encontramos os temas apocalípticos comuns dos sofrimentos de Israel e da restauração

esperada, da esperança messiânica, do reino de Deus, da ressurreição e do julgamento.

2. *Deus*. O nome divino mais comumente usado no livro é *o Altíssimo*. No entanto, esse nome não figura nos capítulos interpolados, isto é, primeiro, segundo, décimo quinto e décimo sexto. Deus é quem governa a todos. Ele é quem recompensa ou castiga. Finalmente, ele cuida do seu povo, embora precise castigá-lo, quando isso se faz necessário. Apenas alguns poucos são escolhidos e os demais são castigados. Parte do Novo Testamento dá continuação a essa mensagem geral. Outra parte, porém, ultrapassa à mesma, como no caso do mistério da vontade de Deus, que já mencionamos.

3. *O Homem*. O homem é dotado de livre-arbítrio, o que explica tantos males deste mundo, segundo se lê em II Esdras 3:8. O pecado de Adão resultou em uma enfermidade moral permanente (o *pecado original*, que vede). Ver 4.30,33,38,39; 7.46-48, quanto a esse tema.

4. *O Conhecimento*. A compreensão humana é severamente limitada, —especialmente no tocante a Deus e aos seus caminhos. O homem não pode sondar as profundezas de Deus (4.1-12; 5.33-4).

5. *A Ressurreição e o Julgamento*. Nesse livro ensina-se a ressurreição física (2.16; 7.32). Uma nova era é esperada. O mal será eliminado (4.26-32). O julgamento será um tempo de trilhar o grão. Ninguém pode datar o tempo final (4.51,52) mas Deus, que determina as eras e a duração das mesmas, é capaz de fazê-lo (4.36,37). Deus é quem prepara o julgamento (7.70).

6. *O Messias*. Ele é o Filho de Deus, — que haverá de reinar por quatrocentos anos. Isso corresponde à era milenar, embora de duração mais breve. Mas, após esse tempo, o Messias morreria (7.28,29). Ele é representado pelo leão, que destruiria nações ímpias (12.31,32). Outro símbolo do Messias é o homem que emerge do mar e cruza os céus voando (13.3,25,26). Ele é também o Filho de Deus (13.32,36,52) — que pôr-se-á de pé, vitorioso, sobre o monte Sião (13.35-38). Os paralelos no Novo Testamento são óbvios. E tudo tem suas bases em fontes informativas judaicas comuns. A dívida do Novo Testamento aos livros apócrifos e pseudepígrafos é ilustrada claramente no artigo sobre I Enoque. Ver o mesmo, em sua sexta seção. Quanto aos problemas criados por esse fato, ver a seção sétima do mesmo artigo.

7. *O Reino*. Aparece ali um reino messiânico temporário, um tipo de milênio de apenas quatrocentos anos. Esse acontecimento será precedido por sinais (6.20-24). A Sião celestial será a capital desse reino (8.52; 10.27,41-44). Mas, esse reino terminará, e então começará a Nova Era, quando haverá a ressurreição, o julgamento e o paraíso (7.31,32,36).

8. *O Problema do Mal*. Aos moldes kantianos, o livro supõe que o julgamento restituirá o equilíbrio a todas as injustiças cometidas. Kant argumentava que a alma precisa sobreviver, a fim de receber a recompensa ou o castigo que merece. E também argumentava que Deus deve existir, a fim de realizar essas coisas, garantindo que tudo será corrigido com a mais absoluta precisão. A lei do *karma* (que vede) também anuncia a mesma mensagem. Ver Gál. 6:7,8. Ver também sobre o *Problema do Mal*, que é um dos mais complexos e difíceis dilemas filosóficos e teológicos que há.

IV. Data e Autoria

Muitos pensam que os capítulos terceiro a décimo quarto de II Esdras teriam sido compostos perto do fim do primeiro século da era cristã. Os capítulos

ESDRELOM — ESMERALDA

primeiro, segundo, décimo quinto e décimo sexto são aparentes interpolações posteriores, feitas por cristãos. Alguns estudiosos datam os capítulos quinze e dezesseis entre 240 e 270 D.C. E outros trechos são datados como pertencentes a várias datas. Há afinidades com os evangelhos e com o livro de Apocalipse, do Novo Testamento. Na quinta visão desse livro, a águia simboliza Roma, da época de imperadores como Vespasiano, Tito e Domiciano, o que empresta ao livro uma data dentro do século I D.C.

Autor. Esdras é o nome tomado por empréstimo pelo autor desconhecido, com o intuito de fomentar a influência do livro e dar-lhe uma maior distribuição. Isso era uma prática antiga comum, de tal modo que tanto na literatura relacionada ao Antigo Testamento como naquela ligada ao Novo Testamento, temos muitos livros lançados em nome de outros autores que não os verdadeiros. Ver o artigo sobre os livros pseudepígrafos, quanto a uma elaborada demonstração dessa prática (AM CH JAM Z)

ESDRELOM, PLANÍCIE (VALE)

Esse é o nome grego que corresponde ao locativo Jezreel (que vede). Entretanto, sabe-se que esses dois nomes, o hebraico e o grego, correspondem a dois trechos do território de Israel um tanto diferentes, embora contíguos um ao outro. No hebraico, o nome significa «vale da semeadura de Deus» ou então «vale Deus semeará». Essa planície ou vale é um território baixo que se estende desde as margens do mar Mediterrâneo, até às margens do rio Jordão, na Palestina central, separando a cadeia montanhosa do Carmelo e de Samaria da cadeia montanhosa da Galiléia. Nas obras escritas modernas, porém, o termo Jezreel é frouxamente aplicado como nome das duas áreas contíguas. Estritamente falando, o vale de Jezreel é aquele que vai descendo desde a cidade de Jezreel até Bete-Seã, dando frente para o vale ou garganta do Jordão, tendo a Galiléia ao norte e o monte Gilboa ao sul. Esdrelom, por sua vez, forma uma planície aluvial triangular, limitada a sudoeste pela cadeia do Carmelo, desde Jocneã até Ibleã e Eganin (moderna Jenin), ao longo de seu lado norte, por uma linha que parte de Jocneã até às colinas de Nazaré. A leste por uma linha que desce dali até Ibleã e Eganin. À margem do lado nordeste, defronte das vertentes do Carmelo, havia as importantes cidades de Jocneã, Megito, Taanaque e Ibleã. Ver os artigos separados sobre cada uma dessas cidades. Várias rotas comerciais passavam por Esdrelom, e a sua importância devia-se, principalmente, a essas estradas. Esdrelom era uma região pantanosa, ao passo que o vale de Jezreel era próprio para as atividades agrícolas. Parte de Esdrelom era o famoso vale de Megido, assim chamado porquanto nas proximidades ficava a cidade desse nome. Foi ali que Baraque triunfou sobre os cananeus (Juízes 4 e 5). Também foi ali o palco da derrota e da morte de Josias. Foi ali que Elias lutou contra os adoradores de Baal (I Reis 18:40), e também foi ali que o rei Saul foi abatido pelos filisteus (I Sam. 31:1-3). Dentro das tradições proféticas, o lugar está simbólica (ou literalmente?) associado ao conflito final entre as forças do bem e as forças do mal. Ver Apo. 16:16. Ver também o artigo separado sobre o *Armagedom*.

Essa planície é bem pequena, em comparação com os padrões geográficos de grandes países, com cerca de quarenta quilômetros de comprimento por menos de vinte e cinco quilômetros de largura. O wadi Kishon é a corrente principal de água, que drena o

vale. Deságua no mar Mediterrâneo.

Antigos povoados cananeus, e não israelitas, pontilhavam as margens das colinas, onde havia mananciais. As planícies eram usadas para a criação de gado, e somente certas porções eram próprias para a agricultura. Era no vale de Jezreel, um tanto mais seco, bem como em Megido, que havia o cultivo do trigo, vendido ao Egito. Desde 1920, métodos modernos têm transformado aquela região, a qual foi drenada. Colônias foram então implantadas ali; a malária foi erradicada e uma agricultura extensiva foi a causa da transformação de *Emek* (o nome popular da região) em um rico tabuleiro de fazendas e povoados.

ESDRIS

Um oficial do exército judeu, na época de Judas Macabeu (II Macabeus 12:36), cujas atividades não são bem definidas. Alguns textos gregos, seguidos por algumas traduções, dão o nome dele como *Górgias*.

ESEQUE

No hebraico, «contenda». Esse é o nome de um poço existente no vale de Gerar. Foi escavado pelos servos de Isaque, mas disputado pelos pastores de Abimeleque (Gên. 26:20). Desconhece-se o seu lugar.

ESFOLADURA

Ver o artigo geral sobre **Crimes e Castigos**.

ESLI

Esse nome aparece exclusivamente em Luc. 3:25, de sentido desconhecido no grego. Foi um dos antepassados de José, marido de Maria, mãe de Jesus. Só se sabe de sua existência na genealogia de Jesus Cristo. Era pai de Naum e filho de Nagaí. Alguns estudiosos supõem que tenha sido o mesmo homem chamado Elioenai em I Crônicas 3:23,24, que era filho de Nearias e pai de Joanã.

ESMERALDA

No hebraico, **nofek** (ver Êxo. 28:18; 39:11; Eze. 27:16; 28:13), que significa «rebrilhante». O termo grego *smáragdos*, que ocorre somente em Apo. 21:19, e também *smarágdinos*, que aparece somente em Apo. 3:4, significam, respectivamente, «esmeralda» e «esmeraldino», ou «verde-claro». Essa pedra talvez incluísse as esmeraldas modernas, mas não somente estas. A verdadeira esmeralda é uma pedra verde amarelada ou verde profundo, uma variedade do *berilo* (que vide) Cientificamente falando, é um silicato de alumínio beriloso. A esmeralda é considerada uma das gemas mais preciosas. As mais valorizadas são aquelas de verde como a erva, livre de falhas. Todavia, isso é uma grande raridade. Quase todas as esmeraldas contêm impurezas inclusas, enquanto que outras têm pequenas incrustações de cromo, o que lhes confere certa variedade de coloração. Entre as antigas jóias egípcias têm sido encontradas boas esmeraldas. Sabe-se de minas de esmeraldas no Egito desde 2000 A.C. Os arqueólogos têm descoberto centenas de fendas escavadas com o propósito de encontrar esmeraldas, perto do mar Vermelho. Todavia, as esmeraldas encontradas nessa região não são de boa qualidade. As melhores esmeraldas do mundo são achadas na Colômbia, no norte da América do Sul, que foram exploradas

ESMERALDA — ESMIRNA

inicialmente pelos espanhóis. As esmeraldas são encontradas em veios de calcita (carbonato de calcio), que atravessam camadas de xisto negro.

Os hebreus, sem dúvida, conheciam a esmeralda desde o tempo em que estiveram no Egito; mas os trechos do Antigo Testamento que aparentemente referem-se a elas (como Êxo. 28:18; 39:11; e Eze. 28:13) são duvidosos. Na Septuaginta há uma certa confusão de nomes, na tradução de vocábulos hebraicos que dizem respeito às pedras preciosas, de tal maneira que até o *anthrax*, que no grego aponta para uma pedra vermelha (incluindo o rubi) tem sido traduzido por «esmeralda». No grego, o termo *smáragdos* não nos ajuda muito, pois está em foco tanto a verdadeira esmeralda, como outras pedras de coloração esverdeada. Toda essa dificuldade ocorre porque as pedras preciosas, naqueles tempos bíblicos, — do Antigo e do Novo Testamentos, não eram classificadas cientificamente, de acordo com a composição química e com o grau de dureza, mas, antes, de acordo com a mera aparência externa, sem levar em conta os fatores intrínsecos. A referência de Apocalipse 21:19 diz respeito a um dos alicerces da Nova Jerusalém (que vide).

ESMIRNA

No local ocupado por Esmirna, desde tempos remotos, havia uma cidade. Os gregos a colonizaram em tempos recuados, tendo exercido a hegemonia sobre a região por longo tempo. Foi destruída uma antiga cidade, ali existente, no princípio do século VI A.C. Foi fundada uma nova igreja por Lisímaco (301—281 A.C.). Desse tempo em diante, tornou-se uma das mais prósperas cidades da Ásia Menor. Esmirna foi aliada fiel de Roma, desde os tempos quando os romanos começaram a intervir nos negócios do Oriente Próximo, e muito antes de ter-se estabelecido como um império mundial. Em 195 A.C. (de acordo com Tácito, Anais iv.56), foi ali erigido um templo, em honra à deusa de Roma. Sua grandiosidade comercial se devia ao fato de que jazia no fim de uma das grandes estradas que atravessavam a Lídia para o leste, partindo da Frígia, servindo também de escoadouro marítimo para a inteira área comercial do vale do rio Hermo. Competia com Éfeso e Pérgamo pelo título de «Primeira (cidade) da Ásia». Em 26 D.C., foi-lhe permitido erigir um templo dedicado a Tibério, Lívia e o senado romano. Por causa desse privilégio, pôde reivindicar o direito ao Neocorato Imperial. E um segundo Neocorato lhe foi dado por Adriano, e ainda um terceiro, por Severo. Sua aliança apertada com Roma, tornou-a um forte centro de culto ao imperador, e a adoração obrigatória ao imperador romano. Isso deixou os cristãos dali em circunstâncias desesperadoras, e a perseguição e a morte foram resultados apenas naturais para eles.

Esmirna foi a terra da fábula de Dionísio, um deus que supostamente fora assassinado, mas que ressuscitara. Era o local da celebração dos jogos olímpicos, e contava com um dos maiores anfiteatros de toda a Ásia, ruínas do qual existem até hoje. Atualmente, a cidade que ocupa o local antigo se chama Izmir, e é a maior cidade da Turquia Asiática.

O nome dessa cidade significa *mirra*, substância extraída de uma planta, por esmagamento. — Era usada no fabrico de perfumes, mas também para embalsamamentos. Esses fatos ilustram as condições que existiam na comunidade cristã dali, quando o livro de Apocalipse foi escrito. Os crentes dali foram literalmente esmagados, tornando-se um perfume de suave cheiro a Deus; mas, embora

esmagados até à morte, foram preservados em espírito, de modo a poderem viver de novo.

Esse nome vem do grego *smúrna*, «mirra». A cidade de Esmirna está situada no fundo do golfo no qual flui o rio Hermus. Essa cidade é um porto bem protegido, bem como a saída natural para o mar, das principais rotas comerciais que se internam na região, ao longo do vale do rio Hermus. É possível que os primeiros povoadores da região tenham sido gregos eólios, uma comunidade que veio a ser dominada pelos gregos jônicos, que ali chegaram mais tarde e que eram militarmente mais poderosos. Contudo, os fatos históricos são poucos e obscuros, quando retrocedemos até o primeiro milênio A.C., quando foram fundados aqueles povoados às margens do mar Egeu.

Quando a história torna-se melhor delineada, após esse período inicial, assinalado pelas invasões dos povos dóricos, que foi a última onda de tribos helênicas que se infiltrou no mundo miceno, Esmirna já aparece como uma robusta comunidade, preparada para impor-se contra o poderoso reino vizinho da Lídia (que vide). Em poemas antigos aprendemos que houve conflitos e tensões entre as cidades de Esmirna e de Sardis. Parece que Esmirna foi destruída em 600 A.C., por Aliates, da Lídia; e o local ficou devastado pelo espaço de três séculos. Foi dentre as cinzas que a cidade ressurgiu, o que talvez explique a frase que achamos na carta apocalíptica de Apocalipse 2:8: «Estas cousas diz o primeiro e o último, que esteve morto e tornou a viver». É evidente que a alusão primária é à morte e à ressureição de Cristo, mas alguns estudiosos pensam que também há uma referência ao ressurgimento da cidade de Esmirna. Lisímaco, que governou a Trácia e a porção noroeste da Ásia Menor, após a divisão do império de Alexandre, reconstruiu Esmirna, em 290 A.C. E assim Esmirna tornou-se novamente uma cidade grega; e, graças à sua boa localização, entrou em uma era de vitalidade e prosperidade, que até hoje tem prosseguido. A moderna cidade turca de Izmir é uma das mais fortes comunidades urbanas da Turquia moderna. Esse progresso foi fomentado porque seus habitantes tiveram a intuição de reconhecer o domínio de Roma sobre toda a região da Ásia Menor. Isso ocorreu em uma época em que Antíoco, o Grande, da Síria (241—187 A.C.) pressionava para oeste, querendo consolidar suas fronteiras. Mas os romanos, conscientes das ambições de Antíoco, avançavam na direção leste. Ora, Esmirna era uma excelente cabeça de ponte em uma grande península, que Roma vinha considerando cada vez mais uma região tampão. Além disso, Esmirna servia de fortim romano contra a força marítima de Rodes, o que significava assegurar o domínio romano sobre a porção oriental do mar Mediterrâneo.

Um dos fatos significantes da importância de Esmirna, dentro do império romano, é que ela foi escolhida para tornar-se o local do segundo templo asiático dedicado à divindade de Roma e do imperador, bem como a sede do sinistro culto ao imperador, que tanto sofrimento haveria de causar aos cristãos, dentro de alguns séculos. Em Esmirna, como em outros lugares do império, a política imperial de supressão foi efetuada esporadicamente, e Domiciano, sem dúvida, foi a causa dessa explosão perseguidora, com a ajuda de uma hostil sinagoga judaica, contra cujas maquinações João teve uma palavra zombeteira a dizer, em Apocalipse 2:9: «Conheço a tua tribulação, a tua pobreza, mas tu és rico, e a blasfêmia dos que a si mesmos se declaram judeus, e não são, sendo antes sinagoga de Satanás».

ESMIRNA — ESMOLAS

Esmirna vinha adorando ao espírito de Roma desde 195 A.C. E o templo construído por Tibério aumentou ainda mais o orgulho que ela tinha em seu papel histórico. Portanto, a exortação para que os crentes de Esmirna suportassem tudo e recebessem «a coroa da vida», talvez tenha tido como pano de fundo um diadema de pórticos que circundava o alto de sua colina, que foi descrita por Apolônio de Tiana (1—96 D.C.?). De fato, esse diadema tornou-se tão famoso que «a coroa de Esmirna» passou a ser reconhecida como uma imagem de retórica, conforme se vê nos escritos de dois escritores da época.

Precisamos ainda mencionar Policarpo, um dos discípulos do apóstolo João e bispo mártir de Esmirna, — que faleceu em 155 D.C. Esse crente, pois, serviu de elo de ligação entre a era apostólica e os meados do século II D.C.

Não se sabe como o cristianismo chegou a Esmirna. Provavelmente, ocorreu como resultado das atividades de Paulo em Éfeso. Depois, João passou muitos e muitos anos nesta cidade. Com base na epístola apocalíptica de Apo. 2:8-11, parece que os cristãos de Esmirna caminhavam bem no século I D.C. Na verdade, por ocasião das invasões armadas islâmicas, Esmirna foi uma das cidades da Ásia Menor que por mais tempo resistiu aos turcos. Essa resistência facilitaria permitiu que os remanescentes do Império Romano do Oriente tivessem tempo para recompor-se do golpe. Na verdade, os cruzados, que estiveram naquelas regiões, trouxeram conhecimentos que, com o tempo, produziram a renascença. Sabe-se que a renascença foi uma das causas da Reforma Protestante, porquanto, durante o renascimento foram reestudados os escritos clássicos gregos e latinos, incluindo o Novo Testamento grego. A história mesma tem comprovado que o Senhor Jesus tinha razão para elogiar a igreja cristã de Esmirna, conforme fez naquele trecho do Apocalipse.

ESMOLAS Ver também, **Esmoler**.

No grego, **eleemosune**, «misericórdia», «alívio» para os pobres. — No Novo Testamento, esse ato é mencionado diretamente com uma palavra específica, em cerca de treze referências. Ver Mat. 6:1; Atos 9:36 (atos de caridade). Ver também Luc. 11:41; Atos 3:2,3; 10:4,31; 24:17.

1. No Antigo Testamento. A lei mosaica fazia provisão para os pobres. (Ver Lev. 19:9,10; 23:22; Deu. 15:11; 24:19; 26:2-13; Rute 2:2). Os dízimos deveriam ser compartilhados com os pobres a cada três anos (ver Deu. 14:20, 29). Aos israelitas era recomendada a generosidade como um dever (Deu. 15:11). O respigar do campo, das oliveiras e das vinhas, era permitido aos pobres e aos viajantes (ver Deu. 23:24,25). Os campos ficavam sem cultivo a cada sete anos, «para que os pobres do teu povo achem o que comer» (Êxo. 23:11). Destarte, a lei aliviava a pobreza, embora a mendicância fosse considerada um castigo entre os israelitas (ver I Sam. 2:36). Os profetas condenavam a opressão contra os pobres, contando-a como uma das razões pelas quais o juízo caía contra o povo (ver Isa. 3:14; 10:2,3; Amós 8:4-8).

2. No Novo Testamento. O trecho de Mateus 6:2-4 pressupõe que os discípulos de Jesus serão generosos com os pobres. Jesus proibiu a ostentação a esse respeito (ver Mat. 6:2). Jesus e Seus discípulos davam esmolas (ver João 13:29). A liberalidade era recomendada por Jesus (Mat. 5:42 e Luc. 6:38). O motivo por detrás do dom e o potencial da pessoa para dar, espiritualmente são fatores mais importantes do

que a quantia dada (ver Mat. 12:42-44). A Igreja primitiva seguia o exemplo do judaísmo e de Jesus (ver Atos 4:32-35). Paulo deixou um grande exemplo quanto a isso (ver Atos 24:17; Rom. 15:25-27; I Cor. 16:1,2; II Cor. 8:9 e Gál. 2:10). O autor da epístola aos Hebreus recomendou a caridade como um sacrifício agradável a Deus (ver Heb. 13:16). Tiago e João afirmaram que a prática faz parte da qualidade espiritual da pessoa, sendo um elemento essencial da fé religiosa (ver I João 3:17 e Tia. 2:14-17). O Novo Testamento, entretanto, condena severamente os ociosos, aqueles que não trabalham e dependem de outros para seu sustento (ver II Tess. 3:10), dizendo que tais pessoas também não deveriam comer. A importância das esmolas e do cuidado pelos pobres é evidenciado pelo fato de que o ofício diaconal (ver o artigo sobre os *diáconos*) foi estabelecido na Igreja exatamente com o propósito de aliviar os pobres (ver Atos 6:2 e ss.).

3. Cumprimento da lei do amor. O trecho de Gálatas 5:22,23 tem a lista do fruto do Espírito. O amor encabeça a lista, sendo o solo onde medram todas as demais virtudes. O décimo terceiro capítulo de I Coríntios mostra que o amor é maior que todos os dons espirituais, a atmosfera em que todos eles devem ser exercidos. Ver o artigo sobre o *amor*, quanto a um estudo completo. As esmolas fazem parte da lei do amor. É a demonstração do amor para com os necessitados.

Tal prática era recomendada na lei mosaica, tanto em atitude como em ação (Deu. 15:7; 24:13). O direito de colher as respigas dos campos plantados fazia parte disso (Lev. 19:9-10). Isso beneficiava as necessidades nos anos sabáticos e de jubileu (Êxo. 23:11; Lev. 25:6). Dízimos e ofertas faziam parte do espírito da questão (Deu. 14:28; 26:12). Não ser viciado na usura, para os israelitas constituía uma espécie de caridade (Lev. 25:35-37; Êxo. 22:25-27). A liberalidade era exibida por ocasião de várias festividades (Deu. 16:11-14). A moralidade dos hebreus combinava as idéias de esmolas e retidão — dar, ser generoso, era uma forma de retidão. Não bastava ser bom, era mister também praticar o bem. À Septuaginta traduz a palavra «justiça» como *esmola*, em Deu. 25:13 e Dan. 4:24. Outro tanto sucede no Novo Testamento, porquanto, em alguns manuscritos gregos, temos *dikaiosunen* (retidão), ao passo que em outros temos *eleemosunen* (esmola), em Mat. 6:1. No pensamento hebreu, a realização de atos de amor (dentre os quais dar esmolas era parte importante) era tida como um dos três atos sociais fundamentais (Aboth 1:2). Os comentários judaicos no Talmude chamam as esmolas de «retidões», mostrando novamente a importância que isso tinha na sociedade judaica (comentários sobre Gên. 18:9; Sal. 17:15; Isa. 54:14). Esperava-se que a era messiânica exaltaria a prática (Baba Bathra 10a). Nos tempos pós-cativeiro, eram impostas esmolas regulares, até mesmo obrigatórias (Suk. 49b).

No Novo Testamento, a prática foi tomada por empréstimo do judaísmo, e era grandemente enfatizada, conforme se vê em Mat. 6:1-4 (uma injunção messiânica). Os trechos de Atos 11:27-30; Gál. 2:10; Rom. 15:26; I Cor. 16:1-4 mostram que dar esmolas era uma prática cristã. Afinal, esse ato é parte do cumprimento da lei do amor, que é prova de espiritualidade (I João 4:7,8, onde há notas completas, no NTI). Ver também o artigo sobre o *amor*, nesta obra. Tiago 2:14 ss mostra quão importante é a questão, pois nossa justificação não pode ser considerada válida enquanto não formos transformados de tal modo que não coloquemos em

497

ESMOLAS — ESMOLER

prática a lei do amor. Não existe tal coisa como religião «pura» sem essa prática (Tia. 1:27). O interesse de Deus pelos necessitados é um tema regular da Bíblia (Êxo. 23:10-11; Lev. 19:9-10; Deu. 15:7-11; Sal. 17:12-14; Pro. 19:17; 22:22-23). A falta de compaixão é condenada (Amós 4:1; 8:4-7; Isa. 3:14-15; Tia. 5:1-6). A prática das esmolas estava incluída nas práticas religiosas dos discípulos de Jesus (Mat. 6:1-4).

As esmolas fazem parte do conceito de *mordomia* (ver o artigo). Aquilo que damos aos outros pode ser considerado o aluguel que pagamos para ocupar aqui o nosso espaço. O amor ajuda o vizinho e a solidariedade é necessária para nosso bem-estar, e, em alguns casos, para a simples sobrevivência. Deus é o proprietário de tudo, e Ele dá aos homens. Cada indivíduo tem a obrigação de seguir o exemplo divino. Deveríamos dar esmolas por motivo de compaixão, e não por causa de uma atitude condescendente para com os pobres. Nunca devemos dar esmolas por motivos egoístas, para sermos louvados como pessoas boas por outros homens.

Sempre será melhor ajudar outros a se ajudarem do que meramente dar esmolas. Mas isso já é outra forma de liberalidade. Sem esse fator, aparece a mendicância profissional, — lado a lado com a dependência passiva, que perverte as vidas e as almas dos que se sujeitam a isso. Por essa razão, algumas igrejas envolvem-se ativamente em cursos de doação, que ensinam maneiras práticas de pessoas ganharem a vida.

A carência. É desencorajador ver denominações evangélicas intensamente atarefadas no evangelismo, mas que negligenciam o lado moral e a prática da fé cristã, no campo da generosidade ao próximo. Certa organização missionária que conheço chega a proibir seus missionários a dar, emprestar ou fazer coisas semelhantes ao próximo, presumivelmente porque isso delapida o dinheiro disponível para a obra missionária, sujeitando os missionários à necessidade de tomarem dinheiro emprestado. Porém, isso é não entender a mensagem inteira do Evangelho e o poder de Deus. Aquele que dá recebe de volta, e com mais abundância do que deu (Luc. 6:38). «Dai, e dar-se-vos-á; boa medida, recalcada, sacudida, transbordante, generosamente vos darão...» (Luc. 6:38). Deus é quem estabelece as regras desse jogo. Jesus nos deu o maior dos exemplos. E Paulo seguiu de perto os Seus passos (Atos 24:17; Rom. 15:25-27; I Cor. 16:1,2). Paulo aconselhava que fossem ajudados os necessitados, mas não os preguiçosos (II Tes. 3:10). O amor, com suas muitas ramificações, é prova da realidade da profissão cristã (I João 3:16-18). (B E H NTI U MW Z)

ESMOLER Ver também **Esmolas**.

No hebraico, **chyon**, «necessitado». No grego, **ptochós**, «encolhido». Nas Escrituras não há muitas referências a esmoleres. Ver Sal. 37:25; II Sam. 2:8; Sal. 109:10; Pro. 20:4; mas, no Novo Testamento, há trinta e quatro ocorrências da palavra grega, desde Mat. 5:3 até Apo. 13:16. É significativo que a lei mosaica não contenha instruções sobre os esmoleres, embora as tenha sobre os pobres, o que não é a mesma coisa. Na Bíblia hebraica não há termo para indicar os esmoleres profissionais, e a maior aproximação à idéia é a de «pedir pão» ou «vaguear». Certamente essa omissão não é acidental, mas coaduna-se com a natureza da lei mosaica. Pois ali, quando um hebreu, por motivo de insolvência, vendia-se a outro hebreu como escravo, recebia sua libertação no próximo ano de jubileu (que vide), ao mesmo tempo em que seu senhor, que o comprara, era proibido de tratá-lo como escravo (Lev. 25:39). Essa justiça social muito humana, em Israel, evitava a proliferação de esmoleres, embora pessoas paralíticas, doentes, cegos, coxos, etc., às vezes fossem forçados a pedir esmolas, sobretudo após o desenvolvimento de cidades maiores em Israel, quando os judeus misturaram-se com outros povos. Pode-se observar em Salmos 109:10, onde Yahweh é invocado a permitir que os filhos dos ímpios sejam forçados a pedir esmolas, ao passo que os filhos dos justos nunca tenham de pedir pão. Ou examinar Salmos 37:25: «Fui moço, e já, agora, sou velho, porém jamais vi o justo desamparado, nem a sua descendência a mendigar o pão».

1. *Idéias.* Os esmoleres punham-se a pedir esmolas em público, ou então indo de porta em porta. Referências como a de I Samuel 2:8 mostram que, a despeito da sociedade judaica desencorajar a prática, mesmo assim havia esmoleres desde tempos antigos. De acordo com Provérbios 20:4, é sabedoria alguém ser diligente no trabalho, para que não caia na desgraça de ter de solicitar esmolas. Deus cuida daqueles que nele esperam, impedindo que caiam em tal situação (I Sam. 2:8).

A cura de Bartimeu, o cego, próximo de Jericó, foi um dos principais milagres de Jesus (Luc. 18:35-43). Nesse caso, a cegueira era o motivo pelo qual Bartimeu esmolava, o que também se vê no episódio relatado em João 9:1-41.

2. *Causas.* A extrema pobreza leva à mendicância, sobretudo quando o estado não tem programas sociais adequados. A lei do Antigo Testamento encerrava provisões em favor das viúvas, dos órfãos, dos estrangeiros e dos pobres, pelo que a necessidade de mendigar era extremamente reduzida (Deu. 10:17-19; 24:19-22; 28:29). Mas lemos que a cobrança de elevados impostos, por parte dos romanos conquistadores, encorajava a prática da mendicância. Naturalmente, a preguiça, que impedia muitos de trabalhar, era a verdadeira causa, pois há pessoas que preferem a lei do menor esforço (Pro. 20:4).

3. *Atitudes para com os pobres e os esmoleres.* As esmolas eram uma parte importante da prática ética dos judeus. Todas as sinagogas tinham caixas onde se punham esmolas para os pobres. A prática teve prosseguimento na Igreja cristã primitiva, e os primeiros *diáconos* (ver o artigo), foram nomeados especificamente para cuidarem das necessidades dos membros pobres da igreja de Jerusalém, incluindo as viúvas (Atos 6:1 ss). Contudo, fazia-se a distinção entre ser pobre e esmolar por vagabundagem, segundo se pode ver nos pontos abaixo discriminados: a. Como medida preventiva, havia muita liberalidade para com os pobres, conforme se depreende da legislação mosaica. b. Nas sinagogas judaicas e nas igrejas cristãs sempre houve a preocupação em aliviar as necessidades das pessoas pobres. c. Mas, segundo se vê em Salmos 109:10, a mendicância era considerada um mal, parte de uma maldição. d. Esmoleres profissionais eram desprezados pelos judeus, pelo que era proibido sustentá-los com base nos fundos recolhidos para os pobres. e. A prosperidade material era considerada pelos judeus como uma bênção divina; e, por essa razão, se a alguém faltasse o necessário para a vida diária, isso refletia adversamente sobre a reputação desse alguém, como homem espiritual.

Em nossos dias de tremendas desigualdades sociais, governos e instituições particulares tentam resolver os

ESOTERISMO — ESPADA

problemas da pobreza e da mendicância. Não parece que eles estejam conseguindo algum progresso nesses esforços. Disse Jesus: «...os pobres sempre os tendes convosco, mas a mim nem sempre me tendes» (João 12:8). Nos últimos dias, antes da segunda vinda do Senhor Jesus, haverá tanto ricos quanto pobres, pois lemos: «A todos, os pequenos e os grandes, os ricos e os pobres...» (Apo. 13:16). Em nossos dias, muitos fazem da mendicância uma indústria rendosa. Não são poucos os esmoleres ricos! (K IB ID ND)

ESOTERISMO

Essa palavra vem do grego, onde significa «interior». Trata-se da doutrina que diz que a sabedoria e a compreensão espirituais destinam-se aos adeptos ou iniciados de um certo sistema, e não ao público em geral. Uma sabedoria e um conhecimento secundários estariam à disposição do público, em uma porção que seria a *exotérica*. Esse termo, *esoterismo*, tem sido aplicado a muitos sistemas, a começar por antigas religiões orientais, por Pitágoras, por Platão e pelos estóicos. Também tem sido aplicado a idéias de Aristóteles; mas, nesse caso, devemos distinguir entre a sabedoria popular e o conhecimento técnico dos eruditos. As doutrinas esotéricas incluem os *mistérios* que somente os membros verdadeiros de um certo grupo poderiam saber. Todavia, também podem significar apenas que os ensinos envolvidos são de natureza superior e mais difícil e, por conseguinte, reservados somente aos discípulos mais sérios.

ESPAÇO

O espaço e o tempo são as duas categorias finais da filosofia natural. Ver o artigo sobre *Tempo e Espaço, Filosofia do*.

1. *Demócrito* falava sobre o pleno e sobre o vazio e fazia o vazio ser o espaço vazio onde os átomos se movimentariam. Parmênides, por outra parte, não podia conceber um mundo com espaços no mesmo. Zeno de Eléias interpretava o espaço como um pleno em si mesmo, declarando que a sua plenitude impossibilita qualquer movimento. Portanto, segundo ele, o movimento seria uma ilusão.

2. *Platão*, em *Timeu*, concebeu o espaço como o *receptáculo* onde as formas (ver sobre os *Universais*) tornam-se *instâncias*, isto é, coisas individualizadas.

3. *Aristóteles* pensava no espaço em termos de *lugar*. Ele definia um lugar como os limites internos do corpo contido.

4. Os *epicureus* (e, portanto, Epicuro) defendiam a idéia do vazio do espaço.

5. *Descartes* definia a matéria como uma extensão no espaço, referindo-se a este último como o pleno. A matéria, em sua maneira toda sutil, preencheria a totalidade do espaço.

6. *Henry More* pensava no espaço como uma representação obscura da essência de Deus, concebendo-o como uma função das *sensibilidades divinas*.

7. *Spinoza* concebia os espaços individuais como modos finitos do atributo da extensão, como um dos atributos infinitos de Deus.

8. *Newton* imaginava o espaço como absoluto, tendo revertido, essencialmente, à noção platônica, além de também advogar a idéia das sensibilidades divinas. Dentro do espaço, Deus operaria a sua vontade e sentiria os seus resultados.

9. *Leibniz* pensava no espaço como algo finito, derivado das inter-relações das entidades que com-

põem o universo.

10. *Samuel Clarke* referia-se ao espaço e ao tempo como atributos de Deus.

11. *Berkeley* falava sobre o espaço como um dos elementos da mente divina.

12. *Kant* dizia que o espaço é uma *categoria a priori* da mente.

13. *Einstein* falava sobre o espaço como algo relativo e curvo. A relatividade, em relação ao espaço-tempo, significa que pode ser estabelecida a simultaneidade somente dentro de um sistema de inércia, não tendo validade para observadores que estejam em sistemas fora daquele sistema de inércia.

ESPAÇO E TEMPO, FILOSOFIA DO

Ver sobre **Tempo e Espaço, Filosofia do**. Ver também sobre **Espaço**.

ESPADA

Ver sobre **Armas, Armadura**.

ESPADA DE DOIS GUMES

Apo. 1:16: «...*e da boca saía-lhe uma afiada espada de dois gumes...*» Essas palavras podem ser comparadas aos trechos de Apo. 2:12,16 e 19:15,21, onde o simbolismo se repete de várias formas. Compará-las também com Isa. 11:4, onde se lê: «...ferirá a terra com a vara de sua boca...»; com Isa. 49:2; «...fez a minha boca como uma espada aguda...» (Ver também Heb. 4:12; II Tes. 2:9 e IV Esdras 13:4). O livro Sabedoria de Salomão 18:15,16 e os escritos rabínicos encerram esse simbolismo sob formas variegadas. Consideremos ainda, sobre essa questão, os pontos abaixo:

1. *Seu significado básico*. Está em foco o poder de Cristo como Juiz, como aviso sobre isso, pois seu segundo advento trará o juízo da espada que procede de sua boca. Assim é que, no livro de Isaías, o Messias fere a terra com a vara de sua boca; e em II Tes. 2:8, o Senhor Jesus aparece a destruir o anticristo «com o sopro de sua boca». Em II Esdras 13:9-13, o homem que procede do mar (o Messias) destrói os seus adversários com a lava ardente de sua boca, com o hálito inflamado de seus lábios, com a tempestade de fagulhas que procede de sua boca. Em I Enoque 62:2, o Eleito (o Messias) abaterá todos os pecadores com a «palavra de sua boca». Sim, Cristo brande completa autoridade judicial.

2. *Significados ampliados*. A «espada» é, especificamente, a «palavra de Deus» (ver Heb. 4:12), ou a «espada do Espírito» (ver Efé. 6:17), nas mãos de Jesus Cristo.

3. *A espada tem dois fios*. Isso significa que ele brande poder especial para cumprir o julgamento. Trata-se de temível arma. Como aplicação, embora não como interpretação direta, podemos dizer que um dos fios desnuda as hipocrisias ocultas, os próprios intuitos da alma. Não haverá como escapar ao juízo de Cristo, porquanto será perfeitamente exato.

*Embora os moinhos de Deus moam lentamente,
Moem excessivamente fino.*

(Longfellow)

(Ver Gál. 6:7,8 quanto à lei universal da «colheita segundo a semeadura». Ver II Cor. 5:10 quanto ao «julgamento dos crentes», que diz respeito ao bem e ao mal que tiverem praticado).

••• ••• •••

ESPANHA — ESPARTA

ESPANHA

No grego, **Spania**. Essa é a mais ocidental das penínsulas européias. Neste verbete, que considera a região não como ela é hoje, mas contra o pano de fundo neotestamentário, devemos incluir não só a Espanha moderna, mas também o moderno Portugal (que só se desmembrou da Espanha em 1140 D.C., para tornar-se um país independente). Na história antiga, essa região já foi chamada de Ibéria, Ligúria e Céltica, por causa dos povos que foram ali mais importantes, em fases históricas diversas, os iberos, os ligúrios e os celtas. Tudo isso, porém, ocorreu antes que os romanos conquistassem a região, quando então recebeu o nome latino de Hispania, cujo significado e cuja origem nos são desconhecidos. De modo diferente do que ocorreu com a península itálica e com a península dos Bálcãs, a península hispânica foi invadida tanto por tribos indo-européias que em suas vagueações chegaram até à Europa, como também por intrusos vindos do norte da África, que, para tanto, tiveram apenas de saltar o estreito de Gibraltar. Na opinião de muitos antropólogos, esses africanos do norte seriam os iberos, a primeira camada populacional da região, e que os ligúrios e celtas já os encontraram ocupando a península. Se adicionarmos a isso, antes dos romanos, algumas colônias fenícias e outras cretenses, todas não longe das costas espanholas do Mediterrâneo, e, mais tarde, algumas colônias gregas, igualmente perto da faixa marítima, teremos um quadro bem realista da composição étnica da península antes da chegada dos romanos. Quando os romanos chegaram, encontraram um caldeamento de raças que os historiadores têm chamado de celtíberos.

Após o primeiro entrechoque com Roma, Cartago (antiga colônia fenícia do norte da África que muito se desenvolvera, até mesmo militarmente) desenvolveu a Espanha como sua base de operações européias. Deve-se dizer que se estabelecera entre Roma e Cartago uma rivalidade que não admitia quartel, e que culminou com as duas chamadas guerras púnicas (264-241 A.C. e 218-201 A.C., respectivamente). Foi da Espanha que o general cartaginês, Aníbal, lançou seu ataque contra a Itália. Não fora sua indecisão — ele teria ganho a guerra; mas a sua imobilidade deu tempo para os romanos se refazerem e contra-atacarem. Foi precisamente a fim de debilitar os cartagineses que os romanos invadiram e subjugaram a Espanha, o que é referido até mesmo nos livros apócrifos da Bíblia. Ver I Macabeus 8:3.

Tantas foram as dificuldades encontradas pelos romanos, que tiveram que lutar até mesmo contra a acidentada topografia hispânica, que eles precisaram de nada menos de dois séculos para apossar-se da península. Para nós, brasileiros, vale a pena lembrarmos a bravura dos lusitanos (mais tarde chamados portugueses), sob o comando do habilidoso Viriato, contra quem os romanos não conseguiram obter a vitória senão através de um ato de traição, ao subornarem homens que o assassinassem.

Foi César Augusto quem, finalmente, completou a pacificação do áspero interior da península espanhola, no decurso de sua sistemática organização das fronteiras do império romano. Desse ponto em diante, a romanização da península, que havia começado pelas cidades e áreas costeiras, pôde prosseguir, penetrando a todos os rincões espanhóis. Estradas, a outorga da cidadania romana aos espanhóis importantes, além de outras manifestas vantagens da chamada «pax romana», foram fatores que aceleraram essa romanização. E não demorou muito para que a Espanha começasse a contribuir para a vida e a cultura do império romano, o que o fez com certo brilhantismo. Nada menos de três imperadores eram naturais da península, a saber, Trajano, Adriano, e mais tarde, Teodósio (já na época do império dividido em Império Romano do Ocidente e Império Romano do Oriente), que começou governando províncias orientais do império, incluindo parte da Ilíria, referida por Paulo, em Rom. 15:19. Também houve homens de letras espanhóis, incluindo os dois Sênecas, Lucano, Pompônio, Mela, Columela, Quintiliano, Marcial, Prudêncio e Osório.

É possível que esse gosto espanhol pela romanização de sua antiga cultura celtíbera talvez tenha chamado a atenção do apóstolo Paulo. A estratégia paulina requeria que ele lançasse as sementes do cristianismo—mediante a sua pregação—nas áreas chaves do império romano. Todavia, não sabemos dizer se Paulo conseguiu concretizar sua ambição de visitar a Espanha, que ele expressou por duas vezes (ver Rom. 15:24,28). O relato histórico do livro de Atos só vai até pouco antes do primeiro julgamento de Paulo perante César. É fato seguro de que ele foi inocentado das acusações, foi libertado e teve mais alguns anos de atividade apostólica; mas, acerca disso, a Bíblia faz inteiro silêncio. Informações extrabíblicas a respeito são muito escassas e incertas. De acordo com Clemente de Roma, que escreveu cerca de trinta anos após o falecimento do grande apóstolo dos gentios, Paulo foi até «os limites do Ocidente» (Ep. 1:5). Mas a informação é muito vaga para determinarmos se Paulo esteve mesmo na Espanha. Com igual razão alguém poderia pensar nas ilhas britânicas, tão ou mais ocidentais que a península ibérica.

Seja como for, o evangelho chegou ali. No século V D.C. o Império Romano do Ocidente chegou ao seu fim político, desmembrando-se em várias nações independentes. No século XII a porção hoje chamada Portugal separou-se do resto da Espanha. No século XIV já começavam as grandes navegações descobridoras de Espanha e Portugal. Mais tarde os ingleses, os franceses e os holandeses tornaram-se imitadores dos espanhóis e dos portugueses. As Américas (do Norte, Central e do Sul) são projeções desses países europeus ocidentais. Em área, as terras americanas conquistadas e colonizadas pelos espanhóis ocupam o primeiro lugar, desde o México, na América do Norte, até o Chile e à Argentina, na América do Sul. Os ingleses entram com o Canadá e os Estados Unidos da América, além de outros pequenos enclaves na América Central e do Sul. Os franceses ficam com a parte oriental do Canadá, a província de Quebeque, e com enclaves nas Américas Central e do Sul. Os holandeses ficaram apenas com o Suriname, na América do Sul. E os portugueses ficaram com o nosso querido Brasil. Portanto, a península hispânica foi a que mais contribuiu para a nossa civilização americana.

ESPARTA

No grego **Spárte**. Com esse nome, essa antiga cidade grega nunca aparece na Bíblia ou nos livros apócrifos e pseudepígrafos da Bíblia. Mas, com seu outro nome, Lacedemônia, ocorre em I Macabeus 14:16 e II Macabeus 5:9. Antes da chegada e dominação dos romanos, foi uma poderosa cidade-estado da porção sul central do Peloponeso, bem como o principal antagonista de Atenas. Quando, devido às guerras intestinas constantes entre as populações helênicas, Esparta, Atenas e Tebas se debilitaram,

500

ESPARTA — ESPELHO

Filipe da Macedônia conquistou a porção sul da Grécia atual, e a história de Esparta entrou em declínio acentuado. Mais tarde, como já dissemos, chegaram os romanos, o que contribuiu ainda mais para o apequenamento da cidade.

Em fontes literárias judaicas extrabíblicas há algumas referências à cidade de Esparta; mas os estudiosos duvidam que certas dessas referências aludam, realmente, a essa cidade. Parece que àli havia uma colônia judaica, no século II A.C., e um caloroso relacionamento entre judeus e espartanos se desenvolveu então. Jasom, sumo sacerdote dos judeus, encontrou asilo em Esparta, em 168 A.C. (II Macabeus 5:9). Posteriormente, Jônatas Macabeu procurou fortalecer o seu governo mediante alianças estrangeiras e apelou para os espartanos, para que renovassem a amizade que tivera início com o rei Ários I de Esparta, e Onias I, o sumo sacerdote, com base em sua suposta descendência comum de Abraão (I Macabeus 7:5-23). Não há que duvidar, que nisso havia um grande erro etnológico. Pois os próprios judeus consideravam os espartanos descendentes de Pelege, filho de Heber (Gên. 11:16-19), por serem eles os pelasgos. Após a morte de Jônatas, os espartanos escreveram a Simão, solicitando a renovação da amizade e da liga (I Macabeus 14:16-23). Finalmente, Esparta foi incluída entre as cidades que acolheram a declaração de amizade entre o senado romano e os judeus, escrita pelo cônsul romano Lúcio ao rei do Egito, em 139 A.C. (I Macabeus 15:16-22).

A crer nos judeus, pois, os espartanos seriam semitas, e não jafetitas, como eram todos os povos indo-europeus, entre os quais estavam os gregos.

ESPÉCIES

Ver também sobre **Gênero**.

No latim, essa palavra significa «tipo». O termo grego correspondente é *eídos*, que significa «formato», «figura». Uma espécie é uma *classe*, que se distingue do gênero e dos indivíduos que pertencem a essa classe.

1. Foi *Aristóteles* quem introduziu a diferença filosófica entre o *gênero* e a *espécie*. A espécie é constituída pela adição de alguma *diferença* no gênero. Portanto, o gênero pode ser predicado à espécie, mas não o contrário. Quando falamos sobre uma espécie, envolvemos maior informação do que quando falamos sobre um gênero. Ilustrando, o gênero humano envolve várias raças, ou espécies, cada qual com suas características próprias.

2. *Porfírio* falava sobre as espécies como uma das coisas que podem ser *predicadas*, ou seja, as espécies têm *categorias*, conforme se diz na filosofia. Ver sobre *Categorias*.

3. Os *escolásticos* (ver sobre o *Escolasticismo*) seguiam a diretriz de Porfírio, no desenvolvimento das definições básicas, providas por Aristóteles. Eles distinguiam três categorias ou espécies: *a.* A *espécie suprema*, da qual não há outra, dentro do gênero. *b.* A *espécie ínfima*, que não envolve outras espécies, mas somente indivíduos que compõem aquela classe. *c.* A *espécie subalterna*, que conta com outras espécies, acima e abaixo dela. Quanto ao problema da transformação de uma espécie em outra (o que nunca ocorreu), ver sobre *Evolução*.

ESPELHO Ver também **Espelho Espiritual**.

Os antigos não possuíam espelhos de vidro. Antes, eram feitos espelhos de metal polido, os quais, quando bem feitos, podem produzir um reflexo razoável.

A palavra aparece somente por uma vez em todo o Antigo Testamento, em Isaías 3:23 (no hebraico, *gillayon*). E, no Novo Testamento, o termo aparece por duas vezes, em I Cor. 13:12 e em Tia. 1:23 (no grego, *ésoptron*). É interessante observar o sentido simbólico com que Paulo usou o termo. — Ele diz «...agora vemos como em espelho, obscuramente...» (I Cor. 13:12), ao referir-se ao nosso presente estado de conhecimento, valendo-se ele da qualidade de reflexão dos espelhos antigos, que quase nunca davam uma boa imagem. A arqueologia nos tem fornecido muitos exemplos de espelhos antigos. As mulheres hebréias tomaram consigo espelhos, que pediram das egípcias. Espelhos encontrados em Tebas são feitos de metal polido, quase redondos, inseridos em cabos de madeira, de pedra ou de metal. Um dos metais favorito para o fabrico de espelhos, na antiguidade, era o cobre. Alguns desses espelhos eram altamente trabalhados, com figuras de pessoas, aves ou animais. Eram usados espelhinhos de mão, e alguns maiores que foram montados sobre uma mesa. Os espelhos de metal precisavam ser constantemente polidos (ver Sabedoria 7:26 e Eclesiástico 12:11). Isso era feito com a ajuda de pós de polimento, esfregados com esponjas ou tecidos. Ver Jó 37:18, quanto a uma antiga referência a espelhos *fundidos*. John Gill, em seu comentário, opina que, provavelmente está em foco o *bronze fundido*. Tiago, por sua vez, refere-se ao espelho como um **auto-exame**, mas não faz comparações com outra pessoa, que poderia ser-lhe superior na conduta.

Espelhos de vidro parecem ter começado a ser fabricados no século I D.C., mas os intérpretes afirmam que eles não davam tão boa imagem como os espelhos modernos, de muito maior tecnologia no fabrico. Quem ouve a Palavra, mas não a cumpre, é como um homem que se vê em um espelho, mas que logo se vai embora, e se esquece da imagem refletida no espelho. Ver sobre o espelho espiritual, imaginado por Paulo, em II Cor. 3:18. Ver o artigo separado sobre *Espelho Espiritual*, que constitui uma das mais excelentes aplicações espirituais da idéia de espelho.

ESPELHO ESPIRITUAL Ver também, **Espelho**.

Esboço:

   I. Elementos Dessa Transformação Espiritual

   II. O Rosto Desvendado

   III. Modo de Operação

   IV. A Glória do Senhor

   V. Um Processo Eterno

II Cor. 3:18: *Mas todos nós, com rosto descoberto, refletindo como um espelho a glória do Senhor, somos transformados de glória em glória na mesma imagem, como pelo Espírito do Senhor.*

Essa é uma das mais profundas declarações de todo o N.T., e também um dos principais versículos que ensinam a doutrina da transformação dos remidos segundo a imagem de Cristo.

I. Elementos dessa Transformação Espiritual

1. Qual é a principal doutrina de Paulo? Seria a justificação? Ela é essencial, mas não a mais enfatizada. Seria o perdão dos pecados? Isso também é importante, mas não é o elemento mais destacado. Seria ficar livre da lei? É de menção freqüente, mas não é o ponto mais enfatizado. Antes, é a nossa união com Cristo, o nosso companheirismo místico com ele, com a transformação espiritual que disso redunda.

2. Ocasionalmente, esse processo ético-místico-espiritual, é elaborado de tal maneira que, através dele,

501

ESPELHO ESPIRITUAL

chegamos a perceber que participaremos da própria natureza de Cristo, de sua imagem e de seus atributos. (Há notas completas sobre esse tema, em Rom. 8:29 no NTI).

3. Compartilhar da imagem e da natureza de Cristo, significa compartilhar de sua plenitude (ver Col. 2:10). Esse termo refere-se, especificamente, à possessão de seus atributos, muito naturais à natureza de Cristo.

4. Compartilhar da plenitude de Cristo é compartilhar da plenitude do próprio Deus Pai (ver Efé. 3:19), o que, uma vez mais, envolve a participação na natureza divina, com todos os seus atributos.

5. Por ocasião da «parousia», primeiramente chegaremos a participar da natureza metafísica de Cristo (ver I João 3:2), mas isso não porá ponto final à questão. Pelo contrário, será um elevadíssimo estágio da glória, e desse estágio partiremos para a eternidade.

6. Uma vez entrando na eternidade, iremos avançando de um estágio de glória para o próximo, interminavelmente. Pois visto que a glória divina é infinita, a glorificação necessariamente terá de ser também um processo interminável. O versículo que ora consideramos, por certo nos ensina esse princípio.

7. O Filho compartilha da natureza do Pai. E os filhos de Deus compartilham da natureza do Filho. Portanto, os filhos compartilham da natureza do Pai (ver II Ped. 1:4).

8. Isso eleva os remidos fantasticamente acima dos mais elevados arcanjos.

II. O Rosto Desvendado

1. Antes deste versículo, Paulo havia demonstrado que Moisés cobrira o rosto com um véu, depois que estivera diante de Deus e recebera a legislação mosaica. Esse véu, a princípio, servia para possibilitar que outras pessoas contemplassem sua figura, porquanto a glória divina transparecia através dele. Mais tarde, quando aquela glória começou a desvanecer-se, o véu ocultava o fato de que a glória de Moisés era apenas temporária, e que, finalmente, haveria de desaparecer totalmente. Então, a cada sábado, quando os escritos de Moisés eram lidos nas sinagogas, um espesso véu encobria as mentes e corações dos ouvintes, porquanto ouviam as palavras lidas, mas não percebiam o fato de que Cristo era simbolizado e prefigurado através daquela legislação.

2. No caso do evangelho, entretanto, não há qualquer véu que sirva de empecilho. Antes, cada crente tem o rosto descoberto, de forma a poder contemplar o espelho espiritual, e ali ver Cristo.

3. Essa figura de linguagem fala de uma comunhão sem obstáculos e da comunicação daí resultante. Nós vemos Cristo; e tornamo-nos semelhantes a ele. Cumpre-nos entender, naturalmente, que é o poder do Espírito que torna isso uma realidade.

Contemplando. Essa é uma referência óbvia ao «processo místico» da comunhão com o Espírito Santo, em Cristo. Trata-se de outra maneira de expressar o que é feito em favor daqueles que desfrutam de união vital com Cristo, o que, por Paulo, é referido pela simples expressão «em Cristo».

Com freqüência se nega que o cristianismo seja uma religião mística; mas isso se deve à falta de correta compreensão sobre o significado do «misticismo». Tudo quanto esse vocábulo significa é que há **contatos genuínos** com um poder sobre-humano; e, no caso do misticismo cristão, que há contato com Deus, de uma forma ou de outra. Isso é a mesma coisa que a comunhão com o Senhor. Isso, segundo se

espera sempre, é uma influência transformadora, a transfiguração do ser, no nível da alma, no nível espiritual. Isso concorda com o ensinamento *teísta* em geral do N.T., em contraste com o «deísmo». O teísmo ensina que Deus está interessado nos homens, não sendo alguma espécie de criador que tenha abandonado a sua criação. Pelo contrário, mantém contacto com suas criaturas inteligentes, dirigindo-as, recompensando-as e punindo-as. O deísmo, por sua vez, acredita que apesar de existir uma força divina criadora, tal força abandonou o universo, deixando-o sob o controle de leis naturais; mas tendo perdido todo o interesse nos homens, não querendo recompensá-los e nem puni-los. O misticismo é uma extensão lógica do «teísmo», e somente descreve o caminho em que se encontram o humano e o divino.

III. Modo de Operação

1. Quando contemplamos o espelho espiritual, não vemos a nós mesmos, ou seja, indivíduos dotados de baixa espiritualidade, enfraquecidos pelos pecados e pelas debilidades humanas, em parte bons e em parte maus, em parte bem-sucedidos e em parte fracassados. Antes, naquele espelho, vemos a imagem daquilo que deveríamos ser, e na qual nos tornaremos, a saber, a imagem de Cristo.

2. A face de Cristo resplandece com beleza singular, pois ele é a Luz do mundo. O que Paulo tinha em mente fica demonstrado pelo fato de que em II Cor. 4:4 e *ss*, ele mostra que Cristo é a Luz, e que essa luz rebrilha através do seu evangelho, expelindo as trevas (ver II Cor. 4:6).

3. Essa luz rebrilha refletida pelo espelho, de maneira poderosa, e sentimo-nos cativados por ela. O resultado é que continuamos a «contemplá-la», o que indica que o Espírito Santo mantém comunhão conosco, e, portanto, nos transforma. Essa luz é um poder ativo, pelo que também quanto mais ela rebrilha sobre uma pessoa, mais essa pessoa vai sendo transformada. Pois em Cristo há uma glória que transfigura a ti e a mim.

4. Uma vez que essa luz nos tenha cativado (quando da conversão), nunca mais podemos nos desvencilhar dela. E nem mesmo haveríamos de querer tal coisa, pois quanto mais a contemplamos, mais alto sobem as nossas almas, entrando na liberdade própria dos filhos de Deus.

5. Trata-se de uma eterna contemplação, pois está envolvido nisso o significado mesmo da existência. E assim vamos avançando de um estágio de glória para outro, sempre adquirindo mais e mais daquela imagem que vemos no espelho espiritual, sempre nos tornando naquilo que contemplamos no espelho, de maneira tal que, iluminados, também nos tornamos corpos luminosos.

IV. A Glória do Senhor

Essa glória é tanto moral quanto metafísica. Em outras palavras, há certa beleza moral na pessoa de Cristo—ele se assemelha a Deus Pai, sendo amoroso, bondoso, longânimo, justo. Tudo em termos os mais absolutos. Os crentes também precisam ter essa mesma natureza. O crente contempla a glória da natureza moral de Cristo; e o Espírito de Deus, nessa contemplação do crente (comunhão mística), fá-lo adquirir a glória da imagem moral de Cristo. Porém, quando do triunfo de Cristo sobre a morte, Jesus assumiu uma *natureza gloriosa*, isto é, a *natureza espiritual*; e é assim que transparece a sua divindade. Na grandiosidade de seu ser, portanto, Cristo está subjugando todas as coisas ao Pai (ver I Cor. 15:24 e *ss*). Podemos contemplar a grandiosidade do ser de Cristo, e é nessa contemplação que recebemos *essa*

502

ESPELHO ESPIRITUAL — ESPERANÇA

mesma grandiosidade, passando de glória em glória, de estágio em estágio da espiritualidade.

Devemos notar, outrossim, que a glória de Cristo não deve ser meramente contemplada por nós, antes, ela nos transforma. Assim sendo, torna-se possessão nossa, tal como é possessão de Cristo. Assim, pois, tornamo-nos a glória do Senhor, tal como ele mesmo é a nossa. Sua luz, dessa maneira, brilha sobre nós, até nós mesmos nos tornarmos a luz; não somos meros reflexos da mesma. Em outras palavras, somos transformados em seres iluminados, possuidores de glória; e, subseqüentemente, somos *fontes* de luz, tal como ele é a fonte da luz, visto que somos a sua plenitude.

Transformados de glória em glória. Literalmente, a tradução diria aqui, «estamos sendo transfigurados». Essa mesma expressão é usada também em Mar. 9:2 e Mat. 17:2, para indicar a «transfiguração» de Cristo, onde o seu corpo terreno foi espiritualizado por breves momentos. Esse mesmo vocábulo é ainda empregado em Rom. 12:2. Está em foco a modificação na forma de vida, e não meras alterações externas. Assim sendo, tornamo-nos tipos diferentes de seres. Deixamos de lado toda a mortalidade e corporalidade. Assumimos a vida imortal de Deus Pai, a sua vida independente e necessária (ver João 5:25,26 e 6:57), e tornamo-nos seres dotados da mesma natureza de Cristo, na forma mais literal do termo.

Cristo identificou-se conosco em sua humanidade. Jesus era dotado de perfeita natureza humana, e não apenas de algo que parecia humano, mas somente na aparência. Na glorificação (que vide), em Cristo, assumimos sua natureza celestial. Não algo que se assemelha à natureza de Cristo, mas a sua própria natureza, conforme ele mesmo a possui. Ele é a nossa cabeça, e nós somos o seu corpo. A identificação, pois, é completa e absoluta; a natureza é a mesma, apesar da posição e autoridade diferirem. Essa mesma verdade é ensinada no grande «capítulo da ressurreição», o décimo quinto capítulo da primeira epístola aos Coríntios. Cristo foi ressuscitado dentre os mortos dotado de corpo espiritual; e esse corpo foi ainda mais profundamente glorificado quando da ascensão e glorificação para os lugares celestiais. Nós haveremos de ressuscitar dotados com corpo semelhante ao de Cristo; haveremos de subir aos céus como ele, e de ser glorificados com a mesma glorificação que ele recebeu. A identificação e participação de natureza, dessa maneira, será completa; desde agora ela é absoluta, tal como a sua identificação terrena conosco foi e é absoluta.

De glória em glória. Não há, no caso do crente do N.T., o desvanecimento da glória, como se dera com Moisés (ver II Cor. 3:13). A glória do novo pacto é constante e cada vez maior.

V. Um Processo Eterno

O **ser finito** nunca poderá alcançar o **Ser Infinito**, mas a glorificação envolverá um processo de aproximação interminável ao Infinito. A alma irá de um estágio espiritual para outro, participando na natureza divina, — e aumentando sempre nos atributos e perfeições divinas. Sendo que existe uma infinidade com que a alma deve ser enchida, deve existir também um enchimento infinito.

ESPELTA

No hebraico, **kussemeth**. A palavra aparece por três vezes: Êxo. 9:32; Isa. 28:25 e Eze. 4:9. Na primeira referência, a palavra é traduzida por «centeio»; na segunda, por «espelta». E, na terceira referência, nossa versão portuguesa omite dois cereais, em uma lista de seis, mencionando apenas trigo, cevada, favas e lentilhas. A espelta é um tipo de trigo selvagem, *Triticum monococcum*, ou então, segundo outros estudiosos, poderia ser o trigo importado do Egito, o *Triticum aestivum spelta*. Este tem os grãos muito duros, com espigas soltas. Acredita-se ser espécie nativa da Mesopotâmia, embora muito cultivada na Síria e na península do Sinai.

Alguns especialistas pensam que se trata da aveia, *Avena sativa*, ou então o trigo arroz, *Triticum dicoccum*. Mas essa opinião não é bem recebida pela maioria dos estudiosos.

ESPERANÇA

Do que consiste a **esperança?** abaixo alistamos as diversas interpretações que os eruditos nas Escrituras nos têm dado a respeito:

I. Natureza da Esperança
   Diversas Interpretações:

1. Alguns intérpretes limitam a esperança à atitude de «espera pelo Filho de Deus, que descerá dos céus». Assim sendo, a esperança falaria sobre a expectação cristã acerca do segundo advento de Cristo, uma idéia puramente escatológica. Não há que duvidar que isso faz parte da idéia, mas não revela tudo. Ver I Tes. 1:10.

2. Tratar-se-ia de mais do que de uma «atitude esperançosa» que o crente deva manter para com os acontecimentos de sua vida diária. Em outras palavras, é mais do que um espírito de otimismo.

3. Essa esperança está vinculada à «glória de Deus» de Rom. 5:2.

4. Nesta vida, temos um *destino*. A providência divina garante para nós, que cumpriremos nossas respectivas missões. Também há a missão celeste, e cada crente haverá de ser sui generis, realizando algum serviço peculiar (Ver Apo. 2:17, que tem esta idéia na figura da *pedra branca*). A esperança se apega a esses fatos e nos dá estabilidade e certo senso de bem-estar. Cristo terminará a boa obra que em nós começou (Fil. 1:6).

5. Talvez a esperança central de Rom. 8:17 seja a adoção de filhos e portanto, a filiação. Esse é o cumprimento de nossa salvação, e a coisa principal pela qual esperamos.

6. Essa esperança garante a participação de gentios no pacto abraâmico, e isso é explicado laboriosamente nas notas em Heb. 6:17-19 do NTI A esperança é a âncora da alma, conforme a passagem de Heb. 6:17-19 no-lo indica. Ver o artigo sobre *Pactos*.

II. Cristo, nossa Esperança
Cristo Jesus, nossa esperança, I Tim. 1:2. Em Cristo se acha a esperança da vida eterna, sendo ele o seu exclusivo mediador. Mas essa é a única descrição sobre o fato, em todo o N.T., apesar de que todo o novo pacto realmente seja uma expressão desse pensamento. Inácio (*Efésios* xxi e *Filadélfia* v) se utiliza dessa expressão, provavelmente com base neste texto. (Ver igualmente Inácio, *Mag.* ii; *Trales* 2:2 e *Filadélfia* 11:2). O fato de que Inácio citou ou fez alusão às «epístolas pastorais» mostra-nos que devem anteceder à data de 110 D.C. (Ver a questão sobre a «Data» na seção II do artigo sobre as *Epístolas Pastorais*).

A epístola a Tito parece intercambiar propositadamente a idéia de «salvação» proveniente de Deus Pai e de Deus Filho, de tal modo que a esperança do bem-estar eterno sempre aparece em relação a ambos. Ora, essa é justamente a mensagem distintiva do

ESPERANÇA

N.T., que mostra «como» é que Deus Pai admite os homens à sua presença e à participação na natureza divina. (Comparar com João 14:6; 3:16 e Efé. 1:3).

Esperança. Cristo é «...a própria substância e o alicerce da esperança» (Ellicott, *in loc.*). Essa esperança procede da parte dele, existe por causa dele, baseia-se no cumprimento de sua missão e se acha «nele», porquanto envolve a transformação segundo a sua imagem, o que indica a participação em sua própria natureza glorificada, bem como a participação em sua herança. Isso é que está envolvido na redenção humana, o que transcende imensamente ao perdão dos pecados, que é um degrau necessário, mas tão-somente um degrau, na direção da glória que aguardamos obter em Cristo. A obtenção da glória de Cristo indica a participação em todos os aspectos positivos de seu ser, e não meramente que o remido se tornará impecável. Um anjo de ordem inferior pode ser impecável, mas será sempre um ser de muito menor estatura do que Cristo, faltando-lhe o poder e a glória do Senhor. Mas a redenção, que opera na salvação humana, levará os remidos à própria estatura moral e metafísica de Cristo, tornando-os muito superiores aos próprios arcanjos. De fato, os remidos participarão verdadeiramente da própria divindade.

Cristo, nossa Esperança. Sumário

1. Por causa de seu ofício, como único mediador (ver I Tim. 2:2).

2. Por causa de seu ofício expiatório (ver Rom. 5:11).

3. Por ser ele o Pioneiro do caminho da espiritualidade, que conduz à vida eterna (ver Heb. 2:10).

4. Quanto ao aspecto escatológico. Ele voltará. Há grande glória à frente. Cristo é nossa esperança e segurança, – no tocante a essa glória futura. (Ver a mensagem de I Tim. 6:15 e seu respectivo contexto).

5. Cristo é o criador (ele é o Alfa). Mas também é o *alvo* mesmo da criação (ele é o *Ômega*). Ver esse conceito em Col. 1:16. Ele é a esperança dos eleitos. Mas também é a esperança dos não-eleitos. Ver os artigos sobre a *Missão Universal do Logos* (*Cristo*), e *Restauração*.

III. Em Romanos 8:24

Rom. 8:24: *Porque na esperança fomos salvos. Ora, a esperança que se vê não é esperança; pois o que alguém vê, como o espera?*

«A esperança é...uma causa secundária da salvação, porquanto exibe vividamente a salvação aos olhos do crente, fazendo-o esforçar-se por obtê-la... Não devemos perder de vista, porém, que a frase traduzida por 'pela esperança' (em algumas traduções, como dissemos acima), poderia ser melhor traduzida como 'na esperança', ou 'com esperança'. E isso serve, pois, para limitar a idéia da salvação. Fomos salvos, verdadeiramente, em uma forma potencial e imperfeita; mas a nossa plena salvação ainda é motivo de esperança, pelo que também não é um acontecimento passado, mas ainda jaz no futuro» (Sanday, *in loc.*).

Lange (*in loc.*) diz algo semelhante a isso: «O dativo, não descreve o meio, e, sim, o modo de livramento».

Alguns intérpretes não têm estabelecido aqui qualquer distinção entre a fé e a esperança, mas isso parece negar a distinção que o apóstolo afirma tão cuidadosamente em I Cor. 13:13. A esperança é a «condição» em que somos salvos. Alford (*in loc.*) chama a esperança de «fé em sua atitude de expectação».

«A esperança é produzida com base na fé, estando indissoluvelmente vinculada à mesma, porquanto a fé apreende o objeto até onde o mesmo é apresentado; e a esperança o apreende até onde o mesmo ainda é futuro». (Philippi, *in loc.*).

Esta última definição, de Philippi, sobre a esperança, poderia mesmo aceitar, no original grego, o dativo «instrumental», que mesmo assim a passagem faria sentido perfeito.

«O vocábulo 'esperança' é usado de duas maneiras diferentes. No primeiro caso significa grande coragem, aquela que permanece firme a despeito de todas as tentações. No segundo caso, indica a salvação infinita que a esperança obterá; no presente versículo podem estar em foco ambos os aspectos». (Lutero, *in loc*).

Este versículo, pois, esclarece como o apóstolo Paulo pode dizer tanto que os crentes já receberam a «adoção» de filhos de Deus (ver Rom. 8:15), como que eles ainda aguardam a adoção de filhos (ver Rom. 8:23). Mediante a fé os crentes possuem a adoção em sua forma presente. Mediante a esperança eles esperam pela fruição total dessa adoção. A esperança pois, é uma característica essencial dos redimidos. Essa esperança desvia a atenção do crente para longe das atividades mundanas, pois o crente, na realidade, é cidadão de um mundo diferente e vive embalado por profunda expectação de obter a concretização de sua nova esperança e posição em Cristo.

Essa esperança inclui a *bendita esperança* da volta de Cristo, que será um passo gigantesco na direção da redenção dos crentes, quanto ao seu corpo físico. Os trechos de I Tim. 6:10 e Tito 2:2, – em vez de «fé, amor e esperança», como vemos na tríade do décimo terceiro capítulo da primeira epístola aos Coríntios, dizem «fé, amor e perseverança». Por conseguinte, a esperança é uma forma de «perseverança» ou «paciência», uma espera paciente pelo cumprimento daquilo que o homem interior diz que será, por causa de sua confiança em Cristo.

«A fé é a evidência, e a esperança é a expectação das coisas que não se vêem. A fé é a genitora da esperança. Nós esperamos com paciência. Na esperança por essa glória, temos necessidade de paciência, para suportar os sofrimentos que nos sobrevêm no caminho, e para suportar a demora». (Mathew Henry, *in loc*).

Transcrevemos abaixo algumas famosas citações sobre a esperança:

«Vivo na esperança e penso que assim fazem todos aqueles que vêm a este mundo».
(Robert Bridges, *The Growth of Love*, 1844-1930).

«Para os enfermos, enquanto há vida há esperança. (Cícero, *Epistolae ad Atticum*, 106-43 A.C.).

«A própria esperança é uma espécie de felicidade, e, talvez seja a principal felicidade que este mundo proporciona». (Samuel Johnson, na obra de Boswell, *Life of Johnson*, 1709-1784).

«A esperança emana eternamente no peito humano». (Alexander Pope, *Essay on Man*, 1688-1744).

A verdadeira esperança é veloz, e voa com asas de andorinha;
Dos reis faz deuses; e de criaturas inferiores, reis.
(Shakespeare, em *Richard III*;, V, ii. 23,1564-1616).

«*Ora, esperança que se vê não é esperança*». Esta porção de Rom. 8:24 procura definir a natureza da esperança. Ela diz respeito a algo que ainda não pode ser visto com os olhos. Paulo se referia à «salvação escatológica», ou seja, a fruição da salvação que já foi

504

ESPERANÇA MESSIÂNICA — ESPIAS

iniciada na-alma humana, mas que aguarda seu cumprimento mais profundo, ou seja, a transformação do crente segundo a imagem de Jesus Cristo, o que é a mais elevada expectação da esperança que um crente pode embalar, pois é disso que consiste a salvação, não meramente a *habitação* nos céus. As Escrituras, por conseguinte, aludem à salvação como algo ao mesmo tempo presente e futuro. E a salvação, em seu aspecto presente, é a garantia da salvação futura, pois com razão esperamos que Deus cumpra em nós totalmente, a obra que ele começou. A salvação, em seu aspecto presente, pode ser encontrada em trechos como Efé. 2:8 e Tito 3:4,5. E, em seu aspecto futuro, pode ser vista em Mar. 13:13, 10:9, Rom. 8:29, II Cor. 3:18 e II Ped. 1:4.

Ergue para ti mansões mais firmes, ó minha alma,
Ao passarem as velozes estações;
Abandona o teu passado de teto baixo!
Que cada novo templo seja mais nobre que o anterior,
Fecha-te do céu com uma cúpula mais vasta,
Até que finalmente te vejas livre,
Deixando tua concha pequena no mar agitado da vida.

(Oliver Wendall Holmes, 1809—1894).

ESPERANÇA MESSIÂNICA

Ver o artigo geral sobre o **Messias**. Ver também sobre *Jesus*, o Messias predito nas Escrituras. A esperança messiânica é a expectação de que haverá uma figura messiânica, que, finalmente, estabelecerá o seu reino messiânico. O Antigo Testamento e as obras pseudepígrafas encerram em seu bojo essa antecipação. Ver Isaías 7:14 e Daniel 7, bem como a mensagem geral sobre os reinos deste mundo, de Daniel 9:24 *ss*. Muitos dos salmos também são considerados messiânicos. Para exemplificar, ver os Salmos 2 e 110. A teologia dos hebreus, após o exílio, aguardava a futura renovação de um imenso e exaltado reino de Israel, — que haveria de emergir no reino de Deus (que vede), embora essa esperança não estivesse ligada, claramente, com a figura messiânica. O trecho de Isa. 9:6 *ss* é uma das mais claras passagens veterotestamentárias desse tipo, incluindo a idéia do Príncipe da Paz, — que haveria de governar sentado no trono de Davi. Os judeus dos dias de Jesus estavam esperando, até fanaticamente, por um Messias político. Mas, a espiritualidade de Jesus desapontou até João Batista. Jesus parecia não ser suficientemente político em sua ênfase. A rebelião assinalava a atitude dos judeus, porquanto eles queriam libertar-se do jugo dos romanos; e isso resultou em duas grandes destruições de Jerusalém e da Judéia, em 70 e em 132 D.C.

ESPEUSIPO Ver **Speusipo (Espeusipo)**.

ESPEVITADEIRA, TENAZ

Ver sobre **Tenaz, Espevitadeira**.

No hebraico, *mezammeroth*, literalmente, «tenazes». Alguns estudiosos pensam que a palavra deriva-se do verbo que significa «podar». Eram instrumentos feitos de ouro (Êxo. 37:23) ou de bronze (II Reis 25:14), usados para cuidar das brasas e das lâmpadas do tabernáculo da congregação e do templo de Jerusalém. Os estudiosos não concordam entre si quanto à função exata desses instrumentos. Isso vem desde o tempo da tradução da Septuaginta. Assim, nos trechos de Êxo. 37:23; Núm. 4:9; II Crô. 4:22; Isa. 6:6, a LXX diz «instrumento de agarrar»; mas em Êxo. 25:38 e I Reis 7:49, a LXX diz «concha».

Nos trechos de Êxodo 25:38 e 37:23, essa palavra, juntamente com os «apagadores», aparece intimamen-

te vinculada ao candeeiro de ouro. Em face do trecho de Isaías 6:6, onde esse utensílio aparece usado para tirar uma brasa de cima do altar, parece que está em foco um instrumento usado para aparar os pavios das lamparinas, segundo pensam alguns estudiosos. No entanto, os contextos não dão qualquer indicação nesse sentido. Além disso, conforme foi observado acima, a tradução da Septuaginta não dá nenhuma idéia de que se tratava de algum utensílio cortante. Isso posto, parece que a melhor tradução seria «tenazes» ou «pinças».

———

ESPIAS

No Antigo Testamento precisamos considerar três palavras hebraicas e duas gregas, a saber:

1. *Raah*, «ver». Palavra hebraica que ocorre por quase mil e trezentas vezes, com vários sentidos, inclusive o de espionar. Para exemplificar: Êxo. 2:11; II Reis 6:13; 9:17; 13:21; 23:16; Gên. 42:27; Êxo. 2:11; I Sam. 14:16; 26:16; II Sam. 11:2; 18:21.

2. *Ragal*, «percorrer», «usar os pés». Esse vocábulo hebraico aparece por vinte e duas vezes com o sentido de «espiar». Exemplificando: Núm. 21:32; Jos. 2:1; 6:22,25; Juí. 18:2,14,17; II Sam. 10:3; I Crô. 19:3.

3. *Tur*, «espionar», «pesquisar». Palavra hebraica que é empregada por vinte e uma vezes com esse sentido. Por exemplo: Núm. 13:16,17; Núm. 13:2,21, 25,32; 14:6,7,34,36,38; Deu. 1:33; Ecl. 1:33; 7:25.

4. *Katáskopos*, «espião». Essa palavra grega ocorre somente em Heb. 11:31. É usada em relação aos espias enviados por Josué para verificarem o estado da cidade de Jericó, de acordo com a menção ao fato, no Novo Testamento.

5. *Egkáthetos*, «espião». Essa palavra está baseada no verbo grego que significa «subornar». Ocorre exclusivamente em Luc. 20:20. Aparece no incidente em que os escribas e principais sacerdotes enviaram espias (homens subornados) para ver se apanhavam o Senhor Jesus em alguma palavra, a fim de entregá-lo à jurisdição do governador.

———

No hebraico, parece que não existe distinção entre as palavras *ragal* e *tur*, visto que os trechos de Josué 14:7 e Deuteronômio 1:24 usam o verbo *ragal* quando se referem aos eventos de Números 14:6.

A espionagem sempre foi uma medida necessária em períodos de conflito armado, com o intuito de descobrir os pontos fracos do inimigo. Em Gênesis 42:1-17, José acusou seus irmãos de serem «espiões» que queriam saber quais os pontos débeis do Egito. Moisés enviou doze espias à terra de Canaã, com várias finalidades: descobrir seus pontos fortes e fracos e verificar quão produtiva era a terra (Núm. 13). O povo de Israel aceitou o relatório apresentado por dez desses espias, acovardou-se e por causa disso, foi forçado a adiar a conquista da Terra Prometida pelo espaço de quarenta anos. Nesse período, Moisés enviou espias a Jazer, uma cidade fortificada dos amorreus, em Gileade, — e a capturou (Núm. 21:32). Sempre que a captura de alguma cidade é relatada com certo detalhamento, vê-se que a conquista da mesma era antecedida pela visita de espias. No caso de Jericó, Josué enviou dois espias (Jos. 2—6). De Jericó, um número não determinado de espias foi enviado a Ai (Jos. 7 e 8). Posteriormente, a tribo de José conquistou Betel, depois que espias descobriram, com a ajuda de um betelita traidor, uma entrada secreta para a cidade (Juí. 1:23-25). Davi

ESPIGA DE CEREAL — ESPINHOS

utilizava-se de espias para acompanhar os movimentos de Saul (I Sam. 26:4). Finalmente, os emissários de Davi, enviados aos amonitas, foram tomados como espias, e foram tratados de conformidade com essa suspeita (II Sam. 10:3; I Crô. 19:3).

No Novo Testamento, a espionagem é mencionada apenas em dois trechos: quando as autoridades religiosas dos judeus queriam espionar Jesus (Luc. 20:20), e quando o autor da epístola aos Hebreus refere-se a Raabe e aos espias (Heb. 11:31).

ESPIGA DE CEREAL

No grego **stáchus**, palavra que é usada por cinco vezes no Novo Testamento: Mat. 12:1; Mar. 2:23; 4:28; Luc. 6:1. Essa palavra indica a espiga em formação, antes que o grão apareça enchendo a mesma. Em Deu. 23:25 temos a palavra hebraica *melilah*, «espiga», que corresponde ao termo grego. As «espigas verdes», referidas em Lev. 2:14 e II Reis 4:42, no original hebraico é *karmel*, «grão». Os «grãos», aludidos em Lev. 23:14, têm como base o termo hebraico *abib*, «florescência». Há, em quase todos esses casos, uma alusão a espigas de cevada, que eram torradas e oferecidas como parte das ofertas das primícias da terra. Essa última palavra hebraica acabou tornando-se o nome do mês que corresponde ao nosso «abril», devido à sua importância para a agricultura, entre os hebreus.

ESPINHO NA CARNE

A única referência bíblica que encerra essa expressão é II Coríntios 12:7. Ali diz o apóstolo Paulo: «E, para que não me ensoberbecesse com a grandeza das revelações, foi-me posto um espinho na carne, mensageiro de Satanás, para me esbofetear, a fim de que não me exalte». No original grego, a palavra ali traduzida por «espinho» é *skólops*. Esse termo não significa «espinho», e, sim, «estaca». Mas, como devemos entender a passagem em sentido metafórico, não importa muito a tradução exata do termo, contanto que a idéia seja transmitida. Deve-se notar que Paulo chamou esse «espinho» de «mensageiro de Satanás», um conceito estranho, embora nos faça relembrar de Jó. Deus permite que Satanás ataque seus mais diletos servos, por uma ou por outra razão. Talvez Paulo falasse metaforicamente, não querendo dar a idéia de um ataque real do príncipe da malignidade. O fato é que os intérpretes não concordam quanto ao que seria, exatamente, esse espinho na carne de Paulo. A maioria pensa que está em foco algum defeito físico ou alguma enfermidade crônica, como alguma dificuldade ocular. Isso talvez explique sua alusão às «letras grandes» de Gál. 6:11, que talvez possa ser vinculada a Gál. 4:13, 14, onde diz o apóstolo: «...sabeis que vos preguei o evangelho a primeira vez, por causa de uma enfermidade física...» Ver a exposição, no NTI, quanto a esses versículos. Contudo, outros estudiosos pensam que o «espinho na carne», de Paulo, era algum problema moral, que ficaria subentendido no sétimo capítulo da epístola aos Romanos, onde lemos sobre seu agudo conflito contra o pecado. Ainda outros estudiosos pensam em empecilhos externos, como as perseguições efetuadas por seus adversários, dentro e fora da Igreja. Ainda segundo outros, seria uma espécie de angústia mental, incerteza, desencorajamento e temor, coisas essas produzidas pelos rigores de suas responsabilidades ministeriais. Se esse «espinho na carne» era alguma enfermidade, então as opiniões vão desde a malária até à oftalmia, passando pela epilepsia e pela enxaqueca.

Desenvolvendo a idéia contida no sétimo capítulo de Romanos, alguns eruditos vêem uma contínua batalha de Paulo contra as tentações carnais, visto que Paulo estava vivendo como celibatário. Agostinho e Jerônimo confessaram seus problemas nessa área da vida, apesar de sua grande espiritualidade. Ver Agostinho, *Confess*. 10.30. e Jerônimo, *Epist. ad Eustochium*. Jerônimo ficava atônito sobre como visões de êxtase celestial eram alternadas com tentações sensuais, que o assediavam. Com o devido respeito a grandes homens de Deus, que têm tido problemas com questões assim, não há razão alguma para supormos que Paulo estava aludindo a isso, quando falou em seu «espinho na carne».

O ensino é claro, mesmo que a identidade exata do «espinho» nos escape. Até mesmo os crentes mais espirituais são atacados pelos mais variados problemas e dificuldades, que lhes parecem como espinhos incômodos. Essas coisas, entretanto, podem ter um bom resultado, quando corretamente manuseadas pelo crente.

ESPINHOS

Onze palavras hebraicas e duas palavras gregas estão envolvidas neste verbete, a saber:

1. *Atad*, «espinheiro». Palavra hebraica que figura por quatro vezes: Sal. 58:9; Juí. 9:14,15.

2. *Chedeq*, «espinho». Termo hebraico que aparece por duas vezes: Pro. 15:19; Miq. 7:4

3. *Choach*, «espinho», «moita». Palavra hebraica utilizada por doze vezes: II Crô. 33:11; Jó. 41:2; Pro. 26:9; Can. 2:2; Osé. 9:6; II Reis 14:9; II Crô. 25:18; Jó. 31:40; I Sam. 13:6 (nesta passagem, nossa versão portuguesa diz «buracos», quando deveria dizer «moitas»); Isa. 34:13.

4. *Naatsuts*, «espinho». Palavra hebraica usada por duas vezes: Isa. 7:19 e 55:13.

5. *Sir*, «espinho», «gancho». Palavra hebraica usada por quatro vezes, com o sentido de *espinho*: Ecl. 7:6; Isa. 34:13; Osé. 2:6; Naum 1:10.

6. *Sallonim*, «espinhos», «espinheiros». Palavra hebraica, usada no plural, por apenas uma vez: Eze. 2:6.

7. *Tsen*, «espinho». Palavra usada por duas vezes no hebraico: Jó 5:5 e Pro. 22:5.

8. *Tseninim*, «espinhos». Palavra hebraica usada no plural por duas vezes: Núm. 33:55 e Jos. 23:13.

9. *Qots*, «espinho». Termo hebraico usado por doze vezes: Gên. 3:18; Êxo. 22:6; Juí. 8:7,16; II Sam. 23:6; Sal. 118:12; Isa. 32:13; 33:12; Jer. 4:3; 12:13; Eze. 28:24 e Osé. 10:8.

10. *Qimmashon*, «espinho». Palavra hebraica usada por apenas uma vez: Pro. 24:31.

11. *Shayith*, «espinho». Palavra hebraica que aparece por sete vezes: Isa. 5:6; 7:23-25; 9:18; 10:17; 27:4.

12. *Ãkantha*, «espinho». Palavra grega que aparece por catorze vezes: Mat. 7:16; 13:7,22; 27:29; Mar. 4:7,18; Luc. 6:44; 8:7,14; João 19:2 e Heb. 6:8.

13. *Skólops*, «estaca». Essa palavra grega aparece somente em II Cor. 12:7. Nossa versão portuguesa a traduz por «espinho», o que talvez esteja mais em consonância com nossa maneira de dizer, embora o termo grego não signifique, realmente, um espinho.

Visto que as várias palavras hebraicas foram usadas sem refletir qualquer classificação científica, os botânicos discordam acerca da identidade das várias espécies mencionadas. Parece haver poucas dúvidas que a silva ou sarça seja o espinho de referência mais comum. O nome científico moderno dessa planta é

ESPINHOS — ESPIRITISMO

Rubus sanctus. Também havia o ulmeiro, igualmente comum na Palestina, cujo nome científico é *Rubus ulmifolius*. O *Rhamnus palestina* é outro arbusto espinhento. Medra em vários lugares da Palestina, sobretudo na península do Sinai. Os espinhos referidos em Pro. 15:19 e Miq. 7:4, no hebraico, *chedeq*, provavelmente são a planta que a botânica moderna chama de *Balanites aegyptiaca*, ou bálsamo de Jericó; mas também pode ser o *Lycius europaeum*. Espinheiros comuns do deserto são o astrágalo, a acácia e o zízifo. Os trechos de Isa. 34:13 e Osé. 9:6 talvez se refiram ao *Xanthium sponosum*, uma planta daninha que produz frutos ácidos e espinhentos. No hebraico, ela se chama *sir*.

Usos Metafóricos. Os espinhos são um importante assunto bíblico, em conexões metafóricas, conforme se vê na lista abaixo:

1. *Espinho picador*. Em Eze. 28:24, a referência é às ferroadas produzidas pelo paganismo.

2. Em Miq. 7:4 é dito que os mais retos entre os habitantes da terra eram como o espinheiro, e os piores, como uma sebe de espinhos.

3. Jó 5:5 alude a pessoas gananciosas, que arrancam o alimento até dos órfãos, mas que acabam perdendo tudo em seu desvario.

4. Provérbios 15:19 fala do caminho do preguiçoso, cercado de espinhos. Por causa de sua inércia, ele atrai contra si mesmo muitas dificuldades.

5. O crepitar dos espinhos, no fogo, é assemelhado às gargalhadas dos insensatos (Ecl. 7:6).

6. Os ímpios assemelham-se a espinhos, por serem inconvenientes e prejudiciais aos seus semelhantes (II Sam. 23:6; Naum 1:10).

7. Os espinheiros são rapidamente consumidos pelas chamas, ilustrando o fim súbito que sobrevém aos tolos (Sal. 118:12).

8. Os profetas falsos são comparados com os espinhos, ou, com frutos maus e espinhentos (Mat. 7:16).

9. No juízo divino, os ímpios são consumidos como palha seca, mesmo que se entrelacem com espinhos e se saturem de vinho (Naum 1:10).

10. Elementos que prejudicam a mensagem do evangelho ou impedem-na de efetuar a sua obra, assemelham-se a espinhos (Mat. 13:7; Mar. 4:7). Isso resulta em falta de frutificação (Mat. 7:16). Ver também os artigos separados sobre *Coroa de Espinhos* e *Espinho na Carne*.

ESPIRA, DIETAS DE

Ver **Protestantismo**, II, últimos três parágrafos.

ESPIRITISMO (ESPIRITUALISMO)

Estas palavras se usam como sinônimos, ou com definições distintas. No português, *espiritismo* normalmente se refere a religião designada por aquele termo. *Espiritualismo*, em contraste, se refere à idéia filosófica que admite, quer quanto aos fenômenos naturais, quer quanto aos valores morais, a independência e o primado do *espírito* em relação às condições materiais, afirmando que os primeiros constituem manifestações de forças anímicas ou vitais, e os segundos, criações de um ser superior ou de um poder natural e eterno, inerente ao homem.

No parágrafo que segue, uso a palavra *espiritismo* para designar tanto a religião como a idéia filosófica. Depois, minhas descrições são da religião.

O uso popular dessa palavra refere-se àquele movimento religioso que tem, como uma de suas doutrinas centrais, a existência da alma (ou espírito) humana e sua sobrevivência diante da morte, além de ser correto e vantajoso consultar **espíritos** (desincorporados), usualmente através de «médiuns». Este artigo trata de questões dessa natureza. Não obstante, há outros usos da palavra «espiritismo», a saber: 1. Como um sinônimo do *idealismo* (que vede). 2. Como nome de um movimento religioso do século XIX; iniciado na França, principalmente pelos esforços de Victor Cousin (que vede), cuja finalidade era **contra-atacar o positivismo** (que vede) de Comte e de outros pensadores da época. Personagens como Maine de Biran, Ravaisson-Mollien (ver os artigos acerca deles), etc., deram seu apoio ao movimento. 3. Como um movimento do século XX; de origem italiana, conhecido como *Espiritismo Cristão*, com base nas idéias de *Gentile* (que vede) e do *existencialismo* religioso (que vede).

Esboço:

   I. Caracterização Geral
   II. Ensinamentos
   III. **Primeiros Espíritas Bem Conhecidos**
   IV. Objeções Cristãs
   V. Fenômenos Espíritas
   VI. Naturalidade e Legitimidade dos Fenômenos Psíquicos
     Conclusão

I. Caracterização Geral

O espiritismo é um sistema eclético, com elementos que sempre existiram no mundo religioso filosófico, mas que começou a ser organizado como um sistema e como um movimento religioso, em 1848, devido a fenômenos psíquicos produzidos pelas irmãs Fox. Esses fenômenos foram interpretados como manifestações de espíritos humanos desencarnados, que queriam comunicar-se com os vivos. A sede nacional do movimento foi estabelecida em Washington, D.C., nos Estados Unidos da América do Norte, em 1893. Desde então o movimento se internacionalizou, contando atualmente com milhões de adeptos por todo o mundo.

A palavra «espiritismo» pode indicar apenas um ponto de vista do mundo em que o espírito humano continua existindo, após a morte biológica, e é capaz de comunicar-se com pessoas vivas. Esse movimento afirma que o intercâmbio amigável com os espíritos que daqui partiram está de acordo com a vontade de Deus, sendo desejável tanto para a obtenção de informações como para a transmissão de valores e ensinamentos espirituais.

II. Ensinamentos

Atualmente, o espiritismo é um movimento religioso internacional, sendo impossível fazer um apanhado de todas as suas ramificações, em muitos países do mundo. Contudo, podemos afirmar que os espíritas comumente defendem as seguintes idéias:

1. O homem é um espírito e o seu corpo físico é um veículo da alma, para ser usado nesta esfera terrena, embora não faça parte essencial do seu ser.

2. O homem, na qualidade de espírito, naturalmente sobrevive ante a morte biológica; e o espírito, uma vez liberado do corpo, é capaz de comunicar-se com os seres humanos que aqui continuam. Outrossim, tal comunicação seria desejável e benéfica.

3. Há muitas esferas de desenvolvimento espiritual, e a alma, naturalmente, gravita até o nível compatível com o seu próprio desenvolvimento espiritual.

4. O progresso, no mundo dos espíritos, é infindo, e caminha na direção da perfeição. Há julgamentos, mas estes visam orientar a alma, e não condená-la

507

ESPIRITISMO

ou fazê-la estagnar.

5. Quase todos os espíritas são universalistas, acreditando que é inevitável que todas as almas, finalmente, cheguem a atingir a perfeição.

6. O homem foi criado dotado de livre arbítrio, e Deus manipula as coisas de tal maneira que o homem escolhe o que é bom, *afinal* de contas, para seu **próprio bem-estar**, embora isso possa envolver um tempo realmente prolongado, em alguns casos.

7. *Profetas e médiuns*. Os espíritas supõem que os profetas eram médiuns, tanto no sentido que eles foram mediadores da mensagem de Deus como no sentido que tinham experiências místicas não muito diferentes (ou mesmo, em muitos casos, idênticas) das dos médiuns de nossos dias. Para muitos espíritas, Jesus foi o maior de todos os profetas, ou, pelo menos, pode ser contado entre os maiores. Entretanto, eles não crêem que ele tenha sido Filho de Deus, em sentido ímpar, como membro da Trindade. Seria diferente dos outros homens, apenas em face de um superior desenvolvimento espiritual.

8. Para os espíritas, a imortalidade da alma é suficiente, mesmo sem a ressurreição do corpo. A ressurreição de Cristo é por eles interpretada em termos da comunicação de um espírito, e não que seu corpo físico voltou a ter a vida biológica.

9. *A terceira revelação*. O espiritismo teve início sem quaisquer escrituras deles mesmos e usavam outros livros sagrados com propósitos de doutrinamento. Entretanto, atualmente há um grande acúmulo de material escrito, proveniente de muitas fontes, afirmando ser altamente desenvolvido e inspirado por espíritos desencarnados. Esse material passou a ser reputado como uma *terceira revelação*, em relação ao Antigo e ao Novo Testamentos, que seriam a primeira e a segunda revelações.

10. *A reencarnação*. Os espíritas franceses e brasileiros acreditam nessa doutrina, mas os **anglo-saxões** tendem por não crer na mesma. Todavia, essa crença está se tornando, cada vez mais, parte integrante do sistema. Ver o artigo separado sobre o assunto.

Influências. O espiritismo intelectual, em seus primórdios, —quando começava a formular o seu sistema, devia muito a Emanuel Swedenborg. As datas deste foram 1688-1772. Era filho de um ministro luterano e homem de profundas experiências místicas. Alguns o têm considerado um místico poderoso; mas outros pensam que era um endemoninhado, de acordo com o dogma em que cada um se estriba em sua avaliação. Ao menos sabe-se que algumas das alegadas revelações, por ele recebidas, teriam sido dadas por meio de almas humanas desencarnadas. Swedenborg acreditava na autenticidade dessa fonte informativa, bem como na veracidade das mensagens recebidas, mas ele não dizia que outras pessoas deveriam buscar esse tipo de comunicação. Bem pelo contrário, ele desencorajava toda espécie de comunicação com os espíritos, pensando que só poderiam ser feitas, sob a vontade de Deus, a alguns poucos indivíduos capazes de controlar o fenômeno e beneficiar-se do mesmo. Ver o artigo separado a seu respeito.

III. Primeiros Espíritas Bem Conhecidos

O espiritismo espalhou-se rapidamente pelo mundo ocidental. Apesar de atrair somente pessoas das classes menos educadas, em grande número, houve alguns poucos homens de distinção que se deixaram convencer de sua verdade. Entre aqueles que poderíamos mencionar estão Alfred Russel Wallace, um eminente biólogo, John Ruskin e Sir Arthur Conan Doyle, do mundo literário, e Sir William Barret, Sir William Crookes, Sir Oliver Lodge e Camille Flammarion, do mundo científico. Alguns notáveis médiuns do século XIX, tornaram-se figuras internacionais. Henry Slade, embora desmascarado como fraudulento, em algumas instâncias, aparentemente conseguia notáveis fenômenos. Também houve D.D. Home, que trabalhava em plena luz do dia e por várias vezes foi observado por cientistas qualificados. Os seus fenômenos de todas as variedades foram tão numerosos e tão extraordinários que a palavra «ciência» não teria significado, a menos que se admita que o que ele costumava fazer não tem qualquer explicação natural.

IV. Objeções Cristãs

A leitura da lista de doutrinas, na segunda seção, acima, cria problemas para o crente comum. A tese central do espiritismo — a desejabilidade de comunicações com espíritos de mortos — mesmo quando admitida como possível, é uma violação aos mandamentos do Antigo Testamento, que proíbe contactos com espíritos familiares e com a feitiçaria. O pecado máximo de Saul foi a consulta que ele fez com a pitonisa (I Samuel 28). Ver também Isa. 8:19; Gál. 5:20 e Apo. 22:15, quanto a textos bíblicos que desencorajam e proibem esse tipo de prática. Os chamados espíritas cristãos, porém, retrucam que existem muitos níveis de espíritos desencarnados, devido ao seu desenvolvimento espiritual diferenciado, havendo aqueles que são prejudiciais, quando alguém entra em contacto com eles, e havendo aqueles que seriam benéficos. Portanto, uma condenação geral tem aplicação; mas o avanço no conhecimento e a experiência espiritual possibilitam e tornam desejável tirar proveito dessa fonte de informações. Alguns simplesmente supõem que os mandamentos do Antigo Testamento não devem ser considerados autoritários, e que a experiência espiritual ultrapassa essa palavra bíblica de cautela.

Algumas doutrinas cristãs distintivas, como o ensino bíblico sobre Cristo, a expiação pelo seu sangue e a ressurreição, são interpretadas de uma maneira que não concorda com os ensinamentos ortodoxos. Além disso, a identificação dos profetas bíblicos como se tivessem sido médiuns é apenas uma *eisegese* (que vede). O universalismo do espiritismo é combatido pela grande maioria dos cristãos. E, naturalmente, não concorda com a doutrina cristã comum.

Ecletismo. Se examinarmos as doutrinas alistadas na segunda seção deste artigo, não encontraremos qualquer novidade. A consulta aos mortos é tão antiga quanto a raça humana. O *animismo* (que vede) sempre pensou nessa possibilidade, e o animismo é a mais antiga religião humana. A maioria das religiões, incluindo o cristianismo, envolve casos especiais de contacto com os mortos. Por exemplo, Jesus, Moisés e Elias, no monte da transfiguração (Mat. 17). Algumas vezes, os mortos voltam para comunicar-se com os vivos, e até mesmo ministros evangélicos têm tido esse tipo de experiência. Mas, o que os cristãos realmente condenam é a formação de uma religião em torno desse fator, como o principal *modus operandi* do sistema. Os evangélicos liberais duvidam da autenticidade da reivindicação de que isso pode ser feito. Os evangélicos conservadores crêem que isso é possível, mas que o crente não deve imiscuir-se com os espíritos. Se, em algumas raras oportunidades, esse contacto se faz, sob a vontade de Deus, em casos especiais, então a questão deve ser deixada nas mãos de Deus; mas é um erro fazer do contacto com os espíritos a essência de nossa busca religiosa. Há

ESPIRITISMO

poderes mais elevados, com quem o contacto é legítimo. Acresça-se a isso que o mundo espiritual é muito complexo, e os poderes malignos estão sempre prontos a intervir e a prejudicar. É quase impossível alguém distinguir entre os poderes bons e os poderes malignos. Outrossim, o estado de transe deixa o indivíduo aberto para qualquer tipo de poder, e, por isso mesmo, encoraja as operações da malignidade.

V. Fenômenos Espíritas

Esses fenômenos são muitos e complexos, pelo que mencionamos aqui somente os mais representativos. Antes de tudo, temos toda a variedade de fenômenos psíquicos, como a telepatia, a clarividência, a retrocognição, o conhecimento prévio, a psicocinesia e a psicometria. Damos artigos separados sobre todos esses assuntos, os quais são revisados no artigo sobre a *Parapsicologia*.

Devemos adiantar aqui que todos os homens são espíritos, que todos os homens são psíquicos. Seria impossível ao menos movimentarmos o corpo físico, a menos que a mente ou espírito tivesse a capacidade de fazê-lo. O poder da mente sobre a matéria chama-se *psicocinesia*. De instante a instante exercemos essa capacidade. Os estudos sobre os sonhos têm mostrado quão comuns são a telepatia e a clarividência, em todas as pessoas. Esses poderes são perfeitamente naturais para todos nós, sendo moralmente neutros em si mesmos. Podem ser devidamente usados ou podem ser abusados, da mesma maneira que qualquer outra capacidade humana.

Muitos médiuns também atuam como curadores, o que é uma constante no espiritismo. Fenômenos tipo carismáticos, como o falar em línguas, também são comuns no espiritismo. Também há ali o equivalente à profecia, feita em estados de transe. Também há médiuns capazes de fazer levitar objetos, ou fazendo-os desaparecer, ou virem de lugares distantes, mediante a teleportação (que vede). Há comunicações com alegados espíritos, de muitas maneiras diferentes, como as vozes diretas, quando o aparelho fonador do médium é usado, com modificação do timbre da voz, ou através de trombetas, que podem ficar suspensas por poderes desconhecidos, no ar. Também há o aparecimento de espíritos que podem ser vistos, algumas vezes mediante o uso do ectoplasma do próprio médium (uma alegada forma de energia, tomada por empréstimo do médium), mas, de outras vezes, sem qualquer meio conhecido. Também há a escrita chamada *psicográfica*, em que a mão de um médium é movimentada por alguma força invisível. Um interessante fenômeno é o da música psíquica, segundo a qual, uma pessoa sem qualquer habilidade ou talento musical, quando entra em transe, é capaz de produzir música espantosamente bela. Alguns médiuns tornam-se notáveis escritores, e outros, pintores, quando estão em transe.

Outros importantes fenômenos são o *da voz*, — e o da projeção da psique. O fenômeno vocal envolve o registro de vozes paranormais em fitas gravadas. Isso tem sido conseguido até por pessoas que não são médiuns, mas a capacidade mediúnica parece ajudar. As mensagens assim captadas são as mais triviais, embora haja casos de mensagens notáveis. Esse fenômeno, ocasionalmente, envolve música do tipo mais complexo. Alguns médiuns têm a capacidade da projeção da psique (que vede). Ver também sobre *Voz, Fenômeno da*.

Autenticidade e Fraude. Todos os espíritas bem informados admitem que há fraudes nas sessões espíritas. Eles também reconhecem que há níveis diferentes de comunicação. Algumas alegadas comunicações são apenas manipulações das habilidades psíquicas dos médiuns. A telepatia pode extrair informes da mente de outra pessoa, dizendo um bocado de coisas sobre pessoas falecidas conhecidas por essa outra pessoa. Portanto, há mensagens que podem ser manipulações psíquicas de itens aproveitáveis nas mentes de pessoas vivas. Além disso, o mundo dos espíritos é complexo havendo espíritos de poder mental inferior ao espírito humano, como os elementares, embora também haja aqueles de tremenda energia mental. Há espíritos bons e maus; e até mesmo aqueles que parecem ser parcialmente bons e parcialmente maus. Ocorrem sessões psíquicas naturais e sessões fraudulentas. Há evidências de que podem ser dadas informações da parte de espíritos bons e de espíritos malignos. O quadro é tremendamente complexo. Precisamos admitir que, efetivamente, *algumas* comunicações procedem de espíritos humanos desencarnados. E, sendo esse o caso, retornamos à questão se é proprio e desejável que essas comunicações sejam recebidas, o que já foi discutido, acima.

VI. Naturalidade e Legitimidade dos Fenômenos Psíquicos

Os espíritas interessam-se pelos fenômenos psíquicos porque eles servem de meio para comprovar a realidade da sobrevivência da alma humana diante da morte biológica. Porém, não foram os espíritas que criaram esses fenômenos, e nem foram eles os primeiros a se interessarem pelos mesmos. De fato, foi Deus quem criou os fenômenos psíquicos, quando criou *psiques* (almas, espíritos). É mesmo impossível ser uma psique e não ter manifestações próprias desse tipo de ser. Os estudos feitos no terreno dos sonhos mostram que todas as pessoas têm certos conhecimentos do futuro (conhecimento anterior). Os sonhos podem ser influenciados pela telepatia. Quanto a um desdobramento desse assunto, ver o artigo separado sobre os *Sonhos*. Nosso artigo sobre a Parapsicologia também demonstra a universalidade e naturalidade dos fenômenos psíquicos. Essas coisas são moral e espiritualmente neutras. Podem ser sujeitadas a abusos ou podem ser devidamente usadas.

Os animais têm capacidades psíquicas? Há consideráveis evidências que demonstram que os animais têm capacidades psíquicas. Consideremos as seguintes experiências:

O Dr. Aristide Esser, psiquiatra do Rockland State Hospital, da cidade de Nova Iorque, demonstrou com sucesso as reações telepáticas dos animais. Em uma sala, em uma das extremidades do hospital, ele pôs dois cães de caça da raça beagle. Em outra sala, na outra extremidade do hospital, pôs o proprietário dos cães. A este foram mostrados «slides» de animais que ele deveria «caçar» e nos quais deveria «atirar», com um espingarda de ar comprimido. Quando ele atirava, os seus cães, muito longe dele, fechados em uma outra sala, ficavam muito agitados, ladrando, girando e saltando. Repetidas demonstrações mostraram que eles estavam captando as atitudes de seu dono. O Dr. Esser declarou que não há dúvida de que alguns cães, especialmente aqueles que têm íntima relação com seus donos, possuem uma percepção **extra-sensorial altamente desenvolvida.**

Uma outra experiência dessas foi a seguinte: uma jovem mulher apresentou-se como voluntária. Ela era proprietária de um cão de raça boxer. Não sabia qual tipo de experiência seria feita. Ela simplesmente ficou em uma sala, aguardando. Em uma outra sala, distante, foi deixado seu cão, sob observação. As batidas do coração do cão estavam sendo registradas

ESPIRITISMO — ESPÍRITO

por um aparelho. Subitamente, sem qualquer aviso prévio para a mulher, um homem entrou no quarto onde ela estava e começou a ameaçá-la. Tudo era arranjado, mas ela de nada sabia e, naturalmente, ela ficou assustada e chocada, sem saber que aquilo fazia parte da experiência. Entrementes, o cão da mulher, no mesmo momento, ficou alarmado e as batidas de seu coração se aceleraram. Experiências dessa natureza feitas por reiteradas vezes, convenceram o dr. Esser de que há uma íntima comunicação telepática entre um homem e o seu cão. Porém, poderiam os cães comunicar-se, telepaticamente, uns com os outros? O dr. Esser pensa que sim. Ele pôs um filhote de cão em uma sala, e a mãe do animalzinho em outra sala. Então, um experimentador atacou o cãozinho com um jornal dobrado. O animalzinho, naturalmente, reagiu, apavorado. E na outra sala, onde não podia ouvir coisa alguma, a cadela reagiu com o mesmo terror, embora não estivesse sendo ameaçada de maneira alguma. E outros testes têm demonstrado que formas inferiores de vida, como peixes, ou mesmo insetos, reagem a ordens psíquicas ordenadas por seres humanos.

Desnecessário é dizer, que dificilmente podemos acusar as possessões demoníacas por esses tipos de fenômenos, a menos que queiramos admitir que os demônios gostam de envolver-se com as *baratas!* (um dos insetos envolvidos nessas experiências). Poderes espirituais mais elevados também possuem esses poderes, pelo que podem ser produzidos em pessoas por meio dessas forças negativas. Porém, as próprias forças fazem parte da vida. Não são negativas ou positivas por si mesmas, embora possam ser utilizadas de formas boas ou más.

Conclusão. Um ponto positivo da atuação dos espíritas é o interesse que eles têm em promover o conhecimento sobre a alma, além de seu profundo interesse por obras de caridade. Mas a debilidade do espiritismo é que eles fazem da tentativa da comunicação com os espíritos desencarnados uma religião, deixando-os em uma situação misteriosa e potencialmente perigosa. Os ensinos do espiritismo, à parte desse *modus operandi* de sua fé, são comuns a outros sistemas, e precisam ser julgados um por um, e não como um grupo de ensino. O estudo dos fenômenos psíquicos é tão legítimo como o estudo da matemática ou da biologia. Ninguém ganha coisa alguma com a ignorância. Há muitas sociedades ao redor do globo, hoje em dia, cujo alvo é estudar essas questões; e a atividade delas é perfeitamente legítima. Está surgindo uma ciência *da psique* (a alma e suas manifestações), e, algum dia, ela será tão comum como as disciplinas que agora fazem parte do currículo de nossas escolas elementares. Muitas pessoas de mente religiosa e científica sabem disso, e tanto a comunidade religiosa quanto a comunidade científica, finalmente, chegarão a essa mesma conclusão. Os pioneiros em qualquer campo do conhecimento humano sempre são vilipendiados, quando manifestam, pela primeira vez, as suas idéias.

Platão defendia a natureza *espiritual* da vida *inteira*, e não apenas da vida humana. Os corpos biológicos são meros veículos que abrigam forças psíquicas. Isso ocorre no caso de todos os animais. *A vida é psíquica.* A matéria atua apenas como um veículo de manifestação neste mundo. Por causa disso, os fenômenos psíquicos encontram-se onde quer que a vida se manifeste. Quanto mais aprendermos a esse respeito, bem como acerca de todos os assuntos, tanto saberemos a respeito da mente divina. (AM B E F FAT (junho de 1986), «Do Animals have Extrasensory Perception?»)

ESPÍRITO

Ver os artigos detalhados sobre **Alma e Imortalidade.**

Podemos estudar com maior proveito o conceito de «espírito», nas páginas da Bíblia, acompanhando o seguinte esboço:

Esboço:
I. Termos Usados
II. Espírito como um Ser Inteligente, Destituído de Corpo
III. O Princípio Vital do Homem
IV. A Ajuda da Ciência e o Sobre-Ser
V. O Ser Essencial do Homem
VI. A Disposição Dominante do Homem

I. Termos Usados

O Antigo Testamento usa a palavra **ruach** por quase quatrocentas vezes. Esse substantivo deriva-se de um verbo que quer dizer «respirar» ou «soprar». O substantivo pode ser traduzido como «respiração» (por exemplo, Sal. 18:15; em português, «resfolgar»), «vento» (por exemplo, Gên. 8:1) ou «espírito».

O termo grego *pneuma* (ligado ao verbo **pnéo**, «soprar» ou «respirar») também é usado com grande freqüência no Novo Testamento, trezentas e setenta vezes. Pode significar «sopro» (por exemplo, II Tes. 2:8), «vento» (por exemplo, João 3:8), mas, na maioria esmagadora das vezes, «espírito», indicando ou o Espírito de Deus, ou o espírito humano, ou algum outro ser espiritual qualquer.

II. Espírito como um Ser Inteligente, Destituído de Corpo

A definição de *pneuma* no Novo Testamento (o que tem algum paralelismo com o termo hebraico *ruach*, que lhe corresponde no Antigo Testamento), cobre um largo espectro de significados. Refere-se a algum ser inteligente, dotado de sentimentos, destituído de corpo, pelo que é o elemento em virtude do qual um ser vivo é inteligente, dotado de sentimentos, etc. Todo espírito é vivo, mas não está necessariamente envolvido com alguma forma material, como é o caso, por exemplo, dos anjos e dos demônios, que nunca tiveram corpos físicos, mas que, nem por isso, são destituídos de todas as qualidades próprias de personalidade.

a. *Deus como Espírito.* Foi o próprio Senhor Jesus quem definiu Deus como um espírito, tendo ajuntado que os seus adoradores precisam adorá-lo «em espírito e em verdade» (João 4:24). Também é no Novo Testamento que a Bíblia desenvolve a doutrina do Espírito Santo, mostrando claramente a personalidade do Espírito de Deus, contrariando a opinião de alguns que imaginam que o Espírito de Deus é apenas alguma influência ou emanação divina. Cabe-nos observar aqui, entretanto, que o Antigo Testamento, a despeito de seu rico antropomorfismo quando se refere a Deus, deixa entendido, com bastante freqüência que Deus é um espírito. Ali o Espírito de Deus manifesta-se ativo na natureza e nas vidas dos homens, de diversas maneiras. Ver sobre o *Espírito Santo.*

b. *Outros Seres Espirituais.* Deus criou seres vivos que são «espíritos», os quais são moralmente responsáveis diante dele, embora destituídos de corpo físico. E também criou o homem, que é um espírito dotado de corpo físico. Portanto, na criação há uma verdadeira escala: Deus (espírito perfeitíssimo, a origem de qualquer outra vida); os anjos (espíritos puros, sem corpo físico); o homem (um misto de espírito e corpo físico); e os animais (seres vivos dotados de alma e corpo, mas não de espírito, pelo

ESPÍRITO

menos segundo a opinião de muitos estudiosos). A existência dos espíritos angelicais e a influência que exercem sobre os homens são pontos referidos em vários trechos do Antigo e do Novo Testamentos, conforme se vê em I Reis 22:21; Jó 4:15; Luc. 24:39; Atos 23:8. Esses espíritos podem ser bons espíritos ministrantes, que atuam favoravelmente aos homens (Heb. 1:14), ou então podem ser espíritos malignos (Juí. 9:23; I Sam. 16:14 ss; Mat. 10:1). Os homens podem ser habitação do Espírito de Deus, a quem obedecem; ou podem ser vítimas daquele que é descrito como o «espírito que agora atua nos filhos da desobediência» (Efé. 2:2). Os falsos mestres são precisamente aqueles que são impulsionados por «espíritos enganadores» (I Tim. 4:1). É por causa da existência e atuação destes últimos que os crentes precisam atender ao conselho dado pelo apóstolo João: «...provai os espíritos se procedem de Deus, porque muitos falsos profetas têm saído pelo mundo afora» (I Jo. 4:1). Esses falsos profetas, atuados por espíritos demoníacos, empenham-se em negar as verdades que cercam a pessoa de Jesus Cristo, o Deus-homem.

c. *Espíritos Humanos Desincorporados*. Algumas poucas passagens bíblicas aludem ao espírito humano separado do corpo por ocasião da morte física. Para exemplificar, o trecho de Hebreus 12:23 fala sobre os «espíritos dos justos aperfeiçoados», ao passo que I Pedro 3:19 fala em «espíritos em prisão». Essas referências bíblicas não são contrárias à esperança final, expressa por- Paulo, por exemplo, em II Coríntios 5:1-5, no sentido de que, depois desta vida terrena, o homem não será um espírito nu, e, sim revestido de um corpo celestial.

III. O Princípio Vital do Homem

Por várias vezes em que a palavra «espírito» é empregada no Antigo e no Novo Testamentos ela indica o princípio vital ou energia de vida do homem (e, ocasionalmente, a energia vital de animais irracionais, como se vê, por exemplo, em Ecl. 3:21). Deus é quem outorga esse espírito de vida ao homem (Isa. 42:5; Zac. 12:1), e é ele quem sustenta esse espírito de vida (Jó 10:12). Tanto na vida terrena, como quando por ocasião da morte, quando o espírito separa-se do corpo físico, o homem só pode entregar o seu espírito aos cuidados de Deus (Sal. 31:5; Ecl. 12:7; Luc. 23:46).

Em um sentido menos absoluto, o espírito humano também é a animação e a vivacidade que ele possui, física e psiquicamente. E quando um homem se desanima, ou perde a coragem, segundo as Escrituras é descrito como a falha ou a partida do espírito de dentro dele (por exemplo, Jos. 5:1; I Reis 10:5; Sal. 142:3; 143:4,7; Eze. 21:7). Paralelamente a isso, a restauração após esse estado é descrita como se o espírito retornasse ou estivesse sendo reavivado dentro do homem (por exemplo, Gên. 45:27; Juí. 15:19; I Sam. 30:12). Assim, a ressurreição física da filha de Jairo foi descrita como a volta de seu espírito ao seu corpo físico, de acordo com Luc. 8:55. Ademais, a renovação da vida em sua correta relação com Deus, é citada como a doação de um novo espírito (Eze. 11:19; 36:26; Rom. 7:6), enquanto que a contínua operação da graça divina é o reavivamento do «espírito dos abatidos» (Isa. 57:15). E, dentro da comunhão cristã, um crente tem o seu espírito refrigerado por outro crente (I Cor. 16:18 e II Cor. 7:13).

Isso conduz ao contraste entre a carne e o espírito, que se acham tanto no Antigo quanto no Novo Testamentos, embora mais definidamente neste último. O homem total é composto de corpo e espírito. Tanto o corpo quanto o espírito podem ser contaminados (II Cor. 7:1); e ambos podem ser santificados (I Cor. 7:34). O espírito, todavia, é o princípio vital, a pessoa real, o «eu» interior, ao passo que o corpo físico é a personalidade externa. No dizer de Tiago 2:26, o corpo, destituído do espírito, está morto. A carne pode ser destruída e o espírito pode ser salvo (I Cor. 5:5). Uma pessoa pode estar presente em espírito, embora ausente no corpo (Col. 2:5). Em passagens como João 3:5-8; Rom. 8:3-14 e Gálatas 4:21—5:26, a distinção entre carne e espírito corresponde à vontade e ao poder do homem, à parte de Deus, que faz o que ele prefere, e a vida, à vontade e ao poder dados pelo Espírito de Deus, que capacita o homem a fazer aquilo que Deus prefere.

Na Bíblia também vemos a comparação entre «a letra» e «o espírito», o que aponta para a mera obediência ao código escrito da lei mosaica, em contraste com a observância misturada com o entendimento do propósito da lei, bem como com o amor que procede do coração (por exemplo, Rom. 2:27;28 e II Cor. 3:6 ss).

Já a distinção entre a alma e o espírito é mais difícil, se não mesmo impossível. Há trechos (por exemplo, Isa. 26:9) do Antigo Testamento quando o «espírito» (no hebraico, *ruach*) e a «alma» (no hebraico, *nephesh*) são paralelos. Da mesma forma há lugares onde «espírito» e «coração» (no hebraico, *leb*) são paralelos (por exemplo, Isa. 57:15; Dan. 5:20). Em outras oportunidades, *ruah* é o princípio ativador, ao passo que *Nephesh* é o ser vivo que assim é produzido. Isso se vê desde Gên. 2:7: «Então formou o Senhor Deus ao homem do pó da terra, e lhe soprou nas narinas o fôlego da vida (*ruah*), e o homem passou a ser alma (*nephesh*) vivente».

No *Novo Testamento* parece haver alguns poucos trechos onde o homem é considerado composto de três elementos principais. É o que se verifica com I Tessalonicenses e Hebreus 4:12. No entanto, o primeiro desses textos bíblicos não precisa ser interpretado em termos rígidos, como se Paulo estivesse ensinando que o homem é um ser *tripartido*. — Hebreus 4:12 mostra que a alma pode ser distinguida do espírito, embora haja dificuldades de interpretação envolvidas. — Por essa razão, muitos estudiosos tem preferido pensar que esse versículo está falando sobre um aspecto *superior* (o espírito), e um aspecto *inferior* (a alma) da porção imaterial do homem, de sua vida psíquica. Nesse caso, a alma seria a manifestação da porção imaterial do homem para com o mundo; e o espírito seria a manifestação dessa mesma porção imaterial para com Deus. Essa interpretação tem a decisiva vantagem de concordar com aqueles outros trechos do Novo Testamento que mostram que o homem é um ser bipartido; corpo e espírito. Uma vez mais, alma (*psuché*) e espírito (*pneuma*) aparecem como termos paralelos (ver Luc. 1:46,47). Mas ver IV., a seguir.

O trecho de I Coríntios 2:14,15 é aquele que estabelece a mais clara distinção entre os *psuchikoi*, que seriam indivíduos cujas vidas não são influenciadas pelo Espírito de Deus, e os *pneumatikoi*, que seriam indivíduos dirigidos pelo Espírito Santo (cf. Judas 19).

IV. A Ajuda da Ciência e o Sobre-ser

Estudos, em universidades, que procuram demonstrar o que o homem é, têm mostrado, certamente, que o complexo de energias que constituem o homem, são *pelo menos* três. A experiência humana na separação de energias na morte, mostra que o homem

511

ESPÍRITO — ESPÍRITO DE DEUS

é mais do que dualista. A volta do ser essencial depois dos primeiros passos da morte (depois da morte clínica do corpo) não é uma experiência rara. Estudos sobre esse acontecimento mostram que na separação de energias, no momento da morte, três energias são envolvidas, sendo a energia do *corpo*, a *vitalidade*, e o *ser essencial*, a alma (espírito). Talvez possamos usar as palavras *corpo*, *mente* e *alma* para designar estas energias. Estudos sobre estas questões podem ser classificados como preliminares, mas até o ponto onde temos chegado, podemos afirmar que o homem é, pelo menos, um ser *triúno*. A *vitalidade*, aparentemente, é uma energia *semifísica*. Ver o artigo separado sobre *Experiências Perto da Morte*.

No que concerne a propósitos práticos, pode-se dizer que o homem é uma *trindade*, tal como Deus é *triúno*, pois é assim que ele se manifesta presentemente. E isso não é argumento desprezível, posto que o homem foi criado segundo a imagem de Deus, parecendo que, naturalmente, sua natureza se manifesta também mediante *três* elementos. Porém, no que concerne à real natureza *metafísica* do homem, pode-se dizer apenas que nosso conhecimento a respeito ainda é pequeno, pois nesse campo reina profundo *mistério*. O que é certo é que no homem há muito mais que o corpo e a alma, ou seja, a parte material e a parte imaterial, que é a grande tese da dicotomia. Ver o artigo separado sobre *Dicotomia-tricotomia*. Ver também sobre *Imortalidade*.

O Sobre-ser. Religiões orientais postulam um *quarto* elemento no complexo de energias que constituem o *homem*. O *Sobre-ser* é considerado o *verdadeiro* homem, um ser de elevada natureza e posição, semelhante ao *anjo da guarda* do cristianismo. Mas o *Sobre-ser* seria o próprio homem, ou a entidade verdadeira da pessoa, enquanto que a *alma* seria sua manifestação controlada e utilizada por ele, da mesma maneira que o corpo é utilizado pela alma. O *Sobre-ser*, segundo estas religiões, é capaz de se encarnar em mais do que um corpo ao mesmo tempo, como a mão controla cinco dedos que são, ao mesmo tempo inter-relacionados e, coletivamente, associados à mão. — Segundo esta doutrina, cada pessoa terrena representa mero *fragmento* de seu *ser verdadeiro*. Atrás de cada pessoa há uma força espantosa, e esta força é a *própria pessoa* em outra e mais alta dimensão, como no cristianismo o anjo da guarda é uma força que acompanha a pessoa, mas que pertence a uma outra *dimensão*. Esta doutrina não elimina, obviamente, outros seres mais altos, como os anjos, por exemplo, mas exalta poderosamente a natureza humana, dando a ela uma explicação altamente espiritual. De modo semelhante, as Escrituras declaram que o homem é um pouco mais baixo do que os próprios anjos, Salmo 8:5.

V. O Ser Essencial do Homem

Com base no fato de que o espírito é considerado o princípio vital do homem, daí as Escrituras passam a apresentar o espírito como a fonte e a sede do discernimento, da sensibilidade e da vontade, ou seja, o ser essencial do homem. Isso explica muitos usos da palavra «espírito», no Antigo e no Novo Testamentos. Assim, o espírito do homem é despertado (Esd. 1:1,5), ou perturbado (Gên. 41:8); regozija-se (Luc. 1:47), ou fica abatido (Êxo. 6:9); mostra-se bem disposto (Mat. 26:41), ou é endurecido (Deu. 2:30). Um homem pode mostrar-se paciente no espírito (Ecl. 7:8), orgulhoso ou humilde de espírito (Mat. 5:3). Provérbios 25:28 mostra a necessidade de controlarmos nosso próprio espírito. É o espírito do homem que busca a Deus (Isa. 26:9); e é ao espírito humano que o Espírito de Deus dá testemunho (Rom. 8:16).

Nesse sentido, o espírito de uma pessoa pode influenciar ou mesmo dominar o espírito de outra pessoa. É possível que outras pessoas tenham o espírito de Moisés (Núm. 11:17,25), ou de Elias (II Reis 2:9,15; Luc. 1:17). Por semelhante modo, uma pessoa pode ser influenciada pelo espírito deste mundo (I Cor. 2:12), ou pelo espírito de profetas falsos (Eze. 13:3).

VI. A Disposição Dominante do Homem

Muitas operações do ser essencial do homem são consideradas como atos do seu espírito. Daí é preciso um pequeno salto para descrever o espírito humano em termos de alguma atitude ou disposição dominantes. Assim, um homem pode ter um espírito altivo ou humilde (Pro. 16:18,19), um espírito de inveja (Núm. 5:14), um espírito de servidão (Rom. 8:15), um espírito de estupor (Rom. 11:8) ou um espírito de sabedoria (Deu. 34:9). Quanto a essa questão, é digno de atenção que o grego com freqüência usa o substantivo em lugar do adjetivo. Para exemplificar, «espírito de brandura» (Gál. 6:1) equivale a «espírito manso e tranqüilo» (I Ped. 3:4). Finalmente, quanto a esse tipo de uso, há ocasiões em que é difícil dizermos com certeza se o que está sendo descrito é alguma disposição ou é algum espírito maligno que estaria produzindo aquela má disposição, ou então o Espírito de Deus, que possibilitaria a boa disposição. Quando a passagem de Romanos 8:15 fala sobre «o espírito de adoção», ou quando lemos: «...espírito de sabedoria e de revelação», em Efésios 1:17, então é difícil o estudioso da Bíblia mostrar-se dogmático sobre como a palavra *espírito* é empregada nesses trechos. O Espírito Santo vem habitar com o espírito humano, outorgando-lhe «...espírito... de amor e de moderação» (II Tim. 1:7).

ESPÍRITO ADIVINHADOR

Ver sobre **Pitonisa**.

ESPÍRITO DE DEUS

Esboço

  I. Operações Históricas entre os Homens
  II. Nomes do Espírito
  III. O Espírito é uma Pessoa
  IV. Sumário de Qualidades e Atribuições
  V. Espírito da Verdade
  VI. Testemunha da Salvação dos Crentes
  VII. A Obra e a Orientação do Espírito
VIII. Autor de Inspiração
  IX. O Espírito de Cristo é o Espírito de Deus
  X. Dons do Espírito

I. Operações Históricas entre os Homens

1. Ele atuou na criação, Gên. 1:2 mas como agente de Deus, em relação aos homens, nas páginas do A.T., o Espírito Santo não era outorgado como dádiva *permanente*. Aparentemente isso sucedia até mesmo no caso dos profetas, embora seja seguro pensarmos que os homens mais profundamente espirituais daquele período possuíam o dom do Espírito por tempos mais dilatados que o comum. (Ver Mal. 2:15 e Sal. 51:11). A operação do Espírito Santo, nos tempos do A.T., era equivalente ao que sucede no período neotestamentário, pelo menos em termos gerais, excetuando o fato de que ele então não habitava permanentemente no crente, conforme sucede aos crentes do N.T., segundo é expressamente ensinado nas Escrituras. No A.T., o Espírito Santo é retratado a lutar com os homens (ver Gên. 6:3), a iluminá-los (ver Jó 32:8), a dar-lhes forças especiais

ESPÍRITO DE DEUS

(ver Juí. 14:6,19), a conceder-lhes sabedoria (ver Juí. 3:10; 6:34), a outorgar-lhes revelações (ver Núm. 11:25 e II Sam. 23:2), a prestar-lhes instruções sobre à sabedoria, o entendimento, o conselho, o poder, a bondade e o temor de Deus (ver Isa. 11:2) e a administrar-lhes a sua graça (ver Zac. 12:10).

2. Durante a vida terrena do Senhor Jesus, a atuação do Espírito Santo acompanhava as linhas gerais estabelecidas no A.T., com a exceção que houve então a promessa da vinda do Espírito Santo como *alter ego* de Cristo, como quem haveria de dar continuidade à presença e à obra de Cristo no mundo, como agente de sua personalidade. (Ver João 14:15-17,25,26; 15:27; 16:5-15). O Senhor Jesus ensinou aos seus discípulos, quando de sua presença entre os homens, que o Espírito Santo lhes seria dado em resposta às suas orações. (Ver Luc. 11:13).

3. Quando do encerramento de seu ministério terreno, Jesus prometeu que ele mesmo rogaria ao Pai, a fim de que o dom do Espírito Santo fosse *amplamente outorgado* aos seus seguidores. (Ver João 14:16,17).

4. Na noite do dia em que ressuscitou, Cristo deu aos seus discípulos, no cenáculo, um bafejo *preliminar* do Espírito Santo, como promessa e garantia do dom mais completo que se seguiria, ao soprar sobre eles, provavelmente no mesmo cenáculo. (Ver João 20:22).

5. No dia de Pentecoste, o Espírito Santo desceu sobre todos quantos estavam reunidos no mesmo cenaculo, em um total de cerca de 120 pessoas. Não se há de duvidar que essa dádiva do Espírito envolveu mais do que os doze apóstolos, segundo fica subentendido no trecho de Atos 2:14, como também na profecia de Joel, conforme Simão Pedro mencionou em seu sermão, como interpretação daquela extraordinária ocorrência, que acabara de suceder. (Ver Atos 2:16-21 e Joel 2:28-32). Essa profecia revela-nos como o Espírito haveria de ser derramado sobre toda a carne, de modo *pleno* e transbordante. Os cento e vinte irmãos reunidos no cenáculo, pois, foram os primeiros a experimentar isso.

6. O restante da história diz respeito a como esse dom *se expandiu* a ponto de abarcar todos os povos; tanto aos judeus (evidentemente através da imposição de mãos, como método principal—ver Atos 8:17 e 9:17) como aos gentios (sem imposição de mãos, mas assim exerceram fé—ver Atos 10:44 e 11:15-18).

7. *Todo crente* deve possuir o Espírito Santo, pois de outro modo nem crente é. Isso pelas seguintes razões: a. Todo crente é nascido do Espírito (ver João 3:3,6 e I João 5:1). b. Todo crente é habitado pelo Espírito (ver I Cor. 6:19; Rom. 8:9-15; I João 2:26 e Gál. 4:6), e é assim que o crente se torna templo de Deus. c. Todo crente possui o que se chama de batismo do Espírito (ver I Cor. 12:12,13; I João 2:20,27). d. Esse batismo é o selo de Deus que lhe assegura a obra final e completa da graça divina em sua vida (ver Efé. 1:13 e 4:30).

8. Mas nem todo crente é *igual* aos demais, na questão da experiência da presença habitadora do Espírito Santo ou da vida espiritual que ele nos concede (ver Atos 2:4 em comparação com Atos 4:29-31). Esses passos bíblicos mostram-nos que até mesmo os discípulos originais, que miraculosamente receberam o Espírito Santo, no dia de Pentecoste, depois receberam-no *novamente*, de maneira notável. Com base nessa informação, podemos supor que *não há limites* para o que o Espírito Santo pode e quer fazer na vida do crente, dependendo das circunstâncias e da obediência pessoal daquele a quem o Espírito infunde. Outrossim, nem todos os seguidores de Cristo são iguais na questão dos dons que o Espírito Santo dá, porque isso depende, por semelhante modo, da experiência espiritual que o indivíduo tem com Deus, de sua obediência, de sua receptividade e de sua busca diligente pelas realidades espirituais.

No que concerne à questão do batismo do Espírito Santo, conforme o termo é usado em trechos como I Cor. 12:12,13 e I João 2:20,27, esse é o batismo que unifica todos os crentes, vinculando-os uns aos outros. Essa é a *operação fundamental* do Espírito Santo na comunidade da igreja cristã, pois com a mesma ele infunde em todos os crentes algo da realidade que Cristo é, assegurando-lhes o seu destino apropriado, como discípulos seus. Todavia, se todos bebem assim do Espírito, por outro lado, no tocante à questão de alguma dádiva especial, como preparação para o serviço cristão, dotação de poder e de dons espirituais, como o falar em línguas e outras manifestações espirituais (segundo o parecer de muitos, nem sempre há o acompanhamento do falar em línguas, nessas manifestações especiais), é mister que se diga que nem todos os crentes são *assim* «batizados».

II. Nomes do Espírito

Quais são os nomes que o Espírito Santo recebe nas páginas do N.T.? Ele é chamado de: a. Espírito de Deus (ver Rom. 8:14); b. Espírito de Cristo (ver Rom. 8:9); c. Espírito do Pai (ver Mat. 10:20); d. Espírito do Senhor (ver II Cor. 3:17); e. Espírito Santo (ver Atos 2); f. Espírito de sabedoria e revelação (ver Efé. 1:17); g. Espírito de poder, de amor e de bom senso (ver II Tim. 1:7); h. Espírito de adoção ou de oração (ver Rom. 8:15); i. Espírito de santificação (ver Rom. 1:4); j. Espírito de vida (ver Rom. 8:10); l. Espírito de mansidão (ver I Cor. 4:21); m. Espírito de consolo (ver Atos 9:31); n. Espírito da glória (ver I Ped. 4:14); o. Espírito de selagem, garantia da vida eterna (ver Efé. 1:13,14); p. Espírito de todas as bênçãos carismáticas cristãs (ver I Cor. 12:4); q. Espírito da verdade (ver João 14:27; 15:27; e 16:13); r. Paracleto, Ajudador (ver João 14:16).

III. O Espírito é uma Pessoa

As obras e características desta Pessoa Divina.

O Espírito Santo é um ser vivo, dotado de personalidade própria, não sendo meramente uma influência ou emanação de Deus. Antes, é uma pessoa, claramente divina, que faz parte da trindade da deidade. (Ver João 14:16,17,26; 16:7-15 e Mat. 28:19).

1. Como o Espírito Santo é visto no A.T.? Ele é visto como: a. Uma *pessoa* divina, dotada de atributos divinos (ver Gên. 1). b. Compartilhou da obra da criação, o que nos pode dar a entender a sua onipotência (ver Gên. 1:2; Jó 26:13 e Sal. 104:30). c. Dotado de onipresença (ver Sal. 139:7). d. Testifica aos homens no tocante ao pecado e à justiça (ver Gên. 6:3). e. Age como agente iluminador do entendimento humano (ver Jó 32:8). f. Dota os homens de poder (ver Êxo. 28:3 e 31:3). g. Aparece como o Espírito de sabedoria (ver Juí. 3:10—6:34; 11:29 e 13:25). h. Inspira as declarações divinas e as profecias (ver Núm. 11:25 e II Sam. 23:2). i. É um agente que ajuda aos servos de Deus (ver Sal. 51:2; Joel 2:23; Miq. 3:8 e Zac. 4:6). j. É santo e bom (ver Sal. 51:11 e 143:10). l. Age como juiz (ver Isa. 4:4). m. Possui os atributos de sabedoria, entendimento, conselho, poder, bondade, conhecimento, e *inspira o temor de Deus* (ver Isa. 11:2). n. *Influencia* e vem habitar nos homens em ocasiões especiais, para realizar propósitos especiais, não o fazendo permanentemente (ver Sal. 51:11; não havendo nenhuma indicação no A.T. de que o

513

ESPÍRITO DE DEUS

Espírito descesse sobre qualquer pessoa, exceto os profetas ou outros indivíduos de importância, para alguma finalidade específica). o. A influência do Espírito Santo é vista atuante em três níveis, no A.T., a saber: i. no nível intelectual (ver Êxo. 28:3; 35:3,31; Deut. 34:9); ii. no nível moral (ver Sal. 51:11; Isa. 63:10 e 143:10); iii. no nível espiritual ou religioso (ver Osé. 9:7; Eze. 2:2 e 3:24). p. O Espírito Santo foi prometido para uma nova dispensação futura, em que se manifestaria de outras formas, a tal ponto que, nos tempos do Messias, ele seria derramado sobre «toda a carne» (ver Joel 2:28 e ss).

2. Como o Espírito Santo é visto no N.T.? Em face do fato de que o Novo Testamento se alicerça sobre o Antigo, é natural que a nova dispensação compartilhe, em termos gerais, das idéias da antiga, ainda que com algumas adições e esclarecimentos.

a. Em relação a Cristo, o Espírito Santo é visto na concepção da Virgem Maria (ver Mat. 1:18-20 e Luc. 1:23), é visto como aquele que ungiu e fortaleceu a Cristo, quando de seu batismo, para que ele pudesse dar início à sua missão especial como o Messias (ver Mat. 3:16). Também o Espírito Santo é visto como o agente capacitador de Cristo em seu labor, maneira de andar e serviço (ver Luc. 4:1,14), como a força ressuscitadora (ver Rom. 8:11) e, desde então até o presente, na qualidade de «alter ego» de Cristo neste mundo, o Espírito Santo é visto a realizar a obra de Cristo, como sua testemunha poderosa (ver João 15:26; 16:8-11,13,14).

b. Em relação a todos os homens o Espírito Santo é visto como uma *força influenciadora universal*, que testifica sobre o pecado, a retidão e o julgamento. Ele controla o mal que há no mundo e convence os homens do pecado, atuando sobre todos os homens através de sua influência, personalidade e presença (ver João 16:7-11). Podemos supor que o mundo seria intoleravelmente mau, não fora a influência do Espírito Santo, que constrange a iniqüidade inerente nos homens.

c. Em relação à igreja, o Espírito Santo é visto como o *único* que pode regenerar a uma alma, mediante seu toque operador e transformador (ver João 3:3-5). Todos os crentes, portanto, devem possuir o Espírito Santo (ver Rom. 8:9), ainda que a sua influência varie grandemente de um crente individual para outro, dependendo isso exclusivamente de como cada qual permite que o Espírito Santo o controle (ver Atos 2; Efé. 1:13,14 e 5:18). É igualmente o Espírito Santo que forma a unidade da igreja, em um corpo (ver Mat. 16:18; Heb. 12:23 e I Cor. 12:12,13, o que pode ser chamado de «batismo», ainda que não se trate de um batismo da mesma natureza com que o crente individual pode ser batizado). E é desse modo que a igreja se torna o templo do Espírito, seu lugar especial de manifestação (ver I Cor. 3:16,17). A presença habitadora do Espírito Santo, entre os crentes, deve ser contínua e perpétua (ver João 14:16). Essa presença habitadora produz frutos no crente, semelhantes à natureza moral positiva de Deus (ver Gál. 5:22,23). O alvo precípuo da implantação dos frutos do Espírito no crente, bem como de todas as suas operações na alma, é o de transformar os crentes segundo a imagem de Cristo, nos termos mais literais possíveis, de tal modo que estes venham a compartilhar da natureza moral e metafísica essencial de Cristo (ver Rom. 8:29; Efé. 1:23 e I Cor. 3:18). E, sendo o Espírito aquele que nos impulsiona na direção desse alvo, ele é o intercessor em favor dos crentes, orando naquilo que o crente nem ao menos é capaz de proferir, visando o benefício dos mesmos (ver Rom. 8:2-17). O Espírito Santo é igualmente a garantia da herança que os crentes têm em Cristo (ver Rom. 8:15-17). No funcionamento das igrejas locais, o Espírito Santo é o distribuidor de todas as manifestações carismáticas espirituais (ver I Cor. 12—14).

3. Os símbolos do Espírito Santo são os seguintes: a. O azeite (ver João 3:34 e Heb. 1:9). b. A água (ver João 7:38,39). c. O vento (ver Atos 2:2 e João 3:8). d. O fogo (ver Atos 2:3). e. A pomba (ver Mat. 3:16). f. O selo (ver Efé. 1:13 e 4:30). g. O pagamento inicial ou garantia (ver Efé. 1:14).

4. O Espírito Santo é o terceiro membro da *Trindade* santa (ver as notas expositivas referentes a João 5:6 no NTI).

«O pano de fundo sobre o que Paulo tem a dizer concernente ao Espírito Santo tem bases no A.T. Ali o Espírito aparece como o 'sopro de Deus', no sentido de ser a presença de Deus ou o poder de Deus como algo visível e operante no mundo. Somos informados de que o Espírito de Deus pairava por sobre o caos primevo (ver Gên. 1:2); que os profetas foram iluminados e fortalecidos pelo Espírito (ver I Sam. 10:10, além de muitas outras referências); que ninguém é capaz de fugir da presença do Espírito de Deus (ver Sal. 139:7). O Espírito de Deus é a presença auto-autenticador do poder de Deus. É ensinado no A.T. que o Messias seria especialmente dotado pelo Espírito Santo. E a nova dispensação, que Cristo inauguraria, haveria de ser uma era do Espírito Santo. Ora, um dos fatos mais certos e íntimos da primitiva comunidade cristã é que ela vivia em um ambiente de manifestações do Espírito. Esse Espírito se apresentava tanto como o Espírito eterno de Deus quanto como o Espírito de Jesus, — que era relembrado como companheiro e Mestre. A possessão do Espírito Santo, pois, era considerada o selo da ressurreição e o sinal seguro de que a nova era de fato começava. O Espírito Santo é como o pagamento inicial da glória futura, —que, portanto, deixa de ser assim inteiramente futura. O Espírito Santo (descrito em Rom. 5:5 como 'amor de Deus...derramado em nossos corações') é, portanto, a base empírica da fé e da esperança. Ele é a garantia tanto da significação do que ocorreu (isto é, a morte e ressurreição de Jesus, bem como a justificação dos crentes) como da realidade do que ainda acontecerá (ou seja, a volta de Cristo e a nossa total libertação do poder do pecado e da morte). É o Espírito Santo que reúne todas as peças componentes daquele acontecimento e que denominamos de revelação em Cristo, transpondo o hiato entre o passado e o futuro, o que, até este ponto, com tanta freqüência tem aparecido como importante característica e elemento do pensamento paulino». (John Knox, na introdução ao oitavo capítulo da epístola aos Romanos).

IV. Sumário de Qualidades e Atribuições

Um sumário de ensino bíblico sobre as qualidades e atribuições do Espírito Santo, seria mais ou menos o seguinte: 1. Ele é o Espírito *de Deus* (ver Rom. 8:14). 2. O Espírito *de Cristo* (ver Rom. 8:9). 3. O Espírito *do Pai* (ver Mat. 10:20); 4. O Espírito *do Senhor* (ver II Cor. 3:17). 5. O Espírito *Santo* (ver Atos 2). 6. O Espírito de *sabedoria e revelação* (ver Efé. 1:17). 7. O Espírito de *poder, de amor* e de *bom senso* (ver II Tim. 1:7). 8. O Espírito de *adoção* e de *oração* (ver Rom. 8:15). 9. O Espírito de *santificação* (ver Rom. 1:4). 10. O Espírito de *vida* (ver Rom. 8:10). 11. O Espírito de mansidão (ver I Cor. 4:21). 12. O Espírito de *consolo* (ver Atos 9:31). 13. O Espírito de *glória* (I Ped. 4:14). 14. O Espírito de *selagem*, a garantia da vida eterna (ver Efé. 1:13,14). 15. O Espírito de todas

ESPÍRITO DE DEUS

as manifestações *cristãs carismáticas* (ver I Cor. 12:4). (Extraído do comentário de Lange).

V. Espírito de Verdade

João 14:17: *a saber, o Espírito da verdade, o qual o mundo não pode receber; porque não o vê nem o conhece; mas vós conheceis, porque ele habita convosco, e estará em vós.*

«...O Espírito da verdade, que o mundo não pode receber...» o Espírito Santo é chamado de *Espírito da verdade* por causa dos seguintes pontos:

1. Ele *vem de Deus* e representa a verdade de Deus, a fonte de toda a verdade. Ensina os homens a verdade de Cristo.

2. Ele é a *revelação especial* e a iluminação da verdade do «Logos» eterno.

3. Ele é o revelador da *verdade de Jesus* em sua encarnação, bem como de sua manifestação entre os homens, isto é, das verdades que ele veio desvendar, visando o benefício da humanidade, por causa do ministério terreno de Jesus, o «Logos» encarnado.

4. Ele torna a *verdade objetiva* (a verdade divina) subjetiva para os homens, transmitindo-a para eles e fazendo-os compreenderam-na. Essa aplicação consiste particularmente na iluminação da plena verdade de Deus, segundo ela tem sido revelada em Cristo, para benefício dos homens.

5. Em sua própria pessoa ele *é a verdade*, porquanto ele mesmo é Deus, sendo especialmente por seu intermédio que os homens estão sendo transformados, para que venham atingir com êxito o seu destino como homens. Ele é a verdade metafísica revelada aos homens, porquanto produz essa revelação nos homens, administrando a vontade de Deus Pai. Ele produz em nós aquela transformação ética diária, e é através dessa operação que ele produz a transformação metafísica do ser humano, a fim de que os remidos se tornem participantes da natureza divina. (Ver II Cor. 3:18).

Além da presente referência ao Espírito Santo, chamando-o de «Espírito da verdade», também vemos essa verdade exposta nos trechos de João 15:26; 16:13 e I João 4:6.

6. Entre as cinco afirmativas atinentes do divino Ajudador, três chamam-no de Espírito da verdade: João 14:17; 15:26 e 16:13.

Cristo era a verdade encarnada, João 14:6.

Aquela fé religiosa que negligencia a Cristo, ou lhe confere posição inferior à que ele tem no N.T., é falsa. Ver Gál. 1:8,9.

O Espírito será o agente que conduzirá os homens a Cristo, aqueles que o Pai lhe deu. Ver João 15:26.

7. Na qualidade de «Espírito da verdade», o divino *Paracletos* guiaria os remidos a «...*toda a verdade*...» «Tenho ainda muito que vos dizer...» Isso teria lugar quando da continuação da obra de Cristo no mundo e nos corações de seus discípulos, mediante o ministério do Espírito Santo, antes e depois de sua ascensão aos lugares celestiais.

Ver o artigo separado sobre *Paracleto*.

VI. Testemunha da Salvação dos Crentes:

Rom. 8:16: *O Espírito mesmo testifica com o nosso espírito que somos filhos de Deus;*

«...O próprio Espírito testifica com o nosso espírito que somos filhos de Deus...» O Espírito Santo continua em foco em Rom. 8:16, e não o espírito humano ou o homem interior. Embora o Espírito de Deus é quem dê testemunho da filiação dos crentes, é o espírito humano que recebe esse testemunho.

«...*testifica com*...» Essas palavras significam que o Espírito de Deus reforça e acompanha o testemunho já existente no homem interior.

É devido a essa *consciência de filiação*, que tem origem divina, que os crentes aprendem, de maneira bem real, a chamar Deus de «Aba, Pai». Um indivíduo qualquer pode ter alguma inclinação para invocar a um poder superior, como se pedisse auxílio de seu pai; mas é o Espírito Santo que produz, no crente, o conhecimento espiritual e a íntima convicção dessa realidade, assegurando-lhe que Deus, o mais elevado de todos os poderes, é seu Pai, espiritualmente falando. Isso assegura a consciência não somente da dignidade de sua posição, mas também da natureza de sua transformação segundo a forma de vida divina. Ver Efé. 3:19.

O trecho de Gál. 4:6 é um paralelo quase exato deste versículo. Ali vemos que o Filho foi enviado por Deus Pai com o propósito distinto de criar, no coração humano, o clamor que diz: «Aba, Pai».

A *certitudo gratiae*, ou seja, a «certeza da graça», tem sido corretamente deduzida deste versículo, contrariamente ao parecer daqueles que pensam que ninguém pode ter real certeza de que está «salvo», ou que tem sido levado à justificação e à regeneração por meio da graça divina.

Testes de confirmação.

1. O próprio impulso íntimo que nos impele a considerar Deus como nosso Pai, invocando-o como tal.

2. A consciência que disso temos, intuitiva, e não racional, mas nem por isso, irracional.

3. A 'comunhão' assim criada, e isso com Deus Pai e com Deus Filho, o que pressupõe um contacto espiritual genuíno. (Ver I João 1:3).

4. A comunhão que é criada entre nós e os outros crentes, em um profundo amor, formando uma espécie de laço *familiar*. (Ver I João 1:7).

5. Um *andar santo*, em que há vitória sobre o pecado, apresentado por todo o oitavo capítulo da epístola aos Romanos, bem como no trecho de I João 1:7.

6. A importantíssima consciência de que o alvo dessa nossa comunhão é fazer-nos semelhantes ao Filho de Deus, sendo nós progressivamente conformados segundo a sua imagem, por obra e graça do Espírito Santo. (Ver Rom. 8:29 e I João 3:2, que são trechos que expressam esse mesmo conceito).

VII. A Obra e a Orientação do Espírito

1. Os antigos títulos atribuídos ao livro de Atos, incluíam aquele sugerido por alguns dos primeiros pais da igreja: «Atos do Espírito Santo». Esse livro pressupõe, do princípio ao fim, que o Espírito Santo é a força dirigente do movimento dos primeiros missionários cristãos.

2. O Pentecoste (ver Atos 2), foi o princípio das operações do Espírito; e esse ato proveu para a igreja o seu nascimento e o poder necessário para sua expansão.

3. Por ser criador (ver Gên. 1:26,27), o Espírito Santo também é capaz de realizar criações espirituais (ver II Cor. 5:17) e assim sendo, ele é a força por detrás de toda a espiritualidade (ver Gál. 5:22,23), a começar pela conversão (ver João 3:3).

4. Ele dirige ativamente os ministros do evangelho (ver Atos 16:6,7,10).

5. Ele santifica àqueles que converte (ver Rom. 15:16).

6. Ele exerce um ministério no mundo, e não apenas na igreja (ver João 16:8-11).

7. Ele é o mestre supremo (ver João 14:26).

515

ESPÍRITO — ESPÍRITO DO MUNDO

8. Glorificar Cristo e promover a sua causa é o objetivo de seus esforços (ver João 15:16).

9. Ele habita nos santos (ver Efé. 2:20), tornando-os templos de Deus e conferindo-lhes acesso a Deus.

10. Ele ajuda-nos em nossas fraquezas (ver Rom. 8:26).

11. Temos a capacidade de resistir ao Espírito Santo (ver Atos 7:51), bem como de entristecê-lo (Efé. 4:30).

VIII. Autor de Inspiração

Referências e idéias. A *inspiração dada pelo Espírito Santo*:

1. A inspiração do Espírito Santo foi predita (ver Joel 2:28 com Atos 2:16-18). 2. Toda a Escritura foi dada por ela (ver II Sam. 23:2; II Tim. 3:16 e II Ped. 1:21). 3. O seu desígnio é revelar os acontecimentos futuros (ver Atos 1:16; Atos 28:25 e I Ped. 1:11). 4. É revelar os mistérios de Deus (ver Amós 3:7 e I Cor. 2:10). 5. É conferir poder aos ministros (ver Miq. 3:8 e Atos 1:8). 6. É dirigir aos ministros (ver Eze. 3:24-27; Atos 11:12 e 13:2). 7. É controlar aos ministros (ver Atos 16:6). 8. É testificar contra o pecado (ver II Reis 17:13; Nee. 9:30; Miq. 3:8 e João 16:8,9). 9. Seus modos de manifestação são diversos (ver Heb. 1:1). 10. Por impulso secreto (ver Juí. 13:15; II Ped. 1:21). 11. Por uma voz (ver Isa. 6:8; Atos 2:29 e Apo. 1:10). 12. Por visões (ver Núm. 12:6 e Eze. 11:24). 13. Por sonhos (ver Núm. 12:6 e Dan. 7:1). 14. É necessária às profecias (ver Núm. 12:6 e Dan. 7:1; 20:14-17). 15. É irresistível (ver Amós 3:8). 16. Os desprezadores da inspiração do Espírito são castigados (ver II Crô. 36:15, 16 e Zac. 7:12).

IX. O Espírito de Cristo é o Espírito de Deus: Rom. 8:9.

Não se pode demonstrar, pelas Escrituras, que o «Espírito de Cristo» não é *o mesmo* «Espírito Santo». Dá-se justamente o contrário, pois o Espírito de Deus recebe muitas designações nas páginas da Bíblia, conforme também se vê claramente nas notas expositivas, no NTI, sobre o 1º vs. deste capítulo. Este versículo requer a –identificação– desses dois termos, pois o texto mostra-nos que essas duas expressões são sinônimas. Ainda que deixássemos inteiramente de lado a porção final deste versículo, que encerra a referência ao «Espírito de Cristo», a primeira parte do mesmo já afirma que todos os crentes devem contar com a presença habitadora do Espírito de Deus, já que os verdadeiros crentes são descritos como pessoas que estão «no Espírito», e não «na carne». Esse «estar no Espírito» é imediatamente esclarecido pelo próprio versículo como a presença habitadora do Espírito Santo. É essa presença habitadora que faz o crente estar «no Espírito», e não «na carne». Toda essa verdade pode ser determinada sem fazermos qualquer vinculação ao «Espírito de Cristo». A sentença que diz que o Espírito de Cristo está em nós foi acrescentada a fim de declarar a mesma verdade ao contrário, o que já havia sido afirmado direta e positivamente. Por conseguinte «estar no Espírito» significa contar com a presença habitadora do Espírito Santo, pois, sem a presença habitadora do Espírito Santo (ou Espírito de Cristo), o indivíduo não pertence a Jesus Cristo, nem ao menos sendo um crente.

Pondo para um lado todas as controvérsias, deve-se asseverar que o presente versículo ensina, bem especificamente, que o *verdadeiro crente deve ter uma vida vitoriosa*, algo que não pode ser conseguido pelos legalistas, porquanto é dentro do sistema da graça divina que o Espírito Santo de Deus é propiciado aos homens, a fim de neles habitar, com o resultado óbvio e necessário que andarão santamente na fé cristã. Portanto, a graça divina exige um andar santo, dando-nos, igualmente, as armas necessárias para cumprimento desse alvo, longe de dar-nos licença para pecar. O crente é templo de Deus. O Espírito Santo purifica esse templo quando se muda para ali, a fim de que faça do crente a sua habitação apropriada. Porém, se esse *templo* não for limpo no sangue de Cristo e através da regeneração do Espírito, não é possível encontrarmos o Espírito de Deus ali habitando.

X. Dons do Espírito

Ver o artigo separado sobre este assunto.

ESPÍRITO DO MUNDO

I Cor. 2:12: *Ora, nós não temos recebido o espírito do mundo, mas sim o Espírito que provém de Deus, a fim de compreendermos as coisas que nos foram dadas gratuitamente por Deus;*

A palavra *espírito* (no grego, «pneuma»), indica aqui as disposições, a sabedoria do mundo. Paulo fez a vinculação entre esse «espírito» e a sua discussão inteira acerca da sabedoria humana e mundana. (Ver I Cor. 1:19,21 e 2:1,4-6). Mas essa expressão tem recebido certa variedade de interpretações, conforme a lista abaixo:

1. Alguns pensam que as palavras *o espírito do mundo* significam o sistema organizado da maldade, que possui seus próprios princípios e leis. (Comparar com Efé. 2:2; 6:11; João 12:31; I João 4:3; 5:19; e II Cor. 4:4). A palavra grega «kosmos» é usada aqui a fim de indicar o sistema do mundo, que se compõe da comunidade dos homens. (Ver o artigo sobre *Mundo*). O «mundo» (no grego, *kosmos*), não é mau por si mesmo; mas, com freqüência, nas páginas do N.T., essa palavra tem um mau sentido. Então aparece como algo humano e até mesmo satânico, porquanto pode ser controlado pelas forças das trevas. Por isso mesmo, o «mundo» jamais é considerado como «divino», em qualquer sentido. Nem sempre é reputado na Bíblia como algo inerentemente perverso, ainda que com freqüência seja concebido como algo «controlado» pelo mal.

2. Outros estudiosos pensam que a palavra «espírito», nessa expressão, pode significar *temperamento* ou «disposição». Assim sendo, estaria aqui em foco a «disposição do mundo», ordinariamente alienada de Deus, e sempre alienada do Senhor, à parte da regeneração. Essa interpretação faz com que essa expressão se torne virtual sinônimo da expressão «sabedoria do mundo», que Paulo usara um pouco antes.

3. Não obstante, essa expressão, «espírito do mundo», não pode ser compreendida em qualquer sentido pessoal, como se estivesse em vista algum «espírito maligno», algum «demônio», ou o espírito do próprio Satanás. Esse termo é impessoal, referindo-se a *um sistema*, a uma disposição do mundo, e não a alguma entidade viva. A primeira e a segunda dessas três interpretações, pois, incluem elementos recomendáveis, e talvez ambas estejam inclusas na declaração geral que Paulo faz neste ponto.

4. Existem, obviamente, poderes malignos pessoais neste mundo. Porém, I Cor. 2:12 não comenta sobre isto. O *Espírito do Mundo* é o que é por causa de forças negativas, pessoais. Ver os artigos sobre *Demônios* e *Satanás*.

••• ••• •••

ESPÍRITO — ESPÍRITOS NA PRISÃO

ESPÍRITO FAMILIAR

Ver os artigos sobre *Demônios* e *Adivinhação*. Entre os cristãos é comum definir um espírito familiar como um demônio que ou influencia ou se apossa de uma pessoa. O Antigo Testamento encarava a questão com severidade, ordenando a pena de morte para qualquer um que tivesse um espírito desses ou praticasse assim a adivinhação. Ver Lev. 20:27. O termo «familiar» veio a ser associado a tais espíritos devido à suposição de que eles agiam como servos de certas famílias, podendo ser convocados a servir. A palavra hebraica, envolvida no texto de Levítico, *ob*, e que tem sido assim traduzida, tem o seu sentido disputado, embora pareça estar ligado à palavra «retornar». Nesse caso, a referência provável é àquele tipo de espírito que acompanha uma pessoa; e, por isso, poderia ser considerado como um espírito que volta, a fim de realizar algum serviço. Essas associações de idéias com esses espíritos procedem, pelo menos, de duas observações: 1. Alguns desses espíritos afirmam-se membros da família que morreram, mas que, por uma razão ou outra, retornaram dos mundos espirituais para este mundo material. Tais espíritos podem ser considerados presos a este mundo. Esse fenômeno, embora imitado por espíritos não-humanos, parece que realmente ocorre. Deveríamos lembrar que o destino das almas não é fixado por ocasião da morte física, e que existe um mundo intermediário dos espíritos, que pode entrar em contacto com pessoas que ainda vivem na carne. Era uma antiga doutrina judaica, retida pela Igreja antiga, que os demônios são espíritos humanos desencarnados. Crisóstomo, em face de sua vasta influência pessoal, fez tornar-se dominante a idéia de que os demônios são anjos caídos. Porém, a outra idéia persiste, explicando alguns casos de possessão e influência demoníaca. 2. Além disso, parece haver alguma espécie de fator hereditário envolvido, que passa, por exemplo, da avó para a mãe, para a filha e para a neta, etc., conferindo às pessoas habilidades mediúnicas, o que equivale a dizer que elas possuem espíritos familiares.

O mundo dos espíritos é muito complexo, provavelmente não menos do que o nosso mundo material, de seres físicos. Portanto, os chamados espíritos familiares não podem ser identificados como uma única espécie. Alguns desses espíritos familiares parecem nada ser senão pestes prejudiciais, que gostam de pregar peças nos outros, conferindo informações falsas e triviais. Exibem menos inteligência que os espíritos humanos. Muitas fitas gravadas parecem reproduzir as vozes desses espíritos inferiores. Por outra parte, há espíritos dotados de grande poder, aos quais, com razão, poderíamos chamar de anjos caídos. E, entre um extremo e o outro, há todas as variedades de espíritos, incluindo os espíritos humanos desencarnados. São dotados de diferentes poderes e níveis de bem ou de mal; mas, alguns deles, são apenas espíritos insatisfeitos, que perderam o seu caminho, e que perturbam as vidas das pessoas, de maneira mais ou menos funesta. O nosso conhecimento sobre todas essas coisas, porém, é severamente limitado; mas, quanto mais se descobre, tanto mais complexo o quadro vai se tornando.

O Antigo Testamento proíbe coerentemente a comunicação com tais espíritos e várias referências veterotestamentárias falam em comunicação com os *mortos*, o que é exatamente o que os espíritas afirmam que pode ser feito. Que pode ser feito, o próprio Antigo Testamento o diz; mas o Antigo Testamento também diz que isso não deve ser feito

pelos que conhecem ao Senhor. Ver as seguintes referências bíblicas: Lev. 19:31; 20:6; Deu. 18:11; I Sam. 28:3, 7-9; II Reis 21:6; 23:24; I Crô. 10:13; II Crô. 33:6; Isa. 8:19; 19:3; 29:4. A história da pitonisa que foi capaz de invocar o espírito de Samuel, a pedido do rei Saul (I Sam. 28), deveria ser interpretada literalmente. Não há razão para duvidarmos da realidade potencial daquele ato. Por outro lado, existem espíritos enganadores que se fazem passar por espíritos humanos, e é muito difícil reconhecer a diferença. Ver o artigo separado sobre o Espiritismo. Os fenômenos psíquicos são comuns a todos os homens, porquanto todos nós somos seres psíquicos. Essas capacidades são neutras por si mesmas e podem ser usadas de maneira positiva ou negativa. Ver a sexta seção do artigo sobre o *Espiritismo*, quanto à defesa dessa tese. Ver também o artigo geral sobre a *Parapsicologia*.

ESPÍRITOS NA PRISÃO

A única passagem da Bíblia que encerra essa expressão é I Pedro 3:19. Ali é dito que Cristo pregou àqueles espíritos, durante o intervalo entre a sua morte e a sua ressurreição. A *prisão* ficava na porção negativa do *hades*, porquanto Cristo pregou aos «desobedientes» e não aos justos. O vigésimo versículo diz, especificamente, que essas eram as pessoas que não tinham obedecido nos dias de Noé, embora tivessem ouvido a prédica daquele patriarca. Portanto, todas as interpretações que fazem a descida de Cristo ao hades referir-se à transferência das almas justas para o céu, por parte de Jesus, não se aplicam a esse texto. Alguns fundamentam essa doutrina sobre o trecho de Efésios 4:8, o que também é uma exegese duvidosa, podendo ser mais uma *eisegese* (que vide) do que uma exegese. A eisegese consiste em injetar em um texto algo que não se encontra ali, a fim de obter harmonia com alguma idéia preconcebida. Ver meus comentários no NTI referente a esse versículo de Efésios, quanto a uma completa descrição da teologia que o circunda. O termo grego *phulaké*, usado em I Ped. 3:19 que a nossa versão portuguesa traduz por «prisão», só é usado neste ponto para indicar o *hades*, em todo o Novo Testamento, embora os rabinos usassem-no com esse sentido, de maneira bastante comum.

Tem sido disputado acerca de quem seriam aqueles espíritos. A passagem é similar à I Enoque, o que significa que pode ter havido certo empréstimo literário. Naquele livro, estão em foco espíritos angelicais caídos, pelo que, rigidamente, alguns intérpretes forçam, sobre esse trecho de I Pedro, a idéia de algum tipo de ministério de Cristo entre tais espíritos (com a possível condenação dos mesmos). Porém, a passagem em Pedro está falando, bem claramente, sobre espíritos humanos, a saber, aquelas pessoas que, nos tempos de Noé, foram advertidas a respeito do dilúvio, mas não quiseram arrepender-se (vs. 20). Todos sabem que Noé não pregou a espíritos angelicais e, sim, aos seus contemporâneos humanos!

Também há a questão da *natureza* da mensagem que foi pregada. O trecho de I Pedro 4:6 diz-nos claramente que foi o *evangelho*. Ver as notas completas sobre esse versículo, no NTI. Portanto, a interpretação patrística dessa passagem está correta. Ela refere-se aos desobedientes dos dias de Noé por serem *típicos* dos pecadores de todas as eras e, especificamente daqueles que não tiveram ou não têm oportunidade de ouvir o evangelho. Tradicionalmente, a Igreja Oriental Ortodoxa tem ensinado que essa pregação ofereceu a *vida* aos desobedientes mortos e é

ESPÍRITO — ESPIRITUALIDADE

precisamente o que diz I Ped. 4:6.

Vários esquemas têm sido empregados para tirar da Bíblia esse precioso ensino e ofereço uma completa descrição desses esquemas no artigo sobre a *Descida de Cristo ao Hades*. Por que motivo alguém haveria de querer eliminar esse ensino do Novo Testamento? *Antes de tudo*, visto que essa não é uma doutrina largamente ensinada no Novo Testamento, e alguns supõem que, considerando a sua importância, teria de ser ensinada em várias passagens, se fosse verdadeira, eles pensam que não devemos aceitá-la. Porém, isso é um raciocínio *a priori*. O fato é que o relato sobre a descida ao hades, em fontes judaicas, pagãs e cristãs, é uma doutrina perfeitamente comum, conforme aquele artigo o demonstra. Ver o sexto ponto daquele artigo, quanto à identificação dos *espíritos* envolvidos. Não é verdade, conforme alguns têm dito, que o vocábulo grego *pneuma* (o termo usado no texto e que a nossa versão portuguesa traduz corretamente por «espírito») limita-se a espíritos angelicais. O trecho de I Ped. 4:6 diz especificamente que o evangelho foi pregado aos *mortos* (isto é, a espíritos humanos em seu estado desencarnado). É impossível que isso se refira a anjos. Em *segundo lugar*, a verdadeira razão pela qual os intérpretes anelam por tirar do Novo Testamento a doutrina da descida de Jesus ao hades, se é que isso importa em qualquer bem para as almas humanas perdidas, é que a antiga doutrina da condenação eterna está fixa em suas mentes. Não podem crer que uma nova revelação possa olhar para além dessa doutrina, por mais desejável que seja tal revelação. Mas ficam com um ponto de vista incompleto sobre o juízo, que o vê apenas como uma retribuição, ao passo que a verdade é que o próprio julgamento divino é uma expressão do amor de Deus, um ato disciplinador e não apenas retributivo. Eles confessam que o Novo Testamento vê para além do Antigo, mas relutam em confessar que certas porções do Novo Testamento ultrapassam a outros trechos do mesmo Novo Testamento, esquecidos de que a revelação divina é sempre *progressiva*. — Pois, cada vez que Paulo falou sobre algum *mistério*, ele estava ultrapassando quaisquer noções que já tinham sido reveladas até àquele instante. Ora, I Pedro 4:6 diz-nos *como* a descida de Cristo ao hades emprestou ao seu ministério uma nova dimensão ao conceito do julgamento. Em outras palavras, os mortos foram julgados a fim de que pudessem viver como Deus vive, no Espírito. Isso é o que a Igreja Oriental sempre afirmou.

A importância dessa doutrina é confirmada pelo fato de que, em Efésios 4:8-11, aprendemos que a descida de Cristo ao hades e sua conseqüente subida dali, tiveram o mesmo propósito: *fazer Cristo tornar-se tudo para todos*, «preencher todas as coisas». Isso concorda com o ensino sobre a unidade de tudo, em redor do *Logos* (chamado *Cristo*, em seu ofício como o Messias judaico), quando da dispensação final do plano divino. Aprendemos isso em Efésios 1:9,10, que fala sobre o *mistério da vontade de Deus*. Esse mistério fornece-nos uma nova revelação, acerca de uma dimensão nunca antes suspeitada da missão de Cristo. Essa dimensão é absolutamente universal e terá efeitos absolutamente universais, porquanto abarcará o mundo, o céu e as regiões infernais. Mas, naturalmente, **não** surtirá efeitos idênticos sobre todos os homens. Os remidos serão sempre os «eleitos» de Deus; mas os perdidos receberão um tipo de existência que, apesar de não poder comparar-se com o tipo de vida dos salvos, redundará na glória de Deus. Somente assim Cristo poderá preencher a todas as coisas.

Há evidências, baseadas nas *experiências perto da morte* (que vide) que indicam que há espíritos missionários nas regiões infernais, pelo que ali prossegue um ministério que continua a cumprir os intuitos de Cristo. Clemente de Alexandria afirmou claramente que os apóstolos dão continuação aos labores de Jesus Cristo, naquela região espiritual. Em outras palavras, Cristo abriu o hades como um campo missionário. E isso é precisamente o que poderíamos esperar da parte de um Redentor-Restaurador da imensa estatura do Filho de Deus. O evangelho que deixa de lado essa dimensão do ministério de Cristo é um evangelho apequenado. Não cumpre tudo quanto veio realizar e, em certo sentido, fracassou.

—Em I Pedro, os desobedientes são aqueles que não atenderam à pregação de Noé. O ensino dessa passagem em geral é que o *bem* pode proceder do *sofrimento*. Cristo sofreu e isso resultou nas maravilhas da salvação, ao ponto em que almas desobedientes, quando viviam na carne, incluindo aquelas que não têm desculpas, mesmo assim podem beneficiar-se da sua missão na prisão das almas. O termo grego *pneuma* é usado para indicar espíritos humanos e espíritos angelicais, conforme qualquer dicionário grego pode mostrar aos leitores. Mas, na narrativa de Pedro, espíritos humanos estão em foco. Os anjos que caíram também estão aprisionados, de acordo com a doutrina judaica tradicional, o que é descrito longamente em nosso artigo sobre o hades. Os trechos de II Pedro 2:4 *ss* e Judas 6 referem-se a esse aspecto do ensino. A referência de II Pedro usa a palavra *Tártaro* (que vede) que aponta para o lugar mais inferior do hades.

O que Deus venha a querer fazer com esses espíritos angelicais não diz respeito à redenção humana. Todavia, precisa ser incluído no ensino sobre a *restauração* geral (que vede), inerente à revelação do mistério da vontade de Deus (que vede). Ver Efésios 1:9,10.

Apresentamos ao leitor um longo artigo sobre a *Descida de Cristo ao Hades*, onde se discute sobre o problema em sua inteireza, com todos os seus aspectos e implicações históricos e teológicos. Ver também o artigo sobre a *Restauração*.

ESPIRITUALIDADE

Esboço:

I. Definição
II. Amor, a Fonte Principal da Espiritualidade
III. A Nobreza Espiritual
IV. Qualidades Espirituais
V. A Expressão da Espiritualidade Começa no Lar: I Ped. 3:1-8
VI. Os Meios do Desenvolvimento da Espiritualidade

I. Definição

O homem espiritual é aquele que tem conseguido através da operação do Espírito, combinada com sua efetuação correspondente (Fil. 2:12,13), algum grau de espiritualidade que o separa dos demais homens que podem ser chamados *naturais* ou *carnais* (I Cor. 2:14, 3:4). Ele tem progredido na sua transformação à imagem de Cristo (Rom. 8:29, II Cor. 3:18).

II. Amor, a Fonte Principal da Espiritualidade

A prática da lei do amor é a prova principal da espiritualidade e o amor gerado no coração do homem, pela operação do Espírito, é a mãe de todas as virtudes da espiritualidade. Ver I João 4:7 *ss*, e

ESPIRITUALIDADE

Gál. 5:22,23. O amor é a realização da Lei e dos profetas, Rom. 13:8-10, Mat. 22:40.

III. A Nobreza Espiritual

1. A nobreza espiritual se caracteriza pela sensibilidade e pela receptividade das realidades espirituais. Isso faz-nos lembrar da parábola do semeador e da terra boa, de que Jesus falou. A semente da Palavra é sempre boa, mas nem sempre é capaz de produzir bom fruto. A perversidade humana pode anular os efeitos tencionados pela Palavra. (Ver Mat. 13:23).

2. A nobreza espiritual se evidencia por uma inquirição espiritual ativa e entusiasmada. Consideremos o relato sobre Maria e Marta, registrado em Luc. 10:39 e *ss*. Maria foi suficientemente sábia para deixar de lado as suas atividades, para dedicar-se à contemplação e ao aprendizado, deixando por alguns instantes as suas ocupações terrenas. Marta, por sua vez, ficara «distraída» com seus muitos deveres. Perdera de vista, por alguns momentos, os verdadeiros valores da vida.

3. Nos primeiros estágios do desenvolvimento da igreja, aqueles que se achavam em Jerusalém e que foram os primeiros convertidos, ouviram a palavra com «alegria», segundo se lê em Atos 2:41. Muito pode ser determinado no tocante ao caráter de um indivíduo através das coisas que lhe infundem alegria. Os valores e as atividades espirituais deveriam ser nossa principal alegria e prazer. Isso faz parte da nobreza espiritual do crente.

4. Em Atos 17:11-13, aprendemos que os judeus de Beréia foram reputados por mais nobres que os de Tessalônica, porquanto: a. receberam a Palavra com «diligência»; b. estudaram-na com afinco, a fim de melhor compreender e comprovar as coisas que lhes eram ensinadas, provavelmente comparando as Escrituras do A.T., com os ensinamentos de Paulo para verificarem a nova fé era, de fato, a continuação e a graduação acima da fé dos patriarcas antigos.

5. Não obstante, os crentes tessalonicenses também exibiram nobreza espiritual; pois, em I Tes. 2:13, aprendemos que Paulo ficara muito satisfeito diante do fato de que eles haviam acolhido a sua palavra, não como Palavra de homem, mas como a palavra de Deus, a qual, subseqüentemente, passou a *operar eficazmente em suas vidas*.

6. Finalmente, essa nobreza foi demonstrada pelo fato de que a inquirição espiritual dos bereanos prosseguiu, apesar de todas as perseguições que sofreram. A fé deles não se dobrou diante da pressão. Ela havia transformado as suas almas, e tal realização era permanente.

IV. Qualidades Espirituais

A. *O Dever dos Ministros do Evangelho*

1. Eles têm a obrigação de pregar o evangelho (ver I Cor. 1:17).

2. Compete-lhes alimentar o rebanho (ver João 21:15-17).

3. Cumpre-lhes edificar a igreja (ver II Cor. 12:19).

4. Devem cuidar daqueles que são deixados a seus cuidados (ver Heb. 13:17).

5. Têm o dever de combater o bom combate (ver I Tim. 1:18).

6. Precisam suportar as adversidades (ver II Tim. 2:3).

B. *Diligência*

1. Cristo é nosso supremo exemplo (ver Luc. 2:49).

2. Deus requer a diligência da parte de todos os crentes autênticos (ver Heb. 11:6).

3. Essa qualidade impele-nos em direção à perfeição (ver Fil. 3:13,14).

4. Através dela é que cultivamos as virtudes cristãs (ver II Ped. 1:5).

5. Por meio dela seguimos toda a boa obra (ver I Tim. 5:10).

6. Aqueles que são diligentes ensinam a fé a seus semelhantes (ver II Tim. 4:2).

7. A diligência deve ser abundante em nossas vidas (ver II Cor. 8:7).

8. Parte da diligência se manifesta na luta contra o pecado (ver II Ped. 3:14).

9. As boas obras resultam da diligência (ver I Tim. 5:10).

10. No que se relaciona ao nosso serviço a Deus:

a. A diligência mantém os homens servindo a Deus (ver Gál. 6:9).

b. Somos assegurados de que esse serviço não é inútil (ver I Cor. 15:58).

c. Ela nos preserva do mal (ver Êxo. 15:26).

d. Ela nos guia à segurança e à esperança (ver Heb. 6:11).

C. *Glorificando a Deus*

1. É um direito que lhe assiste (ver I Crô. 16:29).

2. É merecida essa glorificação, por causa de suas qualidades de santidade (ver Sal. 99:9), de misericórdia e veracidade (ver Sal. 115:1), de fidelidade (ver Isa. 25:1), de obras portentosas (ver Mat. 15:31), de juízos (ver Apo. 14:7), de graça (ver Atos 11:18 e II Cor. 9:13).

3. Damos glória a Deus por meio de Cristo (ver Fil. 1:11).

4. Essa atitude é exigida no tocante ao corpo e à alma (ver I Cor. 6:20).

5. Finalmente será universal (ver Sal. 86:9 e Apo. 5:13).

D. *Dedicação*

1. A dedicação precisa envolver a mente, o coração e a alma, e deve ser uma força transformadora (ver Rom. 12:1,2).

2. Ela nega o poder e a atração exercidos pelo mundo, capacitando-o a seguir a Cristo (ver Mar. 8:34 e *ss*.).

E. *Humildade*

São abençoados, Mat. 5:3; Cristo é seu exemplo, Mat. 11:29; recebem o favor de Deus, Tia. 4:6.

F. *Consolação*

Os aflitos são consolados, Heb. 13:3; os fracos recebem-na, II Cor. 11:29; os homens espirituais mostram-na, Prov. 19:17; Fil. 2:2:1,2.

G. *Mansidão*

São aprovados por Deus, Mat. 5:5; é para os santificados, Atos 20:32.

H. *Justiça*

Vem da natureza de Deus, Rom. 3:21; é imputada, Rom. 4:11; os santos devem persistir nesta virtude, Mat. 5:6; é produto do novo nascimento, I João 2:29.

I. *Misericórdia*

Os santos devem possuir esta virtude, Luc. 6:36, Mat. 5:7; é exigida do Evangelho, Col. 3:12; a fonte é Deus, II Cor. 1:3.

J. *Pureza*

É uma característica do verdadeiro cristão, Mat. 5:8; a finalidade da lei, Tito 1:5; verão a Deus, Mat. 5:8; característica da verdadeira religião, Tia. 1:27.

L. *Amor*

Ver sob seção II deste presente artigo.

ESPIRITUALIDADE — ESPORTES

V. A Expressão da Espiritualidade Começa no Lar:
I Ped. 3:1-8.

1. Não deveria constituir surpresa para nós que a espiritualidade de um homem deve começar no seu lar, influenciando primeiramente aqueles que lhe são mais próximos. O homem que persegue sua esposa e põe obstáculos no caminho de seus filhos, dificilmente pode ser um homem verdadeiramente espiritual, sem importar o espetáculo que ele esteja apresentando àqueles que não fazem parte de sua família. Assim, pois, foi requerido da parte dos anciãos e dos diáconos, que primeiramente governassem bem a sua própria casa, antes que pudessem estar qualificados a governar a casa de Deus (ver Tito 1:16).

2. Pedro salienta em I Ped. 3:7 que as orações de um homem podem ser impedidas se forem erradas as relações com a sua esposa. E visto que a oração é um dos principais meios de desenvolvimento espiritual, isso mostra que a espiritualidade do próprio indivíduo é entravada quando ele não mantém relações cordiais com a sua esposa.

3. Se um homem não pode influenciar a si mesmo e à sua esposa, para viverem em harmonia, se ele não vive segundo a lei do amor no tocante a ela (a qual, dentre todas as pessoas é a que lhe está mais próxima), como pode ele viver com bom êxito a vida de amor, no tocante a outras pessoas?

4. Pode-se observar com freqüência como certos conflitos não somente impedem o desenvolvimento espiritual, mas também, como destróem, em certas oportunidades, a espiritualidade do indivíduo de forma terminante.

5. Você quer que as suas orações sejam respondidas? Nesse caso, viva em harmonia com sua esposa. Seja generoso para com ela, e Deus mostrar-se-á generoso para com você. O homem e a sua mulher formam, misticamente, um único ser. Se você causar algum dano à sua esposa, automaticamente estará causando um dano contra sua própria pessoa.

«São companheiros de viagem com as mesmas necessidades. Juntos podem levar petições a Deus, e quando coração e alma estão juntos, Cristo prometeu estar presente como a terceira pessoa. Ao orarem, conhecerão as necessidades um do outro. Esse é o maior conhecimento que um marido pode atingir, para honrar sua mulher; e utilizando-se de tal conhecimento, ele fará subir prontamente suas súplicas unidas até o trono da graça, e a união de corações não falhará em suas bênçãos». (Lumby).

Alguns comentadores crêem que Pedro quis dar a entender que a oração sofre empecilho quando um homem se recusa a reconhecer a igualdade de sua esposa na participação da herança eterna; portanto, exclui-a da vida espiritual, incluindo a vida de oração. Talvez tais comentadores digam isso por inferência legítima, mas não é isso que I Ped. 3:7 ensina. A hostilidade de um homem à sua esposa, por qualquer razão e de qualquer maneira, também impede as orações e a inquirição espiritual.

«Não sobra espaço para a resposta às orações, quando um marido despreza e tiraniza sua mulher, e onde o casamento é maculado pela discórdia». (*Roos*, no comentário de Lange).

«O tratamento severo leva a insulto e contenda, o que impede o poder e a eficácia da oração». (Grotius).

VI. Os Meios do Desenvolvimento da Espiritualidade

1. Devemos ter cuidado com a porção *intelectual* da espiritualidade. Devemos estudar a Palavra de Deus, e outros livros espirituais, tornando-nos intelectualmente versados na revelação divina.

2. *O intelecto*, entretanto, não é tudo. Também precisamos da *prática da oração*, que consiste em falar com Deus. A oração é uma disciplina própria do crente, sendo um ato criador que, antes de tudo, o transforma; e em seguida transforma as pessoas e as circunstâncias ao seu redor. É como se fosse uma linha de contacto com os recursos espirituais. (Ver o artigo sobre a *Oração*).

3. *A meditação*, que é o dar ouvidos a Deus, é uma arte quase esquecida pela maioria dos crentes da atualidade. Somente a igreja oriental (Igreja Ortodoxa Grega) ainda enfatiza esse meio espiritual, como ajuda ao desenvolvimento espiritual. Muitas pessoas, naquele segmento da cristandade, buscam zelosamente a «iluminação», por meio da meditação. Esse é um meio espiritual que deveria ser empregado (em alguma medida) por todos os crentes, entretanto.

4. *O toque místico*. A busca e o uso dos dons espirituais. Ver Efé. 4:11 *ss*.

5. *A prática da lei do amor* (boas obras). O amor é a *prova da espiritualidade* (ver I João 4:7).

6. *A santificação* é básica para todo o desenvolvimento espiritual.

ESPIRITUALIDADE, ESTÁGIOS DA

Ver **Vitória Espiritual; Estágios da Inquirição Espiritual.**

ESPIRRAR

No hebraico, **zarar**. Essa palavra hebraica é usada por apenas uma vez, em II Reis 4:35, no relato da cura do menino, filho da mulher sunamita, por parte de Eliseu. Lemos naquele versículo: «...e se estendeu sobre o menino; este espirrou sete vezes, e abriu os olhos».

Em Jó 41:18, embora nossa versão portuguesa também **fale** em «espirros», seria mais acertado traduzir uma outra palavra hebraica por *resfôlego*, ou algum outro sinônimo, porquanto está em pauta o crocodilo.

ESPONJA

No grego, **spoggos**, que ocorre por três vezes: Mat. 27:48; Mar. 15:36 e João 19:29. Em todas essas três passagens está em foco a esponja posta na ponta de um caniço que alguém usou para levar, até aos lábios de Jesus, um pouco de vinagre, para ele sorver. As esponjas pertencem à espécie *Porifera*, que são animais marinhos cujo esqueleto resistente, cheio de perfurações, tem sido usado, desde longa data, para um grande número de propósitos domésticos. De acordo com Plínio, era prática comum e constante, entre os soldados romanos, levar um pedaço de esponja para usar como um tipo de vaso para beber líquidos, exatamente o que os evangelhos dizem que fizeram no caso do Senhor Jesus.

ESPONTANEIDADE

Dentro do vocabulário da filosofia, essa palavra é, virtualmente, um sinônimo de livre-arbítrio. Uma tradução latina da *Ética Nicomaqueana*, de Aristóteles, usa essa palavra; e Leibniz compreendia a passagem como relativa à capacidade de um homem tomar decisões, de forma independente das circunstâncias. Cousin pensava que a espontaneidade é a base da liberdade humana, bem como a disposição certa de quem queira buscar o conhecimento.

ESPORTES

O fato de que quase todos os jornais dedicam uma

ESPORTES — ESSÊNCIA

seção inteira aos *esportes* indica o grande interesse provocado pelos eventos esportivos. Paulo afirmou que o exercício físico tem algum valor, embora estivesse mais interessado nos exercícios da piedade. Ver I Tim. 4:8. Por outra parte, os esportes promovem o **bem-estar físico** e mental, além de aumentarem a vitalidade e a boa saúde; e, assim sendo, prolongam a vida física. Os exercícios físicos também provêm uma atividade legítima e desejável para os momentos vagos, que são muito melhor gastos em atividades desportivas do que em atividades prejudiciais ou degradantes. Acresça-se a isso que os esportes são um importante divertimento. Promovem o caráter, a firmeza de propósitos e a disciplina.

Quanto ao lado negativo, há esportes brutais e perigosos. O boxe produz as suas vítimas. E há algo de muito estranho no prazer daqueles que gostam de ver dois homens fortes infligindo danos físicos um sobre o outro. Além disso, em vários esportes há interesses financeiros que ultrapassam as medidas, como é o caso do próprio boxe, do futebol, do tênis, etc. Nos Estados Unidos da América, um assento em torno de um ring de boxe, em um campeonato de pesos pesados, pode custar nada menos de mil dólares. Certos atletas profissionais ganham salários totalmente fora de proporções do bom senso e da propriedade, o que demonstra certa distorção de valores humanos.

Também há a considerar a questão do *tempo*. O homem pode abusar de muitas coisas. O tempo demasiadamente gasto em qualquer atividade, prejudicial para outras atividades de natureza mais urgente, é uma perda irreparável. Alguns fãs dos esportes são culpados desse tipo de exagero. Um fã é um fanático. Ver sobre *Atletismo* e *Ginásio*.

ESPOSA

Ver sobre **Matrimônio.**

ESQUECER

No hebraico, temos quatro palavras a considerar e, no grego, duas palavras e uma expressão, a saber:

1. *Shakeach*, «esquecimento». Palavra usada no Antigo Testamento apenas por duas vezes: Sal. 9:17; Isa. 65:11.

2. *Nashah*, «esquecer». Palavra hebraica utilizada por cinco vezes: Jer. 23:29; Lam. 3:17; Gên. 41:51; Jó 39:17; Isa. 44:21.

3. *Shayah*, «esquecer». Termo hebraico usado somente em Deu. 32:18.

4. *Shakach*, «esquecer», «negligenciar». Palavra hebraica que aparece por cento e duas vezes, como em Gên. 27:45; Deu. 4:9,23,31; 25:19; 26:13; Juí. 3:7; I Sam. 1:11; 12:9; II Reis 17:38; Jó 8:13; 9:27; 11:16; Sal. 9:12; 10:11,12; 13:1; 137:5; Pro. 2:17; 3:1; 4:5; Isa. 17:10; 51:13; 54:4; Jer. 2:32; 3:21; 13:25; 44:9; 50:6; Lam. 5:20; Eze. 22:12; 23:35; Osé. 2:13; 4:6; Amós 8:7.

5. *Epilanthánomai*, «esquecer-se de». Palavra grega que figura por oito vezes: Mat. 16:5; Mar. 8:14; Luc. 12:6; Fili. 3:13; Heb. 6:10; 13:2,16; Tia. 1:24.

6. *Eklanthánomai*, «esquecer-se totalmente de». Palavra grega usada somente por uma vez, em Heb. 12:5.

7. *Lambáno lénthen*, «receber esquecimento». Expressão grega que só aparece em II Ped. 1:9.

Em Marcos 8:14 temos essa palavra em seu sentido literal: «Ora, aconteceu que eles se *esqueceram* de levar pães...» (no grego, *epilanthánomai*). Usualmente, porém, o termo é usado em sentido

metafórico. Assim, um homem pode olvidar-se de Deus (Sal. 9:17; 50:22; 103:2). E Deus, aparentemente, esquece-se do homem, quando este insiste em desobedecer (Jer. 23:39). Esse esquecimento, entretanto, consiste na separação temporária da benevolência divina, com os castigos divinos conseqüentes. De fato, é impossível Deus esquecer-se do homem, visto que ele é onisciente e está resolvido a buscar o **bem-estar do homem (Isa. 49:11 *ss*).**

A Providência de Deus. Deus não se esquece nem ao menos dos passarinhos, que são tão sem valor que podem ser comprados por uma ínfima quantia em dinheiro, a fim de serem oferecidos em sacrifício, pelos pobres, ou para serem consumidos na alimentação. Como Deus poderia esquecer-se do homem, criado à sua semelhança e imagem? (Ver Mat. 6:25-34).

Um Ato Ético. Quando perdoamos alguém e nos esquecemos da afronta sofrida, então, realmente, temos perdoado.

Para Platão, que acreditava na reencarnação, o esquecimento é um ato necessário e misericordioso, pois quem poderia carregar a eternidade nos próprios ombros? Porém, a *memória* é a verdadeira base do conhecimento, visto que o homem teria todo o conhecimento embutido em seu próprio ser, embora precise de encontrar meios para exteriorizá-lo.

ESSE

Palavra latina que significa «ser», e que significava «existência», na filosofia escolástica.

ESSÊNCIA

Vem do termo latino **essentia** (de **esse**, «ser»). A palavra grega correspondente é *ousia*. Aristóteles ensinava que a definição de uma coisa qualquer precisa exprimir a sua *essência*, ou seja, aquelas características que ela possui, a fim de poder existir. Logo, a existência é contrastada com os acidentes de uma coisa qualquer, como cor e outras qualidades variáveis. A essência está envolvida na extensão dentro do espaço e na estrutura atômica de uma coisa, quando ela é de natureza material. Refere-se aos aspectos permanentes e fixos de uma coisa qualquer, e não aos fenômenos associados. Muitas idéias têm sido propostas, com a finalidade de descrever a essência das coisas, o que poderíamos ilustrar como segue:

1. *Platão*. A essência de uma coisa qualquer não se encontra no particular, ou seja, nos objetos terrenos que podem ser vistos ou tocados, ou detectados, de outra maneira qualquer, com os nossos sentidos físicos. Antes, a essência de alguma coisa encontra-se no *universal* (ou idéia), do que um objeto físico é apenas uma imitação ou cópia. Ver o artigo sobre os *universais*.

2. Aristóteles identificava a essência com a forma (no grego, *eidos*), como a causa de uma coisa, qualquer, embora sem apelar para os universais extramundanos de Platão.

3. *Avicena*. Ver o artigo a seu respeito. Ele distinguia entre Deus — em quem a essência e a existência são idênticas — e todas as outras coisas, que encerram esses dois elementos, mas como qualidades separáveis. Somente Deus seria a sua própria causa. Todas as outras coisas têm alguma causa externa, ou seja, uma espécie de essência tomada por empréstimo. Deus é possuidor de ser necessário, isto é, ele não pode deixar de existir. Todas as demais coisas são contingentes, derivando

ESSÊNCIA — ESSÊNIOS

seu ser da parte de Deus, embora não possam existir, a menos que a vontade divina assim o queira.

4. *Tomás de Aquino*. À semelhança de Avicena, ele dizia que somente Deus é possuidor de uma existência idêntica à sua existência. Para Aquino uma *substância* é um composto. Seria uma essência que recebeu a capacidade de existir, embora sem possuir Existência em si mesma. Antes disso lhe ter sido conferido, — existência era apenas latente. Quando isso lhe foi conferido, a sua existência tornou-se real. Portanto, o *esse* é conferido à *essentia*; e nessa composição, temos formas de vida diferentes da forma de vida de Deus.

5. *Godfrey de Fontaines* (que vede) recusava-se a admitir a distinção entre essência e existência. Visto que Aristóteles não acreditava na criação e, sim, na eternidade da matéria, quanto a esse particular estava mais perto da posição de Fontaines do que das idéias de Tomás de Aquino.

6. *Husserl* (que vede) desenvolveu uma filosofia que girava em torno da discussão sobre a essência.

7. *Na Gnosiologia*. A essência de uma idéia é um conceito expresso de modo conciso. Para o pragmatismo, isso é extraído da experiência prática, e não de conceitos eternamente determinados. Trata-se da praticalidade. A essência ou princípio geral de uma coisa, na ciência, é extraída por meio da experimentação e da refutação. Nos escritos de muitos filósofos e teólogos, as essências científicas não são suficientes. Precisamos acrescentar valor e alguma dimensão metafísica às coisas. Em caso contrário, podemos perder de vista a verdadeira essência de alguma coisa. Os racionalistas acreditam que as essências derivam-se da razão pura, sem a intervenção dos sentidos, como quando definimos algum conceito moral. Eles criam proposições axiológicas dessa maneira.

8. *Anselmo* (que vede) em seu argumento ontológico (que vede) parece ter identificado a definição racionalista com a essência, em parceria com a existência. Porém, precisamos lembrar-nos que ele estava dependendo de argumentos místicos, bem como da experiência humana através das percepções da alma, e que não pensava meramente em definições verbais. (AM E EP P)

ESSÊNCIA-MENTE

Ver o artigo sobre **Romanes, George**, que usava a expressão «estofo mental», para indicar a essência da criação, em contraste com as teorias mecânicas de alguns evolucionistas.

ESSENCIALISMO

Na filosofia, esse termo é usado para designar três conceitos diversos:

1. *Em Platão*. A palavra refere-se à existência real das idéias (*universais, que vede*) em contraste com os particulares, que são os objetos terrenos, cópias imperfeitas dos universais e, portanto, que representam realidades inferiores.

2. O elemento essencial de uma definição. Pode-se dizer que um homem tem duas pernas, como uma característica humana distintiva, e que poderia descrever uma pessoa a pedalar uma bicicleta.

3. *Em Aristóteles*, e outros pensadores depois dele. Qualquer coisa que existe, existe por causa de certas propriedades que são a essência de seu ser. Locke afirmava que todos os objetos devem ter uma *essência real*, embora ainda a desconheçamos. Essa essência é que explicaria as *propriedades observáveis*. Sabemos

que o átomo é elemento básico da matéria. Mas, o átomo não é uma forma de energia psíquica? E essa energia não é uma manifestação da *mente?* Nesse caso, a *mente* seria a essência básica de todas as coisas. Essa é minha sugestão, e não de Locke; mas a sua *essência* misteriosa sugere algo que ultrapassa ao que é material, na tentativa de explicar as propriedades observáveis. Ver o artigo separado sobre *Essência*.

ESSÊNIOS

Eles formavam uma ordem monástica judaica, que parece ter surgido no século II A.C. Eles eram exemplos de uma incomum grandeza moral e pureza espiritual (embora houvesse alguns abusos e distorções). Provavelmente foi a primeira sociedade humana a condenar a escravatura, tanto como princípio quanto como uma prática. Era uma sociedade comunal, esotérica (ver sobre o *Esoterismo*) e extremamente ascética. Procurava lugares isolados a fim de ali viverem e porem em prática a sua fé. Uma das regiões escolhidas era aquela em redor do mar Morto. Alguns estudiosos têm associado um ramo dessa seita com os *Manuscritos do Mar Morto* (que vede). Os essênios eram uma das três principais seitas judaicas, as outras duas eram os fariseus e os saduceus (ver os artigos a respeito deles).

Esboço:
  I. A Palavra
  II. Fontes Informativas Históricas
  III. Os Essênios e a Literatura
  IV. Os Essênios, João Batista e Jesus
  V. Comunidades Essênias
  VI. A Teologia dos Essênios

I. A Palavra

O nome «essênios» nunca foi usado pelos próprios membros da seita, porque foi um nome conferido por outras pessoas. Não há certeza quanto à derivação do nome, mas há as seguintes suposições: a. Filo (*Quod Omni Probus Liber*, seção 12) afirma que o nome vinha do termo grego *osis*, «santo». b. Mas outros pensam no vocábulo grego *asayaw*, «curar», em face da circunstância que os essênios professavam-se capazes de curar a mente e o corpo. c. Ou então poderia provir do termo aramaico *hassaya*, que significa «santo», «piedoso», dando a entender aqueles que realizavam corretamente os requisitos da lei judaica, em contraste com outros, que se tinham tornado lassos. d. Outras palavras hebraicas têm sido imaginadas por detrás da designação, como «nobres» ou «poderosos».

II. Fontes Informativas Históricas

1. Josefo (**Guerras 2.18.2 ss; Anti. 18.1,5**) é quem nos fornece as nossas mais antigas informações sobre a seita dos essênios. Ele alude aos essênios como a terceira das *filosofias* do judaísmo. Nem sempre ele conseguia informações diretas a respeito da história que contava; mas, no caso dos *essênios* (os santos!) ele sempre tinha um conhecimento em primeira mão. Seu livro, *Guerras dos Judeus*, compilado pouco após a queda de Jerusalém, em 70 D.C. e seu livro *Antiguidades*, escrito em cerca de 90 D.C., provêm as informações desejadas. O que ele disse parece subentender que ele era um noviço essênio, embora isso seja disputado. Seja como for, ele esteve em companhia dos essênios por três anos.

Josefo descreveu os essênios como um grupo comunal com uma disciplina mais estrita que a dos fariseus ou a dos saduceus. Eles rejeitavam a

ESSÊNIOS

escravatura e desprezavam o princípio do prazer, tão valorizado por tantas pessoas. Não proibiam o casamento para pessoas de fora da comunidade, mas os iniciados sentiam que o celibato era a melhor medida para curar os males criados pela lascívia e pelas infidelidades das mulheres como uma classe. Também rejeitavam a possessão de bens materiais e praticavam a comunhão de bens (comunismo religioso). Dessa forma, não eram nem ricos e nem pobres. Seguiam modos estritos e hábitos religiosos muito duros. Puniam os ofensores com pesadas penas. A principal dessas penas era o banimento. Outros detalhes sobre suas práticas e crenças, partes das quais foram descritas por Josefo, encontram-se em outras seções deste artigo.

Qumran. Josefo distinguiu certo **essênios** de outros, porquanto alguns deles não proibiam o casamento para os membros da seita. É possível que a comunidade essênia pertencesse a esse último tipo. Mas, os estudiosos debatem sobre o ponto. Ver o artigo separado sobre *Khirbet Qumran*.

2. *Plínio o Velho*. Ele também viveu no século I D.C. Era soldado, juntamente com Vespasiano, aparentemente servindo na Décima Legião que, em 68 D.C., penetrou no vale do rio Jordão, preparando-se para atacar Jerusalém. Em sua *História Natural*, famosa entre os estudiosos, ele descreveu a área do mar Morto, incluindo em seu relato uma seita religiosa judaica cujos membros viviam na região, e que pode ter sido a seita de Qumran, que cultivava produtos agrícolas em um oásis chamado 'Ain Feshka. Ele declarou que os membros formavam uma tribo solitária dos essênios. Mas, que esse grupo de Qumran tenha sido de essênios continua sendo disputado. Porém, em caso contrário, então aquela seita era similar à dos essênios. Seja como for, Plínio conta que eles haviam renunciado às mulheres e aos bens deste mundo, que pessoas cansadas da vida deste mundo reuniam-se a eles em grandes números, procurando levar uma vida mais santificada. Ele localizou esse grupo, mais precisamente, no lado oeste do mar Morto, mas ao norte de En-Gedi; há muitos estudiosos que pensam que isso aponta, bem definidamente, para a comunidade de Qumran. O próprio Plínio declarou que eles eram essênios. Portanto, apesar desse testemunho não ser conclusivo, certamente serve de forte evidência do fato de que em *Qumran* (que vede) havia, na verdade, uma colônia de essênios.

3. *Filo*. Esse judeu alexandrino, sobre quem damos um artigo separado nesta enciclopédia, tal como no caso de todos os outros personagens aqui mencionados, como fontes informativas sobre os essênios, foi um contemporâneo mais idoso de Josefo. Filo declarou que Moisés falava o grego, e que Platão também falava o hebraico. Isso é uma distorção e uma simplificação, mas, pelo menos, mostra-nos que ele estava envolvido na helenização do pensamento judeu. Ele viveu entre 20 A.C. e 52 D.C. Mencionou a seita dos essênios em suas obras *Hypothetica* (11.1-18) e *Quod Omnis Probus Sit Liber* (12-13). Sua razão era ilustrar a sua tese de que apenas os homens verdadeiramente bons são livres. Ele calculou que o número dos mesmos seria cerca de quatro mil. Demonstrou que nem todos eles viviam em colônias. Muitos deles misturavam-se com a sociedade, realizando os labores comuns a todos os homens. Trabalhavam arduamente na agricultura e em outras atividades, devotavam muito tempo às devoções religiosas, estudavam e interpretavam os livros sagrados, mantinham propriedades em comum, rejeitavam sacrifícios de animais, praticavam o celibato, ocupavam-se em obras caridosas e de misericórdia, não participavam no serviço militar e nem manufaturavam armas, rejeitavam as atividades comerciais, preferiam as vilas às cidades corruptoras, como lugares onde residir, buscavam a simplicidade e se opunham ao acúmulo exagerado de riquezas materiais, acreditavam na doutrina da igualdade de todos os homens, o que significa que se opunham à escravatura, eram estritos observadores das leis de Moisés, não faziam juramentos, salientavam a autodisciplina e a humildade, comiam juntos suas refeições, compartilhavam de seus ganhos com a comunidade, promoviam o ensino dos princípios religiosos, da piedade e das virtudes pessoais e, finalmente, praticavam o ascetismo (que vede).

No seu tratado intitulado *Sobre a Vida Contemplativa*, Filo deu considerável atenção à seita dos *therapeutae*, um grupo monástico que floresceu no Egito, dois séculos antes da era cristã. Era um grupo muito ascético, que se ocupava em observâncias religiosas rígidas, no estudo das Escrituras e na composição de hinos e salmos. No dia semanal de observância, eles reuniam-se para ouvir os discursos de seus anciãos. Mulheres faziam parte da comunidade e compartilhavam do mesmo estilo de vida. Alguns estudiosos supõem que esse grupo foi que deu origem aos essênios; mas outros pensam que eles foram um movimento separado. Seja como for, eles compartilhavam de muitos elementos em comum com os essênios.

4. *Hipólito*. Ele foi um escritor cristão (170-230? D.C.). Em sua obra, *Refutação de Todas as Heresias*, ele comentou favoravelmente sobre o amor mútuo e sobre o excelente espírito comunitário dos essênios. Quase tudo quanto ele disse sobre os essênios tem paralelo nos escritos de Josefo e talvez, ele tenha dependido deste último. Todavia, ele diz que os essênios não admitiam mulheres em sua companhia. No entanto, adotavam meninos, com o propósito de treiná-los para se tornarem parte da comunidade. Os noviços tinham de vender suas propriedades, entregando o dinheiro à comunidade. Abstinham-se do uso do azeite e, portanto, da prática da unção. Consideravam a unção uma medida contaminadora. Os anciãos do grupo controlavam tudo e um estrito código de conduta era seguido. Opunham-se fortemente a juramentos e os desvios da ordem eram severamente punidos. Os iniciados eram submetidos a um período de provas de dois anos. Mas Josefo fala em três anos. Talvez isso variasse de grupo para grupo.

Josefo observou a importância que tinha o *sol*, nos rituais religiosos dos essênios. Em suas preces matinais, ao nascer do sol, eles imploravam pelo surgimento do mesmo (Josefo), embora Hipólito não tenha mencionado esse item. Alguns estudiosos têm concluído que a adoração ao sol fazia parte de seu culto, mas as evidências nesse sentido não são conclusivas.

Banhos Freqüentes. Várias fontes informativas confirmam seus banhos ritualistas freqüentes. Um corpo limpo simbolizava um espírito puro. Não sabemos dizer se eles conferiam qualquer valor sacramental a isso, ou se tudo não era simbólico.

III. Os Essênios e a Literatura

Os essênios tornaram-se famosos por seus estudos devotos dos documentos sagrados, que eram, antes de tudo, os livros do Antigo Testamento, embora eles tivessem religado alguns princípios associados a esse documento. Eles rejeitavam também a escravatura, as unções com azeite e a guerra. Eram celibatários.

ESSÊNIOS — ESTAÇÕES DA CRUZ

Rejeitavam os sacrifícios de animais. Como é evidente, tais idéias de modo algum foram extraídas do Antigo Testamento. Também sabemos que os essênios produziram a sua própria literatura sagrada e alguns supõem que vários dos livros pseudepígrafos foram escritos por eles, como os livros de Jubileus, Enoque e os Testamentos dos Doze Patriarcas. Pelo menos, é verdade que essas obras, além de outras, de natureza similar, foram encontradas entre os Manuscritos do Mar Morto. «Eles parecem ter tido o seu centro principal no mar Morto (Qumran) e é provável a conexão deles com os Manuscritos do Mar Morto». (C). Nesse caso, os documentos distintivos achados em Qumram, como o *Manual de Disciplina* e o *Comentário de Habacuque*, eram escritos essênios.

IV. Os Essênios, João Batista e Jesus

Alguns eruditos têm pensado que João Batista e Jesus tinham claras ligações com os essênios. Isso talvez explique a preferência de João e de Jesus pelo celibato, algo estranho à corrente principal do judaísmo. Paulo também pode ter sido influenciado por esse conceito, embora saibamos que ele era fariseu (que vede). A associação com os essênios também poderia explicar o espírito *separatista* do judaísmo, de João Batista e de Jesus, na promoção de um movimento de reforma. Contudo, esses pontos continuam sendo disputados pelos estudiosos. Jesus repelia fortemente os juramentos (Mat. 5:34 *ss*), isso poderia refletir uma influência de idéias essênias.

V. Comunidades Essênias

Josefo informa-nos que todos os essênios organizavam-se formando comunidades. Muitos continuavam vivendo em aldeias, juntamente com quem não era membro. Mas também havia várias colônias organizadas. Aparentemente, formaram as primeiras células do monasticismo organizado do mundo mediterrâneo. Suas principais colônias ficavam perto da extremidade norte do mar Morto, em redor de En-Gedi (sob a suposição de que aquele grupo era composto de essênios). Havia outras comunidades dessa seita espalhadas pela Palestina, que praticavam certo comunismo religioso administradas por oficiais eleitos, escolhidos dentre os anciãos. Alguns grupos permitiam o casamento de seus membros, mas quase todos os grupos excluíam a participação feminina. Alguns eram tão fortemente ascéticos que nem ao menos faziam suas necessidades nos sábados! Seria isso possível?

VI. A Teologia dos Essênios

Grande parte do que os essênios acreditavam já foi descrita — nas seções anteriores — deste artigo. Afastando-se do judaísmo comum, eles rejeitavam a guerra (pois eram pacifistas); demonstravam uma veneração especial pelo sol, embora não saibamos dizer até que ponto isso os conduzia. Eram comunistas religiosos. Proibiam juramentos. Se excluírmos essas coisas, contudo, suas crenças eram parecidas com as do judaísmo em geral. No entanto, eles eram um movimento restaurador exclusivista, que pensava que o antigo judaísmo apostatara, e que eles eram o verdadeiro Israel. Também é digno de menção o fato de que eles eram deterministas estritos (ver sobre o *Determinismo*). Eles criam na preexistência e imortalidade da alma, assumindo uma espécie de ponto de vista platônico-filônico sobre a alma. Também acreditavam na reencarnação (que vede). A alma, a princípio, habitava na pureza; mas então, ao unir-se com o corpo material, ficou *aprisionada*, e foi assim que a corrupção da alma teve início. Eles supunham que as almas boas iriam para a bem-aventurança, ao passo que as almas más seriam punidas eternamente. As influências religiosas a que estavam sujeitos, e que explicam em parte algumas de suas doutrinas e práticas, parecem ter vindo do judaísmo, especialmente do farisaísmo, do parseísmo, do paganismo sírio, do pitagoreanismo e do neoplatonismo.

Como uma seita distinta, os essênios desapareceram após a destruição de Jerusalém (ano 70 D.C.). Nunca são mencionados no Novo Testamento, embora haja alusões às suas crenças quanto ao celibato, aos juramentos e ao ascetismo. Ver Mat. 5:34 *ss*, 19:11,12 e Col. 2:8,18,23. A referência na epístola aos Colossenses, porém, quase certamente é ao *gnosticismo* (que vede). Ver também a bibliografia sobre os *Manuscritos do Mar Morto*. (AM B E HOW ID UN Z)

ESSENTIA

Provém do latim, **esse**, «ser». Equivale ao grego, **ousia**. Essa palavra designa aquilo que constitui a natureza real de alguma coisa, em contraste com os seus meros acidentes. Alguns filósofos utilizaram-se da palavra em contradistinção à existência, para indicar aquilo que uma coisa é. *Essentia* e *essência* são a mesma coisa (uma é a forma latina, e a outra, a forma portuguesa). Oferecemos um artigo detalhado sobre *Essência*.

ESTABELECIMENTOS COMUNISTAS

Ver o artigo sobre o **Comunismo**, sexto ponto. O **Comunismo e a Igreja**. a. A experiência de Jerusalém; e b. Estabelecimentos religiosos comunistas.

ESTÁBULO

Ver **Terras de Pastagem**.

ESTACA

No hebraico, **yathed**, «estaca», «cavilha». Essa palavra aparece por oito vezes no Antigo Testamento, como em Êxo. 27:19; Juí. 4:21,22; Isa. 33:20; 54:2. Uma estaca era enfiada no chão, para segurar, por exemplo, uma tenda. As estacas antigas eram feitas de madeira, de bronze, de prata ou de ferro.

ESTAÇÕES DA CRUZ

Uma expressão alternativa é «caminho da cruz». Trata-se de uma devoção tipicamente católica romana, trazendo à memória a jornada curta de Jesus, desde a residência de Pilatos até o Calvário. Esse rito teve começo formal no catolicismo romano, em cerca de 1350 D.C. Consiste em catorze quadros que retratam as fases da paixão de Cristo, com acontecimentos específicos que tiveram lugar durante aquele trajeto até à cruz. As estações da cruz são gravuras arrumadas nas paredes interiores dos templos católicos romanos, requerendo uma bênção especial, antes da obtenção de alguma indulgência fixada (ver sobre *Indulgência*).

As Catorze Estações da Cruz: 1. Jesus é condenado, **2.** A cruz é posta sobre seus ombros. **3.** Ele cai sob o peso do madeiro. **4.** Encontra-se com sua mãe, Maria. **5.** Simão, o cireneu, carrega a cruz de Jesus. **6.** Verônica enxuga o rosto de Jesus com seu véu. **7.** Jesus cai pela segunda vez. **8.** Jesus consola às mulheres de Jerusalém. **9.** Jesus cai pela terceira vez. **10.** Jesus é desnudado. **11.** Jesus é pregado na cruz. **12.** Jesus morre na cruz. **13.** Jesus é tirado da cruz e posto nos braços de Maria. **14.** Jesus é sepultado.

ESTAÇÕES DO ANO — ESTADO

ESTAÇÕES DO ANO

As quatro estações do ano, em hebraico e em grego, chamam-se, respectivamente: Verão = *qayits, théros*; essa estação envolvia o que hoje chamaríamos de primavera/verão. Inverno = *choreph, cheimón*; essa estação envolvia o que hoje chamaríamos de outono/inverno. Mas essas são apenas as palavras principais para indicar as estações, pois havia outros termos com este sentido, todos eles, de *tempo fixo*.

Tal como todas as demais sociedades que se acham em um nível cultural comparável a eles, os israelitas tinham forte senso sob as estações do ano, e da importância das mesmas para a vida humana. Na Palestina, havia basicamente apenas duas estações anuais: a estação seca, que era quente; e a estação chuvosa, que era fria ou fresca. A incidência dessas duas estações fundamentais determinava o planejamento de qualquer comunidade agrícola do mundo; — mas Israel tinha uma consciência especial das estações como uma evidência direta da supervisão divina sobre os acontecimentos do mundo, com base na promessa feita por Deus, em Gênesis 8:22, bem como na advertência explícita de Levítico 26:3,4 (cf. Deu. 11:13,14). O regime irregular das chuvas, na Palestina (ver sobre *Chuvas*), conferia ao povo de Israel o senso de dependência a Deus, quanto ao dom da boa colheita.

Por ocasião do êxodo, ficou resolvido que Israel contaria os seus meses a partir do mês em que era celebrada a páscoa. Assim o 1º mês do ano teve início. Ver Êxo. 12:2. Todas as outras datas fixas foram feitas a partir desse ponto inicial, como, por exemplo, as três ocasiões do ano nas quais todos os homens de Israel tinham de reunir-se em Jerusalém para celebrar as grandes festividades religiosas da nação. Entretanto, depois que os israelitas se estabeleceram na Terra Prometida, tornando-se mais agricultores do que pastores, o ritmo do ano agrícola se impôs, e as festas religiosas passaram a ter uma nova significação, como assinaladoras das estações do ano.

Agriculturamente falando, o ano começava, para os israelitas, com as «primeiras» chuvas do nosso mês de outubro, quando o solo, queimado pelo sol, tornava-se suficientemente arável, capaz de receber a semente. As plantações desenvolviam-se ao longo da estação chuvosa, e, na época do ano correspondente ao nosso mês de abril, começavam as colheitas, com a safra da cevada. Mas era no mês de junho que ocorria a colheita principal, seguida pela colheita da uva e das azeitonas. O ciclo agrícola só vinha a terminar nos fins de setembro ou começo de outubro.

As festividades religiosas do povo de Israel marcavam a progressão dessas estações do ano. A páscoa ocorria por ocasião da colheita das primícias, em nosso mês de abril; a festa das Semanas coincidia com a colheita principal, a do trigo, envolvendo pães para sublinhar essa conexão; a festa dos Tabernáculos assinalava a «colheita terminada», bem como o início de um novo ano agrícola. O estudioso Baly vê, na água derramada por ocasião da festa dos Tabernáculos, uma forma de símbolo da «desesperadora necessidade de chuvas», quando os agricultores de Israel davam início aos labores próprios de uma nova estação do ano. Ver sobre *Calendário*.

Dissemos acima que os israelitas só conheciam duas estações reais, a estação seca, ou verão, e a estação chuvosa, ou inverno. Isso ocorria por causa das condições climáticas que imperavam na Palestina, o que também sucedia na Babilônia. No entanto, devido a outras condições de clima, os egípcios dividiam o ano em três estações de quatro meses cada uma, denominadas, respectivamente, Água, Crescimento e Colheita, dependentes do regime de enchentes e secas do rio Nilo. Interessante é observar que, no caso dos israelitas, embora eles tivessem, para todos os efeitos práticos, apenas duas estações anuais, segundo se vê no Talmude, eles não desconheciam a existência de quatro estações anuais, com base nos equinócios e solstícios. Talvez isso só se tenha estabelecido em tempos posteriores, conforme se nota, por exemplo, na Regra de Qumran: tempo da colheita; tempo dos frutos de verão; tempo de semear; e tempo de brotar. Isso também transparece no zodíaco da sinagoga de Bete-Alfa, onde há representações das quatro estações: Nisã (tempo da colheita, primavera), Tamuz (tempo de calor, verão), Tisri (tempo de semear, outono) e Tebete (tempo de frio, inverno). Essas estações, pois, adquiriram nome com base nos nomes dos meses em que caía o equinócio ou o solstício, o que prova que tal divisão não fora originalmente criada pelos israelitas, mas tinha origem estrangeira, provavelmente derivada dos costumes babilônicos.

ESTADO

Ver o artigo separado sobre **Governo, Instituição de Deus,** que inclui comentários sobre a responsabilidade de que o crente tem de obedecer às leis de seu país. Quanto à relação entre a Igreja e o Estado, histórica e teoricamente, ver o artigo intitulado *Igreja e o Estado*. O Novo Testamento descreve o Estado como um instrumento de Deus, para produzir certa medida de justiça e de ordem na sociedade humana; razão pela qual o Estado deve ser obedecido e respeitado. Nosso artigo sobre o *Governo* aborda essa questão, incluindo os abusos que podem ocorrer. Aos crentes é ordenado que orem pelos reis e pelas demais autoridades, a fim de que possam desincumbir-se das tarefas que lhes têm sido dadas por Deus, e para que os crentes possam viver de modo pacífico e cheio de propósito (I Tim. 2:2). Jesus distinguiu as esferas da fé religiosa e do Estado, ordenando diligência em ambas (Mat. 22:15-22). Um homem, como é óbvio, precisa atuar em ambas essas esferas. A mais elevada autoridade, entretanto, é aquela do espírito; e, quando surgem conflitos, então as questões espirituais tomam a precedência. Ver Atos 4:5-7; 5:21,29. Ver também sobre *Filosofia Política*.

Definições Filosóficas:

A palavra latina que deu origem a «estado» é *status*, «posição», «o ficar de pé». O Estado é uma entidade coletiva de seres humanos, que vivem dentro de um certo território e com uma certa identificação. É uma organização política com poderes soberanos. É possível que o vocábulo se tenha derivado do termo feudal, *estates*, que indicava, na verdade, pequenos estados. Alguns pensam que «estado» é sinônimo de «sociedade», mas outros discordam disso. Isso é discutido no artigo *Sociedade*.

1. *Platão* definia o Estado como uma entidade que consistia em três classes: os governantes (equivalentes à mente), os militares (com funções vitais de proteção) e os artesãos (trabalhadores, porção material). Os Estados seguem à sucessão dos governos, que podem acompanhar modelos aristocráticos, democráticos, oligárquicos, timocráticos ou tirânicos. Ele pensava que o comunismo (não da variedade moderna, naturalmente) era o tipo de governo ideal para a elite da sociedade, que deveria governar os demais, que não são capazes de participar de todas as coisas.

ESTADO — ESTADO DO BEM—ESTAR

2. *Aristóteles* opinava que o Estado é uma criação da natureza. Um homem não poderia permanecer isolado, devendo atuar como parte de um Estado, emprestando ao mesmo a sua virtude particular. Ele pensava que a monarquia, a aristocracia e o governo constitucional são as melhores formas de governo. Mas essas formas poderiam degenerar, transformando-se, respectivamente, em tirania, oligarquia e democracia.

3. *Hobbes* concebia o Estado como um *animal artificial*, que chega ao poder através dos artifícios e poderes humanos, transformando-se em uma divindade moral. Ele dividia as formas de governo, em monarquia, aristocracia e democracia.

4. *Rousseau* dizia que o Estado é uma *pessoa pública* e uma *pessoa moral*. A sua vida seria criada pelo agregado unificado de seus membros. Ele favorecia a democracia como a melhor expressão política dos homens.

5. *Kant* pensava que a lei universal é a realização ideal para o Estado; e, dessa forma, como um passo final, deveria surgir uma união universal dos Estados, uma espécie de congresso permanente de nações.

6. *Hegel*, por sua vez, pensava que o Estado é a marcha de Deus entre os homens, o divino na terra, uma expressão do Espírito Absoluto, que combinaria o individual com o coletivo, dentro de um Estado ideal. Seria um organismo vivo, pois o espírito seria o poder por detrás de todas as coisas.

7. *Bentham* opinava que o Estado é o mero agregado de indivíduos, e que o interesse público (utilitarismo) deveria ser o guia em todas as coisas. O prazer, e a eliminação da dor deveriam ser os padrões a serem seguidos.

8. *J.S. Mill* seguia a Bentham, mas procurava impor, como padrão, o máximo de liberdade individual, estabelecida por uma democracia representativa.

9. *Marx* acreditava que o próprio Estado pode desaparecer totalmente, uma vez que sejam eliminadas as diferenças de classes. O resultado seria um comunismo utópico. De acordo com essa posição, os Estados comunistas atuais ainda estão longe de chegar a esse ideal, porquanto estão mais arraigados do que nunca.

10. *Giovanni Gentile* (e o fascismo) pensava no Estado como uma exteriorização do Espírito Absoluto (seguindo Hegel). Um discípulo seu, Ugo Spirito, traçou uma teoria política em consonância com esses princípios. Ver sobre o *Fascismo*. Sobre cada um desses filósofos oferecemos um artigo separado.

11. O *Estado teocrático*, como o do antigo Israel e como aquele tipo de governo que imperou, em termos, em alguns períodos da Europa medieval, quando a Igreja Católica Romana era muito forte, consiste na injeção de conceitos bíblicos e religiosos em todas as questões civis. Na época medieval, o Estado tornou-se como que um servo da Igreja e uma de suas expressões. João Calvino conseguiu estabelecer um Estado teocrático em Genebra, na Suíça, que terminou dando lugar a muitos abusos. O governo teocrático autêntico será estabelecido somente quando do governo milenar do Senhor Jesus, em decorrência da *parousia* (que vede). Antes disso, não há qualquer provisão divina e bíblica para ingerências cristãs nos sistemas governamentais. Todos os que tentaram fazer isso, no passado, ou que o têm tentado no presente, têm-no feito por sua própria conta e risco, sem o respaldo da Palavra de Deus. «Dai, pois, a César o que é de César; e a Deus o que é de Deus» (Mat. 22:21).

ESTADO DO BEM-ESTAR (SOCIALISTA)

É difícil traduzir a expressão inglesa **Welfare State** que está por detrás do título em português, deste verbete. Torna-se mister uma explicação. Um governo assim é aquele que se incumbe de prover a máxima segurança para seus cidadãos mediante o estabelecimento de instituições de assistência pública, de medicina socializada, de fundos liberais trabalhistas. Muitas funções, que antes cabiam a organizações privadas religiosas e filantrópicas, são adotadas por esse tipo de governo. Tal tipo de governo, pois, assumiu maiores responsabilidades no campo do *bem-estar social* de seus cidadãos, mediante programas sociais que incluem provisões de saúde pública e de assistência aos desempregados.

Na história recente, há governos que estão assumindo responsabilidades que antes ficavam com organizações religiosas e voluntárias. Desde a antiga sociedade romana já havia sociedades voluntárias que procuravam atender a certas necessidades humanas. Depois de 313 D.C., quando a Igreja cristã começou a tomar vulto na vida do império, essas responsabilidades passaram a fazer parte das atividades cristãs. Na era medieval, a Igreja Católica Romana foi um poderoso agente de caridade de todas as modalidades, conforme continua a sê-lo até hoje. E precisamos dar o devido crédito a essas atividades. Como exemplo disso, ver o artigo sobre *Isabel, Santa*.

Nos tempos modernos, por cerca de 1880, o chanceler da Alemanha, príncipe Otto, mostrou-se pioneiro de um abrangente esquema de segurança social, a fim de proteger os operários dos acidentes, das enfermidades e dos percalços da idade avançada. Grandes empresas industriais, como a Farben, na Alemanha, ou a Ford, nos Estados Unidos da América do Norte, foram pioneiras em extensos benefícios conferidos aos trabalhadores, criando programas de assistência social como parte integrante das atividades industriais.

A Grande Depressão da década de 1930 inspirou os governantes a envolverem-se em serviços sociais e em programas trabalhistas. Os governos começaram a garantir pensões, ausências por motivo de enfermidade e benefícios aos desempregados, como parte da legislação de vários países. No Brasil, Getúlio Vargas, apesar de ter sido um ditador moderado, foi um dos pioneiros quanto a essas questões. Foi ele quem instituiu o salário mínimo, — que garantia para os trabalhadores essencialmente não especializados um mínimo de ganho mensal. Mas, como já seria de esperar, em todos os países essas medidas têm dado lugar a muitas fraudes e a muitas despesas desnecessárias ou mal-empregadas, por parte dos governos, agravando tremendamente a dívida pública. Para exemplificar, nos Estados Unidos da América do Norte, muitas pessoas não trabalham simplesmente porque podem arrancar mais do governo não trabalhando do que se ocupando em algum emprego. Isso tem criado uma escandalosa preguiça nacional. A princípio, várias denominações cristãs tendiam por opor-se a esquemas de assistência social, por conduzirem à inatividade e por sugerirem o comunismo. Isso levou à acusação, algumas vezes justificada, de que os evangélicos ocupavam-se apenas com o evangelismo, olvidando as obras de caridade.

A maioria dos governos democráticos de nossos dias adicionaram provisões, regulamentadas por lei, que nos envolvem em conceitos socializantes. As igrejas cristãs terminaram por reconhecer a necessidade desse tipo de atividade, ao mesmo tempo em que continuam a lamentar os abusos que o sistema

ESTADO INTERMEDIÁRIO

favorece. Ver o artigo separado sobre *Movimentos Sociais Cristãos*, quanto a uma visão de como a própria Igreja cristã se tem envolvido em atividades de cunho social. A chamada *Teologia da Libertação* (que vede) empresta às atividades sociais o papel proeminente nas atividades religiosas, esquecendo-se da verdadeira função da Igreja, de cuidar das almas, e não dos corpos. Os apóstolos, ao enfrentarem um problema parecido, não se descuidaram dos cuidados materiais com os irmãos, mas não ao ponto de se esquecerem de suas verdadeiras funções. Disseram os apóstolos: «Não é razoável que nós abandonemos a palavra de Deus para servir às mesas. Mas, irmãos, escolhei dentre vós sete homens de boa reputação, cheios do Espírito e de sabedoria, aos quais encarregaremos deste serviço...» (Atos 6:2,3). A Teologia da Libertação, ao que parece, pretende transformar em diáconos a todos os ministros do evangelho. Os apóstolos não concordariam com isso. A ênfase social da Igreja de Cristo sempre deve ser subalterna à sua ênfase evangelizadora.

ESTADO INTERMEDIÁRIO

Esboço:
1. Definição
2. Caracterização Geral
3. O Estado Intermediário em Relação a Cristo: a Descida ao Hades
4. Idéias Variadas na Igreja Cristã:
   a. Entre os Adventistas
   b. Finalidade Imediata
   c. Nas Igrejas Oriental, Luterana e Anglicana
   d. Na Igreja Ocidental
   e. O Verdadeiro Purgatório: O Juízo Remedial
   f. A Restauração
   g. O Presente Estado dos Crentes
   h. A Reencarnação

1. Definição. O estado intermediário é um determinado período de tempo durante o qual a alma já saiu desta vida e do seu corpo físico, mas ainda não chegou ao seu verdadeiro destino, no mundo dos espíritos, ou no estado eterno. A expressão «estado intermediário» é empregada de vários modos, com diversas conexões diferentes, no cristianismo e em outras fés religiosas. No tocante a Cristo, a expressão é usada para indicar aquele espaço de tempo entre a sua morte e a sua ressurreição, o que é discutido no terceiro ponto deste artigo. Além disso, a expressão é empregada para referir-se à condição dos homens, após a morte biológica, mas antes da ressurreição e do julgamento final. O cristianismo emprega a expressão nesses dois últimos sentidos, acerca de Cristo e da alma humana. Mas, os pontos abaixo ilustram a existência de grande variedade de outros pontos de vista a respeito.

2. Caracterização Geral. Em linhas gerais, no que tange às grandes fés religiosas, podemos dizer que a expressão indica aquele estado que fica entre a morte física e o julgamento final. O zoroastrismo, a fé hebréia posterior, o estoicismo, o cristianismo e o islamismo (ver os artigos a respeito) têm idéias próprias a esse respeito, como também o fazem as religiões orientais de modo geral. A doutrina continua existindo mesmo quando há uma cuidadosa formulação de idéias concernentes ao juízo final e às recompensas finais. Autores farisaicos e apocalípticos (livros pseudepígrafos) desenvolveram doutrinas alusivas ao estado intermediário, completas com céus e infernos, reencarnações e orações pelos mortos. O cristianismo herdou alguns desses conceitos e, durante a Idade Média, os mesmos encontraram uma forma de expressão na doutrina do *purgatório* (que vede). Os grupos protestantes, ansiosos por evitar tal doutrina, têm tendido a negar a noção do estado intermediário, supondo apenas que o estado que já é ruim para as almas perdidas, tornar-se-á péssimo, quando o hades for lançado no lago do fogo.

3. O Estado Intermediário em Relação a Cristo: a Descida ao Hades. A falta de maiores conhecimentos, por parte de alguns intérpretes evangélicos, leva-os à suposição de que os trechos de Efésios 4:8-10 e I Pedro 3:18 — 4:6 são apenas passagens isoladas que podem falar ou não de alguma descida real de Cristo ao hades, para realizar ali uma missão misericordiosa, ou alguma outra missão indefinida. Digo acima falta de maiores conhecimentos porque aqueles que estão familiarizados com os escritos pseudepígrafos do Novo Testamento, com os escritos gregos e com os escritos apócrifos pós-neotestamentários, sabem que o relato sobre descidas ao hades, por parte de profetas e outros, é uma constante da fé religiosa. Por conseguinte, nada há de incomum e isolado nas poucas referências do Novo Testamento a essa idéia. O que é isolado é o conhecimento de um homem quando ele leva em conta somente a Bíblia em sua forma canonizada, não se familiarizando com a tradição inteira da literatura religiosa que circunda o desenvolvimento do cânon e da Bíblia. Além disso, o relato da descida de Cristo ao hades não é difícil de interpretar, exceto para aqueles que temem sacrificar sua **doutrina fixa** do eterno julgamento em chamas literais. O trecho de I Pedro 4:6 mostra claramente que o propósito da descida de Cristo ao hades foi oferecer a vida espiritual àqueles que antes foram desobedientes. Diz o apóstolo: «...pois, para este fim foi o evangelho pregado também a mortos, para que, mesmo julgados na carne segundo os homens, vivam no espírito segundo Deus». Ver os comentários (*in loc.*) no NTI. Esse versículo ensina claramente que o evangelho foi pregado no hades. Temos ali uma fase da esperança da salvação para a humanidade, e não o fim de toda esperança. As *experiências perto da morte* (que vede) também ilustram que as almas no hades estão sujeitas à obra missionária, e Clemente de Alexandria proclamou essa verdade, com base precisamente no trecho de I Pedro 3:18 — 4:6, há muitos séculos atrás.

Naturalmente, há muitas e até contraditórias interpretações sobre a descida de Cristo ao hades. Provemos um longo e detalhado artigo sobre o assunto, sob o título *Descida de Cristo ao Hades*. Basta dizer que muitos, entre os primeiros pais da Igreja, ou até hoje, nas igrejas Oriental, Luterana e Anglicana, têm visto a grande importância desse texto. A Igreja Ocidental (e seus descendentes históricos, os protestantes, que vieram do catolicismo romano, e não da ortodoxia oriental) é que não tem visto qualquer benefício para a humanidade na descida de Cristo ao hades, ou que tem negado que isso realmente sucedeu. Isso é especialmente lamentável, porquanto a descida de Cristo ao hades possibilitou o ministério universal de Cristo, tendo tido o mesmo propósito que a sua ascensão, isto é, fazer Cristo ser tudo para todos, ou, em outras palavras, *preencher todas as coisas* (Efé. 4:10). É entristecedor que muitos crentes enfatizem o ministério terreno e celestial de Cristo, mas deixem inteiramente esquecido o seu ministério no hades, o que possibilitou o seu poder e a sua benevolência universais. Esses *temem* o que Cristo pode ter feito em favor dos perdidos, no próprio hades. Mas, assim

ESTADO INTERMEDIÁRIO

fazendo, eles têm limitado o escopo da missão de Cristo e o poder do seu evangelho, o que, por certo, é uma questão séria. Apegam-se rigidamente ao frio ponto de vista do resultado final da missão de Cristo e dão a vitória ao diabo, e não a Deus, no tocante à conquista das almas que vão para o hades. Contendem zelosamente pela sua posição sobre o juízo, que deixa os homens no centro da tempestade da ira de Deus, recusando-se a ver que há outros trechos do Novo Testamento que ultrapassam para além dessa idéia.

4. Idéias Variadas na Igreja Cristã:

a. *Entre os Adventistas*. Eles concebem um estado intermediário que consiste em um estado de inconsciência. Chamam a isso de «sono da alma». Não acreditam na imortalidade da alma, supondo que a alma é devolvida à vida, somente para ser destruída de novo, após a ressurreição, se for condenada. Essa idéia retrocede até à mais antiga teologia hebraica, quando ainda não se falava sobre a imortalidade da alma. As leis morais do Pentateuco não se alicerçam sobre qualquer doutrina de recompensas ou castigos, para além da morte biológica. O judaísmo posterior (refletido no livro de Salmos e nos profetas) adicionou as doutrinas da imortalidade da alma e da ressurreição do corpo. No entanto, podemos examinar trechos bíblicos como a história do rico e de Lázaro (Lucas 16), além de Fil. 1:23 e II Cor. 5:1 *ss* , como textos de prova que mostram a falsidade da doutrina do «sono da alma». Ver também Apo. 6:9 *ss*. O judaísmo helenista, como um todo (embora não cada intérprete em particular), abandonou a idéia da inconsciência ou da semiconsciência, após a morte física. Essa doutrina não pode ser defendida nas páginas do Novo Testamento.

b. *Finalidade Imediata*. Alguns estudiosos defendem a idéia de que a alma entra em sua condição final imediatamente após a morte física. O trecho de Hebreus 9:27 é geralmente usado como texto de prova dessa idéia. Mas esse texto fala em termos muito gerais, em grandes lances, sem entrar em detalhes. Esses estudiosos não levam em conta o fato de que o lançamento do hades no lago de fogo constituirá uma tremenda modificação nas condições dos perdidos, e nem pensam que o hades seja um lugar onde possa haver alguma esperança de escape.

c. *Nas Igrejas Oriental, Luterana e Anglicana*. Essas igrejas têm percebido graus variegados de benefício na descida de Cristo ao hades. Elas supõem que os perdidos acham-se em tormentos conscientes, em diferentes graus de intensidade, mas que a missão de Cristo no hades pode e de fato tem vários efeitos sobre esta condição. Alguns estudiosos pensam que a condição dos perdidos pode ser melhorada, mas não que eles possam ser salvos mediante a missão de Cristo. No entanto, quase todos os pais da Igreja supunham que a missão de Cristo no hades foi um oferecimento genuíno de plena salvação. Certamente, I Ped. 4:6 sugere uma oferta de *salvação*. Alguns limitam a oferta de salvação no hades somente àqueles que lá estavam, nos tempos do Antigo Testamento, antes da pregação do evangelho. Mas a maioria pensa que as aplicações da missão misericordiosa de Deus continuam. Quanto à natureza exata do sofrimento dos perdidos (temporários), há uma grande variedade de posições, desde as torturas em chamas de fogo literais, até tormentos mentais. Outros estudiosos vêem o hades não como um só nível de castigo, mas como muitos níveis de existência espiritual, supondo que os melhores lugares até se caracterizam por lugares de relativo propósito e bondade, ao passo que os piores lugares do hades são autênticos infernos. A própria Bíblia fornece pouca informação a esse respeito, dando margem a várias especulações. Além disso, dispomos de algumas informações válidas que nos chegam do mundo intermediário, conferindo-nos algumas indicações do que deve estar ocorrendo ali.

d. *Na Igreja Ocidental*. Essa nunca deixou muita esperança para os perdidos, em sua doutrina sobre os condenados, ao pregar sua doutrina de uma única vida, com um julgamento fixado para imediatamente depois da morte física. Quanto aos fiéis que morrem em estado de graça, mas que têm pecados e omissões a serem pagos, a Igreja Católica Romana ofereceu sua doutrina do *purgatório* (que vede). Os grupos protestantes (derivados da Igreja Ocidental, e não da Oriental) eliminaram a doutrina do purgatório, com base em sua falta de apoio escriturístico, mas retiveram a limitada visão do julgamento pregada pela Igreja Ocidental, sem reconhecerem que essa posição foi desenvolvida pelos escritos pseudepígrafos, entre o Antigo e o Novo Testamentos, e que certas porções do Novo Testamento ultrapassam essa visão limitada.

e. *O Verdadeiro Purgatório: o Juízo Remedial*. O relato da descida de Cristo ao hades e textos como o de Efésios 1:9,10, que falam sobre a restauração final, dão-nos razão para crer que o juízo, conforme o mesmo atualmente existe, é espécie de purgatório. O trecho de I Pedro 4:6 tem aspectos purgatoriais. Os homens pagam suas dívidas; a retribuição é inevitável; mas o julgamento também tem um aspecto remedial. Não é popular, entre os evangélicos, falar em *purgatório*, porque isso reflete um dos piores abusos católicos romanos, mormente pouco antes da **Reforma Protestante,** que se rebelou, entre outras coisas, contra a vergonhosa venda de indulgências, a fim de supostamente livrar as almas retidas no purgatório, a peso de moedas. Porém, um julgamento remedial necessariamente envolve o conceito de *expurgo*, contido na palavra purgatório. Entretanto, o verdadeiro expurgo é para a *humanidade inteira*, e não para fiéis que morrem com alguns problemas espirituais não resolvidos. Orígenes afirmava que falar no julgamento *apenas* em termos de retribuição é condescender diante de uma teologia inferior. As evidências colhidas nas experiências perto da morte (que vede) consubstanciam a realidade do aspecto remedial do julgamento divino. Esse juízo é um meio de tornar eficaz o amor de Deus, em certos casos. A ira de Deus é uma subcategoria do seu amor. Isso está envolvido nas boas novas que Cristo trouxe para os homens.

f. *A Restauração*. O estado intermediário, que se prolonga desde a morte física até à ressurreição, faz-nos participar do ato restaurador de Deus, que fruirá plenamente já no estado eterno. Ver Efé. 1:9,10 e o artigo desta enciclopédia intitulado *Restauração*.

g. *O Presente Estado dos Crentes*. O trecho de Filipenses 1:23 mostra que as almas salvas, desencarnadas, estão com Cristo, em certo sentido. Os mundos celestiais consistem em muitos níveis de existência (João 14:2). A Casa Celeste do Senhor conta com muitas moradas (esferas); e, estar alguém em qualquer delas, é estar com Cristo, o que não significa, necessariamente, que alguém já tenha entrado diretamente na presença de Deus. Seja como for, quem ali chegou ultrapassou a qualquer mundo inferior interino; mas, nem por isso, já atingiu o seu estado final. Isso só ocorrerá após a ressurreição, com os vários estágios de glorificação que a ressurreição precipitará, por toda a eternidade. A passagem de II Coríntios 3:18 antecipa que as almas remidas passam

528

ESTADOS PAPAIS — ESTAGNAÇÃO

por muitos estágios de glória, e isso por toda a eternidade, porquanto a glorificação é um processo eterno, e não um único e fugaz acontecimento. A glorificação haverá de levar-nos à participação na própria natureza divina (Col. 2:10), na *plenitude de Deus*. O presente estado desincorporado dos crentes que morreram faz parte disso. Mas, algum dia, essas almas serão «revestidas» (II Cor. 5:4). E então a mortalidade será absorvida pela imortalidade.

h. *A Reencarnação*. O Novo Testamento reconhece a realidade da reencarnação quanto a casos especialíssimos. Portanto, ao menos nesses casos especiais, o estado intermediário envolve o retorno ao estado incorporado. Alguns cristãos (embora não sistemas cristãos) supõem que isso é uma regra geral, e não uma regra que se aplique somente a alguns poucos. Ver o artigo sobre a *Reencarnação*, quanto a todas as teorias atinentes. Essa idéia, como é óbvio, está envolvida na questão do estado intermediário.

A nossa tendência é falar demais sobre coisas que conhecemos muito pouco. O mundo intermediário, sem dúvida, reserva muitas surpresas para nós; e, mais ainda, no que tange ao estado eterno. O nosso conhecimento sobre essas coisas é extremamente fragmentar. Ver o artigo separado intitulado *Escatologia*. (B E NTI UN Z)

ESTADOS PAPAIS

Esse título designa o território, principalmente na Itália, governado pelos papas. Os estudiosos discordam quando se trata de atribuir limites geográficos aos estados papais, visto que diferentes papas seguiram políticas radicalmente diversas na Itália, na Ásia Menor e na Europa em geral. O governo teocrático papal desenvolveu-se em resultado da desintegração do império romano. Em face das invasões dos chamados povos «bárbaros» e do caos civil que se estabeleceu, os papas assumiram tanto uma autoridade temporal quanto uma autoridade espiritual. A pressão constante, exercida pelos lombardos, forçou o papado a buscar ajuda e terras da parte dos francos. O rei Pepino fez concessões de terras ao papado, em 754 D.C., e o direito de posse foi confirmado por Carlos Magno, em 774. Esse território, em adição ao chamado Patrimônio de São Pedro «terras doadas, desde a antiguidade, à igreja de Roma», e em adição aos territórios que haviam sido doados à Igreja após a Paz de Constantino, no século IV D.C., formavam o núcleo dos domínios papais. Esses territórios foram sendo expandidos até incluir terras em Ravena, Pentápolis e Romanha. Os fundos recolhidos com base nessas terras adicionaram poder, e a Igreja assumiu aspectos de uma potência secular qualquer. No século XVI, os territórios papais não somente existiam nos citados lugares, mas também incluíam Ancona, os ducados de Parma, Espoleto, Castro e porções das províncias de Bolonha, Perúgia e Orvieto. Essas áreas abarcavam cerca de 44 mil quilômetros quadrados, com três milhões de habitantes. Porém, a história subseqüente foi provocando uma gradual erosão dessas possessões, e a maioria delas retornou ao governo secular. Em 1860, a Itália anexou Romanha, Ancona e Úmbria, deixando o papa somente com a cidade de Roma e a província do Lácio. Dez anos mais tarde, o rei Victor Emanuel tomou a cidade de Roma e eliminou perpetuamente os estados papais. A partir de então, a soberania pessoal do papa e seu direito de manter representações diplomáticas substituíram os seus poderes temporais.

Em 1929, o Tratado Luterano, assinado na Itália, reconhece no papa tanto um governante temporal quanto um governante espiritual na cidade do Vaticano. Essa área tem menos de 2,5 km(2), onde

estão contidos o palácio do Vaticano e os seus anexos, jardins e a basílica de São Pedro. Essa pequena área dificilmente pode ser tida como a restauração dos anteriores estados papais. O papa Pio XI expressou a sua satisfação diante do fato histórico que os vastos territórios, antes pertencentes à Igreja, lhe tivessem sido tirados, a fim de que o papa pudesse dedicar-se mais aos seus deveres espirituais. As rendas papais atualmente são providas pela pequena taxa de Pedro, a oferta anual feita pelos católicos romanos do mundo inteiro. Esses fundos são administrados pela comissão dos cardeais, satisfazendo às necessidades da Santa Sé.

ESTÁGIOS DA INQUIRIÇÃO ESPIRITUAL

Ver **Vitória Espiritual; Estágios da Inquirição Espiritual.**

ESTÁ ESCRITO

As palavras **está escrito** formam uma frase constantemente usada por Paulo nas suas epístolas para *vincular* a sua mensagem a muitos aspectos importantes do A.T. Assim sendo, vemos que esse apóstolo defendia a idéia da continuação da mensagem do antigo pacto na revelação do N.T., o que é um conceito comum entre os escritores neotestamentários. Isso subentende, naturalmente, que o *Messias*, prometido nas páginas do A.T., é o Senhor Jesus do N.T. No NTI, em João 7:45 há um sumário da primitiva apologia cristã acerca do caráter messiânico de Jesus.

Ver também o artigo *Profecias Messiânicas Cumpridas por Jesus*. O uso da expressão *está escrito*, nas escrituras de Paulo, tem estas razões específicas.

1. A fim de que suas declarações se tornassem mais autoritárias.

2. A fim de mostrar que não estava esposando qualquer doutrina nova, mas antes, expunha, o tempo todo, aquilo que as *Escrituras* do A.T. propuseram ou anteciparam.

3. Paulo mostrou, diretamente, a conexão entre a revelação judaica, do A.T., com a revelação cristã, no N.T.

Algumas referências que contêm a expressão: Rom. 1:17; 2:24; 3:4,10; 4:17,23; 8:36; 9:13,33; 10:5; 11:8,26; 12:19; 14:11; 15:3,9,21; I Cor. 1:19,31; 2:9; 3:19; 4:6; 9:9,10; 10:7,11; 14:21; 15:45,54; II Cor. 8:15; 9:9; Gál. 3:10,13; 4:27.

ESTAGNAÇÃO DOS DOGMAS

Temos coragem bastante para não aceitar meias verdades?

Somos suficientemente inteligentes para ver que não conhecemos a verdade toda?

1. O dogma faz estagnar. Mas os dogmas são de tal maneira honrados, durante certo período de tempo, que se faz mister um autêntico pioneiro para que sejam abertas novas avenidas de pensamento e experiência.

2. Os pioneiros sempre são chamados de hereges, e quase sempre sofrem perseguições, de uma maneira ou de outra, mesmo através da rejeição do grupo que se forma em torno deles. Nem Jesus e nem Paulo foram aceitos pela vasta maioria de seus contemporâneos.

3. Toda nova verdade parece contradizer os antigos dogmas. Sempre será mais fácil ficarmos com o que é mais antigo. Sempre será mais fácil desfrutar dos frutos dos avanços anteriores do que se aventurar em fazer novos avanços.

ESTANDARTE — ESTANHO

«Se alguém dirigir sua atenção para as novidades do pensamento, durante o seu próprio período de vida, poderá observar que quase todas as idéias realmente novas têm um certo aspecto de insensatez, quando são apresentadas pela primeira vez». (Alfred North Whitehead).

4. *Denominações* se formam para sistematizar interpretações favoritas, e conseqüentemente, se representam como os próprios depósitos da verdade e ficam em hostilidade contra outros «depósitos». Tudo isto emana do orgulho humano.

5. Os sistemas recusam considerar a importância dos conceitos de *Paradoxo* (que vide) e *Polaridade* (que vide), porque a verdade de Deus é freqüentemente além das categorias racionais da mente humana.

ESTANDARTE

Quatro palavras hebraicas diferentes devem ser examinadas quanto a este verbete, a saber:

1. *Degel*, «bandeira», «pendão». Essa palavra hebraica ocorre por treze vezes: Núm. 1:52; 2:2,3,10,17,18,25,31,34; 10:14,22,25; 10:18 e Can. 2:4.

2. *Nus*, «fazer fugir», «impelir». Essa palavra é de ocorrência comum no Antigo Testamento, nada tendo a ver com a idéia de «estandarte» ou «bandeira». No entanto, algumas versões dão essa impressão, em Isaías 59:19. Mas nossa versão portuguesa corretamente diz, nessa passagem: «...pois virá (a glória do Senhor) como torrente impetuosa, impelida pelo Espírito do Senhor». Traduzir essa palavra hebraica por qualquer coisa que dê a idéia de «estandarte» é erro crasso de tradução.

3. *Nes*, «bandeira», «vela». Palavra hebraica que foi utilizada por vinte vezes, como, por exemplo, em Isa. 49:22; 62:10; Jer. 4:6,21; 50:2; 51:12,27. É possível que a semelhança entre essa palavra e a de número dois, *nus*, tenha feito alguns tradutores traduzirem esta última por «estandarte», em Isa. 59:19, quando ela não significa isso. Ver acima.

4. *Nasas*, «levantar um estandarte». Esse termo hebraico é usado por duas vezes, em Isa. 10:18 e Zac. 9:16.

Quanto à terceira dessas quatro palavras, *nes*, há uma forma expandida dessa mesma raiz que é usada no sentido de reunir-se em torno de uma bandeira ou estandarte. Na literatura apocalíptica judaica há grande preocupação em relação aos termos que indicam «estandarte», pois ali esses estandartes são considerados muito mais do que sinais usados em cerimônias formais. Essa é a palavra hebraica geralmente usada na literatura hebraica profana para indicar «bandeira» ou «estandarte», embora também sejam empregadas outras palavras.

Essa palavra traduz uma palavra hebraica que indica algo «conspícuo», como também uma palavra hebraica que significa «insígnia». A primeira dessas palavras é usada por catorze vezes, e a segunda é usada por vinte vezes, com várias traduções em português, uma e outra. A primeira palavra tem origem acádica, com o sentido de «ver». Os estandartes eram erigidos em mastros, no topo de colinas e em outros lugares conspícuos, a fim de servirem de sinal ou identificação, e também para convocar os homens das tribos de Israel para a batalha. Ver Núm. 2:2; 21:8 *ss* ; Can. 2:4; 6:4; Sal. 60:4; Isa. 11:10; Jer. 4:21. No deserto, cada uma das doze tribos de Israel contava com seu próprio estandarte identificador. Os túmulos reais sumérios, em Ur (cerca de 2900 A.C.), tinham estandartes decorativos, em baixo relevo. É provável que o uso original de estandartes fosse militar, mas, com o tempo, seu uso tornou-se generalizado e com vários motivos. Os primeiros estandartes não eram bandeiras feitas de tecido; antes, eram emblemas, representando animais, pássaros, deuses, etc. Eram feitos de madeira ou metal, pintados em cores brilhantes, e suspensos no alto de um mastro. A águia era um símbolo comum, mas muitas outras aves e animais eram usados nesses estandartes. O trecho de Números 1:52 mostra-nos que cada tribo de Israel tinha seu próprio emblema, utilizado para finalidades como identificação, lugar para armar tendas, movimentos e marchas. Em Salmos 20:5, o «pendão» aparentemente é uma bandeira de guerra. Ali o uso da palavra é figurado, porquanto trata-se do pendão de Deus a esvoaçar por sobre o Seu povo, identificando-os como pertencentes ao Senhor, e garantindo-lhes a sua presença e proteção. No livro Cantares de Salomão, o «estandarte» representa o amor, que o esposo tem pela esposa. O Messias é referido como uma «bandeira», isto é, como o ponto de convergência para todos os povos que a Ele pertencem (ver Isa. 49:22). Em Isaías 30:17, vemos um estandarte transmitindo uma importante mensagem. A serpente de bronze, no alto do mastro, foi erguida para servir de cura, conclamando o povo de Israel à saúde, física e espiritual (ver Núm. 21:8,9). Isso representava o poder universal de Cristo, para atrair os homens para si (ver João 3:14). Em Atos 28:11 encontramos o emblema de «Dióscuros» (Castor e Pólux), na proa de um navio. Alguns têm vinculado a palavra grega *semeîon*, «sinal», usada em quase todos os livros do Novo Testamento (é empregada por cerca de setenta e duas vezes), a essa idéia. Mas o vocábulo grego refere-se a um conceito inteiramente diferente. Ver o artigo sobre *Sinal*. (UN VA)

ESTANHO

Ver o artigo geral sobre **Minas, Mineração e Metais.**

No hebraico, *bedil*, termo que ocorre por cinco vezes: Núm. 31:22; Isa. 1:25; Eze. 22:18,20 e 27:12. Algumas versões dizem «metal impuro», em Isaías 1:25 (como é o caso de nossa versão portuguesa), mas deve-se pensar no estanho. O trecho de Eclesiástico 47:18 avalia o estanho acima do chumbo.

Referências Clássicas. Há numerosas alusões a esse metal nos escritos clássicos, pelo que se sabe que esse metal já vem sendo usado desde a mais remota antiguidade. Homero fala sobre o escudo de Aquiles, feito de estanho (*Ilíada* 18:47). Plínio chamou o chumbo e o estanho, respectivamente, de *plumbum nigrum* e de *plumbum candidum*. O seu *stannum*, aparentemente, era uma liga desses dois metais. Há provas de que os antigos não sabiam distinguir muito bem entre o estanho e o chumbo. E as referências bíblicas refletem até certo ponto essa ambigüidade.

O *estanho*, embora relativamente raro na natureza, foi descoberto desde épocas antigas. Era refinado e muito usado no comércio do mundo antigo. Seu único minério, a *cassiterita*, não tem aspecto metálico, sendo encontrado apenas em alguns lugares. Mas, a despeito disso, por razões desconhecidas, isso não impediu sua descoberta e uso desde a mais remota antiguidade. Misturado com o cobre, o estanho transforma-se em bronze, um metal muito usado com todos os propósitos, na antiguidade, desde o fabrico de armas, até trabalhos de arte e como ornamentos. É com base nesse metal que temos a chamada Idade do Bronze, da arqueologia (3500-1200 A.C.). Sabemos que os fenícios comerciavam com esse metal e suas

ESTAOL — ESTELA

ligas, havendo muitos pontos da Europa que também estiveram envolvidos nessa indústria e comércio. Têm sido descobertas minas de estanho na Saxônia, na Boêmia e na península Ibérica. Os usos pré-históricos desse metal estão ligados à Índia, enquanto a Europa continuava vivendo na idade neolítica. Muito estanho tem sido encontrado na Arábia, embora, evidentemente, tenha sido importado para ali, do Egito. Após os dias de Júlio César, o estanho extraído nas ilhas britânicas era trazido para o continente europeu, através da cidade de Marselha, na antiga Gália (atual França).

Os territórios que hoje são Espanha, Portugal, Cornuália e Devonshire, além das ilhas de Junque, Ceilão e Banca (esta última nos estreitos de Lalaca, estreitos da Fenícia), eram os únicos lugares do mundo antigo onde esse metal era extraído em quantidade apreciável.

ESTAOL

No hebraico, esse nome deriva-se de uma forma reflexiva do verbo «pedir», sendo provavelmente relacionada à idéia de «possessão». Mas essa palavra também poderia indicar que um antigo oráculo existia ali. Estaol era o nome de uma cidade, alistada como uma das possessões de Judá (Jos. 15:33). Contudo, em Jos. 19:40,41, a cidade aparece como pertencente à tribo de Dã. Podemos harmonizar isso supondo que, em algum tempo não designado, a parte mais nortista de Judá veio a tornar-se parte do território de Dã. Sansão nasceu e foi sepultado ali, ou perto daquele lugar (Juí. 13:24,25; 16:31). Dali e de Zorá, nas proximidades, os danitas começaram a expandir o seu território (Juí. 18:2 ss). O local moderno, na opinião dos eruditos, é Eshsa', perto de Zorá, a vinte e um quilômetros a noroeste de Jerusalém. Os estaoleus aparecem entre a posteridade de Calebe, em I Crônicas 2:53.

ESTÁQUIS

No grego, **stáchus**, «grão de cereal». Esse era o incomum nome grego de um crente romano, ao qual o apóstolo Paulo enviou saudações, chamando-o de «meu amado» (Rom. 16:9). É nesse versículo, com exclusividade, que o seu nome aparece em toda a Bíblia, razão pela qual não podemos dizer a seu respeito mais do que já dissemos. Em certa inscrição vinculada à família imperial, pertencente a essa época, aparece o nome Estáquis. Seria o mesmo?

ESTÁTER

Ver sobre **Dinheiro**.

ESTATURA

Duas palavras hebraicas e uma palavra grega estão envolvidas neste artigo, a saber:

1. *Middah*, «medida», «estatura». Palavra hebraica usada por sessenta e cinco vezes no Antigo Testamento, como se vê, por exemplo, em Núm. 13:32; II Sam. 21:20; I Crô. 11:23; 20:6; Isa. 45:14.

2. *Qomah*, «altura», «estatura». Termo hebraico empregado por quarenta e quatro vezes, segundo se vê, para exemplificar, em I Sam. 16:7; Can. 7:7; Isa. 10:33; Eze. 13:18; 17:6; 19:11; 31:3.

3. *Elikía*, «grandeza», «comprimento». Vocábulo grego que aparece por oito vezes: Mat. 6:27; Luc. 2:52; 12:25; 19:3; João 9:21,23; Efé. 4:13 e Heb. 11:11. Essa palavra grega pode indicar a «idade» de

uma pessoa, e, secundariamente, a sua «estatura» (Luc. 19:3; e também talvez em Mat. 6:27). Em Lucas 12:25 lemos: «Qual de vós, por ansioso que esteja, pode acrescentar um côvado ao *curso* da sua vida?», onde a palavra «curso» corresponde a *elikía*, no original grego. Contudo, essa tradução parece um tanto arrojada, na opinião de algumas autoridades.

Há uma variante que envolve o trecho de II Samuel 21:20, onde se lê: «...onde estava um homem de grande estatura...» À margem, no texto hebraico, há um *quere* e um *kethib* (que vide), que emenda o texto para que se ajuste à passagem paralela de I Crônicas 20:6. A forma do texto em nossa versão portuguesa, em II Sam. 21:20, deve ser considerada correta, com base em uma outra raiz hebraica, *madom*, «contenda», em Pro. 6:14; Jer. 15:10; Hab. 1:3, etc.

ESTÉFANAS

No grego, **stephanás**, «coroa». Um crente de Corinto que, juntamente com os seus familiares imediatos, era uma das poucas pessoas que haviam sido pessoalmente batizadas pelo apóstolo Paulo em Corinto (I Cor. 1:16). Não que Paulo não apoiasse o batismo em água; mas agora alegrava-se que poucas pessoas ele havia batizado ali, porquanto isso dificultava o aparecimento de algum partido paulino, cujos membros se vangloriariam de haver sido batizados por ele. (I Cor. 1:10-15).

Os membros da família de Estéfanas haviam sido os primeiros convertidos ao cristianismo na Acaia (I Cor. 16:15). Paulo o elogiou em face de seu serviço devotado à causa cristã, em Corinto e nas circunvizinhanças, tendo exortado os outros crentes coríntios a se sujeitarem voluntariamente a tais homens, tendo em vista a promoção do bem-estar das igrejas locais, porquanto eles eram colaboradores fiéis do apóstolo.

O fato que Estéfanas e seus familiares «se consagraram ao serviço dos santos», no dizer de Paulo (I Cor. 16:15), conforme pensam alguns estudiosos, indica ou envolve a idéia de que eles abriram sua residência, como lugar de adoração dos cristãos e como lugar de hospitalidade. Paulo, em face de todas essas virtudes cristãs daquela família, regozijou-se diante da visita de Estéfanas, e cobrou ânimo, além de mostrar-se agradecido diante das ofertas que os crentes de Corinto tinham enviado através de Estéfanas, Fortunato e Acaico (quando ele ainda estava em Éfeso) (I Cor. 16:17,18).

ESTELA

No grego, **stéle**. Trata-se de uma laje, usualmente de forma oblonga, que não fazia parte de alguma construção mas era posta em posição vertical. Era usada com propósitos votivos, ou então como memorial de alguma pessoa ou de algum acontecimento. Sobre essas estelas eram gravadas inscrições, com freqüência acompanhadas por desenhos ornamentais ou relevos de significação particular para o que ali foi inscrito.

Essas estelas têm sido encontradas pelos arqueólogos por toda a região da Mesopotâmia, da Síria, do Egito, da Ásia Menor e do mundo greco-romano. Algumas dessas estelas contêm inscrições vinculadas com importantes eventos narrados na Bíblia. Ver sobre *Inscrições*.

As estelas revestiam-se, essencialmente, de um caráter secular, mesmo quando erigidas em algum santuário e tinham imagens de natureza religiosa esculpidas em sua superfície. É significativo que

ESTEMOA — ESTER

nenhuma estela de origem israelita foi jamais descoberta, ainda que talvez esteja em pauta uma estela em I Sam. 15:12, onde o original hebraico diz *yad*, «mão», mas nossa versão portuguesa diz «monumento». Cf. também II Samuel 18:18, onde se lê que Absalão havia levantado uma «coluna» em sua própria honra, e onde aparece o vocábulo hebraico *matstsebah*, «pilar», «coluna».

ESTEMOA

No hebraico, «obediência». Esse era o nome de uma cidade existente na região montanhosa de Judá, que veio a pertencer aos sacerdotes. Ver Jos. 15:50 (onde nossa versão portuguesa diz «Estemo», provavelmente por erro gráfico); 21:14; I Crô. 4:17,19. Quando Davi estava exilado em Ziclague, ele enviou uma parte dos despojos que tinha conquistado aos anciãos que viviam ali.

ESTER (LIVRO DE)

O livro canônico de Ester (ver o artigo sobre **Ester, Adições ao Livro de**) conta-nos a história de Ester, jovem judia que substituiu Vasti, como rainha do rei persa, Assuero. Esse livro propõe-se a fornecer-nos as circunstâncias históricas do estabelecimento da festa judaica de Purim. Trata-se da história de uma heroína judia, por conseguinte. Embora não contenha o nome de Deus, e nem seja citado uma vez sequer no Novo Testamento, tem desfrutado de grande popularidade entre os judeus. O hino de louvor aos heróis da fé, em Eclesiástico 44:49, não menciona Ester. Nos fins do século I D.C., os rabinos judeus continuavam disputando sobre a canonicidade do livro. Lutero emitiu o desejo de que o mesmo nunca tivesse sido escrito. Também não figurava entre os rolos dos *Manuscritos do Mar Morto* (que vede). Esses fatos dão ao livro uma posição curiosa, dentro do cânon sagrado. Mas, a corrente principal do judaísmo sempre lhe deu um grande valor.

Esboço:

I. A Heroína e Certas Dificuldades Históricas
II. Conteúdo
III. Propósito Geral
IV. Autoria e Data
V. Posição no Cânon

I. A Heroína e Certas Dificuldades Históricas

O nome hebraico dessa mulher era **Hadassah**, que significa «murta», o nome de uma planta. Ester era o nome (provavelmente persa) que lhe foi dado, quando ela tornou-se parte do harém real. É possível que esse último nome esteja ligado a *Istar*, nome de uma das principais deusas babilônicas. Há um targum que revela que ela foi assim chamada em honra à estrela Vênus, no grego, *Aster*, vinculada à palavra portuguesa *estrela*. Alguns estudiosos supõem que essa troca de nomes seguiu uma imitação da palavra hebraica, não tendo havido uma troca genuína de um apelativo por outro. Ester pertencia à tribo de Benjamim. Seu nome tem sido imortalizado no livro que foi escrito para decantar seus atos heróicos. Ela tinha um primo, Mordecai, que a adotou quando da morte de seus pais (Est. 2:5-7), tendo-a criado na Pérsia. Ali ela também foi o instrumento na salvação dos judeus, quando as autoridades do império persa queriam destruí-los. Isso foi possível somente porque Ester tornou-se a rainha do rei persa, em lugar de Vasti. Desse modo, Ester ficou em uma posição em que pôde interceder em favor de seus compatriotas judeus.

Muitos eruditos liberais não crêem na historicidade do livro de Ester. Preferem pensar que se trata de um romance histórico, porquanto contém vários erros históricos evidentes. O principal desses erros é que não é possível identificar com certeza qualquer rei da Pérsia chamado Assuero. Assuero tem sido identificado por outros como Xerxes (485-465 A.C.). Mas Mordecai, o primo de Ester, teria sido levado para o exílio por Nabucodonosor, mais de um século antes da subida de Xerxes ao trono da Pérsia. Assuero também tem sido identificado com Artaxerxes II (404-358 A.C.), mas há várias dificuldades cronológicas que acompanham essa identificação. Ester, por sua vez, tem sido identificada com Amestris, de Xerxes, mas sabemos que o pai de Amestris era um general persa, o que significa que Amestris não era uma donzela judia.

O problema da avançadíssima idade de Mordecai só poderia ser explicado se pensássemos que, em Ester 2:5,6 há menção a Quis, o bisavô de Mordecai, e não a este último. Menos grave é a questão do nome de Ester, que não figura nos registros históricos. Isso deve-se à circunstância que os monarcas antigos tinham muitas esposas e concubinas, cujos nomes apenas em um caso ou outro são mencionados. Contudo, alguns estudiosos pensam que o livro é uma peça *pseudo-história*, usada para simbolizar o conflito entre os deuses babilônicos e elamitas. Nesse caso, Ester é Istar, e Mordecai é Marduque. A similaridade de sons, entre esses nomes, é impressionante, mas poucos estudiosos pensam que essa teoria possa ser defendida com êxito. Outras objeções giram em torno de coisas subjetivas, como a indagação se Hamã teria a coragem de tentar um genocídio. Ele anunciaria a data do massacre com tanta antecedência? Uma jovem judia teria o poder de exercer qualquer influência sobre um poderoso monarca persa? Alguém construiria uma forca com vinte e cinco metros de altura? Isso equivaleria a um moderno prédio de oito andares. Porém, visto que a vida real por muitas vezes é mais estranha que a ficção, essas objeções não têm muito peso. Também não precisamos supor que todos os detalhes da história sejam exatos, mesmo que o livro de Ester seja essencialmente histórico.

Outras Dificuldades Históricas Dignas de Serem Mencionadas:

1. O trecho de Ester 1:1 menciona cento e vinte e sete províncias persas. Mas Heródoto (3:89) alude somente a vinte satrapias. As inscrições de Dario variam entre 21 e 29 satrapias. A resposta dada a essa objeção é que as satrapias maiores eram divididas em unidades menores, e que o livro de Ester refere-se a essas divisões todas. Todavia, não há como provar que o argumento está certo.

2. Heródoto (3.84) diz-nos que os reis da Pérsia eram obrigados a escolher sua rainha dentre as sete principais famílias da nação. Essa objeção é respondida dizendo-se que essa regra não era necessariamente permanente e absoluta, e que em um sistema onde havia pluralidade de esposas, tal regra facilmente podia ser desobedecida. Provavelmente, seria aplicável somente às esposas principais, que servissem de rainhas. Mas, na verdade, Ester aparece como uma rainha. A rainha de Xerxes, conforme se sabe, foi Amestris, que era uma princesa persa. Portanto, deve-se supor que uma outra rainha entrou em cena. Esse problema, nem por isso, fica resolvido, porque Vasti também não era Amestris. Ou seria?

3. Se a festa de Purim foi instituída por Mordecai, por que isso não é mencionado senão quando ocorre como o dia de Mordecai, em II Macabeus 15:36? A

ESTER — ESTER, ADIÇÕES

resposta a essa objeção é que a festa de Purim só se tornou proeminente na época em que o livro de II Macabeus foi escrito, pelo que não teria sido mencionada, juntamente com outras festas nacionais dos judeus. O próprio livro de Esdras não menciona todas as festividades judaicas, incluindo algumas mais antigas que a festa de Purim. A lista de heróis, em Eclesiástico, não menciona nem Ester e nem Mordecai. Pelo que, pergunta-se: teriam sido eles figuras históricas? Essa objeção é respondida supondo-se que aquela lista é incompleta. Pois o autor da lista também omitiu Esdras, — que, sem dúvida alguma, foi uma personagem histórica.

II. Conteúdo

1. A história da rainha Vasti (1:1-22)
2. Ester, Substituta de Vasti (2:1-23)
3. Hamã Conspira para Aniquilar os Judeus (3:1-15)
4. Intervenção Corajosa de Ester (4:1 — 7:10)
5. Os Judeus Vingam-se (8:1 — 9:19)
6. Instituição da Festa de Purim (9:20-32)
7. Mordecai em Posição de Autoridade (10:1-3).

III. Propósito Geral

Embora o nome de Deus não seja ali mencionado, o livro, evidentemente, tem o intuito de dar uma vívida demonstração de como a providência de Deus opera entre os homens, podendo reverter qualquer situação difícil. Outrossim, a narrativa tem a finalidade de explicar como veio a ser instituída a festa de Purim (que vede). Essa festa judaica é mencionada pela primeira vez em II Macabeus 15:36. Ao preservar o seu povo, muitos dos quais se mostravam lassos em sua conduta, Deus demonstra o poder do seu pacto com eles. *Purim* é palavra que vem do assírio, *Puru*, que indica um pedregulho apropriado para ser lançado como se fosse um dado, em sortilégios. Ver Est. 3:7; 9:24,26. Esse *puru*, pois, representa o destino. Hamã lançou sortes para ver qual seria o melhor dia para tentar destruir totalmente os judeus. Mas Deus reverteu esse destino. Se, porventura, o livro só foi escrito na época dos Macabeus, então o seu propósito foi o de encorajar a fidelidade a Deus, em consideração a fidelidade histórica do Senhor.

IV. Autoria e Data

O livro é anônimo, mas a tradição judaica tem procurado fazer algumas identificações. Alguns supõem que Mordecai mesmo foi o seu autor, ou, pelo menos, foi uma das principais fontes informativas. Admite-se que a história contém um autêntico colorido da vida e dos costumes persas, o que significa que o autor tinha conhecimento dos mesmos em primeira mão, ou então, que teve acesso aos registros apropriados. Agostinho atribuía o livro de Ester a Esdras; mas os eventos ali registrados ocorreram depois de seu tempo. O Pseudo-Filo e o rabino Azarias afirmaram que o livro foi escrito por Joiaquim, filho do sumo sacerdote Josué, no décimo segundo ano do reinado de Artaxerxes, a pedido de Mordecai. Mas, tudo isso não passa de conjetura.

Data. A mais antiga referência pós-bíblica à festa de Purim fica em II Macabeus 15:36, com data de depois de 161 A.C. Refere-se ao *dia de Mordecai*, o que quer dizer que o livro deve ter sido escrito antes desse tempo. É comumente datado no século II A.C. Se for uma história genuína, e se foi escrito perto, quanto ao tempo, dos acontecimentos ali descritos, então foi escrito em cerca de 500 A.C. Muitos estudiosos supõem que o mesmo reflete os conflitos dos Macabeus e que foi escrito como uma espécie de novela romântica, a fim de encorajar nos leitores a

fidelidade a Deus, mediante a confiança em sua providência. Isso o colocaria dentro do século II A.C. Se foi escrito durante o governo de Artaxerxes Longânimo, então deve ter sido escrito por volta de 450 A.C.

V. Posição no Cânon

A canonicidade do livro de Ester foi longamente disputada entre os judeus. Essa disputa prosseguiu mesmo no fim do século I D.C. Seja como for, aparece na terceira divisão das Escrituras hebraicas, entre os livros de Rute, Cantares, Eclesiastes e Lamentações, como um dos rolos. Os rabinos, em Jamnia (cerca de 100 D.C.) deram atenção especial à questão de sua canonicidade. Contra a sua canonicidade eles argumentavam que o mesmo instituía, como obrigatória, uma nova festa religiosa, que ultrapassava a lei de Moisés, que, presumivelmente, havia instituído todas as festas obrigatórias. Mas essa objeção foi afastada mediante a invenção de que o livro fora revelado a Moisés no monte Sinai, embora só tivesse sido escrito na época de Mordecai (Talmude de Jerusalém, *Megillah*, 70d). Isso serve de triste demonstração de como a mente religiosa pode chegar a qualquer conclusão, *a priori*, que uma pessoa ou um grupo de pessoas queiram fazê-lo. Sua suposta natureza não-religiosa (por não mencionar nem uma vez o nome de Deus), sem dúvida alguma, foi a grande razão que levou Lutero e outros a rejeitarem tão violentamente o livro.

O livro de Ester tem desfrutado de uma grande popularidade entre os judeus, o que é muito compreensível. Ele é lido anualmente, por ocasião da festa de Purim. O livro notabiliza-se por seu ardoroso nacionalismo, de mistura com a atitude de repúdio aos pagãos e ao paganismo. Não precisaria mais nada para garantir a sua preservação. (AM I IB WBC WES Z)

ESTER, ADIÇÕES AO LIVRO DE

Declaração Introdutória

As adições apócrifas ao livro canônico de Ester consistem em seis passagens, totalizando 107 versículos. De acordo com o texto grego, esses trechos foram inseridos em vários lugares. Esses fragmentos de texto não se acham no texto hebraico do livro de Ester. Aparentemente, porém, foram inicialmente escritos em hebraico e, em seguida, traduzidos para o grego por um judeu egípcio, que viveu em Jerusalém, em torno de 114 A.C. Esse material acrescido está preservado na Septuaginta e na Vulgata Latina. Jerônimo reuniu todas essas passagens espúrias e as colocou no final do livro de Ester, com uma nota explicativa, indicando onde elas se acham inseridas no livro canônico de Ester, de acordo com o assunto. Algumas edições subseqüentes da Vulgata Latina, omitiram totalmente essas adições. Stephen Langton (falecido em 1228) que dividiu a Bíblia latina em capítulos, enumerou as adições ao livro de Ester e as pôs no fim do livro de Ester. Essa prática tornou-se padronizada nas edições seguintes, incluindo a de Lutero e de várias outras Bíblias. A Bíblia de Jerusalém, de edição católica romana, preserva essas adições, dentro do texto do livro de Ester, mas todas em itálicos.

Esse material adicional aumenta consideravelmente o volume da versão grega do livro de Ester. Quase todos os eruditos têm pensado que esse material é estranho ao livro original de Ester; mas alguns católicos romanos supõem que o livro hebraico original de Ester teria sido uma abreviação de uma

533

ESTER, ADIÇÕES — ESTERILIZAÇÃO

obra mais extensa. Há um colofon que afirma que a obra foi traduzida na Palestina, algum tempo antes de 114 A.C., por um certo *Lisímaco*, um hierosolomitano. É muito difícil julgar a exatidão histórica desses colofons dos documentos antigos.

Esboço:

I. Conteúdo
II. Data
III. Linguagem e Manuscritos
IV. Propósitos

I. Conteúdo

1. *Primeira Adição.* Posta antes de Ester 1:1. Mordecai tem um sonho sobre dois dragões, que se preparavam para lutar um contra o outro. Um pequeno riacho transforma-se em um caudaloso rio, quando Israel ora a Deus. São vistos dois dados. Dois eunucos são ouvidos, planejando tirar a vida do rei. Mordecai revela o conluio e salva a vida do monarca e aceita sua nomeação como sumo sacerdote. Na Vulgata Latina, esse material constitui o trecho de 11:2 — 12:6.

2. *Segunda Adição.* Aparece depois de Ester 3:13. O edito de Assuero (no grego, Artaxerxes) contra os judeus. Na Vulgata Latina, é o trecho de 13:1-7.

3. *Terceira Adição.* Aparece depois de Ester 4:17. As orações de Mordecai e de Ester. Na Vulgata Latina, é o trecho de 13:8 — 14:19.

4. *Quarta Adição.* Posta entre Ester 5:2 e 5:3, sendo uma elaboração dos dois primeiros versículos do quinto capítulo desse livro. Descreve a ira do monarca diante da intrusão de Ester, mas como Deus interveio na questão e tornou o rei favorável à rainha. Na Vulgata Latina constitui o trecho de 15:4-19.

5. *Quinta Adição.* Posta depois de Ester 8:12. O edito de Assuero em favor dos judeus. Na Vulgata Latina é o trecho de 16:1-24.

6. *Sexta Adição.* Posta depois de Ester 10:3. Temos aqui a interpretação do sonho de Mordecai. Os dois dragões são Mordecai e Hamã. A fonte minúscula é Ester. Os dois dados do Purim são dois destinos, um dos judeus e outro dos gentios. Na Vulgata Latina é o trecho de 10:4 — 11:1.

II. Data

O referido colofon (ver acima) fornece-nos uma data que seria algum tempo antes de 114 A.C., não havendo qualquer evidência para contradizer esse ponto.

III. Linguagem e Manuscritos

Essas adições ou foram escritas em hebraico e mais tarde traduzidas para o grego, ou então, conforme pensam quase todos os estudiosos, o original foi escrito em grego, se não de todas essas adições, pelo menos da maioria delas. Essas adições sobrevivem nos manuscritos padrões por detrás da Septuaginta, incluindo Aleph, B, A, etc. A *Hexapla* de Orígenes também as contém, da mesma forma que as citações de Hesíquio, Luciano e Josefo.

IV. Propósitos

Os estudiosos têm salientado diversas razões aparentes para essas adições:

1. O livro de Ester, admiravelmente, nem ao menos menciona o nome de Deus. É possível, pois, que essas adições tenham sido feitas para fomentar o conteúdo religioso do livro.

2. Os aspectos históricos do livro tornam-se mais precisos com a designação dos dois editos reais mencionados.

3. São dadas ali informações adicionais, que, supostamente, aprimoram a narrativa original,

especialmente no caso da primeira, da quarta e da sexta adições. Ver o artigo geral sobre os *Livros Apócrifos* e a bibliografia ali existente.

ESTER (A PESSOA)

Ver a primeira seção do artigo sobre **Ester (O Livro)**

ESTER, FESTA DE

Ver sobre **Festividades Religiosas dos Judeus.**

ESTERCO DE POMBAS

Ver sobre **Pombas, Esterco de.**

ESTERILIDADE

Era questão séria uma mulher ser estéril no Oriente Próximo e Médio, porquanto ela sofria opróbrio tanto diante de si mesma como diante do público. De fato, fazia parte da teologia popular da época que uma mulher estéril estava debaixo do juízo divino (ver Gên. 16:2; 30:1-23; I Sam. 1:6,20). No Talmude, *Yeromoth* vi.6, a um homem casado com uma mulher estéril era ordenado deixá-la após dez anos de casamento e casar-se com outra; e repetir a prática, se a segunda esposa também fosse estéril. Um antigo costume, refletido na história de Sara e Abraão, consistia em dar ao marido uma concubina que lhe pudesse dar filhos, para que houvesse uma situação doméstica normal. (Ver Gên. 16:2 e 30:3). Sem dúvida, a questão envolvia o problema da herança de terras e a perpetuação do patrimônio e do nome da família. Não podia haver calamidade maior para um israelita do que a sua família desaparecer da face da terra. A reversão da esterilidade era considerada uma misericórdia e intervenção divina, uma resposta à oração, conforme se vê nos versículos acima referidos. Em sua misericórdia, Deus dá a uma mulher um lar e filhos (ver Sal. 113:9), em face do que há cânticos de louvor (ver Isa. 54:1). As próprias palavras hebraicas para «estéril», que no tocante à mulher são três: *otser*, «restringida» (ver Pro. 30:16); *agar*, «estéril» (ver Gên. 11:39; Deu. 7:14; Isa. 54:1, etc.—usada por doze vezes); e *shakkul*, «privar» (ver Can. 4:2 e 6:6), demonstram as atitudes da época quanto à questão. Naturalmente, a palavra também era aplicada ao solo estéril. Supunha-se na antiguidade que um casamento proibido era castigado por Deus com a esterilidade (ver Lev. 20:20). Alguns intérpretes pensam que uma das razões da ansiedade das mulheres judias, diante da esterilidade, era a promessa messiânica. Aquela que tivesse filhos poderia ser a mãe do Messias prometido. (S UN Z)

ESTERILIZAÇÃO

As razões para a esterilização incluem motivos pessoais, econômicos, sociais e governamentais. A esterilização provê os meios para impedir o aparecimento de filhos indesejáveis (sem importar a razão disso), ajudando ainda a evitar a superpopulação, tão temida em nosso mundo de hoje, porquanto isso aumentaria ainda mais a escassez de alimentos. A esterilização também é empregada para evitar a reprodução de filhos por parte de pessoas com defeitos mentais ou extremamente pobres.

Esterilização e castração não são a mesma coisa. Antes, a esterilização é um procedimento cirúrgico simples, mediante o qual as células reprodutivas do

ESTÉTICA — ESTÊVÃO

homem ou da mulher são bloqueadas, não podendo chegar ao ponto da fertilização. No caso dos homens, o processo chama-se vasectomia, com o bloqueamento dos *vas deferens*. Tem havido alguns casos de reversão dessa pequena operação cirúrgica; mas a mesma é considerada geralmente permanente. No caso das mulheres, a operação denomina-se *salpingertomia*, ou ligação dos tubos. Os tubos de Falópio, neste último caso, são cortados e suas extremidades são fechadas. A restauração é mais difícil do que no caso dos homens. Um novo procedimento médico envolve uma pequena incisão, perto do umbigo, com o uso de um instrumento telescópico de cirurgia, o que evita uma incisão de «barriga aberta», como se fazia antes.

A Esterilização e a Ética. O trecho de Deuteronômio 32:1 e o concílio de Nicéia (325 D.C.) proibem a castração; mas a esterilização é um caso muito menos radical e continua sendo debatido pelos teólogos. A Igreja Católica Romana, entretanto, nunca deixou de condenar essa prática. Os grupos protestantes, por sua vez, têm estado divididos sobre o assunto, embora alguns sejam favoráveis à medida, quando, para isso, há razões médicas suficientes, ou a fim de impedir o nascimento de filhos não desejados e evitar a superpopulação. Pessoalmente, — nada posso ver de errado na esterilização voluntária. Não há qualquer obrigação dos casais terem filhos, e nem que os casais que já têm filhos continuem a tê-los, indefinidamente. Naturalmente, isso não concorda com a posição católica romana, — que vê no casamento a finalidade principal de gerar filhos.

No nosso mundo moderno, a procriação não pode mais ser considerada um dever, conforme antes se pensava na teologia. De fato, aqueles que voluntariamente desistem da louca procriação em massa, prestam um favor à sociedade.

ESTÉTICA

Ver o artigo sobre **Arte**.

ESTÊVÃO

No grego, **Stéphanos**, «coroa». Apologista cristão helenista e o primeiro mártir do cristianismo.

Esboço:
  I. Passado Formativo
  II. Seu Trabalho
  III. Suas Crenças
  IV. Sua Detenção
  V. Sua Defesa
  VI. Seu Martírio
  VII. História de Estêvão
  VIII. As Características de Estêvão

I. Passado Formativo

Tudo quanto se pode saber a respeito de Estêvão está registrado em Atos 6:5—8:12. Seu nome e suas associações indicam que ele era um helenista, ou seja, um judeu que falava o grego como seu idioma pátrio. Não dispomos de qualquer relato sobre a sua conversão ou sobre como ele chegou a fazer parte da comunidade cristã. Embora haja uma tradição obscura de que ele foi um dos setenta discípulos de Jesus, o mais provável é que ele nunca fora um dos discípulos originais de Cristo. Há maiores probabilidades de que foi ganho para a causa cristã através da prédica dos apóstolos, em Jerusalém.

Os helenistas devem ter desempenhado um papel dos mais destacados entre os primeiros cristãos. Não muito tempo após a ressurreição de Jesus, quando

houve a necessidade de sete crentes cheios do Espírito, para ocuparem o diaconato, a fim de exercerem o trabalho de socorro às viúvas, esses foram achados entre os judeus helenistas. Isso parece indicar a presença de milhares de crentes, em Jerusalém, cuja língua nativa era o grego. Outra coisa que nos surpreende é que não demorou muito para que a igreja se transformasse de um movimento tipicamente judaico para uma comunhão composta quase exclusivamente de gentios. E podemos estar certos de que os crentes helenistas desempenharam um importantíssimo papel nessa transição. Tal desenvolvimento requeria uma liderança diferente daquela dos doze apóstolos. Judeus e gentios estavam separados por sólidas barreiras, como questões de raça, de origem geográfica, de costumes e de língua. Mas os judeus helenistas, muitos dos quais tinham vivido fora da Palestina, já haviam vencido boa parte desses obstáculos, tendo aprendido a viver juntamente com os gentios. E, quando se convertiam, de pronto adaptavam a mensagem cristã para o contexto grego. Entre esses, brilhava Estêvão, dotado de grande sabedoria, zelo e discernimento espiritual.

II. Seu Trabalho

As qualificações e o espírito de liderança de Estêvão eram de tal envergadura que muitos comentadores têm duvidado de que ele realmente *servisse às mesas*. Ele aparece pela primeira vez na lista dos sete diáconos, em Atos 6:5, onde figura como crente «cheio de graça e poder» (vs. 8). Deus utilizava-se dele na realização de milagres (vs. 8), e ele falava com grande sabedoria e poder espirituais (vs. 10). Os sete diáconos, ou o que quer que eles tenham sido na Igreja primitiva, foram nomeados para a tarefa específica de cuidar das necessidades das viúvas dos crentes helenistas, quando da distribuição diária de alimentos entre os cristãos (vs. 1-3). Embora nada seja dito sobre a execução da incumbência, pode-se supor que eles o faziam com eficiência. Sem dúvida eles não eram uma força negativa na Igreja, pois lemos: «Crescia a palavra de Deus e, em Jerusalém, se multiplicava o número dos discípulos; também muitíssimos sacerdotes obedeciam à fé» (vs. 7).

Alguns eruditos pensam que o descontentamento que causou a escolha dos sete não se devia somente a uma desigual distribuição de alimentos; talvez houvesse uma inadequada representação, no nível administrativo da Igreja, de elementos helenistas. Seja como for, não devemos pensar que Estêvão e seus outros seis colegas de ministério consagrassem todo o seu tempo ao serviço das mesas. Como crentes preparados que eram, tornaram-se ministros da Palavra do maior gabarito, e quem mais se destacava no grupo era precisamente Estêvão.

III. Suas Crenças

De acordo com o que se lê em Atos 6:13,14, alguns judeus adversários entenderam que Estêvão teria falado contra o templo de Jerusalém e a lei mosaica. E esses adversários também eram judeus helenistas, muito zelosos pelas suas crenças ancestrais, sem dúvida dispostos a fazer oposição a qualquer coisa que parecesse solapar sua fé e seus costumes tradicionais. Quanto a esse ponto, não precisamos imaginar que Estêvão fora tão longe, em suas conclusões sobre a lei e as cerimônias levíticas quando, mais tarde, chegou o apóstolo Paulo. Basta-nos pensar que ele deve ter descoberto quão inadequado era um mero formalismo e as cerimônias da típica adoração do templo. E talvez ele já tivesse tido oportunidade de meditar sobre as próprias palavras do Senhor Jesus, acerca do templo (João 4:20-24 e

535

ESTÊVÃO

Mar. 13:2), segundo as quais a verdadeira adoração a Deus não pode ser confinada a qualquer edifício de construção humana. Jesus também havia ensinado sobre o caráter transitório da lei. Havia encorajado a lassidão em relação às questões tradicionais, e havia defendido uma atitude mais livre no tocante à observância do sábado (Mar. 2:15,16; 7:1-27; Luc. 15:1,2). Jesus também havia demonstrado grande consideração no tocante aos gentios (Mat. 8:5-13; Mar. 7:24-30). Chegara mesmo a ultrapassar à lei, em raras ocasiões (Mat. 5:33-37; Mar. 10:2-12). Jesus recrutara a grande maioria de seus seguidores dentre o povo comum. «E a grande multidão o ouvia com prazer» (Mar. 12:37). É evidente que o povo comum não vivia obcecado pelo interesse por questões legais minuciosas. E, por diversas vezes, Jesus fora criticado por parecer dar apoio a essa frouxidão, conforme a atitude era interpretada pelos fanaticamente religiosos.

Muitos judeus reagiram ao que parecia o abandono, por parte de Jesus, da correta e rígida posição do judaísmo, porquanto davam excessivo valor às tradições de seus antepassados; e isso fê-los perder de vista uma característica básica de Jesus. No entanto, Estêvão não perdeu de vista o discernimento religioso imprimido por Jesus, mantendo aberta a porta para o avanço futuro do evangelismo entre os povos gentílicos. De fato, podemos afirmar que o trabalho de Estêvão pavimentou o caminho para as futuras atividades de Paulo entre os gentios. Também podemos observar muitos paralelismos entre o método usado por Estêvão, em sua defesa, e certos dos sermões paulinos (cf. Atos 7:2-53 e 13:16-41).

IV. Sua Detenção

Quando se deu mais espaço às atividades dos crentes judeus helenistas, isso redundou em maior desenvolvimento da Igreja cristã. Todavia, esse sucesso importou em graves dificuldades. Estêvão não hesitava em pregar os seus pontos de vista nas sinagogas judaicas. Naturalmente, houve quem resolvesse disputar com ele. E Estêvão ganhava nos debates. Ninguém podia resistir ao seu entendimento superior, ao seu poder de convencer. Também não podiam equiparar-se ao profundo discernimento espiritual com que ele falava. Ver Atos 6:10. Derrotados nesses debates, os judeus incrédulos começaram a fazer circular falsos rumores acerca de Estêvão, despertando suspeitas e temores sobre sua alegada «heresia» e «blasfêmia», e armando armadilhas contra ele. Chegou o momento em que agiram mais decisivamente e, agarrando Estêvão apresentaram-no ao concílio judaico reunido, munidos de falsas testemunhas, previamente contratadas, que o acusaram de blasfêmia (vs. 12-14). Na verdade, essa acusação tinha dois lados: um lado contra a sua pessoa, de acordo com o que diziam que ele blasfemara contra Moisés, e em conseqüência, contra Deus; e o outro lado contra seus ensinos, de acordo com o que ele seria um radical e revolucionário que fazia declarações atrevidas contra o templo de Jerusalém e contra a lei mosaica. Essas acusações são incrivelmente parecidas com aquelas feitas contra Jesus (Mat. 26:65; Mar. 14:58; 13:2; 15:29). Não podemos duvidar que Jesus é o nosso precursor, em todo o caminho que nos convém percorrer. Estêvão, pois, foi acusado de aprovar implicitamente a destruição do templo e a modificação da lei de Moisés. Assim encarado, o cristianismo era compreendido como ameaçador contra a religião dos judeus, preanunciando até o término de Israel como nação organizada.

V. Sua Defesa

As acusações feitas contra Estêvão eram destituídas de fundamento, e só prevaleceram porque suas palavras haviam sido distorcidas e por causa dos preconceitos judaicos contra o cristianismo. Não obstante, havia um certo aspecto de verdade na acusação contra o ensino pregado por Estêvão. É que o evangelho de Jesus Cristo era suficientemente revolucionário para servir de ameaça contra o formalismo morto e contra o cerimonialismo vazio que eram perpetuados no templo de Jerusalém. O Senhor Jesus havia decretado a falência desse sistema, ao afirmar: «Eis que a vossa casa vos ficará deserta. Declaro-vos, pois, que desde agora já não me vereis, até que venhais a dizer: Bendito o que vem em nome do Senhor » (Mat. 23:38,39). Ora, tendo entendido todas essas realidades, jamais Estêvão poderia retroceder para meras sombras e símbolos. O que lhe importava era a relação vital que ele mantinha com Jesus Cristo, o Senhor da glória. E, enquanto dava testemunho fiel sobre Cristo, o seu rosto resplandecia como o de um anjo (Atos 6:15).

Portanto, Estêvão não estava defendendo, primariamente, a si mesmo, mas ao evangelho, à posição cristã. Por isso mesmo, longe de justificar-se ou retratar-se de qualquer coisa que tivesse podido ofender aos judeus incrédulos, em defesa de sua própria existência na terra, ele deu testemunho sobre a verdade. Naturalmente, a posição assumida por Estêvão era extremamente arriscada: se seus acusadores aceitassem a verdade do evangelho, ele haveria de sobreviver; em caso contrário, perderia a vida. Mas, mesmo diante de uma alternativa tão fatal, Estêvão não quis perder a oportunidade para falar e exaltar ao seu querido Salvador, Jesus Cristo.

Conforme alguns estudiosos têm observado corretamente, a diferença fundamental entre Estêvão e os seus opositores é que ele encarava a história do Antigo Testamento do ponto de vista profético, ao passo que eles o viam do ângulo do legalismo. Para ele, Jesus era o resultado histórico natural das promessas messiânicas do Antigo Testamento. Estêvão não era contrário nem à lei e nem a Moisés, mas seus oponentes tinham parado no tempo, como se Deus ainda não tivesse cumprido as suas promessas relativas ao Messias e ao reino. Aliás, essa é exatamente a posição em que se encontram os judeus. O Messias já esteve entre nós há quase dois mil anos; mas, a cada ano, durante a festa da páscoa, eles esperam que a cadeira que eles deixam vaga, durante a refeição pascal, no seguinte seja ocupada pelo Messias. Toda essa situação de cegueira presente de Israel é deveras lamentável (apesar do fato de que muitos judeus convertem-se a cada ano); mas não devemos esperar que essa situação se perpetue. Há uma velada mas firme esperança por detrás daquelas palavras de Jesus: «...já não me vereis, até que venhais a dizer: Bendito o que vem em nome do Senhor!» Essas duas palavras, até que, mostram que essa situação de incredulidade de Israel chegará a um ponto final. E nós outros, que já fomos trazidos para o rebanho do Senhor Jesus, podemo-nos regozijar de antemão que chegará uma geração de queridos judeus que haverá de converter-se ao Senhor Jesus, conforme Paulo declarou: «E assim todo o Israel será salvo, como está escrito: Virá de Sião o Libertador, ele apartará de Jacó as impiedades» (Rom. 11:26). Era isso que Estêvão esperava e desejava.

Se encararmos as coisas por esse prisma, veremos que os verdadeiros blasfemos eram os judeus incrédulos que rejeitavam a revelação divina em Cristo, que haviam exigido a sua crucificação, e que agora perseguiam os que se arrependiam e confiavam no

ESTÊVÃO

Senhor Jesus. O próprio Moisés predissera o aparecimento de um outro Profeta, que deveria merecer a confiança dos israelitas, além de ter avisado qual o inglório fim dos que resistissem: «O Senhor teu Deus te suscitará um profeta do meio de ti, de teus irmãos, semelhante a mim: a ele ouvirás... De todo aquele que não ouvir as minhas palavras, que ele falar em meu nome, disso lhe pedirei contas» (Deu. 18:15 e 19). Quem merecia ser cortado dentre o povo, Estêvão ou os seus algozes? O juízo final haverá de corrigir essa e tantas outras injustiças semelhantes.

VI. Seu Martírio

Os membros do concílio judaico, que estavam julgando a Estêvão, não podendo negar a verdade, para eles dolorosa, do discurso do grande pregador cristão, reagiram violentamente, tomados do maior furor. «Ouvindo eles isto (a defesa de Estêvão), enfureciam-se nos seus corações e rilhavam os dentes contra ele» (Atos 7:54). Foi então que o Senhor Jesus veio em socorro de seu servo fidelíssimo, conferindo-lhe a maior experiência mística que um ser humano pode receber, da parte de Deus, enquanto está neste mundo, a visão beatífica. «Mas Estêvão, cheio do Espírito Santo, fitou os olhos no céu e viu a glória de Deus, e Jesus, que estava à sua direita, e disse: Eis que vejo os céus abertos e o Filho do homem em pé à destra de Deus» (Atos 7:55,56). No entanto, para os judeus incrédulos, essas palavras de Estêvão foram a gota de água que fez extravasar o balde da paciência deles. «Eles, porém, clamando em alta voz, taparam os ouvidos e unânimes arremeteram contra ele. E, lançando-o fora da cidade, o apedrejaram...» (Atos 7:57,58a). Portanto, sem haver sido condenado, Estêvão foi morto, pela fúria popular, em um linchamento que em nada honra àquela geração de judeus que conviveu com os primeiros cristãos. Mas eles não se esqueceram de certas formalidades legais, para emprestar àquele ato de violenta injustiça uma aparência de legalidade.

As Escrituras informam-nos que os efeitos da morte de Estêvão foram da maior conseqüência para os cristãos primitivos. «Naquele dia levantou-se grande perseguição contra a igreja em Jerusalém; e todos, exceto os apóstolos, foram dispersos pelas regiões da Judéia e Samaria» (Atos 8:1). Deus, entretanto, serve-se até mesmo da ira humana, encaminhando-a para os seus fins. Foi dessa maneira, pois, que teve começo a segunda fase da missão evangelizadora da Igreja de Cristo, pois «...os que foram dispersos iam por toda parte pregando a palavra» (Atos 8:5).

Saulo não lançou nenhuma pedra contra Estêvão; mas nem por isso deixou de ser um de seus carrascos. Lemos no registro sagrado: «Saulo consentia na sua (de Estêvão) morte» (Atos 8:1). Não podemos evitar a idéia de que a cena do martírio de Estêvão deve ter ficado profundamente gravada na memória de Saulo. Muitos anos depois, ele confessava com uma profunda tristeza: «...persegui a igreja de Deus» (I Cor. 15:9). Portanto, o martírio de Estêvão deve ter contribuído decisivamente para a conversão de Saulo de Tarso, o que, de resto, não ocorreu muito tempo depois. Ver Atos 9:1-30. Isso posto, a Igreja cristã perdeu Estêvão, mas ganhou o apóstolo Paulo. Deus jamais fica sem o devido testemunho acerca da sua graça, neste mundo.

VII. História de Estêvão: Atos 6:8-8:3

É perfeitamente possível que a narrativa sobre Estêvão, conforme a encontramos em Atos cap. 6, se tenha originado de uma fonte informativa totalmente distinta tendo sido inserida neste ponto por motivo de sua conexão natural com a seção anterior, que versa sobre a nomeação dos «diáconos», um dos quais foi Estêvão.

O oitavo versículo do sexto capítulo do livro de Atos forma uma espécie de sumário geral sobre a vida e a obra espirituais de Deus, dando a entender por que ele foi finalmente levado à presença do sinédrio, a fim de ser julgado. Durante todo o tempo, Estêvão cuidava de seus vastos esforços evangelísticos, fazendo parte ainda das sinagogas locais de Jerusalém. Porém, era impossível para ele prosseguir por muito tempo ocupado nessas duas atividades tão contraditórias entre si, embora, como é patente, isso é o que fazia a maioria dos primeiros crentes de Jerusalém. (Quanto à natureza judaica da igreja cristã primitiva, ver as notas expositivas acerca de Atos 2:46 e 3:1 no NTI).

Alguns estudiosos de épocas mais recentes têm expressado a crença de que podemos acompanhar em Atos caps. 6-8 duas fontes informativas distintas, porquanto certo número de *paralelos* pode ser percebido. Por exemplo, a acusação feita contra Estêvão é mencionada por duas vezes (nos vss. 9-11 e 12-14) e seu apedrejamento é descrito por duas vezes (ver Atos 6:9-11 mais 7:54-58a; e 6:12—7:53 mais 7:58b-60). A primeira menção não indica ter havido qualquer julgamento, e, sim, uma execução imediata e espontânea. Mas a segunda menção, ao fazer alusão às «testemunhas», implica em uma espécie de julgamento realizado informalmente e às pressas, durante o qual, segundo podemos supor, Estêvão foi oficialmente declarado culpado de blasfêmia e de outros crimes. Não obstante, essa maneira de apresentar o material pode ter sido motivada pela própria maneira do autor sagrado manusear seu material informativo, sem que isso faça qualquer diferença apreciável sobre a possibilidade de Lucas ter à mão uma ou mais fontes informativas na qual baseou sua narrativa. Ora, se essa narrativa está realmente alicerçada em duas fontes informativas, separadas e distintas, então a autenticidade do sermão de Estêvão é intensificada, e não diminuída, ainda que porventura apareçam algumas leves variações, o que também já se deve esperar nesses casos.

VIII. As Características de Estêvão

1. Ele foi um dos personagens secundários mais distintos do N.T. Era homem dotado de dons espirituais e tinha considerável estatura espiritual.

2. Ele serve de clara demonstração do fato de que os primeiros diáconos não atendiam somente às coisas materiais, em seu ministério.

3. Juntamente com Jesus e seus apóstolos, a Estêvão são atribuídas operações de sinais e maravilhas (Ver Atos 6:8).

4. Estêvão mostrou ser homem dotado de graça singular, debaixo da perseguição, pois, tal como seu Senhor, ele orou solicitando o perdão para seus algozes. (Ver Atos 7:60 e comparar com Luc. 23:34).

5. Estêvão obteve a distinção de haver sido o primeiro mártir cristão. Tornou-se assim o cabeça de uma imensa companhia espiritual.

6. Sua vida influenciou Paulo, podemos estar certos, e essa foi uma de suas mais significativas contribuições para a causa cristã.

7. A execução de Estêvão foi ilegal, mas Josefo mostra-nos que tais execuções, mesmo no recinto do templo, não eram raras. Pilatos, mui provavelmente, fechou os olhos para o caso, ignorando o incidente.

O sermão de Estêvão bem como o incidente inteiro de sua morte por martírio, forma um marco muito importante na história da igreja cristã; e isso pelas razões que aduzimos abaixo:

ESTÊVÃO — ESTIGMAS

1. Por causa da morte de Estêvão rebentou uma perseguição contra os cristãos (ver o oitavo capítulo de Atos), que só serviu para espalhar mais ainda o testemunho e a expressão da igreja primitiva.

2. A morte de Estêvão foi um fator que finalmente conduziu Saulo de Tarso aos pés de Cristo (ver Atos 7:58; 8:1,3 e 22:20).

3. Embora não tivesse sido através do sermão de Estêvão que foi pela primeira vez proclamada a missão universal do evangelho, pelo menos o evangelho foi nessa ocasião mais claramente delineado e enfatizado, porque ele mostrou que a presença de Deus não pode ser localizada.

4. O sermão de Estêvão também demonstrou a atitude perpétua de desobediência por parte da nação de Israel. Por isso é que o tratamento que haviam dado ao Senhor Jesus não era nenhuma novidade, e, sim, a mera continuação de uma desobediência secular. Estêvão mostrou que Abraão e José viveram como peregrinos, e que até mesmo Moisés fora repelido por seus irmãos de raça. Por conseguinte, não deveria constituir surpresa que uma geração inteira de peregrinos se tivesse desenvolvido no cristianismo, e nem que o seu Senhor e Messias houvesse sido rejeitado pelos judeus.

A Pessoa de Estêvão

O seu nome significa «coroa», e é muito significativo que tivesse sido ele o primeiro a receber a coroa do martírio, ocorrência essa que, naqueles tempos, se foi tornando acontecimento gradualmente mais comum. Assim é que, quando do concílio de Nicéia dificilmente havia qualquer de seus representantes que não trouxesse alguma marca visível de injúria física, recebida por estar vinculado ao Senhor Jesus; e dificilmente havia alguma família na igreja cristã que não houvesse perdido ao menos um de seus membros como mártir pela causa de Cristo. De fato, começaram a formar-se clubes de mártires, cujos membros buscavam ativamente o martírio, a maioria dos quais não se desapontou nessa busca. Isso obrigou finalmente às autoridades cristãs a se pronunciarem contra tal prática. Tudo isso contribui para mostrar-nos até que ponto as perseguições contra os cristãos, iniciadas sangüinaiamente na execução de Estêvão, se desenvolveram e intensificaram.

Alguns estudiosos vêem, no sermão de Estêvão, evidências de que ele não era natural de Jerusalém, e sim, «nascido no estrangeiro»; e essa conclusão mui provavelmente é correta. À luz de sua conexão com a sinagoga dos «libertos», tem-se inferido que ele era um daqueles libertos vindos de Roma, isto é, descendente de judeus que haviam sido levados para Roma como escravos, mas que finalmente, por diversos meios, obtiveram a sua liberdade, e talvez até mesmo a cidadania romana, em vários casos. Quando Tácito (*Anais ii* 85) descreve a expulsão dos judeus de Roma, por ordem de Cláudio, fala sobre quatro mil libertos, aos quais intitula *da classe dos libertinos*, que teriam sido banidos para a ilha de Sardenha, no mar Mediterrâneo. Com base nesse informe histórico é que alguns eruditos têm suposto que Estêvão fosse natural da Sardenha.

Há também uma tradição que circulou, pelo menos até os começos do século IV de nossa era, que também foi aceita por Epifânio (que viveu nesse século; ver *Haer.* xx.4), no sentido de que Estêvão e Filipe eram integrantes do grupo especial de setenta discípulos do Senhor Jesus, segundo se lê no décimo capítulo do evangelho de Lucas, cuja missão simbolizava a admissão das nações gentílicas no reino de Deus, conforme transparece nos trechos de Luc. 9:52 e

17:11. Entretanto, essa tradição é de data bem posterior, não havendo realmente qualquer alicerce histórico para ela, e nem possuímos quaisquer meios para julgar a sua veracidade.

Estêvão era homem cheio de *fé* e do *Espírito Santo*. A fé é um aspecto do fruto do Espírito Santo, um desenvolvimento espiritual no crente, que resulta do poder transformador do Espírito que habita no crente, uma evidência da graça divina em sua vida. A fé é a mãe de todas as demais graças e virtudes cristãs. (Ver no NTI em Heb. 11:1 e o artigo sobre a *Fé*). — A atuação do Espírito Santo pode ser imitada fraudulentamente, mas o serviço cristão contínuo e frutífero só pode ser produto da influência verdadeira exercida pelo Espírito de Deus, e um fruto espiritual autêntico é a prova suprema de sua presença.

ESTÊVÃO, REVELAÇÃO DE

Esse é um apocalipse apócrifo mencionado por alguns dos apologistas cristãos pós-nicenos, como um texto popular entre os hereges maniqueus. No entanto, não foi preservado até nós nenhum texto dessa obra, embora seja sabido que deveria ser uma recitação ou narrativa a respeito do reaparecimento de Estêvão, o primeiro mártir cristão. Um relato um tanto similar é conhecido, através de várias versões. O mais antigo é aquele mencionado por um padre cristão, Luciano (cerca de 400 D.C.), que viveu em alguma cidade próxima de Jerusalém. Supostamente, ele teria sido visitado por três vezes pelo espírito de Gamaliel, um grande mestre rabino entre os judeus (ver Atos 5:34 e 22:3), visitações essas que o teriam levado à descoberta dos cadáveres de Estêvão, Nicodemos e Gamaliel. Qual a vantagem dessa descoberta é coisa que um crente regenerado não entende.

Certo número de traduções têm sido feitas dos fragmentos restantes dessa obra. Um romance medieval sobre Santo Estêvão, em antigo eslavônico eclesiástico, também existe, embora, segundo todas as aparências, não tenha qualquer ligação com aquele texto dos maniqueus. Ver M.R. James, *The Apocryphal New Testament* (1924), págs. 564-568; M.S. Enslin, «Stephen, Revelation of», IDB, vol. 4, págs. 442, 443.

ESTIGMAS (STIGMATA)

Essa palavra vem do termo grego **stizein**, «pungir», «picar». A forma nominal plural é **stigmata**, de onde proveio a nossa palavra portuguesa. Trata-se de um fenômeno religioso que envolve o aparecimento dos supostos ferimentos de Cristo, no corpo de uma pessoa. Esses ferimentos podem aparecer nas mãos, nos pés, e até mesmo na parte lateral do tórax da pessoa envolvida. Francisco de Assis tinha tais ferimentos, segundo se diz, em todos esses três lugares. Muitas pessoas encaram o fenômeno com grande admiração, chegando mesmo a procurar tê-lo também. No entanto, quando aparecem os estigmas, fazem-no espontaneamente. Aqueles que assumem uma posição espiritual a respeito, pensam que os estigmas são de origem divina. Em nossos próprios dias, o padre Pio tinha esses ferimentos. Tais feridas estavam sempre abertas, sempre emitindo líquido, mas sem nunca infeccionarem.

Em alguns casos, os ferimentos aparecem e desaparecem. A ciência médica tem procurado explicar o fenômeno, afirmando que resulta de alguma forma de histeria religiosa. Mas, outros

538

ESTILO APORÉTICO — ESTOICISMO

perguntam: «Se é assim, porque esses ferimentos não se infeccionam?» Parece melhor opinarmos que esse fenômeno, quando é autêntico, tal como muitos outros fenômenos que envolvem a fé religiosa, é de natureza misteriosa, sem qualquer explicação científica adequada. Podemos supor que, pelo menos em alguns casos, uma espiritualidade fervorosa e sincera pode ser acompanhada pelo aparecimento dessas marcas. Em outros casos, causas desconhecidas podem estar envolvidas. Também é verdade que têm aparecido lesões em alguns casos demoníacos, incluindo dentadas. Qualquer coisa pode acontecer no campo da religiosidade e alguns casos podem ser atribuídos ao demonismo. Por outra parte, alguns santos católicos, que têm exibido estigmas, têm sido pessoas (homens e mulheres) de inquestionável piedade, devoção e caridade e, nesses casos, parece melhor buscar uma explicação espiritual positiva (posto que ainda desconhecida), a menos que a influência e possessão demoníacas sejam muito bem disfarçadas nesses casos (o que também não é impossível). Sejamos caridosos, contudo, não julgando negativamente o fenômeno, somente por não o conhecermos bem.

ESTILO APORÉTICO

Consiste em fazer perguntas e objeções sem dar as respostas. Era comum nos primeiros diálogos de Platão. Esse estilo tem sido rotulado por alguns como *aporia*, que vem do grego «quebra-cabeças». O termo grego *poros* significa «meio», «caminho». Assim, a palavra aporético significa algo acerca do que não há meios para se dar resposta imediata, ou seja, algo duvidoso ou causador de perplexidade.

ESTOICISMO

Ver o artigo separado sobre *Escolas Filosóficas do Novo Testamento* para outras explicações do *Estoicismo*.

Esboço

1. A Lógica
2. A Metafísica
3. A Ética

No grego, no plural, *stoikoi*. Os filosofos epicureus e estóicos são mencionados por uma única vez em toda a Bíblia, em Atos 17:18, quando é indicado que alguns filósofos dessas escolas puseram-se a contender com o apóstolo Paulo, em Atenas. E, em Atos 17:28, embora não seja especificado por Paulo, os «poetas» referidos por ele eram, mais precisamente, Arato, um filósofo estóico, que havia dito: «Porque dele também somos geração». Além desses dois fatos, que os filósofos estóicos rejeitavam a idéia da ressurreição do corpo físico (o que Paulo anunciava como fato comprovado, na pessoa de Jesus Cristo), e que um deles, no passado, reconhecera que Deus é o nosso criador, Lucas não nos fornece outros informes quaisquer sobre os pontos de vista deles.

O fundador do estoicismo foi *Zeno* (342-270 A.C.). Esse homem era fenício de nascimento. Em um naufrágio, salvou-se da morte e chegou em Atenas. Ali sentiu-se atraído pela rígida moralidade dos cínicos, mas também repelido pelos seus costumes muito crus e primitivos. Ver sobre os *Cínicos*. Com o tempo, foi sucedido por *Cleantes*, um respeitável e idoso cavalheiro, mas com poucas habilidades filosóficas, Crísipo foi o próximo presidente dessa escola filosófica, o qual a reorganizou (232-206 A.C.), o que permitiu que essa escola se lançasse em sua

bem-sucedida história de quatro séculos. Os estóicos dividiam sua filosofia em três porções: a lógica, a física e a ética, sobre as quais apresentamos comentários, abaixo:

1. A Lógica. — Os estóicos desenvolveram uma **epistemologia empírica, elaborada, baseada nas percepções físicas. A alma**, por ocasião do nascimento, seria uma *tabula rasa*, que iria recebendo impressões no decurso da vida. Zeno insistia que a alma é física, e Cleantes comparava cruamente as impressões da alma com as elevações e depressões deixadas por um carimbo, sobre a cera. Mas Crísipo não aceitava tal idéia, porquanto isso dificultava a explicação sobre a memória.

O empirismo sempre será embaraçado, em sua tentativa de distinguir a verdade do erro, por causa de sua epistemologia baseada nos sentidos. Os epicureus haviam tentado manter a verdade restringindo-a às imagens captadas pelos sentidos. Mas o método fracassa quando alguém supõe, sem provas, que uma imagem qualquer assemelha-se a um objeto externo.

Os estóicos partiram então para um esquema diferente. Eles diziam que a verdade deve ser percebida imediatamente, nas próprias sensações. No entanto, muitas sensações não reproduzem devidamente os seus objetos, a despeito do que os estóicos insistiam que isso se consegue com «representações abrangentes». Esse tipo de sensação, segundo eles, traria as marcas de sua própria validade. E o passo seguinte, na formação do conhecimento, foi a construção de conceitos. Muitos conceitos seriam noções comuns, que todos os homens podem ter; mas outros conceitos seriam elaborados com método e habilidade. Os homens seriam racionais por causa de suas noções comuns; e qualquer proposição sobre questões de física ou de ética deveria ser confrontada com essas noções comuns, a fim de ser comprovada. Mais do que isso, porém, não podemos dizer, pois os ensinos dos filósofos estóicos chegaram até nós de forma muito fragmentada.

Os estóicos pretendiam evitar o ceticismo; mas o que talvez tenha impedido isso é que eles ainda não conheciam o processo do aprendizado. Zeno ilustrava esse processo de uma maneira bastante crua. Ele espalmava a mão e dizia: «Assim é a percepção». Fechando um pouco os dedos, ele continuava: «Assim é o assentimento». Ele fechava o punho e comparava isso com a «compreensão». E, finalmente, segurava o punho fechado com a outra mão, e completava: «Assim é o conhecimento, que só o homem sábio possui». Todavia, o conceito de homem sábio é anterior aos estóicos.

2. A Metafísica. Quanto a esse campo, os estóicos retrocederam para Heráclito: toda a realidade seria material, compondo-se de fogo vivo, e não de átomos discretos e inanimados. Parte desse fogo ter-se-ia tornado inerte e sem forma; outra parte seria o princípio móvel e moldador, o Logos, que permearia a todas as coisas. Isto é um tipo de panteísmo.

Visto que a substância universal seria o fogo, a cosmologia dos estóicos afirmava que este mundo terminará em uma grande conflagração, na qual tudo seria reduzido a chamas. Por causa disso, alguns estudiosos têm pensado o trecho de II Pedro 3:10-12 alicerça-se sobre essa idéia estóica. Porém, a similaridade de conceitos é apenas aparente. Em primeiro lugar, a física hilozoista do estoicismo, que era a base da suposta conflagração imaginada pelos estóicos, nunca aparece na Bíblia. O hilozoísmo (do gr. *ule*, «matéria» e *zoe*, «vida») é a idéia de que toda a vida, física ou mental, deriva-se da matéria.

539

ESTOICISMO

Tendo-se originado entre certos pensadores gregos da chamada escola jônica, esse hilozoísmo primitivo reapareceu, embora de forma modificada, no pensamento medieval e renascentista. Foram idéias assim que serviram de base para o *materialismo* (que vede). Em segundo lugar, os estóicos pensavam em um processo natural e ordinário, que já estaria em andamento, ao passo que Pedro predisse uma catástrofe repentina, à semelhança do dilúvio de Noé. Em terceiro lugar, para os estóicos, essa conflagração seria uma espécie de deificação universal, enquanto que o apóstolo pensava no julgamento divino contra o pecado. Em quarto lugar, os estóicos pensavam em ciclos de destruição e reformulação constantes, em que a história do cosmos repetir-se-ia vezes sem conta, mas Pedro ensinou um único juízo final, sem qualquer repetição. Assim sendo, conforme Agostinho observou, essa posição do estoicismo refletia um profundo e irremediável pessimismo, em nada semelhante ao ponto de vista tão otimista da Bíblia, quando se refere ao plano de Deus relativo à sua criação. Ver sobre *Restauração*. Logo, Pedro não se alicerçou sobre idéias estóicas, quando escreveu a passagem de II Pedro 3:10-12. Acresça-se a isso que o sistema estóico requeria que o destino ou a sorte fosse parte integrante do cosmos, porquanto haveria não **somente a causa primária — o Logos — para o universo, mas também grande multiplicidade de causas**, que se misturariam de maneira mais fortuita e imponderada. Os estóicos ficavam a medir as causas e as suas conseqüências, nos acontecimentos históricos e outros. Ora, essa atividade estóica em nada se assemelha à posição cristã, que vê em Deus a grande força controladora de todos os eventos, tudo visando a uma finalidade previamente traçada, de acordo com os impulsos próprios de uma personalidade, a divina. Pois Deus faz todas as coisas «segundo o beneplácito de sua vontade» (Efé. 1:5).

3. A Ética. Os estóicos supunham que tinham razões adequadas contra todos argumentos em favor do livre-arbítrio. Ensinaram um *determinismo* absoluto controlado pela Razão Universal, o *Logos*. Virtude é *submissão* à vontade do *Logos* (vide). Não há maneira adequada para conciliar os ensinos do determinismo (vide) e do livre-arbítrio. Deus usa o livre-arbítrio do homem sem destruí-lo, mas *como*, não sabemos. Ver os artigos separados intitulados, *Determinismo; Livre-Arbítrio* e *Predestinação*. Os dois princípios existem. O livre-arbítrio é necessário para qualquer ensino de responsabilidade na ética.

Ver um tratamento separado sobre a ética do estoicismo no artigo sobre *Ética*, seção IV, ponto 4.

Princípios de maior importância foram os seguintes: liberdade de agir segundo o determinismo do *Logos*, mas não contra esta razão universal e tudo-controladora; apatia, a necessidade de não lutar contra o destino e a necessidade. A fórmula ética é apatia/felicidade/virtude. A felicidade vem da apatia porque nenhuma circunstância tem poder sobre nós. O estoicismo romano substituiu *moderação* no lugar da apatia. *Independência* das vicissitudes da vida vem pela aplicação implacável da apatia. Os homens podem ser tranqüilos obedecendo a necessidade.

O princípio da *irmandade universal* da humanidade foi de grande importância no estoicismo e diversas leis romanas, que favoreceram os estrangeiros, foram baseadas neste conceito.

••• ••• •••

Os estóicos rejeitavam o ideal epicureu do prazer, como o alvo da existência humana,— mas em vez disso, frisavam a virtude. Eles não procuravam evitar a dor a qualquer custo, conforme faziam os epicureus, mas pensavam que vale a pena o homem arriscar-se a sofrer, se isso for necessário, por exemplo, para que o homem crie os seus filhos e se desincumba de suas responsabilidades civis — duas responsabilidades condenadas pelos lassos epicureus.

Até mesmo nós, que contamos com a influência controladora do Espírito Santo, o qual nos encaminha para a prática do bem, precisamos reconhecer que viver virtuosamente é uma tarefa muito difícil. Paulo reconhecia que, quanto a isso, era um homem dividido. «De maneira que eu, de mim mesmo, com a mente sou escravo da lei de Deus, mas, segundo a carne, da lei do pecado» (Rom. 7:25). O elemento desequilibrador, nessa situação de relativa impotência espiritual, é a presença do Espírito de Deus em nós. «Também o Espírito, semelhantemente, nos assiste em nossa fraqueza...» (Rom. 8:26). Essa presença muda a direção dos nossos mais profundos impulsos. Contudo, Deus Espírito não age em nós sem o concurso da nossa vontade esclarecida, pelo que Paulo recomenda: «Assim também vós considerai-vos mortos para o pecado, mas vivos para Deus em Cristo Jesus. Não reine, portanto, o pecado em vosso corpo mortal, de maneira que obedeçais às suas paixões; nem ofereçais cada um os membros do seu corpo ao pecado, como instrumentos de iniqüidade; mas oferecei-vos a Deus como ressurrectos dentre os mortos, e os vossos membros a Deus, como instrumentos de justiça» (Rom. 6:11-13).

A grande maioria dos homens mostra que vive na malignidade, na insensatez moral. Somente alguns poucos exibem sabedoria, quanto a esse aspecto. Assim como um homem pode afogar-se em um lençol de água com dez centímetros de profundidade, tanto quanto no oceano Pacífico, assim também aquele que viola a virtude quanto a um de seus aspectos, já se tornou culpado diante dela. «Pois qualquer que guarda toda a lei, mas tropeça em um só ponto, se torna culpado de todos... Ora, se não adulteras, porém, matas, vens a ser transgressor da lei» (Tia. 2:10 e 11). A passagem do vício para a virtude, da insensatez moral para a sabedoria moral, depende de uma súbita e instantânea conversão, operada pelo Espírito de Deus com base no arrependimento e na fé em Cristo. Infelizmente, poucas pessoas se convertem; e muitas só o fazem tarde na vida, após grande conflito íntimo.

Os estóicos viam a necessidade de esforço para que o homem pudesse adquirir a virtude, mas não entendiam que só com a ajuda de Deus, com base na obra redentora de Cristo, esse esforço poderia ser coroado de êxito. A despeito disto, o estoicismo produziu algumas pessoas admiravelmente santas e dedicadas, especialmente considerando o paganismo que dominava a cena grega.

A Grande Virtude do Estoicismo. Os estóicos glorificaram a **apatia** como a virtude mais nobre. Sendo que todas as coisas são determinadas pelo *Logos*, a nossa única escolha verdadeira é de enfrentar o mundo com submissão a vontade divina e aceitar todos os acontecimentos sem qualquer emoção, revolta ou rebelião. O homem que age assim é *sábio*. No estoicismo romano, a apatia tornou-se *moderação*. Paulo, nas suas cartas, tem muitos reflexos da ética do estoicismo. No artigo separado, *Escolas Filosóficas do Novo Testamento*, apresento para o leitor um tratamento mais detalhado sobre o *Estoicismo*,

ESTOLA — ESTORAQUE

especialmente sobre a ética desse sistema.

Bibliografia. AM E EP P MM

ESTOLA

No hebraico, **ephod**, «cobertura». A estola era um artigo das vestimentas dos sacerdotes hebreus. Era uma peça ajustada ao corpo, sem mangas, de variados comprimentos, embora geralmente chegasse até as cadeiras. No entanto, esse tipo de traje também era usado comumente, por pessoas que não pertenciam ao sacerdócio. A legislação mosaica preceituava o uso da estola, no caso dos sumos sacerdotes. Em Êxo. 28:8; 39:5 e Isa. 30:22, a palavra indica uma peça justa ao corpo, sem qualquer conexão com os ritos sacerdotais; mas, em Êxo. 28:12,27,28 aparece vinculada aos sacerdotes. De acordo com I Samuel 2:18 e II Samuel 6:14, era feita de linho, com exceção da estola sumo sacerdotal, que era bordada com fios de várias cores. Consistia em duas partes, uma cobrindo as costas e a outra cobrindo o peito. Essas duas partes eram unidas uma à outra, nos ombros, por duas grandes pedras de ônix, sobre as quais estavam gravados os nomes das doze tribos, seis nomes em cada pedra.

Os sacerdotes usavam estolas de linho, mas os sumos sacerdotes tinham estolas bordadas em ouro, azul, púrpura e escarlate. Uma estola especial era usada quando do pronunciamento de oráculos. Essa estola ficava pendurada no interior do templo (I Sam. 21:9). Diferia das estolas comuns e no que diferia, é algo que não se sabe dizer. Mesmo em criança, Samuel tinha sua estola sacerdotal (I Sam. 2:18), tal como sucedia a Davi, quando oficiava perante a arca da aliança, como rei (II Sam. 6:14). E também havia a «sobrepeliz da estola sacerdotal» (Êxo. 28:31; 29:5; 39:22-26; no hebraico, *meil*, «manta»), que era uma peça distinta, feita em tecido azul, sem mangas, com borlas na beirada inferior. Sinetes de ouro, intercalados com romãs de estofo azul, púrpura e carmesim, deveriam ser postas nessa sobrepeliz (Êxo. 28:33,34; 39:22-26).

A Arqueologia e as Estolas. Antiqüíssimos tabletes assírios, com escrita cuneiforme, do século XIX A.C., e tabletes ugaríticos do século XV A.C., mostram que já se conhecia a estola (*epadu*), bem antes da época do sacerdócio judaico. Entre aqueles povos, a estola era uma peça comum do vestuário feminino. É claro, pois, que essa forma de veste foi posteriormente adotada como parte dos trajes dos sumos sacerdotes, com várias modificações e decorações. No entanto, as estolas comuns continuaram sendo usadas como artigos comuns do vestuário.

Estranho é que uma veneração toda especial veio a ser vinculada à estola sumo sacerdotal. Na época dos juízes de Israel (Juí. 8:27), Gideão tinha uma réplica da estola sacerdotal, feita com o ouro e as pedras preciosas pilhadas das tropas midianitas que haviam sido derrotadas e mortas por seus homens. Lê-se que o efraimita Mica mandou fazer uma estola para ser usada na adoração de seu ídolo de ouro (Juí. 17:1 *ss*). A estola e suas imagens, uma de fundição e outra de escultura, vieram a fazer parte do culto que ele instituiu em sua própria casa, tendo um de seus filhos como sacerdote. Essa tendência a dar um excessivo valor a meras vestes é antiga no gênero humano, demonstrando as inclinações ascéticas e beatas de muitas pessoas. É triste quando tal pendor manifesta-se entre grupos evangélicos, que deveriam entender que o Novo Testamento nos leva muito além de meras coisas simbólicas, conforme se via, por exemplo, no

culto e no cerimonial estabelecidos por Moisés.

Nos dias do reino dividido, o profeta Oséias predisse que chegaria tempo em que os filhos de Israel ficariam destituídos desses aparatos simbólicos por longo tempo (Osé. 3:4,5), até os últimos dias. Isso mostra-nos duas coisas: a. Os israelitas continuavam contando com o vestimento aparatoso dos sumos sacerdotes, incluindo a estola sacerdotal, até os dias desse profeta; e b. A ausência dessas vestes cerimoniosas, durante tantos séculos (pois até hoje os judeus não têm sacerdotes e sumos sacerdotes, mas somente rabinos), mostra que elas são perfeitamente dispensáveis, não fazendo parte essencial do culto a Yahweh. Nenhuma menção se faz à «estola sacerdotal» depois do retorno dos exilados judeus da Babilônia, embora alguns estudiosos pensem que isso ocorreu por acaso. Mas, o mais provável é que a predição de Oséias, conforme vimos acima, já estava se cumprindo. — Mas, se a legislação mosaica estava sendo seguida à risca, então a estola continuaria a ser usada, até o tempo da destruição do templo de Jerusalém, pelos romanos, no ano 70 de nossa era. (AM UN(1957) VA Z)

ESTOM

No hebraico, «descansado». Era filho de Meir e neto de Quelube, da tribo de Judá (I Crô. 4:11,12). Descendia de Calebe.

ESTÔMAGO

No grego, **stómachos**, uma palavra que é variante de *stóma*, «boca». Essa palavra aparece exclusivamente em I Timóteo 5:23, onde Paulo recomenda àquele cristão da segunda geração: «Não continues a beber somente água; usa um pouco de vinho, por causa do teu estômago e das tuas freqüentes enfermidades». Nos livros apócrifos da Bíblia, a palavra reaparece na Septuaginta, em II Macabeus 7:21, embora com o sentido de «coragem». Ver também sobre *Ventre*.

A grosso modo, o trato digestivo compõe-se de boca, esôfago, estômago, intestino delgado, intestino grosso e ânus. Esse trato digestivo, em termos gerais, aparece como «ventre» ou «entranhas». Nossa versão portuguesa usa palavras como «estômago», «barriga», «ventre», etc., em trechos como Pro. 13:25; Jer. 51:34; Eze. 3:3; Rom. 16:18 e Fil. 3:19. Nestas duas últimas referências, são destacadas aquelas que dão prioridade aos seus apetites físicos.

ESTOPA

No hebraico, **neoreth** (Juí. 16:9 e Isa. 1:31). Era a parte quebrada e bruta da juta ou do cânhamo, que era separada com a ajuda da espadela, com que se batia na fibra, antes da mesma estar pronta para ser fiada.

ESTORAQUE

No hebraico, **nataph**. No grego **stakte**. No Antigo Testamento, a palavra ocorre somente em Êxo. 30:34. A palavra grega nunca aparece no Novo Testamento. O estoraque era um dos ingredientes do azeite das unções. Provavelmente era o mesmo ingrediente referido em Eclesiástico 14:15, ingrediente derivado de um arbusto, o *Styrax officinalis*, que era abundante na Palestina. Talvez os «arômatas» referidos em Gên. 37:25 e 43:11 fossem feitos dessa mesma planta; mas, nesses casos, alguns estudiosos preferem pensar em uma espécie do astrágalo, como a goma de tragacanto. Ver o artigo separado sobre

ESTRADA REAL — ESTRADAS

condimentos. A palavra grega *stakte* era sinônimo da «mirra», um termo grego que significa «gota», provavelmente uma alusão às gotículas de mirra. Essa mesma palavra hebraica, *nataph*, é usada em Jó 36:27, para indicar meras «gotas de água».

ESTRADA REAL

No hebraico, literalmente temos «caminho do rei». Esse era o nome de uma importante estrada que corria de norte para sul, desde Damasco até o golfo de Áqabah, localizado no fundo do mar Vermelho. As referências bíblicas encontram-se em Núm. 20:17; 21:22; Deu. 2:27. Essa era uma das principais rotas de caravanas, ao longo da qual processava-se um intenso comércio. Importantes cidades, ao longo dessa estrada, eram Elate, Temã, Bozra, Quir-Moabe, Aroer, Rabate de Amom, Ramote-Gileade, Astarote e finalmente, Damasco, se contarmos de sul para norte. Moisés pediu permissão para seguir por esse caminho, atravessando os territórios dos idumeus e de Seom, o rei amorreu. As evidências arqueológicas demonstram que essa estrada vinha sendo usada pelo menos desde 2000 A.C. Fortalezas da era do bronze têm sido descobertas ao longo da mesma. É possível que a invasão de Quedorlaomer e seus aliados, segundo se lê no décimo quarto capítulo de Gênesis, tenha acompanhado essa estrada. Nos dias de Salomão, era uma importante estrada comercial, entre Ezion-Geber, Judá e Damasco, na Síria. Os romanos, na época de Trajano, no século II D.C., incorporaram essa estrada em seu sistema de estradas. Uma estrada moderna acompanha a antiga rota. (Z)

ESTRADAS

Esboço:

I. As Estradas da Antiguidade
   A. Restos arqueológicos de estradas
   B. Comércio efetuado pelas antigas estradas
   C. Defesa e extensão das estradas
II. Estradas no Antigo Testamento
   A. Termos
   B. Estradas inter-nacionais
   C. Estradas inter-regionais
   D. Estradas internas
   E. Uso religioso e político das estradas
   F. Uso literário e figurado da palavra «estrada»
III. Estradas no Novo Testamento
   A. Termos
   B. Estradas persas e gregas
   C. Estradas romanas
   D. Estradas de Herodes
   E. Estradas internas
   F. Estradas internacionais
     a. Narrativas do evangelhos
     b. Em Atos e nas epístolas
   G. Uso literário e figurado da palavra «estrada»
   H. Noção escatológica de «estrada»

I. As Estradas da Antiguidade
As mais antigas estradas que têm sido encontradas são as trilhas dos antigos caçadores, que seguiam e caçavam os animais em migração. A domesticação da ovelha certamente ocorreu por volta de 9000 A.C., e a terra batida devido ao contínuo ir e vir dos animais dos apriscos para os pastos, constituiu o primeiro tipo de leito de estrada, nas mais antigas vilas. O estabelecimento de cidades, que assinala a era neológica no antigo Oriente Próximo, também produziu a melhoria proposital da superfície das estradas, embora talvez não envolvesse mais do que o nivelamento de falhas naturais e a remoção das pedras maiores. Os povos pré-históricos comerciavam com bens e materiais, cobrindo longas distâncias. Essas rotas seguiam os cursos naturais das viagens, como os rios, os riachos, os vales e as planícies. Idéias e artefatos eram transportados a lugares distantes por grupos nômades, já desde o vigésimo quinto milênio A.C. Pelo tempo em que a escrita se espalhou pelo Oriente Próximo, as noções e os hábitos de construção de estradas já tinham se desenvolvido regularmente. O processo de organização de nações, que ocorreu logo após a era neolítica, espalhou-se pela região eurasiana mediante um sistema de estradas internacionais. Com a centralização da autoridade e do poder econômico, que produziu o arcaico estado religioso, a tecnologia da construção de estradas tornou-se algo imprescindível para a sobrevivência dos homens. Com a passagem do tempo, a construção e a manutenção de estradas tornaram-se uma das principais tarefas dos governos, passando para o terreno da jurisdição, da filosofia e da literatura.

A. Restos arqueológicos de estradas. Os artefatos encontrados atinentes à construção de estradas pertencem a quatro categorias: a. leitos de estradas; b. entulho; c. pilhas de material para construção de leitos de estrada e para entulho; d. sinais relativos a postos e distâncias. Os leitos das estradas eram originalmente compactados pela contínua passagem de seres humanos ou de animais, e a única inovação foi a passagem de rebanhos de animais domésticos por uma vereda ou recinto. As «eiras» (ver Gên. 50:10, para exemplificar), mencionadas nas narrativas bíblicas do período patriarcal eram compactadas dessa forma. O entulho e o material para entulhar geralmente consistiam em material antes empregado em construções feitas de pedra ou argila. A ereção de sinais de beira de estrada, que marcavam distâncias, era uma questão complexa. Sem dúvida, tinham um certo sentido religioso. Santuários de beira de estrada eram conhecidos dentre quase todas as culturas antigas. As pilhas de pedras erigidas pelos patriarcas, sem dúvida tinham natureza similar a esses santuários. Sinais de estrada, bastante elaborados, com extensas inscrições, entraram em uso após o começo do segundo milênio A.C. Fontes informativas gregas e romanas com freqüência mencionam tais construções. Algumas antigas trilhas foram reconstruídas por repetidas vezes, através dos séculos, podendo ser detectadas pelo curso das modernas estradas.

B. Comércio efetuado pelas antigas estradas. Atualmente pensa-se que o fabrico de instrumentos é um dos mais seguros sinais da civilização humana. Esse foi o ímpeto principal no comércio de materiais básicos e de manufaturas simples, na antiguidade. É provável que os principais artigos de comércio da antiguidade fossem o lápis lazúli, o ouro, a prata, o electrum, o ferro, o âmbar e o estanho. Há provas de que tais artigos atravessavam toda a região eurasiana e o Oriente Médio, pelo tempo da última glaciação. Pode-se supor com segurança que os grupos humanos foram-se formando em áreas melhor abrigadas, nos sopés das montanhas e ao redor das praias dos grandes lagos de água potável do continente eurasiano. Há um grande número desses lagos desde o sul da Rússia, passando pela Turquia e chegando até a Suíça. A similaridade da arte e do fabrico de instrumentos, em toda essa região, demonstra o grau do comércio. Os rios não eram suficientemente grandes para o

ESTRADAS

transporte de mercadorias pelos desertos e colinas do norte do Iraque, pelo que tiveram início as trilhas de caravanas. De modo geral, as tribos do norte negociavam animais, como jumentos, cavalos e mulas, levando-os para o sul e trocando-os por produtos próprios das regiões dos grandes rios. Ver *Escambo, Comércio e Negócios*.

C. Defesa e extensão das estradas. A ausência de fronteiras e defesas naturais para proteção do comércio em áreas mais extensas, produziu a criação de caravanas. Mas estas eram vulneráveis aos ataques de tribos assaltantes. As primeiras uniões políticas dos sumérios e dos semitas envolveram a questão da defesa e extensão das estradas. Defender uma estrada e o território adjacente equivalia a instalar guarnições armadas em pontos estratégicos das estradas. E, a fim de desencorajar os assaltantes, eram organizadas expedições militares a lugares ainda mais distantes e interiores. No sul da Mesopotâmia encontram-se as primeiras evidências de leitos de estradas preparados, e também em dois centros da cultura minoana. Havia um mercado central, e as ruas que se cruzavam ali eram pavimentadas em pequena extensão, contendo um complexo de palácios ou templos. A antiga literatura dos sumérios, babilônios, egípcios e hititas registra menção a esse fato, sob a forma de lendas ou mitos, onde se lê acerca de viagens ou expedições comerciais que precediam os exércitos. Mas, até cerca de 2000 A.C., estradas e ruas pavimentadas confinavam-se às cidades. Assim, as estradas processionais da Assíria eram feitas com seixos recobertos de tijolos queimados e tudo era ligado por alguma substância como o betume. Em muitas cidades as lajes que recobriam as ruas tinham sulcos para as rodas das carruagens que serviam de uma espécie de trilhos, para orientar a direção das pesadas carruagens puxadas por bois, que atravessavam as ruas muito estreitas. Esses sulcos normalmente tinham uma bitola entre 1,20 m e 1,40 m, o que demonstra que as tais carruagens eram puxadas por bois atrelados em pares.

Quase todas as estradas antigas eram recobertas com pedras. Mas, através dos grandes desertos do Sinai e da Arábia não havia estradas, mas tão-somente trilhas de caravanas bem conhecidas. Visto que as viagens por água limitavam-se aos rios e à navegação marítima costeira, até os tempos de Roma e de Cartago, não têm sido encontradas instalações portuárias servidas por redes de estradas, conforme se tornou um plano comum dos romanos. Somente com a introdução dos carros puxados a cavalo, ou das viagens a lombo de cavalo, é que a construção de estradas se aprimorou. Mas o terreno extremamente íngreme das regiões montanhosas da Palestina atrasou esse desenvolvimento técnico, tal como a ausência de portos naturais nunca permitiu que a Palestina se tornasse um teatro natural de operações da colonização ou do comércio dos gregos.

II. Estradas no Antigo Testamento

As estradas desempenham um importante papel na narrativa e nas instruções do Antigo Testamento. Os cursos de água da Palestina não se prestavam aos propósitos do comércio ou da conquista militar, e a sua posição entre a Anatólia e o Egito, ao norte e ao sul respectivamente, determinou uma rota central e uma rota costeira como os caminhos mais intensamente usados na região.

A. Termos. Em consonância com o costume semita de usar relativamente poucos adjetivos, mas muitos substantivos específicos, as citações veterotestamentárias a estradas contêm muitos termos usualmente derivados das características topográficas através das quais passavam as estradas ou as trilhas. Um desses termos hebraicos figura por cerca de cinqüenta e sete vezes no Antigo Testamento, aludindo quase exclusivamente a estradas em passagens de cunho poético (por exemplo, Gên. 49:17). Trata-se de um antigo termo acádico cognato, *urhu*, que no dialeto assírio era *arhu*, «estrada» ou «vereda», com o sentido de «vereda por onde passa uma pessoa» ou «curso da vida de uma pessoa». Uma forma verbal desse termo aparece em algumas passagens como Jó 34:8, com o sentido de «estar na estrada» ou «vaguear», ou em Sal. 139:3, onde se lê: «...conheces todos os meus caminhos». E há formas participiais e femininas, sempre com o sentido de «vereda» ou «caminho».

Uma outra palavra hebraica aparece por cerca de 710 vezes no Antigo Testamento, com o sentido simples de «caminho» (por exemplo, Gên. 3:24). Por extensão, esse vocábulo significa «direção» (ver I Reis 8:44, para exemplificar), e também «distância» (ver Gên. 30:36, por exemplo). O desenvolvimento verbal dessa mesma raiz significa ou «palmilhar» ou «marchar para algum lugar», de onde se derivaram os sentidos de «pressionar» e «dobrar» (ver Juí. 9:27, para exemplificar). Isso é importante para a teologia do Antigo Testamento, devido a seu emprego com o sentido de «conduzir» (Gên. 6:12) e de «costume» (Gên. 19:31). O fato de que tal termo faz parte inerente do conceito bíblico de pecado e de retidão demonstra a vasta diferença da noção bíblica e as noções comuns às culturas ao redor de Israel. Eis por que é usada na introdução aos Salmos (ver Sal. 1:1), como o segundo grau de iniqüidade em que os ímpios se deleitam. O abandono do caminho ímpio encontra-se bem no centro do conceito veterotestamentário do arrependimento (ver Isa. 55:7-9, por exemplo). O «caminho do Senhor» reveste-se de primária importância, porque envolve a rota seguida pelo Messias (ver Isa. 40:3,4).

Um terceiro termo hebraico é um raro particípio de um verbo que aparece por cerca de 367 vezes no Antigo Testamento, com o sentido de «descer» (ver Gên. 18:21). O substantivo significa «descida» (ver Jos. 7:5 e 10:11, onde se lê: «descida» e «descida de Bete-Horom»). Uma passagem similar se vê em Jer. 48:5. O número dual do termo refere-se a cursos de água, conforme também se vê em uma outra referência (ver Miq. 1:4), onde se lê: «Os montes debaixo dele se derretem... como as águas que se precipitam num abismo». Portanto, esse termo hebraico, em todas as suas quatro ocorrências, provavelmente alude aos wadis ou vales secos, deixados nas regiões montanhosas da Palestina por rápidos dilúvios de certas estações do ano. Quando essas terras baixas naturais passaram a ser usadas como veredas, foi então que surgiu esse termo hebraico.

Um outro termo hebraico aparentemente deriva-se de uma forma participial de um verbo que significa «amontoar» ou «construir uma estrada». Significa especificamente um «caminho» (ver Juí. 21:19). Mas também era empregado para designar o curso das estrelas (ver Juí. 5:20). Uma forma variante dessa palavra aparece somente em Isaías 35:8, onde o paralelo, e talvez uma glosa, é *derek*. A palavra foi tomada por empréstimo do sumério, através do assírio. Esses termos e sua morfologia apontam para vocábulos usados atinentes à construção de ruas e estradas, feitas de pedras ou seixos, após o estabelecimento da monarquia hebréia. É bem provável que a construção de estradas em Israel fosse uma tecnologia mesopotâmica importada, devido ao

ESTRADAS

comércio com os semitas orientais, de mistura com grupos que falavam línguas aglutinativas e indo-européias do oriente, do outro lado do rio Jordão.

Uma outra palavra hebraica é usada no particípio, que é usualmente o verbo semita que tem o sentido de «subir», mas que é traduzida por «rampa» ou «escada». Um termo muito parecido no acádico significa «escada». No entanto, em alguns poucos trechos parece ter o sentido de «passagem», ao passo que aquele outro termo certamente significa «subir por uma inclinação» (ver Sal. 84:6,7; 120-134), de tal modo que muitos estudiosos pensam que aponta para a cerimônia da «festa de coroação». Todavia, essa idéia continua no terreno da especulação.

Um raro particípio *maqtal* de um verbo não desenvolvido no hebraico da Bíblia, significa «passagem estreita», ocorrendo exclusivamente em Núm. 22:24. E uma outra variante morfológica do mesmo significa «estreito», aparecendo em um certo número de trechos bíblicos.

Existe um verbo hebraico que só figura em Jeremias 18:15 e em uma difícil frase em Salmos 77:19. A tradição rabínica e cristã tem traduzido esse vocábulo como «vereda», embora não haja outra etimologia mais clara para isso, que o seu relacionamento semântico com os morfemas, que significam «pendurar» ou «seguir uma trilha». Aparece como o segundo elemento de um conjunto de três palavras, ou paralelismo crescente: «Pelo mar foi o teu caminho, as tuas veredas pelas grandes águas, e não se descobrem os teus vestígios».

Há um termo hebraico cognato do termo ugarítico mais comum para indicar «vereda». Ocorre nos trechos de Jó 18:10; 28:7; Sal. 78:50; 119:35, e sob uma forma levemente diferente, em Provérbios 2:18. Todas são passagens com outras características derivadas do ugarítico. Uma forma feminina do mesmo termo, traduzida por «vereda» ou «caminho», é freqüentemente usada com o sentido de *viajante* ou com o sentido de vereda moral de alguém. Não ocorre no Pentateuco, mas aparece pela primeira vez em Juízes 5:6, no belo cântico de Débora, um dos mais antigos fragmentos da língua cananéia no texto massorético: «Nos dias de Sangar, filho de Anate, nos dias de Jael, cessaram as caravanas, e os *viajantes* tomavam desvios tortuosos». Com freqüência serve como segundo elemento em algum paralelismo. Verificar, como exemplo, Isa. 42:16: «...caminho...» «...veredas...» No hebraico há termos empregados para indicar aspectos especiais da construção de estradas.

Há uma raiz hebraica primária que significa «fora das portas», «rua», «espaço entre edifícios». (Ver Êxo. 12:46).

Há um termo hebraico cognato do acádico que significa «descarregar», que é usado com o sentido de «obliterar» ou «desnudar», mas que algumas versões erroneamente traduzem por «estrada», em I Samuel 27:10. Tal palavra deveria ser traduzida por «atacar». Nossa versão portuguesa diz: «Contra quem *deste* hoje?» dando a entender um súbito ataque armado.

Na maioria dos casos, o texto massorético emprega as palavras comuns para indicar o labor agrícola ou de construção para descrever o ato de construir estradas. É seguro supormos que as mesmas pessoas que eram utilizadas no serviço da corte real também eram responsáveis pela construção e pelo cuidado das vias reais e dos caminhos públicos, na capital e nas circunvizinhanças dos monopólios reais. Em todo o Antigo Testamento não há qualquer evidência de um serviço de correios, ou de planejamento de cidades,

senão já no tempo da conquista grega. Essas considerações limitam a filologia e a semântica dos termos hebraicos envolvidos.

B. Estradas internacionais. A maioria das redes de estradas que ia da costa ocidental do Mediterrâneo até o vale superior do rio Tigre passava bem ao norte de Israel. Os invasores assírios dirigiram-se ao coração da Síria, como quem ia na direção de Chipre, antes de guinarem para o sul, a leste e próximo das cabeceiras do rio Jordão, e daí atingindo as fronteiras da Samaria. Sem dúvida, uma anterior estrada atravessava o deserto da Judéia, desde a fortaleza jebusita de Jerusalém até o oásis de Jericó. Dali, provavelmente atravessava o deserto até às cidades do Jordão interior. Entretanto, as três principais rotas internacionais corriam do norte para o sul, atravessando as três zonas da Palestina, a planície costeira, a região montanhosa central e o vale do Jordão. A primeira dessas rotas era chamada de «o caminho do mar», que aparece em Isa. 9:1, trecho esse que também menciona o nome de «além do Jordão, Galiléia dos gentios». Porém, isso não significava que a estrada corria paralela à costa marítima, e, sim, que era o caminho que dava «para o mar».

A segunda grande estrada era a «estrada real», que percorria todo o comprimento das terras altas da Transjordânia, especificamente mencionada em Núm. 20:17 e 21:22. Era usada pelas caravanas que iam do sul da Arábia até Damasco. A maioria das aldeias da região montanhosa ficava ao longo desse caminho, mas o terreno era recortado por profundos ribeiros e altas colinas. Invadir a região não era tarefa fácil, pelo que bem poucas campanhas militares tiveram acesso ao lugar, ao longo de seu comprimento. Houve dois períodos de civilização florescente ao longo dessa estrada, no fim do terceiro milênio e começo do segundo milênio A.C. e novamente, no século XVIII A.C., até o começo da Idade do Bronze dos israelitas. Essa estrada era usada principalmente nas viagens internas, no que diferia das outras duas principais estradas. Seu curso, de Hazor, passando por Jerusalém, e daí até Berseba, notabilizava-a como a principal via do comércio israelita e de peregrinações a Jerusalém. A seção próxima a Belém é chamada de «caminho de Efrata» (ver Gên. 35:19 e 48:7).

C. Estradas inter-regionais. Usualmente, essas estradas atravessavam no sentido longitudinal os vales naturais ou os vales entre as montanhas, entre duas grandes rotas internacionais quaisquer. Eram as rotas que levavam da região montanhosa central às planícies e desertos. Devido a sua relativa pequena importância, muitas dessas estradas não ficaram registradas nos escritos antigos que chegaram até nós, incluindo as Escrituras Sagradas.

D. *Estradas internas.* A lista abaixo está baseada no trabalho de Y. Aharoni, em suas diversas publicações sobre a geografia da Palestina: 1. «Caminho de Bete-Hagã» (II Reis 9:27); 2. «caminho de Basã» (Nú. 21:33); 3. «caminho do carvalho dos adivinhadores» (Juí. 9:37); 4. «caminho da planície» (II Sam. 18:23); 5. «caminho que dá aos vaus do Jordão» (Jos. 2:7); 6. «caminho de Ofra» (I Sam. 13:17); 7. «caminho do deserto» (Jos. 8:15 e Juí. 20:42), uma estrada perto de Jericó e que começava na área de Betel, mencionada em outros trechos bíblicos por outros nomes, onde o deserto é mais especificamente descrito, como «deserto de Gibeom» (II Sam. 2:24); 8. «caminho de Bete-Horom» (I Sam. 13:18), que era a estrada mais ao norte que levava à região montanhosa da Judéia. E, visto que Bete-Horom era uma junção

ESTRADAS

importante, lemos sobre o «caminho que sobe a Bete-Horom» (Jos. 10:10) e sobre a «descida de Bete-Horom» (Jos. 10:11). 9. «Caminho da planície», mas que o original hebraico diz «caminho de Arabá», que era o caminho familiar de Jerusalém a Jericó, mencionado no Novo Testamento (II Sam. 4:7; II Reis 25:4; Jer. 39:4; 52:7). Passava pelo estreito vale das dunas, até à «subida de Adumim» (Jos. 15:7; 18:17), e daí até à Transjordânia. Essa estrada não deve ser confundida com a de número *4*, embora nossa versão portuguesa lhe dê o mesmo nome daquela. 10.«Caminho de Bete-Semes» (I Sam. 6:9,12), e que provavelmente também era chamado de «caminho de Timna» (Gên. 38:14). Era um trecho da estrada de Laquis a Hebrom, através do vale do Soreque (ver Juí. 16:4) e do vale de Refaim (ver II Sam. 5:18). 11. «Caminho de Bete-Jesimote» (Jos. 12:3). 12. «Caminho dos nômades» (Juí. 8:11), que até hoje é usado pelos beduínos do deserto. 13. «Caminho do deserto de Moabe» (Deu. 2:8,9,18). 14. «Caminho de Edom» (II Reis 3:20), e que alguns estudiosos pensam tratar-se do mesmo curso chamado «caminho do deserto do Edom», referido em II Reis 3:8. 15. «Caminho de Horonaim» (Isa. 15:5), que provavelmente fazia parte da «descida de Horonaim», referida em Jer. 48:5. 16. «Caminho de Atarim» (Núm. 21:1), e que os rabinos tradicionalmente interpretam como «caminho seguido pelos espias». 17. «Caminho de Sur» (Gên. 16:7), sabendo-se que Sur era um lugar entre Hebrom e Berseba, na estrada para o Egito, lugar de descanso de Hagar. 18. «Caminho da região montanhosa dos amorreus» (Deu. 1:19), que começava em Cades-Barnéia e passava pelo deserto costeiro do sul. 19. «Caminho da montanha de Seir» (Deu. 1:2), —que talvez fizesse parte de uma das grandes estradas internacionais, embora também pudesse ser a rota alternativa do caminho do mar, passando pelo deserto de Edom até Cades-Barnéia, que era a extremidade norte do deserto. Outras referências parciais a estradas, subidas e descidas aparecem nas páginas do Antigo Testamento, mas a maioria refere-se a porções das estradas mencionadas, ou eram trajetos locais usados pelos aldeões em porções específicas do país. Confessa-se que a questão é difícil de ser deslindada.

E. Uso religioso e político das estradas. Os textos religiosos dos sumérios, acádicos, babilônicos, elamitas, persas, egípcios e hititas incluem detalhes de festas e cortejos religiosos, nos quais os ídolos eram apresentados às multidões. Tais caminhos eram infestados por ladrões e assaltantes, razão pela qual lemos que os patriarcas viajavam juntamente com grupos armados (Gên. 14:14,15, por exemplo). O controle e o cuidado das estradas eram sinais de que o monarca dominava a região, como o herói da mesma. Por isso, Senaqueribe jactava-se das estradas que construíra em Nínive. Mas as escavações modernas mostram que os trechos pavimentados das estradas não iam até muito longe da capital. Mas foram os hurrianos e hititas que conseguiram unificar suas confederações mediante o uso da escrita cuneiforme babilônica e de estradas militares. O termo grego *keruks*, «arauto», de onde se derivam os termos neotestamentários «pregar» e «pregador», está baseado no sistema de mensageiros dos hurrianos. Mas foram os persas que instituíram o sistema de estradas para o serviço de correios, para atender às necessidades administrativas. Roma adotou esse sistema como uma maneira de unificar os antigos estados que faziam parte do império romano. A avenida processional da capital servia não só para disseminar o culto religioso oficial, mas também para atrair peregrinos de todas as regiões do império. Essa situação muito contribuiu para desgastar os arcaicos estados religiosos, cedendo lugar ao individualismo da era helênica.

F. Uso literário e figurado da palavra «estrada». Na literatura antiga do Oriente Próximo encontramos a idéia de «estrada de vida», para indicar o curso de ação filosófica e moral de alguém. Um exemplo notável aparece em um poema babilônico: «Quem conheceu o plano dos deuses celestes? Quem conhece o esquema do outro mundo? Onde os mortais entenderam o caminho dos deuses?» (*A Babylonian Anthology*, págs. 32 *ss* , 1966, de W. White, Jr.). As doutrinas de um povo disperso, de profetas enviados e de um Messias Mensageiro encontram-se exclusivamente no Antigo Testamento. A idéia de deixar de lado um caminho qualquer é usada ali para indicar uma decisão voluntária: «...desviai-vos do caminho, apartai-vos da vereda; não nos faleis mais do Santo de Israel» (Isa. 30:11). Por igual modo, seguir os mandamentos do Deus do pacto é o mesmo que andar pelas veredas do Senhor (ver Isa. 2:3). A idéia de endireitar o caminho, moral e fisicamente, é exposta pelos profetas como símbolo da atitude de quem aguarda pela chegada do Messias (ver Isa. 40). As exortações para que se usasse de hospitalidade para com os estrangeiros e viajantes encontram um exemplo concreto em Abraão (ver Gên. 18, e outros trechos). A idéia é reiterada pelos escritores sagrados posteriores, e, finalmente, no ensino de João Batista, que entreteve o Messias, o hóspede por excelência.

III. Estradas no Novo Testamento

A. Termos. Contrário ao Antigo Testamento, o Novo Testamento tem um vocabulário bastante limitado para indicar objetos e construções específicos. Há dois termos principais e três secundários para aludir a estradas, no Novo Testamento, que continuaram sendo usados pelos escritores patrísticos pré e pós-nicenos. Visto que os antigos gregos eram um povo mais dado às lides do mar do que um povo de caravanas, os dialetos gregos clássicos nunca foram ricos em equivalentes semânticos para significar «estradas» e «viagens», como o foram as línguas aglutinativas e muitas das antigas línguas de massas de terras continentais do ocidente asiático. Esse leque mais estreito de tais termos reflete-se no Novo Testamento. No grego, desde os tempos homéricos, em todos os dialetos, *odós* sempre foi a palavra para indicar «estrada» e seus cognatos. Esse termo aparece por quase cem vezes no Novo Testamento, em três sentidos específicos: 1. «estrada» (Mat. 2:12, etc.); 2. «conduta» (Mat. 21:32, etc.); 3. «ensino» (Atos 24:14, etc.).

Um outro termo grego é *trópos*, «maneira», «meio», mas raramente, é usado como «caminho». É interessante observar que essa palavra é largamente usada na LXX e pelos escritores patrísticos do período pós-apostólico, embora só apareça nos evangelhos em Mat. 23:37 e Luc. 13:34, como também nos livros de Atos, Romanos, II Tessalonicenses, II Timóteo e Judas, em todo o resto do Novo Testamento.

Outro termo grego é *trochia*, «trilho de rodas», «curso para rodas» ou «caminho estreito», que aparece somente em Hebreus 12:13, na frase: «...e fazei caminhos retos para os vossos pés...» Essa palavra é uma extensão do vocábulo grego clássico *trope*, «roda», comumente usado desde os tempos homéricos. O desenvolvimento semântico específico é helenista em sua origem, e não mais antigo do que Filo de Alexandria (século III A.C.), e provavelmente é tradução de algum termo não indo-europeu.

545

ESTRADAS

Um termo grego extremamente comum é o verbo *anabaíno*, «subir», «ascender». No trecho de Lucas 19:28, refere-se especificamente à subida de Jesus e de Seus discípulos das planícies da Judéia central a Jerusalém. Nesse sentido, provavelmente temos a tradução de expressões hebraicas para *subir* a algum lugar (por exemplo, Salmo 120 em diante). Em Atos 28:15, crentes vieram ao encontro de Paulo, em sua viagem a Roma, na Praça do Ápio, uma cidade-mercado que havia na Via Ápia, cerca de setenta quilômetros de Roma. Algumas alusões a estradas aparecem muito indiretas, principalmente no livro de Atos, conforme se vê em Atos 8:26, onde há uma referência à Via Maris, que prosseguia ladeando a costa marítima. Mas poucas dessas alusões realmente mencionam a estrada em pauta.

B. Estradas persas e helenistas. O excelente sistema de estradas, herdado pelos governantes herodianos, foi construído pelos governantes helenistas, sob a influência persa. Heródoto, Xenofonte e outros escritores do período clássico admiravam-se da eficiência dos postos persas e de seu elaborado sistema de trilhas que atravessava os desertos. Todavia, não há evidências de que os persas do regime acaemenida tivessem realmente construído alguma estrada pavimentada entre as cidades. Os achados arqueológicos apontam para o fato de que eles pavimentavam somente as avenidas reais e cerimoniais, ao redor das cidades capitais. Nenhuma estrada persa chegava até à Palestina, mas seguiam para oeste desde Corsabade, para a extremidade mais nordeste do mar Mediterrâneo, e dali seguiam até Éfeso. Os governantes helenistas utilizaram-se dessa estrada principal que cruzava o deserto, e acrescentaram à mesma troncos que a ligavam com a Via Maris. Os persas deram continuação à prática babilônica de construir estradas com tijolos queimados, seguros no lugar com o auxílio de betume. E a eficiência do sistema de satrapias, com seus **governantes semi-autônimos**, manteve o sistema de transporte em funcionamento até muito tempo depois que a autoridade real central deixara de existir. Dessa maneira, os governantes helenistas herdaram um sistema, após o ano de 322 A.C., que funcionava bem e que requeria pouca atenção se pudesse ser reparado com os fundos cobrados por pedágios. No Egito, o sistema postal foi mantido até os tempos romanos. Foi construída uma estrada que ia desde Alexandria até o mar Vermelho. E mesmo depois que os portos da costa da atual Turquia foram abandonados, as estradas continuaram contribuindo com sua participação no tráfico, até bem dentro dos tempos bizantinos.

C. Estradas romanas. A origem da técnica romana de construção de estradas jaz nas brumas da antiguidade etrusca. Era básico da engenharia romana que os rudimentos de medidas como drenagem, terraplanagem e pavimentação já tinham sido bem desenvolvidos antes que os romanos começassem a construir as suas estradas. A essência das estradas era o fato de que eram elas desenhadas e construídas, tendo em vista todas essas outras três considerações. O planejamento de cidades, o terreno montanhoso e um senso de organização comunal combinavam-se para motivar a construção de melhores leitos de estrada, com uma pavimentação cuidadosamente calculada. A teia das estradas romanas teve início no século III A.C., espalhando-se mais e mais a cada década, até absorver a Europa, a Grã-Bretanha, o norte da África, a Grécia e o Oriente Médio. Foi na época de Augusto que as estradas da Síria e Palestina foram pavimentadas pelas usuais razões romanas; aumentaram as riquezas econômicas da área median-

te a cobrança de impostos e concessões, para proteger os interesses romanos dos assaltantes e dos povos independentes que habitavam nas regiões montanhosas. Os executores dessa norma romana, na área da Palestina, foram os herodianos.

D. Estradas de Herodes. Tanto o Novo Testamento quanto Josefo dão testemunho do afã construtor de Herodes, o Grande e seus sucessores. O grande templo de Jerusalém, os palácios na Galiléia e as muitas fortificações, como por exemplo, Massada, foram construídos com a ajuda da engenharia romana e de operários judeus. A magnificente estrada real elevada que cruzava o vale, do palácio ao templo, está sendo escavada em seus alicerces por arqueólogos israelenses. As mansões e palácios da costa marítima e as fortificações do interior do país, construídos a mando de Herodes, confirmam sua fama e habilidade de construtor. Entretanto, fica implícito nas narrativas dos evangelhos que Jesus e seus discípulos preferiam percorrer a pé as trilhas interioranas, em vez de seguirem pelas estradas principais. Isso pode ser facilmente deduzido se acompanharmos os nomes dos povoados e aldeias pelos quais eles passaram. As aldeias, atualmente desapareceram quase todas, e o curso dessas trilhas pode ser apenas imaginado. Porém, não se pode pôr em dúvida que os escritores sagrados estavam familiarizados com os locais cuja topografia eles tão bem descreveram.

E. Estradas internas. As estradas referidas no Antigo Testamento geralmente continuavam a ser usadas na época das ocorrências historiadas no Novo Testamento. O terreno na Palestina é tão íngreme que em muitos lugares ninguém podia usar outra passagem, subida e descida. Visto que na Galiléia foram desenvolvidos novos postos e intersecções de estradas, após o término da escrita do Antigo Testamento, nenhum dos lugares por onde Jesus andou, em seu ministério por aquela região nortista, é mencionado no Antigo Testamento, pois todas as trilhas e veredas eram novas. Foi somente na época do imperador Trajano (98-117 D.C.), que foi construído o sistema de estradas da Jordânia. A Judéia, na época de Jesus, era uma área rural subdesenvolvida, pressionada por um poderoso império externo dominante que renovava, reconstruía e explorava com incansável precisão, porquanto considerava o materialismo como seu sumo bem. Destarte, pereceram a economia e a comunidade típicas do Antigo Testamento, na Palestina, como um sistema obsoleto.

F. Estradas internacionais. As estradas que conduziram os pendões romanos até à Palestina, estavam destinadas a ser as vias pelas quais o evangelho foi propagado. O exército romano construiu mais de oitenta mil quilômetros de estradas na área da Síria e Palestina, banindo à espada os assaltantes que vinham perturbando Israel desde os dias dos patriarcas. Os cristãos não se mostraram cegos quanto a esse benefício romano, e muitos reconheciam que a política romana era progressista: «Os romanos deram a paz ao mundo, e podemos viajar sem temor, ao longo das estradas e através dos mares, por onde quer que desejemos fazê-lo» (Irineu, *Adv. Haer.* iv.30.3 *ss*).

a. *As narrativas dos evangelhos.* Nos evangelhos, Mateus, Marcos e Lucas usam o termo grego *odós* em proporção razoavelmente igual, cada um deles cerca de doze a quinze vezes. A esmagadora porcentagem das ocorrências envolve o uso da palavra num sentido de «costume moral» ou «conduta». A noção de «ensino» só foi desenvolvida mais tarde, já quase no fim do ministério terreno de Jesus. Em essência, o sentido da palavra varia durante o ministério público,

ESTRADAS — ESTRANGEIRO

desde o «caminho» do Messias (Mat. 3:3; Mar. 1:3; Luc. 3:4), através do «caminho» da vontade de Deus (Mat. 10:5; Mar. 6:7; Luc. 9:2), e daí até o sentido de «caminho» dos ensinamentos de Jesus (Mat. 21:22; Mar. 12; Luc. 20). O evangelho de João encerra somente quatro menções do termo. E a primeira, em João 1:23, é precisamente paralela ao trecho de Mat. 3:3, na declaração de João Batista. O uso intermediário simplesmente não figura no quarto evangelho, e o conceito final, de cumprimento messiânico, é recapitulado em João 14:4-6. A natureza do quarto evangelho, e sua origem extrapalestina sem dúvida explicam essa mudança de ênfase.

b. Em Atos e nas epístolas. As narrativas de viagens, no livro de Atos, contêm a mais elevada freqüência do termo grego *odós*, ou seja, dezenove ocorrências. A primeira menção do termo, que generaliza todos os seguidores do evangelho, ocorre no contexto da perseguição à Igreja por parte de Saulo de Tarso (ver Atos 9:2). Quase todo o uso do termo, nas epístolas, envolve o sentido abstrato. Parece que quanto mais o centro da Igreja afasta-se da Palestina, menos se empregava o sentido concreto de «vereda» ou «caminho», pois os povos não familiarizados com as cenas do Antigo Testamento dificilmente sabiam apreciar os costumes e usos dos hebreus.

G. Uso literário e figurado de «estradas». As ocorrências, nas páginas no Novo Testamento, derivam-se primariamente do uso literário do Antigo Testamento. O sistema rodoviário dos romanos simplesmente era pressuposto nos livros finais do Novo Testamento, onde o termo é usado como alusão à «vida» ou aos «costumes» dos crentes obedientes.

H. Noção escatológica de «estrada». Duas ocorrências do termo grego *odós* aparecem no livro de Apocalipse. Em Apo. 15:3 temos uma citação extraída da LXX, onde certas passagens são habilidosamente combinadas entre si. Em Apo. 16:12 encontramos uma referência topográfica. Visto que a economia geral da cidade celeste, conforme a vemos no Apocalipse, é a economia do Antigo Testamento, e não um reflexo do arranjo intermediário do Novo, tais referências revestem-se de grande interesse. O «caminho» do evangelho conduz todos os povos, tanto os judeus quanto os gentios, aos pés de Cristo, habitando na Jerusalém restaurada. Podemos sumariar afirmando que, na Bíblia, as estradas têm um aspecto escatológico, noção essa que nunca se distancia de qualquer sentido específico dos textos sagrados, mas antes, sublinhando todos eles.

ESTRANGEIRO

Esboço:
I. No Antigo Testamento
II. No Novo Testamento

I. No Antigo Testamento
As palavras hebraicas mais comumente usadas no Antigo Testamento, para transmitir a idéia de «estrangeiro», são *ger* e *nokri*.

a. *Ger.* Esse vocábulo dizia respeito a uma pessoa que vivia em um país ou em uma cidade do qual ou da qual não era nativo e cidadão pleno. Era usado para indicar estrangeiros livres que viviam mais ou menos permanentemente entre os israelitas. Todavia, a palavra também foi usada no caso de israelitas como, por exemplo, no caso dos patriarcas, quando estavam na Palestina, ou no caso dos israelitas, quando estavam no Egito (Gên. 15:13; Êxo. 22:21; 23:9; Lev. 19:34; Deu. 10:19; 18:6, etc.).

Desde o princípio houve estrangeiros entre os

israelitas. Uma «multidão mista» subiu do Egito para a Terra Prometida, em companhia do povo de Israel. E, após a conquista da Palestina, israelitas e cananeus moravam lado a lado. Estes últimos nunca foram exterminados. Os livros históricos com freqüência fazem menção a estrangeiros residentes em Israel, como Urias, o heteu. Nos dias de Salomão havia muitos estrangeiros em Israel. Ver II Crô. 2:17.

Embora os *gerim* (forma plural de *ger*) não desfrutassem de todos os direitos civis e religiosos dos israelitas, eles não sofriam abusos, e esperava-se que eles fossem tratados com hospitalidade. Moisés ensinou que Deus amava os *gerim*, porquanto lhes provia tanto alimentos quanto vestuário (Deu. 10:18). Fazia parte dos deveres dos israelitas defenderem, ajudarem e até mesmo amarem aos estrangeiros, porquanto, por algum tempo, os israelitas também haviam sido estrangeiros, no Egito (Deu. 10:18; 14:29; 24:14,19). Portanto, um *ger* era protegido em Israel para não sofrer injustiças e nem violências (Deu. 24:14). Quanto a essa necessidade de proteção, um *ger* era classificado juntamente com os órfãos e as viúvas (Deu. 10:18; 14:29). No entanto, Moisés proibiu o casamento entre israelitas e *gerim* (Gên. 34:14; Deu. 7:1 *ss*).

Esperava-se que os *gerim* observassem o sábado (Êxo. 20:10; 23:12), observassem o dia da expiação (Lev. 16:29), e não usassem fermento durante a festa dos pães asmos (Êxo. 12:19). Se fossem circuncidados, poderiam guardar a festa da páscoa (Êxo. 12:48; Núm. 9:14). Também podiam oferecer sacrifícios (Lev. 17:8; Núm. 15:14,2629; 35:15).

Um israelita que viesse a tornar-se escravo de um *ger*, podia ser remido por um parente, a qualquer tempo, sob a condição de pagamento de um preço justo (Lev. 25:47 *ss*). Mas os *gerim* que se tornassem escravos, não eram libertados no ano do jubileu, conforme sucedia no caso de israelitas escravizados (Lev. 25:46).

Terminado o cativeiro babilônico, muitos dos *gerim* tornaram-se prosélitos do judaísmo, e assim acabaram sendo absorvidos pelo povo de Israel, perdendo a sua identidade de estrangeiros.

b. *Nokri.* Se os *gerim* eram não-israelitas que vinham residir temporariamente em Israel, os *nokrim* eram aqueles estrangeiros que entravam em contacto fortuito com os israelitas, como viajantes ou negociantes. No tocante a direitos e privilégios, a posição deles em nada diferia dos direitos privilégios dos *gerim*. Naturalmente, um residente temporário em Israel não teria, normalmente, um interesse maior na religião dos judeus. Eram tratados com hospitalidade, mas, enquanto estivessem em Israel, esperava-se que se adaptassem às leis da nação e à guarda do sábado. Não podiam participar da festa da páscoa, a menos que fossem previamente circuncidados (Êxo. 12:43). Também não podiam comer das coisas sagradas (Lev. 22:10). Os israelitas podiam emprestar-lhes dinheiro a juros (Deu. 23:20). — Eles não podiam comprar animais defeituosos de algum estrangeiro para serem oferecidos em sacrifício.

II. No Novo Testamento
Há várias palavras gregas que precisamos considerar, a saber:

1. *Ksénos*, «estrangeiro». Palavra que aparece por catorze vezes: Mat. 25:35,38,43,44; 27:7; Atos 17:18,21; Rom. 16:23; Efé. 2:12,19; Heb. 11:13; 13:9; I Ped. 4:12 e III João 5.

2. *Allótrios*, «pertencente a outrem». Palavra utilizada por catorze vezes: Mat. 17:25,26; Luc. 16:12; João 10:5; Atos 7:6 (citando Gên. 15:13); Rom.

ESTRANGEIRO — ESTREBARIA

14:4; 15:20; II Cor. 10:15,16; I Tim. 5:22; Heb. 9:25; 11:9,34.

3. *Allogenés*, «de outra raça». Um *hapax legomenon* do Novo Testamento, isto é, palavra que aparece somente por uma vez, a saber, em Luc. 17:18.

4. *Parepídemos*, «um entre o povo». Palavra que aparece por três vezes: Heb. 11:13; I Ped. 1:1 e 2:11.

5. *Pároikos*, «peregrino». Termo que é utilizado por quatro vezes no Novo Testamento: Atos 7:6 (citando Gên. 15:13); 7:29; Efé. 2:19 e I Ped. 2:11.

Nas páginas do Novo Testamento, a palavra «estrangeiro» algumas vezes é utilizada no seu sentido literal de uma pessoa desconhecida. Mas nesse caso, naturalmente, em português dizemos «estranho», como quando disse o Senhor Jesus: «...mas de modo nenhum seguirão o estranho, antes fugirão dele, porque não conhecem a voz dos estranhos...» (João 10:5). Esse uso aparece melhor em Mateus 25:35, onde se lê: «...era forasteiro, e me hospedastes».

Em Efésios 2:12, Paulo diz que os gentios, antes do Novo Pacto, eram «...separados da comunidade de Israel, e estranhos às alianças da promessa, não tendo esperança, e sem Deus no mundo». Nesse passo bíblico, «estranhos» é tradução do vocábulo grego *ksénos*, o qual, em seu paralelo veterotestamentário, *ger*, indica *estrangeiros residentes*, excluídos dos pactos entre Deus e Israel.

Um «estrangeiro» era pessoa de outra nação que vinha habitar em um lugar que não era o seu. Talvez até houvesse a idéia de mostrar distinções raciais, no uso dessa palavra. O termo grego correspondente é *pároikos*, que figura por quatro vezes: Atos 7:6 (citando Gên. 15:13); Atos 7:29; Efé. 2:19; I Ped. 2:11. Em Efésios 2:19, o sentido não é apenas o de «alguém distante de casa», que é o sentido usual da palavra grega, mas alguém que não é judeu, ou seja, um gentio.

Na cultura do Antigo Testamento, havia tolerância e até privilégios especiais conferidos aos estrangeiros e peregrinos que habitavam em Israel. Todavia, eles tinham de observar certos deveres básicos: 1. Não podiam blasfemar o nome de Yahweh (Lev. 24:16). 2. Não podiam observar formas de adoração pagãs e idólatras (Lev. 20:2). 3. Tinham de evitar atos indecentes (Lev. 18:26). 4. Não podiam trabalhar no sábado (Êxo. 20:10). 5. Tinham de evitar o uso de fermento na semana da páscoa (Êxo. 12:19). 6. Não podiam comer pratos feitos com sangue e nem beber sangue, e nem comer animais que tivessem morrido de morte natural, ou tivessem sido despedaçados por alguma fera (Lev. 17:10,15). Aqueles que observassem essas condições, tinham direitos e privilégios iguais (excetuando os de natureza religiosa) — a qualquer outro cidadão de Israel. Havia uma só lei para o nativo e para o estrangeiro (Êxo. 12:49; Lev. 24:22). Tinham direitos à mesma justiça que os cidadãos da terra (Deu. 1:16), e também estavam sujeitos às mesmas penas, quando incorressem em erro (Lev. 20:2; 24:16).

Os estrangeiros não deveriam ser oprimidos em Israel, conforme haviam sido oprimidos os israelitas no Egito (Êxo. 22:21; 23:9; Lev. 19:3,34). Deveriam ser amados (Lev. 19:34; Deu. 10:19). Os estrangeiros que padecessem necessidade deveriam receber assistência (Núm. 35:15; Deu. 10:19). Também deveriam compartilhar dos benefícios da legislação sobre a respiga (Lev. 10:10; 23:22; Deu. 24:19-21). Não podiam ser vítimas dos abusos de empregadores (Deu. 24:14).

Limitações. Um estrangeiro só poderia casar-se legitimamente com uma mulher israelita se antes se convertesse à fé judaica. Um estrangeiro não podia tornar-se rei em Israel (Deu. 17:15). Tinha de pagar juros sobre o dinheiro tomado por empréstimo, ao passo que um israelita era isentado de juros (Deu. 15:3; 23:20). No ano do jubileu, as dívidas dos cidadãos israelitas eram canceladas, — mas as dívidas dos estrangeiros, não (Deu. 15:3). — Um estrangeiro que tivesse sido reduzido à servidão, não era libertado no ano do jubileu, conforme sucedia aos nativos da terra (Lev. 25:45,46). Ezequiel, porém, previu um dia futuro, quando terminariam essas limitações (Eze. 47:22).

Uso Figurado. Todas as pessoas espirituais são estrangeiras neste mundo, porquanto pertencem a um país melhor e superior (I Ped. 2:11; Heb. 11:13). Ver também Sal. 39:12.

ESTRANGULAR, SUFOCAR

Neste verbete, cumpre-nos considerar duas palavras hebraicas e uma grega:

1. *Chanaq*, «estrangular». As vezes, significa «enforcar-se» (ver II Sam. 17:23). Mas pode significar «estrangular», em cujo sentido ocorre somente em Naum 2:12, onde o profeta refere-se à anterior grande superioridade militar dos assírios, sobre todos os povos em derredor, de tal maneira que a Assíria assemelhava-se a um leão que estrangulava as suas vítimas e enchia sua caverna de presas.

2. *Machanaq*, «estrangulamento». Palavra hebraica que figura exclusivamente em Jó 7:15. A nossa versão portuguesa prefere usar um verbo na voz passiva, ou seja, «ser estrangulado», dentro da frase «minha alma escolheria antes ser estrangulada».

3. *Pniktós*, «estrangulado». Essa palavra tem por base o verbo grego *pnígo*, «estrangular», «sufocar». Aparece por três vezes no Novo Testamento, sempre como uma expressão, *tò pniktón*, «o estrangulado» ou «o sufocado», em Atos 15:20,29; 21:25. Ver também sobre *Crimes e Castigos*.

ESTRATÃO Ver Stratão (Estratão).

ESTRATO DE LÂMPSACO

Foi um filósofo grego, discípulo de Teofrato e membro do Liceu (que vede), que se tornou presidente dessa escola em cerca de 287 A.C. Seus interesses eram principalmente científicos. Ele defendia uma teoria do *atomismo* (que vede), combinando elementos de Aristóteles e de Demócrito. Entretanto, segundo a sua concepção, os átomos seriam infinitamente divisíveis (negando assim o próprio sentido da palavra *átomo = indivisível*) e dotados das propriedades do calor e do frio. Seu ponto de vista do mundo era materialista e mecânico e usava a palavra «alma» somente para indicar o princípio da *unidade* do corpo físico. Também advogava o ponto de vista do *epifenomenalismo* (que vede), que diz que os fenômenos psíquicos são produtos de meros processos físicos.

ESTREBARIA

Este verbete requer o estudo de quatro palavras hebraicas e uma palavra grega:

1. *Abas*, «cevado». Esse vocábulo hebraico aparece somente por duas vezes: Pro. 15:17 e I Reis 4:23. Algumas versões dão a idéia de gado posto na estrebaria, mas nossa versão corretamente traduz por «boi cevado», tal como o faz em I Reis 4:23, onde lemos sobre as «aves cevadas».

2. *Uravoth* ou *urayoth*, «estrebarias». Palavra hebraica que ocorre por três vezes: I Reis 4:26; II Crô.

548

ESTREBARIA — ESTRELA DE BELÉM

9:25 e 32:28. Nos dois primeiros casos, estão em foco as estrebarias de Salomão. Na última referência, as de Ezequias, várias gerações mais tarde. Nas casas com dois pisos, o gado usualmente ficava no nível térreo, onde havia estrebarias e manjedouras, conforme se vê, até hoje, em certos países da Europa. Os estábulos de Megido, porém, eram arranjados de cada lado de um corredor. Ali cada estrebaria era separada por um poste, com uma manjedoura, e tudo pavimentado com pedras. Nos postes das manjedouras havia um buraco para amarrar uma corda que prendia o animal. O grande número de estrebarias indica que havia grande comércio de venda de cavalos. Havia cerca de quatrocentas e cinqüenta estrebarias, separadas em dois edifícios. Estábulos mais ou menos pertencentes à mesma época têm sido descobertos pela arqueologia em Tell el-Hesi, Gezer, Taanaque e Hazor.

3. *Marqeb*, «cevadouro». Esse termo hebraico foi usado por duas vezes: Amós 6:4 e Mal. 4:2. No primeiro trecho, os «bezerros do cevadouro» denotam os animais cevados com ração própria, em contraste com os animais deixados soltos no campo, para se alimentarem da grama. Essa metáfora, pois, indica os cuidados especiais de Deus pelo seu povo de Israel. Em Malaquias, há outra menção metafórica. Quando o Senhor Jesus reaparecer, os que nele confiam, sentir-se-ão como os bezerros se sentem quando são soltos, após terem ficado muito tempo presos na estrebaria. Essa é a «liberdade dos filhos de Deus», de que fala o apóstolo Paulo, em Rom. 8:20 *ss*. No dizer de Paulo, nessa ocasião é que haverá a «redenção do nosso corpo». O homem interior já foi salvo e transformado; resta agora a salvação do corpo, que ocorrerá quando da *parousia* ou segunda vinda de Jesus. Ver sobre a *Parousia*.

4. *Rephathim*, «aprisco», «lugar fechado». No hebraico, a palavra está no plural. Ocorre somente em Hab. 3:17. Um aprisco vazio com freqüência servia de sinal de que Deus estava castigando a seu povo desobediente. Mas Habacuque ajunta que, apesar de tudo, ele se alegrava no «Deus da minha salvação», porquanto o Senhor dar-lhe-ia a vitória, fazendo-o «andar altaneiramente».

5. *Fátne*, «manjedoura». Essa palavra grega é utilizada no Novo Testamento por quatro vezes, sempre no evangelho de Lucas (2:7, 12, 16 e 13:15). No entanto, quando se examina a última dessas referências, vê-se que também tinha o sentido de «estrebaria». A Septuaginta usa esse termo grego para traduzir três palavras hebraicas diferentes, que aparecem nesta lista, a saber, a de número 2 (II Crô. 32:28), a de número 4 (Hab. 3:17), e a de número 1 (Jó 39:9).

ESTRELA

Ver sobre **Astronomia**.

ESTRELA D'ALVA

No grego, **phosphóros**, «transportador da luz». No Novo Testamento, essa palavra figura somente em II Pedro 1:19. As palavras que ocorrem somente por uma vez, no Antigo ou no Novo Testamentos, os eruditos chamam de *hapax legomenon*. Está em foco o planeta Vênus. O sentido dessa passagem é que os profetas eram como uma lâmpada ou luz notável; mas Cristo é a Luz da Aurora, anunciado pela Estrela D'Alva como uma precursora de sua glória. O termo grego envolvido foi usado pelo alquimista alemão Hennig Brandt, no século XVII, para indicar o elemento fósforo (P). Alguns autores helenistas evidentemente usavam o termo Estrela D'Alva para indicar o sol, mas a referência comum é a Venus. A estrela procedente de Jacó, referida em Núm. 24:17, reflete um uso similar, no Novo Testamento. É possível que, secundariamente, esteja em foco a pessoa de Davi; mas a referência primária é ao Messias. Ver também Apocalipse 2:28, sobre a «estrela da manhã», que é o próprio Senhor Jesus. Em Apocalipse 22:16 ele é· chamado de «a brilhante estrela da manhã».

ESTRELA DE BELÉM (DOS MAGOS)

Mat. 2:2. *Onde está aquele que é nascido rei dos judeus? pois do oriente vimos a sua estrela e viemos adorá-lo*.

Sua estrela. Há muitas interpretações e argumentos sobre a natureza dessa estrela. Seguem as tendências dos comentaristas, que pretendem exaltar o milagroso, eliminar o milagroso, reduzir o milagroso, magnificar o científico, etc. Todavia, é provável que alguns simplesmente desejem achar a verdade histórica, despida de preconceitos. As interpretações são as seguintes:

1. A estrela seria uma *personalidade*, como um anjo, que teria guiado os magos a Jerusalém. Considerando-se que o texto não tem qualquer indicação sobre isso, e que os magos eram astrólogos, afeitos ao estudo dos estrelas, dificilmente se pode aceitar tal idéia.

2. Tanto a estrela como a narrativa seriam *um mito*, uma criação do autor para engrandecer a Jesus e à história de seu nascimento. É idéia que agrada aos modernistas, mas não passa de conjectura.

3. A estrela teria sido um *fenômeno divino* dado só aos magos, pois ninguém, além deles, podia vê-la. É a explicação para a falta de provas, nos documentos antigos, de que algo de notável teria sido visível no céu naquela época. No texto, porém, não há qualquer evidência disso.

4. Seria um tipo de *astro especialmente* preparado por Deus, para guiar os magos. Talvez seja a idéia mais comum, especialmente nos tempos mais modernos.

5. Seria um *cometa*.

6. Teria sido uma *conjunção de planetas*; assim opinou o astrônomo Kepler, e também Munter, Ideler e diversos intérpretes e comentaristas, incluindo Alford, que explica a idéia detalhadamente. Pode-se ver a mesma coisa no livro «E A Bíblia tinha Razão», de Werner Keller, págs. 291-298. No ano 7 A.C. houve uma conjunção de Júpiter e Saturno, no dia 20 de maio, na constelação de Peixes, grau 20, próximo à ponta de Áries, que segundo a astrologia, é a parte do céu, que apresenta os maiores e mais notáveis acontecimentos. No dia 27 de outubro do mesmo ano, os mesmos planetas se conjugaram no grau 15 da constelação de Peixes. No dia 12 de novembro a mesma coisa ocorreu no grau 16. Alguns dão as datas de 29 de maio, 29 de setembro e 4 de dezembro. *Os magos*, pois, viram a primeira conjunção no oriente, que no dia 29 de maio teria sido visível três horas e meia antes do sol nascer. Se viajaram, gastando nisso cinco meses ou mais (Esdras 7:9), então precisaram de quatro meses para ir da Babilônia a Jerusalém. Nesse caso, teriam visto a conjunção que ocorreu em dezembro, na direção de Belém.

Levando em conta que os magos eram *astrólogos*, essa explicação é razoável. Não é fato desconhecido, na história de grandes homens, que algum fato raro

ESTRELA DE BELÉM — ETÃ

ocorresse no tempo de seus nascimentos, como uma conjunção rara de planetas no céu. Se tais coisas são coincidências, ou não, cabe ao leitor decidir. O N.T. encerra muitas ocorrências milagrosas, e pode ser que essa seja apenas mais uma; mas a evidência de que a estrela de Belém foi aquela rara conjunção é razoavelmente convincente. Consideremos também que, no *plano* de Deus, não seria um milagre menor fazer com que Cristo nascesse no tempo de um *raro fenômeno cósmico* do que criar um corpo celeste especial. Parece-nos que a glória de Deus é mais exaltada com esse acontecimento do que com a criação de um novo astro, porque isto mostraria o sublime controle de Deus sobre toda a criação. As maravilhas de Deus incluem mais coisas do que quaisquer de nossas filosofias.

Esse foi o sinal celeste que conduziu os «magos do Oriente» até onde residia o menino Jesus, com Maria e José.

O substantivo «mago» é de origem persa (no grego, *mágos*; no latim, *magus*). Pode ser encontrado nos escritos de muitos autores clássicos. Segundo as aparências, nos tempos helenistas havia uma classe de mágicos, provenientes da Pérsia, espalhada por todo o Oriente Próximo, como adivinhos ou homens santos.

A narrativa sobre os magos que visitaram o menino Jesus acha-se somente em Mateus 2:1-12. Para nós, a identificação desses «magos» constitui um certo problema. Mas o autor sagrado apresenta-os sem outra explicação além do fato de que eles eram «magos do oriente». Portanto, deveriam ser figuras conhecidas como uma classe, conforme já dissemos acima. O que talvez seja mais importante que os magos, nesse relato bíblico, seja o fenômeno da «estrela», mencionado por nada menos de quatro vezes (Mat. 2:2,7,9,10) por Mateus, e nunca mais em todo o Novo Testamento. Essa estrela serviria de sinal para os magos, quando ainda estavam no Oriente, de que nascera o *Rei dos judeus*.

E a opinião deles quanto ao nascimento do Rei dos judeus foi levada a sério por Herodes, por seus cortesãos e até pelas autoridades religiosas dos judeus, e, de fato, por todos os habitantes da capital, pois lemos: «Tendo ouvido isso, alarmou-se o rei Herodes e com ele, toda Jerusalém» (Mat. 2:3). Herodes imediatamente convocou os mestres da lei judaica, os quais citaram o livro de Miquéias (5:2), que indica claramente o local do nascimento do Messias prometido. No entanto, eles poderiam ter evocado o testemunho de outros trechos bíblicos, como o de Números 24:17 e o de Isaías 60:3. No primeiro deles lemos «...uma estrela procederá de Jacó...» E, em Isaías lemos: «As nações se encaminham para a tua luz, e os reis para o resplendor que te nasceu». Acresça-se a isso que Balaão precisava quando essa estrela apareceria: «vê-lo-ei, mas não agora», o que, no original hebraico, dá a impressão de algo que ocorreria nos últimos dias. É evidente que essa *estrela*, referida por Balaão, seria uma *pessoa*, e não um corpo celeste. E essa pessoa seria nobre, pois seria um «cetro».

A questão concernente ao propósito da estrela é respondida diretamente pelo texto de Mateus: «...vimos a sua estrela no Oriente, e viemos para adorá-lo» (Mat. 2:2). O que nos parece quase incrível é que alguns mágicos orientais tenham interpretado tão bem a estrela rebrilhante, ao passo que o povo judeu de nada desconfiava que estava, entre eles, Aquele de quem todos os profetas de Israel haviam falado em termos tão candentes e entusiasmados. Isso mostra que o véu que lhes embotava os sentidos já

havia sido posto sobre eles, conforme diz o apóstolo. Ver Rom. 11:7,8: «Que diremos, pois? O que Israel busca, isso não conseguiu; mas a eleição o alcançou; e os mais foram endurecidos, como está escrito: Deus lhes deu espírito de entorpecimento, olhos para não ver e ouvidos para não ouvir, até o dia de hoje».

Quanto à natureza da estrela, apesar das muitas sugestões e teorias que têm surgido, como tentativas de explicação, precisamos dizer aqui que, biblicamente falando, não temos como determinar se foi alguma supernova, alguma conjunção planetária ou algum fenômeno sobrenatural. Todavia, em face do fato de que a estrela aparecia, desaparecia e novamente aparecia, quando isso era conveniente (como depois que os magos partiram para Belém da Judéia), tem levado muitos estudiosos a pensar em algum fenômeno sobrenatural. E também é interessante observar que depois que os magos encontraram o menino Jesus e lhe ofereceram presentes, a estrela desapareceu novamente, não permitindo que seus inimigos também o encontrassem. Teria sido mister muitas e repetidas coincidências para que tudo isso tivesse ocorrido fortuitamente. Melhor é pensarmos em um fenômeno sobrenatural, posto sob o comando de Deus, para explicar a natureza da estrela dos magos.

O silêncio que faz o resto do evangelho de Mateus e, de fato, todo o restante do Novo Testamento, sobre a estrela dos magos, serve para mostrar-nos que não devemos dar importância exagerada àquilo que era apenas secundário. O que importava era o nascimento do Messias, a presença do Emanuel entre nós.

ESTRUTURALISMO Ver **Schiwy, Gunther**.

ESTUDO

Ver **Desenvolvimento Espiritual, Meios do**, e **Antiintelectualismo**.

ESTÚPIDO

No hebraico, **baar**, palavra que aparece por doze vezes, como em Sal. 49:10; 92:6; 94:8; Pro. 12:1; 30:2; Isa. 19:11; Jer. 10:8,14,21; 51:17; Eze. 21:31. No Novo Testamento encontramos a palavra grega *álogos*, «sem fala», que aparece somente em Atos 25:27; II Ped. 2:12 e Judas 10. O vocábulo tem diversas aplicações, indicando:

1. Aqueles cuja percepção moral e mental foi embrutecida pela ignorância, o que alude à redução de seres humanos ao nível dos irracionais. (Ver Pro. 12:1). 2. Aqueles que se reduzem à prática ridícula da idolatria (Jer. 10:8,14). 3. As atitudes e ações dos hereges (provavelmente gnósticos), em II Ped. 2:11, os quais são corruptos e presunçosos, mostrando uma estupidez própria dos irracionais, — em vez da inteligência e da espiritualidade dadas por Deus, que os seres humanos devem exibir.

ESTUPRO Ver **Crimes e Castigos**.

ESVAZIAR

Ver o artigo sobre a **Kenosis**. Ver também o artigo intitulado **Humilhação (Humildade) de Cristo**. A questão básica diz respeito ao modo como o Espírito de Cristo esvaziou-se de seus atributos (natureza?), quando da encarnação. De que maneira a humanidade de Cristo estava relacionada à sua divindade, dentro da encarnação?

ETÃ

O sentido hebraico dessa palavra é incerto, embora

ETÃ — ETERNIDADE

alguns optem por «lugar de feras». Foi o nome de várias localidades, mencionadas no Antigo Testamento, e também o nome de um indivíduo ou de um clã, além de várias outras pessoas.

1. Uma cidade que pertencia à tribo de Judá, que Salomão ornou com jardins e correntes de água, e que Reoboão, seu filho, fortificou, juntamente com Belém e Tecoa (I Crô. 4:3; II Crô. 11:6; Josefo, *Anti*. 8.7,3). Os intérpretes rabínicos informam-nos que desse lugar era transportada água — para Jerusalém, através de um aqueduto. Josefo localizava-a cerca de cinqüenta estádios (embora algumas cópias digam sessenta) de Jerusalém, mais para o sul. Ficava nas proximidades de Belém. Ele acrescenta que Salomão gostava de ir até àquele lugar, cedo de manhã, a fim de relaxar. Seus jardins e correntes de água ofereciam um lugar deleitoso para visitas. O Talmude acrescenta que suas águas supriam água para o templo de Jerusalém. A arqueologia tem descoberto um antigo aqueduto, que se estende por quase doze quilômetros desde Jerusalém até três grandes reservatórios dos tempos greco-romanos, para além de Belém. Atualmente, esses reservatórios são chamados poços de Salomão. O poço mais fundo é alimentado por um manancial chamado 'Ain 'Atan. O aqueduto em questão é pré-romano. Pôncio Pilatos usou-o como a última seção de um aqueduto maior, que foi usado para transportar água até Jerusalem, para cuja construção ele usou o dinheiro sagrado (qorban) o que muito indignou os judeus (Josefo, *Anti*. 18:3,2). Até hoje, Belém recebe água do córrego de 'Ain 'Atan, mediante uma linha de encanamentos.

2. Em I Crônicas 4:32, há menção a uma aldeia, no território de Simeão, que tinha esse nome. O local é atualmente desconhecido. Alguns identificam-na com a cidade de número «um», acima. Mas outros pensam que se trata da *'Aitum* que fica situada a quase dezoito quilômetros a oeste-sudoeste de Hebrom. É possível que seja o mesmo lugar que Reoboão reconstruiu na região montanhosa de Judá, mencionado em II Crônicas 11:6.

3. Um penhasco ou caverna, localizado na parte ocidental do território de Judá (Juf. 5:8,11), que alguns estudiosos supõem que ficava localizado perto de uma cidade chamada 'Arak Ismain, na atualidade, no wadi Isma'in, cerca de quatro quilômetros a leste suleste de Zorá. Sansão refugiou-se ali, após haver abatido um grupo de filisteus.

4. A segunda estação de Israel, após terem partido do Egito. Ficava à beira do deserto, perto da atual Seba Biar, «sete poços», cerca de cinco quilômetros do lado ocidental do antigo fundo do golfo. É mencionada por quatro vezes: Êxo. 13:20; Núm. 33:6-8.

5. Um sábio renomado, nos dias de Salomão, mencionado somente em I Reis 4:31 e Salmos 89 (no título).

6. Um filho de Zerá, filho de Judá, mencionado somente por duas vezes: I Crô. 2:6,8.

7. Um descendente de Gérson, filho de Levi, mencionado apenas em I Crô. 6:42.

8. Um descendente de Merari, filho de Levi, mencionado por três vezes: I Crô. 6:44; 15:17,19.

ETANIM

No hebraico, «contínuo», «permanente», «perene». Um nome usado para referir-se a rios que fluem o ano inteiro. Em I Reis 8:2 o nome designa o sétimo mês, correspondente ao mês Tisri, nosso setembro-outubro. Nesse mês, todos os rios secavam, exceto aqueles que tinham um suprimento suficiente de água para manter uma vazão o ano inteiro. Foi durante esse mês que Salomão trouxe a arca para o novo Templo de Jerusalém.

ETANO

No livro apócrifo de II Esdras 14:24, está registrado que esse homem esteve associado a Esdras, como seu secretário, que ficou recluso, juntamente com ele, quando o profeta recebeu, durante quarenta dias, uma revelação sobre a história da salvação. Ver II Esdras 14:24. Ver também o artigo sobre esse livro e o artigo geral sobre os *Livros Apócrifos*.

ETBAAL

No hebraico, «com Baal» ou «homem de Baal». Esse era o nome do rei dos sidônios. Jezabel, a infame esposa de Acabe, rei de Israel, era uma de suas filhas. Ver I Reis 16:31. Ele viveu em torno de 875 A.C. Josefo (*Anti*. 8:13,1,2) informa-nos que esse monarca sidônio foi chamado Itobalo, por Menandro, o qual também ajuntou que ele era sacerdote de Astarte. Assassinou a Feles, a fim de sucedê-lo no trono de Tiro e Sidom. Viveu até os 68 anos de idade, tendo governado por trinta e dois anos. Ver Apion I.18. Visto que o pai de Jezabel era sacerdote desse deus pagão, podemos perceber por que Jezabel foi tão zelosa em defesa desse culto. Etbaal edificou as cidades de Botirs, na Fenícia, e de Auza, na Líbia. Etbaal era dotado de grande habilidade militar, visto que, em sua época, Tiro foi capaz de resistir ao cerco de treze anos de Nabucodonosor, da Babilônia.

ETE-CAZIM

Nome de uma cidade, na fronteira do território de Zebulom, mencionada exclusivamente em Jos. 19:13. Seu local moderno é desconhecido, mas *Kefr Kenna* é uma conjetura possível.

ETER

No hebraico, «abundância». Uma cidade a trinta e dois quilômetros de Eleuterópolis, perto de Malata, no sul do território de Judá. A princípio pertencia à tribo de Judá mas, posteriormente, foi transferida para os simeonitas (Jos. 15:42; 19:7). Nos dias de Eusébio, Eter era uma grande cidade, que ele mencionou como cidade próxima de Malata, no interior de Daroma, abaixo de Hebrom e a leste de Berseba. Em I Crônicas 4:32 essa cidade é chamada *Toquém* (que vede). Foi uma das nove cidades que foram transferidas da tribo de Judá para a tribo de Simeão. A localização moderna não é certa, mas *Khirbet el 'Atr* tem sido sugerida. Esse lugar fica a menos de dois quilômetros a noroeste de Beit Jibrin.

ETERNAMENTE GERADO

Ver sobre **Geração Eterna**.

ETERNIDADE

Ver os artigos separados sobre **Vida Eterna; Tempo e a Eternidade; Eterno e Escatologia.**

Esboço:

I. Considerações Filosóficas

II. Considerações Bíblicas

III. A Filosofia do Tempo e da Eternidade

IV. Aplicações Práticas

ETERNIDADE

I. Considerações Filosóficas

A palavra «eternidade» vem do latim *aeternus*, derivada de *aeviternus*, que tem base na palavra *aevum*, «era». O *tempo* é a ordem que se caracteriza por mudança e desintegração. A eternidade, por outro lado é uma ordem de coisas onde pode haver mudanças, mas com uma qualidade não-temporal, com permanência de existência, tudo em combinação.

1. *Heráclito* (que vede) associava a idéia de fluxo com a idéia de existência. Em contraste pode haver *Parmênides* (que vede) acreditava que a existência essencial deve ser *imutável* e, portanto, sem começo e sem-fim. A idéia de imutabilidade, porém, não é uma qualidade imprescindível da *eternidade*.

2. *Platão* (que vede) pensava na existência essencialmente de duas maneiras: o mundo das idéias, das formas ou dos *universais* (que vede), como uma esfera eterna, de qualidade não temporal, imutável, sem começo e sem-fim: um mundo totalmente diferente e separado do mundo da matéria. A esfera eterna é imaterial e, portanto, de qualidade totalmente diferente do mundo que é percebido pelos nossos sentidos.

3. *No Neoplatonismo* (que vede). *Plotino* (que Agostinho reverberou), ensinava que a eternidade deve incluir as qualidades de permanência e de unidade indivisível.

4. *Boethius* (que vede) pensava que a verdadeira eternidade deve ter a qualidade de — infinita consciência —, que compreenda em si mesma, tudo ao mesmo tempo, todas as coisas, que aparecem distribuídas dentro do tempo.

5. *Tomás de Aquino* (que vede) aceitava o conceito de Boethius, tendo-o defendido com argumentos sutis.

6. *John Locke* (que vede) falava sobre a eternidade como uma série interminável de eventos, em séries bem ordenadas. Mas, ao fazer assim, apenas exemplificava a definição popular e ordinária de eterno como «sem-fim». No entanto, a eternidade é uma qualidade e um tipo de existência ou condição, e não meramente aquilo que não tem começo e nem fim. Deixo isso bem claro no artigo sobre *Eterno*.

II. Considerações Bíblicas

1. O **trecho de Sal. 90:2 envolve a idéia de** eternidade, aplicada à pessoa de Deus, no sentido de sem-fim, isto é, um Ser sem princípio e sem-fim.

2. O trecho de Isa. 57:15 diz que o Santo habita na *eternidade*, o que pode apontar meramente para uma duração sem-fim, mas também pode subentender um tipo diferente de existência e natureza, procurando dar idéia de um conceito próprio de um outro mundo, diferente do nosso.

3. A passagem messiânica de Isa. 9:6 refere-se ao Pai eterno, em relação ao Messias.

4. O Deus eterno é o nosso lugar de habitação (Deu. 33:27).

5. No Novo Testamento, a palavra grega *aiónios* é aplicada a muitas coisas, como à vida (o uso mais freqüente), ao julgamento, ao fogo, à perdição, à redenção, à salvação, à herança e ao reino de Deus. No artigo sobre o *Eterno*, sétimo ponto, esses elementos são mencionados, juntamente com os versículos onde podem ser encontrados. No Novo Testamento temos, de modo bem definido, a idéia *qualitativa* de eterno, e não meramente a sua característica de *duração* sem-fim. Alguns têm procurado tirar vantagem disso, dizendo que o julgamento é algo que pertence ao tempo não temporal, como algo interminável. Esse é um argumento conveniente, mas não uma idéia que

tivesse sido antecipada pelos autores sagrados do Novo Testamento. Nessa conexão, é melhor dizermos que alguns versículos neotestamentários ultrapassam o conceito de julgamento e de fogo eternos, que foi tomado por empréstimo dos livros pseudepígrafos, lançando uma luz encorajadora sobre o destino *final* do homem, em versículos como Efésios 1:9,10, que falam sobre a *Restauração* (que vede).

6. *Imutabilidade*. Essa idéia, como um elemento do conceito de eternidade, está contida em Heb. 1:10-12. Os próprios céus perecerão, para nada dizermos sobre a terra; e isso é assim porque céu e terra serão *transformados*, embora Deus permaneça imutável, visto que ele é imutável e eterno. É popular dizer que o tempo faz desaparecer todas as coisas. Também é verdade que o tempo devolve todas as coisas. Deus, porém, vive tanto antes quanto depois do tempo, pelo que coisa alguma é capaz de fazer modificar a sua natureza eterna, embora suas obras estejam sempre em estado de fluxo.

7. *Deus não Vive no Tempo e Nem no Espaço*. O seu lugar de habitação, isto é, a sua *dimensão*, é totalmente diferente do nosso, não podendo ser comparado a lugar algum, conforme o conhecemos. A linguagem humana força-nos a relacionar Deus tanto em questão do tempo quanto do espaço, mas a sua natureza e o seu modo de existir permanecem para nós, grandes mistérios. Deus também é imanente, pelo que vivemos nele, nele nos movemos e temos o nosso ser, o que também constitui um profundo mistério.

III. A Filosofia do Tempo e da Eternidade

A pergunta: «O que é o tempo?» levanta grandes problemas filosóficos e teológicos. Se a isso adicionarmos a pergunta: «O que é a eternidade?» então afundamos em águas ainda mais profundas. A fim de mostrar os tipos de respostas que têm sido dadas a essas perguntas, por filósofos e teólogos, oferecemos um artigo separado, intitulado, o *Tempo e a Eternidade*. Também damos um artigo separado sobre o *Tempo*. Ver também o artigo sobre o *Espaço e o Tempo*, quanto a informações adicionais.

IV. Aplicações Práticas

1. O homem gosta de pensar que em vista de Deus ser eterno, então, de alguma maneira, o homem participará da eternidade. A eternidade de Deus é a garantia da nossa própria eternidade. Certamente isso é ensinado na doutrina geral da salvação (que vede). Chegaremos a participar da própria vida necessária e independente de Deus (João 5:24,25), deixando assim de ser seres temporais. Na salvação, obtemos a vida eterna (que vede), e não meramente vida sem-fim. Qualquer alma possui a vida sem-fim, em razão de um dom divino. A redenção, porém, inclui a idéia da *eternidade*. Platão afirmava que as almas, uma vez remidas, deixam de ser perenes para se tornarem eternas. Esse também é um claro conceito bíblico.

2. O hino *Fica Comigo* queixa-se sobre as mudanças e a desintegração que nos rodeiam por todos os lados, e diz: «Oh, Tu que não mudas, fica comigo!» Deus é a garantia da nossa própria *imortalidade* (que vede).

3. Deus estabeleceu um pacto eterno com o homem (Heb. 6:17,18). Sua boa vontade e poder predestinador **garantem o bem-estar eterno**do homem. Por esse motivo, temos um forte consolo e fugimos para Deus como o nosso refúgio, conforme também o texto sagrado afirma. O Deus eterno é o nosso refúgio, o nosso lugar de habitação (Deu. 33:27).

4. Em última análise, nada poderá prevalecer contra a Igreja (Mat. 16:18), nem mesmo o hades e as coisas vindouras, do mundo que está acima da nossa

ETERNO — ÉTICA

temporalidade. Coisa alguma, na Igreja ou no cristianismo, poderia perdurar ou ter valor duradouro, não fora o Deus eterno e as suas promessas. O sentido primário do nome divino, *Yahweh*, é «o auto-existente», «o eterno». Ele é o eterno Eu Sou, e também nele, eternos Nós Somos.

ETERNO

Consideremos os seguintes pontos, acerca dessa palavra:

1. O sentido mais comum e popular do termo é «sem-fim», ou então sem começo e sem-fim. A palavra portuguesa é derivada do vocábulo latino que significa *era*. E a palavra portuguesa, usada no Novo Testamento, é tradução do termo grego *aiónios*, que significa «pertencente à era», porquanto é um adjetivo.

2. Platão usou a palavra para indicar os *universais* (que vede) em contraste com a natureza temporal dos *particulares*, isto é, coisas deste mundo, que estão sujeitas à percepção dos sentidos. Seu uso inclui a idéia de algo sem começo e sem-fim, embora também aponte para coisas não-temporais. Em outras palavras, um mundo bem distinto de nosso mundo material e da percepção dos sentidos. Isso significa que o vocábulo também pode ter o sentido de *qualidade*, e não apenas de duração do tempo. Vale dizer, aquilo que é eterno é de *qualidade diferente* daquilo que é temporal. Esse sentido também se evidencia no Novo Testamento, onde a vida eterna é aquela vida que pertence às esferas celestiais, sendo um tipo de vida, e não somente vida sem-fim.

3. *A eternidade final* reside somente no próprio Deus, porquanto ele não tem causa, dotado de um tipo de vida que se encontra exclusivamente no Ser divino. Entretanto, em Cristo essa vida é compartilhada com os outros filhos de Deus, de tal modo que eles também chegarão a compartilhar da vida independente e necessária de Deus e, finalmente, deixarão de ter uma vida contingente. Ver também o artigo geral sobre a *Vida Eterna*.

4. Alguns têm imaginado que aquilo que é *eterno* também é *imutável*. Mas, isso não é um aspecto necessário do conceito de eternidade. Muito pelo contrário, as obras de Deus são eternas e, no entanto, estão em um contínuo estado de fluxo. A redenção humana é eterna, mas estará sujeita a um permanente processo de transformação, a fim de que vá atingindo, cada vez mais, a natureza e as perfeições divinas, ou seja, a plenitude de Deus (Col. 2:10). Ademais, uma coisa que seja imutável pode deixar de existir, não sendo eterna.

5. Essa palavra também pode indicar aquilo que nunca terminará, embora possa ter tido um começo, como a vida eterna que é proporcionada por ocasião da nossa salvação (que vede). Nesse caso, entretanto, a vida continua sendo considerada de uma qualidade diferente daquela que possuíamos antes.

6. Vários filósofos gregos consideravam a matéria eterna e sem causa, embora em estado de constante transformação. A doutrina cristã atribui essas propriedades a Deus, fazendo o resto da existência ser criado, dependente e contingente. Porém, desse tipo de natureza pode derivar-se uma genuína qualidade eterna, mediante concessão divina.

7. No Novo Testamento, o termo grego *aiónios* é usado principalmente em conexão com a vida eterna. Ver Mat. 19:16,29; 25:46; Mar. 10:17; Luc. 10:25; João 3:15,16; Rom. 2:7; 5:21; I Tim. 1:16; Tito 1:2; I João 1:2; 2:25; 3:15; Jud. 21, e muitos outros trechos. A verdadeira vida é a vida de Deus. O homem pode participar da vida de Deus, e assim ter uma verdadeira vida *eterna*, e não apenas vida sem-fim. Outros usos neotestamentários da palavra incluem: a. O *fogo* eterno, Jud. 7; b. a *destruição* eterna, II Tes. 1:9; c. o *julgamento* eterno, Heb. 6:2; d. a *redenção* eterna, Heb. 9:12; e. a *salvação* eterna, Heb. 5:9; f. a *herança* eterna, Heb. 9:15; g. o *pacto eterno*, Heb. 13:20; h. o *reino eterno*, II Ped. 1:11. Uma outra palavra, muito usada nos escritos clássicos, mas rara no Novo Testamento, é *aídios*. Encontra-se apenas por duas vezes: Rom. 1:20 e Jud. 6. É palavra usada mais comumente em inscrições, mas também significa «eterno». Ver os artigos separados sobre o *Tempo e a Eternidade; Vida Eterna* e *Eternidade*.

ÉTICA

Esboço

I. Discussões Preliminares
1. A Ética como um Sistema da Filosofia
2. A Origem da Ética
3. Definições
4. O *Porquê* da Ética
5. A Ética e a Gnosiologia
6. A Ética e a Metafísica
7. Categorias Principais da Ética
a. A Ética Formal
b. A Ética Relativa (da Situação)
c. A Ética dos Valores
8. Os Bens da Ética

II. A ÉTICA PRÉ-SOCRÁTICA
1. Pitágoras
2. Píndar
3. Xenófanes
4. Anaximandro
5. Protágoras

III. SÓCRATES
1. Bases Gnosiológicas da Ética de Sócrates
2. Bases Metafísicas da Ética de Sócrates
3. O Seu Método
4. Sua Atividade Filosófica
5. A Natureza da sua Contribuição e Idéias Específicas

IV. OS MOVIMENTOS ÉTICOS
1. A Escola Cínica
2. Hedonismo
3. Epicurismo
4. Estoicismo

V. A ÉTICA DE PLATÃO
1. A Natureza da Atividade Filosófica Segundo Platão
2. A Atividade Literária
3. Platão e as Ciências
4. Elementos da Gnosiologia de Platão
5. Elementos da Metafísica de Platão
6. Diagrama: A Metafísica e Gnosiologia de Platão Relacionadas ao seu Sistema Ético
7. Elementos e Caracterização
8. A Alma e seu Drama Sagrado
9. Moderação
10. Contemplação
11. As Quatro Virtudes Principais
12. A Necessidade da Luta
13. A Maior Calamidade de Vida
14. A Devoção de Platão
15. Dualismo
16. Platão e o Relativismo: Um diálogo (imaginado) entre Platão e Protágoras, o Sofista

ÉTICA

VI. A ÉTICA DE ARISTÓTELES
1. Eudemonismo
2. Felicidade
3. Realização Máxima
4. Responsabilidade
5. O Homem Justo
6. Virtudes
7. O Bem Supremo
8. O Guia de Tudo: Moderação
   As Doze Virtudes

VII. UTILITARISMO
A. Influências
1. Grega
2. Utilitarismo Teológico
3. Ceticismo (David Hume)
4. Positivismo
5. Evolução
B. Definição do Utilitarismo
C. Jeremy Bentham
D. John Stuart Mill

VIII. A ÉTICA DE EMANUEL KANT
1. Algumas Noções Metafísicas de Kant
2. Gnosiologia
3. Algumas Noções Éticas de Kant

IX. A ÉTICA TEÍSTA (*Inclui o N. Testamento*)
Introdução
1. Os Três Tipos da Ética
2. A Preocupação com o Problema do Pecado
A. A Gnosiologia da Ética Teísta
1. Novo Testamento
2. Agostinho
3. Tomás de Aquino
B. A Metafísica da Ética Teísta
1. Hebreus 11:3
2. O Mundo é Altamente Teísta
3. Um Deus Pessoal
C. Princípios Éticos
1. Novo Testamento
2. Bispo Joseph Butler

X. O PROBLEMA DO MAL

XI. A ÉTICA DE JESUS

XII. A ÉTICA: TEORIAS, ESPECULAÇÕES, AFIRMAÇÕES, DOGMA E FÉ

XIII. SUMÁRIO DE IDÉIAS ÉTICAS NA HISTÓRIA DA FILOSOFIA

Introdução:
A ética é um dos seis ramos tradicionais da filosofia, onde ocupou papel importante, desde o começo. A ética também faz parte essencial da fé religiosa. Por essas razões, apresentamos aqui um artigo de considerável volume, cujo intuito é dar ao leitor uma boa idéia sobre os principais sistemas e idéias envolvidos na questão.

I. DISCUSSÕES PRELIMINARES

1. A Ética como um Sistema da Filosofia
A Ética é um dos *seis* sistemas tradicionais da Filosofia. 1. *Ética:* a conduta ideal do indivíduo 2. *Política:* a conduta ideal do estado 3. *Lógica:* o raciocínio que guia o pensamento 4. *Gnosiologia:* a teoria do conhecimento 5. *Estética:* a teoria das belas-artes 6. *Metafísica:* teorias sobre a verdadeira natureza da existência. Existem *filosofias modernas* como da ciência, da história, da indústria, do espírito, etc.

2. A Origem da Ética
A Ética **originou-se** (provavelmente) com o primeiro **homo sapiens**. As pesquisas com chimpanzés de-

monstram que eles têm uma noção do que seja conduta apropriada ou inapropriada. *Ilustração:* Um animal falou de si mesmo (através do teclado de um computador): «Sou um diabo mal-humorado».

Antes do início da filosofia ocidental, as religiões demonstraram uma preocupação com a retidão da conduta humana. *Ilustrações:* as doutrinas do julgamento, recompensa, reencarnação, etc. Os filósofos pré-socráticos se envolveram em considerações éticas. *Anaximandro* compreendeu que o processo *cósmico* é essencialmente um sistema que incorpora *justiça, injustiça* e *reparação. Heráclito* até falou que fenômenos físicos «vagabundos» serão julgados, afinal, por um tipo de reparação cósmica. Ele falou da *imortalidade* de fenômenos que ultrapassam às leis da natureza. *Pitágoras* estava pesadamente envolvido na religião oriental e viu na reencarnação a operação da justiça entre os homens.

Mas *Sócrates* (450 A.C.) é considerado o *pai da ética* como um sistema filosófico. As primeiras escolas éticas se originaram dos discípulos dele.

3. Definições da Palavra
No grego, *ethos* = *costume*, disposição, hábito. No latim, *mos* (moris) = vontade, costume, uso, regra.
A Ética. «A teoria da natureza do bem e como ele pode ser alcançado». (MM) «A filosofia moral é a investigação científica e uma filosofia de *julgamentos morais* que declaram a conduta *boa, má, certa* ou *errada.* Isto é, o que *deve* ou *não deve* ser feito». (E) A definição mais simples, mas expressiva é: *A ética é a conduta ideal do indivíduo.*

Perguntas principais relacionadas à ética. Existe um padrão (ou padrões) de o que é certo ou errado que pode ser aplicado à raça humana inteira? O que seria a base de tal padrão? Quais são as definições de bondade e maldade? O que é o *dever*? O que é o *summum bonum* da existência humana e como é que isto pode ser alcançado? As considerações éticas são mortais ou eternas?

4. O Porquê da Ética
a. Uma **necessidade** da sociedade. **Ilustração:** Aristóteles. O alvo da ética é a conduta ideal do homem, baseada no desenvolvimento de sua *virtude* especial. *Virtude* = *função* dentro da sociedade, para o bem do indivíduo e da sociedade.
b. Uma necessidade *metafísica. Tiquismo* contra *teleologia.* No grego, *tuche* significa *chance, caos; telos* significa *finalidade, desígnio.* As coisas acontecem por mero acaso ou segundo algum desígnio. Kant, por exemplo, rejeitou o princípio do *tiquismo* para evitar a noção de *caos.* Filosoficamente, devemos escolher entre *caos* e *desígnio,* e a nossa ética será governada pela escolha. *O argumento moral* dele argumentava que a alma deve existir para permitir um julgamento certo, pois neste mundo, a justiça raramente se faz. Deus dever existir para julgar e recompensar de modo justo, porque, neste mundo, isto raramente acontece.
c. Uma necessidade *individual.* Realmente, é uma questão urgente, porque tudo que fazemos é auto e/ou heterojulgado (avaliado). *Ilustração:* Platão. O problema ético é a *tensão* entre o ideal e a conduta defeituosa. Segundo a definição de Aristóteles, todas as instituições humanas, de ensino, da política, do estado, etc., são *ramos da ética* porque todas tem alguma coisa a ver com a *atuação* do homem dentro da sociedade. Sempre parecemos melhor do que realmente somos. Úlceras, psicoses, e até a *insanidade* existem por causa do problema *ético.*

5. A Ética e a Gnosiologia
É impossível separar estes dois sistemas. O que você

554

ÉTICA

acha sobre *como* podemos saber das coisas, determinará, em boa parte, seus conceitos éticos.

Ilustrações: *Racionalismo*. O homem, por natureza, é um ser que *sabe*, sem uma investigação empírica. Portanto, os princípios éticos podem ser descobertos pela *razão*. Sócrates tinha fé nesta suposição. O racionalismo tem a tendência de ser religioso, portanto, os princípios éticos, supostamente descobertos pela razão, serão religiosos. *Misticismo*: o conhecimento é um dom de Deus. Portanto, os padrões éticos são predeterminados pela *mente divina*. *Empirismo:* somente a experiência (tentativas de saber, erros, adaptações) pode determinar os princípios éticos, porque não existe qualquer conhecimento sem a experiência humana. A experiência se baseia nas percepções dos sentidos. A ética, conseqüentemente, é uma questão pragmática e relativa, sendo que o conhecimento do homem é governado pelo *fluxo* das *vicissitudes* da experiência. *Conclusão*. A ética é humana, não divina.

6. A Ética e a Metafísica

É impossível separar estes dois sistemas. O que você acha sobre a **natureza da existência** determinará, essencialmente, como você analisa os problemas éticos. *Ilustrações:* Deus existe, julga e recompensa? Será que realmente existem pecados *mortais* como a Igreja fala. A ira, a cobiça, a inveja, a glutonaria, a lascívia, o orgulho e a preguiça realmente são ofensas sérias como a Igreja declara? A doutrina da Igreja sobre os pecados mortais é negócio sério. A Igreja tem *autoridade* para falar estas coisas?

7. Categorias Principais da Ética

a. A Ética Formal

Esta ética também se chama *rigorista* ou *teísta*. 1. Declara que existem princípios eternos, imutáveis, divinos (ou exigências absolutas na natureza ou da lei natural). 2. A aplicação dos princípios eternos é universal. Não existe uma ética para mim, e outra para você. 3. É uma ética *a priori*, não a posteriori. Os valores da ética são *inatos*, baseados num conhecimento inato. 4. *Bases*. A intuição, o racionalismo, o misticismo, a sobrenaturalidade, a justiça absoluta, a teleologia e o idealismo.

b. A Ética Relativa (da situação)

1. A *conduta ideal* pode ser estabelecida somente através da experiência-humana. Ela não é imposta por uma força exterior, não humana (se tal força existe). 2. A ética é uma experiência ou ciência humana, não um ramo da *teologia*. 3. Os princípios éticos têm aplicação aqui e agora, não antigamente e para sempre. 4. A *conduta ideal* (se existe tal coisa), necessariamente varia de um indivíduo para o outro, dependendo das *circunstâncias* (situações) pessoais e culturais envolvidas. 5. A ética está sempre em estado de *fluxo*. Os padrões éticos, necessariamente, se modificam com o tempo e com as exigências diversas de culturas diferentes. 6. A ética é relativa, isto é, sempre **sujeita a mudança**. Não existem padrões fixos, imutáveis ou universais. O que *funciona* bem para mim é bom para mim. O que funciona para mim, pode não funcionar para outras .pessoas. 7. Todos os princípios éticos são *a posteriori*. 8. *Bases*. O empirismo, o pragmatismo, o positivismo, o materialismo, o humanismo, a ciência.

c. A Ética dos Valores

Este sistema é um *meio-termo* entre o apriorismo (ética formal) e o empirismo (ética relativa). 1. Procura excluir o relativismo radical, mas ao mesmo tempo, ensina que os valores e imperativos não são vazios, abstratos ou sem significado. Os valores éticos devem ser *comprovados* na experiência humana para serem reais. 2. O valores éticos são *constantes* e *duradouros*, mas não eternamente fixos. 3. Eles não são sujeitos às vicissitudes da experiência humana diária. Eles têm valor em si mesmos; são intrinsecamente valiosos. A consciência humana sabe, intuitivamente (ou racionalmente) os verdadeiros valores. *Ilustrações:* a lei do amor é uma constante. Todas as religiões e filosofias honram este princípio. Até Schopenhauer, no seu pessimismo, achou um lugar para a *simpatia*, outro nome do *amor*. Quase todos os sistemas acham que algum conceito de *justiça* é necessário para qualquer função razoável de uma sociedade. 4. Os valores tornam-se *deveres* que devem ser praticados como parte inerente da *conduta ideal*. 5. *Bases:* o racionalismo, a intuição, o misticismo (para alguns estudiosos), o empirismo (que não é considerado inerentemente contrário ao racionalismo). É *aqui* neste mundo, onde venço ou sou derrotado.

8. Os Bens da Ética (alvos da conduta ideal)

Segundo os conceitos alistados:

a. *Egoísmo*. O homem, por natureza, é radicalmente egoísta e procura somente o que é bom para ele, como um indivíduo. O filantropo, o soldado, e o herói ajudam outras pessoas por razões egoísticas.

b. *Altruísmo*. O homem é capaz de ações incondicionalmente *altruístas*. A natureza espiritual do homem é uma garantia disto. A lei do amor é uma parte *intrínseca* da natureza humana.

c. *Hedonismo*. A única coisa que vale, afinal, é o *prazer*. Os prazeres podem ser físicos, mentais ou espirituais. Este sistema procura o máximo de prazer acompanhado com o *mínimo* de dor.

d. *Eudemonismo*. A *felicidade* é o alvo da conduta ideal. Para Platão, a maior felicidade possível para o homem seria a volta para o mundo dos *Universais* (que vede). Para Aristóteles, a perfeita realização de *virtude* (função) do indivíduo, naturalmente traz uma felicidade considerável. Para a Igreja, a felicidade maior será alcançada na *visão beatífica* (que vede).

e. *Sobrenaturalidade*. O homem não existe e nem vive diariamente, por si mesmo. Ele não é sua própria causa. Sua existência serve para glorificar Deus. O que acontece a ele é relativamente indiferente se Deus for glorificado. —*Secundariamente*, aquele que vive para Deus, alcança (e alcançará) uma felicidade *particular*, afinal. Este *afinal* pode ser distante, mas é seguro.

f. *Naturalismo* (humanismo). O único objeto da conduta ideal é *o próprio homem*. Esta conduta acompanha a *evolução* da raça e é determinada *a posteriori*.

g. *Utilitarismo e Pragmatismo*. Princípios aliados ao *naturalismo*. O que é *util* é *bom*; o que não é *útil* é *ruim*. O que funciona (é prático) é bom; o que não funciona é *ruim*. A praticalidade de qualquer coisa deve ser comprovada através de um processo de *tentativas e erros*, com os ajustamentos apropriados.

II. A ÉTICA PRÉ-SOCRÁTICA

1. *Pitágoras* (582-587), **matemático que conheceu** toda a ciência de seu tempo, inclusive a geometria, astronomia, música e medicina. Ensinou que tudo tem seu número (uma numerologia antiga) que antecipou cruamente a teoria atômica. Acreditava na *esfericidade* da terra.

Idéias éticas. a. Elementos da religião oriental: reencarnação, purificação e a existência de divindades; b. dualismo: corpo/alma; c. substancialismo: a alma é transcendente; d. determinismo: uma justiça absoluta será realizada, afinal: os homens não criam

ÉTICA

as regras do jogo; ensinou uma ética formal (rigorista, teísta); e. o homem participa no drama cósmico e é responsável por suas ações; a vida da terra é subordinada e dependente.

2. *Píndaro* (528-438), o maior dos líricos corais da Grécia. a. Em seu *Olímpios, ii*, ele postula o conceito interessante de que este mundo e o vindouro são, reciprocamente, lugares de recompensa e castigo; b. reencarnação: a libertação dos ciclos é adquirida se uma pessoa vive corretamente três vezes de cada lado, fazendo um total de 6 vidas rigorosamente justas e úteis; c. a **bem-aventurança** imortal espera a pessoa (o herói?) que venceu seis vezes; d. substancialismo: «Enquanto o corpo de todos os homens é sujeito a **morte todo-poderosa** a imagem da *vida* (termo poético = a *alma*) vive para sempre, porque somente ela vem dos deuses» (*Dirges*).

3. *Xenófanes* (494), aluno de Anaxímenes (de Melito). a. Era um reformador que criticou a tudo: o culto dos esportes, a glorificação da força física, o vestuário das mulheres, as jóias de ostentação, o uso de perfumes, jantares ricos, bebidas, conversa leve, os deuses *imorais* da religião ortodoxa, os ritos religiosos, os templos ricos que existiam às custas dos pobres. Atacou a *bíblia grega*, as escrituras de Homero e Hesíodo. Ridicularizou os deuses formados na imagem dos homens, afirmando, com razão, que cada nação fazia os ídolos com as características de suas raças. b. Ensinou *monoteísmo* ou panteísmo (ou, segundo algur; o *pampsiquismo*), baseado no hilozoísmo da escola de Melito. c. Reencarnação: o homem é responsável por seus atos. d. O *código ético* dele era semelhante aos Dez Mandamentos do A.T.

4. *Anaximandro* (546), aluno de Tales, o pai da filosofia ocidental. a. Metafísico: a substância básica de tudo é um tipo de *infinito,* **uma substância** indefinida. b. Esta substância, que inclui a matéria, é *cheia de deuses* (*pampsiquismo?*). O mundo é uma grande *idéia* (idealismo), não uma grande máquina. c. Ele falou da pluralidade de mundos, alguns entrando e outros saindo da existência, uma idéia audaciosa que concorda com as teorias mais avançadas da ciência moderna. d. Evolução: a vida se originou do mar. e. *Ética:* Ele não era um filósofo ético, mas compreendeu que o processo cósmico é essencialmente um sistema que incorpora a justiça, a injustiça e a reparação.

5. *Protágoras* (480-410), o maior dos sofistas, os primeiros **professores universitários,** assim chamados porque venderam seus conhecimentos de diversas disciplinas. a. Era o primeiro filósofo que falou de si mesmo como *sábio* (sofista). b. Na gnosiologia promoveu o *ceticismo*: a única verdade que um homem pode saber vem das *percepções*. Mas elas são enganadoras e não podem ser os padrões verdadeiros de uma *suposta* verdade absoluta. Portanto, a única verdade *possível* para os homens é o que é *prático* (pragmatismo). c. Relativismo: «O homem é a medida de todas as coisas». Cada homem tem sua própria verdade **Não existem padrões fixos e extra-humanos.** Não existe *a verdade.* Existem verdades práticas, utilitárias e relativas. d. Agnosticismo na metafísica e na teologia. e. Termos que representam a doutrina da *sofística:* relativismo, subjetivismo, pragmatismo, utilitarismo, hedonismo, egoísmo. f. *O único padrão* da moralidade é o *interesse particular*.

A *filosofia de Sócrates* era, em parte, uma revolta contra a sofística.

III. Sócrates (470-400)

Sócrates era o *pai* da ética filosófica ocidental, filho de Sofrônico, escultor, e de Fenáreta, parteira; tornou-se um *parteiro de idéias*; chamou seu trabalho de *maiêutica* (o trabalho da parteira, *maia*); começou na profissão do pai, mas foi *convertido* à filosofia pelo oráculo de Delfos que mandou: *Compõe a música.* Isto ele interpretou metaforicamente: música = *filosofia*, porque a *filosofia é a mais bela música.* Devemos nos lembrar que a *religião* mais pura da época, na Grécia era a filosofia, não a religião ortodoxa dos gregos.

1. Bases Gnosiológicas da Ética de Sócrates

a. Reagiu contra o ceticismo e o relativismo dos sofistas. O ceticismo, segundo ele, prejudica a busca pelo conhecimento e enfraquece a moralidade. *Ilustração.* Mais tarde Agostinho falou do ceticismo como uma escuridão espiritual que destrói a fé e que não deixa os homens encontrar a verdade. A fé, contrariamente, prepara o solo para a cultivação da verdade.

b. É possível, realmente, adquirir o conhecimento. *Falácias* de pensamento e erros de conduta resultam de concepções falsas da verdade. *Ilustração.* O ato de matar homens ou até animais representa uma *fuga* da verdade.

A Verdade Absoluta
|
é escondida

pela *ignorância* humana   pelo conhecimento *parcial*
e pelas *perversões* ou idéias *falsas*
|
Resultado: a conduta errada = *fugas* da verdade

c. Racionalismo: idéias inatas baseadas na mente universal.

d. Misticismo: tinha um *demônio*, um guia espiritual; meditava e entrava em transe; tinha conhecimento intuitivo.

e. Tinha pouco interesse na cosmologia; na teologia tinha idéias indefinidas.

f. Mas na *antropologia*, tinha idéias dogmáticas. O conhecimento é possível e *necessário*. Concordou com a inscrição do templo de Apolo: «Conhece-te a ti mesmo», e declarou: *«A vida não examinada* (disciplinada) *não vale a pena ser vivida».*

g. O *conhecimento do homem* precisa incluir estes princípios:

dualismo; teleologia; a mente universal; a verdade nasce inerentemente no homem, isto é, as idéias são *inatas*; a imortalidade; a justiça, afinal, será feita; é absoluta no triunfo da justiça, da verdade e da bondade, *afinal.*

2. Bases Metafísicas da Ética de Sócrates

a. Sem dogmatismo, de fato tinha um ceticismo suave, sem hostilidade, em relação a cosmologia, metafísica e teologia. Falava com cautela sobre qualquer assunto metafísico.

b. Mas sustentava certas crenças *básicas*: a realidade a *mente universal* (que vede); a existência do *Espírito Divino*, uma crença exigida pelo desígnio que existe no mundo (ver sobre *teleologia*); a alma e sua sobrevivência da morte biológica.

c. Conceptualismo. Foi Sócrates quem iniciou a discussão de *Universais* (que vede) na filosofia. Ver o artigo separado sobre *Conceitualismo.*

3. O Seu Método

ÉTICA

a. *Suposição básica:* os homens podem descobrir a virtude em si mesmos, por si mesmos, utilizando seu *raciocínio* que se baseia, afinal, na *mente universal*.

b. O *diálogo* foi utilizado para *descobrir*, não para *inventar* a verdade.

c. *Maiêutica*, um trabalho árduo pelo qual *nascem* as idéias.

d. *Ironia:* fingia ignorância, supostamente procurando *saber* das respostas dos participantes nos diálogos. Preparava armadilhas verbais, para forçar os participantes a dizerem coisas que realmente não queriam dizer.

e. A tarefa do filósofo não é de *entregar* a verdade aos seus alunos, mas sim, de *retirar* deles a verdade que já existe, inerentemente nas mentes deles.

4. Sua Atividade Filosófica

a. O *diálogo constante*, no mercado, na rua, em casas. Era um *evangelista* da ética.

b. Manteve uma associação informal com seus alunos que não o pagaram. Tinha a convicção de que os professores não devem receber dinheiro pelo ensino.

c. *Meditação e transe*. Era um *místico*. Às vezes o estado de transe o tomava de surpresa. Outras vezes, era cultivado pela meditação. Procurava, diligentemente, o conhecimento intuitivo e racional.

d. A filosofia era para ele uma profissão, uma religião, de fato, a própria expressão da vida. Ele realmente quis saber a *verdade* sobre a *conduta ideal* do homem.

5. A Natureza da sua Contribuição e Idéias Específicas.

a. Segundo Aristóteles, as duas grandes contribuições de Sócrates foram: a. o *método indutivo;* b. *definições universais* (genéricas). O diálogo foi utilizado para alcançar o *universal*.

b. Suas definições universais formaram a base de uma *ética rigorista* (*formal*).

c. Tinha fé na *mente universal* como um depósito de todo o conhecimento ético. Também tinha fé no *Espírito Divino* para guiar sua busca.

d. *A Mente Universal* — O Desenvolvimento do Conceito

Influências:

nous (emprestado de Anaxágoras)
logos (emprestado de Heráclito)
a *intercomunicação* entre mundos, através de forças espirituais, como seu guia, o *demônio* (no sentido clássico da palavra)
a *mente universal* existe e o homem tem acesso a este depósito de idéias.
experiências místicas

Idéias éticas podem resultar destas fontes, e o *universal* pode ser alcançado. O homem é uma criatura *bidimensional*. A *ética* vem de sua dimensão superior, ou da participação de sua dimensão superior com forças e *entidades super-humanas*. A *ética pervertida* vem da dimensão inferior do mero homem cujos valores podem ser pervertidos.

e. *A busca prática*. Cada diálogo procurava estabelecer um ou mais conceitos éticos, isto é, o universal, uma verdade absoluta sobre algum assunto. *Ilustrações:* no diálogo, *Critão* = dever; *Banquete* = a beleza; *República* = o estado ideal; *Lusis* = a amizade; *Charmides* = a moderação, mas neste diálogo (como em alguns outros), nenhuma conclusão adequada foi encontrada.

f. *O conhecimento é virtude:* sua ética foi um *intelectualismo moral*. Tinha fé de que o homem,

sabendo o que é realmente melhor para ele, seguiria este conhecimento. Portanto, o erro é *sempre* o resultado da *ignorância*, não de uma vontade inerentemente perversa. Sócrates era *ingênuo* e otimista demais neste ponto, como a psiquiatria moderna demonstra amplamente.

g. *Eudemonismo:* a conduta ideal automaticamente resulta em *felicidade*.

h. *Hedonismo:* a conduta ideal é inerentemente prazerosa. O homem justo alcança um **bem-estar que** as vicissitudes da vida não podem abalar. Ele falou numa hierarquia de prazeres: espirituais, mentais, e finalmente, físicos.

i. *A unidade da verdade:* o universal mais alto é a *bondade*. Outras virtudes são subcategorias desta. Platão fez da *bondade* uma *entidade cósmica*, e finalmente, no diálogo *Leis*, esta virtude foi chamada *Deus*.

j. *Teleologia:* existem dons dos deuses (Deus?) como a luz, a comida, o ar, o sol que não é tão distante que seja inútil para sustentar a vida, e não tão perto que queimaria tudo. Todos estes elementos cooperam juntos para sustentar a vida, portanto, o *designio* é um fator operante na nossa vida. A *teleologia* implica a existência do *Espírito Divino*, uma força ativa na vida humana. Assim, o argumento *teleológico*, em favor da existência de Deus, nasceu na filosofia.

l. *A imortalidade:* era uma crença, mas não um dogma de Sócrates. Acreditava em uma *recompensa* justa, e também na necessidade do *castigo* adequado para julgar atos perversos. O homem justo é recompensado; o homem *injusto* é castigado, afinal. Portanto, é melhor, e racional, viver justamente. Ensinava a doutrina da *virtude por causa da virtude*, ou que a virtude é sua própria recompensa, a despeito dos resultados finais de qualquer ação. É melhor viver **justamente e ser castigado por isso, afinal, do que viver injustamente e ser recompensado por deuses perversos.**

IV. OS MOVIMENTOS ÉTICOS

Ver o artigo separado sobre **Escolas Éticas do Novo Testamento** que oferece mais detalhes do que o tratamento que segue.

Introdução

1. O débito que os filósofos éticos devem a *Sócrates* é grande.

2. Com Aristóteles, os grandes sistemas especulativos da filosofia antiga terminaram, no sentido de que não houve mais desenvolvimento original. A *continuação da filosofia* era no ecletismo, nas escolas éticas, no ceticismo, nos sistemas religiosos baseados no platonismo e no pitagorismo. Não houve mais originalidade nos conceitos expressados até o tratado de Agostinho sobre o *tempo*, que antecipou a teoriâ da relatividade.

1. A Escola Cínica (grego: **kuon** = cachorro)

Antístenes (Atenas, 450 A.C.), discípulo de Sócrates, pessoa rústica que se vestia mal; não prestava atenção a nenhuma norma da sociedade e pregava *liberdade* e *independência* de todas as restrições humanas. Agiu como um *cachorro* entre os homens, e de sua conduta se originou o nome da escola.

Diógenes (400 A.C.), discípulo de Antístenes, falsificador que fugiu de Sinope (sua cidade nativa) e refugiou-se em Atenas. Foi capturado por piratas e vendido como escravo. Um rico corintiano o comprou e em Corinto, Diógenes tornou-se professor particular das crianças de seu mestre. Foi libertado e tornou-se

557

ÉTICA

um famoso filósofo em Corinto. Encontrou-se com Alexandre, o Grande, o qual perguntou: «Posso fazer alguma coisa por você?» Diógenes, totalmente indiferente ao poder e a fama de Alexandre, respondeu: «Só não fique perto de mim porque você está bloqueando a luz do sol». Os dois, curiosamente, morreram no mesmo dia em 323 A.C.

Princípios: Antístenes escreveu muitos livros, mas nenhum deles sobreviveu. O que sabemos da filosofia dele vem dos comentários de contemporâneos.

1. Rejeitou absolutamente o conceptualismo (que vede) de Sócrates e o realismo radical (que vede) de Platão.

2. Ensinou a singularidade de cada homem e não aceitou generalizações, nem como se encontram no nominalismo (que vede).

3. Enfatizou a necessidade de *independência.* «Virtude» = **independência,** *auto-suficiência,* indiferença aos valores da sociedade.

4. *Virtude* = *felicidade,* e o grande princípio da vida é «virtude por causa da virtude», sem considerar os resultados dos atos ou as opiniões dos homens.

5. *Todos* os valores recomendados pela sociedade são falsos ou desnecessários. *Ilustração:* O *casamento,* tão procurado por tantas pessoas, não é necessário, nem para a procriação, nem para o prazer. Todas as *políticas* são corruptas. O *patriotismo* é errado porque todos nós somos cidadãos do mundo. Mas a maior perversão de todas é o valor que os homens acham no *prazer.* Antístenes falou: «Eu prefiro ficar louco do que sentir prazer».

2. Hedonismo (grego: **edone = prazer**)

Os *cirenaicos* (de Cirene, cidade da África) eram *hedonistas convictos.*

Aristipo (400 A.C.), de uma família rica e poderosa, era um extrovertido, amável, esperto *playboy. Na metafísica* ele ensinou o *materialismo* (que vede). Ridicularizou os universais de Platão. Criticou qualquer generalização. *Vermelho,* por exemplo, não descreve, necessariamente, uma experiência comum. *Meu vermelho* não é necessariamente *seu,* e não existem meios para fazer uma investigação adequada do assunto para pronunciar qualquer coisa significante. Na *gnosiologia* ensinou o *empirismo* e o *ceticismo.*

Hedonismo positivo:

1. *Virtude* = *prazer,* físico e mental. Individualidades existem em relação ao tipo de prazer mais prático para cada pessoa.

2. A inteligência existe no homem para ajudá-lo na sua busca pelo prazer.

3. *Auto-interesse* **absoluto** e um utilitarismo inteligente são princípios fundamentais. O maior prazer possível com o mínimo de dor constituem o *guia* do homem sábio.

4. *Pragmatismo:* Cada indivíduo decide quais são os melhores prazeres para ele. Somente a experiência pode guiar e avaliar a busca.

Hedonismo astucioso:

Teodósio ensinou que o homem na sua busca pelo prazer, pode fazer exatamente o que ele quer, contanto que não sofra um castigo qualquer. O homem *justo* e *sábio* é o homem que faz o que bem entende e escapa das conseqüências. Um crime torna-se crime *somente* quando descoberto.

Hedonismo negativo: Hegésias, o ateu, declarou que o prazer é o *único* valor, mas, afinal, é um valor *falso.* Portanto, na realidade, não existem valores e nem virtudes. Sua *fórmula:* desejo/frustração/decepção/angústia. Ele lecionava tão eloqüentemente em

Alexandria que seus alunos começaram a suicidar-se. Quando isto aconteceu, os oficiais da cidade o proibiram de lecionar.

3. Epicurismo (Epicuro, 300 A.C.)

O *Epicurismo* é um tipo mole ou cauteloso de *hedonismo. Na metafísica:* nominalismo, deísmo, atomismo (teoria mecânica da natureza). *Tiquismo* (grego, *tuche = chance*) era um elemento essencial da metafísica de Epicuro. Rejeitou absolutamente o *determinismo* (que vede). *Na gnosiologia:* empirismo e pragmatismo.

Princípios

1. *Livre-arbítrio,* contra o terror do determinismo dos deuses da religião popular; busca empírica pelo prazer moderado, especialmente, os prazeres da mente.

2. *Eudemonismo:* a *felicidade* é o alvo da conduta humana. *Prazer* = *felicidade.* mas os prazeres *mentais* são mais nobres do que os prazeres físicos,

3. O prazer mais valioso de todos é a *eliminação do desejo.* O homem sábio não se arrisca.

Ataraxia (serenidade): o homem sábio procura paz de mente e de corpo, evitando excessos. O homem sábio busca se livrar das paixões e das lutas que caracterizam os homens de modo geral.

4. Estoicismo (grego: **stoa pikile** = «pórtico pintado») **referente ao lugar onde a escola tinha as suas aulas.**

Zeno de Cício era o fundador desta escola (300 A. C.). Cleantes era seu discípulo mais notável. Entre os estóicos romanos mais conhecidos estavam Sêneca, 50 A.C.; Marco Aurélio, imperador romano, 180 D.C.; Epiteto, o escravo, 120 D.C.

Metafísica. Ensinaram o *determinismo* (que vede) absoluto do *Logos;* ciclos nos quais todos os acontecimentos se repetem; panteísmo; empirismo na gnosiologia; racionalismo divino; reencarnação como uma força na vida dos homens; absorção, afinal, no *Logos.* Depois da grande conflagração, tudo começa de novo, num novo ciclo.

Princípios Éticos

1. A única **liberdade** que o homem possui é o poder de reconhecer que tudo acontece *necessariamente.* Ele deve se conformar com a necessidade *cósmica.*

2. *Apatia.* O homem sábio e justo é o homem que não resiste à vontade do *Logos,* o princípio *divino.* A *apatia* é a regra de conduta ideal. A fórmula ética é: *apatia/felicidade/virtude.* Felicidade = apatia. A *virtude* principal do homem sábio é submissão à vontade do *Logos.*

3. *O problema do mal* não existe porque o Logos age *bem* e *racionalmente,* determinando tudo que acontece com perfeita justiça.

4. *Independência.* O homem não pode modificar coisa alguma, mas pode controlar suas emoções e *reações.* Nisto reside a *independência* das vicissitudes da vida humana.

5. A busca pelo prazer é *tabu* porque com isto nós caímos na armadilha de desejo/frustração/mais desejos/frustrações *ad infinitum.* O resultado de tudo isto é, *intranqüilidade* e escravidão em paixões vãs.

6. O princípio da *irmandade* universal do homem foi de grande importância no Estoicismo.

7. *A forma romana* substituiu a apatia grega com *moderação* em tudo. A lei romana foi influenciada pelo conceito da irmandade da humanidade. A *moderação* tornou-se uma virtude cardinal do cristianismo. Paulo incorporou este princípio e outros do Estoicismo ao seu sistema ético.

ÉTICA

V. A ÉTICA DE PLATÃO (428-347 A.C.)

1. *A natureza da atividade filosófica segundo Platão.* A atividade filosófica é realizada para *descobrir* o sistema da realidade que é inerentemente *imutável*. Para a realização desta descoberta, a filosofia deve olhar *além* das aparências vacilantes das nossas *percepções*. A busca deve ser governada com a precisão da matemática e deve alcançar, afinal, o *universal do bem*, que é o auge de todo o conhecimento e atividade humanos. Sendo que *o bem* é o maior de todos os *universais* (que vede), e de fato, *a fonte* de todos, toda a atividade filosófica é em última analise, *ética*. O alvo do conhecimento é o *valor*, não simplesmente, o *saber*.

2. **A atividade literária de Platão.** Escreveu 36 obras consideradas autênticas. Oito outras tem o nome dele como escritor mas não são consideradas realmente de sua criação. Nada que Platão escreveu foi perdido, até onde sabemos. Os primeiros diálogos (*Apologia, Crito, Eutifron, Fédon*) refletem as idéias de *Sócrates*; os outros desenvolvem as idéias do próprio Platão. Sócrates era, essencialmente, um filósofo ético, mas, além da ética, Platão desenvolveu elaborados sistemas de gnosiologia, estética, metafísica e política. As raízes da *lógica* se encontram na sua *dialética*.

A Academia de Platão. Sua *Academia* foi estabelecida em 387 D.C. Foi a primeira universidade da Europa. A filosofia básica desta escola promoveu: 1. a *necessidade da inquirição* para alcançar o conhecimento; 2. a *necessidade de reunir todos* os ramos do conhecimento. Platão acreditava na *interdependência inerente* das disciplinas, isto é, na *unidade da verdade*.

As disciplinas incluíram todo o conhecimento da época: as ciências naturais, astronomia, zoologia, biologia, matemática, dialética (e retórica), pesquisa independente dos alunos sobre problemas especiais. *A realização* da Academia: a produção dos melhores cientistas, matemáticos, filósofos, políticos e advogados da Grécia da época.

3. **Platão e as ciências.** a. A atividade da Academia demonstrou seu interesse universal. b. Platão era um matemático fanático. Em Siracusa, seus alunos enlouqueceram com a matemática. Quase todas as descobertas neste campo, na época, foram realizadas pelos alunos de Platão. c. **Speusipo**, o sobrinho de Platão, seu sucessor na Academia, era um zoólogo que escreveu volumosamente sobre a história natural. Este interesse foi provocado pela atividade da Academia. d. Aristóteles, o maior cientista do tempo, recebeu sua instrução nesta escola. Rejeitou parte da metafísica de Platão e era *empírico* de natureza. Falou: «Platão é meu amigo, mas sou mais amigo da verdade».

4. Elementos da Gnosiologia de Platão

Considerações Preliminares

Nenhum sistema da ética pode ser entendido sem considerar os elementos da metafísica e da gnosiologia do filósofo sendo estudado. Se eu acho o verdadeiro conhecimento impossível, mantendo uma atitude cética, certamente, não vou levar muito seriamente as regras fixas da ética. Se não acredito em um Deus que exige certo tipo de conduta dos homens, construirei um sistema ético pragmático e totalmente humano. Se acredito que existem verdades fixas e eternas, encontrarei, entre elas, minhas idéias éticas. Se sou *teísta*, acreditando que Deus tem interesse na conduta humana e estabelece regras para governar isto, então meu sistema ético vai refletir minha *teologia*. A metafísica, a gnosiologia e a ética são integralmente inter-relacionadas.

1. *A Linha Dividida* (ensino de *República*, VI): Os Quatro Estágios do Conhecimento

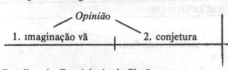

Detalhes da Gnosiologia de Platão.

a. *Opinião*, o «conhecimento» dos sofistas (como Protágoras). Fatos não são distinguidos de fantasias. As vicissitudes das percepções enganadoras determinam opiniões. A *conjetura* é um leve melhoramento e um desenvolvimento da *imaginação*, mas nada é conhecido do *universal* desta maneira.

b. O *pensamento disciplinado* termina em um tipo de entendimento. Aqui, algum conhecimento é obtido do universal, em um nível *racional*. A razão começa a *reconhecer* certas verdades.

c. A *sabedoria* filosófica é o resultado da *dialética* (a aplicação das verdadeiras regras do jogo do conhecimento). Os *universais* são organizados para construir uma *unidade* da verdade, na qual *o bem* é reconhecido como a *fonte* e o *organizador* de tudo.

d. *O processo gnosiológico:* percepção; razão; intuição; contemplação (misticismo). Somente o espírito, livre do corpo, pode, realmente, *saber*.

e. *Elementos importantes*. O conhecimento é a. *do real* (universal); b. infalível; c. racional; d. não é mero julgamento com uma descrição; e. *bidimensional*, material e espiritual; f. *recordação*. A alma se lembra da verdade e comunica este conhecimento à mente que procura honestamente.

5. **Elementos da metafísica de Platão.** a. Concordou com os sofistas que o conhecimento da verdadeira natureza das coisas é impossível pelos sentidos físicos. b. Contra os sofistas: a despeito disto, o conhecimento metafísico é *possível* pela razão, pela intuição e pelo misticismo. c. Existe uma *afinidade* da mente humana com a natureza espiritual do universo (como Sócrates ensinou). d. O *real* é imutável e eterno (como Parmenides declarou). e. A verdadeira natureza é *plural* (como os atomistas insistiram). f. *Dualismo:* existe a mente; existe a matéria (como Anaxágoras ensinou).

559

ÉTICA

6. Diagrama:

A METAFÍSICA E A GNOSIOLOGIA DE PLATÃO RELACIONADAS AO SEU SISTEMA ÉTICO

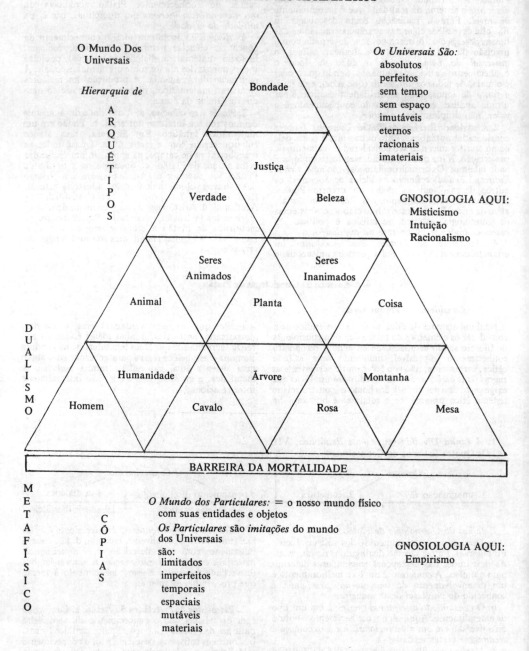

ÉTICA

Explicação do Diagrama

1. O Um da filosofia pré-socrática (**hilozoísmo**) é o *bem* ou *beleza* (como em *Banquete*). 2. Os *universais* representam uma *hierarquia de valores*, e são, ao mesmo tempo *entidades* = *realismo radical*. 3. No diálogo *Leis*, Deus substitui os universais e eles tornam-se atributos divinos. 4. O homem é um ser *bidimensional*. Seu corpo tem *afinidade* com a matéria e seu *espírito* com os universais. Pelas percepções o homem conhece o mundo de *fluxo*; com a mente, o mundo universal, *imutável*. O mundo do fluxo (isto é, o mundo material) é *menos real*. (Comparar isto com o conceito da religião oriental que fala sobre o mundo material como *ilusório*). 5. O verdadeiro homem é *imaterial* e já existia no mundo espiritual, antes de sua peregrinação no mundo inferior. A alma é uma *faísca de Deus* e é *auto-existente*. 6. Deus criou o mundo material através do *demiurgo*, utilizando elementos já existentes. 7. O mundo físico é uma *imitação* do mundo superior. 8. A *unidade da existência*: a hierarquia dos *Universais* combina perfeitamente em uma existência absoluta, transcendente e de perfeita harmonia. 9. O *Mundo Universal* é o *lar* do espírito. 10. A participação da alma no mundo físico resultou de a. fraqueza; b. desejo de experimentar; c. perversão. Esta participação era *uma queda*. 11. O *problema ético* é a tentativa de reverter a queda e voltar para o lar. 12. Somente o *espírito libertado* do obstáculo, *prisão* e *sepulcro* do corpo, poderia entender a verdadeira natureza da realidade. Portanto, a *morte* é, potencialmente, e realmente, a nossa amiga.

7. Elementos e Caracterização

A Natureza da Ética de Platão:

a. É uma ética *formal* (rigorista).

b. *O problema ético:* como um ser racional, não material e *bidimensional* deve agir neste mundo; a *conduta ideal* deste ser.

c. O significado e valor da vida humana são envolvidos na questão maior da natureza do mundo, que inclui um futuro *além* da morte biológica.

d. O que se chama — *vida* — é espiritual. O mundo *fenomenal* é passageiro e não deve atrair a nossa atenção demais. Os prazeres e vantagens do mundo têm suas utilidades, mas não podem ser o *alicerce* de uma vida humana. O corpo humano é mero veículo do espírito. As qualidades de inteligência e vontade pertencem à alma.

8. A Alma e Seu Drama Sagrado

a. A alma é a essência da **vontade**, possui *automovimento*. Comparar este conceito com o *primeiro motor* de Aristóteles e a vida *necessária* e independente de João 5:26, discutido na filosofia de Tomás de Aquino.

b. A alma é um fragmento da *eternidade* que está voltando para o seu lar. Esta volta depende da *conduta ideal*. A alma se lembra (fracamente) de sua terra nativa e tem muitas saudades. O corpo serve de obstáculo no caminho. Mais do que isto, é o sepulcro e a *prisão* da alma.

c. O princípio da morte deve funcionar todos os dias. *Morremos* para os vícios e vivemos para o espírito. Cada dia deve ser uma *pequena morte* para os apetites do corpo. A morte biológica separa o corpo do espírito. A pequena morte anula a influência dos apetites do corpo para deixar o espírito seguir seus ideais.

d. A alma *remida*, depois de muitas reencarnações, contemplará os *Universais* (o Deus de Platão), e será absorvida na *Realidade Última*.

e. *A reencarnação* é uma realidade e é um dos meios da purificação gradual do espírito.

A Composição da Alma e a Ética

A alma representa uma *tricotomia:* o racional, o ânimo e o vegetal.

A. O *racional* é o espírito *puro*. A parte racional age segundo ideais nobres.

B. O *ânimo* (a vontade) é seu aliado.

C. A parte *vegetal* da alma é aliada *ao corpo* e seus apetites.

D. Quando a parte racional consegue *dominar* o corpo e seus apetites, o homem é *moderado*, e *autocontrolado*. Mas quando a parte vegetal domina, o homem é descontrolado, injusto, pecaminoso.

E. O homem que tem uma *tensão* entre a parte vegetal e racional (no lugar de harmonia) é um homem *injusto*, e está sujeito a repetidas reencarnações.

F. O homem que tem resolvido suas tensões, sendo controlado essencialmente pela parte racional, está perto do fim de seus ciclos terrenos, e pronto para voltar ao seu lar de perfeita beleza, harmonia e justiça.

9. Moderação

A moderação era sempre um princípio importante na ética grega. E a condição adquirida quando a alma está em paz consigo mesma, com suas diversas partes cooperando com a *razão*. Em termos cristãos, nós diríamos: *racional* = *espiritual*.

Sócrates sobre a moderação, na forma de uma oração:

«Pan, amado, e todos vocês outros deuses que assombram este lugar. Dê-me beleza de alma no *interior* e permite que o homem *exterior* e o homem *interior* sejam *um só*. Faça-me entender que o homem *sábio* é o homem verdadeiramente rico. Dê-me somente aquela quantidade de ouro que o homem moderado pode agüentar».

10. Contemplação

A característica mais nobre do homem justo é sua capacidade de *contemplação* (qualidade mística) que, intuitivamente, tem contato com a realidade mais alta.

A contemplação *máxima* pode ser alcançada somente com a *libertação* da alma do corpo. Esta contemplação é comparável à *visão beatífica* do cristianismo (que vede). Neste estado, uma transformação do ser é realizada, sendo que a alma toma o seu lugar entre os deuses (*universais*). Isto significa uma participação e absorção na *natureza divina*. Comparar este conceito com II Ped. 1:4, Col. 2:10 e II Cor. 3:18 no Novo Testamento.

11. As Quatro Virtudes Principais

a. *Sabedoria*. Esta é a virtude da parte *racional* do ser. Sabedoria é *o* conhecer da alma. Ela se expressa no *morrer cada dia* para separar o espírito dos apetites da parte vegetal. Comparar este conceito com I Cor. 15:31.

b. *Coragem*. Esta é a virtude da parte *animada*, a utilização da vontade para garantir a *conduta ideal*. Alguém falou, com razão: «Ó Senhor, conhecimento nós temos. O que falta é *força de vontade*». O Apóstolo Paulo escreveu: «Não faço o bem que quero, mas o mal que não quero, esse faço...quando quero fazer o bem, o mal está comigo. Porque, segundo o homem interior, tenho prazer na lei de Deus, mas vejo nos meus membros, *outra lei* que batalha contra a lei do meu entendimento e me prende debaixo da lei do pecado que está nos meus membros. Miserável

ÉTICA

homem que eu sou! Quem me livrará do corpo desta morte?» (Rom. 7:19-24)

c. *Moderação*. Esta virtude é a combinação, e a harmonia entre a parte racional e vegetal. Nesta *harmonia* a parte vegetal é dominada. O espírito ganha a vitória sobre os apetites do corpo.

d. *Justiça*. Esta é uma virtude geral que começa a existir na pessoa quando as três partes da alma estão em *harmonia*. Todas as *tensões* são vencidas.

Os conceitos morais de Platão são bastante semelhantes àqueles do cristianismo.

12. A Necessidade da Luta

O homem nunca pode ser livre da **inquirição**. Platão falou: «Que nós seremos melhores e mais corajosos se pensarmos que devemos inquirir, do que teríamos sido, aceitando a fantasia vã de que o conhecimento não existe e que não vale a pena procurar saber o que não sabemos, é um tema pelo qual eu estou pronto para lutar em palavras e ações, ao máximo dos meus poderes».

13. A Maior Calamidade na Vida

Fazer alguma coisa errada e não ser castigado, isto é, escapar do castigo apropriado. Neste caso, a alma aprende a viver mal e fica perversa. O fim deste tipo de conduta é que a alma nunca alcança o mundo universal, mas perece no hades, afinal, segundo a doutrina de Platão.

14. A Devoção de Platão

Estamos informados de que a devoção religiosa de Platão era grande, assim ele pode ser descrito como o Jeremias ou o Isaías grego.

15. Dualismo

Platão montou o alicerce do **dualismo cristão**, fazendo do homem um cidadão de dois mundos. Hegel falou: «Platão ensinou quão perto Deus é, e como a razão humana é verdadeiramente *unida* com ele».

16. Platão e o Relativismo. Um Diálogo (imaginado) Entre Platão e Protágoras, o Sofista.

Protágoras. Platão, cada indivíduo tem a sua *própria* verdade, a qual lhe é conferida através da interpretação daquilo que os seus sentidos lhe ditam.

Platão. Entretanto, meu caro Protágoras, a percepção dos sentidos não é algo indigno de confiança, variando como varia, de uma pessoa para outra, para nada dizermos acerca da *interpretação* individual sobre o que os sentidos lhe dizem, o que pode distorcer completamente até mesmo aquilo que foi percebido?

Protágoras. O que você está dizendo exprime a verdade. Contudo, o que é verdade para um homem é apenas a *sua verdade*. A minha verdade é *minha* e a sua verdade é *sua*.

Platão. Penso que estou podendo acompanhar o seu argumento, mas não posso dizer que o mesmo me deixa impressionado favoravelmente. Por que o *babuíno* não é o padrão de todo o conhecimento? Ele também possui percepção dos sentidos.

Protágoras. O babuíno é tão bom quanto você. Ele também tem a sua própria verdade. Sou tão bom quanto você; você é tão bom quanto eu; e o babuíno é tão bom quanto qualquer um de nós.

Platão. Você está tentando me dizer que a minha *opinião* de alguma coisa é *verdadeira*, ainda que diferente da *sua*? e que, de alguma maneira, a opinião do babuíno é verdadeira, não menos do que a nossa?

Protágoras. É exatamente *isso* que estou procurando dizer!

Platão. Entretanto, meu caro Protágoras, a minha opinião é que tudo quanto você está dizendo é desgraçado e *falso*, que a verdade não é *relativa*, e que ela não está alicerçada sobre a percepção dos sentidos. Além disso, a minha opinião é que você deveria *abandonar* totalmente os seus argumentos tolos. Você continua pensando que as minhas opiniões correspondem à verdade?

Protágoras. De modo *absoluto*. — Estas idéias representam a *sua* verdade. *Minha* verdade é outra coisa.

Platão. Meu caro Protágoras, você ficou louco! Precisa começar a aprender no que consiste a verdade. Declaro-lhe que a tentativa de colher, supervisionar, avaliar, confirmar ou refutar as opiniões dos homens seria uma tarefa cansativa e impossível e que só daríamos início a essa tarefa se fôssemos inspirados por uma *tremenda* insensatez. A *sua* verdade dificilmente poderia ser *a verdade* que os homens sérios queiram buscar.

Protágoras. Meu bom amigo, Platão, o louco é você! A variedade de verdade que você espera obter é apenas um mito fantástico. Aquilo que eu tenho chamado de verdade é a única variedade que pode ser obtida.

VI. A ÉTICA DE ARISTÓTELES (384-324)

Aristóteles era o aluno mais brilhante de Platão, chamado por ele, *o intelecto* e *o leitor*.

Elementos da Gnosiologia de Aristóteles que influenciaram sua ética.

1. O *empirismo ingênuo:* o verdadeiro julgamento com uma descrição é o conhecimento. O julgamento é uma declaração sobre alguma coisa, e a descrição é tudo que a investigação pode descobrir sobre aquela coisa.

2. O *conhecimento científico* é o verdadeiro conhecimento, e é do *real* (*universal*).

Elementos da metafísica aristotélica que influenciaram sua ética.

1. *Realismo moderado:* o universal existe mas nunca separadamente do particular.

2. Sua doutrina sobre *substância:* as 4 causas: a. material; b. forma; c. eficiente; d. final. Apresento um artigo separado sobre cada um destes títulos. Ver também sobre *Aristóteles*, ponto 5., e sobre *Causa*.

Tudo que existe. e tudo que acontece, operam através destas causas segundo o princípio da *teleologia*. A *função* (*virtude*) de cada pessoa está envolvida neste processo.

3. *Teleologia*. Existe um desígnio absoluto em tudo.

4. O *Primeiro Motor* (o *deus aristotélico*) é pensamento puro contemplando a si mesmo. O ato ético mais alto se encontra na *contemplação*.

Elementos da Ética de Aristóteles

1. *Eudemonismo* (grego: *eu + daimon = possuir um demônio*, tipo de deus ou espírito divino inferior); portanto, ser *feliz* é um estado inspirado *divinamente*. A felicidade é o alvo da vida.

2. A felicidade se realiza pela formação de um ser *social* que cumpre *seu dever*, através de uma **auto-realização absoluta**. A ética é, portanto, um ramo da *política*.

3. Para a realização máxima do *dever*, cada pessoa precisa descobrir e desenvolver sua *virtude*. Virtude = *função*. Cada pessoa **deve** ser totalmente **auto-realizada** para cumprir bem sua função na sociedade. *Ilustração*. A tesoura de podar é um instrumento singular, com uma função altamente especializada. A *função* especial deste instrumento é a

562

ÉTICA

sua *virtude*.

4. Responsabilidade. O dever de cada indivíduo é de se desenvolver ao máximo em uma função. Esta virtude é o *alvo* da vida, e o fruto procurado na *instrução*.

5. O homem *justo* é aquele que se desenvolve ao máximo, para ser efetivo no seu serviço na comunidade. O homem injusto é o homem não **especializado e descuidado.** — **A auto-realização é** *altruísta*.

6. Virtudes. O homem justo é o homem que desenvolve ao máximo as virtudes inerentes na natureza humana. *Ilustração*. Todos os membros do corpo têm uma função especial, mas todos cooperam

para promover a **ação e bem-estar** da totalidade. Todas as atividades dos homens representam virtudes potenciais.

7. O bem supremo. A virtude da intelectualidade é este bem. A *intelectualidade*, na sua expressão mais elevada e nobre = a *contemplação*. Todas as ciências são instrumentos da contemplação. O objeto desta função intelectual é a *verdade*. Os *meios principais* da contemplação são as belas artes (a estética); as ciências; a ética; as qualidades de prudência, sabedoria, iniciativa e razão (racionalismo). «Quando contemplamos somos mais como Deus». O estudo é *divino*.

8. O *guia* de tudo: *moderação*, o *meio-termo áureo*.

AS DOZE VIRTUDES DE ARISTÓTELES

Vício de Deficiência	O Meio-Termo Áureo	Vício de Excesso
1. Covardia	Coragem	Imprudência
2. Apatia	Moderação	Licenciosidade
3. Liberalidade	Liberalidade	Prodigalidade
4. Baixeza	Magnificência	Vulgaridade
5. Humildade	Magnanimidade	Vaidade
6. Falta de diligência	Diligência	Excesso de ambição
7. Falta total de gênio	Gentileza	Irascibilidade
8. Depreciação da própria pessoa	Verdadeira auto-avaliação	Jactância, ostentação
9. Rusticidade, grosseria	Presença de espírito, habilidade de responder pronta e acertadamente	Bufonaria, chocarrice
10. Espírito contencioso	Amizade	Lisonja, louvor insincero
11. Sem-vergonhice, imprudência	Modéstia	Timidez
12. Malignidade	Indignação justificada	Inveja

VII. UTILITARISMO
A. Influências

1. Gregas

a. *Hedonismo* — Os cirenaicos (Cirene, cidade da África); Aristipo (400 A.C.).

1. virtude = prazer; 2. desprezo da metafísica; 3. ateísmo; 4. pragmatismo; 5. evitar dor.

b. *Epicuro* (300 A.C.)

1. hedonismo; 2. eudemonismo; 3. deísmo; 4. empirismo.

2. Utilitarismo teológico. William Paley, 1743-1805: «Procurando a felicidade da humanidade, em obediência à vontade de Deus, por causa da felicidade eterna». — Subseqüentemente, este tipo de utilitarismo foi *secularizado*.

3. Cetismo. David Hume, 1711-1776.

a. Todo o suposto conhecimento é *impressão* (dados das percepções) e uma idéia é somente uma *cópia vaga* das sensações que aparece no processo de pensar e raciocinar.

b. As impressões vêm primeiro, depois as idéias. As duas juntas formam as *percepções*.

c. As percepções são paradas de impressões e idéias. Esta é a *única realidade* que nós podemos conhecer.

d. É impossível provar a existência de Deus, alma, mundo, causa (isto é, os assuntos principais da *metafísica*). Até é impossível provar a existência do próprio ser, o *ego*. Não podemos ter certeza de que uma única pessoa está experimentando a parada de sensações. Aceitamos a existência do próprio ser pela *fé animal*.

e. Hume secularizou a filosofia. Tinha grande influência sobre Kant. O *postulado* de Kant salvou a metafísica, enquanto sua *proposição* ficou (com variações) no ceticismo.

4. Positivismo. Augusto Comte, 1798-1857, fundador da sociologia moderna.

O conhecimento humano em estágios

a. *Conhecimento teológico:* o mais *primitivo*, que vai de ídolos para o politeísmo, para o monoteísmo. É conhecimento como nenê.

b. *Conhecimento metafísico:* conhecimento como adolescente. Forças impessoais cósmicas substituem os deuses. O nacionalismo e a monarquia popular são características deste estágio de conhecimento.

c. *Conhecimento maduro*, de adulto: o *Positivismo*, o triunfo da ciência. O *porquê* da teologia é substituído pelo *como* das leis naturais. Passamos da teoria para a *prática*. Ceticismo é aplicado à verdadeira natureza das coisas.

Positivismo: o real é o que é *prático* e *útil*; conhecimento sem as especulações da metafísica. Positivismo é um *pragmatismo científico*, uma forma de ceticismo gnosiológico porque abandona qualquer noção de um conhecimento perfeito, *final*.

A hierarquia das ciências segundo seus valores para contribuir para o positivismo:

1. matemática; 2. astronomia; 3. física; 4. química; 5. biologia; 6. sociologia; 7. ética (a ciência mais alta).

ÉTICA. A conduta deve ser determinada pelas ciências, não pela religião. A ética é sempre social, não meramente individual. Para conseguir uma ética *pura*, verdadeira, *positivista*, devemos abandonar

ÉTICA

qualquer base metafísica. Somente assim, a ética torna-se uma *ciência*. É impossível ter uma ética ideal enquanto ficamos no estágio da infância do conhecimento (com a teologia dominando). Práticas éticas *específicas* devem ser determinadas através da experiência *social*, dirigida pelas ciências. O processo *empírico* deve dominar a ética porque a ética é uma ciência, e não um ramo da religião.

5. *Evolução*. Charles Darwin, 1809-1882. A idéia já existia na filosofia grega de Anaxímenes, Heráclito e Demócrito. A *Primeira Causa* é substituída pelo conceito todo poderoso — *Seleção Natural*.

Por que este conceito falha?

a. Não explica o desígnio óbvio que existe na matéria *inanimada*.

b. Mas depende do *desígnio* na matéria inanimada para conseguir seu *início*.

c. Em si *mesmo* nada explica porque depende ou da *invariabilidade* ou do *tiquismo* (chance). Se depende da invariabilidade, já está falando de um *princípio de causa* exterior a si mesmo e do qual faz parte. Se depende do tiquismo, então exige fé numa série de milagres espantosos, a assim torna-se uma *religião*. Por não depender da invariabilidade, já não é uma ciência. Há uma *ciência qualquer* que não depende deste princípio? Sem este conceito e fé, o processo de experiência seria impossível.

d. *O processo*. 1. Como começa, não sabemos, portanto, começamos com *zero*; 2. a matéria inanimada (com desígnio no nível atômico); 3. a matéria animada que funciona inteligentemente, realiza a *seleção natural;* 4. a *seleção natural* depende do princípio da *invariabilidade*.

Objeções. 1. Não pode pegar o fio pelo meio e começar com o número dois. 2. Não pode avançar até o ponto três, depois para ponto quatro, pelo caminho do *tiquismo*. Se tomar o caminho da invariabilidade, já fica parte do princípio de *Causa*.

De qualquer maneira, a eliminação da Primeira Causa é uma das bases importantes do *Utilitarismo*.

B. Definição do Utilitarismo

1. É um pragmatismo social. O homem recebe a atenção normalmente reservada para Deus.

2. A ética do utilitarismo faz o indivíduo subordinado aos interesses da sociedade. *A conduta ideal* é aquela que promove a *maior felicidade* do *maior número* de pessoas.

3. *Pragmatismo*. «O significado inteiro de um conceito se expressa através de suas *conseqüências práticas*». (William James).

4. A *verdade* é *utilidade*.

C. Jeremy Bentham (1748-1832)

Foi ele quem inventou o termo **utilitarismo**. Emprestou de Joseph Priestly a sentença que expressa o *ideal* deste sistema: «A maior felicidade do maior número».

Bentham foi o Lutero legal de seu tempo. Sua influência causou uma *reformulação* radical no sistema legal da Inglaterra, e daí, de outros países, em alguma medida.

Vida. Nasceu em Londres onde viveu sua vida inteira; foi um prodígio infantil; leu latim aos 3 anos de idade; entrou na Universidade de Oxford aos 12 anos; formou-se aos 16 anos; dedicou a sua vida, com paixão extraordinária à reforma de todas as instituições da Inglaterra: econômicas, religiosas, educacionais e legais. Ajudou a fundar a University College, Londres. Antes de morrer, doou seu corpo à ciência e seu esqueleto ainda pode ser visto na University College.

Princípios de sua Ética

1. Todas as instituições, ações, leis, ciências e religiões podem ser explicadas em termos de prazeres e dores, imediatos e projetados. Isto é, todas as ações humanas se baseiam na busca pelo *prazer* e no *evitar da dor*.

2. As dores e os prazeres são determinados através de um processo *empírico*. A única finalidade de um homem ou de uma instituição é o prazer adquirido com o mínimo de dor. É claro, então, que promoveu o *hedonismo* (que vede).

3. *Dever*, consciência e sacrifício são conceitos vazios. A *prova da validade* de uma ação é sua *utilidade*; a utilidade de uma ação depende de seus resultados *agradáveis*.

4. O homem, por natureza, é egoísta. É necessário, portanto, que as leis exijam ações para garantir a maior felicidade para o maior número de pessoas. Sua ética enfatiza a sociedade, não o indivíduo.

5. *Seu método*. Produziu uma *descrição* extremamente detalhada *do que existe*, seguida por uma descrição igualmente detalhada *do que deve existir*.

6. Procurava «a utopian welfare state», um estado que cuidasse de todas as necessidades de seus cidadãos, ao ponto de criar uma utopia.

Procurava reformas nas instituições legais, prisões, sindicatos, escolas, etc.

7. *Riqueza = virtude; pobreza = vício*.

8. *Os Cinco Grandes Princípios* (ideais)
   a. Utilidade
   b. Segurança
   c. Sustento
   d. Abundância
   e. Igualdade

Pelo desenvolvimento destes princípios, extrairia a *essência*, isto é, a maior felicidade para o maior número de pessoas.

9. Antes do fim de sua vida, viu que seu sistema precisava de mais um princípio: *benevolência*, outro nome para a *lei do amor*.

As condições da Inglaterra no seu tempo, excitaram suas atividades de reforma. Existiam fraude, desonestidade, corrupção na política e nas cortes; o dinheiro determina tudo; os pobres foram punidos por crimes, enquanto os ricos escaparam; 9/10 das pessoas do país foram excluídas, automaticamente, dos serviços da lei, simplesmente porque não podiam pagar a taxa exigida pelas cortes. Os trabalhadores tinham condições precárias e sobreviveram com grande dificuldade.

D. John Stuart Mill (1806-1876)

Seu pai, James Mill, era um amigo íntimo de Bentham. Assim, John Mill foi introduzido ao utilitarismo desde seus primeiros anos. Mill participava nas reformas inspiradas por Bentham. James Mill cuidou pessoalmente da instrução de seu filho e assim, antes de completar 13 anos, ele (o filho) tinha adquirido mais conhecimento do que a maioria das pessoas nas suas vidas inteiras. John, lembrando-se disto, comentou uma *mente comum* (como considerou *a sua*) pode fazer coisas extraordinárias, se tiver a instrução apropriada.

Ele modificou e aperfeiçoou os princípios do *Utilitarismo:*

1. Prestou mais atenção aos *sentimentos* do homem, modificando a noção do homem como um ser que simplesmente procura o que é *seu* (principalmente, o *prazer*).

2. Introduziu a idéia de *qualidades diferentes* de prazer. Alguns prazeres são até nobres e podem elevar

ÉTICA

a natureza humana, como os intelectuais, morais, etc.

3. *Liberdade do indivíduo*, para ele, é um fator *necessário* para preservar a *dignidade* da pessoa.

4. Os homens, normalmente egoístas, podem adquirir a virtude do *altruísmo*.

5. *A felicidade* é o alvo da existência humana (*eudemonismo*). Isto resulta do prazer, mais mental do que físico.

VIII. A ÉTICA DE EMANUEL KANT (1724-1804)

O que Tomás de Aquino significou para a Igreja Católica, *Emanuel Kant significou* para o Protestantismo mais sofisticado. Os raciocínios de Kant, se aceitos, forçam a pessoa a depender da *fé* para postular suas crenças, no lugar de confiar em argumentos racionais.

1. Algumas Noções Metafísicas de Kant

Estas idéias influenciaram sua *ética*. Foram registradas na sua *Crítica da Razão Pura*.

OS TRÊS MUNDOS DE KANT

PRIMEIRO MUNDO
O mundo da *mente*; a mente impõe sobre a realidade exterior o que pode ser conhecido. — Aqui temos o *Idealismo subjetivo*. Expressa um *ceticismo racional*.

SEGUNDO MUNDO
O mundo *fenomenal*; o mundo *físico*, conhecido pela percepção dos sentidos = *empirismo*. Aqui temos as *proposições* do conhecimento.

A BARREIRA
É *impermeável*. O *conhecimento* é limitado à *percepção*.

TERCEIRO MUNDO
O mundo *noumenal*: a realidade última, Deus, alma, moralidade, teleologia. Este mundo é *postulado* pela razão, intuição e misticismo. Aqui temos *postulados*. Este mundo representa um *ceticismo esperançoso*. A *ética* vem deste mundo.

2. Gnosiologia

O conhecimento empírico, é ao mesmo tempo **a priori**. O mundo é conhecido somente através das percepções dos sentidos. Mas as percepções são interpretadas *necessariamente* pelas *categorias* do pensamento, que existem *a priori* como propriedades da mesma. Portanto, é possível, ou até provável, que o mundo exterior *não* tenha a natureza que aparente e supostamente tem. As nossas mentes *obrigam* o mundo a ter a forma que tem. Como o *Talmude* fala: «Nós não vemos as coisas como são. Nós vemos as coisas como *nós somos*». Para Kant, «a coisa em si», isto é, a verdadeira natureza das coisas, não é conhecida. Estas declarações evidenciam o *ceticismo racional*, e um *idealismo subjetivo*.

A realidade última (o mundo *fenomenal*) não é *conhecida*, é *postulada* para obter um sistema adequado de filosofia. Nós agimos como se Deus e a alma fossem verdades, porque, sem estes conceitos, existiria um mundo *de caos* no qual seria impossível viver. Estas idéias expressam um *ceticismo esperançoso*.

A base de nossa crença em *Deus* e na *alma* é o *argumento moral*, um *postulado* absolutamente necessário para que possa existir uma filosofia adequada.

Ver 3.j. para uma explicação do *argumento moral*.

As Categorias. Estas categorias governam o nosso modo de pensar. São categorias absolutas da *mente* não convenientes das experiências das percepções.

Noções de pluralidade, singularidade, relação, negação, limitação, causalidade, acidente, chance, reciprocidade, necessidade, contingência, espaço, tempo, são categorias *intuitivas*, não necessariamente elementos verdadeiros do mundo.

3. Algumas Noções da Ética de Kant

Sua ética é formal (rigorista).

a. A ética se baseia em postulados do *terceiro mundo*. São racionais, intuitivos e místicos.

b. Conceitos éticos são necessários para salvar a filosofia de um ceticismo mortal.

c. A necessidade de uma justiça absoluta exige crença na existência de Deus e na alma. Ver sob *j*.

d. O homem *moral* é ciente de sua *imortalidade*,

sem mais nada.

e. Existem leis *absolutas* que governam a ética. Estas leis são *inatas* no homem e determinam a vontade dele de modo *a priori*.

f. A *lei moral* se baseia no *dever*, não no prazer. O valor moral de um ato reside na *atitude interior*, na *motivação*, não no próprio ato, nem nas suas conseqüências. A lei moral, todavia, não pode ser meramente *subjetiva*, ou não é uma lei universal. A lei moral exige *universalidade*.

g. *O imperativo categórico:* Categórico = *absoluto*, sem qualificações. É um padrão *a priori* da mente. Expressa-se desta maneira: «Faça somente aquilo que você quer que seja *uma lei universal*». Esta lei é um padrão *a priori* da mente e não é um produto da experiência, como o *utilitarismo* declara.

h. *Dever é supremo*. Somente o ato motivado pelo *dever* é realmente *justo*.

i. Somos cidadãos de *dois mundos*. O mundo *fenomenal* é o lar do corpo, das experiências diárias e da ciência. Portanto, estamos sujeitos aos erros e as vicissitudes da experiência humana. Mas, como cidadãos do mundo *noumenal*, nós mesmos somos *legisladores* como o próprio Deus. O *imperativo categórico* se origina deste fato.

j. *O argumento moral*. Somos *obrigados* a aceitar um de dois conceitos básicos em relação à natureza do mundo. Devemos acreditar que a *justiça* deve ser feita *afinal*, ou que o *caos* é o verdadeiro dia deste mundo. O conceito de justiça absoluta exige uma crença na existência de Deus, porque somente um ser *do nível divino* seria capaz de julgar e recompensar com a devida sabedoria e justiça. Para o homem receber sua recompensa ou seu julgamento merecidos, a alma deve existir. É óbvio que a justiça *não* se faz *neste* mundo. A alma deve existir para que o homem seja apropriadamente julgado. A vida da alma deve continuar pelo menos até o fim do tempo do julgamento. Mesmo se a alma não seja realmente *imortal*, pelo menos deve sobreviver o corpo, e continuar por algum tempo. Porém, o homem *moral* é ciente de sua *imortalidade*. Portanto, a moralidade deve sempre levar em consideração a *eternidade*.

••• ••• •••

565

ÉTICA

IX. A ÉTICA TEÍSTA (inclui o Novo Testamento)
Introdução
1. *Os Três Tipos da Ética*

a. A *ética relativa* (da situação); utilitarismo, pragmatismo, positivismo.

b. A *ética dos valores*, o meio-termo entre o *apriorismo* (ética formal) e o *a posteriorismo* (ética relativa). Os valores não são absolutos, mas são constantes.

c. A *ética formal* (rigorista, teísta). Os valores éticos são fixos, eternos e perfeitos, e não são produtos da experiência empírica do homem. Ver estes três tipos de ética discutidos neste artigo em seção I. *Discussões Preliminares*, ponto 7. *Categorias Principais da Ética*.

2. *A Preocupação com o Problema do Pecado*

a. *Ilustração*. No Antigo Testamento, o holocausto, o sacrifício pelo pecado, e a expiação são mencionados mais do que 1000 vezes.

b. O pecado é um assunto principal da pregação na Igreja cristã, um assunto levado muito seriamente.

c. As doutrinas relacionadas ao assunto na Igreja são *drásticas*. A doutrina do pecado é discutida mais do que 800 vezes no Novo Testamento. Um objetivo principal da *missão de Cristo* foi a eliminação do problema do pecado.

d. A busca na ética teísta é pela *perfeição*. O homem tem uma *consciência* inerente (dom de Deus) para ajudá-lo na inquirição pela perfeição.

«O mantimento sólido é para os *perfeitos*, os quais, em razão do costume, têm os sentidos exercitados para discernir tanto o bem como o mal», Heb. 5:14.

e. *Os pecados mortais:* ira, cobiça, inveja, glutonaria, lascívia, orgulho, preguiça. Estes pecados, não perdoados, são fatais para a alma (doutrina católica). *Qualquer* pecado, não perdoado, é fatal para a alma (doutrina evangélica). «Porque o salário do pecado é a *morte*. Mas o que Deus dá é a vida eterna em união com Jesus Cristo, nosso Senhor», Rom. 6:23.

A. A Gnosiologia da Ética Teísta
1. Novo Testamento
a. I Cor. 1:18,19,20,21: desprezo do conhecimento e da filosofia grega.

b. I Cor. 2:12-16: glorificação da *intuição* e do *misticismo* (revelação).

c. Rom. 1:20: o raciocínio e a intuição são possessões naturais, inerentes, dadas por Deus, e

podem alcançar as verdades maiores, como aquelas da ética.

d. Rom. 1:21: a rebelião desfez a intuição natural. A gnosiologia é um problema *ético*, como em Platão, porque o alvo do conhecimento é espiritual.

2. Agostinho. Foi-lhe perguntado: «O que é que quer saber?». Respondeu: «Deus e a alma». «Mais nada?», foi indagado de novo. Respondeu: «Mais nada». Agostinho é Platão batizado.

a. Deus é o objeto do conhecimento; a visão beatífica é o conhecimento máximo, e a própria razão da vida humana.

b. Sem ceticismo qualquer: ele falou: *Creio para entender* (Crudo ut intelligam). A base do conhecimento é uma atitude de *fé*, sem a qual, o homem fica na escuridão do ceticismo.

c. A *luz da razão* foi obscurecida *na queda* do homem no pecado. A encarnação de Cristo teve o propósito de inverter esta situação, através da *iluminação* do Espírito Santo. O conhecimento é sempre ético.

d. O *empirismo* se aplica ao mundo dos sentidos, mas até o empirismo serve para esclarecer as operações da mente de Deus. Existe uma verdade só, afinal, e esta verdade ilustra o conteúdo da *Mente Divina*. Todos os ramos do conhecimento são partes da teologia, porque todos são, simplesmente, expressões da mente de Deus.

e. *Três níveis* do conhecimento: o empirismo; o racionalismo; e a contemplação (*misticismo*). Cada nível tem sua utilidade legítima. Todos nos ensinam alguma coisa de Deus, mas a *contemplação* se expressa, afinal, na *Visão Beatífica* (que vede).

f. O *verdadeiro conhecimento é a sabedoria* e a sabedoria, na sua expressão mais alta, é a *contemplação*.

g. O *alvo final:* a visão beatífica, **não o bem-estar** físico, como os sistemas do hedonismo e utilitarismo ensinam.

3. Tomás de Aquino
a. Unidade da verdade, mas com duas esferas distintas de realidades.

b. O conhecimento deste mundo é *empírico*. A experiência das percepções é guiada pela razão. Nestas idéias seguiu Aristóteles (foi Aristóteles batizado).

c. O conhecimento do outro mundo vem através do raciocínio, e pelo misticismo (revelação).

A LINHA DIVIDIDA

conhecimento empírico, racional: é para todos	*revelação*: crenças para alguns (assuntos como Deus, Trindade, encarnação, problema do mal, contêm grandes mistérios que somente a *revelação* pode desvendar).

B. A Metafísica da Ética Teísta
1. Heb. 11:3: «É pela fé que entendemos que o universo foi criado pela palavra de Deus, e que aquilo que pode ser visto foi feito do que não se vê». A crença da criação *ex nihilo* (da energia divina) contra os conceitos da *eternidade* da matéria (filosofia grega) e a *emanação* do Logos (*panteísmo* estóico). Orígenes falou da criação como um *ato eterno* de Deus.

2. *O mundo é altamente teísta*

a. João 1:14: «O Verbo se fez homem e habitou

entre nós». João 1:1: «O Verbo era Deus».

b. João 3:16: «Porque Deus amou o mundo de tal maneira que deu o seu único Filho, para que todo aquele que nele crê não pereça, mas tenha a vida eterna».

c. Mat. 10:29: «Não se vendem dois passarinhos por dez centavos? Porém nenhum deles cai sem que isso seja a vontade do Pai. Quanto a vocês, até os cabelos da cabeça estão todos contados. Portanto, não tenham medo: vocês valem mais do que muitos

ÉTICA

passarinhos!»

3. Um Deus pessoal

a. Alguns dizem que Deus não é uma pessoa, mas que nós projetamos no conceito de Deus as nossas próprias características, inclusive autoconsciência, moralidade, amor, gratidão, louvor, prazer, emoções, vontade, desígnio, etc. Todas elas são qualidades *pessoais*.

b. Outros mantêm que Deus é realmente uma *pessoa*. Ele é duplicado fracamente na natureza humana, que ilustra alguns aspectos do *Ser Divino*.

c. De qualquer maneira, o conceito personificado de Deus ajuda as pessoas a se relacionarem a experiência religiosa muito mais do que conceitos vagos sobre algum tipo de *Absoluto*.

d. *As evidências indicam*: Deus é extremamente *poderoso*; Deus é extremamente *inteligente*. Segundo o nosso entendimento, estas qualidades são *pessoais*.

e. O Deus pessoal se importa muito com a nossa *conduta*: ele castiga e recompensa.

C. Princípios Éticos
1. Novo Testamento

a. O problema ético envolve uma *luta cósmica*. I João 5:18: «Sabemos que os filhos de Deus não continuam pecando, porque o Filho de Deus os guarda, e o Diabo não pode tocar neles». Efésios 6:12: «Porque nós não estamos lutando contra seres humanos, mas contra as forças espirituais do mal que vivem no mundo celestial, os governos, as autoridades do universo desta época de trevas».

b. O problema ético envolve o *destino* de uma alma imortal: «Vi também os mortos, os grandes e os pequenos, que estavam diante do trono. E foram abertos livros e ainda foi aberto outro, o livro da vida. Os mortos foram julgados de acordo com o que haviam feito, conforme estava escrito nos livros. Quem não tinha seu nome escrito no livro da vida foi jogado no lago de fogo». (Apo. 20:12,15).

c. A visão mais ampla, exibida em alguns lugares no Novo Testamento, antecipa uma *restauração* universal. Ver Efé. 1:9,10. Cristo fez do hades um campo missionário, I Ped. 3:18-4:6. Ver o artigo separado sobre *Restauração*. Nesta doutrina, a missão de Cristo resolve, afinal, o problema do pecado e anula seus maus efeitos.

d. A *lei do amor* e as virtudes cardinais (Gal. 5:22,23) são a cultivação do Espírito Santo. A lista de Gálatas inclui: amor, alegria, paz, longanimidade, benignidade, bondade, fé, mansidão, temperança. Contra estas coisas não há lei. A lei do amor cumpre a *lei inteira*, como Rom. 13:8 *ss* ensina. A *prova* da espiritualidade é o cumprimento da lei *do amor*. Ver I Jo. 4:7 *ss*.

e. *O princípio da graça* e a lei do Espírito transformam os homens para que possam fazer aquelas coisas que agradam a Deus. Efé 2:8,9: «Porque pela graça sois salvos, por meio da fé; e isto não vem de vós; é dom de Deus. Não vem das obras, para que ninguém se glorie». Rom. 8:2: «Porque a lei do Espírito de Deus, que nos trouxe vida em união com Cristo, me livrou da lei do pecado e da morte».

f. *O princípio da consciência:* Heb. 9:9: «...sacrifícios que, quanto à consciência não podem aperfeiçoar aquele que presta o culto». A consciência faz o que o culto do Antigo Testamento não podia fazer, porque é inspirada pelo Espírito Santo.

A Consciência no Novo Testamento. 1. É controlada pelo Espírito; 2. é uma faculdade íntima, uma função da alma, sujeita a inspiração de Deus; 3.

pode ser fraca, cauterizada, ou boa e pura, dependendo da *cultivação* ou abuso que recebe. 4. A consciência treinada reconhece instintivamente o bem e o mal. 5. A consciência é *adequada* (em união com a razão) para deixar o mundo pagão sem desculpa (Rom. cap. 1).

g. O *propósito* da ética: II Ped. 1:4: «Ele nos tem dado grandes e preciosas promessas para que por elas fiqueis participantes da *natureza divina*, havendo escapado da corrupção que pela concupiscência há no mundo». Este texto fala da *visão beatífica* (que vede), da teologia, na qual o homem recebe uma *iluminação* espiritual de imensas dimensões, e o início da participação na natureza divina, que sempre aumenta de estágio para estágio, sem limite de tempo. Ver II Cor 3:18. A *ética*, desta maneira, é intensamente ligada com o destino metafísico do ser, sendo envolvido na transformação do espírito à imagem do Filho, Rom. 8:29. Isto nós chamamos *salvação* (que vede).

2. Bispo Joseph Butler (1692-1752)

O Bispo Butler era um anglicano e filósofo ético de renome. Ver o artigo separado sobre ele.

Princípios Éticos

a. Não há nenhuma contradição entre a lei natural e a lei *revelada*. A primeira age pela razão, e a segunda, pelo misticismo (revelação).

b. Estas duas leis se unem para impor responsabilidade moral absoluta.

c. *Teleologia*: todos os fenômenos na natureza são unidos numa relação casual.

d. A ética é *inata*, como Platão falou. Deus, na criação, garantiu isto.

e. Existe uma *função moral*, inata, infalível no homem: *A CONSCIÊNCIA*.

f. A consciência é a função principal da alma, um atributo do espírito.

g. A consciência é um *guia infalível* que aprova ou condena as nossas ações, com um grande grau de perfeição.

h. *Virtude* é a *obediência* prestada à consciência.

O Processo Ético

a. *A honestidade* é necessária. Evite a negação da consciência que vem das corrupções morais, da intelectualidade falsa e de uma ciência parcial, e às vezes corrupta.

b. *Reflexão mental*. Pare, pense bem, seja honesto — o coração tem a resposta que você quer para resolver seus problemas éticos. A consciência, mesmo no meio da escuridão, é capaz de agir perfeitamente bem.

c. Dificilmente podemos receber as nossas respostas éticas de sociedades obviamente depravadas, cuja suposta liberdade é realmente pura escravidão. Mesmo no meio de muitas vozes estranhas que tentam atrair a nossa atenção, a *voz da consciência* pode ser ouvida alta e claramente.

d. A consciência violada grita e há dor no coração, mesmo quando os homens estão dançando de alegria.

e. *A boa conduta* tem uma recompensa eterna, de acordo com a doutrina cristã. A teleologia exige a *recompensa*.

X. O PROBLEMA DO MAL

Ver o artigo separado sobre esse assunto: **Problema do Mal**.

XI. A ÉTICA DE JESUS

Ver o artigo separado sobre **Jesus**, seção III. **Temas**

ÉTICA

Básicos, ponto d. **Princípios Éticos**, que oferece uma discussão detalhada.

Os ensinos *conhecidos* de Jesus não são de grande volume. De modo geral, ele trouxe para nós o melhor do judaísmo, e o apresenta sob uma *nova luz*. Na ética, ele abandonou o mero cerimonial e ensinou a *essência* da conduta ideal. Ver o artigo separado sobre os *Ensinos de Jesus*.

XII. A ÉTICA: Teorias, Especulações, Dogmas e Fé

Aqui, como escritor desta enciclopédia, apresento algumas das minhas noções sobre *a Ética*.

A. BASES GNOSIOLÓGICAS

1. **O Talmude**, com razão, declara: Não conhecemos o mundo *como ele é*, mas *como nós somos*. O nosso conhecimento é fraco e parcial, e projetamos no mundo o nosso modo de pensar, no lugar de reconhecer a verdadeira natureza das coisas. A despeito disto, **possuímos** algumas grandes verdades, inclusive, da ética.

2. *Os meios para saber* das coisas, como, o empirismo, o racionalismo, a intuição e o misticismo, são todos meios verdadeiros e úteis nos seus respectivos campos. Quando não *hostil* e cego, até o ceticismo é útil porque nos protege da *credulidade*.

3. O conhecimento se baseia no *dualismo* da natureza humana. O *empirismo* não é a fonte de informações de todas as coisas. A razão e o misticismo, às vezes, são verdadeiros meios do conhecimento.

4. A *ética* também é dualista, abrangendo as necessidades da *vida física* e da *vida espiritual*. A ciência, portanto não é contraditória à teologia. Existe uma unidade da verdade, mas ela apresenta, para nossa consideração, muitos meios para examinarmos os seus diversos ângulos.

5. Embora *frágil*, o nosso conhecimento tem alcançado itens realmente importantes, e a *representação parcial* da verdade que **possuímos** nos encoraja a buscar mais.

6. Provavelmente, estamos à porta de um grande avanço no conhecimento que vai revolucionar todos os nossos conceitos sobre nós mesmos e sobre o universo. Portanto, vale a pena continuar buscando e aprendendo. Conhecendo sempre mais, entenderemos melhor como agir.

B. BASES METAFÍSICAS DA ÉTICA — OS CINCO MUNDOS

Considerações sobre estes *cinco mundos* tornam-se modalidades literais e parabólicas de pensar sobre *as dimensões do ser* e sobre a *conduta ideal*.

1. *O PRIMEIRO MUNDO*
— *Deus Intelecto Supremo*

Este mundo, a origem de tudo, é *transcendente*, mas às vezes faz uma *intervenção* (sobrenaturalidade deísta). Este mundo é *infinito* (alguma força totalmente além do nosso conhecimento atual). É *pessoal* ou *impessoal?* É impessoal segundo qualquer definição nossa, mas *pessoal* segundo uma definição atualmente fora do alcance do nosso entendimento. As descrições antropológicas da teologia não podem representar bem o *Deus Supremo*. Atualmente, as evidências que temos deste Deus implicam três atributos *pessoais*. a. grande poder; b. inteligência incrível; c. e bondade, demonstrada no *desígnio*. A existência do *Primeiro Mundo*, embora sem definições adequadas, atualmente, garante a solução, afinal do *problema do mal* (que vede). Este mundo mais alto

é melhor descrito como um *monoteísmo*. A criação se originou neste nível.

2. *O SEGUNDO MUNDO* — *Os Intelectos*

O *segundo mundo* é a esfera e a realidade de seres *não-materiais*, invisíveis, alguns deles extremamente poderosos. São seres pessoais e *imanentes* (em potencial). Alguns são verdadeiros participantes na natureza divina, mas de modo finito. O princípio, ou realidade atrás do *politeísmo* é este segundo mundo. O *politeísmo* antropomórfico é uma perversão da *pluralidade* do segundo mundo. O princípio do *Logos* pertence a esta realidade. Isto implica na redenção e *filiação* humanas. O Cristo era uma manifestação do *Logos* e veio para garantir a *filiação divina* para as almas humanas, Col. 2:10, II Ped. 1:4. O *Logos* é o *Arquiteto* da evolução espiritual, que chamamos de *salvação*. O alvo da existência humana (e de sua conduta ideal) é a *filiação divina*, para que os espíritos humanos tornem-se *Intelectos Celestiais*, seres de grande inteligência, poder e magnificência, verdadeiros *filhos de Deus*, participando, de modo finito, na própria natureza de Deus, possuindo sua *plenitude*, Col. 2:10.

3. *O TERCEIRO MUNDO* — *A Lei Natural*

Esta lei se baseia no princípio da *teleologia* (como Aristóteles ensinou). A teoria do *tiquismo* para explicar a natureza da existência é um *fracasso*, embora possa explicar alguns acontecimentos e condições. A *lei natural* é a força ativa atrás da *evolução*. A evolução é uma *verdade* do mundo físico, biológico, e segue a teleologia da lei natural. Esta lei emprestou, e agora depende da inteligência do *primeiro*, e provavelmente, do *segundo* mundo. Ela é *impessoal*; não é perfeita, erra e exagera, mas a grosso modo, cumpre a tarefa delegada a ela. É *responsável* por uma boa parte do — *problema do mal* —, inclusive acidentes, doenças, a existência de animais nocivos, e a morte física. Estes elementos, embora desagradáveis, *não são de grande importância para o Primeiro Mundo*, mas, às vezes, atraem a atenção do *Segundo Mundo*, e daí, surgem intervenções como curas espirituais. A lei natural é perfeitamente capaz de criar entidades físicas, novas, sem qualquer intervenção do *Deus Altíssimo* do *primeiro* mundo. Acredito, porém, que não é capaz de criar a vida envolvida em puro espírito. A alma humana se derivou do primeiro mundo. Os homens, aprendendo a manipular a lei natural, serão capazes de efetuar verdadeiros atos de criação.

O *mundo físico* provavelmente é um produto do *terceiro mundo*. A lei natural opera através do modus operandi da evolução. Mas isto não tem nada a ver com o *espírito* que é o homem verdadeiro.

Por que postular a Lei Natural?

A existência de todo tipo de animal nocivo que perturba as nossas vidas. — A maldita mosca existe em 100.000 espécies, sem dúvida, geradas pela evolução. O terrível e destrutivo *pernilongo* existe em 2.500 espécies. Vive em todo o mundo, com a exceção das regiões absolutamente *congeladas* dos pólos. Aguenta até os desertos mais secos e quentes. A maioria das espécies precisa de sangue animal para se reproduzir, mas também, é fato comprovado, que muitas espécies gostam de se alimentar de sangue, totalmente a parte do problema de reprodução. Gostam do sangue de aves, animais e homens, mas a maioria das espécies prefere o sangue humano. Somente as fêmeas chupam sangue. Os machos se alimentam do néctar das plantas. Para chupar bastante, injetam um líquido que não permite a

ÉTICA

coagulação do sangue. Este líquido causa a coceira que a vítima sofre, e, também, transmite uma boa variedade de doenças, algumas das quais são perigosas e miseráveis. O pernilongo é o animal mais perigoso do mundo, espalhando malária, elefantíase, febre amarela, dengue e encefalite. Os ovos, emitidos ao mesmo tempo, não ficam maduros com o mesmo ritmo, garantindo a sobrevivência de alguns, sob quase quaisquer circunstâncias adversas. A vida do pernilongo dura somente um mês, mas aquele mês garante o nascimento de muitos *milhares* de novos pernilongos.

Alguns teólogos supõem que a *queda* do homem no pecado mudou a natureza do pernilongo, e que ele, como todos os demais animais terríveis, era bonzinho antes daquele tempo. Mas, eu acredito que ele e os demais foram terríveis desde o *início* de sua existência, e que esta existência se derivou do *Terceiro Mundo*, isto é, da lei natural, não do Primeiro Mundo. Estou dizendo que *Deus* não criou pernilongos, e tais bichos miseráveis. Exageros da lei natural são os responsáveis por tais coisas.

As bactérias e vírus ofensivos vieram do *tiquismo* (chance), *uma perversão da lei natural*, não da agência do Grande Deus. Muitas das nossas doenças são produtos deste terceiro mundo e **nada têm a ver** com Deus. A lei natural, a grosso modo, funciona bem mas ela exagera e erra e por causa disto, existem muitos males no mundo que não resultam diretamente do pecado, embora muitos sejam resultados deste fator. Ver sobre o *Problema do Mal*. Não é preciso culpar Deus, nem a *queda* do homem no pecado por todas as condições adversas que existem. Estas condições não são importantes para o *Primeiro Mundo* e nem serão para nós, afinal.

4. O QUARTO MUNDO — O Mundo Físico

É, nas suas formas variegadas, o produto do *terceiro mundo*, embora os poderes de criação sejam delegados por Deus. Todos os **mundos são inter-rela**cionados e mutuamente dependentes, dentro da *vontade de Deus*.

5. O QUINTO MUNDO, SUB-HUMANO E NÃO-FÍSICO — A Terrível Realidade de Hades

Existem lugares de sofrimento espiritual. O julgamento é uma realidade necessária da economia de Deus, embora, existirá também a realidade da *Restauração* (que vede). Ver Efé. 1:9,10. A missão do *Logos* garantiu uma solução adequada, de fato, *gloriosa* para o problema do mal. Mas a perversidade dos seres inteligentes, inclusive, os homens, pode adiar esta solução por muitos longos ciclos, estendendo para dentro das eras eternas. Portanto, o julgamento é um assunto sério a despeito da restauração prometida *no mistério* da vontade de Deus.

C. A TELEOLOGIA — O DESÍGNIO

1. A **teleologia** (que vede) é um princípio, **sine qua non** de toda a existência. Garante o **êxito** final das almas humanas porque opera segundo o amor de Deus.

2. A vontade de Deus garante que, afinal, o homem entrará na *conduta ideal* e compartilhará dos benefícios da missão do *Logos*, chamado Cristo na sua encarnação entre os homens.

3. Um universo que inclui bilhões de galáxias, e bilhões de estrelas dentro de cada galáxia, um universo incrivelmente vasto que exibe só na *Via Láctea*, pelo menos 10.000 sistemas solares que podem sustentar a vida que nós conhecemos, para não falar sobre os prováveis tipos inumeráveis, totalmente alheios ao nosso conhecimento, *não pode* ser um universo que resultou e continua pelo princípio do *tiquismo* (chance). A *verdadeira grandeza* é uma subcategoria necessária da *teleologia*.

4. Evidências abundantes de *desígnio* existem no *quarto mundo*. As humildes *focas*, por exemplo, exibem capacidades surpreendentes. Possuem uma capacidade de comunicação através de emanações **ultra-sônicas**. Podem concentrar sangue num lugar de ferida para apressar a cura. Têm uma artéria extra para o cérebro. Podem baixar o ritmo do coração, que é normalmente de 100 por minuto, para 20, em apenas alguns segundos.

O pombo também é um bicho impressionante. Ele pode enxergar a faixa ultravioleta do espectro da luz. Pode detectar a luz polarizada. Tem pequenos **ímãs** no cérebro que o ajudam a voltar em vôo direto para o lugar onde reside. Tem audição tão sensível que se estivesse em SP, poderia ouvir uma tempestade no Rio. As *enguias* são capazes de façanhas incríveis. Aquelas que nascem no mar de Sargaços (entre as Índias Ocid. e as ilhas de Açores) na primavera nadam daí para as águas potáveis, rios, lagos, em áreas bem distantes. Dois anos mais tarde, as pequenas enguias, com somente 5 cent. de comprimento, voltam ao lar (mar de Sargaços), *sozinhas*, sem qualquer ensaio prévio. As velhas ficam para morrer, e o processo continua. Depois da reprodução, aquelas que têm 107 vértebras, partem para a América do Norte, mas aquelas que têm 115 vértebras partem para a Europa. Existe uma *teleologia* operando que não dá para negar.

O besouro chamado *Onicideres* não se localiza muito alto na escala da vida. Mesmo assim, ele utiliza somente a árvore mimosa para depositar seus ovos. Faz um pequeno corte num galho e bota os ovos naquele lugar. Mas as larvas não podem sobreviver em madeira viva. Portanto, o besouro corta o galho para matá-lo. Assim, o galho morre, e as larvas se desenvolvem. O besouro assim faz uma poda anualmente. Sem esta poda, a árvore vive entre 20 e 30 anos. Mas com ela, pode viver até 100 anos.

Os homens *cegos* negam a teleologia. *Ilustrações*. Um homem cego visita o *Grande Canyon*, no Estado de Arizona, nos EUA. Sendo *cego*, ele deve depender de algumas descrições verbais de um amigo. Ele consegue entender pouco, e na sua cegueira, ele não acredita na maior parte das coisas que são faladas para ele. — *Nós* somos os cegos, e os nossos amigos são os cientistas, filósofos e teólogos.

Um homem visita uma *suntuosa* catedral, mas, antes de ver suas maravilhas, entra em um espaço cercado por cortinas, — semelhante ao cubículo do adivinho de bola de Cristal. — As maravilhas da catedral estão *próximas*, mas *os obstáculos não permitem que elas sejam vistas. Os obstáculos* são nossos preconceitos, ceticismo, instrução falsa e parcial, fraquezas espirituais, fraquezas morais e os nossos instrumentos parciais do conhecimento.

O desígnio existe e se deriva do poder e do amor de Deus. Ele garante que nenhum mal, afinal, pode atingir o homem bom. Em Cristo, afinal, todos os homens serão bons, embora não serão do mesmo nível de existência metafísica.

5. Existem evidências de desígnio no mundo não-físico. Na *Experiência perto da morte* (que vede) isto é evidente. O espírito triunfa; a lei do amor prevalece; o poder de Deus ganha; a maldade perde; a esperança vive; a morte morre.

ÉTICA

6. A própria ciência depende do princípio da *teleologia*, na sua fé na *invariabilidade*. Sem este princípio, a ciência seria impossível.

7. O *tiquismo* (chance, caos) não é o diretor do show da vida, embora produza algumas cenas miseráveis, que não afetam o destino humano, *afinal*.

8. *Aristóteles* (o intelecto) tinha razão quando propôs uma teleologia baseada no *Intelecto Supremo*. Platão tinha razão quando separou o mundo *universal* do mundo *particular* (o mundo físico).

A *teleologia* garante o lugar do homem no *Mundo Universal*.

D. Princípios Éticos Considerados Válidos pelo Escritor desta Enciclopédia

1. Para governar a *maioria* das ações diárias, o *utilitarismo*, operando através do método empírico, é, obviamente, o sistema que justamente domina.

   a. Esta dominância é válida se não pervertida e exagerada.

   b. Homens como Jeremy Bentham, efetuando suas reformas, cumprindo as exigências da lei do amor (o primeiro princípio ético), serviram a Deus.

   c. Esta ética opera no quarto mundo: é relativa, prática, pragmática e legítima.

   d. Está ética, porém, é *parcial* e cai em grande erro quando quer ser absoluta e exclusivista.

2. *Sócrates* tinha razão quando declarou que os princípios éticos são contidos em *idéias inatas*, que residem no raciocínio humano. A mente universal é um fundo de princípios éticos que a mente humana pode alcançar (pela intuição ou pelas experiências místicas). A ética, portanto, pode ser intuitiva e mística, não meramente empírica.

3. *Platão* tinha razão ao ver que a ética, afinal, é rigorista, porque o homem é um cidadão do segundo mundo que transcende o quarto, o mundo de fluxo e de relatividade. Um dos maiores problemas da filosofia e da teologia é de definir quais são os princípios que merecem ser chamados *imperativos categóricos* (como Kant os chamou). Temos alguns candidatos fortes, especialmente a prática da *lei do amor* e a *aquisição do conhecimento* que é útil no serviço dos outros e influente no desenvolvimento espiritual pessoal.

4. *Aristóteles* tinha razão quando promovia o conceito de *virtude como função*. Cada pessoa tem a responsabilidade de se desenvolver ao máximo para que possa ser útil na sociedade. Apocalipse 2:17 fala a mesma coisa, no contexto eterno: «Ao que vencer darei eu a comer do maná escondido e dar-lhe-ei uma pedra branca e na pedra um *novo nome* escrito, o qual ninguém conhece, senão aquele que o recebe».

O *maná* (Êxo. cap. 16) consiste da alimentação espiritual que faz o homem ser o que ele é.

A *pedra branca* era o diamante dentro do peitoral do sumo sacerdote, sobre o qual o nome secreto de Deus (*Yahweh*) foi escrito. O sumo sacerdote usava esta pedra para induzir um transe, mediante o qual ele procurava saber a vontade de Deus. Este nome significa *singularidade*. A metáfora afirma a singularidade da pessoa e *de sua missão* no estado eterno. Esta pessoa vencerá, sendo transformada através da lei moral. Cada pessoa tem seu segredo que compartilha com as forças divinas. Esta singularidade é representada pelo *novo nome*, — é alcançada pela transformação moral, e resulta da participação na natureza divina, Col. 2:10, II Ped. 1:4.

5. *Dualidade da missão destino* (terrestre-celeste). O homem passa por etapas de realização na escola da experiência humana. A ética, portanto, deve ser *bidimensional*, porque o próprio homem é bidimensional. Ele tem um ou mais destinos para cumprir nesta terra. Ele terá um destino, sempre crescente, no mundo eterno. A *teleologia* está envolvida no destino, terrestre ou celestial.

6. *A lei do amor* é o sol do céu ético e deve guiar tudo. Sem este sol, não há vida. Os *quatro caminhos* da religião hindu nos ensinam como tirar as camadas egoístas que nos atrapalham. Estes quatro caminhos nos ensinam como o espírito pode ser libertado e assim voltar para o *infinito*.

Os Quatro Caminhos

a. Do conhecimento (*juana yoga*) (yoga = jugo, disciplina, dever).

b. Do amor (*bhakti yoga*). Isto inclui a devoção religiosa. O caminho de Cristo é altamente um caminho de amor, porque ele inspira o amor.

A *lei do amor*, na sua aplicação, significa o uso das nossas energias e recursos para promover o bem-estar dos outros. Isto tem aplicação na vida particular, e na vida comunal, como em todo tipo de caridade.

c. Do trabalho (*karma yoga*). Este é o caminho da realização, do serviço, da dedicação a uma profissão, secular ou religiosa. Algumas pessoas gostam tanto do trabalho que o preferem à comunhão com o próprio Senhor.

d. Do desenvolvimento psíquico (*raja yoga*). Aqui temos o toque místico na vida, tão importante para o desenvolvimento espiritual.

7. *A lei da ceifa* segundo a semeadura (Gál. 6:7): «Não erreis: Deus não se deixa escarnecer; porque tudo o que o homem semear, isso também ceifará». Esta lei inclui, quase certamente a *reencarnação*, pelo menos em alguns casos.

8. *A realidade da justiça*. O argumento moral de Kant tinha razão. A justiça absoluta deve ser feita, afinal. A recompensa e o julgamento são verdades solenes. Mas o julgamento é remidor, sendo um dedo da mão amorosa de Deus, I Ped. 4:6. O julgamento, mesmo severo, é uma medida excelente e desejável, porque Deus, através deste meio, pode fazer certas coisas que não pode fazer de outra maneira.

Platão tinha razão quando falou: «A pior coisa que pode acontecer ao homem é fazer o que é errado e escapar de seu devido castigo». Quando isto acontece (se acontece) a alma aprende a ser corrupta.

9. *A lei da graça e a lei do Espírito*. A intervenção divina é necessária para a realização da conduta ideal do homem e do destino da alma. O homem, decaído, não é capaz de cumprir o ideal moral da lei. O misticismo cumpre o alvo (existe um contato com o Espírito que regenera e transforma). As *virtudes* espirituais são a cultivação do Espírito. A restauração universal depende da missão do *Logos* (Efé. 1:9,10). Esta missão também representa uma intervenção divina na vida dos homens. A *teleologia* opera em tudo.

10. *A interação e a intercooperação* do esforço humano com o princípio da graça são necessárias para a realização da *conduta ideal*. Um dos problemas principais da teologia é como definir esta interação. Compare estes versículos.

«Porque pela graça sois salvos, por meio da fé e isto não vem de vós; é dom de Deus; não vem das obras, para que ninguém se glorie». (Efé. 2:8,9)

«Porque a lei do Espírito de Deus, que nos trouxe vida em união com Cristo, me livrou da lei do pecado e da morte». (Romanos 8:2)

ÉTICA

«Vedes que o homem é justificado pelas obras, e não somente pela fé». (Tiago 2:24)

Solução proposta: Em certo sentido importante, *a graça = as obras*. A intervenção divina é *efetiva*, e a *eficácia* produzida funciona segundo é sugerido sob número 6. O *ego* pode imitar um processo ético ideal, mas a verdadeira espiritualidade empresta seu poder do Espírito.

XIII. SUMÁRIO DE IDÉIAS ÉTICAS NA HISTÓRIA DA FILOSOFIA.

1. *Classificações Filosóficas da Ética.* Já tivemos ocasião de frisar que há três tipos principais de ética: a absoluta, a relativa e a de valores. A ética analisa a conduta humana e tem por escopo a *conduta ideal*. As análises feitas pelos filósofos podem ser classificadas em dois grupos gerais: a. *A Ética Normativa.* Ela indica a constituição de *sistemas* por meio de conceitos, regras e estruturações. O sistema atua como norma ou guia de conduta. b. *A Metaética.* Essa é a análise lógica dos costumes, no tocante a coisas consideradas boas ou más, certas ou erradas. Para exemplificar, a questão da objetividade ou subjetividade de algum juízo moral; o problema se as crenças sobre questões éticas são factuais ou se são criadas apenas moralmente; se as crenças morais refletem meros desejos pessoais ou verdades objetivas. Muitos filósofos modernos supõem que a metaética deve ser considerada antes da ética normativa. Assim, uma vez que seja determinada a verdade e a realidade da ética, então podemos começar a falar sobre regras e sistemas. Quando o *bem* é tido como o objeto da conduta, então temos o valor como o alvo da vida. Isso se chama *ética axiológica*. Quando temos uma inquirição pelos valores ou alvos finais, então o resultado é a *ética teleológica*. Quando o senso de dever é enfatizado, o sistema chama-se *ética deontológica*. A ética é considerada *objetiva* quando é buscado o bem externo, concreto. Ou então, é *subjetiva*, quando o bem é de minha própria criação. A *ética sobrenatural* é aquela que diz que a conduta certa é determinada divinamente. A *ética naturalista* afirma que a ética origina-se de nosso próprio mundo, testada pela experiência diária dos homens.

2. Não reiteraremos aqui o que foi ventilado sobre a ética pré-socrática, mas apenas mencionaremos alguns temas básicos da mesma. A ética oriental, noções tomadas por empréstimo das religiões orientais, inclui a preocupação sobre a conduta e o julgamento; inclui a idéia da reencarnação, como um meio de equilibrar a conta corrente diante do Juiz supremo, no que concerne a galardões ou punições. O pecado e a perfeição eram importantes problemas estudados. Xenofanes interessava-se pela reforma da conduta, em todos os seus aspectos. A própria natureza incorpora problemas éticos. De acordo com Anaximandro, o sistema evolucionário do mundo trata de questões como a justiça, a injustiça e as reparações. Protágoras, por sua vez, negava a ética absoluta e a objetividade da verdade. **O auto-interesse,** para ele, seria a base da ética, estribado esse **auto-interesse sobre a realidade.** O prazer seria o principal princípio ético.

3. *Sócrates* acreditava na filosofia do conhecimento dos conceitos apropriados. Ele cria que o homem que realmente sabe o que é melhor para ele, fará o que é certo. Também pensava que seria capaz de atingir o conhecimento apropriado através da razão, da intuição e das experiências místicas, e não através das experiências do dia a dia, através da percepção dos sentidos.

4. *Platão* acreditava que os padrões éticos derivam-se do mundo espiritual dos *universais* (que vede) e não mediante as experiências deste mundo físico. A sua ética, pois, estava calcada sobre valores do outro mundo.

5. *Aristóteles* localizava a conduta humana neste mundo, para benefício da vida neste mundo. A felicidade (*eudemonia*) era o seu alvo. E ele dizia que esse alvo seria atingido quando cada pessoa desenvolvesse a sua função particular, com a qual pudesse servir a si mesma e à sociedade. Toda conduta, para ele, deveria ser governada pelo princípio da *moderação*, o imortal princípio grego.

6. *Epicuro* enfatizava os prazeres; mas visava especialmente, se não mesmo exclusivamente, os prazeres mentais, e não os carnais.

7. Os *hedonistas* (ou cirenaicos) pensavam que a única coisa digna de ser buscada neste mundo são os prazeres, com um mínimo de dor.

8. Os *estóicos* defendiam uma conduta razoável na vida, em consonância com os ditames do *Logos* (razão universal). Visto que todas as coisas seriam determinadas por essa força, a *apatia* seria a chave para tudo, nesta vida.

9. *Agostinho* pensava que a felicidade é o alvo da existência, mas localizava essa felicidade dentro do contexto cristão, incluindo a felicidade última, obtida quando a pessoa adquirisse a salvação.

10. *Tomás de Aquino* misturava as idéias de Platão, Aristóteles e Agostinho, introduzindo ainda o motivo da lei natural.

11. *Guilherme de Ockham* fundamentava a ética inteira sobre a vontade de Deus (ver sobre o *Voluntarismo*), como o único padrão todo-poderoso daquilo que é certo ou errado.

12. *Shaftesbury* e *Hutcheson* acreditavam que o homem é dotado de um *senso moral* natural, inato, capaz de dirigir corretamente a sua vida.

13. *Samuel Clarke* falava em termos da *aptidão* como guia da conduta. Ele esperava que uma verdadeira aptidão levasse à *coerência mútua*, entre os homens, no tocante à reta conduta.

14. O *bispo Butler* enfatizava o poder da *consciência natural* (inspirada por Deus) como guia de todas as ações.

15. *David Hume* mesclava o conceito de senso moral de Hutcheson com a simpatia (um outro nome para o amor), com o hedonismo e com o utilitarismo, como diretrizes.

16. *Adam Smith* salientava a simpatia, dentro do contexto da ética social.

17. *Kant* desenvolveu o conceito do *imperativo categórico* (que vede): faze somente aquelas coisas que gostarias que se tornassem leis universais.

18. *Bentham* promovia o princípio do utilitarismo: o bem maior, em benefício do maior número possível de pessoas, deveria guiar toda a conduta humana.

19. *John Stuart Mill* defendia o *utilitarismo* (que vede), afirmando a desejabilidade dos prazeres mais nobres.

20. *Herbert Spencer* promovia o utilitarismo evolucionário.

21. *T.H. Green* via o autodesenvolvimento como a finalidade a ser alcançada.

22. *Sidgwick* frisava uma forma de hedonismo no qual os princípios éticos podem ser derivados da intuição moral, especialmente aquela que nos ensina a benevolência.

23. *Nietzsche* ensinava a *força da vontade*, traduzida em uma excelência acima do normal quanto às definições do bem e do mal. Para ele, esse seria o alvo

ÉTICA — ÉTICA BABILÔNICA

dos sábios.

24. *Dewey* era um naturalista e pensava que as questões do bem e do mal, da justiça e da injustiça, podem ser solucionadas por meio da experiência corretamente organizada.

25. *Sorel* criou duas classes éticas: a ética dos produtores e a ética dos consumidores.

26. A *escola pragmática* (ver sobre o *Pragmatismo*) afirmava que o alvo da conduta humana é aquilo que é útil e prático, para uso privado ou público.

27. *Estermark* ensinava que todos os princípios éticos derivam-se das condições sociais, e assim desenvolveu uma forma de relativismo ético.

28. *G.E. Moore* insistia que os termos éticos são definíveis. Os termos éticos seriam primários, diferentes de outros termos da linguagem. Qualquer termo ético só poderia ser ilustrado por alguma definição ostensiva. Isso é intitulado *intuicionismo ético*. Pertencentes à mesma escola de pensamento, Prichard frisava a palavra *dever* e A.C. Ewing salientava o *dever moral* da conduta. Aquilo que faz parte de nosso dever só pode ser *intuído*, não podendo ser buscado e analisado. Moore, pois, intuía que o afeto pessoal e o aprazimento estético são os maiores bens humanos.

29. *W.D. Ross* destacava o conceito dos *deveres prima facie*, pensando que a intuição é capaz de identificar esses deveres.

30. *A.J. Ayer* pensava que as emoções são a base dos princípios éticos humanos. Portanto, ele punha as emoções em lugar dos fatos.

31. *Stevenson* via as emoções à base dos juízos éticos, de mistura com alguma descrição baseada nas experiências humanas. As diferenças éticas, portanto, seriam diferentes de pontos de vista de diferentes pessoas, alicerçadas em suas emoções e não em fatos diferentes.

32. *Blanshard* promovia a *auto-realização* e a *satisfação íntima* em sua teoria ética.

33. *Sartre* identificava o âmago da ética com as opções autênticas.

34. *R.M. Hare* promovia a metaética, procurando examinar os sentidos avaliatórios. Tentou definir as palavras de valor a fim de obter algum progresso na sua teoria ética.

35. *Nowell-Smith* adotou a abordagem da metaética, embora adaptando-a à sua busca pelos valores finais, o que produziu uma teoria teológica modificada.

36. *Stephen Toulmin* sugeriu que a conduta ideal é obtida quando fazemos aquelas coisas que evitam, o mais possível, o sofrimento desnecessário.

37. *John Rawls* advogava o formalismo kantiano, assumindo uma posição crítica em relação ao utilitarismo. (AM B E ET EP F H LIL MM NTI RP)

ÉTICA AXIOLÓGICA

Esse é um tipo de ética, ou um dos sistemas éticos, em contraste com outros sistemas, como o deontológico, o teleológico, o intuicionista e o formalista (ver os artigos a respeito). Esse ponto de vista interpreta a correção em termos de valor ou bondade. Um ato é bom se tem valor, no tocante à sua motivação e às suas conseqüências. (P)

ÉTICA BABILÔNICA

Na ética, tal como na religião, os babilônios dispunham de uma longa e complexa tradição, a começar do terceiro milênio A.C., até terem sido absorvidos pelas culturas persa e helênica, que sucederam à cultura babilônica.

Os Deuses. As obras épicas dos sumérios descrevem seus deuses sob termos antropomórficos. Eles eram amorais, morais e imorais, e moderadamente hedonistas. Acreditavam que o universo era controlado por *me* (governos), que incluíam a verdade, a paz, a bondade e a justiça. Todavia, também pensavam que havia nos deuses qualidades negativas, como a falsidade, o temor, a contenda e a imoralidade, para nada dizermos acerca dos homens. Não obstante, o bem era concebido como superior e preferível ao mal. *Du tu*, a divindade que governava as questões morais, seria onisciente, e cuidava de todos quantos estivessem em necessidade, castigava os malfeitores, incluindo os juízes inescrupulosos, aqueles que subornavam e os que usavam de pesos falsos. Nanshe era, para eles, a deusa que cuidava dos órfãos e das viúvas, e que administrava a justiça em favor dos pobres.

A ética e a lei. Os babilônios preocupavam-se com a justiça social. As leis existiam para controlar abusos de todas as variedades, e para promover o bem social. Temos os códigos legais de Urukagina, Lipit-Ishtar e Hamurabi. Acreditava-se que o rei era representante dos deuses, e que prestava contas a eles. Também era considerado responsável em dar o bom exemplo aos reis que o sucederiam, segundo se vê na lenda cutiana de Naram-Sei 1.25. As fontes da ética babilônica contêm conselhos práticos sobre a vida diária, com freqüência sob a forma de parábolas, quebra-cabeças, lendas, disputas, tratados ou provérbios. Era considerado importante que um governante continuasse digno da confiança de seu povo, segundo se vê em *Conselhos da Sabedoria*. O livro *Instruções de Surupaque* (antes de 2500 A.C.) era uma obra sobre instruções morais, para aqueles que tinham sobrevivido ao dilúvio. Essa tradição teve continuação na Síria (Ugarite, século XIII A.C.), contendo conselhos sobre o comportamento relativo às mulheres, o controle sobre querelas, como escolher uma esposa, como comprar um boi, e muitas outras questões práticas similares.

Ética pessoal. Os súditos também deviam seguir o bom exemplo de seus monarcas. Os princípios éticos apareciam misturados com as crenças religiosas e com questões rituais, orações e cerimônias. Exigia-se a adoração às divindades, bem como reverência para com o próximo. Todos os aspectos da conduta diária eram abordados.

Ética sexual. O sexo extramarital, a sedução, o estupro eram práticas condenadas. O casamento era considerado sagrado. A violação de uma jovem noiva era punida com a morte (lei de Esnuna 26). Até mesmo o estupro de uma escrava podia resultar em pena capital (lei 31). Uma virgem solteira, se fosse estuprada, era vingada mediante sanções econômicas, se o culpado não quisesse casar-se com ela (leis assírias-médias, 55). As mulheres casadas e as concubinas tinham de usar o véu em lugares públicos. Uma prostituta, porém, não podia cobrir-se com véu. O homossexualismo era considerado um agravo contra a decência pública, embora não fosse considerado um crime.

Boas leis e prática má. As leis babilônicas eram boas, e muitas delas aproximavam-se das leis dos hebreus. Porém, a história mostra-nos que os babilônios não eram modelos como observadores de suas próprias leis. Infelizmente, eram apenas seres humanos. Muitas cenas de deboche, de violência e de

ÉTICA CATÓLICA — ÉTICA CRISTÃ

injustiça enchem as páginas da história dos babilônios. (H)

ÉTICA CATÓLICA

Ver o artigo sobre **Tomás de Aquino**, sob o ponto quarto, *Teoria Moral*, no tocante à base essencial, teológica e histórica, da ética católica romana. O catolicismo moderno exibe certa variedade de opiniões quanto à teoria moral, embora o catolicismo ortodoxo siga as linhas essenciais do pensamento de Tomás de Aquino, o doutor angélico. A aplicação da lei canônica requer grande gama de atitudes e de conduta. Seguindo Tomás de Aquino, muitos eticistas católicos da atualidade reconhecem a distinção entre filosofia moral (que vide) e teologia moral (que vide). Na primeira, parte-se do pressuposto que qualquer homem, através da razão, sabe o que é certo e o que é errado, pelo menos na maioria dos casos. A razão humana seria naturalmente equipada, através da natureza humana, conforme Deus a criou, para ter conhecimento dessas coisas. A teologia moral, por outro lado, alicerça-se sobre a revelação divina, o que adiciona uma nova dimensão à ética. Nisso encontramos sugestões sobre como os cristãos devem proceder, na busca de sua alta chamada em Cristo.

A visão de Deus é uma realidade parcial agora; mas há aquela *visão beatífica* escatológica (que vide), reservada aos verdadeiros remidos. Sem a santidade autêntica, ninguém chegará a essa visão (Heb. 12:14). E a santidade, em seu aspecto mais amplo, naturalmente envolve-nos na revelação divina, e não meramente nas qualidades racionais da natureza humana. As qualidades de fé, esperança e amor são graças cristãs, cultivadas com a ajuda do Espírito (ver Gál. 5:22, 23). São recursos sobrenaturais. Mas, quanto a isso, em contraste com o sistema protestante, a ética católica romana encontra valor nos sacramentos, pois ali pensa-se que o Espírito de Deus opera através dos mesmos. Além disso, há a considerar a *lei canônica* (que vide), que fornece muitas orientações específicas, mas que os grupos protestantes não aceitam como autoritárias. Vários eruditos da ética católica moderna têm-se preocupado —com a dinâmica da vida espiritual interna, referindo-se ao amor de Deus, conferido através de Cristo e que leva o cristão a uma dedicação e a uma decisão pessoais, refletindo modos evangélicos de expressão. Esses têm-se preocupado em enfatizar a responsabilidade do indivíduo diante de Deus e do ministério do Espírito Santo. Parte dessa ênfase tem florescido no movimento carismático da Igreja Católica Romana.

Ênfase Social. A ética católica romana sempre enfatizou o aspecto social da responsabilidade ética, *de cuja ênfase* têm surgido muitas instituições e ordens religiosas que operam no seio da sociedade. Essa ênfase inclui aspectos como hospitais, orfanatos e organizações caritativas de toda a variedade. É nessa área que a Igreja Católica Romana tem atuado de modo bem melhor que os grupos protestantes e evangélicos. A ênfase sobre esse aspecto aparece, sobretudo, na epístola de Tiago. Não bastam palavras pias. A fé religiosa requer a prática do bem em favor de nossos semelhantes, como suprir-lhes alimentos, abrigo, trabalho, etc.

A teoria social também invade as áreas da política, das leis internacionais, da economia, da vida doméstica, das questões raciais, e onde quer que os princípios éticos católicos possam ser aplicados à vida em geral. Importantes documentos, em tempos recentes, apresentados pelos papas, dizem respeito a essas questões, como o *Rerum Novarum*, de Leão XIII, ou a *Mater* e a *Pacem in Terris*, de João XXIII. Esses documentos, naturalmente, requerem interpretação, havendo eruditos católicos, conservadores ou liberais, que ali encontram motivo de desacordos. (DA H R)

ÉTICA CATÓLICA ROMANA

Ver o artigo geral sobre a **Igreja Católica Romana (Catolicismo)**.

ÉTICA CONTEXTUAL

Ver também sobre a **Ética Situacionista**, bem como o artigo geral sobre a *Ética*. A mais simples definição da ética contextual é que a busca pela conduta ideal não deveria ser formulada em termos de princípios, máximas ou preceitos fixos, mas antes, em termos de funções e relações. Essa abordagem pode ser equiparada à ética situacionista, também chamada ética relativa, visto que as decisões sobre a nossa conduta são tomadas com base no *contexto* da experiência, e não com base em regras fixas. Porém, aqueles que se apegam ao sistema salientam, em *primeiro lugar*, o fato de que as regras não são excluídas, mas tão-somente postas em posição secundária. Em *segundo lugar*, os contextualistas afirmam que as ações não são ditadas pelas situações propriamente ditas, mas por fatores que incluem o que é empírico e teológico. Em *terceiro lugar*, essa forma de ética não é egoísta, porquanto todas as decisões são tomadas tendo em vista a comunidade, e até mesmo o contexto histórico. Em *quarto lugar*, apesar da admissão de que a ética situacionista é sempre dinâmica e em constante mutação, seus defensores afirmam que sempre há uma matriz de significados e valores, que emergem das experiências humanas, provendo uma espécie de estabilidade à ética, de tal modo que as regras não ficam mudando de dia para dia. Em *quinto lugar*, a variedade cristã de ética leva em conta as intervenções de Deus na vida humana, bem como aquilo que Deus está fazendo na história da humanidade. Uma parte da obra divina na história reside em Jesus Cristo, pelo que é nele que encontramos o maior exemplo de ação moral. Entretanto, tanto os contextualistas cristãos quanto os contextualistas não-cristãos enfraquecem o senso de *dever* que há na ética; e a variedade não-cristã diminui drasticamente a importância da revelação divina no campo da ética. Apesar de que regras formais não bastam para guiar-nos à conduta ideal, se nos envolvermos demasiadamente nas discussões sobre os contextos que ditam as nossas ações, terminaremos virando relativistas.

O *contextualismo* surgiu em reação à ética de fundo legalista, ou ética absoluta. Ao tentar definir o que deve ser feito, em qualquer situação concreta, o indivíduo precisa levar em conta muitos fatores que compõem o contexto do ato em potencial, como seja, considerações psicológicas, relações sócio-políticas, discernimentos filosóficos e religiosos e conceitos bíblicos e teológicos. Como certo, essa é uma boa maneira de pensar. Mas os abusos surgem quando o sistema de fato, mesmo que não como teoria refinada, transmuta-se na posição do relativismo. (H)

ÉTICA CRISTÃ

1. *Tipos de Ética*. Podemos dividir as teorias éticas em três categorias gerais: 1. ética absoluta; 2. ética relativa; e 3. ética de valores. A primeira parte do

ÉTICA CRISTÃ — ÉTICA DA AÇÃO

pressuposto é que os princípios morais alicerçam-se sobre padrões imutáveis, que não se alteram em face de situações ou de indivíduos. Em outras palavras, o certo sempre será certo, por ser um princípio fixo. A ética absoluta pode ser *teísta*. Isso significa que há um poder mais alto, e que é Deus quem estabelece as regras. Portanto, a ética torna-se parte do assunto geral da teologia. Esse aspecto da ética também pode ser racional. Quando Kant estabeleceu o seu imperativo categórico (que vide), ele promoveu uma regra ética que reside na razão humana, sem qualquer apelo ao ser divino. Nunca se deve fazer qualquer coisa que não se queira tornar em uma lei universal. Kant acreditava na existência de leis universais, absolutas e éticas, as quais podem ser compreendidas pela razão e pela intuição humanas. Sócrates via leis absolutas na mente universal (que vide), e por isso concebia princípios morais imutáveis, sem ter de apelar para qualquer revelação divina.

A ética relativa, por sua vez, ocupa uma posição inteiramente contrária à da ética absoluta. Aquilo que é correto ou bom precisa ser comprovado como tal na experiência humana. Porém, a experiência humana pode mostrar que aquilo que é bom para uma pessoa pode não sê-lo para outra. Além disso, a experiência humana com freqüência mostra que as normas éticas alteram-se com a passagem do tempo, de tal maneira que o que é bom hoje pode não ser bom amanhã. A prova de que algo é bom precisa ser de natureza pragmática e empírica, e não de natureza racional e absoluta. A *ética de situação* é apenas um outro nome para a ética relativa. Cada situação, que envolve pessoas e condições específicas, haverá de determinar o que é bom para *aquela* situação. Amanhã, porém, as pessoas e as condições poderão modificar-se, e as opiniões sobre o que é bom e o que é mau também terão de modificar-se. Cada indivíduo teria a sua própria ética. A ele cabe experimentar, ou seja, *descobrir* o que é melhor para ele. Mas, o que é melhor para ele, ele não deve impor a outros, que também estariam fazendo as suas próprias experiências. De acordo com essa norma, a ética torna-se subjetiva.

Quanto à ética de valores, ela ocupa uma espécie de posição intermediária entre as duas idéias antes expostas. Existem certos valores *constantes* na vida, que precisam ser respeitados. Não podemos ficar mudando de um dia para outro, e de pessoa para pessoa, quanto a quais devem ser os princípios éticos que observamos. Antes, os valores são constantes. Não obstante, não são imutáveis. Os valores podem mudar e realmente mudam, embora as alterações ocorram lentamente, e não devido aos caprichos dos indivíduos. Por conseguinte, apesar da ética não envolver princípios absolutos, envolve princípios constantes.

2. *Natureza da Ética Cristã.* A ética cristã normal e ortodoxa é uma forma de ética absoluta. Trata-se de uma forma *teísta*. Supõe-se que Deus, na revelação, disse-nos o que é bom e o que é mau, o que é moral e o que é imoral. A *revelação* (que vide) consiste na idéia de que Deus pode revelar-se e realmente revela-se, bem como aos seus padrões. Isso envolve o conhecimento como um *dom* divino. De conformidade com essa idéia, a ética é uma subdivisão da teologia. A revelação torna-se concreta e é preservada nos Documentos Sagrados, os quais, para o crente, são o Antigo e o Novo Testamentos. Esses documentos tornam-se textos padrões da ética cristã. Podemos solucionar problemas morais apelando a textos de prova bíblicos. Isso não significa que estamos dispensados de raciocinar; mas significa que um

grande número de atos são louvados ou condenados pelas Escrituras, e não por aquilo que os homens descobrem com suas experiências.

3. *O positivo e o negativo.* Jamais podemos falar sobre assuntos éticos apenas em termos negativos. Há coisas que não devemos fazer. Porém, também há coisas que devemos fazer. O amor é o maior de todos os princípios morais positivos, sendo o amor, igualmente, a base ou solo no qual se desenvolvem todas as outras virtudes cristãs (Gál. 5:22,23). Trata-se de um princípio ainda maior do que os dons espirituais (I Cor. 12:31 e cap. 13). Não basta alguém ser bom. Também é mister que o crente pratique o bem. Os vários aspectos do fruto do Espírito, como o amor, a alegria, a paz, a longanimidade, a gentileza, a bondade, a fé, a mansidão e o controle próprio envolve-nos em atos positivos para benefício do próximo. O Espírito Santo cultiva esses princípios em nós, e, através deles, crescemos espiritualmente.

4. *O Aspecto Metafísico da Ética.* É claro que o objetivo do evangelho é a nossa transformação segundo a imagem de Cristo (Rom. 8:29). Isso ocorre através de um processo gradual, mas eterno, levando-nos de um estágio de glória para o próximo (II Cor. 3:18). Porém, sem a santificação, tal processo é paralisado ou mesmo anulado. Sem a santificação, ninguém verá a Deus (Heb. 12:14). A santificação (que vide) é o elo na cadeia de ouro que nos leva de volta a Deus. A glorificação depende da santificação, porquanto não existe tal coisa como a transformação metafísica, sem a transformação moral. Cumpre-nos ser perfeitos como Deus é perfeito (Mat. 5:48). Haveremos de compartilhar da natureza divina (II Ped. 1:4 e Col. 2:10), e isso não poderá ocorrer sem a santificação. Portanto, como é óbvio, a ética é uma *questão séria*, e não apenas um assunto acadêmico. (EP NTI)

ÉTICA DA AÇÃO

Ver também **Ética Normativa.** Essa teoria ética localiza uma qualidade moral nos atos, e não em regras morais gerais. Os juízos morais não são feitos no tocante a certas regras se são cumpridas ou violadas, mas com base no que um ato produz ou destrói. Trata-se de uma forma de ética utilitarista (ver o artigo a respeito) — o que é bom é determinado por aquilo que é realizado pela ação própria, em aplicação ao indivíduo ou a um grupo. Cada ato é único e não pode ser classificado segundo algum conjunto de regras. Assim, regras universalmente obrigatórias podem ser estabelecidas. Isso entra no *relativismo* (ver o artigo). Uma variedade cristã dessa filosofia chama-se *ato agapismo*, ou seja, ação guiada pela lei do amor. Não consultamos algum conjunto de regras quando agimos, mas agimos segundo a consciência do amor, o único verdadeiro motivador. (Ver Rom. 13:8 ss quanto à base bíblica para essa idéia). Todos os atos, se não forem moralmente indiferentes, devem ser aquilatados pelo princípio do amor (ágape). Atos feitos de outra maneira, mesmo que resultem em algo bom, deixam de ser puros.

A ética da ação pode cair no subjetivismo, por causa da ausência de qualquer conjunto de regras que governe as ações. Os crentes, naturalmente, aludem à Bíblia como O Livro das Regras. Não obstante, há discernimentos nessa teoria que não devem ser ignorados. O amor é prova de espiritualidade, e essa é a mensagem de todas as passagens morais nas Escrituras, sendo o tema principal de I João. A prova da regeneração consiste em como alguém ama (I João 4:7). (H NTI)

ÉTICA DA SITUAÇÃO — ÉTICA DIALÉT.

ÉTICA DA SITUAÇÃO

Ver a introdução do artigo sobre **Ética das Regras**, quanto aos três tipos básicos de éticas, entre os quais figura a ética da situação. O artigo geral sobre a *Ética* ilustra cada um desses tipos.

1. *Definição básica*. A conduta humana ideal não é determinada por regras fixas ou por exigências divinas, de acordo com a ética da situação. Antes, a conduta deve ser determinada pela condição humana e pelas situações que o ser humano enfrenta. Por meio da *experimentação* aprendemos o que é bom e o que é ruim para nós, com base nos interesses pessoais e coletivos, e com base em *resultados* favoráveis ou desfavoráveis. Não deveríamos continuar desviando a vista para Deus, para as Escrituras ou para alguma **outra força ou condição extra-humana, a fim de saber o que deveríamos fazer. As situações humanas determinam o que é melhor para cada pessoa fazer.**

2. *Flexibilidade e fluxo*. Normalmente (embora não necessariamente), as situações são altamente relativas. Minha situação é diferente da sua; a situação de uma sociedade é diferente da de outra sociedade. Cada indivíduo, cada sociedade, tem de verificar o que lhe é melhor. Mas, o que é melhor hoje, pode não ser o que é melhor amanhã.

3. *Nietzsche* objetava às regras éticas, eternas e fixas, postuladas por Emanuel Kant. Para ele, os nossos processos de aprendizagem não passam de expedientes práticos para manipular as situações humanas. Não há casos idênticos na natureza, pelo que a ética estaria sempre em estado de fluxo, de constante flutuação. Usamos a nossa inteligência para fazer avaliações e para agir de acordo com as mesmas.

4. *John Dewey* acreditava que todas as experiências da vida constituem uma prolongada *experimentação*. Essa seria uma grande aventura; e nós é que criaríamos as regras, que não nos seriam dadas. As regras gerais deveriam ser substituídas pela avaliação de situações isoladas, que estão em constante estado de fluxo.

5. *Joseph Fletcher* pensava que o grande princípio orientador é o *amor*. A norma que guia toda a conduta cristã é o amor, e nada mais. Ele dizia: «Princípios, sim; regras, não». Os sistemas são contrários à liberdade do indivíduo, à vida e à variedade. As regras transformam-se em ídolos e aqueles que as seguem rigidamente são idólatras. Não há leis universais, senão as do amor. Fletcher chegou ao extremo de aconselhar que quebrássemos todos os dez mandamentos. É evidente que isso é um perigoso exagero. Pois, haveria amor, se alguém fizesse tal coisa? Infelizmente, Fletcher não desdobrou o que o *amor* significava para ele. Se o tivesse feito, provavelmente descobriria que o amor envolve algumas regras. Segundo ele pensava, o amor é utilitarista e pode calcular o que deve ser feito, em cada situação. Naturalmente, Fletcher não se sentia satisfeito diante dos ensinamentos de Paulo, a quem atribuía muitas regras contraditórias. Não obstante, Fletcher era inspirado, mas não pela Bíblia. Quando abordamos qualquer estudo como esse, queremos aprender o que for possível. Mas os exageros de Fletcher são óbvios demais para exigirem qualquer análise.

ÉTICA DE JESUS

Ver o artigo geral sobre os **Ensinos de Jesus**, que inclui os Seus ensinamentos éticos; e, especificamente, o artigo sobre *Jesus*, terceira seção, terceiro ponto, *Princípios Éticos*.

ÉTICA DE REGRAS

Essa modalidade de ética tende por ser **formal** ou **absoluta**. Isso significa que, presumivelmente, contamos com padrões fixos, e que não agimos de acordo com as exigências das situações ou de acordo com o fluxo das relações humanas. A ética pode ser dividida, a grosso modo, em três categorias ou sistemas principais, a saber: *a. Ética formal* ou *absolutista*, de acordo com a qual há regras supostamente fixas, eternas e perfeitas. *b. Ética relativista*, segundo a qual as regras estão em constante estado de fluxo, variando de indivíduo para indivíduo e de comunidade para comunidade. *c. Ética de valores*, de acordo com a qual temos valores constantes que são buscados, mas que não são, necessariamente, *eternos*. Essa posição ocupa meio-termo entre as duas outras posições. A ética religiosa usualmente é de natureza absolutista, porquanto pensa que a revelação é que impôs as regras. O humanismo, por sua vez, aceita como base a ética do segundo tipo.

1. *A ética religiosa*. O cristianismo e outras fés religiosas dependem da revelação como base de suas regras éticas. Deus comunicou-nos a sua vontade. Os documentos sagrados estão sujeitos à interpretação. Mas a moralidade, em contraste com a teologia geral, é mais coerentemente interpretada pelas religiões. Há um largo acordo, entre as posições religiosas, acerca da moralidade básica. Isso pode favorecer a posição que diz que Deus foi quem revelou a sua vontade.

2. *A religião natural*. Nem todas as fés religiosas repousam sobre o pressuposto que Deus revelou a sua vontade por meio de profetas e livros sagrados. Algumas pessoas acreditam que a própria natureza é uma revelação de Deus, e que a razão e a observação são suficientes para dizer-nos o que é bom e o que é mau, além de conferir-nos as nossas idéias teológicas fundamentais. Os capítulos primeiro e segundo da epístola aos Romanos concordam com essa filosofia, a qual, porém, a julgar pelos ensinamentos bíblicos como um todo, é apenas parcial. Ver o artigo separado sobre a *Teologia Natural*.

3. *A ética racionalista*. Emanuel Kant lançou a principal regra da conduta ideal em seu *imperativo categórico*. Ele dizia que não devemos fazer que não estejamos dispostos a tornar uma lei universal. De acordo com o raciocínio filosófico, à parte da revelação divina, Kant chegou a uma regra absoluta, ou seja, criou uma forma de regra ética absoluta.

4. *Filosofia básica*. As regras estão acima do homem e de suas experiências, apesar de terem de ser demonstradas válidas por meio dessas experiências. O homem recebe as suas regras de conduta (sem importar quais meios sejam usados para isso), em **vez de criá-las.** Em um sentido secundário, é possível termos *regras éticas* como um produto do esforço humano, se do homem espera-se-que ele aja de acordo com uma série de regras, sem importar como elas foram obtidas, mesmo que esses meios sejam as próprias experiências humanas, sem qualquer consideração **extra-humana.**

ÉTICA DIALÉTICA

Essa expressão é usada para aludir a uma filosofia ética segundo a qual o sentido da vida moral deriva-se de elementos conflitantes que se mantêm em tensão, dentro da própria vida moral, com a subseqüente necessidade de tentar aliviar ou solucionar essas tensões.

1. Nos diálogos de Platão, encontramos Sócrates fazendo suas perguntas (o método de diálogo),

ÉTICA — ÉTICA DISPENSACIONAL

levantando idéias opostas, e procurando extrair a verdade com base nesse exame.

2. No *estoicismo*, a expressão é um sinônimo de *raciocínio lógico* sobre questões morais, o que, naturalmente, envolve o exame de pontos de vista contrários e conflitantes.

3. Nos escritos de *Kant*, encontramos a advertência que o raciocínio dialético termina em uma série de *antinomias*, ou perguntas insolúveis, como na controvérsia entre a liberdade humana e o determinismo. Para Kant, a dialética ética é útil, não tanto por solucionar as grandes questões morais, mas para mostrar onde o raciocínio humano erra, ou a fim de mostrar os limites desse raciocínio.

4. *Hegel* não se preocupava com as limitações salientadas por Kant, mas supunha que em sua tríada—tese, antítese e síntese—ele podia discutir de forma inteligente os problemas éticos. Ele pensava que com a dialética podia mostrar como o Espírito absoluto manifesta-se de forma ética. A principal tríada hegeliana, sobre a moralidade, tem como sua tese, propósito, como sua antítese, intenção e bem-estar, e, como sua síntese, bondade e iniqüidade. Quanto a detalhes, ver o artigo sobre Hegel.

5. O *materialismo dialético* (que vide) utiliza-se do modo hegeliano de pensar, embora negando o Espírito absoluto e criando um deus material. Os valores éticos emergem, segundo essa posição, da luta de classes, que tem um fundo essencialmente econômico. Encontramos aí uma espécie de humanismo materialista, de acordo com o qual o homem é um deus bom, ao passo que o mal é definido em termos dos fluxos dos antagonismos sociais.

6. *Kierkegaard* (que vide) rejeitava a idéia inteira de que pode haver uma síntese que ultrapassa toda antítese. Antes, muitas grandes questões terminam em *paradoxos*, nos quais o intelecto humano fica inteiramente perplexo, derrotado por qualquer tentativa de chegar a uma definição final e a uma compreensão última. O Deus homem, na pessoa de Jesus, é um exemplo disso. Os paradoxos fazem os homens aproximarem-se da fé, afastando-os da pura racionalidade. Um homem corresponde internamente a uma pergunta, e é dotado de discernimento intuitivo, mas não é capaz de dar solução aos grandes *paradoxos* (que vide). Ver também sobre a *Polaridade*.

7. *Karl Barth* e *Emil Brunner* (ver os artigos sobre eles) desenvolveram aquilo que se tornou conhecido como *teologia dialética* (que vide), como reação tanto contra os conservadores como contra os liberais, os quais insistem em fazer assertivas não-qualificadas sobre Deus. À semelhança de Kierkegaard, eles retrocedem aos paradoxos. Por conseguinte, a própria revelação divina é paradoxal, porquanto propõe-se falar à mente de Deus através da instrumentalidade humana, empregando a linguagem humana, mas devemos participar da mesma existencialmente, se a quisermos entender, e não meramente receber essa revelação intelectualmente. Para Brunner, a fé ocupa lugar primordial, tal como dizia Kierkegaard, visto que os objetos da fé com freqüência parecem absurdos e paradoxais. Os mandamentos morais de Deus não variam quanto à *intenção*; mas, através da história, têm variado quanto ao *conteúdo* da apresentação. O *amor* não é definido de antemão. Esse é o princípio supremo da moralidade, mas trata-se de um agente livre em busca de aplicação, não podendo ser reduzido a termos racionalistas.

Karl Barth falava sobre o *aborto* (uma grande questão moral) em termos de paradoxo, porquanto ali estamos tratando com duas vidas; e, se o feto tiver de ser sacrificado a fim de salvar a vida da mãe, que devemos fazer? O sexto mandamento proíbe que se tire a vida de outrem, mas é preciso tirar a vida da mãe ou do filho. Ele preferiu a morte do filho. O processo de raciocínio (dialética) ajuda a tomar a decisão, mas o fantasma do paradoxo permanece.

Os conservadores evangélicos têm objetado à ambigüidade em que esses filósofos às vezes nos deixam. Eles preferem os mandamentos da Bíblia, mediante a revelação, no solucionamento de problemas. Isso é ótimo; mas isso não soluciona o problema da interpretação, acerca do qual as idéias dos filósofos nos podem prestar discernimento.

8. *Tillich* (que vide) opinava que a ética cristã precisa reter elementos reflexivos, dialéticos e paradoxais, porquanto, afinal de contas, a ética cristã faz parte da teologia, e a teologia encerra esses elementos. Não podemos solucionar todos os nossos problemas com textos de prova extraídos da Bíblia. Apesar dos nossos melhores esforços, a vida moral é plena de tensões e conflitos, envolvendo problemas paradoxais, porquanto ultrapassam os limites das respostas racionais que podemos dar.

9. Na ética situacional de *Joseph Fletcher* (que vide) encontramos uma espécie de atividade dialética que se ajusta entre a lei e o antinomianismo (que vide), mas que parece inclinar-se mais para esta segunda posição. A grande lei que deve entrar aqui é o *amor*, o *princípio do agapé*. Ele toma uma postura antiabsolutista, de tal modo que os atos éticos não são definidos por meio de leis fixas. O princípio normativo é o motivo do amor. Portanto, em oposição aos ensinos católicos romanos absolutistas sobre o aborto, ele afirma: «Jamais deveria nascer um bebê não intencionado e não querido». Sua razão presumível é que o amor está faltando aqui, embora deva haver outros princípios que nos impeçam tirar a vida de um bebê, como o amor de Deus e o amor à vida em geral, mesmo que aos pais falte tal amor.

10. *Martin Buber* (que vide), em seu princípio do eu-tu, exibiu certa forma de ética dialética que é explicada no artigo a seu respeito.

ÉTICA DISPENSACIONAL

Ver o artigo sobre **Dispensação (Dispensacionalismo)**. A abordagem teológica do dispensacionalismo (contrastar com a Teologia dos Pactos, que vide), tem uma maneira diferente de considerar certos ensinos morais, em relação a outros sistemas. Para exemplificar, o Sermão da Montanha (Mat. 5-7), é encarado pelos estudiosos dispensacionalistas como referente à era do reino, e não como alusivo à Igreja cristã. Porém, isso é definido mediante a afirmação de que também há uma bela aplicação moral para os cristãos. Em um dos extremos, temos a posição legalista sobre o Sermão da Montanha e outros trechos similares do Novo Testamento, posição essa que diz que a observância daqueles princípios confere o mérito exigido para alguém entrar no reino e ser salvo. Essa idéia era comum no judaísmo antigo, refletindo em trechos neotestamentários como Mat. 19:16 ss. Com base nessa passagem, não poderíamos pensar em outra coisa senão que a devida observância da lei resulta na posse da vida eterna. E a resposta dada por Jesus não subentende outra coisa. Ali encontramo-nos em terreno judaico. E os teólogos esforçam-se muito para cristianizar e paulinizar esse trecho. E o trecho de Mat. 5:19, que faz parte do Sermão da Montanha, dá a entender o mesmo tipo de pensamento e conceito veterotestamentário, embora,

ÉTICA — ÉTICA E CIÊNCIA

imediatamente em seguida, Jesus tenha mostrado que a espiritualidade do homem precisa ultrapassar o formalismo e o legalismo dos fariseus. Os dispensacionalistas com muita razão têm mostrado que há *diferenças reais* na maneira como Deus trata com os homens, na antiga e na nova dispensação. Não há manipulação que possa retirar certas noções tipicamente veterotestamentárias de trechos do Novo Testamento, pois essas não foram nem *modificadas* e nem *substituídas* por revelações mais avançadas. Por outra parte, os dispensacionalistas têm errado ao cortar em finas fatias o ensino do Novo Testamento, para em seguida dizerem que este ou aquele livro ou esta ou aquela passagem não se aplicam à Igreja cristã. Tudo quanto se faz mister é compreender e aplicar as idéias do Novo Testamento, em consonância com o avanço da revelação. Não precisamos cortar o volume do Novo Testamento, parcelando-o de acordo com diferentes grupos religiosos. Portanto, é um absurdo dizer-se que o Sermão da Montanha foi anunciado como um código para vigorar durante o milênio, e que os cristãos só podem tirar proveito do mesmo como uma aplicação moral. O autor sagrado jamais antecipou tal mutilação de seu livro. De fato, ele antecipou justamente o contrário, porquanto descrevia o *Novo Moisés* (Cristo), o qual reinterpretou e completou o Antigo Moisés. Ora, esse Novo Moisés é o Cabeça do Novo Israel, a Igreja. Foi assim que Jesus abordou a questão, judeu como foi. Essa abordagem tem seu valor e envolve a sua verdade, embora isso só tenha chegado à plena fruição por autores posteriores do Novo Testamento, que levaram a questão às suas últimas conseqüências.

ÉTICA DO ANTIGO TESTAMENTO

Esboço:

1. O Fator Determinante: Yahweh Foi o Criador
2. Defeitos de Pensamento
3. A Lei
4. A Nação Eleita
5. A Base do Novo Testamento

1. *O Fator Determinante: Yahweh Foi o Criador.* Os capítulos primeiro e segundo do livro de Gênesis estabelecem o padrão para todos os testes éticos a serem seguidos pela mente judaica. Todas as coisas vieram à existência por vontade de Deus e a ele devem a vida. Outrossim, Deus baixou instruções éticas específicas. Os homens não inventaram sua conduta por meio de experiências. Nisso encontramos a ética teísta. Os padrões foram dados por divina inspiração. O politeísmo apresentava um padrão variado, porquanto os deuses diferiam em suas exigências. Mas a singularidade e a transcendência de Yahweh promoviam um padrão ético desse tipo.

2. *Defeitos de Pensamento.* Algumas pessoas não encontram qualquer dificuldade com certas descrições dadas a Deus, nas páginas do Antigo Testamento. A história do sacrifício humano, que envolveu Abraão e Isaque, alerta-nos para o fato de que, apesar de tudo quanto a revelação possa fazer, tudo quanto passa pelas mãos humanas é defeituoso. É inútil tentar defender o relato bíblico do sacrifício humano, como se o mesmo não tivesse o mesmo intuito que os holocaustos das culturas antigas. Simplesmente precisamos confessar que as idéias humanas sobre a natureza e as exigências divinas, têm melhorado com a passagem dos séculos. A revelação ampliou-se e tornou-se mais profunda. Jesus anunciou uma lei superior. É difícil acreditar que Deus exigiu de Israel todas as coisas que a história da conquista da Palestina pressupõe. Pode Deus ser assim violento e brutal? Os homens imaginam Deus segundo a própria imagem deles; e, em qualquer documento religioso haveremos de encontrar esse tipo de atividade, por mais que não queiramos perceber isso. Orígenes alegorizava certas passagens veterotestamentárias, quando não podia aceitá-las moralmente. Ver sobre *Alegoria*. Ver também sobre *Alexandria, Teologia de*, em seu quinto item, *Interpretação Alegórica*.

3. *A Lei.* Os *dez mandamentos* (que vede) e a lei mosaica, em geral, foram marcos na história da ética. Essa legislação deixou marcas permanentes em nossa civilização, trazendo à tona princípios que o escoamento de muitos séculos nada tem feito para diminuir. A cultura dos hebreus, pois, evitou (exceto em períodos de declínio moral) uma série de perversões, que outras nações não puderam evitar. Os impulsos sexuais dos homens foram regulamentados e separados do culto religioso. Não havia em Israel o mínimo traço de prostituição religiosa. Ficaram excluídas as prostitutas cultuais, as perversões sexuais, a bestialidade e a imoralidade de todas as formas (Lev. 20:13; Êxo. 22:19; 20:14).

4. *A Nação Eleita.* Em nenhuma outra nação encontra-se uma ética que visasse governar a nação inteira, como em Israel. Esses princípios tornaram-se ali parte integrante da própria legislação civil. Um padrão diferente prevalecia em Israel, em relação a outro país. Os capítulos primeiro a décimo segundo do livro de Amós sugerem que as outras nações (cidades-estados) eram governadas por leis naturais, ao passo que Israel era responsável diante de Deus, porquanto havia sido escolhida por ele para ser diferente, para ser mestra das outras nações. O povo de Israel foi separado dentre outras nações, para tornar-se uma nação distinta. A eleição de Israel, pois, era a fonte de seu caráter nacionalista. A religião revelada era a principal força em operação, em Israel. Os israelitas quase não tinham tempo para dedicar-se às ciências, mas tinham muito tempo para a história e para a ética religiosa. Seus documentos refletem essa especialização. Culturalmente falando, nações como o Egito e a Babilônia eram muito mais avançadas do que Israel, porém, a literatura religiosa de Israel é muito superior a de todos os outros povos. Esse é o motivo pelo qual dispomos do Antigo Testamento, como um livro universal, endereçado a todas as nações, ao passo que somente alguns poucos especialistas chegam a tomar conhecimento da literatura, religiosa ou não, de outras nações antigas.

5. *A Base do Novo Testamento.* A herança cultural de Israel foi herdada pelo mundo moderno através do Novo Testamento. Ver sobre a *Ética do Novo Testamento*, onde há alusão a diversos artigos que caracterizam a ética de Jesus e de outras personagens importantes do Novo Testamento.

ÉTICA DO INTERIM Ver **Interim, Ética do.**

ÉTICA DO NOVO TESTAMENTO Ver **Ética, IX; Ética de Jesus; Ética de Paulo; João Apóstolo, Teologia (Ensinos) de, e Ética Patrística.**

ÉTICA DO ZOROASTRISMO

Ver sobre **Zoroastrismo, Ética do.**

ÉTICA E A CIÊNCIA

A ciência do homem leva-o a saber das coisas. Os homens têm descoberto que se fizerem experiências, acumulando informes e tirando conclusões dos mesmos, serão capazes de solucionar problemas. Essa atitude é extrapolada para o campo da ética.

ÉTICA E A CIÊNCIA

Os atomistas gregos (ver sobre Leucipo e Demócrito) concebiam uma causa natural para a natureza, e sentiam que não precisavam apelar para idéias metafísicas. Logo, para eles, a conduta ideal achava-se dentro do contexto natural. Os ditames dos deuses, pois, não seriam regras. Quase todas as antigas filosofias que seguiam essa linha de pensamento eram hedonistas de uma forma ou de outra. Epicuro (que vede) achou conveniente adotar a teoria atomista, a fim de remover da cena o temor aos caprichosos e ferozes deuses gregos. Ele tomou uma posição deísta (ver sobre o *Deísmo*), não supondo que alguma forma de julgamento futuro, que envolvesse recompensas ou punições, deveria ser uma consideração em nossa conduta. A maneira de pensar dos atomistas tem sido essencialmente adotada pela moderna comunidade científica. Mas, naturalmente, muitos cientistas, considerados como indivíduos, têm pensado diferente disso. Porém, se encontramos uma razão para existirmos dentro da própria natureza, ou se pensarmos que nenhuma razão poderá ser descoberta para tanto, então, naturalmente, teremos um ponto de vista naturalista da natureza; e, em conseqüência, preferiremos alguma teoria ética alicerçada sobre as forças naturais do próprio «eu» e do interesse público, e não pelos ditames de poderes de um outro mundo. Os cientistas que promovem a teoria da evolução acreditam que os padrões éticos têm evoluído juntamente com o homem e que esses padrões representam princípios práticos, de autointeresse e não uma verdade objetiva.

O Método Científico. Os cientistas têm aprendido, mediante a experiência, que eles podem descobrir coisas por meio da pesquisa diligente, do recolhimento de dados, derivando respostas desses dados. Essas respostas alicerçam-se sobre a percepção de nossos sentidos, com a ajuda de instrumentos de precisão. A razão desempenha nisso um certo papel; mas ela ocupa uma posição subordinada, e não primária. A intuição também poderia desempenhar um certo papel; mas essa intuição é concebida como resultante do cérebro físico, que atuaria como um computador, e não como se fossem dados concedidos pela mente não-material. O problema da ética faz parte do escopo do método científico. Mediante as experiências controladas, podemos descobrir o que é certo ou errado, o que é bom ou mau. Mas, a minha resposta pode não ser a resposta de outra pessoa, pois o que é bom para mim pode não ser bom para outrem. Disso resulta um certo *relativismo*. A resposta para uma sociedade pode não ser a resposta para outra sociedade; e o que é bom para uma geração pode não sê-lo para outra. De acordo com esse relativismo, pois, não haveria regras fixas e nem padrões absolutos.

1. *Raciocínio básico*. Qual razão poderia ser dada para separar a questão dos valores e dos costumes humanos de sua vida diária, onde ele tem de enfrentar problemas e resolvê-los? Os valores humanos são desenvolvidos, e não dados do alto. O homem aprenderia por meio da experimentação, na escola da vida, quais são os valores que melhor se adaptam à sua existência. Concluímos que essa atitude haveria de ser correta, se o homem fosse apenas um animal, uma criatura que subiu desde o nível do reino animal. No entanto, se o homem é um espírito, um ser das dimensões eternas, então existem forças extramundanas que precisam ser incluídas nessa abordagem à conduta ideal.

2. *A evolução*. Ver o artigo separado sobre a *Evolução e a Ética*. A pedra fundamental, quanto a esse particular, é que a ética, tal como o próprio homem, é um resultado do processo evolutivo. A ciência estaria acompanhando parte desse processo, e parte de seus estudos consiste na descoberta de como se têm desenvolvido as idéias éticas humanas. Assim, a ética seria um produto humano, e não uma dádiva divina.

3. *A ciência e o ateísmo*. É óbvio que os cientistas são homens de fé. Alguns deles têm usado os conhecimentos científicos na tentativa de oferecer bases racionais para a fé religiosa. Porém, quando surgiu a ciência moderna, ela inspirou-se, pelo menos em parte, contra o autoritarismo da Igreja Católica Romana. Pendendo para posições extremas, a ciência, como uma disciplina, assumiu uma postura ateísta. Teoricamente, mesmo quando crendo na existência de Deus, sempre os cientistas sentiram que seria melhor que o *método* científico fosse *ateu*. Isso significa que as dúvidas devem ser solucionadas por meio da experimentação, e não por meio de algum apelo a Deus, quando surgem questões difíceis. A teologia, segundo essa posição, jamais deveria fazer parte das explicações científicas. Naturalmente, isso é útil, visto que muitos dos primeiros cientistas insistiam em trazer Deus à tona, quanto a questões que, posteriormente, puderam ser explicadas sem a ajuda da teologia. Contudo, isso faz da ciência apenas um estudo de provincialismos. Atualmente, entretanto, a ciência está começando a mostrar que existem razões científicas para crermos na existência da alma e em sua sobrevivência ante a morte física. Pelo menos, dentro desse campo de investigação, começa a formar-se uma união entre a ciência e a religião. Alguns filósofos ensinam a doutrina da *unidade* da verdade. — Assim, podemos prever um tempo em que a verdadeira ciência será mais religiosa, e em que a verdadeira religião será mais científica. A verdade é una só, embora haja muitas janelas por meio das quais podemos contemplá-la. Certamente é um erro insuflar o ateísmo na ética, o que tem sido feito por cientistas e por outros.

4. *A ética e o senso prático*. Quase tudo quanto fazemos tão somente desdobra os nossos problemas práticos. Aristóteles aludia à virtude como função, pensando que a conduta ideal consistia no desenvolvimento, ao máximo, das nossas qualidades pessoais, para sermos capazes de melhor servir à comunidade em que vivemos. Quase tudo quanto está envolvido nisso é de natureza prática. O método empírico poderia definir isso para nós.

5. *As grandes questões de nossa época*. A ciência tem criado problemas e circunstâncias que requerem definições éticas, como, por exemplo, o uso apropriado da força atômica (como podemos aproveitá-la, sem nos destruirmos), — ou os problemas relacionados ao aborto e ao controle da natalidade, ou à ecologia e ao uso conveniente do meio ambiente, ou à eutanásia (que vede). A própria ciência é praticamente neutra, mas os estudos dos cientistas envolvem-nos em grandes questões éticas, conforme aquelas questões, mencionadas neste parágrafo. Poderíamos também considerar questões como a de inseminação artificial, da engenharia genética e das máquinas bélicas modernas. Sem importar se os cientistas gostam disso ou não, o fato é que a ciência está pesadamente envolvida nas questões éticas. Não acredito que questões como essas possam ser solucionadas sem qualquer apelo à fé religiosa e ao lado espiritual do homem.

6. *A ciência e o provincialismo*. Em suas investigações quanto à alma humana, a ciência está ultrapassando o seu próprio provincialismo. Mui provavelmente, não está muito longe a obtenção de

578

ÉTICA EXISTENCIALISTA

provas científicas da existência da alma e de sua sobrevivência diante da morte física. Entre os artigos sobre a *Imortalidade*, incluímos um chamado *Abordagem Científica à Crença na Alma e na sua Sobrevivência ante a Morte Física*. Ver também sobre *Experiências Perto da Morte*.

7. *O Positivismo Lógico*. Ver o artigo separado sobre esse assunto. Os positivistas lógicos abandonaram a busca pelas realidades metafísicas, declarando que as mesmas *não têm sentido*, por estarem fora do escopo de nossos métodos de investigação científica. Para eles, talvez Deus exista, talvez não. Não haveria como investigar o caso. Portanto, a nossa conduta não pode estar baseada em qualquer presumível existência de Deus. A ética seria uma questão meramente humana. O que fizermos com a questão também seria o resultado de nossas investigações científicas e nunca deveríamos falar em regras finais e absolutas.

8. *A Sociologia*. Essa ciência quase sempre termina adotando alguma ética relativista. Com grande freqüência, os sociólogos confundem o que é com aquilo que deveria ser. Para eles, se uma sociedade abandona seus idosos e doentes, a tendência deles é opinarem: «Isso é o que é correto para aquela sociedade». É que a sociologia baseia-se quase exclusivamente em meras observações, aceitando o resultado dessas observações sem fazer críticas, baseadas em algum padrão superior. Todavia, é uma falácia equiparar o que é com aquilo que deveria ser, especialmente quando abordamos algo tão perverso quanto a natureza humana.

9. *Uma Ciência Incompleta*. Enquanto os cientistas não aprenderem que há modos genuínos de conhecer as coisas, além do método empírico, eles continuarão promovendo uma ética inadequada, visto que o método científico, por si mesmo, é inadequado. Porém, uma vez que a ciência aprenda que o verdadeiro conhecimento pode proceder da alma humana, da intuição e das experiências místicas, então ela virá a compreender mais sobre os requisitos éticos. É impossível alguém ter uma ética adequada sem levar em consideração a dimensão eterna do ser humano, sem levar em conta a imortalidade da alma.

ÉTICA EXISTENCIALISTA

Visto que a fé religiosa é um elemento essencial em alguns sistemas éticos, e visto que alguns existencialistas são religiosos, e não ateus, embora também existam existencialistas desta última categoria, é impossível esboçarmos um sistema ético que caracterize todo o *existencialismo* (que vede). No entanto, podemos encontrar algum terreno comum, salientado neste artigo. Outrossim, alguns existencialistas têm demonstrado possuir um discernimento que é digno de menção. Mas, por outro lado, há certos pontos cegos nos pensamentos dos existencialistas, criados pela imaginação de homens sem a iluminação divina.

O artigo geral sobre o *Existencialismo* deve ser lido em conexão com este artigo, para que o leitor tenha um conhecimento básico das idéias e das expectativas do existencialismo e possa compreender melhor a sua ética. Consideremos os pontos abaixo:

1. A revolta dos existencialistas contra os sistemas e a ênfase radical deles sobre o livre-arbítrio humano, a característica que dá aos homens a sua essência (o que não é inerente), serve de elemento comum nos sistemas éticos dos existencialistas. Segundo eles, um homem daria autenticidade e sentido às suas experiências vivenciais somente porque impõe esses elementos à vida diária, e não porque a própria vida tenha tais características. Sartre frisava a escolha autêntica como a base de toda expressão ética.

2. O existencialismo ateu promove um humanismo negativo, que deixa de lado todos os princípios divinos, a revelação e outros elementos do outro mundo. Nos escritos de Sartre (que vede), é proposta uma forma de comunismo materialista, como o guia do homem para a reforma e o aprimoramento sociais. Um quadro desolador é aquele que supõe que o melhor que o homem pode fazer, em sua ética social, é implantar essa forma de governo e tornar os homens escravos em pior situação do que já estavam. — É difícil reconciliar qualquer idéia de uma dialética em operação (que fala em determinismo) com a idéia de Sartre de que *a existência antecede ao ser*, porquanto o homem é um ente radicalmente *livre*, o que significa que poderia fazer o ser naquilo que ele preferir.

3. A filosofia do *Deus morto* começou com Nietzsche. Conforme essa idéia foi promovida por Sartre, ela pretende fazer-nos crer que o homem, em sua total liberdade, é o seu próprio deus, estando acima de demandas impostas por um suposto Deus. Antes, o homem teria a liberdade de inventar os seus próprios valores. Todavia, a história mostra-nos que quando isso acontece e quando o homem se desvencilha das restrições da fé religiosa, então o que o homem inventa e cria é apenas sofrimento e morte. Embora pretenda dizer-nos como o homem realmente é, esse sistema, na verdade, erra completamente em seu conceito sobre o que o homem *realmente é*, considerado em sua degradação e em sua condição de perdição. Somente na redenção que há em Cristo é que o homem aprende a fazer escolhas certas, que lhe são benéficas à alma.

4. O *Ateísmo*, naturalmente, desconsidera a alma, e não apenas Deus. É impossível discutir sobre as questões morais e sobre as aspirações humanas, quando a dimensão eterna é esquecida. A própria ciência atual está prestes a abrir as portas para a idéia da existência da alma e sua sobrevivência diante da morte física. Mas, apesar dos filósofos ateus terem conhecimento desses fatos, eles estão procurando manter fechadas essas portas, à força. Ver o artigo sobre as *Experiências Perto da Morte*, quanto a uma abordagem científica a respeito da alma. Ver também os vários artigos sobre a *Imortalidade*. Entre esses artigos, há um cujo título é *Abordagem Científica à Crença na Alma e na sua Sobrevivência ante a Morte Física*, que entra nos aspectos científicos do problema.

5. *A ênfase do existencialismo* sobre a iniciativa humana, que nos conclama a ousar ser indivíduos, descobrindo e promovendo a nossa própria *autenticidade*, é um bom discernimento, se não for desligado da compreensão provida pela revelação bíblica. Um grande número de pessoas, meramente, **pertence a** algum sistema e **nunca teve** um pensamento ou ato independente. Paulo recomendou: «...desenvolvei a vossa salvação...» (Fil. 2:12). No entanto, já no versículo seguinte ele ajunta que é somente mediante o poder e a vontade de Deus que podemos desenvolver esse esforço individual. Além disso, o Novo Testamento como um todo ensina-nos que a missão de Cristo opera em nosso favor. Não somos deixados sozinhos, debatendo-nos no medo. Muito pelo contrário, *Ele* está conosco o tempo todo.

6. *A história de Kierkegaard* é deveras importante. Ver o artigo sobre ele. Ele vivia em meio à angústia e a um contínuo conflito íntimo. Por esse motivo, ele imaginava que todos vivem nessa angústia. Ele se opunha à ortodoxia sem vida e buscava uma

ÉTICA ISLÂMICA — ÉTICA MÉDICA

espiritualidade mais profunda; mas isso, no caso dele, não resolveu os problemas mais graves da vida e da morte. Não obstante, nos seus últimos meses de vida, quando sabia que estava à beira da morte, Kierkegaard viveu em meio a grande *júbilo espiritual*. De algum modo, a fé se acendera em seu coração, tendo ultrapassado à tempestade de sua própria filosofia. De fato, as informações de que dispomos sobre a morte mostram que a experiência da morte física, pelo menos para a maioria das pessoas, é uma ocasião jubilosa. Isso não se ajusta à *angústia* de que tanto fala o existencialismo.

7. *Paulo Tillich, o filósofo existencialista*, descobriu em Jesus, o Cristo, um exemplo de autenticidade a ser seguido e emulado. Em Cristo, pois, Tillich encontrou um lugar de refúgio, para além da tempestade, e um *padrão* seguro para nossas ações éticas. Em Cristo, o homem ultrapassa à sua própria contingência. Mas a busca por Deus é eterna e essa busca é o próprio ser. Bultmann e Tillich fizeram do Cristo de Kierkegaard o foco central no ato da *fé existencial* do homem. (H HAZ P)

ÉTICA ISLÂMICA

Esboço:
1. Fontes Informativas
2. Um Lema Importante e as Crenças
3. A Ênfase sobre a Caridade
4. Cinco Tipos de Atos Éticos
5. Colunas da Prática Religiosa: Deveres Obrigatórios
6. O Conceito do Pecado
7. Poligamia
8. Outras Proibições

1. *Fontes Informativas*. Os islamitas reconhecem duas fontes informativas principais, para os seus conceitos éticos, a saber: a. O *Alcorão* (que vede); e b. A *Sunna*, ou tradição. O Alcorão é uma rica fonte de ensinamentos éticos, tanto para os crentes como para os incrédulos, no tocante à sua fé. A Sunna suplementa esse material, suprindo os detalhes e relembrando os atos e a conduta de Maomé, etc., como uma fonte central de ilustrações quanto à conduta ideal. Naturalmente, os antigos princípios éticos dos árabes vieram a ser incorporados no Alcorão e na Sunna. Maomé foi quem estabeleceu o ideal. Ele requeria a crença pessoal e a moralidade. As boas intenções são elogiadas e os lapsos em relação à virtude são julgados com leniência, visto que Alá tanto é misericordioso quanto está disposto a perdoar, compreendendo os conflitos enfrentados pelos fiéis.

2. *Um Lema Importante e as Crenças*. Um breve sumário do Alcorão diria: «Crê e age direito». Crenças importantes que oferecem orientação para a vida são as seguintes: a. Só Alá é Deus. b. Ele é misericordioso e justo. c. Devemos total submissão a ele. d. O homem é responsável e os anjos registram seus feitos, de modo a poderem prestar contas com precisão moral. e. Deus opera por meio dos profetas e Maomé foi o último da linhagem profética. f. Haverá ressurreição e o julgamento final, para garantir a justiça. g. Uma inflexível doutrina do determinismo: todas as ações, boas e más, foram determinadas desde a eternidade. h. O Alcorão é o livro que oferece orientação para toda ação e todo pensamento, e deve ser seguido à risca.

3. *A Ênfase sobre a Caridade*. O homem bom tem o dever de dar esmolas. As melhores esmolas são aquelas dadas por homens de parcos recursos, que se

sacrificam pessoalmente para fazê-lo. A promessa do Alcorão é que o homem liberal será tratado liberalmente por Deus, a fonte de todas as riquezas.

4. *Cinco Tipos de Atos Éticos*

a. *Os Atos Obrigatórios (Fard)*. Existem coisas que um homem precisa fazer. Se as fizer, será recompensado; em caso contrário, será punido. O Alcorão deixa claro quais são os atos necessários.

b. *Os Atos Preferidos (Mustahabb)*. Há atos que convêm que o homem os pratique. Se os fizer, será recompensado; em caso contrário, será castigado.

c. **Os Atos Permissíveis (Halal)**. Existem atos indiferentes, que nem produzem recompensa e nem castigo, se feitos ou deixados por fazer.

d. *Os Atos Indesejáveis (Makruh)*. Os homens não gostam de fazer certas coisas, que podem ser benéficas em alguns casos. Se o indivíduo forçar-se a fazê-las, será recompensado; em caso contrário, será castigado.

e. *Os Atos Proibidos (Haram)*.

5. *Colunas da Prática Religiosa: Deveres Obrigatórios*. Esses deveres obrigatórios são cinco, a saber:

a. A recitação do Kalima: «Só Alá é Deus e Maomé é o seu profeta». Essa declaração também é chamada *Tashahhud*.

b. A feitura das orações diárias, o Namaz.

c. A observância de um jejum especial, de um dia, no mês de Ramzan, o Roza.

d. A distribuição de esmolas, o Zakat.

e. Uma peregrinação a Meca deve ser realizada em algum tempo na vida, pessoalmente ou por procuração, o Hajj.

6. *O Conceito do Pecado*. No islamismo há os pecados graves (Kabira) e os pecados leves (Saghira). São discriminados abaixo, nos pontos «a» e «b»:

a. *Pecados graves*. Homicídio, adultério, desobediência a Deus e aos pais, fugir de uma guerra santa (Jehad), o alcoolismo, a usura, a negligência às orações da 6ª feira e o jejum de Ramzan, não absorver os conceitos do Alcorão, jurar falso ou por qualquer nome exceto o de Deus, entregar-se às artes mágicas, jogar, rapar a barba. A única maneira pela qual esses pecados podem ser perdoados é arrepender-se verdadeiramente. Há um pecado imperdoável, o *Shirk*. Esse é o pecado da heresia, em que alguém associa alguém a Deus, assim lançando no eclipse a sua glória.

b. *Pecados leves*. Mentira, ludíbrio, ira, concupiscência sensual. Esses pecados são facilmente perdoados, se os pecados graves forem evitados. Atos meritórios podem fazer expiação pelos mesmos. Por isso, estipula o Alcorão: «Observa a oração matinal, do fim do dia e da aproximação da noite, pois os atos bons expelem os atos maus» (Sura 11:116).

7. *Poligamia*. Um homem islamita pode ter até quatro esposas por vez; mas, nesse caso, deve esforçar-se por tratá-las com eqüidade. O divórcio é concedido com extrema facilidade e por qualquer razão, simplesmente repetindo (até mesmo por telefone) aos ouvidos dela, por três vezes: «Divorcio-me de ti». Dessa forma, pode manter o número de quatro mulheres, variando à sua vontade. No entanto, iguais privilégios não são concedidos às mulheres.

8. *Outras Proibições*. O indivíduo não pode manufaturar ou ingerir licores intoxicantes. A dança, o jogo, o uso de imagens e gravuras religiosas não podem ser praticados. Também são proibidos certos alimentos e certas carnes. (AM H E EP P)

ÉTICA MÉDICA Ver **Medicina, Ética da.**

ÉTICA — ÉTICA PATRÍSTICA

ÉTICA NOS NEGÓCIOS

O vocábulo **negócios** é bastante lato para incluir atividades que envolvem todas as formas de comércio e de bem-estar dos homens. Essas atividades incluem a produção, as trocas, a distribuição e o consumo de mercadorias. As atividades e os empreendimentos pessoais, de natureza comercial ou não, as atividades públicas e corporacionais dessa espécie, são todas classificadas sob esse título geral. Mas, quase sempre, se houver algum negócio, há algum dinheiro envolvido. E, quando isso acontece, surgem problemas éticos. Outrossim, usualmente há algum trabalho envolvido no processo de ganhar dinheiro; e, onde há trabalho, há algum problema ético.

1. *A ética do trabalho*, que também é chamada, em alguns contextos, de ética protestante do trabalho. Deus manifesta-se contrário ao ócio, à preguiça e à lassidão, o que produz tentações a atos malignos, e que, por si mesmas, são atitudes errôneas. Por si mesmo, o trabalho é bom, a menos que viva a uma causa condenável; e o resultado do trabalho é benéfico. Não é errado acumular riquezas, se as mesmas forem usadas para o bem do próximo, e não para serem gastas inteiramente em proveito próprio. As riquezas produzem empregos, e as pessoas precisam dos mesmos. Se não houver riquezas, também haverá poucos empregos. A ética do trabalho é idéia paulina: «Se alguém não quer trabalhar, também não coma» (II Tes. 3:10). As notas expositivas no NTI, nesse versículo, ampliam o conceito da ética do trabalho com citações apropriadas. As *Institutas da Religião Cristã*, de Calvino, enfatizam a idéia da ética do trabalho, o que exerceu larga influência sobre os países de maioria protestante. Ver também João 21:3.

2. *A Cobiça e a Avareza*. Adam Smith, economista inglês do século XVIII, supunha que o homem é essencialmente motivado pela cobiça e pela avareza, e afirmava que o trabalho que se escuda sobre esses motivos obtém sucesso. É digno de nota que os sistemas comunistas, em nossos dias, estão retornando a métodos nitidamente capitalistas, como é o caso do comunismo dissidente da China Popular. Dessa maneira, eles confessam que há algo de realidade nas crenças de Adam Smith. Homens avarentos, ao competirem uns com os outros, beneficiam a terceiros, produzindo mais bens a preços mais baixos possíveis. É isso no dizer de Adam Smith; mas no Brasil, pelo menos, a técnica consiste em monopolizar a produção para que os preços sejam os mais altos possíveis. Seja como for, os industriosos produzem empregos nesse processo. Até aí chegam as noções comerciais do homem, a menos que ele seja impelido por algum ideal mais elevado. Na verdade, comunismo e capitalismo têm suas vantagens e desvantagens, onde as desvantagens pesam mais que as vantagens.

3. *O Idealismo e o Esforço Filantrópico*. Algumas pessoas elevam-se acima desse desumano princípio da cobiça e da avareza, interessando-se pelo bem-estar de seus semelhantes, sentindo-se felizes quando tiram proveito limitado de suas próprias riquezas. A lei do amor sempre será o princípio mais importante nas relações humanas, levando os homens a aplicarem a ética de algum modo, incluindo a ética nos negócios. Todavia, os esforços filantrópicos envolvem apenas uma pequena minoria, enquanto que a grande maioria continua procurando explorar o próximo de muitas maneiras, mais cruas ou mais sofisticadas.

4. *O Darwinismo Social*. O livro de William Graham Sumner, *Folkways*, e a obra de Andrew Carnegie, *Gospel of Wealth*, frisavam a sobrevivência dos mais aptos. Em vista disso, muitos apossaram-se das fontes de riquezas em nome de Deus, ou como suposto resultado natural dos direitos dos mais fortes sobre os mais fracos. Esses mais fortes estariam destinados a enriquecer, e os mais fracos, a empobrecer. Os direitos alheios foram desconsiderados e monopólios foram instituídos. O movimento do chamado evangelho social (que vide), ergueu a voz em protesto contra tais atos. Teólogos como Walter Rauschenbusch (que vide), puseram em dúvida a idéia da inevitabilidade da pobreza, dos lucros excessivos e de abusos similares. Aqueles que se fizeram promotores desse «evangelho», supunham que o estado poderia corrigir os abusos, promovendo programas de âmbito nacional de natureza sócio-econômica, como programas de bem-estar social, de segurança social, de salários mínimos, de leis trabalhistas, de trabalho infantil, etc. Toda e qualquer legislação nesse sentido, porém, esbarra com o maldoso coração humano, e, na prática, torna-se inoperante, servindo de trampolim para os corruptos locupletarem-se, utilizando-se de artimanhas não previstas pelos idealistas.

5. *A Fé Cristã e o Mundo dos Negócios*. O princípio do trabalho industrioso é uma lei neotestamentária. De modo geral, esse documento sagrado defende a aplicação da lei do amor em todo o relacionamento com nossos semelhantes! Ele defende o direito da propriedade privada. Critica, mas não proíbe o acúmulo de riquezas materiais. Enfatiza as riquezas espirituais e desencoraja as riquezas materiais. Requer justiça em todo o nosso trato com o próximo. (H)

ÉTICA PATRÍSTICA

A ética é um importante elemento dos escritos patrísticos. Os primeiros pais da Igreja, durante os cinco primeiros séculos depois de Cristo, têm sido classificados por alguns como pais da ética cristã.

1. *Diferenças entre os Pais da Igreja e Paulo*. São notáveis as diferenças entre a ética do apóstolo Paulo e a ética dos chamados pais da Igreja. Embora Paulo tivesse sido influenciado pela ética helenista de sua época, de colorido, principalmente, estóico, evidentemente ele era um rabino judeu, cujas idéias haviam sido aprimoradas pela revelação cristã. Os pais da Igreja, em contraste com ele, foram muito mais profundamente influenciados pelas culturas de seus dias. Nos escritos de alguns dos pais da Igreja revela-se certa falta de compreensão sobre o princípio paulino da graça, com a ênfase correspondente sobre as obras, produzidas pelos próprios esforços, de conformidade com a sabedoria da época.

2. *O Didache*. Ver o artigo separado a esse respeito. Essa obra provavelmente foi escrita perto do fim do século I D.C. Começa com a descrição sobre os *Dois Caminhos*. O amor a Deus e ao próximo é definido por meio de uma longa série de atos, que seriam fatores determinantes do destino dos homens. Isso parece legalista, mas talvez seja essencialmente arminiano, e não tanto legalista. Em Didache 16.2, encontramos a seguinte declaração: «Uma vida inteira de fé não terá vantagem alguma, a menos que o indivíduo se mostre perfeito no último momento da vida». Isso parece um reflexo do segundo capítulo da epístola de Tiago. Tem sabor de legalismo e de arminianismo. Porém, certo ramo da doutrina cristã e da ética cristã sempre tomaram essa posição.

3. *I Clemente*. Ver o artigo separado sobre Clemente e os seus escritos. Nesse livro é forte a ênfase sobre o arrependimento, conforme se vê, por

ÉTICA PATRÍSTICA — ÉTICA PESSOAL

exemplo, no seu oitavo capítulo. As boas obras também são salientadas, em seus capítulos trinta e três e trinta e cinco. No entanto, não se salientam como é devido a graça divina e a obra de Cristo.

4. *A Apologia de Justino Mártir* conclama-nos a imitar as virtudes e excelências de Cristo como o grande padrão da conduta. O *Pastor de Hermas* (que vede) também frisa esses deveres. Somente através do arrependimento genuíno a vida eterna pode ser obtida (*Vis.* I.3,2). Essas obras atacam a luxúria e recomendam a temperança, exaltam o amor e advertem contra o ódio; louvam a harmonia e dão avisos acerca das contendas; promovem hábitos sexuais saudáveis; proíbem a exposição de infantes, a fim de morrerem. Taciano, discípulo de Justino, mostrava-se extremamente ascético, desencorajando o casamento, conforme também Paulo fizera (ver I Coríntios 7).

5. *Clemente de Alexandria* estabeleceu os seus princípios éticos em seu livro *Paedagogos*. Ele incluiu ali todos os tipos de regulamentos acerca de quase todas as facetas da vida humana: vestuário, alimentação, sexo, adornos pessoais. Ele objetava à remoção da barba, no caso dos homens, como um desrespeito a Deus. — A partir de Clemente, o ascetismo cresceu muito em Alexandria. Orígenes, cansado de tentações sexuais (seu trabalho punha-o em contacto com muitas mulheres, na igreja), fez-se castrar, um ato não aprovado pelos cristãos, e que ele lamentou, mais tarde. Pelo menos, ele estava procurando fazer algo acerca de seu problema.

6. *O Monasticismo*. A degradação dos valores do mundo material levou, naturalmente, às ordens monásticas, que tiveram início nos desertos do Egito. Atanásio encorajou esses mosteiros por meio de sua biografia do asceta cristão, Antonio.

7. *Tertuliano*, no Norte da África, promoveu práticas ascéticas e, aparentemente, pensava que as obras suplementam o valor da expiação de Cristo. Ele tinha confiança demais no benefício do batismo em água. Ele depreciava o matrimônio e objetava ao uso de vestes coloridas. Ele afirmava que se Deus tivesse tido a intenção de que as pessoas (principalmente as mulheres, naturalmente!) usassem trajes coloridos, então teria criado ovelhas de várias cores. Esse grande homem, pois, caiu em exageros ascéticos. A maioria dos grandes homens cai em exageros!

8. *Jerônimo*, querendo imitar Paulo, dava mais valor à virgindade do que ao estado de casado e à procriação. Ele mostrava-se totalmente radical quanto a essa questão, ensinando de maneira desproporcional sobre o assunto. O clero celibatário deve muito a ele. Algumas vezes, as coisas que mais atacamos são as coisas que mais nos tentam. Jerônimo lamentava as tentações sexuais que o assaltavam, alternando-se com experiências místicas da mais elevada ordem. Houve um certo *Vigilâncio* que duvidava das virtudes das práticas monásticas, incluindo o celibato. Jerônimo caiu no erro de entrar em debate verbal com ele, dizendo que tal homem deveria chamar-se Dormitâncio, e não Vigilâncio. Até os grandes homens de Deus caem em ridículos e exageros.

9. *Agostinho*, embora fosse, em parte, um filósofo platônico, foi um dos mais notáveis mestres da Igreja cristã, tendo encabeçado uma espécie de movimento de retorno à Bíblia. Ele insistia sobre a necessidade da regeneração, para que um homem fosse capaz de seguir a conduta ideal; e, sem dúvida, estava com toda a razão. Ele pensava que o homem não regenerado é incapaz de agir de maneira aceitável aos olhos de Deus. Como é óbvio, ele seguia nitidamente

as idéias paulinas. Ele salientava o orgulho e a concupiscência como os pecados humanos mais constantes. Até as boas obras são maculadas por esses pecados. Contudo, Agostinho aprovava uma certa dose de ascetismo, como um meio de disciplina, a fim do crente poder servir mais perfeitamente a Deus. Contudo, a moderação, o grande ideal grego, que também é representado nas epístolas paulinas, com freqüência é melhor do que a abstinência. Agostinho não concordava com Pelágio, — que dizia que Deus nos criou humanos, mas que nós mesmos nos tornamos retos. Antes, ele descobria esse princípio no poder de Cristo, na regeneração, por meio do princípio da graça divina.

10. *Reservas e Imitações Modernas*. Alguns intérpretes modernos ficam desolados diante de certas características dos ensinos dos pais da Igreja. Eles fazem objeção ao legalismo deles e à mistura de idéias cristãs com a filosofia grega e latina, especialmente o platonismo e o estoicismo. Contudo, devemos reconhecer naqueles pais da Igreja um grande exemplo de vida piedosa, o que os punha muito acima de seus contemporâneos pagãos. A Luz de Cristo, mesmo quando percebida de maneira imperfeita, ilumina os homens de todos os lugares. Certas características distintivas de nota, são que eles rejeitavam a escravatura, combatiam a posição de inferioridade conferida às mulheres e rejeitavam a crueldade dos jogos antigos. Faríamos muito bem em imitar esses homens, a despeito das nossas compreensíveis reservas. Quem poderia comparar-se com Orígenes ou com Agostinho?

ÉTICA PESSOAL

Ver o artigo contrastante sobre a **Ética Social**. A ética é a ciência da conduta ideal. A ética pessoal aborda a conduta ideal do indivíduo. Apesar de ser verdade que jamais poderemos isolar uma da outra, também é verdade que a ética pessoal é a nossa responsabilidade primária. O evangelho ensina-nos que é a transformação moral que nos conduz às perfeições de Deus Pai (Mat. 5:48). E daí partimos para a transformação metafísica, de acordo com a imagem do Filho de Deus (Rom. 8:29; II Cor. 3:18). Jamais poderemos chegar a esse ponto, se meramente formos bons cidadãos de nosso país. Precisamos cuidar de nosso próprio desenvolvimento espiritual, como indivíduos. Ver sobre o *Desenvolvimento Espiritual, Meios do*. Para melhor compreendermos isso, consideremos os pontos abaixo:

1. *A relação entre Deus e o homem*. É um erro pensar que a ética meramente reflete as normas da comunidade humana, e que essas normas flutuam com a passagem do tempo ou de uma comunidade para outra. Isso exprime uma verdade, mas não é a situação ideal. Há padrões éticos divinos que se aplicam tanto ao indivíduo como à sociedade em geral. Costumamos falar em *ética revelada*. Temos confiança nos Livros Sagrados de que o Espírito de Deus tem-se mostrado ativo quanto a isso. Sendo esse o caso, as normas éticas ali contidas devem ser levadas a sério.

2. *Os deveres diante de Deus são fundamentais*. Sócrates tinha a certeza de que os princípios éticos são absolutos, e que o homem é capaz de descobri-los (não de criá-los), por meio da razão e da intuição, que vem através da contemplação. Sem dúvida isso expressa uma verdade. Mas a revelação divina ultrapassa a isso, conferindo-se princípios éticos como uma dádiva de Deus. Os deveres para com Deus são

ÉTICA — ÉTICA PROFISSIONAL

básicos para a vida humana. Depois é que vêm os deveres para conosco mesmos e para com a comunidade.

3. *A ética da situação*. Alguns filósofos têm pensado que **primeiro vêm os auto-interesses**, então os interesses comunitários, e isso como base da conduta ideal. Visto que os interesses individuais e sociais se modificam, e, na verdade, são diferentes de indivíduo para indivíduo e de comunidade para comunidade, presumivelmente os padrões éticos acham-se em estado de fluxo. A isso chamamos de *ética relativista*. Várias situações requerem reações diferentes. Essa *ética da situação*, pois, é uma forma do tipo relativista de ética. De acordo com essas definições, a ética é uma subcategoria do *humanismo*; e é um erro misturar com essa questão assuntos como a metafísica, os deuses, os santos, o Espírito Santo e Deus, porquanto as normas não procedem de **entidades extra-humanas,** se é que, de fato, tais entidades existem. Mas tudo isso cai por terra se, na verdade, o homem foi criado à imagem de Deus, conforme a Bíblia assevera, e se estamos nos aproximando cada vez mais da imagem de Cristo.

4. *O que é o homem?* Essa é a pergunta fundamental que deve determinar qual deve ser a natureza da ética. Se o homem é apenas um animal evoluído, então a ética relativista está essencialmente certa. Porém, se o homem é um espírito cativo em um corpo físico, então teremos de levar em conta as dimensões espiritual e eterna.

5. *O sagrado drama da alma*. A Bíblia e outros livros sagrados aceitam sem discussão que o homem tem origem e destino divinos, — e que a alma encontra-se em uma peregrinação sagrada da dimensão terrena para a dimensão celestial. Um homem é responsável, antes de tudo, diante de si mesmo. Essa responsabilidade, entretanto, alicerça-se sobre a sua origem divina. Em seguida, o homem é responsável diante da comunidade humana. A salvação envolve o *corpo* coletivo inteiro, e não apenas indivíduos isolados. À base de toda a ética é a lei do amor, que já toca naquilo que é divino, além de envolver o indivíduo e a comunidade. A Bíblia ordena-nos amar a Deus, e então ao próximo. Ver Mar. 12:30 *ss*; João 13:34. A lei mosaica inteira depende desses dois mandamentos (Rom. 13:8-10).

6. *A avaliação de Deus*. Os homens serão julgados em consonância com as suas ações, boas ou más (Rom. 2:6). A conduta humana está sob o escrutínio do julgamento divino. A graça salvadora fornece-nos os meios para cumprirmos as suas exigências, por meio do ministério do Espírito. A conduta ideal verdadeira não é possível para o presente homem caído no pecado. Mas o poder do Espírito capacita-nos a buscar e a cumprir, até certo ponto, os padrões divinos. A doutrina cristã revela-nos que iremos aumentando cada vez mais no poder de nossa expressão, até chegarmos a compartilhar das perfeições do Pai (Mat. 5:48).

ÉTICA PRIMITIVA

Ver o artigo sobre o *Egito*, em sua sétima seção, *A Ética Egípcia*. Ver também sobre a *Babilônia*, quinta seção, *Religião e Moral*, especialmente ponto *f. A Ética e a Moral dos Babilônios*. Ficamos surpreendidos quando lemos, pela primeira vez, os códigos éticos dos povos antigos, devido à sua qualidade excelente. O sumário abaixo nos fornece algumas indicações de quão bons ou deficientes eram esses códigos primitivos.

1. *Objeções a Princípios Latos*. Alguns historiadores pensam que é errado fazer juízos de valor sobre os sistemas antigos, porque, ao assim fazermos, presumivelmente, estamos tirando sua ética cultural do seu contexto, no que tange às exigências de suas respectivas sociedades. No entanto, parece que certos erros sempre foram errados, e que aquilo que é (ou era) não é a mesma coisa que aquilo que deveria ser (ou deveria ter sido). É uma falácia transformar o que é naquilo que *deveria ser*.

Práticas como o infanticídio, a mutilação do próprio corpo, o canibalismo, o abandono dos idosos e a exposição de infantes, sempre foram erradas, mesmo que essas coisas tenham ajudado (ou tenham parecido ajudar) de alguma maneira, a sobrevivência e o **bem-estar de outras pessoas**.

2. *Antigas Objeções às Sociedades Modernas*. De certa feita, ouvi uma discussão entre uma colega de universidade e meu professor de latim e dos clássicos. Ela lamentava alguns dos atos sobre os quais lera, como parte de sua tarefa sobre literatura clássica. Meu professor relembrou-a de que os antigos nunca produziram coisa alguma tão horrenda como as guerras mundiais, a ameaça de total aniquilamento da humanidade, mediante artefatos atômicos, etc. As nações cristãs, assim chamadas, são capazes de coisas realmente monstruosas — o professor fê-la lembrar!

Os antigos, provavelmente, se pudessem voltar à vida, teriam criticado as nossas formas de discriminação, de exploração e de tremendas injustiças sociais.

3. *Princípios Envolvidos na Ética Primitiva*. As sociedades primitivas eram menores que as atuais, e as necessidades dos grupos, especialmente no tocante à sobrevivência (nas situações em que houvese escassez de alimentos), eram as responsáveis pelos infanticídios e pelo abandono dos idosos para morrerem à míngua. A total falta de controle da natureza, por parte dos povos antigos, provavelmente também os influenciava em seu supernaturalismo que atribuíam a todas as coisas, onde os deuses estariam envolvidos em tudo, desde a chuva ao frio, desde a calamidade das tempestades à bênção da luz solar. O desenvolvimento dos cultos de fertilidade, que algumas vezes eram acompanhados por costumes bizarros, surgiu por causa do precário conhecimento dos homens acerca das forças da natureza, forçando-os a apelar para a idéia de divindades, na tentativa de manter vivo o gênero humano.

4. *Sanções*. Os antigos sistemas éticos exibiam duas formas principais de sanção. Havia a sanção de *culpa*, que assumia aspectos sobrenaturais. Os deuses estabeleciam as suas exigências e os homens sentiam-se culpados se não satisfizessem a esses requisitos. Isso tornou-se parte da ética dos sistemas religiosos do passado. Por outra parte, a sociedade estabelecia suas exigências, e os homens sentiam-se *envergonhados* se não satisfizessem às mesmas. Essa era a ética social. Naturalmente, sempre será difícil distinguir entre as duas variedades, porquanto tudo pode fazer parte de crenças e ideais de uma sociedade, nada tendo a ver com as supostas divindades.

ÉTICA PROFISSIONAL

Muitas profissões requerem um juramento ou compromisso, por parte da pessoa que está entrando em uma profissão, de que certo padrão de qualidade e lealdade será observado. Uma profissão compromete-se a manter a racionalidade, a erudição, o domínio de alguma habilidade específica, além de padrões de conduta que garantem a execução apropriada dessa

ÉTICA — ÉTICA PURITANA

habilidade. Como professor do Departamento de Humanidades da Faculdade de Engenharia de Guaratinguetá, São Paulo, nos exercícios de formatura, por muitas vezes tenho ouvido engenheiros fazerem seus juramentos de compromisso profissional.

No que concerne à medicina, há o Juramento de Hipócrates. Ver sobre *Hipócrates, Juramento de*. Os **Princípios** que governam essa **profissão, são os seguintes:**

1. Em primeiro lugar, não prejudiques a ninguém.
2. A santidade da vida.
3. O alívio dos sofrimentos físicos.
4. A santidade da relação entre médico e paciente, incluindo o aspecto de confidencialismo.
5. O direito que o paciente tem de morrer com dignidade.
6. O direito do paciente de concordar ou discordar do que deve ser feito em seu favor.

Um médico crente, além desses princípios usuais, também sentirá a responsabilidade de cuidar do bem-estar espiritual dos seus pacientes, o que lhe dará motivos adicionais para respeitar a santidade da vida, porquanto toda vida origina-se em Deus.

Problemas Éticos. As regras gerais nem sempre fornecem diretrizes para a conduta. Se um estado qualquer aprova o aborto, um médico crente deveria agir contrariamente? Enquanto que outros médicos se estão locupletando com seus elevados salários, ou com o preço exagerado de suas consultas, como deveria agir o médico crente? Enquanto que outros médicos estão à cata de posições convenientes de muito tempo vago, o que deveria fazer um médico crente quanto a áreas rurais e outros lugares onde há uma premente necessidade de seus serviços, o que só lhe trará desconfortos pessoais? A saúde tem-se tornado um grande negócio. O médico deve tornar-se um negociante, ou ele é antes um missionário que cuida da saúde do próximo? Qual deve ser a atitude de um médico crente no que concerne à eutanásia? Até que ponto um médico crente pode tornar-se parecido com o Grande Médico das Almas, o Senhor Jesus Cristo?

ÉTICA PROTESTANTE

Essa expressão foi popularizada pelo notável sociólogo alemão, Max Weber, falecido em cerca de 1920. Antes dele, a essência de seus ensinos havia sido exposta por R.H. Tawney, em seu livro *Religion and the Rise of Capitalism*. A tese defendida era que o calvinismo e o puritanismo haviam contribuído muito para encorajar os princípios do *capitalismo* (que vede). Especificamente, um elevado senso moral foi posto por detrás do sucesso nos negócios, pelo que a capacidade de fazer dinheiro era considerada uma virtude e um sinal da bênção de Deus sobre a vida da pessoa. O capitalismo requer grande iniciativa pessoal, e essa também é uma virtude tipicamente calvinista e puritana. Essa tese geral tem sido tanto defendida quanto criticada pelos próprios estudiosos protestantes, para nada dizermos sobre os historiadores e filósofos. Realmente, parece que há verdade na assertiva; mas certamente Weber exagerou ao supor que um negociante bem-sucedido poderia ser considerado um dos eleitos de Deus, ou, pelo menos, que um dos eleitos do Senhor também deveria dar-se bem como negociante, visto que, automaticamente, Deus haveria de abençoá-lo na vida material, tornando-o próspero. Seja como for, tem havido uma tradicional ênfase protestante sobre as virtudes do trabalho árduo, da industriosidade, da honestidade,

da sobriedade, da autodisciplina e de fazer tudo para a «glória de Deus» (I Cor. 10:31), o que acrescenta o elemento da inspiração ao trabalho do indivíduo. Se tudo for feito para a glória de Deus, então qualquer trabalho será revestido de dignidade.

Abusos. Um empregador, que queira fazer de seus empregados meros escravos do salário, tentará fazer o trabalho deles girar em torno dos princípios religiosos e de fé, e não em torno de um salário justo e de condições convenientes de trabalho. Em outras palavras, os empregadores exploram os seus empregados, esperando que creditem a Deus as suas condições inferiores.

Nos Tempos Modernos. Atualmente tem havido a tentativa de associar o protestantismo aos aspectos negativos do capitalismo, como na sigla WASP. Em inglês trata-se da abreviação de Branco (white, W), **Anglo-saxão (anglosaxon,** AS) e Protestant (Protestant, P). De acordo com isso, os maiores culpados de exploração ao próximo seriam as pessoas da raça branca, **anglo-saxões e protestantes.** Isso é tão racista e ridículo quanto a generalização que afirma que todos os negros são tipos criminosos, ou que todo índio é um preguiçoso alcoólatra.

É melhor dizer que as virtudes associadas ao protestantismo têm sido sujeitadas a abusos condenados pela própria Bíblia. Portanto, há uma certa correspondência entre a ética bíblica normal e as virtudes da industriosidade, da honestidade, do individualismo, os conceitos geralmente aceitos e recomendados pelos grupos protestantes. Porém, é um equívoco vincular verdades bíblicas com abusos promovidos por qualquer sistema econômico. No quarto capítulo do livro de Atos, também encontramos uma experiência de economia comunista, a qual entretanto, não era forçada de cima para baixo, e que acabou não se perpetuando nos meios cristãos. Ver o artigo separado sobre o *Comunismo*. A Bíblia também recomenda a liberalidade para com o próximo, na atitude do amor cristão, que deveria eliminar a exploração ao próximo. A Bíblia também condena a preocupação excessiva com o futuro, que, invariavelmente, ataca àqueles que vivem à cata de dinheiro. Isso, porém, não significa que as Escrituras promovem o socialismo como um sistema econômico a ser imposto aos homens.

ÉTICA PURITANA

O título **puritano** veio a ser usado como apelido, aplicado a calvinistas não separados, que promoviam a reforma na adoração, na disciplina e no governo da Inglaterra, na época elizabetana (cerca de 1564). Estavam sob a influência de Genebra, na Suíça, onde Calvino estabelecera uma espécie de governo teocrático, caracterizado pelo biblicismo radical. Eles queriam purificar o anglicanismo de resíduos católicos romanos, substituindo o episcopado pelo presbitério, e revitalizar a Igreja mediante a busca pela piedade pessoal. Ver o artigo separado sobre o *Puritanismo*. Os principais líderes do movimento foram Perkins, Sibbes, Ames, Owen, Goodwin, Baxter e Howe, além de outros. A fé religiosa deles enfatizava a justificação pela fé, a soberania e a majestade de Deus, a piedade pessoal e rígidos padrões morais. Eles concordavam com a doutrina calvinista da radical perversão humana, pelo que também encontravam muitos alvos, para os seus ataques, na conduta humana, dentro e fora da Igreja. O livro *O Peregrino*, de John Bunyan, como também outro livro seu, *A Guerra Santa*, exibem vividamente a mentalidade puritana. As virtudes da piedade

ÉTICA PURITANA — ÉTICA SOCIAL

individual, do conflito espiritual contra a malignidade, a autodisciplina e a busca geral e séria pelos valores espirituais, resplandecem nesses livros.

Outros Princípios Éticos dos Puritanos:

1. *A Ética do Trabalho.* O trabalho árduo é bom para o indivíduo. O ócio é pecaminoso. O dinheiro, os talentos e o tempo devem ser investidos de maneira sábia. A industriosidade, o capitalismo e a filantropia precisam ser encorajados.

2. *A Educação.* Os puritanos promoviam a educação e a cultura pessoal e geral. Eles encorajavam os cientistas, embora opondo-se a ocupações científicas que tendessem por degradar, como o teatro e a publicação de literatura tipo popular. Eles pensavam que a sinceridade requer o tempero da simplicidade.

3. *O Dia do Descanso.* Os puritanos não separavam claramente entre o Antigo e o Novo Testamentos. Na opinião de muitos, isso constituía um ponto de debilidade. Eles transformavam o domingo em um Dia do Senhor, que era observado com toda a rigidez. Ver o artigo separado sobre o *Domingo, Identificado com o Sábado.*

4. *A Família.* O puritanismo encarava a família como um clã patriarcal, aos moldes do Antigo Testamento. A família seria uma igreja em miniatura, e a piedade doméstica, para eles, revestia-se da máxima importância. O Pai celeste era considerado por eles como o chefe de todas as famílias. A combinação do Domingo-Sábado e o estilo de vida patriarcal, em família, tiveram efeitos duradouros sobre os valores das sociedades inglesa e norte-americana, depois que o puritanismo foi transferido para as colônias inglesas da América do Norte.

ÉTICA SOCIAL

A ética (que vede) é a ciência da conduta ideal. Visto que o homem é um animal social, dentro de muitos sistemas a ética aparece como a ciência da conduta ideal dentro de uma comunidade, e não meramente de indivíduos isolados. Tive um professor que costumava dizer: «A sociedade precisa de moralidade. Eu, não». Tal proposição, porém, não se manteria de pé por muito tempo, em um debate.

1. *O homem é uma ilha. Nenhum homem é uma ilha.* Um ditado popular diz que nenhum homem pode viver como se fosse uma ilha, isto é, desvinculado da sociedade humana. Tudo quanto o indivíduo faz projeta ondas de choque, que afetam outras pessoas. Por outra parte, cada indivíduo também vive isolado. Daí deriva-se a circunstância de que tanto a ética pessoal quanto a ética social fazem parte da experiência humana. Todo esforço individual, em busca do aprimoramento, afeta a outras pessoas. A responsabilidade cobre um amplo terreno, individual e coletivo.

2. *As virtudes humanas.* Aristóteles pensava que *virtude é função.* O indivíduo deveria esforçar-se em favor de seu desenvolvimento pessoal, ou seja, fazer de si mesmo um elemento singular dentro de sua sociedade. Porém, a função por ele ocupada deve existir a fim de ele servir melhor à sua comunidade. O homem que se desenvolve bem, e então serve bem ao próximo, seria o homem virtuoso ou bom, de acordo com o vocabulário de Aristóteles.

3. *A grande comunidade.* A Bíblia leva essa questão um pouco mais adiante. O décimo primeiro capítulo da epístola aos Hebreus refere-se à grande comunidade espiritual da qual fazemos parte, e que observa o que praticamos. É por esse motivo que devemos agir

bem e ter um bom desempenho na carreira da vida. Somos responsáveis diante da comunidade espiritual, e não somente diante da sociedade dos homens terrenos. Somos membros da família celeste, e temos muitos deveres diante do Pai dessa família. Exigiu Jesus Cristo, em Mateus 5:48: «Portanto, sede vós perfeitos, como perfeito é o vosso Pai celeste».

4. *A liberdade humana e a ética.* Faz parte da natureza humana anelar pela liberdade. Entretanto, isso está sendo pervertido em nossos dias. A liberdade cessa quando cometemos alguma infração contra os direitos alheios e tornamo-nos um elemento prejudicial na sociedade. Dentro do vocabulário de algumas pessoas, a liberdade é apenas a licença para a prática do mal. Porém, nenhuma definição sensível da liberdade pode concordar com essa noção.

5. *Cada comunidade cria a sua própria ética.* Essa é a posição da ética relativista, ou *ética da situação*, que supõe que o próprio homem é o autor das idéias da ética. Um homem faria o que faz por causa das normas estabelecidas pela sociedade. Essas normas diferem de uma sociedade humana para outra, e estão sempre sujeitas a modificações. Quanto a questões pragmáticas, naturalmente, isso exprime uma verdade. Quase todos os nossos atos são pragmáticos, que só atendem a considerações de vantagem ou desvantagem. No entanto, a ética envolve muito mais do que isso. A conduta ideal deve transcender às normas e opiniões públicas. Também são padrões divinamente revelados, visto que o homem não é apenas uma criatura física terrena. O homem também é um espírito eterno, estando sujeito aos princípios que norteiam a comunidade espiritual.

6. *A verdadeira humanidade e a ética.* O desígnio do evangelho é que os homens venham a ser transformados segundo a imagem moral e metafísica do Filho de Deus (Rom. 8:29; II Cor. 3:18). Cristo é o Homem ideal. A vida que ele viveu fornece-nos um exemplo do tipo da conduta ideal que ele requer de nossa parte. Ele nos legou o seu exemplo e os seus ensinamentos. O artigo sobre *Jesus*, em sua terceira seção, aborda os ensinamentos dele, incluindo aqueles de natureza ética.

7. *A ética pessoal e a ética social.* Aquilo que é realmente bom para o indivíduo, também o é para a comunidade, e **vice-versa**. O quinto capítulo de Romanos apresenta o indivíduo como um elemento do homem universal; e os destinos individuais estão sendo vinculados aos destinos da comunidade humana. Cristo é o cabeça da raça humana, tendo-se identificado plenamente com ela. A ética pessoal é uma subcategoria da ética social; e as proposições de uma são idênticas às da outra. O amor, a justiça, a bondade, a misericórdia, etc., no nível individual, são válidos para a comunidade. Se obedecermos ao *imperativo categórico* de Kant (que vede), então jamais faremos qualquer coisa que não queiramos que se torne uma lei universal. Essa ética, como é óbvio, é tanto pessoal quanto universal. Ver sobre *Emanuel Kant* e sua ética.

8. *A ética do Estado, a ética social e a ética individual.* O décimo terceiro capítulo de Romanos requer que obedeçamos às leis do país em que vivemos. Via de regra, essas leis são observáveis pra o crente. Entretanto, existem sistemas políticos injustos, como o comunismo, entre outros, que perseguem à Igreja cristã, fechando suas escolas e encarcerando os seus ministros. Ver sobre *Comunismo e Teologia da Libertação.* Nesses casos, o crente deve fazer o que estiver ao seu alcance para opor-se a sistemas que tenham pervertido a justiça e que estejam perseguindo

ÉTICA TEOLÓGICA — ETIÓPIA

a fé religiosa. Assim fazendo, o crente estará fazendo um bem, e não um mal, mesmo que seja condenado porque seus atos não agradem àqueles sistemas. Podemos fazer oposição pacífica às leis injustas, e não precisamos e nem devemos apelar para a violência, como se fôssemos ativistas políticos.

ÉTICA TEOLÓGICA

De acordo com essa posição, supõe-se que a ética seja uma subcategoria da teologia, e que as regras éticas que seguimos nos foram dadas pela revelação divina. A ética teológica é uma modalidade da ética formal ou absolutista. Ver a introdução ao artigo sobre *Ética de Regras*. A ética teológica faz com que Deus, ou alguma força divina, seja a fonte das regras de conduta humana. O dever do homem, por sua vez, é obedecer às regras que lhe foram dadas, e não desenvolvê-las por meio da experimentação humana. Ver o artigo sobre *Ética de Regras*. Ver também o artigo sobre *Jesus*, em sua terceira parte, *Ensinos*, onde temos incluído os seus princípios éticos, que devem ser considerados uma parte da ética teológica.

ÉTICA TRABALHISTA

Há pessoas que descobrem qualquer desculpa, por esfarrapada que seja, para não trabalharem. Em Tessalônica, alguns dos convertidos de Paulo chegaram a usar motivos religiosos (especificamente a *parousia* iminente) como justificativa para sua ociosidade. Nas antigas leis romanas, como no caso das *Doze Tábuas*, encontramos esta declaração: «Se algum homem prefere não trabalhar, que também não coma». Isso pode ser confrontado com a declaração virtualmente idêntica de Paulo, em II Tes. 2:13. Existe algo na consciência humana que nos diz que é errôneo ser indolente, ocioso; e há algo de bom no trabalho, ainda que seja daquela espécie que não produz o que poderíamos denominar de resultado espiritual. O falso amor galardoa o ócio com suprimentos adequados. O verdadeiro amor ensina aos necessitados alguma coisa que ele pode usar com o fim de trabalhar, e assim ganhar o seu próprio sustento.

Tanto o judaísmo quanto o cristianismo primitivo davam grande importância às esmolas, mas essas esmolas eram dadas para os que realmente padeciam necessidade e não para aqueles que podiam prover para si mesmos, se assim quisessem fazê-lo.

«Não há que duvidar que a indolência e o ócio são amaldiçoados por Deus. Além disso, sabemos que o homem foi criado com isso em vista — que ele fizesse algo. Não apenas as Escrituras nos dão esse testemunho, mas a própria natureza assim o ensina aos pagãos... Paulo censurou aqueles preguiçosos e indolentes, que viviam do suor alheio, ao mesmo tempo em que não contribuíam com algum serviço para ajudar à raça humana». (João Calvino, sobre II Tessalonicenses 3:10).

«O ócio é apenas o refúgio de mentes débeis e o feriado dos tolos» (Lord Chesterfield).

«Na civilização não há lugar para o preguiçoso. Nenhum de nós tem o direito de entregar-se ao lazer» (Henry Ford).

«A preguiça anda tão devagar que a pobreza não demora a alcançá-la» (Benjamim Franklin).

«Satanás sempre encontra alguma coisa má para as mãos ociosas fazerem» (Isaac Watts).

«Nada fazer é a coisa mais difícil do mundo...» (Oscar Wilde).

«Vai ter com a formiga, ó preguiçoso, considera os seus caminhos e sê sábio» (Pro. 6:6).

ETIOLOGIA

Essa palavra vem de dois vocábulos gregos, **aitia**, **«causa», e logos, «palavra», «teoria sobre»** e, portanto, «o estudo e teoria sobre a causalidade». O argumento cosmológico em favor da existência de Deus algumas vezes tem sido denominado *argumento etiológico*, porque Deus aparece ali como a causa de todas as coisas. Ver sobre o *Argumento Cosmológico*.

ETIÓPIA

Esboço:

I. Nome
II. Caracterização Geral
III. História
IV. As Profecias Bíblicas e a Etiópia

I. Nome

No hebraico, **kush**, que indica um país de «rostos queimados». No grego, a palavra correspondente é *aithiops*, «rosto queimado», isto é, uma alusão à tez escura dos habitantes do lugar. A palavra portuguesa Cuxe deriva-se do egípcio *Ks*, originalmente um distrito egípcio, entre a segunda e a terceira catarata do rio Nilo. Esse era o nome de um filho de Cão (talvez o mais velho deles). Cuxe foi o pai de Ninrode. Há uma lenda que diz que a maldição de Cão, por causa do seu ato de indiscrição em relação a seu pai, Noé, fez com que viesse à existência a raça negra. Essa maldição seria a pele negra. Ver o artigo separado sobre *Cão*. Ver também o artigo sobre *Cuxe*. Naturalmente, tal idéia é totalmente absurda. Acerca de Cuxe ver Gên. 10:6,7,8; I Crô. 1:8-10; Isa. 11:11. A menção a um certo «etíope», grande corredor, aparece em II Sam. 18:21-23,31,32.

II. Caracterização Geral

A Etiópia referida na Bíblia faz parte do reino da Núbia, que se estende desde Aswan, no sul, até à junção do Nilo, perto da moderna cidade de Cartum. Essa área foi invadida, nos tempos pré-históricos, por camitas vindos da Arábia e da Ásia. A região foi dominada pelo Egito por quase quinhentos anos, a começar pela XVIII Dinastia (cerca de 1500 A.C.), sendo governada por um vice-rei, que dominava o império africano, controlava o exército da África e explorava as minas de ouro da Núbia. Quanto a referências bíblicas que associam a Etiópia ao Egito, ver Sal. 68:31; Isa. 20:3,5; Eze. 30:4,5. A Etiópia fica ao sul do Egito (Jui. 1:10), bem como ao sul de Siene (Eze. 29:10).

Os etíopes do N.T. não eram ancestrais dos etíopes modernos, ou abissínios, os quais, etnológica e lingüisticamente são semitas; pelo contrário, eram antes uma raça núbia, que habitava na região do rio Nilo, ao sul do Egito propriamente falando. A Etiópia antiga foi primeiramente povoada por descendentes de Cuxe (ver Gên. 10:6) e fazia parte do reino da Núbia, que se espraiava desde Assuam, na direção do sul, até a junção do Nilo, perto da moderna cidade de Cartum. Por quase quinhentos anos esse povo foi governado pelos egípcios, a começar pela 18ª dinastia, em cerca de 1500 A.C., através de um vice-rei, — que governava o império africano, controlava os exércitos da África e dirigia as minas de ouro da Núbia. No século IX A.C., o rei Asa, de Judá, derrotou os etíopes em uma batalha, conforme lemos em II Crô. 14:9,15.

ETIÓPIA

O clímax da glória desse povo ocorreu quando, aproveitando-se dos conflitos críticos do Egito, tornaram-se o seu primeiro conquistador no período de mil anos (dinastia XXV), passando a controlar o vale do Nilo. Um dos monarcas dessa época, Tiraca, evidentemente era aliado de Hezequias, e ajudou a impedir a invasão de Israel pelas tropas de Senaqueribe. (Ver II Reis 19:9 e Isa. 27:9). Mas, finalmente, ruiu por terra o poder etíope, mediante as invasões assírias dos tempos de Esar-Hadom e Assurbanipal. A capital, Tebas, foi destruída (663 A.C.; Naum 3:8-10), e isso cumpriu as profecias de Isaías concernentes à ruína dos etíopes (ver Isa. 20:2-6). A conquista do Egito, por Cambises, pôs a Etiópia dentro da órbita persa (ver Est. 1:1). A passagem de Est. 8:9 nomeia a Etiópia como a mais remota província persa do sudoeste. Outros escritos bíblicos empregam simbolicamente esse nome, para referir-se à extensão ilimitada do senhorio de Deus. (Ver Sal. 87:4; Eze. 30:4; Amós 9:7 e Sof. 2:12).

No trecho de Atos 8:27, essa designação se refere ao reino nilótico de Candade, cujo centro era Meroe, para onde a capital fora transferida durante o período de dominação persa. Os etíopes modernos (ou abissínios), entretanto, — se apropriaram dessa narrativa do oitavo capítulo do livro de Atos, como se os primórdios do ministério do evangelho, entre os seus antepassados, tivessem origem nesse episódio; e consideram a conversão do eunuco etíope como cumprimento da passagem de Sal. 68:31.

O primeiro ato do primeiro concílio ecumênico, realizado em Nicéia (Con. *Nic*. cânon 1), foi o de admitir a plenos privilégios, na igreja cristã, incluindo a participação no ministério, os eunucos que não tivessem mutilado a si mesmos, mas que haviam sido vítimas dessa prática. Isso foi feito para crédito dos membros desse concílio, que agiram conforme o espírito do N.T. ao assim se pronunciarem.

No que diz respeito à Etiópia em geral, o arqueólogo Rawlinson tem a dizer o seguinte: «Os monumentos comprovam, acima de qualquer dúvida, que os etíopes tomaram por empréstimo do Egito tanto a sua religião como os seus hábitos de civilização. Chegaram mesmo a adotar o egípcio como idioma da religião e da corte real, o que continuou até ruir o poder dos Faraós, quando seu domínio se confinou novamente até às fronteiras com a Etiópia. Foi através do Egito, igualmente, que o cristianismo passou para a Etiópia, o que ocorreu dentro do próprio período apostólico, como se demonstra pela história do eunuco da Rainha Candace».

III. História
A primeira referência bíblica a um etíope envolve a história de um escravo «etíope», que levou as novas da morte de Absalão a Davi (II Sam. 18:21-23,31,32). O rei líbio do Egito, Sisaque, quando invadiu a Palestina, utilizou os préstimos de mercenários etíopes (II Crô. 12:3), em cerca de 918 A.C.

O rei Asa sofreu um ataque da parte dos etíopes (II Crô. 14:9-15). O comandante deles era Zerá. Mas o ataque etíope não obteve sucesso. É possível que esses atacantes tenham sido mercenários, que tinham sido instalados na Palestina pelo Faraó Sisaque.

Tiraca, rei da Etiópia, tentou barrar a invasão da Palestina pelas tropas assírias de Senaqueribe. Isso ocorreu durante o reinado de Ezequias, de Judá (II Reis 19:9; Isa. 37:9). Os assírios apelidaram zombeteiramente a Tiraca de «bordão de cana esmagada» (II Reis 18:21). E os assírios derrotaram facilmente a Tiraca, em Elteca. Tiraca foi novamente derrotado pelo rei Esar-Hadom, em vista do que se retirou

definitivamente para a Etiópia. Tiraca governou a Etiópia de cerca de 689 a cerca de 664 A.C. Ele foi o terceiro e último Faraó da XXV Dinastia do Egito. Naquele período, a Etiópia havia conquistado a hegemonia sobre o Egito, embora esse domínio só se tenha prolongado por cinqüenta anos. O centro etíope ficava em Tebas. O sobrinho e sucessor de Tiraca foi derrotado pelo exército assírio de Assurbanipal, que destruiu Tebas em cerca de 663 A.C. (Naum 3:8).

O Faraó Psamético II (593-588 A.C.) empregou mercenários judeus contra a Etiópia, conforme se sabe através da décima terceira carta de Aristeas, ou através de Heródoto (2.161). Nessa época, uma guarnição judaica foi postada na ilha de Elefantina, a fim de guardar a fronteira entre o Egito e a Etiópia. Ver o artigo separado sobre *Elefantina*, quanto ao desenvolvimento de uma colônia judaica naquele lugar.

Jeremias foi tirado de uma cisterna (Jer. 38:7-13) pela intervenção de um eunuco etíope, chamado Ebede-Meleque, o qual, na época, tinha uma posição de autoridade no palácio do rei Zedequias, de Judá, o qual governou de 597 a 587 A.C. E Jeremias garantiu a liberdade daquele etíope quando os babilônios apossaram-se de Jerusalém (Jer. 39:15-17).

O rei Assuero, da Pérsia (identificado com Xerxes, 486-465 A.C.), governou pelo menos uma porção da Etiópia (Est. 1:1; 8:9). Isso também é mencionado nas adições apócrifas ao livro de Ester (que vede), em 13:1 e 17:1. Dario I, da Pérsia, continuou dominando ali.

Antíoco IV Epifânio, rei do norte, ou seja, da Síria (175-163 A.C.), aparentemente também contava com mercenários etíopes (Dan. 11:43), embora o sentido desse texto não deixe de envolver algumas dúvidas.

Posteriormente, os etíopes conquistaram Siene, conforme nos dizem os Oráculos Sibilinos (5.194). Isso pode referir-se a uma expedição enviada ao Egito pela rainha Candace, da Etiópia (24 A.C.), o que é mencionado por Estrabão (17.1,54).

Nas páginas do Novo Testamento, temos em Atos 8:27 uma menção à rainha Candace. O termo Candace era um título real da Núbia, que, aparentemente, significava «rainha-mãe». Ver o artigo separado sobre *Candace*. O tesoureiro dela, chamado no Novo Testamento de *eunuco etíope* (ver o artigo separado sobre ele), evidentemente era um prosélito do judaísmo, algo que facilmente pode ter acontecido, face ao grande contacto que os israelitas tinham com os etíopes. Os modernos etíopes, ou abissínios, pensam que essas referências bíblicas dizem respeito a seus antepassados, pensando que a conversão do eunuco etíope foi cumprimento da profecia que há em Salmos 68:31.

IV. As Profecias Bíblicas e a Etiópia
Houve exilados judeus naquele país. Há referências bíblicas que contêm predições de que eles retornariam após o exílio babilônico. Ver Isa. 11:11; Sal. 87:4. O trecho de Isaías 43:3 prediz que a Pérsia tomaria a Etiópia, a fim de libertar judeus cativos, ali retidos. E as passagens de Isa. 20:3,4; Eze. 30:4,5,9 e Sof. 2:12 predizem o julgamento da Etiópia. A Etiópia está incluída entre as forças que se aliarão a Gogue, que atacarão Israel nos últimos dias (Eze. 38:5). Os *Oráculos Sibilinos* compreenderam mal essa passagem de Ezequiel e erroneamente localizaram Gogue na Etiópia. Mas, de acordo com Amós 9:7, Deus cuida dos etíopes; e a conversão final dos etíopes aparece em Sal. 68:31; Isa. 45:14 e Sof. 3:10. Esse lugar fará parte do reino de Deus, porquanto a graça de Deus abrange todos os povos. (BUD ND UL Z)

587

ETMA — EUCARISTIA

ETMA
Ver sobre **Nebo**.

ETNÃ
No hebraico, «dom», «presente». Esse é o nome de um neto de Assur, por intermédio de Hela, descendente de Judá (I Crô. 4:7). Seu nome pode ter estado associado à cidade de Itnã (que vede), localizada no sul de Judá, referida em Jos. 15:23.

ETNARCA
Transliteração da palavra grega **ethnárches**, que ocorre somente por uma vez em todo o Novo Testamento, em II Coríntios 11:32. Essa palavra é formada por dois vocábulos gregos, *éthnos*, «nação», e *archein*, «governar» e, portanto, um «governador», conforme também se lê em nossa versão portuguesa, nesse trecho: «Em Damasco, o governador preposto do rei Aretas montou guarda na cidade dos damascenos, para me prender». Essa palavra refere-se a um oficial encarregado da segurança de Damasco, com autoridade sobre uma guarnição armada. O rei sob as ordens de quem ele servia era Aretas IV, da Arábia Petrea, que governou de 9 A.C. até 40 D.C.

O etnarca foi encorajado pelos judeus a prender Paulo, depois que este se converteu a Cristo. Ver Atos 9:24,25. O governo dos romanos chegara até Damasco. Em 64 A.C., Damasco tornara-se parte da província romana da Síria, e então Aretas tornou-se um rei títere, provavelmente nomeado por Calígula, em cerca de 33 D.C.

Josefo usou o título para indicar governantes subordinados, encarregados de áreas remotas. Para exemplificar, o governante de Alexandria era assim intitulado. Ver Josefo (*Anti*. 14:7). Um etnarca podia ser apenas um prefeito, com autoridade apenas sobre uma cidade, ou sobre uma cidade-estado, conforme o caso. Porém, alguns etnarcas também exerciam autoridade sobre territórios extensos. O sumo sacerdote Simão, como representante da Síria e subgovernador, foi chamado por esse nome por Estrabão, bem como na Septuaginta, em I Macabeus 14:47. Os chefes dos sete distritos do Egito romano tinham esse título, como também a princesa do Bósforo, no tempo de César Augusto. Os magistrados judeus da diáspora (ver sobre a *Dispersão*) eram assim chamados, sendo possível que o magistrado de Damasco fosse judeu. Ver Josefo (*Anti*. 17:7,2) quanto ao uso desse título.

ETNI
No hebraico, «meu presente». Ele foi um antepassado de Asafe, um levita gersonita. O nome ocorre por ocasião da menção do músico Asafe, em I Crô. 6:41. Em I Crô. 6:21, Jeaterai aparece como filho de Zerá, em vez de Etni. Provavelmente, uma ou ambas essas listas estão incompletas, de tal modo que os detalhes não se harmonizam entre si. Nas genealogias dos hebreus, a questão de *pai* e de *filho* algumas vezes são confusas; e, às vezes, uma *linhagem* está envolvida e não apenas uma questão de paternidade e filiação.

ETRÚRIA, RELIGIÃO DA
A **Religião dos Etruscos**. A Etrúria foi uma antiga nação na parte central ocidental da península itálica. A civilização etrusca continua sendo, para nós, um virtual enigma, incluindo sua religião. O idioma dos etruscos aparentemente não era indo-europeu, embora também não possa ser classificado. As únicas fontes informativas sobre essa região e esse povo são a literatura latina e as descobertas arqueológicas. Sabe-se, entretanto, que os etruscos foram influenciados pelos gregos. —Foram eles que ajudaram a transformar a religião animista dos romanos em uma religião antropomórfica. Eles introduziram sua tríada de divindades, Júpiter, Minerva e Juno na religião romana, para não falarmos sobre outros deuses. A religião deles enfatizava o elemento do medo, que requeria ritos elaborados com a finalidade de pacificar os deuses. Eram grandes praticantes das adivinhações. Acreditavam na existência após túmulo e chegaram a adotar as crenças órficopitagoreanas em recompensas e punições, conforme é demonstrado por suas gravuras tumulares.

O *inferno de Dante*, com seus demônios torturadores, assemelha-se às descrições etruscas, nas pinturas tumulares de Corneto. Eles acreditavam que sacrifícios pós-morte e ritos realizados pelos sacerdotes, eram capazes de libertar almas humanas de seus tormentos. É difícil deixarmos de pensar aqui nas missas celebradas pelos católicos romanos e em sua doutrina do purgatório. Não obstante, devemos lembrar que esse tema aparece comumente em várias religiões antigas, embora sem reflexos na Bíblia. Mas, sem importar se atos, orações e ritos humanos tenham ou não algum benefício para os espíritos humanos desencarnados, o fato é que a própria missão de Cristo ao hades mostrou-se eficaz. Ver I Pedro 3:18 — 4:6, e também o artigo *Descida de Cristo ao Hades*.

EUBULIDES
Foi um filósofo megárico, que criou o **Paradoxo do Mentiroso**. Ver sobre **Paradoxo**, segundo item. Ver também sobre *Megaria, Escola Filosófica de*.

ÉUBULO
No grego, «bem aconselhado» ou «bom conselheiro». Era esse o nome de um amigo do apóstolo Paulo, que se pôs ao lado dele, quando de seu segundo período de aprisionamento. Éubulo enviou saudações a Timóteo (II Tim. 4:21). O nome parece indicar uma origem gentílica. É possível que ele tenha sido membro da igreja de Roma. Esse nome próprio era bastante comum, podendo ser encontrado em papiros e inscrições.

Eu Sou de Deus; Eu Sou de Jesus; Eu Sou do Homem
Ver Depois de **Eusébio de Laodicéia**.

EUCARISTIA
Quanto a maiores informações sobre esse assunto, incluindo a teologia a respeito, ver os artigos separados sobre a *Transubstanciação*; a *Consubstanciação; Jesus Como o Pão da Vida* e a *Ceia do Senhor*.

Nossa palavra portuguesa eucaristia vem do grego *eucharistia*, «agradecimento». Nas páginas do Novo Testamento, a palavra é usada para indicar orações em geral, impelidas pelo senso de ação de graças. A expiação pelo sangue de Cristo dá-nos razões para sermos gratos, o que explica a aplicação da palavra à Ceia do Senhor. Jesus agradeceu (I Cor. 11:24) ao partir o pão, e assim referiu-se ao seu sacrifício iminente. O termo era usado para indicar as «ações de graças» antes das refeições, tanto no caso de refeições informais como no caso daquela associada à Ceia do Senhor. Não demorou muito para tornar-se o termo regularmente usado para designar essa cerimônia. Ver sobre o *Agapé*, um nome alternativo para a Ceia do Senhor e para a refeição que, originalmente, a

EUCKEN — EUDEMONISMO

acompanhava.

Certos conceitos teológicos têm-se desenvolvido em torno dessa questão, na tentativa de definir o que Jesus quis dizer quando proferiu as palavras «Este é o meu corpo». Uma das interpretações, a católica romana, é a da transubstanciação. A questão é amplamente ventilada no artigo com esse título.

EUCKEN, RUDOLF

Suas datas foram 1846-1926. Foi professor de Filosofia em Jena. Ganhou o prêmio Nobel de literatura em 1908. Foi um escritor prolífico, embora se tivesse tornado melhor conhecido por causa de sua influência como professor, e não tanto pela sua originalidade como autor. No campo da ética, ele exibia uma moral rígida, a moralidade kantiana, embora rejeitando o ceticismo próprio daquele sistema. Ele salientava a necessidade da realização dos ideais ético e espiritual na vida. Seu pensamento influenciou as idéias de Max Scheler (que vede), em suas primeiras obras.

EUCLIDES DE MEGARA

Suas datas foram 450-374 A.C. Não deve ser confundido com Euclides de Alexandria (que vede) que viveu no século III A.C., o pai da geometria e grande matemático. Euclides de Megara foi um filósofo grego, nativo de Megara, fundador da Escola de Filosofia de Megara. Era profundo admirador de Sócrates, de quem também era discípulo. Sua filosofia envolvia um forte elemento eleático (ver sobre os *Eleáticos*). Após a morte de Sócrates, Euclides voltou a Megara. Com base na idéia eleática da existência universal imutável, ele acrescentou a ética socrática. Ele desenvolveu uma sutil forma de disputa, de tal maneira que sua escola chegou a chamar-se de Escola Dialética ou Escola Polemista. Ele escreveu seis diálogos, embora só reste um pequeno fragmento de um desses diálogos.

EÚDE

No hebraico, «forte». Outros pensam em «unidade». Esse foi o nome de três personagens do Antigo Testamento, a saber:

1. Um filho de Gera, da tribo de Benjamim, que foi um dos juízes de Israel, ou melhor, que libertou uma parte de Israel, que havia caído sob o domínio dos moabitas. Eúde fez isso assassinando a Eglon, rei dos moabitas. Entre os benjamitas, o nome Gera era hereditário, por pertencer a uma família específica. Ver Gên. 46:21; II Sam. 16:5 e I Crô. 8:3,5. Esse Eúde é mencionado somente no livro de Juízes (3:15,16,20,21,23,26, e 4:1). Foi o segundo dos juízes ou libertadores de Israel e viveu por volta de 1340 A.C.

A história do assassinato do rei Eglon aparece em Juízes 3:15-30. Eúde era ambidestro, isso o ajudou a realizar o seu plano. Obteve acesso à presença de Eglon como quem trazia o tributo enviado pelas tribos subjugadas por Moabe. Ocultou uma adaga entre suas vestes, sobre sua coxa direita. Tirou a adaga da bainha, com a mão esquerda e aplicou o golpe fatal. Ora, Eglon era um homem gordíssimo, e as Escrituras informam-nos de que a adaga ficou escondida em seu abdome, entre as dobras de gordura.

O fato de que a justiça tinha de ser feita mediante um ato violento desse tipo indica o baixo estado de espiritualidade dos homens, que transforma os assassinos em heróis. É possível que certos heróis sejam homicidas e, nesse caso, isso é um outro comentário do miserável estado espiritual dos homens. Seja como for, no conflito armado que se seguiu, aquela região do território de Israel obteve oitenta anos de liberdade e paz.

2. O terceiro dos sete filhos de Bilã, filho de Jedael e neto do patriarca Jacó. Ele é mencionado em I Crô. 7:10 e 8:6. Viveu em torno de 1690 A.C.

3. Um descendente de Benjamim, progenitor de um dos clãs de Geba (I Crô. 8:6). Aparentemente deve ser identificado com o Airã, de Números 26:38. E, nesse caso, era chamado por vários nomes, ou então os escribas copistas confundiram-lhe o nome. Ver sobre Ehi. Viveu em torno de 1690 A.C.

EUDEMO

Filósofo grego do século IV A.C., nascido na ilha de Rodes. Foi discípulo de Aristóteles. Um outro discípulo de Aristóteles, Teofrato (que vede), tornou-se o presidente do Liceu (que vede) por ocasião da morte de Aristóteles. Mas, na opinião de Aristóteles, Eudemo era homem de igual capacidade e prestígio e poderia, com todos os méritos, ter sido o seu sucessor. Eudemo foi o verdadeiro autor da *ética eudemiana*, que comumente é atribuída a Aristóteles. Contudo, podemos estar certos de que as idéias essenciais de Aristóteles estão contidas nesse sistema.

EUDEMONISMO

No grego, **eudemonia** significa «felicidade». Estritamente falando, o termo fala sobre a bênção decorrente de um espírito benigno (um *demônio*, de acordo com uma antiga definição grega). A idéia é que é feliz aquele a quem os deuses favoreçam. O eudemonismo, pois, é a doutrina que diz que a *felicidade* é o principal bem, e que nessa direção devemos orientar todas as nossas ações. Essa doutrina tem recebido novos rumos, às mãos de vários pensadores.

1. Em *Aristóteles*, a felicidade é produzida pela **auto-realização, de tal maneira** que as atividades de uma pessoa servem bem a si mesma e à sociedade. A maior felicidade do indivíduo, porém, seria encontrada na contemplação, porque essa atividade nos aproxima de Deus, em suas atividades, o Movedor Inabalável, o Intelecto, que continuamente contempla as suas próprias perfeições.

2. Em *Agostinho*, a felicidade também é o grande alvo da vida, mas isso é definido em termos cristãos, resultante do perdão de nossos pecados, da obtenção da salvação e da contemplação de Deus, culminando na visão beatífica (que vede).

3. Em *Tomás de Aquino* encontramos um tratamento aristotélico, com um certo colorido cristão. O alvo do indivíduo seria atingir a **bem-aventurança divina** mediante a salvação. No caso da vida presente, as virtudes cristãs da fé, da esperança e do amor, tendo a graça justificadora como seu alicerce, são as coisas que nos trazem a felicidade. Tomás de Aquino equiparava os acontecimentos bons e retos com aquelas coisas que existem na realidade espiritual. Aquino enfatizava o exercício da razão em toda essa atividade, de tal modo que, mesmo à parte da revelação divina, nossa razão natural revela o que é melhor para nós, e onde jaz a felicidade.

4. *Schlick* (que vede) entre os filósofos modernos, tinha um sistema ético tipicamente eudemonístico.

EUDEMONISMO — EUGENIA

5. No *Cristianismo*, é óbvio que a felicidade alicerça-se sobre uma autêntica espiritualidade. Na salvação e em suas bênçãos encontramos um poderoso fator ético, que só ocupa posição secundária em relação à busca pela glória de Deus. Alguns estudiosos têm feito objeção ao eudemonismo, como se fosse uma **forma de egoísmo, de auto-interesse.** Ver sobre o *Egoísmo*. Contra essa opinião, devemos dizer que a vontade de Deus é que sejamos felizes. Assim, a busca pela felicidade deve ser feita de acordo com diretrizes espirituais e não segundo normas carnais e mundanas. Alguns calvinistas radicais têm afirmado, inutilmente, que eles ficariam felizes em ser condenados e padecer nas chamas do inferno, se isso concordasse com a vontade de Deus. Porém, cinco minutos (ou menos!) nas chamas seriam suficientes para eles mudarem de parecer. O objetivo da graça de Deus, por intermédio do evangelho, é tornar os homens felizes. Logo, deve fazer parte da vontade de Deus buscar essa condição, por meio daquelas provisões. O amor a Deus e aos nossos semelhantes pode florescer melhor e mais genuinamente se nós mesmos nos sentirmos felizes. A felicidade empresta ao indivíduo a espontaneidade e vigor nas ações, ao passo que a tristeza sufoca o espírito. Quanto mais felizes formos, tanto mais diligentemente buscaremos a felicidade de outras pessoas. Os homens gostam de compartilhar, quando prosperam. (AM E EP)

EUDORO DE ALEXANDRIA

Filósofo grego do século I A.C. Foi membro da Quarta Academia de Platão. Ele combinava elementos platônicos, pitagoreanos e estóicos. Dividia a filosofia nas três disciplinas da lógica, da ética e da física. Foi ele quem fez a identificação alma-Deus-um, um tratamento que antecipou o desenvolvimento do *neoplatonismo* (que vede). Suas principais obras têm os títulos de: *Sobre o Fim; Sobre as Categorias* e *Comentário sobre Timeu*, de Platão.

EUDOXO DE CNIDO

Suas datas foram 408-355 A.C. Ele foi um filósofo e astrônomo grego. Estudou com Platão, no século IV A.C., bem como com os sacerdotes de Heliópolis, no Egito. Fundou uma escola filosófica em Cizico, mas depois retornou a Atenas. Escreveu muitas obras, embora só tenha sobrevivido até nós um poema sobre astronomia. Esse poema demonstra que ele era dono de consideráveis conhecimentos de astronomia, grande parte dos quais ele tomara por empréstimo, sem dúvida, de antigas fontes extragregas. Ele descobriu que o ano solar tem 365 dias e, ao que parece, inventou o relógio de sol. No campo da ética ele afirmava que o sumo bem consiste nos prazeres, o que significa que ele era hedonista. Ver sobre o *Hedonismo*. No campo da metafísica, ele afirmava que as idéias estão imanentes em todas as coisas. Além de estudos astronômicos e filosóficos, ele notabilizou-se na matemática e na medicina.

EUFRATES, RIO

O nome hebraico desse rio significa «irromper». Em Deuteronômio 1:7 é chamado de «grande rio Eufrates». É mencionado como a fronteira leste das terras que Deus deu aos descendentes de Abraão. Em Gên. 2:14, o rio Eufrates (ali chamado *Perath*, no original hebraico) é mencionado como um dos quatro rios que fluíam de um manancial comum até o jardim do Éden. Ver o artigo separado sobre o *Jardim do*

Éden. Esse rio era o principal rio da Ásia ocidental. Em Êxo. 23:31, é aludido como «o rio», embora nossa versão portuguesa diga «o Eufrates». Seus nomes modernos são *Fra su* e *Shatt el Fara*. Seus mananciais encontram-se na Armênia central, a não grande distância das margens do mar Euxino. Seu comprimento total, incluindo suas circunvoluções, é de 2.760 km. É formado pela junção de dois grandes ribeiros, chamado Kara-Su e Mourad-Chai. Esses dois rios menores unem-se perto de Kaban Maden, cerca de 38° 58' de longitude norte, e 38° 30' de latitude leste. A partir dessa junção, o rio flui essencialmente na direção suleste, até desaguar no golfo Pérsico. Em Korna, cerca de 160 km de sua foz, une-se ao rio Tigre. E daí para baixo, o rio toma o nome de Shatt-el-Arab. Nesse ponto, o rio tem uma profundidade entre três e cinco braças e a correnteza torna-se lenta. Ao longo de suas margens há aldeias e plantações. A mais importante cidade moderna, ao longo de sua rota, como Shatt-el-Arab, é Bassora. O degelo da neve, nas suas cabeceiras, faz o rio encher. Isso acontece por volta dos primeiros dias de março, o que se estende até fins de maio. Então diminui de volume. É navegável por longa distância, a partir do mar, terra adentro, embora haja numerosos trechos de correnteza rápida. Navios a vapor podem subir pelo Shatt-el-Arab. Entre os rios Eufrates e Tigre é que ficava a célebre região da Mesopotâmia (um nome que significa «entre rios»). Nos tempos antigos, o rio sempre foi usado na navegação. Heródoto informa-nos de que embarcações traziam os produtos da Armênia até à Babilônia, descendo por esse rio. Várias importantes cidades antigas estiveram localizadas em suas margens, incluindo a cidade de Babilônia. Maria ficava situada em seu curso médio, não longe da junção com o rio Habur. O estratégico ponto de travessia para o norte da Síria era dominado pela cidade-fortaleza de Carquêmis (que vede).

Esse rio servia de linha vital, tal como o Nilo o era para o Egito. Muitos canais artificiais foram construídos ali para o transporte de água; e dessa maneira, o território em ambas as margens do rio era irrigado. Xenofonte afirmou que essa irrigação tornou o deserto em terras férteis. Ver as seguintes referências bíblicas: Gên. 2:14; 15:18; Deu. 1:7; 11:24; Jos. 1:4; II Sam. 8:3; II Reis 23:29; 24:7; I Crô. 5:9; 18:3; II Crô. 35:20; Jer. 13:4 ss e 51:63.

No Novo Testamento, o rio Eufrates figura por duas vezes: Em Apo. 9:14, quando é baixada a ordem para a soltura dos *quatro anjos* presos perto do rio. Isso indica que espíritos malignos serão soltos para vexar o globo terrestre nos últimos dias. E em Apo. 16:12, o sexto anjo é visto a derramar a sua taça de ira divina sobre o rio, de tal modo que o mesmo seca-se, preparando o caminho para as tropas dos reis do Oriente entrarem em batalha — a batalha de Armagedom (que vede). Ver o NTI, em suas notas expositivas, em Apo. 16:12, quanto a explicações a respeito. (AM BE TEC)

EUGENIA

Uma palavra que, no grego, significa «boa raça». Essa palavra foi cunhada em 1882, por Sir Francis Galton, a fim de referir-se à ciência e à arte de aprimorar a espécie humana, através da aplicação dos princípios da genética. O objetivo da eugenia é obter características físicas e mentais favoráveis, da progênie ou prole. Na primeira porção do século XX, foram feitos esforços, nos Estados Unidos da América do Norte, a fim de desenvolver essa ciência; e houve até alguma legislação, aprovada pelo congresso

EUGENIA — EUNOMIANISMO

norte-americano, que favorecia o movimento. Entretanto, os exageros praticados por Hitler e seu regime nazista, na Alemanha, emprestaram à idéia e à prática uma má fama. Naquele país houve programas de esterilização em massa, de eutanásia e até mesmo de genocídio, sob a inspiração de idéias eugênicas, posto que distorcidas.

O interesse por esse tipo de atividade tem sobrevivido, como uma defesa contra enfermidades que possam ser passadas às gerações seguintes por meio da herança genética. Além disso, a doação de esperma, por parte de famosos intelectuais, **tem-se** tornado comum. Atualmente, a ciência afirma que a duplicação de indivíduos não é um feito impossível e bem podemos supor que, algum dia, o *modus operandi* dessa duplicação será desenvolvido. Isso já vem sendo feito no caso de rãs; logo, não parece estar longe que isso aconteça com seres humanos também. Tais coisas, porém, levantam sérias questões morais. Se indivíduos errados subirem ao poder, é possível que **uma super-raça venha** tomar conta do mundo, eliminando totalmente os direitos individuais. As possibilidades dessa ciência são imensas e muitos de seus elementos são altamente desejáveis, embora os exageros possam vir a estragar tudo, a menos que haja a proteção apropriada para esses conhecimentos científicos. Para os crentes, apesar de tudo isso ser interessante e potencialmente benéfico (ou maléfico), a principal preocupação na vida deve ser a alma e o **seu bem-estar eterno;** e as manipulações genéticas dificilmente haverão de alterar isso em qualquer coisa, especialmente a curto prazo.

EUGNOSTOS, CARTA DE

Esse é um documento de origem gnóstica, contida no códice III e V da biblioteca de Nag Hammadi. Ver o artigo sobre *Nag Hammadi, Manuscritos de.* A carta aqui referida ainda não foi publicada, embora seja sabido que é similar à *Sophia Jesus Christi.* A Carta de Eugnostos é um discurso. E a *Sophia* é um diálogo entre Jesus e seus discípulos. As idéias ali apresentadas são tipicamente gnósticas. Ver o artigo geral sobre o *Gnosticismo.*

EUHEMERISMO

Euhemero (cerca de 315 A.C.) foi um filósofo grego siciliano. Ele criou a teoria de que as crenças tradicionais sobre os deuses (como nos escritos de Homero) originaram-se de adornos de lendas e tradições acerca dos *heróis.* Em outras palavras, os deuses seriam projeções de heróis humanos, glorificados. Os antigos apologistas cristãos, como Lactâncio (240-320 D.C.), aproveitaram-se dessa explicação para mostrarem a origem das religiões grega e romana, assim comparando-as desfavoravelmente com o cristianismo.

EULOGON

Esse é o nome do ensino de Arcesilas (vide) de que a *probabilidade* é o guia da vida. Seu sucessor, Filo de Larissa (que vede) desenvolveu um pouco mais a idéia. As datas de Arcesilas foram 315-241 A.C. Ele foi o cabeça da Academia Platônica, depois de Crates. Sua doutrina do *eulogon* inspirou-o a fazer cuidadosos exames das alternativas, quando era discutida qualquer questão, e então ele preferia o lado que oferecesse maior taxa de probabilidade. Naturalmente, ele foi um cético, ainda que moderado. O ceticismo (que vede) apega-se fortemente à doutrina das probabilidades, tal como o faz a ciência moderna.

EUMENES

No grego, «bem disposto». Foi um governante, mencionado em I Macabeus 8.8. Os romanos entregaram-lhe uma grossa fatia do território sírio para governar. Ele foi o mesmo Eumenes II (197-158 A.C.) que governou em Pérgamo, que ficava localizada entre dois tributários do rio Caico, na porção ocidental da Ásia Menor. Ajudou os romanos em sua guerra contra o monarca selêucida Antíoco III, o Grande, em cerca de 191 A.C. E em recompensa por seus bons serviços, obteve o poder de mando, nas áreas acima mencionadas.

EUNICE

No grego, «boa vitória». Esse foi o nome da mãe de Timóteo. A mãe dela era Lóide. Ver II Tim. 1:5 e Atos 16:1. Seu marido era gentio (Atos 16:1). Eunice, entretanto, era de uma família judaica tradicional. Lóide estivera esperando pelo aparecimento do Messias, tendo traçado o curso do destino futuro de Timóteo, por mostrar-se tão zelosa de suas tradições religiosas. Por isso mesmo, Paulo foi capaz de dizer que Timóteo, desde a infância, era conhecedor das Sagradas Letras (II Tim. 3:15) e que o mesmo tipo de fé estivera com sua avó, Lóide, e então com sua mãe, Eunice. A lição que disso se depreende é clara. As tradições de família, em questões religiosas, é algo importante, devendo ser ativamente promovidas. O profeta Baha Ullah afirmou que a pior coisa que um pai pode fazer, se for conhecedor da verdade religiosa, é deixar de ensiná-la a seus filhos. Não há que duvidar que grande é a responsabilidade dos pais, para com seus filhos, embora não seja esse o único fator da espiritualidade. Ver sobre a *Educação Cristã.*

Mui provavelmente, Eunice e Timóteo converteram-se ambos ao cristianismo pelos esforços de Paulo, em sua primeira viagem missionária, talvez em Listra (que vede). Paulo ficou impressionado diante da espiritualidade e zelo de Timóteo, e assim levou-o como evangelista. O trecho de II Timóteo 3:11 mostra-nos que Timóteo era testemunha das aflições e perseguições de Paulo, em Listra. Evidentemente, Timóteo tinha uma mãe notável, conforme tão freqüentemente acontece com homens de grandes realizações.

A fé aludida pelo apóstolo tanto era a judaica (no caso de Lóide) quanto era cristã (no caso de Eunice e Timóteo). A fé cristã é o desenvolvimento natural da fé judaica bem fundada nas Escrituras. Paulo não fez qualquer distinção entre uma e outra e nem seria necessário. Alguns intérpretes, entretanto, pensam que essa fé é apenas a fé cristã. É possível que Lóide ainda estivesse viva quando Paulo fez a sua primeira viagem missionária, e que também tivesse se convertido a Cristo, ante a pregação do apóstolo.

EUNOMIANISMO

A *cristologia* (que vede) sempre foi um ponto difícil para os teólogos. Têm sido necessários séculos de estudos para os homens chegarem às definições que, atualmente, são consideradas ortodoxas. Um dos sistemas que surgiu, mas que não perdurou por muito tempo, foi o de Eunômio, bispo de Cizico (cerca de 395 D.C.). Ele foi um ariano extremado. Ele ensinava que a deidade é uma substância só (monoteísmo puro), sem distinções ou propriedades. Conseqüentemente, ele ensinava que o Filho é diferente (no grego, *anomoios,* origem do termo *anomoeanismo*) do Pai, quanto à substância, tendo sido gerado fora de sua natureza. Em seus escritos, Eunômio revela uma

EUNUCO

mente anti-sacramentalista, antimística e antilógica.

EUNUCO

Descrição Geral

Eunuco. Um homem castrado. Grande número de autores antigos testifica sobre essa prática brutal, em várias regiões do mundo antigo. Josefo revela que as cortes de Herodes eram freqüentemente servidas por eunucos, e também é verdade que os reis de Judá e de Israel, copiando seus vizinhos pagãos, empregavam os serviços de eunucos, em seus haréns reais. (Ver II Reis 9:32 e Jer. 41:16). A lei de Moisés (ver Deut. 23:1) excluía os eunucos do culto público, provavelmente porque essa e outras práticas, que envolviam mutilações, eram praticadas no paganismo, como parte da reverência prestada aos deuses pagãos. O evangelho de Cristo, entretanto, rejeita a todos esses preconceitos e limitações, conforme fica bem ilustrado em Atos 8:27.

Heródoto menciona que os eunucos eram muito procurados nos países do Oriente, por serem pessoas dignas de confiança (*Her.* viii.105), e algumas vezes a própria palavra «eunuco» indicava um oficial, sem nenhuma vinculação com a castração. A história antiga mostra-nos que não era incomum confiarem-se elevados cargos aos eunucos, tal como o tesoureiro da rainha Candace.

Havia três tipos de eunucos, a saber: 1. aqueles que *nasceram* tais, por motivo de algum defeito congênito. Segundo o Talmude Babilônico dos judeus, esses eram chamados «eunucos desde que viram o sol», isto é, desde o momento do nascimento. 2. Os que se tornavam eunucos por terem sido *mutilados* pelos homens. 3. Os eunucos *espirituais*, isto é, aqueles que se negavam aos prazeres sexuais visando propósitos espirituais, que podiam ser ou não castrados.

Orígenes, um dos primeiros pais da igreja cristã, castrou a si mesmo, literalmente, a fim de melhor poder servir ao reino de Deus. Outros devotavam todo seu tempo e energia à Deus, nada lhes restando para as funções naturais do corpo; estes com razão poderiam ser designados de *eunucos espirituais*. (Ver as palavras do Senhor Jesus quanto a essa questão, em Mat. 19:12). O judaísmo não teria encarado com aprovação esse terceiro tipo; e esse é um dos pontos onde o Senhor Jesus e o apóstolo Paulo se afastaram da doutrina judaica ordinária. (Ver as explanações de Paulo a respeito, no sétimo capítulo de sua primeira epístola aos Coríntios).

Em Mateus 19:12

Porque há eunucos que nasceram assim; e há eunucos que pelos homens foram feitos tais; e outros há que a si mesmos se fizeram eunucos por causa do reino dos céus. Quem pode aceitar isso, aceite-o.

Há eunucos de nascença. Evidentemente há aqui a tentativa de incluir todas as modalidades do eunuquismo. A palavra *eunuco* vem de dois termos gregos; «eune», que significa «cama», e «echo», que significa «ter». O eunuco era o homem que tinha a responsabilidade de proteger e de cuidar do dormitório do harém oriental. Eram emasculados para garantir o cumprimento do seu serviço sem problemas de impulsos sexuais. Falando sobre os eunucos e descrevendo todas as possibilidades do eunuquismo, Jesus descreveu três tipos, dois por razões físicas, e um por razões éticas:

1. *Eunucos de nascença*: homens que nascem com defeitos físicos (ou mentais) que os tornam incapazes das funções sexuais. Os judeus chamavam tais homens de «eunucos do sol», isto é, pessoas que nunca viram o sol exceto no estado de eunuquismo. (*T. Bab. Uebamot*, fol. 75:1.79.2; *Maimôn. Hilch. Ishot.* c.2., seção 14). Por diversas vezes também foram chamados de «eunucos pelas mãos dos céus», a fim de serem distinguidos dos eunucos feitos assim por operações feitas pelos homens (*T. Bab. Yebamot*, fol. 80:2).

2. *Eunucos feitos pelos homens*: aqui Jesus se refere aos emasculados por meio de intervenções *cirúrgicas*, e não «por nascimento». No tempo de Jesus, havia grande número dessas pessoas, especialmente aqueles que trabalhavam nos haréns orientais. Mas também se lê, na história antiga, muitos atos de barbaridade na forma de emasculação em tempos de guerra, como castigo contra os inimigos ou como atos de vingança. Alguns intérpretes, como Lange (*in loc.*), aplicam de forma espiritual ou moral essa segunda classe de eunucos, dizendo que a principal referência é aos homens que, por considerações sociais ou morais, se recusam a contrair matrimônio, cómo, por exemplo, para servirem melhor ao estado, ao governo ou à sociedade. Contudo, essa interpretação figurada não faz parte do significado do texto, e em geral é ignorada nos comentários.

3. *Eunucos por causa do reino dos céus*: há diversas interpretações acerca dessa terceira classe. a. Fala de pessoas casadas que agem como se não fossem, a fim de melhor servirem ao reino (ver Lange, *in loc.*). Os intérpretes negam ou ignoram essa possibilidade, pois de fato, o evidente que essa idéia nada tem a ver com o ensino de Jesus aqui. b. Compreende-se perfeitamente que a referência é aos homens que se *recusam* a contrair matrimônio para melhor servirem e adorarem ao Senhor. Essa recusa não implica no ato físico da castração, a despeito do fato de que, durante séculos, muitos homens têm feito isso por motivos religiosos; mas dizer tal é exagerar grandemente as implicações do texto. Lemos que Orígenes se castrou por ser extremamente *zeloso* em sua mocidade, e que foi subseqüentemente excomungado pela igreja de Alexandria por causa desse ato. Lemos na história eclesiástica que isso se tornou um problema tão grande (homens que se emasculavam) que foi mister que a igreja antiga se pronunciasse contra o ato (ver a obra de Schaff, *History of the Apostolic Church*, §112, págs. 448-454, e a obra de Lucius Waterman, *Post-Apostolic Age*, pág. 337). c. Outro exagero do texto tem sido a prática observada pelas ordens religiosas ou pelo sacerdócio da Igreja Católica Romana, ao transformar em *regra fixa* a necessidade do celibato, ao passo que Jesus deixou ao indivíduo o direito da livre escolha e indicou que poucos teriam capacidade para exercer o celibato com sucesso. Jesus jamais estabeleceu regra dessa natureza para os pregadores, e a história eclesiástica demonstra que a «regra» do celibato resultou de um processo prolongado, pelo que dificilmente tem base verdadeira neste texto de Mateus.

Entre aqueles que a si mesmos se fizeram eunucos «por causa do reino dos céus», temos João Batista, Jesus e Paulo (I Cor. 7:6,26), Barnabé (I Cor. 9:5,6) e, provavelmente, o apóstolo João, se é que podemos confiar na tradição da igreja grega, que o chamava de *o parthenos*, que é a expressão grega para «o virgem». É provável que essa interpretação possa incluir legitimamente os casos de pessoas que ficam solteiras depois da morte de um dos cônjuges.

«Por causa do reino dos céus», indica que considerações acerca do serviço e da adoração a Deus são as mais importantes para tais pessoas. O texto não ensina que mediante o ato os indivíduos possam

EUNUCO — EUROCLIDÃO

merecer a admissão ao reino dos céus, conforme alguns têm ensinado, como disse Orígenes (*Ad regnum caelorum promeredum*). O mesmo declararam Hilário, Eutímio e Maldonado. O propósito do eunuquismo voluntário seria o de permitir ao indivíduo crente servir e adorar sem o tropeço dos obstáculos impostos pelo estado de casado. Paulo disse: «Quem não é casado cuida das cousas do Senhor, de como agradar ao Senhor» (I Cor. 7:32). E ainda: «Digo isto em favor dos vossos próprios interesses; não que eu pretenda enredar-vos, mas somente para o que é decoroso e vos facilite o consagrar-vos, desimpedidamente, ao Senhor» (I Cor. 7:35). Com relação ao casamento, Paulo declarou: «...tais pessoas sofrerão angústia na carne, e eu quisera poupar-vos» (I Cor. 7:28).

Quem é apto. Jesus enfatiza aqui o **eunuquismo volutário**, que se alicerça no «dom» de Deus, na inclinação pessoal e na capacidade do indivíduo em começar a cumprir com êxito as exigências do celibato. O número dos homens capazes disso deve ser diminuto, especialmente quando o celibato é praticado por motivos religiosos e como expressão da vida espiritual. Jesus ensinou claramente que o número de tais pessoas seria pequeno, e a história da igreja demonstra exatamente isso. Para o indivíduo capaz, que recebeu tal habilidade da parte de Deus, e que tem alvos elevados para alcançar no seu serviço ao Senhor, o celibato seria um ato inteligente e louvável.

EUNUCO ETÍOPE

História de Filipe e do Eunuco Etíope: Atos 8:26-40.

Este episódio, que é vividamente relatado, faz-nos lembrar do estilo das narrativas dos livros de Samuel e de Reis. Contém certo número de paralelos com a história de Elias, segundo a encontramos nos trechos de I Reis 18:12 e II Reis 2:16,17, juntamente com alguns trechos do livro profético de Sofonias. Comparar o vs. 26 do oitavo capítulo de Atos com Sof. 2:4; o vs. 27 com Sof. 2:11,12 e 3:10; e o vs. 39 com Sof. 3:4. Alguns intérpretes, tendo observado essas similaridades, têm suposto que a história inteira foi fabricada, com base em reminiscências extraídas das páginas do A.T. Entretanto, isso é tanto um exagero quanto à semelhança entre as passagens envolvidas como também uma explicação inadequada sobre as coisas acontecidas e aqui narradas. Porém, ao narrar a sua história, o autor sagrado talvez tenha sido influenciado, em sua linguagem e expressões, pelo conhecimento que tinha desses trechos históricos do A.T., que esta narrativa reflete.

O episódio é uma extensão da história das atividades de Filipe em Samaria; contudo, não parece ser-nos apresentada como verdadeiro início da atividade dos ministros do evangelho, entre povos gentílicos puros. No entanto, forma um prelúdio para a apresentação da história sobre como o evangelho partiu de Jerusalém (Atos 1:7) para *Samaria* (Atos 8), e daí até os confins da terra (o restante do livro de Atos).

É perfeitamente possível que o *eunuco etíope* fosse um gentio puro; porém, sem dúvida, tornara-se prosélito do judaísmo e havia subido a Jerusalém com finalidades religiosas, estando familiarizado com o texto do A.T. (Ver Atos 8:30). *Eusébio*, o grande historiador da igreja cristã primitiva, refere-se ao eunuco etíope como o *primeiro indivíduo gentio a abraçar o cristianismo*. Isso é verdade, embora não encontramos aqui a introdução do ministério do evangelho aos povos pagãos, posto que o homem era judeu de religião, embora não de raça. Lucas, o autor do livro de Atos, evidentemente reputava o caso de Cornélio como o verdadeiro início da missão entre os gentios (ver o décimo capítulo do livro de Atos). Porém, não podemos perder de vista a ilustração do texto, sobre como o evangelho estava agora atingindo áreas distantes de Jerusalém, sendo assim gradualmente cumpridas as exigências e os itens da Grande Comissão—que os discípulos seriam suas testemunhas em Jerusalém, em Samaria, e até os confins da terra. (Atos 1:8). A conversão do etíope é significativa como grande evento dentro do desenvolvimento e expansão da igreja cristã e do evangelho. Ver o artigo sobre *Eunuco*.

EUPATOR

No grego, «pai nobre». um sobrenome dado ao rei selêucida Antíoco V (163-162 A.C.). Quando ainda menino, ele sucedeu a seu pai no trono, o infame Antíoco IV Epifânio (que vede). Estabeleceu a paz com os judeus, durante o período dos Macabeus; mas foi traído e assassinado, em 162 A.C. Ver o artigo geral sobre os reis selêucidas.

EUPOLEMO

No grego, «habilidoso na guerra». Era esse o nome de João, filho de Acôs, um dos enviados a Roma por Judas Macabeu, em cerca de 161 A.C. (I Macabeus 8:17; II Macabeus 4:11; Josefo, *Anti.* 12.10,6). O propósito dessa embaixada era garantir a paz com Roma e esse propósito foi conseguido.

EUQUITAS

Um nome alternativo da seita religiosa também conhecida por messalianos, o «povo que orava». Epifânio (337-361 D.C.) informa-nos que eles formavam uma seita mística, na Síria e na Mesopotâmia, que praticava estranhas formas de exorcismo (que vede). Eles tinham práticas místicas semelhantes àquelas das seitas místicas islâmicas. Foram atacados por Flaviano de Antioquia e também por ocasião do Concílio de Side. Teodoreto (que vede) chamava-os de *entusiastas*.

Nos séculos X e XI D.C., uma seita similar e com o mesmo nome, apareceu posto que de mistura com elementos maniqueus.

EURITO DE CRÓTONA

Ele foi discípulo de Pitágoras (vide), no século VI A.C. Tornou-se conhecido somente por causa de sua prática peculiar de dar número às criaturas. Ele usava pedregulhos para esboçar o formato dos animais e então contava os pedregulhos. Os pitagoreanos supunham que todas as coisas têm seus números apropriados (uma antiga forma de numerologia). Eurito, pois, usava esse método singelo para tentar determinar esse número. Pitágoras pensava que, de alguma forma, a compreensão da natureza jaz na matemática.

EUROCLIDÃO

No grego, «onda do Oriente». Nome dado, em alguns manuscritos gregos posteriores e em algumas versões, para o tufão de vento que, no golfo Adriático, assediou o navio no qual Paulo viajava, ao sul das costas da ilha de Creta. Esse vendaval provocou a

EUSÉBIO — EUSÉBIO DE DORILEUM

tempestade que fez aquele navio naufragar diante da ilha de Malta. Até mesmo nos dias modernos, o testemunho dos marinheiros confirma a narrativa bíblica quanto a esse fenômeno. Uma variante grega diz «vento nordeste», aludindo ao mesmo tufão, em Atos 27:14. No grego, isso é *uerokulon*, que é a base da palavra portuguesa que aparece em nossa versão, «Euro-aquilão». Essa palavra é a combinação do termo grego *euros* (vento oriental) com o termo latino *aquilo* (vento norte), resultando em vento nordeste. Isso ajusta-se perfeitamente à situação local da costa sul da ilha de Creta, onde uma brisa sul com freqüência cede lugar a um vendaval que sopra do nordeste.

EUSÉBIO DA NICOMÉDIA

Foi um líder e bispo ariano, que morreu em cerca de 342 D.C. Era discípulo de Ário (que vede). Serviu como bispo de Berito (moderna Beirute, no Líbano); mas, em 318 D.C. foi nomeado bispo da Nicomédia, onde residia o imperador oriental, Licínio. Defendia o *arianismo* (que vede), tendo sido seu principal advogado quando do concílio de Nicéia, de 325 D.C. Ário, sendo apenas um presbítero, não podia freqüentar pessoalmente o concílio, a fim de defender os seus pontos de vista.

O arianismo ensinava que Cristo foi o primeiro e mais elevado dos seres *criados*, o que significa que ele não seria co-eterno e nem igual ao Pai. A vasta maioria dos membros do concílio condenou tal posição e com toda a razão. Ver o artigo sobre *Cristologia*. Eusébio assinou o credo daí resultante, embora recusando-se a condenar Ário, pelo que também foi exilado juntamente com ele. Entretanto, a viúva de Licínio, Constância, usou a sua influência pessoal para fazer Eusébio da Nicomédia reconquistar sua posição eclesiástica, em 327 D.C. E então, ele mesmo chamou de volta a Ário. Continuou fazendo oposição à fórmula nicena, tendo obtido o apoio de muitos. Teve a distinção de ter batizado Constantino, no seu leito de morte. Tornou-se bispo de Constantinopla, em 339 D.C. O arianismo continuou ganhando terreno, até que foi, finalmente, derrotado, quando do concílio de Constantinopla, em 381 D.C., onde o Credo Niceno triunfou totalmente.

EUSÉBIO DE CESARÉIA

Suas datas foram 263-340 D.C. Eusébio foi homem de grandes virtudes, tendo sido o segundo grande historiador eclesiástico, depois de Lucas, além de haver sido um erudito eminente, um apologista cristão, um influente estadista eclesiástico e, acima de tudo, bispo de Cesaréia, cabeça da Judéia, por um quarto de século. Seu pai espiritual foi Panfílio, o sábio presbítero de Cesaréia. A influência de Orígenes era forte em Cesaréia, tendo sido apenas natural que Eusébio tivesse sido treinado dentro dessa linha teológica. Panfílio restaurou uma grande biblioteca em Cesaréia, pelo que também Eusébio dispunha de fontes informativas para nelas basear os seus escritos. Sua *História Eclesiástica* levou os registros históricos da Igreja até 323 D.C. Além disso, ele escreveu uma *Crônica* da história universal, que incluía uma tentativa cronológica, com uma lista de datas. Uma edição definitiva de sua *História Eclesiástica* apareceu em 325 D.C., preservando valiosas informações, grande parte das quais com base em fontes informativas não mais existentes. Essa obra com razão conquistou para ele o título de Pai da História Eclesiástica. Ele também foi o autor de obras

polêmicas contra as heresias da época, incluindo aquelas intituladas, em latim, *Praeparatio Evangelica; Demonstratio Evangelica* e *Contra Hieracleum*. A última dessas três obras era contra Apolônio de Tiana, que alguns exaltavam como se fosse maior do que Jesus Cristo.

Eusébio fugiu para Tiro, durante a perseguição movida pelo imperador Diocleciano, mas voltou a Cesaréia e tornou-se bispo dali, nos anos 313 ou 315 D.C. Em 326 D.C. ele publicou uma enciclopédia em quatro volumes. Um dos quatro volumes recebeu o título de *Onomasticon*, a única porção dessa obra que ainda resta. Conta com cerca de seiscentos nomes de cidades, rios, lugares, etc., tanto do Antigo Testamento quanto dos quatro evangelhos. Portanto, Eusébio também foi o pai dos dicionários e enciclopédias bíblicos. Jerônimo corrigiu e acrescentou detalhes a essa obra. Agostinho louvou-a, emitindo a esperança de que outros dessem prosseguimento a esse tipo de esforço literário. Ver o artigo geral sobre *Dicionários e Enciclopédias da Bíblia*.

Origenista como era e tendo participado da controvérsia ariana, Eusébio até hoje permanece uma figura um tanto enigmática. Os historiadores continuam indagando qual, exatamente, foi o papel de Eusébio, quando da controvérsia ariana. Mas, pelo menos, é certo que Eusébio foi um origenista da segunda geração, bem como um impávido advogado da teologia do Logos. Mostrou-se simpático para com Ário, quando disputava com o bispo de Alexandria e ficou embaraçado diante da recensão final de seu credo cesareano, adotado no concílio de Nicéia. Posteriormente, — Eusébio bandeou-se ativamente para o partido de Ário contra Eustácio, Atanásio e Marcelo. Alguns estudiosos supõem que ele não entendeu corretamente as implicações da posição ariana. Depois que o credo ariano foi repudiado pelo concílio de Nicéia, Eusébio apresentou o chamado credo de Cesaréia, que se mostrou indeciso quanto ao principal ponto de controvérsia. O partido alexandrino conseguiu incorporar o ponto de Atanásio, que dizia que Cristo foi *gerado*, mas não feito (não era um ser criado). Ver os artigos sobre o *Arianismo* e sobre a *Geração Eterna de Cristo*. Em Nicéia, de acordo com esse item teológico, o Filho fora declarado da mesma substância que o Pai (*homoousin*). Isso produziu o credo niceno. Ver o artigo sobre os *Credos*. Ver também o artigo sobre *Cristologia*, quanto a uma visão dos intrincados detalhes contidos nessas antigas disputas. Eusébio acabou aceitando o credo Niceno, tendo cedido diante das exigências da Igreja, e também porque Constantino esperava que, através dessa declaração oficial, a unidade pudesse ser conseguida em uma Igreja dividida. Porém a carta que Eusébio enviou às outras figuras da Igreja mostra-nos que ele não se sentia satisfeito diante do credo Niceno, oferecendo alguma resistência ao mesmo. Em outras palavras, ele tomou uma posição prática, tendo em vista a Igreja Universal, mas com a qual ele realmente não concordava, quanto às suas próprias crenças doutrinárias. Depois disso, Eusébio continuou a escrever, a ensinar e a dirigir as questões eclesiásticas. (AM BR E SCH)

EUSÉBIO DE DORILEUM

Ele foi um teólogo grego, cuja morte ocorreu em cerca de 452 D.C. Foi erudito e mestre em Constantinopla, tendo feito oposição ao seu patriarca, Nestório, em sua obra intitulada *Contestatio* (de todos os seus escritos, o único que resta). Na qualidade de bispo de Dorileum, na Frígia, ele acusou o Êutico, o

EUSÉBIO — EU SOU DE DEUS

abade do mosteiro de Constantinopla (um monofisista declarado) de heresia. Por esse motivo, Eusébio de Dorileum foi condenado pelo chamado Concílio dos Ladrões, efetuado em Éfeso, em 449 D.C. Ver sobre *Éfeso, Sínodo dos Ladrões*. Foi restaurado à sua sede pelo concílio de Calcedônia (451 D.C.), que condenou o *monofisismo*. Esse ensino dizia que Cristo tinha apenas uma natureza, a divina, pelo que não teria sido um verdadeiro ser humano. Ver sobre a *Cristologia*, quanto às muitas doutrinas que circundam a pessoa de Cristo.

EUSÉBIO DE EMESSA

Foi teólogo e autor. Nasceu em Edessa (moderna Urfa, na Turquia), em cerca de 295 D.C. Foi aluno de Eusébio de Cesaréia (que vede). Declinou a sé de Alexandria por sentir que Atanásio era quem deveria ocupá-la com todos os direitos. Mas tornou-se bispo de Emessa, em cerca de 339 D.C. Foi um famoso exegeta e expositor da teologia antinicena (que vede).

EUSÉBIO DE LAODICÉIA

Foi diácono em Alexandria, durante o episcopado de Dionísio (247-264 D.C.). Tornou-se conhecido por haver arriscado a própria vida, durante uma praga, quando cuidava dos enfermos, sem pensar no perigo que isso representava. Fez parte do concílio que se opôs a Paulo de Samosata, bispo de Antioquia, o qual negava a divindade de Cristo. Finalmente, tornou-se bispo de Laodicéia, em 263 D.C.

••• ••• •••

EU SOU DE DEUS

Esboço:
  I. Sentidos Envolvidos Nesse Nome
  II. Arcabouço Veterotestamentário
  III. O Original Hebraico Envolvido
  IV. Para Uso em Tempos de Crise
  V. Jesus Tomou para Si esse Nome
  VI. O Eu sou de Deus é o Eu Sou do Homem

I. Sentidos Envolvidos Nesse Nome

O pronome pessoal «eu», quando usado acerca de Deus, fazendo o texto falar na primeira (e divina) pessoa, adiciona dignidade e poder ao texto. Devemos supor que, quando ocorre tal uso, que o profeta envolvido estava recebendo alguma revelação direta, no tocante a questões importantes. Para exemplificar, ver Sal. 131:10. O poder de Deus é enfatizado em Gênesis 17:1. Em Êxodo 3:14 encontramos o nome divino «Eu Sou», onde se destacam a sua auto-existência e a sua imutabilidade. Jesus empregou esse título como um de seus próprios nomes, sendo o mais corajoso uso do nome, em todo o Novo Testamento. Ver o artigo *Eu Sou de Jesus*.

Deus é aquele que existe sem qualquer causa, porquanto é **autocausado e auto-sustentado**. Os filósofos se referem à vida de Deus como necessária e independente. Deus não pode deixar de existir; e também não depende de qualquer outro ser, a fim de continuar existindo. Por ocasião da redenção, a alma humana recebe esse tipo de vida. Ver João 5:25,26.

O Pai tem «vida em si mesmo». Esse tipo de vida ele conferiu ao Filho, embora reduzido ao nível humano

(Jesus Cristo), por ser ele o administrador da vida. E o Filho de Deus, por sua vez, dá dessa vida aos filhos que estão sendo transformados à imagem de Cristo (Rom. 8:29).

Atanásio e os pais alexandrinos da Igreja fizeram a cristologia ser ligada intimamente à soteriologia. Cristo é a imagem de Deus, demonstrando a divindade do Pai. E os remidos, que compartilham da imagem de Cristo, necessariamente chegarão a compartilhar da plenitude da sua natureza divina (II Ped. 1:4), mediante o poder transformador do Espírito Santo (II Cor. 3:18). Dessa forma é que os remidos chegarão a participar da plenitude de Deus, em sua natureza e em seus atributos. Isso envolve um processo finito, mas eternamente crescente. Ver Efé. 3:19. A plenitude de Deus reside em Cristo, o Logos, e daí é transferida para aqueles a quem ele redime (Col. 2:9,10). Com base em todas essas considerações, pois, podemos observar que o título divino, «Eu Sou», também é um nome ligado à redenção, porquanto esse *Eu Sou* torna-se real para o homem, em sua própria natureza metafísica. Desse modo, o homem remido passa a compartilhar da vida necessária e independente de Deus. Nisso consiste a verdadeira imortalidade, que é privilégio exclusivo de Deus, e que envolve muito mais do que existir para todo o sempre.

II. Arcabouço Veterotestamentário

Moisés tinha uma difícil tarefa a realizar. Ele precisava liderar um povo que, facilmente, se rebelava e que exigia provas das credenciais de Moisés. Era mister que ele tivesse algo com que pudesse convencer o povo de que Deus o havia autorizado a tirar Israel da escravidão no Egito (ver Êxo. 3:13). Assim, o grande nome divino, «Eu Sou», foi-lhe revelado diante da sarça ardente, o que passou a ser a autorização divina de que Moisés precisava.

A sarça queimava e queimava, mas sem se consumir. Isso sugeria, simbolicamente, a eternidade da natureza de Deus. Quando Deus disse: «Eu Sou», e então «Eu Sou o que Sou», ele quis dar a entender que eram removidas todas as barreiras do tempo, passado ou futuro, como elementos capazes de restringi-lo. Dessa forma, a história de Israel, que ocorria dentro do tempo, passou a ser dirigida por forças que existem fora do tempo. Deus, como governador do tempo, mas que vive fora do tempo, é Alguém em quem se poderia confiar, de que faria por Israel aquilo que seu destino requeria. O título divino «Eu Sou» identificava Deus com o povo de Israel de uma maneira independente do tempo. Coisa alguma, do passado, do presente ou do futuro pode cortar essa identificação. As palavras de Êxo. 3:15: «...assim serei lembrado de geração em geração...» estão ligadas ao nome «Eu Sou», de Deus. Deus havia abençoado aos progenitores do povo de Israel. Israel fora levado para o cativeiro, no Egito; mas isso em nada anulara o poder de Deus. A história de Israel tem exibido claramente a fidelidade do Senhor ao seu povo terreno. As promessas feitas aos patriarcas antigos jamais falharão. O nome eterno de Deus, «Eu Sou», serve de garantia disso.

III. O Original Hebraico Envolvido

Esse nome divino, em hebraico, é **'ehyeh**, que alguns estudiosos supõem que signifique «sou o que

EU SOU DE DEUS

sou», ao passo que outros pensam em «serei o que serei». Ambas as traduções dão um bom sentido. O que Deus *fora* para Israel era uma questão de registro histórico. O que ele *foi*, continuaria *sendo* para sempre, ficando assim ressaltados tanto o presente quanto o futuro. Declarou o salmista: «Elevo os olhos para os montes: de onde me virá o socorro? O meu socorro vem do Senhor, que fez o céu e a terra» (Sal. 121:1,2). As colinas são chamadas de «eternas». Elas continuam as mesmas, enquanto se passam muitas gerações em sucessão. Mas, o Senhor Deus é o criador das colinas eternas, sendo ele a expressão mesma da eternidade. Dele é que nos vem um socorro seguro. De eternidade em eternidade, ele é Deus (Sal. 90:2).

Yahweh. Esse é o mais distintivo nome de Deus no Antigo Testamento, usado por inúmeras vezes. Vem da mesma raiz que o «Eu Sou» de Êxo. 3:14. Seu uso subentende que Deus entrou em relação de pacto com Israel, a quem ele sempre mostrar-se-á leal, porquanto ele garante o cumprimento desse pacto, por ser ele o próprio Deus. A experiência nos ensina que quando os homens estabelecem acordo, não demora muito para esses acordos serem quebrados. Os governos entram em alianças; mas, quando as circunstâncias e os interesses pessoais mudam, os pactos são quebrados, violados e esquecidos. Porém, a fidelidade de Deus, e o fato de que ele vive fora do tempo garantem que os pactos estabelecidos entre Deus e os homens perdurem. Ver o artigo separado sobre os *Pactos*.

IV. Para Uso em Tempos de Crise

É fácil alguém ter fé em meio à **abundância** e ao sucesso. Porém, quando essas coisas nos faltam, então a nossa fé pode oscilar. Israel esteve na Palestina, na época patriarcal; mas eis que sobreveio um golpe de má sorte, que se manifestou sob a forma de seca e fome, e Israel foi forçado a entrar no Egito. Esse foi o seu primeiro cativeiro. Com a passagem dos séculos, o povo de Israel passou por severo período de sofrimento no Egito. Não obstante, Deus estava presente, e o primeiro milagre de sua presença foi a preservação da identidade de Israel. É um fato admirável que em todos os cativeiros de Israel, como o assírio e o babilônico, a identidade de Israel tenha sido preservada. Um milagre que já perdura por mais de dezoito séculos é o fato de que Israel, dispersa como nação entre as nações gentílicas no começo do século II D.C., tem sido capaz de manter sua identidade até hoje, tendo começado a retornar à sua própria terra em nossos próprios dias. Assim, tribulações aparecem de vez em quando, atingindo este ou aquele povo e indivíduos; mas Deus nunca se esqueceu de seu povo. Podemos ter a certeza de que ele endireitará todas as coisas para seu povo de Israel e para nós, que nele confiamos, e somos seu povo espiritual. Até mesmo quando nos desesperamos, Deus se faz presente e continua cuidando de nós. Os processos históricos podem precisar de muito tempo para se desenrolar. O elemento tempo está nas mãos de Deus. Mas, sendo fiel aos seus eternos propósitos, ele age chegado o tempo certo, e restaura.

V. Jesus Tomou para Si esse Nome

Ver o artigo chamado **Eu Sou de Jesus**. Um dos usos mais ousados do Novo Testamento foi aquele em que Jesus aplicou a si mesmo o título divino de «Eu Sou», conforme se vê em João 8:58. Esse nome não somente nos ensina a sua identificação com Deus Pai, e a sua participação na natureza divina plena, mas também subentende a sua identificação conosco; pois, assim como o «Eu Sou» do Antigo Testamento garantiu a permanência de Israel, com sua presença eterna e protetora, assim também o «Eu Sou» do Novo Testamento serve de garantia para o seu povo crente.

Os líderes judeus, embora cativos nos seus pecados e na sua rebelião, ainda assim apelavam para Abraão como seu pai espiritual, e se ufanavam nessa identificação. E chegavam a pensar que isso lhes garantia a salvação eterna. Jesus, porém, asseverou ousadamente que ele já existia antes de Abraão, porquanto era o «Eu Sou» do Antigo Testamento. Isso só poderia mesmo ser compreendido como a mais desabrida forma de blasfêmia, pelos seus primeiros ouvintes. Todavia, as heresias têm uma maneira toda especial de se tornarem novas ortodoxias, e foi precisamente isso que aconteceu a Jesus e às suas reivindicações. Ver o artigo sobre a *Divindade de Cristo*. A divindade de Cristo tornou-se a pedra angular para a nossa compreensão da encarnação. Mas também é a pedra angular do nosso entendimento sobre a mensagem da redenção, e o que essa mensagem tenciona realizar. É isso que temos comentado no primeiro ponto, acima.

Assim como o nome «Eu Sou» se refere à verdadeira imortalidade, em contraste com o tempo e as suas vicissitudes, assim também a nossa união com o «Eu Sou», Jesus Cristo, garante a nossa mais autêntica imortalidade. Ver os artigos intitulados *Imortalidade* e *Divindade, Participação do Homem na*.

«Eu Sou» é um dos nomes divinos. Temos provido um artigo que trata sobre todos esses títulos divinos. Ver *Deus, Nomes Bíblicos*. Em relação ao presente artigo, a discussão sobre a seção III.8, sobre *Yahweh*, é a que se reveste de maior interesse.

VI. O Eu Sou de Deus é o Eu Sou do Homem

Como poderemos saber que quando Deus declara o seu *Eu Sou* isso é, ao mesmo tempo, o poder que o homem tem para também dizer «eu sou»? Isso pode ser respondido de várias maneiras:

1. *Deus*, Aquele que é eternamente, *existente*, concede *vida ao homem*. A vida é uma dádiva divina. Essa vida tanto pode ser biológica quanto espiritual. Deus é dotado de um tipo de vida que é necessário e independente. Mas a vida humana é contingente (pode não existir) e dependente (o homem só pode continuar vivendo mediante a vontade e o poder de Deus). No entanto, ao ser remido pelo sangue de Cristo, o indivíduo passa a compartilhar da vida *necessária* de Deus (vida que não pode não existir), a qual também é independente — a verdadeira imortalidade — e tudo pela graça de Deus. É nesse ponto que o homem deixa de ser perene para tornar-se «eterno». Por enquanto, o *tipo de vida* que Deus tem manifesta-se somente ao nível do espírito dos homens remidos; mas, quando da ressurreição, a «vida eterna» envolverá até mesmo o corpo do crente (ver I João 3:1,2). Dessa forma, os remidos haverão de compartilhar plenamente do *tipo de vida divina*. E, visto que Deus diz *Eu Sou*, o remido também pode dizer «eu sou».

2. *Vida Teleológica*. Da mesma maneira que Deus é o planejador de todas as coisas, assim também os seus

EU SOU DE DEUS — EU SOU DE JESUS

desígnios cumprem-se nos homens. Ele determinou para o homem um grande propósito para a nossa existência.

Sentimos que nada somos, pois tudo é Tu e em Ti;
Sentimos que algo somos, isso também vem de Ti;
Sabemos que nada somos, mas Tu nos ajudas a ser algo.
Bendito seja o Teu nome — Aleluia!
(Alfred Lord Tennyson, *The Human Cry*).

3. *O Poder da Vontade.* O homem foi criado à imagem de Deus. Mas a queda no pecado afastou o homem da Mente Divina. Não obstante, o próprio fato de que o homem foi criado à imagem divina significa que ele ainda possui uma vontade que pode ser criativa, e não escrava do tempo e das circunstâncias. É com base nessa vontade que o homem é moralmente responsável. Ver sobre o *Livre-Arbítrio*.

4. *O Eu Sou Cristológico e o Eu Sou Antropológico.* O homem é capaz de dizer «eu sou» porque pode tornar-se filho de Deus, com a mesma natureza do Filho de Deus. Ele pode vir a compartilhar da imagem e natureza do Filho (ver Rom. 8:29), da plenitude divina (ver Efé. 3:19) e da própria natureza divina (ver II Ped. 1:4).

5. *A Fórmula Soteriológica.* Deus, o Eu Sou; Jesus, o Filho, o Eu Sou; os filhos remidos de Deus, o Eu Sou humano. Isso constitui a família divina. Ver sobre *Eu Sou de Jesus*.

EU SOU DE JESUS

João 8:58: *Respondeu-lhes Jesus: Em verdade, em verdade vos digo que antes que Abraão existisse, eu sou.*

Eis uma das mais *notáveis declarações* do evangelho de João, no que concerne à natureza de Cristo. Tal como outros profundos conceitos espirituais, esta declaração é prefaciada pela solene fórmula «Em verdade, em verdade...» a qual tem por intenção mostrar que a declaração é importantíssima, pelo que também precisa ser acuradamente observada, ficando destacados os elementos de sua veracidade, de sua importância e de sua validade.

Antes que Abraão existisse. Essa declaração pode ter um destes sentidos: 1. antes do nascimento de Abraão; ou 2. a existência de Abraão em qualquer estado. Muitos teólogos modernos, muitos estudiosos entre os judeus antigos e alguns dos pais da igreja, como Orígenes, Justino Mártir e Clemente, defenderam a idéia da preexistência da alma, o que também é uma doutrina platônica. Nas Escrituras não somos informados quando a alma humana (de cada pessoa) se origina, pelo que não podemos adiantar asseverações baseadas nessa revelação. Por isso mesmo muitas idéias têm aparecido quanto à origem da alma humana. Alguns têm suposto que Deus cria uma nova alma quando uma criança é concebida (doutrina essa chamada *criacionismo*); outros acreditam que o pai e a mãe da criança, na geração natural, produzem um ser já dotado de alma, porquanto a alma faria parte integrante da potencialidade humana, que não requer qualquer ato direto de Deus (doutrina denominada *traducionismo*). Outros, ainda, asseveram que a alma é *preexistente*. Sem entrar numa discussão sobre a origem das almas humanas (inclusive Abraão), o texto ensino que Cristo já *existia* antes do nascimento de Abraão, porquanto, já estava vivo quande este nasceu. Se considerarmos que Abraão, como *um*

espírito, existiu em um estado preencarnado, então mesmo assim Cristo já existia antes disso.

Por conseguinte, encontramos aqui o *contraste da criatura com o Criador*. O criador é eterno, antecedendo ao nascimento de qualquer indivíduo ou da criação de qualquer alma preencarnada, porquanto ele é o criador de toda e qualquer vida, sem importar o seu modo particular de começo. E posto que temos aqui o contraste entre a criatura e o criador, também encontramos aqui, inerentemente, o contraste entre o que é temporal e o que é eterno. O *Logos-Criador-Cristo* é eterno, mas o ser criado (*Abraão*) é temporal. Dessa maneira fica demonstrada uma vez mais a grandeza de Cristo, a saber, quão superior ele é a Abraão — Jesus é superior a Abraão, na mesma escala em que Deus é maior do que o homem.

A pessoa de Cristo, portanto é «*o princípio impulsionador* e o centro de todas as eras». (Lange, *in loc.*). Na qualidade de «Logos», eterno, ele já existia antes de Abraão. Também antecedeu a Abraão na qualidade de homem divino humano, nos planos de Deus, embora ainda não houvesse assumido essa forma, nos dias de Abraão. (Ver o artigo sobre a *encarnação*). Não obstante, o potencial e o destino de seu ser incluíam essa missão e essa forma de existência, um ser de origem eterna na mente de Deus e em sua potencialidade—porém, até mesmo nesse sentido Cristo antecedeu a Abraão, tanto temporalmente quanto à importância de sua personalidade.

Se a doutrina da preexistência da alma humana tem razão, então Jesus, o homem, como todos os homens, seria preexistente e não somente o Logos, o *princípio divino*, com qual sua parte humana, na encarnação, realizou uma fusão. A idéia do *criacionismo* nos envolve em grandes dificuldades teológicas, especialmente aquela refletida na pergunta: Pode ser que Deus crie uma alma pecaminosa, cada vez que ele cria uma alma nova? As Escrituras ensinam que as almas já vêm corruptas, e isto não acontece meramente pela influência do ambiente. O *traducionismo* nos envolve em grandes mistérios em relação à procriação. Talvez, a preexistência da alma, como conceito, nos envolva em menos dificuldades, embora não seja livre de objeções. A reencarnação, não é necessariamente uma parte do conceito. Entidades de grande antiguidade não necessariamente, têm existido na terra mais do que uma vez. Mas a reencarnação é uma idéia viável para explicar alguns fatos da realidade.

«Esta passagem ensina em termos claríssimos a preexistência essencial e pessoal de Cristo, antes de Abraão; em outras palavras, antes do mundo (João 17:5) e antes do tempo (João 1:1), tempo esse criado juntamente com o mundo, o que implica na eternidade de Cristo e, conseqüentemente, em sua deidade, porquanto só Deus é eterno» (Philip Schaff, *in loc.*, no Lange's Commentary). (As implicações dessa declaração bíblica são elaboradas nas notas relativas ao trecho de João 1:1 no NTI).

Não podemos deixar de observar, por semelhante modo, o termo especial aqui empregado, isto é, *Eu sou*, o que é uma referência óbvia à passagem de Êxo. 4:14, onde Deus assevera: «Eu sou o que sou... 'Eu sou' me enviou a vós outros». Nesses termos falou o verdadeiro Deus de Israel, ao enviar Moisés para falar com o Faraó, ordenando-lhe que libertasse o povo de Israel da escravidão.

Elementos do Eu Sou de Jesus

1. Implica a divindade e eternidade de Cristo (Ver o artigo sobre a *Divindade de Cristo*). (Ver Heb. 1:3).

EU SOU DE JESUS — EUTANÁSIA

2. Declara a singularidade do Filho e sua dignidade.

3. Prova sua missão messiânica.

4. Prova sua união perfeita com o Pai, e implica na doutrina da trindade

Diversas *interpretações racionalistas* têm sido apresentadas, com o propósito de eliminar as idéias de uma preexistência real de Cristo, bem como de sua divindade; e isso fazem afirmando que essa existência de Cristo antes de Abraão não foi na forma de uma manifestação pessoal qualquer, e, sim, dentro do plano e da mente de Deus, meramente na predestinação divina. Por semelhante modo, os rabinos judeus se ufanavam de que Israel e suas leis já existiam antes do mundo, na mente de Deus. Porém, apesar de que essa interpretação encerra certa verdade, especialmente no que diz respeito ao estado da encarnação de Cristo, fica bem aquém do sentido total aqui colimado, especialmente neste caso em que Jesus (ver João 8:59) nos deixa entrever que eles compreenderam que em suas palavras estava envolvido muito mais do que alguma mera visão de predestinação.

«Antes que Abraão existisse, eu sou, eternamente existente. Não ocorre nas Escrituras nenhuma outra afirmação tão incisiva sobre a preexistência...» (Marcus Dods, *in loc.*). A preexistência de Cristo *aponta* para (embora não prove) a sua eternidade, e a eternidade de Cristo aponta para a sua divindade. Ora, tudo isso concorda plenamente com a mensagem do trecho de João 1:1.

EU SOU DO HOMEM

Ver **Eu Sou de Deus**, seção VI.

EUTANÁSIA

Essa palavra vem de dois termos gregos, **eu**, «boa» ou «fácil» e **thánatos**, «morte», resultando em «morte boa». Refere-se à prática de tirar a vida a uma pessoa, de modo misericordioso (sem importar o meio empregado), para livrar tal pessoa de seus constantes sofrimentos. Geralmente ocorre nos casos em que o paciente sofre de intensas dores, devido a alguma doença incurável que, inevitavelmente, o levará à morte. Diante de tão grande sofrimento, tanto do paciente quanto de seus parentes, que a tudo assistem sem nada poderem fazer, o paciente é morto.

Os problemas morais e legais que isso cria continuam sendo discutidos, não parecendo que se consiga chegar a um acordo sobre a questão. pelo menos para breve. Alguns teólogos rígidos consideram que a eutanásia é uma violação do sexto mandamento da lei mosaica: *Não matarás*. E, se o próprio paciente consente com o ato, é acusado de suicídio, uma outra maneira de violar esse sexto mandamento.

A eutanásia passiva, na opinião da maioria, é uma medida moralmente aceitável. Essa forma de eutanásia consiste no desligamento de máquinas e aparelhos, capazes de manter artificialmente a vida do paciente, sem os quais este morreria. A aplicação de drogas que aliviem as dores é uma prática universalmente aceita. Porém, há casos em que nenhuma droga surte efeitos, além de outras que vão gradualmente perdendo o seu efeito aliviador.

A eutanásia ativa é a interrupção deliberada da **vida biológica, de alguma maneira e não o mero** desligamento de aparelhos médicos. Alguns vêem um texto de prova contra essa prática no relato sobre Jó, o qual, embora estivesse sofrendo muito, recusou-se *a amaldiçoar a Deus e a morrer*. Pessoalmente, porém, não penso que sejamos capazes de solucionar o problema mediante o emprego de textos de prova.

Quando minha mãe, uma mulher inteligente, sofria intensamente por motivo de câncer, e isso pelo espaço de quatro anos e meio, antes dela finalmente falecer, discutimos os dois a questão da eutanásia. Um amigo dela, pastor evangélico e professor de seminário, escreveu-lhe uma carta dizendo que se ele apanhasse câncer, desapareceria no mar. (Ele gostava de velejar). Mas eu mesmo disse à minha mãe que tudo quanto eu aprendera sobre o suicídio mostrava-me que o suicídio pode ser um erro sério, podendo complicar consideravelmente a condição da alma após a morte. Não sei até que ponto meu argumento impediu-a de tirar a própria vida; mas, em momentos de alucinação mental, ela me dizia que tinha algum veneno na bolsa, e que haveria de usá-lo na primeira oportunidade que se deparasse. — Felizmente, a morte finalmente a libertou e ela morreu como não suicida. Todavia, não sei dizer se aquilo que sei a respeito e que outros sabem, seja, realmente, a solução para esse complicado problema.

Talvez um bom caso em favor da eutanásia seja aquele em que há um fiapo de vida, inútil, entre grandes padecimentos, quando não há qualquer esperança de cura; quando só se pode esperar ainda maiores sofrimentos, e, finalmente, a morte. Alguns mestres espirituais afirmam que há casos permissíveis. Para exemplificar, um militar que tenha alguma preciosa informação a dar, a qual lhe pode ser extraída mediante tortura, teria o direito de suicidar-se, a fim de evitar tanto as dores como o desvendamento das informações que tanto podem prejudicar ao seu país. Outros líderes espirituais também argumentam que uma pessoa qualquer, afligida por alguma doença incurável, que produza intenso sofrimento, pode tirar a própria vida; ou então que o pessoal médico, com o seu consentimento, pode fazer isso, sem ninguém incorrer em qualquer culpa. Contra isso tem-se argumentado que se essa prática fosse legalizada, daí resultariam muitos homicídios. Não há dúvidas que assim sucederia; mas os homens matam-se uns aos outros de qualquer maneira e tudo ilegalmente. No entanto, a eutanásia é capaz de aliviar muito sofrimento humano.

Também tem sido argumentado que os sofrimentos podem ter um efeito purificador sobre a alma que está prestes a partir deste mundo, o que lhe seria benéfico, por conseguinte. Mas há casos em que devemos indagar se esse sofrimento vale a pena, mesmo que produza algum benefício para a alma. Pelo menos, uma coisa que poderia ser feita para aliviar tanto sofrimento como o uso mais generalizado de drogas, sob controle médico, mais no começo da enfermidade dolorosa. Essas drogas, com freqüência, exercem um efeito debilitador, apressando a morte, pelo que são uma forma moderada de eutanásia.

Um Ponto Geralmente Esquecido. Penso que há um ponto que foi olvidado em toda essa discussão. Aqueles que se opõem à eutanásia a todo custo e com bases dogmáticas, parecem valorizar a vida física debilitada demasiadamente. É possível exagerar o valor da vida física, de tal modo que sua preservação é tentada a todo transe. Devemos rejeitar mentalmente essa atitude. Nessa rejeição, podemos chegar a alguma forma aceitável de eutanásia, se for rigidamente controlada pela ciência médica, em conjunção com o próprio enfermo e seus familiares. Tenho a esperança de que essa posição possa ser atingida algum dia, embora confesse que não tenho certeza quanto às implicações morais envolvidas. Penso, todavia, que a eutanásia é justa em alguns casos, não envolvendo qualquer culpa. Talvez seja melhor aliviar o sofrimento do que prolongar uma

EUTICO — EUTIQUIANISMO

vida inútil, em meio a dores.

EUTICO (PERSONAGEM BÍBLICO)

No grego, «afortunado». A passagem de Atos 20:7-12 narra que Paulo pregou em Trôade um longo sermão, que se prolongou noite adentro. Um jovem, chamado Êutico, caindo no sono, despencou de uma janela de terceiro andar (no parapeito da qual estava sentado e ouvia o apóstolo). Quando foi socorrido, estava presumivelmente morto. Não era aquela a maneira certa de terminar um sermão, pelo que Paulo, impulsionado pelo Espírito de Deus, foi capaz de devolver o jovem à vida. O incidente, embora sério, tem-se tornado base para muitas piadas sobre longos sermões (Paulo prolongou-se até à meia-noite!) Seja como for, o ato de Paulo faz-nos lembrar dos profetas do Antigo Testamento, conforme o registro de I Reis 17:21 e II Reis 4:34, em que estiveram envolvidos Elias e Eliseu. Naturalmente, é possível que Êutico apenas tenha perdido a consciência. Os céticos simplesmente não toleram que ocorram milagres! Porém, hoje em dia tem-se conhecimento de que não é incomum o retorno à vida de pessoas que tenham entrado nos primeiros estágios da morte física (mesmo depois que o espírito já se separou do corpo). Tais experiências nos têm mostrado o lado esperançoso da questão, que é a prova quase científica da existência da alma e de sua sobrevivência ante a morte física. Ver o artigo sobre *Experiências Perto da Morte*. Algum poder espiritual, em algumas ocasiões, pode provocar o retorno à vida biológica. Algumas vezes, esse poder é alguém que reside na dimensão espiritual, que tem algum envolvimento na questão (o anjo guardião, ou algum outro ser espiritual). Outras vezes, um homem espiritual (mas ainda encarnado) pode produzir esse retorno. Seja como for, podemos supor que Lucas foi testemunha ocular do acontecimento, não havendo razão alguma para duvidarmos da realidade da morte de Êutico.

EUTIPRO, DILEMA DE

Platão escreveu um diálogo intitulado **Eutipro**. O indivíduo desse nome teria perguntado a Sócrates: «O que é santo é amado pelos deuses porque *é santo*, ou o que é santo o é porque é amado pelos deuses?» Poderíamos formular essa indagação de outra forma: «Uma coisa é boa porque ela é realmente boa, em si mesma, ou ela é boa porque Deus diz que ela é boa?» Essas perguntas nos levam diretamente à questão do *voluntarismo* (que vede). Uma coisa é boa e apropriada porque *assim Deus quer*, sem importar todos os sentimentos e padrões humanos em contrário. Assim estipula essa doutrina do voluntarismo. Por exemplo, Deus não ordenou, realmente, que Israel fosse aniquilar os povos vizinhos? Ou foram *eles* que disseram que tinham sido ordenados por Deus, porque queriam uma razão divina para seu ato? Também topamos com o mesmo problema na doutrina da predestinação, — que representa Deus a permitir que a maioria dos seres humanos sofra interminavelmente, ao passo que apenas alguns poucos escolhidos são beneficiados pelo seu amor. Isso é o voluntarismo em sua forma mais extrema; e a razão humana diz-nos que isso não pode ser verdade, havendo até mesmo textos de prova bíblicos que dão força a essa razão. Contudo, também há textos de prova em favor da predestinação radical, como o nono capítulo da epístola aos Romanos. Contudo, textos assim podem ser explicados como reflexos de uma teologia judaica inadequada, que negligencia causas secundárias, fazendo Deus responsável por tudo quanto sucede. Isso faz Deus ser a causa do mal, visto ser ele a causa de todas as coisas — mas isso não é uma teologia aceitável, por ser incompleta.

O Dilema. Se dissermos que algo é bom porque assim Deus quer (ou gosta daquilo), mas que, ao mesmo tempo, parece não ser realmente bom, de acordo com os padrões humanos, então correremos o risco de inventar algo sobre Deus que não é aceitável, e também teremos de aceitar textos de prova duvidosos, como base para essa teologia incompleta. Mas, se dissermos que alguma coisa não é boa, ou que alguma idéia é falsa, embora haja claros textos de prova bíblicos em seu favor, então correremos o risco de sermos considerados hereges, por estarmos rejeitando a Palavra de Deus. E outras pessoas não se deixarão convencer do contrário, mesmo que apresentemos alguns textos de prova que apóiem a nossa posição. O dilema gira em torno de que autoridade deve ser aceita e quais textos de prova correspondentes devem ser aplicados.

Solucionando o Problema. Antes de tudo, devemos abandonar a idéia de que podemos solucionar qualquer disputa teológica meramente suprindo os textos de prova apropriados. Ademais, alguns textos foram ultrapassados, devido à própria progressão da revelação divina. Em segundo lugar, quando é exposta uma alternativa mais razoável, não devemos temer escolhê-la, — mesmo que outras pessoas nos considerem hereges. Em terceiro lugar, no que diz respeito, especificamente, ao dilema de Eutipro, pode-se dizer que o mesmo existe por ser parcial em suas considerações. A *verdadeira divindade* (não a versão grega da mesma) ama e faz o bem porque ela é boa em si mesma, e também porque o bem é, natural e automaticamente, amado pela divindade. Vale dizer, aquilo que é verdadeiramente bom — **é assim** porque participa da qualidade eterna do bem. E, visto que Deus é o Sumo Bem, naturalmente ele aprova o que é bom e o deseja. Não podemos isolar uma coisa da outra. Se o fizermos, como é óbvio, cairemos em um dilema. Não há nisso qualquer contradição; as teologias humanas, parciais como são, é que criam o dilema. (EP F)

EUTIQUIANISMO (EUTÍQUIO)

Eutíquio (cerca de 450 D.C.) era arquimandrita de um mosteiro fora de Constantinopla, na primeira metade do século V D.C. Era um devotado discípulo de Cirilo de Alexandria. Na Igreja oriental, um *arquimandrita* era o chefe de um ou mais mosteiros. O título também era dado para padres celibatários distinguidos. Eutíquio, pois, tornou-se conhecido por seu apoio às idéias chamadas, coletivamente, *eutiquianismo*. Trata-se da doutrina cristológica de que, por ocasião da *encarnação* (que vede), a natureza humana de Cristo foi absorvida pela natureza divina, com tudo quanto isso subentende. Ele introduziu essas idéias nas controvérsias cristológicas, entre 448 e 451 D.C. Ele expôs esse ensino em oposição ao nestorianismo (que vede). O conceito obteve apoio temporário do chamado Sínodo dos Ladrões, efetuado em Éfeso. Ver sobre *Éfeso, Concílio dos Ladrões de.* A posição negava tanto a dupla natureza de Cristo como a sua devida humanidade, parecendo requerer a idéia de que o próprio Deus pôde ser tentado, sofrer e morrer. A idéia foi declarada herética quando do concílio de Calcedônia (451 D.C.), e Eutíquio foi desligado de suas funções. Ver o artigo geral sobre *Cristologia.* A Igreja Egípcia continuou a dar apoio a Eutíquio e essas controvérsias cristológicas pros-

EU TU, RELAÇÃO DE — EVA

seguiram, interminavelmente. A idéia reapareceu na heresia monofisista. Ver sobre *Monofisismo*.

EU TU, RELAÇÃO DE Ver sobre **Buber**.

EVA

Esboço:

I. O Nome
II. Seu Relacionamento com Adão
III. Participação de Eva na Queda
IV. Comparação com o Relato sobre o Deus Sumério Enki
V. Eva no Novo Testamento

I. O Nome

No hebraico, **Hawwah**, com freqüência definido como «doador da vida», embora outros significados tenham sido sugeridos. A derivação é incerta, a tal ponto que um certo léxico fala em nove possibilidades. O relato do livro de Gênesis conecta o nome dessa mulher com a própria existência da raça humana. Adão chamou sua companheira de Eva, palavra que, no hebraico, aparentemente está relacionada ao termo hebraico *hayyah*, que significa «viver». Ela foi chamada assim porque **se tornaria** a mãe de todos os seres humanos. O nome lhe foi dado por Adão, após a queda no pecado (Gên. 3:20).

II. Seu Relacionamento com Adão

O trecho de Gênesis 2:21,22 revela que Deus fez Eva, partindo de uma costela extraída de Adão. Alguns intérpretes aceitam o relato literalmente, mas outros só o aceitam simbolicamente. Neste último caso, estariam em foco a intimidade entre homem e mulher, a dependência da mulher ao homem, e, no caso de Eva, a dependência de toda a vida humana a essa primeira mulher. A Bíblia também ensina a subordinação da mulher ao homem (I Tim. 2:12,13). Tudo isso indica uma lição geral da vida, que nos instrui sobre o fato de que dependemos uns dos outros, o que nos ensina a amar e a ser amados, que é a maior das lições da vida.

Os eruditos liberais salientam que a questão da *costela* pertence às lendas tipicamente mesopotâmicas sobre a criação. Ver sobre *Cosmogonia* e sobre *Criação*. Ver também o artigo separado sobre o *Jardim do Éden*. Esses vários artigos ilustram como um fundo comum de informações foi aproveitado pelo autor do livro de Gênesis, como também pelos autores das histórias da criação, dentro da cultura da Mesopotâmia. O trecho de Gên. 1:28 mostra-nos que um dos principais propósitos do casamento é a procriação. Alguns intérpretes modernos têm-se valido desse fato para sustentar que ter filhos é uma obrigação moral em *todos* os casamentos. Mas, contra essa opinião, outros estudiosos têm salientado que em um mundo superpovoado como o nosso, é quase impossível que se pense ser necessário que cada casal siga como foram Adão e Eva, procriadores. Muitos pensam que a propagação da raça humana não requer que todos os casais participem do processo. Na verdade, seria melhor se houvesse mais casais que deixassem outros casais encarregarem-se de gerar filhos, em um mundo já tão envolvido no problema da superpopulação.

III. Participação de Eva na Queda

A serpente esteve envolvida na tentação de Eva e alguma fruta não identificada foi o objeto de tentação. O fruto era capaz de fazer o homem distinguir entre o bem e o mal, como uma espécie de fruto de conhecimento limitado. Saber distinguir entre o bem e o mal, em certo sentido, guindou o homem à categoria de ser divino (Gên. 3:22). E assim, para impedir que o primeiro casal se divinizasse ainda mais, tornando-se permanentemente imortal, se comesse do fruto da árvore da vida, Adão e Eva foram expulsos do jardim do Éden.

A história geral da tentação aparece no terceiro capítulo do livro de Gênesis. Temos ali alguns paralelos das lendas mesopotâmicas. Os artigos sobre o *Jardim do Éden* e sobre *Cosmogonia* fornecem detalhes a respeito. Os pais alexandrinos viam esses relatos como parábolas. Ver sobre a *interpretação alegórica*. Os evangélicos fundamentalistas continuam a crer literalmente no relato bíblico, pensando que a ingestão de algum fruto poderia conferir conhecimento especial, e até mesmo a imortalidade. Porém, parece melhor extrair desses relatos lições espirituais, não interpretando literalmente tudo quanto está contido nesses relatos bíblicos. Seja como for, porém, o fato é que dali veio a queda. Portanto, temos nas primeiras páginas de Gênesis uma explicação singela de como o mal penetrou neste mundo. Muitos teólogos gostam de extrair lições dessa história, mas crendo que está envolto em mistérios como foi que o mal teve início neste mundo. Orígenes e os pais alexandrinos em geral, supunham que a alma do homem é preexistente, já tendo caído na eternidade (talvez juntamente com a rebelião dos anjos que acompanharam a Lúcifer). Somente bem mais tarde é que essa queda foi transferida para a cena terrestre. Isso faria a queda no pecado tornar-se inevitável. Dotadas de corpos humanos, as almas vieram a envolver-se em um tipo de dupla existência. Naturalmente, esse ponto de vista é platônico. Aprecio essa conjectura porque ela promete uma maneira mais frutífera de se pensar sobre o pecado verdadeiramente original (um pecado cósmico, e não somente edênico). Os teólogos que aceitam essa conjectura, usualmente associam a queda da alma humana à queda original dos anjos, conforme dissemos linhas acima. Também tem sido conjecturado que não houve, dentro da criação dos seres inteligentes, apenas uma, ou mesmo apenas duas quedas; antes, várias ordens de seres estariam envolvidos em suas respectivas e independentes quedas. Por outra parte, há estudiosos que acreditam que essas muitas ordens de seres já eram más desde o princípio, e que o que realmente sucedeu foi uma melhoria em face do estado original de maldade e degradação. Grandes mistérios circundam essas questões e coisa alguma que digamos é capaz de dar-lhes solução, porquanto a Bíblia faz silêncio sobre o ponto, como uma daquelas coisas que Deus não nos quis revelar. «As cousas encobertas pertencem ao Senhor nosso Deus...» (Deu. 29:29a).

Seja como for, o relato de Gênesis diz-nos que toda espécie de resultado negativo sobreveio imediatamente após a queda no pecado: a maldição contra a serpente, que proveu o pano de fundo para a primeira promessa messiânica (Gên. 3:15); a maldição contra a terra; o começo do labor árduo; a dificuldade da mulher, no parto; a submissão da mulher ao homem. E, de modo algum a coisa menor, a tendência de uma pessoa lançar a culpa sobre outra, por suas más ações. Adão, por assim dizer, disse a Deus: «Foi *esta* mulher, que *Tu* (Deus) me deste, que causou toda essa dificuldade». Ver Gên. 3:12. Eva, por sua parte, lançou a culpa sobre a sutileza da serpente. Portanto, tornou-se tradicional afirmar (e talvez com razão) que as mulheres fazem coisas más por serem seduzidas a praticarem-nas, enquanto que os homens, de olhos bem abertos, fazem coisas más visando à sua própria vantagem.

EVA — EVANGELHO

São dados os nomes de apenas três dos filhos de Eva, todos homens: Caim (Gên. 4:1); Abel (Gên. 4:2) e Sete (Gên. 5:3), embora seja dito que ela teve filhos e filhas (Gên. 5:4). E este último ponto resolve muita objeção tola, como aquela que indaga onde Caim foi buscar mulher.

IV. Comparação com o Relato sobre o Deus Sumério Enki

Nos mitos sumérios sobre o deus *Enki*, é-nos dito que ele sofria de certo número de mazelas. Na tentativa de curar essas enfermidades, a deusa Ninhursague produziu uma deusa especial. Quando ele disse: «Dói em minha costela», ela replicou que fizera a deusa *Ninti* (que significa «senhora da costela») nascer para curá-lo e restaurá-lo à vida. Ora, Ninti também pode significar «Senhora que transmite vida».

Os paralelos entre Eva e Ninti, tanto no tocante à definição de nomes, como no que concerne às funções, são por demais evidentes para negarmos qualquer conexão entre elas. Por esse motivo, alguns estudiosos têm dito que a narrativa bíblica mostra dependência aos mitos mesopotâmicos. Outros asseguram que o contrário é que está com a verdade. Porém, o mais provável é que ambos os relatos tenham tido uma origem comum, com modificações. E, se tomarmos a narrativa bíblica como uma parábola religiosa, então não teremos de enfrentar qualquer problema com a questão da *inspiração*. Por outra parte, se insistirmos em uma interpretação literal, então surgem problemas nesse setor. Quanto ao assunto da *Inspiração da Bíblia*, ver o artigo geral sobre as *Escrituras Sagradas*, em sua terceira secção.

V. Eva no Novo Testamento

No trecho de II Cor. 11:3, Paulo refere-se ao relato da tentação, por meio da serpente, com o propósito de mostrar quão fácil é o ser humano cair no erro, com sérias conseqüências. A passagem de I Tim. 2:11-14 ensina que Eva pecou porque tomou as circunstâncias em suas próprias mãos. Em seguida, Paulo recomenda que as mulheres crentes façam silêncio nos cultos, proibindo-as de trazerem mensagens, por estarem sujeitas à autoridade dos homens. Presumivelmente, visto que facilmente são enganadas, não deveriam comunicar a outros a mensagem divina. Nessa conexão, tornou-se uma tradição salientar que muitos dos cultos estranhos de nossos dias foram iniciados por mulheres.

EVA, EVANGELHO DE

Epifânio (**Pan** 26.2,6) alude a um certo **Evangelho de Eva**. Ele é quem nos fornece a única citação insofismável dessa antiga obra, que há muito desapareceu. A citação diz como segue: «Eu sou tu, e tu és eu, e onde tu estás ali estou eu, e estou semeada em todas as coisas; e onde queres, tu me recolhes». O autor, presumivelmente, recebeu essa mensagem da parte de duas figuras que viu em uma alta montanha. Ao que parece, essas palavras ensinam a imanência de Deus no homem, e como o Ser divino está em todas as coisas. É possível que a idéia panteísta esteja em foco. Seja como for, nos evangelhos gnósticos (ver sobre o *Gnosticismo*) encontramos esse tipo de sentimento: «Eu sou tu, e tu és eu», o que é uma declaração similar. O próprio Epifânio ligava essa questão a uma interpretação dos ofitas (que vede) acerca da história da queda, no livro de Gênesis. Os ofitas foram uma seita gnóstica.

••• ••• •••

EVANGELHO (A MENSAGEM)

Ver os artigos ou porções de artigos, abaixo, que explicam esse assunto: o *Evangelho e Outros Evangelhos; Evangelho* (*a Palavra*); *Evangelhos* (*livros*), este último inteiro, mas especialmente em sua oitava seção, quanto às mensagens centrais do evangelho, e a sexta seção daquele mesmo artigo, sobre o *Evangelho de Paulo*.

EVANGELHO (A PALAVRA)

Usos da palavra:

1. No grego mais antigo, em Homero, significa *recompensa por trazer boas novas* (Hom. *Od.* xiv. 152).

2. No Antigo Testamento há dois usos: *novas* propriamente ditas, e o sentido de nº 1 do grego antigo.

3. Termo técnico para «boas novas de vitória» (Plut. *Demetr.* 17, 1.896c).

4. No culto imperial, era usada para designar as proclamações do imperador divino, proclamações de boas novas que davam *vida* ou *salvação* ao povo.

5. No grego mais antigo e posteriormente, significava «sacrifício oferecido por causa das boas novas» (Aristoph. *eq.* 658).

6. Na Septuaginta e em outras obras de um grego mais recente, significava as próprias «boas novas» (II Reis 18:20,22,25).

7. No Novo Testamento, as *boas novas* falam do reino de Deus, da mensagem de Deus aos homens, do perdão de pecados, da *esperança*. Nos escritos de Paulo o termo significa boas novas, especialmente em relação *às igrejas*; o plano de Deus para a igreja, o destino e grande privilégio da mesma, incluindo os meios de salvação, o perdão de pecados, a justificação etc., como elementos que são incorporados nas boas novas.

8. *Título dos Evangelhos*. O termo *Evangelho* para designar cada um dos *Quatro Evangelhos* começou nos escritos do pais apostólicos. Ver *Didache* 8.2; *II Clem.* 8.5; Justino, *Apol.* i.86. Os próprios Evangelhos não têm este uso.

De modo geral, pode-se afirmar que a palavra tem atravessado três épocas no decorrer da história:

1. Nos antigos autores gregos: recompensa por trazer boas novas.

2. Na Septuaginta e outras obras: as próprias boas novas.

3. No Novo Testamento: as boas novas *de Cristo*, ou então os livros que apresentam as boas novas sobre Jesus. A palavra «evangelho», como título do livro de Mateus, não foi usada pelo seu autor com esse sentido específico, referindo-se ao livro em si, mas muitos autores posteriores têm usado a palavra dessa forma.

EVANGELHO (E OUTROS EVANGELHOS)

Gál. 1:8. *Mas, ainda que nós mesmos ou um anjo do céu vos pregasse outro evangelho além do que já vos pregamos, seja anátema.*

1. Todas as religiões (e a maioria das filosofias) reconhecem a necessidade de alguma espécie de redenção, pois é óbvio que o homem é um ser decaído. Um bom número de fés religiosas, reconhece a profundeza da queda do homem, pelo que ele está muito distanciado de Deus. A fé cristã apresenta essa queda como algo tão profundo, que se requer a divina intervenção, para que possa haver restauração.

EVANGELHO DOS NAZARENOS

2. Muitas religiões, todavia, têm perdido esse discernimento, — que é um entendimento autêntico. Pois o homem, por si mesmo, à parte da intervenção divina, não pode retornar a Deus. Isso ocorre tanto mais quando consideramos o elevadíssimo destino que os remidos obterão. Se a salvação não fosse uma realidade tão elevada, então, talvez, com seus esforços, os homens pudessem alcançá-la.

3. As fés religiosas que não reconhecem a profundeza da queda do homem, e nem a vastíssima elevação que o destino humano envolve, têm suposto tolamente que o homem, por si mesmo, possa reverter a queda, obtendo o prêmio da salvação por seus próprios esforços. Os oponentes de Paulo na Galácia, preservando noções legalistas, muito comuns ao judaísmo, estavam inchados de orgulho humano, supondo que poderiam ajudar a Deus em seu propósito remidor, através da observância da lei, com seus requisitos e ritos, sobretudo a circuncisão.

4. Paulo, através das revelações recebidas, chegara a perceber a futilidade desse meio humano de salvação. A epístola aos Gálatas é a Declaração de Independência do homem, que o afasta desse caminho ineficaz.

5. *O Novo Testamento* também contém polêmicas contra o falso evangelho do gnosticismo, em Efé., Col., e em diversas epístolas católicas. Ver o artigo sobre *Gnosticismo*. — Esta heresia pertubou a Igreja por 150 anos.

6. Os conceitos do Novo Testamento, naturalmente, se opõem a muitas doutrinas das seitas de hoje, pois estas doutrinas representam falsos evangelhos. Devemos ter cuidado, entretanto, em condenar as doutrinas dos outros sem a devida examinação e humildade. Nunca devemos pensar que sabemos muito da verdade, sendo ela tão vastíssima. É inútil dizer que somente uma denominação qualquer tem a verdade ou que o próprio cristianismo é o *único* depósito da verdade. O *Logos* tem plantado suas sementes em muitos lugares, dentro e fora da Igreja.

O Evangelho:

1. Alguns elementos do evangelho seguem. Ver o artigo separado sobre a *Salvação*.

a. O evangelho opera através da justificação, à parte das obras humanas (ver as notas em Rom. 3:21 e 5:1 no NTI).

b. A santificação ensinada no evangelho, através do Espírito, conduz o homem à glorificação (ver II Tes. 2:13).

c. O elevado propósito do evangelho, é levar os homens a compartilharem da natureza divina (ver II Ped. 1:4); e, por conseguinte, participarem da plenitude do Pai (com seus atributos, alicerçados sobre a sua natureza; ver Efé. 3:19); isso leva os homens a se tornarem a plenitude de Cristo (ver Efé. 1:23), possuidores da imagem e da natureza do Filho (ver Rom. 8:29); e isso ocorre através do poder transformador do Espírito Santo, de tal modo que os remidos irão passando de um estágio de glória para outro, interminavelmente, e, nesse processo, os homens chegarão a compartilhar da natureza moral de Deus, com suas perfeições (ver Mat. 5:48 e Gál. 5:22,23).

Em quantas igrejas evangélicas *essa* completa mensagem do evangelho está sendo pregada hoje em dia? O evangelho envolve muito mais do que o perdão dos pecados e a mudança futura de endereço para os céus.

d. O evangelho oferece uma *restauração*, como antecipada por muitos teólogos da *Igreja Oriental*. Esta restauração será parcialmente efetuada através do *próprio julgamento* que é remedial, não meramente retributivo. Ver I Ped. 1:4 e Efé. 1:9,10. A descida de Cristo ao hades levou a mensagem do evangelho até o próprio lugar do julgamento.

Ver os artigos separados que explicam estes conceitos: *Evangelho* (*Livros*), seção VIII. Mensagens Centrais do Evangelho; a *Descida de Cristo ao Hades;* a *Missão Universal do Logos* (*Cristo*); *Restauração*.

2. *Duas fraquezas*. Na minha opinião, a pregação do evangelho em muitas igrejas evangélicas tem duas notáveis fraquezas. Em *primeiro* lugar, a salvação descrita não inclui as dimensões mencionadas sob o ponto 1 c. deste artigo. Em *segundo* lugar, a dimensão da restauração, afinal, dos não eleitos (em contraste com a redenção dos eleitos) é ausente, especificamente porque a tradição da Igreja Ocidental deixou fora este importante elemento. Mas o mistério da vontade de Deus, Efé. 1:9,10, certamente visa o bem-estar *universal* e não somente a exaltação dos eleitos.

EVANGELHO ÁRABE DA INFÂNCIA

Um livro que faz parte da coletânea apócrifa posterior do Novo Testamento. Contém relatos sobre a infância de Jesus, como Seu nascimento, a fuga para o Egito, além de eventos que presumivelmente tiveram lugar ali. Registra muitos milagres do menino Jesus. Aconteceram maravilhas no Egito, produzidas por contatos fortuitos com o menino Jesus, envolvendo Suas roupas ou Sua água de banho! Maria desempenha ali um papel proeminente, e parte do livro está contido na história da Bendita Virgem Maria, em siríaco (edição de E.A.W. Grudge, 1899, talvez de origem síria). Sua tradução para o árabe fez com que essas lendas se tornassem disponíveis para os islamitas, e algumas delas vieram a fazer parte do Alcorão.

Fontes informativas. Além de material obviamente inventado, foram tomados por empréstimo informes dos evangelhos canônicos, do evangelho de Tiago e do evangelho da Infância de Tomé. Ver o artigo sobre *Livros Apócrifos*, parte III, Novo Testamento. (Z)

EVANGELHO ARMÊNIO DA INFÂNCIA

Esse evangelho neotestamentário apócrifo depende do *Proto-evangelho de Tiago* e do *Evangelho da Infância de Tomé*, representando um esforço posterior para acrescentar algo à já considerável literatura dessa espécie. Havia um original siríaco, embora desconheça-se a sua data, talvez pertencente ao séc. V D.C. Os nestorianos usavam um evangelho da infância que tinha um original siríaco, perto do fim do século VI D.C., embora não haja qualquer prova de que a obra seja aquela aqui em foco. Nessa obra nada há de novo, excetuando a curiosa estória que diz que Eva foi testemunha do nascimento virginal de Jesus (cap. 9). (CH PE Z)

EVANGELHO DOS DOZE APÓSTOLOS
Ver Apóstolos, Evangelho dos Doze.

EVANGELHO DOS NAZARENOS
Ver Nazarenos, Evangelho Segundo os.

EVANGELHOS (LIVROS)

EVANGELHO SEGUNDO OS HEBREUS
Ver Hebreus, Evangelho Segundo os.

EVANGELHO SOCIAL
Ver seção V. do artigo sobre Liberalismo.

EVANGELHOS (LIVROS)
Ver os artigos separados sobre Evangelho e sobre Problema Sinóptico. Também oferecemos artigos separados sobre cada um dos quatro evangelhos. O artigo sobre o *Novo Testamento* contém informações adicionais.

Esboço:
- I. O Termo Evangelho
- II. Fontes Informativas dos Evangelhos
- III. Caracterização Geral
- IV. Historicidade
- V. A Vida e os Ensinamentos de Jesus
- VI. O Evangelho de Paulo
- VII. Autoria
- VIII. Mensagens Centrais do Evangelho

I. O Termo Evangelho
Ver o artigo separado sobre o Evangelho, quanto a um sumário de usos do vocábulo grego *euaggelion*, transliterado em português por «evangelho». Essa palavra grega significa «boa mensagem» ou «boas novas». Aparece por setenta e sete vezes nas páginas do Novo Testamento. Para exemplificar: Mat. 4:23; 9:35; Mar. 1:1,14,15; Atos 15:7; Rom. 1:1,9,16; I Cor. 4:15; II Cor. 2:12; Gál. 1:16; Efé. 1:13, Col. 1:5; I Tes. 1:5; II Tes. 1:8; Fil. 4:17; Apo. 14:6. Essa palavra não figurava como parte do *título* dos quatro evangelhos, até que apareceram os escritos dos pais apostólicos (ver *Didache* 8:2; II Clemente 8:5; Justino, *Apol*. 1:66).

Mateus emprega a palavra por quatro vezes (4:23; 9:35; 24:14; 26:13); Marcos usa-a por oito vezes (1:1,14,15; 8:35; 10:29; 13:10; 14:9; 16:15). Lucas não emprega a sua forma nominal, mas tem a forma verbal por dez vezes (1:19; 2:10; 4:18 (citando Isa. 61:1); 4:43; 7:22; 8:1; 9:6; 16:16;20:1). O evangelho de João não usa essa palavra grega nem em sua forma verbal e nem em sua forma nominal.

No Novo Testamento, as idéias envolvidas nessa palavra são: as boas novas da salvação, a pregação dessas boas novas, as boas novas do reino de Deus, a declaração das boas novas, as boas novas de Cristo, etc. No evangelho de Mateus, apenas por uma vez essa palavra não é usada em relação ao evangelho do Réino. Marcos diz «o evangelho de Deus», em 1:14; e diz «evangelho de Jesus Cristo, Filho de Deus», em 1:1.

II. Fontes Informativas dos Evangelhos
Cada um dos artigos sobre os quatro evangelhos inclui uma seção sobre fontes informativas. Além disso, o artigo intitulado *Problema Sinóptico* ilustra, com detalhes, as diversas teorias acerca das fontes informativas usadas por Marcos-Lucas-Mateus. O trecho de Luc. 1:1 mostra que muitos evangelhos já tinham sido escritos que ele empregava como material informativo para seu próprio relato. Sem dúvida, uma dessas fontes informativas era o nosso evangelho de Marcos, o evangelho original dentre os evangelhos sinópticos. É provável que Marcos tivesse contado com fontes informativas orais e escritas, principalmente os relatos dos próprios apóstolos, que eram testemunhas oculares da vida e dos atos de Jesus. As tradições orais foram preservadas por cerca de trinta anos, antes de terem sido registradas por Marcos; mas também é provável que fontes escritas estivessem disponíveis, praticamente desde os próprios dias de Jesus. De nada adianta pôr em dúvida a exatidão essencial do material que possuímos nos evangelhos. Ver o artigo sobre a *Historicidade dos Evangelhos*. Marcos preservou o esboço histórico essencial. Mateus e Lucas, porém, contavam com material de *ensinos* de que Marcos não dispunha, ou preferiu não usar. O âmago da mensagem dos evangelhos, naturalmente, é o corpo dos ensinamentos de Jesus. Ver o artigo separado sobre *Ensinos de Jesus*. A terceira seção do artigo sobre Jesus aborda em separado os seus ensinamentos. O que dizemos aqui fazemo-lo apenas como um sumário, visto que os artigos mencionados, especialmente aquele sobre o *Problema Sinóptico*, provê uma apresentação detalhada sobre o problema das fontes informativas.

III. Caracterização Geral
Nos evangelhos temos as boas novas acerca de Jesus Cristo e trazidas por Ele. Trata-se das boas novas da salvação dos homens, e sobre como Jesus, em sua missão, deu um novo enfoque à espiritualidade, ensinando como isso se aplica a nós. Os quatro evangelhos fazem parte do mais primitivo cânon (que vede) das Escrituras cristãs, juntamente com algumas poucas das epístolas de Paulo. Algum tempo antes de 150 D.C., esse cânon primitivo era geralmente bem conhecido e aceito entre os cristãos, como as Novas Escrituras.

Embora os evangelhos forneçam um esboço sobre a vida de Jesus e de seus ensinamentos essenciais, nem são biografias, no sentido moderno, e nem manuais de teologia. De fato, os evangelhos formam um novo gênero literário, de tal modo que o evangelho tornou-se um modo popular de expressar o novo avanço religioso representado pelo cristianismo. Os evangelhos apócrifos também imitaram esse estilo do Novo Testamento. Temos ali uma mistura de eventos históricos com ensinos religiosos, com o intuito de trazer à tona os ensinamentos de Jesus Cristo, projetando-O como o Novo Moisés, e, mais ainda, como o Filho encarnado de Deus, que nos apresentou um novo e vivo caminho espiritual. — Uma porção muito grande do material dos quatro evangelhos é destinada a narrar a semana final do Messias, a semana da paixão. Por isso, exagerando, alguns têm dito que os evangelhos são relatos ampliados da paixão. Mas, embora sendo um exagero, isso mostra uma ênfase real nos evangelhos.

Os *evangelhos sinópticos* são aqueles que vêm juntos, conforme indica essa palavra, transliterada do grego. Uma harmonia regularmente boa pode ser preparada com esses evangelhos. Quase todos os acontecimentos ali narrados tiveram lugar na Galiléia. O *quarto evangelho* (de João), em contraste com isso, é um evangelho teológico; e quase todo o seu material histórico gira em torno de Jerusalém. Os problemas criados por essa circunstância são examinados na introdução a esse livro, nesta enciclopédia. Nosso artigo sobre o *Problema Sinóptico* ilustra quanto material comum existe nos três primeiros evangelhos, expondo teorias sobre como as várias fontes informativas foram utilizadas. Embora bastante diferente dos outros três, o quarto evangelho parece repousar sobre tradições primitivas, que os autores dos outros evangelhos não tinham, ou não quiseram usar. Apenas cerca de dez por cento do material de João tem paralelo com o material dos evangelhos sinópticos. É muito mais difícil falar sobre suas fontes informativas do que no caso dos três primeiros evangelhos. O que os eruditos têm pensado sobre essa

EVANGELHOS (LIVROS)

questão é apresentado no artigo sobre aquele evangelho, sob a seção quarta, *Fontes Informativas*.

IV. Historicidade

A mente cética reage de modo negativo, algumas vezes até com violência, diante de histórias de milagres. Apesar de admitirem que existe tal coisa como os indivíduos extraordinários, os céticos usualmente supõem que os relatos a respeito contêm muitas lendas e mitos, se não mesmo mentiras absolutas. Os céticos nunca são pessoas de grande experiência espiritual, embora possam ser indivíduos de grandes realizações intelectuais. Aqueles que promoveram a *Crítica da Bíblia* (que vede) não tinham qualquer contacto com experiências místicas notáveis, pois, se o tivessem, os resultados de seus estudos teriam sido inteiramente diferentes. Temos oferecido ao leitor um artigo separado sobre a *Historicidade dos Evangelhos*. Um moderno homem santo, Satya Sai Baba (que vede) está duplicando os milagres de Jesus, provando que homens extraordinários realmente entram em áreas de experiências espirituais que os céticos não levam em consideração. Existem incríveis poderes espirituais neste mundo, e Jesus, o Cristo, foi homem capaz de exercer esses poderes, embora não fosse apenas um homem. Isso deixou o mundo tão boquiaberto que, pelo século II D.C., já havia mais de vinte grupos separados procurando explicar *como* ele fazia o que fazia. Ver o artigo sobre *Jesus Cristo*.

V. A Vida e os Ensinamentos de Jesus

Os evangelhos são a nossa principal fonte informativa sobre a vida e os ensinamentos de Jesus. Outras fontes quase nada adiantam. Ver o artigo sobre *Jesus*, que é uma prolongada declaração sobre o que Jesus fez e ensinou, e o que a sua mensagem significa para nós, hoje em dia. Sob a terceira seção, *Ensinos*, damos uma declaração sobre as fontes que temos para esses ensinos, além dos evangelhos, que são abordados no primeiro ponto.

VI. O Evangelho de Paulo

A palavra «evangelho» encontra-se por cerca de sessenta vezes nos escritos de Paulo. A palavra está distribuída pelas suas epístolas. Somente a epístola a Tito não contém a palavra. Damos uma lista representativa na primeira seção. Paulo acreditava que Jesus era o Cristo celeste, o qual, em sua encarnação, trouxe uma mensagem nova e altamente espiritual, anunciando a salvação humana. Para Paulo, nenhum sacrifício era grande demais para propagar essa mensagem. Paulo, pois, tornou-se o apóstolo dos gentios, visando à salvação deles (Gál. 1:6,16; Rom. 1:16). Paulo sentia-se muito ligado à sua mensagem, originada em profundas experiências místicas, que lhe tinham interpretado a grandeza e a verdade do evangelho. Paulo chegou a chamar essa mensagem de «meu evangelho» (Rom. 2:16; II Tim. 2:8). Ele insistia sobre a sua origem divina (Gál. 1:11 *ss*). Em I Coríntios 15:3-5, Paulo alista os elementos principais do evangelho. No entanto, Paulo ultrapassou os quatro evangelhos quanto à descrição sobre o conteúdo e o significado do evangelho.— Ele aceitava que o evangelho revela-nos como podemos ser conformados à imagem do Filho de Deus (Rom. 8:29), mediante o poder do Espírito de Deus, capacitando-nos a passar de um estágio de glória para outro (II Cor. 3:18). E o resultado disso é que a alma humana virá participar da própria natureza divina (Col. 2:10). Esse elevadíssimo conceito não transparece nos evangelhos sinópticos, embora o quarto evangelho não difira muito das idéias de Paulo, com a sua doutrina da filiação (João 1:12), com o seu ensino

sobre a participação na vida necessária e essencial de Deus (João 5:24,25), por meio do Filho de Deus.

O Jesus Teológico. Os críticos supõem que o evangelho anunciado por Paulo foi um dos primeiros estágios no desenvolvimento do chamado Jesus teológico, em contraste com o Jesus histórico. Porém, quanto mais aprendemos sobre as coisas extraordinárias que podem suceder, quando o poder divino desce e cativa o homem em experiências místicas, mais podemos ver que a linha traçada entre o Jesus histórico e o Jesus teológico é artificial. Essa distinção apenas degrada a nossa compreensão sobre a verdadeira natureza de Jesus e embaça a nossa avaliação sobre o que pode suceder quando o poder divino aproxima-se de nós. Penso que meu artigo sobre *Satya Sai Baba* ilustra o ponto. A vida desse homem é importante como demonstração do fato de que as narrativas dos evangelhos provavelmente são declarações muito moderadas (ou breves sumários) de tudo quanto Jesus foi e realizou, longe de serem exageros de fanáticos, conforme têm pensado alguns críticos.

VII. Autoria

Todos os evangelhos são anônimos. A tradição atribui dois desses evangelhos ao grupo apostólico, isto é, o de Mateus e o de João. As primeiras referências a Mateus e a Marcos, como evangelistas, aparecem nos escritos de Papias, bispo de Hierápolis, na Frígia, na primeira metade do século II D.C. É impossível, entretanto, provar que qualquer dos quatro evangelhos foi escrito por um apóstolo; mas também não há razão para duvidarmos de que repousam sobre relatos de testemunhas oculares e sobre a autoridade apostólica. Cada artigo sobre os quatro evangelhos tem uma seção que aborda a questão da *autoria*.

A *mensagem dos apóstolos* leva-nos além da mera esperança messiânica. Antes, ela fala sobre a vontade de Deus no que tange à redenção humana. Paulo, porém, via para além de todos, até à restauração (que vede), conforme se vê em Efésios 1:9,10. Isso ultrapassou, em alcance, a todas as avaliações anteriores sobre o que, finalmente, significa para a humanidade a missão de Cristo.

VIII. Mensagens Centrais do Evangelho

1. Ver o artigo separado sobre o **Evangelho e Outros Evangelhos**.

2. Ver o artigo geral sobre a *Salvação*, que descreve a mensagem essencial das boas novas do evangelho cristão.

3. O evangelho revela o poder de Deus para produzir a redenção humana, com tudo quanto está implicado na mesma (Rom. 1:16).

4. O evangelho é o instrumento do Espírito (I Tes. 1:5).

5. O evangelho é a mensagem da transformação dos remidos segundo a imagem de Cristo (Rom. 8:29), através de muitos estágios de glória (II Cor. 3:18).

6. Isso leva os remidos a participarem da natureza divina (Col. 2:10).

7. Homens insensatos negligenciam o poder e a atuação do evangelho (I Cor. 11:18 *ss*).

8. No evangelho é revelada a justiça de Deus (Rom. 1:16,17).

9. O evangelho é a palavra da verdade (Efé. 1:13).

10. O evangelho está oculto dos ímpios e dos incrédulos (II Cor. 4:3,4).

11. A reação da fé produz o poder salvatício de Deus (Heb. 4:2).

12. O evangelho foi dado por revelação divina, e não

604

Códex 1346, Século XI, Mat. 11:11 ss. — Cortesia, Library of the Greek Patriarchate, Jerusalém

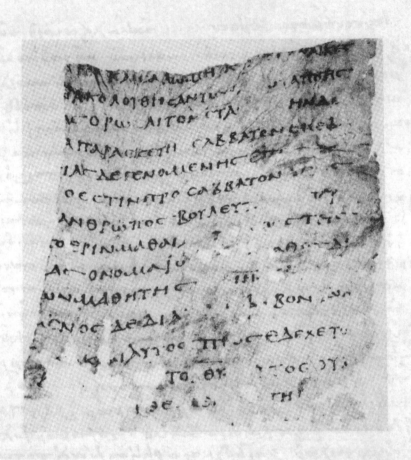

O Diatessaron de Taciano, Dura Pergaminho 24, Séc. III: Uma harmonia antiga dos Evangelhos.

Cortesia, Yale University

EVANGELHOS — EVANGELICALISMO

pelo engenho, pela experiência e pela capacidade de raciocínio dos homens (Gál. 1:11,12).

13. *O evangelho* terá, afinal, uma aplicação *universal*. Os eleitos serão *remidos* (ver sobre *Redenção*). Todas as outras almas humanas serão *restauradas*, como é explicado no artigo sobre *Restauração*. É impossível que qualquer ser inteligente esteja fora do alcance do poder redentor restaurador, *afinal*. A missão de Cristo é universal, tendo seus aspectos terrenos, infernais e celestiais. Ver o artigo separado sobre a *Descida de Cristo ao Hades* que explica esta parte de sua missão. O *evangelho foi pregado aos mortos*, como I Ped. 4:6 afirma. Negligenciamos um aspecto importante do trabalho do evangelho quando deixamos de fora este aspecto. Podemos ter certeza de que o evangelho é muito mais poderoso e eficaz do que muitas igrejas pregam hoje. Não honramos Deus diminuindo a revelação sobre a natureza do evangelho para preservar conceitos primitivos sobre a natureza do julgamento. O julgamento é *remedial*, não meramente retributivo. I Ped. 4:6 declara isto, e o *mistério da vontade de Deus*, Efé. 1:9,10, — depende do fator remedial do julgamento.

14. *O evangelho não anula o julgamento*. Porém, o julgamento faz, realmente, parte da *esperança* do evangelho, sendo que é um dedo da mão amorosa de Deus. O julgamento efetua a vontade de Deus para *restaurar*, afinal. I Ped. 4:6, certamente, ensina isto. Acredito que o julgamento entrará nas eras eternas e operará nelas. É impossível dizer até que ponto, na eternidade futura, o trabalho restaurador, através do julgamento (e outros meios), operará. Efé. 1:9,10 ensinam que os grandes *ciclos* de tempo criarão, afinal, uma *nova ordem* na qual Deus restaurará *tudo*. O julgamento, — operando nestes ciclos —, em algumas das eras eternas, terá efeitos benéficos. A restauração será gradual e não será caracterizada por uma conclusão única ou rápida. Mas o que sabemos é que o *mistério da vontade de Deus* é restaurar *tudo* em Cristo (o *Logos*). Não há um *evangelho* verdadeiro (*boas* notícias) sem as diversas dimensões da missão de Cristo. Esta missão incluiu sua descida ao hades. Ele espalhou as boas novas até no próprio lugar do julgamento. Ainda hoje, sua luz brilha aí também. Sua missão é *tridimensional:* terra, hades, céus. Não há *evangelho* sem estes conceitos esperançosos.

O evangelho que se prega em muitas igrejas hoje é pessimista, dando uma verdadeira promessa somente a um mesquinho número de pessoas. Este evangelho é *unidimensional* (terrestre), e não ecoa a mensagem do grande amor e da eternidade de Deus. (AM B E ND NTI STONE TA Z)

EVANGELHOS APÓCRIFOS

Ver o artigo sobre **Livros Apócrifos do Novo Testamento**. Os livros apócrifos do Novo Testamento seguem o estilo literário do Novo Testamento, contendo evangelhos, atos, epístolas e apocalipses. Uma das preocupações dos evangelhos apócrifos foi a de prover mais informações sobre a vida de Jesus, inclusive sobre os seus primeiros anos de vida (o que explica os *evangelhos da infância de Jesus*). Porém, quase todo esse material é imaginário, revestindo-se de bem pouco valor histórico. Esses evangelhos apócrifos também desenvolvem certos temas de maneira mais ampla do que se vê nos evangelhos canônicos, como detalhes da paixão, da ressurreição e da descida de Cristo ao hades. Os gnósticos (ver sobre o *Gnosticismo*) foram os principais criadores desses

evangelhos apócrifos. Sem dúvida, algum material autêntico está ali contido; porém, é muito difícil distinguir o que é real e o que é pura invenção. Uma outra preocupação desses evangelhos apócrifos era a promulgação de certas idéias que não se acham nos evangelhos canônicos.

EVANGELHOS DA INFÂNCIA DE JESUS
Ver **Livros Apócrifos do Novo Testamento**.

EVANGELHOS SINÓPTICOS
Ver sobre o **Problema Sinóptico**.

EVANGELICALISMO

Ver o artigo geral sobre o **Protestantismo**. O termo português *evangélico* vem do grego *euaggelion*, que significa «boas novas», «boa mensagem». Aquilo que pertence ao evangelho é «evangélico». Desde a **Reforma Protestante**, a palavra tem sido adotada por certos grupos cristãos, que supõem que retornaram ao evangelho (ou Bíblia), em contraste com o sistema tradicional que se desenvolveu na Igreja Católica Romana. Na Alemanha, na Suíça e em alguns outros países a palavra passou a indicar o corpo geral das igrejas protestantes. Na Inglaterra, é empregada quase como sinônimo da *Igreja Baixa* (que vede). Ver o artigo sobre os *Episcopais* quanto a uma explicação sobre os vários níveis da Igreja Anglicana. Na atualidade, os evangélicos são aqueles grupos, essencialmente protestantes, que frisam a necessidade do evangelismo, da expiação mediante o sangue de Cristo, da regeneração, da crença nos elementos fundamentais do ensino bíblico. Usualmente, esses grupos apegam-se a esses documentos sagrados como a sua base de autoridade, rejeitando as tradições, os concílios, etc., como padrões de fé e prática. A palavra «fundamentalista», algumas vezes, é empregada para fazer contraste com o vocábulo «evangélico». Um fundamentalista é um evangélico que tem padrões muito rígidos, um literalista bíblico. Um evangélico, em contraste, já é alguém de visão mais abrangente, podendo ser até mesmo um neo-evangélico. Alguns neo-evangélicos são quase liberais, pelo menos quanto a alguns pontos.

A questão isolada mais importante que separa os «evangélicos» dos outros grupos protestantes é a questão da autoridade da Bíblia. Ver o artigo geral sobre a Autoridade, quanto aos muitos pontos de vista existentes sobre esse particular. Os evangélicos fundamentalistas acreditam na inspiração verbal e inerrante das Escrituras, ao passo que aqueles que ficam um pouco mais para a esquerda não vêem isso como algo necessário para a fé viva. Na Europa, apesar da palavra «evangélico» ser usada como equivalente a protestante, alguns a empregam para indicar os luteranos, em contraste com as igrejas reformadas (calvinistas).

Aspectos Éticos do Evangelicalismo. Os evangélicos sempre estiveram interessados no evangelismo, de tal modo que essa é a sua grande característica distintiva, em comparação com outros grupos cristãos, que têm uma atitude mais relaxada para com esse aspecto da atividade cristã. Outros grupos cristãos têm levantado questões de ética contra os evangélicos, por causa de seus métodos exagerados que, virtualmente, *forçam* profissões de fé, que têm enriquecido alguns evangelistas, e que, em casos extremos, servem para dividir grupos cristãos, famílias, e até indivíduos, uns dos outros. Esse proselitismo, algumas vezes, assume até mesmo um aspecto circense. Grupos musicais são empregados para despertar as emoções e os sermões, emocionalmente carregados, despertam os ouvintes,

605

EVANGELISMO — EVENTOS FINAIS

sem a atuação do Espírito Santo. A doutrina do *Fácil Creísmo* (que vede), com freqüência tem desempenhado importante papel no evangelismo dos grupos evangélicos. Seus missionários e evangelistas parecem impelidos pelo forte desejo de obter conversões em massa; e para que possam falar disso, —em seus relatórios, eles têm apelado para uma prédica superficial quanto à necessidade de um verdadeiro arrependimento, com o abandono de práticas pecaminosas, por parte dos convertidos. Com grande freqüência, a persuasão emocional substitui a convicção genuína, com base nas razões dadas pelo Senhor Jesus. As pessoas são exortadas a acreditarem naquilo que não é claramente definido e pouco ou nada é dito sobre a necessidade de renúncia e sacrifícios pessoais, envolvidos no evangelho, ao mesmo tempo em que muito é dito sobre a satisfação pessoal e a felicidade.

Por outro lado, é motivo de elogios que os evangélicos tanto se preocupem com a **salvação das** almas e não meramente com obras sociais. Também é recomendável que eles tenham continuado a crer na missão salvatícia de Cristo e em seu poder sobre a vida daqueles que se tornam discípulos sérios do Senhor. Também devemos fazer o reparo que até mesmo dentro de certos grupos evangélicos os excessos acima mencionados são combatidos. Uma outra característica digna de menção é que são *esses grupos* evangélicos que estão interessados na Bíblia e cujos membros, mais que os de outros grupos cristãos, têm um sólido conhecimento bíblico, no sentido coletivo, fazendo contraste com aquela outra situação em que somente alguns poucos eruditos da Bíblia, ou uma classe sacerdotal, é que tem algum conhecimento das Sagradas Escrituras. (B C E H)

EVANGELISMO

Ver os artigos separados sobre **Evangelho; Evangelista e Missões, Teologia de (Evangelismo)**.

EVANGELISTAS

Os evangelistas eram os «missionários», pátrios ou estrangeiros. Algumas traduções, como a de Goodspeed, dizem mesmo «missionários». Os apóstolos eram evangelistas, e muitos profetas também o eram; mas, além desses, havia outros, especialmente talentosos, dotados do dom da fé, da exortação e de outras manifestações espirituais apropriadas para seu ofício, os quais eram presenteados à igreja para multiplicá-la em número. O grupo dos evangelistas era aquele que efetuava a missão evangelizadora da igreja entre os judeus ou os gentios, em posição subordinada aos apóstolos. Geralmente os evangelistas não estavam limitados a qualquer comunidade cristã local, mas foram de lugar em lugar, estabelecendo novas congregações locais, conduzindo os homens à fé e à conversão a Cristo.

Devemos observar que na categoria registrada em I Cor. 12:28, o «terceiro» lugar é conferido aos «mestres». Em Efé. 4:11, entretanto, os «evangelistas» ocupam essa posição. Além disso, a lista da primeira epístola aos Coríntios não menciona especificamente os evangelistas, embora diversos dos dons espirituais ali aludidos sejam instrumentos necessários para o evangelismo, o que nos dá a entender que essa função evangelística realmente existia no seio da igreja cristã primitiva. Outrossim, nem na primeira epístola aos Coríntios e nem na epístola aos Efésios se vê qualquer tentativa de enumerar todas as gradações do ministério *cristão*. Por exemplo, nenhum desses livros

inclui os «diáconos», o que, naquele tempo, já era um ofício distintivo na igreja, e apenas a epístola aos Efésios menciona especificamente os «pastores».

Os evangelistas são os pioneiros no trabalho propagandístico da Igreja cristã. Os evangelistas lançam uma trilha que, em seguida, transforma-se em **auto-estrada**, mediante o trabalho dos pastores e dos mestres. Ministros especiais do evangelho, com poderes quase apostólicos, eram chamados «evangelistas» no Novo Testamento, como os casos de Filipe (Atos 21:8) e Timóteo (II Tim. 4:5).

Os evangelistas são concedidos à Igreja como um «dom» divino à mesma, a fim de expandir as suas fronteiras e aumentar o número de seus membros (Efé. 4:11). Também é responsabilidade dos pastores evangelizar, mas os dois ofícios — o de pastor e o de evangelista — na verdade são distintos um do outro. Alguns pastores modernos têm caído no grave erro de se tornarem pouco mais do que evangelistas, deixando a sua gente essencialmente sem ensino e sem a capacidade de pensar por si mesma. Os modernos evangelistas, que vão *de igreja em igreja*, promovendo reuniões evangelísticas dentro das próprias comunidades cristãs, são verdadeiros evangelistas. No entanto, fazem um trabalho menos útil e satisfatório do que aqueles outros evangelistas que vão de porta em porta e também pregam em lugares públicos, a fim de darem início a novas igrejas. O vocábulo «missionário», conforme é usado em nossa época, está mais próximo da idéia dos evangelistas dos dias do Novo Testamento, do que a palavra «evangelistas», quando aplicada a pregadores itinerantes, que fazem das igrejas locais o centro de suas atividades.

Os Documentos Sagrados e os Evangelistas. Na antiga Igreja cristã falava-se sobre os evangelistas, que seriam os autores dos quatro evangelhos canônicos. Faziam isso com base no fato de que a mensagem evangelizadora fundamental está contida nesses quatro primeiros livros do Novo Testamento, embora saibamos que isso não deve ser entendido literalmente. A mensagem do evangelho cristão é exposta também no livro de Atos, nas epístolas e até mesmo no livro de Apocalipse.

EVENTO CRIADOR

Dentro da teologia de H.N. Wieman (ver o artigo sobre ele, quanto a maiores detalhes), o *evento criador* consiste na pessoa de Deus e em suas obras.

EVENTOS FINAIS DA VIDA DE JESUS

Marcos 14:1: *Ora, dali a dois dias era a páscoa e a festa dos pães ázimos; e os principais sacerdotes e os escribas andavam buscando como prender Jesus a traição para o matarem*.

Problemas de *harmonia* quanto aos eventos finais da vida de Jesus:

Esse problema é comentado, no tocante ao dia da paixão de Jesus, em João 18:28 no NTI. Aquele versículo parece situar a crucificação de Jesus *no dia dos sacrifícios* da páscoa, ao passo que os sinópticos fazem Jesus participar da páscoa na noite regular, e então situam sua paixão no dia seguinte. (Cf. Mat. 26:17 e 27:1, que nos dão a seqüência de dois dias). Apesar dessa mesma seqüência poder ser determinada pelo evangelho de João, do tempo da traição ao dia da crucificação, o trecho de João 18:28 parece claramente situar aquele acontecimento no dia mesmo da páscoa, o que, segundo os sinópticos, teria ocorrido no próximo dia. As notas dadas no NTI em

606

EVENTOS FINAIS — EVIL-MERODAQUE

João 18:28 buscam reconciliar os dois relatos, ou, pelo menos, sugerem como isso *talvez* possa ser feito. (Ver Mat. 26:17). O problema não é *muito* importante, exceto para aqueles que insistem em harmonização absoluta dos evangelhos, o que o estudo versículo por versículo mostra ser *impossível*. Pequenas discrepâncias nada são contra a *historicidade* dos evangelhos. Bem pelo contrário, realmente favorecem essa historicidade, pois se todos eles concordassem perfeitamente entre si, poderíamos ter suspeitado que a igreja primitiva harmonizou os registros, não permitindo a entrada de qualquer contradição. Já que há certa dose de discrepâncias, estamos certos de que os registros continuaram como foram originalmente escritos, pelo que refletem os eventos históricos, segundo foram registrados por homens honestos, ainda que, ocasionalmente, tenham feito deslizes da pena.

«Durante séculos, desde os dias dos *quartodecimanos* do século II D.C., o conflito entre a cronologia sinóptica (isto é, Marcos) e a de João tem sido discutido sem qualquer solução satisfatória. Talvez reflita o que depois se tornou o conflito entre a observância oriental (em Éfeso) e a ocidental (em Roma) da páscoa. Pois o que talvez esteja por detrás do esquema de Marcos reflita o uso de Roma na década de 60 D.C., ao passo que o esquema de João reflete uma interpretação teológica ou simbólica de Jesus como o verdadeiro Cordeiro pascal, que morreu quando o cordeiro da páscoa era imolado, pois por detrás tanto de João, quanto de Marcos, há o fato histórico de que Jesus morreu na época da páscoa, embora não no dia exato da festividade. Em outras palavras, Marcos e João nos dão interpretações: Marcos identifica a última Ceia com a refeição da páscoa, e João identifica a morte de Cristo com a morte do cordeiro pascal. E as diferenças entre eles podem não envolver tradições históricas divergentes».* (Grant, sobre Mar. 11:1, introdução).

Os *quartodecimanos* foram cristãos do século II D.C., principalmente da Ásia Menor, que diziam que a páscoa deveria ser observada segundo a celebração judaica dessa festa, isto é, no décimo quarto dia da lua após o equinócio da primavera, sem importar que dia da semana fosse.

Narrativa da paixão. A maioria dos eruditos crê agora que o *relato da paixão* foi a primeira narrativa consecutiva do evangelho a ser posta em forma escrita; e alguns chegam ao extremo de declarar que os próprios evangelhos seriam narrativas extensas da paixão. Seja como for, apesar da vida extraordinária de Jesus, foi nos dias finais de sua vida terrena, em sua agonia, morte e ressurreição, que se concentrou a atenção da humanidade. É provável que à primeira narrativa básica da paixão, usada por Marcos em seu evangelho, foram adicionados outros detalhes e incidentes, provenientes de outras fontes, pelo que qualquer relato desses eventos, conforme se vê nos quatro evangelhos, seja uma narração combinada, extraída de várias fontes. É provável que o próprio relato de Marcos não seja agora o que foi originalmente. Ele mesmo deve ter adicionado material novo, pois moveu-se para o círculo dos apóstolos e teve acesso a informações advindas de muitas fontes. À narrativa «pré-marcana» oral, e talvez também escrita, Marcos acrescentou detalhes extraídos de consultas pessoais com os próprios apóstolos. Não admira, pois, que tenha havido alguma deslocação de material. Por exemplo, a narrativa da unção de Betânia (ver Mar. 14:3-9) parece interromper a seqüência de Mar. 14:1,2 e 10,11, e Lucas

empregou a história em um contexto inteiramente diverso, e com forma diferente, situando muito antes na vida de Cristo. (Ver Lucas 7:36-50). João 12:1-8 a situa antes, e não após a entrada triunfal, ao contrário dos evangelhos sinópticos. É praticamente impossível precisar o que fazia parte da narrativa original, ao que o próprio Marcos adicionou vários eventos; mas a questão não se reveste de importância. Marcos estava em posição de adicionar material «autêntico», pelo que não precisamos duvidar da *historicidade* de sua narrativa, apesar da complexidade das fontes informativas que ele usou na sua compilação. Por igual modo, os eventos adicionados posteriormente por Mateus e Lucas podem ser reputados igualmente dotados de autenticidade histórica.

EVERGETES

No grego esse nome significa «benfeitor». Em Atenas era um título honorífico, concedido por voto público. Foi um título dado aos reis Ptolomeu III (246-221 A.C.) e Ptolomeu VII (145-116 A.C.). O livro de Eclesiástico pode ser datado com base em uma referência à chegada de Evergetes ao Egito, no prólogo daquele livro. Ao que parece, deve-se pensar, nesse caso, em Ptolomeu VII. Talvez haja uma alusão a esse título em Lucas 22:25: «...e os que exercem autoridade são chamados benfeitores».

EVIDÊNCIA

Uma evidência é algo que faz alguma coisa tornar-se «evidente», «clara», «digna de confiança». A raiz latina é *evidens*, o particípio presente do verbo latino *evidere*, uma vez tirado o prefixo *e*. Em outras palavras, «ver claramente». As evidências servem de base para a crença em alguma coisa. Uma evidência, ainda que pequena, contribui para a solução de algum problema, ou então, para a correção da crença em alguma coisa. Consideremos os três pontos abaixo:

1. Se uma proposição qualquer é a soma de suas partes componentes, **então ela é auto-evidente.** A certeza assim obtida, porém, pode ser apenas psicológica, visto que cada parte de uma proposição precisa ser definida segundo os seus próprios termos.

2. *Guilherme de Ockham* (que vede) referia-se a dois tipos de evidências: *Per se nota,* isto é, aquilo que é evidente devido ao sentido de seus termos; e *nota per experientiam,* ou seja, algo que se torna evidente por meio de alguma experiência.

3. Aquilo que é tido como uma evidência depende daquilo que alguém crê sobre a teoria do conhecimento. Ver os artigos sobre *Conhecimento e a Fé Religiosa* e sobre *Verificação de Crenças Religiosas.* Esses dois artigos dão uma boa idéia acerca do que sejam as evidências, do ponto de vista da mente religiosa. Ver também sobre o *Empirismo,* no artigo sobre o Conhecimento, quanto às evidências científicas.

EVIL-MERODAQUE

Esse nome é de origem acádica e significa «homem (ou servo) de Marduque». Marduque era um deus babilônico, Evil-Merodaque. Nas páginas da Bíblia, ele é mencionado somente por duas vezes: II Reis 25:27 e Jer. 52:31. Foi filho e sucessor de Nabucodonosor, rei da Babilônia (que vede). Quando subiu ao poder (562 A.C.), soltou o até então cativo rei de Judá, Jeoaquim, tratando-o com bondade e permitindo-lhe ter posição de autoridade sobre outros reis conquistados, detidos na Babilônia.

EVÔDIA — EVOLUÇÃO

Documentos administrativos encontrados pela arqueologia, na Babilônia, que contêm listas de rações, como o azeite, referem-se a *Yakukinu* ou *Yakudu*, o que, provavelmente, refere-se a Jeoaquim, de Judá, mostrando como ele realmente viveu na Babilônia. Há uma tradição judaica, mencionada por Jerônimo, quando ele comentava sobre Isaías 14:29, que diz que a causa dessa bondade de Evil-Meroda-que foi que ele mesmo fora prisioneiro por algum tempo, por ordem de seu próprio pai, Nabucodono-sor, depois que este se recuperou de seus sete anos de loucura, por ter-se ofendido por algo feito por seu filho. Estando na prisão, presumivelmente tornou-se amigo pessoal de Jeoaquim e, uma vez libertado, lembrou-se dele. O mais provável, contudo, é que isso tudo não passe de uma invenção, para tentar explicar por que Evil-Merodaque mostrou-se atencioso para com Jeoaquim. Beroso, e também o cânon de Ptolomeu, revelam-nos que Evil-Merodaque acabou sendo assassinado por seu cunhado, Nerglissar, que talvez seja o mesmo Nergal-Sarezer de Jeremias 39:3,13. Sem importar exatamente como a coisa sucedeu, o fato é que, depois, Nerglissar subiu ao trono da Babilônia.

EVÔDIA

No grego, «fragrante», «cheirosa». Nome de uma mulher que era membro da igreja cristã de Filipos, e que tinha uma antiga e constante querela com Síntique (que vede), outra cristã. Paulo exortou a ambas que tivessem um mesmo parecer mental. Elas tinham labutado juntamente com ele, em favor do evangelho e as diferenças delas não convinham a duas crentes. Ver Fil. 4:2,3. Sem dúvida, elas eram membros influentes da igreja filipense; e o mau exemplo delas era prejudicial a outros crentes. Desde o princípio, as mulheres crentes mostraram-se proeminentes na igreja cristã de Filipos (Atos 16:12-15). Não se sabe, entretanto, a causa originaria daquela querela, embora Paulo tenha dirigido a recomendação a ambas. Usualmente, as diferenças e querelas têm erros e causas em ambos os lados envolvidos.

Em Filipenses 4:3, um bom cooperador de Paulo é exortado a ajudar aquelas mulheres crentes, que tinham labutado com ele; e isso pode subentender um apelo para que ele procurasse ajudar a resolver o problema. Várias pessoas têm sido sugeridas quanto à identidade desse cooperador (ver o completo estudo a respeito, nas notas expositivas no NTI), embora não tenhamos qualquer conhecimento seguro quanto a esse particular.

EVÔDIO, HOMILIA DE

Trata-se de uma obra escrita em cóptico. O autor afirma chamar-se Evôdiu, bispo de Roma, depois de Pedro. Entretanto, tradicionalmente, Evôdio foi bispo de Antioquia. O escritor afirma ter sido testemunha ocular da morte e da subseqüente assunção de Maria (sete meses mais tarde). Nessa experiência, ele teria sido acompanhado por Pedro, João e outras importantes figuras cristãs. Não há que duvidar que essa obra foi forjada com o intuito de dar apoio a um mero dogma.

EVOLUÇÃO

Ver o artigo sobre **Charles Darwin** quanto a material suplementar a este artigo. Ver também o artigo intitulado *Evolução e Ética*.

Esboço
I. O Termo e Sua Definição
II. Vários Pontos de Vista sobre a Evolução
III. Considerações Teológicas e Filosóficas
IV. Declaração Final
V. Evolução Espiritual

I. O Termo e Sua Definição

A palavra portuguesa **evolução** deriva-se do latim **e** (fora) e **volvere** (rolar). A idéia expressa é o evolver gradual, em subdivisões, com a produção de muitos. Isso é usualmente descrito como algo que passa do simples para o complexo, ou então como a origem da vida em suas múltiplas manifestações e formas. A evolução não tenta explicar origens absolutas, porquanto começa a partir da matéria já existente. Entretanto, os evolucionistas precisam supor que os elementos físicos do universo foram arranjados de tal modo, ou arranjaram-se a si mesmos de tal modo, talvez por algum tipo de evolução material primitiva, que o surgimento da vida biológica se tornou possível. Por conseguinte, poderia ter havido alguma evolução cósmica, antes daquela que produziu formas entre as coisas animadas.

II. Vários Pontos de Vista sobre a Evolução

1. A *filosofia hindu* expõe uma espécie de desenvolvimento evolutivo, que começa com Brahman e acaba produzindo todas as coisas. A alma humana estaria envolvida nisso, tendo de atravessar todos os estágios de desenvolvimento, juntamente com outras coisas. Portanto, essa concepção vê o escopo inteiro do ser, desde o estado mineral até às formas de vida biológicas mais elevadas e complexas.

2. *Anaximandro* (que vede), um filósofo pré-socrá-tico criou um sistema de evolução ao postular certo progresso no desenvolvimento das coisas vivas, e que teria começado nos oceanos. *Heráclito* (que vede), em seus caminhos ascendente e descendente, e em sua idéia de fluxo, criou uma espécie de desenvolvimento evolutivo que abrange todas as coisas. *Empédocles* (que vede) referia-se aos princípios de desenvolvimen-to e adaptação de todas as coisas, o que nos dá uma forma primitiva dessa doutrina. *Demócrates* (que vede) ensinava uma espécie de evolução mecânica, na manipulação dos átomos, por ele postulados.

3. *Platão*, em vez de pensar em uma evolução, pensava em uma involução, porquanto o real teria degenerado nos particulares (o nosso mundo físico). A alma humana também teria degenerado, ao vir a participar na matéria; mas, ao ser purificada, evolui espiritualmente, libertando-se novamente da matéria e retornando ao real, isto é, o mundo dos universais (que vede).

4. *Aristóteles* acreditava na fixidez das espécies; mas, dentro das espécies fixas ele via quatro tipos de causas (causa material, causa formal, causa eficiente e causa final), dentro das quais haveria uma progressão evolutiva em todas as coisas.

5. O *estoicismo* (que vede) com a sua doutrina de ciclos recorrentes, imaginava um mundo que teria evoluído do fogo primevo e que acabaria retornando ao mesmo.

6. O *epicureanismo* (que vede) lançava mão da teoria dos atomistas, adicionando à mesma o conceito de uma guinada, a fim de explicar como as coisas chegaram a ser o que são. Ver sobre *Epicuro* e *Lucrécio*.

7. O *neoplatonismo* (que vede) retinha as idéias de Platão, de que primeiramente teria havido uma involução, e somente depois uma evolução da alma humana.

8. *Bruno* (que vede) misturava a erudição grega

EVOLUÇÃO

com idéias científicas, do que resultava um mundo de multiversos, todos no processo de tornarem-se; e tudo isso debaixo da providência divina.

9. Os *filósofos franceses* (que vede) faziam derivar o seu mundo de forças e entidades naturais, em que o **ir-se tornando** vai ficando cada vez mais complexo. Ver sobre *Holbach*, que colocava o homem dentro desse esquema.

10. *Leibniz* (que vede) pensava em um mundo dinâmico, que consistiria em **mônadas**; mas ele atribuía a evolução assim produzida ao poder de Deus, que atuaria como a Grande **Mônada**.

11. *Vico* (que vede) concentrava sua atenção sobre a evolução humana, e isso dentro da sociedade, vendo tal coisa como progressiva e cíclica.

12. *Herder* (que vede) aplicava a evolução à genética, como se os estados inferiores fossem evoluindo para estados superiores, como se o que é mais simples evoluísse para aquilo que é mais complexo.

13. *Hegel* (que vede), em sua doutrina sobre a tríada — tese, antítese e síntese — submetia todas as coisas a uma espécie de evolução, embora concebesse o Absoluto (o seu deus) como o poder por detrás do processo inteiro.

14. *Schelling* (que vede) pensava que o mundo teria evoluído por meio de algum poder vital. Ele rejeitava a simples evolução mecânica.

15. *Comte* (que vede), à semelhança de Herder, concentrava sua atenção sobre a evolução social e cultural. Ele pensava que a inquirição científica era uma espécie de desdobramento desse processo, bem como o seu estágio mais elevado.

16. *Charles Darwin* (que vede) fez um trabalho decisivo quanto ao problema da evolução biológica. Ele e outros, como A.R. Wallace (que vede), desenvolveram o conceito da seleção natural e da sobrevivência dos mais aptos. Ficou assim firmada a mutabilidade de todas as espécies. Coisa alguma, porém, eles disseram a fim de explicar os começos absolutos.

17. *Spencer* (que vede) falava sobre a evolução como uma lei da natureza que opera com base na homogeneidade incoerente, partindo daí para a heterogeneidade coerente.

18. *Charles Peirce* ensinava que as próprias leis da natureza encontram-se em estado de evolução e, por conseguinte, coisa alguma é fixa.

19. *W.G. Sumner* (que vede) aplicava a teoria de Darwin sobre a sobrevivência dos mais aptos às questões de economia.

20. *Haeckel* (que vede) aplicava as idéias de Darwin à metafísica e com isso criou um naturalismo monista e panteísta.

21. *Kropotkin* (que vede) ensinava que a sobrevivência dos mais aptos deve envolver o princípio da ajuda mútua.

22. *John Fiske* (que vede) desenvolveu uma espécie de teísmo evolutivo.

23. *S. Alexander* (que vede) ensinava o princípio de uma evolução emergente. Essa *evolução emergente* (que vede) ensina que novas qualidades podem vir subitamente à tona, que não podem ser reduzidas às qualidades antecedentes, e de uma maneira como não se poderia esperar da parte de um processo gradual.

24. *Bergson* (que vede) pensava ter descoberto o *élan vital* (que vede) como a força por detrás da evolução. Esse poder iria empurrando o mundo para coisas continuamente novas.

25. *A.N. Whitehead* adaptava as idéias de Darwin à física moderna.

26. *Smuts* (que vede) propunha que o processo evolutivo ocorreu com a ajuda de vários *saltos criativos*, não estando limitado a meros processos graduais.

27. *Teilhard de Chardin* (que vede) supunha que o processo evolutivo procede da matéria inorgânica, partindo daí para a esfera mental. Ele chamava isso de *noosfera*, isto é, «esfera da mente». Dessa maneira é que tomaria forma a evolução física, absorvendo formas não-físicas.

28. *McTaggart* (que vede) embora sendo ateu (segundo definições cristãs) acreditava na existência da alma humana e sua sobrevivência ante a morte física, e pensava que a alma veio a existir mediante um processo evolutivo, como a mais elevada realização da evolução. A Mente absoluta era por ele concebida como a força por detrás desse processo. A Mente absoluta, vista por detrás desse processo, em última análise, é a *Idéia*.

29. *Eruditos pragmáticos* têm encontrado certa justificação para o processo evolutivo, dentro da ética naturalista. Outro tanto se verifica quanto às suas idéias acerca da *gnosiologia* (que vede).

III. Considerações Teológicas e Filosóficas

1. **A questão do homem real, a alma**. Desde o princípio temos chamado a atenção do leitor para esse importante fato. A idéia evolutiva de Darwin procurava explicar somente o homem biológico. Pode-se presumir que ele não cria na alma e nem pensava que valia a pena perder seu tempo no estudo da alma. Portanto, seus ensinos não abordavam o homem real, a alma humana. Eruditos no hebraico informam-nos que o relato de Gênesis, sobre a origem do homem, nada tem a ver com qualquer suposto homem *imaterial*, e que o sopro da vida na estátua de barro só visa indicar que, — desse modo, Deus animou a matéria, e não que ele insuflou nela uma alma. É verdade que o Pentateuco não aborda a doutrina da alma, e nem há ali qualquer consideração sobre recompensas ou punições na outra vida, para a alma imaterial. É evidente, pois, que nem Darwin e nem o livro de Gênesis abordam o homem real, a alma imortal. Quanto a isso, ambos mostram-se deficientes; e penso que o homem que está realmente buscando a verdade, deveria reconhecer esses fatos. Por essa razão, não me sinto muito excitado ante toda a controvérsia a respeito da evolução e seu conflito com o registro do livro de Gênesis. A única coisa que está em jogo, em toda a sua exposição, é o *corpo* do homem, e não a sua alma. Para mim, portanto, esse é um assunto interessante, mas não vital.

Os pais alexandrinos buscavam o homem original no estado pré-adâmico, nos mundos celestiais, como companheiro dos anjos. Naturalmente, esse ponto de vista é platônico; e considero que há nisso uma certa verdade, embora inexata. Ver sobre a *Preexistência da Alma*. Em nosso artigo sobre a *Alma*, damos várias idéias acerca da origem da alma. Ver o artigo sobre *Darwin*, pontos quarto e quinto, no tocante a outros detalhes, que preenchem a idéia que tenho apresentado neste primeiro ponto, desta terceira divisão deste artigo.

2. *O problema das origens*. A evolução aos moldes de Darwin procura dizer como a matéria evoluiu até chegar a espécies biológicas; mas nada diz sobre a origem da matéria. Outros evolucionistas pensam que a matéria originou-se da *Mente*, conforme se vê na discussão sob a segunda seção deste artigo. O que está em jogo é a exatidão da narrativa do livro de Gênesis, sobre a questão da origem das espécies físicas, ou

609

EVOLUÇÃO

sobre o *modus operandi* dessa origem. Os teólogos que insistem em uma interpretação literal do relato de Gênesis, defrontam-se com uma série de problemas, visto que o relato bíblico é similar, em certos pontos críticos, às estórias de criação dos mitos pagãos mesopotâmicos. Temos ilustrado amplamente essa questão **nos artigos sobre Cosmologia; Criação; Adão; Eva e Jardim do Éden**. As tentativas de certos pensadores que querem fazer o mundo estar apenas com seis mil anos de existência são por demais ridículas para merecerem consideração séria. Sabemos que a luz de estrelas e galáxias, com dezesseis bilhões de anos-luz, está chegando até nós. Portanto, a criação do universo deve ter, pelo menos, essa antiguidade. Os argumentos em prol de uma criação jovem ignoram, convenientemente, esses fatos, embora penetrem elaboradamente no aspecto biológico do problema todo. O que estou dizendo aqui é que todo teólogo honesto encontra problemas quando se trata das origens. Talvez, afinal de contas, a resposta é que simplesmente não saibamos o que, realmente, sucedeu. Todavia, isso não nos impede de tomar a posição teísta, declarando que embora o *modus operandi* do começo das espécies continue uma questão misteriosa, sabemos que o poder de Deus está por detrás de tudo.

3. *Modernização da antiga cosmologia dos hebreus*. Meus amigos, os antigos hebreus simplesmente não acreditavam no que hoje em dia se diz nas igrejas evangélicas a respeito das origens. O que eles acreditavam tem sido distorcido e adaptado. Desse modo, suas crenças são modernizadas, a fim de fazê-las harmonizar-se com a ciência moderna e com a teologia moderna. Ver o artigo sobre a *Astronomia*, quanto a uma demonstração sobre isso. Os teólogos honestos precisam enfrentar questões como essas.

4. *Problemas com a evolução*. Os próprios evolucionistas concordam que as evidências de que dispõem não são conclusivas, mas tão-somente indicativas. Alguém já disse: «Os criacionistas têm certeza, sem evidências. Os evolucionistas têm evidências sem certeza». Se tomarmos um ponto de vista simbólico ou alegórico acerca do relato de Gênesis, então essa declaração torna-se adequada. Mas, se assumirmos uma posição literalista, tropeçaremos no problema que temos sugerido ao leitor, no artigo sobre a *Astronomia* e em outros artigos, mencionados sob o segundo ponto, acima.

a. *Da matéria morta à matéria viva*. Se aceitarmos a evolução, então teremos de aceitar que a vida biológica pode, de alguma maneira, derivar-se de certas reações químicas, ainda desconhecidas. É verdade que faz pelo menos vinte anos agora que certas formas primitivas de vida foram produzidas por reações químicas. Porém, isso ainda está a grande distância de explicar o homem, embora, para alguns estudiosos, seja um passo inicial promissor. Os evolucionistas teístas não se sentem perturbados diante disso. Eles dizem que o homem está simplesmente aprendendo algo sobre os blocos de construção que Deus usou, quando produziu a vida. Também supõem que a Mente divina esteve por detrás da questão inteira, pois, do contrário, não haveria os blocos de construção, com que começar, e nem a inteligência necessária para produzir tanta aquela maravilhosa complexidade que todos podemos contemplar.

b. *Da simplicidade para a complexidade*. Será, realmente, verdade, que no começo havia apenas formas de vida mais simples, das quais evoluíram formas de vida mais complexas? Os criacionistas respondem na negativa. Mas os evolucionistas oferecem um monte de evidências em apoio à sua resposta positiva. Seja como for, a imensa complexidade e inteligência que podemos observar na natureza certamente fala sobre mente e inteligência, por detrás de tudo, e não de simples forças mecânicas. A evolução mecânica, sem qualquer diretriz inteligente, requer um bocado de credulidade para ser aceita. Isso significa que os advogados dessa modalidade de evolução são céticos cheios de fé!

c. *A seleção natural*. Há três problemas sérios que envolvem esse conceito. O *primeiro* é que o mesmo apenas oculta a ignorância, dando um nome a um mistério oculto, a menos que admitamos que há uma inteligência envolvida em tudo. Seleção mecânica é uma contradição de termos. Somente uma mente é capaz de selecionar. Em *segundo lugar*, essa idéia nada faz para explicar o impressionante desígnio que há na chamada matéria inanimada. Em outras palavras, desde a matéria inanimada já encontramos um desígnio; mas então, nas formas biológicas, haveria um retrocesso para a seleção natural. É claro que a mente já fizera muita coisa, no campo do selecionamento, antes da seleção natural começar; mas isso é ignorado dentro da expressão absurda «seleção natural». Em *terceiro lugar*, é lógico supormos que a *mesma inteligência* que opera sobre a chamada matéria inanimada, também opere sobre as formas biológicas. A teoria da evolução não tem podido dissipar os mistérios envolvidos. Isso significa que, quando muito, essa é apenas uma teoria tentativa e muito incompleta.

d. *A evolução depende do empirismo*. Estamos falando aqui sobre a variedade darwiniana, mecânica do conceito. Não há dúvida de que a experiência demonstrou que ninguém pode explicar adequadamente o mundo, e nem examinar bem os seus mistérios, se apelar somente para o empirismo. Há contribuições que também são feitas pela razão, pela intuição e pelas experiências místicas. Essas nos dão boas evidências em favor da existência de entidades não materiais, incluindo, acima de tudo, a alma humana. A própria ciência poderá vir a ser a campeã que, finalmente, demonstrará a dimensão não-material do homem. Ver os artigos sobre a *Parapsicologia* e sobre as *Experiências Perto da Morte*, quanto a evidências. Qualquer teoria que ouse falar sobre o homem, utilizando-se apenas de métodos empíricos, e então, convenientemente, ignore o que o próprio empirismo diz sobre a imaterialidade, tem de enfrentar invencíveis dificuldades.

IV. Declaração Final

É mister uma tremenda credulidade para alguém acreditar na evolução puramente mecânica, postulada por alguns evolucionistas. A evolução teísta poderia estar com a razão, não criando qualquer problema teológico, se tomássemos o ponto de vista alegórico de Gênesis. A Igreja Católica Romana, através de seus apologistas, tem aceitado a posição de que qualquer teoria cientificamente estabelecida sobre o desenvolvimento *biológico* é aceitável, do ponto de vista teológico (embora, nem por isso, seja verdadeira), se com isso não forem negados os ensinos da Igreja acerca da criação sobrenatural e especial *da alma* humana. Em outras palavras, pode-se deixar o corpo físico aos cuidados de uma evolução teisticamente guiada, mas a alma pertence exclusivamente a Deus. Esse ponto de vista ganha força diante do fato de que o relato de Gênesis (visto pelo prisma dos antigos hebreus, e não pelo prisma dos cristãos modernos) não se refere à alma humana de modo algum. Pensamos que a posição desses apologistas católicos

EVOLUÇÃO

romanos é uma idéia útil, que merece a nossa consideração. Por outra parte, afirmamos que ninguém, realmente, conhece a verdade a respeito das origens, exceto a afirmação de que a Mente divina está por detrás de toda essa operação, desde o começo. Mas, o *modus operandi* dessa operação precisa continuar sendo discutido. Se a alma pertence a Deus, tendo provido dele e estando destinada a retornar a ele, então, qualquer doutrina concernente ao corpo físico, por mais interessante que seja, não é crítica para a nossa fé.

Considerando a Controvérsia:

Irving Kristol, professor de pensamento social na escola graduada de negócios da Universidade de Nova Iorque, propôs uma abordagem que talvez seja útil na tentativa de encontrar uma maneira de abrandar o perene conflito que ruge entre os criacionistas e os evolucionistas. Ele sugere que visto haver tantas teorias conflitantes da evolução, não pode a evolução ser ensinada como uma simples teoria científica ortodoxa. Ensiná-la é, de fato, um exercício de dogmatismo. Em outras palavras, as teorias de evolução que se entrechocam criam muitas debilidades na teoria geral, furtando-lhe a aura de um fato científico.

Passo a citar o que ele escreveu no *New York Times*: «Segundo as coisas são, os fundamentalistas religiosos não estão longe do alvo quando afirmam que a evolução, conforme ela é geralmente ensinada, é assinalada por uma aresta antirreligiosa sem base. A transformação gradual da população de uma espécie em outra é apenas uma hipótese biológica, e não um fato biológico. As diferenças entre as espécies são tão profundas que (pelo menos para alguns cientistas) o próprio conceito da evolução torna-se questionável. A evolução deveria ser ensinada como uma idéia conglomerada, formada por hipóteses conflitantes, e não como uma certeza que não pode ser desafiada. O criacionismo é uma questão de fé, e não de ciência. Teologicamente falando é perfeitamente defensável, mas nada tem a ver com a biologia». Esse mesmo autor duvida do valor de forçar a questão (o criacionismo e a controvérsia que gira em redor do mesmo) até o nível das escolas públicas, achando que seria mais aconselhável que os cristãos bíblicos apresentem os seus pontos de vista nas igrejas, ao mesmo tempo em que, nas escolas públicas, as crianças de pais evangélicos não deveriam ser expostas a ensinamentos anti-religiosos, que lhes são forçados como se fossem fatos.

Evolução Espiritual: Ver o artigo com este título.

Escrevi um artigo separado sobre esse assunto, bastante detalhado. Um texto de prova da idéia que o homem evolui *espiritualmente* (não biologicamente) é II Coríntios 3:18: «E todos nós, com o rosto desvendado, contemplando, como por espelho, a glória do Senhor, somos transformados de glória em glória, na sua própria imagem, como pelo Senhor, o Espírito».

Para mim parece claro que a própria salvação, já nas dimensões celestiais, envolverá uma glorificação e uma transformação eternas, em que o crente vai sendo transformado à imagem do Filho de Deus, mediante o poder do Espírito Santo. Isso significa que os homens compartilharão da própria natureza divina (ver II Ped. 1:4), dotados da plenitude de Deus (ver Efé. 3:19), conforme a imagem e a natureza do Filho de Deus (ver Rom. 8:29), subindo sempre de um estágio de glória para outro, incessantemente (ver II Cor. 3:18). Visto que há uma infinitude com a qual seremos cheios, não há que duvidar que haverá um enchimento infinito.

Estágios na Inquirição Espiritual; a Evolução da Vereda Espiritual

1. Materialismo

A alma é imersa no bem-estar físico, dominada pelo egoísmo, afligida pelo agnosticismo, pelo ceticismo e, talvez, até pelo ateísmo.

2. Superstição

As evidências de poderes super-humanos são suficientes para convencer a alguns de que a abordagem materialista não pode explicar todos os fenômenos pelos quais passa um ser humano nesta vida. Há uma tomada inicial de consciência acerca de forças e entidades maiores que o ser humano. Mas bem pouco é reconhecido acerca de tais forças, e a imaginação cria toda espécie de mito e tabu. Ritos são efetuados na tentativa de aplacar as forças invisíveis.

3. Fundamentalismo

Revelações divinas, através de profetas, provêem-nos Livros Sagrados, que quase sempre tornam-se objetos de adoração. Ver sobre a *Bibliolatria*, quanto a uma ilustração desse fenômeno. As principais atividades, durante esse estágio, são crenças rígidas e invenções de credos que, supostamente, conteriam todas as verdades importantes que devem ser cridas.

4. Filosofia

Nesse estágio, os homens começam a pensar por si mesmos. Há uma espécie de despertar da auto-responsabilidade. As convicções religiosas são mantidas, mas há menos dependência ao mero dogma. Nesse estágio, os homens exibem maior respeito pela vida, e não meramente pela vida humana. A *tolerância* (vide) passa a ser um importante aspecto durante essa fase.

5. Perseguição e Perseverança

A alma do indivíduo é afligida por profundos anelos espirituais. Há muita tensão interior, ou mesmo angústia, que se origina do intenso desejo de compreender os significados ocultos e os mistérios

6. A Vereda Mística

A alma esforça-se por desvencilhar-se das muitas cadeias do dogma, dos costumes e dos preconceitos que a escravizam. É buscada a Presença do Espírito de Deus. A meditação e outros modos de avançar nas experiências místicas tornam-se parte da vida diária. É procurada a *união com Deus*. O indivíduo eleva-se acima do mundo da percepção dos sentidos, da razão e da intuição, e busca comunhão direta com Deus. Nesse estágio, o amor torna-se supremo no mundo ético, pois, em termos práticos, não há princípio maior que o amor. Aparece como que um elevado monte, a ser escalado ou ultrapassado, que representa as realizações espirituais. É possível escalar por um dos lados dessa montanha mediante a meditação, o misticismo subjetivo e a contemplação transcendental. Mas também é possível escalar essa montanha pelo lado oposto mediante a meditação, o misticismo objetivo e a metafísica intelectual. Ver o detalhado artigo acerca do *Misticismo*. Paulo disse que possuímos a mente de Cristo. Ver sobre o *Cristo-Misticismo*. O próprio apóstolo era homem dotado de muitas visões e experiências místicas, e parte do nosso Novo Testamento origina-se das coisas que ele aprendeu por meio de tais experiências. Paulo encarecia a *iluminação* (vide; Efé. 1:18). Esteve no terceiro céu e ficou pasmo diante das coisas que ouviu e viu, embora não tivesse recebido a permissão de revelá-las, em sua maior parte (ver II Cor. 12:1-3). Destarte, aproximou-se da presença de Deus e foi Transformado. Essas experiências ajudaram-no em sua transformação segundo a imagem de Cristo (ver *Transformação Segundo a Imagem de Cristo*). Talvez não estejamos longe da verdade ao afirmarmos que a epístola aos *Gálatas* representa o estágio *fundamenta-*

EVOLUÇÃO — EVOLUÇÃO ESPIRITUAL

lista do desenvolvimento espiritual de Paulo, quando estava em conflito aberto com seus adversários. Mas a sua epístola aos *Efésios* representa o seu estágio místico, ao passo que o trecho de II Coríntios cap. 13 confere-nos algumas informações sobre suas experiências pessoais durante esse avançado estágio.

7. Estágio Final

Na verdade temos aí o processo eterno da *glorificação*. Ver os artigos intitulados *Visão Beatífica; Glorificação; Salvação e Transformação Segundo a Imagem de Cristo*. (AM B C E EP P R)

EVOLUÇÃO E ÉTICA

1. **Evolução Mecânica.** Essa posição supõe que o próprio homem veio à existência por causas naturais e mecanicistas, não havendo razão para pensar que a sua conduta deveria ser governada por princípios divinos. A *conduta ideal* seria apenas uma questão de tentativa e erro, com melhoria gradual. Além disso, essa conduta, naturalmente, seria relativista. O que é bom para uma cultura, em seu estágio evolutivo, pode não ser necessariamente bom para outra cultura; e outro tanto poderia ser dito acerca dos indivíduos. Como se vê, a ética sofreria a pressão da opinião pública. A menos que Deus tenha estado envolvido, de alguma forma, na origem do homem, não haveria grande razão pela qual devesse envolver-se na conduta humana.

2. *Evolução Teísta.* Mas, se cremos que Deus guiou o processo evolutivo, então também podemos conceder que ele seja nosso guia quanto à conduta ideal.

3. *O conflito e a hostilidade* são os principais elementos na doutrina da sobrevivência dos mais aptos, promovida pela teoria da evolução. Essa idéia não tem praticamente nada a dizer sobre o amor, que é a principal virtude de quase todos os sistemas religiosos. O altruísmo coletivo está por detrás da sobrevivência de qualquer sociedade; e, quando isso falha, a degradação e o declínio tornam-se inevitáveis.

4. *A natureza moral do homem evoluiu* juntamente com seu corpo físico, segundo o pressuposto básico da evolução. Porém, mesmo que a evolução biológica esteja com a razão, temos de compreender que Deus é o originário da alma e a alma é o homem essencial. Naturalmente, pois, a ética do homem precisa transcender à sua herança animal e biológica se, realmente, ele tem essa herança. Ver o artigo geral sobre a Evolução, seções terceira e quarta, quanto aos problemas que confrontam a teoria da conclusão, bem como nossa declaração final acerca da questão.

5. *Evolução Cultural.* A história humana incorpora, segundo alguns estudiosos, três estágios: a selvageria, a barbárie e a civilização. Segundo nos dizem, os códigos éticos humanos têm seguido de perto esse processo. A história fornece-nos muitas evidências em favor desse ponto de vista. Consideremos a história de como Davi matou diversas centenas de filisteus, somente para obter as peles de seus prepúcios, para que pudesse casar-se com uma filha de Saul. Isso foi uma barbaridade, ou mesmo uma selvageria; e, no entanto, não foi censurado. O homem continua sendo um bárbaro, embora tenha havido melhoramentos. No entanto, precisamos entender que a mente divina está supervisionando esse desenvolvimento, sempre acenando para o homem com um ideal superior.

6. *Natureza Evolutiva dos Sistemas Éticos.* É verdade que esses sistemas, filosóficos e religiosos (incluindo a ética bíblica — contraste-se Elias e Jesus, em suas atitudes e atos básicos), têm evoluído. Isso não significa, porém, que *aquilo que é seja certo*. E nem indica que nos próprios documentos sagrados seja patente uma ética em progressão. No entanto, assim tem acontecido. O que sucedeu, não era necessariamente certo e o que era conhecido como conduta ideal estava em processo de desenvolvimento. A dificuldade surge quando deixamos tudo isso aos cuidados do naturalismo, e assim nos pomos debaixo do império de uma ética relativista, devido à nossa falta de conhecimentos e experiência. Para nós, a ética é relativa, para o padrão é absoluta. Esse padrão está sendo sempre revelado para nós; e a *revelação*, e não apenas a experiência humana, está envolvida nesse processo. Tal como em todas as formas de desenvolvimento, sempre nos encontramos em um estágio parcial e imperfeito. Nosso conhecimento, a respeito de todas as coisas, incluindo as questões éticas, é parcial. Sabemos de algumas grandes coisas e somos forçados a seguir aquilo que sabemos, até esse ponto. Porém, o Espírito de Deus é quem dita, e não o homem, sobre o indivíduo, sobre a sociedade humana, sobre a cultura humana.

EVOLUÇÃO EMERGENTE

Essa teoria difere do pensamento evolutivo padrão porque declara que, algumas vezes, a evolução projeta qualidades inteiramente novas no ser daí emergente, que não pode ser explicado por seus antecedentes. Os que têm advogado essa opinião incluem C. Lloyd Morgan, Boodin, Smuts e S. Alexander, sobre quem oferecemos artigos separados. Essa teoria traz embutida uma crítica contra o mecanicismo. Precisamos de algum meio de explicação para a vida, aliada à mente e não apenas de algum processo mecânico e, aparentemente, a evolução emergente abre espaço para isso. S. Alexander dá início à sua exposição teórica com o espaço já existente, o tempo e os materiais já existentes, mas, por meio de emergências, preenche o resto de sua teoria sobre a vida. Darwin supunha que as mudanças evolucionárias ocorrem mui lentamente; mas os evolucionistas emergentes pensam que podem ocorrer modificações súbitas, até mesmo dramáticas, que alteram todo o curso e o estilo da vida. Alguns pensadores têm pensado que essas novidades têm lugar de maneira ininteligível, sem qualquer explicação lógica. Mas outros pensam que há a presença de uma *mente*, em algum ponto, envolvendo alguma espécie de desígnio inteligente. O que pode estar envolvido no conceito de mente, dentro desse contexto, entretanto, difere totalmente de um intérprete para outro. Para esses cientistas, a expressão não implica em qualquer forma discernível de teísmo. E o termo *emergente* é usado para falar sobre as repentinas manifestações de novas espécies e de novas formas de vida, que não podem ser previstas com base nas leis conhecidas que regem a matéria. (EP P)

EVOLUÇÃO ESPIRITUAL

«E todos nós, com o rosto desvendado, contemplando, como por espelho, a glória do Senhor, somos transformados de glória em glória, na sua própria imagem, como pelo Senhor, o Espírito» (II Cor. 3:18).

Aí está a *evolução espiritual*. Quando a alma humana veio à existência, por um ato divino, era um ser dotado de grande poder e inteligência, um pouco menor que os anjos, ou mesmo igual a eles, conforme pensavam os pais alexandrinos da Igreja. A diferença que hoje há entre os seres angelicais e os seres

612

EVOLUÇÃO — EXALTAÇÃO DE CRISTO

humanos depende inteiramente da extensão da queda. A redenção envolve uma certa evolução espiritual. A transformação segundo a imagem de Cristo e a participação final na natureza divina (Col. 2:10; II Ped. 1:4), estão sendo efetuadas pelo poder do Espírito Santo, o que está conduzindo as almas remidas de um estágio de glorificação para outro. E esse processo prosseguirá na eternidade, interminavelmente. Se há uma infinitude com que deveremos ser enchidos, então também deverá haver um enchimento infinito. Em ponto algum desse avanço o que é finito tornar-se-á infinito; mas, a cada instante poderá ir-se tornando mais e mais parecido com o infinito, quanto ao poder, quanto à natureza inerente e quanto aos atributos. A glorificação (que vede) não será um acontecimento que ocorrerá de uma vez por todas. Não se consumará quando de nossa entrada nos lugares celestiais. Antes, é um processo eterno.

Há artigos que ampliam esse tema, pelo que os detalhes devem ser buscados nos mesmos. Ver sobre *Divindade, a Participação do Homem na; Transformação Segundo a Imagem de Cristo e Salvação*. A salvação final pode ser descrita como a participação finita na natureza de Deus — na finitude, mas sempre avançando na direção da infinitude. As implicações desse conceito são imensas e há muitos mistérios contidos no mesmo. Ver outras idéias no artigo **Evolução**, IV, últimos oito parágrafos.

EXALTAÇÃO DE CRISTO

Para melhor entendermos a questão, consideremos os pontos abaixo, que expõem o que está envolvido na mesma:

1. *A Palavra Exaltação*. O termo latino por detrás dessa palavra portuguesa é *exaltare*, que vem de *ex*, «fora», e *altus*, «elevado», «alto». Portanto, exaltar é elevar, é glorificar. Essa palavra significa elevar quanto à posição, ao caráter, à honra e à natureza. Em Atos 2:33 aprendemos que Jesus Cristo foi exaltado por Deus. O termo grego ali usado é *upsoo*, cujo sentido assemelha-se à palavra latina acima discutida: «elevar», e, figuradamente, «honrar», «conceder poder, posição, fama». A forma nominal desse vocábulo grego, *upsoma*, significa «altura», «elevação», e, metaforicamente, «exaltação». Ver também Atos 5:31 e Fil. 2:9. O trecho de Heb. 1:5 *ss*, bem como essa epístola em geral, fala sobre vários aspectos da exaltação do Filho de Deus.

2. *A Humilhação* (que vede) e a *Exaltação* de Cristo são os dois pólos da experiência do Filho de Deus, em sua carreira remidora, indicando dois aspectos importantes de sua obra como o Mediador entre Deus e os homens (que vede). A humilhação está vinculada à humanidade de Cristo e a exaltação está ligada à sua divindade, embora essas classificações não possam ser consideradas absolutas nessa simplicidade.

3. *Principais Elementos da Exaltação de Cristo*. A transfiguração, a descida de Cristo ao hades (ver sobre *Descida de Cristo ao Hades*), a ressurreição e a ascensão, com o conseqüente poder de Cristo, à mão direita do Pai, e também a futura *parousia* (que vede) são passos que participam da exaltação de Cristo. Nesses atos ele é reconhecido como deve ser. Através dos mesmos é que ele tem sido e continuará sendo reconhecido como Aquele que efetuou a salvação e é o nosso Mediador. Naturalmente, sua obra redentora continua, tendo começado na terra, tendo descido ao hades, e, agora, na sua intercessão pessoal em favor de seus remidos, nos lugares celestiais.

Alguns intérpretes protestantes, estranhamente, têm deixado de lado o aspecto da descida de Cristo ao hades, como parte de sua missão. Mas os católicos romanos, os ortodoxos orientais, os luteranos e os anglicanos têm-se mostrado mais sábios do que isso, dando o devido valor a essa importantíssima fase da realização de Cristo. Ela serviu tanto para fazer do hades um campo missionário como para derrotar as forças de Satanás. De fato, a passagem de Efésios 4:8 *ss* mostra que tanto a descida ao hades como a subida dali tiveram o mesmo propósito: fazer Cristo ser *tudo para todos*, «enchendo todas as coisas», o que não é uma realização inferior. Alguns grupos protestantes não querem ver qualquer significação na descida de Cristo ao hades, para os perdidos, ou têm negado completamente essa realidade, — tendo a necessidade de alterar sua ultrapassada posição sobre o juízo divino, de acordo com a qual nenhuma esperança é oferecida aos perdidos. No entanto, o trecho de I Pedro 4:6 oferece claramente a esperança aos perdidos, mesmo após a morte física.

Observemos, além disso, que a descida de Cristo ao hades completou a sua missão, abarcando então as esferas terrena, infernal e celestial. Doutra sorte, não poderia ser universal, e nem poderia ele vir a encher a tudo, que é o cerne do mistério da vontade de Deus. Ver Efé. 1:9,10,23. O artigo sobre o *Mistério da Vontade de Deus* fornece detalhes sobre essa questão. Ver também o artigo sobre a *Restauração*, que será a fase final da exaltação de Cristo, porquanto, nessa fase, toda a criação será elevada juntamente com ele.

Após a descida de Cristo ao hades, ele ressuscitou (Atos 2:32; Rom. 1:4). E a ressurreição tornou-se um dos principais assuntos da pregação dos apóstolos. A ressurreição de Cristo elevou-o para uma nova forma de vida, forma de vida essa que, finalmente, será compartilhada por todos os filhos de Deus. Ver detalhes quanto a isso em I Cor. 15:42-45.

A ascensão de Cristo transferiu para os lugares celestiais o ofício de Jesus como o nosso Mediador. Também devemos supor que a glorificação de Cristo prossegue, porquanto consiste em várias fases. Ali, ele está preparando as coisas para sua grande reunião com todos os filhos de Deus — e o Filho e os filhos nunca mais se separão (João 14:2,3).

4. *À Mão Direita de Deus*. Essa expressão, que aparece em Sal. 110:1; Mat. 2:44; Rom. 8:34; Efé. 1:20; Col. 3:1 e Heb. 1:3, não indica apenas alguma posição ou localização privilegiada, mas indica representatividade. Por assim dizer, o Pai recolhe-se em seu esplendor inalcançável, onde reside sozinho; e o Filho é o Deus com quem temos de tratar. À mão direita de Deus, pois, Jesus Cristo, o bendito Filho de Deus, continua a sua obra. Ali ele exerce as suas prerrogativas reais (Efé. 1:20-22); dali ele envia o seu Espírito ministrador (João 14:26; 16:7); dali ele faz contínua intercessão por nós (Rom. 8:34; Heb. 7:25; 9:24; I João 2:1).

5. *Por ocasião da parousia* (sua segunda vinda a este mundo, com sua presença esplendorosa) essa exaltação de Cristo terá prosseguimento, e, na verdade, entrará em uma nova fase. Então a obra remidora dará um imenso salto para a frente: a ressurreição dos remidos terá lugar, a Igreja de Cristo irá residir por inteiro nos lugares celestiais, todos os seus membros glorificados; haverá o reino milenar de Cristo à face da terra; processar-se-á o julgamento final; e terão começo os ciclos restauradores da eternidade. Ver o artigo geral sobre a *Parousia*. Ver também sobre *Vida Eterna* e *Salvação*.

••• ••• •••

EXALTAÇÃO — EXCELÊNCIA

EXALTAÇÃO DO HOMEM
Ver sobre a **Glorificação.**

EXARCA
Trata-se de um **título eclesiástico usado nas** comunhões ortodoxas orientais. Corresponde aos títulos vigário ou primaz, usados no Ocidente. A princípio designava o ofício de um metropolita (que vede), quando esse ofício era mais importante que o ofício ordinário, embora nunca tenha atingido o mesmo grau de hierarquia que o dos patriarcas (que vede). Usualmente, os exarcas são bispos.

EXATORES, FEITORES
Há uma palavra e uma **expressão hebraicas** envolvidas neste verbete, a saber:

1. *Nagas*, «cobrar», «extorquir». No particípio tem o sentido de «exator», «opressor». Este uso da palavra é empregado por quinze vezes, — conforme se vê em Êxo. 3:7; 5:6,10,13,14 e Isa. 60:17. Em nossa versão portuguesa, na primeira e na última dessas referências é usada a tradução «exatores»; nas outras, «superintendentes».

2. *Sar mas*, «chefe de recrutamento» ou «chefe de grupos». Usada somente em Êxo. 1:11, que nossa versão portuguesa traduz por «feitores».

Nas ostracas egípcias, essa palavra e essa expressão são usadas com freqüência. Ali são detalhadas as tarefas dos grupos que escavavam e construíam os túmulos dos Faraós, ou então os «superintendentes de trabalhos forçados». *Nagas* é de origem semítica antiqüíssima, no semítico ocidental, provavelmente anterior à época de Moisés.

EX-CATHEDRA
Expressão latina que significa «de cadeira». Trata-se de uma expressão técnica, empregada pela Igreja Católica Romana, em conexão com a idéia da *infalibilidade papal* (que vede), nas declarações oficiais do papado. De acordo com o Concílio do Vaticano (que vede), o papa, quando ensina *ex cathedra*, ou seja, quando no exercício de seu ofício de pastor e cabeça da Igreja, que lhe foi dado por Deus, não pode errar quando se pronuncia ou quando define uma doutrina, ou quando estabelece uma regra que visa à conduta moral. Essa infalibilidade repousa sobre a «suprema autoridade apostólica» do papa. Os protestantes, naturalmente, negam a doutrina da infalibilidade tanto do papa quanto dos concílios, dependendo exclusivamente da autoridade das Sagradas Escrituras. Só Deus é infalível e as decisões de um papa ou concílio por muitas vezes têm sido derrubadas pelas decisões de outro papa ou concílio, conforme a história deixa perfeitamente claro.

EXCEÇÃO
Essa palavra **portuguesa deriva-se do latim, ex,** «fora», e **capio,** «tomar». É usada para indicar a exclusão de algum item do resto de uma classe. A palavra reveste-se de alguma importância, dentro do contexto ético.

Uma das formas da ética (que vede) é aquela que se denomina absolutista ou formal, governada por presumíveis leis fixas. Levanta-se, pois, a pergunta se pode haver exceções legítimas. Consideremos os quatro pontos abaixo:

1. Emanuel Kant propôs o seu *imperativo categórico*, nome dado à sua regra que diz que sempre deveríamos agir de tal modo que nossas ações fossem demonstrações da lei universal. Você está disposto a fazer de um ato seu uma lei universal, com aplicação perene? Em caso contrário, tal ato estaria errado.

2. A *ética relativa* ou situacionista nunca encontra ūma lei que não esteja sujeita a exceções. Isso porque surgem situações que requerem reações diferentes. Isso soa como um forte argumento, mas lança o caos na ética quando surgem em cena situações *ímpares*. Tomemos, para exemplificar, o princípio do *amor*. Esse princípio é universalmente reconhecido como desejável. No entanto, entra a perversão quando um dos pais de uma criança, por motivo de amor, segundo ele diz, abusa dela. Uma situação ímpar pode exigir um ato de ódio, embora seja chamado ato de amor. Todos os tipos de proibição moral podem ser ignorados, se alguém lançar a culpa sobre suas tendências e suas exigências, que requerem reações ímpares.

3. *Uma exceção pode provar a regra*, destacando-a com maior clareza. Se uma pessoa não deve mentir e nunca mente, talvez venha a tornar-se prejudicial a sua insistência em dizer sempre a verdade. Um paciente que tenha uma enfermidade fatal pode passar melhor se não lhe for revelada a verdade, mas antes, seja encorajado por uma mentira que descreva falsamente a sua saúde. Por outro lado, no caso de um outro doente, a verdade talvez seja melhor. Nessa ilustração, um elevado princípio moral, como o desejo de não prejudicar, vinculado ao desejo de promover o conforto psicológico, pode ser mais importante que a insistência em dizer somente a verdade.

4. *Uma exceção pode negar a regra*. As exceções que se tornam leis morais podem ser apenas instrumentos de um indivíduo que quer fazer o que deseja. Um certo professor que tive, dizia: «A sociedade precisa de leis; eu, não». Talvez a honestidade básica seja a grande lei ética de que todos nós precisamos. Se outras regras forem controladas por essa lei, então não encontraremos problemas no caso de leis absolutas e de suas exceções não permissíveis. O crente encontra a maior parte de suas leis éticas nas Sagradas Escrituras; e, se ele observá-las, não deixará de ter uma expressão moral adequada.

EXCELÊNCIA
Uma pessoa **excede quando ultrapassa a outras e** realiza algo de extraordinário ou tem uma conduta exemplar. No campo da ética, a perfeição e a **auto-realização** são consideradas parte da excelência. Jesus exortou os homens para buscarem a *perfeição*, como o ideal das realizações morais, tendo o Pai como o grande alvo. Aristóteles exortava os homens à **auto-realização dentro** de alguma função na sociedade, que fosse mais vantajosa para o indivíduo e para os outros, ao que chamou de *virtude*.

O cristianismo tem uma elevada ética, ao mesmo tempo em que a sua mensagem alude à total depravação do homem. Por esse motivo, torna-se necessária a doutrina da graça divina, de tal modo que os homens possam saber que há um ministério do Espírito, que pode ajudá-los a buscarem a excelência, no desenvolvimento espiritual. Quando é enfatizada a mensagem da total impotência humana de um modo que reduz a quase nada a sua criatividade, promove-se uma religião calcada sobre o orgulho pessoal, o que é claramente contrário aos mais nobres ideais cristãos. Pois, apesar de sermos apenas *vasos de barro*, os maiores cristãos têm atingido um significati-

EXCELENTE — EXCLUSÃO

vo desenvolvimento pessoal e têm realizado muita coisa, mediante a graça de Deus. Ver o artigo sobre o *Desenvolvimento Espiritual,Meios de*. Ver também sobre *Espiritualidade*.

A ciência e a política têm inspirado os homens a grandes alvos; mas, de outras vezes, a alvos destrutivos e prejudiciais. A fé religiosa séria deveria ser uma inspiração para buscarmos a excelência espiritual. Isso se faz como que subindo os degraus do crescimento cristão. Ensinou Pedro: «...reunindo toda vossa diligência, associai com a vossa fé a virtude; com a virtude, o conhecimento; com o conhecimento, o domínio próprio; com o domínio próprio, a perseverança; com a perseverança, a piedade; com a piedade, a fraternidade; com a fraternidade, o amor. Porque estas cousas, existindo em vós e em vós aumentando, fazem com que não sejais nem inativos, nem infrutuosos no pleno conhecimento de nosso Senhor Jesus Cristo» (II Ped. 1:5-8).

No mundo do comércio, a menos que um negociante saiba competir com os outros, acaba tendo de abandonar os negócios. No mundo profissional, a menos que o indivíduo aprenda bem a desempenhar o seu papel, melhorando continuamente, ele sofrerá perdas. Mas, com demasiada freqüência, na Igreja cristã, as pessoas passam de um ano para o outro pouco se importando em melhorar e chegar à excelência. E, o que é característica da comunidade cristã é também uma característica, antes de tudo, do indivíduo negligente e preguiçoso. Isso não reflete uma vida religiosa séria.

EXCELENTE, EXCELENTÍSSIMO

No grego, **krátistos**, forma superlativa de **krátos**, que significa «poder», «força» ou «soberania». A forma superlativa ocorre por quatro vezes: Luc. 1:3; Atos 23:26; 24:3 e 26:25. Portanto, sempre nos escritos de Lucas. Foi traduzida para o latim como *vir egregius*, isto é, homem da classe eqüestre, ou seja, um cavaleiro, cuja hierarquia ficava depois da dos senadores de Roma.

O ofício dos procuradores era ocupado por homens dessa posição social. O título foi dado, no Novo Testamento, a Félix (Atos 23:26; 24:3) e a Festo (Atos 26:25). Ambos foram procuradores da Judéia. Talvez em sentido secundário, foi usado como um cumprimento por Lucas, em relação a Teófilo (Luc. 1:3). É possível que esse homem tenha sido governador romano, embora não saibamos dizer de onde. Nesse caso, Lucas não estava apenas honrando a Teófilo, mas tratava-o de acordo com a sua autoridade. Seja como for, não se sabe também se esse homem era cristão ou não, embora o mais provável é que o tenha sido. O evangelho de Lucas tinha o propósito de ser uma apologia da fé cristã, com a esperança de que, juntamente com o judaísmo, fosse aceito pelo império romano como uma religião lícita, podendo assim escapar à oposição e à perseguição das autoridades. Alguns estudiosos também pensam que a finalidade de Lucas foi a de apresentar Paulo sob uma luz favorável, em suas atividades missionárias por quase todo o império romano, quando este estava aprisionado em Roma, prestes a ser julgado pelo próprio imperador em pessoa. Nesse caso, Teófilo estaria em posição de influenciar o parecer do imperador. Mas, segundo todos sabem, as coisas não aconteceram bem assim. É verdade que Paulo, em seu julgamento, foi inocentado. Mais tarde, porém depois de haver retornado às suas lides missionárias, foi novamente aprisionado, julgado, condenado e executado, conforme insistentes tradições dizem a seu respeito. Isso

aconteceu durante o governo do infame Nero. Foi também Nero quem iniciou as perseguições formais do império contra os cristãos, que só terminaram nos dias do imperador Constantino (que vede).

EXCLUSÃO Ver também **Excomunhão — Expulsão.**

1. Exclusão Eclesiástica. a. Pano de Fundo. A raiz primitiva dessa prática da exclusão era o *herem*, «banimento», do judaísmo, que era aplicado àqueles que desobedecessem gravemente à lei mosaica, pondo-se assim fora do rebanho e sujeitando-se a várias medidas disciplinares. Ver Êxo. 30:22-38; Lev. 17:4. O banimento podia tomar a forma de uma total exclusão da comunidade. Um desenvolvimento posterior foi o *nidduy*, mais leniente, que impunha apenas restrições sociais, e que só se prolongava por trinta ou sessenta dias. b. *No Novo Testamento*. Há referências neotestamentárias à prática judaica, como se vê em Luc. 6:22; João 9:22; 12:42 e 16:2. Jesus enfatizava a necessidade de disciplina. Para a Igreja, ele determinou uma admoestação pessoal aos ofensores, seguida por uma admoestação mais formal, por parte da igreja inteira. O membro ofensor que não ouvisse nenhuma dessas admoestações, deveria ser então excluído. Ver Mat. 18:15-17. Na era apostólica, a prática desenvolveu-se, conforme se vê em I Cor. 5:2,7,13; II Tes. 3:14,15; I Tim. 1:20; Tito 3:10. Essas referências mostram que a disciplina era aplicada por razões morais e doutrinárias. A exclusão formal incluía a separação entre o excluído e a comunidade cristã, a fim de que aquele aprendesse que certas coisas precisam ser feitas ou precisam deixar de ser feitas, para que alguém seja aceito como membro. O trecho de I João 5:16 parece envolver o equivalente cristão da sentença de morte para graves ofensores, embora exercida mediante a solicitação dirigida a Deus de que isso tenha lugar, e não por algum ato efetuado pelo homem. O trecho de I Tim. 1:20 cabe dentro dessa categoria. Tal ato pode tornar-se necessário, mas sempre será raro. Em todos os meus anos como membro de igreja e pastor, conheci apenas um caso desses. Certo homem, em uma igreja africana, no Zaire, estava promovendo a prostituição envolvendo membros da própria igreja local, solicitando mulheres crentes que quisessem participar. O missionário evangélico proferiu uma maldição contra ele. Dentro de poucos dias, bem nos degraus de entrada do templo, aquele homem morreu!

2. Propósito. A exclusão é retributiva e disciplinar. O indivíduo precisa pagar pelos erros que comete; mas também é do interesse da Igreja restaurar os membros que erram, mediante esse ato.

Talvez a Igreja Católica Romana seja a que tem desenvolvido a mais complexa forma de exclusão da moderna cristandade. Ela tem suas normas *vitandi* e *tolerati*. As primeiras são aquelas disciplinares mediante as quais a Santa Sé requer expressamente que certos indivíduos injuriosos à sua causa sejam repelidos pela comunidade católica, tanto no que concerne às atividades religiosas como também no **que diz respeito às atividades sociais e comerciais. A outra forma de exclusão é aquela em que a separação** não é completa, havendo tolerâncias. Os envolvidos podem continuar em todas as atividades normais, embora lhes sejam negados os sacramentos.

Quanto a essas questões, os grupos protestantes e evangélicos seguem mais de perto a simplicidade do Novo Testamento. Nas igrejas de governo eclesiástico tipo congregacional, o banimento só pode ser declarado por voto da maioria da congregação local

EXCLUSÃO — EXCLUSIVISMO

da pessoa envolvida. Em igrejas com outro tipo de governo eclesiástico, a junta dos anciãos pode determinar a exclusão de alguém, mesmo sem a aprovação da congregação geral. Os ministros do evangelho devem ser excluídos por suas congregações ou pelo presbitério.

3. A Exclusão Maior e suas Causas. Essas causas podem ser várias: 1. Privação de uma igreja local de seus direitos. 2. Perturbação da paz na Igreja ou no Estado. 3. Falso testemunho ou promoção do mesmo. 4. Impedimentos injustos ao casamento. 5. Desrespeito às leis da igreja local, envolvendo atos injuriosos ou imorais. 6. Violação das instituições eclesiásticas, especialmente no que concerne a freiras. 7. Negação das doutrinas da Igreja, com ensinamentos contrários. 8. Promoção da cooperação com grupos religiosos prejudiciais aos interesses da Igreja.

Nos casos extremos, o sepultamento cristão é negado aos ofensores, a menos que alguém possa testificar quanto ao arrependimento da pessoa envolvida, antes de sua morte. As autoridades católicas romanas, é claro, negam o sepultamento cristão aos suicidas. Ver o artigo separado sobre a *Disciplina*, que acrescenta detalhes que não figuram aqui. (AM B E NTI Z)

EXCLUSIVIDADE DE CRISTO

1. Na eternidade passada, o Logos revelou Deus a todos os seres inteligentes (ver João 1:18).

2. Em sua missão terrena, o Logos, encarnado em Jesus, se fez visivelmente o único caminho de retorno ao Pai (ver as notas em João 1:14 no NTI). (Ver também Gál. 1:8.9). Atos 4:12 tem uma declaração similar.

3. A idéia toda de filhos serem desenvolvidos segundo a imagem do Filho (ver II Cor. 3:18), através da energia do Espírito, prova a exclusividade do Filho, porquanto existiria algum outro Filho unigênito? Essa transformação segundo a imagem de Cristo é a salvação. (Ver Heb. 2:3).

4. O Filho, agora glorificado, continua sendo o único mediador entre Deus e os homens, I Tim. 2:5. (Ver também Heb. 8:6; 9:15 e 12:24).

5. Na posição de Logos, tendo retornado à glória, ele continua sendo o Salvador. Muitos pais da igreja opinavam que o Logos prosseguia em sua missão remidora entre as almas humanas que ultrapassaram a barreira da morte física. (Ver I Ped. 4:6). A descida de Cristo ao hades tornou isso possível. (Ver o artigo sobre *Hades*). Ver o artigo sobre a *Descida de Cristo ao Hades*. Outros crêem que essa missão pós-morte *melhorou* o estado dos perdidos, mas não lhes ofereceu a salvação. Acredito que esta *descida* fez parte de sua missão *salvadora*.

6. O *Logos* também planta suas sementes em religiões e filosofias não-cristãs. Assim, ele tem uma comunicação universal, embora não seja igual em cada sistema onde suas sementes crescem.

7. Portanto, aprendemos que o *Logos* é o único Salvador, e que sua missão não se limita à sua encarnação terrena (quando foi chamado de *Cristo*), nem a uma única manifestação em um sistema só. A entidade mais *universal* de todas é o *Logos*, a fonte de toda a vida e esperança.

EXCLUSIVISMO

Contra o Exclusivismo, I Tim. 2:4.

A agitação em torno da polêmica.

1. Os mestres gnósticos negavam até mesmo a possibilidade de salvação para a maioria dos homens. (Quanto às diversas classes em que eles dividiam os seres humanos, dentre as quais só uma delas era passível de redenção, ver o artigo sobre *Gnosticismo*. Ver também as notas no NTI sobre I Tim. 2:4.

2. Em contraste com isso, Paulo mostra que o próprio Deus está interessado na salvação de *todos os homens*; e assim sendo, fica entendido, que todos os homens poderiam ser salvos, todos os homens poderiam exercer fé, se ao menos quisessem fazê-lo.

3. Os gnósticos pensavam que a maioria dos homens está de tal forma envolvida e imersa na matéria, que se tornaram escravos totais da mesma e do mal por ela representado; e, assim sendo, sob hipótese alguma, podem libertar-se a fim de buscar e obter a salvação. Em outras palavras, eles negavam a doutrina do *livre-arbítrio* humano.

4. Em contraste com isso, Paulo mostra-nos que deveríamos orar em favor de todos os homens (ver I Tim. 2:1), assim visando a salvação deles. Ora, isso deixa entendido que todos os homens poderiam exercer sua vontade e assim vir a confiar em Cristo, e, dessa maneira, obter a salvação. Não há que duvidar que o trecho de João 12:32, subentende que todos os homens podem «escolher de modo correto», deixando-se atrair por Cristo.

5. É óbvio que isso contradiz certos sistemas teológicos modernos como o hipercalvinismo, o qual nega que potencialmente todos os homens podem ser salvos. Esses fatos não negam a realidade da eleição (ver notas a respeito em Efé. 1:4 no NTI), embora não saibamos dizer de que modo não a negam. O livre-arbítrio humano e a eleição são idéias ambas verdadeiras, embora não saibamos como se possa conciliar entre si esses dois pensamentos. Um deles, ao que parece, precisa ser negado, a fim de que o outro possa ser mais lógico e sistematicamente explicado. Se a «teologia» é o estudo das revelações divinas, como pode ela, que se utiliza de termos e recursos humanos, dar solução a todos os grandes mistérios? Quase todas as doutrinas cristãs envolvem mistérios insolúveis, pelo menos para nosso atual estágio de desenvolvimento espiritual e intelectual.

«**Sua vontade de salvar é tão ampla quanto a sua vontade de criar e proteger**». (Lock, em I Tim. 2:4). Este texto pode ser comparado com Fil. 3:8 e João 17:3. Quanto ao fato de que a «verdade» é palavra que indica o «evangelho», ver Col. 1:5; Efé. 1:13 e 4:21. O termo «verdade» aparece por catorze vezes nas «epístolas pastorais», como termo equivalente a «ortodoxia cristã». Mas, mesmo assim, não é algo institucional, e, sim, é o evangelho, conforme é protegido em sua pureza por ministros fiéis. Ter conhecimento dessa verdade consiste em muito mais que compreender «intelectualmente» ao cristianismo, pois inclui a verdade e o entendimento místicos, através da iluminação do Espírito Santo (ver Efé. 1:17,18). Do contrário, as «epístolas pastorais» não serão paulinas em qualquer sentido. (Ver Col. 1:10). (Ver Rom. 8:32; 11:32; Tito 2:11; João 12:32 e I João 2:2). As palavras «...*todos os homens*...» não podem, sob consideração alguma, ser reduzidas ao sentido de «todos os eleitos», o que seria um absurdo, considerando-se o aspecto «polêmico» da passagem de I Tim. 2:4 que ataca o exclusivismo dos gnósticos. Isso pode ser confrontado com o trecho de I João 2:2 «...e ele é a propiciação por nossos pecados, e não somente pelos nossos próprios, mas ainda pelos do mundo inteiro...»

«...Nossas orações devem incluir todos os homens, tal como a graça de Deus inclui a todos eles»

EXCOMUNHÃO — EXEGESE

(Fausset, em I Tim. 2:4).

É opinião *indigna*, de tão grande expositor como foi Calvino, supor que o apóstolo referia-se em I Tim. 2:4 a «todas as classes e tipos de homens», e não aos homens em geral, no sentido mais literal do termo. Outro tanto se pode dizer acerca de John Gill, que assim pensava, juntamente com outros eruditos calvinistas. Essa atitude ignora um grande aspecto do N.T., ao mesmo tempo que defende o lado do senhorio de Deus.

EXCOMUNHÃO — EXPULSÃO

Ver o artigo separado sobre **Exclusão** que oferece mais detalhes sobre *excomunhão*, especialmente como uma prática moderna. Ver também sobre *Disciplina*.

Expulsar-vos-ão das sinagogas...João 16:2.

Eis a descrição das formas que seriam assumidas por essa perseguição contra os crentes: *Expulsão* das sinagogas—o que era punição muito temível, pois até mesmo judeus totalmente irreligiosos dificilmente podiam suportá-la, já que a sociedade judaica inteira estava centralizada em torno da religião. As crianças estudavam nas sinagogas; ali também funcionavam os tribunais das cidades, onde tinha lugar a ação legal e civil. A vida judaica inteira era regulada pela sinagoga e estava entremeada pelas suas funções, incluindo toda a vida social. Por conseguinte, ser alguém expulso da sinagoga era ser virtualmente excluído da própria sociedade. O próprio Senhor Jesus foi expulso, e isso incluía a prática de que ninguém podia dirigir-lhe a palavra, recebê-lo em casa ou mostrar-lhe qualquer sinal de hospitalidade. Tudo isso fazia parte integrante e comum da expulsão da sinagoga. Aqueles que o seguissem de perto ou lhe mostrassem simpatia, teriam de sofrer a mesma sorte, segundo o rigor das regras judaicas de exclusão da sinagoga. O cego de nascença, que foi curado pelo Senhor Jesus, sofreu essa desgraça por ter tido a coragem de defender o Senhor Jesus, afirmando ser ele um profeta enviado da parte de Deus. (Ver João 9:35). Além disso, quem era expulso da sinagoga estava sujeito a ser espoliado impunemente de todos os seus bens materiais, não lhe sendo permitido se ocupar das atividades de qualquer negócio ou comércio, e todos ficavam proibidos de comprar dele qualquer artigo.

Havia diversos graus de expulsão, mais leves e mais severos, e também podiam perdurar por tempo indefinido ou permanentemente. (Quanto a uma plena descrição desse costume judaico, ver as notas referentes a João 9:22 no NTI). Quanto à exclusão da comunidade cristã, ver Mat. 18:15-17. O Senhor Jesus asseverou que os seus discípulos, por serem seus discípulos, haveriam de ser tratados como indivíduos maus e desvairados, porquanto ele mesmo fora assim tratado, e pior ainda.

A forma mais violenta e final de expulsão era a *execução* do expulso, algo que os judeus realizavam como uma espécie de sacrifício oferecido a Deus, que supostamente havia sido ofendido pela blasfêmia do acusado. Lemos que algumas vezes isso ocorria súbita e espontaneamente, pois nos próprios terrenos do templo ocasionalmente alguém era executado sem qualquer julgamento, por causa de alguma suposta blasfêmia.

EXECUTAR, EXECUTOR

Ver o artigo separado sobre a **Punição Capital**. O termo «execução» significa, formalmente (não popularmente) o ato da execução capital. O Antigo Testamento fazia a distinção entre o homicídio, feito por alguma pessoa e a execução legal, determinada por lei contra certos tipos de ofensa. Ver Gên. 9:6; Êxo. 20:13; II Crô. 25:2-4. No Novo Testamento, em Mat. 14:10, há uma referência à execução oficial. E, naturalmente, a crucificação era uma medida executora, usada pelo Estado romano, para o caso de criminosos especialmente perigosos ou escravos. A única referência neotestamentária a um executor fica em Mat. 14:10, em alusão à execução de João Batista, que foi decapitado. No trecho paralelo de Mar. 6:27 é mencionada a palavra grega *spekoúlátor*, de origem latina, *speculator*, «escoteiro», «correio» e, por extensão, «executor» (a palavra usada ali em nossa versão portuguesa).

EXEGESE

Esboço:
1. A Palavra
2. Contraste com Eisegese
3. No Antigo Testamento
4. No Novo Testamento
5. Após o Novo Testamento
6. Na Idade Média
7. Durante a Reforma Protestante
8. A Moderna Crítica Bíblica
9. Além da Exegese

1. *A Palavra*. Esse termo vem do grego, *ex*, «fora», e *agein*, «guiar», ou seja, «liderar» ou «explicar». A palavra portuguesa *exegese* é usada para indicar «narrativa», «tradução» ou «interpretação». Dentro do contexto teológico, a ênfase recai sobre a interpretação de modos formais de explicação que podem ser aplicados a algum texto, a fim de se compreender o seu sentido. Na linguagem técnica, a *exegese* aponta para a interpretação de alguma passagem literária específica, ao mesmo tempo em que os princípios gerais aplicados em tais interpretações são chamados *hermenêutica* (que vede).

2. *Contraste com Eisegese*. Temos provido um artigo separado sobre a *Eisegese*. Eisegese significa ler no texto aquilo que alguém quer encontrar ali, mas que, na realidade, não se encontra no mesmo, ou então significa distorcer um texto para adaptá-lo às próprias idéias do intérprete. Portanto, o quanto a exegese é séria, a eisegese não passa de uma burla. A maioria das pessoas que se envolve na exegese também pratica alguma eisegese.

3. *No Antigo Testamento*. Os sacerdotes eram os intérpretes oficiais da lei mosaica (Ageu 2:10-13). Os escribas eram seus sucessores. Usualmente provinham da seita dos fariseus, que foi a única seita judaica que conseguiu sobreviver à destruição de Jerusalém, no ano 70 D.C. Exegese, eisegese e uma vívida e criativa imaginação criaram o Talmude (que vede), as interpretações rabínicas do Antigo Testamento, bem como as produções literárias sobre os costumes, a cultura e a lei dos judeus. Eles apelavam muito para a interpretação alegórica, o que abre espaço para os maiores absurdos e fantasias. Esse método também transparece nos escritos de Filo (que vede), onde alcançou grande desenvolvimento.

4. *No Novo Testamento*. Os autores do Novo Testamento nem sempre empregaram os textos citados do Antigo Testamento de maneira literal, mas injetaram alguma eisegese. Ver o artigo separado sobre a *Acomodação*. Não obstante, há muita exegese autêntica do Antigo Testamento, no Novo, sobretudo no que tange à esperança messiânica. Algumas passagens empregam a alegoria. Ver I Cor. 9:9,10 e

617

EXEGESE — EXEMPLO

Gál. 4:21-31.

5. *Após o Novo Testamento*. Prosseguiu então a atividade dos intérpretes literalistas e alegoristas. Orígenes exerceu tremenda influência sobre o cristianismo antigo; e ele e os pais alexandrinos da Igreja deram prosseguimento ao método alegórico de interpretação. Orígenes procurava pelos sentidos literal, moral, simbólico, alegórico e místico das passagens, supondo que um texto qualquer poderia ter vários sentidos tencionados. Passagens morais difíceis, do Antigo Testamento, como a história da criação e as violências supostamente ordenadas por Deus eram por eles interpretadas simbólica e moralmente, mas não literalmente. Ver os artigos separados sobre *Alegoria* e sobre *Alexandria, Teologia de*. A escola antioquiana, por sua parte, insistia em uma interpretação um tanto mais literal dos textos sagrados. Ver o artigo separado sobre a *Escola Teológica de Antioquia*.

6. *Na Idade Média*. Nesse período da história, a opinião geral dos exegetas, como Pedro Lombardo e Tomás de Aquino, era que a interpretação incorpora quatro modos básicos: a. interpretação literal; b. interpretação figurada (ou alegórica); c. interpretação moral; d. interpretação anagógica ou espiritual (mística). Esta última forma explicaria os segredos sobrenaturais.

7. *Durante a Reforma Protestante*. Com sua mentalidade de retorno à Bíblia, a Reforma frisava a comparação da Bíblia com a Bíblia, ou seja, a interpretação de um dado texto bíblico mediante o apelo a outros textos bíblicos (*Scriptura interpres scripturae*). Todavia, os reformadores também tinham os seus preconceitos, não se tendo livrado das tradições e das idéias doutrinárias dogmáticas e fixas. Nisso, eles não se distanciavam muito dos intérpretes católicos romanos, apesar dos protestos em contrário. Contudo, entre os protestantes começou a impor-se uma abordagem bíblica um tanto mais literal, com a diminuição da importância das abordagens alegóricas e puramente dogmáticas. Contudo, a teologia ocidental continuou sendo a principal norma na interpretação das idéias protestantes, visto que as igrejas luterana e reformada são filhas da tradição ocidental, que se concretizou na Igreja Católica Romana. Os discernimentos alcançados pelas igrejas ortodoxas orientais, através dos séculos, foram praticamente olvidados. Os protestantes dizem «apelamos somente às Escrituras»; mas a verdade é que suas interpretações por muitas vezes são eisegéticas, e não exegéticas, com base nos preconceitos e nas preferências pessoais ou denominacionais.

8. *A Moderna Crítica Bíblica*. Esse tipo de estudo tem lançado tanto luzes quanto sombras sobre o conhecimento bíblico e teológico. Apesar de ser uma atividade legítima e necessária, a fim de pôr os estudos bíblicos a par das evidências lingüísticas, literárias, históricas e científicas, infelizmente as pessoas que são conhecidas como críticas da Bíblia geralmente se têm mostrado dotadas de uma mentalidade cética, além de lhes faltar a experiência com elementos místicos e miraculosos da fé cristã. Portanto, esses críticos têm injetado em seus estudos uma *eisegese* própria da mente incrédula, ou pelo menos, cética. A despeito disso, eles têm produzido algumas contribuições de valor, dentro daqueles aspectos mencionados. Ver o artigo geral sobre a questão.

9. *Além da Exegese*. Nenhum livro isolado ou biblioteca, ou mesmo todo o conhecimento reduzido à forma escrita, pode conter e expressar toda a verdade.

Também não podemos ter os livros como a nossa exclusiva autoridade. Portanto, é inútil esperar, da parte da exegese, o delineamento da verdade inteira, por mais exata e completa que ela possa ser. Há coisas que Deus simplesmente não nos revelou. Ver Deu. 29:29. Ver também o artigo sobre a *Autoridade*, quanto a um maior desenvolvimento desse tema. Nada disso, porém, diminui a importância da pesquisa bíblica séria, mediante corretos métodos exegéticos. Tão somente quisemos definir os limites da exegese, e não desencorajar esse tipo de estudo metódico e bem organizado. Antes, nas igrejas evangélicas há muita superficialidade doutrinária, há pouca interpretação séria da mensagem da Bíblia, e do evangelho em particular. Esta enciclopédia é uma tentativa ambiciosa, mas humilde, de atender a essa necessidade. Recomendamos ao leitor que procure estudar os princípios da Hermenêutica Bíblica. Em português já há bons compêndios a respeito. Ver também o artigo *Hermenêutica*. (B C E)

EXEGESE BÍBLICA

Ver **Exegese**.

EXEMPLARISMO

Esse é um ponto de vista da **Expiação** (vide). Também é chamado de teoria *moral* ou *subjetiva*. Os nomes associados a essa posição são Abelardo e H. Rashdall, os quais representam, respectivamente, os seus aspectos medieval e moderno. Essa teoria afirma que o valor da expiação de Cristo jaz no caráter moral e exemplar de seu amor e **auto-sacrifício**. Esse exemplo despertaria o pecador, o qual chegaria assim a reconhecer a seriedade de seu pecado, levando-o a buscar o arrependimento. O exemplo dado por Cristo também inspiraria à convicção e à santidade, ou seja, a uma busca e a uma expressão cristã sérias.

EXEMPLO

Esboço

I. O Poder de Uma Vida Isolada
II. O Exemplo de Paulo
III. Deus: O Supremo Exemplo para Imitar
IV. O Exemplo de Cristo
V. Algumas Ilustrações

I. O Poder de uma Vida Isolada

1. Consideremos o que Saulo de Tarso, sozinho, foi capaz de fazer. A história fornece-nos muitos exemplos do que uma só pessoa, para o bem ou para o mal, pode fazer, com efeitos duradouros e tremendos.

2. Mas qualquer pessoa, por mais ínfima que seja, produz tais efeitos, sobre outrem ou sobre algumas poucas pessoas. Consideremos essa responsabilidade! Um pai pode arruinar ou salvar a um filho; uma mãe pode erguer ou degradar uma filha.

«Tudo serve para mostrar-nos que a influência de *um único homem* se propaga não como uma corrente, de elo para elo, em sucessão ininterrupta, e, sim, como um incêndio, fagulha após fagulha, saltando de vida para vida, atravessando continentes e cruzando os séculos. Estêvão apanhou aquele impulso divino de seu Senhor; então passou-o para Paulo; e de Paulo se tem propagado a homens e mulheres em todos os recantos do mundo. Estêvão não fazia a menor idéia da grande influência de sua corajosa morte sobre o futuro do mundo. Os homens raramente fazem idéia disso. Toda a influência humana que pode ser

EXEMPLO

calculada e predita, usualmente pode ser eliminada como fator importante. Até onde Estêvão poderia prever, ele perdeu a sua vida ainda jovem em troca de nada, parecendo-lhe que a sua memória haveria de desaparecer com aquela geração. Mas não! O seu nome continua vivo. Fala em prol do espírito de heroísmo que pode haver em um homem, bem como da disposição em sofrer sem qualquer esperança de ganho, como testemunha da verdade, a despeito das conseqüências. A influência dessa atitude é o extravasamento de sua vida abundante, a qual, sem nenhum esforço consciente, extravasa para as vidas de outras pessoas». (Theodore P. Ferris).

Uma outra citação, que ilustra admiravelmente bem a mensagem do poder da influência é a que damos abaixo, extraída da obra de Leomte du Nouy, «Human Destiny» (Nova Iorque, Longmans, Green and Co., págs. 254-255, 1947): «Não podemos deixar de ficar admirados ante a desproporção que há entre a duração da existência terrena de um homem e a duração de sua *influência* sobre as gerações futuras. Cada um de nós deixa uma trilha modesta ou rebrilhante; e essa convicção deveria fazer-se sentir em todos os atos de nossa vida... As ondas provocadas por Moisés, por Buda, por Confúcio, por Lao Tsé e por Cristo, provavelmente exercem mais poderosa influência sobre a humanidade, hoje em dia, do que quando esses homens ponderavam sobre sua sorte e felicidade».

À lista citada pelo autor acima transcrito poderíamos acrescentar muitos outros nomes, de pessoas tanto bem conhecidas como obscuras. O grande Tomás de Aquino viveu somente até os quarenta e nove anos de idade, mas a sua influência é *imortal*.

II. O Exemplo de Paulo

I Cor. 11:1: *Sede meus imitadores, como também eu o sou de Cristo.*

Paulo havia deixado exemplo de como se deve agir para com todos os homens (ver I Cor. 10:33), visando a salvação de todos quanto fosse possível salvar. Ele se fazia de tudo para todos, a fim de que pudesse ao menos conquistar alguns para Cristo. (Ver I Cor. 9:21,22). Ele olhava para o benefício espiritual deles; não agradava a si mesmo; pouco se importava com seu conforto físico e com sua prosperidade individual. Pelo contrário desgastava as suas energias para obter a vantagem espiritual de outros. Ora, isso é o cumprimento prático da lei do amor. Paulo dava porque amava; da mesma maneira que Deus amou ao mundo de tal maneira que deu o seu próprio Filho unigênito. E essa atitude de Paulo é digna de ser imitada e seguida, de ser considerada como um exemplo da conduta cristã ideal. Por sua vez, o apóstolo seguia a Jesus Cristo. Esse serviço tão destituído de egoísmo não era idéia de Paulo, não era invenção sua. O próprio Senhor Jesus é o exemplo supremo dessa atitude e ação de que Paulo fala aqui. (Ver João 3:12-16, mormente o décimo quinto versículo, sobre a questão do «exemplo de Cristo». Ver também os versículos seguintes sobre o tema do *exemplo*: Mat. 11:29; 16:24; 13:15; Rom. 15:5; II Cor. 10:1; Fil. 2:5; Col. 3:13; Heb. 3:1; 12:2; I Ped. 2:21; II Tes. 3:9; I Tim. 4:12; Tiago 5:10. Acerca dos maus exemplos que devem ser repelidos, ver Lev. 20:23; Pro. 22:24,25; Heb. 4:11 e II Ped. 3:17. Há notas expositivas especiais dadas sobre o «exemplo de Cristo», que precisa ser emulado pelos crentes, em Rom. 15:3 no NTI).

A.B. Davidson disse de certa feita a seus estudantes: «Uma vida ordinária, mas bem vivida, é o maior de todos os feitos». (Esse autor foi um célebre comentador escocês das Sagradas Escrituras). Sim, essa forma de vida é a maior prova que existe acerca da doutrina e da teologia moral, maior que muitos volumes escritos, melhor que os mais hábeis argumentos. Esse foi o grande e real argumento daqueles pescadores simples da Galiléia, como Pedro, Tiago e João. As pessoas tinham de dar atenção a eles, quando andavam pelas ruas (ver Atos 4:13), não porque fossem enumerados entre os eruditos rabinos, mas porque tinham aprendido certa sabedoria secreta, tendo estado em companhia do Senhor Jesus, e essa sabedoria havia transformado as suas vidas.

«É fato bem reconhecido de que a fé cristã depende da crença em um *guia* ou conselheiro espiritual, que se eleve com mais eficácia do que qualquer realidade meramente religiosa. As aspirações pelas quais lutamos podem ser reforçadas, as dúvidas vagas podem ser solucionadas, e a lealdade à causa pode ser revivificada e purificada, à medida que os homens forem capazes de ver seu fim almejado na personalidade de alguém para quem possam prestar homenagens gratas». (Moffatt, *in loc.*).

Não podemos deixar de ficar impressionados com a desproporção entre a duração da vida de um homem e a duração de sua influência nas gerações futuras.

«Cada vida humana é uma profissão de fé, exercendo uma propagação inevitável, embora silenciosa... Tende por transformar o universo e a humanidade segundo a sua própria imagem... Cada indivíduo é um centro de irradiação perpétua, semelhante a um corpo luminoso, semelhante a um farol que atrai o navio contra os recifes, se porventura não os guia em direção ao porto. Todo homem é um sacerdote, ainda que involuntariamente; a sua conduta é um sermão mudo, mas que ele não cessa de pregar a outros, mas existem sacerdotes de Baal, de Moloque e de todos os demais deuses falsos. Tal é a elevadíssima importância do exemplo». (*Diário de Amiel*, Londres: Macmillan and Co. 1890, págs. 24 e 25).

Imitadores. Temos aqui uma correta tradução, que é melhor do que «seguidores», conforme dizem outras traduções. Vemos aqui alguém que duplica um padrão de conduta, que reproduz alguma coisa, que é cópia fiel de uma idéia, de uma atitude.

Como também eu sou de Cristo. Nenhum espírito de arrogância levou o apóstolo dos gentios a solicitar que outros crentes o imitassem. Antes, assim agia a fim de que a imagem de Cristo se formasse neles, visto que era imitando a ele, o apóstolo de Cristo, que poderiam imitar automaticamente a Jesus Cristo. Tão-somente ele lhes mostrava um exemplo prático de como essa imitação é possível para o crente. Note-se que Paulo nos deixou um exemplo de auto-sacrifício: porque esse é o aspecto da imitação de Cristo que realmente impressiona os homens, como também era esse o aspecto comum da vida e da personalidade de Cristo que era exposta aos leitores do N.T. como o nosso grande exemplo. (Ver Rom. 15:2,3; II Cor. 8:9; Efé. 5:2 e Fil. 2:4,5). A vida cristã, quando é bem vivida requer uma dedicação suprema às realidades espirituais, com a negação de tudo quanto é meramente material e terreno. O crente precisa reconhecer e desenvolver os poderes de sua alma remida, para glória de Jesus Cristo.

O Exemplo do Viver Espiritual

1. Cristo deixou-nos exemplo, na perfeição (ver Heb. 7:26), na santidade (ver I Ped. 1:15), na pureza (ver I João 3:3), na humildade (ver Fil. 2:5,7), na obediência (ver João 15:10), na autonegação (ver

EXEMPLO

Rom. 15:3), na ministração às necessidades alheias (ver Mat. 20:28).

2. O exemplo deveria ser dado por cada crente, para os demais crentes, nos campos da santidade (ver Gál. 5:22,23), do zelo (ver I Cor. 15:10), e da vida segundo a lei do amor (ver I João 5:7).

3. O exemplo supremo se verifica no terreno do altruísmo, em imitação a Cristo. Os místicos que têm atingido elevados níveis de desenvolvimento espiritual informam-nos que, quanto ao lado prático da fé religiosa, ninguém pode deixar de lado a necessidade simples de amar e ser amado.

4. Estabeleçamos o exemplo da diligência: cada indivíduo é ímpar e se reveste de uma missão ímpar (ver as notas em Apo. 2:17 no NTI).

Lemos que *...também Cristo não se agradou a si mesmo...*» (Rom. 15:3): pelo contrário, deu-se a si mesmo por nós, tendo deixado de lado toda a sua glória, a fim de completar a sua missão divina entre os homens, a fim de libertar as almas do jugo do pecado, a fim de livrar os homens para a gloriosa liberdade dos filhos de Deus. (Ver Efé. 5:2 e Fil. 2:4 e *ss*).

III. Deus: O Supremo Exemplo para Imitar

Efé. 5:1: *Sede pois imitadores de Deus, como filhos amados*;

Como se Pode Imitar a Deus?

1. Somente em Efé. 5:1 é usada essa expressão, embora a idéia de imitarmos Cristo seja comum. Paulo também convidou a outros para que o imitassem, porquanto era representante de Jesus Cristo (ver I Cor. 4:16; 11:1; Fil. 3:17; Heb. 6:12 e 12:2).

2. A idéia de imitarmos a Deus contém os seguintes elementos:

a. Imitemos o seu exemplo moral, cumprindo suas exigências quanto à santidade (ver Mat. 5:48). Quanto mais buscarmos a santidade, tanto mais imitaremos a Deus em sua natureza moral.

b. Busquemos também suas virtudes espirituais positivas, através do Espírito (ver Gál. 5:22,23). Assim avançaremos espiritualmente.

c. Procuremos viver a lei do amor, pois Deus é, supremamente, amor. O amor é a prova da espiritualidade, e o amor é implantado em nós quando do novo nascimento (ver I João 4:7). Deus amou de tal maneira, que deu o melhor que tinha (ver João 3:16). Se amarmos ao próximo, dando o melhor do que possuímos, então estaremos sendo imitadores de Deus.

d. Imitemos a Deus mediante a afinidade *com sua própria natureza*. Conforme vamos sendo transformados segundo a imagem do Filho, vamo-nos tornando filhos semelhantes a ele. Compartilhando em algo de sua natureza e de seus atributos, naturalmente o imitaremos (ver Efé. 3:19).

e. É o Espírito quem nos capacita a imitarmos o Pai. Devemos permitir suas operações em nós. Vivamos de acordo com a lei do Espírito (ver Rom. 8:2), e permitamos que ele nos transforme (ver II Cor. 3:18).

f. O Filho de Deus é nosso supremo exemplo. Se imitarmos o Filho, automaticamente imitaremos o Pai. (Ver Heb. 12:2 e I Cor. 11:1).

«Imitadores de Deus! A idéia é grandiosa e enobrecedora: e o próprio Senhor Jesus nos apresenta essa idéia, e sob idêntico aspecto, quando diz:'Portanto, sede vós perfeitos, como perfeito é o vosso Pai celeste'. E isso porque '...ele faz nascer o seu sol sobre maus e bons, e vir chuvas sobre justos e injustos', (Mat. 5:45,48). Por essa razão também é que devemos amar os nossos inimigos». (Abbott, *in loc*), — que dessa maneira, ligou a idéia de «imitação» à idéia de «perdão», esta última necessidade exigida em Mat. 4:32. Contudo, embora exista realmente tal conexão de idéias, não podemos limitá-la somente a esse aspecto da necessidade de perdoarmos aos outros.

«A filiação infere a necessidade de 'imitação' (pois o amor nos impulsiona instintivamente a isso), sendo inútil alguém assumir o título de 'filho', se não se assemelha ao Pai». (Faucett, *in loc*.).

«É natural que os *filhos imitem os seus pais*; o alvo constante deles é aprender de seus genitores, copiando-os em todas as coisas... Portanto, se somos filhos de Deus, demonstremos esse amor a nosso Pai celeste, e imitemos todas as suas perfeições morais, adquirindo a atitude mental que havia em Jesus». (Adam Clarke, *in loc*.).

«...em atos de retidão, santidade, e particularmente em atos de misericórdia, bondade e beneficência, como quando perdoamos injúrias e ofensas...» (John Gill, *in loc*.).

IV. O Exemplo de Cristo
O Supremo Exemplo

1. Três coisas um pai deve a seus filhos, três coisas um mestre deve a seus alunos: Exemplo... exemplo... exemplo.

2. Jesus deu o supremo exemplo, ver Fil. 2:3-11.

3. Paulo servia de um subexemplo notável, ver I Cor. 11:1.

4. Há algumas crenças que têm grande importância. Certamente, uma delas é: seguir o exemplo de Cristo. Se seguires meu exemplo, poderás fazer as obras que eu faço e até maiores! (João 14:12). Deve haver poder nesse exemplo.

5. Não basta saber; é mister seguir. Senhor, não é de conhecimento que precisamos; é de força de vontade.

6. O versículo nos deixa bracejando em águas profundas. Quem é o Ideal? Do que consiste a vereda? Cristo é o ideal; e o seu caminho é a vereda. Pode o homem mortal atingir esse alvo? Em seu Espírito, sim; mas jamais por iniciativa própria apenas.

7. O exemplo específico que aqui nos é recomendado seguir é o do serviço humilde prestado ao próximo. Jesus destacou, ver João 13:16, que essa é a essência mesma da grandeza autêntica.

O último pensamento destacado neste versículo pelo autor sagrado é ouvido dos púlpitos evangélicos, porque expressa não só a necessidade da conformidade moral com Deus, mas também a própria participação em sua natureza.

Whittier expressou esse conceito como segue:

*Por tudo quanto ele requer de mim,
Sei o que Deus deve ser.*

Essa verdade, ainda que de forma modificada, também tem transparecido no sistema do estoicismo, conforme é expressa, ainda que debilmente, nesta citação de Sêneca: «Precisamos escolher algum homem bom, tendo-o sempre diante dos olhos, para que vivamos como se ele nos vigiasse e para que pratiquemos tudo como se ele nos estivesse vendo». Se substituirmos aqui *homem bom* por «Deus», teremos atingido em cheio a verdade encerrada nesta passagem do evangelho de João.

John Stuart Mill (*Três Ensaios sobre a Religião*) descobriu o princípio contido neste texto, e considerando-o elevadíssimo, comentou: «Até hoje não seria

EXEMPLO — EXÉRCITO

fácil, mesmo para um incrédulo, encontrar melhor exemplo da regra da virtude, passando-a do abstrato para o concreto, do que se esforçar alguém por viver de tal modo que Cristo aprove».

Além disso, salienta-se a necessidade de alguma alma grande e nobre seguir à frente das outras, a fim de guiar no caminho, preparando-lhes a vereda, pela qual todos finalmente terão de seguir e da qual se beneficiarão, conquistando, finalmente, o mesmo terreno que foi conquistado pelo pioneiro. Esse ideal teve o seu cumprimento na pessoa de Jesus, o que é expresso por Browning em seu poema «*Paracelso*», parte III:

É no avanço das mentes individuais
Que a multidão lenta deve basear suas expectações,
E segui-las finalmente, como o mar
Espera séculos em seu leito, até que alguma onda
Dentre a massa de águas, estende
O império da totalidade, alguns metros talvez,
Sobre a faixa de areia que pode limitar
Suas colegas por tanto tempo: e então o resto,
Até a menor delas, se apressa imediatamente,
E esse tanto fica claro novamente.

«Não é tanto *aquilo* que vos tenho feito, e, sim, *como eu vos fiz, façais vós também*. A imitação não deve ser realizada senão mediante a aplicação do mesmo princípio de amor e de abnegação, em todas as variegadas circunstâncias da vida em que somos postos». (Ellicott, *in loc.*). No tocante à questão do serviço humilde e mútuo, entre os crentes, Jesus estabeleceu o grande exemplo. Ele baixou-se a fim de lavar os pés de seus discípulos, embora, mais do que qualquer outro, ele é quem deveria ter sido servido. A vida inteira, pois, deve servir-nos de palco no qual atos de serviço humilde, em favor de nossos semelhantes, devem ser feitos; e isso com o propósito de exibir o espírito humilde demonstrado por Jesus, em nossa vida.

V. Algumas Ilustrações

Conta-se a história de uma mulher que foi encarcerada. Era uma mulher ainda jovem, especialmente empedernida e corrupta. Mas a diretora daquela instituição penal era mulher firme, embora dotada de boa vontade e de sabedoria especial. Conforme já era mesmo de se esperar, a mulher mais jovem, a princípio, reagiu ao seu novo meio ambiente com insolência e ódio; mas, gradualmente, a influência benéfica da diretora foi exercendo seu efeito sobre ela. Uma noite, após as orações, o capelão observou que a mulher mais jovem beijava às escondidelas a sombra da diretora, lançada por um candeeiro sobre a parede. A natureza enferma da mulher mais jovem começara a ser curada e, como é usual, a cura estava tendo lugar através do *poder do exemplo*. Um pai deve a seus filhos três coisas: *exemplo, exemplo, exemplo*. Isso é o que devemos aos nossos semelhantes.

São líderes das igrejas, mas perderam toda e qualquer influência que poderiam ter, por viverem em uma piedade «somente de lábios».

A influência perdida: «Acharam, porém, que ele gracejava com eles» (Gên. 19:14). E assim Ló deixou muito a desejar devido ao modo como agira perante seus familiares, terminando por fazer grande mal aos que viviam em sua companhia. Conta-se a história de um pregador que achou um cão fugido. O cão era negro mas tinha alguns pêlos brancos na cauda. O pregador e seus filhos chegaram a estimar muito o cão. Então, um dia, saiu um anúncio em um jornal acerca do cão perdido. A descrição se adaptava perfeitamente ao cão achado. Contudo, não queria o

pregador perder o cão, pelo que, com cuidado, cortou todos os pêlos brancos da cauda do animal, que o anúncio dizia que o distinguia. Não respondeu ele ao anúncio, mas assim mesmo, um dia o proprietário descobriu onde estava seu animal perdido, pois morava não muito longe da residência do pregador. Foi ver o cão, o qual, ao vê-lo, demonstrou todo o sinal de havê-lo reconhecido. Mas o pregador frisou que aquele cão não combinava com a descrição do anúncio, por não haver pêlos brancos em sua cauda. Sem deixar-se convencer por isso, o legítimo proprietário do animal foi embora, deixando o cão com o pregador e seus filhos. Mas a questão terminou sendo espiritualmente prejudicial para o pregador. Os filhos do pregador lhe perderam o respeito. E posteriormente declarou o mesmo: «Nós ficamos com o cão, mas eu perdi meus três meninos para Cristo». Sim, ele mostrava-se ortodoxo quanto à doutrina, mas não ortodoxo quanto à prática.

Os homens lêem o evangelho de Cristo e o admiram,
Com seu amor tão infalível e autêntico;
Mas, o que dizem e o que pensam eles,
Do 'evangelho' segundo nós?

(Anônimo)

EXEMPLUM

Trata-se de uma crônica qualquer, extraída da história, de uma lenda, da experiência geral dos homens, da história natural, etc., a fim de sublinhar alguma lição moral. Essa prática era muito comum nos sermões da era medieval e continua popular até hoje. Coletâneas de *exemplos* foram publicadas, para ajudar os pregadores. Nas modernas livrarias evangélicas pode-se encontrar facilmente livros de ilustrações, para enriquecimento dos sermões.

EXÉRCITO

1. *O termo*. No hebraico, *hayil*, que vem de uma raiz que significa força. No Novo Testamento temos o termo grego *strateuo*, servir no exército; e também *strateuma*, exército, tropas; *stratiotes*, soldado. Essas palavras são usadas na Bíblia de modo literal ou figurado.

2. *Israel no tempo do êxodo*. Cada homem de vinte anos para cima era um soldado (ver Núm. 1:3). Cada tribo tinha seu batalhão, com seu próprio pendão e seu líder (ver Núm. 2:2; 10:5,6,14). O exército movia-se de conformidade com sinais preestabelecidos, e em suas próprias fileiras (ver Êxo. 13:18). O escriba do exército fazia a convocação e escolhia os oficiais necessários (ver Deu. 20:5-9). O exército era dividido em pelotões de mil e de cem homens, com capitães sobre cada pelotão; e as famílias eram respeitadas nos arranjos assim feitos (ver Núm. 2:34 e 31:14).

3. *Os reis e os exércitos*. Os reis estabeleciam um grupo de guarda-costas, o primeiro passo de um exército permanente e profissionalizado. Saul tinha três mil homens escolhidos (ver I Sam. 13:3; 14:53). Davi contava com seiscentos homens, antes de sua subida ao trono (ver I Sam. 23:13). Posteriormente, houve um número muito maior de soldados, com guardas veteranos (ver II Sam. 8:18; I Crô. 12:18). Davi estabeleceu uma milícia nacional com doze regimentos, com seus respectivos oficiais (ver I Crô. 27:1). Havia um comandante em chefe, o «coman-

621

EXÉRCITO — EXÉRCITO DA SALVAÇÃO

dante do exército», como Abner durante os dias de Saul, e Joabe, durante o governo de Davi. Em tempos posteriores, passaram a ser usados a cavalaria e um esquadrão de carros de guerra, principalmente porque os adversários de Israel usavam essas armas, pondo os israelitas em grande desvantagem (ver Jos. 17:16; Juí. 1:19; I Sam. 13:5 e II Sam. 13:5). Salomão especializou-se nesse tipo de armamento, e dispôs de mil e quatrocentos carros de guerra e doze mil cavaleiros (ver I Reis 10:26-29 e 9:19). A guarda pessoal era mantida de forma permanente (ver I Reis 14:28), ao passo que a milícia era conservada em estado de prontidão, embora não fosse freqüentemente convocada à guerra.

4. *Números*. Durante o êxodo, eram seiscentos mil homens (ver Êxo. 12:37). Nas fronteiras de Canaã, eram 601.730 homens. Durante o tempo de Davi, havia um milhão e trezentos mil homens (ver II Sam. 24:9). Em I Crô. 21:5,6 lemos sobre um número ainda maior de israelitas em armas. Em tempos posteriores a disciplina e os arranjos do exército eram copiados dos romanos pelos judeus, tal como os títulos dos oficiais.

5. *O exército romano*. Os romanos dividiam seus exércitos em legiões, cada qual variando em número de homens, embora usualmente contassem entre três mil a seis mil homens. Cada legião era dirigida por seis tribunos ou capitães superiores (ver Atos 21:31), que comandavam um por sua vez. A décima parte de uma legião, usualmente trezentos homens, era uma coorte (ver Atos 10:1). Com freqüência essas coortes tinham nomes específicos, como a «Coorte Italiana» (Atos 10:1), ou a «Coorte Imperial» (Atos 27:1). As coortes, por sua vez, estavam divididas em três manípulas, e as manípulas em duas centúrias, as quais originalmente tinham cem homens, embora posteriormente esse número variasse, dependendo da estrutura numérica da legião. As centúrias estavam sob o comando dos *centuriões* (ver Atos 10:1,22; Mat. 8:5 e 27:54). Além das legiões, havia coortes independentes, formadas por voluntários. É possível que a Coorte Imperial tivesse a função específica de servir de guarda pessoal do governante; e outras coortes tinham outras funções específicas.

6. *Uso metafórico*. Eliseu viu a hoste angelical com carros e cavalos (ver II Reis 6:17); e uma teofania que Josué encontrou chamava-se «príncipe do exército do Senhor» (Jos. 5:13-15). No fim dos tempos, haverá a batalha final entre as forças do bem e as forças do mal, e o Senhor Jesus aparecerá como o Capitão dos «exércitos que há no céu» (Apo. 19:14), que derrotará os exércitos de Satanás (vs. 19). Esses são termos metafóricos que indicam as forças espirituais que controlam os destinos humanos. A angelologia judaica falava não somente em anjos guardiães, mas também de anjos encarregados de nações. É apenas natural que nesta existência terrena, caracterizada por conflitos, termos como *armas* e *exércitos* sejam utilizados para descrever o nosso conflito espiritual (ver Efé. 6:11 ss). (ID ND UN)

EXÉRCITO DA SALVAÇÃO

Esse é o nome de uma organização religiosa e filantrópica internacional, fundada por Guilherme Booth (1829-1912). Há, nesta enciclopédia, um artigo separado sobre ele e sua família, que dá quase todas as informações de pano de fundo sobre o assunto.

Booth foi um evangelista inglês que começou sua carreira na denominação metodista de Wesley. Em 1849, ele chegou em Londres, onde ficou evangelizando nos cortiços ali existentes, usando reuniões de rua que, algumas vezes, provocaram desordens. A contenda cada vez maior fê-lo separar-se dos wesleyanos, quando então tornou-se ministro da Nova Conexão Metodista. Mas, em 1861, ele separou-se daquele grupo e lançou-se em um grande torneio de evangelismo em Cornwall, Cardiff e Walsall. Em 1865, retornou a Londres. Ele usava métodos que chocavam algumas pessoas, no desenvolvimento de seu evangelismo, como o uso de bandas de música, a fim de atrair pessoas às suas reuniões, especialmente aquelas efetuadas nas vias públicas. Também evangelizava nas prisões, nos hospitais, nas fábricas e até mesmo nos teatros. Abandonou o sermão formal e desenvolveu um sermão informal, quase coloquial. Ele fazia os seus convertidos darem testemunho de Cristo, mostrando-se diligentes na santidade pessoal.

Seu evangelismo militante levou-o ao estabelecimento do *Exército da Salvação*, em 1878. Esse grupo foi reorganizado, de acordo com diretrizes militares, em 1880. O Exército foi dividido em *territórios*, cada qual com o seu próprio *comandante*, que encabeçava a sua divisão de obreiros. Esses territórios geralmente ajustavam-se às fronteiras nacionais; mas os países mais extensos foram divididos em mais de um território, como é o caso dos Estados Unidos da América do Norte, que conta com quatro desses territórios.

O Exército da Salvação sofreu a amarga oposição da parte de eclesiásticos convencionais, mas nunca deixou de ganhar cada vez maior popularidade. O Príncipe de Gales tornou-se seu mais proeminente patrocinador. Booth foi convidado para a coroação de Eduardo VII, — em 1902.

A **esposa de Booth** encabeçava a ala feminina do Exército da Salvação, servindo também como general, visto que as esposas dos membros do grupo tinham a mesma patente militar que seus respectivos maridos. Afetuosamente, ela era chamada de Mãe Catarina. A maior parte dos familiares de Booth envolveu-se no movimento, e alguns deles foram grandes líderes, por si mesmos.

Em 1880, o movimento chegou à América do Norte. Em 1881 chegou à Austrália, e atualmente atua em mais de cem países diferentes. Booth ocupou-se em extensas obras sociais e reformas, o que significa que ele não foi um mero evangelista. Suas experiências, nesse campo, levaram à publicação, em 1890, de seu livro *Darkest England and the Way Out*. Nessa obra, ele propunha a concentração dos fundos filantrópicos da nação tendo em vista solucionar o problema dos cortiços, — que, na época, vinha sendo tratado somente por organizações religiosas. Ele desenvolveu um extenso programa de ministério em acampamentos de veraneio, creches, lares para os necessitados e idosos, centros de assistência social, etc. Em outras palavras, um tremendo esforço humanitário, admirável em seu escopo, considerando-se que tudo resultava do trabalho de um único homem e dos membros de sua família.

Teologicamente, o Exército da Salvação é conservador e fundamentalista; mas, em contraste com a maioria dos grupos dessa natureza, nunca perdeu de vista o aspecto humanitário e social.

Estatísticas. Em cerca de 1970, o Exército da Salvação contava com mais de 1200 igrejas, cerca de três mil e novecentos ministros consagrados, e seus membros eram de quase trezentos mil no total.

EXÉRCITO DE DEUS — EXISTÊNCIA

Operava mais de sessenta mil escolas dominicais, servindo em mais de cem países. Tem publicado literatura em mais de cem idiomas diferentes. Seu periódico, *War Cry*, tinha naquele ano uma circulação de cerca de 2.500.000 exemplares em cada edição.

EXÉRCITO DOS CÉUS

Ver Gên. 2:1, sobre o **Exército dos Céus.**

1. *O Termo*. Essa expressão usualmente é associada às atividades dos exércitos. Por extensão, pode indicar qualquer grande agrupamento de coisas. O termo hebraico *sabu*, portanto, pode significar um grupo de pessoas, um contingente de trabalhadores, uma tropa de homens armados. No Antigo Testamento, usualmente encontramos a expressão «todas as hostes do céu». Deus é chamado, entre outros títulos de *Yahweh Sabaoth*, «Senhor dos Exércitos». Essa expressão também poderia significar «Deus é proteção», tendo seus poderes cósmicos em vista. Porém, o **«exército»** pode referir-se àqueles que estão sob as ordens de Deus, os anjos, os homens, ou mesmo as estrelas e demais corpos celestes de sua criação.

2. *Um Nome de Deus: Yahweh Sabaoth*. O primeiro ponto introduz esse uso. Essa expressão, como um nome de Deus, é usada por quase trezentas vezes no Antigo Testamento, principalmente nos livros de Isaías, Jeremias, Zacarias, e Malaquias. Esse nome enfatiza o poder e a soberania de Deus, ocorrendo em contextos militares e apocalípticos. Aparece pela primeira vez em I Samuel 1:3, em conexão com o santuário em Silo. As traduções geralmente dizem «todo-poderoso», como uma maneira de exprimir a idéia envolvida. O título surgiu como uma maneira de expressar o domínio de Deus sobre os corpos celestes, sobre os anjos, sobre o povo de Israel e sobre as nações do mundo. Ver Jer. 5:14; 38:17; 44:7; Osé. 15:5.

3. *Os Corpos Celestes*. Os exércitos envolvidos podem ser os corpos celestes, como o sol, a lua e as estrelas, que são retratados como se fossem um grande exército. O sol seria o rei, a lua o vice-regente, e as estrelas os seus assessores. O exército celeste acabou sendo adorado até por Israel, o que representa uma das mais antigas formas de idolatria, entre os povos. Israel caiu nessa modalidade de idolatria, em certos momentos de sua história. Ver Deu. 4:19; II Reis 17:16; 21:3,5; Jer. 19:13; Sof. 1:5; Atos 7:42. Os trechos de Deu. 4:19 e 17:3 proibem essa prática.

4. *As Multidões Angelicais*. Em I Reis 22:19 e II Crô. 18:18, somos informados de que o profeta Miquéias contemplou o exército dos céus de pé ao lado do trono de Deus, em conversa com ele. Em I Reis 22:21, esses anjos são chamados de «espíritos». Ver Lucas 2:13 quanto a uma idéia similar. Talvez os filhos de Deus sejam as estrelas matutinas, em Jó 38:7.

5. *O Povo de Deus, os Anjos e as Divindades*. Todas essas idéias tem sido associadas ao trecho de Daniel 8:10-13, que menciona os exércitos do céu. Seja como for, que o povo de Deus foi assim chamado é evidente em Êxo. 7:4 e 12:41.

EXÍLIO

Ver os artigos separados sobre **Cativeiro Assírio, Cativeiro Babilônico e Cativeiro (Cativeiros).**

EXISTÊNCIA

I. A Palavra

II. Conceitos Filosóficos Referentes à Existência

III. A Existência Bíblica

I. A Palavra

Essa palavra vem do latim **ex**, **«fora»**, e **sistere**, «pisar», ou seja, «pisar fora», «emergir». A base da palavra é o verbo latino *stare*, «pôr-se de pé». Isso posto, a existência pode significar «estar localizado». O particípio presente desse verbo latino é a base das palavras modernas que dali se derivam. Por conseguinte, aquilo que existe é aquilo que se põe de pé, que ocupa uma localização distinta, em contraste com outras coisas. Portanto, a existência consiste em *ser*, o estado de ser e continuar; de ter essência ou substância; de ser uma entidade. Ver o artigo separado sobre a *Ontologia*, a ciência ou filosofia do *ser*.

II. Conceitos Filosóficos Referentes à Existência

1. Os *filósofos materialistas* **referem-se à existência** em termos materiais, apenas, de tal maneira que a descrição da matéria é, igualmente, a descrição da existência.

2. Os *filósofos espiritualistas* incluem na discussão a essência espiritual e, usualmente, criam um dualismo, deixando-nos com dois assuntos a serem discutidos, se quisermos descrever a existência humana. A mesma coisa acontece no caso da *cosmologia*. O naturalismo e o sobrenaturalismo entram em aliança.

3. *Platão* pensava que a existência verdadeira e permanente (o ser) acha-se somente nos universais (que vede), isto é, no mundo imaterial, imutável e perfeito das entidades espirituais. No seu diálogo, intitulado *Leis*, ele sumariou as idéias ou universais com a Palavra de Deus. Nos particulares (os objetos deste mundo) temos meras imitações da realidade e, portanto, uma existência menos real.

4. *Aristóteles* associava a existência com a matéria formada (substância), ao mesmo tempo em que associava a essência à forma e aos constituintes de uma verdadeira definição.

5. *Tomás de Aquino* tinha um dualismo em que se combinariam a essência e a existência. Ver sobre *Essência*.

6. *Duns Scotus* (que vede) falava sobre *esta coisa* (haecceitas) como o princípio da individualização da essência, o que teria produzido as existências individualizadas. Ver o nono ponto do artigo sobre ele.

7. *Kant* afirmava que não podemos predicar a existência. Em outras palavras, as nossas *afirmações* de que coisas existem, com base em nossa razão ou em nossos dogmas, na verdade não as fazem existir.

8. *Hegel* equiparava o que é racional com o que é real (através da idéia de que o Absoluto é a suprema racionalidade) e, dessa maneira, pensava que a existência é a mesma coisa que a essência.

9. *Kierkegaard*, em sua forma de *existencialismo* (que vede), opunha-se ao essencialismo de Hegel, fazendo a existência ser anterior à essência, tal como o fazia Sartre, a quem é atribuída a declaração que diz: «A existência antecede à essência». Isso significa que um homem é capaz de fazer de si mesmo o que ele quiser, mediante sua própria vontade e escolha; e isso produziria a sua *essência*.

10. *Husserl* era um existencialista que não identificava o racional com o real. Ele evitava discutir sobre o real, a fim de facilitar a descoberta da essência dos fenômenos. Ver os artigos sobre ele e sobre a *Fenomenologia*.

11. *Russell* refere-se à existência em relação a

EXISTÊNCIA — EXISTENCIALISMO

argumentos que satisfazem a alguma função. A sua análise das descrições definidas foi desenvolvida a fim de que ele não fizesse atribuições não intencionais de existência.

12. *Heidegger* sublinhava a existência humana usando a palavra alemã *Dasein*, «existência». A existência, para ele, tinha de tornar-se *autêntica* mediante o exercício da vontade, a fim de expressar-se como é devido. A isso ele denominava de *Ek-sistnz*. E Jaspers (que vede) falava de maneira idêntica.

III. A Existência Bíblica

A **história** de Gênesis, sem importar se a entendemos literal ou alegoricamente, ensina-nos que antes de qualquer coisa vir à existência, Deus já existia. O primeiro capítulo do evangelho de João diz a mesma coisa. Mediante a vontade de Deus, a existência proveio da não existência, presumivelmente devido a alguma mudança na energia divina, que atuou sobre a matéria e outras formas espirituais. Deus é a origem de toda existência.

A *mera existência*, porém, ainda não é a vida eterna; e nem a vida interminável é a vida eterna. Até mesmo as coisas que sempre existiram terão de receber uma nova forma de vida, para que possam ser chamadas eternas, segundo o pensamento bíblico. A vida eterna consiste na participação na própria *forma de vida* de Deus. O espírito humano será divinizado (Col. 2:10; II Ped. 1:4). Aquilo que é apenas interminável, portanto, tornar-se-á eterno. Ver o artigo sobre *Divindade, Participação dos homens na*. Ver também sobre a *Criação*.

EXISTENCIALISMO

Esboço:

I. O Termo e sua Caracterização Básica
II. Informes Históricos
III. Principais Filósofos e Teólogos Envolvidos com o Existencialismo
IV. O Existencialismo e a Tempestade; Depois da Tempestade

Ver o artigo separado, intitulado *Ética Existencialista*.

I. O Termo e sua Caracterização Básica

A base desse termo é **existência** (vide). O existencialismo tenta emitir algum tipo de declaração significativa sobre a natureza da existência. *Existencial* quer dizer «pertinente à existência». Logo, o existencialismo é um sistema ou atitude que emite uma declaração sobre o que considera ser característico na existência. De acordo com esse sistema, o homem é definido de acordo com essa atitude, como a soma total de seus atos, efetuados pelo exercício de seu livre-arbítrio, e não com base em suas intenções ou potencialidades. Uma pessoa existiria a fim de querer entrar em ação. Faz oposição ao racionalismo e ao empirismo, os quais supõem que o universo é determinado, como um sistema bem ordenado, inteligível para o observador contemplativo, o qual, mediante suas observações e experiências, pode descobrir as *leis* naturais que governam todas as coisas. O existencialismo rejeita o papel da razão como o poder que guia a conduta humana. Antes, enfatiza o que é caótico e pessimista, os temores da vida, a tempestade em que o ser humano se debate. À vida é dado um certo significado, não porque esse significado lhe seja inerente, mas porque a vontade humana pode agir de tal maneira que empreste um significado pessoal a essa caótica situação.

O sistema ou a filosofia do *existencialismo* baseia-se sobre a idéia de que a existência é anterior à essência. Quando é aplicado, o existencialismo afirma que o homem não é dotado de natureza fixa, porquanto ele age e escolhe as suas ações. Alguns filósofos têm objetado ao uso da palavra *sistema*, vinculado ao existencialismo, pensando que se trata mais de uma atitude ou de um tipo de pensamento filosófico. Mas, conforme tem aumentado o número de pessoas que subscrevem às idéias básicas do existencialismo e à medida que os seus escritos se vão tornando conhecidos, parece aos investigadores que eles estão testemunhando o desenvolvimento de uma nova escola filosófica ou sistema filosófico.

De acordo com essa maneira de pensar, o homem ocupa posição *central*. O existencialismo ressalta a existência concreta do homem, a sua natureza contingente, a sua liberdade pessoal e a sua conseqüente responsabilidade por aquilo que faz e por aquilo em que ele se torna.

II. Informes Históricos

Acredita-se que o existencialismo teísta foi lançado por Kierkegaard, ao passo que a sua variedade atéia começou com Nietzche. Ver os artigos separados sobre essas duas personagens. Naturalmente, todos os elementos comuns do existencialismo (religioso ou ateu) — são tão antigos quanto as histórias da própria teologia e filosofia. Kierkegaard, em sua revolta contra o sistema hegeliano do idealismo absoluto, e Sartre, que ampliou o ateísmo de Nietzsche, procurando dar ao ateísmo um alicerce coerente e lógico, tiraram proveito de antigas idéias, revestindo-as em uma nova roupagem. Trata-se de uma específica combinação de idéias, que produziu esse sistema ou maneira de pensar. Como é claro, não há nenhum único pensamento existencialista e alguns filósofos que têm sido apodados de existencialistas, têm objetado ao uso desse nome. Porém, um certo fundo comum de idéias nos fornece uma certa maneira filosófica de pensar, mais ou menos identificável.

III. Principais Filósofos e Teólogos Envolvidos com o Existencialismo

1. *Kierkegaard* (que vede). Ele frisava o indivíduo, a subjetividade e a *angústia* (ver sobre *Angst*), como a principal emoção da existência humana. No entanto, paradoxalmente, nos últimos meses de sua vida, ele viveu em êxtase religioso. Parece que ele havia deixado para trás a tempestade mental que caracteriza tão fortemente os proponentes dessa filosofia. Ver o quinto ponto, quanto a um desenvolvimento desse tema.

2. *Nietzsche* (que vede). Ele advogava o monstruoso tema de que *Deus está morto*. Em conseqüência da morte de Deus, cada ser humano seria forçado a buscar os seus próprios valores, provendo uma ponte de ligação com um tipo diferente de futuro. Não admira, pois, que certo autor definiu o existencialismo ateu como «o culto do *nihilismo* e do *pessimismo*, popularizado na França após a Segunda Guerra Mundial, supostamente baseado nas doutrinas de Sartre e de outros existencialistas» (WA).

3. *Unamuno* (que vede). Nos seus escritos temos a reiteração de muitos dos temas de Kierkegaard. Ele falava sobre o *trágico senso da vida* e advogava a substituição da verdade objetiva pela crença autêntica.

4. *Ortega* (que vede). Reverberou os temas de Unamuno e os secularizou. Enfatizava o indivíduo concreto e a razão vital. De acordo com ele, o homem não tem natureza fixa, mas apenas uma história; contudo, o homem procuraria pela autenticidade.

EXISTENCIALISMO — EX NIHILO

5. *Heidegger* (que vede). Ele salientava a liberdade humana, a autenticidade, a preocupação (*Sorge*) e o nada (*das Nichts*).

6. *Jaspers* (que vede). Embora ele negasse ser um existencialista, salientava alguns dos principais temas do existencialismo, como a autenticidade, a liberdade e a historicidade.

7. *Bultmann* (que vede). Ele era influenciado por algumas idéias de Heidegger, tendo sido classificado como um teólogo existencialista. Alguns dos seus temas principais eram a liberdade, a angústia e a autenticidade. É possível que a saliência que dava à atividade de demitização do Novo Testamento estivesse vinculada a esses seus conceitos.

8. *Marcel* (que vede). Ele tem sido caracterizado como um existencialista teísta, que salientava o mistério e o temor do ser. De acordo com ele, vivemos em um mundo temível e desorganizado; mas o homem, o vagabundo, pode encontrar o seu lar por meio das virtudes do amor, da admiração, da oração e da comunhão com a divindade.

9. *Tillich* (que vede). Foi um teólogo existencialista fortemente influenciado por Heidegger. A alienação do homem é anulada em sua busca pelo Cristo eterno, embora a busca seja a própria vida, porquanto ninguém pode atingir o alvo final. Em Cristo devemos buscar o Novo Ser, a Nova Criação, a salvação.

10. *Sartre* (que vede). Ele misturava os temas do existencialismo ateu, da liberdade radical, da morte de Cristo, da invenção de valores humanos, mediante as escolhas autênticas, da angústia e do nada, como uma categoria fundamental.

IV. O Existencialismo e a Tempestade; Depois da Tempestade.

Lá no fundo da mente subconsciente do homem, há os arquétipos das principais questões da vida e da morte. Os estudos feitos com as experiências de quase morte têm mostrado que uma pessoa pode revisar o que significa morrer, incluindo o aspecto da separação entre a alma e o corpo, sem passar por qualquer perigo real de morrer. Um acidente que *ameaça* ser fatal, — embora a pessoa não sofra qualquer dano, — pode provocar a chamada experiência perto da morte. A mesma coisa pode ser provocada pela administração de drogas, embora nenhum perigo de vida esteja envolvido. Portanto, parece que as pessoas têm um conhecimento interno sobre o que significa morrer. Jung chamava isso de um arquétipo da mente inconsciente. Para mim, pois, parece claro que o existencialismo conseguiu penetrar nessa consciência e, subseqüentemente, demorou-se sobre a mesma, chamando essa doutrina de *Angst*, isto é, «angústia». Por ocasião da morte, a princípio o homem enfrenta a possibilidade de aniquilamento; mas então, quando a experiência desdobra-se, ele vê, chegando mesmo a surpreender-se com isso, que a morte é um *nascimento*, é a porta de uma nova existência!

Os teólogos e filósofos vêm ensinando isso há séculos; mas parece que a lição tem que ser aprendida por cada um. Há uma espécie de tempestade de sentimentos, provocada pela possibilidade de extinção; mas, para além dessa ameaça há uma nova vida. O existencialismo, pois, deixa-nos no meio da tempestade, sem resolver o problema. Trata-se de um discernimento genuíno, repleto de temores; mas pára no meio do caminho, deixando o homem metido em um grande mistério sobre a vida e a morte. Conforme já dissemos, a ingestão de certas drogas também pode provocar esse tipo de experiência.

Infelizmente, também há uma *teologia* que deixa o homem no meio da tempestade. Aqueles que pregam que a vasta maioria dos homens tem de enfrentar o julgamento às chamas eternas, e que tudo termina aí, também deixam os homens dentro da tempestade. Esses teólogos retêm a noção do julgamento retratada nos livros pseudepígrafos e que se acha no N. Testamento em alguns lugares. Mas recusam-se teimosamente a ver que outras porções do mesmo documento sagrado ultrapassam a esse fim *espantoso*. Contentam-se e isso em meio a afirmações pias, em deixar os homens em meio à angústia. Concordam com os existencialistas ateus de que o temor, a destruição e as agonias são o destino legítimo e necessário do homem. Chegam mesmo a ficar aquém da visão mais brilhante dos existencialistas religiosos. Naturalmente, esses pregadores também fazem a oferta do evangelho, que se oferece para libertar o homem de todo esse terror, mediante a expiação de Jesus Cristo, no Calvário. Mas, para o caso dos perdidos, eles não oferecem a menor fagulha de esperança.

Por outro lado, há uma teologia que nos leva para além desse triste final. A missão de Cristo, em toda a sua amplitude, tornou isso possível. A sua descida ao hades (ver I Ped. 3:18 — 4:6) teve o mesmo propósito que a sua subida dali, ou seja, tornar Cristo tudo para todos (ver Efé. 1:23). Para além do julgamento, há o mistério da vontade de Deus, que retrata uma restauração universal (Efé. 1:9,10). Sim, há uma teologia que mostra como será depois da tempestade. Ver o artigo geral sobre a *Restauração*. A filosofia, a teologia, as enfermidades graves e o uso de drogas podem despertar na alma dos homens a tempestade do medo. A desolação e a miséria podem levar os homens ao desespero, fazendo-os permanecer em meio à tempestade. Nossa teologia tradicional estagnou nesse ponto, ao ser fixada e oficializada. Mas a missão de Cristo, quando compreendida em todas as suas dimensões, nos leva para além dessa tempestade, embora nunca fique anulada a distinção entre os escolhidos de Deus e os demais, que meramente serão restaurados. (B E EP MM NTI WA)

EXISTENZ

Ver sobre **Jaspers**, pontos segundo e terceiro.

EX NIHILO

Expressão latina que significa «proveniente do nada». Quanto a uma completa discussão sobre o modo da criação, incluindo a idéia do *ex nihilo*, ver o artigo geral sobre a *Criação*, terceira seção, onde o primeiro parágrafo discute especificamente sobre esse assunto. A segunda seção do mesmo artigo fornece-nos as várias idéias sobre as *Origens da Criação* e o sexto ponto aborda o conceito do *ex nihilo*. Essa idéia foi criada, a princípio, para afirmar que houve um tempo em que somente Deus existia, e que não podem ser verdadeiras as teorias como a do panteísmo e a das emanações divinas. Contudo, é lógico supormos que *ex nihilo nihil fit*, «do nada, nada se faz». Portanto, a maioria dos teólogos modernos fala em termos de Deus a criar os mundos por meio da energia de seu próprio Ser, a qual, de alguma maneira, foi transformada em matéria e em formas espirituais, diferentes de seu próprio Ser.

EX NIHILO NIHIL FIT

Expressão latina que significa «do nada, nada se faz». Ela exprime o ponto de vista tradicional de que a

ÊXODO

existência não surgiu do nada. Ver os artigos sobre o *Nada*, sobre *Ex Nihilo* e sobre a *Criação*, este último em suas seções segunda e terceira.

ÊXODO

O livro de Êxodo, segunda seção da Tora, é chamado em hebraico, *We'ele*, ou às vezes, *Shemoth*, nomes derivados de suas palavras iniciais «estes são os nomes», ou mais abreviadamente, «nomes dos», pois esta seção da Tora começa com os nomes dos patriarcas que desceram do Egito. Em português o termo *êxodo* é a forma latinizada que se derivou da LXX, versão grega do VT (*ex* — fora + *hodos* — caminho = «saída»).

Esboço:
I. Composição
    1. Autoria e Data
    2. Relação com o Resto do Pentateuco
    3. Ponto de Vista Literário
II. Historicidade
III. Quatro Áreas Salientadas
    1. Redenção dos Hebreus da Terra do Egito
    2. Estabelecimento do Pacto
    3. A Lei
    4. O Culto
IV. Conteúdo
V. Seção Legal
    1. Leis Dadas Antes do Sinai
    2. Os Dez Mandamentos
    3. O Livro do Pacto
    4. Regulamentações para o Tabernáculo e Estabelecimento do Sacerdócio.
    5. O Decálogo Ritual
VI. Milagres

I. Composição

1. *Autoria e Data*. Semelhantemente ao caso dos outros livros do Pentateuco, a questão da autoria de Êxodo divide os estudiosos em duas classes: a. a do ponto de vista conservativo e b. a da escola crítica.

a. *Ponto de vista conservativo*. Os conservativos reivindicam que Êxodo, bem como o Pentateuco como um todo foi escrito por Moisés. Eles admitem que talvez Moisés tenha usado fontes antigas, orais ou escritas, mas que a despeito disso, ele é o único autor dos cinco primeiros livros da Bíblia. Os que mantêm essa opinião, suportam seu ponto de vista com base nas seguintes passagens de Êxodo: 1. Duas vezes o livro declara que Deus falou para Moisés escrever (17:14; 34:27); 2. uma vez o livro diz que Moisés escreveu (24:4); 3. Cristo declarou que Moisés escreveu (João 5:46,47); 4. Cristo atribuiu também Êx. 20:12 e 21:17 a Moisés em Marcos 7:10. 5. Em Marcos 12:26 Jesus se refere ao «livro de Moisés» contudo, admitem os conservadores neste trecho que talvez Jesus estivesse se referindo à tradição judaica que atribuía a Moisés a responsabilidade do conteúdo do livro. Autoria mosaica implicaria uma data provavelmente no séc. XIII A.C.

b. *Ponto de vista crítico*. Os críticos afirmam que Êxodo é o resultado da compilação dos documentos J, E, D, e P(S) (que vide), onde cada um desses documentos consistia em uma narrativa e em um número de leis.

O *documento J* é constituído de narrativas judias antigas e seu autor revela um interesse no reino judeu e em seus heróis (850 A.C.). A palavra *Yahweh* (Jeová) é usada neste documento para referir-se a Deus.

O *documento E* contém as antigas narrativas efraemitas originadas por volta de 750 A.C. O escritor de *E* demonstra um interesse no reino do N de Israel e em seus heróis. Ele emprega o vocábulo *Eloim* em vez de Yahweh (Jeová) para referir-se a Deus.

O *documento D*, também chamado Código Deuteronômico, foi encontrado no templo no ano 621 A.C. Esse documento aborda o fato de que o amor é a razão mesma do servir; e salienta a doutrina de um único altar.

O *Código Sacerdotal* ou documento P(S) originou-se por volta do ano 500 A.C., todavia sua redação prorrogou-se até o IV séc. A.C. Esse documento evidencia uma preferência por números e genealogias, distinguindo-se dos outros também quanto ao seu ponto de vista sacerdotal e ritualístico.

Os críticos esclarecem que as fontes de Êxodo, além de distintas entre si, datam de um período bastante posterior aos eventos que narra. Eles acentuam também que o livro não só revela o trabalho de diferentes indivíduos, mas de diferentes escolas de registros históricos. Cada documento tem seu ponto de vista individual, assim como cada evangelho sinóptico apresenta sua própria visão da vida de Cristo. Certo erudito disse que o livro de Êxodo era como uma grande sinfonia, que uma vez pensou-se produzir uma harmonia uníssona, mas que agora tem sido demonstrado que em virtude de seus elementos intensamente discordes entre si, pode produzir uma harmonia ainda mais rica.

2. *Relação com o Resto do Pentateuco*. A narrativa de Êxodo está intimamente relacionada com a de Gênesis, pois continua a história dos descendentes dos patriarcas do ponto onde Gênesis 50 parou, embora um tempo considerável tenha se passado entre a morte de José e os primeiros eventos de Êxodo (1:7 *ss*), durante o qual o povo de Israel fora levado à posição de servidão. Depois de descrever a emigração do Egito, o livro relata o ato da entrega da lei e da construção do tabernáculo. As regras para o sacrifício que seguem formam a primeira parte de Levítico. Êxodo não é tanto um livro independente quanto uma porção arbitrariamente definida de uma seção do Pentateuco que abrange três livros. A divisão entre Êxodo e Levítico é semelhante àquela entre I e II Samuel ou entre I e II Reis.

3. *Ponto de Vista Literário*, como uma obra de literatura é inferior a Gênesis, embora algumas qualidades similares de estilo narrativo intenso e vigoroso sejam evidentes em certas porções. A despeito de algumas incertezas, este livro constitui uma fonte valiosa de história política e cultural. O conteúdo de Êxodo está dividido em partes quase iguais entre narrativa e seção legal. Os primeiros 19 caps. são quase inteiramente narrativos, com exceção de pequenas seções legais, a saber, 12:14-27, 42-49; 13:1-16. O restante do livro trata solidamente da lei, com exceção do cap. 24, que descreve o reconhecimento do pacto, e dos caps. 32-34, que descrevem a rebelião do povo, a intercessão de Moisés, e a renovação do pacto.

II. Historicidade

Grandes são os problemas de historicidade, rota percorrida, e data do êxodo. Enquanto os pesquisadores não têm descoberto nenhuma prova contemporânea direta desse evento, uma série de evidências indiretas tem ajudado a esclarecer muitos detalhes. Os primeiros 12 capítulos descrevem principalmente as ocorrências da última parte do 2º milênio A.C. no Egito. Os eventos dos capítulos restantes aconteceram na península Sinaítica. Um tratamento mais detalhado concernente à história, localidade geográfica e cronologia está apresentado no presente artigo.

ÊXODO

Nesta seção, nos limitamos a apresentar a seguir, um breve sumário de alguns aspectos importantes ressaltados pelos peritos no assunto.

1. *Embora uma considerável porção* do livro reflita aspectos da vida e história egípcia, escassos são os detalhes que poderiam indicar o tempo preciso dos eventos narrados. Em nenhuma ocasião o rei do Egito é mencionado pelo nome. «Faraó» ou «rei do Egito», são as duas formas empregadas para referir-se a ele. Acreditava-se que a data do êxodo poderia ser determinada se fosse descoberto que Faraó morreu afogado. Todavia, esse detalhe não tem sido esclarecido e o texto de Êxodo nem mesmo indica que o rei tenha necessariamente morrido afogado, mas somente que sofreu uma grande derrota; que seus carros de guerra e sua carruagem se afundaram, e que seus capitães favoritos se afogaram.

2. A declaração em 1:8 «Levantou-se um novo rei sobre o Egito, que não conhecera a José», sugere fortemente que a expulsão dos hicsos ocorreu no período de tempo entre a morte de José e o nascimento de Moisés. Neste caso seria fácil entender porque o novo rei teria uma atitude hostil em relação àqueles que ele associava aos hiscos, que também eram asiáticos e que dominaram o Egito durante um considerável período de tempo.

3. *A referência às cidades* de Pitom e Ramessés em 1:11 tem sido apontada como prova de que os eventos descritos não poderiam ter ocorrido até a 19ª dinastia, considerando que os primeiros reis que levaram o nome Ramsés pertenciam àquela dinastia. Contudo, é possível que os nomes originais foram substituídos no texto pelos nomes conhecidos posteriormente. A despeito do fato de que os Ramsés não reinaram até a 19ª dinastia, poderia ter existido uma cidade com o nome Ramessés, pois o culto do deus RE ou RA, era proeminente em muitos períodos da história egípcia antiga, e *«mss»* era um sufixo comum para nomes pessoais.

4. *A opressão egípcia* é descrita como muito severa. Comprovando esse fato, há abundantes evidências do período da 18ª e 19ª dinastias que ilustram a crueldade dos egípcios em relação aos escravos e estrangeiros. O sinal hieroglífico representativo de um estrangeiro é a figura de um homem atado e com um ferimento sangrento na cabeça. Esse sinal é usado mesmo em conexão com nomes de honrados reis estrangeiros, com quais os egípcios fizeram acordos. Portanto, há evidências de crueldade dos egípcios em relação aos estrangeiros, e os eventos relatados no início de Êxodo se ajustam a essas evidências. No passado pensava-se que as grandes pirâmides do Egito eram o resultado do trabalho dos hebreus durante a opressão, contudo, essa idéia não é pertinente: as pirâmides provavelmente foram levantadas pelo menos mil anos antes do tempo do êxodo.

5. *Pesquisadores têm questionado* a historicidade do êxodo e do evento no mar Vermelho, com base no fato de que as ruínas do Egito antigo não mencionam tais ocorrências. Todavia essa objeção se baseia numa concepção errônea da natureza da arqueologia egípcia. Muitos dos registros cotidianos e das ruínas das casas do Egito antigo, estão debaixo da bacia de água no Delta, que era a região onde a maioria das pessoas viveram. Embora abundantes, as ruínas do Egito antigo consistem principalmente de sepulcros e de monumentos construídos no deserto para celebrar conquistas e vitórias egípcias. Derrotas tais como a partida dos israelitas e o insucesso do Faraó em recapturá-los, dificilmente resultariam na construção de monumentos.

6. *Outras questões são levantadas* no livro de Êxodo em relação à sua historicidade, tais como: a. Êxodo 1:5 declara que o número de pessoas que desceram de Jacó para o Egito era setenta, contudo, estudiosos observam que esse é um número meramente aproximado. b. A historicidade do capítulo 1 tem sido questionada com base no fato de que uma grande multidão, tal qual a dos israelitas, requereria mais do que duas parteiras para salvar as vidas dos meninos hebreus. Por outro lado, deve-se observar que a passagem não afirma que havia somente duas parteiras. c. Há algumas objeções em relação à história de Moisés narrada no capítulo dois. Alguns estudiosos sugerem que a história do salvamento de Moisés, através do cesto de junco é um eco da história de Sargon que também fora salvo através de um barco. Outros observam que a história de Sargon é de origem mesopotâmica e que dificilmente teria servido de base para uma história egípcia. Além disso, para as comunidades que viviam às margens do rio, esse incidente pode ser comparado ao de uma criança sendo abandonada na porta de uma casa atualmente e a existência de histórias com esse tema poderia ser perfeitamente independente. d. Aparentemente há uma contradição em relação ao nome do sacerdote de Midiã, que é chamado Reuel em 2:18, e Jetro em 3:1. Segundo os críticos, esses nomes devem ter pertencido a documentos diferentes, e o uso de ambos, comprova a combinação desses documentos.

III. Quatro Áreas Salientadas

1. *Redenção dos Hebreus da Terra do Egito*. O livramento dos israelitas do poder opressivo do Faraó é um aspecto acentuado, pois esse fato condicionou a mente dos israelitas para as eras vindouras, e estabeleceu um débito permanente de gratidão para com Aquele que os livrou da escravidão. Metaforicamente esse livramento salienta a importância da redenção da escravidão do pecado na vida de todo aquele que é remido por intermédio de Cristo, representado pelo cordeiro pascal, (12:1-14).

2. *Estabelecimento do Pacto*. O pacto fundamentou-se no fato de que Deus, tendo redimido seu povo, tinha o direito de esperar a aliança e lealdade daquele. (Referências à redenção, sobre a qual o pacto se baseia: 19:4-6; 20:2; 22:21; 23:9-15). Para Deus, os remidos se tornaram o povo de seu pacto, e ele prometeu protegê-los e dirigi-los. Em troca eles devem obedecer a sua Lei.

3. *A Lei*. A declaração do pacto inicia-se com o grande sumário da lei moral nos Dez Mandamentos, e apresenta a seguir várias leis importantes para a vida daqueles que são destinados a ser uma nação santa e um povo consagrado a Deus.

4. *O Culto*. Esse tema é referido no capítulo 3:5,6, e nas regras da *Páscoa* no capítulo 12, que estabeleceram na mente das gerações subseqüentes a natureza da redenção de Deus e a necessidade individual de participação pessoal. A questão de reverência é tratada especialmente nos capítulos 25—31, que descrevem os preparativos para a construção do tabernáculo e a separação dos sacerdotes, e no relato da construção do tabernáculo nos capítulos 35—40.

IV. Conteúdo

A. *Os Hebreus no Egito*, 1:1-12:36
  1. A opressão (1:1-22)
    a. Os descendentes de Jacó no Egito (1:1-14)
    b. As parteiras poupam as vidas dos recém-nascidos (1:15-22).
  2. Preparação dos representantes de Deus
    a. Nascimento e educação de Moisés (2:1-10)

627

ÊXODO

b. Moisés mata um egípcio e foge para Midiã (2:11-22)
c. Moisés é chamado por Deus (2:23—3:22)
d. Deus concede poderes a Moisés (4:1-17)
e. Moisés regressa ao Egito (4:18-31)
3. Tentativas de sair do Egito
   a. Moisés e Arão falam a Faraó (5:1-5)
   b. Faraó intensifica a opressão dos israelitas (5:6-14)
   c. Moisés é rejeitado por Israel mas encorajado por Deus (5:15—6:13)
   d. Genealogias de Moisés e Arão (6:14-27)
   e. Moisés fala novamente a Faraó (6:28—7:13)
4. As dez Pragas
   a. As águas tornaram-se sangue (7:14-25)
   b. Rãs (8:1-15)
   c. Piolhos (8:16-19)
   d. Moscas (8:20-32)
   e. Peste nos animais (9:1-7)
   f. Úlceras nos homens e nos animais (9:8-12)
   g. Chuva de pedras (9:13-35)
   h. Gafanhotos (10:1-20)
   i. Trevas (10:21-29)
   j. A morte do primogênito é profetizada (11:1-10)
5. A instituição da Páscoa (12:1-28)
6. Realização da décima praga: morte dos primogênitos (12:29-36)

B. *Os Hebreus no Deserto* (12:37—18:27)
1. A saída dos israelitas do Egito (12:37-51)
   a. Consagração dos primogênitos (13:1-16)
   b. Deus guia o povo pelo caminho (13:17-22)
2. Faraó tenta reconquistar Israel (14:1-15:21)
   a. Perseguição de Israel (14:1-14)
   b. A passagem pelo mar (14:15-25)
   c. Os egípcios perecem no mar (14:26-31)
   d. A canção da vitória (15:1-21)
3. Experiências no deserto (15:22-18:27)
   a. As águas amargas tornam-se doces em Mara (15:22-27)
   b. Deus manda o Maná (16:1-36)
   c. A água da rocha de Refidim (17:1-7)
   d. Amaleque ataca os Israelitas (17:8-16)
   e. Jetro visita e aconselha a Moisés (18:1-12)

C. *Os Hebreus no Monte Sinai* (19:1-40:38)
1. Estabelecimento do Pacto Divino (19:3—24:11)
   a. Preparação para o Pacto (19:1-25)
   b. Os Dez Mandamentos. (20:1-17)
   c. O temor do povo (20:18-21)
   d. Leis acerca dos altares (20:22-26)
   e. Leis acerca dos servos (21:1-11)
   f. Leis acerca da violência (21:12-36)
   g. Leis acerca da propriedade (22:1-15)
   h. Leis civis e religiosas (22:16-31)
   i. O testemunho e a falsa injúria (23:1-5)
   j. Deveres dos juízes (23:6-9)
   k. O ano do descanso (23:10-11)
   l. O sábado (23:12-13)
   m. As três festas (23:14-19)
2. Promessas divinas (23:20-33)
3. A aliança de Deus com Israel (24:1-11)
4. Deus dá instruções no Monte (24:12—31:18)
   a. Moisés e os anciãos sobem ao monte (24:12-18)
   b. Direções para a construção do tabernáculo (25:1—27:21)
   c. Direções quanto ao sacerdócio (28:1—29:46)
   d. Instruções suplementares (30:1—31:18)

5. Idolatria do povo (32:1—33:23)
   a. O bezerro de ouro (32:1-6)
   b. A ira de Deus (32:7-10)
   c. Moisés intercedeu pelo povo (32:11-24)
   d. Moisés manda matar os idólatras (32:25-29)
   e. Moisés intercede pelo povo novamente (32:30-35)
   f. O anjo de Deus guiará o povo (33:1-23)
6. Restabelecimento do pacto (34:1—35:3)
   a. As segundas tábuas da lei (34:1-9)
   b. Aliança e admoestação contra a infidelidade (34:10-34:17)
   c. As três festas (34:18—34:28)
   d. O rosto de Moisés resplandece (34:29-35)
   e. O sábado (35:1-3)
7. Construção do tabernáculo (35:4—40:38)
   a. Ofertas para o tabernáculo (35:4-29)
   b. Obreiros para o tabernáculo (35:30—36:7)
   c. As partes do tabernáculo (36:8-38:20)
   d. O custo do tabernáculo (38:21-31)
   e. As vestes dos sacerdotes (39:1-31)
   f. Os utensílios do tabernáculo completados (39:32-43)
   g. Deus manda Moisés levantar o tabernáculo (40:1-15)
   h. O tabernáculo é levantado (40:16—33)
   i. Manifestação divina de aprovação (40:34-38)

V. Seção Legal

As leis do livro de Êxodo têm como objetivos principais: a. estabelecer regras detalhadas para a conduta das pessoas em muitas situações, originando ordem e justiça entre os homens, e b. regular o relacionamento dos redimidos com Deus. Outros códigos de lei têm sido descobertos, alguns deles bem mais antigos que o de Êxodo, a saber: Código de Hamurabi, rei da Babilônia, encontrado em 1901 (XVIII A.C.); um código sumério, cerca de dois séculos mais antigo, e um outro babilônico mais velho ainda; o Código Hitita (XIV A.C.), e as Leis Assírias (XII). Um exame da natureza desses códigos em relação a Êxodo demonstra que uma diferença principal entre esses códigos e Êxodo é o fato de que os outros códigos são estritamente seculares, exceto quando ocasionalmente mencionam os privilégios ou responsabilidades dos sacerdotes; Êxodo por outro lado é pesadamente religioso; inclui regras para sacrifícios, festivais anuais e outros serviços religiosos. Algumas semelhanças são também encontradas entre as leis de Êxodo e as de certos códigos, como por exemplo, a existência de dois tipos de lei, casuística e apodíctica, nos Códigos Hititas e nas leis da Ásia Menor.

As leis casuísticas, também chamadas leis de sentença, referem-se a situações específicas, e formula uma sentença à qual o criminoso deve ser submetido em tais situações. Estas leis geralmente se iniciam com a partícula «se», introduzindo a descrição geral da situação. Ocasionalmente a partícula «se» ocorre, acrescentando detalhes mais específicos da situação, e introduzindo juntamente uma declaração da pena apropriada. As *leis apodícticas* consistem de declarações categóricas sobre os crimes, geralmente sem referir-se à pena, como nos Dez Mandamentos, mas também acrescentando a pena em certas ocasiões, simplesmente terminando a declaração com a frase «ele será morto», ou precedendo a declaração com a frase «amaldiçoado seja aquele que...». Albrecht Alt, o estudioso que sugeriu a divisão das leis do VT nesses dois tipos, é da opinião que as leis casuísticas do Pentateuco foram extraídas das leis cananitas, enquanto que as apodícticas são de origem especifica-

ÊXODO

mente judaicas. Alegando o fato de que ambos os tipos de leis são encontrados também nos tratados hititas e nas leis da Ásia Menor, Mendenhall refuta essa declaração. As porções seculares das leis indicam contatos com as leis de períodos anteriores, contudo, dizem os conservatistas, esse fato não coloca em questão a autenticidade das leis recebidas através de Moisés.

As seções legais de Êxodo são extensivas e detalhadas. Os principais grupos são: 1. As leis dadas antes do Sinai. 2.Os Dez Mandamentos. 3. O Livro do Pacto. 4. Regulamentações para o tabernáculo e estabelecimento do sacerdócio. 5. O Decálogo ritual.

1. *As leis dadas antes do Sinai compreendem* a lei da páscoa, a lei da consagração dos primogênitos, e a lei do maná. Em 12:3-13 o Senhor deu ordens explícitas e completas quanto à cerimônia da páscoa, e em 12:43-49 e 13:1-16, estabeleceu regras permanentes a respeito do grande festival anual e da consagração dos primogênitos. A lei do maná, em 16:16, 23:33, estava relacionada à necessidade imediata de regular a arrecadação e o uso da comida.

2. *Os Dez Mandamentos,* também chamados *Decálogo* (em hebraico, as *Dez Palavras*), estão contidos em Êxo. 20:1-17, e repetidos com pequenas diferenças em Deuteronômio 5:6-21. O caráter especial dos Dez Mandamentos, dizem os estudiosos bíblicos, reside a. no fato de que eles foram «escritos pelo dedo de Deus» nas tábuas de pedra (Êx. 31:18; 32:16; Deut. 9:10) e b. no fato de que foram recitados para a nação de Israel como um todo. Esse fato está implícito em Êxodo 20:18,19, e explicitamente declarado em Deut. 5:4.

Os Dez Mandamentos (que vide) distinguem-se das outras seções legais quanto ao seu caráter sintético e formal de apresentar as leis. Esta seção consiste em um sumário das leis éticas, com poucos detalhes de explicação. Pena nenhuma é mencionada para a infração dos mandamentos.

A questão da originalidade dos Dez Mandamentos tem sido motivo de controvérsia entre os eruditos. Wellhausen e outros críticos afirmam que Os Dez Mandamentos representam uma forma desenvolvida de lei, que dificilmente teria existido até o tempo do último reino israelita. A diferença de redação entre o mandamento de Sabá em Êxodo 20:8-11, e sua contraparte em Deut. 5:12-15 indica que o mandamento original era ou mais longo, incluindo assim ambas as formas, ou mais resumido, sendo apresentado portanto em forma de sinótico. Os que acreditam na plena inspiração das Escrituras afirmam que os Dez Mandamentos incluem todas as palavras de ambas as passagens.

Quanto à enumeração dos mandamentos, há três formas principais: 1. a enumeração de Josefo (**Antiq.** III.c.6, sec. 5); 2. a enumeração do Talmude; e 3. a enumeração de Agostinho. A maioria das igrejas protestantes não luteranas, e a igreja grega seguem a enumeração de Josefo. A Igreja Católica Romana e a maioria dos luteranos seguem a enumeração de Agostinho.

A disposição dos mandamentos nas tábuas tem sido motivo de polêmica: 1. *Agostinho* sugeriu que os três primeiros mandamentos estavam na primeira tábua, e os outros sete na segunda; 2. Calvin sugeriu que quatro estavam na 1ª e seis na 2ª; 3. Filo e Josefo afirmaram explicitamente que haviam cinco mandamentos em cada tábua.

3. *O Livro do Pacto* corresponde à porção de 20:22 a 23:33. Essas leis abordam uma variedade de assuntos religiosos, morais, comerciais e humanitá-

rios. O livro do Pacto inicia-se com uma reiteração da advertência contra a idolatria, e segue com instruções sobre tipos de altares (20:24-26). Princípios humanitários proporcionam o tema para a próxima seção, onde são tratados problemas de relacionamento entre mestre e servo, preservação de propriedade, compensação de danos pessoais, e preservação de direitos de propriedade. Esta seção acrescenta ainda mandamentos específicos contra imoralidade, bestialismo, espiritismo, hostilidade ao fraco e oprimido, etc.

O Livro do pacto consiste basicamente de leis casuísticas, contudo, seu propósito não é fornecer um conjunto completo de leis para todos os diferentes tipos de problemas que possam eventualmente surgir, e sim, — indicar o tipo de punição — que deve ser efetuado em algumas situações comuns.

4. *Regulamentações para o tabernáculo e estabelecimento do sacerdócio* estão contidas entre os capítulos 25:1 e 31:17. Durante os 40 dias e 40 noites que Moisés permaneceu no Monte, o Senhor deu-lhe instruções quanto ao sistema israelita de adoração. Planos para a construção do tabernáculo, bem como de sua mobília e utensílios, foram estabelecidos com precisão. Segue uma descrição do uso e da natureza dos implementos usados pelos sacerdotes, tais como: a bacia de bronze para as sagradas abluções, e a preparação do perfume e do óleo sagrados, (30:17-38). Depois de seguidas as instruções desses versos, homens contemplados com o espírito de Deus eram apontados para construírem o tabernáculo e toda sua mobília (31:1-2). As descrições do santuário, do sacerdócio e forma do culto são seguidas por aquelas dos tempos e períodos sagrados (31:12 *ss*). Sobre tempos sagrados há aqui referência somente ao sábado, no qual outros regulamentos são contidos no que concerne às suas origens. A preparação — do tabernáculo — devia ter começado quando Deus entregou a Moisés as tábuas da lei, se o seu progresso não tivesse sido interrompido pelo ato de idolatria por parte do povo, e pelo seu conseqüente castigo pela ofensa, o que é o tema da narrativa nos capítulos 32-35. Contrária e em oposição a tudo que tinha sido feito por Jeová para Israel e na presença de Israel, a terrível apostasia deste último se manifesta da maneira mais melancólica como um ominosamente significante fato profético, que é incessantemente repetido na história de subseqüentes gerações. A narrativa disso está intimamente ligada com os relatos precedentes—a misericórdia e gratuita fidelidade de Jeová de um lado, e a descarada ingratidão de Israel do outro, sendo intimamente associadas. Esta conexão forma a idéia central de toda a história da teocracia. Somente após a narrativa desse significativo evento é que o relato sobre a construção e término do tabernáculo pode proceder (35—40). Tal relato se torna mais circunstancial à medida que o assunto mesmo ganha maior importância. Acima de tudo, é fielmente demonstrado que tudo fora executado segundo os mandamentos de Jeová. Na História descritiva de Êxodo, um plano fixo, de conformidade com os princípios apresentados acima, é consistente e visivelmente carregado — através de todo o livro, dando-nos assim, a mais certa garantia da unidade de ambos: livro e autor.

5. *O Decálogo Ritual* consiste em um grupo de leis nos vers. 34:10-28. Alguns dos Dez Mandamentos, e algumas das ordenanças religiosas do Livro do Pacto são repetidos neste trecho, exceto as leis casuísticas. A relação do Decálogo Ritual aos seus textos paralelos é um assunto controversial. A teoria de que esta passagem é mais antiga do que os Dez Mandamentos propriamente ditos é bastante aceita.

ÊXODO — ÊXODO (O EVENTO)

VI. Milagres

O livro de Êxodo descreve um dos grandes períodos de miraculosa intervenção divina nas Escrituras. Os milagres desse livro podem ser classificados em três grupos: 1. milagres que provaram aos israelitas que Moisés tinha sido realmente enviado por Deus. 2. O milagre das pragas que caíram sobre o Egito como castigo; 3. milagres de providência e proteção divina no deserto. O milagre da sarça ardente, primeiro incidente de ordem sobrenatural do livro de Êxodo, não pertence a nenhum desses três grupos mencionados acima. Nesse incidente Deus comunicou-se particularmente com Moisés revelando-lhe sua missão.

1. *Entre os milagres* que provaram a autenticidade da missão de Moisés estão: a. a transformação da vara em serpente e vice-versa; b. o fenômeno da mão de Moisés que se tornou leprosa repentinamente e foi restaurada em seguida; c. e o fenômeno da transformação da água em sangue.

2. *Com exceção da décima*, as pragas do Egito, até certo ponto, consistiram em fenômenos que poderiam ocorrer naturalmente naquela região. Contudo, quatro aspectos peculiares dessas pragas provam o caráter sobrenatural desses fenômenos, a saber: a. a intensidade—foram fenômenos extremamente severos; b. a aceleração—aconteceram num curto período de tempo; c. a especificação—a terra de Gósen não foi atingida por certas pragas; d. a predição —Moisés podia prever quando a praga ocorreria.

O caráter miraculoso da décima praga consistiu da intervenção divina fornecendo instruções aos israelitas sobre como proceder para que a vida de seus primogênitos fosse poupada.

3. *Entre os milagres de proteção* e providência divina no deserto estão: a. a travessia do mar Vermelho; b. a coluna de nuvem durante o dia, e a coluna de fogo à noite, que guiou o povo de Israel no deserto; c. a provisão de água em Mara e Refidim; d. a provisão de alimento: codornizes e maná; e. a entrega dos Dez Mandamentos.

Bibliografia: ALB AM ANET BA E G I IB IOT NAP NOT WBC WES Z

ÊXODO (O EVENTO)

Esboço:
I. A Palavra
II. Caracterização Geral
III. Informes Bíblicos
IV. O Êxodo em Trechos Bíblicos Posteriores; Tipologia

I. A Palavra

O termo português **êxodo** vem do grego **éksodos**, «saída», «partida». Na Bíblia, a palavra é usada em sentido especializado, aludindo à saída de Israel do Egito, após um longo período de servidão. Dali, o povo de Israel partiu para a Terra Prometida. A história é figura da *redenção*, mas é um acontecimento histórico, com considerável confirmação.

II. Caracterização Geral

O livro de Êxodo (ver o artigo abaixo) começa descrevendo como o povo de Israel estava escravizado no Egito. O povo de Israel desenvolveu-se essencialmente no Egito, desde que Jacó e sua família mudaram-se para o Egito, em período de grande fome. O livro de Êxodo fornece uma detalhada descrição sobre as provações e sofrimentos de Israel, no Egito. E também como Moisés foi elevado por Deus como o libertador. Esse livramento concretizou-se quando do *êxodo* ou «saída» do Egito e Israel foi para o deserto do Sinai. O resultado final do êxodo foi a conquista da Palestina, mais de quarenta anos depois.

Os capítulos doze a dezenove do livro de Êxodo provêem a descrição bíblica do êxodo, com os eventos que se seguiram. Nisso vemos como Deus usou o seu poder e glorificou o seu nome e o seu povo. Foi uma grande época na história da redenção humana. Terminou a dispensação patriarcal e a lei começou, em um estágio específico das vaguações de Israel no deserto. No quadro inteiro podemos ver a providência de Deus. Deus havia guiado os hebreus até o Egito. Ali eles deixaram de ser o povo nômade que tinham sido e acostumaram-se com as lides agrícolas e com as artes, e assim adquiriram a mentalidade de uma sociedade bem radicada e progressista. Porém, o Egito não era lugar apropriado para o povo de Deus, pelo que Israel foi tirado dali, para o deserto, onde passaria por um período de preparação. Em seguida, o povo de Israel estabeleceu-se na Palestina. Grande parte da história subseqüente e das características de nossa civilização giram em torno desse acontecimento, incluindo a própria concretização da esperança messiânica.

Esse evento assinalou o nascimento de Israel como uma nação, como também a instituição da teocracia e a dispensação da lei.

Os problemas da rota, da data e de outros detalhes do êxodo desde há muito vêm sendo discutidos pelos historiadores e teólogos. Há quem dispute a historicidade do evento; mas isso é apenas um exagero. Além do registro bíblico, temos o famoso tablete do Faraó Mernepta, que menciona a partida de Israel do Egito. Além dessas fontes informativas, há uma grande massa de evidências indiretas. O livro de Números pode ter exagerado o número de pessoas envolvidas, — no recenseamento das tribos de Israel; mas há evidências históricas em apoio à idéia de mudanças dinásticas no Egito, bem como de movimentos de povos no Oriente Próximo, no meio do que caíram cidades da Palestina e houve um caldeamento de culturas. A data do êxodo de Israel, todavia, permanece em dúvida, embora muitos eruditos suponham que o mesmo teve lugar no começo do século XIII A.C. Outros eruditos, porém, sugerem uma data tão antiga quanto o século XV A.C. Essa variação de opinião torna quase impossível determinar qual Faraó egípcio teria estado envolvido nos acontecimentos do êxodo.

Áreas Geográficas. Muitos lugares específicos são mencionados na Bíblia, vinculados ao êxodo de Israel. E a arqueologia tem confirmado a realidade dessas localidades, além de adicionar muitos pormenores interessantes. Alguns estudiosos supõem que houve mais de uma onda de migrações, e que a Bíblia descreve apenas uma dessas ondas. Porém, detalhes dessa natureza são difíceis de investigar e confirmar.

III. Informes Bíblicos

Depois que o povo de Israel já residia no delta do Nilo por cerca de quatrocentos e trinta anos (Êxo. 12:40,41), tendo sido reduzido a escravos nas dinastias XVIII e XIX, Moisés e Aarão foram elevados por Deus, a fim de encabeçarem uma grande mudança histórica. O resultado disso foi a emergência de uma pequena nação, saída em massa de uma outra, tendo estabelecido a sua identidade em outro território. Essa não foi a primeira vez em que um grande número de pessoas saiu de um grande estado. Nos fins do século XV A.C., cerca de catorze grupos humanos (vindos de várias regiões), transferiram-se

630

ÊXODO

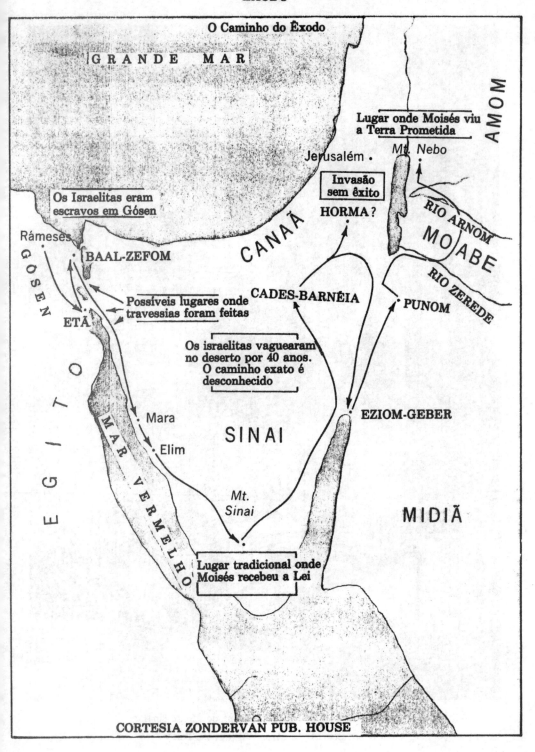

ÊXODO

O Convento de Sta. Catarina ao pé do Monte Sinai.
Foto por Mr. e Mrs. William B. Terry

ÊXODO — EXORCISMO

do reino hitita para a terra de Isuwa (conforme é descrito no prólogo do tratado de **Suppiluliuma** e Mattiwaza). Nesse caso, é verdade que o rei hitita, Suppiluliuma, os trouxe de volta. No caso de Israel, entretanto, a saída foi permanente, embora tivesse havido exílios posteriores de Israel. Ver sobre o *Cativeiro Assírio* e sobre o *Cativeiro Babilônico*. Artigos separados fornecem detalhes sobre a questão do êxodo, incluindo o artigo sobre o livro bíblico desse nome, quanto à *Data*, e onde também há alusão aos lugares onde os israelitas acamparam após o êxodo, como Baal-Zefom, Pitom, Ramessés, Sucote, Migdom, Sinai, Elim e Refidim. Ver o artigo sobre *Acampamento*.

A *rota exata* tomada por Israel (ver o mapa) depende de como relacionamos o *Yam Sup* (mar de algas) com o mar Vermelho. «No Antigo Testamento, a expressão *yam sup*, 'mar de algas' é usada para indicar: *a.* a região dos lagos amargos, no delta do Nilogo, ao norte de Suez, ao longo da linha do atual canal de Suez; *b.* os golfos de Suez e Ácaba e, talvez o próprio mar Vermelho, além desses» (NB). Ver o artigo sobre o *Mar Vermelho*.

A Data. Os estudiosos da Bíblia têm abandonado o método genealógico de determinar datas. Visto que não há qualquer alusão, no Antigo Testamento, ao nome do Faraó envolvido no êxodo de Israel, muitas conjecturas têm sido feitas, mas nenhum resultado seguro tem sido obtido. O método genealógico, contudo, fornece uma data em torno de 1500 A.C. Contudo, alguns eruditos pensam que o êxodo ocorreu até cerca de três séculos depois disso. Os Faraós identificados incluem, em um extremo, Amenófis II (cerca de 1440 A.C.) e **Ramsés** II, no outro extremo. Ver o segundo ponto, chamado *Historicidade*, no artigo sobre o *Êxodo (Livro)*, quanto a alguns detalhes sobre esse problema.

IV. O Êxodo em Trechos Bíblicos Posteriores; Tipologia

A história do êxodo foi um marco na história de Israel, um evento que inspirou os escritores do resto do Antigo Testamento. Era mencionado como um período em que Deus exibiu seu poder e sua redenção, em favor de seu povo, como um exemplo do que o poder divino pode fazer em favor de um povo que anda na retidão. Ver Juí. 6:8,9,13; I Sam. 12:6,8; I Reis 8:51; II Crô. 7:22; Nee. 9:9; Sal. 77:14-20; 78:12-55; 80:8; Jer. 7:21-24; Dan. 9:15. Lemos em Heb. 13:13 que Jesus imitou o êxodo de Israel quando saiu fora do acampamento, onde nos espera para nos redimir totalmente. Em Heb. 11:28,29, a observância da páscoa e a travessia do mar Vermelho são apontados como atos de fé que deveriam ser imitados.

EXOGAMIA

Essa é a prática social que proíbe o casamento com algum membro do mesmo grupo populacional. Mas, o que constitui *o mesmo grupo*, é algo definido de várias maneiras. Universalmente, são proibidos casamentos entre os pais e seus filhos, entre irmãos e irmãs. O casamento entre primos é sabiamente proibido. As proibições normais devem-se à consangüinidade biológica. Outras formas enfatizam fatores sociais, éticos, tribais, etc. **Endogamia** é o oposto, exigindo casamentos dentro de um grupo restrito, seja racial, religioso, nacional, etc.

EX OPERE OPERATIO

Expressão latina que significa «da obra feita».

Envolve a doutrina católica romana de que a eficácia dos sacramentos não depende dos méritos nem do sacerdote e nem da pessoa que os recebe, mas do poder essencial dos próprios sacramentos. Nem é preciso dizer que isso não concorda com os sentimentos bíblicos.

EXORCISMO   Ver também **Possessão Demoníaca**.

Tanto nos tempos antigos como nos modernos, vários grupos, religiosos ou não, *podem* expulsar demônios, já que essa capacidade não é propriedade exclusiva do cristianismo. De fato, o exorcismo eficiente é muito mais antigo do que o cristianismo. Os judeus referidos em Atos 19:13, evidentemente eram exorcistas profissionais, que haviam ficado profundamente impressionados com o poder exibido pelo apóstolo Paulo na expulsão dos demônios. E, sabendo que ele assim agia através do poder do nome de Jesus, resolveram acrescentar o nome de Jesus às invocações que consideravam eficazes para tais coisas. O descobrimento de vários papiros de origem não-cristã, acerca de antigos ritos mágicos, tem-nos demonstrado que o *nome de Jesus* foi incorporado a tais sistemas. Isso já seria mesmo de esperar, porque outros nomes, muito menos importantes que o de Cristo, geralmente eram adicionados às fórmulas dos exorcistas.

Os exorcistas judeus costumavam utilizar-se de nomes de anjos, como Rafael, Miguel, ou do nome de grandes vultos, como Abraão, Isaque, Jacó, etc., além do nome do *Deus Altíssimo*. Éfeso, por sua vez, era centro de várias modalidades de artes mágicas, existindo muitos manuais ou livros especiais que versavam sobre a técnica de todas as formas de magia, incluindo fórmulas supostamente eficazes para a expulsão de demônios ou para efetivação de curas de enfermidades. Grande número desses antigos livros de mágica tem sido descoberto em certas regiões do Egito; e o pai da igreja, Clemente de Alexandria (200 A.C.), fez referências a esses livros, nos seus escritos. A declaração do Senhor Jesus, em Mat. 12:27, indica que entre os fariseus, havia aqueles que praticavam o exorcismo.

Tem-se observado que alguns espíritos malignos podem ser expulsos com relativa facilidade, podendo ser dominados pelo mero exercício da vontade, com ou sem o acompanhamento de cerimônias religiosas, orações, etc. E alguns têm expulso demônios até mesmo mediante o uso de palavras profanas em extremo, assim avassalando ao espírito psiquicamente, sem fazerem qualquer apelo a qualquer autoridade religiosa do passado. Alguns espíritos, entretanto, são extremamente poderosos e resistem a todas as tentativas de exorcismo. Em tais casos, é mister alguém como o Senhor Jesus ou como Paulo para conseguir a sua expulsão, porquanto tais espíritos são maliciosos e são psiquicamente poderosos. Em alguns casos enfrentados pelos exorcistas, — há uma invasão de uma multiplicidade de espíritos possuidores, e, nesses casos, os espíritos devem ser expulsos um por um. O Senhor Jesus, entretanto, era tão poderoso, que era capaz de expulsar todos os demônios de uma vez só, naturalmente. (Ver no **NTI** as notas sobre Mar. 5:2; Mat. 8:28 e Atos 15:8. Ver os artigos **Demônio (Demonologia)**; **Possessão Demoníaca** e **Exorcismo**.

O fato de que o nome do Senhor Jesus era empregado até mesmo nos exorcismos praticados pelos pagãos, uma vez iniciada a era cristã, é fato comprovado em uma linha do grande Papiro Mágico

EXORCISMO — EXPECTATIVA

Parisiense, que diz: «Eu te esconjuro por Jesus, o Deus dos hebreus». Essa declaração é deveras interessante, devido ao fato de que chama o Senhor Jesus de *Deus dos hebreus*, pois em Atos 19:13 os judeus não são distinguidos dos cristãos. Esse fenômeno talvez se deva ao fato de que, no princípio do cristianismo, tantos cristãos fossem judeus de nascimento; e, além disso, nos seus primórdios, o cristianismo era reputado apenas uma variedade da religião judaica, segundo a opinião de tantos antigos.

Havia determinada classe de exorcistas judeus que pretendiam ter o poder de expulsar os demônios, artes mágicas supostamente derivadas de Salomão. A palavra «...exorcistas...» se encontra exclusivamente na passagem de Atos 19:13 em todo o N.T., e, originalmente, significava «administrar um juramento», termo esse que ficou associado a várias formas de manipulações dos espíritos, incluindo a sua expulsão. (Ver *Josefo, Antiq.* viii. 2,5, quanto a essa seita judaica).

Justino Mártir (ver *Diálogo com Trifo*, pág. 311), apesar de haver admitido o sucesso ocasional de tais encantamentos, queixou-se de que os exorcistas judeus haviam resolvido adotar os mesmos métodos e as mesmas superstições dos pagãos. Na obra antiga *Didache* (ou *ensino*, uma das grandes peças da literatura cristã dos primeiros séculos do cristianismo) (ver iii.4), o uso de fórmulas de encantamento e de bruxaria é expressamente proibido, porquanto, ainda que não tivesse outro efeito, inclinava os seus seguidores para a idolatria. Esses exorcistas eram profissionais, isto é, ganhavam a vida com essa prática, e perambulavam de cidade em cidade, procurando quem se utilizasse dos seus préstimos.

Considerações sobre o exorcismo, na igreja cristã primitiva. Tal como no judaísmo, também no cristianismo primitivo o exorcismo desempenhou um papel importante. Da mesma forma que no judaísmo, na igreja cristã surgiu um grupo distinto de exorcistas, conferencistas e porteiros, como se fossem funções específicas das igrejas. Desenvolveu-se, como parte integrante do rito batismal, uma evocação especial sobre os candidatos ao batismo. Os pais antigos da igreja proferiram palavras fortes e decisivas sobre o poder do nome do Senhor Jesus, no tocante à questão do livramento de pessoas do poder dos espíritos malignos.

EXORTAÇÃO

Usualmente, a palavra grega por detrás desse vocábulo português é *paráklesis*, «chamada», «ordem», «consolo», «exortação». Dessa mesma raiz vem um dos títulos do Espírito Santo, o *paraclete*, isto é, «consolador» ou «advogado». Ver o artigo sobre *Paracletos*. Quanto aos usos bíblicos da idéia de *exortação*, ver Atos 13:15; Rom. 12:8; I Tim. 4:13; Heb. 12:5; 13:22. Algumas vezes, as modernas distinguir claramente entre as idéias de consolo e de exortação, pelo que também as traduções não se mostram coerentes quanto a isso. Todos os crentes têm a responsabilidade de se exortarem mutuamente (Heb. 10:25) a interesse do bem da comunidade. Mas exortar faz parte do trabalho especializado dos pregadores e mestres cristãos (I Tim. 4:13). As exortações visam ao ensino são, à conduta correta, à aplicação entusiasmada dos princípios espirituais na vida, ou seja, têm em mira todas aquelas coisas ligadas a uma séria inquirição espiritual.

EXOTÉRICO

Vem do grego **exótero**, a forma comparativa de **éxo**,

«fora». A palavra alude aos ensinamentos que devem ser dados, com propriedade, àqueles que estão *fora* de algum grupo particular, que é o público, em contraste com os membros iniciados. Contrastar isso com *esotérico* (que vede).

EXPECTATIVA ARDENTE DA CRIAÇÃO

Rom. 8:19: Porque a criação aguarda com ardente expectativa a revelação dos filhos de Deus.

As palavras *ardente expectativa*, são derivadas de um vocábulo grego encontrado somente aqui em todo o N.T., e em Fil. 1:20, composto de três palavras, a saber: «apó» (para fora), «kara» (cabeça) e «dokein» (observar) o que indica uma vigilância caracterizada pela cabeça esticada, um «esperar com suspense». Em Rom. 8:22, o apóstolo Paulo pinta a natureza ou a criação inteira como algo que sofre as dores de parto, a fim de produzir os filhos de Deus. Através de ambos esses quadros verbais, aprendemos o fato admirável de que todo o processo da história tem por finalidade realizar um grande alvo, até onde concerne à humanidade, ou seja, extrair da humanidade os «filhos de Deus». E isso haverá de, finalmente, cumprir o propósito de Deus em sua criação, porquanto ele criou o homem à sua própria imagem. Todavia, essa imagem foi distorcida e afeada pelo pecado. No entanto, em Cristo, a imagem maculada com a queda de Adão e seus descendentes é mais do que restaurada à sua posição primitiva, pois ela é elevada acima do que era, de tal maneira que, em sentido muito significativo, o homem chega a estampar a própria imagem de Deus, no mesmo sentido e extensão em que Cristo Jesus foi glorificado. Por conseguinte, neste versículo, vemos a totalidade da criação em atitude de intensa expectação, a esperar ansiosamente por esse extraordinário acontecimento.

Criação. A própria palavra grega, assim traduzida, pode significar diversas coisas, a saber:

1. O *ato divino* da criação, conforme lemos em Rom. 1:20.

2. O *objeto criado*, segundo vemos em Mar. 10:6; 13:19; 16:15; Col. 1:23 e Heb. 4:13. É neste segundo sentido que a palavra é usada por Paulo em Rom. 8:19, a despeito do que os comentadores não estão em harmonia sobre o que vem a ser essa «criação» ou «coisa criada». Abaixo damos os vários pontos de vista dos intérpretes:

a. Seria a *totalidade dos mundos*, o natural e o espiritual, envolvendo o homem, como ser sujeito à corrupção, e os seres angelicais.

b. Seria a *criação inanimada* somente. Neste segundo caso, Paulo teria empregado tão-somente uma figura de linguagem, porquanto, não tendo razão própria a criação inanimada, dificilmente poder-se-ia dizer que a mesma se encontra em estado de ardente expectativa.

c. Seria a *criação animada*. E aqui há várias subcategorias de interpretação, ou seja: i. alguns pensam que seria a humanidade em geral, ou a humanidade incrédula; ii. outros falam nos pagãos inconversos; iii. outros atribuem essas palavras ao povo judeu; iv. outros pensam tratar-se dos crentes gentios; v. outros preferem imaginar os cristãos judeus.

d. Seria *a natureza* animada e a inanimada. Alguns estudiosos ainda modificam esta quarta possibilidade pondo a humanidade redimida em contraposição à natureza animada e inanimada. Essa humanidade redimida, nesse caso, participaria da

EXPERIÊNCIA RELIGIOSA

redenção apenas em parte, por enquanto.

3. Apesar de todas essas explicações e suas variantes se revestirem de algum valor, essas são tão-somente quadros parciais da verdade. Mui provavelmente o que Paulo tinha em mente era a *totalidade da criação*, tanto a racional como a irracional, tanto a material como a não-material, ainda não redimida, e, portanto, posta em contraste com os crentes redimidos, mas, apesar disso, capaz de vir a ser redimida, e aqui pintada como anelante pela redenção, e não somente a contemplar a redenção dos indivíduos já convertidos. O anseio referido, pois, visa a redenção, e isso envolve tanto os homens, como os anjos e a natureza em geral. — O vigésimo primeiro versículo do oitavo capítulo da epístola aos Romanos, parece exigir essa interpretação, já que ali aprendemos que a própria natureza será redimida.

Estamos aqui tratando, portanto, da *nova criação*, tanto na natureza inanimada como no tocante aos homens, ou seja, Paulo focaliza aqui a redenção completa. A natureza inteira, coletivamente considerada—animada e inanimada—é retratada como anelante por essa redenção. A grande verdade é que a futura ordem de coisas, na eternidade, produzirá transformações radicais na estrutura do governo de todas as coisas, e isso haverá de afetar as dimensões celestiais, as dimensões dos seres espirituais, dos seres celestiais. O trecho do primeiro capítulo da epístola aos Efésios também trata disso, mostrando-nos que a totalidade da criação, de um modo ou de outro, tem seu alvo e propósito centralizados em Cristo. É bem provável que a abreviada declaração do apóstolo aos gentios, em Rom. 8:19-23, se revista da mesma mensagem que o primeiro capítulo da epístola aos Efésios. Assim sendo, a criação inteira, celestial, terrena, racional e irracional, estaria sujeita a Cristo, redundando isso em sua glória.

4. Acredito que *toda a criação* participará nos benefícios da vida eterna, inclusive os *não-eleitos*. A missão universal de Cristo realizará uma *restauração* universal. Portanto, a *expectativa ardente da criação* é justificada. Contrasto a *redenção* dos eleitos com a *restauração* de todas as coisas, inclusive os não-eleitos. Ver o artigo sobre a *Restauração* para explicações completas.

EXPEDIÊNCIA
Ver sobre **Permissividade**.

EXPERIÊNCIA (NA FILOSOFIA)

Essa palavra portuguesa vem do latim **experior**, «provar» ou «submeter a teste». Na filosofia, usualmente refere-se ao conhecimento adquirido através da percepção dos sentidos. Essa é a base do empirismo, sobre cujo assunto provemos um artigo detalhado.

Idéias de Vários Filósofos a Esse Respeito:

1. *John Locke*, com sua doutrina da *tabula rasa* (que vede), representativa da mente vazia que receberia as marcas deixadas pela experiência diária, acreditava que a origem de todas as idéias é a experiência através da percepção dos sentidos.

2. *Avenarius* afirmava que a experiência é a base da sua idéia da *empirocrítica* (que vede).

3. *William James* pensava que a experiência é maior do que aquilo que é percebido pelos nossos sentidos e falava sobre as experiências da mente. Referia-se de modo favorável às experiências místicas, como uma importante fonte de informações e

promoveu um dualismo metafísico. Ver o artigo sobre *Experiência Religiosa*.

4. *Ward* dividia as experiências mentais em cognitivas, afetivas e conotativas.

5. *Bradley*, um idealista, falava sobre o Absoluto como a experiência absoluta. Royce, por sua vez, argumentava que a experiência humana, limitada e parcial como ela é, subentende a experiência total do Absoluto.

6. *Dewey* fazia da experiência o âmago de sua filosofia. Tanto a observação quanto o raciocínio ocorrem dentro da experiência e constituem a mesma. A experiência teria fases instrumentais e consumadoras. Todo conhecimento nos chegaria através das experiências.

Oferecemos um artigo separado sobre cada um dos filósofos nomeados acima. Os filósofos de tendências estritamente empíricas dependem demais da experiência dos sentidos, e assim criaram uma epistemologia provincial. A razão, a intuição e os estados místicos, porém, também são experiências através das quais podemos obter conhecimentos. A ciência está alicerçada, essencialmente, sobre os sentidos físicos; mas até mesmo ali a intuição pode prover uma *idéia*, que então é desenvolvida através das experiências. A fé religiosa está baseada sobre as experiências místicas, visto que a revelação é uma subcategoria das experiências místicas.

EXPERIÊNCIA DOS SENTIDOS

A base do **empirismo** (vide) é a experiência adquirida pelos cinco sentidos físicos. Os empiristas radicais dependem somente da percepção dos sentidos, minimizando a importância da razão e ignorando totalmente o papel da intuição. Porém, empiristas mais iluminados insistem quanto ao uso do método científico, embora reconhecendo o grande valor da razão e da intuição, em conjunto com aquele. Muitas questões continuam sendo debatidas no tocante à — verdadeira natureza — dos sentidos físicos, exatamente como funcionam, — e como representam os objetos percebidos, se têm existência separada da mente, – que valor têm na obtenção de conhecimentos, quão completo é o conhecimento assim adquirido, e de quais outras maneiras a percepção dos sentidos pode ser suplementada.

EXPERIÊNCIA PERTO DA MORTE
Ver **Experiências Perto da Morte**.

EXPERIÊNCIA RELIGIOSA

Esboço:
I. Declaração Introdutória
II. Experiências Místicas
III. Surgimento da Crítica Bíblica
IV. Ponto de Equilíbrio
V. Não há Necessidade de Seleção
VI. As Drogas, o Jejum e a Meditação
VII. Religião Natural e Religião Sobrenatural
VIII. A Ênfase da Bíblia

I. Declaração Introdutória

Ver o artigo separado sobre o **Misticismo**. Alguns intérpretes cristãos têm feito objeção à palavra *misticismo*, no que concerne ao cristianismo. Isso é entender mal o sentido da palavra. Basicamente, significa contacto com algum poder ou entidade superior. No Oriente, geralmente crê-se que esse contacto é feito com o «eu» superior de cada pessoa. Temos aí o misticismo subjetivo. No Ocidente, o contacto proposto, usualmente, é o objetivo, ou seja,

EXPERIÊNCIA RELIGIOSA

contacto com algum ser de ordem superior, como os anjos, o Espírito de Deus, Cristo, ou Deus Pai. Com base nessa definição, torna-se óbvio que a religião bíblica é mística. O ministério do Espírito Santo, na regeneração, na santificação e na transformação dos crentes segundo a imagem do Filho (II Cor. 3:18) é um processo místico. Outro tanto se dá com a própria *revelação*, que é a base do conhecimento bíblico.

Nas experiências religiosas, pois, não basta buscar o conhecimento por meio dos livros sagrados, e então adicionar a isso o elemento da oração. De fato, há vários modos de desenvolvimento espiritual. Ver o artigo separado sobre o *Desenvolvimento Espiritual*, *Meios do*. Ver também sobre a *Espiritualidade*.

II. Experiências Místicas

Elas são mais comuns do que geralmente se supõe. Muitos milhões de pessoas, em todas as culturas, passam por muitas experiências dessa ordem. Podem variar desde as experiências intuitivas, que fornecem informações e inspirações genuínas, incluindo vívidos *sonhos* espirituais (que vede), até visões extáticas. Os *dons espirituais* (que vede), quando genuínos, não são exercícios meramente psíquicos ou espirituais, podendo estar envolvidos no misticismo.

Os evangélicos, queiram admiti-lo ou não, defendem a idéia de experiências religiosas místicas, em sua insistência sobre a necessidade da operação do Espírito, na conversão, e então no desenvolvimento espiritual subseqüente. E ao que seria reduzida a fé evangélica, sem a revelação? No entanto, excetuando os grupos do *movimento carismático* (que vede), as experiências místicas abertas e francas não são encorajadas entre os diversos grupos evangélicos. A razão primária disso é que há uma ênfase exagerada sobre o que é racional e comum, com a leitura da Bíblia e da oração como os únicos meios de desenvolvimento espiritual. No entanto, há vastos territórios do mundo espiritual, interno e externo, que podem e devem ser explorados, que aquela fórmula simples jamais poderá satisfazer.

III. Surgimento da Crítica Bíblica

A **crítica bíblica** (vide), surgida no século XVIII, para muitas pessoas debilitou a infalível autoridade da Bíblia, o que foi uma das causas de um renovado interesse pelas experiências religiosas, que ultrapassa a dogmática e também aquela situação em que textos de prova, extraídos da Bíblia, são usados para solucionar todos os problemas de interpretação. A *ortodoxia morta* deixa todas as pessoas de mente amortecida, impelindo *algumas* pessoas a buscarem refúgio em alguma experiência religiosa mais vital. Outras pessoas rejeitam a inquirição espiritual como se fosse uma atividade à qual falta a inspiração. Por outro lado, a ênfase demasiada sobre as experiências religiosas tem dado margem a uma multidão de grupos carismáticos que não dedicam tempo ao estudo bíblico sério, o que significa que seus membros não têm fortes alicerces para a fé cristã.

IV. Ponto de Equilíbrio

Deus é o Deus do intelecto. Aristóteles, com muito discernimento, denominou-O de *O Intelecto*. Não é errado promover as questões intelectuais no campo da fé religiosa. Precisamos estudar, precisamos adquirir conhecimentos, precisamos de ensino sólido. No entanto, alguns dos maiores intelectos da história do cristianismo também foram profundamente místicos. Uma coisa não elimina, necessariamente, a outra. Não há qualquer contradição entre as duas coisas. Naturalmente, surgem abusos quando os homens não buscam um ponto de equilíbrio entre a intelectualidade e as experiências; e os abusos piores geralmente são cometidos por aqueles que têm zelo sem conhecimento, e não por aqueles que têm conhecimento, mas não têm experiências místicas usuais. Schleiermacher (que vede) enfatizava a emotividade e as experiências religiosas, definindo a própria religião como «o senso de absoluta dependência». *Ritschl* (que vede) enfatizava o lado subjetivo da religião, supondo que os *julgamentos de valor* são básicos à fé, afirmando que a própria divindade de Cristo é uma daquelas questões percebidas subjetivamente, mediante um julgamento de valores. No entanto, *Herrmann* (que vede) excluía totalmente as experiências religiosas, supondo que o cerne da religião é a ética. De acordo com ele, o próprio Cristo histórico só nos é de algum valor no tocante aos valores éticos, por ele inspirados. Barth (que vede) devolveu ao cristianismo evangélico o ideal reformado da Palavra de Deus, da autoridade da Bíblia, e assim cortou as asas de muitas experiências religiosas aventurescas. O ponto de equilíbrio, portanto, é encontrado quando as experiências religiosas são testadas pela Palavra de Deus. É como diz um antigo ditado: «Nem tanto ao mar, nem tanto à terra».

V. Não Há Necessidade de Seleção

John Baillie (aluno de Herrmann; ver o parágrafo acima) certamente estava com a razão quando disse que não precisamos escolher entre a razão e a experiência, ou entre a fé religiosa subjetiva e a fé religiosa objetiva. A presença universal de Deus afeta o homem em todas as categorias, em todas as coisas, em todas as formas de experiência: morais, espirituais, místicas, etc. No entanto, há uma coisa que deve ser mencionada: «Aquele que tem uma experiência tem uma vantagem acima daquele que tem apenas um argumento». É mister experimentar a realidade e a vitalidade da fé, ou ficaremos famintos e sedentos. A Bíblia descreve o banquete espiritual; que cada qual estenda a mão e coma! Todavia, voltamos a dizer, enquanto não houver abusos, não haverá problemas. Por outro lado, Baillie certamente tinha razão quando disse que há muitos crentes que passaram por experiências significativas, que têm emprestado grande vitalidade à sua fé, mesmo que, em seus argumentos, continuem recusando-se a reconhecer o fato. Até os bons pagãos são uma espécie de criptoteístas, lá no fundo do coração. Deus toca até mesmo nesse tipo de homem, pois o ministério do Espírito é universal, conforme somos ensinados no primeiro capítulo da epístola aos Romanos.

VI. As Drogas, O Jejum e a Meditação

Sabe-se que as drogas podem provocar certas experiências que poderiam ser designadas como místicas. Há um delicado equilíbrio entre o corpo e o espírito, equilíbrio esse que pode ser perturbado, permitindo que o espírito manifeste-se mais abertamente. No entanto, é um erro moral lançar mão desse artifício a fim de provocar experiências místicas. Antes de tudo, porque esse método não garante que as experiências místicas sejam com o Espírito de Deus; bem pelo contrário, geralmente produz experiências autoprovocadas, ou mesmo abre caminho para manifestações demoníacas. Esse é um dos atalhos usado pelo diabo, para levar alguém à vitalidade; e aqueles que preferem esse atalho sempre têm de pagar um elevado preço, em troca de uma mercadoria falsificada. Naturalmente, as drogas produzem desde o êxtase até os mais horripilantes horrores. Os drogados têm visto infernos hiantes e espantosos. É claro que muitas dessas coisas não passam de alucinações induzidas pelas drogas; mas os usuários das drogas ocasionalmente passam por experiências

EXPERIÊNCIAS PERTO DA MORTE

reais com forças malignas. Os místicos sérios têm visto o valor do jejum, sobretudo quando usado de modo regular. Não sabemos dizer até que ponto isso funciona (embora funcione); mas o certo é que «o espírito torna-se mais brilhante quando o corpo não é alimentado». A meditação é um *excelente* método, usado tanto nas religiões orientais quanto nos grupos cristãos ortodoxos. Há muita coisa em favor desse método de busca pela iluminação espiritual; mas o mesmo terá pouco valor se for usado apenas esporadicamente. Ver o artigo separado sobre esse assunto. Sem dúvida, é um dos meios legítimos de desenvolvimento espiritual, mas que a nossa gente não usa — talvez por motivo de preguiça mental e espiritual. Ver o artigo separado sobre a *Contemplação*. Ver também sobre *Psicodélico (Experiência Religiosa Psicodélica)*.

VII. Religião Natural e Religião Sobrenatural

A religião natural é aquela que encontra toda a sua inspiração e todas as suas necessidades na natureza, na criação de Deus e na razão humana. A revelação divina é desprezada, se não mesmo rejeitada, como meio de conhecimento espiritual. A razão é entronizada como o principal meio de obtenção das crenças, de natureza ética ou metafísica. O primeiro capítulo de Romanos tece considerações sobre a religião natural. Os pagãos, embora lhes faltem revelações especiais, contam com a revelação divina na natureza, e, através da razão, são capazes de reconhecer isso. O segundo capítulo da mesma epístola mostra que os valores éticos também se encontram nesse caminho. Em contraste com isso, a religião sobrenatural parte do pressuposto que Deus intervém na história humana por meio de visões e experiências místicas, dadas aos profetas, através de quem a mensagem espiritual essencial é transmitida. As pessoas que insistem que devemos dar pouca atenção às experiências, na vida religiosa, aproximam-se em espírito, mesmo que não teoricamente, da mentalidade da religião natural. Ver o artigo separado sobre a *Teologia Natural e a Teologia Revelada*.

VIII. A Ênfase da Bíblia

O Antigo Testamento, do começo ao fim, repousa sobre a revelação dada mediante os profetas. Além de terem sido os receptores da revelação e de serem os meios de comunicação da mensagem de Deus aos homens, também foram homens dotados de profundas experiências místicas. Consideremos os casos de Elias, de Eliseu e de Isaías. No Novo Testamento, antes de tudo, encontramos o inspirado ministério de João Batista. Ele não era apenas homem que lia a sua Bíblia e orava. Era um líder cheio do Espírito, desde antes de seu nascimento (caso único no que tange à Bíblia, se exceptuarmos, naturalmente, o próprio Senhor Jesus, que não tinha o Espírito por medida). Jesus contava com o ministério direto e pleno do Espírito de Deus. Foi especificamente por esse motivo que ele foi tão poderoso, em sua vida e em seu ministério. O livro de Atos demonstra amplamente as experiências místicas dos apóstolos e dos primeiros diáconos e pregadores cristãos. A própria mensagem cristã surgiu mediante a inspiração e a revelação divinas. O poder cristão era dado aos crentes através dos dons espirituais. Paulo forneceu-nos uma perspectiva inteiramente nova da teologia, porque foi homem dotado de muitas visões e experiências místicas (II Cor. 12). Ele nos encoraja a buscar os dons espirituais (I Cor. 12) e a procurar a iluminação espiritual (Efé. 1:17 *ss*). Se buscarmos somente as experiências, porém, entraremos em situações injuriosas e falsas, levados pela nossa própria inadequação. Mas, se

adicionarmos as experiências a um conhecimento bem fundado e à atividade intelectual, adicionaremos vitalidade ao nosso dogmatismo. A salvação, afinal de contas, consiste naquilo que nos acontece, naquilo que experimentamos, até onde avançamos em nossas experiências místicas, e não na mera crença em credos bem organizados. Sempre será verdade que a letra, isolada, mata, ao mesmo tempo em que o Espírito é quem dá vida (II Cor. 3:6). Dizemos isso como uma aplicação, e não como uma interpretação desse trecho de II Coríntios, pois, para Paulo, a letra era a lei, em suas exigências, sem o auxílio do Espírito.

EXPERIÊNCIA RELIGIOSA PSICODÉLICA
Ver **Psicodélico: Experiência Religiosa Psicodélica**.

EXPERIÊNCIAS ANTECIPADAS

Era a doutrina de Kant de que todas as sensações (isto é, percepções dos sentidos) têm algum grau de intensidade. Segundo Kant, as percepções dos sentidos são governadas por categorias mentais *a priori*, embora não saibamos dizer com antecedência qual será sua qualidade ou grau.

EXPERIÊNCIAS PERTO DA MORTE

Esboço:
  I. Declaração Introdutória
  II. Casos Específicos e Caracterização Geral
  III. Sumário dos Elementos Principais
  IV. Explicações Alternativas
  V. Implicações Teológicas

I. Declaração Introdutória

Faz agora alguns anos que eu estava falando com dois missionários evangélicos. Entusiasmado, eu lhes dizia como a *ciência* não está longe de demonstrar a existência da alma e sua sobrevivência diante da morte, através das descobertas que estão sendo feitas pela parapsicologia. Para minha surpresa, eles não compartilhavam do meu entusiasmo. Quando comentei sobre isso, eles disseram que não necessitavam de tais provas, por terem a fé bíblica. Mas, as pessoas «do mundo» certamente precisam de provas assim. A crença na existência da alma leva-nos a poucos centímetros da crença em Deus. Em todas as religiões, essas são duas crenças básicas; confiar nas mesmas, certamente, não é prejudicial a ninguém. Ademais, seria uma coisa tremenda se a ciência viesse a confirmar, mediante seu método empírico, que os nossos filósofos e teólogos estavam com a razão o tempo todo, no tocante a essa questão. Sempre me senti fascinado pelos assuntos da alma. Qualquer coisa que nos ajude a entender o assunto, será sempre interessante para mim. Já escrevi um livro sobre a ciência e a alma, intitulado *Evidências Científicas Demonstram que Você Vive Depois da Morte* (Nova Época, SP), que talvez interesse ao leitor. Ver também o artigo geral sobre a *Parapsicologia*. Além disso, nesta enciclopédia, tratamos amplamente sobre a *Alma* e sobre a *Imortalidade* (que vede). Entre os artigos sobre a imortalidade há um chamado *Abordagem Científica à Crença na Alma e em sua Sobrevivência ante a Morte Física*, que sumaria as evidências.

Na opinião deste autor e deste tradutor, as experiências perto da morte constituem a melhor evidência, do ponto de vista científico, da realidade da alma humana e de sua sobrevivência ante a morte biológica.

Com toda a razão esse tema tem atraído muita

EXPERIÊNCIAS PERTO DA MORTE

atenção em nossos dias. Um número crescente de obras literárias ou tem examinado exclusivamente o fenômeno do retorno após a morte clínica, ou tem discutido a sério esse fenômeno, paralelamente a estudos de natureza similar. Considero que esse fenômeno é a experiência humana mais convincente, tanto para demonstrar a existência da alma como para provar que ela sobrevive à morte biológica. O leitor poderá observar (enquanto perscruta este capítulo) a extraordinária semelhança dessa ocorrência com a projeção da psique, que foi ventilada em um artigo sobre esse assunto. Realmente, a morte física é apenas uma projeção permanente da alma para fora do corpo. Algumas pessoas têm podido retornar a seus corpos, mesmo depois que o espírito já se separara do seu veículo físico. E ao retornarem, conseguiram reter memória perfeita da sensação da morte. Porém, a informação mais importante que essas pessoas têm para nos dar, a respeito dessa experiência, é que a morte não mata. Longe de matar, na maioria dos casos a morte nem mesmo interrompe o fluxo da consciência. De fato, a consciência é intensificada e expandida, além de ser iluminada, devido a essa experiência. A morte é um acontecimento ao mesmo tempo jubiloso e triunfal. Várias das narrativas expostas abaixo ilustram bem essas declarações. (No fim deste capítulo, apresento uma avaliação e um sumário das implicações envolvidas nessas experiências).

A Dra. Elisabeth Kubler-Ross é uma perita em assuntos de tanatologia (o estudo da morte e do ato de morrer). Sendo médica e psiquiatra, naturalmente ela já teve contato com a morte por inúmeras vezes. Já estudou e observou a vida e a morte de muitos pacientes em estado desesperador, tendo efetuado muitas pesquisas de natureza psicológica com esse tipo de pessoas. Em resultado desses contatos, ela escreveu três livros muito procurados, que versam sobre a morte. Em inglês, os títulos dessas obras são: *On Death and Dying; Questions and Answers on Death;* e *Death, the Final Stage of Growth.* Antes de iniciar o seus estudos a respeito da morte, os quais foram incorporados nesses três volumes, a Dra. Kubler-Ross não acreditava na «sobrevivência» da personalidade humana diante da morte biológica. Todavia, as suas pesquisas modificaram a sua maneira de pensar. A princípio, ela julgou que estava descobrindo apenas uma «ciência contraditória», e sentiu-se embaraçada a respeito de suas descobertas. Finalmente, entretanto, centenas de episódios serviram para convencê-la sobre a grande possibilidade da sobrevivência da alma à morte física. Agora ela só teme o ridículo lançado pela «comunidade científica», cujos dogmas ela ousou desafiar.

Alguns dos casos abordados em seus livros envolvem a «morte clínica». Com surpreendente freqüência, as narrativas expostas por aquelas pessoas, acerca do retorno após a morte clínica, são incrivelmente similares entre si. Quase todas aquelas pessoas que foram «reavivadas», após terem experimentado a morte clínica, isto é, cujos corações não mais pulsavam, e que não demonstravam possuir quaisquer sinais de ondas cerebrais, deram a impressão de que a morte é uma «sensação incrivelmente maravilhosa». Essas pessoas nunca mais haverão de temer novamente a morte, embora continuem vivendo sob a ameaça diária de serem vitimadas por ela.

II. Casos Específicos e Caracterização Geral

1. A Dra. Kubler-Ross entrevistou centenas de pacientes que haviam sido declarados clinicamente

mortos, mas que ressuscitaram. Essas pessoas invariavelmente testificaram sobre o fato de que uma «auto-entidade», se separa do «corpo». Então, quando isso sucede, disseram elas, o indivíduo é invadido por profundos sentimentos de tranqüilidade e bem estar. Muitas dessas pessoas foram testemunhas dos esforços enviados pelos médicos para reavivarem seus corpos inertes. Muitas delas haviam tentado comunicar-se com os médicos, dizendo-lhes que a morte é boa, e que os médicos deveriam desistir das suas tentativas de reavivamento.

As pessoas que abandonam o corpo físico são saudadas por alguém a quem muito estimam. Algumas pessoas especialmente religiosas vêem importantes personagens religiosas, que vieram para estar presentes à transição para a outra vida. Um caso típico dessa ordem é aquele que relatamos abaixo.

«A paciente contou-me como olhara para baixo e ficara surpreendida com a palidez do rosto de seu corpo físico. Então ela tomou consciência de que um grupo de médicos entrou precipitadamente, trazendo equipamento de ressuscitação para o interior da sala. E embora a paciente, naqueles momentos, não mostrasse batidas cardíacas, nem pulsação, nem ondas cerebrais e nem qualquer sinal de vida, mais tarde ela soube dizer quem entrara no aposento e o que essas pessoas tinham dito. Ela também afiançou que tentara dizer ao grupo de médicos que não perdessem tempo com ela; mas eles não a podiam ouvir. Após alguns momentos, ela sentiu que se apagava a sua nova consciência. Naquele instante, os instrumentos registraram sinais vitais novamente, no seu corpo».

O que isso demonstra para nós é que um homem é mais do que o seu corpo físico, e também que a sua inteligência, apesar de utilizar do cérebro como um veículo, pode operar, de maneira ainda misteriosa e desconhecida, sem o cérebro físico. Talvez a inteligência continue a usar um veículo qualquer como o cérebro do contracorpo, ou corpo superfísico. Ou então a alma nem precise de qualquer veículo a fim de agir, pois ela seria o princípio mesmo da inteligência, ou seja, a alma é um «intelecto».

Se, no momento da entrada nos primeiros estágios da morte—quando o corpo é declarado clinicamente morto—a inteligência permanece normal, e, além disso, se não há qualquer perda da «consciência» e da identidade pessoal, então diante de nós acha-se comprovado o fato de que a inteligência consiste em algo «extracerebral». Nesse caso, fica igualmente demonstrado que o cérebro é apenas um veículo da inteligência, um veículo que funciona sob certas circunstâncias, longe de ser ele a própria inteligência. A inteligência é *algo mais vasto* do que qualquer aparelho físico que possa contê-la temporariamente. Filosoficamente falando, referimo-nos ao ser vital como um «intelecto», conforme se vê, por exemplo, nos escritos de Aristóteles. E, teologicamente falando, denominamos esse intelecto de uma fagulha do Grande Intelecto.

A «realidade» envolvida em toda essa questão, em última análise, bem pode ser aquilo que o idealismo tem proposto, a saber, um campo de força de energia muito diferente daquilo que se chama «matéria». Talvez seja uma energia não-material, mais básica como forma de vida do que a matéria. Em outras palavras, a matéria seria apenas uma das manifestações da «realidade». A matéria, pois, não é a substância mesma da vida, mas somente uma das suas formas de expressão. No ser humano, o campo de energia, que sobrevive à morte biológica, pode ser chamado de alma ou intelecto. Ou então, o campo de

EXPERIÊNCIAS PERTO DA MORTE

força, que temos chegado a conhecer através de certa modalidade de fotografia e de determinados instrumentos, pode ser apenas um outro veículo do «intelecto». De qualquer modo, as evidências mostram-nos que o homem é muito mais do que o seu corpo material, e que *aquilo que o homem é* sobrevive à morte biológica.

2. O Cleveland Beacon Journal estampou, nos primeiros meses de 1967, o convincente caso que envolveu a Sra. Mary Grohe, de cinqüenta anos de idade, que residia na localidade de Stow, no estado de Ohio. A Sra. Grohe, que durante algum tempo padecera de um coração combalido, a ponto de precisar trocá-lo por um novo marcapasso, chegou tão perto da morte quanto é possível, para depois reviver e narrar sua experiência. O marcapasso é um aparelhinho alimentado a pilha, com cerca de cinco centímetros de diâmetro e a metade disso em espessura. A sua finalidade é manter o coração batendo a um ritmo normal. Para tanto, é mister que o aparelho seja usado internamente, na área do abdome, — de onde o marcapasso envia impulsos elétricos ao coração, por meio de um fio. Dois dias depois da operação que se fizera necessária a fim de colocar o aparelho, a Sr. Grohe sofreu um ataque cardíaco.

Durante cerca de três minutos, para todos os efeitos a Sra. Grohe esteve clinicamente morta. Todavia, foi ressuscitada mediante a aplicação de choques elétricos no coração. Então, ao despertar, trazia consigo a vívida e plena memória de uma estranha experiência que ela não hesitou em relatar. Ela fora projetada para fora do corpo através de um espaço que era alternadamente vermelho e negro. O termo «morte» passou a predominar em sua consciência. Em seguida, ela viu a sua própria mãe, que havia falecido em 1949. Sua mãe trazia no colo um bebê que fora um aborto natural da Sra. Grohe, em 1941. E sua mãe lhe disse: «Ainda não, Mary!»

Então a genitora da Sra. Grohe desapareceu de sua visão, — e ela mesma viu o seu corpo, no hospital, lá embaixo, enquanto os médicos procuravam ressuscitá-la. (Informação extraída da revista *Fate*, edição de março de 1967, pág. 48).

3. Essas Experiências Não Respeitam Credos

Um dos fatores mais convincentes a respeito dessas experiências fora do corpo, e de seus respectivos relatos, quando o indivíduo retorna à vida, após a morte clínica, é a sua estranha *similaridade*, sem importar o credo dos participantes. Essa similaridade atravessa as barreiras culturais e raciais sem encontrar qualquer obstáculo.

O Dr. J., professor de filosofia da Universidade Oral Roberts, não se considerava um homem particularmente religioso. Mas esse fato não impediu que ele visse a realidade com transparente clareza: a morte não mata!

Na cidade de Albuquerque, estado de Novo México, nos Estados Unidos da América do Norte, em 1966, o Dr. J. e a sua esposa estavam assistindo a uma conferência dedicada exclusivamente a filósofos. Ele acabara de entregar o que julgou ser um discurso muito deficiente sobre as implicações filosóficas da vida após a morte física. Mais tarde, pensou que o que lhe veio a suceder fora um castigo por causa de sua exposição tão má. Como se tivesse sido antigido por um raio, ele teve um ataque cardíaco. Embora já tivesse sido marcada a viagem de automóvel, de volta para Tulsa, Oklahoma, que se daria no dia seguinte, essa ocorrência exigiu que ele permanecesse em Albuquerque e consultasse um médico, no dia

posterior. Subseqüentemente, porém, voltaram para Tulsa, no automóvel dirigido por sua esposa, e, o Dr. J. pôde descansar durante o fim de semana.

Coisas piores estavam ainda por acontecer, entretanto. Imediatamente antes da aula de segunda-feira, um ataque cardíaco ainda mais severo que o primeiro deixou o Dr. J. em estado de coma. Em um momento em que recuperou a consciência, ele reconheceu instintivamente que o seu fim estava próximo. Os seus familiares tinham vindo postar-se perto de seu leito, mas foram afastados dali pelos médicos que o atenderam.

Assim que seus familiares saíram da sala, subitamente o Dr. J. entrou em um estado no qual tinha consciência, mas não do seu meio ambiente físico, imediato. Então ele se elevou para fora do seu corpo, e viu-se olhando para a figura imóvel que jazia lá embaixo, na cama.. «Olhei para baixo e vi a mim mesmo deitado ali, como se fosse um grande peixe que tivesse sido arrastado para a praia». Por essa altura, o Dr. J. tomou consciência de outros personagens que estavam em segundo plano. Ele não sabia quem ou o que eles eram. Mas viu a sua força vital escapar-se dele, e ouviu um daqueles seres afirmar que, ao terminar o processo de drenagem, ele estaria morto. Ora, o Dr. Crookall, diante disso, ter-nos-ia dito que se tratava do corpo vital, que estava emergindo do corpo físico, e que esse corpo vital envolve o corpo superfísico. Contudo, o Dr. J. nada sabia então sobre essas coisas. Tudo quanto ele sabia era o que estava observando pela primeira vez. Ao ver a sua vitalidade escapar, e tendo ouvido aquela casual observação da parte dos seres espirituais, a respeito da *sua morte*, subitamente ele sentiu uma aguda indignação, e, com isso, veio-lhe o pensamento de que existe uma *força* que era capaz de fazê-lo retornar à vida. Aquilo foi uma declaração de fé, sobre a qual ele nunca antes pensara, enquanto não passou por aquela experiência. Então o processo foi misteriosamente revertido. A estranha cena desapareceu, e o Dr. J. retornou à sua consciência normal, embora trouxesse consigo a memória perfeita e clara de tudo.

J.G.R. Forlong declarou de certa feita: «Não há como voltar; não há nenhum Eliseu cujos ossos possam trazer os mortos de volta à vida; não há nenhum Jesus que nos ordene a 'sair', como Lázaro; não há quem retire a pedra de diante do túmulo; todas essas coisas não passam de lendas». Entretanto, a experiência humana prova conclusivamente que o Sr. Forlong estava redondamente equivocado. Existem forças muito acima do nosso conhecimento, e homens comuns, vindos de todos os quadrantes da vida, têm sido testemunhas dessas forças em operação.

Referindo-se aos milagres, declarou Bertrand Russell, filósofo materialista, há poucos anos falecido:

«Se eles, os milagres, realmente existem, são uma interrupção em nossa jornada normal entre o nascimento e a morte». Na verdade, o dr. Russell duvidava que os milagres realmente possam ocorrer, e, além disso, ele supunha que, para o homem, nada mais existe senão aquela cansativa viagem desde o nascimento até à morte. Conforme declarou, ele mesmo vivia em um estado de «confiante desespero». A experiência humana, contudo, ensina-nos que o Dr. Russell era por demais pessimista. (Informação extraída do livro de Victor Levesque, *Miracle Cures*, Dell, Nova Iorque, 1969, primeiro capítulo). A designação, «Dr. J.» foi usada acima para indicar o

EXPERIÊNCIAS PERTO DA MORTE

professor envolvido no episódio porque a sua universidade não quis uma publicidade indesejável, em razão de um de seus professores haver passado por uma experiência como aquela. A despeito da Universidade Oral Roberts ser uma instituição religiosamente orientada, o Dr. J. fora convidado a ensinar ali especificamente por não ser ele um homem especialmente religioso, porquanto esperava-se proporcionar aos estudantes uma outra perspectiva das coisas, que não fosse a perspectiva religiosa.

4. Crendo no impossível

Os Drs. R.L. MacMillan e K.W.G. Brown, co-diretores da unidade de socorros cardíacos da coronária, do Hospital Geral de Toronto, no Canadá, evidentemente acreditavam naquilo que outras pessoas julgavam ser impossível. Ao referirem-se à experiência de Leslie Sharpe, que passara por uma projeção astral, durante um episódio de morte temporária, devido a um ataque de coração, eles afirmaram que Leslie Sharpe passara pelo que «podia ser a experiência da alma deixando temporariamente o corpo».

As provações do Sr. Sharpe começaram com uma forte dor no braço esquerdo. No dia seguinte, quando estava ligado ao eletrocardiograma, sem qualquer aviso prévio ele soltou um suspiro profundo e a sua cabeça tombou para o lado direito. «Por que a minha cabeça ficou assim pendente?» pensou ele, perplexo. E então, repentinamente, notou que estava olhando para baixo, para o seu corpo, da cintura para cima, face a face, como se estivesse mirando em um espelho. Ele viu a si mesmo saindo do seu corpo, saindo pela cabeça e pelos ombros. Sob tais circunstâncias, o Dr. Crookall teria salientado que se tratava da projeção do corpo superfísico, o que se verifica a partir da área da cabeça, em contraste com a projeção do corpo vital, que sai da região do plexo solar. Em seguida, houve a sua projeção pelo espaço, tão comum nos relatos apresentados após a volta da morte clínica. Ele penetrou em um estado de grande tranqüilidade, e passou a flutuar em uma luz brilhante, pálida, amarelada. Foi então que recebeu pancadas como que com uma marreta, em seu lado esquerdo. Sharpe abriu os olhos. Médicos e enfermeiras estavam em redor da sua cama. Eles lhe tinham aplicado uma série de seis choques elétricos (no lado esquerdo do corpo, naturalmente) para que o coração começasse a pulsar novamente. (Informação extraída do *prólogo* do volume de Aleen Spraggett, *The Case for Immortality*, The New American Library, Nova Iorque, 1974).

5. Dr. C.G. Jung

O Dr. Jung passou por muitas experiências espontâneas de natureza psíquica durante a sua vida; mas nenhuma delas foi tão impressionante quanto seu próprio retorno da morte física. Jung fora vitimado por um pequeno acidente, mas que resultou em um ataque cardíaco. Foi devolvido à vida mediante injeções de cânfora e aplicação de oxigênio; todavia, antes que isso tivesse tido lugar, ele adicionou um grande tesouro às suas memórias.

Jung foi transportado para um nível acima do globo terrestre, e contemplou uma luz gloriosamente azulada, que banhava a terra. As cenas terrestres desapareceram de diante dos seus olhos admirados, e com grande espanto, contemplou um magnífice templo onde, em uma sala feericamente iluminada, ele sabia que estava a pique de encontrar-se com «todos aqueles a quem eu pertencia, na realidade». Toda a fantasmagoria da vida terrena foi retirada de sua presença. Ele sentiu que muito em breve receberia a resposta para todo o enigma da existência. Inesperadamente, porém, em meio àquela cena tão transcendental, apareceu o seu médico, que vinha flutuando, o qual lhe disse que ele não tinha o direito de ir embora, mas que deveria retornar ao mundo prontamente. Em vista disso, a sua visão ficou anuviada, e ele voltou ao seu corpo físico. Porventura ele se alegrou por estar de volta a esta vida? Ninguém se alegra com isso! Essa é uma das características mais comuns dessas narrativas. Muito pelo contrário, agora Jung via o mundo inteiro como se fosse uma *prisão* (eis que Platão está falando novamente!) e sentiu-se profundamente desapontado e invadido por grande nostalgia, por ter voltado à cena terrestre.

Durante semanas ele foi caçado por uma dolorosa saudade daquela experiência. Jung comentou posteriormente, acerca daquela experiência: «Eu jamais teria imaginado que tal experiência era possível. Não foi apenas um produto da imaginação. As visões e experiências foram totalmente reais; nada havia de subjetivo com elas; todas elas se revestiam das qualidades de uma absoluta objetividade. Só posso descrever essa experiência como o êxtase próprio de um estado não-temporal, no qual o presente, o passado e o futuro tornam-se um só... É a felicidade eterna, pensei. Isso não pode ser descrito; é maravilhoso demais». (C.G. Jung, *Memories, Dreams, Reflections, Nova Iorque, New York Books*, 1963).

6. Aqueles que esperam

Quase todas as narrativas que envolvem mortes clínicas referem-se também a certos personagens que esperam, como se formassem uma comissão de recepção, por aquele que está morrendo. Normalmente, quando esses seres podem ser identificados, trata-se de pessoas que os moribundos tinham conhecido em vida, usualmente amigos íntimos ou parentes, embora estejam incluídos também alguns conhecidos mais remotos. Ocasionalmente (e mui significativamente!) alguém que já falecera, mas cuja morte era um fato desconhecido para o paciente, é visto por este último. A reação do paciente, diante de uma ocorrência tão inesperada, geralmente consiste em surpresa, choque ou incredulidade.

7. Infundindo esperança nos desesperados

Uma mulher bastante rabujenta, mal-humorada e irreligiosa estava gravemente enferma e não queria ouvir aqueles «vendilhões» da religião que tencionavam consolá-la, antes que partir para a outra vida. Ela sofreu uma morte clínica, mas foi ressuscitada por meio de um estimulante. Ao abrir os olhos, a mulher disse com voz solene: «Eu estava morta, mas toda a minha morte terminou. Vi os anjos, e eles são mais belos do que eu sou capaz de expressar». (Leslie Weatherhead, *Why do Men Suffer?*, Toronto, McCleland and Steward, Ltd. 1936, relatado em *The Case for Immortality*, Allen Spraggett, págs. 95 e ss).

Mais vinte e quatro horas, e aquela mulher azeda, que agora se tornara meiga, estava morta. O seu azedume e ressentimento haviam desaparecido. Ela morreu pacificamente, como uma pessoa gentil, paciente, serena, e acima de tudo, morreu sem qualquer sinal de temor. Havia recebido um pequeno vislumbre a respeito do mundo do além. Quão belas foram as suas palavras: «Toda a minha morte terminou». Quando ela morreu para o próprio «eu», abriu-se diante dela uma nova vida. É possível que somente a própria morte seja capaz de mostrar isso para determinadas pessoas.

Esse caso é interessante porque contradiz as explicações dadas pelos céticos, que falam em

EXPERIÊNCIAS PERTO DA MORTE

«alucinações». Aquela mulher sob hipótese alguma esperava ver qualquer coisa de natureza mística, mormente alguma coisa que retratasse esperança e beleza. Se porventura ela tivesse tido alguma alucinação, só poderíamos esperar alguma forma de imagem demoníaca. A similaridade dessas experiências também contradiz essa explicação de «alucinação», tal como o faz o *modus operandi* da separação entre o espírito e o corpo físico, que permeia todas as experiências desse gênero. No sumário e avaliação que apresento no fim deste artigo, —tento expor algumas explicações sobre por qual razão muitos desses relatos sobre retornos após a morte clínica não podem ser considerados relatos acerca de meras alucinações.

Os pesquisadores indicam que as visões do leito de morte normalmente ocorrem dentro das últimas vinte e quatro horas anteriores ao falecimento do indivíduo, e com freqüência sem qualquer razão aparente. Muitos desses episódios são totalmente isentos de condições como a privação de oxigênio, como também não se verifica nenhuma dor incomum, febre ou intoxicação por meio de drogas. Tais visões geralmente apenas aparecem, e a única causa absoluta delas é que o indivíduo, na realidade, está bem próximo da morte, e, por conseguinte, bem perto de entrar na outra dimensão da existência. Enquanto a cortina da vida física desce, e a cortina da vida do além sobe, no momento em que essas cortinas se cruzam, o indivíduo pode dar uma espiada no outro mundo.

O prolífico e extraordinário escritor, Colin Wilson, presenciou, em primeira mão, um caso de retorno após a morte clínica. Realmente, esse episódio envolveu a sua própria genitora, —e então foram feitas observações posteriores que nos atraem a atenção.

Dores estomacais, que a princípio não foram reconhecidas como os sinais de um apêndice inflamado, quase fizeram desse episódio de retorno da morte clínica um caso sem retorno! Porém, quando o apêndice se rompe os sintomas não são nada agradáveis; no entanto, dessa vez o ataque de apendicite armou o palco para uma valiosíssima experiência. As condições da mãe de Wilson agravaram-se enormemente, e a opinião médica foi que ela estava à beira da morte. No entanto não somente ela estava resignada diante da morte, mas também esperava a morte com o senso da maior felicidade. Ela mesma é quem conta:

«Nada mais importava. E, repentinamente, eu olhei para um dos lados da cama, e lá estava um idoso homem de barba branca, que se parecia com um personagem bíblico. Lembro-me de haver dado uma espiada para baixo, tendo notado que ele usava sandálias. Havia uma espécie de rolo em suas mãos, como aqueles que se vêem nas lápides de cemitério. Ele começou a desenrolar o rolo e a falar comigo. Suas palavras eram belíssimas. Eu gostaria de poder me lembrar daquelas palavras, — mas não consigo. Ele parecia estar lendo aquelas palavras para mim. Porém, eis que ele olhou diretamente para mim, e disse: 'Olhe aqui, você não pode ir-se embora, pois ainda lhe resta fazer muita coisa. Você é necessária aqui!' Eu nunca me sentira tão feliz. Como eu gostaria de poder lembrar-me de todas as suas palavras. Todavia, ele prometeu-me uma coisa — ele disse que eu teria de ficar aqui por algum motivo. Depois que ele desapareceu, eu me senti muito melhor. E também sabia que não teria de morrer, se o que ele havia dito era a verdade. E eu *sabia* que era a verdade, pois a sua voz era tão gentil». (*Mysteries*, pág. 615).

Em favor da autenticidade desse relato, isto é, que não esteve envolvido algum sonho ou alucinação, podemos afirmar o seguinte: aquela mulher não estava dormindo. Ela recebeu aquela visão quando estava em estado de vigília. E a promessa feita a ela também mostrou ser veraz. Aquela mulher tinha um propósito para viver. O pai de Colin Wilson contraiu câncer, e a mãe dele foi aquela que cuidou do marido durante sete anos difíceis, antes que a morte lhe proporcionasse o livramento. Aquela experiência, no entanto, removeu inteiramente o temor da morte, de uma vez por todas. Apesar de que a personagem bíblica pode ter sido um colorido de sua mente, e não um fato objetivo quanto ao próprio visitante espiritual, a realidade da substância da visão nunca foi posta em dúvida por aquela mulher.

8. Consideremos a glória e a triunfo: o fator da alegria

Penso que incorreríamos em um grande erro se não enfrentássemos com franqueza a questão que a morte traz, para muitas pessoas, momentos de elevadíssima exultação e, praticamente para todos, uma considerável sensação de felicidade. Emanuel Swedenborg predisse, com muitas semanas de antecedência, a data exata da sua própria transição para a outra vida. Uma criada, que estava presente no momento de seu falecimento, disse que «ele estava satisfeito como se fosse desfrutar de um feriado, como se ele estivesse indo para alguma festa» (*Mysteries*, p. 617). William Blake, o poeta metafísico, fez essa transição de uma maneira simplesmente gloriosa. Sua esposa afirmou que, imediatamente antes de seu passamento, «a sua fisionomia tornou-se bela — os seus olhos rebrilharam, e ele começou a entoar um hino sobre as coisas que via lá no céu».

Foi Tolstoi quem disse, em seu conto, *A Morte de Ivã Ilyich* (e creio que sua declaração exprime a verdade) que um certo homem havia chegado ao final de sua luta contra o câncer, e estava prestes a morrer. Durante todo o tempo aquele homem demonstrara considerável medo da morte. Não obstante, ao chegar o momento da transição, embora procurasse no seu íntimo por aquele receio já costumeiro, não foi capaz de encontrá-lo. Na verdade, não houve temor, porque também não houve morte. Em lugar da morte, houve luz. E então, subitamente, ele exclamou em voz alta: 'Então é nisso que consiste a morte! Que alegria!' É conforme comentou Colin Wilson acerca dessa narrativa: «Esse episódio exibe as marcas de um profundo discernimento pessoal». (*Mysteries*, pág. 617).

9. ESTUDOS DO MÉDICO R.A. MOODY

As narrativas acerca do retorno à vida, após a morte clínica, são tão antigas quanto a história da humanidade. A obra de Platão, *O Conto de Er*; *O Julgamento da Alma* (*República*, x.614-21) quase certamente é uma dessas narrativas (apesar de alguns adornos, adquiridos com a passagem do tempo). Alguns eruditos do Novo Testamento acreditam que o trecho de II Coríntios 12:2 e *ss* relata uma experiência dessa ordem, recebida pelo apóstolo Paulo, talvez em resultado de haver sido apedrejado por uma multidão, em Listra (ver Atos 14:19 e *ss*). Muitos supuseram-no morto. Mas, enquanto os discípulos estavam ao seu derredor, ele mesmo «...levantou-se e entrou na cidade...» No dia seguinte, aparentemente em razoável estado de saúde, Paulo partiu para Derbe. Não é impossível que Paulo nos tenha contado, em sua segunda epístola aos Coríntios, o que ele experimentou durante aqueles momentos em que não somente foi dado por morto, mas em que realmente

EXPERIÊNCIAS PERTO DA MORTE

havia morrido.

Durante as últimas poucas décadas, os pesquisadores têm procurado recolher material pertinente a essas experiências, a fim de estudá-las melhor. Assim sendo, apesar do Dr. Moody não ter sido o originador dessa espécie de pesquisas, ele tem realizado um trabalho excelente, compilando muitas dessas narrativas. Sendo um filósofo (tendo colado grau universitário nessa disciplina, antes de ter-se tornado médico) ele trouxe consigo certas habilidades analíticas para serem empregadas em suas pesquisas, uma vantagem que tem faltado à maioria de outros pesquisadores. Por conseguinte, tenho achado por bem devotar parte do presente artigo aos estudos feitos pelo Dr. Moody. Ele escreveu dois «best-sellers» sobre esse tema, intitulados: *Life After Life*, Bantam Books, Nova Iorque, 1976 (edição Bantam, seguida por quatro outras edições); e *Reflections on Life After Life*, Bantam Books, Nova Iorque, 1978 (segunda edição).

Extraindo da morte o seu elemento de terror

Não é agradável relembrarmos algum acidente que causou uma morte sangrenta, e que arrebatou de uma hora para outra uma vida humana. Não obstante, há bons motivos para crermos que *a vida*, e não a morte, é quem sempre diz a última palavra. Consideremos o caso daquela jovem que sofreu graves injúrias físicas, embora o episódio lhe tenha ensinado lições das quais ela jamais se esquecerá:

«Eu podia ver o meu próprio corpo, todo retorcido dentro do automóvel, entre todas aquelas pessoas que se tinham reunido à minha volta. Sem embargo, eu não tinha qualquer espécie de sentimentos a respeito do mesmo. Era como se fosse um ser humano inteiramente diferente, ou mesmo algum objeto... Eu sabia que aquele era o meu corpo, mas eu não embalava qualquer sentimento a respeito dele». (*Life After Life*, pág. 40).

Contraste-se isso com a estupidez daqueles que andam congelando cadáveres, na esperança de que, algum dia futuro, esses corpos possam ser ressuscitados! O que deve pensar uma *alma* quanto à qualidade espiritual daqueles que ela observa congelando seu cadáver? Oh, a tremenda *cegueira* do materialismo?

Os Estágios Preliminares

Estar presente, mas de um modo diferente? Em sua maioria, os casos de retorno após a morte clínica não envolvem longos períodos de tempo, sendo que encerram apenas as impressões iniciais dos quase falecidos. Naturalmente, as experiências que envolvem algum período mais extenso de tempo incluem uma maior variedade de tipos de coisas que acontecem aos que iniciaram a transição para a outra vida. O caso abaixo ilustra essas primeiras impressões:

«Os médicos e as enfermeiras estavam socando o meu corpo, procurando reiniciar as contrações cardíacas e devolver-me à vida, e eu continuava tentando dizer-lhes: 'Deixem-me em paz. Tudo quanto quero é ser deixado em paz. Parem de socar-me!' Porém, eles não me ouviam. Portanto, tentei segurar as mãos deles, para que não continuassem espancando o meu corpo, mas nada acontecia. De nada adiantavam os meus esforços. Não sei dizer como a coisa acontecia — realmente, não sei explicar, mas eu não podia segurar-lhes as mãos. Parecia que eu estava tocando nas mãos deles, e eu tentava segurá-las, e, no entanto, as mãos deles continuavam se movimentando. Não sei dizer se era a minha mão que atravessava as mãos deles, se ela

girava em torno delas, ou o quê. Eu não sentia pressão alguma contra as mãos deles, quando tentava segurá-las».

E outro caso

«As pessoas chegavam vindas de todas as direções, procurando aproximar-se dos destroços do veículo. Eu podia vê-las, pois encontrava-me de pé em uma calçada muito estreita. Seja como for, ao se aproximarem, as pessoas não pareciam notar-me. Continuavam andando de olhar fixo para a frente. E, quando elas chegavam bem perto, eu tentava desviar-me delas, saindo de sua trajetória, mas elas simplesmente *atravessavam* por mim, e passavam» (*Ibid.*, págs. 44 e 45).

Aqueles que abandonam os seus corpos por algum tempo, retêm nesse estado o conhecimento do seu meio ambiente e são capazes de ver e ouvir, mas não podem comunicar-se audivelmente e nem podem ser vistos. Não sabemos explicar por qual razão isso acontece; porém, o mais provável é que isso esteja vinculado ao fato de que a alma, uma vez separada do corpo, visto ser ela composta de uma forma diferente de energia, é incapaz de interagir com a matéria crassa. As pessoas que se acham nesse estado não demoram a perceber que agora são possuidoras de um outro corpo. Esse outro corpo é sólido para o *próprio tato*, mas não oferece resistência à matéria e nem pode interagir com ela. A ciência, afinal, ensina-nos que mais de uma forma de energia pode ocupar um mesmo espaço, ao mesmo tempo.

Diferenças na percepção

Durante os estágios preliminares da morte física, enquanto o espírito ainda está se adaptando ao seu novo meio ambiente — (extraterreno) ausenta-se a percepção dos sentidos, conforme os conhecemos agora. Na verdade, certas percepções continuam idênticas às de agora, mas outras simplesmente desaparecem. As pessoas que têm retornado da morte clínica dizem que não sentiam qualquer variação de temperatura, ao passo que outras referem-se a um agradável calor que as circundava. Raríssimos são os relatos que aludem a paladar ou olfato. Entretanto, a visão e a audição mantêm-se perfeitamente intactas no novo corpo, espiritual, e em muitos casos, são significativamente intensificadas em sua acuidade. Verifica-se a transferência de pensamento com outros seres espirituais, e a compreensão intuitiva torna-se incrivelmente aguçada.

Deveríamos lembrar-nos, entretanto, que a maior parte das evidências que chegam até nós, na forma de testemunhos daqueles que retornaram da morte clínica, envolve um período curtíssimo de tempo, e que até mesmo esse brevíssimo período é apenas uma *transição*. Portanto, não podemos fazer juízos especialmente lúcidos a respeito da vida no além, com base nesses episódios. Todavia, uma lição nos é ministrada, em alto e bom som: a vida *tem prosseguimento* após a morte, e isso normalmente nos conduz a uma condição de existência melhor que a da vida terrena. Não obstante, as provas assim colhidas são por demais preliminares para que nos permitam formar, escudados nessas experiências, qualquer noção mais ampla sobre «o que será a vida do outro lado da existência». É verdade, todavia, que algumas dessas experiências incluem variedades de iluminação visionária, e não meras observações pessoais. Alicerçados sobre essas visões é que podemos tirar conclusões um tanto mais sólidas. Este *artigo* inclui algumas de tais experiências.

OS PARTEIROS

Um dos elementos mais comuns, dentro da

EXPERIÊNCIAS PERTO DA MORTE

experiência com a morte, é o encontro com outros seres espirituais, que estavam à espera da alma da pessoa moribunda. Essas entidades normalmente consistem em pessoas que os moribundos haviam conhecido enquanto elas viviam, como amigos, parentes, e outros. A função dessas entidades parece ser dupla: em primeiro lugar, elas realmente prestam o seu auxílio na transição, cortando o fio de prata, ou seja, promovendo o *nascimento espiritual*, através da morte física. Devemos observar a estranha *semelhança* entre o ato de nascer e o ato de morrer. As evidências mostram-nos que, de uma maneira bem literal, a morte é um nascimento. Em segundo lugar, aquelas entidades espirituais que aguardam a alma sem dúvida, formam uma comissão de boas vindas. Sempre será mais fácil passarmos por alguma experiência trabalhosa quando somos ajudados por outras pessoas. A morte não é exceção à regra. Essa comissão vem a fim de celebrar, juntamente com o moribundo, a vitória da vida. Essa celebração jamais termina, pois a vida é uma grande continuação.

«Passei por essa experiência quando dava à luz a uma criança. O parto foi dificílimo, e eu havia perdido muito sangue. O médico simplesmente desistiu de salvar-me a vida, e disse a meus parentes que eu ia morrer. Entretanto, eu me conservava perfeitamente alerta diante de todos os acontecimentos e, quando o ouvi dizer isso, senti que voltava a mim. Ao fazê-lo, porém, percebi que toda aquela gente também estava ali, aparentemente formando uma multidão, pairando bem perto do teto da sala. Todas elas eram pessoas que eu havia conhecido no passado, mas que já haviam falecido. Reconheci entre elas a minha avó e uma menina que eu conhecera nos tempos de escola, além de muitos outros parentes e amigos. A minha impressão é que eu divisava principalmente os seus rostos e sentia a presença deles. Todos eles pareciam muito satisfeitos. Era uma ocasião muito feliz, e eu sentia que eles tinham vindo a fim de proteger-me ou guiar-me. Era quase como se eu estivesse voltando para casa e que eles estavam ali para receber-me ou dar-me as boas-vindas. Durante todos aqueles momentos eu tive a sensação de que tudo era luz e beleza. Foram momentos lindos e gloriosos». (Ibid., págs. 55 e 56).

A fé religiosa sempre nos ensinou coisas dessa natureza. E a própria ciência, atualmente, através do exame das experiências humanas, está ajudando a reforçar a nossa crença. Afinal de contas, toda a verdade é *uma só*, e na verdade há retidão e esperança firmes. — O pessimismo é produto da cegueira espiritual. A existência só é má quando insistimos em torná-la má.

Os visitantes desconhecidos

Alguns dos membros daquela comissão de recepção aparentemente são totalmente desconhecidos do moribundo e, vez por outra (mas raramente) nenhum deles é alguém conhecido por ele. De modo geral, são considerados *entidades humanas*, mas, algumas vezes alguns desses visitantes parecem pertencer a uma ordem *diferente* da criação, embora *não* inteiramente diversa dos seres humanos. Nesses casos, sentimo-nos tentados a pensar que eles seriam «anjos», porquanto esse é o vocábulo usado na terminologia teológica a fim de indicá-los. Estou conjecturando que qualquer membro dessas comissões de recepção tem alguma razão especial para fazer-se presente, por ter alguma conexão íntima com o moribundo. Essa conexão pode ser de natureza espiritual, relacionada à *vida* do indivíduo (preexistente, terrena e pós-existente). O que estou tencionando dizer é que esta vida

terrena, que estamos vivendo (a qual, de fato, ocupa tão estreita faixa de tempo) dificilmente pode incorporar tudo quanto uma pessoa é. Também estou supondo, juntamente com os pais alexandrinos da Igreja cristã, que o espírito é preexistente e antiqüíssimo e que a vida física que o moribundo está terminando é um mero fragmento de sua existência total. Por conseguinte, aqueles visitantes podem ser pessoas que não foram conhecidas durante este mero fragmento da existência total — a vida terrena. A importância dos visitantes, para com o moribundo, não pode ser aquilatada mediante o contato ou a ausência de contato, durante alguns poucos e miseráveis anos de vida terrena. Afirmo que os nossos dogmas têm-nos furtado da «visão mais ampla» das coisas, — pois fazem com que a vida e o destino humano girem em torno de alguns poucos anos de existência neste mundo. Mas a alma é muito maior que isso!

ENCONTROS COM O SER LUMINOSO

Muitos casos que envolvem o retorno após a morte clínica, incluem um encontro do moribundo com um certo Ser Luminoso. Ele é a pessoa mais importante que está à espera do falecido. Com base nos relatos que tenho lido, o encontro com esse Ser é um encontro particular. Ele não é apenas um outro membro da comissão de recepção.

Identificando o Ser luminoso

A despeito do fato de que as descrições sobre esse Ser parecem bastante similares, dentro dos vários relatos que tenho podido ler, suponho que a identificação do mesmo, pelas pessoas, depende muitíssimo da orientação religiosa que uma pessoa tenha recebido em vida. Os crentes podem pensar ou não que ele é Cristo. Cristãos e judeus poderiam identificá-lo como «um anjo». Outros pensariam que ele é o próprio anjo da guarda do indivíduo. Certos indivíduos chamam-no, especificamente, de «um ser de luz», não lhe conferindo qualquer termo pertencente ao vocabulário teológico.

Características do Ser luminoso

Esse Ser aparece envolto em um brilho intensíssimo; mas a princípio esse brilho é fraco e então vai aumentando até adquirir um brilho extraterreno. Mas a luz que dele emana, apesar de ser intensíssima, não fere os olhos e nem impede que a pessoa veja as coisas ao redor desse Ser. O Ser luminoso é uma pessoa, e não alguma mera influência. Circunda-o uma aura de amor e simpatia. Ele obriga a pessoa a passar em revista a sua própria vida, extraindo julgamentos morais e espirituais a respeito da mesma. Apesar de ser totalmente santo, e a despeito de que as pessoas cujas vidas vasculhadas são cheias de defeitos, aquele ser não é inabordável. Muito pelo contrário, a sua presença as atrai e consola, mesmo em meio às mais horrendas revelações. O amor daquele Ser é inefável e a emanação que dele sai fortalece, consola e atrai. Ele é a essência do amor.

O Ser luminoso comunica-se

Entre os depoentes, há um consenso quase unânime no sentido de que a comunicação com aquele Ser se dá mediante a transferência de pensamentos. Essa comunicação é perfeitamente clara, não havendo qualquer chance de um mal-entendido. Ninguém pode mentir para aquele Ser. A entrevista começa com alguma pergunta pertinente e bem colocada, que tem o propósito de fazer a pessoa extrair de si mesma o significado da vida que até ali ela viveu, para ela avaliar seu valor e suas realizações. Esse Ser luminoso quer saber de coisas como estas: «Quanto você amou?» «O que você fez com a sua vida?» «A sua vida

EXPERIÊNCIAS PERTO DA MORTE

foi digna de ser vivida?»

O Dr. Moody salienta um importante fato a respeito de inúmeros casos por ele estudados: «...todos insistem que aquela pergunta, final e profunda como ela possa ser, quanto ao seu impacto emocional, de forma alguma é feita visando à condenação. Parece que todos concordam que aquele Ser não faz indagações com a finalidade de acusá-los ou ameaçá-los, porquanto continuam sentindo o amor e a aceitação mais plena da parte daquela Luz, sem importar qual tenha sido a resposta deles. Pelo contrário, o propósito dessas indagações parece ser fazer as pessoas meditarem sobre as suas próprias vidas. Por assim dizer, trata-se de uma indagação socrática, não para adquirir informações, mas para ajudar o indivíduo que está sendo interrogado, a fim de que prossiga pessoalmente pelo caminho da verdade». (*Ibid.*, págs. 62 e 63). O Dr. Moody com toda a razão chama esse Ser de *fantástico*. Nada existe de comum em sua pessoa, ele atrai a si todos os homens.

Consideremos algumas narrativas a respeito desses particulares:

«Ouvi os médicos dizerem que eu estava morto, e naquele momento comecei a sentir como se eu estivesse caindo, ou melhor, flutuando em meio àquela escuridão, que era uma espécie de recinto fechado. Na verdade, não existem palavras capazes de descrevê-la. Tudo era negro, exceto que, longe de onde eu estava, eu podia divisar aquela luz. Era uma luz muito, muito brilhante, mas não muito grande a princípio. Porém, foi ficando cada vez maior, enquanto eu me aproximava dela».

«Tentei chegar àquela luz, no outro extremo, porquanto senti que aquela luz era Cristo, e eu procurava chegar àquele ponto. A experiência não era assustadora. Era algo mais ou menos agradável. Pois, sendo eu um crente, imediatamente liguei aquela luz a Cristo, o qual disse: *Eu sou a luz do mundo*. Então eu disse para mim mesmo: 'Se assim são as coisas, e eu tenho mesmo de morrer, então já sei quem está esperando por mim, na outra extremidade, lá naquela luz». (*Ibid.*, pág. 62).

Um outro episódio

«Flutuei diretamente... subindo para aquela luz tão pura como o cristal, uma luz branca e iluminadora. Era muito bela e tão brilhante, uma luz radiante, embora não me ofuscasse os olhos. Não se trata de qualquer espécie de luz que alguém possa descrever na terra. Realmente, não vi ninguém naquela luz, e, no entanto, ela possuía uma identidade especial, bem definida. É uma luz de perfeito entendimento e de perfeito amor».

«À minha mente subiu a pergunta: *Tu me amas?* Não foi exatamente essa a forma da pergunta, mas penso que a conotação do que a luz quis dizer, foi: 'se tu me amas, volta e completa o que começaste a fazer na vida'. E, durante todo aquele tempo, eu sentia como se estivesse rodeado por um amor e uma compaixão avassaladores». (*Ibid.*, págs. 62 e 63).

De uma outra pessoa foi indagado se ela estava preparada para morrer. Esse Ser queria que essa pessoa fizesse uma avaliação sobre a sua própria vida. E ela explicou, referindo-se à questão: «...a partir do instante em que a luz falou comigo, eu me senti muitíssimo bem — segura e amada. O amor que emana daquela luz é simplesmente inimaginável, indescritível. Era muito divertido estar com aquela pessoa! E quero deixar bem claro que ela tinha também senso de humor! (*Ibid.*, pág. 64).

A REVISÃO

O Ser luminoso leva a pessoa a contemplar uma revisão da sua própria vida, mediante imagens vívidas, coloridas, movimentadíssimas, com freqüências tridimensionais. Tudo se desenrola com incrível velocidade, mas coisa alguma se perde do cenário. Uma vida inteira é sumariada e avaliada por meio dessas imagens, havendo uma perfeita compreensão sobre o que houve de mau, de bom, de egoísta, de altruísta, de perda de tempo ou de valor. A maioria dos depoentes vê nisso não somente uma forma de julgamento (avaliação) mas também um esforço educativo.

Quais são as grandes lições da vida?

Quais são os objetivos da vida?

Duas coisas destacam-se claramente nessas experiências: e a *primeira delas é o amor*. Todavia, a segunda é a necessidade de adquirirmos o conhecimento. Aprendermos a amar ao próximo e, portanto, aprendermos a servi-lo, é a maior de todas as lições. A maior de todas as lições pode ser expressa através daquela antiga canção popular, que diz: «Amar e ser amado». Os místicos informam-nos que, sem importar o grau de iluminação espiritual que alguém possa atingir, destaca-se uma verdade óbvia que não pode ser contradita, e para além da qual ninguém é capaz de ultrapassar: o amor é a sobrequilha do universo, o seu maior princípio e prática, a essência mesma da espiritualidade.

Adquirindo conhecimentos

A vida é uma escola. Como segunda grande lição a ser aprendida, compete-nos extrair da vida o tipo de conhecimento capaz de nos ajudar a crescer espiritualmente. Certa dama, ao falar a respeito da revisão que ela fizera de sua vida, declarou:

«Durante o tempo todo, ele continuava salientando a importância do amor. Os lugares e ocasiões onde isso ficava mais patenteado, segundo ele me mostrou, envolviam a minha irmã. Eu sempre fui muito amiga dela. Porém, ele mostrou-me exemplos de onde eu me mostrara egoísta com a minha irmã, embora também tivesse mostrado todas as vezes em que eu, realmente, usara de amor e compartilhara com ela. Ele salientou que eu deveria tentar fazer coisas em favor das pessoas, realizando tudo o que estivesse ao meu alcance. Todavia, em *tudo aquilo* não houve qualquer laivo de acusação. Quando chegávamos a momentos em que eu fora egoísta, a atitude dela era somente a de que eu também tinha aprendido alguma coisa deles».

«Ele parecia muito interessado pelas coisas concernentes ao conhecimento, por igual modo. Ele continuava salientando coisas ligadas ao processo do aprendizado. (Ele disse que) sempre haverá a inquirição pelo conhecimento. Ele disse que se trata de um processo permanente, em razão de que fiquei sentindo que esse processo continua após a morte física». (*Ibid.*, págs. 67 e 68).

Consistirá nisso o julgamento?

Alguns têm feito objeções a essas narrativas porquanto sentem, dogmaticamente, que o julgamento divino não pode ser algo tão suave como se depreende desses relatos. Em primeiro lugar, contudo, quero frisar que esse não é um julgamento no sentido teológico. Antes, trata-se de uma orientação, ministrada à pessoa moribunda, a fim de que ela penetre em uma nova fase da existência. Esse julgamento não estabelece fronteiras eternas. Até onde sou capaz de compreender as Escrituras (ver o trecho de I Pedro 4:6) essas fronteiras só serão fixadas quando do segundo advento de Cristo. A morte do

EXPERIÊNCIAS PERTO DA MORTE

indivíduo, pois, não fixa o seu destino eterno. Essa pequena parcela de discernimento teológico (e que está com toda a razão, segundo acredito) ajuda-nos a compreender melhor no que consiste essa revisão de que temos falado. Nessa oportunidade, não está sendo estabelecido qualquer estado permanente. Apesar de que essa revisão é uma forma óbvia de julgamento, ao mesmo tempo ela serve de orientação, de aprendizado, de experiência educativa. Por certo não é *o julgamento* final. O trecho de I Pedro 4:6 mostra-nos que o julgamento propriamente dito será uma medida restauradora, e não meramente retributiva. Todavia, isso é um tema que fica fora do escopo do presente artigo.

Chegando ainda mais adiante

O segundo livro de autoria do Dr. Moody, *Reflections on Life After Life*, faz acréscimos aos tipos de experiências relatadas no seu primeiro livro. Esse segundo volume enfatiza aquilo que temos denominado, no tocante à experiência da projeção da psique, de episódios «paradisíacos ou infernais». O próprio autor não lhes dá esse título, mas essa é a essência da questão. Supomos que essas experiências são conferidas visando a dar-nos instrução, por meio de visões (enquanto o indivíduo está fora do corpo) ou então poderíamos supor que certas pessoas realmente entram nas esferas do além, boas ou más. Em outras palavras, alguns indivíduos não vêem meramente certas cenas terrestres, relativas à sua experiência com a morte, juntamente com uma rápida revisão de sua vida neste mundo, no encontro com o Ser luminoso. Antes, as pessoas chegam a adquirir conhecimentos sobre a natureza da vida após a morte física. Deveríamos lembrar-nos aqui de que, mui provavelmente, estamos abordando modalidades de vida que caracterizam a experiência do pós-morte, em esferas não definitivas, e onde os destinos individuais não são delineados para sempre. Os teólogos chamam isso de «mundo intermediário».

Presume-se que o julgamento fixará estados e fronteiras, e normalmente (na teologia cristã) essa fixação é datada para a ocasião da segunda vinda de Cristo. Alguns teólogos, não obstante, objetam a qualquer idéia de fixação e determinação, acreditando que a situação das almas sempre se encontrará em estado de fluidez, permitindo mudanças, desenvolvimento, melhoria, etc., mesmo que isso não fique absolutamente garantido. Contudo, outros teólogos pensam que há uma base firme para aquela crença, porquanto existem certos passos bíblicos, neotestamentários, que concordam com tal avaliação. (Ver *Efésios* 1:10,23). Contudo, esses são problemas teológicos que estão fora do propósito deste artigo, sendo aqui mencionados somente para colocarmos, sob uma melhor perspectiva, as experiências «paradisíacas» e «infernais».

Experiências do tipo paradisíaco

Esse tipo de experiência envolve uma considerável medida de iluminação. Também envolve dimensões da existência onde o tempo, conforme o conhecemos, não mais existe, mas onde o passado, o presente e o futuro de algum modo co-existem em um estado que desconhece o fluxo do tempo. As pessoas (paralelamente aos místicos) costumam acentuar a natureza inexprimível dessas experiências. O indivíduo penetra em alguma modalidade de «conhecimento completo», onde grandes mistérios são solucionados e são intuídas grandes verdades. Pode-se então apreciar a imensidão do significado da vida. Porém, o retorno de tais dimensões da sabedoria é o bastante para apagar da memória a iluminação ali recebida, excetuando-se

apenas uma melhor apreciação pela misericórdia e o amor de Deus, além de restar uma percepção mais clara de como tudo é permeado por propósitos divinos incomensuráveis.

Algumas pessoas têm salientado, especificamente, o fato de que o seu «Retorno» levou-as a perderem a iluminação que haviam adquirido naquela outra dimensão. «Foi-me dito que eu não poderia reter aquele conhecimento» (*ibid.*, pág. 11). Elas sabem tão-somente que viram coisas por demais grandiosas para poderem expressá-las agora, por demais imensas para poderem comunicá-las a outros. Isso faz-nos lembrar da projeção de Paulo *ao terceiro céu* ou «paraíso», conforme se registra em II Coríntios 12:1 e *ss.* No quarto versículo daquele capítulo, Paulo informa-nos especificamente que ele foi «arrebatado ao paraíso; e ouviu palavras inefáveis, de que ao homem não é lícito falar». Todavia, Paulo encontrou algo no que «se gloriar» naquela sua experiência, a despeito de haver reconhecido que era uma insensatez ufanar-se.

Essas experiências, longe de removerem a necessidade de buscarmos um maior conhecimento, asseguram-nos que existe um real conhecimento que precisa ser investigado, porquanto isso pode beneficiar não somente o próprio indivíduo, mas também todos os seres humanos. De fato, o conhecimento deve ser buscado com o propósito específico de ser comunicado aos nossos semelhantes.

Platão expressou de forma admirável essa aquisição e essa perda da iluminação, em sua estória sobre Er, um guerreiro que teria retornado à vida. Er viajou através da planície do Olvido, e resolveu descansar, **acampando** às margens do rio do Esquecimento, cujas águas nenhum vaso podia conter. Ali, as almas bebem daquelas águas e se esquecem de tudo, sendo que, ao regressarem ao mundo, nada podem relatar, embora reconheçam que algo de grandioso sucedeu a elas. O próprio Er, entretanto, não recebeu permissão de beber daquelas águas, e imediatamente pôde retornar ao seu corpo, sobre a pira fúnebre, conseguindo reter muitíssimas memórias da sua experiência. A estória contada por Platão, do princípio ao fim, soa como uma experiência genuína, e, em sua maneira poética de expressar as coisas, faz-nos lembrar de *O Peregrino*, de Bunyan. (Ver *República*, x.614-21).

CIDADES DE LUZ

Continuando a examinar as experiências paradisíacas, é mister que se diga que vários casos são aventados pelo Dr. Moody, no seu segundo livro, nos quais estão incluídas certas cidades de luz, dimensões *celestiais*. Nesse livro pois, ele afirma ter conversado com «numerosos indivíduos» que têm feito menção de tais experiências, embora ele não tivesse feito qualquer registro desses relatos, em seu primeiro volume, porquanto ainda não tomara consciência da coisa.

Certo homem, ao referir-se ao seu vôo até uma outra realidade, começa a descrever, daquela maneira já familiar, a separação entre seu espírito e seu corpo, a sua passagem pelo túnel escuro e a sua entrada na luz; no entanto, daí ele passou para a narração acerca de uma realidade diferente, um outro tipo de paraíso:

«...levantei-me e fiquei a alguns palmos acima do meu corpo, olhando para ele. Ali estava eu, enquanto várias pessoas trabalhavam em meu corpo. Não sentia medo e nem dor. Sentia apenas paz. Depois de provavelmente um segundo ou dois, pareceu-me que eu me varava e subia. Era escuro — poder-se-ia chamar àquilo de buraco ou túnel, mas também havia

EXPERIÊNCIAS PERTO DA MORTE

aquela luz rebrilhante. Essa *Luz* ficava cada vez mais intensa. E pareceu-me que eu a atravessava.

Subitamente, eu estava em algum outro lugar. Havia uma luz dourada, por toda a parte. Era muito linda. Eu não podia encontrar qualquer fonte luminosa, em parte alguma. Simplesmente aquela luz estava por toda a parte, vinda de toda a parte ao mesmo tempo. E também havia música. E eu parecia estar em um campo dotado de riachos, grama, árvores e montanhas. No entanto, quando olhei ao redor — se você quiser entender as minhas palavras — aquelas coisas não eram árvores e outros objetos conforme os conhecemos agora. Para mim, a coisa mais estranha a respeito de tudo é que ali não havia pessoas, pelo menos na forma corpórea que conhecemos; mas simplesmente elas estavam presentes.

Estabelecera-se um senso de perfeita paz e de contentamento; havia amor. Era como se eu fizesse parte de tudo aquilo. Aquela experiência pode ter durado a noite inteira, ou apenas um segundo... não sei» (*Ibid.*, pág. 16).

Um outro depoente referiu-se a «...uma luz lindíssima que brilhava por toda parte... um lugar belíssimo...cores, cores ofuscantes, diferentes das da terra, simplesmente indescritíveis. Ali havia pessoas, pessoas felizes... Pude ver uma cidade. Havia edifícios... eram brilhantes, resplandecentes. Ali, as pessoas sentiam-se muito felizes. Havia água faiscante, fontes... uma cidade de luz, segundo acredito, seria a melhor maneira de descrevê-la... era uma cidade maravilhosa». E um outro depoente, declarou: «...é um lugar... realmente belo, mas simplesmente é impossível descrevê-lo. No entanto, acha-se ali, não há que duvidar. Ninguém poderia imaginar... é tal e qual se lê na Bíblia». (*Ibid.*, pág. 17).

O Grande Contraste do Hades

Outras pessoas, no estado de quem saiu do seu corpo físico, entram em dimensões onde imperam conflitos, a cobiça, o egoísmo, o espanto. Essas pessoas têm presenciado «almas apanhadas em armadilhas», um estado extremamente infeliz. Ouvem-se descrições como «apanhadas em armadilhas», «amarradas», «egocêntricas», «presas ainda ao mundo físico», «embotadas», «perplexas», «confusas», com uma *aparência deprimida*. Certa mulher recorda-se da questão como segue:

«Enquanto eu passava, elas nem ao menos erguiam a cabeça para ver o que estava acontecendo ao redor. Pareciam estar pensando: 'Bem, agora tudo terminou. E que estou fazendo? De que adianta fazer alguma coisa?' Somente aquele comportamento absolutamente esmagado, destituído de qualquer senso de esperança — sem saberem o que fazer, para onde ir, quem elas foram, sem saberem de nada». (*Ibid.*, pág. 19).

As almas que se encontram retidas nessas regiões, dizem-nos as narrativas, procuram ninguém sabe o quê, pois perderam todo o conhecimento, e nem ao menos lhes resta qualquer noção clara sobre a sua identidade pessoal. Não obstante, até mesmo ali há alguma esperança, pois os relatos demonstram que ali existem alguns *seres superiores*, que tentam alterar as condições vigentes, ainda que, segundo todas as aparências, esses seres superiores sejam totalmente ignorados. Aquele é um lugar onde não há qualquer amor, embora aqueles que amam tentem comunicar algum amor. Tudo isso, em um sentido não-teológico, faz-nos lembrar da tradição bíblica a respeito da descida de Cristo ao hades (ver I Pedro 3:18—4:6). Na verdade, «o evangelho foi pregado aos mortos», naquele mundo intermediário dos perdidos.

Apresentei acima um certo número de episódios (com o acompanhamento de comentários esparsos, a maioria de minha autoria) relatados pelo Dr. Moody, em seus livros. No final deste artigo, exponho um sumário e uma avaliação dessas questões. Consideremos, em primeiro lugar, uma afirmação concernente à natureza da experiência com a morte, para em seguida examinarmos algumas explicações alternativas. Se essas experiências não são realmente válidas, no que concerne à vida após a morte biológica, no que consistiriam elas?

III. Sumário de Elementos Principais

1. *Há uma causa qualquer.* Alguma enfermidade, algum acidente, falha do sistema orgânico devido à debilidade física, etc. Muitos casos falam de uma considerável angústia física. Em comparação com a experiência do nascimento, isso equivale às contrações uterinas, as quais, sem dúvida devem produzir mal-estar no nascituro.

2. *Há a declaração de morte*, feita pelo médico atendente; ou então o moribundo ouve um amigo ou parente exprimir a sua preocupação de que o paciente poderá vir a morrer.

3. *Há um ruído angustiante*, com zumbidos, tinidos, pancadas rápidas como que em um tambor, etc. Alguns chegam mesmo a falar em música, a qual pode até ser agradável. Essa experiência musical, entretanto, representa apenas uma minoria dos casos.

4. Esses ruídos são acompanhados pelo *movimento* através do túnel escuro ou corredor (o vale da morte). Quando é contrastado com a experiência do nascimento, isso se assemelha à passagem pela vagina maternal.

5. O espírito separa-se do corpo. Na maioria dos episódios relatados, a pessoa assim dividida, vê seu próprio corpo como uma coisa objetiva, pela qual usualmente ela de repente deixa de ter qualquer interesse. Em comparação com a experiência do nascimento, isso se parece com o momento em que o bebê já abandonou toda a ligação física com a sua mãe.

6. Algumas pessoas, nesse estágio, *vêem somente o seu meio ambiente físico*, onde agora jaz o corpo morto. Elas podem ver aqueles que acorrem em socorro do morto, e compreendem o que eles dizem uns aos outros. Todavia, não são capazes de se comunicar com os vivos. Por outro lado, há aqueles que entram imediatamente em um meio ambiente não físico, onde há características paradisíacas ou infernais.

7. No caso daqueles que, pelo menos durante um certo tempo, permanecem nesse meio ambiente físico, *segue-se um período de ajustamento*. Esses descobrem que agora possuem um outro corpo, sólido ao seu próprio tato, mas que pode atravessar a matéria, como se esta não existisse.

8. *Aparece a comissão de recepção*: amigos e parentes chegam a fim de ajudarem o moribundo a fazer a transição. A vida triunfa sobre a morte.

9. Aparece então o *Ser luminoso*, o qual submete a pessoa ao seu julgamento de revisão e orientação. Da pessoa é extraída a essência da sua vida terrena. Trata-se de um processo de reeducação, evidentemente necessário como uma orientação para que a pessoa passe a viver em uma nova esfera da existência.

10. Se, porventura, a pessoa tiver de retornar à vida terrena, então *ela faz meia volta* a partir de uma espécie de barreira ou fronteira, que a separa do mundo do além. Normalmente, as pessoas que chegam naquele limite relutam em regressar a este

EXPERIÊNCIAS PERTO DA MORTE

mundo, porquanto chegaram a desfrutar de um novo estado de alegria, amor e paz, que não conhece paralelo nesta existência física. Não querem retornar à favela que é a vida neste mundo.

11. *Por causa de algum propósito*, a pessoa regressa à vida terrena. E então, encontra dificuldade para relatar sua experiência, porquanto grande porção da mesma está acima do seu conhecimento e do seu credo.

12. *Muitas das atitudes dessa pessoa mudam para melhor*. Ela agora reconhece que o significado da vida é o amor. Qualquer temor da morte terá desaparecido. O seu interesse passou a ser adquirir conhecimento, que lhe capacite a viver melhor, que lhe capacite a compreender melhor os mistérios da vida.

Deveríamos atentar para o fato de que esses são os elementos mais comuns envolvidos no morrer e no retornar à vida, embora nem todos eles sejam encontrados em todos os episódios. Também dever-se-ia notar que esses elementos, aqui enumerados, são baseados em relatos daqueles cujas experiências com a morte não perduraram por nenhum extenso período de tempo. Se pudéssemos trazer de volta uma pessoa que tivesse estado separada do corpo por alguns meses, provavelmente poderíamos adicionar mais itens do que aqueles que figuram acima, e isso talvez modificasse as nossas idéias a respeito de outras implicações, por igual modo. No tocante a informações que digam respeito à jornada da alma pelas dimensões espirituais, continuamos tendo de depender dos conceitos teológicos e filosóficos, das visões dos profetas e das declarações dos sábios. Entretanto, a ciência, por intermédio dessas experiências, conforme se tem descrito neste artigo, é capaz de levar-nos até o limiar da morte, e *um pouquinho* mais além. Através daquilo que temos podido aprender, não tememos afirmar: ali imperam o amor, a vida e a alegria.

13. Há algumas *viagens ao hades*. Antes de tudo, deveríamos observar que as experiências negativas, que incorporam os terrores de existências espirituais miseráveis, algumas vezes aproximam-se das horrendas descrições encontradas em alguns trechos do Novo Testamento (tomadas por empréstimo dos livros pseudepígrafos do Antigo Testamento), são em número bem menor do que as experiências positivas. A revisão da vida, feita pelo Ser Luminoso, é uma orientação, e não um julgamento. Isso acontece porque a alma não enfrenta o seu juízo final quando ocorre a morte física. Isso ocorrerá somente depois do *milênio* (que vede).

14. Acima, dissemos que essas experiências podem ser tanto paradisíacas quanto infernais. Quando algo acontece que ultrapassa o meio ambiente físico, *usualmente* transmite esperança, amor e harmonia, e não angústia. Compreendo que a graça de Deus é maior do que certos segmentos do cristianismo têm suposto; e algumas passagens do Novo Testamento demonstram isso, visto que Cristo desceu ao hades, a fim de anunciar o evangelho até mesmo ali (I Ped. 3:18 — 4:6). Ver o artigo sobre a *Descida de Cristo ao Hades*. O trecho de I Ped. 4:6 mostra-nos que a graça de Deus continua atuando entre os perdidos, mesmo após a morte biológica, e as experiências perto da morte demonstram esse fato.

15. Algumas dessas experiências têm demonstrado que existem missionários em lugares como o hades; e ali há esperança, procurando fazer dissipar o desespero. O fato da descida de Cristo ao hades demonstra esse princípio.

••• ••• •••

IV. Explicações Alternativas

Se essas experiências não são o que venho dando a entender que são (isto é, experiências autênticas com a morte, com subseqüente retorno à vida física), então o que elas são?

1. Alucinações (paralelamente a sonhos e ilusões)

Se uma pessoa porventura estivesse obcecada pela idéia da sobrevivência da alma, ou, simplesmente, estivesse muito interessada pelo fato, então, por ocasião da aproximação da morte, não poderia ela provocar em si mesma alucinações, sonhos ou fantasias? E aquelas formas de experiências de que falamos neste artigo, não seriam assim produzidas? Se assim fosse, seriam alucinações puramente psicológicas. Ainda outras alucinações poderiam ser causadas pelo uso de drogas tóxicas, pela privação de oxigênio, pela febre alta ou pela isolação, pois há pesquisas que mostram que todos esses fatores podem produzir alucinações.

ARGUMENTOS CONTRA TAIS SUPOSIÇÕES

1. Muitos desses casos envolvem pessoas que nem ao menos estavam febris e nem estavam drogadas.

2. Quase todos esses relatos envolvem pessoas que não estavam dormindo quando receberam as suas visões; ao contrário, estavam perfeitamente despertas.

3. Um número bastante razoável de casos elimina a possibilidade de ter havido privação de oxigênio ao cérebro, além do que não houve sinais posteriores de dano cerebral, como seria de esperar no caso de privações de oxigênio.

4. Essas experiências são extraordinariamente parecidas entre si, embora a nossa cultura ou as nossas doutrinas religiosas (quanto a muitos detalhes) não nos tenham preparado para anteciparmos a morte conforme ficou descrito acima. Parece-nos que as alucinações deveriam seguir os padrões gerais das crenças, ou mesmo padrões específicos, de acordo com essas crenças.

5. As pessoas que têm passado por essas experiências têm-nas distinguido, mui positivamente, de meros sonhos e alucinações. Tais fenômenos envolvem uma realidade que os torna diferentes das simples alucinações.

6. Ao que se saiba, as alucinações não transformam moral e espiritualmente as pessoas. Mas essas experiências são transformadoras.

7. Essas experiências são notavelmente semelhantes àquelas que envolvem a projeção da psique, as quais sob hipótese alguma dizem respeito aos indivíduos à beira da morte. Os argumentos em prol da validade da projeção da psique, assim sendo, também são aplicáveis a essas experiências. — No artigo separado sobre a *Projeção da Psique*, alistei dezesseis razões pelas quais essas experiências são diferenciadas dos sonhos e das alucinações. A maioria desses argumentos também pode ser aplicada à questão do retorno à vida física depois da morte biológica, e isso distingue essa questão dos sonhos e alucinações.

8. As verdadeiras alucinações dos moribundos, devidas a estados febris ou à intoxicação por meio de drogas, usualmente envolvem outras pessoas, vivas, e geralmente incluem imagens mentais de caráter religioso, sempre em consonância com as crenças desses moribundos. Em contraste com isso, os pacientes que retornam após a morte clínica vêem quase exclusivamente visitantes *já falecidos*, experimentando fenômenos que os seus credos jamais tinham antecipado. O fato de que essas ocorrências não antecipadas sejam experimentadas por tão

645

EXPERIÊNCIAS PERTO DA MORTE

grande número de pessoas — o que comprova que existe um fundo comum de incidentes, que afeta pessoas representantes de muitas perspectivas religiosas e filosóficas, ou que não coincide com qualquer ponto de vista advogado pelos vivos, indica que não deveríamos pensar aqui em alucinações. Poderíamos até mesmo dizer que as alucinações podem ser responsáveis por alguns desses relatos; mas elas não podem explicar o grande acúmulo de informações que há a respeito desses fenômenos reais.

9. Se uma pessoa pudesse produzir uma experiência que lhe assegurasse a sobrevivência da alma, através de alguma simples ginástica psicológica (função do cumprimento da vontade) dificilmente seria provável que as suas alucinações pudessem produzir tal efeito sobre outra pessoa também. Cada indivíduo teria o seu próprio tipo de alucinação,—em consonância com suas próprias crenças. Todavia, a similaridade que há entre essas experiências é um fator que milita contra aquela explicação que fala em alguma alucinação. Seja de que modo for, poder-se-ia duvidar, e com toda a razão, que qualquer número mais apreciável de pessoas, mediante a simples determinação da vontade, por quererem cumpri-la, pudesse produzir tão elaboradas alucinações. Não obstante, o número desses casos é reconhecidamente elevado.

10. As genuínas alucinações à beira do leito de morte, parecem envolver o que é grotesco, esquisito e patológico, como visões de monstros, cenas aterrorizantes, etc., e isso de muitas formas variegadas. Tais fenômenos simplesmente não pertencem à mesma categoria daqueles casos que foram expostos neste artigo.

2. A teoria das drogas

Alguns afirmam que essas experiências seriam tão-somente subprodutos de drogas terapêuticas, administradas aos enfermos. Ora, é fato sobejamente conhecido que certas drogas podem produzir alucinações. Também não se desconhece que determinadas drogas, como o LSD, e até mesmo certas drogas utilizadas pela profissão médica (como a cilcohexanone, um anestésico de aplicação intravenosa) podem produzir experiências parecidas com aquelas que algumas pessoas têm tido à hora da morte (projeções da psique). Devido a esses fatos, poderíamos dizer que *algumas* das experiências descritas neste artigo poderiam ter essa causa. O fato, porém, é que essas experiências são comuns mesmo quando não houve administração de qualquer droga. Consideremos, além disso, que determinadas drogas realmente têm a capacidade de provocar autênticas projeções astrais, as quais jamais são meras alucinações. Algumas experiências induzidas por drogas, por conseguinte, poderiam ser genuínas projeções da psique, ao passo que outras poderiam ser meras alucinações. Acrescentemos a isso que, a despeito de algumas experiências provocadas por drogas compartilharem de elementos comuns às experiências de retorno após a morte clínica ou à projeção da psique, elas também envolvem muitos elementos atípicos àquelas primeiras. Finalmente, as alucinações produzidas por meio de drogas produzem uma grande variedade de experiências às quais faltam aquele elemento de similaridade, conforme se vê nas narrativas sobre o retorno após à morte clínica. Portanto, apesar de que essas duas categorias de experiências possam ter certos pontos particulares em comum, de tal maneira que nem sempre é possível fazer-se a distinção entre uma coisa e outra, via de regra devemos estar certos de que estão em pauta dois tipos distintos de experiência.

3. A teoria das secreções cerebrais

O homem é um animal admirável. Destarte, ao avizinhar-se o momento da morte, ele pensa que não é *justo* que uma *maravilha como ele* venha a morrer. Assim, através de um longo processo evolutivo, o seu cérebro teria adquirido a capacidade de secretar alguma droga alucinogênica, que lhe confira a idéia de que poderá sobreviver à morte física. Infelizmente, porém, tudo não passaria de um truque cerebral! E, visto que todos os homens são produtos de uma mesma evolução, e que a química envolvida sem dúvida é essencialmente idêntica em todos os homens, por isso mesmo as experiências à beira do leito de morte são praticamente idênticas, no caso de todos os indivíduos. O grande problema que acossa essa teoria é que é uma mera invenção imaginária. Não conta com evidências científicas em seu apoio. Enquanto não houver provas que lhe dêem apoio, nem ao menos precisamos levar a sério essa teoria.

4. Falta de oxigênio

Poder-se-ia julgar que, em muitos casos, ao começaram a falhar as funções orgânicas, o cérebro seja privado de oxigênio. Por essa razão, alguns pensam que as alucinações recebidas no leito de morte não passam de tentativas do cérebro para fazer interromper o processo e que a escassez de oxigênio seja o gatilho do *último suspiro* do cérebro. Apesar de que poderíamos admitir que alguns de tais episódios poderiam ser causados dessa maneira, muitos deles não envolvem qualquer tensão psicológica dessa natureza, pois ocorrem sem nenhuma ligação com os últimos instantes dos pacientes. Em certos casos relatados, não está envolvida qualquer injúria física. Até mesmo algum susto muito grande tem podido produzir essas experiências, ou seja, um susto assim pode levar o indivíduo a pensar que ele não tem qualquer chance de sobrevivência, como pode acontecer por ocasião de acidentes súbitos. Adicione-se a isso que o fenômeno às vezes ocorre vinte e quatro horas antes do falecimento do paciente, e não nos seus últimos instantes de vida, o que significa que não há qualquer ligação com a privação de oxigênio ao cérebro. Apesar de que a falta de oxigênio pode causar alucinações, essas alucinações podem ser facilmente distinguidas da experiência do retorno após a morte clínica, por ser algo de gênero muito diferente.

5. Causas neurológicas

Defeitos e doenças do sistema nervoso podem provocar alguns fenômenos similares aos da experiência do retorno após a morte clínica. Não obstante, nenhum caso sobre o qual eu tenha lido reproduz realmente uma dessas experiências de retorno. Antes, figuram apenas alguns aspectos do processo; e isso, por si mesmo, mostra-nos que não estamos tratando com o mesmo fenômeno. O Dr. Moody descreve um caso, por ele descoberto, em uma enfermaria de pacientes que sofriam de distúrbios neurológicos, no qual o paciente, ao sofrer ataques, recebia lampejos de acontecimentos ocorridos — em sua vida anterior. Essas revisões, contudo, não pareciam servir a qualquer propósito, não seguiam qualquer ordem específica de acontecimentos, e certamente não encerravam qualquer lição moral ou espiritual a ser aprendida. Também não houve qualquer *revisão da vida*, com uma seleção de ocorrências tendentes a projetar a essência da vida vivida. Tudo resumiu-se a uma série de imagens visuais, de eventos passados, ao acaso, dispersos, miscelâneos. O próprio paciente salientou a natureza «trivial» dessas imagens. Por outra parte, a revisão que tem lugar na presença do Ser luminoso é proposital, e nada tem de trivial. Essa

EXPERIÊNCIAS PERTO DA MORTE

revisão tem uma finalidade essencialmente educativa. Mas as revisões de fundo neurológico resultam de condições patológicas, e não têm quaisquer propósitos espirituais. A revisão por ocasião da morte clínica serve a finalidades espirituais, do princípio ao fim, e os seus efeitos sobre o indivíduo (quando ele retorna ao corpo físico) são permanentes.

6. Causas psicológicas

Pudemos ventilar, sob o ponto «1», o problema das alucinações. Tivemos ocasião de propor que certa variedade de alucinações pode ser causada por motivos puramente psicológicos. As visões à beira do leito de morte poderiam ser causadas pela função psicológica do cumprimento da vontade. Neste ponto também expomos certo número de razões pelas quais essas experiências não pertencem à mesma categoria das experiências do retorno após a morte clínica, e também mostramos por qual motivo as alucinações, sem importar a sua causa exata, não podem ser consideradas idênticas a esses tipos de experiências discutidas neste artigo.

7. Fraude proposital

Porventura as pessoas que têm narrado essas histórias estariam mentindo? Apesar de que algumas pessoas sem escrúpulos (a despeito de um encontro solene com a morte) possam contar depois alguma história fabulosa, com o propósito de serem glorificadas, é impossível pensarmos que um número tão grande de indivíduos se envolvesse em tal embuste, e que as centenas de casos que atualmente estão sendo registrados, por diversos pesquisadores, estejam todos alicerçados em alguma piada gigantesca. Além disso, é impossível que tais crônicas pudessem ser tão similares entre si, se todas fossem apenas invenções. Como é que tantas pessoas poderiam contar essencialmente a mesma mentira, se não houvesse alguma espécie de conspiração internacional e muito bem elaborada? Essa teoria, pois, fenece debaixo do seu próprio peso.

8. Experiências de isolamento

Estranhas coisas começam a acontecer quando uma pessoa é isolada de todo contato com seus semelhantes. Alguns isolam-se por motivos religiosos. Esses reclusos por razões religiosas algumas vezes afirmam receber visões e visitações, um tanto paralelas à experiência do retorno após a morte clínica. Algumas dessas pessoas põem em prática uma excepcional austeridade, e isso parece ser um dos fatores que produzem experiências da variedade mística. Mesmo quando o isolamento não se deve a qualquer finalidade religiosa, como no caso de marinheiros náufragos, exploradores de regiões remotas, etc., algumas vezes ocorrem coisas engraçadas. Há alucinações que envolvem salvamentos, fantasmas e espíritos. Há distorções no conceito do espaço e do tempo. Quando lemos a respeito de tais experiências, portanto, apesar de encontrarmos *alguns* fatores similares, não vemos a reprodução real dos elementos do retorno à vida após a morte clínica. É significativo, entretanto, que a experiência de isolamento possa revestir-se de algum valor moral e espiritual. Isso não nos deveria surpreender. Qualquer condição que envolva grande tensão, que pareça ameaçar o indivíduo, pode levá-lo a avaliar-se com grande seriedade, do que pode resultar uma modificação na maneira de pensar e de comportar-se. Isso sucede mesmo quando não há qualquer ameaça direta à vida da pessoa.

Li recentemente o caso da projeção da psique de um homem que ficou preso sob um edifício que ruiu. Ele ficou preso entre os destroços, e lhe era impossível escapar. Apesar de não ter sofrido qualquer ferimento, percebeu que talvez a ajuda não chegasse a tempo para salvá-lo da morte pela fome ou pela exposição às intempéries. Sob tal ameaça, o seu espírito projetou-se para fora de sua prisão. O que deduzimos de um episódio assim é que houve apenas uma *projeção forçada*. O poder por detrás do fenômeno foi de ordem psicológica, e não física. Por que haveríamos de negar que uma pura força psicológica possa produzir uma genuína experiência de projeção astral? É perfeitamente possível, pois, que certas forças psicológicas, produzidas pelo isolamento agudo, possam provocar algumas genuínas experiências espirituais (um tanto semelhantes à experiência da morte). Isso poderia, igualmente, produzir meras alucinações. Todavia, é impossível estabelecermos fronteiras bem definidas entre tais formas de experiências. É algo fatal para a pesquisa séria — pensar que todos os fenômenos estudados tenham de ser de um mesmo tipo.

Os pacientes que ficam reclusos em quartos de hospital, quer estejam enfrentando a possibilidade de morte iminente ou não, quando ficam essencialmente imóveis e isolados, na verdade passam por alucinações ou por genuínas experiências espirituais. Eles vêem imagens visuais. Com freqüência, essas visões são imagens triviais, produzidas neurologicamente. Mas, em outras oportunidades, parece estar envolvida alguma forma de lição, que o paciente precisa aprender.

Os místicos têm insistido sobre o valor do isolamento com vistas à iluminação espiritual. Não devemos desprezar essa possibilidade, pois talvez seja isso exatamente o que sucede em muitos casos. Consideremos o isolamento e o jejum de Jesus (ver *Mateus* 4:11) que produziram uma notável vitória espiritual. Isso pareceu ser uma espécie de preparação para o seu ministério público. Apesar de admitirmos que meras alucinações poderiam resultar dessa prática, também deveríamos estar preparados para confessar que podem ser obtidos assim os resultados os mais variegados, alguns deles espiritualmente significativos.

9. Isolamento proposital, efetuado em laboratório

Têm sido desenvolvidas algumas técnicas por meio das quais as pessoas podem ser sujeitadas a agudas privações dos sentidos. Na Universidade McGill, por exemplo, alguns pacientes foram confinados em pequenas saletas, onde não podia penetrar qualquer ruído, e onde se via apenas uma luz extremamente difusa. Foram preparados cubículos similares em Princeton, porém sem que ali penetrasse qualquer luz. Nas Universidades de Oklahoma e Utah, alguns pacientes foram imersos em escuros tanques de água. Nada podiam enxergar, e o seu sentido do tato ficou severamente prejudicado. A princípio, o isolamento leva o indivíduo à sonolência e à multiplicação dos sonhos. Entretanto, quando a sonolência e os sonhos não mais podem satisfazer à mente, esta recorre às alucinações. (Informação, *Super Nature*, Lyall Watson, p: 212).

Estamos informados, através de pesquisas, que um isolamento total pode produzir alucinações francas, inteiramente reais e tridimensionais, em um prazo tão curto como vinte e quatro horas depois do início do confinamento, em muitos dos casos. Uma vez mais, porém, apesar dessas alucinações serem tão reais quanto a vida normal (no que concerne aos próprios pacientes) elas não parecem envolver qualquer propósito, ensinar qualquer lição, e nem operam qualquer modificação posterior na conduta do

EXPERIÊNCIAS PERTO DA MORTE

indivíduo. De fato, essas alucinações com freqüência são povoadas de terrores. Aparecem monstros perfeitamente reais para os participantes. Ao tornar-se prisioneira, aparentemente a mente inventa o seu próprio mundo. Se o indivíduo já se encontra em estado de ansiedade, então, devido à tensão adicional criada pelo isolamento, a mente pode reagir a esse estado, produzindo alucinações que envolvem desconforto ou terror. Todos nós já passamos por sonhos excepcionalmente reais, onde figuram cenas de extraordinária beleza e significação patente. Suponho que temos de admitir que a *mente* foi quem produziu tais resultados. Se isso está em harmonia com a realidade dos fatos, então não é motivo de admiração que a mente possa produzir cenas impressionantes sob certas circunstâncias tensas, estando a pessoa plenamente desperta. Ordinariamente, seríamos tentados a denominar tais acontecimentos de meras alucinações ou sonhos acordados. Apesar desses fenômenos representarem uma interessante área de pesquisas, não são suficientemente similares ao retorno após a morte clínica a ponto de sermos forçados a supor que estamos tratando com esse mesmo fenômeno.

10. Causas sobrenaturais

Alguns têm chegado à conclusão de que os demônios é que dão às pessoas essas experiências, por meio de visões ilusórias, sendo que elas não fariam parte genuína do processo da morte humana. Todavia, as pessoas que têm sugerido essa explicação são aquelas que não acreditam na existência da alma e em sua sobrevivência diante da morte biológica, em razão do que rejeitam, *a priori*, qualquer explicação natural para esses fenômenos. Ou então, visto que esses fenômenos não correspondem aos seus estreitíssimos dogmas, não podem aceitá-los como válidos; e disso resulta a explicação que oferecem para o fenômeno: «Quem fez isso foi o diabo!» Poderíamos rejeitar tal explicação, com toda a segurança, como uma tentativa de evitar a realidade. Acrescente-se a isso o fato de que o diabo jamais se atarefou na obra de melhorar os seres humanos; mas essas experiências à beira do leito de morte fazem precisamente isso.

Avaliação e sumário

1. A experiência do retorno após a morte clínica não é nenhum fenômeno isolado, relatado apenas por algumas poucas pessoas. É comum ela ser noticiada como porção integral da experiência humana. Parece ser interminável o suprimento de relatos sobre tais experiências, tal como não têm fim as próprias experiências da morte física. O Dr. Moody assevera que, quase inevitavelmente, em resultado de alguma conferência por ele apresentada a respeito do tema, um ou mais dos presentes narra alguma experiência semelhante. O mais significativo de tudo é que nesses relatos espontâneos sempre figuram esses mesmos elementos tão familiares, a despeito do fato de que seus narradores não tenham tido qualquer conhecimento prévio de que outros indivíduos já haviam passado por coisas idênticas, e que vários livros estão sendo escritos sobre o tema, na atualidade.

2. Reveste-se de bem pouco peso aquela objeção que diz: «Se tudo é verdade, por qual razão essa experiência não é mais amplamente conhecida e noticiada?» A literatura, antiga ou moderna, não infreqüentemente relata alguma experiência paralela às descrições oferecidas neste artigo. É extremamente comum que as conversas entre as pessoas girem sobre o tema. Não obstante, muitos daqueles que já passaram por tais experiências, não falam a respeito ou por temerem cair no ridículo ou por considerarem-

nas por demais sagradas para serem tornadas públicas. Esses fatores, pois, reduzem o número de relatos, mas mesmo assim o seu número é impressionante.

O Dr. Moody relata um divertido incidente, no qual um médico, evidentemente cético quanto a essas realidades, tendo acabado de assistir a uma das preleções de Moody, observou que já vinha praticando a profissão médica há muitos anos, mas que nunca encontrara uma pessoa que tivesse tido tais experiências. Então Moody indagou do auditório se algum dos presentes conhecia algum caso dessa natureza. A própria esposa *do médico* levantou a mão e relatou um típico retorno após a morte clínica, que uma amiga íntima havia experimentado. Por igual modo, um outro médico, conhecido do Dr. Moody, tomou consciência dessas experiências, pela primeira vez, mediante a leitura de um artigo de jornal acerca de um discurso feito pelo Dr. Moody. No dia seguinte, de maneira totalmente espontânea, um de seus pacientes contou-lhe um episódio muito semelhante à experiência pessoal que fora noticiada pelo jornal. Esse paciente segredou a questão ao médico somente por ter ficado alarmado e por desejar receber uma opinião de seu médico a respeito.

3. Quando não são mentiras disfarçadas, é natural que alguns (ou mesmo muitos) desses relatos recebam alguns acréscimos elaborados. Sem embargo, a constante semelhança entre os relatos mostra-nos que isso em nada diminui a realidade essencial desses eventos. Essa semelhança permeia os relatos contados imediatamente depois das respectivas experiências, bem como as histórias que envolvem a passagem de um certo número de anos. Mas também ocorre o contrário da elaboração, a saber, a supressão de informações. O Dr. Moody está com a razão ao dizer que suspeita que muitas pessoas não lhe contam tudo quanto tem acontecido nessas experiências, quiçá por temor ao ridículo, ou simplesmente por não quererem passar por mentirosos. Certos indivíduos têm sido fortemente afetados, emocionalmente falando, pelas suas experiências fora do corpo, pelo que também não têm podido ajustar-se adequadamente a elas. Tais indivíduos, pois, suprimem memórias.

4. As evidências demonstram que se as crenças religiosas são capazes de emprestar um certo colorido a essas experiências, mormente no que diz respeito à suposta identidade do Ser luminoso, por outro lado não afetam a sua semelhança essencial. Na verdade, com freqüência essas experiências contradizem o que o indivíduo religioso esperava passar por ocasião da morte, — em vez de confirmar as suas crenças. Deveríamos salientar, entretanto, que a condição espiritual básica de um indivíduo, isto é, a sua qualidade espiritual genuína, afeta a sua experiência, dentro daquilo que ocorre durante a «revisão», sem importar se envolve ou não um elemento paradisíaco ou infernal.

5. Apesar de que as diversas explicações alternativas que temos ventilado sem dúvida explicam alguns dos relatos que podem ser lidos ou ouvidos, nenhuma delas, e nem todas elas coletivamente, podem justificar esse fenômeno. É um fenômeno *sui generis*, não devendo ser confundido com outros fenômenos, que meramente contenham elementos similares.

6. A despeito do fato de que este artigo foi escrito para sugerir razões *científicas* para a crença na existência da alma e na sua sobrevivência diante da morte biológica, seria um absurdo, ao nos defrontarmos com várias explicações alternativas, se não levássemos a sério o testemunho da filosofia e da

EXPERIÊNCIAS – EXPIAÇÃO

religião. Se eu indagar de mim mesmo: «A sobrevivência da alma é apenas uma alucinação confortadora de último minuto ou ela é uma realidade? As evidências apontam para qual dessas alternativas?» Então terei de considerar também outras disciplinas (além daquilo que é estritamente científico) a fim de ver o que essas outras disciplinas nos sugerem. A fé religiosa presta todo o seu peso em favor da genuína sobrevivência da alma à morte física. Não nos deveríamos olvidar desse fato, ao escolhermos entre as explicações alternativas. Apesar de que isso talvez não seja o único fator a ser levado em conta, quando temos de tomar uma decisão a respeito, trata-se de um fator que não podemos ignorar. Este artigo defende a idéia de que só existe *uma verdade*, afinal de contas, e que a ciência e a religião, apesar de encararem a verdade de acordo com duas perspectivas diversas, em última análise elas não se contradizem mutuamente.

Que poderia haver de mais importante para a ciência (que se professa interessada pelo bem-estar do ser humano) do que conseguir uma prova positiva de que o homem é mais do que o seu corpo físico, e de que o seu ser essencial sobrevive à morte biológica? Essa seria a mais notável descoberta científica de todos os tempos, e revolucionaria todos os aspectos do conhecimento científico. Não só isso, mas também reuniria todos eles em um único bloco, conferindo-lhes um importantíssimo terreno comum sobre o qual poderiam firmar-se. Sociólogos, psicólogos, estudantes e pesquisadores armar-se-iam de um novo ponto de vista acerca do homem e suas necessidades, se a sobrevivência da alma viesse a tornar-se um fato cientificamente demonstrado. O bem-estar do «homem total» tornar-se-ia importante, do dia para a noite, para todas as variedades de cientistas, bem como para toda e qualquer pessoa. É mesmo possível que a preocupação pelo aspecto espiritual do homem viesse a substituir o exagerado interesse pelo que é material; e assim, a nossa sociedade em pouquíssimo prazo viria a tornar-se mais humana. Talvez chegassem ao fim as guerras motivadas pela cobiça e pelo orgulho. Talvez a violência, alicerçada sobre a busca pelo que é material viesse a ceder lugar à atitude que cede diante do próximo e compartilha com ele, ajudando-o como um verdadeiro irmão. Isso poderia resultar em soluções genuínas para os problemas de ordem material.

V. Implicações Teológicas

1. A alma humana verdadeiramente existe e sobrevive ante a morte biológica.

2. Viver e morrer são questões espirituais sérias, e não questões dependentes do mero acaso ou do caos.

3. A morte é acompanhada por uma avaliação espiritual. Nessa avaliação está envolvido um elevado poder espiritual, o Ser Luminoso.

4. As grandes colunas mestras da espiritualidade são o amor e o conhecimento, e somos responsabilizados, na avaliação de nossa vida, pelo que tivermos feito a esse respeito.

5. A *revisão da vida*, diante do Ser Luminoso, revela a essência daquilo que cada um fez com sua própria vida. Todavia, isso ainda não é o julgamento final, mas antes, é uma orientação, que capacita a alma a prosseguir.

6. A morte biológica não assinala o fim da oportunidade. A atividade missionária prossegue até mesmo nas esferas infernais da existência, conforme já diziam os pais alexandrinos da Igreja.

7. A experiência da morte física demonstra claramente que Deus ama à alma humana, o que nos

encoraja a pensar que o julgamento final será remedial, e não apenas retributivo. Ver os artigos separados sobre *Julgamento* e *Restauração*.

8. A morte física pode levar a alma a muitos estados espirituais, tanto negativos quanto positivos, tanto celestiais quanto relacionados ao hades. A graça de Deus é suficientemente grande para reverter qualquer estado imposto por ocasião da morte.

9. Há textos de prova no tocante a todos esses pontos, nas páginas do Novo Testamento. Quanto a uma descrição mais detalhada sobre essa experiência, ver o livro de Raymond Moody, **A Vida Depois da Vida**, um livro pioneiro neste campo.

Bibliografia. EC MOO OSI RIN SA.

EXPIAÇÃO   Ver também *Expiação pelo Sangue e Expiação pelo Sangue de Cristo*.

Esboço

  I. Observações Preliminares
  II. Principais Teorias
  III. Explicações Suplementares
  IV. Expiação ou Propiciação?
  V. Paz da Expiação
  VI. Referências e Idéias
  VII. Expiação pelo Sangue
VIII. Extensão da Expiação: Efeitos Universais

I. Observações Preliminares

1. Ele produz nossa reconciliação (ver o artigo sobre *Reconciliação*).

2. Cristo é nossa Páscoa e nosso Cordeiro (ver I Cor. 5:7 e João 1:29).

3. Jesus antecipou o valor da expiação em sua reconciliação (ver Mateus 20:28), pelo que esse fato não foi uma invenção da igreja.

4. Ela tem efeitos universais (ver notas completas em João 14:6 no NTI) e produz total unidade em torno de Cristo. Ver o artigo sobre *Restauração*.

II. Principais Teorias

1. A teoria do martírio. Existem aqueles que negam abertamente que exista qualquer valor na morte de Cristo, exceto o de ter sido ele mártir de uma boa causa. De conformidade com essa teoria, a morte de Jesus não tem valor algum para apagar o pecado, e realmente nem tem conexão com essa questão, exceto como demonstração da iniquidade dos homens, que matam os inocentes por sua pura malignidade. Não obstante, ainda segundo os que assim pensam, a morte de Cristo pode exercer alguma influência moral, isto é, estabelece um excelente exemplo de dedicação a uma boa causa. Jesus foi um dos maiores mártires da história, e de sua vida podemos obter alguns exemplos, e um modelo extraordinário de dedicação a uma boa causa. Desnecessário é dizer que embora muitos aceitem essa idéia e julguem-na de valor, ela fica muito aquém do pensamento expresso no N.T.

2. A teoria da influência moral. Fausto Socino (1539-1604) foi um dos maiores exponentes dessa idéia. A expiação, de acordo com essa teoria, não visa apresentar uma reparação diretamente a Deus, como se fosse alguma morte em sacrifício capaz de remover o pecado, mas antes, foi algo dirigido para os homens. Cumpre um determinado propósito no homem, em que se observa a dedicação de Cristo à sua missão, o que serve para influir sobre a natureza moral dos homens.

— É claro que todos os episódios da vida de Cristo, todos os grandes fatos de sua vinda a este

EXPIAÇÃO

mundo, como a sua encarnação, a sua vida poderosa, a sua morte e a sua ressurreição são encarados sob esse mesmo prisma. Tudo visaria servir de influência moral. É interessante que a passagem de II Cor. 5:15 assevera algo similar a essa teoria, pois ali lemos: «E ele morreu por todos, para que os que vivem não vivam mais para si mesmos, mas para aquele que por ele morreu e ressuscitou». Cristo estabeleceu um elevadíssimo exemplo de amor que vai ao sacrifício, e isso sem dúvida exerce poderoso efeito moral sobre os homens, quando estes se tornam seus seguidores sérios. Naturalmente essa teoria expressa um aspecto da verdade, e tem o seu devido valor, mas não contribui em coisa alguma para dar solução ao problema do pecado, ainda que possa afetar a vida moral. Os defensores dessa teoria, como os unitários, os socínios e várias modalidades de liberais, usualmente não se preocupam por demonstrar que essa teoria tem bases bíblicas, porquanto, para eles, nenhuma verdade precisa ser confirmada, em preto e branco, nas páginas das Escrituras, e nem o que é assim confirmado é para eles necessariamente a verdade.

3. A teoria da **identificação**. De acordo com essa posição, Cristo identificou-se de tal modo com os homens que estes são aceitos totalmente por Deus em Cristo. A fraqueza dessa teoria reside no fato de que pode ignorar a necessidade de expiação pelo pecado. De conformidade com essa teoria pode haver «observância vicária da lei», bem como «sofrimento vicário pelo pecado», e ainda «recebimento vicário por parte de Deus». Existem alguns pontos verdadeiros nessa teoria (contanto que rejeitemos a observância vicária da lei, que não é uma idéia bíblica). A verdade, entretanto, é que a expiação realizada por Cristo é mais do que mera identificação. E o pior é que em suas formas extremas, esta terceira teoria nada exige dos homens, nem mesmo o arrependimento, porquanto isso também lhes teria sido dado em Cristo, o qual é perfeito, pelo que também, em Cristo, todas as imperfeições dos homens seriam esquecidas. Trata-se apenas de um exagero da doutrina bíblica da verdadeira identificação do crente com Cristo. (No sexto capítulo da epístola aos Romanos é que há a verdadeira versão dessa doutrina bíblica).

4. A teoria **governamental**. Essa teoria assevera que, em sua morte, Cristo proveu um sofrimento vicário, mas que de forma alguma ele o fez a fim de levar sobre si mesmo o nosso castigo. Os exponentes dessa teoria apresentam a objeção de que a imputação do pecado humano a Cristo não pode ser uma realidade, ou que a justiça de Deus seja atribuída aos homens. E eles também acreditam que a teoria da expiação por «satisfação» (ver as notas expositivas abaixo) não é certa porque nenhum homem, de fato, é salvo, o que significa que nenhuma verdadeira satisfação foi apresentada. Pelo contrário, asseveram que o pecado do homem levou Deus a sofrer, e que esse sofrimento recaiu sobre Cristo, o que quer dizer que houve uma completa concordância entre Deus Pai e Deus Filho, na hora do sofrimento deste. Através dos sofrimentos de Cristo, pois, Deus manifestou o seu santo ódio contra o pecado. É por isso que os defensores dessa teoria dizem que os sofrimentos manifestam a compaixão divina, e não o julgamento contra o pecado. Porém, isso sob hipótese alguma, concorda com o trecho de Isa. 53:4-6,10, ainda que tal posição tenha algum valor, pois faz-nos dar atenção a certo aspecto da verdade. Essa teoria, de modo geral, por meio do conceito do amor de Deus, assevera que Deus não precisa ser «propiciado» pelo pecado, porquanto isso não é o que é exigido pelo seu

ser. Naturalmente, essa idéia é contrária às Escrituras, conforme se pode ver em passagens como Rom. 3:25 e I João 2:2.

O nosso grande problema é resolver como o governo de Deus, que é santo, *pode operar* em face da terrível realidade do pecado, o que Deus não pode admitir como parte integrante de sua criação, isto é, do universo. Porém, de acordo com essa idéia, mediante o sofrimento juntamente com Cristo, Deus revelou o seu santo repúdio ao pecado, nesse sofrimento, mostrando que ele é justo ao perdoar o pecador. Assim a penitência seria criada no pecador, quando Deus sofre, na consciência do pecador, por qualquer pecado que este tenha cometido, pois o pecado é que levou Cristo a sofrer. De acordo com essa teoria, a penitência se torna o tema central, e quando o homem chega a essa atitude, por reconhecer o que o pecado fez contra Cristo, e o que continua fazendo no mundo, então Deus, em sua prerrogativa governamental, perdoa o pecado. Tudo gira, pois, em torno da compaixão e do amor de Deus, e não em torno da justa e indignada sentença contra o pecado, e de severo juízo contra o mesmo.

«Essa teoria propõe que Deus não julga o pecado sob base pessoal, ou como aquilo que ultraja à sua santidade, porquanto ele é amor, mas antes, que ele deve julgar o pecado sob a base de sua relação governamental para com os homens. Nenhuma penalidade é sofrida por algum substituto, e o pecador penitente é perdoado como um ato de compaixão divina». (Lewis S. Chafer, *Systematic Theology*, vol. III, pág. 145).

A debilidade principal dessa teoria é que não reconhece jamais a necessidade de ser imputada a justiça, o que faz parte dos benefícios decorrentes da expiação provida pela morte de Jesus Cristo. E também deixa de fora o conceito penal da expiação, que tão bem expressou Isaías: «Mas ele foi transpassado pelas nossas transgressões, e moído pelas nossas iniqüidades; o castigo que nos traz a paz estava sobre ele, e pelas suas pisaduras fomos sarados» (Isa. 53:5).

5. A expiação como **satisfação**. Ver o artigo separado sob esse título. Ver ponto 7. sobre **substituição**, nome possivelmente alternativo. Em Cristo foram satisfeitas as justas exigências de Deus contra o pecado. No cristianismo existem duas posições principais, que sustentam pontos de vista um tanto diferentes sobre esse ensino:

a. Os que ensinam a *satisfação absoluta*. Segundo esses, Cristo, em sua morte, deu uma satisfação absoluta a Deus na questão do pecado. Ele levou o pecado do mundo inteiro, em seu próprio corpo, encravando-o na cruz (ver I Ped. 2:24). A morte que se seguiu foi uma expiação por esses pecados, de tal modo que uma «satisfação» foi prestada, perante Deus e acerca de sua atitude para com o pecado. Em Cristo, pois, todos os pecados são removidos da humanidade. A pena contra o pecado não mais existe, porquanto foi inteiramente sofrida por Cristo. Assim, pois, Cristo sofreu nossas tristezas, nossas dores, nosso castigo, nossa iniqüidade, nossa opressão, nossa aflição, nosso julgamento. Sua alma foi dada em oferta pelo pecado, e Deus viu seu trabalho de alma e ficou satisfeito. Ele levou nossas iniqüidades, e agora temos a sua justiça por imputação divina, não somente a judicial ou forense, mas também a real, por meio da santificação. (Ver Isa. 53:4-11).

Como variedade extrema desse ponto de vista da teoria da «satisfação», o *universalismo* é a conclusão. De acordo com o «universalismo», todos os homens devem ser eleitos, e a única diferença reside no ponto

EXPIAÇÃO

do tempo em que virão a Cristo. Todos finalmente exercerão a fé necessária para receberem os benefícios de sua obra expiatória, ainda que, para muitos, isso só aconteceria após a morte física. Vários bons eruditos cristãos têm mantido que se pode receber a salvação depois da morte física, pensando que as fronteiras eternas não serão determinadas senão no dia do julgamento. Assim pensavam os pais alexandrinos da igreja, como Clemente, Orígenes, Justino Mártir, e, modernamente, Lutero e vários mestres anglicanos, apesar de que a grande maioria deles não aceita a chamada aplicação «universal» da graça divina. Alguns poucos universalistas de notas existem, entretanto, na tradição da igreja, como Orígenes, que foi o maior intelecto de sua geração.

Há uma modificação dessa teoria absoluta que pode ser vista nas Escrituras Sagradas, em trechos bíblicos como I Ped. 3:18-20 e 4:6, porquanto ali se aprende que através da morte de Cristo houve benefícios universais, ainda que tais benefícios, no caso dos incrédulos, não se assemelhem de forma alguma aos benefícios recebidos pelos eleitos. Não obstante, alguma modalidade de existência espiritual será provida para os perdidos, os quais, dessa maneira, poderão desfrutar de alguma forma de *existência útil*, que pode redundar em alguma glória para Deus, ainda que, antes disso poder tornar-se uma realidade, terão de pagar pelos seus pecados até o último centavo, dando assim uma satisfação pelo mal cometido, porquanto serão julgados de conformidade com homens na carne, ainda que vivam segundo Deus, no espírito. Assim é que nos ensina o trecho de I Ped. 4:6. (Ver também Efé. 1:23 e Col. 1:16). Essa é a luz mais brilhante da esperança, no que diz respeito a todos os homens que não são eleitos do Senhor, que se pode encontrar em todas as Escrituras, ainda que se trate de uma luz convenientemente ignorada por certas denominações da igreja, onde geralmente se impõem idéias exageradas sobre a ira divina e o tipo de punição que será conferido aos impenitentes.

b. Já a teoria da *satisfação moderada* faz tudo depender da fé. A maioria daqueles que se apegam a esse ponto de vista pensa que tal fé deve ser exercida durante a presente existência física, e que a morte do corpo põe ponto final a toda a oportunidade de salvação da alma. A maioria das igrejas evangélicas aferra-se a essa posição e amargamente, sem qualquer necessidade, se opõem a qualquer forma de teoria da satisfação «absoluta».

Não nos devemos esquecer, finalmente, daquela aplicação da morte de Cristo que atinge todo o *cosmos* ou criação, conforme podemos depreender da leitura do primeiro capítulo da epístola aos Efésios. Ver também os trechos de Heb. 9:23 e Col. 1:20. Quanto a explicações completas sobre os benefícios da cruz de Cristo, no plano de Deus, ver o artigo *Cruz, Teologia da*.

Há certo aspecto da teoria da «satisfação» que não deve ser negligenciado por nós, o qual focaliza o fato de que quando Cristo, sobre a cruz, supostamente foi «esquecido» por Deus, porquanto levava os pecados do mundo inteiro em seu próprio corpo, por causa do supremo valor de Jesus, era impossível que Deus o tivesse abandonado. Assim, pois, quando o Senhor Jesus perguntou ao Pai: «Deus meu, Deus meu, por que me desamparaste?» (Mat. 27:46), vendo o valor supremo de Cristo, o Pai realmente não o desamparou, mas antes, recebeu a Cristo e juntamente com ele, a humanidade em geral, naturalmente isso só tendo realmente acontecido com aqueles que haveriam de recebê-lo mediante a fé pessoal. E assim

Cristo, em seu valor supremo, conquistou a aceitação de todos os homens pecaminosos. Essa idéia pode igualmente ser classificada como pertencente ao conceito «governamental», que foi discutido mais acima. Por conseguinte, em seu valor supremo, Cristo apresentou total satisfação pelo pecado, no que diz respeito ao julgamento de Deus; e todos os homens são potencialmente aceitos nele; mas ele também provocou de tal modo a compaixão e o amor de Deus que nenhum homem, contanto que esteja em Cristo, poderá jamais ser rejeitado.

Perspectiva histórica da doutrina da expiação. Abaixo damos um breve sumário do desenvolvimento das teorias fundamentais acerca da «expiação» pelo sangue de Cristo, e com base nas quais as idéias mais complexas vieram à existência:

6. A teoria do resgate. Foi ensinada por Irineu, Orígenes, Atanásio e Agostinho. Em sua forma mais crua, supunha que o «resgate» foi pago ao diabo, porquanto ele tinha, em seu poder, todas as almas dos homens. Em troca de todas essas almas, portanto, o diabo teria aceito a barganha da alma de Cristo. Porém, ao morrer Cristo na cruz, tendo salvado potencialmente todas as outras almas, descobriu-se, ainda segundo essa teoria, que a alma de Cristo não era da espécie que pudesse ficar retida, porquanto era poderosa demais para isso; e assim, o diabo, frustrado em seus desígnios, perdeu completamente a batalha. Assim sendo, a doutrina da expiação é uma guerra triunfante contra o mal.

Todavia, alguns daqueles que seguem esse ponto de vista, modificam-no um tanto, dizendo que na realidade o resgate foi pago a Deus, e não ao diabo, em uma espécie de satisfação pelo pecado. Por conseguinte, Cristo Jesus resgatou os homens pela sua morte. Esse ponto de vista modificado, naturalmente está de conformidade com certos ensinos das Escrituras, ainda que seja *parcial*. Contudo, dominou o pensamento teológico por cerca de mil anos. (Ver Mat. 20:28; I Tim. 2:6).

7. A teoria substitucionária ou vicária, de Anselmo. No livro desse teólogo da Idade Média, *Cur Deus Homo?* vê-se que ele acreditava que a morte de Cristo deve ser compreendida como uma «satisfação» ou «reparação» paga a Deus, pelos pecados da humanidade. Foi exigida a morte do próprio Filho de Deus porque o pecado humano importa em um abuso infinito contra a honra de Deus. No entanto, ainda segundo esse conceito, a «satisfação» dada pelo sangue de Cristo também se reveste de valor infinito, pelo que tudo voltou ao perfeito equilíbrio. Em Jesus, Deus se tornou homem, a fim de tornar possível esse pagamento, em sua morte vicária voluntária, sobre a cruz, porque, devido ao seu caráter infinito, constituiu uma «satisfação» superabundante pelo pecado humano. As idéias de Anselmo acompanham bem de perto as teorias da «satisfação» e da «substituição», ainda que haja algumas modificações em vários pontos, dependendo do intérprete. Ver ponto 5 e o artigo separado sobre **Satisfação.**

8. A teoria de Abelardo sobre a «expiação». De conformidade com os pontos de vista desse outro grande vulto da Idade Média, a contemplação da cruz impulsiona de tal modo o crente que ele reconhece ali o poder transformador do *amor de Deus* que vai ao próprio sacrifício, e assim é levado a arrepender-se de seus pecados, devotando-se a um discipulado sério e, dali por diante, a um amor que se dispõe também ao sacrifício. Dessa idéia básica é que se desenvolveram a teoria do *martírio*, a teoria da *influência moral* e a teoria *governamental*, esta última no que diz respeito

EXPIAÇÃO

a certos de seus aspectos. Por conseguinte, os humanistas, os socínios, os unitários e vários grupos liberais estão vinculados a esse conceito básico sobre a *expiação* de Cristo.

É necessário observarmos que a maioria das modernas teorias ortodoxas sobre a «expiação», de origem católica ou protestante, se baseia no ponto de vista ansélmico, aqui enumerado em sétimo lugar, e isso de uma ou de outra maneira.

III. Explicações Suplementares

As notas que transcrevemos abaixo, extraídas dos comentários de Adam Clarke sobre o trecho de Rom. 4:25, expressam o pensamento evangélico típico, acerca da «expiação» pelo sangue de Cristo:

1. Com base em um exame perscrutador dos oráculos divinos, transparece o fato de que a morte de Cristo foi a expiação pelo pecado do mundo. Pois Deus o apresentou como propiciação pela fé, no seu sangue, porquanto lemos em Rom. 3:25, 'a quem Deus propôs, no seu sangue, como propiciação, mediante a fé'. E Rom. 5:6 ensina: 'Porque Cristo, quando nós ainda éramos fracos, morreu a seu tempo pelos ímpios'. E diz o versículo décimo desse mesmo capítulo: 'Porque se nós, quando inimigos, fomos reconciliados com Deus mediante a morte do seu Filho...' Ainda lemos em Efé. 1:7: 'no qual temos a redenção, pelo seu sangue, a remissão dos pecados'. Também em Efé. 5:2: 'Cristo vos amou, e se entregou a si mesmo por nós, como oferta e sacrifício a Deus em aroma suave'. E em Col. 1:14: 'no qual temos a redenção, a remissão dos pecados'. Em Col. 1:20,22: 'e que, havendo feito a paz pelo sangue da sua cruz'. Em I Tim. 2:6: 'O qual a si mesmo se deu em resgate por todos'. E igualmente em Tito 2:14: 'o qual a si mesmo se deu por nós, a fim de nos remir de toda iniqüidade'. E por igual modo Heb. 10:10: 'Nessa vontade é que temos sido santificados, mediante a oferta do corpo de Jesus Cristo, uma vez por todas'. E, finalmente, em Heb. 9:27: 'assim também Cristo, tendo-se oferecido uma vez para sempre, para tirar os pecados de muitos...' (Ver também Efé. 2:13,16; I Ped. 1:18,19 e Apo. 5:9). Porém, seria mister transcrever uma porção considerável do N.T., para que pudéssemos apresentar todos os textos que fazem referência a essa verdade tão importante e gloriosa.

2. Assim como a sua morte serviu de expiação por nossos pecados, assim também a sua ressurreição foi a prova e a garantia de nossa vida eterna. (Ver I Cor. 15:17; I Ped. 1:3; Efé. 1:13,14, etc.).

As Chagas

Divinas mãos e pés, peito rasgado,
Chagas em brandas carnes imprimidas,
Meu Deus, que, por salvar almas perdidas,
Por elas quereis ser crucificado.

Outra fé, outro amor, outro cuidado,
Outras dores às vossas são devidas,
Outros corações limpos, outras vidas,
Outro querer no vosso transformado.

Em vós se encerrou toda a piedade,
Ficou no mundo só toda a crueza,
Por isso cada um deu o que tinha!

Claros sinais de amor, ah! saudade!
Minha consolação, minha firmeza,
Chagas do meu Senhor, redenção minha.

(Frei Agostinho da Cruz, Portugal 1540—1619)

IV. Expiação ou Propiciação?

A. Definições

1. *Propiciação*. Esta palavra vem do latim, *pro* (antes) e *petere* (procurar). Na sua aplicação, na forma do substantivo, o termo significa uma *disposição favorável* em relação a alguma coisa. Verbalmente a palavra significa *aplacar* ou *conciliar*. Em sentido amplo, exibido em diversos sistemas religiosos, o *favor obtido* pode ser através de algum tipo de expiação, sacrifício, ato de ascetismo, ou pelas boas obras. Na teologia cristã, a propiciação é efetuada pela expiação de Cristo na cruz. Alguns teólogos põe propiciação em oposição a expiação, como explicado abaixo, após a definição de *expiação*.

2. *Expiação*. Esta palavra vem do latim, *ex* (completamente) + *piare*, significando, *aplacar*. Na base das duas palavras, podemos ensinar a mesma doutrina, porque elas são utilizadas largamente como sinônimas. Porém, alguns teólogos empregam estes termos diferentemente.

B. Discussões e debates

1. *As distinções*. Alguns teólogos acham que o que aconteceu na expiação de Cristo não foi a pacificação da *ira de Deus*, mas sim, o cancelamento do pecado, — com seus efeitos. Assim, a *ira de Deus* é definida em termos *não-antropomórficos*: a ira é um processo de *causa e efeito*, resultado natural da lei da semeadura e ceifa, *não* um processo no qual um *Deus zangado* é pacificado, com o resultado de que não castiga o pecador que *O* ofendeu. Em favor deste tipo de interpretação, temos a citação que segue:

«Dodd prestou um significativo serviço ao estabelecer o fato de que, na Septuaginta, essa palavra raramente, se é que alguma vez, ocorre no sentido de aplacar a Deus, como se Deus tivesse de modificar sua atitude de ira para com o favor, e que, pelo contrário, tal palavra é constantemente empregada no sentido de 'meio de expiação', como se o homem fosse o agente; de 'meio de perdão', em que Deus aparece como o agente». (*Journal of Theological Studies*, XXXII, 1931, 352-360. Ver também «The Epistle of Paul to the Romans», Londres: Hodder and Stoughton, 1932, «The Moffatt N.T. Commentary»). (John Knox, *in loc.*).

2. *Contra este raciocínio*, temos estes argumentos:

a. O ensinamento bíblico sobre o assunto certamente inclui a idéia de um Deus que sente *ira* contra o pecado. No A.T., a ira de Deus é mencionada em 585 referências.

b. Está envolvido *mais* do que o cancelamento do pecado. Existe um Deus, uma Pessoa, ofendida com os pecados do homem, e sua ira deve ser avertida, Lam. 3:42 *ss*. Sal. 78:38 fala claramente sobre a ira de Deus que ameaça um julgamento que pode ser avertido.

c. A *ira de Deus* é contra o pecado, Rom. 1:18,24,26,28.

d. A remoção da ira de Deus tem a designação *propiciação*, e qualquer doutrina de expiação deve incluir aquele conceito. Assim, segundo esta idéia, podemos chamar o *ato salvador* de Cristo de *expiação*, se não eliminarmos a idéia específica que o termo *propiciação* acrescenta a doutrina. A *propiciação*, portanto, é um aspecto da *expiação*.

3. *Argumentação contra esta ênfase*. Confessamos que a Bíblia, às vezes, fala sobre um Deus *zangado* que deve ser aplacado. Mas isto é um conceito *primitivo* de Deus. Além disso, é um termo pesadamente *antropomórfico*. Isto é, atribui a Deus as emoções negativas dos homens e aproxima-se mais aos conceitos dos pagãos cujos deuses terríveis destruíram seres humanos no exercício de sua *raiva divina*. É impossível atribuir emoções deste tipo a Deus. Portanto, chegamos mais perto *da verdade* quando procuramos modificar tais ensinos na nossa

EXPIAÇÃO

teologia. A compreensão da *pessoa de Deus* deve avançar além das expressões *antropomórficas* da Bíblia.

4. *Via eminentiae*. A *linguagem religiosa* (que vide) usa esta expressão do latim para indicar a atividade de atribuir a Deus (de maneira mais pronunciada), os atributos humanos. Ou, é a noção de que podemos descrever o Ser Supremo utilizando descrições da criatura, o homem — atribuindo a tais termos, uma natureza mais poderosa, exaltada e perfeita. O latim *eminentia* significa *proeminência*. Então, *o que* o homem possui em algum grau, supostamente, Deus possui em um grau maior. O argumento se usa em conexão com as qualidades positivas do homem, como justiça, bondade, amor, etc., que são transferidas para Deus, que supostamente é o próprio padrão destas qualidades. O argumento da *via eminentiae* também é aplicado na questão da *ira de Deus*. O homem piedoso pode sentir ira contra o pecado, e exigir um castigo brutal. Supõe-se, então, que Deus, como uma *Pessoa Suprema*, deve sentir uma emoção semelhante (mas em grau bem maior) que ameaça o pecador com um julgamento divinamente brutal. A *propiciação* seria o meio utilizado pelo amor de Deus para aplacar esta ira, e assim livrar o homem do castigo merecido. Esta teologia, naturalmente, tem um raciocínio útil. Mas o problema é isto: até que grau (se existe um grau), podemos atribuir emoções humanas ao *Ser Supremo?* Esta atribuição não é mera aplicação antropomórfica ilegítima? Os teólogos continuam debatendo.

C. Cristo e a ira de Deus

No que diz respeito ao fato de que Cristo suportou a ira de Deus, em nosso lugar, por causa de nosso pecado, precisamos considerar o seguinte: pensar que Deus se deixou arrebatar pela raiva, ou pensar que Cristo sofreu o exato equivalente a todas as agonias que os eleitos teriam sofrido por toda a eternidade é errar inteiramente quanto ao sentido da propiciação.

1. Lembremo-nos que foi o próprio Deus quem 'nos amou e enviou seu Filho como propiciação por nossos pecados'. Deus não guardava *nenhuma* atitude de inimizade contra nós. Deus nos ama.

2. Portanto, estritamente falando, não foi castigo que Cristo sofreu na cruz, e, sim, a *ira*. A punição é algo contra o ofensor; mas a ira que foi descarregada contra Cristo foi contra a ofensa, o pecado. Cristo suportou aquela *ira* que o ser e a natureza de Deus sempre e eternamente sentirão contra o pecado. O pecador não pode aproximar-se de Deus, mas deve morrer, deve perecer em sua presença santa—não porque Deus lhe vote ódio, mas porque Deus é santo. Por essa razão é que Cristo morreu—e foi abandonado à ira de Deus, porque tomou sobre si mesmo os nossos pecados, sobre seu próprio corpo, no madeiro. E assim, tendo sido posto nosso pecado sobre ele, sobreveio-lhe o julgamento e a ira. E é por isso, igualmente, que o crente não foi destinado 'para a ira' (I Tes. 5:9), pois a ira recaiu sobre Cristo.

3. O conceito de que Cristo, na cruz, suportava todas as agonias dos homens, que eles haveriam de sofrer por toda a eternidade, se alicerça diretamente sobre o *legalismo* do catolicismo romano, e do qual nem os reformadores puderam escapar, a saber, que ainda estamos vinculados, em nossas responsabilidades ao primeiro Adão; que a nossa história não terminou na cruz. Mas que o sangue derramado que era exposto aos olhos de Deus, no dia da expiação, simplesmente testificava que fora dada uma vida, que uma vida terminara. 'Os sofrimentos de todos os eleitos, por toda a eternidade', jamais poderiam

tomar o lugar da 'vida dada' pelo grande sacrifício (de Cristo). Deus não requeria agonias; mas simplesmente o pecado não podia aproximar-se dele! Era mister que os pecadores fossem banidos de sua presença—a menos que aparecesse um substituto, o qual, tomando o lugar dos pecadores, e levando sobre si mesmo os pecados deles, desse assim a sua vida. Isso é o que foi feito por Cristo. Ele 'deu a sua vida para tornar a recuperá-la'. Por isso, convém que nos lembremos de ambas as porções dessa grande declaração: a. Ele deu a sua vida, levando o nosso pecado e fazendo-o desaparecer para sempre da presença de Deus. Porém, nem mesmo Cristo, enquanto levava o nosso pecado, por assim dizer, não podia aproximar-se de Deus, mas foi abandonado, debaixo da ira santa contra o pecado. Não foram as agonias de Cristo que tiveram valor, mas antes, tendo levado sobre si mesmo o pecado e tendo dado a sua vida, derramou a sua alma na morte. E desse modo ele reconheceu que a santidade de Deus era absoluta e infinita e declarou: *Está consumado!* b. E o fato de que ele recuperou novamente a sua vida, não significa que ele recuperou aquela vida que, de conformidade com Lev. 17:11, mostra que a vida está 'no sangue', porquanto 'a vida de toda a carne é o seu sangue' (Lev. 17:11,14), pelo que também foi dado como 'expiação' por nossas almas. Não, Cristo não recuperou a vida que está no sangue, mas antes, a *novidade de vida*, ao ressuscitar.

Deus, realmente, permitiu que o homem infligisse os terríveis sofrimentos da crucificação contra o seu próprio Filho unigênito. Mas esses sofrimentos não foram ainda o *cálice* que o Pai lhe dava para beber. O cálice era a *ira divina* contra o pecado, e isso envolveu a necessidade de ser ele 'cortado da terra dos viventes', sob a mão do juízo divino.

D. Natureza da propiciação: Rom. 3:25

Ao qual Deus propôs como propiciação, pela fé, no seu sangue, para demonstração da sua justiça por ter ele na sua paciência, deixado de lado os delitos outrora cometidos;

1. O único outro uso desse vocábulo, no N.T., é o que aparece em Heb. 9:5, onde se refere ao *propiciatório*, que era a tampa de ouro da arca da aliança, e sobre cuja tampa era derramado o sangue do sacrifício, no dia da expiação, ao entrar o sumo sacerdote no Santo dos Santos. O «propiciatório», pois, era o «local» da expiação. O propiciatório jazia oculto, e os judeus, através de seus sumos sacerdotes, podiam aproximar-se do mesmo apenas uma vez por ano. Era ali que Deus vinha encontrar-se com os homens. (Ver Êxo. 25:17-22; Lev. 16:2 e Núm. 7:89). Era aquele, por igual modo, o lugar da meditação, bem como da manifestação da remissão do pecado. Assim também, por intermédio de Cristo, que é o antítipo ou grande Mediador entre Deus e os homens, e que, por meio dele, os homens têm acesso a Deus. (Ver Efé. 2:18).

«Assim como a superfície de ouro cobria as tábuas da lei, assim também Jesus Cristo está por sobre a lei, vindicando-a como santa, justa e boa, e assim, igualmente, vindicando as reivindicações divinas que nos exigem obediência e santidade. E assim como o sangue era anualmente aspergido sobre a tampa de ouro, pelo sumo sacerdote, assim também Cristo é exibido 'em seu sangue', não vertido para aplacar a ira de Deus, mas para satisfazer a justiça de Deus ou para compensar pela desobediência humana, e isso, como a mais elevada expressão do amor divino pelo homem, tendo participado, junto com a humanidade, até da morte, a fim de que pudesse haver reconciliação do homem com Deus, mediante a fé e a

EXPIAÇÃO

rendição a Deus». (Vincent, *in loc.*).

Essa é a interpretação central desse conceito, e que certamente é defendida pela esmagadora maioria dos eruditos na Bíblia, ainda que tal posição tenha sido vigorosamente combatida por outros, à base das seguintes alegações:

a. Cristo é mais apropriadamente apresentado como o *próprio sacrifício*, e o sangue referido é o seu, e não aquele que era aspergido sobre a tampa da arca da aliança, o que era apenas uma ilustração simbólica.

b. A «propiciação» aqui aludida não vem acompanhada do artigo definido, no original grego, o que deveríamos esperar se houvesse realmente alguma referência específica a algum aspecto do A.T. A esta objeção porém, respondemos que nada se pode concluir disso, porquanto o grego «koiné» não segue qualquer regra estrita, de forma coerente, quanto ao emprego do artigo.

c. Alguns estudiosos supõem que em vista de Cristo ser apresentado como justiça, isto é, como a demonstração da justiça, não pode ele ser assemelhado ao propiciatório, cuja idéia dominante era a de haver necessidade de aplacar a ira divina e demonstrar a graça de Deus. Replicamos, contudo, que não há razão para alguém supor que existe uma perfeita correspondência simbólica entre Cristo e o propiciatório. A justiça, além disso, não indica apenas o aspecto negativo, isto é, o perdão dos pecados; mas indica também a perfeita revelação da vida revivificadora, bem como a participação nos atributos positivos e santos de Deus. Diversas outras objeções têm sido levantadas contra essa interpretação, que apresentamos acima, mas nenhuma delas é conclusiva.

Em favor dessa interpretação, por outro lado, podemos enfileirar os seguintes motivos:

a. A palavra aqui traduzida por *propiciação*, na Septuaginta (tradução do A.T. hebraico para o grego, completada cerca de duzentos anos antes da era cristã), é geralmente a palavra usada para indicar o propiciatório. (Ver Êxo. 25:18-21), em um total de nada menos que 26 trechos diversos (conforme se lê no Comentário de Lange).

b. O único outro uso desse termo, «propiciação», em todo o N.T., aparece em Heb. 9:5, que indica o propiciatório.

c. Tal uso está de conformidade com a tipologia do A.T., onde Cristo aparece como a nossa páscoa, como a porta, como a rocha, como o amém e como o alvorecer da madrugada.

d. Transparece uma excelente idéia contrastante, nessa interpretação. É que o propiciatório jazia «oculto», entre cortinas, só podendo ser avizinhado uma vez por ano, pelo sumo sacerdote. Em contraste com isso, pois, Deus «propôs» ou exibiu a Cristo, em seu caráter, como o verdadeiro «propiciatório»; e isso é típico do caráter mais elevado do N.T., quando confrontado com a revelação do A.T., o que também está de conformidade com a idéia de toda a epístola aos Romanos, que contrasta o pacto antigo com o novo pacto, elevando o Novo Testamento muito acima do Antigo, como um desenvolvimento planejado e cumprido pelo próprio Deus.

2. A despeito desses muitos e variegados argumentos sobre o sentido da palavra «propiciatório», devemos admitir que a maioria dos eruditos modernos duvida que Paulo estivesse fazendo precisamente esse uso da palavra; pelo contrário, tal vocábulo tem o sentido mais geral de um sacrifício (o que também transparece nas páginas do A.T.), em propiciação oferecida a Deus, que anula os pecados e os seus daninhos efeitos. A idéia dominante, entretanto, não é a da necessidade de aplacar a ira de Deus, conforme se ouve comumente, mas antes, é um meio de expiação, de perdão.

V. Paz da Expiação

Ver Col. 1:20 — A expiação produz **paz** com Deus, e *reconciliação*. Isso supõe ter-se instaurado a desarmonia no universo, como também entre Deus e o homem. Esse caos e conflito foi causado pela entrada do pecado, tendo sido fomentada a rebeldia nos céus e na terra. Paulo não explica aqui por que o conflito teve começo. Supõe que seus leitores conhecessem o seu ensino sobre os efeitos do pecado e da rebelião, a qual Epafras havia ensinado com cuidado. Supõe que, sem a santificação, nenhuma pessoa jamais verá a Deus (ver Heb. 12:14), e que todos os homens participam do pecado, que provoca o desprazer e a ira de Deus. (Quanto a uma passagem que ensina isso de modo incisivo, ver Rom. 1:18-32). A ira de Deus se revela contra toda impiedade e injustiça, contra os homens que se deixam cativar pelos vícios, mediante a perversão de sua própria escolha e vontade, os quais são dignos de julgamento divino, que têm prazer em suas depravações, bem como naqueles que praticam depravações como eles. (Ver Rom. 5:1; João 14:27, e 16:33; Gál. 5:22).

Pelo sangue da sua cruz.

A Polêmica

1. Uma boa parte da epístola aos Colossenses foi escrita como uma polêmica contra os gnósticos. (Ver o artigo sobre *Gnosticismo*). Portanto, Paulo afirma que a verdadeira paz com Deus (ver Rom. 5:1) e a harmonia dentro do universo (através da restauração, ver Col. 1:16) tornar-se-ão realidade através de Cristo, e nunca por meio dos supostos «aeons».

2. Essa restauração e essa paz dependem da expiação de Cristo (ver Rom. 5:1). Os gnósticos negavam a validade de qualquer forma de expiação cruenta. (Ver Rom. 3:25). O trecho de I João 5:6, mostra-nos que os gnósticos viam valor no batismo de Jesus, pois, para eles, naquela ocasião é que o espírito do Cristo teria descido sobre Jesus. Ele veio «por meio da água», asseveravam. Mas também veio «por meio do sangue», porquanto sua missão requeria que fizesse expiação. Os gnósticos ensinavam que nenhum «aeon» (ou ser espiritual) poderia agir dessa maneira em uma missão terrena, e, por isso mesmo, procuravam descartar inteiramente o conceito da expiação pelo sangue, em seu sistema espúrio.

Ver Efé. 1:7 que é trecho paralelo a Col. 1:20, embora ali o escopo se limite à reconciliação terrena, ao passo que a reconciliação universal é o tema da passagem de Col. 1:20.

O sangue de Cristo, neste ponto, além de ser declarado como aquilo que faz expiação, parece ser visto como o selo do pacto de paz, dotado de poder místico, um poder que gera a vida, liberada através do seu sacrifício. O que foi realizado em sua morte é o que é salientado aqui, do que seu sangue é o símbolo, porquanto o apóstolo não falava de qualquer virtude literal do líquido sangüíneo, conforme os pagãos pensavam, no tocante às suas vítimas animais. A doutrina paulina nunca é sacramental, mas sempre é mística.

VI. Referências e Idéias. A Expiação

1. A expiação é explicada (ver Rom. 5:8-11; II Cor. 5:18,19; Gál. 1:4; I João 2:2; I João 4:10). 2. Foi preordenada (ver Rom. 3:25; I Ped. 1:11,20 e Apo. 13:8). 3. Foi universal (I Jo. 2:2; Efé. 1:10). 4. Foi

EXPIAÇÃO — EXPIAÇÃO PELO SANGUE

predita (Isa. 53:4-6,8-12; Zac. 13:1,7). 5. Foi efetuada exclusivamente por Cristo (ver João 1:29,36; Atos 4:10,12; I Tes. 1:10; I Tim. 2:5,6; Heb. 2:9; I Ped. 2:24). 6. Foi voluntariamente efetuada (ver Sal. 40:6-8 com Heb. 10:5-9 e João 10:11,15,17,18). 7. A expiação exibe a graça e a misericórdia de Deus (ver Rom. 8:32; Efé. 2:4,5,7; I Tim. 2:4; Heb. 2:9). 8. O amor de Deus (ver Rom. 5:8; I João 4:9,10). 9. O amor de Cristo (ver João 15:13; Gál. 2:20; Efé. 5:2,25 e Apo. 1:5). 10. Reconcilia entre si a justiça e a misericórdia de Deus (ver Isa. 45:21; Rom. 3:25,26). 9. É pelo sangue, Col. 1:20; Efé. 1:7.

VII. Expiação pelo Sangue. Ver Expiação pelo Sangue, e Expiação pelo Sangue de Cristo.
Quatro Compreensões

1. *Literalmente.* Os povos antigos pensavam que o sangue da vítima ficava automática ou magicamente «carregado» com o poder e a virtude do deus sobre cujo altar era sacrificada. Quando esse sangue «tocava» em algo, transmitia o poder e a virtude de tal deus, como que através de meios mágicos. Seja como for, o sangue literal precisava fazer o «toque». Naturalmente, rejeitamos essa interpretação literal e mágica sobre a expiação pelo sangue.

2. *Simbolicamente.* O sangue é o «símbolo» da morte de Cristo e dos seus efeitos. Essa posição expressa uma verdade, mas é incompleta, pois precisa incluir a interpretação seguinte.

3. *Misticamente.* O sangue de Cristo, por falar de sua «morte», revela-nos que, mediante o contacto «místico» com o Espírito Santo, o valor e os efeitos da morte de Cristo tornam-se nossos. Cristo venceu ao pecado; e o Espírito Santo, transmitindo a nós a morte de Cristo, conquista o pecado em nós. Cristo fez expiação perante Deus Pai, retirando o motivo de sua ira justa; e agora, ao sermos identificados com Cristo em sua morte, o pecado é expiado para nós. Portanto, recebemos perdão e purificação. A participação na morte de Cristo, pelo poder do Espírito Santo, é uma força transformadora. O Espírito de Deus literalmente «espiritualiza» os nossos seres, amoldando-os de acordo com Cristo, no tocante às suas relações com o pecado. Assim recebemos perdão, purificação e poder santificador. É o Espírito Santo, portanto, que transforma nossas almas, tornando isso plenamente operante em nós. Por conseguinte, a expiação pelo sangue de Cristo não é mera base para o decreto divino do perdão. É um poder operante. Assim sendo, o sangue de Cristo «desliga-nos» do pecado. E também santifica e purifica nossa vida de todo o pecado, já que nos dá a vitória sobre atos pecaminosos, tornando-nos pessoas santas. É óbvio que o Espírito Santo também nos identifica com a vida de Cristo, e dessa maneira nossos espíritos são espiritualizados, de tal modo que chegamos a compartilhar de sua própria imagem, de sua própria natureza. (Ver as notas expositivas em II Cor. 3:18 no NTI acerca dessa questão).

4. *Historicamente.* Na morte de Cristo, nós morremos e na ressurreição, nós participamos na vida dele (a mensagem de Rom. cap. 6). Por causa da expiação histórica de Cristo, somos aceitos no Amado (Efé. 1:6), e isto através da declaração forense de Deus. Mas o Espírito opera em nós tudo que é incluído na declaração forense, segundo as descrições dadas sob o ponto três.

VIII. Extensão da Expiação: Efeitos Universais
Jesus Cristo morreu pelo **mundo** (João 3:16). É ridículo dizer que isto quer dizer o mundo *dos eleitos.* I João 2:2 nega esta suposição absolutamente: «Ele é a

propiciação pelos nossos pecados, e *não somente* pelos nossos, mas *também* pelos pecados de *todo o mundo*». A linguagem não tem mais sentido se insistimos (depois da ênfase que o versículo traz) em dizer que o *mundo* aqui significa os eleitos ainda não salvos. O problema não é *se* o Novo Testamento se declara em favor da expiação universal. É óbvio que assim se declara. O que *não é* tão óbvio é *até que ponto* a expiação universal será aplicada para ter efeitos *reais*, e não meramente teoréticos. Muitos dizem que a *intensão* é universal, mas a *aplicação* é parcial. Os universalistas ensinam que a vontade predestinária de Deus está atrás da intensão, portanto, o efeito deve ser universal, *afinal*. Segundo meu pensamento, a verdade é o seguinte:

1. *No caso dos eleitos.* A expiação abre a porta para uma participação na natureza divina como a realização mais grandiosa da própria salvação (que vide). A expiação é *uma* medida para garantir este efeito. Existem outras medidas como o ministério transformador do Espírito (II Cor. 3:18), porque o perdão do pecado é o *início* do ato salvador de Deus, não a própria *substância* do mesmo. De qualquer maneira, a participação na natureza e imagem de Cristo (Rom. 8:29), portanto, na *divindade* (II Ped. 1:4; Col. 2:10), depende, parcial e inicialmente, da expiação.

2. *No caso dos não-eleitos.* Escrituras como Efé. 1:10 e Col. 1:16,20 exigem uma aplicação absolutamente universal da expiação. Acredito que esta aplicação resultará em uma *restauração* dos não-eleitos, em um benefício *magnificente*, embora não na participação deles na natureza divina. Assim, contrasto a *redenção* (dos eleitos) com a *restauração* (dos não-eleitos). A expiação tem uma parte neste ato *salvador-restaurador*. Esse conceito exalta o poder e a pessoa de Cristo, reconhecendo o êxito de sua missão. Ver uma declaração mais detalhada sobre este ensino nos artigos a *Missão Universal do Logos* (Cristo), e a *Restauração*.

3. *Efeitos cósmicos.* Efé. 1:10 e Col. 1:16, 20 implicam que a expiação tem efeitos na criação inteira, de fato, *no cosmos*, entre seres de ordens não-humanas. Não temos praticamente nenhuma informação sobre este assunto. Certamente, deve ser considerado como parte da realização da *restauração*.

Bibliografia. AM B C CHA IB ID NTI R

EXPIAÇÃO, DIA DA
Ver **Dia da Expiação.**

EXPIAÇÃO INCLUI A CURA FÍSICA?
Ver o artigo sobre **Enfermidades na Bíblia, IV, A Teologia da Doença.**

EXPIAÇÃO PELO SANGUE
Ver a nota sobre a **expiação**, quanto a detalhes completos. O artigo sobre *sangue*, nos seus pontos segundo e terceiro, — fornece detalhes sobre esse conceito. Ver também o artigo sobre *Expiação pelo Sangue de Cristo*. Damos aqui apenas algumas sugestões.

Um Breve Sumário de Idéias:

1. Sabemos que os antigos povos semitas, e não apenas os hebreus, aceitavam que o sangue é a vida da carne, e que, por essa razão, o sangue servia de expiação. (Ver Lev. 17:11). Os intérpretes argumentam se a expiação seria obtida pela *vida* perdida pela

EXPIAÇÃO PELO SANGUE DE CRISTO

vítima, ou por sua *morte* (pois o sangue era capaz de representar ambos esses aspectos). E a maioria prefere pensar na morte. Porém, não vejo como poderíamos separar duas idéias inseparáveis. A vítima oferecia sua vida, quando morria. Além disso, há o conceito de que a vida está no sangue, e que o sangue, vertido quando do sacrifício, fornecia seu valor expiatório.

Os intérpretes que negam que a questão nada tinha a ver com a idéia de expiação, nos dias antigos, ignoram o ponto de vista semita da natureza do sangue, adaptando o que os antigos semitas acreditavam ao que eles agora acreditam, no que tange à expiação pelo sangue.

2. *O valor literal do sangue, como expiação.* Os povos antigos criam que o sangue das vítimas tinha poderes mágicos, transmissores de vida, e também que, ao ser derramado sobre o altar de alguma divindade, adquiria parte das virtudes daquela divindade. Quando esse sangue tocava em qualquer coisa, esses poderes seriam transferidos para o altar ou para os indivíduos que tocassem no sangue, ou sobre quem o sangue fosse aspergido. Exatamente por isso, havia batismos em sangue, como também havia sacrifícios cruentos, com o propósito de fazer expiação e purificação pelos pecados. Sabemos que os antigos hebreus compartilhavam de alguns desses conceitos, ainda que agora os consideremos supersticiosos. Porém, a hermenêutica requer fidelidade à compreensão histórica de qualquer idéia. Não podemos modernizar e purificar tais idéias, com base em nossos raciocínios *a priori*, imaginando que as antigas idéias sobre expiação não continham noções erradas, visto que tais coisas foram ordenadas por Deus. O tratado aos Hebreus é uma exposição sumariada da ineficácia dos sacrifícios de animais. Muitos hebreus obviamente assim pensavam, mas o trecho de Hebreus 10:4,11 declara iniludivelmente que tais sacrifícios jamais poderiam tirar pecados, sendo apenas memoriais dos pecados passados. É no Novo Testamento que entendemos que esses sacrifícios eram apenas simbólicos da expiação de Cristo, e que a morte de Cristo anunciou a remoção total daqueles sacrifícios simbólicos.

3. Os sacrifícios de animais, do Antigo Testamento, *simbolizavam* a morte expiatória de Cristo, conforme somos ensinados no décimo capítulo da epístola aos Hebreus e em muitas passagens do Novo Testamento. Ver a declaração geral a respeito, em Heb. 7:27.

4. Na expiação de Cristo, encontramos o poder místico do Espírito que purifica, perdoa e transforma, com base no ato salvatício de Cristo. O Espírito Santo torna real, na vida dos indivíduos, aquilo que a expiação pelo sangue de Cristo preparou potencialmente; e o seu sangue vertido simboliza essa operação mística do Espírito.

5. Porém, apesar de simbólico e místico, o sangue da expiação também tem um aspecto *histórico*. O ato tinha de ser realizado, a morte tinha de ser experimentada, o sangue precisava ser vertido. (B C E NTI)

EXPIAÇÃO PELO SANGUE DE CRISTO

Quanto a comentários completos ver o artigo sobre a *Expiação*. Ver também o artigo sobre *Expiação pelo Sangue*, quanto ao pano de fundo histórico a respeito. Oferecemos aqui apenas algumas indicações, como um sumário de idéias.

1. Rejeitamos a interpretação *literal* da expiação, segundo a qual o próprio fluido chamado sangue é que teria virtude, por ser a vida da carne, ou como se fosse a própria alma, conforme os antigos povos semitas acreditavam.

2. Contudo, historicamente falando, o ato da expiação, mediante a morte, precisava ser realizado, porquanto era isso que Deus requeria. Contudo, o sangue derramava-se no solo e se perdia. Portanto, em nenhum sentido literal o sangue de Cristo pode agora tocar nas pessoas e purificá-las, fazendo com que Deus perdoe os pecados delas.

3. Também rejeitamos a *crença sacramentalista*, chamada transubstanciação (que vide), a qual supõe que o sangue de Cristo, na eucaristia (ver o artigo), torna-se uma realidade presente, podendo ser recebido pelo organismo humano através da ingestão da hóstia, como se assim os seus pecados fossem perdoados. Aliás, o perdão viria quando da absolvição proferida pelo padre, e a participação na hóstia seria mais uma comunhão com Cristo. Essa idéia parece-se muito com o conceito do valor literal que os antigos hebreus davam ao sangue dos animais sacrificados. Embora seja um conceito expresso mediante uma sofisticada linguagem filosófica, vem a ser a mesma idéia. Essa posição concebe um deus que pode ser engolido por seus adoradores!

4. Todavia, há também um *aspecto místico*. O Espírito Santo é quem torna real e eficaz para o crente aquilo que é de Cristo. Seus poderes transformadores tornam-se possíveis graças ao sangue de Cristo. É através das operações do Espírito Santo, segundo a imagem de Cristo (Rom. 8:29) que o crente chega a participar dos efeitos da morte e da ressurreição de Cristo. Portanto, conforme esclarece Paulo, em Romanos 5:9,10, é a *morte* de Cristo que nos justifica, e é a sua *vida* que nos salva. Contudo, essa justificação e essa salvação são operadas pelo Espírito, que nos transmite a vida de Cristo (II Cor. 3:18).

No sangue de Cristo há vida, e não apenas morte. A vida de Cristo, que se torna disponível a nós, através de seu sangue, é o fator enfatizado por alguns teólogos, os quais insistem que o sentido central do sangue de Cristo está em suas propriedades transmissoras de vida, e que não deveríamos pensar tanto em sua morte como pensamos na perda de sua vida. Por assim dizer, a vida de Cristo foi liberada para operar em nós, quando seu sangue foi vertido. Essa é uma grande verdade mística, embora de forma alguma isolada. Pois a verdade é que a morte de Cristo também é aludida como motivo de nossa expiação, através de seu sangue. Não vejo motivos para negar qualquer desses dois aspectos—o da perda da vida de Cristo e o de sua morte—vinculados ao sangue de Cristo.

Referências Bíblicas ao Sangue de Cristo. 1. A justificação nos é dada através do sangue de Cristo (Rom. 5:9). 2. O sangue de Cristo obtém a reconciliação e a paz (que vide) (Rom. 3:25). 3. O sangue de Cristo provê expiação (ver o artigo) e propiciação (que vide), Rom. 3:25. 4. O sangue de Cristo obtém para nós a redenção e o perdão dos pecados (Col. 1:14). 5. O sangue de Cristo substitui todos os sistemas sacrificiais e todos os sacrifícios (Heb. 7:27 —bem como os capítulos 7-10). Esses trechos bíblicos provêm um número suficiente de detalhes específicos que poderiam participar desta lista, incluindo o ofício de Cristo como o nosso Sumo Sacerdote, bem como a questão de nosso acesso a Deus. 6. O novo pacto repousa sobre o sangue de Cristo (Heb. 12:24; I Cor. 11). (B C NTI STI)

••• ••• •••

EXPLANANDUM — ÊXTASE

EXPLANANDUM
Aquilo que deve ser explicado.

EXPLANANS
Aquilo que provê explicação para alguma coisa.

EXPLICAÇÃO
Essa palavra portuguesa deriva-se do latim, **ex**, «fora», e **planare**, «aplainar», ou seja, o procedimento que esclarece as coisas mediante palavras, atos ou gestos. Usualmente isso sucede dividindo-se uma idéia complexa em porções menores, que possam ser manuseadas mais facilmente, cuja soma total provê o conceito completo.

1. *Braithwaite* (que vede) pensava que as explicações de um assunto qualquer começavam em níveis inferiores, que depois iam subindo para níveis superiores.

2. *Hemple* (que vede) provia uma fórmula para ser usada em explicações científicas, fórmula essa que ele chamou de modelo dedutivo nomológico.

3. *Nagel* (que vede) pensava que as explicações são deterministas, sempre que elas surgem em cena, tanto na mecânica «quantum» (que vede) quanto na mecânica clássica, mas também na biologia, na psicologia, na história e na física.

4. *Popper* (que vede), insistia que, por muitas vezes, a falsidade é mais importante que a verificabilidade.

5. *Levi-Strauss* (que vede) fazia a filosofia da linguagem ter ligações com a questão das explicações, enfatizando modelos lingüísticos como elementos primários em qualquer tentativa de explicar algo.

6. *Na fé religiosa*, as explicações não se limitam aos meios empíricos e à linguagem humana. Ela também concebe a linguagem da alma. Há discernimentos místicos que podem fazer algo para explicar certos aspectos da experiência humana que não podem ser explicados empiricamente. Também existem livros sagrados misticamente obtidos, ou mesmo partes de livros, que explicam certas coisas que não podem ser sujeitadas à inquirição científica.

EXPLICAÇÃO MECÂNICA
Visto que o termo **mecânica** (vide) tem uma lata definição, assim também sucede a essa expressão, «explicação mecânica». A filosofia não usa o vocábulo mecânica somente para indicar aquilo que se relaciona às máquinas. Hobbes sugeriu que todas as coisas são *máquinas naturais*, sem elementos metafísicos misteriosos, e que todos os atos podem ser explicados em termos de átomos em movimento. De maneira geral, podemos dizer que, asseverando o mesmo princípio de modo negativo, a explicação mecânica postula que as coisas podem ser explicadas recorrendo-se aos conceitos teológicos de causa final. Mas, positivamente, essa teoria supõe que os processos mecânicos podem ser explicados por teorias relativas à matéria em movimento. O materialismo também apela para esse tipo de explicação. No campo da biologia, o conceito faz oposição a outro, chamado *vitalismo* (que vede). Por extensão, a teoria pode ser usada para indicar o conceito da religião natural, segundo o qual as leis naturais contêm todas as causas e efeitos que podem suceder, sem a necessidade de se pensar em princípios divinos. A explicação não mecânica do universo, por sua vez, parte do pressuposto que a natureza e o homem não podem ser adequadamente explicados sem que se postule o que é sobrenatural e imaterial, por detrás dos fenômenos físicos.

EXPOSIÇÃO
Trata-se da apresentação de um assunto qualquer de maneira ordeira, como uma análise detalhada. Na pregação cristã, usualmente isso envolve a *exegese* (que vede). Em sentido secundário, a exposição é um comentário, formal ou informal, essa palavra também é usada no catolicismo romano para indicar certa cerimônia em que a hóstia é deixada exposta, a fim de ser adorada. Ver também sobre *Pregação Expositiva*.

EXSULTET
Palavra latina que significa «exultar», «regozijar-se». De acordo com os ritos católicos romanos, essa palavra refere-se à declaração ou *praeconium* de um diácono, quando ele acende a vela pascal, no sábado da páscoa. Esse título deriva-se das palavras de abertura do rito: *Exsultet jiam angelica turba*, isto é, «Agora as hostes angelicais exultam».

ÊTASE
No grego, literalmente, significa «estar fora de si mesmo». Essa palavra é usada para indicar alguma emoção dominante ou alguma exaltação mental, como um *êxtase de alegria*. No misticismo, entretanto, refere-se a um estado de consciência alterada, no qual os místicos entram em algum transe, no qual são inspirados a ter suas visões, ou no qual recebem suas comunicações, por quaisquer meios que estejam à sua disposição. Nesse estado, a pessoa pode ver-se tão envolvida em sua experiência que se desliga totalmente de seu meio ambiente físico. Ou então a pessoa pode encontrar-se em um estado mental essencialmente alterado, mas ter consciência parcial de seu meio ambiente. Uma pessoa, nesse estado, pode tornar-se totalmente insensível diante dos estímulos externos normais, mesmo que sofra dores. Uma maneira medieval de testar a validade dos estados de transe consistia em furar a pessoa com agulhas ou instrumentos pontiagudos, para ver como ela reagiria. Se a pessoa reagisse, o êxtase era considerado falso. Naturalmente, o teste nem sempre se aplica a todos os casos de êxtase.

O *êxtase* pode ser o ponto culminante da abordagem intuitiva e mística da fé religiosa, algumas vezes cultivado pela meditação. De certas vezes, ocorre espontaneamente, sem qualquer tipo de preparação prévia. No caso dos gigantes espirituais, o êxtase pode ser atribuído a alguma elevada busca espiritual, que é galardoada desse modo, para propósitos de iluminação, mesmo quando nenhum esforço especial foi enviado para provocar o estado. Estágios expurgadores e iluminadores podem anteceder o êxtase. O êxtase caracteriza-se por intenso júbilo, quando a pessoa é invadida pelo espírito do amor, quando o senso estético e ético são intensificados de modo extraordinário. Então a pessoa percebe a unidade de todas as coisas, e há experiências noéticas, quando a pessoa adquire compreensão sobre os grandes mistérios. Quase sempre, o êxtase envolve elementos inefáveis. Plotino (que vide) afirmava que no estado de êxtase é dado o conhecimento divino, de uma maneira que transcende às categorias humanas.

Métodos de Indução de Estados Extáticos. Como é óbvio, há estados verdadeiros e falsos de êxtase. Alguns desses estados são tipicamente humanos, embora envolvam dimensões desconhecidas e miste-

ÊXTASE — EXTREMA-UNÇÃO

riosas do ser humano. Outros estados podem ser demoníacos, valendo-se de poderes malignos para produzir os seus fenômenos. E outros estados extáticos podem ser divinos, dependendo do Espírito de Deus quanto à sua manifestação e o seu poder e intensidade. Entre os povos primitivos, bem como na moderna cultura das drogas, têm sido usados psicotrópicos para produzir estados alterados de consciência, que podem ser classificados como estados extáticos. Além disso, jejuns, flagelações e danças frenéticas têm sido usados como provocadores de estados extáticos. Os grupos religiosos apelam para a disciplina corporal, para o ascetismo e para a meditação.

O Êxtase e os Mistérios. Sabemos bem pouco sobre os estados normais de consciência, e menos ainda sobre os estados alterados de consciência. Pouco sabemos acerca do verdadeiro potencial do espírito humano, e menos ainda a respeito do que o Espírito de Deus pode fazer com um homem. Sabemos que esse estado, inteiramente à parte de suas aplicações religiosas, tem produzido alguma música notável, peças literárias de grande inspiração, tudo o que indica que esse estado está vinculado às funções criativas do homem, ou, pelo menos, pode utilizar-se de poderes criativos extra-humanos. Os homens, de alguma maneira, podem tornar-se parte de todas as coisas, chegando assim a participar da grande comunidade da vida, uma porção unida à existência maior e mais ampla. Visto que esse tipo de experiência nem sempre tem uma orientação religiosa, surgem problemas de definição. Esse é um tipo de experiência que pode ter resultados variegados. Ou então pode ser de vários tipos, com elementos similares. O êxtase pode ser profético, estético, ético, criativo, ou mesmo visando a propósitos científicos. A própria experiência, portanto, permanece um mistério, e o seu *modus operandi* ainda é pouco compreendido. Sua realidade, entretanto, dificilmente pode ser posta em dúvida. Não se trata apenas de uma pequena demonstração de atletismo mental.

Quase todos os místicos concordam que é errado buscar o estado extático somente por si mesmo, ou principalmente, por si mesmo. Quando assim sucede, o orgulho humano começa a operar. O nosso grande objetivo é Deus, bem como o desenvolvimento de nossas almas. O êxtase pode ser um meio para obter esse alvo, e não algo para ser buscado por seus próprios méritos. Paulo recebeu experiências extáticas, e em sua ufania forçada (os crentes de Corinto forçaram-no a jactar-se), ele afirmou passar por esse tipo de experiências. Ver II Cor. 12:1 *ss.* No entanto, ele começou dizendo que tal jactância não era correta. Sem o tempero do amor cristão, coisa alguma reveste-se de valor, incluindo essas grandiosas experiências (I Cor. 13). Pedro teve experiências extáticas quando lhe foram reveladas verdades importantes, que não conseguira aprender sem elas (Atos 10:9 *ss*). Penso que é seguro dizer que algumas passagens do Novo Testamento, ou, pelo menos, *as idéias* ali contidas, foram escritas em estado de êxtase, ao passo que outros trechos bíblicos resultam do aprendizado espiritual. Ver o artigo sobre as *Escrituras*, sob *Inspiração*. Ver também sobre *Revelação*. Portanto, esse estado tem sido identificado com a iluminação que confere um maior conhecimento espiritual. Também pode envolver a união da alma com alguma realidade superior, o que significa que o êxtase pode ser um elemento da transformação da alma, o que, finalmente, produzirá a participação na natureza divina. Ver II Ped. 1:4. O êxtase é como um marco no caminho da transformação, mostrando que

mais ainda espera pela pessoa que o recebe. Precisamos de iluminação em nossa inquirição espiritual, e a vida deveria ser disciplinada e conduzida de tal modo que o êxtase se tornasse uma grande possibilidade em nossas vidas. Contudo, relembramos que há experiências extáticas genuínas, como também há enganadoras, espúrias, e prejudiciais. (E EP)

EXTENSÃO

Uma palavra usada pelos filósofos para indicar aquilo que tem dimensões espaciais. Descartes usou o termo para indicar a *matéria*, que seria uma extensão no espaço, em contraste com a *mente*, reputada como uma substância pensante, radicalmente diferente da matéria. Ver sobre o *Dualismo.* A mente não tem dimensões espaciais. Os termos por ele usados eram *res extensa* e *res cogitans.* Seriam essas as substâncias fundamentais, embora de natureza inteiramente diversa uma da outra. Para Spinoza, o pensamento e a extensão seriam dois atributos de Deus, a Substância Infinita.

EXTORSÃO

Essa palavra portuguesa vem do latim ex, «fora», e torquere, «torcer», ou seja, «expremer para fora», «extrair». Na ética, essa palavra é usada para indicar a obtenção de alguma vantagem por meio da violência, da opressão ou do abuso de autoridade. Os oficiais do governo tornam-se extorsivos quando recebem suborno da parte de alguém, que se torna vítima por consentimento, a fim de concederem, em troca, alguma vantagem.

A Bíblia proíbe essa prática, em qualquer de suas formas. Ela é a antítese da confiança em Deus, uma afronta à honestidade. Ver Sal. 62:1. Ver também Sal. 109:11; Isa. 16:4; Sal. 62:10 e Eze. 18:18. Jesus acusou alguns fariseus de extorsão e saque (Mat. 23:25). Esse vício também aparece na lista preparada por Paulo, em I Cor. 5:11, como um pecado que caracteriza aqueles que não são herdeiros do reino de Deus.

EXTREMA-UNÇÃO

Ver o artigo geral sobre os Sacramentos. Quando um católico romano está às vésperas de morrer, é ungido com óleo bento. As porções do corpo ungidas são os olhos, as orelhas, as narinas, os lábios, as mãos e os pés, ao mesmo tempo em que o sacerdote oficiante diz: «Através deste óleo santo e de sua mais terna misericórdia, que o Senhor perdoe qualquer ofensa que tenhas cometido por meio da visão, da audição, etc.». Tanto a Igreja Católica Romana quanto a **Igreja Ortodoxa Oriental** praticam o rito, embora a cerimônia defira um tanto de um caso para o outro. Assim, na Igreja Ortodoxa, somente um padre devidamente ordenado está qualificado para aplicar a extrema-unção. O texto bíblico usado como prova é o de Tiago 5:14,15, que os protestantes, naturalmente, interpretam de outra maneira.

Tal como no caso dos outros seis sacramentos da Igreja, conforme eles são designados, supõem-se que a extrema-unção comunica a graça divina, removendo o pecado e os seus efeitos, consolando os moribundos e conferindo-lhes uma maior confiança na misericórdia divina. Também fica entendido que a cura do corpo pode ocorrer, em resultado da unção, se isso for da vontade de Deus.

A natureza dessa doutrina foi oficialmente declara-

EWALD — EZEQUIAS

da na décima quarta sessão do Concílio de Trento. A pessoa deve ter sido batizado, — deve ter chegado ao uso da razão e deve estar correndo perigo de vida em face de enfermidade, cirurgia, acidente, ou ferimentos de qualquer tipo, ou então por motivo de idade avançada. Nos casos possíveis, é preferível que a pessoa — já tenha recebido o sacramento da penitência, esteja em estado de graça e tenha recebido a Santa Comunhão (tudo o que faz parte da nomenclatura católica romana). — Caso a pessoa venha a recuperar-se, poderá receber novamente a extrema unção, tantas vezes quantas tiver de enfrentar a possibilidade de morrer.

EWALD, GEORG HEINRICH AUGUST VON

Suas datas foram 1803-1875. Foi orientalista, hebraísta, historiador e crítico da Bíblia, nascido na Alemanha. Popularizou o conceito da Hipótese do Desenvolvimento do Antigo Testamento. Produziu também uma das primeiras introduções ao Antigo Testamento, de grande valor até hoje.

EZBAI

No hebraico, «brilhante» ou «bonito». Seu nome é mencionado exclusivamente em I Crô. 11:37. Ele foi o pai de Naari, um dos trinta poderosos heróis de Davi. O trecho paralelo de II Sam. 23:35 diz «Paarai, arbita». Os eruditos não têm achado uma maneira convincente de harmonizar «Ezbai» com «Paarai, arbita». Se um desses trechos contém algum erro de transcrição, talvez seja melhor ficar com o trecho de II Sam. 23:35. Comparar com Jos. 15:52, que diz «Árabe». Árabe era o nome de uma cidade de onde vem o adjetivo locativo «arbita». Portanto, «Ezbai» aparentemente era o nome próprio daquele homem, ao passo que «arbita» era uma alusão àquela localidade.

EZBOM

Alguns estudiosos pensam que o sentido do nome é desconhecido, mas outros opinam que seria «esplendor». Esse é o nome de duas personagens bíblicas:

1. Um chefe da tribo de Benjamim, filho de Bela (I Crô. 7:7). Viveu em cerca de 1670 A.C. É estranho que apesar de Ezbom não ser mencionado em outros trechos entre os filhos de Bela, ele aparece nesse trecho juntamente com Iri, que não pertencia à tribo de Benjamim, pois era um gadita. Ele é chamado «Ozni», em Números 26:16. Por isso mesmo, alguns estudiosos pensam que tudo isso deve ser dito a respeito de Ezbom de número «dois», abaixo. Este viveu em torno de 1670 A.C.

2. Um dos filhos de Gade, chefe de um dos clãs de Gade (Gên. 46:16). Talvez seja o Ezbom que é chamado «Ozni», em Números 26:16.

EZEL

No hebraico, «separação», «partida». De acordo com o texto massorético (ver sobre o texto da *Masorah*), esse era o nome de uma pedra que havia perto da residência de Saul, e que foi a cena da despedida entre Davi e Jônatas. Porém, a Septuaginta e algumas traduções modernas dizem «o distante montão de pedras». A nossa versão portuguesa diz: «...e fica junto à pedra de Ezel» (II Sam. 20:19).

EZEM

Ver sobre **Azém**.

EZEQUE

No hebraico, «briga», «opressão». Era o nome de um benjamita, descendente de Saul e fundador de uma família de arqueiros (I Crô. 8:39), algum tempo antes de 588 A.C.

EZEQUIAS

Esboço:
1. Caracterização Geral
2. Cronologia
3. Ezequias como um Reformador
4. Aventuras Militares
5. As Obras de Ezequias

I. Caracterização Geral

Ezequias foi o décimo segundo rei do reino separado de Judá. Ele governou de 715 a 687 A.C. Era filho de Acaz e nasceu em cerca de 736 A.C. Ver II Reis 18:1,2; II Crô. 29:1. Era descendente de Davi e foi o pai de Manassés. O seu reinado é historiado em três lugares diferentes do Antigo Testamento: II Reis 18:1 — 20:21; II Crô. 29:1 — 32:33; Isa. 35:1 — 39:8.

O nome dele significa «Yahweh é a força». Foi um dos melhores reis de Judá, tendo-se tornado conhecido por sua piedade pessoal e por suas atividades políticas vigorosas e bem-sucedidas. A nàrrativa sobre a sua vida, em II Reis e em Isaías, é quase idêntica, excetuando que Isaías acrescenta o cântico de ação de graças de Ezequias, por haver-se recuperado de uma grave enfermidade. Ver Isa. 28. O segundo livro de Crônicas enfatiza as suas reformas religiosas. As questões cronológicas atinentes à sua vida têm ocasionado consideráveis dificuldades para os estudiosos. É dito que a queda de Samaria ocorreu no sexto ano de seu reinado (II Reis 18:10), o que ocorreu em cerca de 722 A.C. No entanto, a invasão de Judá, pelas tropas de Senaqueribe, em 701 A.C., é posta no décimo quarto ano do seu reinado (II Reis 18:13). Por essa razão, muitos eruditos pensam que ele foi co-regente com seu pai, Acaz, desde cerca de 729 A.C., e então tornou-se o único ocupante do trono, em cerca de 716 A.C. A duração de seu reinado também enfrenta algumas dificuldades. O último evento registrado de suas atividades como rei foi o livramento de Jerusalém, do exército de Senaqueribe (II Reis 19:35,36). Os registros assírios mostram que a invasão de Judá teve lugar em 701 A.C. A referência a Tiraca, rei da Etiópia, em II Reis 19:19, tem ocasionado a idéia de que Senaqueribe invadiu Judá uma segunda vez, em cerca de 688 A.C.

As reformas religiosas dirigidas por Ezequias incluíram a derrubada dos bosques que havia nos lugares altos (Aserá), onde era cultivada a adoração de uma certa deusa pagã.

Durante o seu reinado, Judá foi invadida tanto por Sargão II quanto por Senaqueribe, ambos da Assíria. Uma vez que o suprimento de água de Jerusalém fora ameaçado, visto que era trazido de fora dos portões da cidade, e as fontes eram de fácil acesso para algum inimigo invasor, Ezequias ordenou a escavação de um túnel no monte Ofel, trazendo água das fontes de Giom, até dentro das muralhas de Jerusalém. Isso é descrito no quinto ponto deste artigo, *As Obras de Ezequias*. Quando Senaqueribe assediou Laquis, Ezequias ofereceu-lhe tributo, a fim de tranqüilizar a situação. Mas Senaqueribe pressionou tanto que a situação ficou insuportável. Porém, quando Senaqueribe lançou cerco final a Jerusalém, o seu exército foi dizimado por uma praga e ele teve de retroceder. Desse acontecimento foi que surgiu a crença de que

659

EZEQUIAS

Jerusalém era invencível (II Reis 18:17; 19:37). O cativeiro babilônico, que ocorreu um tanto mais tarde, pôs fim a essa crença. Senaqueribe não conseguiu tomar Jerusalém, mas a destruição efetuada em Judá (o reino do sul) foi tão grande, que nunca mais teve a oportunidade de recuperar-se.

2. Cronologia

Ezequias reinou durante cerca de vinte e nove anos, e isso, ao que parece, cobriu o período de 716/715 a 687/686 A.C. Os eruditos encontram problemas com a data do período de Ezequias, no Antigo Testamento. Se adotarmos essas datas, então o Antigo Testamento poderá ser sincronizado com os registros da Síria, da Assíria, da Babilônia e do Egito.

Datas Importantes de Ezequias:
a. Seu nascimento (740 A.C.)
b. Acaz, seu pai, co-regente com Jotão (736)
c. Damasco derrotada pelos assírios; João morre; Oséias substitui a Peca, em Samaria (732)
d. Salmaneser V torna-se rei da Assíria (727)
e. A Assíria conquista Samaria (723)
f. Sargão torna-se rei da Assíria (722)
g. Acaz morre; Ezequias torna-se o único rei de Judá (716-715)
h. Asdode é conquistada por Sargão II (711)
i. Senaqueribe torna-se rei da Assíria (705)
j. Ezequias adoece, mas recebe quinze anos extras de vida (701)
l. Judá é libertada da pressão assíria (701)
m. Manassés torna-se co-regente com Ezequias (697)
n. Senaqueribe destrói a Babilônia (689)
o. Senaqueribe não consegue conquistar Jerusalém, na sua segunda tentativa (688)

3. Ezequias como um Reformador

As obras de reforma começaram no templo, que ele expurgou, reparou e reabriu para uso público. O templo havia sido negligenciado e poluído por anos de idolatria e decadência. Seu débil pai, Acaz, nada fizera para remediar a situação. Mas Ezequias restaurou as grandes festas anuais, especialmente a páscoa. Derrubou os lugares altos e chegou a destruir a serpente de bronze de Moisés, que se transformara em objeto de adoração idólatra. Ver II Crô. 29:1-36; II Reis 18:3-7 e II Crô. 30.

4. Aventuras Militares

Para começar, Ezequias combateu contra os filisteus, reconquistando várias cidades que seu pai havia perdido (II Crô. 28:18), e até conquistou algumas cidades inteiramente filistéias (II Reis 18:8; Josefo, *Anti*. 9.13,3). Mas, herdou a ameaça assíria contra o seu reino. De 715 A.C. em diante, Ezequias teve de enfrentar uma série de invasões assírias. Judá havia emergido como o poder mais forte, no centro da Palestina, sob Uzias (750-740 A.C.). Porém, nos anos que se seguiram, a Assíria aumentou muito as suas forças, até que, em 723 A.C., Samaria, capital do reino do norte, foi tomada, tendo assim lugar o *cativeiro assírio* (que vede). A expansão assíria foi temporariamente impedida, por meio da coalizão feita, no norte da Síria, da qual Azarias (Uzias), rei de Judá, havia participado, em cerca de 743 A.C. Jotão deu continuação a essa política, mas Acaz, pai de Ezequias, começou a ceder às pressões assírias, tendo pago tributo para preservar o resto de independência de que ainda desfrutava. Contudo, teve de pagar um alto tributo por essa independência. Os assírios derrotaram Peca, de Samaria, e Rezin, de Damasco; e a transigência diante desse poder estrangeiro fez com que a idolatria e o paganismo avançassem em grande escala no templo de Jerusalém.

Ezequias, pois, herdou essa calamitosa situação. Senaqueribe tornou-se rei da Assíria em 705 A.C. Ele conquistou certo número de cidades, na planície costeira. Ele afirmou ter conquistado quarenta e seis dessas cidades. Ameaçou reiteradamente a Ezequias, embora nunca tivesse conseguido conquistar Jerusalém. Em 701 A.C., seus planos foram atrapalhados por uma rebelião que estourou na Babilônia. Então ele retornou e destruiu aquela cidade-estado (689 A.C.). Aparentemente, ele fez outra tentativa de conquistar Jerusalém, mas sem êxito. Seja como for, ele jactou-se de ter engaiolado Ezequias, como um pássaro, dentro de Jerusalém. Embora Jerusalém, nessa ocasião fosse salva da destruição, a própria nação de Judá havia recebido um golpe paralizante. Ficou ao encargo de uma outra potência estrangeira destruir, afinal, Judá, o reino do sul. Ver sobre o *Cativeiro Babilônico*. Senaqueribe, entretanto, foi assassinado por dois de seus filhos, em 681 A.C.

Não obstante, Senaqueribe havia reduzido a nação de Judá a uma sombra do que havia sido. Cerca de dois terços da população de Judá foi morta ou levada para o exílio e uma grande porção de seu território se perdeu. Contudo, alguma recuperação foi conseguida, antes que a estrela babilônica surgisse em cena, o que significou o pôr-do-sol de Judá.

5. As Obras de Ezequias

Ezequias tem se tornado famoso, entre os arqueólogos, por haver conseguido trazer água potável para Jerusalém, por meio de um túnel, atualmente chamado de Túnel de Siloé. Ver II Reis 20:20. É dito que ele tapou a fonte superior das águas de Giom, canalizando-as ladeira abaixo até o lado, oriental da cidade (II Crô. 22:30). Visto que essas águas eram importantíssimas para o suprimento de Jerusalém, mas eram tão vulneráveis a qualquer ataque do inimigo, Ezequias cobriu a canalização externa e desviou essas águas para um túnel com 542 m de extensão, cavado na rocha sólida. Essas águas, chegando à cidade, eram armazenadas em um reservatório, no interior das muralhas. Túneis encontrados em Megido e em Gezer eram obras de engenharia similares.

Em adição a isso, Ezequias edificou um reservatório chamado Poço de Siloé. Tem cerca de 9,15 m de comprimento por 6,10 de largura. Jesus determinou que o cego fosse lavar-se ali, de acordo com João 9:7-11.

A Inscrição de Siloé. Um menino, vagueando pelas águas rasas do poço, encontrou essa inscrição inteiramente ao acaso, em 1880. Diz essa inscrição: «A escavação terminou. E esta é a história da escavação. Quando os trabalhadores ainda estavam levantando suas picaretas, cada qual na direção de seu vizinho e quando um metro e meio ainda precisava ser escavado, cada qual ouvia a voz do outro, do outro lado da escavação, pois havia uma fenda na rocha, no lado direito. E no dia em que a escavação terminou, os escavadores encontraram-se, picareta com picareta. E fluíram as águas para o poço, por quinhentos e quarenta metros; e a altura da rocha, acima de nossas cabeças, era de cinqüenta metros». Essas palavras foram escritas em caracteres de hebraico clássico. O seu encontro foi uma das maiores descobertas arqueológicas. (ALB FIN S STA UN Z)

Houve outros três homens com o nome de Ezequias, a saber:

1. Um filho de Nearias, da família real de Judá (I Crô. 3:23). Ele viveu em cerca de 536 A.C.

2. Um homem mencionado em conexão com Ater (Nee. 7:21), que viveu antes de 536 A.C.

EZEQUIEL, PESSOA E LIVRO

3. Um antepassado do profeta Sofonias (Sof. 1:1). Viveu antes de 630 A.C.

EZEQUIEL (A PESSOA)

No hebraico, **yekhezkale**, «Deus fortalecerá» ou «Deus prevalecerá».

1. Família e História. O nome «Ezequiel» aparece em I Crô. 24:16, como cabeça de uma das ordens sacerdotais. O profeta Ezequiel era filho de Buzi (que vede) e esteve entre aqueles judeus que foram deportados para a Babilônia. Ver sobre o *Cativeiro Babilônico*. As tradições dizem que ele era nativo de Sarera. Não dispomos de quaisquer informações sôbre o começo de sua vida, pelo que a sua história começa em II Reis 24:12-15, onde ele é descrito como membro da comunidade de judeus exilados, que se tinha estabelecido às margens do Quebar, um rio ou canal da Babilônia. É possível que sua deportação tenha ocorrido ao mesmo tempo que a do rei Jeoaquim, em 597 A.C. A aldeia em que ele vivia no cativeiro chamava-se Tel-Abibe. Depois de cerca de cinco anos de exílio, o Senhor o chamou como profeta, quando tinha talvez trinta anos de idade. Todavia, aquela referência também poderia indicar o trigésimo ano da nova era de Nabopolassar, pai de Nabucodonosor (que vede). Ver Eze. 1:1. Uma referência incidental, em Eze. 8:1, informa-nos de que ele era homem casado e que tinha uma casa no exílio. Eze. 24:1,2,15-18 é trecho que informa que no dia em que Nabucodonosor cercou Jerusalém, a esposa de Ezequiel faleceu subitamente. Do que ela morreu, não nos é dito, mas podemos estar certos de que isso fazia parte dos planos divinos para Ezequiel, como preparação para a sua missão profética. Ezequiel não deveria lamentar-se e nem passar pelas cerimônias usuais do luto. Dessa maneira, Ezequiel tornou-se um sinal para Israel, como profeta que era, dos terrores que logo sobreviriam. Sabe-se que, no exílio, ele era homem de grande reputação e respeito, e os anciãos constantemente o consultavam (Eze. 8:1; 11:25; 14:1; 20:1, etc.). Com base na última data que ele menciona (Eze. 29:17), que foi o vigésimo sétimo ano do cativeiro dos judeus, sabemos que seu trabalho se prolongou pelo espaço de vinte e dois anos.

2. Características Pessoais. Ezequiel fora escolhido por Deus como profeta, e era dotado da energia da força de vontade e das qualificações espirituais para ocupar o seu dificílimo ofício. Fora educado como hebreu e era zeloso pelas tradições de seus antepassados. Foi capaz de suportar privações e misérias e, em meio às mesmas, foi incansável em seus labores (Eze. 4; 24:15,16). Era muito amado por seu povo (Eze. 9:8,11-13), e também respeitado pelos líderes da nação judaica (Eze. 8:1; 11:25). Viveu em uma época muito difícil, tendo sacrificado seus próprios interesses e afetos, a fim de servir melhor ao Senhor. As muitas visões que teve mostram-nos que ele foi um místico de primeira ordem. Ver sobre o Misticismo. Suas visões eram especialmente ricas em seus detalhes, sendo evidente que ele vivia na presença do Senhor. Praticamente nada vemos nele que se veja nos homens ordinários. Tudo quanto é relacionado a ele, mostra-o em meio a visões, profecias e serviço prestado. Até mesmo a morte de sua esposa foi mencionada quase incidentalmente, em meio a outras considerações sacerdotais e proféticas. Em contraste com ele, o seu contemporâneo, o profeta Jeremias, é descrito em termos pessoais e proféticos. Ezequiel também foi um dos contemporâneos de Daniel. Os escritos de Ezequiel mostram que ele era poeta e autor literário de considerável habilidade.

3. Seu Ministério Profético. O ministério de Ezequiel envolve duas divisões cronológicas principais, a saber: *a*. de 592 a 586 A.C. Ezequiel advertia continuamente ao povo acerca da tempestade que se avizinhava (o cativeiro babilônico). O seu propósito era levar o povo de Judá ao arrependimento, restaurando Israel a sua fé histórica em Yahweh. *b*. De 586 a 570 A.C. teve lugar a destruição da cidade de Jerusalém; o templo dali foi arrasado; Judá foi para o exílio. Ezequiel encontrava-se entre os exilados, tornando-se um de seus pastores, em uma terra estrangeira. Ezequiel estava na Babilônia quando Jerusalém foi destruída, tendo sido levado para a Babilônia antes desse acontecimento (Eze. 3:21,22). Ver os capítulos 33 a 48 do livro de Ezequiel quanto à sua obra pastoral, na Babilônia. A primeira deportação ocorreu em 695 A.C. Daniel encontrava-se entre os cativos da primeira deportação, efetuada sob as ordens de Nabucodonosor. Então esse rei babilônico invadiu Judá novamente, em 597 A.C. E foi na oportunidade que o rei de Judá, Jeoaquim, além de muitos outros, incluindo Ezequiel, foram levados para o cativeiro. A terceira deportação ocorreu em 586 A.C., antes da destruição de Jerusalém e do templo. Essa foi a maior crise da história do reino de Judá; e foi durante esse período que Ezequiel mostrou-se ativo. Seu ministério fez soar o aviso, revelando as razões para tal sofrimento.

4. *Sua Influência*. Além da tremenda influência exercida por Ezequiel em sua própria época, sua personalidade e seus escritos aparecem em obras pseudepígrafas e nos escritos do Novo Testamento. Grande parte do simbolismo do Apocalipse foi tomada por empréstimo do livro de Ezequiel. Visto que nos dias de Ezequiel houve significativos desenvolvimentos na teologia dos hebreus, algumas vezes Ezequiel tem sido denominado de «pai do judaísmo». As doutrinas da imortalidade pessoal, da ressurreição e do profundo respeito pelas tradições dos pais (a legislação mosaica) tornaram-se as colunas da fé judaica posterior. Suas predições contribuíram muitíssimo para o estilo e o simbolismo apocalípticos, que ocuparam uma boa parte do período intermediário entre o Antigo e o Novo Testamentos. Outrossim, o misticismo da Cabala (que vede) foi influenciado por Jeremias, por sua vida, por seus escritos e pelas tradições que circundaram a sua pessoa. No entanto, a escola de Shammai considerava o livro de Ezequiel como um livro apócrifo, na suposição de que o mesmo contém contradições com a lei mosaica. Também surgiram tradições em torno de sua pessoa. Somos informados de que ele foi morto na Babilônia, pelo chefe do povo judeu, por haver sido reprovado pelo profeta por motivo de idolatria e que ele foi sepultado no campo de Maur, no túmulo de Sem e de Arfaxade. Tradições dessa natureza geralmente são imprecisas e revestem-se de pouco valor histórico.

EZEQUIEL (LIVRO)

Houve três deportações distintas do povo de Judá para a Babilônia. Daniel foi exilado quando da primeira dessas deportações. Ezequiel foi exilado quando da segunda delas. A destruição de Jerusalém e do templo ocorreu como um prelúdio da terceira deportação. Jeremias também era contemporâneo de Ezequiel. Quanto à deportação de Ezequiel ver II Reis 24:11-16. Tal como Daniel e o apóstolo João (este bem mais tarde, já dentro do cristianismo), Ezequiel profetizou na terra do exílio. E o método dele assemelhava-se muito ao método deles, repleto de símbolos e visões, ao que ele acrescentava atos

661

EZEQUIEL

simbólicos. No exílio, ele foi capaz de salientar a causa do infortúnio de Israel, a saber, seus muitos pecados e deslealdades (Eze. 14:23). Seus propósitos incluíam o encorajamento dos cativos até que a vontade de Deus os libertasse para uma nova expressão nacional. Em sete grandes arranques proféticos, introduzidos pelas palavras «a mão do Senhor veio sobre mim», ou coisa semelhante, ele entregou a sua mensagem. Ver Eze. 1:3; 3:14,22; 8:1; 33:22; 27:1; 40:1. Há outras predições introduzidas pelas palavras «Veio a mim a palavra do Senhor». Os eventos registrados nesse livro ocupam um período de cerca de vinte e um anos.

Esboço:
I. O Profeta Ezequiel
II. Pano de Fundo Histórico
III. Períodos Pessoais e Proféticos de Ezequiel
IV. Autencidade, Unidade, Canonicidade
V. Ezequiel no Novo Testamento e no Apocalipse
VI. Data
VII. Proveniência
VIII. Propósito e Ensinamentos
IX. Esboço do Conteúdo
Bibliografia.

I. O Profeta Ezequiel
Temos apresentado um artigo separado sobre o homem Ezequiel, imediatamente antes deste artigo, que o leitor deveria consultar. Ele era filho de Buzi, pelo que ou era sacerdote ou filho de um sacerdote (provavelmente, ambas as coisas), tendo sido chamado por Deus como profeta, por ocasião da maior crise de Judá; e então tornou-se um dos pastores de todo o Israel no exílio. Foi chamado por Deus para o exílio profético no quinto ano do primeiro exílio judaico, que teve início em 598 A.C., ou seja, o seu trabalho profético começou em 593 A.C. Sua última mensagem vem datada do ano 571 A.C. (ver Eze. 29:17). Dos vinte ou vinte e dois anos em que ele serviu, cerca de três foram os mais difíceis da história da nação de Judá. Os severos modos e os ensinamentos morais de Ezequiel têm-lhe conquistado o apodo de João Calvino de Judá.

II. Pano de Fundo Histórico
Antes do cativeiro babilônico (que vede) de Judá, houve o cativeiro assírio que envolveu a nação do norte, Israel (que vede). A queda de Samaria, capital do reino do Norte, ocorreu em 722 A.C. O domínio assírio sobre Judá começou em 721 A.C., quando caiu o reino do norte, mas Judá nunca se tornou uma província assíria, embora tivesse pago tributo regular aos reis assírios. Com o surgimento do reino caldeu, sob Nabucodonosor (605-562 A.C.), a situação de Judá piorou rapidamente. Em 598 A.C., Nabucodonosor invadiu Judá e levou para o cativeiro o seu rei, Jeoaquim, e muitos dos principais cidadãos dessa nação. O trecho de II Reis 24:15 mostra-nos que Ezequiel encontrava-se entre esses exilados. Os eruditos discordam quanto ao modo geral e ao número das deportações. Presumivelmente, antes disso, em cerca de 605 A.C., houve uma outra deportação, de tal modo que a deportação de Ezequiel foi a segunda de três deportações. Na Babilônia, Ezequiel continuou a advertir aos que tinham sido deixados na Judéia de que o pior ainda estava por vir. Os pecados nacionais, mormente a idolatria, eram as causas espirituais de todos esses infortúnios. O governo de Zedequias, em Judá, sob as ordens de Nabucodonosor, foi incapaz de controlar os rebeldes líderes do estado judeu. A revolta irrompeu contra o domínio estrangeiro, em 588 A.C. Nabucodonosor

não perdeu um instante. Em 586 A.C., a terra inteira de Judá jazia arruinada, Jerusalém estava destruída e saqueada e o templo não existia mais. E muitos outros milhares de judeus foram então deportados (na terceira deportação).

III. Períodos Pessoais e Proféticos de Ezequiel
O trabalho da vida de Ezequiel pode ser dividido em cinco períodos. 1. Sua chamada (Eze. 1:4-28); 2. Seus atos simbólicos (Eze. 4:1-3; 4:4-8; 4:9-17; 5:1-17; 12:1-16); 3. Suas denúncias contra os pecados de Israel (Eze. 8 — 11, 16 e 20); 4. Seus ensinamentos sobre a responsabilidade humana (Eze. 3:16-21; 8:4; 14:12-20; 33:1-29); 5. Suas promessas de restauração de Israel (Eze. 33:21 *ss* e os capítulos 40 — 48, onde se encontram as mais notáveis visões de Ezequiel quanto ao futuro).

Cronologicamente, suas obras dividem-se em dois períodos principais, a saber: 1. de 593 a 586 A.C. — repetidos avisos e atos simbólicos, com o intuito de levar o povo de Judá ao arrependimento, contidos em Ezequiel 1 - 24. 2. De 586 a 571 A.C. — Ezequiel passa a agir como pastor dos cativos, no exílio, e também como mensageiro da esperança, no tocante à futura restauração, contidos em Ezequiel 33 — 48. Entre um bloco e outro de material, temos os seus oráculos contra as nações estrangeiras, nos capítulos 25 a 32. Algumas de suas mais brilhantes declarações encontram-se nessa porção, especialmente nos capítulos 27 e 28 e 30 e 31.

IV. Autenticidade, Unidade, Canonicidade
1. *Autenticidade.* A escola de Shammai (que vede) considerava o livro de Ezequiel um livro apócrifo, sobre bases doutrinárias, supondo que haja ali contradições com a lei mosaica. Isso pressupunha ou que Ezequiel não foi um profeta genuíno, ou que um pseudoprofeta usara o seu nome, para dar maior prestígio ao livro. Até o ano de 1924, o livro escapou a críticas sérias; mas, a partir daquele ano, começou uma atividade que lançava em dúvida o livro como uma obra autêntica do profeta Ezequiel, excetuando algumas porções. Dos seus 1.273 versículos, Gustavo Hoelscher (*Hesekiel, der Dichter und das Buch*, 1924) só pôde encontrar 170 que ele considerava genuinamente de Ezequiel. Esse julgamento radical, todavia, não foi largamente apoiado. No tocante às antigas críticas, o rabino Hananias escreveu um comentário sobre o livro, com o intuito, entre outras coisas, de harmonizar o livro com os ensinos de Moisés. Contudo, por causa de sua obscuridade, as visões do livro não eram lidas publicamente, e somente quem tinha mais de trinta anos de idade tinha permissão para lê-lo em particular. No entanto, desde os tempos antigos, o livro tem sido reputado uma profecia genuína; e até mesmo os críticos mais radicais vêem no livro a mão de autoria de Ezequiel, pelo menos quanto a alguns trechos.

2. *Unidade.* Até 1924, pouca dúvida fora lançada sobre a unidade do livro de Ezequiel. Em outras palavras, cria-se que um único autor havia escrito a obra inteira. Depois daquele ano, o livro tornou-se o fulcro de um temporal de críticas literárias. Gustavo Hoelscher (mencionado acima), só pôde encontrar 170 versículos que ele atribuiu a Ezequiel. Um autor moderno, C.C. Forrgy, chegou ao extremo de chamar o livro de obra pseudepígrafa do século III A.C.! A maioria dos estudiosos, entretanto, supõe que o livro é obra genuína de Ezequiel, embora com algumas pequenas adições, feitas por mãos posteriores. Até mesmo um livro drasticamente criticado revela um poderoso profeta e um homem de consideráveis habilidades literárias. A maior parte da crítica

662

EZEQUIEL

baseia-se sobre questões de estilo; mas isso nos transporta para uma subjetividade que não pode produzir qualquer resultado acima de toda dúvida.

3. *Canonicidade*. Ver o artigo separado sobre o *Cânon do Antigo Testamento*. A canonicidade do livro de Ezequiel foi estabelecida desde a antiguidade pelas autoridades judaicas, tendo sido confirmada pelas autoridades cristãs. Ben Siraque (Eclesiástico 49:8), um pouco antes de 320 A.C., usou o livro e considerou-o canônico. Nos dias dos rabinos Shammai e Hillel, o problema do cânon do Antigo Testamento foi calorosamente discutido.

Certos eruditos chamam alguns livros de *Antilegômenos*, usando a designação grega, isto é, livros que não concordam com os demais e não merecem a mesma posição que outros. Vale dizer, livros não canônicos. Esses livros, na opinião deles, são: Ezequiel, Ester, Provérbios, Eclesiastes e Cantares. Certos indivíduos rejeitavam o livro de Ezequiel, mas nunca houve qualquer esforço conjunto para tirá-lo da coletânea do Antigo Testamento. A questão maior era se esses livros deveriam ser usados ou não na leitura pública e nos propósitos litúrgicos. O Talmude (*Hag.* 1:13a) destaca o problema central. Os capítulos 40 — 48 contêm contradições com a Tora. O rabino Hananias supostamente encontrou soluções para o problema, mas nem todos os eruditos deixam-se convencer. Talvez esses capítulos de Ezequiel não devessem ser reputados como um reavivamento do judaísmo (com algumas corrupções) e, sim, uma descrição do templo futuro, com suas cerimônias, o que produziria algumas diferenças, em comparação com a legislação mosaica original.

Na opinião dos pais da Igreja, dos concílios e dos cânones, o livro de Ezequiel é solidamente defendido, sendo mencionado favoravelmente nos catálogos de Melti, Orígenes e Jerônimo.

V. Ezequiel no Novo Testamento e no Apocalipse

No Novo Testamento não há citações explícitas desse livro, mas há empréstimos bem definidos. Comparar Rom. 2:24; com Eze. 36:21; Rom. 10:5 e Gál. 3:12 com Eze. 20:11; II Ped. 3:4 com Eze. 12:22 e 20:11. As palavras «quem tem ouvidos, ouça» (Mat. 11:15; Mar. 7:16; Luc. 14:35; Apo. 2:7,11,17,29; 3:6,13; 13:9) talvez sejam um reflexo de Eze. 3:27. A solene advertência de que o juízo divino precisa começar pela casa de Deus (I Ped. 4:17), provavelmente foi tomado por empréstimo de Eze. 9:6. E o trecho de II Cor. 6:16 talvez combine e condense as passagens de Eze. 37:27 e Lev. 26:11. E II Cor. 6:18 parece repousar sobre Eze. 36:28.

Esses empréstimos ainda são mais óbvios e freqüentes no livro de Apocalipse. Temos ali menção a Gogue e Magogue (Eze. 38:2-22; 39:1-11 = Apo. 20:8); a visão de Deus (Eze. 1:22-28, com reflexos literários no Apocalipse); a voz de Cristo como o sonido de muitas águas (Eze. 1:24, com reflexos em Apo. 1:15 e 19:6). A figura simbólica do rio doador de vida, que flui do trono de Deus (Apo. 22:1,2) é similar ao que se lê em Eze. 47:1-12. As águas e árvores curadoras, que produzem toda espécie de fruto, a cada mês (Eze. 47:12), também foram incorporadas no texto de Apocalipse (cap. 22). A Nova Jerusalém (Apo. 21:10-27) é idéia tomada por empréstimo de Eze. 48:15-35.

Referências Joaninas. O Messias como Pastor (Eze. 34:11-31) tem paralelos em João 10:1-39. Ver a vinha inútil, em Eze. 15, que tem paralelo em João 15:15.

Apocalipses. Ver o artigo separado sobre *Apocalípticos, Livros*. As visões de Ezequiel contribuíram para as atitudes psicológicas que produziram a volumosa literatura apocalíptica, principalmente entre o século II A.C. e o século III D.C. O misticismo da Cabala (que vede), igualmente, pelo menos em parte, depende do livro de Ezequiel. Autores apocalípticos tomaram por empréstimo certas idéias e símbolos de Ezequiel, de tal modo que a similaridade é notável. Por esse motivo, já houve até quem sugerisse que o livro de Ezequiel é um livro pseudepígrafo do século III A.C.

VI. Data

A data da compilação desse livro tem sido muito debatida. A maioria dos eruditos supõe que as datas fornecidas no próprio livro são dignas de confiança, de tal maneira que as atividades de Ezequiel teriam começado em julho de 593 A.C., tendo prosseguido até abril de 571 A.C. (ver Eze. 1:1 e 29:17). Aqueles que rejeitam esses informes como pseudo-adições e truques literários, fornecem datas que vão de 691 a 230 A.C. Porém, uma data depois de 200 A.C. torna-se impraticável, devido ao fato de que Ben Siraque (Eclesiástico 49:8) exibe ter conhecimento do livro de Ezequiel, tendo-o reputado como parte do cânon hebraico das Escrituras. A data mais remota supõe que o cativeiro de Israel (por parte dos assírios) predizia a mesma sorte para Judá. Contudo, a idéia nunca obteve larga aceitação.

VII. Proveniência

O próprio livro afirma que foi escrito às margens do rio Quebar (um canal que ligava as cidades de Babilônia e Uruque), juntamente com Nipur, que, em acádico, chamava-se *nar Kabari*, que significa «grande canal». No entanto, as descrições sobre a conquista de Jerusalém, na opinião de alguns estudiosos, sugerem que houve a mão de uma testemunha ocular. Ver Eze. 8 e 11:1-13. Isso significaria que Ezequiel estava, realmente, em Jerusalém, quando Nabucodonosor a atacou, e que o profeta viu tudo. Nesse caso, em algum tempo posterior, material produzido na Babilônia foi acrescentado ao livro, por algum editor posterior. Contra essa posição, pode-se supor que Ezequiel poderia ter tido acesso ao relato feito por testemunhas da destruição de Jerusalém, sem a necessidade de ter estado pessoalmente presente. Quanto a essa questão, parece melhor depender do testemunho dado pelo próprio livro. Ver Eze. 1:1.

VIII. Propósito e Ensinamentos

O livro foi dado ao profeta Ezequiel a fim de avisar sobre o desastre envolvido no cativeiro babilônico, provocado pelos pecados pessoais e coletivos de Israel. Uma vez ocorridos os acontecimentos, o propósito foi o de fazer Ezequiel atuar como pastor, consolador e profeta da restauração da nação, segundo se vê em Eze. 37:11,15-24. O livro oferece a justificação para os horríveis acontecimentos que tiveram lugar. Esse é o tema dominante dos capítulos oito a trinta e três. O propósito espiritual do livro era para que os israelitas aprendessem a sua responsabilidade diante de Deus e se conduzissem de acordo com isso. Outrossim, foi-lhes garantido que as nações que estavam exultando por causa da queda de Israel haveriam de ter seu próprio severo julgamento (Eze. 25:1 — 32:32). Foi prometida a restauração final de Israel, quando o reino davídico medianeiro (Eze. 33:1; 48:35). A expressão «saberão que eu sou Deus» ocorre por mais de trinta vezes, dentro da seção de Eze. 6:7 — 39:28.

Ensinamentos Importantes. Alguns dos temas centrais do livro são:

1. *Conceitos específicos de Deus*. Ele é um Ser glorioso (1:2 *ss*), que requer santidade da parte dos

EZEQUIEL — EZIOM-GEBER

homens, que se equipare com a sua santidade. A glória de Deus pode revelar-se em qualquer lugar, até mesmo entre os pagãos (3:23). O nome de Deus é «eu sou Yahweh» (em nossa versão portuguesa, «eu sou o Senhor») (6:7). Deus poupava seu povo, embora este fosse pecaminoso, por amor ao seu nome, a fim de não serem ridicularizados entre as nações (20:9,14, 22). Eles retornarão do exílio, não por merecerem tal misericórdia, mas por causa do nome do Senhor (36:22). A santidade de Deus é constantemente enfatizada (Eze. 20:41; 28:22,25; 36:23; 38:16,23; 39:27). É prometida a exaltação do nome de Deus entre as nações gentílicas (Eze. 28:22; 38:16,23).

2. *Conceito de Israel*. Israel foi escolhida para ser instrumento da glória de Deus, beneficiando espiritualmente a outras nações (20:5,14,22). Também havia a revelação de Deus em Israel, para o próprio benefício de Israel, por ser a nação que estava cumprindo a vontade do Senhor (39:23). Foram prometidos o triunfo e a salvação finais, —que serão obtidos devido à inexorável vontade de Deus (Eze. 20:42-44; 36:11,37; 39:28,29).

3. *Conceito da responsabilidade humana*. Essa é frisada na expressão: «...a alma que pecar, essa morrerá» (Eze. 18:4). Um homem não transfere sua culpa a seu filho, como também não pode transmitir a sua retidão aos seus descendentes (Eze. 18; 14:12-20). —Cada um haverá de receber sua própria recompensa ou punição (3:16-21; 18:19-32; 33:1-29). O profeta Ezequiel precisava cumprir fielmente a sua comissão, a fim de que não incorresse em culpa (33:1-6; 3:16-21).

4. *Os ensinamentos proféticos*. Os capítulos 40 a 48 oferecem-nos certa variedade de ensinamentos que incluem visões messiânicas, as futuras dificuldades de Israel e a restauração final; o estabelecimento do reino de Deus; a restauração das nações. O reino final de Deus só poderá tornar-se uma realidade mediante a intervenção e a presença pessoais de Yahweh entre os remidos, quando o Tabernáculo de Deus descer aos homens. «...e o nome da cidade, desde aquele dia, será: O Senhor está ali» (Eze. 48:35). A cultura de Israel é retratada como algo que continuará quando da era do reino. Os capítulos 38 e 39 têm sido largamente interpretados como elementos que fazem parte da Terceira Guerra Mundial (ou então da Terceira e da Quarta Guerras Mundiais, segundo pensam outros intérpretes), de acordo com o que a União Soviética e seus aliados serão derrotados, e a posição de Israel no futuro, será finalmente confirmada como a posição de cabeça das nações.

IX. Esboço do Conteúdo

Há quatro divisões principais do livro de Ezequiel:
I. Chamada e Comissão de Ezequiel (1:1 — 3:27)
II. Profecias contra Judá e Jerusalém (4:1 — 24:27)
III. Profecias contra Nações Estrangeiras (25:1 — 32:32)
    1. Condenação de Amom (25:1-7); 2. Condenação de Moabe (25:8-11); 3. Condenação de Edom (25:12-14); 4. Condenação da Filístia (25:15-17); 5. Condenação de Tiro (26:1 — 28:19); 6. Condenação de Sidom (28:20-26); 7. Condenação do Egito (29:1 — 32:32).
IV. Profecias sobre Tribulações Futuras e sobre a Restauração Final (33:1 — 48:35)
    1. Eventos Preliminares (33:1 — 39:29)
      a. Castigo dos ímpios (33:1-33); b. Os falsos pastores são eliminados e o verdadeiro Pastor é estabelecido (34:1-31); c. Restauração de Israel à sua terra (36:1-15); d. Restauração geral dos povos (36:16

— 37:28); e. Julgamento dos inimigos (38:1 — 39:24); f. As nações restauradas (39:25-29).
    2. A Adoração Durante a Era do Reino (41:1 — 48:35).
      a. O templo milenar (40:1 — 43:27); b. A adoração milenar (44:1 — 46:24); c. A terra milenar (47:1 — 48:35).
Bibliografia. ALB BA E ELL I TOR WBC WES Z

••• ••• •••

EZER

No hebraico, «ajuda», embora uma variante, **Ezar**, signifique «união» ou «tesouro». Há passagens, em português, que grafam o nome como Eser, e outras como Ezer. Há seis homens com esse nome, nas páginas do Antigo Testamento:

1. Um filho de Seir, o horeu, na terra de Edom. Ele é mencionado como um dos chefes do seu povo (Gên. 36:21,30 e I Crô. 1:38 — com a forma «Eser»). Três de seus filhos são mencionados em Gên. 36:27 e I Crô. 1:42. Viveu por volta de 1900 A.C.

2. Um homem da linhagem de Judá, pai de Husá (I Crô. 4:4). Nada mais se sabe acerca dele. Viveu em torno de 1650 A.C.

3. Um filho de Efraim, morto pelos habitantes de Gate, quando, juntamente com outros homens, tentava roubar gado pertencente a eles (I Crô. 7:21). Viveu em cerca de 1680 A.C.

4. Um chefe da tribo de Gade, que se pôs ao lado de Davi, quando este estava exilado em Ziclague (I Crô. 12:9). Viveu em cerca de 1054 A.C.

5. Um levita, filho de Jesua, que era maioral em Mispa. Ezer ajudou a reparar as muralhas de Jerusalém na época de Neemias (Nee. 3:19). Viveu por volta de 446 A.C.

6. Um sacerdote que era cantor e músico. Ajudou Neemias quando da dedicação das muralhas reparadas de Jerusalém (Nee. 12:42). Viveu em cerca de 445 A.C.

EZIOM-GEBER

Ver também sobre **Elate**, um lugar das proximidades, e talvez até o mesmo.

No hebraico, «espinha do gigante». Era uma antiqüíssima cidade, não distante de Elate, no braço oriental do mar Vermelho. Ficava na extremidade norte do golfo de Ácaba (que vede). A leste ficavam e ficam as colinas de Edom; a oeste, as colinas da Palestina. O local é assinalado pelo moderno *Tell el Kheleifeh*. No Antigo Testamento, Eziom-Geber é mencionado pela primeira vez em Núm. 33:35, como um lugar onde os hebreus pararam, em sua jornada pelo deserto (Deu. 2:8).

Do porto de Eziom-Geber foi que Salomão enviou a flotilha que havia mandado construir, até à terra de Ofir, de onde, no retorno dos navios, foram trazidos quatrocentos e vinte talentos de ouro. Foi fundada ali uma refinaria de cobre por mando de Salomão (I Reis 9:26). Esse local foi escavado pela American School of Oriental Research e pelo Instituto Smithsoniano. Complexas obras de tijolos, em vários níveis, ilustravam cinco séculos de ocupação humana. O aspecto mais importante foi a descoberta da refinaria de cobre. Foi essa a maior e mais complexa refinaria de cobre que já se encontrou, vinda do mundo antigo. Salomão ganhou muito dinheiro com a exploração do

EZIOM-GEBER — EZRI

cobre, e assim aumentou a sua reputação de riquezas e sabedoria. No entanto, foi mediante a ajuda da técnica fenícia que aquele porto marítimo foi aberto, ajudando-o a estabelecer a sua indústria de cobre. Instalações de refino de metais, na ilha de Sardenha e na Espanha (onde ficava, de acordo com muitos, a cidade de Tartesso), eram chamadas *tarshish* (que vede).–Os navios que faziam o transporte do minério e do metal já preparado eram chamados navios de *tarshish* (em português, *navios de Társis*). Não há que duvidar de que o cobre era o principal produto de exportação de Salomão. Na volta, os navios de Salomão traziam certa variedade de produtos, obtidos em áreas ocupadas pelos árabes e pelos africanos. Unger chamou Salomão de «rei do cobre», tendo comparado Eziom-Geber com a cidade norte-americana de Pittsburgh (que produz grande quantidade de aço). Os produtos trazidos de volta para o porto de Eziom-Geber incluíam o ouro, o ébano, a prata, o marfim, os babuínos e os pavões (ver I Reis 9:26-28; 10:11,12; II Crô. 8:17).

Alguns séculos mais tarde, Josafá (I Reis 22:48; II Crô. 20:36) mandou construir uma frota de navios mercantes para serem enviados a Ofir, a fim de restabelecer as linhas comerciais de Israel. Aliou-se a Acazias, de Israel, nesse projeto; mas os navios naufragaram no porto, e assim não puderam ir a Társis. Josafá tentou imitar Salomão, mas sua tentativa terminou em fracasso.

EZORA

Não há certeza quanto ao significado dessa palavra. Em I Esdras 9:34, ele aparece como o pai ou chefe de clã de diversos homens que participaram do divórcio em massa, requerido por Esdras. Esse nome não figura no relato paralelo do livro canônico de Esdras.

EZRAÍTA

Os intérpretes mais antigos dizem que essa palavra indica o nome de família dos descendentes de Zera (I Crô. 2:6; I Reis 4:31). Também é adjetivo gentílico que designa Hemã e Etã, autores dos salmos 88 e 89 (no título de cada um). Em nossa versão portuguesa, esse adjetivo não figura em I Crô. 2:6, embora ali apareça o nome de Zera e de seus cinco filhos, entre os quais Etã e Hemã.

No entanto, W.F. Albright descobriu evidências em favor da interpretação de que o sentido dessa palavra é «aborígene», ou seja, um membro de uma família pré-israelita.

EZRI

No hebraico, «minha ajuda». Nome de um supervisor dos cultivadores de plantio das terras reais, mencionado em conexão com o recenseamento de Davi, que o Senhor não aprovou, em I Crô. 27:26. Ezri era filho de Quelube. Viveu por volta de 1014 A.C.

Decoração barroca

1. Formas Antigas

fenício (semítico), 1000 A.C.　　　grego ocidental, 800 A.C.　　　latino, 50 D.C.

2. Nos Manuscritos Gregos do Novo Testamento

F (Não existe no NT)

3. Formas Modernas

F *F* f *f*　　　FF ff　　　F *F* f *f*　　　F *f*

4. História

F é a sexta letra do alfabeto português. Historicamente, deriva-se da letra semítica *waw*, «gancho». As modernas letras F, U, V, Y e W derivam-se dessa antiga letra semítica. Os gregos modificaram-na para a sua letra *dígamma*, que numeralmente representava o número «6». Essa letra assemelhava-se ao «F» moderno, mas soava como o «W». Esse fonema, «w» desapareceu do idioma grego, como também sua representação simbólica, o *dígamma*. No latim, o *dígamma* tinha o valor de F, de onde passou para muitos idiomas modernos.

5. Usos e Símbolos

F é a quarta nota musical, também chamada **fá** na escala do Dó. Essa letra representa *Fahrenheit*, uma das escalas de temperatura; e também é símbolo de *fêmea* e de *forte* (na música). F simboliza o *Codex Boreelianus*, descrito em um artigo separado *F*.

Caligrafia de Darrell Steven Champlin

F

F (CODEX BOREELIANUS)

Esse é um manuscrito do grupo da **Família E**. Tem estado na biblioteca da Universidade de Utrecht desde 1830. Seu nome deriva-se de Johannes Boreel, um embaixador holandês que servia na corte de Tiago I, da Inglaterra. O manuscrito contém os quatro evangelhos, com algumas lacunas. Representa um antigo estágio do tipo de texto bizantino comum e provém do século IX D.C. Publiquei um livro sobre esse manuscrito e seus aliados, chamado, *Family E and Its Allies in Matthew* (Studies and Documents, Salt Lake City, Utah, 1966). Meu amigo e colega, o Dr. Jacob Geerlings, publicou estudos desses mesmos manuscritos, quanto aos evangelhos de Marcos, Lucas e João. Publicações como essas ilustram a história da transmissão do texto e demonstram como o mesmo foi fundido, até que se chegou ao Textus Receptus, uma versão posterior do tipo de texto bizantino. Ver o artigo geral sobre *Manuscritos do Novo Testamento*.

F(p)

Esse manuscrito, também identificado como **F(2)**, intitulado *Codex Augiensis*, é um manuscrito do século IX, das epístolas paulinas. Contém escrita em duas colunas, uma dando o texto grego e a outra o texto latino, mas a epístola aos Hebreus tem somente o texto em latim. O manuscrito já pertenceu ao mosteiro de Reichenau, perto de Constança, que atualmente é conhecido por Augia Maior, o que explica o seu nome. Acha-se agora na biblioteca do Trinity College, em Cambridge, na Inglaterra. F.H.A. Scrivener publicou esse texto em 1859. Os estudos demonstram que o manuscrito pertence ao grupo ocidental de manuscritos. Ver o artigo geral sobre *Manuscritos do Novo Testamento*.

FABER, JACOBUS

Foi um humanista francês e reformador calvinista, que fez notáveis estudos bíblicos. Porém, tornou-se melhor conhecido por sua tradução do Novo Testamento para o francês. Sua tradução tornou-se a base de todas as traduções subseqüentes do Novo Testamento para aquele idioma.

FABRICANTE DE ÍDOLOS

Ver o artigo geral sobre a **Idolatria**. A idolatria sempre constituiu um bom negócio, uma boa fonte de renda, na antiguidade e nos tempos modernos. Isso pode ser facilmente comprovado pelo grande número de santuários, grutas e cidades santas que existem. A fabricação de ídolos tornou-se uma arte tão especializada que foram necessários artífices profissionais para fazê-los. Os homens primitivos satisfaziam-se com uma pedra com algumas poucas marcas, ou com alguma imagem crua de madeira. No entanto, os artífices começaram a fabricar ídolos de madeira, de pedra, de metal e até de pedras preciosas. Ídolos em miniatura, com a forma de amuletos, escaravelhos e jóias exigiam considerável habilidade em sua fabricação. Os ídolos de prata ou de ouro geralmente eram fundidos ocos, porquanto um ídolo sólido ficava caríssimo, quando feito desses metais preciosos. No entanto, os indivíduos abastados e muitos templos pagãos tinham seus ídolos feitos de ouro ou de prata sólidos. —Outras vezes, um revestimento de metal precioso recobria um cerne feito de chumbo. A prata e o ouro também eram batidos até formar folhas finas, que então recobriam formas feitas de madeira, de pedra ou de metais menos dispendiosos (ver Isa. 30:22). Os ídolos eram decorados com pedras preciosas e com cadeias decorativas (Isa. 40:19). Nas residências antigas havia deuses da família, com freqüência feitos de cerâmica, moldados à mão e decorados como se fossem figurinhas de Baal ou de outras divindades, espíritos, seres animalescos ou parecidos com homens. Os arqueólogos têm encontrado muitas dessas figurinhas em Gaal, na Síria. As mais impressionantes dentre elas consistiam em algum metal de valor inferior, recoberto com folhas de ouro. O trecho de Isaías 44:13 fornece-nos alguma idéia sobre a fabricação de ídolos de madeira. O versículo subseqüente revela-nos como a madeira das árvores era usada nessa técnica, envolvendo, especialmente, o cedro, o olmeiro e o carvalho, as madeiras mais nobres. Sabemos que as diversas divindades tinham suas árvores sagradas especiais.

Os homens sempre se sentiram fascinados pelos animais, atribuindo aos mesmos certas qualidades divinas. Assim, temos a imagem do bezerro (de ouro, no caso que envolveu Aarão, Êxo. 32:2-4), e que Jeroboão duplicou em seus bezerros de ouro, postos em Betel e em Dã (I Reis 12:28,29).

Alguns intérpretes têm ficado desolados diante do fato de que a Bíblia menciona os ídolos que pareciam tão importantes para *Raquel* (Gên. 31:19,34,35). Paulo provocou tremendo levante em Éfeso, quando ameaçou o lucro dos ourives, que fabricavam pequenos nichos da deusa Diana. Colhe-se a impressão de que aqueles ourives estavam muito mais interessados em não perder sua fonte de renda do que na honra de sua deusa. Ver Atos 19:23 *ss*. Um dos piores escândalos da cristandade tem sido a manufatura, o comércio e a veneração prestada a ídolos de santos. Respeitando devidamente o bem que tais pessoas têm feito em outros aspectos de suas atividades, o comércio com os ídolos constitui uma corrupção quase inacreditável, que continua sendo promovido por pessoas que deveriam saber e agir muito melhor do que o fazem. A idolatria é demonstração de que o indivíduo se afastou de Deus, no seu próprio coração. «...andavam transviados, desviados de mim, para irem atrás dos seus ídolos...» (Eze. 44:10).

FABRICANTE DE TENDAS

Atos 18:3: *e, por ser do mesmo ofício, com eles morava, e juntos trabalhavam; pois eram, por ofício, fabricantes de tendas.*

As palavras «...*eram do mesmo ofício*...» mostram-nos que Paulo, Áquila e Priscila se aliaram, não porque fossem todos judeus de raça, o que já lhes dava um laço comum, e nem porque fossem todos eles cristãos, mas especialmente porque, entre os judeus, pessoas de uma mesma profissão, aparentemente, se reuniam e viviam juntos, até mesmo em territórios judaicos. Quanto a essa particularidade Edersheim, em sua obra *Jewish Social Life*, nos brinda com o seguinte comentário: «As guildas judaicas sempre se mantinham unidas, sem importar se o faziam nas ruas ou nas sinagogas. Em Alexandria, os indivíduos de diferentes negócios se assentavam nas sinagogas arranjados em guildas; e assim o apóstolo Paulo não deve ter tido qualquer dificuldade em encontrar-se, no bazar de seu negócio, com Áquila e Priscila, que eram da mesma formação que ele».

FABRICANTE DE TENDAS

As profissões se revestiam de extraordinária importância na cultura judaica. Todos tinham de aprender alguma profissão. «Já que aos rabinos judaicos era vedado possuir terras como sua propriedade, era comum a prática, entre eles, de ensinar alguma profissão aos seus filhos. 'O que se ordena a um pai no tocante a seu filho?' pergunta um escritor talmúdico. 'Circuncidá-lo, ensinar-lhe a lei e ensinar-lhe uma profissão'. Diz o rabino Judá: 'Aquele que não ensina ao seu filho uma profissão, é a mesma coisa que se lhe ensinasse a ser ladrão'. E o rabino Gamaliel declara: 'Aquele que conhece uma profissão, a que se assemelha? Assemelha-se a uma vinha cercada com uma sebe'». (*Conybeare and Howson*, i. pág. 58).

Tal costume, pois, prevalecia na sociedade judaica daquela época. Assim é que o grande rabino, Hilel, era um madeireiro, enquanto que o seu, não menos famoso rival, Shammai, era carpinteiro. Algo um tanto similar sucedia a todos os personagens bem conhecidos do judaísmo antigo.

Em seu ministério de evangelização, Paulo costumava sustentar-se *pessoalmente*. Existem mesmo referências neotestamentárias que nos dão substancialmente a idéia de que isso era um costume seu, e não meramente algo que praticava apenas em certas ocasiões (ver Atos 20:34). Além disso, em I Cor. 9:12 e *s*, vemos que ele trabalhou em Éfeso; em II Cor. 7:2 lemos que trabalhou em Corinto; e em I Tes. 2:9 e II Tes. 2:8 percebemos que ele também trabalhou em Tessalônica. A passagem de I Cor. 9:12 e *s*, demonstra que Paulo considerava que o costume judaico, que foi incorporado ao cristianismo, de receberem os ministros ajuda econômica da parte daqueles para quem ministravam, — era uma norma legítima e correta aos olhos de Deus, e até mesmo recomendada nas Escrituras, desde os tempos do A.T. No entanto, Paulo geralmente não aceitava ofertas em dinheiro enviadas pelas igrejas cristãs, e muito menos ainda as exigia (ainda que algumas ofertas voluntárias lhe tivessem sido enviadas pelos crentes de *Filipos*), porquanto ele queria que as igrejas locais funcionassem livres de quaisquer responsabilidades, em seu caso pessoal, a fim de que também pudessem servir desembaraçadamente.

O mesmo trecho de I Cor. 9:12 e **s** parece indicar que o apóstolo Paulo agia em parte para não ter de prestar contas a quem quer que fosse, mas tão somente a Deus. Ora, as obrigações financeiras sempre serão forças poderosas. Queria ele ser um liberto de Deus, não tendo de dar contas senão somente a Cristo. (Ver I Tes. 2:9, que expressa esse mesmo sentimento de Paulo). É provável que um fator psicológico por detrás de tudo isso fosse o pensamento sempre presente, na mente de Paulo, acerca de como ele perseguira à igreja de Deus. Fora conduzido aos pés de Cristo pela pura e imerecida graça divina, e resolveu que tudo quanto porventura viesse a fazer pelos crentes seria inteiramente gratuito, tal como ele mesmo fora gratuitamente perdoado. Além disso, Paulo também era impelido por forte senso de *orgulho pessoal*, ainda que não da qualidade negativa, o que o obrigava a não ter de depender de quem quer que fosse quanto ao seu sustento. Por isso é que tudo quanto fazia em prol de Cristo, na forma de serviço prestado aos seus seguidores ou na forma de novos convertidos ganhos para o Senhor, ele fazia motivado por puro amor a Deus, de tal modo que jamais alguém suspeitasse que ele trabalhava meramente a fim de receber auxílio pecuniário das igrejas, podendo viver assim facilmente, conforme é costume entre os falsos pastores. (Ver I Cor. 9:15, e a totalidade desse

nono capítulo, a começar pelo sexto versículo, que contém essas diversas inferências).

Qual teria sido a profissão do apóstolo Paulo? Entre os estudiosos não há concórdia geral a respeito dessa particularidade, porquanto o vocábulo grego usado para traduzir *fabricante de tendas*, também podia significar outras coisas. Abaixo encontramos uma lista das idéias que têm sido expostas:

1. Um pendurador de cortinas, conforme eram usadas nos teatros e nos edifícios públicos. No grego clássico, —o vocábulo em apreço tem sido encontrado com esse significado.

2. Uma espécie de **fabricante de guarda-chuvas**.

3. Um *pintor de paisagens*, embora essa idéia mui provavelmente se tenha originado da confusão entre essa palavra grega e outra que lhe é similar.

4. Um fabricante de *tendas*. O material usado podia ser ou pêlo de cabras tecido, com o que comumente se fabricavam tendas, ou podia ser usado um material heterogêneo, composto de peles de diversos animais, costuradas umas com as outras. Diversos tipos de tendas eram assim fabricados, incluindo pequenas tendas portáteis, usadas pelos viajantes e pelos militares. O pano de pêlo de cabras era um importante produto de exportação da província nativa de Paulo, a Cilícia; e isso poderia dar algum apoio à interpretação sobre o seu ofício. Políbio (6,28,3; 14,1,15) apresenta esse uso da palavra em foco, isto é, fabricante de tendas. Vincent (*in loc.*) diz-nos que esse ofício não era altamente considerado, e que era mal remunerado. Sem dúvida alguma, se fosse essa, realmente, a profissão de Paulo, ele deve tê-la aprendido com seu pai, de conformidade com o costume judaico dos pais ensinarem a seus filhos o seu próprio ofício.

5. Outros eruditos, entretanto, insistem que o vocábulo aqui envolvido significa mais um *trabalhador em couros*, o que parece ser a indicação da tradução siríaca com base no texto grego. Pelo menos não há dúvidas de que o vocábulo grego em apreço pode significar isso.

Nossa escolha recai entre a quarta e a quinta possibilidades. A idéia mais aceita, tradicionalmente, é que Paulo era um fabricante de *tendas*, embora não haja qualquer prova conclusiva sobre a questão.

Quão honroso é que os ministros da Palavra de Deus trabalhem para o seu sustento próprio!

«É óbvio que, naquela época, não era reputado um opróbrio a um homem aliar o ensino público a uma profissão honesta e útil. E por que motivo assim se imaginaria hoje em dia? Um homem que adquiriu perfeito conhecimento do caminho evangélico da salvação, não poderia explicar esse caminho a seus semelhantes menos bem informados, embora seja ele um fabricante de tendas... ou um sapateiro, ou outra coisa parecida? Até mesmo muitos daqueles que consideram um pecado cardeal a um mecânico pregar o evangelho, costumam prover para si mesmos e seus familiares do mesmo modo. Quantos e quantos elementos do clero, além de outros ministros do evangelho, são fazendeiros, criadores, mestres escolas...e *sócios* de diferentes profissões e atividades comerciais! Um fabricante de tendas, dentro de seu mister, é tão útil como qualquer um dos outros profissionais. Não se deve ridicularizar de um mecânico porque ele prega o evangelho da salvação aos seus semelhantes, a fim de que alguém não venha a dizer, numa linguagem que certos intelectuais jactam-se de haver aprendido, mas que um mecânico não aprendeu: '*Mutato nomine, de te fabula narratur*'». (Adam Clarke, *in loc.*). Essa citação latina

FABRICANTE – FÁBULAS

significa, mais ou menos, o seguinte: «Mediante uma mudança de nome, uma história te é narrada», com o que esse autor evidentemente deseja dizer que as palavras pesadas que um intelectual pode proferir contra um mecânico que prega o evangelho, com a mesma razão poderiam ser ditas a esse intelectual, simplesmente pondo o seu nome em lugar do acusado por ele.

O valor físico, e mesmo braçal, tem grande valor. Isso é reconhecido até mesmo por muitíssimos eruditos, conforme se depreende da seguinte citação de Theodore P. Ferris (*in loc.*): «De acordo com o registro do Livro de Atos, Paulo foi um operário na cidade de Corinto, antes de ter sido um evangelista. Seria extremamente difícil calcular o número de tantos outros líderes religiosos que têm encontrado recreação no labor físico; e **quão bem-aventurados se** têm sentido ao poderem trabalhar na companhia de pessoas que se mostram simpáticas e acolhedoras. Para a maioria das pessoas, a vida diária seria intolerável à parte de suas íntimas associações humanas. Essas associações aquecem um indivíduo, tal como uma lareira acesa aquece uma casa».

FABRICANTE DE TIJOLOS

Ver o **artigo detalhado sobre Tijolos.** Este artigo descreve diversos métodos empregados pelos povos antigos na fabricação dos tijolos. *Construir* com tijolos representa, metaforicamente, as realizações de uma pessoa. O artigo mencionado comenta sobre isto também.

FÁBULA Ver também, **Fábulas.**

No grego, **múthos,** palavra que ocorre por cinco vezes: I Tim. 1:4; 4:7; II Tim. 4:4; Tito 1:14; II Ped. 1:16. O vocábulo pode indicar um gênero literário que envolve alguma história curta, usualmente com elementos impossíveis, como animais que falam, ou coisas inanimadas que adquirem vida, ensinando alguma lição moral ou alguma verdade espiritual. Espécimes desse tipo de gênero literário têm sido encontrados em várias culturas antigas, como na suméria e na acadiana. Também podemos distinguir a fábula da parábola. Primeiramente, pelo modo de apresentação; pois a parábola, apesar de também ser fictícia, não contém elementos impossíveis como no caso de uma fábula. Além disso, as fábulas procuram ensinar, principalmente, alguma virtude moral, como a indústria, a previsão, a prudência, a sabedoria, a castidade, a perseverança, etc., ao passo que a parábola, embora também envolva todas essas coisas, adiciona sempre alguma verdade espiritual. Todavia, esse ponto não é uma característica absoluta, em qualquer sentido. No Antigo Testamento encontramos somente uma fábula — Juízes 9:8-15 — onde as árvores dialogam umas com as outras. É feito o convite a várias árvores, para aceitarem a liderança entre as espécies vegetais, mas todas se recusam, e o importante cargo teve de ser ocupado por um espinheiro indigno. O ponto da fábula é que Jotão estava repreendendo o povo por haver escolhido como líder um indivíduo indigno, como era seu irmão, Abimeleque, depois de ter assassinado setenta dos filhos de Gideão e de ter-se mostrado um administrador incapaz.

Em II Reis 14:9 existe uma metáfora fabulosa. Amazias, rei de Judá, desafiou Jeoás, rei de Israel, a um combate. Jeoás respondeu comparando isso a um cardo que queria enfrentar um cedro do Líbano, pedindo-lhe que lhe desse a sua filha em casamento; mas, naquele instante, uma fera do Líbano passou e esmigalhou o cardo. Amazias não ficou impressiona-do diante da fábula e entrou em combate de qualquer modo, mas foi terrivelmente derrotado.

No Novo Testamento, em algumas traduções (como a nossa versão portuguesa) é usada a palavra «fábula», em II Ped. 1:16, para indicar as invenções e falsidades da doutrina gnóstica. Essas fábulas diziam respeito, principalmente, às supostas emanações e ordens dos *aeons* (seres angelicais), aos espíritos do ar e a outros mitos similares, tão típicos do gnosticismo. Ver também as outras referências neotestamentárias onde aparece o termo grego (ver acima), quanto a outros dados sobre essas questões. Essas idéias são chamadas por Paulo de «fábulas profanas e de velhinhas caducas» (I Tim. 4:7). E Pedro diz que são «fábulas engenhosamente inventadas» (II Ped. 1:16). Talvez possamos incluir, dentro dessa classificação, as histórias fantasiosas que podem ser encontradas em alguns livros apócrifos do Novo Testamento, produções dos gnósticos.

Antes da produção do Novo Testamento, encontramos o mesmo tipo de atividade nos apocalipses judaicos, como no *haggada* (parábolas e anedotas) do Talmude. Tito 1:14 diz «fábulas judaicas». Podemos supor que certos teosofistas judeus estavam envolvidos no movimento gnóstico, ou que indivíduos isolados ou grupos estavam associados entre si, chamando-se de «gnósticos». Podemos nomear especificamente o *Livro dos Jubileus* e as *Antiguidades Bíblicas* (de Filo), como obras literárias judaicas que contêm fábulas. É possível que a alusão a Janes e a Jambres, em II Tim. 3:8, aponte para as lendas do *haggada*.

Paulo não nos advertia no sentido que não devíamos tomar conhecimento de ilustrações tipo «fábula» e seu uso em lições e sermões. Antes, ele se preocupava com as doutrinas que se derivam desse tipo de atividade, fomentada por grupos que se opunham ao evangelho cristão e ao cristianismo primitivo.

FÁBULAS Ver também, **Fábula**

Fábulas. No grego temos **múthos,** que **significa** «mito», «fábula». Essa palavra ocorre nas «epístolas pastorais». Ver I Tim. 1:4; 4:7; II Tim. 4:4 e Tito 1:14. No resto do N.T., aparece apenas em II Ped. 1:16. Na Septuaginta (tradução do original hebraico do A.T. para o grego, completada cerca de duzentos anos antes da era cristã) aparece em Sabedoria de Salomão 17:4 e em Eclesiástico 20:19, sempre nos livros apócrifos. Deve-se observar que, no trecho de Tito 1:14, a alusão é às «fábulas judaicas». Mas essa referência, sem qualquer qualificativo, é incerta. Provavelmente Paulo se referia a histórias fabricadas, supostamente dotadas de valor religioso e espiritual, baseadas em heróis judeus da fé, como Abraão e os outros patriarcas da narrativa do A.T. Esse tipo de atividade era bastante evidente nas várias tradições, proeminente nos «apocalipses judaicos». O *haggada* (parábolas e anedotas) do Talmude também ilustram as histórias «inventadas», cujo desígnio era servir de instrução religiosa. O livro dos Jubileus, que procura reescrever a história primitiva do ponto de vista da lei, fazendo com que ela já fosse conhecida e praticada até mesmo entre os anjos, e então desde o começo mesmo do livro de Gênesis, fornece várias narrativas míticas. O livro das Antiguidades *Bíblicas* (atribuído a Filo), uma crônica lendária da história do A.T., desde Adão até Saul, datado do primeiro século da era cristã, também encerra tais fábulas. A alusão a *Janes e Jambres*, em II Tim. 3:8, mui provavelmente é derivada dessas «haggada» lendárias.

FACA — FACÇÕES NA IGREJA

Outros eruditos têm pensado que os mitos «gnósticos», concernentes à natureza e à atividade dos «aeons» angelicais é que são aludidos em I Tim. 1:4, ou ainda outras narrativas lendárias de origem pagã. É perfeitamente possível que tanto os mitos «pagãos» como os mitos «judaicos» sejam aludidos em I Tim. 1:4, sem que um exclua o outro. É provável que Filo tenha descrito corretamente essa espécie de atividade, de que tanto os mestres gnósticos gostavam, no tocante a essas fábulas, embora não tenha ele escrito diretamente a respeito deles. (Ver *De Vit*. Contempt. § 3), que diz: «Eles lêem as Escrituras e explicam a filosofia de seus pais de maneira alegórica, considerando as palavras escritas como símbolos da verdade oculta que é transmitida através de figuras simbólicas obscuras». É também possível que, nesse ensinamento «mítico» dos gnósticos houvesse interpretações alegóricas do A.T., além de·uma imensa mistura de narrativas puramente inventadas e imaginárias, de vinculação com certos episódios do A.T. e com conceitos pagãos.

FACA

Quatro palavras hebraicas estão envolvidas nesse verbete, a saber:

1. *Maakeleth*, «faca de mesa». Embora na antiguidade não houvesse talheres, conforme hoje os conhecemos, podemos traduzir esse tipo de faca assim, porquanto era usado para cortar alimentos. Essa palavra é usada por quatro vezes: Gên. 22:6,10; Juí. 19:29; Pro. 30:14.

2. *Chereb*, «espada», «adaga». Termo hebraico muito comum, usado por mais de quatrocentas e dez vezes, como, por exemplo: Jos. 5:2,3; I Reis 18:28; Eze. 5:1,2; Juí. 3:16,21,22.

3. *Sakkin*, «lanceta». Palavra usada apenas por uma vez, em Pro. 23:2.

4. *Machalap*, «faca». Palavra hebraica usada apenas por uma vez, em Esd. 1:9.

Variedade de Facas. Os arqueólogos têm encontrado uma variedade quase interminável de facas, feitas de muitos materiais, em muitos formatos e dimensões. As mais antigas facas que têm sido encontradas vêm do Egito, feitas de pedra. Facas de cobre, de bronze e de ferro vieram mais tarde. Heródoto (ii.86) menciona facas de pedra e de ferro, o que parece sugerir que assim que o homem aprendeu a trabalhar com metais, as facas de pedra, mais antigas, foram abandonadas, mas não imediatamente. Certas lascas de pederneira podiam transformar-se em facas afiadíssimas (Jos. 4:2), embora não fossem tão duráveis quanto as de metal. Algumas antigas facas de metal eram inscritas e decoradas. Em Laquis foi encontrada uma antiga faca dos hicsos, decorada. Vários formatos de adagas hititas têm sido encontrados em Bete-Seã, de cerca de 1470 A.C. Algumas vezes, as facas tinham cabos de marfim ou cravejadas de jóias. No Antigo Testamento, as facas de pederneira estavam ligadas aos rituais, como o da circuncisão (Êxo. 4:25; Jos. 5:2,3). Alguns intérpretes supõem que uma vez que os metais começaram a ser usados, as facas mais antigas, de pederneira (descobertas até bem dentro da era do bronze) continuaram sendo usadas para propósitos rituais, religiosos.

A maioria das facas que têm sido descobertas são adagas, usualmente com lâminas retas, com até 25 cm de comprimento. Algumas facas, entretanto, têm lâminas curvas, e são maiores do que as facas retas. A alusão à automutilação dos sacerdotes de Baal (I Reis 18:28) quase certamente diz respeito a adagas curtas. As traduções geralmente fazem confusão entre as facas e as espadas. Provavelmente foi uma espada curta, usada para cortar alimentos, que Abraão esteve a pique de usar para sacrificar a Isaque (Gên. 22:6,10). Algumas facas tinham um único fio cortante, mas outras tinham dois fios. As podadeiras provavelmente eram facas curvas (Isa. 18:5).

Usos. Os judeus, tal como outros povos orientais, tinham facas de mesa para cortar carnes. O pão, entretanto, era partido em pedaços, com as mãos. Para a operação da circuncisão era usada uma faca (Jos. 5:2,3; Êxo. 4:25). Quando embalsamavam um cadáver, os egípcios usavam uma faca de pederneira, para fazer incisões (Heródoto ii.86). Os escribas hebreus afiavam o estilo de escrever com uma pequena faca, ou canivete (Jer. 36:23; no hebraico, *taar sopher*). Herodes, o Grande, costumava usar uma faca para cortar frutas, e tentou suicidar-se com a mesma, segundo Josefo (*Anti*. 17:7,1). A faca servia para cortar alimentos — como também era um instrumento para abater e tirar a pele dos animais. Pequenas facas eram usadas como navalhas (Núm. 6:5; Êze. 5:1). As podadeiras de Isaías 18:5 e Joel 3:10 provavelmente eram facas longas e curvas. Além disso, não nos esqueçamos da guerra, quando a faca era o instrumento mais universalmente usado para matar os inimigos. Homero falou sobre a falta de misericórdia do bronze. Ver o artigo geral sobre *Armas, Armadura*.

Usos Figurados. A faca é um excelente símbolo para indicar a violência e a matança. Em Provérbios 30:14, simboliza a atitude ávida, gananciosa. Se você é um glutão, então o trecho de Provérbios 23:2 recomenda que você ponha uma faca na garganta, para que deixe de comer tanto. Nesse simbolismo, a faca representa uma ameaça à vida e um fator restringidor de atos indesejáveis. Os sonhos e as visões apresentam facas para simbolizar coisas brilhantes, agudas e perfurantes, que podem incluir as qualidades de uma *mente arguta*. Duas facas juntas podem representar o desejo que alguém morra, ou então a tentativa suicida de livrar-se de alguma situação aflitiva em extremo. Nesse caso, uma faca apontará para aquele que causa a aflição, e a outra para a pessoa que está sendo afligida. Freud opinava que qualquer instrumento aguçado ou pontudo, que apareça em um sonho, pode simbolizar o pênis, servindo de símbolo erótico. Entretanto, Freud limitou em demasia todos os impulsos humanos aos impulsos eróticos.

FACÇÕES NA IGREJA

I Cor. 3:22: seja Paulo, ou Apolo, ou Cefas; seja o mundo, ou a vida, ou a morte; sejam as coisas presentes, ou as vindouras, tudo é vosso.

Com a presente lista das coisas que nos pertencem, podemos comparar a lista das coisas que não nos podem separar de Cristo, conforme se lê em Rom. 8:38,39. Existem diversas duplicações. O apóstolo dos gentios não tenta apresentar-nos uma lista completa das bênçãos que possuímos em Cristo Jesus, mas antes, emprega alguns termos bem amplos, que têm por intuito ser todo-inclusivos, visto que ninguém pode fazer uma estimativa dos tesouros que temos em Cristo, como também ninguém pode fazer uma descrição exata sobre os mesmos.

«Paulo, Apolo, Cefas». Esses eram os mestres cristãos que haviam sido escolhidos como «heróis» pelas diversas facções existentes na igreja cristã de Corinto. No entanto, esses mestres eram presentes de

FACÇÕES — FACE

Deus para aquela comunidade cristã (ver Efé. 4:7 e ss). A igreja de Cristo não pertencia a eles, mas, pelo contrário, pertencia a Cristo. Gloriar-se um crente ou um grupo de crentes em um mero homem qualquer é dar a entender que esse homem é o grande benfeitor, a origem da vida eterna e do bem-estar espiritual. No entanto, nenhum daqueles três líderes mencionados apresentara jamais qualquer reivindicação de representar tal coisa para a igreja cristã. Eles mesmos eram inquiridores, como o são todos os demais crentes, sendo instrumentos na mão de Deus, que o Senhor utilizava para que se concretizassem os alvos da vida cristã. Deveriam ser seguidos somente naquilo em que também estivessem seguindo a Jesus Cristo, encaminhando os crentes para os pés do Senhor,—em vez de serem glorificados como se fossem o alvo na direção do qual devem avançar os remidos.

«Os crentes de Corinto vinham afirmando a sua lealdade aos homens. Essa atitude deveria ser revertida. Os mestres pertenciam a eles, e não eles aos mestres. Portanto, não havia necessidade de se limitarem a um só mestre. A comunidade cristã precisava tirar proveito de tudo quanto eles tivessem para contribuir. Se o apóstolo Paulo tivesse podido olhar para os séculos vindouros, como não teria ampliado aquela lista, condenando àqueles que agora dizem: 'Eu pertenço a Lutero, ou a Calvino, ou a Wesley, ou a Campbell, ou a algum outro grande servo da igreja de Cristo... *tudo é vosso*'. Mas Paulo não incluiu qualquer figura fora do grupo apostólico, como Sócrates, Platão, Aristóteles ou Psidônio. Teria sido um lapso seu, ou agiu assim propositadamente? Seria isso evidência da ignorância, da estreiteza de Paulo, ou seria a sua concentração para com os crentes, a todo o tempo, conforme devem ser as coisas?» (C.T. Craig, *in loc.*).

FACE

Esboço:
1. Termos Originais
2. Usos Literais
3. Usos Metafóricos

1. Termos Originais

As palavras hebraicas traduzidas na Bíblia por «face» falam sobre o próprio rosto, sobre o nariz, sobre os olhos e sobre o aspecto geral da fisionomia. A principal dessas palavras é *panim*, usada por mais de quinhentas vezes, com os mais variados sentidos, como «face», «ira», «frente», «pessoa», «presença», «vista», etc. Quanto ao sentido de «face», ver por exemplo, Gên. 1:2,29; 2:6; 4:14; 6:1; 9:23; 16:8; 17:3,17; Êxo. 2:15; 10:28,29; Lev. 9:24; Núm. 6:25; Deu. 1:17; Jos. 5:14; Juí. 6:22; Rute 2:10; I Sam. 5:3,4; II Sam. 22:22; I Reis 8:14; II Reis 4:29,31; I Crô. 12:8; II Crô. 25:17,21; Esd. 9:6,7; Est. 7:8; Jó 1:11; Sal. 5:8; Pro. 7:15; Ecl. 8:1; Isa. 6:2; Jer. 1:8; Lam. 2:19; Eze. 1:6,8; Dan. 1:10; Osé. 5:5,15; Joel 2:6,20; Amós 5:8; Miq. 3:4, Naum 2:10,11; Hab. 1:9.

As palavras gregas são duas: *a. Ópsis*, «aspecto», «face», usada por três vezes: João 7:24; 11:44 e Apo. 1:16. *b. Prósopon*, «rosto», «face», usada por setenta e quatro vezes, desde Mat. 6:16,17 até Apo. 22:4.

2. Usos Literais

O rosto das pessoas é freqüentemente mencionado de modo literal, conforme se vê, por exemplo, em Gên. 3:19 e Tiago 1:23. Mas também há alusão à face dos rebanhos (embora isso não transpareça em nossa versão portuguesa); à face dos seres angelicais, os serafins (Isa. 6:2) e à face das criaturas vivas, que estavam em redor do trono de Deus (Apo. 4:7).

Todavia, devemos atentar ao fato de que as alusões à face de Deus são expressões antropomórficas, representando, usualmente, a sua presença. Ver Núm. 6:25. Quanto a isso, ver o terceiro ponto, abaixo.

3. Usos Metafóricos

a. As alusões à face de Deus são antropomórficas e metafóricas. A expressão indica a presença de Deus, ou alguma manifestação divina, possivelmente por meio de uma *teofania*. Era doutrina comum, entre os judeus, que ninguém podia ver a face de Deus e continuar vivo (Gên. 32:30). Contudo, nessa mesma referência, percebe-se que Jacó viu a face de Deus e sobreviveu. O trecho de João 1:18 assevera enfaticamente que ninguém jamais viu a Deus. Na passagem altamente antropomórfica de Êxo. 33:22 ss, temos uma manifestação de Deus a Moisés. Ali é dito que Moisés não pôde ver a face de Deus, de tal modo que, quando passou diante dele a glória divina, Moisés só contemplou o Senhor pelas costas. Tais passagens só têm sentido se as interpretarmos misticamente e não literalmente; pois, de outra maneira, Deus teria de ser como um ser humano, dotado de rosto e de costas. Ora, os mórmons ensinam precisamente isso, dizendo que Joseph Smith viu a Deus, literalmente. Deus teria um corpo um tanto semelhante ao nosso, embora não possa haver uma definição precisa a respeito. Os céticos e os fundamentalistas digladiam-se, apelando para toda a forma de argumento inútil, e muitos intérpretes da Bíblia têm vindo engrossar a confusão. O que realmente está envolvido são diversos graus da glória divina, manifestados aos homens, e não se vemos alguma porção do suposto corpo de Deus. Na verdade, não sabemos o que significa ver o ser de Deus, e até que ponto isso é concebível. Os homens tateiam em busca de maneiras de expressar o que significa experimentar a presença de Deus, e o que eles *dizem* pode ser contraditório. As experiências místicas são inefáveis, sobretudo quando são de elevada ordem, e qualquer tentativa de expressá-las mediante a linguagem humana lançará uma luz duvidosa sobre a sua natureza real. A afirmação de João 1:18 reconhece essa verdade fundamental, pelo que afirma categoricamente que ninguém jamais viu a Deus.

b. *A Promessa*. Os eleitos verão a face de Deus. Essa é uma promessa que envolve a *visão beatífica* (que vede). No artigo assim intitulado, procuramos definir o que sabemos e o que não sabemos sobre o assunto. A passagem de Mat. 5:8 afirma que os limpos de coração verão a Deus. E Apocalipse 22:4 confirma que os servos do Senhor verão a sua face.

c. *A Face de Cristo*. Em II Coríntios 4:6 lemos sobre a luz de Deus, que resplandece em lugar tenebroso. Essa luz brilha em nossos corações e ilumina as nossas vidas. Essa é a mensagem da *encarnação* (que vede), aquela revelação divina que nos foi conferida mediante a encarnação do Logos divino, em forma humana. Ver João 1:14,18, quanto a essa mensagem.

d. Deus às vezes *oculta* a sua face (Jó 13:24), como quando a sua presença é aparentemente retirada, sem importar por que motivo isso aconteça. Ver também Sal. 27:9. Nesses períodos de trevas, os homens passam por grandes testes; mas estão sempre sujeitos à iluminação divina, à ajuda do Senhor, quando a disposição dos acontecimentos torna isso apropriado. O perdão dos nossos pecados é expresso por meio dessa mesma fórmula (Sal. 51:9).

e. A oposição que Deus faz ao mal e aos homens malignos é expressa através da idéia de que ele volta o seu rosto contra eles (Jer. 44:11).

FACHO – FAIA

f. A luz da face de Deus, voltada na direção de uma pessoa, indica que o Senhor mostrou o seu favor divino para com aquela pessoa. Ver Sal. 44:3; 67:1 e Dan. 9:17.

g. A face de Deus também pode voltar-se *contra* alguém, que seja alvo de sua ira e de seu desprazer. Ver Apo. 6:16; Gên. 16:6,8; Êxo. 2:15.

h. Os pães da proposição, arrumados sobre a mesa que havia no Santo Lugar do Tabernáculo, são chamados de «pães da face» ou «pães da presença» (Êxo. 25:30), o que indica a presença de Deus, simbolizada sob forma concreta. Ver o artigo geral sobre a *Presença*, que inclui também idéias sobre a *face*.

FACHO

No hebraico, **lappid**. Essa palavra é usada por quinze vezes, das quais apenas quatro com o sentido de tocha, a saber: Juí. 15:4; Naum 2:3 e Zac. 12:6. Também aparece com outros sentidos, como «lâmpada» e «relâmpago».

Uma tocha era feita com madeira resinosa, para queimar bem.

O método mais usual de comunicação à distância, em tempos de paz ou de guerra, na antiguidade, era por meio de sinais luminosos, com fachos. Esse método é mencionado no Antigo Testamento (Jer. 6:1, por exemplo), e nos registros escritos achados em Amarna e Laquis. Mas também eram usados pendões ou bandeiras, para indicar quais dos hebreus usavam o vocábulo *nes*, que ocorre por vinte vezes no Antigo Testamento, como em Núm. 21:8; Isa. 49:22; 62:10; Jer. 4:6,21; 51:12,27.

A noção de sinais de guerra ou de paz faz parte significativa das predições dos profetas de Israel. No hebraico é empregado o verbo *assobiar*, no original, *sharaq*, para indicar a convocação de homens e de animais, em zombaria pela destruição sofrida por alguma cidade ou nação, família ou indivíduo (para exemplificar: I Reis 9:8; Jó 27:23; Isa. 5:26; 7:18; Jer. 19:8; Lam. 2:15,16; Eze. 27:36; Sof. 2:15; Zac. 10:9).

A idéia profética do assinalamento é transportada para as narrativas do evangelho, onde as alusões aos profetas veterotestamentários usualmente contêm o termo grego *semaíno*, «reportar», «indicar de antemão». Embora esse termo tenha o seu sentido ampliado para indicar algum portento miraculoso, continua significando sinais de origem divina, tendo em vista resultados cataclísmicos e eternos.

O termo grego *semaíno*, indica «de antemão», ocorre por seis vezes no Novo Testamento: João 12:33; 18:32; 21:19; Atos 11:28; 25:27; Apo. 1:1. O substantivo *semeíon* aparece por setenta e duas vezes, de Mat. 12:38 até Apo. 19:20.

FÁCIL CREÍSMO

Há uma nítida diferença entre a crença em alguma *doutrina* e a crença na *pessoa* de Jesus Cristo. A crença em doutrinas nada tem a ver com a salvação da alma. Isso não significa, contudo, que aquilo em que cremos não seja importante. No entanto, ninguém tem a sua alma transformada segundo a imagem de Cristo, que é a substância da salvação, meramente porque acredita em certas coisas acerca de Cristo. Alguns evangelistas tiram de seu contexto o trecho de I João 4:2 e supõem que meramente porque alguém crê na *encarnação* de Cristo, esse alguém automaticamente foi regenerado pelo Espírito e, portanto, está salvo. Porém, o ponto visado pelo texto é que os gnósticos negavam o valor da encarnação, tendo trazido para o seio da cristandade uma heresia que negava a missão e as propriedades essenciais do Cristo. Portanto, a crença na encarnação tornou-se uma espécie de teste que permitia ver «de que lado» estava uma pessoa; do lado da Igreja apostólica ou do lado da heresia gnóstica. Portanto, crer ou não na encarnação de Cristo servia apenas para averiguar de que lado da controvérsia estava uma pessoa, e não um teste para detectar a presença do Espírito. Ficava entendido que aqueles que abandonassem a doutrina apostólica não seriam pessoas convertidas.

A **crença** em Cristo envolve a outorga da alma aos seus cuidados, e não meras crenças a respeito dele. A salvação importa em filiação, e a filiação é efetuada através do poder transformador do Espírito, — que nos confere a natureza e a imagem do Filho (Rom. 8:29; II Cor. 3:18), e, finalmente, a participação genuína na natureza divina (II Ped. 1:4 e Col. 2:10). Podemos crer em todos os pontos ortodoxos a respeito de Cristo e nada conhecer do poder espiritual transformador. O abuso acerca das confissões, na Igreja, tem produzido o *fácil creísmo*. Um pastor convida pessoas a virem a frente e confessarem a Cristo. — O que tem lugar é uma simples confissão de várias doutrinas a respeito de Cristo. E então aquelas pessoas são declaradas salvas e seguras para sempre. Poucos param a fim de indagar se o Espírito Santo se fez presente para realizar a sua obra de transformação. Na Igreja ocidental há sacramentos que, supostamente, fazem a alma ficar segura. Os católicos romanos melhor iluminados, entretanto, sabem que nenhum sacramento tem qualquer valor, a menos que haja a atuação correspondente do Espírito, e a menos que a pessoa se entregue aos cuidados de Cristo. No nível popular, entretanto, encontramos autênticas artes mágicas. Outro tanto se verifica no nível popular das igrejas evangélicas, com sua confissão pública de Cristo. Na verdade, essa confissão veio substituir o batismo dos católicos romanos. Portanto, temos aí dois caminhos fáceis para uma alma converter-se e ser salva: na Igreja Católica Romana e outras, o batismo em água; nas igrejas evangélicas, a confissão pública de fé. Ambos os métodos são falsos. A **salvação** real depende da obra transformadora do Espírito Santo, com a paralela outorga da alma aos cuidados de uma Pessoa, e não uma série de crenças *a respeito* dessa Pessoa.

FAIA

No hebraico, **berosh**, palavra usada por vinte e uma vezes. As traduções têm interpretado essa palavra como alusiva ao cipreste, ao pinheiro e à faia. As referências bíblicas são: II Sam. 6:5; I Reis 5:8,10; 6:15,34; 9:11; II Reis 19:23; II Crô. 2:8; 3:5; Sal. 104: 17; Cant. 1:17 (onde aparece em sua forma plural, *berothim*); Isa. 14:8; 37:24; 41:19; 55:13; 60:13; Eze. 27:5; 31:8; Osé. 14:8; Naum 2:3 e Zac. 11:2. Podem estar em foco espécies como o pinheiro de Alepo(*Pinus halepensis*), um tipo de cipreste (*Cupressus sempervirens*), ou o *Pinus tinaster*. A primeira dessas espécies pode atingir uma altura de dezoito metros e, devido à natureza de suas folhas, pode resistir a considerável período de seca. Medra abundantemente nas áreas montanhosas da Palestina. A última dessas três espécies atinge o dobro dessa altura e produz uma resina muito útil. A madeira dessa espécie é muito procurada, por ser forte e duradoura. Os portões de Constantinopla foram feitos com essa madeira e duraram por mais de mil anos. Se essa é a árvore em

FAIXAS — FALÁCIA

foco, então podemos compreender por que motivo os caibros da casa do rei e sua esposa foram feitos dessa madeira (Can. 1:17). O soalho do templo de Jerusalém também foi feito dessa madeira (Eze. 27:5); e Davi mandou fazer instrumentos musicais dessa mesma madeira (II Sam. 6:5; onde nossa versão portuguesa usa a tradução «faia»). Provavelmente, esses instrumentos eram harpas e flautas. O tronco dessa árvore era usado para fabricar mastros de navios. Todavia, dentre as três espécies aludidas acima, a mais provável candidata é o cipreste (*Cupressus sempervirens*). Ver também o artigo *Cipreste*.

FAIXAS

No hebraico, **chathal**, palavra usada no plural apenas por uma vez, em Eze. 16:4 e que nossa versão portuguesa traduz por «envolva em faixas». Nesse caso, a ausência das faixas, simbolicamente falando, por ocasião do nascimento de Jerusalém, representava que ela fora rejeitada. A forma nominal aparece em Jó 38:9, sob a forma de «fraldas», dentro da frase com paralelismo poético, segundo o modelo hebraico: «...quando eu lhe pus as nuvens por vestidura, e a escuridão por fraldas?» Na tradução da Septuaginta, em ambos os trechos é usada a palavra grega *spárgana*, a qual também aparece em Lucas 2:7,12, onde nossa versão portuguesa a traduz por «enfaixar» e por «faixa», respectivamente, o que talvez seja um reflexo do uso que Ezequiel fez dela.

FALÁCIA

A falácia é um argumento que envolve alguma forma ilegítima de raciocínio. Por exemplo: Este homem repudia a discriminação racial; o comunismo também repudia a discriminação racial; logo, este homem é um comunista. Talvez seja verdade que o tal homem seja comunista. Mas isso não pode ser demonstrado com base no silogismo acima. Portanto, tal argumento é falaz. De acordo com um uso popular, a palavra falaz pode significar apenas falso, errôneo, equivocado. Na linguagem da filosofia, porém, as falácias apontam para classes específicas de erro.

Há três classes gerais de falácias, a saber: 1. Aquelas que alteram o sentido de uma palavra ou frase, a fim de que signifique coisa diferente, em diferentes contextos. 2. Falácias de relevância. Em seu argumento, uma pessoa afasta-se do ponto, tentando provar um argumento à parte do mesmo, mas, supostamente, com base no mesmo. 3. Falácias de estrutura, ou seja, falácias de *distorção*. O indivíduo deixa de seguir e de aplicar as regras da lógica, não levando em conta os seus requisitos.

Algumas Falácias Comuns:

1. **Palavras ou idéias ambíguas** podem ser interpretadas de mais de uma maneira. Para exemplificar: Abraão foi um homem fiel em todos os seus caminhos, obedecendo a todos os mandamentos do Senhor. Deus ordenou um sacrifício humano, no caso de Isaque. Portanto, o sacrifício de seres humanos é um ato de fidelidade.

2. *Falácia de composição*. Uma pessoa pode argumentar com base em um único elemento de um todo, e então supor que poderá fazer aplicação ao todo. Por exemplo: Este homem trabalha o dia inteiro em um pomar. Ele não deveria ficar cansado, pois, afinal, juntar frutas não é um trabalho exaustivo.

3. *Falácia de alusão indireta (argumentum ad populum)*. Uma conclusão é forçada contra uma pessoa, mediante o apelo às emoções, e não aos fatos. Talvez coisa alguma seja tão comum nos tribunais de lei como as falácias.

4. *Falácia de divisão*. As propriedades de um todo são aplicadas a cada uma de suas partes. Por exemplo: Este estado é rico; portanto, o sr. José, que reside neste estado, deve ser um homem rico, e não deveria queixar-se de problemas financeiros.

5. *Falácia de concretização*. Uma forma comum desse tipo de falácia é a *personificação*, quando são atribuídas a alguma coisa qualidades pessoais. Por exemplo: As flores sempre são usadas nas celebrações; isso é assim porque elas falam a linguagem do amor e da animação.

6. *Falácia de definição imprópria*. Uma pessoa dá uma definição toda pessoal e única a alguma palavra, insistindo em usá-la. Por exemplo, para ela, um *erudito* é um homem de fé. Para exemplificar: O Sr. Ferreira fez uma importante descoberta científica, mas ele não é um verdadeiro erudito, pois não é homem de fé. Ou então: Você me disse que São Paulo tem cinco milhões de habitantes; mas, de fato, tem quase catorze milhões de habitantes. Portanto, você é um *mentiroso*. Nesse caso, a palavra mentiroso é confundida com idéias mais apropriadamente ligadas ao termo «equivocado». Uma pessoa pode estar equivocada, sem ser mentirosa.

7. *Envenenamento do poço*. Os fatos envolvidos em um caso são ignorados, e faz-se uma calúnia, que seria julgada adequada para contrabalançar qualquer evidência. Por exemplo: Este homem parece estar com toda a razão; mas, lembrem-se que, quando ele tinha quinze anos de idade, furtou um televisor de uma loja próxima. Se ele fez isso, então é capaz de muitos outros atos desonestos. Portanto, as atuais evidências em favor de sua boa conduta devem ser postas em dúvida.

Os tratados sobre lógica alistam trinta tipos ou mais de falácias. Apresentamos aqui somente alguns exemplos, para ilustrar a questão, sem tentar qualquer coisa como uma descrição completa a respeito. Abaixo, oferecemos mais um caso, que se aplica, especialmente, à fé religiosa.

8. *Falácia de premissa falsa*. Podemos criar uma série de premissas, as quais *se verdadeiras*, requerem absoluta fidelidade quanto às **conseqüências** que delas derivam. — Porém, se as próprias premissas forem falsas, então dali só poderão derivar-se falácias. Por exemplo, a doutrina católica romana, em que há uma *infalível* autoridade investida em concílios, tradições e declarações papais. Os grupos protestantes rejeitam esses elementos como premissas falsas, de onde não podem ser extraídas conclusões absolutas. Porém, os protestantes caem no mesmo ardil quando supõem que as próprias Escrituras são perfeitas em todos os aspectos possíveis, pelo que poderiam e deveriam ser a única e absoluta regra de autoridade. Isso ignora os seguintes fatores:

a. As próprias Escrituras não fazem tal reivindicação, ela surgiu como uma idéia *a priori* dos homens. b. Nenhum livro ou coleção de livros pode conter toda a verdade de Deus; pelo que nenhum livro ou coleção de livros pode revestir-se de autoridade absoluta. c. O estudo gramatical dos livros da Bíblia, mesmo no original, demonstra que há erros de linguagem e a investigação histórica e científica exibe outros tipos de erros. d. Ninguém faz a Deus um favor, criando uma doutrina falaz, sem importar quão piedosa ela possa parecer. e. O manuseio das Escrituras sempre envolve a questão da *interpretação*, e, portanto, uma declaração sobre a autoridade absoluta das Escrituras

FALÁCIA — FALÁCIA NATURALISTA

deve incluir, necessariamente, uma interpretação aprovada das mesmas. f. É outra declaração *a priori* a noção que diz que a revelação divina terminou, pois a própria Bíblia nunca diz isso. O trecho de Apo. 22:19 refere-se somente ao próprio livro de Apocalipse; e outros livros do Novo Testamento foram produzidos depois do Apocalipse, o que mostra que não está provado biblicamente que a revelação terminou. Finalmente, essa falácia não reconhece que as Escrituras são uma coletânea heterogênea, que não segue uma única linha teológica. Portanto, a investigação, o aprendizado e o crescimento são essenciais na pesquisa da verdade. Os textos de prova, apesar de úteis na argumentação, são apenas uma maneira de pesquisar a verdade, e não a maneira absoluta de fazê-la. Obtemos provas disso quando vemos as grandes diferenças entre o Antigo e o Novo Testamentos, ou mesmo entre os escritos de Tiago e de Paulo. Além disso, *muitas denominações* têm sido criadas por *diferentes interpretações* dos mesmos livros e conceitos. Isso só pode ter sido possível porque dentro dos próprios livros, há várias abordagens doutrinárias sobre um certo número de assuntos, o que permite a formação de vários sistemas de pensamento teológico. Dizendo a mesma coisa de modo bem simples: Não poderia haver tão grande número de denominações evangélicas, cada qual afirmando-se a intérprete mais correta das Escrituras, a menos que, dentro da própria Bíblia, houvesse mais de uma base doutrinária para vários assuntos. É que a verdade é exposta na Bíblia gradualmente. Um intérprete pode preferir fixar-se em uma das fases da revelação, e outro, em outra fase. O ideal seria que todos pudessem avançar até à fase mais avançada. Para isso, torna-se mister um desenvolvimento espiritual, muito elevado, e sempre haverá um número mais abundante de noviços do que de intérpretes experientes. Resultado: uma grande gama de interpretações. Se juntarmos a isso as interpretações equivocadas, ou mesmo as abertamente falazes, poderemos compreender melhor a causa da heterogeneidade de interpretações, entre os evangélicos e demais cristãos. O estudo da teologia é um constante processo de reajustes, à medida que vamos podendo incluir novos dados da revelação, em nossos sistemas. Qualquer crente regenerado e, portanto, sincero, já descobriu isso, se não é um recém-convertido.

Temos exposto apenas duas ilustrações básicas de falácias que começam com premissas falsas. No campo religioso, há muitas falácias. Isso não significa, entretanto, que não tenhamos dominado grandes verdades reveladas; mas somente que certas pessoas, em sua necessidade psicológica de disporem de certas verdades, que lhes conferem *conforto mental* têm arquitetado argumentos persuasivos, mas com base em premissas falsas. Devemos identificar e evitar esse tipo de abordagem falaz da verdade revelada. tanto quanto possível, empenhando-nos nisso à medida que nosso conhecimento bíblico se amplia e aprofunda.

FALÁCIA DAS MUITAS PERGUNTAS

Essa expressão alude às perguntas que, tacitamente, já antevêem uma resposta falsa, ou pelo menos, duvidosa, para alguma pergunta que se tenha feito. Um exemplo tradicional e engraçado disso é a célebre pergunta: «Quando você deixou de espancar a sua mulher?» Se tal indagação for feita a um homem solteiro, ou a um homem que nunca bateu em sua esposa, então terá pressuposto uma situação que, na verdade, nunca existiu. Esse tipo de pergunta pode provocar falsos juízos sobre os motivos da pessoa alvejada. Tornando a exemplificar: um filho convida o seu pai para ir com ele a um certo restaurante. Mas o pai responde: «Você está tentando encontrar-se novamente em segredo, com a sua namorada?» porquanto supõe ser essa a única razão pela qual o rapaz estaria interessado em convidá-lo a jantar fora de casa.

Uma outra forma possível dessa falácia, sugerida pelo termo «muitas», que faz parte da expressão «falácia das muitas perguntas», consiste no emprego de muitas perguntas retóricas, para as quais, ao que se presume, é difícil responder, e que supõe que mediante o acúmulo de muitas perguntas, fica automaticamente provada a contenção de quem faz tantas indagações. Ver sobre *Lógica*.

FALÁCIA GENÉTICA

Trata-se do falso argumento de que em vista de certa coisa ou condição *atual* ter certas características, que *sempre* haverá de ser desse modo. Ou então trata-se do argumento de que em vista de algo ou de alguma condição, *no passado*, ter tido certas características, assim haverá de ser *agora*. Além disso, condições passadas ou presentes são transferidas para o futuro, com uma falsa previsão de que certa coisa ou condição será desta ou daquela maneira.

Ilustrações: 1. Se, de acordo com a teoria da evolução, o homem emergiu da família dos macacos superiores, então, agora, o homem nada mais seria do que um macaco. Se os macacos mostravam-se livres em seus hábitos sexuais, sem famílias estabelecidas, então seria claro que tal situação é a ideal para o homem atual. 2. O governo do Estado veio à existência por causa do desejo de alguns para forçar outros a se moldarem a seu padrão de ação. Logo, todos os governos nada mais são do que agentes opressivos. —No campo da *religião*, visto que Deus revelou a sua vontade a Moisés, Cristo deve ser um impostor. Por igual modo, o conhecimento que nos foi transmitido nos documentos sagrados, visto que nos foram revelados por Deus é um conhecimento final, não havendo margem nenhuma para novas revelações em qualquer época.

FALÁCIA LÓGICA POR ACIDENTE

Essa é a falácia lógica que consiste em argumentar com base em um princípio *qualificado*, e daí partindo para um princípio *não qualificado*, ou procurando estabelecer a veracidade de uma declaração geral, por meio de uma declaração específica. Para exemplificar: «Nunca é errado matar em autodefesa». Nesse caso, o princípio qualificado — em autodefesa — transmuta-se em um princípio qualificado — nunca é errado matar. Ou então a falácia pode funcionar de outra maneira. Uma pessoa pode argumentar com base em um princípio geral, passando para um princípio particular, fazendo alguma falsa aplicação. Por exemplo: «É bom ter algum tempo de lazer» (geral), para «É bom nunca trabalhar» (uma aplicação particular de um princípio geral). Nesses casos, os *acidentes* ou fatores condicionadores são ignorados. Toda falácia por acidente confunde o que é acidental com aquilo que é essencial. As falácias por acidente fazem parte da classificação maior de *falácias materiais*, que envolvem uma distorcida apresentação dos fatos. As falácias podem ser classificadas quanto à matéria, quanto ao fraseado e quanto ao processo de inferência. Ver o artigo geral sobre *Falácias*.

FALÁCIA NATURALISTA Ver *Naturalismo*.

FALAR EM LÍNGUAS — FALSIFICAÇÃO

FALAR EM LÍNGUAS

Nesta enciclopédia há três artigos que abordam o assunto. Ver *Movimento Carismático*; ver *Dons Espirituais*: IV. 14. Mas, especialmente, ver o artigo intitulado *Línguas (Falar em)*.

FALASHAS

Esse é o nome de um povo de pele escura, que se considera judeu, e que tem vivido na Etiópia há muitos séculos. Apesar da origem dessa gente ser desconhecida, — presume-se que tiveram origem camita, talvez descendentes de uma colônia judaica que se estabeleceu em Alexandria, no Egito, no século III A.C., e que, posteriormente, chegou até o norte e o nordeste da África. Eles se afirmam descendentes da rainha de Sabá e de Salomão; mas coisa alguma se sabe, com certeza, quanto a essa possibilidade. Além disso, eles divergem, em alguns pontos, da prática judaica, apegados a uma forma de judaísmo tipo mosaico, com base em uma versão etíope do Pentateuco. Vivem em comunidades separadas dos nativos que os cercam. Seus líderes estão divididos em *menokassie* (nazireus), *kakens* (sacerdotes) e *habteras* (homens sábios), todos eles leigos. Dão a si mesmos o nome de *Beta-Israel*, ou seja, Casa de Israel, mas seus vizinhos **chamam-nos de exilados** ou imigrantes. Seguem o código de Levítico, sem qualquer mistura com o judaísmo posterior. Há cerca de duzentos mil deles, muitos dos quais têm sido absorvidos por Israel, desde o rompimento da fome generalizada na Etiópia, na década de 1980. Trabalham essencialmente na agricultura e com metais.

FALCÃO

No hebraico, **ayyah**, que figura por três vezes no Antigo Testamento: Lev. 11:14; Deu. 14:13 e Jó 28:7. Há considerável dificuldade quanto à identificação de animais e plantas na Bíblia, porque os antigos não os classificavam cientificamente, conforme se faz hoje em dia. Mesmo assim, os intérpretes concordam, de modo geral, que esse termo hebraico refere-se a essa ave de rapina, que pertence à família das águias, dos gaviões e dos milhanos (que vede).

Há cerca de dez espécies diferentes de falcões, na Palestina atual. Algumas dessas espécies são o falcão peregrino, o falcão de Lanner e o falcão francelho. Os maiores falcões atingem cerca de 45 centímetros de envergadura. Eles caçam somente presas vivas, como várias aves, pequenos roedores, lagartos e insetos. Cerca da metade dessas espécies vive permanentemente na Palestina, ao passo que a outra metade são aves migratórias.

FALDAS DE PISGA

No hebraico, **fontes de Pisga**. Esse nome indica certas nascentes e ravinas do monte Pisga (ver Deu. 3:17; 4:49; Jos. 12:3 e 13:20). A região ficava localizada em Moabe. (S Z)

FALIBILIDADE (FALIBILISMO)

Peirce (vide) afirmava que a busca do homem pela solução de questões difíceis leva ao *desassossego*, porque escapa-lhe qualquer solução completamente satisfatória. Nunca sabemos quais novas evidências poderão modificar as nossas conclusões, mesmo nos casos em que pensamos que já chegamos à plena verdade. Quanto aos casos difíceis, sabemos, o tempo todo, que as nossas respostas são parciais, e que muitas delas simplesmente estão erradas.

A mente religiosa luta contra o *falibilismo* e procura estabelecer alguma *autoridade*, que lhe forneça todas as respostas. Os itens escolhidos são as Escrituras Sagradas, os apóstolos, os pais da Igreja, as tradições eclesiásticas, os concílios da Igreja e as declarações *ex cathedra* dos papas. Os católicos romanos contam com uma boa variedade de absolutos. Os protestantes, entretanto, preferem ficar somente com as Escrituras, de acordo com suas respectivas interpretações, naturalmente. Meus amigos, lamento ter de dizer que ainda não podemos descansar quanto à busca da verdade. O *falibilismo* é um fato, que nenhuma autoridade é capaz de fazer desaparecer. Na verdade, a inquirição pela verdade é uma aventura, e não algum acontecimento isolado, determinado por alguma autoridade. Não obstante, dispomos de algumas grandes verdades e de fragmentos de verdades, sobre os quais podemos alicerçar as nossas vidas, em plena confiança acerca da natureza otimista de nossa existência. Ver o artigo separado sobre a questão da *Autoridade*. Não nos cabem a infalibilidade e o descanso. Provavelmente, a nossa inquirição pela verdade nunca terminará, visto que a verdade de Deus é infinita e nós somos finitos. Somente para Deus a verdade é infalível. A busca eterna está aberta diante de nós. Provavelmente, essa é uma verdade infalível!

FALICISMO, FÁLICO

Essas palavras falam sobre a adoração aos órgãos de reprodução humana, especificamente o pênis, ou falo, no interesse de preservar a continuidade e prosperidade da raça humana. A prática era generalizada nas culturas antigas, sendo um tema constante da religião, geralmente associada aos cultos de fertilidade. O *lingam* (vide), como emblema do deus hindu, Siva (vide), serve de exemplo disso. Os estudiosos insistem em que há vestígios desse tipo de religião, até mesmo nas religiões mais desenvolvidas, embora sob formas veladas. Naturalmente, os exageros modernos das funções sexuais, a par com uma vasta indústria de literatura e filmes pornográficos, é uma variedade secular do *falicismo*.

FALSIDADE CONTINGENTE

Ver o artigo sobre *Verdades Necessárias e Verdades Contingentes*. Ver também o artigo geral sobre a *Contingência*.

FALSIFICAÇÃO

Nesta enciclopédia temos interesse nas falsificações religiosas. Ver o artigo sobre os *Livros Apócrifos Modernos*.

FALSIFICAÇÃO (NA FILOSOFIA)

Ver o artigo paralelo sobre a **Verificabilidade**. O nome de Karl Popper tem estado vinculado a esse assunto. Ele repudiava o positivismo, que usa a verificabilidade como o único critério para a determinação de valores significativos. Ele também promovia a falsibilidade como meio de determinar valores significativos. Uma série cuidadosamente arranjada de argumentos, *em favor* de alguma coisa, pode ser falaz. É possível prover um exemplo ou mais, por meio da experimentação, que mostre a falsidade do caso. Todavia, é mister usar de cautela, quanto a esse particular, porquanto uma boa teoria pode ser

FALSIFICAÇÃO — FALSO PROFETA

parcial, e não exatamente falsa; e a falsificação pode requerer a modificação de uma teoria, e não a sua pura e simples eliminação.

Popper pensava que esse critério também é útil para se distinguir entre a ciência verdadeira e a pseudociência. Seja como for, tal critério não é uma posição rival da verificação positiva e, sim, um suplemento para a mesma, como um método científico. Todavia, deveríamos lembrar que a fé religiosa apela para meios de conhecimentos racionais, intuitivos e místicos, que vão além dos meios científicos capazes de verificar a autenticidade ou a falsidade de qualquer conceito ou teoria. Não obstante, é possível falsificar as crenças religiosas com evidências apropriadas, científicas ou não. Os sistemas fechados de crença têm o cuidado de evitar o escrutínio da falsificação. Assim fazendo, eles preservam os seus sistemas parciais em detrimento da verdade.

FALSO PROFETA
Visões das Sete Personagens, Apo. 12:1-13:18.

A Besta Saída da Terra (13:11-18). O *Falso Profeta* Os intérpretes disputam sobre se o anticristo será a besta saída do «mar» ou a besta saída da *terra*, ou se é a mesma personagem identificada no segundo capítulo da segunda epístola aos Tessalonicenses. Em espírito e ação geral, ambas podem ser identificadas com a figura daquele capítulo; mas o mais provável é que ali haja uma alusão específica à besta saída do «mar», pois parece ser o poder maior, recebendo a ajuda e a exaltação conferidas pela outra. A besta saída do *mar* parece que será uma figura política, ao passo que a outra será uma figura religiosa, um *falso profeta*, o *João Batista* do anticristo. Alguns intérpretes, porém, preferem pensar que a segunda besta é que será o anticristo. O ponto não é muito importante. Haverá uma figura política de grande autoridade militar, um ditador mundial, mas que governará especificamente uma federação de dez nações, — que servirá de trampolim para seu domínio mundial. Cremos que essa figura será o anticristo. Mas haverá um seu ajudante, que fará a propaganda do anticristo. E esse ajudante será a besta saída da *terra*. Também é provável que a *terra*, neste caso, aponte para a nação de *Israel*, ao passo que o *mar* aluda às nações gentílicas. *A primeira besta*, pois, será produto das *nações*, o maior e mais horrendo pagão de todos os tempos. A segunda será produzida por *Israel*, sendo largamente proclamada como se fosse o *Messias* ou Cristo, porquanto será considerada como um grande profeta.

As predições dos místicos contemporâneos indicam que um indivíduo do estado de Nova Iorque, nos Estados Unidos da América, agirá como uma espécie de *João Batista* do anticristo. E esses místicos afirmam que o anticristo já está vivo. O seu *João Batista* espalhará a sua fama por toda a parte, por intermédio dos meios de comunicação em massa. Parece-me que essa será, entretanto, uma «terceira figura». Essas questões são obscuras porque ainda não começaram a se cumprir para que as possamos entender. Os eventos lançam sombras à sua frente, e quanto mais se aproximam, mais bem definidas ficam essas sombras. Cremos que o anticristo e seu falso profeta já estão vivos, e que pelo começo da década de 1990 saberemos quem são eles. Devemos estar preparados para tal evento.

Há muita disputa, naturalmente, quanto aos símbolos usados acerca de ambas as *bestas*; e nada de dogmático dizemos sobre isso. Confiamos, porém,

que quanto mais se aproximar o tempo, mais o futuro definirá as coisas. Há aqui uma trindade satânica: o próprio Satanás, a besta saída do mar e a besta saída da terra. Ou então essa trindade poderá ser formada pelo *João Batista* do anticristo (a besta saída do *mar*; a besta; e a besta saída da *terra*). O certo é que o texto que ora consideramos deixa claro que o papel da besta saída da *terra* será apoiar e promover a causa da besta saída do *mar*. Não devemos ver nisso o *papa*, conforme têm dito alguns intérpretes protestantes e, sim, uma nova forma de apostasia, que terá seu falso Cristo, e que quase certamente receberá o apoio de várias denominações cristãs apóstatas, bem como o apoio de Israel, como nação.

A besta saída do **mar** seria o anticristo. Em favor dessa idéia poderíamos asseverar os seguintes fatos:

1. Essa besta virá *em seu próprio nome*, conforme foi predito acerca do anticristo, segundo se lê em João 5:43. A segunda besta, porém, promoverá à primeira, e não a si mesma.

2. O trecho de Apo. 16:13 nos fornece a trindade ímpia — o dragão (Satanás), a besta e o falso profeta. Um «profeta» fala em lugar de outrem, e não por si mesmo; e o *profeta*, neste caso, definidamente é a segunda besta, dando a entender que se tratará de um subordinado. De maneira alguma poderíamos atribuir tal subordinação ao anticristo, apesar de que poderíamos atribuir tal coisa aos «anticristos» secundários, personagens satânicas de menor envergadura.

3. O segundo capítulo da segunda epístola aos Tessalonicenses fala sobre o anticristo. Ali vemos que ele será *adorado*. Isso sucederá no caso da *primeira* besta. A segunda apenas *promoverá* a adoração à primeira, pelo que a segunda não poderá ser *o* anticristo. Ver o décimo segundo versículo do presente capítulo.

4. É provável que a primeira besta, devido ao seu grande poder político, seja a figura focalizada em Dan. 9:27, que estabelecerá um pacto com a nação de Israel, somente a fim de desrespeitá-la. Apesar de que poderíamos conceber aqui a segunda besta, envolvida em atividades políticas, é mais provável que esteja em pauta a primeira besta, a personagem política forte. A figura profética do anticristo, Antíoco IV Epifânio, que aparece nos capítulos oitavo e décimo primeiro do livro de Daniel, se coaduna melhor com a «primeira besta», e não com a segunda.

5. Satanás ofereceu a Cristo os *reinos* deste mundo (ver Mat. 4:8), mas o Senhor repeliu essa oferta, segundo as condições de Satanás. Esse mesmo oferecimento será feito ao *«anticristo»*. Assim sendo, somente a besta saída do «mar» tem estatura suficiente para ser uma figura universal e para cumprir o papel previsto para o anticristo, com seu reino universal de maldade e apostasia. (Ver Apo. 19:19, onde há uma óbvia alusão à primeira besta e seu tremendo poder). Esse terá de ser «o anticristo».

6. A tradição cristã sempre viu o anticristo como quem, pelo menos, teria seu centro em Roma, embora talvez não se originasse dali. Mas não há razão para duvidarmos de que ele também operará em Jerusalém apesar de Roma ser a verdadeira capital. Isso se harmoniza com a primeira, mas não com a segunda besta, pelo que esse será o anticristo. Esperava-se que *Nero redivivo* fosse o anticristo, e os trechos de Apo. 13:3 e 17:9 e *ss*, quase certamente refletem essa tradição antiga.

7. Notemos, em Apo. 13:2, que é a primeira besta quem incorporará em si mesma todos os impérios pagãos anteriores. Ela será a concretização do que há

675

FALSO PROFETA — FALSOS CRISTOS

de pior na humanidade, em revolta contra Deus. Portanto, esse será, específica e inequivocamente O *anticristo*, apesar de que pode haver muitos outros anticristos, entre eles, o falso profeta.

Identificação da **besta saída da terra**. Há certo sentimento que favorece a idéia de Judas Iscariotes reencarnado como esse homem, tal como alguns pensam em *Nero reencarnado*, como a besta saída do mar. A idéia acerca de Judas envolve o fato de que ele é chamado *filho da perdição*, dando a entender que ele era tal em sentido elevado ou até mesmo exclusivo. Notemos, porém, que isso é dito acerca do *anticristo*, em II Tes. 2:3. E alguns estudiosos, por causa disso, pensam que a segunda besta é tanto o anticristo quanto Judas Iscariotes revivido. Mas talvez não devamos dar importância demasiada a esse «título», forçando qualquer identificação por meio dele. As passagens de Luc. 22:3 e João 6:70 indicam haver uma malignidade especial em Judas, o que poderia indicar que lhe está reservada uma futura missão diabólica, tão grande seria a sua estatura maligna. Atos 1:25 fala do fato de Judas ter ido para *seu próprio lugar*, o que poderia indicar que a sua alma não foi tratada como outras almas, mas foi preservada e guardada em lugar especial, a fim de ressurgir em alguma manifestação futura. Porém, isso pode ser um refinamento demasiado, estranho ao texto sagrado. Por esse motivo, é melhor dizer que simplesmente nada sabemos com certeza, ainda que a idéia da reencarnação de Judas Iscariotes, na qualidade de «besta saída da terra», não é nenhum absurdo. Alguns têm sentido que em face do *anticristo* vir a ser uma *imitação* do verdadeiro Cristo, será ele essencialmente um *profeta falso*, e não um político ou militar; e isso favorece a idéia da segunda besta ser o anticristo. Que os próprios acontecimentos futuros definam para nós esses problemas.

FALSO TESTEMUNHO

Um falso testemunho é uma inverdade solenemente dita em tribunal ou, informalmente, em público ou de uma pessoa para outra, ou seja, uma mentira. O intuito é sempre prejudicar a outrem e tirar disso um benefício próprio. O Antigo Testamento proibia essa prática com linguagem severa (Êxo. 20:16; 23:1; Deu. 5:20).

De acordo com a lei do «olho por olho», ou seja a *lex talionis*, conforme a vemos em Deu. 19:16-21, uma testemunha falsa deveria receber a mesma penalidade que esperava que sobreviria ao falsamente acusado, se fosse condenado. Em dois trechos do Antigo Testamento é dito que Deus odeia as falsas testemunhas (Pro. 16:19 e Zac. 8:17). Jeremias (5:2) condenou às falsas testemunhas, que se fingiam piedosas e que diziam «Tão certo como vive o Senhor». Jesus referiu-se a essa prática como um dos principais pecados morais, tendo-o alistado juntamente com o homicídio, com o adultério, com o furto, com a fornicação e com a calúnia (Mat. 15:19). O falso testemunho é um pecado contaminador (Mat. 15:20). O trecho de Mat. 26:59 *ss*, mostra-nos que Jesus foi vítima dessa prática pecaminosa. Outro tanto sucedeu a Estêvão (Atos 6:13). Jesus deixou claro que os seus discípulos sofreriam todos os abusos que também O haviam vitimado (João 15:18 *ss*). Quanto a essa conexão, ver I Ped. 3:16.

FALSOS CRISTOS

Contra a falsa parousia, Mateus 24:23-28.
Se alguém vos disser: *Eis aqui o Cristo...não*

acrediteis... (vs. 23). A começar deste ponto até o vs. 28, encontramos diversas advertências contra as falsas *parousias*, isto é, contra o aparecimento de falsos cristos. Os vss 23 e 24 são paralelos de Mar. 13:21,22 (e a fonte informativa dos mesmos é o «protomarcos»); mas esse material parece ser uma forma variante do material «Q», que encontramos nos vss 26 e 27 deste capítulo, como também em Luc. 17:23-34. (Ver o artigo sobre o *Problema Sinóptico*).

Mat. 24:23: **Se, pois, alguém vos disser: Eis aqui o Cristo! ou: Ei-lo ali! não acrediteis;**
A mensagem geral desta seção é que a vinda (ou *parousia*) do Filho do homem não será uma ocorrência secreta e, sim, *universal* e bem conhecida. Portanto, é tolice alguém dizer, por necessidade de provocar agitação revolucionária, etc., «Cristo está na casa de certo zelote, no outro lado da cidade; vamos reunir-nos a ele para podermos resistir aos inimigos; e então ele se revelará a todos». Jesus advertiu contra as *falsas auroras*. Lê-se que nas áreas árticas, após a longa noite de seis meses, algumas vezes surge a aurora; mas então as trevas engolfam tudo novamente. Finalmente, porém, aparece a verdadeira aurora, mas somente no tempo certo. Assim sucederá quando da vinda de Cristo — haverá muitas auroras falsas, muitas reivindicações ilegítimas, muitos movimentos e milagres, muitos sinais e prodígios, mas todos eles anunciando falsas *parousias*.

É interessante observar que os falsos profetas (vs. 11) é que criarão as dificuldades, e que em seguida os falsos cristos (vss 23 e 24) oferecerão saídas para essas dificuldades. Suas vítimas iludidas criarão religiões e lançarão o grito: *Ei-lo aqui!* Contudo, os «eleitos» terão o discernimento necessário para não dar ouvidos a tais indivíduos.

A passagem que se encontra em Luc. 21:24 (no trecho paralelo) indica os elementos de tempo que circundarão a vinda do verdadeiro Cristo: «Cairão ao fio da espada e serão levados cativos para todas as nações; e até que os tempos dos gentios se completem, Jerusalém será pisada por eles». Olhando as coisas de nosso ponto privilegiado, podemos ver *claramente* agora que Jesus predisse que haveria um considerável *intervalo* de tempo antes de seu reaparecimento, quando vier para livrar o povo de Israel do domínio gentílico. Do ponto de vista privilegiado daqueles que viveram durante o primeiro século de nossa era, eles devem ter percebido, ao menos, que essa «parousia» não seria imediata, mas que primeiramente se passaria algum tempo. Por conseguinte, não deveriam dar ouvidos a falsas notícias que indicassem que Cristo «aparecera». Naturalmente que os crentes do primeiro século não podiam fazer idéia do tempo exato em que aconteceriam essas coisas; e todos os crentes, de todas as épocas, não têm podido precisar o tempo exato de tais acontecimentos. Essa é a bendita esperança, a esperança que purifica, e que deve animar a igreja de todos os séculos. Deus não encara o tempo conforme nós o encaramos, pois a grande realidade é que para o Senhor — os intervalos — de tempo não são uma consideração importante. Os tempos e as épocas estão em suas mãos, conforme o trecho de Atos 1:7 nos ensina. Não obstante, Jesus indicou que devemos esperar determinados períodos de tempo, e que, chegando o tempo certo, todos reconhecerão que nada é feito em segredo. Jesus também quis ensinar-nos que a destruição de Jerusalém (que haveria de ocorrer pouco tempo depois que ele falou) não deveria ser considerada como o fim da atual ordem de coisas ou o arauto da *parousia*. Porém, apesar desse aviso, muitos entenderam

FALSOS CRISTOS

erradamente o sentido da destruição dessa cidade, e esperaram a volta de Cristo para imediatamente depois dessa catástrofe. O certo é que uma maior tribulação será o verdadeiro arauto da «parousia». Mas esse acontecimento ainda jaz no futuro. Todavia, será de proporções tão gigantescas que ninguém deixará de compreender as implicações das ocorrências. Entre as populações judaicas do primeiro século, alguns chegaram a considerar Vespasiano como o «Messias», porquanto ele era o imperador de Roma ao tempo da queda de Jerusalém.

Mat. 24:24: *porque hão de surgir falsos cristos e falsos profetas, e farão grandes sinais e prodígios; de modo que, se possível fora, enganariam até os escolhidos.*

Porque surgirão. Essas duas expressões, *prodígios* e *sinais*, não denotam necessariamente duas manifestações sobrenaturais, olhadas de pontos de vista diferentes (ver João 4:48; Atos 2:22; 4:30; II Cor. 12:12). O vocábulo *sinal* pode indicar as habilidades sobrenaturais de alguém. O termo «prodígio» pode indicar a reação do espectador ante o «sinal» operado. Alguns comentaristas se têm equivocado neste ponto, julgando que está em vista aqui uma fraude. Não há motivos para crermos que todos os milagres realizados fora da igreja aprovada são obrigatoriamente fraudulentos. De fato, em nossos próprios dias, lemos relatórios e vemos fotografias de milagres especiais e não há razões para duvidarmos de que temos nisso expressões de poder, ou expressões de naturezas humanas, com poderes altamente desenvolvidos, ou expressões de ajuda de poderes espirituais superiores, demoníacos ou angelicais, que levam os homens a fazerem coisas que de outro modo seriam impossíveis. Outrossim, não há qualquer indicação, neste texto, que tais milagres, sinais e prodígios serão *falsos*.

Aconteceu realmente, naquele tempo, que surgiram **muitos** homens capazes de exercer certos poderes; mas seus milagres eram prodígios falsos, que visavam enganar um povo já confuso. Josefo fala de tais manifestações (*Ant.* liv. xx. c.). Entre os indivíduos que operaram tais coisas poderíamos citar Simão Mago e Dositeu. (Ver no NTI as notas em Mat. 24:5 quanto a mais pormenores). Jerônimo fala de um certo Barcocabe que fingia vomitar fogo da própria boca. Esse homem foi recebido por muitos como um genuíno messias, e o famoso rabino *Akiba* chegou mesmo a consubstanciar a reivindicação messiânica desse indivíduo. Porém, um exército romano pôs fim a essas manifestações e, nesse processo, ele e muitos de seus seguidores foram mortos. Inicialmente ele foi chamado de *Barcocabe*, que significa «filho de uma estrela», mas depois os judeus chamaram-no de *Barcoziba*, que tem o sentido de «filho de uma mentira».

Toda essa descrição exposta por Jesus, neste ponto, naturalmente é profética sobre aquele indivíduo realmente grande operador de milagres, prodígios e sinais, a saber, o próprio anticristo. É nele que o mistério da iniqüidade terá o mais pleno desenvolvimento, porquanto por intermédio dele o mundo realmente adorará a Satanás em pessoa, e isso representará a apostasia em seu desenvolvimento máximo. A passagem de II Tes. 2:9 diz-nos que ele terá grande «poder», operando sinais e prodígios, e que esses serão operados mediante a agência do próprio Satanás. Através desses sinais ele iludirá a muitos, e tão grande será o seu poder que somente os eleitos não serão enganados por ele. Ver os artigos separados sobre o *Anticristo* e *Satanás*

Vede que vo-lo tenho predito. Jesus sabia quais condições prevaleceriam ao tempo da destruição de Jerusalém, e que muito depois dessa tribulação, já nos últimos dias, elas se repetiriam com muito maior intensidade, até que finalmente se manifestaria o próprio anticristo. Jesus considera a sua profecia uma advertência suficiente, e uma advertência suficiente deveria prover preparo suficiente contra a crença em falsas reivindicações, maravilhas mentirosas de enganadores, que asseveram possuir atributos messiânicos. Por meio dessas palavras, Jesus acrescenta um *nota bene* ao seu discurso. Cada crise, quer política, quer religiosa, produz os seus falsos líderes, que oferecem soluções falsas. Tais homens, ou por visarem vantagens econômicas ou por desejarem poder, exploram o temor e a incerteza de seus semelhantes.

Sumário dos Falsos Cristos Históricos:

1. Os mestres gnósticos eram chamados anticristos porque promoviam um sistema que apequenava ou mesmo negava o evangelho e a religião cristã (I João 2:18,22; 4:3; II João 7). Apesar de que nenhum deles podia ser intitulado de «o anticristo», eles operavam de maneira parecida com ele, no sentido de que eram prejudiciais para a causa cristã, procurando roubar o ofício de Cristo. O gnosticismo (que vede) perseguiu a Igreja cristã por cerca de cento e cinqüenta anos, durante os seus anos formativos.

2. *Teudas* (cerca de 44 D.C.; ver Atos 5:36). Ele foi uma figura de segunda categoria, que liderou uma revolta contra Roma, fazendo reivindicações messiânicas. Roma cuidou para que ele tivesse uma carreira curta.

3. *Barcocabe* (*Bar Cochba*, c. 132 D.C.), heb. «filho de uma estrela», presumivelmente cumpriu a predição de Núm. 24:17. Ele obteve uma glória temporária, conquistou Jerusalém e se manteve no poder durante algum tempo. Foi chamado de rei e de messias. Os romanos, porém, derrubaram-no. Foi morto em Biter, juntamente com quinhentos ou seiscentos seguidores.

4. *Moisés Cretense* (cerca de 440 D.C.). Ele se dizia um segundo Moisés, e conseguiu controlar a ilha de Creta. Alguns judeus aceitaram suas reivindicações. Ele prometeu fazer um caminho pelo meio do mar, desde Creta até à Palestina, a fim de que seus seguidores cruzassem com os pés enxutos, presumivelmente para que eles pudessem chegar à Terra Prometida em poder e glória. Porém, o mar recusou-se a cooperar e certo número de judeus morreu afogado, em seu fanatismo. Esse segundo Moisés acabou desaparecendo de cena e um outro fanático demente perdeu o controle dos acontecimentos.

5. *Davi Alroy* (cerca de 1160 D.C.). Ele foi um judeu persa, que liderou uma revolta dos judeus contra os islamitas. Mas não houve nenhum bom resultado dessa revolta e um outro falso messias desapareceu.

6. *Asher Lammlein* (1502). Foi um rabino que vivia na Itália, que afirmou ser precursor de um esperado Messias. Prometeu produzir uma coluna de nuvem e de fogo, para conduzir os judeus italianos à Palestina. Mas, nada de especial veio a suceder.

7. *Sabbethai Zebi* (1625-1676). Foi intitulado «rei de reis», em Esmirna. Conseguiu reunir um grupo de fanáticos, conforme sucede a todos os falsos mestres. Finalmente, bandeou-se para a fé islâmica; mas foi decapitado pelo governo turco, como um elemento inconveniente. Alguns de seus seguidores, contudo, tentaram manter viva a fraude messiânica em torno

FALSOS CRISTOS — FALSOS PROFETAS

de seu nome.

Há um certo número de outras personagens de estatura menor, que também têm feito reivindicações messiânicas. Nem nos devemos preocupar em alistar todas elas. Esses homens surgiram em cena com diferentes motivações e inspirações. Alguns deles tiveram motivos políticos e quase todos apelaram para alguma forma de violência, a fim de atingir os seus alvos. Nunca foram adeptos da fé cristã neotestamentária. Alguns eram homens que exerceram grande influência sobre outras pessoas, dotados de dons psíquicos e de manifestações carismáticas.

O futuro anticristo será o maior de todos os falsos cristos. Ver o artigo sobre o *Anticristo*.

FALSOS DISCÍPULOS E PROFETAS

Os falsos discípulos e profetas são descritos em Mat. 7:21-23. É material peculiar a Mateus, pelo que a fonte informativa é «M». Os falsos profetas podem ser os fariseus e saduceus, mas a menção à *profecia* sem dúvida é um colorido feito pela igreja, e os primeiros hereges cristãos estão em foco, talvez até exclusivamente. Este versículo reflete a época do próprio Mateus, segundo também se vê em Mat. 24:5,11,24. (Cf. Didache 11-12, sobre os impostores na igreja primitiva). Mateus alude a alguma heresia no seio da igreja, porquanto eram —ovelhas falsas— que estavam em foco. Talvez o *gnosticismo* (vide) esteja aqui em foco, mesmo que parcialmente. Essa era a mais ativa entre as primeiras heresias, e nada menos de oito livros do N.T. foram escritos contra a mesma (Col., I e II Timóteo, Tito, as três epístolas Joaninas e Judas). Os gnósticos se vangloriavam de seu misticismo, mas este não os transformava moralmente, coisa que só o verdadeiro misticismo é capaz de realizar.

Mat. 7:21: *Nem todo o que me diz: Senhor, Senhor! entrará no reino dos céus, mas aquele que faz a vontade de meu Pai, que está nos céus.*

Os vss 21-23 são tão instrutivos quão *problemáticos*: Jesus não nega que grandes obras foram feitas ou possam ser feitas, e nós também não precisamos negar o fato. As pesquisas sobre os fenômenos psíquicos demonstram a capacidade de certas pessoas em prever o futuro, curar, falar línguas estrangeiras sem nenhum estudo, expulsar maus espíritos e exercer outros poderes espantosos, mesmo fora de qualquer seita religiosa, ou como demonstração de muitas e diferentes religiões. Esses poderes parecem — fazer parte — da expressão da personalidade humana (em seu aspecto religioso), pois o homem, acima de tudo, é um ser *espiritual*, dotado de poderes espirituais. Tais atos podem ser feitos pelo poder dos demônios, que também são seres espirituais, em geral dotados de mais poder do que os homens. A grande lição é que o **poder e sucesso que o mundo vê não servem de *critério legítimo*** sobre o conhecimento que alguém tem de Cristo, e nem mesmo da relação que mantém com ele. Pesquisas feitas sobre essa questão mostram que tais poderes sempre foram comuns a todas as civilizações, mesmo as separadas de qualquer fé cristã. Portanto, cabe aqui uma palavra de cautela dirigida a todos: a própria existência dos fenômenos de natureza verdadeiramente sobrenatural, não é prova de cristianismo autêntico, pois esses fenômenos têm várias fontes, ou seja, a própria personalidade humana, em sua porção espiritual, o poder dos demônios e o poder do Espírito de Deus.

Reino dos céus. Provavelmente Jesus fala do aspecto futuro desse reino, e talvez com o mesmo sentido empregado por João: «...quem não nascer da água e do espírito, não pode entrar no reino de Deus» (João 3:5). Ver também Mat. 3:2 quanto ao reino dos céus e o reino de Deus.

Faz a vontade. É possível que alguém realize milagres e curas, preveja o futuro, expulse demônios e, no entanto, não esteja fazendo a vontade de Deus. Os falsos profetas fizeram (e fazem) tais milagres. Talvez os «frutos» dos falsos profetas e de seus discípulos incluam milagres. Geralmente, entre os homens, o ato milagroso automaticamente serve de prova da presença da mão de Deus, mas Jesus mostra que tais coisas podem estar fora da *vontade* de Deus.

Senhor, Senhor. Notemos que os que assim falam são *cristãos*, isto é, chamam a Cristo de «Senhor». Falam como cristãos, agem como cristãos, reconhecem que Cristo é o Senhor, mas a realidade é que ele não é o Senhor deles. Se não fora esse elemento, este versículo teria interpretação mais fácil. Será possível que alguém chame a Cristo de Senhor, ao mesmo tempo que trabalha pelo poder dos demônios? Obviamente sim. A cautela que precisamos exercer, pois, é enorme. Devemos ter cuidado em distinguir entre homens e grupos que usam o nome de Cristo, aparentemente adoram esse nome mas, ao mesmo tempo, não são cristãos verdadeiros.

Alguns mss, como W Theta e algumas versões siríacas (s, c) ajuntam a este versículo: «...esse é o que entrará no reino dos céus». Essa adição, porém, é uma anotação que procura salientar ou estender o que já se encontra no texto. Entre as traduções, somente *F* traz essa adição.

FALSOS PROFETAS

O Antigo Testamento via os falsos profetas com grande severidade. Descobertos, deveriam sofrer a pena capital (Deu. 13:1-4). Algumas vezes, na história de Israel, os profetas falsos tomavam conta da cena, temporariamente. A adoração pagã foi ativamente promovida durante o reinado de Acabe. Oitocentos profetas falsos promoviam o culto pagão, mormente a adoração a Baal e a Asera (I Reis 18:20). Profetas mentirosos diziam aos reis de Israel o que eles queriam ouvir, e não a verdade (I Reis 22:6-23). Os verdadeiros profetas denunciavam os profetas falsos, juntamente com suas supostas visões (Jer. 29:21-23).

No Novo Testamento, os falsos profetas eram muitos (I João 4:1). Eram chamados *anticristos*. Jesus também caracterizou-os como lobos vestidos em peles de ovelhas (Mat. 7:15). Paulo feriu com cegueira ao falso profeta, Bar-Jesus (Atos 13:6,11). Jesus predisse que muitos profetas falsos surgiriam e realizariam milagres (Mat. 24:24; Mar. 13:22). O sétimo capítulo de Mateus mostra que os crentes deveriam ser bons imitadores dos profetas autênticos, para não serem confundidos com os falsos profetas.

O maior dos falsos profetas será o precursor do **anticristo** (vide). Ver Apo. 13:12-14 e o comentário sobre ele, no NTI. O falso profeta proverá poderosos sinais (milagres), em confirmação da autoridade do anticristo. Ver o artigo separado sobre o *Falso Profeta*.

Mat. 7:15: *Guardai-vos dos falsos profetas, que vêm a vós disfarçados em ovelhas, mas inteiramente são lobos devoradores.*

Acautelai-vos dos falsos profetas. Para evitar entrar pela porta larga, que corresponde à religião errada, o homem deve escolher determinado tipo de vida, caracterizado pela fé; e também deve evitar

FALSOS PROFETAS — FALTO NO FALAR

entrar no «caminho espaçoso», que é o curso de vida que inclui os anelos da existência terrena. Precisamos tomar cuidado com aqueles que advogam a vida errada, ensinando doutrinas pervertidas, os quais encorajam os homens a entrar pela porta larga, podendo assim caminhar pelo caminho espaçoso. As interpretações em torno dos *falsos profetas* são: 1. As autoridades religiosas dos judeus, como os fariseus. 2. Os impostores, como Judas da Galiléia (ver Atos 5:37; Josefo, de Bell Jud. 2:13,47). 3. Os profetas falsos da época cristã (Mat. 24:11,24; ver também os vss 21-23 deste capítulo). 4. O ensino de Deus é geral, e por isso inclui todas essas idéias — qualquer indivíduo que mostre e ensine coisas que façam outros entrarem no caminho espaçoso. Provavelmente essa é a idéia de Jesus, neste caso. Ver também Atos 20:29, 30 e II Ped. 2:1,2.

Disfarçados em ovelhas. Vestidos como ovelhas. Aqui há alusão à veste dos profetas, descrita em 3:4 e também em Heb. 11:37. Todavia, Jesus não fala literalmente de roupas, mas usa essa expressão a fim de indicar a natureza da ovelha, isto é, que ela é gentil e mansa. Apresentando-se como ovelha, o lobo consegue intrometer-se entre elas. Mas come a carne das ovelhas. O profeta *falso* pode até viver literalmente das ovelhas (dinheiro), comendo assim a sua carne e vestindo-se com a sua lã. O *Didache* (ensino dos apóstolos) refere-se a certas pessoas, intitulando-as comerciantes de Cristo, pois da religião de Cristo fazem um meio de vida, um meio de ganhar dinheiro, como se fora qualquer outro negócio. De outra feita o Senhor Jesus falou desse tipo de espertalhão: «Todos quantos vieram antes de mim são ladrões e salteadores» (João 10:8). E mais adiante, no mesmo capítulo, fala acerca do «mercenário», que não é pastor verdadeiro e, por isso mesmo, não cuida das ovelhas.

Lobos roubadores. Indivíduos que não cuidam das ovelhas; pelo contrário, destroem-nas e não as salvam. Para conseguir os seus objetivos, vinculados ao dinheiro ou ao sentimento de grandeza, etc., estão prontos a sacrificar as ovelhas. (Ver II Cor. 11:2,3,13,15, onde Paulo fala de tais pessoas).

Os lobos são mais perigosos do que os cães e os porcos selvagens (vs. 6). Os cães e os porcos se apresentam como inimigos hostis aos discípulos do reino. Os lobos, sendo animais selvagens mais perigosos, bravos e fortes, aparecem como profetas e se apresentam no meio das ovelhas. Na história da igreja lemos que apareceram no tempo oportuno, como judaizantes (ver II Cor. 11:13), e em vários lugares apareciam no mundo dos gentios, onde fora estabelecida alguma igreja cristã, na forma de gnósticos (ver I João 4:1; II Tim. 4:1). Tais lobos sempre encontram as suas vítimas.

Mat. 24:11: *Igualmente hão de surgir muitos falsos profetas, e enganarão a muitos;*

Ver o vs 5. A diferença entre aqueles descritos no vs 5 e os que são mencionados aqui é que os primeiros são essencialmente uma espécie de falsos messias, ou pelo menos que se fazem líderes de movimentos tipos messiânicos, freqüentemente com ligações políticas. A maioria daqueles mencionados neste versículo, os *falsos profetas*, tem-se levantado no seio da própria igreja. Alguns deles têm sido *antinomianos*, isto é, são libertinos que exageram as declarações do apóstolo Paulo de que o crente está livre da lei de Moisés. Muitos dos *gnósticos* pertenciam a essa classe, dizendo que não tem importância o corpo, por ser ele o guardião do mal e que a morte do corpo é a única coisa capaz de livrar a alma, para que ela, então, siga

para a inocência completa. Os que se guiavam por tais idéias, pouco se importavam como tratavam o corpo ou quantos pecados de natureza carnal eram praticados, sem qualquer escrúpulos de consciência. Alguns desses homens tornaram-se líderes nas igrejas. Foi desses tipos que Paulo falou quando escreveu, «Pois entre estes se encontram os que penetram sorrateiramente nas casas e conseguem cativar mulherzinhas sobrecarregadas de pecados, conduzidas de várias paixões» (II Tim. 3:6). O ponto principal em foco não é tanto a atitude libertina, mas o fato de que havia mestres, nas igrejas, que ensinavam que não há mal algum nessas coisas, porque envolvem apenas o corpo que não tem importância alguma para a natureza moral do homem. Acerca dos tais disse também o apóstolo: «Tendo forma de piedade, negando-lhe, entretanto, poder. Foge também destes» (II Tim. 3:5).

Além disso, e por outro lado, havia também os gnósticos e outros de ação contrária, que enfatizavam o *ascetismo*, isto é, que maltratavam os seus próprios corpos e que se deixavam orientar por uma interminável lista de proibições contra uma multidão de coisas, seguindo um tanto a atitude dos fariseus. Havia aqueles que diziam: «Não manuseies isto, não proves aquilo, não toques aquiloutro» (Col. 2:21). Tinham regras quanto ao uso dos alimentos, observavam dias especiais, mostravam-se contrários ao casamento e proibiam qualquer uso do sexo, mesmo legítimo. Paulo sentiu-se obrigado a advertir aos seus ouvintes e leitores que esses, igualmente, eram falsos profetas.

Outrossim, havia também os *judaizantes*, que eram legalistas que pervertiam as doutrinas da graça e que tentavam conservar a igreja sob a lei de Moisés. O evangelho segundo aos Hebreus (um evangelho apócrifo) parece ter sido escrito com o propósito definido de fazer da igreja uma instituição judaica, ignorando as revelações recebidas por Paulo e negando-as, revelações essas que dão à igreja o seu caráter distintivo. As epístolas de Paulo aos Efésios e aos Colossenses foram escritas a fim de combater diversas formas de heresia, incluindo a forma de gnosticismo que ensinava que Cristo era apenas *um* ser pertencente à ordem dos *anjos*, mas não divino.

A Apostasia dos Últimos Dias

O anticristo enganará quase toda a igreja, e através dele, o próprio Satanás será adorado em todo o mundo. Então, se realizará a *grande apostasia*. Ver os artigos separados sobre *Apostasia* e *Anticristo*.

FALTO NO FALAR, INCULTO

No grego temos uma palavra, **idiótes**, que aparece por cinco vezes (Atos 4:13; I Cor. 14:16,23,24 e II Cor. 11:6). Esse vocábulo não aponta para alguém com inteligência abaixo da média, como se dá com a palavra portuguesa que dali se deriva, «idiota», e, sim, para alguém destreinado quanto à educação escolar. Nossa versão portuguesa traduz a palavra por «incultos», na referência de Atos, e por «indoutos» nas referências a I Coríntios; e por «falto», em II Coríntios, na expressão «falto no falar». Este último caso merece alguma explicação. Os gregos admiravam muito a eloqüência e a precisão de linguagem. Mas Paulo não pregava «com ostentação de linguagem, ou de sabedoria» (I Cor. 2:1). Por isso, alguns elementos que eram contrários a ele na igreja de Corinto, criticavam-no por não ser tão bom orador quanto Apolo, por exemplo. Paulo defende-se da acusação, em II Cor. 11:6, dizendo que, «embora destreinado no falar, não sou (destreinado) no

FAMÍLIA

conhecimento». Outro tanto se aplica ao caso de Pedro e João, em Atos 4:13. Os apóstolos não eram uns «ignorantes», conforme o vulgo interpreta a passagem; tão-somente não haviam sido treinados nas escolas rabínicas. As Escrituras jamais valorizaram a ignorância, sobretudo a ignorância quanto ao texto da Bíblia, conforme muitos crentes de poucas luzes pensam, consolando-se e justificando-se de sua ignorância e preguiça.

FAMÍLIA

Esboço:

I. Definição
II. As Principais Funções da Família
III. A Origem da Família
IV. Práticas de Casamento
V. Alguma Informação Veterotestamentária sobre a Família
VI. O Novo Testamento e a Família
VII. Metáforas Espirituais e a Família
VIII. A Família e os Símbolos nos Sonhos e nas Visões

I. Definição

A palavra **família** usualmente refere-se a um grupo de pessoas relacionadas entre si por laços de parentesco ou de matrimônio, como os pais e seus filhos, que vivem juntos em uma mesma residência. Um grupo assim usualmente pratica uma economia em comum, havendo um ou mais membros que contribuem para o sustento de todos. Por extensão, a palavra também indica algum grupo de pessoas com um mesmo antepassado; ou mesmo um grupo atualmente vivo, composto por muitas unidades familiares individuais. *Metaforicamente*, o vocábulo também é usado para indicar pessoas que não estão biologicamente relacionadas entre si, como sucede nas fraternidades, nos clubes sociais, compostos por pessoas que não têm qualquer conexão racial umas com as outras. O *clã*, por sua vez, é uma unidade familiar maior. Em certas culturas, os vínculos que formam um clã são bastante fortes. Embora não com exclusividade, os povos semitas são os que mais dão valor ao sistema.

II. As Principais Funções da Família

Cinco principais funções da família podem ser mencionadas, a saber:

1. *Relações sexuais*. O ideal da maioria das religiões (que também faz parte das leis civis de muitos países) é que as atividades sexuais limitem-se ao âmbito da família. As leis judaicas contra os desvios sexuais, como o adultério, visavam, principalmente, a proteger a unidade da família.

2. *Reprodução*. É mister um longo tempo para fazer a prole humana tornar-se madura e auto-suficiente. A família é a unidade de incubação e treinamento, com esse propósito. A reprodução fora dessa unidade representa um sério problema pessoal e social. A herança genética é um dos principais, se não mesmo o principal fator que determina o sucesso ou não de uma criança, neste mundo.

3. *Questões econômicas*. A luta pela sobrevivência econômica, com freqüência, depende da solidariedade da unidade da família. Uma pessoa que ganhe um bom salário pode sustentar o grupo inteiro; e mais de um sustentador pode prover à família conforto e prosperidade material. A necessidade de sustentar os membros da família é a motivação por detrás do trabalho e das profissões, que são elementos básicos em qualquer sociedade.

4. *Educação*. A maioria das sociedades alicerça-se sobre a educação básica que a família provê para os seus membros, começando pela aquisição e aperfeiçoamento do idioma. Uma criança entra no sistema escolar público com vantagens ou desvantagens, tudo dependendo da qualidade da educação doméstica com que chega ali. A educação religiosa também começa no seio da família. Ver o artigo separado sobre a *Educação Cristã*.

5. *Provisões e proteção*. Não é fácil uma criança ficar só e enfrentar o mundo, contando apenas com suas próprias forças e recursos. Na escola, uma criança encontra forças no fato de que *mamãe* está em casa, disposta a ajudar, e que o *papai* pode resolver todos os problemas que a avassalem. Além disso, um irmão maior poderá protegê-la das ameaças de outras crianças. Acresça-se a isso que também há o orgulho de família. A posição de uma família, no seio da sociedade, pode inspirar uma criança a procurar fazer tudo o melhor possível. Essa questão, todavia, pode ser exagerada, quando os filhos de certos pais são favorecidos, em vista do prestígio e poder econômico de certas famílias.

6. *Afeto*. Ninguém vive bem sem o amor e o apoio de outras pessoas. As relações afetuosas começam no seio da família.

III. A Origem da Família

Os primeiros capítulos do livro de Gênesis mostram que a família foi a primeira das instituições divinas. Os evolucionistas e antropólogos têm dúvidas a esse respeito, supondo que a família humana emergiu da ascensão evolutiva do homem, provavelmente por razões econômicas ou de proteção mútua. A extrema dependência da prole humana, em seus tenros anos, ensina-nos, pelo menos, que, desde o princípio, deve haver mães que cuidem de seus filhos, o que já constitui uma unidade básica da família. De outro modo, a raça humana não poderia sobreviver. As evidências arqueológicas demonstram o fato de que onde existiu o homem, também existiu a família. Portanto, qualquer coisa dita em contrário, não passa de especulação. Mesmo que os primeiros relacionamentos entre os sexos tivessem sido promíscuos, de tal maneira que não fossem formadas famílias, conforme atualmente as conhecemos, deve ter havido mães protetoras; e, podemos supor, pelo menos ocasionalmente deve ter havido pais protetores e provedores, que muito devem ter contribuído para a criação dos filhos. Isso deve ter acontecido mesmo quando os homens tivessem outras mulheres que, com seus filhos, fossem objeto das atenções deles.

IV. Práticas de Casamento

Fornecemos um artigo separado sobre esse assunto, intitulado *Matrimônio*. As formas básicas do casamento são a *monogamia* (um homem e uma mulher); a *poligamia* (um homem e mais de uma mulher); a *poliandria* (uma mulher e mais de um homem) e o *casamento em grupo* (não há casais fixos e as crianças são criadas pela comunidade inteira). Normas sociais, econômicas, filosóficas e religiosas é que determinam a forma predominante de casamento, em qualquer sociedade. A poliandria é rara; mas, quando ocorre, usualmente irmãos, pais e filhos recebem os favores sexuais de uma mesma mulher. O casamento em grupo, sugerido por Platão para as classes de elite da sociedade, e praticado em algumas comunidades utópicas de nosso tempo, como nas comunidades hippies, também é uma forma muito rara de matrimônio.

V. Alguma Informação Veterotestamentária sobre a Família

A Família

••• ••• •••

Paz Esteja Sobre Esta Casa

Jesus Abençoa as Crianças

As crianças são suas, ó Senhor.

••• ••• •••

••• ••• •••

Um pai vale mais do que cem mestres.
(George Herbert)

•••

Quem honra seu pai viverá longos dias.
(Ecles. 3:6)
Instrue ao menino no caminho em que
deve andar e até quando envelhecer
não se desviará dele.
(Prov. 22:6)

Ao Senhor eu o entreguei por todos os
dias que viver. (I Sam. 1:28)

•••

Vós, filhos, sede obedientes a vossos
pais no Senhor, porque isto é justo.
(Efé. 6:1)
Vós, mulheres, sujeitai-vos a vossos
maridos, como ao Senhor.
(Efé. 5:22)
Vós, maridos, amai vossas mulheres
como Cristo também amou a igreja.
(Efé. 5:25)
Deixará o homem seu pai e sua mãe
e se unirá a sua mulher, e serão os
dois numa carne. Grande é este
mistério: digo-o, porém, a respeito
de Cristo e da igreja.
(Efé. 5:31,32)

••• ••• •••

FAMÍLIA

1. O Antigo Testamento, no começo do livro de Gênesis, e os ensinos da Tora falam sobre a família como uma instituição divina para o desenvolvimento físico e espiritual da raça humana. O Antigo Testamento não tem uma palavra específica para indicar a idéia de «família», mas usualmente emprega a palavra «casa» quando alude à família (Rute 4:11; I Crô. 13:14; II Crô. 35:2,12; Sal. 68:6).

2. Na qualidade de *instituição divina*, a família está sujeita às ordenanças e às leis; e, em escala maior, a sociedade, composta de todas as famílias de uma comunidade, também está sujeita a essas normas. A monogamia, que vem desde o jardim do Éden (Mar. 10:6-9), tornou-se o grande ideal da família; mas quase nunca é praticada na sociedade.

3. O *Decálogo* (Êxo. 20:14,17) e o grande número dos preceitos levíticos (ver Lev. 18:6-18; 20:14-21; 21:7-15) governavam a formação da família e a vida doméstica, entre os israelitas. Esses preceitos incluem questões como dotes, festividades, noivado, casamento, educação dos filhos, etc.

4. A família é a *unidade básica* da sociedade humana e de qualquer nação. Os pactos do Antigo Testamento foram estabelecidos com essas unidades maiores, existentes na humanidade. Ver o artigo separado sobre os *Pactos*. Todavia, apareceram dificuldades. Ló acabou se envolvendo com uma sociedade pagã (incluindo o homossexualismo e a total promiscuidade sexual prevalentes em Sodoma); Israel tornou-se um povo cativo no Egito. Apesar dessas coisas, o *êxodo* (que vede) foi o acontecimento histórico que possibilitou a continuação da relação do pacto estabelecido com Deus.

5. *A poligamia e o casamento levirato*. O livro de Gênesis mostra que a poligamia começou bem cedo, no gênero humano: «...Lameque tomou para si duas esposas...» (Gên. 4:19). Todos os patriarcas das primeiras gerações eram polígamos. As concubinas, incluindo aquelas que vinham da classe social dos servos, eram um elemento importante nas sociedades antigas. As leis da Babilônia, de Nuzi e de Hati demonstram a base comum que havia quanto a essas questões, que as sociedades mesopotâmicas compartilhavam, de modo geral, com a cultura dos hebreus. Destarte, a família tornou-se uma grande salada, com inúmeros meio-irmãos, com unidades e subunidades. Os intérpretes consideram isso uma erosão da ordem própria da família. Deveríamos considerar um fator que é freqüentemente esquecido. As grandes matanças e intermináveis guerras e conflitos armados, naturalmente, deixam como saldo um grande número de mulheres solteiras. Ora, onde houver uma maioria de mulheres, a poligamia torna-se uma prática viável, e, talvez, até necessária, para a sobrevivência da sociedade e para seu bem, se não para a sua boa ordem. O papa João Paulo II tem-se mostrado especialmente preocupado acerca desse problema, e, por ocasião do sínodo de 1986, reagiu com consternação diante da declaração de um bispo católico romano da África, de que é impossível eliminar a poligamia na sociedade africana. No entanto, a experiência tem demonstrado que quando os missionários cristãos impõem a monogamia sobre católicos romanos que até então tinham vivido polígamos, as esposas que são descartadas tornam-se prostitutas, por faltar-lhes a educação e os meios para participarem da sociedade como mulheres responsáveis e independentes. Assim, quando lemos o Antigo Testamento e vemos a dilapidação constante da população masculina, devido a intermináveis conflitos, até que chegamos a simpatizar com a poligamia,

como um meio de proporcionar às mulheres algum tipo de vida em família, ainda que não seja a situação *ideal*. Em qualquer sociedade, onde haja um número bem maior de mulheres do que de homens, a poligamia não oficial não demora a tornar-se a prática comum. A despeito de tudo isso, o ideal do casamento monógamo é louvável (Pro. 5:15-19), mesmo que quase nunca tenha sido posto em prática na sociedade hebréia.

O casamento levirato, segundo o qual um irmão ficava com a esposa viúva de um seu irmão falecido, se aquele casal não tivera filhos, tinha o intuito de preservar o nome, a posteridade e a herança da família. Ver Deu. 25:5-10 e o artigo separado sobre a *Lei do Levirato*.

6. Por quase todas as páginas da Bíblia evidencia-se a *responsabilidade da família* em treinar a criança no caminho da espiritualidade. Que essa é a substância do ensino do Antigo Testamento, ver Provérbios 22:6. Paralelamente, a família também era uma escola profissional, de tal maneira que os filhos tivessem um meio de vida. Ver o artigo separado sobre as *Escolas*.

7. *A condição da mulher*. A antiga cultura judaica não provia para as mulheres uma posição muito elevada, — com algumas notáveis exceções, naturalmente. Alguns rabinos chegaram ao extremo de debater se as mulheres tinham alma ou não. Um famoso ditado entre os rabinos, dizia: «É preferível queimar a lei do que ensiná-la a uma mulher». Nas cidades, as mulheres eram praticamente mantidas reclusas. Seus companheiros mais constantes eram os escravos e as crianças. Nas áreas rurais, onde a ajuda das mulheres era necessária no trabalho do campo, a liberdade delas era bem maior.

Já vimos como a poligamia era a norma, e não a exceção. Os reis de Israel, de Salomão em diante, contavam com haréns elaborados e muitos filhos. Ver o artigo sobre *Davi*, onde há um quadro que mostra que, por onde ele ia, recolhia mais algumas mulheres como esposas ou concubinas, de tal modo que o autor sagrado nem tenta dar os nomes de todas elas. Quanto a informações mais detalhadas sobre esse assunto em geral, ver o artigo intitulado, *Mulher, Posição da*.

8. *A autoridade do homem*. Não há que duvidar que, nas sociedades antigas, o pai era o cabeça da família. Essa norma estava à raiz da sociedade patriarcal (Gên. 3:16; I Cor. 11:3-10). Um pai de família tinha direitos de vida e morte sobre os membros de sua família (Deu. 21:18-21). O mais idoso pai sobrevivente, dentro da estrutura da família (bisavô, avô) retinha seu poder e autoridade, dentro da sociedade patriarcal (Gên. 9:25,27; 27:27-40; 48:15,20; 49). O pai era o responsável pela instrução religiosa e secular dos membros de sua família (Êxo. 12:26; Deu. 6:20). A desobediência poderia resultar em punição capital (Deu. 21:18).

VI. O Novo Testamento e a Família

1. **A família de Jesus** é a única família que é especificamente descrita no Novo Testamento; mas, mesmo assim, há muitas especulações acerca da natureza exata da família de Jesus. Aqueles membros da família que são mencionados como seus irmãos e irmãs seriam filhos somente de José (não de Maria), de um casamento anterior? Seriam primos? ou seriam filhos de José e de Maria, e, portanto, meio-irmãos de Jesus (visto que ele era filho somente de Maria)? Ver o artigo separado sobre a *Família de Jesus*, quanto a informações sobre esse assunto.

Podemos supor que a típica família judaica, dos dias de Jesus, não diferia muito das famílias antigas

681

FAMÍLIA

de outras nações, excetuando a questão da educação. Através da sinagoga, foi desenvolvido um sistema bastante elaborado de educação para os *meninos*, mas não havia idêntica instrução para as meninas. Nos tempos helenistas, havia escolas que promoviam os estudos das ciências e da filosofia, embora isso nunca tivesse sido uma característica importante da cultura judaica. Ver o artigo separado sobre a *Educação*, que fornece descrições detalhadas sobre essa questão, no que tange a uma comparação à cultura judaica e a outras culturas.

2. *Jesus e a Família*. Jesus apelou para os ditames originais da criação como diretriz quanto à organização da família, incluindo a idéia da monogamia (Mat. 5:27-32; 18:19,20). Jesus utilizou-se da família a fim de ilustrar as principais qualidades éticas, como o amor, o perdão, a longanimidade de Deus e a paternidade de Deus. Também utilizou-se das crianças para ilustrar as qualidades da simplicidade e da inocência, a par com uma confiança profunda e implícita, com o intuito de ilustrar como devem ser os membros do reino de Deus (Mat. 19:13-15). Vários dos milagres de Jesus estiveram ligados às famílias, às provações que elas sofrem, às cargas que elas precisam suportar. Ver Mat. 8:1-15; 9:18-26; 15:21-28; João 2:1-11; 4:46-54; 7:11-17; 11:1-46; 21:6-11.

3. *Instruções Apostólicas*. Trechos neotestamentários relativos à família são: I Cor. 7:1-28; 11:3; II Cor. 6:14 *ss*; Efé. 5:22; Col. 3:18; I Tim. 5:8; I Ped. 3:1-7. No sétimo capítulo de I Coríntios, Paulo mostra que preferia o celibato à vida de casado, para aqueles que tenham o dom de Deus para tanto. Ele via o casamento como um meio para o crente ter uma vida sexual legítima, incluindo como um resguardo contra a fornicação e o adultério. O homem é o cabeça da mulher, tal como Cristo é o cabeça do homem. Os casamentos deveriam ser contraídos somente dentro dos limites da fé espiritual comum e nunca com incrédulos. Se falarmos em termos de conceitos principais, temos os seguintes: o homem deve amar à sua esposa, cuidando dela; a mulher precisa reverenciar seu marido e ser-lhe submissa; os filhos devem obedecer a seus pais.

No casamento há elementos místicos que fazem os cônjuges tornarem-se uma só carne, combinados de uma maneira misteriosa, que envolve suas energias vitais e espirituais. A união entre Cristo e a sua Igreja também é chamada de um *mistério*, em Efésios 5:32. A sujeição da mulher ao marido, no casamento, talvez seja o grande tema isolado mais enfatizado, e isso dentro de um contexto espiritual. No dizer de Paulo, isso é «como convém no Senhor» (Col. 3:18). O chefe da família tem o dever de prover o necessário para a sua família (I Tim. 5:8). O trecho de II Cor. 12:14 proíbe a exploração das crianças (em sentido financeiro, e, podemos supor, em outros sentidos, igualmente) por parte dos pais, que poderiam ser tentados a viver explorando-as. Antes, os pais devem prover o necessário para os filhos. Todavia, isso não elimina o dever dos filhos cuidarem de seus pais, quando eles ficarem idosos (Mar. 7:11 *ss*), mas regulamenta a conduta geral dos membros de uma família no tocante ao dinheiro. A família, como um todo, é objeto da instrução cristã (Atos 5:24 e 20:20). Tal como nas famílias judaicas, a instrução espiritual reveste-se de capital importância nas famílias cristãs. Passagens como as de Colossenses 3:18 *ss* e o quinto capítulo da epístola aos Efésios indicam que as famílias eram alvos de uma instrução especial; e podemos estar certos de que cada família cristã era

uma escola, em si mesma. As igrejas locais, naturalmente, a princípio usavam as residências de certas famílias como lugares de adoração e de ensino. Ver Rom. 16:5,23; I Cor. 16:19; Col. 4:15; File. 2. Somente em séculos posteriores os cristãos começaram a construir edifícios separados com esse propósito, seguindo a idéia que já vinha sendo exemplificada pelas sinagogas (que vede).

VII. Metáforas Espirituais e a Família

1. A Igreja é a casa espiritual de Deus (Efé. 2:19; Heb. 3:1-6).

2. A Igreja é a casa da fé (Gál. 6:10).

3. A salvação consiste na *filiação* e os filhos de Deus chegam a participar da própria natureza de seu Pai celeste (Rom. 8:29; Col. 2:10; II Ped. 1:4).

4. Como membros da família espiritual de Deus, somos *herdeiros* das riquezas celestiais e espirituais (Rom. 8:15-17).

5. Ter Deus como *pai* significa que devemos buscar as suas perfeições (Mat. 5:48), como membros da família divina e isso implica em muitas e grandes responsabilidades morais e espirituais.

6. — Ter Deus como pai também significa que contamos com os seus cuidados. Aquele que nota até a queda dos pardais, cuida de cada um de seus filhos (Mat. 10:31). Ver também Mat. 6:8. O Pai sempre tem consciência de nossas necessidades. Esse é o pensamento introdutório da oração do Pai Nosso, no sexto capítulo de Mateus. Ver o artigo separado sobre a *Paternidade de Deus*.

7. Cristo é o Filho e o herdeiro da casa de Deus, e, através dele, também somos filhos e ele é o Filho mais velho da casa de Deus (Gál. 3:23 — 4:7; Rom. 8:15-17).

8. Os crentes também são servos e mordomos na casa de Deus (I Cor. 9:17; I Ped. 4:10).

9. Os laços matrimoniais envolvem elementos místicos, com a comunicação de energias vitais, conforme presumimos. Assim, de algum modo misterioso, — os cônjuges tornam-se uma só carne. Isso ilustra o mistério ainda maior da comunhão que há entre Cristo e a sua Igreja, — que é chamada de sua noiva. Ver Efé. 5:30 *ss*.

10. O trecho de Apo. 21:2,9 mostra-nos que a futura glória da Igreja pode ser comparada a uma *noiva* que se prepara para seu noivo. Portanto, o casamento pode ilustrar a união que vincula Cristo (o noivo) à Igreja (a sua noiva).

11. *Disciplina*. Todos os filhos cometem erros; e os pais, em determinadas ocasiões, precisam discipliná-los. Outro tanto ocorre na família celestial. Os filhos legítimos estão sempre sujeitos à disciplina do Senhor. Todavia, essa disciplina existe com a finalidade de beneficiar os filhos, e não meramente de castigá-los. Esse princípio é apresentado em Heb. 12:5 *ss*. Creio que esse princípio aplica-se a qualquer juízo divino. Pois, apesar dos juízos de Deus parecerem severos (serão tão severos quanto for necessário), seu propósito é beneficiar os julgados, mesmo no caso dos incrédulos. Certamente isso fica entendido em I Pedro 4:6, onde vemos que o juízo produzirá certa medida de vida espiritual; e o contexto (I Ped. 3:18 — 4:6, a descida de Cristo ao hades; que vede) ensina-nos que estão em foco os *desobedientes* e não crentes. Ver o artigo separado sobre o *julgamento*. Deus é o Pai de todos os seres vivos, e não apenas dos seus eleitos. Logo, é natural esperarmos que o seu amor, expresso por meio de julgamento, venha a aplicar-se a todos.

12. A família dos remidos não é a única família que

FAMÍLIA — FAMÍLIA DE JESUS

pertence a Deus. Ver Efé. 3:15. O versículo anterior, desse mesmo capítulo, refere-se a Deus como Pai. Além disso, aprendemos que há famílias compostas de seres inteligentes (as quais, provavelmente, formam muitas ordens diversas), que não são seres humanos, que também têm Deus como Pai. A criação de Deus é muito vasta; a vida é imensa. Mas o amor de Deus permeia a todas as coisas.

VIII. A Família e os Símbolos nos Sonhos e nas Visões

Os membros de uma família mantêm entre si um relacionamento intenso, íntimo, mas, às vezes, infelizmente, hostil. Isso provê material para todos os tipos de representação simbólica, na vida dos sonhos. Amar, a necessidade de ser amado, rivalidades, a necessidade de comunhão e de independência, etc., entram nos sonhos e são ilustrados por várias relações domésticas.

1. *O Triângulo*. Em primeiro lugar, temos o triângulo constituído por pai, mãe e filho. Apesar de que no seio das famílias haja grande comunhão e amor, a rivalidade, com freqüência, vem fazer parte do quadro. Um marido pode sentir-se desprezado por parte de sua mulher, se esta der demasiada atenção a um filho pequeno. Uma esposa pode sentir-se desprezada por seu esposo, se este trabalha demais e negligencia seus deveres domésticos. Os sonhos, pois, podem refletir tanto o afeto quanto a hostilidade inerente nesse triângulo doméstico normal. Mas há um triângulo pior, formado por marido, mulher e amante. Os sonhos que envolvem conflito e rivalidade podem refletir o mesmo. Algumas vezes, um sonho representa um amante como uma força destrutiva, advertindo sobre o iminente desmantelamento do casamento. — Outras vezes, a coisa funciona ao contrário. A esposa (ou o esposo) é representada nos sonhos como um fator divisório, que impede ou ameaça destruir o amor conjugal.

2. *Os Complexos de Édipo e de Electra* (ver os artigos separados sobre ambos esses complexos) também são representados nos sonhos, usualmente por meio de símbolos ameaçadores, ou que provocam o senso de pejo. Quando uma pessoa se enamora de alguém que não é membro de sua família (se há oposição ao romance), então o novo amor pode ser simbolizado por um encontro *incestuoso*, em um sonho, simplesmente porque tal amor é proibido.

3. *Sonhos de Morte dos Pais*. Uma criança pode sentir-se sufocada pelo amor dominador do pai, da mãe ou de ambos; e então pode sonhar com a morte de um ou de ambos os pais, o que simboliza o seu intenso desejo de libertar-se das limitações impostas pela família. Um sonho desse tipo pode indicar, para a criança, a necessidade de separar-se de sua família. É como se o sonho dissesse: «É chegado o tempo de você levar a sua própria vida neste mundo».

4. *Sonhos que Lançam os Pais no Descrédito*. Um filho pode ser dependente demais de seus pais, ou por motivo de afeto ou por motivo de dinheiro e segurança. A criança pode sonhar que seu pai é um alcoólatra ou dotado de caráter desprezível, quando o pai não é nada disso. Tais sonhos tentam lançar os pais no descrédito, na esperança de romper com a exagerada dependência que o filho tem diante de seus pais.

5. *Sonhos de Parricídio ou Matricídio*. Um filho pode ter um sonho horrível assim quando precisa desesperadamente de independência. Naturalmente, tal sonho também pode ser um reflexo de seus sentimentos de hostilidade — para com os seus genitores.

6. *Sonhos de Rivalidade Entre os Filhos*. Esse tipo de sonho pode refletir a competição pelo amor e pela atenção da parte dos pais, ou então pode refletir aquelas rivalidades naturais que surgem nas situações domésticas. O ato de matar a um irmão ou irmã, em um sonho, pode subentender hostilidade em relação à pessoa morta no sonho, ou então o desejo de libertar-se de restrições representadas por tal pessoa. Consideremos a história de Caim e Abel.

7. *Arquétipos*. A mãe pode representar a força da vida; ou, negativamente, uma mãe terrível, superpossessiva e destruidora. O pai pode representar autoritarismo, opressão; ou então, positivamente, a autoridade na família e a proteção paternal.

8. *O Filho ou a Filha como se Fosse o Próprio Trabalho*. Um sonho comum é aquele que se utiliza da figura de um filho ou de uma filha como se fosse o próprio trabalho da pessoa, ou então o ideal que o sonhador está procurando trazer à realidade. É como uma espécie de nascimento. Ademais, trabalhar em um projeto assemelha-se a criar uma criança. Mesmo as pessoas sem filhos usam o símbolo da criança, em seus sonhos.

Bibliografia. Ver o artigo sobre o *Matrimônio*, e também AM CHE E H JUD ND

FAMÍLIA DE JESUS

Mat. 12:47: *Disse-lhe alguém: Eis que estão ali fora tua mãe e teus irmãos; e procuram falar contigo.*

Os *mss* que contêm vs. 47 são CDEFGKMSUV Gama Fam Pi; as traduções KJ NE PH BR (duvidosa) WY ASV AC AA IB F e M. Os mss Aleph BL e as versões latinas *ff*, k e ambas as versões mais antigas do siríaco (Si cs) omitem esse versículo, como também as traduções RSV WM e GD. O texto original em Mateus omitia esse versículo, conforme o demonstram a maioria dos mss mais antigos. Foi adicionado à base de Mar. 3:32, por assimilação harmonística.

«Sua mãe e seus irmãos». Paralelos em Mar. 3:31-35 e Luc. 8:19-21. Devemos analisar essa visita da família de Jesus juntamente com as palavras que se encontram em Mar. 3:20,21: «Então ele foi para casa. Não obstante, a multidão afluiu de novo, de tal modo que nem podia comer. E quando os parentes de Jesus ouviram isto, saíram para o prender; porque diziam: Está fora de si». O ministério de Jesus aumentou de tal maneira que nem tinha tempo para comer, e pode-se imaginar que, devido às múltiplas curas e à intensificação das controvérsias com as autoridades religiosas, a agitação chegou, algumas vezes, a um estado de furor. A família de Jesus, como é evidente, compreendeu algo da situação, e, ouvindo ainda mais acerca dos acontecimentos, supôs que ele fora mentalmente afetado. Não há que duvidar que pensaram estar fazendo um ato de misericórdia, prendendo a Jesus e levando-o para casa. É certo que não foram até ali a fim de atrair a atenção do povo, dizendo: «Somos parentes deste grande e famoso homem». Pelo contrário, queriam livrá-lo de sua própria insanidade, bem como das ameaças das autoridades. A intenção deles, apesar de errada, pelo menos era honesta. Esse incidente da vida de Jesus ilustra quão pouco a sua própria família o compreendia, e também quão pouco compreendia a sua missão.

Marcos menciona por nome *quatro* irmãos de Jesus (6:3), bem como um número *indeterminado* de irmãs. Muitos discutem a questão dos irmãos de Cristo, aqui mencionados. Alguns, pretendendo preservar a doutrina da perpétua virgindade de Maria, inventada pelos homens, apresentam as

FAMÍLIA DE JESUS — FANTASMA

seguintes explicações: 1. Esses «irmãos» de Jesus eram seus primos, e não irmãos no sentido literal, como podem indicar as palavras grega e hebraica para «irmãos». Alguns sugerem que eram filhos de Alfeu e de Maria, a irmã de Jesus. 2. Seriam filhos de José mediante um casamento anterior. 3. Seriam filhos de José mediante um casamento posterior; e José teria contraído essas núpcias a fim de criar os filhos de um irmão seu, já falecido. Todas essas idéias tiveram início bem cedo na história eclesiástica, e até hoje perduram.

Os argumentos enumerados abaixo favorecem a idéia de que os irmãos e as irmãs de Jesus eram filhos de José e Maria, em seu sentido literal.

1. João 7:5 parece *excluir* «seus irmãos» do número dos «doze», mesmo porque não eram realmente filhos de Alfeu, pai de Tiago, o apóstolo. Atos 1:14 também os menciona em separado dos doze. Portanto, esses homens (os irmãos) não poderiam, realmente, ser primos de Jesus e estar no número dos doze apóstolos. Os nomes Tiago, Judas e Simão eram nomes muito comuns, e é provável que alguns dos primos de Jesus tivessem os mesmos nomes de seus irmãos literais. As Escrituras também indicam que seus irmãos não tiveram fé nele senão após a sua ressurreição (João 7:5).

2. Das quinze vezes em que esses irmãos são mencionados (dez nos evangelhos, uma em Atos e algumas vezes nos escritos de Paulo) quase sempre são mencionados em companhia de Maria, mãe de Jesus. É estranho que os *primos* de Jesus andassem sempre em companhia de sua tia, que nesse caso seria Maria, mãe de Jesus, em vez de andarem em companhia de sua própria família.

3. Em *nenhuma porção* das Escrituras é indicado que eles fossem primos de Jesus ou filhos somente de José, e não de Maria. Tais suposições são especulações humanas para estabelecer e firmar uma *teologia humana*.

4. A não ser por motivo de *preconceito teológico*, não há razão para não acolhermos essas palavras em seu sentido mais natural, isto é, eram filhos de José e Maria, em sentido literal. A elevação de Maria à estatura de deusa é uma tradição romanista, contrária ao próprio tratamento de Jesus à sua mãe (Mat. 12:47, onde ele não reconhece qualquer relação especial, devido à ligação física) e contrária à idéia que diz que Jesus era o único de sua espécie entre os homens, posição essa que ele jamais dividiu com sua mãe. Finalmente, devemos notar que a doutrina da *perpétua virgindade* de Maria não é apoiada nas Escrituras. A preservação dessa doutrina forma a base dos argumentos que explicam erroneamente esses «irmãos», como se não fossem irmãos literais de Jesus; e também não goza de base alguma nas Escrituras. Parece razoável que uma doutrina dessa natureza, caso tivesse tanta importância como alguns afirmam, pelo menos fosse apoiada por uma *pequena afirmação* bíblica nesse sentido.

FANA

Essa palavra é usada para indicar o estado de êxtase dos místicos sufi (que vede). Esse estado tem sido traduzido como «a eliminação da personalidade humana», quando a pessoa fosse absorvida pela divindade. Todavia, isso não importaria na cessação da existência e, sim, na obtenção de um nível superior de existência. Ver o artigo geral sobre o *Misticismo*.

••• ••• •••

FANATISMO

Esse termo vem do vocábulo latino **fanaticus**, «divinamente impulsionado», «louco». Vem da raiz *fanum*, «templo». Essa é a palavra usada para indicar o zelo excessivo e irracional, o que tem certas características: 1. com freqüência mostra-se irracional; 2. ausência de autocrítica; 3. arrogância; 4. estribado em uma mentalidade imatura; 5. intelectualmente embotado; 6. originador de atos brutais, como quando os fanáticos perseguem e até eliminam os seus oponentes; 7. geralmente, é acompanhado por uma moral baixa, embora se exalte em altos termos, piedosos, santarrões; 8. por muitas vezes está associado a um estreito sistema de crenças, que o fanático supõe exprimir toda a verdade; 9. nunca permite a liberdade de pensamento e expressão, quando obtém o poder.

Na *psicologia*, os fanáticos são descritos como indivíduos dotados das seguintes características: 1. agressividade; 2. preconceitos vários; 3. estreiteza mental; 4. extrema credulidade quanto ao próprio sistema, com incredulidade total quanto a sistemas contrários; 5. ódio; 6. sistemas subjetivos de valores; 7. intenso individualismo. O ascetismo pode produzir certa modalidade de fanatismo. O fanatismo torna-se perigoso quando se torna uma atitude de multidão, ou quando é empregado na defesa de alguma suposta causa santa. A política, igualmente, tem os seus fanáticos. A história das religiões está repleta de casos de fanatismo, que são uma desgraça para a humanidade. Podemos lembrar a inquisição e a execução de bruxas na fogueira, ou como as guerras religiosas da Europa, entre 1618 e 1648. Nos tempos modernos, os maus exemplos dados pelo Irã e seus xiitas e pela Irlanda, com seus fanáticos protestantes e católicos romanos, demonstram que essa perversão psicológica nunca descansa.

Exemplos Bíblicos. Balaão era um fanático (I Reis 18:28). Outro tanto pode ser dito em relação aos judeus que exibiram tanta hostilidade gratuita contra o Senhor Jesus (João 19:15), ou àqueles que apedrejaram Estêvão (Atos 7:57 *ss*). Saulo de Tarso, antes de sua conversão, também mostrou-se um tremendo fanático (Atos 8 e 9:1).

Cura do Fanatismo. As virtudes comuns do amor, do respeito e da tolerância poderiam remover todo o fanatismo. O estudo das religiões comparadas também amplia os horizontes do indivíduo, demonstrando que a maioria dos grupos cristãos, embora tão diversos, tem algo com que contribuir. Quanto mais avançamos no conhecimento de Deus e da Bíblia, mais ficamos convictos de que ninguém é dono de *toda* a verdade.

FANO

No grego, **phano**. Essa palavra não aparece na Bíblia. Trata-se de uma peça ornamental que os sacerdotes católicos romanos e o papa usam sobre os ombros. Tem a forma de um colarinho, e deriva-se de uma peça de vestuário da Idade Média. Antes disso, o termo era usado para referir-se a várias peças de tecido, usadas em conexão com a adoração religiosa, como o manto dos padres, o véu dos ombros dos subdiáconos, as abas da mitra do bispo e o lenço usado pelos membros comuns da Igreja Católica Romana, ao apresentarem suas ofertas de pão.

FANTASMA

Fantasma. Tradução de AC, AA e IB, que é melhor do que *espírito*, conforme dizem algumas traduções,

FANTASMA

pois o grego diz «fantasma» e não «pneuma». Esta última é que se pode traduzir corretamente como «espírito». A palavra aparece somente em Mat. 14:26 e no paralelo em Mar. 6:49, no N.T. É vocábulo comum na literatura grega, e pode significar *aparição* sem substância real, visão ou aparição de um espírito humano ou sobre-humano. É interessante observar que os discípulos aceitavam a antiga idéia dessas aparições, até mesmo no caso que envolveu a Jesus. A aparição de «fantasmas» usualmente era reputada como um mau agouro, especialmente entre os marinheiros. Pode ser que os discípulos tivessem pensado que o «fantasma» quisesse destruí-los, mediante a violência do mar ou contra as rochas da costa, e, naturalmente, ficaram aterrorizados.

O comentário de *Ellicott* diz: «Os discípulos, ainda presos às superstições de seus compatriotas, pensavam que fosse um fantasma». Bruce escreve: «Um toque de superstição dos marinheiros». Em contraste com isso, Adam Clarke, o principal expositor do metodismo, opina: «Que os espíritos dos mortos *podem aparecer*, e, de fato, aparecem, tem sido doutrina aceita pelos homens mais santos; essa é uma doutrina que os caviladores, os livres-pensadores e outros, que não se dispõem a aceitar idéias diferentes de suas próprias crenças, jamais foram capazes de refutar». John Gill acha que o terror dos discípulos foi causado pela crença comum entre os judeus de que os demônios geralmente andavam à noite, procurando fazer mal aos homens. Certa citação, extraída da literatura judaica, diz: «É proibido saudar um amigo à noite, porque pensamos que possa tratar-se de um demônio» (*T. Bab. Megella*, fol. 3:1, *Sanhedrin*, fol. 44:1). Outros se referem a um demônio feminino que se chamava *Lilith*, que andava à noite com rosto humano, procurando especialmente crianças para roubar e matar. Em face dessas idéias sobre «fantasmas» podemos compreender o medo dos discípulos naquela ocasião.

As pesquisas psíquicas demonstram que não somos tão sábios quanto pensamos e afirmamos, e que neste mundo há muitas coisas sem explicação, e que de fato, *fantasmas* de algum tipo (ou tipos), de alguma origem (ou origens), existem. Portanto, é possível que a idéia de Adam Clarke, conforme citação acima, contenha uma parte da resposta. Precisamos lembrar que essa questão será uma ciência do século XXI, portanto pouco sabemos sobre a verdadeira natureza do imenso universo em que existimos. Pode ser que nossas idéias venham a sofrer grande revolução e que a nossa cosmologia venha a alterar-se extraordinariamente. Uma boa regra é não negarmos aquilo que não compreendemos, ou acerca das quais pouco temos estudado.

A Natureza Humana. As pesquisas científicas no campo da antropologia metafísica demonstram que o homem é uma complexidade de pelo menos três formas de energias distintas. 1. O *corpo*, uma energia física. 2. A *vitalidade*, uma energia semifísica. 3. A *alma* (*espírito*), uma energia espiritual, supostamente fora do campo atômico. O *fantasma* evidentemente é a *vitalidade*, que anteriormente fez parte do complexo humano. Esta vitalidade é capaz de certos atos que exigem uma baixa inteligência, e de natureza mecânica. Todavia, o texto aqui está falando da suposta manifestação de um *espírito* desencarnado.

••• ••• •••

Identificação dos Fantasmas. — Que os homens têm visto e continuarão vendo coisas que poderiam ser chamadas de «fantasmas» é óbvio, se seguirmos a história de todas as culturas, incluindo a história das culturas modernas. Não tão óbvia, porém, é a identificação dos *fantasmas*. Abaixo relacionamos as idéias que têm sido aventadas:

1. Alguns estudiosos pensam em *espíritos humanos* genuínos. O destino da alma não fica determinado no momento da morte biológica. Ver I Ped. 4:6. Algumas vezes, os espíritos dos mortos voltam a esta vida. Isso não significa que deveríamos transformar em religião a busca ou pesquisa por tais fenômenos. A incerteza que circunda a identidade dos espíritos sempre coloca a pessoa em uma situação potencialmente perigosa, quando começa a buscar os tipos de fenômenos a que chamaríamos de espíritos. No entanto, temos na própria Bíblia a história do retorno do espírito de Samuel (I Sam. 28:7 *ss*). Se alguém quiser negar a validade dessa visita, ainda assim terá de enfrentar a questão da visita de Moisés ao monte da Transfiguração (Mat. 17). Pessoas de todas as convicções e denominações religiosas, incluindo evangélicas, têm recebido visitas dessa natureza. Algumas vezes, tais visitas são triviais e aparentemente sem significado. Mas, outras vezes, é comunicada alguma mensagem importante. Deixamos isso ao encargo da vontade de Deus, não procurando explorar tais coisas, mesmo que esses fenômenos, pelo menos em alguns casos, sejam genuínos.

2. *Espíritos não humanos* poderiam estar envolvidos. O mundo espiritual deve ser, pelo menos, tão complexo quanto o mundo físico. Deve haver muitas *espécies* de espíritos, desde os *elementares*, que seriam os símios do mundo espiritual, dotados de menos inteligência e poder que o espírito humano, até às mais elevadas ordens de espíritos *angelicais*. Supomos que alguns espíritos sejam malignos, aos quais podemos chamar de demônios, embora os demônios também pertençam a muitas classes, e não somente a classes de anjos caídos (uma das espécies de demônios). Outros espíritos, por sua vez, são santos, nunca havendo experimentado a situação de pecado. Outros, ainda, são como nós, meio bons, meio maus, em várias proporções. Os espíritos demoníacos poderiam ser confundidos com espíritos humanos. É provável que alguns demônios sejam espíritos humanos desencarnados, que se tenham tornado subservientes ao poder satânico.

———

3. *A Vitalidade*. O complexo humano de energias parece ser composto de quatro energias distintas. Primeiramente, temos o *superego*, o verdadeiro ser, que pode ser classificado segundo a ordem dos anjos guardiães, exceto que esse espírito é a pessoa real, em seu desenvolvimento máximo. Além desse, temos a *alma*, a pessoa que conhecemos, a porção espiritual de nossos seres, a qual, como é evidente, está sujeita ao controle do superego. Em terceiro lugar, vem a *vitalidade*, um tipo de energia mental que, por ocasião da morte, destaca-se tanto do espírito quanto do corpo físico. Essa energia mental pode manter, pelo menos durante algum tempo, uma espécie de existência separada. É dotada de baixa mentalidade, e tende por repetir ações em que o complexo humano de energias se ocupava, quando o espírito ainda estava encarnado. Provavelmente, essa forma de energia explica a maioria dos casos de fantasmas e de casas assombradas. Quando chega a ser vista, aparece em preto e branco, ao passo que a alma é colorida. Pode-se comunicar com essa energia mental; mas ela

FANTASMA — FARABI, AL

está fixa no tempo, é dotada de baixo poder de raciocínio e, como é bem claro, não é um espírito humano, embora antes tivesse estado associada à pessoa humana real. Finalmente, há o *corpo físico*, que representa a energia atômica, material. Suponho que quase todas as histórias de fantasmas envolvem a vitalidade, um complexo de energias mentais que pode envolver-se no chamado corpo mental, sendo utilizado pelo mesmo, a fim de operar. Essa manifestação parece tender a dissipar-se, com a passagem do tempo.

4. Alguns fantasmas, mui provavelmente, nada são além das *alucinações* de quem os vê; nesse caso, teríamos de pensar em alucinações coletivas, em alguns casos em que os fantasmas têm sido vistos por mais de uma pessoa.

5. Alguns fantasmas, provavelmente, são apenas *projeções mentais*, ou de seres humanos vivos, ainda encarnados, ou de espíritos desencarnados, ou de outras espécies de espíritos. Isso significaria que não está sendo visto nenhum ser por detrás do fenômeno, mas apenas um tipo de imagem, projetada por aquele ser. Assim, a mera telepatia, em alguns casos, poderia explicar a aparição de um fantasma, pelo que o que é experimentado é uma imagem visual, e não um ser mentalmente percebido. Em outras palavras, seria um *pensamento* projetado sobre a mente.

6. Alguns fantasmas poderiam ser *imagens de sonhos* vistos visivelmente, enquanto a pessoa está desperta.

7. Alguns fantasmas poderiam ser o espírito ou a vitalidade de uma pessoa, projetados naquele estado que se chama *projeção da psique* (vide).

8. Há fantasmas que não passam de *invenções mitológicas* de pessoas que gostam de contar histórias de fantasmas.

9. Alguns fantasmas podem ser as *formas de pensamento* de pessoas encarnadas, de pessoas desencarnadas, ou mesmo de espíritos não-humanos. Há alguma evidência em favor da idéia que diz que os pensamentos podem assumir certa existência individual, tornando-se então em *espíritos elementares*. Em outras palavras, os pensamentos podem ser atos criativos, trazendo à existência certas formas de vida de baixa qualidade, capaz de se manifestar de forma perturbadora.

10. Finalmente, alguns fantasmas podem ser *fragmentos* da própria personalidade que os vê, de cujos fragmentos tornam-se visíveis mediante a manipulação mental. Seria uma espécie de extensão visível do fenômeno da *múltipla personalidade*. Ver o artigo sobre *Múltipla Personalidade*.

••• ••• •••

FANTASMA
Ver **Coruja**.

FANTASMA NA MÁQUINA

Essa expressão foi usada pela primeira vez na filosofia no livro de Gilbert Ryle, *The Concept of the Mind* (1949). Tem sido usada para refutar o dualismo da mente-corpo, de Descartes. Descartes sugeria que o corpo é apenas uma máquina completa, que se torna uma pessoa somente quando unida a uma alma incorpórea. Para Descartes, a principal característica da alma seria a *consciência*. No entanto, embora seja claro que os seres irracionais têm consciência, nem por isso Descartes afirmava que eles tinham alma. Apesar dessa falha, Descartes não chegou ao extremo de afirmar que os animais irracionais são insensíveis.

Uma Ilustração. Um homem chega a uma universidade e indaga: «Onde está a universidade?» Levam-no ao departamento de matemática. Mas ele torna a perguntar: «Onde está a universidade?» Conduzem-no a diversos outros departamentos, mas ele insiste em sua indagação. É que tal homem não entendeu que uma universidade é o complexo de seus departamentos, e *não alguma outra coisa*.

Os filósofos têm aplicado essa ilustração à alma. Dizem eles que a pessoa é o corpo físico, em suas diversas porções, e que não há nenhum *fantasma na máquina*, ou seja, nada mais existe além das complexidades do corpo material. No entanto, nas discussões da moderna física teórica, como nos estudos de Max Planck, onde o universo assemelha-se muito mais a uma Grande Idéia do que a uma Máquina Complexa, somos instruídos que, até mesmo no campo da ciência, continua sendo legítimo indagar onde se encontra o fantasma na máquina. Aquilo que é evidente para os nossos sentidos físicos ainda não é «a realidade». Os próprios átomos parecem ser uma concentração de energias psíquicas; e as energias psíquicas, por sua vez, dependem da Mente, para poderem existir. As provas sobre a existência da alma e sua sobrevivência à morte física, também confirmam a validade da suposição de que a máquina conta com um fantasma, por um elemento que não pode ser detectado, mas que, não obstante, está lá. Ver os artigos sobre a *Imortalidade* e sobre as *Experiências Perto da Morte*, quanto a um estudo científico sobre a alma, que enfoca aquilo que acontece no momento da morte física.

FANUEL

No grego, **Phanouél**. Um homem da tribo de Aser, pai da profetisa Ana, que se encontrava no templo de Jerusalém, quando o infante Jesus era ali apresentado por Maria e José. O nome de seu pai provavelmente significa «face de Deus», pois parece derivar de Penuel. Viveu em cerca de 80 A.C. Seu nome ocorre exclusivamente em Lucas 2:36.

FAQUIR

Essa é a transliteração da palavra árabe, para o português, que significa «pobre». Refere-se a um monge islamita, embora também indique qualquer indivíduo asceta, homem santo itinerante ou operador de milagres. O vocábulo *dervixe* (que vede) também deriva-se desse vocábulo árabe, sendo um sinônimo que se refere a monges islamitas que pertencem a alguma ordem religiosa. Mas também pode apontar para os mendicantes independentes.

————

FARABI, AL
Ver sobre **Al-Farabi**.

FARAÓ

FARAÓ

Esboço:
I. O Título e sua Origem
II. O Ofício de Faraó
III. Os Faraós Mencionados na Bíblia

I. O Título e sua Origem

Faraó era o título dos reis do Egito. Trata-se de uma transliteração, para o hebraico, de um vocábulo egípcio que significa «casa grande». A princípio foi usado para referir-se ao palácio real da corte egípcia. Tal uso prevaleceu durante os reinos Antigo e Médio (ver o artigo sobre o *Egito*). As datas envolvidas foram o terceiro milênio e a primeira metade do segundo milênio A.C. Mas, pela metade da XVIII Dinastia (cerca de 1450 A.C.), o termo passou a ser aplicado ao próprio monarca, como uma espécie de sinônimo de «Sua Majestade». A arqueologia tem podido confirmar esse uso em relação aos reinados de Tutmés III, Tutmés IV, Aménofis IV e Aquenaton. A partir da XIX Dinastia em diante, encontramos muitas referências literárias ao nome. Isso tem paralelo nas referências bíblicas dos livros de Gênesis e Êxodo. A partir da XII Dinastia em diante (945 A.C.), o título com freqüência aparecia vinculado a um outro, para efeito de distinção, como Faraó Sesonque, que foi encontrado em uma estela. No Antigo Testamento há paralelos a isso, como Faraó-Neco e Faraó-Hofra.

Os reis egípcios eram chamados por uma elaborada fieira de nomes, que incluía um nome pessoal, freqüentemente relacionado ao nome de uma divindade ou poder divino. *Faraó* parece ter sido a maneira mais popular de designar o monarca egípcio, quando era inconveniente repetir toda a catena de nomes.

II. O Ofício de Faraó

O conceito do direito dos reis era vital para os egípcios. Faraó era tido como a personificação de algum deus em particular, ou dos deuses. Portanto, ele seria uma espécie de deus entre os homens, e de homem entre os deuses, possuidor de um ofício divino humano. Pelo menos em determinado período da história do Egito, sentia-se que o rei era um deus encarnado. Com o tempo, porém, foi diminuindo essa elevada posição de Faraó. Como filho de Rá, Faraó era retratado como pessoa poderosíssima; mas, visto que Rá estava sujeito a outros deuses, por isso mesmo a posição de Faraó foi decrescendo cada vez mais. No tempo do Novo Reino, esperava-se que os reis do Egito cumprissem as ordens dos deuses ou do deus, especialmente Amom, mantendo de pé o *maat*, ou seja, a ordem justa e correta de coisas, garantindo uma sociedade eqüitativa e estável. Visto que o Faraó era representante da divindade, também era o único sumo sacerdote da religião egípcia. Muitas descobertas arqueológicas têm ilustrado as funções religiosas de Faraó. Algumas das mais importantes funções religiosas eram efetuadas pelo próprio Faraó, por ocasião da celebração da festa em honra ao deus Amom, em Tebas, no começo do reinado de cada monarca. Porém, a maioria das funções religiosas era deixada ao encargo dos sacerdotes comuns.

As fortes tradições nacionais e religiosas investidas nos Faraós, sem dúvida alguma, foram responsáveis pelo fato de que as monarquias egípcias, talvez tenhamos o mais estável governo jamais produzido na história da humanidade. Poucas das dinastias egípcias foram perturbadas por lutas internas pelo poder.

Outras funções de Faraó incluíam o sepultamento condigno de seu antecessor, a regulamentação e organização geral da sociedade, a proteção do Estado, a preservação das tradições políticas, culturais e religiosas.

A elevada posição de Faraó e sua íntima ligação com os deuses, ajudam-nos a entender melhor o problema que Israel enfrentou no Egito. Não foi questão pequena aquela massa de gente abandonar o país, contra a vontade expressa de Faraó e, presumivelmente, contra a vontade dos deuses do Egito. Também não foi coisa de somenos essas imaginárias divindades perderem a batalha para Yahweh. Foi apenas natural, pois, que mesmo depois do Egito ter sofrido tanto no conflito, um exército ter sido enviado atrás dos israelitas, na tentativa de forçá-los a voltar. Porém, isso apenas armou o palco para a cena mais humilhante para os egípcios e seus deuses.

III. Os Faraós Mencionados na Bíblia

1. *No Tempo de Abraão*. Ver Gên. 12:12-20. Datar a época de Abraão tem sido uma tarefa difícil, visto que os estudos modernos têm mostrado quão indigna de confiança é a prática de datar por meio das genealogias. Se Abraão tiver de ser posto dentro do segundo milênio A.C. (2000 — 1800 A.C.), então isso o tornaria paralelo ao Reino Médio, talvez, mais especificamente, na XII Dinastia (1991 — 1786 A.C.). Nesse caso, os Faraós envolvidos seriam Amenemes (I — IV) ou Sesostris (I — III). Durante esse tempo, a capital do Egito ficava em Itete-Tawy, imediatamente ao sul de Mênfis. Os Faraós desse período também mantinham residência em Gósen.

2. *No Tempo de José*. Se situarmos José, filho de Jacó, em cerca de 1700 A.C., então teremos de dizer que ele viveu nos fins da XIII Dinastia, na época dos reis hicsos. Isso não combina com a cronologia massorética e alguns estudiosos têm sugerido Amenemes (I — IV) ou Sesostris (I — III) como prováveis candidatos. Se estiveram envolvidos reis hicsos, então a mudança de uma dinastia para outra (em cerca de 1650 A.C.), poderia explicar a declaração bíblica de que o novo Faraó não conhecia a José (Êxo. 1:8).

3. *No Tempo da Opressão de Israel*. Alguns estudiosos pensam nos capítulos primeiro e segundo do livro de Êxodo estão em foco dois Faraós, ao passo que outros pensam apenas em um. Muitos supõem que o Faraó da opressão foi um, e que o Faraó do êxodo já foi outro. As identificações dependem das datas dessas ocorrências. Por isso, os eruditos continuam debatendo sobre a questão. Se aceitarmos a data anterior para o êxodo (cerca de 1441 A.C.), então o Faraó teria sido Tutmés III (cerca de 1482 — 1450 A.C.), ou algum dos Faraós opressores. Porém, aqueles que falam em uma data posterior para o êxodo, preferem pensar em Seti I (cerca de 1319 — 1301 A.C.), ou Enófis III, o que desconsidera a cronologia dos massoretas. Ver a discussão sobre a *Data do Êxodo*, no artigo sobre esse segundo livro da Bíblia.

4. *No Tempo do Êxodo de Israel*. Ver os capítulos quinto a décimo segundo do livro de Êxodo. Se favorecermos a data mais antiga para o êxodo, então deveremos pensar sobre Amenófis II, da XVIII Dinastia (cerca de 1440 A.C.). Ele era filho do famoso construtor do império, Tutmés III. É significativo, porém, que não existam registros egípcios sobre esse período que aludem aos desastres do Egito, como aqueles que são narrados na Bíblia, em torno do êxodo de Israel. Nem há ali qualquer alusão à saída de um grande número de gente. Se Amenhotepe II foi o Faraó desse período, então seu filho mais velho pereceu na décima praga, mencionada em Êxodo

FARAÓ — FARISEUS

12:29. Os registros provam que Tutmés IV (cerca de 1425 — 1412 A.C.) foi o filho mais velho de Amenhotepe II, pelo que ele não esteve envolvido no incidente. Os eruditos modernos, em sua maior parte, parecem preferir situar o acontecimento um tanto mais tarde, sugerindo que Ramisés II, predecessor de Mernepta, é o mais provável candidato. Se essa opinião está certa, então estamos às voltas com a primeira metade do século XIII A.C.

5. *O pai de Bitia*, que se tornou esposa de Merede (ver I Crô. 4:18). Visto que não é possível determinar a data de Bitia, também é impossível identificar esse Faraó.

6. *Nos Dias de Davi.* O Faraó dos dias de Davi recebeu o príncipe, ainda menino, Hadade, de Edom, como refugiado, quando Joabe estava devastando o território de Edom (I Reis 11:14-22; cerca de 1010 — 970 A.C.). Davi foi contemporâneo da XXI Dinastia egípcia. Essa dinastia terminou com Psusenes II (cerca de 959 — 945 A.C.). Os Faraós que governaram durante os dias de Davi foram Amenemope, Osorcom e Siamum. Muitos eruditos pensam que Siamum e Tier Amenemope foram um mesmo Faraó. A história não nos tem deixado muitos detalhes concernentes a eles, pelo que não há como verificar se essa opinião está ao lado da verdade.

7. *Um dos Sogros de Salomão.* O harém de Salomão chegou a contar com princesas da casa real do Egito. O Faraó envolvido era um firme aliado de Israel, nessa época (cerca de 960 — 922 A.C.). Ele pode ter sido Siamum ou Psusenes II, da XXI Dinastia. A arqueologia tem descoberto um relevo quebrado de Siamum, ferindo um homem asiático que, provavelmente, reflete uma ação político militar, para manter em ordem os seus domínios. Isso teve lugar na Filístia e, em cerca do mesmo tempo, pode ter capturado a cidade de Gezer. Portanto, ele pode ter tido contactos com Israel, o que levou ao casamento, afinal. Gezer foi dada como dote à filha de Faraó que se casou com Salomão (I Reis 9:16).

8. *O Faraó Referido em I Reis 14:25,26.* A alusão mais provável é a Sisaque I, que fundou a XXIIᵃ Dinastia do Egito. Ele era de origem líbia.

9. *Zerá, Vencido por Asa* (II Crônicas 14:9-15). Provavelmente ele não foi um Faraó, pelo que os eruditos modernos não mais o identificam com Osorcom, conforme se chegou a pensar no passado.

10. *Um Contemporâneo de Oséias.* Oséias solicitou ajuda da parte de Faraó, a fim de escapar dos ameaçadores assírios (II Reis 17:4). Ele não é chamado Faraó em parte alguma da Bíblia, mas é possível que tenha sido o obscuro Osorcom, da XXIIᵃ Dinastia.

11. *A XXVᵃ Dinastia Egípcia foi Débil.* Sebitcu enviou seu irmão, Tiraca, para a Palestina, na vã tentativa de fazer frente ao poder dos assírios, conforme é refletido em Isaías 30:1 ss. Ver também Isa. 36:6 e 37:9. Isso ocorreu por volta de 701 A.C.

12. *Tiraca* foi contemporâneo de Ezequias e Senaqueribe (Isa. 37:9), ajustando-se bem dentro da situação descrita no ponto anterior.

13. *Neco* foi o segundo rei da XXVᵃ Dinastia egípcia. Derrotou e matou Josias, rei de Judá, quando este último tentou impedir sua intervenção, no conflito entre a Assíria e a Babilônia (II Reis 23:29). Porém, não foi capaz de consolidar suas conquistas na Palestina, visto que Nabucodonosor, da Babilônia, foi quem acabou dominando aquela região.

14. *Hofra* também pertencia à XXVᵃ Dinastia. Ele é mencionado diretamente na Bíblia somente em Jer. 44:30; mas outras referências podem tê-lo em mente. Encorajou Zedequias, de Judá, a revoltar-se contra Nabucodonosor, mas não lhe deu o auxílio militar necessário, no momento da crise. Foi derrotado na Líbia e, posteriormente, foi destronado e morto, conforme Jeremias (44:30) havia predito.

15. Em Cantares 1:9 há uma *referência poética* à agilidade dos carros de combate do Egito. Faraó dirigia um cavalo escolhido dentre mil alasões. Ver o artigo geral sobre o *Egito*, quanto a informações completas e bibliografia.

FARAQUIM

Foi o cabeça de uma família de servos do templo, que retornaram do cativeiro babilônico juntamente com Zorobabel (I Esdras 5:31). Seu nome não é incluído nas listas paralelas de Esd. 5:12 e Nee. 7:53.

FAREL, GUILLAUME

Suas datas foram 1489-1565; um reformador protestante, que nasceu e foi educado na França. Como pregador, ele se mostrava ousado, eloqüente e poderoso. Trabalhou em prol da Reforma Protestante na Basiléia, Neuchatel e outras cidades da Suíça. Foi ele quem tornou possível o controle de Genebra, por parte de João Calvino (que vede). Ver os artigos separados sobre *Calvino, João* e sobre o *Calvinismo*.

FARFAR

No hebraico, «rápido». Esse rio é mencionado na Bíblia somente em II Reis 5:12. Sua localização é desconhecida atualmente, embora possa ter sido um dos dois tributários do El-Barara, que atravessa a cidade de Damasco. Todavia, também pode ter sido um dos dois rios principais, o El-Barara ou o El-Awaj. Nesse caso, o termo «Damasco», que aparece naquele texto bíblico, refere-se à planície inteira onde ficava a cidade de Damasco. O termo hebraico é similar ao árabe, que também significa «rápido», «ligeiro». Se está em foco o El-Awaj, então estamos falando sobre um rio com cerca de sessenta e cinco quilômetros de extensão, que tem cerca de uma quarta parte do volume do El-Barara. Atravessa o wady el-Ájam, «o vale dos persas».

A Bíblia considera que a declaração de Naamã, de que os rios de Damasco eram melhores para alguém mergulhar neles do que nos lamacentos rios de Israel, referia-se especificamente ao rio Jordão (II Reis 5:10). Porém, os milagres de Deus ocorrem das maneiras mais inesperadas, capazes de consternar-nos, até que os aceitamos como eles são.

FARISEUS

Esboço:
I. O Nome e Descrições
II. História e Caracterização Geral
III. Doutrinas Distintivas
IV. Denúncias da Parte de Jesus e Pontos Positivos
I. *O Nome e Descrições*

Os Fariseus: essa palavra se deriva do vocábulo hebraico que significa «separados», embora alguns estudiosos considerem o termo como de significação incerta. Apareceram, pela primeira vez, como um grupo distinto, pouco depois da revolta encabeçada pelos Macabeus (que libertou os judeus do governo sírio opressivo), em cerca de 140 A.C. Os fariseus usualmente vinham dentre a massa de povo comum, e

FARISEUS

nisso faziam contraste com os saduceus, que geralmente eram provenientes da aristocracia. O movimento desse nome, no princípio, envolvia uma espécie de grupo reformador, que tencionava purificar e defender a crença ortodoxa. Eram os porta-vozes das opiniões da maioria das massas populares. Após alguns anos se intrometeu nas fileiras do farisaísmo uma grande quantidade de atitudes legalistas e ritualistas, e isso serviu apenas para obscurecer os propósitos originais do grupo. Embora continuassem ortodoxos em suas palavras, gradualmente foram perdendo a presença e a aprovação de Deus, e se tornaram representantes inadequados da porção melhor do judaísmo.

Sob a orientação de *João Hircano* (134-104 A.C.) exerceram grande influência e gozaram do apoio geral da população judaica. (Ver Josefo, *Antiq.* XIII.10.5-7). Porém, quando romperam com ele, João Hircano se voltou para os saduceus. Em face disso, os dois grupos se tornaram adversários daí por diante, especialmente no tocante às questões do poder político, mas também no que diz respeito às questões religiosas. Os fariseus fizeram oposição a Alexandre Janeu (103-78 A.C.), e chegaram ao extremo de apelar para a ajuda do rei selêucida, Demétrio III. Por causa disso é que, quando Janeu triunfou, vingou-se deles, crucificando cerca de oitocentos dos líderes dos fariseus. (Ver Josefo, *Antiq.* XIII.14.2). No leito de morte, entretanto, aconselhou à sua esposa que permitisse a reinstauração do grupo no poder político; e então, a partir dessa data começaram a dominar o sinédrio, o principal tribunal religioso e civil da época, entre os judeus, o que continuou até à destruição de Jerusalém, no ano 70 D.C.

Apesar de exercerem notável autoridade, na realidade os fariseus eram um grupo de minoria.

II. História e Caracterização Geral

Os fariseus, pelo menos em certo sentido, representavam a continuação dos ideais de Esdras, visto que eles eram mestres (com freqüência, escribas) que tentavam levar avante o ministério de ensino, fazendo-o com grande meticulosidade. No começo do século II A.C., eles eram chamados *hasidim*, «santos de Deus». O termo hebraico *perushim* (fariseus) é de origem incerta, embora seja claro que um grupo com essa denominação surgiu após a revolta dirigida pelos Macabeus. Esse nome ocorre pela primeira vez nos textos que tratam sobre os reis sacerdotes hasmoneanos. Grande parte da história do farisaísmo trata a respeito da oposição que eles exerciam contra aquilo que consideravam forças transientes e destrutivas do judaísmo, o partido dos saduceus (vide). Os saduceus representavam a abastada classe sacerdotal, ao passo que os fariseus eram os conservadores bíblicos, até mesmo fanáticos. Em certo sentido, o farisaísmo foi uma força democratizante dentro do judaísmo, que tentava salvar o sistema do controle rígido da classe sacerdotal dos saduceus. Os fariseus eram os porta-vozes das massas oprimidas, visto que, essencialmente, pertenciam a essa classe. Portanto, entre eles apareceram figuras radicais, que se opunham ao governo estrangeiro, ao passo que os saduceus, felizes e satisfeitos com o poder e a prosperidade material de que dispunham, preferiam conservar o *status quo*.

Como um todo, o farisaísmo pode ser recomendado por seu senso de justiça e de elevados valores éticos. O Novo Testamento, contudo, alude a eles como hipócritas e descendentes de víboras, embora devamos relembrar que isso era aplicado a alguns poucos líderes moralmente pervertidos entre eles.

Muitos dos primeiros líderes da Igreja se converteram dentre os fariseus (Atos 15:5). O nobre Gamaliel (vide), que fora um dos mestres de Paulo, era fariseu. Naturalmente, o próprio Paulo pertencia a esse grupo e, em Atos 23:6, em sua defesa, ele declarou: «Eu sou fariseu, filho de fariseus...»

Os fariseus sempre foram um grupo minoritário. Nos dias de Herodes eles eram um pouco mais de seis mil indivíduos (Josefo, *Anti.* 17:2,4). O grupo não era totalmente homogêneo. Shammai (vide) foi uma figura severa que interpretava tudo de acordo com o rigor da letra. Era de uma família rica e aristocrática. Hilel (vide), em contraste, era homem do povo, e interpretava as questões com brandura, favorecendo as debilidades do povo. A maioria dos escribas pertencia ao partido dos fariseus, e deles foram surgindo aqueles ensinos exagerados que circundavam a lei e as observâncias legalistas. Ver o artigo separado sobre as *Escribas*. Eles determinaram que a lei contém seiscentos e treze mandamentos, dos quais duzentos e quarenta e oito positivos e trezentos e sessenta e cinco negativos. Além disso, cercaram essa leis com um complexo e, com freqüência, exagerado sistema de interpretação, que fazia pesar consideravelmente sobre os homens as suas responsabilidades morais e religiosas. Para exemplificar, eles determinaram trinta e nove tipos de ação que, supostamente, eram proibidos para o dia do sábado. Além dessas elaborações, eles também aumentavam a importância da lei, criando *analogias*, de tal modo que coisas que muitas pessoas sérias nem levariam em conta, eles transformavam em questões importantes. Em sua ignorância, após tantos acréscimos feitos por eles, ainda afirmavam que sua doutrina era antiga, procedente de Moisés, como preceitos dados no monte Sinai. Ver Marcos 7:3. O Novo Testamento serve de testemunho sobre alguns desses exageros dos fariseus, mas a história também nos revela que havia pontos bons entre eles. A nossa avaliação sobre qualquer grupo jamais deveria deixar de ver os dois lados, sempre que possível.

III. Doutrinas Distintivas

As diferenças quanto às crenças doutrinárias, entre os fariseus e os saduceus, conforme é frisado pelo historiador Josefo, eram as seguintes (ver *Guerras dos Judeus*, II.8.14): Os fariseus criam na imortalidade da alma, que haveria de reencarnar-se. Isso poderia envolver uma série de reencarnações (doutrina essa muito comum naquela época, que evidentemente também era defendida pelos essênios; ver nota em Luc. 1:80 e no NTI), mas também incluía a idéia de que a alma haveria de animar o corpo ressurrecto. Criam fortemente na sorte ou determinismo, no universo, bem como na existência dos espíritos. Os fariseus aceitavam como canônico o conjunto completo do V.T., ao passo que, com freqüência, os saduceus aceitavam como canônicos apenas os primeiros *cinco livros* ou *Pentateuco*, ainda que, provavelmente, houvessem divergências pessoais, entre os saduceus, acerca desse particular. Os saduceus enfatizavam a adoração no templo, o que os fariseus também faziam. Mas estes últimos punham mais ênfase no desenvolvimento individual e ético do que o faziam os saduceus. Os fariseus criam que os exílios haviam sido causados pela desobediência às leis de Deus, e eles se puseram a interpretar essa lei, desenvolvendo assim os comentários que foram incorporados no *Talmude*. Esse zelo pelo ensino e pela interpretação chegou aos exageros tão familiares a qualquer leitor do N.T. E a sede dos fariseus pelo poder político, além de sua resistência natural a

FARISEUS — FASCISMO

qualquer coisa que ameaçasse interromper o seu domínio religioso e a sua influência sobre o povo comum, fizeram deles inimigos naturais de Jesus. Juntamente com os saduceus, os fariseus constituíam o sinédrio, o mais elevado tribunal civil e religioso da nação judaica.

Embora Josefo não nos diga tal coisa, sabemos que os fariseus aceitavam a comum e complexa angelologia do judaísmo helenista. Isso reflete-se, por exemplo, em Atos 23:8. Sem dúvida, isso incluía uma elaborada demonologia, visto que ambas as idéias são comuns na literatura apocalíptica e pseudepígrafa, do período que fica entre o Antigo e o Novo Testamentos. Eles eram democratas que defendiam os direitos do povo. Opunham-se aos aristocratas dentre os saduceus; e alguns historiadores acreditam que isso nos leva a entender a essência mesma do farisaísmo.

IV. Denúncias da Parte de Jesus e Pontos Positivos

As denúncias de Jesus contra os exageros dos fariseus encontram-se em Mateus 23:13-30 e Marcos 7:9 (comparar com Mat. 15:3). O próprio Talmude também denunciava a hipocrisia deles (Sotah, 22b), onde a similaridade com as denúncias feitas por Jesus é evidente. Naturalmente, o Novo Testamento também elogia a vários fariseus, como Nicodemos (João 3:1 ss), que falou com retidão em defesa de Jesus (João 7:50), mesmo depois que os próprios discípulos de Jesus haviam fugido (João 19:50). José de Arimatéia também fora fariseu (Mar. 15:43), sendo altamente elogiado no Novo Testamento. Gamaliel era homem nobre, que argumentou em prol da tolerância para com os cristãos primitivos (Atos 5:34 ss). Outros avisaram ao Senhor Jesus de que queriam tirar-lhe a vida (Luc. 13:31), e alguns fariseus mostraram-se hospitaleiros para com ele (Luc. 7:36 e ss; 11:37; 14:1). — Paulo havia sido fariseu, antes de sua conversão (Fil. 3:5), não se tendo envergonhado de poder repetir: «Eu sou fariseu, filho de fariseus...» (Atos 23:6).

FARRAR, FREDERIC WILLIAM

Nasceu em 1831 e faleceu em 1903. Foi um clérigo anglicano, cânone de Westminster e deão de Canterbury. Nasceu na Índia. Estudou em Cambridge, na Inglaterra. Foi mestre-escola em Harrow e Marlborough, antes de ir para a abadia de Westminster. Tornou-se conhecido por seus escritos sobre a Bíblia, especialmente em seus aspectos históricos. Escreveu livros sobre a história eclesiástica, sobre a vida de Cristo e sobre estudos bíblicos em geral.

FASAILUS

Nome pessoal que vem do latim, **Phaseal**. Esse é o apelativo de dois homens associados aos tempos bíblicos, embora não sejam diretamente mencionados nas Escrituras.

1. O filho do idumeu Antípater (que foi nomeado governador da Judéia por Júlio César, após a derrota de Pompeu, em Farsalo, em 48 A.C.). Era irmão mais velho de Herodes, o Grande. Pompeu fez os dois irmãos serem tetrarcas, e eles puderam arrancar muito dinheiro dos judeus, a fim de agradar a seu patrocinador. Antígono era rival de Fasailus e, tendo vindo à frente de forças partas, derrotou-o e conquistou Jerusalém, tendo então aprisionado Fasailus. Em desespero, este cometeu suicídio. Herodes, porém, escapou. Algumas construções receberam o nome de Fasailus em honra a ele,

incluindo a torre de Davi.

2. Um filho de Fasailus também recebeu esse nome. Foi pai de Cípria, a esposa de Agripa I.

FASCINAR

No grego temos **baskaino**, «encantar», «fascinar», palavra usada somente em Gál. 3:1; e *eksistemi*, «tirar o bom senso», «confundir», palavra usada por dezessete vezes (Mat. 12:23; Mar. 2:12; 3:21; 5:42; 6:51; Luc. 2:47; 24:22; Atos 2:7,12; 8:9,11,13; 9:21; 10:45; 12:16; II Cor. 5:13).

No trecho de Gálatas está em foco um ato natural dos falsos mestres, que convencem a quem lhes dá ouvidos a crerem naquilo que não é verdadeiro. Todavia, a palavra também tinha um sentido sobrenatural, no original grego. A outra palavra grega era usada tanto em bom sentido, de «admiração», como em sentido negativo, de «ilusão». Assim, em Mat. 12:23, o povo admirava-se da cura de um endemoninhado, cego e mudo, por Jesus, levando-os a perguntar se ele não seria, afinal, o filho de Davi. Mas em Atos 8:9,11, Lucas informa-nos que Simão, o mágico, «iludira» o povo com mágicas. Todavia, logo adiante, lemos que Simão admirava-se diante dos milagres operados por Filipe (Atos 8:13).

Forças naturais ou sobrenaturais podem ofuscar ou lançar um encantamento sobre as pessoas, levando-as a agirem de modo como não agiriam normalmente. É que podemos ser psicológica ou espiritualmente iludidos, quando então a nossa mente fica confusa. Geralmente sentimo-nos confusos diante daquilo que não entendemos, sobretudo quando parece haver um elemento sobrenatural envolvido. E isso, por sua vez, mostra-nos a necessidade de pedirmos discernimento espiritual, o que tanto nos é dado através de um sólido conhecimento das Escrituras como através de um dom espiritual, que lança mão dos poderes do Espírito. (Ver Col. 2:1-9; I Cor. 12:1-11). (ID UN Z)

FASCISMO

A raiz latina dessa palavra é **fascis**, «feixe de varas», como a lâmina de um *machado*, ressaltada para fora. Esse feixe de varas era brandido pelos lictores romanos (que vede), como símbolo da autoridade que neles estava investida. A palavra *fascismo* foi aplicada à organização política italiana, fundada por Mussolini, em 1919, mediante a qual guindou ao poder na Itália, em 1922. Os filósofos italianos Gentile (que vede) e Ugo Spirito (que vede) contribuíram para a filosofia por detrás dessa forma de governo.

Por causa do tipo de governo baseado sobre certas teorias, a palavra *fascismo*, por extensão, passou a ser aplicada a qualquer sistema de governo autoritário, antidemocrático e anticomunista, de acordo com o qual o controle econômico é rigidamente mantido pelo Estado, a educação visa, particularmente, uma elite e o poder militar mantém a estrutura inteira. De acordo com esse sistema, toda oposição política ou não existe ou é totalmente abafada; e uma polícia secreta e poderosa, de algum tipo, controla a população geral, a fim de evitar atividades secretas e a deserção.

De acordo com essa forma de governo, o indivíduo fica subjugado ao Estado, sob a suposição de que isso visa ao bem da sociedade. Quando consideramos essas características, vemos claramente que o comunismo é uma espécie de fascismo. Na verdade, o fascismo é o genitor do comunismo, e este é o filho mais bem-sucedido daquele. Esse tipo de governo é ajudado, quanto a seu estabelecimento, por uma

FASELIS — FATO-VALOR, DISTINÇÕES

ideologia reacionária, pelo fanatismo político e pela ênfase exagerada sobre as glórias e a supremacia da nação, quanto ao seu passado e quanto ao seu presente. O que o fascismo propõe é uma espécie de regeneração nacional, que inevitavelmente assume uma postura arrogante. Sua ênfase sobre a disciplina, a autoridade dominadora, a devoção completa à causa e o patriotismo mostra-se muito atrativa para pessoas religiosas. Porém, os seus vícios e defeitos, que incluem a destruição da liberdade individual, uma característica violência, o militarismo, a ditadura e a deificação da nação são ou deveriam ser repugnantes para os cristãos bíblicos.

FASELIS

Esse é o nome de uma antiga colônia grega, uma cidade-estado da Lícia, fundada por Rodes, no século VII A.C., quando começou a colonização helênica. Fazia parte da liga de Delos, controlada por Atenas (de 454 a 417 A.C.). Ficou sob o governo dos Ptolomeus, durante o período helenista (309-197 A.C.), então passou para a órbita dos selêucidas. O lugar era estrategicamente situado para os romanos, quando perceberam que não podiam deixar de se envolver na parte oriental do mar Mediterrâneo (I Macabeus 15:16-24). Ficava localizado na costa da Lícia, perto de uma importante rota comercial. Piratas da Cilícia costumavam usar essa cidade como base de atividades, naquela parte do Mediterrâneo. Mas o romano Servílio Isáurico pôs fim a essas atividades, em 77 A.C.

FA-SHEN

Ver o artigo sobre as **Sete Antigas Escolas Budistas Chinesas**, segundo ponto.

FASIRON

Jônatas conquistou essa tribo obscura. Ficava localizada no deserto, perto de Betebase, talvez governada por um chefe nabateu. Acerca dessa tribo, porém, nada se sabe com certeza. Ver I Macabeus 9:66.

FATALISMO, SORTE

Segundo o uso popular, não há distinção alguma entre os dois termos que dão nome a este verbete. Porém, um uso mais erudito diz que *fatalismo* aponta para a inevitabilidade dos acontecimentos, com ou sem causas conhecidas. Mas a *sorte* leva em conta uma relação de causa e efeito. Isso posto, o *fatalismo* é similar ao *indeterminismo* e ao acaso sem controle, que com freqüência resulta em acontecimentos perniciosos. Por esse motivo é que o fatalismo tem sido descrito como *cego*. O resultado lógico do fatalismo é o *pessimismo* (que vede).

Alguns pensadores vêem a *sorte* como a força que há por detrás do fatalismo, ainda que desconhecida.

A Sorte. Essa palavra expressa a crença de que todos os eventos são determinados por uma série de causas. Ver o artigo geral sobre o *Determinismo*. Ver também sobre a *Predestinação*. A mente religiosa gosta de pensar que se Deus está por detrás de todos os acontecimentos, então devemos pensar em predestinação, e não em *sorte*. Assim, a sorte é considerada como algo que tem base em causas mecânicas, sem sentido, ao passo que a predestinação alicerça-se sobre a mente divina. Essa distinção, apesar de útil, não é necessariamente ajudadora.

Pois, se Deus é a causa de todas as coisas más que acontecem, e não aplica aos homens a sua benevolência e amor, então, para *a maioria* dos homens, a sorte não seria melhor do que a predestinação.

A Palavra Grega e seu Uso. A palavra portuguesa equivale ao latim, **fatum**, cujo paralelo grego é **moíra**. Ambas essas palavras eram aplicadas às *declarações proféticas dos oráculos*, ou seja, a eventos que ainda aconteceriam. De acordo com a mitologia grega, a sorte seria determinada por decretos de Zeus. Na mitologia romana, Júpiter é quem baixaria os decretos fatais. Várias deusas pagãs, chamadas *Fata*, em latim, e *Moirai*, em grego, é que determinariam os destinos. Uma das deusas ficaria fiando o fio da vida; e a outra o torceria; ainda uma terceira, o cortaria. A *necessidade* era um importante conceito para os gregos, tanto na filosofia quanto na mitologia. Os próprios deuses estariam sujeitos à Sorte, à Necessidade Universal.

Dentro da filosofia grega encontramos menções à idéia de sorte, nos escritos de Heráclito e de Platão. Mas, no *estoicismo* (que vede) a sorte tornou-se um ensinamento central. A sorte teísta torna-se a vontade de Deus; e, dentro do estoicismo, essa vontade aparece como absoluta e inexorável. A única coisa que os homens seriam capazes de controlar seria suas reações emocionais, diante de acontecimentos necessários, mas nunca os próprios acontecimentos.

Os problemas criados pela sorte-determinismo-predestinação-livre-arbítrio são amplamente discutidos nos artigos sobre o *Livre Arbítrio* e o *Determinismo*. Também preparamos um artigo sobre a *Predestinação*, que examina diversos problemas relacionados ao assunto e oferece algumas soluções tentativas para os problemas postulados.

FATIHAH

Transliteração de uma palavra árabe que significa «abrir». Refere-se ao breve capítulo inicial do Alcorão (que vede), chamado *Sura*. Os islamitas usam essas palavras por muitas vezes, em suas orações diárias. Essas orações significam para eles, mais ou menos o que a oração do Pai Nosso significa para os cristãos, ou seja, uma oração modelo.

FATO-VALOR, DISTINÇÕES

Hume argumentou contra os filósofos racionalistas, os quais afirmavam não bastar definir um valor. E nem a razão isolada poderia ser base de aprovação a alguma questão moral, conforme eles também diziam. Com base nessa filosofia é que surgiu a idéia de separar as asserções de valor das asserções de fato. Uma das armadilhas, quanto a essa questão, é supor que é errado fazer juízos de valor porque são assertivas subjetivas, que pouco têm a ver com os fatos. Contudo, deveríamos lembrar que os fatos, em si mesmos, têm valor e subentendem valor, pelo que também, declarar um fato, sobre qualquer coisa, ao mesmo tempo é fazer uma asserção de valor. Ademais, os valores podem ter um caráter factual. Portanto, um julgamento de valor pode ser um julgamento de fato, embora também possa ser uma mera avaliação subjetiva, com pouca realidade por detrás dela. Os valores, pois, teriam de ser determinados por múltiplos testes: experimentação, raciocínio, intuição e informações da parte das revelações que porventura existam a respeito.

••• ••• •••

FATOR RELIGIOSO — FÉ

FATOR RELIGIOSO

Essa expressão é usada para indicar qualquer propriedade determinadora do destino, que tenha um ser ou objeto, algum tipo de poder que opera de modo a afetar a duração da vida, o curso da vida, a fortuna ou o destino. Tal fator pode ser considerado natural, sobrenatural ou espiritual. No homem, a alma algumas vezes é mencionada como um *fator religioso*. No campo da biologia, trata-se daquela força que controla o desígnio, de tal modo que o conceito de sorte pode ser evitado. Dentro do universo material, o poder de Deus para determinar e guiar pode receber esse nome.

FA-TSANG

Suas datas foram 643-712 D.C. Ele foi um filósofo budista e líder religioso. Nasceu na China e foi o fundador da escola Hua-yen. Com cerca de vinte e oito anos de idade, ele se tornou monge, tendo sido altamente favorecido pela imperatriz Wu. Mostrou-se muito ativo quanto à produção literária, tendo sido o autor de sessenta obras diferentes. Esses livros tornaram-se as principais fontes dos ensinos ministrados na escola *Hua-yen* (que vede). Os principais títulos foram: *Tratado sobre o Leão Dourado; Cem Portas para o Mar das Idéias das Esplendorosas Escrituras Floridas*.

FAVAS

No hebraico, **pol**, palavra que figura somente em II Sam. 17:28 e Eze. 4:9. Essa palavra pode apontar para o feijão ou para a ervilha. Muitos estudiosos opinam que a planta envolvida é a *Faba vulgaris*, que produz uma flor fragrante, semelhante a uma ervilha, seguida por longas e grossas vagens. Essa planta cresce até cerca de 90 cm de altura. A leguminosa dentro da vagem é redonda, graúda, e quando madura, é negra ou marrom. Os campos plantados com essa espécie podem ser reconhecidos de longe, devido à fragrância característica, a começar em janeiro até meados de março. A leguminosa pode ser moída até tornar-se uma farinha, mas também pode ser cozida como um legume. O produto vem desde a antiguidade, tendo sido encontrado em ataúdes do Egito. Também servia-se o produto aos animais. O trecho de II Samuel diz que entre os alimentos trazidos a Davi e seus homens estavam as favas. E o trecho de Ezequiel refere-se às favas como o material usado no fabrico de pães, quando faltava o trigo, em períodos de fome. (ND S UN Z)

FAUNA

Ver os artigos separados sobre *Animais, Adoração aos; Animais, Direitos e Moralidade dos; Animais no Antigo e no Novo Testamentos*. Cada animal mencionado nas Escrituras é comentado individualmente.

FAUNO

Essa palavra portuguesa vem do latim **faunus**, derivado do verbo *faveo*, «favorecer», «proteger». Esse é o nome que era dado a certas divindades rústicas e brincalhonas, um tanto parecidas com os *sátiros* dos gregos. O deus latino, *Faunus*, era o doador da frutificação e da provisão. Era identificado com o deus Pan, dos gregos. Daí a sua representação como um homem dotado de chifres e de pés de cabra. É desse nome que os *faunos* derivaram o seu nome.

FAVOR

No hebraico, em Oséias 2:1, **Ruhamah**, «favorecido». Um nome simbólico dado pelo profeta a Israel, para indicar o retorno da misericórdia divina para com o seu povo. Há no versículo um jogo de palavras, pois a segunda filha de Gomer, essa adúltera de Oséias, recebeu da parte de Deus o nome de *Lo-ruhamah*, «desfavorecida» (ver Osé. 1:6,8), para indicar que Deus havia voltado as costas a seu povo de Israel, em face da apostasia do mesmo.

FAVORINO

Filósofo grego que viveu entre 80 e 150 D.C. Nasceu em Arelato. Foi professor de retórica. Provavelmente estudou com Epicteto e Díon Crisóstomo (ver os artigos sobre eles). Era amigo de Plutarco e membro do círculo de amigos de Adriano. Na filosofia ele se mostrava eclético, combinando idéias de Platão, de Aristóteles, do ceticismo e do pirronismo. Tornou-se bem conhecido por seu bom humor e por seu espírito arguto. Dois exemplos servem como ilustração: Adriano o havia derrotado em uma argumentação. Seus amigos ficaram perplexos diante da derrota do filósofo, em um debate. Indagáram-lhe sobre a questão. Favorino respondeu que é tolice tentar vencer o chefe de trinta legiões de soldados. Havia uma estátua em Atenas, que o representava; mas, quando os atenienses ficaram insatisfeitos com ele, derrubaram-na. E Favorino observou que se Sócrates tivesse tido uma estátua em sua honra, em Atenas, talvez tivesse escapado da morte por envenenamento com a cicuta.

Escritos. *Sobre Epicteto; Figuras de Linguagem Pirroneanas*, e alguns poucos fragmentos.

FA-WEN

Essa foi uma das sete mais antigas escolas budistas chinesa (que vede, no quarto ponto sobre o artigo a respeito).

FÉ

Vários artigos são apresentados nesta enciclopédia, que abordam a questão da fé. Ver os seguintes artigos: 1. *Fé*; 2. *Fé* (*Para os Filósofos e Teólogos*); 3. *Fé* (*Posições Católica Romana e Protestante*); 4. *Fé Salvadora*; 5. *Fidelidade*; 6. *Fideísmo*.

FÉ

Esboço

1. Tipos de Fé, nas Páginas do N.T.
2. Ponto de Vista Distintivo da Epístola aos Hebreus Sobre a Fé
3. A Fé é um Atributo da Alma
4. Significação e Função da Fé
5. Como Pode Ser Desenvolvida a Fé?
6. Ilustração Sobre a Natureza da Fé
7. A Fé é um Dom e uma Operação do Espírito
8. Há Idéias Variegadas sobre a Fé
9. A Fé nas Escrituras
10. A Fé e as Obras

1. Tipos de fé, nas páginas do N.T.:

a. A fé objetiva; esse é o «objeto» da fé, aquilo «em que se crê», o sistema dos princípios religiosos, omo é o caso do cristianismo. Esse tipo de fé está onfinado quase inteiramente, se não mesmo exclusi-

FAUNA

Avestruz — Jó 39:13

Áspide — Sal. 91:13

Bode — Dan. 8:8

Cervo — Sal. 42:1

Gafanhoto — Mat. 3:4

Perdiz — Jer. 17:11

FAUNA

Pardal — Sal. 102:7

Rola — Lucas 2:24

Ovelha — Is. 53:6

Macaco de um mosaico

Escorpião — Jó 34:7

Codorniz — Êxo. 16:13

Jumento — Gên. 24:35

FÉ

vamente, às epístolas pastorais, onde seu emprego é mais freqüente.

b. A fé como virtude: na vida cristã podem desenvolver-se muitas «virtudes» ou qualidades espirituais. A fé é uma delas (ver Gál. 5:22). A fé, como virtude, é apenas a fé «subjetiva» em ação, na vida diária do crente. É a contínua «outorga da alma a Cristo», que é o princípio orientador da vida cristã.

c. A fé subjetiva: — é o exercício da fé, por parte do homem espiritual, a crença ativa, a dependência a Cristo, em que o indivíduo deixa a sua alma aos cuidados do Senhor. É como se o crente dissesse: «Cristo é o alvo de minha vida e existência diária; quero participar de sua imagem moral e metafísica; e entrego minha alma a seus cuidados, visando esse destino». Trata-se da total dedicação da alma a Cristo, a fim de que, através do seu Santo Espírito, possa fazer de nós seres muitíssimo superiores ao que somos agora, que compartilhem da sua própria santidade, participantes de sua natureza. É desse modo que o homem passa a receber «toda a plenitude de Deus», (ver Éfé. 3:19 e Col. 2:10; — assim, ele chega a — participar — do mesmo tipo de vida que Deus tem, a sua vida necessária e independente (o que é comentado em João 5:25,26 e 6:57 no NTI), bem como de sua divindade (ver II Ped. 1:4). A fé subjetiva é o «meio» da justificação (ver Rom. 5:1) pois quando um homem toma essa atitude de outorga a Cristo, este lhe envia o seu Santo Espírito para dar início ao processo transformador. Nesse processo estão incluídas a *Justificação* (ver o artigo), a *Santificação* (ver o artigo) e a *Glorificação* (ver o artigo). Isso também envolve a participação na «natureza» do Filho, dentro da família divina (ver Heb. 2:10 e *ss*). A fé *subjetiva* é o tema de Heb. 11:1.

Ainda há outros sentidos, conferidos à palavra «fé», a saber: 1. às vezes a fé aparece como uma *capacidade espiritual* (ver Gál. 3:11). Nessa categoria podemos classificar o «dom da fé» (ver I Cor. 12:9), alicerçado sobre uma confiança incomum em Cristo; é uma das manifestações do Espírito Santo. Pode realizar grandes obras espirituais. 2. A fé aparece como uma *resposta*, uma faceta da fé subjetiva (ver Gál. 2:20 e 3:2). 3. A fé aparece como *confiança*, uma outra faceta da fé subjetiva (Gál. 2:16). 4. A fé é *um pacto* (ver Gál. 3:15-22). 5. A fé aparece como *crença*, mas não meramente em algum credo, mas antes, como dependência à pessoa de Cristo (ver Gál. 2:20). 6. A fé também figura como uma *aventura* (ver Gál. 5:5,6).

2. Ponto de vista distintivo da epístola aos Hebreus sobre a «fé». Isso pode ser facilmente entendido quando nos lembramos da forma particular da metafísica ou «ponto de vista mundial» que era sustentado pelo autor deste tratado. Ele cria em uma realidade em «dois andares». O primeiro andar consiste no mundo físico, que é temporal e se desintegra, sujeito ao mal. O segundo andar consiste no mundo celestial, nas realidades espirituais daquelas dimensões. Nestas realidades, Cristo aparece como o *supremo*. O andar inferior, *este mundo físico*, é uma «cópia» do mundo celeste, e até mesmo as formas de adoração que temos aqui, como sucedia ao culto ensinado no A.T., eram apenas imitações das realidades do mundo superior. Esse era um «ponto de vista mundial» comum nos dias do autor sagrado. Baseia-se sobre a metafísica platônica, mediada pelo judaísmo, e que chegou ao cristianismo através da influência de Filo. Os judeus levavam essa questão a extremos. Imaginaram o arcanjo Gabriel, vestido como simples operário, a trazer a Moisés os objetos

que deveriam ser copiados para uso no tabernáculo. Assim, tais objetos seriam cópias daqueles existentes no templo celestial. O autor sagrado, entretanto, não tinha idéias tão materialistas sobre a questão; mas cria que o tabernáculo terreno era uma «cópia» das verdades espirituais atinentes a Deus e à sua esfera celeste. (Quanto a comentários explicativos sobre essa questão, ver o artigo sobre este livro, em sua seção V), intitulada «Idéias Religiosas *e Filosóficas*», que influenciaram a expressão e o conteúdo deste livro.

Portanto, há uma esfera espiritual, ou melhor, há esferas espirituais, pois os antigos nunca concebiam a criação celeste como constante de um único céu. Há muitas dimensões espirituais (ver Heb. 7:6 e Efé. 1:3). Essas esferas celestiais são as regiões da realidade final, da verdade espiritual; e o que se sabe sobre a terra, acerca da verdade, é apenas uma «imitação» daquela verdade superior. A alma reconhece essa verdade por *intuição*; e o *reconhecimento dessa verdade* recebe o nome de «fé». Quando um homem se entrega às «realidades espirituais», particularmente a Cristo, que é a grande concretização da verdade, então está «exercendo fé». Mas esse exercício se alicerça sobre o conhecimento e sobre a apreciação da alma quanto à importância dessas realidades. A fé consiste em *prestarmos lealdade* ao «mundo eterno», em que o indivíduo passa a viver segundo as «dimensões eternas».

Vários dos pais alexandrinos da igreja (de fato, a maioria dos pais gregos, como Panteano, Clemente de Alexandria e Orígenes) criam na preexistência da alma. A alma, segundo eles pensavam, antes da queda, que teria ocorrido por ocasião da revolta dos anjos, já tinha habitado nas regiões celestiais; portanto, a alma conheceria, em primeira mão as grandes verdades espirituais, incluindo o Senhorio e a posição de Cabeça, ocupada pelo Verbo eterno, a quem chamamos de Jesus Cristo, em sua encarnação. A alma, pois continuamente veria e entenderia essas grandes verdades espirituais. Antes, a alma lhe prestara lealdade. Após a queda, essa lealdade foi interrompida. A fé, por conseguinte, seria apenas o *novo reconhecimento* dessas verdades e a *restauração* da antiga lealdade, em nova outorga aos cuidados do Verbo eterno. Segundo os pais gregos da igreja, pois, a fé seria a *revivificação da lealdade* e a «restauração ao estado anterior», e não uma nova ação. Seria uma espécie de «recordação» da alma, uma ação de dedicação com base nessa memória.

Sem importar se cremos ou não na preexistência da alma, a definição da fé, como reconhecimento do mundo superior e como dedicação ao mesmo, é uma definição válida. É precisamente essa definição que aparece em Heb. 11:1. «A fé é a certeza das coisas pelas quais esperamos, a prova da realidade das coisas que não podemos ver» (Heb. 11:1—tradução inglesa de Williams, aqui vertida para o português). A fé nos fala sobre o «mundo eterno», convencendo-nos de sua realidade, portanto, «vivemos segundo a dimensão eterna».

A fé consiste no exercício da alma, em que esta se entrega aos cuidados do Verbo divino, para que o indivíduo seja transformado segundo a sua imagem (ver Rom. 8:29 e II Cor. 3:28). A fé é *um dos atributos da alma*, é a atitude geral da alma para com as realidades espirituais; é o conhecimento da alma e a sua nova conduta, em face dessas realidades. A fé nos transforma segundo os moldes da maior de todas essas realidades, o próprio Cristo.

3. A fé um atributo da alma. É o conhecimento espiritual e íntimo das Forças Criativas do universo.

693

FÉ

Assim como tomamos conhecimento do corpo físico, através dos sentidos, assim também podemos tomar conhecimento da alma, mediante a atividade de seus atributos. A fé pode ser negada ou repelida até deixar de existir dentro da consciência da mente física. E pode ser reconhecida e exercida ao ponto de remover montanhas. Aquilo que é levado à consciência, através da atividade das forças espirituais, manifestando-a, através da força espiritual do indivíduo, torna-se a essência mesma da fé. Portanto, tem sido dito por muitos que a fé, a fé pura, aceita ou rejeita sem base na razão, ou além da perspicácia e escopo daquilo que é percebido—daquilo que o **homem traz em sua atividade — pelos cinco sentidos.**

A fé é substância das coisas esperadas, a prova das coisas invisíveis (Heb. 11:1). A fé sabe que já recebeu e age segundo isso, de nada duvidando. É a construtora do aparentemente impossível. É aquilo que trouxe à manifestação tudo quanto já existiu. Deus é, a fé é. É a evidência do cumprimento da promessa de Deus. O divino privilégio do homem é aceitar, usar, desenvolver e desfrutar dos frutos da fé.

No mundo material, com freqüência confundimos confiança com fé. Inclinamo-nos por depender de nossos sentidos físicos, esquecidos que são ilusórios. Isso não é fé, mas confiança—pois a confiança vem através dos sentidos físicos. Quando surgem as provas e os desastres, que parecem fora de nosso controle, começamos a afundar e imediatamente, em desamparo e aflição, clamamos: Senhor, ajuda-me, que pereço! E é então que fala a Voz: Homem de pouca fé. (Ver Luc. 12:28).

Examinemos a nós mesmos para ver se estamos nos apegando à fé ou à confiança.

Como se Desenvolve a Fé

A fé se desenvolve **mediante o uso**. Não pode ser ensinada ou forçada, e nem pode ser destruída a verdadeira fé. Mediante o exercício da fé, somos capazes de dar luz a outros.

a. *Que haja em nós a mesma mente de Jesus*, o Cristo; então haverá fé suficiente para cada necessidade, até mesmo aquela fé que remove montanhas, que modifica o destino das nações, sim, e que traz mundos à existência. Cremos nisso? Então, como pode isso ser realizado?

(*resposta*) Abrindo nossos corações, na meditação sobre as forças invisíveis que circundam o trono da graça, da beleza e do poder, e, ao mesmo tempo, lançando ao nosso redor a proteção achada no pensamento de Cristo. É assim que se pode realizar isso.

b. *Acrescentemos à nossa fé as obras* que mostram os atributos que são expressões do Espírito de Cristo no mundo. Assim se desenvolverá a nossa fé, tornando-se para nós a prova de coisas invisíveis. Precisamos mostrar, por nossas ações, em nossas vidas diárias, que cremos, que temos fé, e que sabemos que se usarmos a fé que possuímos, mais fé nos será dada.

c. Somente no coração liberto de amor egoísta é que pode aninhar-se a fé que sustentará o crente em todas as condições da vida.

d. Quando a fé nos habita no íntimo, temos verdadeira liberdade e a certeza de que não temos outro senhor além de Jesus, o Cristo, e que somos protegidos pelo braço forte do Pai. O sentimento de segurança, de proteção e de paz que ultrapassa todo o entendimento não pode ser encontrado noutro lugar. A fé é a promessa enviada de antemão para mostrar que tudo quanto pedirmos, teremos.

4. Significação e função da fé.

a. *A fé é um atributo da alma*; não é algo que possa ser aprendido pela experiência física. Não vem mediante o exercício dos cinco sentidos. Não é algo que se aprende na experiência humana. Por exemplo, não é fé esperar o recebimento de um cheque no mês seguinte—se estivermos trabalhando e costumamos receber nosso salário desse modo. Isso é confiança, e não fé. Confiamos que receberemos mais um cheque, e a confiança se baseia na experiência humana, através dos cinco sentidos. Um outro exemplo—não é a fé que nos faz sentar numa cadeira, sem testá-la (exemplo abusado pelos pregadores). Isso também é confiança—pois já temos aprendido pela experiência humana, através dos cinco sentidos, que as cadeiras ordinariamente agüentam o peso do corpo humano. Portanto, sentar-se em uma cadeira sem testá-la primeiro, não é fé.

b. A fé é, –em vez disso, um atributo da alma—que não depende da experiência física que nos vem mediante o exercício dos cinco sentidos. A fé tem sua base no conhecimento. Esse conhecimento é diretamente intuitivo, sobre as realidades espirituais, como a existência eterna da alma, a realidade de Deus, a realidade das coisas espirituais, o governo de Deus, o firme destino da alma que se acha em Deus, etc. A alma é o elo entre Deus, as coisas espirituais e a consciência humana. A alma conhece a realidade de Deus e das coisas espirituais, bem como o seu próprio destino. *A alma sabe, portanto, crê*. A fé, pois, é um atributo da alma. O problema consiste em como permitir que a alma entre em comunicação com a mente consciente. É neste ponto que o homem bloqueia o conhecimento natural e intuitivo de seu ser interior (a alma). Ele bloqueia esse conhecimento com pensamentos e ações carnais, enfatizando o que é físico e negligenciando as coisas do espírito. O homem perdeu o conhecimento de como entrar em contato com sua própria porção superior, ao ponto de algumas vezes negar a existência dessa porção superior, dizendo que a alma não existe.

c. O plano de Deus na criação foi o de dar ao homem a capacidade de conhecer o seu Criador, bem como o de ser capaz de conhecer as realidades espirituais em geral. Deus criou de tal modo a alma humana que ela pode, por dotes naturais, entender tais coisas. Esse conhecimento provém da alma. A alma age como transmissor para a mente consciente. A fé não pode ser destruída, tal como não pode ser destruída a alma. A fé, porém, pode ser ocultada pela mente consciente, devido à perversão do indivíduo, ou podemos negligenciar-lhe o desenvolvimento nas coisas espirituais. Tão completo pode ser esse bloqueio da fé que nenhum único raio de luz venha a iluminar a mente física, a consciência. Assim, um homem pode chegar a nem mesmo crer na existência de sua própria alma, ou na existência do seu Criador. No entanto, a alma sabe da verdade dessas coisas, a fé continua existindo—mas não pode esse conhecimento ser transmitido ao indivíduo consciente.

5. Como pode ser desenvolvida a fé?

a. Deve ter ficado claro, por meio daquilo que foi dito, que tanto o desenvolvimento como o reconhecimento e a realização da fé, devem começar pelo esforço de entrar em contacto com a própria alma, que é o elo dado por Deus para entrarmos em contacto com ele. O desenvolvimento da porção espiritual do homem, isto é, da alma, aumenta e torna mais agudo o conhecimento natural da alma sobre as coisas espirituais, e assim a fé aumenta e é fortalecida. Há níveis variegados da fé, pois há níveis

FÉ

variegados de desenvolvimento da alma.

b. Desimpedimos o caminho da alma, para que entre em contacto conosco, mediante a *oração e a meditação*. Através desse tipo de exercício espiritual tanto amortecemos as forças carnais como, ao mesmo tempo, salientamos as forças espirituais. Ao assim fazermos, aumenta o poder da alma de entrar em contacto conosco, e as forças físicas diminuem. Ao assim fazermos, também aguçamos a capacidade da alma em receber a verdade da parte de Deus. Ao fazermos assim, pois, agradamos a Deus, — que, portanto, torna-se mais pronto para entrar em contacto com a alma. E assim aumentam o escopo e o poder da fé.

c. O elemento principal, pois, é o *desenvolvimento espiritual*. Contudo, precisamos entender o que seja a oração e a meditação reais. De fato, a oração e a meditação autênticas são impossíveis enquanto estivermos frisando a porção física, em nossas vidas—enquanto usarmos todo o nosso tempo em atividades mundanas (por mais legítimas que elas sejam). A alma de Jesus com freqüência entrava em contacto direto com o Pai, ele conhecia o grande poder do Pai, conhecia bem as realidades das dimensões espirituais, a realidade dos seres espirituais, a realidade do poder espiritual, portanto, vivia transbordante de fé; e locomover uma montanha não era problema para ele. Jesus sabia no que consistem a oração e a meditação. Ele orava, proferindo palavras, palavras de louvor e solicitação ao Pai. Ele meditava, dando ouvidos ao Pai, ouvindo o Pai entrar em contacto com sua pessoa, abrindo suas faculdades espirituais para dar acolhida à mensagem dele. Sua alma vivia saturada com o ser do Pai, e, portanto, ela era forte na fé. — Jesus mantinha abertos os canais de sua mente consciente—e a essa consciência sobrevinha, em catadupas, tudo quanto a alma sabe sobre Deus e sobre as realidades espirituais. Por conseguinte, Jesus andava transbordante de fé; e sua vida e suas obras foram uma grande demonstração desse fato. Ele mostrou o caminho, além de ser esse caminho. *Esse é o caminho da fé.*

d. *A fé é desenvolvida pelo seu uso.* Esse uso se dá entre os homens, bem como em relação para conosco mesmos. Antes de tudo, devemos eliminar os apetites carnais, pois bloqueiam a entrada da fé até à mente consciente. Devemos descontinuar o pecado que nos circunda, pois este bloqueia a concretização da fé na mente consciente, onde precisamos de tal operação. As boas obras entre os homens são uma das expressões da fé. Jesus curava e fazia muitas coisas em benefício de seus semelhantes humanos. Quando a fé é usada assim, é fortalecida; e o elemento físico do homem gradualmente deixa de ser um empecilho para a expressão da alma, isto é, da fé.

6. Ilustração sobre a natureza da fé.

A fé testifica sobre essa dimensão

DIMENSÃO DAS REALIDADES ESPIRITUAIS (Dimensão Eterna) como Deus, dimensões espirituais, existência eterna da alma humana, conhecimento sobre a vontade e as obras de Deus; a Palavra Eterna, e a necessidade de ser transformado segundo a sua imagem.

A alma é o elemento do homem que transmite a mensagem

O ELO. A alma. A alma conhece as realidades do alto, embora talvez imperfeitamente; e é testemunha à mente física (mente consciente) acerca delas. Esse conhecimento cria a fé, pois a fé se baseia nesse conhecimento. A alma sabe, a alma crê. Deus forneceu esse elo consigo mesmo, dentro da personalidade humana. Mediante o exercício da oração e da meditação, bem como do serviço ao próximo, desenvolvemos e fortalecemos esse atributo da alma, *a fé.*

Os empecilhos podem impedir que qualquer raio de luz chegue à mente consciente

OS EMPECILHOS. Vidas pecaminosas, saliência demasiada a coisas físicas (mesmo que legítimas), falta de interesse pelo próximo, egoísmo. Falta de crescimento espiritual. Educação proposital da mente consciente para que não creia, não se permitindo, assim, que o testemunho da alma chegue à mente consciente.

A concretização prática, e até mesmo a percepção da fé, se dão na mente consciente. A fé pode ser real, mas a mente consciente pode desconhecê-la de todo.

A MENTE CONSCIENTE. Ela receberá ou não a mensagem da alma, dependendo do desenvolvimento ou da eliminação dos *empecilhos*, e também de como desenvolvemos nossas almas e suas qualidades espirituais.

Há fé que faz parte do destino
Para alguns de nós—algo que não pode ser ensinado,
Tal como a cor dos nossos olhos.
Já fazia parte de mim quando nasci.
  (E.A. Robinson)

7. A fé é um dom e uma operação do Espírito.

A fé é isto, mas também é uma reação favorável da alma. É uma estrada com duas pistas: a humana e a divina. O poder divino é que a cria; é um dom de Deus; mas a vontade humana, no nível da alma, deve receber e apropriar-se da fé, e então aplicar a «outorga aos cuidados de Cristo». (Ver Efé. 2:8; Col. 2:12 e Heb. 12:2, quanto ao fato de que a fé é uma operação divina. O trecho de Gál. 5:22 mostra-nos que se trata de um dos aspectos do «fruto do espírito», ver também Fil. 1:29; II Tes. 2:13 e João 6:29 acerca desse tema).

8. Há idéias variegadas sobre a fé.

Informações extraídas de Chafer, **Systematic Theology**, vol. VII, pág. 148. Poder-se-á notar que a maior parte do que é dito abaixo, já foi incluso nas notas anteriores; mas este sumário é digno de nossa atenção:

«Em seu uso mais amplo, a palavra 'fé' representa pelo menos quatro idéias:

1. Tal como acima, pode indicar a fé pessoal em Deus. Esse é o aspecto mais comum da fé, – que pode ser subdividido em três características: a. A fé salvadora, que é a confiança insuflada, nas promessas e provisões de Deus, no tocante ao Salvador, o que leva o indivíduo a estribar-se e a confiar naquele que é o único capaz de salvar. b. A fé servidora, que contempla como autêntico o fato dos dons divinamente conferidos e todos os detalhes concernentes às determinações divinas para o serviço. Essa fé é sempre uma questão pessoal, e nenhum crente deve ser o modelo para outro. A fim de que tal fé, com sua característica pessoal, possa permanecer inviolável, o apóstolo escreveu: 'A fé que tens, tem-na para ti mesmo perante Deus' (Rom. 14:22). Grande prejuízo resulta quando um crente tenta imitar a outro em questões de nomeação para o serviço. c. A fé santificadora ou sustentadora, que se apega ao poder

695

FÉ

de Deus quanto à vida diária. Trata-se da vida vivida em dependência a Deus, operando um novo princípio de vida. (Ver Rom. 6:4). O indivíduo justificado, que se tornou o que é, devido à fé, deve prosseguir e viver segundo o mesmo princípio de total dependência a Deus.

2. A fé também pode ser um anúncio doutrinário, na forma de credo, que algumas vezes é distinguida como 'a fé'. Cristo fez a seguinte indagação: 'Contudo, quando vier o Filho do Homem, achará porventura fé na terra?' (Luc. 18:7; conf. Rom. 1:5; I Cor. 16:13; II Cor. 13:5; Col. 1:23; 2:7; Tito 1:3 e Judas vs. 3).

3. A fé pode significar fidelidade, o que subentende que o crente é fiel para com Deus. Essa é uma característica insuflada por Deus, pois aparece como uma das nove graças que, juntas, compõem o fruto do Espírito (ver Gál. 5:22,23).

4. A fé pode ser também um *título* pertencente a Cristo, conforme se vê em Gál. 3:23,25, onde Cristo é visto como o objeto da fé.

Apesar de que a fé, basicamente considerada, deve ser divinamente insuflada, sempre vai aumentando, segundo o avanço do conhecimento de Deus e a experiência da comunhão com ele. É natural que Deus não se agrade daqueles que nele não confiam (ver Heb. 11:6). De fato, a fé vindica o caráter de Deus e libera o seu braço para agir em favor daqueles que nele confiam. Assim, por causa das riquezas celestiais elevadíssimas que a dependência nos garante, esta é chamada por Pedro, em certo ponto, de 'preciosa fé'.

9. A fé nas Escrituras:

a. A fé é que nos leva a reconhecer a realidade das coisas espirituais, entregando nossas vidas a elas. (Ver Heb. 11:1).

b. A fé é ordenada; e isso significa que é possível para todos os homens. (Ver Mar. 11:22 e I João 3:23).

c. Os objetos da fé, são: o mundo eterno (ver Heb. 11:1); Deus (ver João 14:1); Cristo (ver João 6:29; Atos 20:21 e Heb. 12:2); as Escrituras (ver João 5:46; Atos 26:27); o evangelho (ver Mar. 1:15); as promessas de Deus (ver Rom. 4:21 e Heb. 11:13).

d. A fé em Cristo é um dom de Deus (ver Rom. 12:3; Efé. 2:8; 6:23 e Fil. 1:29); é operação de Deus (ver Atos 11:21 e I Cor. 2:5); é preciosa (ver II Ped. 1:11); é santíssima (ver Judas 20); é frutífera (ver I Tes. 1:3); é acompanhada pelo arrependimento (ver Mar. 1:15 e Luc. 24:47); juntamente com o arrependimento, a fé forma a «conversão» (ver Atos 20:21; ver o artigo sobre *Conversão*); — é seguida pela conversão (Atos 11:21); tem Cristo como objeto e autor (ver Heb. 12:2).

e. A fé é um dos aspectos do fruto do Espírito Santo (ver Gál. 5:22); é dom do Espírito (ver I Cor. 12:9).

f. As Escrituras visam produzir a fé nos seus leitores (ver João 20:31 e II Tim. 3:15).

g. A pregação da Palavra é um dos meios que produz a fé (ver João 17:20; Atos 8:12; Rom. 10:14,15,17 e I Cor. 3:5).

h. A fé nos traz a remissão dos pecados (ver Atos 10:43); a justificação (ver Atos 13:39; Rom. 5:1 e Gál. 2:16); a santificação (ver Atos 15:9; 26:18 e II Tes. 2:13); a luz espiritual (ver João 12:36,46); a vida espiritual (ver João 20:31 e Gál. 2:20); a vida eterna (ver João 20:31); o descanso celestial (ver Heb. 4:3); a adoção (ver João 1:12; Gál. 3:26); o acesso a Deus (ver Rom. 5:2 e Efé. 3:12); a herança das promessas (ver Gál. 3:22 e Heb. 6:12); o dom do Espírito Santo (ver

Atos 11:15-17; Gál. 3:15 e Efé. 1:13).

i. A fé é o guia da vida espiritual (ver Rom. 1:17 e Heb. 10:38).

j. Sem fé é impossível agradar a Deus (ver Heb. 11:6).

l. A fé é o meio do recebimento do evangelho (ver Heb. 4:2).

m. A fé é necessária para a guerra espiritual bem-sucedida (ver I Tim. 1:18,19; 6:12).

n. A fé torna o evangelho eficaz para seus ouvintes (ver I Tes. 2:13).

o. A fé elimina a autojustificação (ver Rom. 10:3,4); a jactância (ver Rom. 3:27).

p. A fé opera pelo amor (ver Gál. 5:6; I Tim. 1:5; File. 5).

q. A fé produz a esperança (ver Rom. 5:2); a alegria (ver I Ped. 1:8); a paz (ver Rom. 15:13); a confiança (ver Isa. 28:16; I Ped. 2:6); a ousadia na pregação (ver Sal. 116:10 com II Cor. 4:13).

r. A fé é um elemento necessário para a oração eficaz (ver Mat. 21:22 e Tia. 1:6).

s. Pela fé vivem os crentes (ver Gál. 2:20); como também se firmam (ver Rom. 11:20; II Cor. 1:24); andam (ver Rom. 4:12 e II Cor. 5:7); obtêm bom testemunho (ver Heb. 11:2); vencem o mundo (ver I João 5:4,5); resistem o diabo (ver I Ped. 5:9); vencem a Satanás (ver Efé. 6:16); são sustentados (ver Sal. 27:13 e I Tim. 4:10).

t. Os crentes deveriam exibir fé sincera (ver I Tim. 1:5); ser abundantes na fé (ver II Cor. 8:7); continuar nela (ver Col. 1:23); ser fortes na fé (ver Rom. 4:20-24); estar firmados e arraigados nela (ver Col. 1:23); apegar-se à fé (ver I Tim. 1:18).

u. A verdadeira fé é demonstrada pelas suas obras (ver Efé. 2:10 e o décimo primeiro capítulo da epístola aos Hebreus).

v. Sem as obras da fé, a fé está morta (ver Tia. 2:17,20,26).

x. A fé vence todas as dificuldades (ver Mat. 17:20; 21:21 e Mar. 9:23); o que é feito sem fé, é pecado (ver Rom. 14:23); a prova de fé opera a paciência (ver Tia. 1:3).

z. Os ímpios podem professar fé (ver Atos 8:13,21); mas, na realidade, estão destituídos dela (João 10:25; 12:37; Atos 9:9 e II Tes. 3:2).

10. A fé e as obras

A fé não é alguma nova espécie de obra que agrade a Deus mais do que as obras legalistas, de tal modo a tornar-se em «mérito», sobre cuja base Deus nos daria na salvação. Pois a verdadeira base da salvação é a graça, e isso por causa da expiação pelo sangue de Cristo (ver Efé. 2:8 e Rom. 3:25). A fé é o instrumento que recebe tal bênção, não sendo base ou mérito para tal recebimento. A fé é, naturalmente, *produtiva* por sua própria natureza inerente, pelo que produz o fruto das boas obras. Não existe tal coisa como fé sem santificação; pois a santificação é o meio mesmo da salvação (ver II Tes. 2:13). A fé estéril não é a fé salvadora. A fé não é *credal*, mas é a operação do Espírito de Deus, feita no homem interior, mediante o que começa a ser efetuada a transformação do crente segundo a imagem de Cristo.

FÉ

Oh, mundo, não escolheste a melhor parte;
Não é sábio ser apenas sábio,
E fechar os olhos para a visão interior,
Mas é sabedoria acreditar no coração.
Colombo achou um mundo, e não tinha mapa,
Salvo o da fé, decifrado nas estrelas;

FÉ — FÉ NA FILOSOFIA e NA TEOLOGIA

Confiar na empresa invencível da alma
Era toda a sua ciência, toda a sua arte.
Nosso conhecimento é uma tocha fumegante
Que ilumina o caminho um passo de cada vez,
Através de um vazio de mistério e espanto.
Ordena, pois, que brilhe a luz terna da fé,
A única capaz de dirigir nosso coração mortal
Aos pensamentos sobre as coisas divinas.

(George Santayana)

Fé em Hebreus 11:1

Ora, a fé é o firme fundamento das coisas que se esperam, e a prova das coisas que não se vêem.

A palavra «fé» ocorre por duzentas e quarenta e quatro vezes nas páginas do N.T.; mas o conceito de fé, mediante o uso de outros termos, ainda é mais freqüente. A fé, em seus muitos aspectos, conforme é demonstrado acima, é um dos princípios mais importantes do N.T. Por toda a parte se insiste sobre essa qualidade e se requer a mesma. A fé indica a apropriação de tudo quanto Deus nos oferece por meio de Cristo. É a completa outorga da alma aos cuidados do Senhor.

A fé é a certeza de cousas que se esperam. O grego, aqui traduzido por «certeza» é **upostasis**, palavra grega comum para indicar a «natureza real» ou «natureza essencial» de alguma coisa, com freqüência traduzida por «substância». Significa «realidade» de algo, em contraste com seus meros «acidentes». Este último termo indica algo «não essencial» à existência de qualquer coisa como a cor e outros aspectos superficiais. No trecho de Heb. 1:3, esse vocábulo é usado para falar sobre o ser de Cristo, como a exata «substância» do ser do Pai, o que é indicação extremamente clara de sua divindade. (Ver o artigo sobre a *Divindade de Cristo*). O uso dessa palavra por parte do autor parece indicar que para a fé como algo que dá «substância» às realidades invisíveis, em nosso consciente. A fé «consubstancia» o mundo eterno e invisível para nós, trazendo até nós as suas realidades, como se ele realmente se fizesse presente, embora continue ausente. A fé é o meio que dispomos para «ver», «aceitar» e «aplicar» o mundo invisível; é o meio através do qual «vivemos segundo as dimensões eternas». Portanto, a fé é mais do que «certeza». Esta é um dos resultados da fé. Temos certeza e convicção sobre o mundo espiritual e suas exigências, a nós impostas; e isso nos vem pela fé; mas a fé nos traz essa «realidade», que fica «consubstanciada», ao passo que, para outras pessoas, tal realidade permanece uma teoria, ou mesmo um sonho louco.

O Mar da Fé

O Mar da Fé
Antes também esteve cheio, e em volta da praia da terra
Jazia como as dobras de um brilhante cinto enrolado
Mas agora ouço somente
Sua melancolia, seu longo e retirado rugido,
Retrocedendo, para o hálito
Do vento noturno, descendo pelas vastas beiradas
E pelos cobreiros nus deste mundo.
Ah, amor, sejamos sinceros
Uns para os outros! pois este mundo, que parece
Estender-se à nossa frente qual terra de sonhos,
Tão variegada, tão bela, tão nova,
Na realidade não tem alegria, ou amor, ou luz,
Ou certeza, ou paz ou ajuda para a dor;
E nos encontramos aqui como em uma planície escura

Eivada de alarmes confusos de luta e fuga,
Onde exércitos ignorantes se chocam de noite.

(Matthew Arnold, *Dover Beach*)

FÉ (PARA OS FILÓSOFOS E TEÓLOGOS)

Ver o artigo geral sobre Fé. Oferecemos aqui alguns pontos de vista específicos sobre várias personagens bem conhecidas do mundo da filosofia e da teologia, quanto a essa questão.

Essa palavra vem da raiz latina *fidere*, «confiar». Na filosofia, usualmente essa palavra indica uma atitude de confiança que vai além das evidências empíricas disponíveis, embora possam manifestar-se evidências da razão, da intuição e do misticismo. O inter-relacionamento entre a fé, razão e o empirismo tem uma longa história na filosofia.

1. Nos escritos de *Paulo*, a fé consiste em uma espécie de outorga da alma aos cuidados de Cristo, uma certa disposição interna, espiritual, insuflada pelo Espírito de Deus, que põe fim ao modo legalista da justificação, que parecia transparecer no Antigo Testamento.

2. *Tertuliano* (que vede) não acreditava que a fé precisa de evidências racionais ou empíricas, visto que, segundo sua estimativa, a doutrina de Deus pode parecer absurda a alguém, mas, mesmo assim, continuar sendo verdadeira. Com base nessa atitude é que temos a sua famosa declaração: *Credo quia absurdum est*, ou seja, «Creio, porque é absurdo».

3. *Agostinho* (que vede) via a fé como um pré-requisito do entendimento. A mente cética deixa seu possuidor em trevas espirituais. Por isso, ele dizia: *Credo ut intelligam*, ou seja, «Creio, a fim de entender». Vários outros filósofos teólogos da antiguidade refletiram esse sentimento, incluindo Anselmo (que vede).

4. *Tomás de Aquino* (que vede) pensava que a fé e a razão se complementam, que a razão dá apoio à fé, quando as idéias são razoáveis. Entretanto, existem algumas grandes doutrinas, como a da trindade, através da revelação bíblica, que não são irracionais, a despeito de não estarem sujeitas à análise racional (por serem superiores à nossa capacidade de raciocínio).

5. *Boaventura* (que vede) pensava que a fé é essencial para que alguém postule as perguntas certas e para que sejam evitadas as alternativas falsas, nos casos em que é mister fazer escolhas.

6. *Herbert de Cherbury* (que vede) acreditava no primado da razão, supondo que a mesma serve de norma segura para a verdade. Da razão procederíamos para uma fé aceitável para toda a humanidade.

7. *Pascal* (que vede) cria que o coração tem suas razões (por meio da intuição) que a razão desconhece inteiramente.

8. *John Toland* (que vede) supunha que a verdadeira fé pode e deve ser confirmada pela razão. De outra sorte, a fé poderia estar crendo em alguma coisa que não corresponde à verdade dos fatos.

9. *Ritschl* (que vede) asseverava que a fé e a razão ocupam esferas diferentes no campo do conhecimento, e que cada qual é autônoma em sua própria esfera.

10. *Troeltsch* (que vede) acreditava no depósito sempar do conhecimento da fé cristã. A fim de aprender sobre a natureza desse depósito, ele postulava uma espécie de dialética entre os estudos e as experiências históricas e os estudos e as experiências religiosas.

11. *Unamuno* (que vede) encarava o conflito contínuo e sem solução, entre a fé e a razão, como algo que conduz o indivíduo ao «senso da tragédia da

FÉ NA FILOSOFIA E NA TEOLOGIA

vida».

12. *Buber* (que vede) substituía a confiança incondicional por qualquer tipo de fé que precise da ajuda da razão e de outros meios.

13. *Tillich* (que vede) baseava a razão sobre a fé. A esse tipo de raciocínio ele chamava de *theonomous* (da lei divina), em contraste com as formas de razão designadas autônoma e herônima.

14. *Nos escritos de muitos teólogos*, bem como no cristianismo popular, a fé consiste na crença em certo número de doutrinas. E o conjunto dessas doutrinas recebe o nome coletivo de «fé».

15. *William James* (que vede) referia-se à «vontade de acreditar», mediante essa atitude a pessoa poderia ir além das evidências disponíveis. Esse ato seria efetuado quando alguém busca verdades tentativas que possam tornar-se úteis para a estrutura intelectual do indivíduo, quando podem ter aplicações práticas para a vida diária. Mesmo que eu não tivesse certeza sobre a existência da alma, e mesmo que não houvesse evidências adequadas para comprovar a sua existência, ainda assim eu deveria acreditar nela, porque a crença na imortalidade é muito útil e reveste-se de grande caráter prático na vida. Tal crença nos fornece um senso de confiança, de valor na vida, de esperança quanto ao futuro, além de ser a base mesma da moralidade.

16. *George Santayana* (que vede) referia-se à necessidade de uma *fé animal*, de acordo com a qual verdades tentativas são aceitas sem quaisquer provas empíricas. Essa fé isentaria o indivíduo de todos os solipsismos e dilemas.

17. *Tennant* (que vede) acreditava que a fé é um elemento volitivo que se faz presente em todo tipo de conhecimento.

FÉ (Posições Católica Romana e Protestante)

1. Na Teologia Católica Romana. Na doutrina católica romana, a fé equivale ao assentimento diante da verdade divinamente revelada. A fé é ali definida pela Igreja, por meio da autoridade nela investida. Portanto, haveria somente uma fé, a qual não seria deixada ao sabor de qualquer indivíduo ou grupo, para ser interpretada ou reinterpretada. A interpretação da *fé* processar-se-ia através das Escrituras, dos concílios, das tradições e dos decretos papais, os instrumentos divinamente determinados para salvaguardar a interpretação da verdade que nos foi dada em Cristo. Alguns itens da fé transcendem à razão (a maioria não faz isso), mas, nesses casos, a verdade não se mostra irracional. Naturalmente, nem todos os intérpretes católicos têm crido na racionalidade necessária da fé. Ver o artigo sobre *Fé* (*Para os Filósofos e Teólogos*). —Mas, de acordo com Tomás de Aquino (o principal teólogo filósofo dos católicos romanos), a fé consiste em uma atitude e em um ato razoáveis, e não em um salto no escuro, que deixa alguém crendo no que não é verdade. Mas, sendo o homem uma criatura decaída, precisa da ajuda divina para adquirir fé. Portanto, a fé precisa ser divinamente inspirada. É mister que a virtude seja insuflada no homem, para que ele tenha a fé salvadora. A fé explícita é a aceitação inteligente da definição da verdade, por parte da Igreja, incluindo suas várias categorias e subcategorias. Mas também existe a *fé implícita*, que seria natural a todos os homens, sem qualquer inspiração divina, incluindo a crença básica na existência de Deus, e no fato de que ele recompensa o bem e castiga o mal. Esse tipo de fé não salva, mas põe o indivíduo *no caminho da*

salvação, preparando-o assim para as virtudes infundidas. O trecho de Hebreus 11:6 apresenta um mínimo de fé implícita: Deus existe, recompensa e castiga. Isso ainda não salva, mas orienta a pessoa na direção da salvação.

2. Na Teologia Protestante. Quando questões de fé e de crença são deixadas aos cuidados do indivíduo, e não aos cuidados de algum grupo religioso, a fragmentação inevitavelmente tem lugar. A teologia protestante clássica deposita uma grande dose de confiança na Bíblia, que é a Palavra de Deus, e também no poder que o Espírito tem para interpretá-la corretamente. Cada indivíduo torna-se a sua própria autoridade, embora a opinião da comunidade evangélica seja útil para ajudar cada indivíduo a interpretar corretamente a Bíblia. Por outra parte, as decisões dos concílios, as tradições, etc., são apenas sugestões interpretativas, para serem respeitadas, mas não para serem seguidas rigidamente. Os grupos protestantes proclamam em alto e bom som, que *somente as Escrituras* são a fonte da fé e das crenças; mas, na prática real, o que realmente vale é o que o meu grupo particular *interpreta* sobre as Escrituras. Isso explica as opiniões tão diferentes, sobre muitos pontos de doutrina, entre os grupos protestantes. Isso significa, por sua vez, que não existe tal coisa como fé sem uma interpretação embutida, explícita ou implícita, proclamada ou não proclamada. Ver o artigo geral sobre a *Autoridade*, quanto a sugestões que orientam nossos pensamentos acerca da questão.

Os teólogos protestantes sempre enfatizaram que a fé envolve um certo relacionamento pessoal com Cristo, como parte da conversão (constituída por arrependimento e fé), tudo como operação do Espírito. Essa é a ênfase correta, que impede que caiamos vítimas da teologia popular (católica romana ou protestante), segundo a qual a fé degenera em mero assentimento a um conjunto de crenças (ou credo), que, presumivelmente, teriam poder salvador, se fossem crenças *ortódoxas*. Apesar da fé envolver um conjunto de crenças, quanto menos estiver vinculada a credos, mais provavelmente essa fé será vital.

De acordo com a *teologia protestante*, a razão desempenha um papel menos pronunciado do que na teologia católica romana. Os protestantes têm simpatizado com a declaração de Tertuliano: «Creio porque é absurdo», supondo que a fé ultrapassa à razão, podendo até mesmo contradizer a razão humana. O perigo envolvido nessa posição é a *subjetividade*. Muitos caem nesse abismo, acreditando verdadeiramente que aquilo que sentem subjetivamente, necessariamente, reflete a própria verdade. Disso é que se origina o fanatismo. Confiança de todo o coração é o fundamento do *pietismo* (que vede). A crença rígida em algum credo é a fé do evangelicalismo popular. Como conseguir o ponto de equilíbrio entre a confiança de todo o coração e a ortodoxia é um dos principais problemas da teologia. (Ver o artigo geral sobre a *Fé*).

Os protestantes também têm se mostrado simpáticos com a abordagem de Emanuel Kant, de acordo com a qual, a fé não requer provas empíricas. Os católicos romanos crêem que a existência de Deus (e outros importantes itens da fé) está sujeita a demonstrações racionais e empíricas. Mas os protestantes pendem mais para a posição kantiana de que as asserções metafísicas não estão sujeitas à demonstração, precisando ser postuladas por meio de afirmações intuitivas e místicas. (C E EP P TIL)

••• ••• •••

FÉ — FÉ, UTILIDADE DA

FÉ, MEIO DA SALVAÇÃO

Mediante a fé, Efé. 2:8. O fato de que a graça e a salvação são *mediadas* pela fé é doutrina paulina comum; e o fato de que isso se dá de modo «independente» das obras humanas também é doutrina de Paulo. (Ver o artigo sobre *Fé* e as referências em: Rom. 3:22,24; 4:3,5; 5:1; Heb. 11:1). Acerca das presentes palavras, devemos considerar os pontos abaixo:

1. A fé não é alguma nova forma de «mérito», em substituição às «obras», como se a fé agradasse a Deus mais do que a obras, sendo aceita em lugar delas. É verdade que o ato de exercer fé, de ter uma alma receptiva para com a verdade espiritual, é algo agradável aos olhos de Deus; mas ninguém «agrada a Deus» de tal modo que só por isso venha a ser aceito no Amado. (Ver Efé. 1:6).

2. O *meio* da salvação não é a fé humana. Esse meio é aquilo que Cristo realizou mediante sua vida, morte e ressurreição. Portanto, a «fé» não é a «causa» da salvação. A graça divina é que é essa causa, aquele fator que confere favor e dons espirituais gratuitos aos homens, conforme Efé. 2:8 deixa claro. (Ver Efé. 1:7 no NTI em suas notas expositivas, quanto ao *meio* da salvação, onde é frisada a «expiação». E Rom. 5:11 conta com a nota de sumário sobre esse tema). A passagem de Rom. 6:3 mostra-nos que a ressurreição de Cristo nos dá vida, e isso por causa de nossa comunhão mística com ele. Tais questões estão envolvidas no «meio» da salvação, em suas «causas».

3. A fé não é a «substância» da nossa salvação, porquanto é a justiça de Deus que provoca a nossa transformação metafísica segundo Cristo (ver Rom. 3:21 e 8:29).

4. A fé serve mais de *instrumento* da salvação; em outras palavras, é aquilo que traz a salvação aos homens, aquilo que faz os homens receberem-na. A fé e o arrependimento são os dois lados da «conversão», o que é amplamente comentado em João 3:3-5 no NTI. A fé é o reconhecimento, por parte da alma, daquilo que Cristo é, e por causa do que ela entrega aos cuidados dele, todos os desejos e o destino da própria existência. Assim, quando a alma se entrega aos cuidados de Cristo, e dá-se o «arrependimento» por causa disso, então o indivíduo se «converteu». Esse é o primeiro passo da salvação, e o seu impulso é a «fé». Portanto, o justo *vive pela fé*, e também *de fé em fé* (ver Rom. 1:17), de tal modo que o processo inteiro da salvação, em seus muitos aspectos, da santificação à glorificação, é recebido e concretizado para o indivíduo mediante uma fé sempre crescente. E essa fé, basicamente, indica a outorga ativa da própria alma aos cuidados de Cristo, com base no reconhecimento de sua pessoa e das obrigações que Cristo impõe aos homens.

A mão de um homem é capaz de trabalhar e de realizar muitas coisas. Entretanto, a mão não funcionará a menos que seja impulsionada pelos músculos e pelos nervos. E os músculos e os nervos operam por causa de sinais enviados pelo cérebro. Por igual modo, para que a salvação ocorra, é mister o «impulso» da fé, e de sua «instrumentalidade», porque, de outra maneira, nada poderá ser efetuado.

Uma tradução exata de Efé. 2:8 diria: *mediante a graça*, destacando o artigo definido. Pois aqui a graça é definida e limitada, e essa limitação é expressa neste texto, nos vss. 4-6. Considere os pontos seguintes: 1. A *misericórdia* e o *amor* de Deus, ambos abundantes, formam, juntamente, a graça divina. 2. A nossa ressurreição em Cristo, ou seja, a nossa comunhão mística com a sua vida, aplica a graça

divina às nossas vidas. 3. A nossa glorificação em Cristo haverá de completar a operação da graça. É «essa graça» que envolve os elementos sobre os quais Paulo falava, a grande obra de Cristo, em seus variegados aspectos, feita graciosamente em favor dos homens, com base na misericórdia e no amor de Deus. Essa é «a graça» a respeito da qual Paulo falava.

FÉ, UTILIDADE DA

Rom. 4:22: *Pelo que também isso lhe foi imputado como justiça.*

Quanto as notas expositivas sobre aquela «justiça» que é de Deus, e que o Senhor dá e implanta no coração dos remidos, ver Rom. 3:21 no NTI. E sobre como essa justiça produz a nossa «justificação», ver os trechos de Rom. 3:24 e 28. E sobre como essa operação justificadora de Deus se baseia na «expiação pelo sangue de Cristo», ver Rom. 3:25. Quanto à demonstração da retidão de Deus, ao tratar com os homens segundo esse método de justificação «pela fé», ver Rom. 3:25. Acerca de como esse princípio da «fé» exclui o princípio das «obras», isto é, como um sistema torna o outro impossível, ver Rom. 4:4,14. Quanto ao fato de que a justificação necessariamente inclui o «arrependimento e o perdão dos pecados», ver Rom. 4:7. E, finalmente, quanto ao ensino bíblico sobre a «imputação», ver Rom. 4:3.

Somente a fé mais genuína é autêntica, aquela formada por meio da atuação do Espírito Santo, pode servir de base da justificação; e, no trecho de Rom. 4:18-21, o apóstolo Paulo tomou por propósito demonstrar quando essa fé é genuína. Essa demonstração consiste na observação de sua operação prática, porquanto é somente através desse meio que a fé pode ser demonstrada. A fé autêntica deve ser algo mais do que a mera aceitação mental de determinados fatos sobre Jesus; deve ser mais do que a mera profissão pública de fé em algum credo. Deve provir do nível da própria alma, como parte real da expressão da alma, acompanhada de evidências práticas na vida diária.

Naturalmente, o apóstolo Paulo deixa entendido que a mera obediência ao princípio da lei jamais pode produzir um caráter da natureza daquele que teve Abraão; mas antes, essa suprema vida de fé, que tanto os judeus admiravam, é produto da renovação do ser interior, da regeneração, que é uma *operação viva*, efetuada pelo Espírito Santo na alma do indivíduo. Paulo deixou claro que a vida alicerçada sobre o princípio da obediência legalista pode-se caracterizar pela «incredulidade», a despeito de suas pretensões, e que isso não obtém favor algum aos olhos de Deus. Abaixo citamos algumas proposições de *João Bunyan*, que contrastam a fé com a incredulidade:

«Desejo apresentar neste momento, ao leitor cristão, uma descrição mais particular sobre as qualidades negativas da incredulidade, confrontando-a com a fé, nos seguintes pontos particulares:

1. A fé confia na Palavra de Deus, mas a incredulidade põe em dúvida a certeza da mesma.

2. A fé põe crédito na Palavra, porque ela é verdadeira; mas a incredulidade dela duvida, porque ela é verdadeira.

3. A fé vê mais ajuda na promessa de Deus do que impedimentos que poderiam se apresentar; mas a incredulidade, a despeito da promessa de Deus, pergunta: Como podem suceder essas coisas?

4. A fé nos leva a perceber o amor, no coração de

FÉ, UTILIDADE DA — FÉ IMPLÍCITA

Cristo, quando ele, com a sua boca, nos repreende; mas a incredulidade imagina a ira no coração de Deus quando, com a sua boca e em sua Palavra ele declara que nos ama.

5. A fé ajuda a alma a esperar em Deus, ainda que Deus adie a doação; a incredulidade, porém, dá de ombros e rejeita a tudo, se porventura Deus se demora mais um pouco.

6. A fé nos outorga consolo, em meio mesmo aos temores; mas a incredulidade provoca temores em meio mesmo aos consolos.

7. A fé sente a doçura da vara de Deus; mas a incredulidade não se pode consolar ante as maiores misericórdias divinas.

8. A fé torna leve as maiores cargas; mas a incredulidade torna as cargas leves em intoleravelmente pesadas.

9. A fé nos ajuda quando nos sentimos desanimados; mas a incredulidade nos desanima em meio ao sucesso.

10. A fé nos aproxima de Deus, mesmo quando estamos afastados dele; mas a incredulidade nos afasta de Deus, mesmo quando estamos próximos dele.

11. A fé leva um homem para debaixo da graça divina, mas a incredulidade nos segura sob a ira de Deus.

12. A fé purifica o coração; a incredulidade, porém, nos mantém poluídos e impuros.

13. A fé torna nossas obras aceitáveis a Deus, por intermédio de Cristo; porém, todos quantos são incrédulos vivem no pecado, porque sem fé é impossível agradar a Deus.

14. A fé nos outorga paz e consolo na alma; mas a incredulidade provoca a *angústia* e a agitação tão grande como a das ondas bravias do mar.

15. A fé nos capacita a ver a preciosidade de Jesus Cristo; mas a incredulidade não vê nele nem forma e nem beleza alguma.

16. Pela fé a nossa vida é cheia da plenitude de Cristo; mas, devido à incredulidade podemos morrer famintos e ressequidos.

17. A fé nos outorga a vitória sobre a lei, sobre o pecado, sobre a morte, sobre Satanás e sobre todos os males; mas a incredulidade nos torna sujeitos a todas essas coisas.

18. A fé nos exibe a maior excelência naquelas coisas que se não vêem do que naquelas que são visíveis; mas a incredulidade vê muito mais nas coisas *que agora são* do que nas coisas do porvir.

19. A fé torna os caminhos de Deus agradáveis e admiráveis; a incredulidade, contudo, torna-os pesados e enfadonhos.

20. Pela fé, Abraão, Isaque e Jacó possuíram a terra da promessa; mas, devido à incredulidade, nem Aarão, nem Moisés e nem Miriã puderam chegar até ali.

21. Pela fé, os filhos de Israel passaram pelo mar Vermelho; mas, por causa da incredulidade, praticamente todos eles pereceram no deserto.

22. Pela fé, Gideão realizou mais, com trezentos homens e alguns poucos cântaros vazios, do que todas as doze tribos de Israel poderiam ter feito, devido à sua incredulidade, pois não criam em Deus.

23. Pela fé, Pedro andou sobre as águas do mar; porém, devido à incredulidade, começou a *afundar*».

(João Bunyan, em uma lista parcial, extraída de seu livro, *Vinde e Dai as Boas Vindas a Jesus Cristo*).

«A fé é a única faculdade mediante a qual nós podemos agarrar em Deus. Pois assim lemos em Isa. 27:5: 'Ou que homens se apoderem da minha força, e façam paz comigo; sim, que façam paz comigo'. Todavia, não podemos chegar à sua grandeza, porquanto somos pó. Não podemos olhar para o seu rosto, pois ele habita em luz inacessível. Não podemos apreender a sua sabedoria, pois ela é infinita, incompreensível, e os 'raciocínios dos sábios (no que diz respeito a Deus) são vãos'. Por conseguinte, como podemos nos agarrar a Deus? 'Confiando' nele! O mais fraco dos homens pode 'crer' naquilo que Deus lhe diz! Louvado seja o seu bendito nome! A fé, a simples fé, nos liga com o Deus Todo Poderoso». (Newell).

FÉ DE ABRAÃO, Rom. 4:16 ss

Qual teria sido o objeto da fé de Abraão? Em que se teria escudado, ao exercer essa fé? Consideremos os pontos abaixo:

1. Abraão creu que existe um Deus pessoal que se revela, um Deus operador de maravilhas, que tem o poder de produzir nova vida e salvação da alma.

2. Abraão creu que a promessa que lhe fora feita por Deus se cumpriria.

3. Abraão creu que essa promessa dizia respeito particularmente ao fato de que a sua descendência se tornaria uma *numerosa* nação, — e que ele mesmo, espiritualmente falando, se tornaria progenitor de todos os crentes, de todos os homens regenerados, incluindo a igreja de Cristo.

4. Abraão confiou no tocante à promessa do nascimento de Isaque, e então, posteriormente, confiou no tocante à sua ressurreição, uma vez que Isaque fosse sacrificado. Tudo isso simbolizava Cristo, naturalmente.

5. Abraão se entregou genuinamente de alma ao princípio divino, e é disso que consiste a fé (ver o artigo sobre a *Fé*).

6. Ele pôde entrever a Cristo, e alegrou-se ante o conhecimento que obteve de Cristo. Essa é a fé evangélica (ver João 8:56). Não sabemos até que ponto era clara essa visão de Abraão, mas o fato é que ela envolvia discernimento profético.

Todas essas considerações capacitam-nos a entender que o apóstolo Paulo asseverava ter havido, por parte de Abraão, uma fé do tipo *evangélico*, ainda que a fé dele deva ser considerada — imperfeita, comparativamente com a revelação divina de que dispõem os crentes atualmente.

FÉ E CONHECIMENTO

Quanto a inter-relacionamento que há entre a fé e o conhecimento, ver os artigos, **Fé (Para os Filósofos e Teólogos, e Conhecimento e a Fé Religiosa.**

FÉ EXPLÍCITA

Durante a Idade Média, era requerido um padrão de clero mais alto, que exigia a aceitação inteligente (intelectual) das doutrinas aceitas pela Igreja. Isso incluía a concordância com o claro delineamento dos detalhes dessas doutrinas. Contrastar com a *fé implícita* (que vede).

FÉ IMPLÍCITA

De acordo com a teologia católica romana, pressupõe-se a existência da fé em qualquer indivíduo que satisfaça duas condições básicas da crença: 1. que

FÉ SALVADORA — FEBE

Deus existe; 2. que Ele galardoa àqueles que O buscam. Se uma pessoa agir segundo essa fé inerente, poderá entrar no *caminho* da salvação de tal modo que, finalmente, venha a exercer plena fé cristã. A fé implícita ainda não garantiria a salvação mas possibilitaria aos homens galgarem a uma fé mais elevada. Essa doutrina, naturalmente, está alicerçada sobre a declaração de Hebreus 11:6: «...porquanto é necessário que aquele que se aproxima de Deus creia que ele existe e que se torna galardoador dos que o buscam». Ver sobre a *Fé Explícita*, que consiste na aceitação das doutrinas da Igreja, conforme ensina a Igreja Católica Romana.

FÉ SALVADORA

Em contraste com a ênfase católica romana não sofisticada sobre a fé, como se fosse, primariamente, uma submissão intelectual às doutrinas cuja veracidade é garantida pela autoridade supostamente infalível da Igreja (o amor seria o princípio animador da fé e a Igreja seria o padrão de toda a crença), os teólogos protestantes sempre afirmaram que só pode haver a *fé que salva* quando o conhecimento da Palavra de Deus (*notitia*) e o reconhecimento de que a Palavra é veraz (*assensus*), combinam-se com a confiança pessoal (*fiducia*) na graça salvadora de Deus, em Cristo Jesus. Outrossim, a confiança pessoal é considerada como um produto (ou inspiração) do Espírito Santo, de tal maneira que a fé é uma obra divina, e não um esforço humano. Contudo, no protestantismo não sofisticado a fé também tem sido reduzida à crença em um credo ortodoxo (tal como no catolicismo romano), atitude essa que prevalece poderosamente no mundo evangélico dos nossos dias. Por outra parte, a teologia católica romana sofisticada, apesar de continuar enfatizando a autoridade da Igreja, como aquela que define todas as questões de fé e de prática, inclui, em seu sistema, as mesmas coisas que temos descrito acima (a *notitia*, o *assensus* e a *fiducia*). Ver o artigo geral sobre a *Fé*.

FEBE

Rom. 16:1: *Recomenda-vos a nossa irmã Febe, que é serva da igreja que está em Cencréia*;

O apelativo feminino «...*Febe*...» (cujo sentido grego é *brilhante*), como epíteto da deusa Artemisa, deusa da lua e da caça, é aqui o nome de uma crente que supostamente foi a portadora da epístola aos Romanos. Ela poderia ter sido a portadora dessa epístola aos Romanos ainda que este décimo sexto capítulo não fizesse parte integrante da epístola que ela transportou consigo. (Quanto a uma discussão completa sobre esse problema, cujo conhecimento é algo absolutamente necessário para que se compreenda este décimo sexto capítulo, ver a introdução a este décimo sexto capítulo no NTI).

Febe, que talvez estivesse de viagem para a cidade de Roma, poderia ter sido escolhida para ser a portadora da epístola aos Romanos. E Paulo pode ter escrito também uma carta de apresentação para ela, que seria o nosso atual décimo sexto capítulo da epístola aos Romanos, tendo-a endereçado para igrejas cristãs da Ásia Menor, onde as atividades de Febe se concentrariam mais. Não obstante, nada mais sabemos acerca dela e do que este versículo primeiro subentende. É possível que ela fosse uma mercadora ambulante, mais ou menos da mesma categoria de Lídia, a vendedora de púrpura, sobre quem lemos em Atos 16:14,40. As viagens de Febe talvez a levassem sobretudo a localidades da Ásia Menor, que seria também sua pátria de origem. Mas a capital do império também poderia ser uma cidade que ela visitava com freqüência. Tendo ela passado por Corinto, onde se encontrava então o apóstolo Paulo, é possível que esse apóstolo lhe tenha solicitado que fosse a portadora da epístola aos Romanos, como um favor especial.

Por causa dessa circunstância, pois, é que a carta de apresentação, que é a *pequena epístola*, embora visasse especificamente localidades da Ásia Menor, terminou por ser vinculada à «epístola maior», — que denominamos de epístola aos Romanos.

Precisamos admitir, entretanto, que essa idéia não se reveste de grandes probabilidades. Parece muito mais lógico, e de conformidade com a própria epístola, com suas muitas saudações e com sua advertência acerca dos falsos mestres, supormos que essa «pequena epístola» foi puramente uma epístola de saudações às igrejas cristãs da Ásia Menor, que visava mais particularmente, talvez, a igreja de Éfeso. Neste último caso, este décimo sexto capítulo não teria conexão alguma com a epístola aos Romanos.

Não obstante, em favor daquela primeira idéia, temos a observar que o vigésimo segundo versículo do décimo sexto capítulo menciona «Tércio» como o amanuense que realmente escreveu o que Paulo lhe ditara. Pois teria realmente o apóstolo se utilizado de um amanuense para escrever tão minúscula epístola? Parece muito mais provável que Paulo se tivesse utilizado de Tércio para escrever tanto a epístola mais longa como a epístola mais breve, a nossa epístola aos Romanos, até o seu décimo quinto capítulo, e a carta de introdução ou apresentação de Febe, que é o nosso décimo sexto capítulo de Romanos.

Depois de toda essa exposição de argumentos favoráveis e contrários, precisamos confessar que não existe qualquer maneira adequada de encontrar solução para esse problema.

Nada sabemos a respeito de Febe senão aquilo que nos é dito **aqui**, em Rom. 16:1,2. Ela desempenhava um papel ativo na igreja de Cencréia, como diaconisa, o que provavelmente indica uma posição oficial feminina, similar à dos diáconos. Febe também se mostrava generosa em sua hospitalidade, tendo ajudado a muitos crentes, incluindo o próprio apóstolo dos gentios. Entre outras coisas, mui provavelmente isso indica assistência financeira e obras de caridade.

No entanto, para alguns estudiosos, o termo «diaconisa» subentende um período posterior ao período apostólico, não sendo uma das características do governo eclesiástico dos dias de Paulo. Nesse caso, Febe teria sido assim chamada para indicar que ela era pessoa extraordinariamente generosa, não visando qualquer sentido oficial, mas tão-somente alguém que costumava ser de grande ajuda para os irmãos na fé. Não há maneira, além disso, de determinarmos o tipo de *negócio* ou atividade comercial que ela explorava e o que a teria levado a fazer aquela viagem a Roma. (Ver Romanos 16:2). — Todavia, é possível que seu negócio se assemelhasse ao de Lídia (ver Atos 16:4,40), uma negociante em objetos de interesse feminino.

Paulo forneceu a Febe uma carta de apresentação, pelo menos por três razões:

1. Naquela época abundava um grande número de impostores, que se fingiam cristãos. Esses elementos exploravam a boa vontade dos crentes, obtendo abrigo e, algumas vezes, até mesmo doações em dinheiro, narrando histórias fraudulentas, a fim de obterem a simpatia de um povo inocente, já

701

FEBE — FEBRONIANISMO

naturalmente simpático para com todos quantos se diziam cristãos. Há uma *sátira*, escrita no segundo século da nossa era, pelo escritor pagão Lúcio («*A Passagem do Peregrino*»), que aborda exatamente esse tema. Essa sátira mostra-nos como certo impostor explorou a credulidade de certos grupos cristãos, para benefício próprio. Ora, cartas de apresentação serviam de garantia contra tais indivíduos.

2. Havia a necessidade da hospitalidade cristã, em favor de irmãos na fé, porquanto as antigas hospedarias viviam infestadas de prostitutas, assaltantes e outros elementos desagradáveis e perigosos.

3. Evidentemente a irmã Febe tinha necessidade de alguma ajuda específica, em qualquer negócio que a forçava a viajar de um lugar para outro.

Diaconisas na igreja cristã primitiva? Não possuímos qualquer informação segura que nos permita saber se esse era um cargo oficial e formal, no tempo dos apóstolos, conforme certamente chegou a ser em séculos subseqüentes. Alguns eruditos opinam que o trecho de I Tim. 3:11, onde lemos «Da mesma sorte, quanto a 'mulheres', é necessário que sejam respeitáveis», etc., é uma referência direta à existência de «diaconisas» na igreja primitiva, tal como a porção anterior desse mesmo capítulo tece considerações sobre os «diáconos», bem como sobre os outros ofícios ocupados por varões nas congregações cristãs.

Há evidências de que em cerca de 111 D.C. o cargo de *diaconisa* existia oficialmente na igreja cristã. Plínio, governador da Bitínia, registrou que interrogara, sob torturas, duas mulheres que eram chamadas «diaconisas», na igreja cristã. Seu interrogatório dizia respeito à natureza dos «ritos» cristãos. (Ver Epístola xci). Evidentemente Plínio procurava provas sobre supostas práticas de canibalismo, o que, sem dúvida, fora uma suspeita provocada por uma interpretação pervertida, da parte de alguns pagãos, no que tange à Ceia do Senhor.

Por semelhante modo, as chamadas *Constituições Apostólicas*, que pertencem a uma época posterior, mencionam a existência de *diaconisas* nessa época, nos fins do segundo século da era cristã. Mais tarde ainda, esse encargo se tornou oficial na igreja cristã. (Ver Constituições Apostólicas 2.26 e 3.7,15). Nesse mesmo documento aprendemos que algumas funções, existentes na igreja primitiva, eram consideradas melhor ocupadas por mulheres, como no caso do batismo de outras mulheres, certos serviços sociais que requeriam aos crentes que entrassem nas câmaras das mulheres, ou como a apresentação de mulheres ao diácono ou pastor das igrejas locais. As Constituições Apostólicas, por igual modo, descrevem a «ordenação» de tais mulheres, tal como certos varões eram ordenados para diversos dos ofícios eclesiásticos. Essas Constituições Apostólicas consistem em oito volumes, os quais abordam questões litúrgicas, doutrinárias e instruções morais, com data do século III D.C., ou quando muito, dos fins do segundo século de nossa era.

As responsabilidades dessas *diaconisas*, conforme se mencionou mais acima, se centralizaram em torno dos membros femininos das igrejas cristãs. Eram elas as «supervisoras» de mulheres, de uma maneira que homens não poderiam fazer. Também lhes cabia o cuidado pelos pobres, ministrando aos enfermos, cuidando dos mártires e confessores nas prisões, instruindo aos catecúmenos, batizando outras mulheres, e fazendo outras coisas de natureza semelhante. Provavelmente, a maioria dessas *diaconisas* provinha de mulheres de mais idade, certamente sendo quase todas pertencentes à classe das viúvas.

Crisóstomo (407 D.C.), quando era pastor da igreja de Constantinopla, contava, como seus assistentes, com quarenta diaconisas e oitenta diáconos. Depois de sua época, devido ao desenvolvimento do eclesiasticismo no meio cristão, houve a gradual substituição desses diáconos e diaconisas por freiras e diáconos, os quais representam ofícios de natureza mais puramente clerical, mais formal. Até os tempos de Vicente de Paula (1576-1660), tais pessoas viviam em clausura. Vicente, entretanto, formou uma sociedade de mulheres não enclausuradas, para funcionarem como diaconisas, que ministravam aos pobres e enfermos, as quais, com o tempo, vieram a receber o título de «irmãs de caridade».

Depois da Reforma Protestante, alguns grupos protestantes retiveram o encargo oficial de *diaconisas*, como sucedeu entre os menonitas, na Holanda, como também entre alguns grupos da igreja anglicana. Posteriormente, alguns grupos luteranos também adotaram essa prática. Em 1940, havia cerca de cinqüenta mil diaconisas luteranas na Alemanha, na Holanda, na Escandinávia, na Suíça e nos Estados Unidos da América do Norte. Existem outros grupos protestantes modernos, como alguns grupos presbiterianos, metodistas e anglicanos, que têm formado diaconisas, visando, especialmente, a trabalhos que envolvam questões de misericórdia e caridade.

Sem importar se esse ofício de *diaconisa* existia ou não como uma função oficial, nos dias do apóstolo Paulo, o certo é que veio a existir nos séculos posteriores a ele; mas somente novas descobertas arqueológicas nos poderão informar com mais certeza acerca dessa questão. Não obstante, algumas mulheres, entre os cristãos primitivos, como Febe, trabalhavam definidamente no espírito de tal ofício, ainda que talvez o fizessem não oficialmente. É óbvio que há necessidade de tal ofício, ainda que vários segmentos das modernas igrejas evangélicas tenham ignorado tal necessidade.

Se Febe foi realmente a portadora desta epístola aos Romanos, é interessante observarmos que, entre as dobras das vestes de uma mulher, estava sendo levado o documento fundamental da fé cristã ao centro do mundo civilizado de então, isto é, à cidade de Roma, capital do império romano.

Cencréia (vide). Paulo escreveu esta epístola aos Romanos na cidade de Corinto. Cencréia ficava cerca de catorze quilômetros de Corinto. Podemos concluir, portanto, que se Febe foi realmente a portadora da epístola aos Romanos, ela deveria estar de visita a Corinto quando Paulo entregou essa epístola, tendo ela concordado cortesmente em atender a seu pedido. A igreja cristã de Cencréia, mui provavelmente, era uma filha da igreja de Corinto, ou então, fora iniciada por um núcleo que viera do centro maior de Corinto. Nesse caso, provavelmente havia íntima comunhão entre os crentes de Corinto e os de Cencréia. Cencréia era cidade que servia de porto marítimo oriental de Corinto.

FEBRE

Ver o artigo geral sobre **Enfermidades na Bíblia**.

FEBRONIANISMO

Esse título deriva-se do pseudônimo **Febronius**, usado por N. von Hontheim, bispo auxiliar de Trier (1701-1790). Em sua obra, *De Status Ecclesiae* (1763), ele declarou que o primado do papa está

FECHADURA — FELICIDADE

limitado pelos concílios gerais da Igreja. Essa obra tornou-se a base dos movimentos nacionalistas e das posições antipapais, como aqueles dos arcebispos alemães e do imperador José II.

FECHADURA

Ver **Trancar (Cadeado, Fechadura, Pino)**.

FEIGL, HERBERT

Nasceu em 1902. É um filósofo austríaco-norte-americano. Nasceu em Reichenberg, na Áustria. Educou-se na Universidade de Munique. Ensinou em Viena, Iowa e Minnesota, estas últimas duas, estados norte-americanos. Tem mostrado ser um positivista lógico (empirista lógico).

1. Favorecendo o *behaviorismo* (que vede), ele supunha que o indivíduo pode passar de meros objetos observáveis para *estados centrais*. Esse processo dar-se-ia através da experiência direta, dependendo de condições neurofisiológicas.

2. Princípios últimos não seriam susceptíveis à justificação cognitiva. Os princípios podem ser vindicados em termos práticos ou pragmáticos. Há dois tipos de justificação, a saber: a. a *validação*, através dos princípios da dedução, da indução e dos juízos morais. b. A *vindicação*, que é uma justificação pragmática. Aquilo que funciona bem seria bom e verdadeiro. As considerações práticas e de avaliação devem fazer parte do quadro. Os princípios de validação devem ser sujeitos à vindicação, para que se revistam de qualquer validade.

Feigl, como um empirista lógico, naturalmente ignorava os tipos de conhecimento que, segundo se afirma, viriam através da razão pura, da intuição e das experiências místicas. Isso posto, ele apresentava um ponto de vista provincial do conhecimento, conforme fazem todos os empiristas.

Escritos. Leituras em Philosophical Analysis; Readings in the Philosophy of Science; Minnesota Studies in Philosophy of Science; New Readings in Philosophical Analysis.

FEITIÇO, FEITICEIRO

No hebraico, **kashaph** e termos cognatos. Esse vocábulo aparece por seis vezes nas páginas do Antigo Testamento: Êxo. 7:11; Dan. 2:2; Mal. 3:5; Êxo. 22:18; Deu. 18:10; II Crô. 33:6. No grego temos duas palavras a considerar: 1. *Pharmakeía*, «feitiçaria». Palavra usada por três vezes: Gál. 5:20; Apo. 9:21; 18:23. O substantivo *pharmakeús*, «feiticeiro», aparece por duas vezes: Apo. 9:21; 18:23. E o adjetivo *pharmakós*, «encantador com drogas» ocorre por apenas uma vez, em Apo. 22:15. 2. *Mageía*, «mágica». Termo que ocorre somente em Atos 8:11. O verbo *mageúo*, ocorre somente em Atos 8:9. E o adjetivo *mágos* por seis vezes: Mat. 2:1,7,16; Atos 13:6,8.

A palavra inglesa correspondente, *sorcery*, vem do latim, *sors*, «sorte», porquanto alude às adivinhações por meio do lançamento de sortes. Mas o termo inglês *sorcery* é aplicado a todas as formas de ocultismo e adivinhação, com todas as suas ramificações. O termo português *feitiço* deriva-se de *feito* + *iço* (iço, um sufixo que tem o sentido de ação, tendência, modo de ser). Esse vocábulo também pode significar *falso*, encantamento, fascínio, e também *bruxaria*, de modo geral ou como maleficios feitos pelos feiticeiros. Ver o artigo geral e detalhado sobre *Bruxaria e Mágica*, e também sobre *Adivinhação*. Ver também sobre *Demônio, Demonologia*.

É simplista atribuir toda *bruxaria* à atividade dos demônios. Existem poderes humanos naturais que podem se manifestar e sempre haverá o fraude. Não obstante, não se pode duvidar que espíritos *malignos* existem, incluindo espíritos humanos desencarnados, que participam dessa atividade.

FEL Ver **Absinto**.

FELICIDADE

No grego, **eudaimonia**, um termo que, no grego clássico, indicava a possessão de um bom demônio, ou seja, de uma divindade. No Novo Testamento, o termo escolhido é *makarismós*, que ocorre somente por três vezes: Rom. 4:6,9; Gál. 4:15, e que aparece com o sentido de «felicidade espiritual», de «bem-aventurança». A forma adjetivada e o verbo ocorrem por mais cinquenta e duas vezes no Novo Testamento, destacando-se ali o uso da palavra no começo do sermão da montanha, de Jesus, nas «bemaventuranças». O termo grego *eudemonia* era usado, por exemplo, para indicar o alvo da vida, que seria a felicidade, nos escritos de vários filósofos. Embora o termo não seja usado no Novo Testamento, sem dúvida, deixa transparecer um bom discernimento, pois somente a presença de uma boa divindade é capaz de injetar felicidade à alma humana, às voltas com o pecado e com as misérias e males deste mundo.

1. *A Felicidade na Ética*. As teorias éticas usualmente apontam para algum alvo específico, ou mesmo para vários, como se houvesse um ou vários objetos da conduta ideal. Esse objetivo pode ser o prazer (posição do *hedonismo*), pode ser a virtude ou função (como nos escritos de Aristóteles), pode ser a glorificação de Deus (como no cristianismo), ou pode ser a *felicidade*, entre outras coisas. Se a felicidade é escolhida como o principal valor a ser buscado, então tal filosofia será chamada *eudaimonística*. Aristóteles opinava que se um homem realiza bem a sua função, dentro da sociedade, estará exercendo a sua *virtude*; e que se ele exercer apropriadamente essa virtude, então será *feliz*. Epicuro também buscava a felicidade em sua filosofia, embora a definisse como um *prazer mental*. Tomás de Aquino seguia, em linhas gerais, a regra de Aristóteles, embora acrescentando a isso a dimensão teológica cristã de que Deus, afinal de contas, é a fonte originária da felicidade.

2. *No Campo do Utilitarismo* (vide). Para essa posição filosófica, o alvo mesmo da vida seria a maior felicidade para o maior número possível de pessoas. Ali a felicidade é definida como a maior somatória possível de prazeres, de todas as variedades imagináveis. As variedades de prazer que sejam capazes de produzir a maior felicidade, deveriam ser buscadas e experimentadas na vida do indivíduo. Bentham (vide) era promotor dessa teoria; porém, antes de morrer, percebeu que precisava adicionar a lei do amor como força motivadora, porquanto o prazer, por si mesmo, embora seja bom, não soluciona todos os problemas, e nem satisfaz o coração humano.

3. *Norris* (vide) concordava com os teólogos cristãos, ao asseverar que a suprema felicidade consiste no amor contemplativo a Deus.

4. *Emanuel Kant* (vide) vinculava entre si a virtude e a felicidade, como um par que não pode ser separado. Essa combinação conferia-lhe base para postular a existência tanto da alma humana quanto de Deus. Essas realidades promovem tanto a virtude quanto a felicidade.

5. Nos escritos de *Agostinho* e de outros teólogos cristãos, a felicidade é o alvo da existência humana, embora sua mais elevada expressão só possa ser

FELICIDADE — FÉLIX, MARCUS

atingida na Visão Beatífica (vide). Dizemos popularmente: «Há alegria no serviço que prestamos a Jesus». A nossa teologia e os nossos sermões apelam para o **bem-estar que o evangelho promete aos convertidos.** A nossa doutrina do julgamento exorta-nos a evitar a dor e a buscar a alegria da salvação celestial. A Confissão de Westminster sugere que o propósito da vida humana é, em primeiro lugar, glorificar a Deus e, em segundo lugar, desfrutar dele para sempre, o que é a própria felicidade. A vida diária demonstra que aquilo que mais as pessoas buscam, na maioria de seus esforços, é a obtenção da felicidade, embora não saibam defini-la e nem onde encontrá-la. Por isso mesmo, nessa busca, muitos aportam na infelicidade, –em vez de chegarem ao porto seguro da felicidade!

Aristóteles exprimiu que não buscamos a honra, o prazer, o entendimento e todas as outras virtudes *somente* por causa delas mesmas. Mas nós as buscamos *também*, porque nelas encontramos a felicidade. (*Nic. Ethics,* I, 7.1097, b1-6).

6. *A Complexidade da Felicidade.* A filosofia tem-nos ensinado que vocábulos importantes, como «felicidade», por exemplo, não admitem apenas uma definição. De fato, não somos capazes de defini-los. Antes, apenas os descrevemos. Portanto, podemos **falar sobre virtudes, honra, bem-estar, fortuna, sorte,** autocontrole, coragem, liberalidade, prosperidade, atividade intelectual, atividade física, etc. E, através de todos esses termos, podemos apresentar alguma noção do que a felicidade significa para nós. No caso do homem espiritual, a essas coisas devemos adicionar os elementos da felicidade e **do bem-estar** espirituais, em vista do perdão de nossos pecados, em vista da fé, da esperança e do amor, que são elementos preponderantes em nossa vida cristã. Para **nós, os remidos, o bem-estar da alma é mais importante do que o bem-estar do corpo físico, pelo** que a visão beatífica (vide) deve ser a consideração primária daquilo que a felicidade humana pode e deve ser. A salvação nos está conduzindo à visão beatífica, — que envolve iluminação e transformação profundas, de tal maneira que haveremos de compartilhar da própria natureza divina, conforme se lê em II Pedro 1:4: «...nos têm sido doadas as suas preciosas e mui grandes promessas, para que por elas vos torneis **co-participantes da natureza divina...»**

Ser feliz, de acordo com os dicionários, é ser abençoado, bem-aventurado, animado, afortunado, alegre, próspero, saudável, bem-sucedido, radiante, esperançoso. Por outra parte, ser *infeliz* é ser afligido, desanimado, desencorajado, melancólico, miserável, lamuriento, desapontado, triste e perturbado. Agostinho asseverava que todos os homens desejam encontrar a felicidade (*De Trin.* 10.5,7; *De Civ. Dei* 14.25). Prazeres de toda a modalidade, sem dúvida alguma, são fontes de satisfação e felicidade, mas a felicidade jamais poderá ser definida somente em termos de prazer (hedonismo). A sabedoria também é uma fonte de felicidade para a alma, e Cristo é a nossa *sabedoria* (ver I Cor. 1:30). A *graça* divina (vide) é outra fonte de uma grande e desmerecida felicidade. Não fora o princípio da graça divina — todos nós seríamos muito miseráveis e infelizes.

FÉLIX DE URGEL

Faleceu em cerca de 818. Foi um bispo espanhol, conhecido por sua posição teológica adocionista. Ver sobre o *Adocionismo*. Seus ensinos foram refutados por Alcuíno (vide), tendo sido condenados pelos sínodos de Ratisbona (792), Frankfort (794) e Aix-la-Chapelle (799). Urgel foi deposto e perseguido, e

entregue à custódia de Leidrad, bispo de Lyons. Faleceu aparentemente arrependido e ortodoxo. Abogard (que vede), entretanto, descobriu um tratado que demonstrava que sua retratação fora superficial.

FÉLIX, MARCUS ANTONIUS

Foi procurador romano, diante de quem Paulo fez a defesa de sua vida e de seus ensinamentos (Atos 24).

1. *História.* Ele havia sido um escravo que, por motivo de algum serviço ou razão desconhecida, foi libertado por Cláudio, imperador romano. Quando Ventidius Cumanus foi banido, Félix foi nomeado procurador da Judéia, pelo imperador (**Suetônio,** *Claud.* 28; Tácito, *Hist.* 5:9). Tácito chamou-o de Antônio, mas também é evidente que ele era conhecido como Cláudio, por causa de seu benfeitor. Encontrou a Judéia às vésperas da rebelião, e as medidas que ele tomou para acalmar os ânimos, serviram somente para inflamar ainda mais as paixões. Josefo assevera que ele se saiu muito mal, na tentativa de controlar a situação, de maneira tal que as condições pioraram radicalmente na Judéia (Josefo, *Anti.* 20:8,5). O país ficou repleto de indivíduos violentos e impostores, além de ladrões, os quais facilmente conquistaram seguidores dentre a população simples. Félix chegou a promover vários assassinatos, a fim de consolidar o seu poder e tentar solucionar os seus problemas. Tácito informa-nos que ele cometeu muitas atrocidades e injustiças. Os *sicários* (assassinos religiosos profissionais) eram encorajados pela sua conduta, a cometerem a sua própria forma de violência, na esperança de assim ajudarem na derrubada do poder romano. Em 55 D.C., Félix dispersou os seguidores de um fanático messiânico, de origem egípcia; mas, o próprio impostor conseguiu escapar. O tribuno Cláudio Lísias confundiu o apóstolo Paulo com esse homem, depois que rebentou um levante em Jerusalém, por causa de Paulo. A narrativa fica em Atos 21:27 *ss*, e a referência a esse egípcio em Atos 21:38. A história desse egípcio é contada por Josefo (*Anti.* 20.8 e *Guerras* 2.13,5).

2. *Uma Vida Pessoal Duvidosa.* Servindo ainda como procurador da Judéia, Félix apaixonou-se pela bela Drusila, filha do rei Herodes Agripa, que estava casada com Azizo, rei de Emessa. Simão, um mágico, foi contratado por Félix para persuadir Drusila a abandonar seu marido, a fim de unir-se a ele. Embora tivesse algum sangue judeu, Drusila tomou essa atitude. Nasceu do novo casamento um filho, chamado Agripa. A história secular revela-nos que a mãe e filho pereceram na erupção do vulcão Vesúvio, que teve lugar nos dias de Tito. Ver Josefo, *Anti.* 20.7,2. O Vesúvio estivera em inatividade durante cerca de dez séculos; mas, a 24 de agosto de 79 D.C., irrompeu em atividade com tanta violência que sepultou as cidades de Herculano e Pompéia. Desde então, tem entrado periodicamente em erupção, e continua ativo.

3. *Encontro com Paulo.* Paulo foi detido em Jerusalém e foi enviado pelo comandante Cláudio, acompanhado de uma carta, a Félix, o governador, em Cesaréia. Ali, Paulo foi confinado no salão de julgamento de Herodes, esperando pela chegada dos seus acusadores, para que pudesse ser julgado. Esses acusadores, finalmente, chegaram em companhia de Tértulo, um advogado, a fim de ser o mediador da causa deles. Ele teve a audácia de expressar a boa vontade do povo judaico para com Félix, tendo dito a mentira quase inacreditável de que eles haviam

FÊMEA — FENÍCIA

desfrutado de grande tranqüilidade, durante o seu governo, e que dele tinham recebido muitos benefícios (Atos 23 e 24). Paulo fez uma excelente defesa. Posteriormente, ele foi convocado a outra audiência particular, com a presença de Drusila, entre outros. Nessa segunda oportunidade, Paulo foi pregador da retidão. Paulo discorreu sobre a justiça, o controle próprio e o julgamento vindouro. O governador Félix tremeu diante da mensagem, estribada como estava no poder do Espírito. Porém, embora profundamente impressionado, não fez justiça ao apóstolo e deixou-o aprisionado. Lucas informa-nos que ele assim fez, principalmente porque esperava tirar algum lucro no caso, pois talvez os amigos de Paulo lhe oferecessem dinheiro, subornando-o, para que o soltasse. Contudo, a inocência de Paulo era óbvia. Paulo teve vários outros encontros com Félix, mas o governador nada fazia, permitindo que dois anos inteiros assim se esgotassem. A história está registrada em Atos 24:24 ss.

4. *História Subseqüente*. Félix continuou mostrando ser um mau administrador, e os judeus continuaram se queixando dele. Nero acabou nomeando Pórcio Festo para ser o governador substituto de Félix. Ver sobre *Pórcio Festo*. Mas, a fim de tentar obter o favor dos judeus, Félix deixou Paulo encarcerado. Após essa injustiça, Paulo apelou para César, para que seu caso fosse, finalmente, julgado. E assim, foi transferido para a cidade de Roma. O caso de Félix, todavia, piorava cada vez mais. Ele teria sido mesmo banido ou executado, não fora o fato de que seu irmão, Pallas, tinha grande influência dentro do governo romano central; e assim Félix conseguiu sair livre. A partir desse momento, a história de Félix cessa. Todavia, sabemos que todo homem tem de enfrentar um julgamento divino, de conformidade com as suas obras, embora esse julgamento não seja apenas retributivo, mas também remedial. Assim sendo, os piores pecadores estão sujeitos à eterna misericórdia de Deus (I Ped. 4:6). Mas também sabemos que somente os eleitos de Deus serão salvos.

FÊMEA
Ver sobre **Mulher**.

FEMINISMO
Ver dois artigos: **Mulher, Posição da**. E também o artigo geral a respeito da **Mulher**.

FENDA
Uma grande fissura ou profunda cavidade na superfície do globo terrestre, formando um abismo, uma garganta ou um canhão. Essas fendas são comuns em regiões onde há falhas geológicas, como aquelas existentes no vale do Jordão e em suas cercanias. Ali, falhas sucessivas rebaixaram o nível básico dos riachos que drenam a região, disso resultando profundas gargantas. O wadi Hasa é um exemplar desse fenômeno, pois o mesmo se aprofundou na terra até cerca de 1.750 metros. A ação das águas superficiais, bem como das geleiras, também está envolvida na formação das fendas terrestres.

FÉNELON
Seu nome completo era François de Salignac de la Mothe. Suas datas foram 1651-1715. Foi arcebispo de Cambrai, tendo-se tornado muito conhecido por causa de um livro seu, *Telémaque*, que foi muito lido

na França. Ele adotou e desenvolveu as idéias quietistas de mademoiselle Guyon (que vede). Essa obra foi condenada, e ele foi censurado pela Sé Romana. Também foi autor de várias outras obras de caráter religioso.

FENÍCIA
Esboço:
I. Nome, Raça e Caracterização Geral
II. Localização Geográfica
III. História
IV. Comercialismo
V. Arte e Literatura
VI. Religião

I. Nome, Raça e Caracterização Geral
Ver o artigo separado sobre *Canaã, Cananeus*.

A Fenícia não era chamada por esse nome por seus habitantes. Eles chamavam todo o seu território (que cobria uma boa parte do que hoje é a Síria, o Líbano e a Palestina) de *Canaã*, e eles mesmos, de *cananeus*. Esses são os termos empregados na Bíblia. Os gregos é que chamavam aqueles que viviam próximo das costas do Mediterrâneo oriental, que comerciavam com eles, de *fenícios*, uma alusão ao *corante púrpura* ali produzido e ao tecido tingido com esse corante. Já desde os dias de Homero (Odisséia), em cerca de 750 A.C., encontramos o vocábulo grego *phoiníke*, de onde nos veio o termo «fenícios», na Ilíada. A palavra grega *phoinix* indica o corante púrpura. Essa palavra tem sido encontrada em tabletes escritos em miceniano linear B, de cerca de 1200 A.C. A palavra parece estar baseada no termo semítico *kenaani*, que também significa «corante púrpura». O vocábulo hurriano *kenaan* significava terra da púrpura, tendo sido aplicado, primeiramente, à terra e, em seguida, ao povo de Canaã. Outros estudiosos pensam que por detrás de tudo está o termo *phoinos*, que apontaria para a cor bronzeada dos habitantes da região. Ainda outros supõem que esteja em foco a *phoinix*, a «palmeira». Nesse último caso, os fenícios seriam os habitantes do «lugar de palmeiras». A maioria dos eruditos prefere a derivação do nome daquele corante, havendo também quem não veja qualquer vinculação entre os termos grego e semítico, embora ambos fossem usados para indicar os habitantes da região, de tal-maneira que dizer «fenício» ou dizer «cananeu», é uma mesma coisa.

Seja como for, esse povo pertencia a uma onda migratória que trouxe tribos beduínas do deserto, mais para o oriente, e se dispersou em várias áreas da Palestina. Essas migrações começaram em cerca de 3000 A.C. Em suas divisões geográficas, eles tornaram-se os amorreus do norte da Síria e os cananeus da mesma área geral, posto que mais ao sul. Os arameus penetraram na região em uma posterior onda migratória, que incluiu os futuros hebreus.

Quanto ao idioma os cananeus eram um povo semita, pois seu idioma fazia parte do ramo ocidental desse grupo de línguas. O aramaico era uma língua irmã, tal como também o hebraico. O fenício era um dialeto cananeu. O idioma fenício tem a distinção de ter sido o primeiro a empregar, exclusiva e eficazmente, um sistema alfabético de escrita. Isso faz com que se torne a língua genitora de todas as línguas que adotaram um sistema alfabético em sua escrita. Esse alfabeto foi adotado pelos hebreus, pelos arameus, pelos árabes, pelos gregos e pelos romanos. Na tabela das nações (ver Gên. 10:8-12), Canaã aparece como nome dos descendentes de Cão, e não

705

FENÍCIA

de Sem. Com base nisso, alguns estudiosos têm pensado que eles não eram, originalmente, semitas e, sim, camitas, mas que vieram a adotar, em algum período remoto de sua história, uma fala semítica. Acompanhar a história primitiva dos povos é uma tarefa quase impossível, e todas as evidências de que dispomos mostram que os cananeus eram um povo de origem semita.

II. Localização Geográfica

O território dos fenícios, quando o mesmo se consolidou, era uma estreita faixa de terras que se estendia desde o rio que atualmente é chamado de Nahr el-Kebir, no extremo norte, até o monte Carmelo, ao sul, cobrindo uma distância de cerca de cento e noventa quilômetros. Em seu ponto mais largo, essa estreita faixa media apenas cerca de oito quilômetros, que ia desde o mar Mediterrâneo, a oeste, até os sopés das montanhas do Líbano, a leste. As principais cidades dessa área eram Tiro, Sidom, Sarepta, Caná, Aczibe, Biblos, Aco, Bete-Anata e Acsafe. Não obstante, o país nunca teve fronteiras bem definidas, e os cananeus nunca estiveram restritos a essa estreita faixa territorial. O antigo território fenício envolvia o que agora é a República do Líbano com a porção sul das costas sírias. A orla marítima dessa região é interrompida por rios e por agudos promontórios, que avançam mar adentro. Uma estreita mas fértil planície é limitada pela cadeia ocidental do Líbano, que atinge a altura máxima de 3000 m. Os rios incluem o Eleutero, atualmente denominado al-Mah al-Kabir, que forma a fronteira entre o Líbano e a Síria; o Qadisha, que desemboca no mar, perto de Trípoli; o Ibrahim al-Kalb e o Leonte (atualmente chamado Litani ou al-Litani), que desembocam perto de Sidon. Na antiguidade, muitas espécies vegetais cobriam aquela planície, incluindo cedros, pinheiros, ciprestes e vários tipos de junípero, sem falarmos no sândalo, que era um importante item comercial. Na época, o Líbano era densamente coberto de florestas; porém, a contínua exploração da madeira de construção, sem qualquer plano de replantio, acabou com as reservas florestais. Atualmente, há apenas algumas poucas centenas de árvores, confinadas a minúsculos bosques. A área geográfica em que viviam os fenícios encorajou-os a se atirarem às lides do mar. Por isso é que os fenícios tornaram-se os mais famosos marinheiros da antiguidade, o que é mencionado no vigésimo terceiro capítulo do livro de Isaías.

III. História

1. Supõe-se que as **primeiras migrações** que levaram esse povo à Palestina tiveram lugar em cerca de 3000 A.C. Heródoto (*Hist.* 1:1; 8:89) pensava que os fenícios haviam chegado por via terrestre, vindos do golfo Pérsico, então atravessaram o mar Vermelho e, tendo chegado, fundaram Sidon e outras cidades costeiras, ou próximas da orla marítima. Antes da chegada deles, recuando até 3500 A.C., a região era ocupada por uma raça mediterrânea, que vivia em cabanas circulares e sepultava os seus mortos em urnas de barro, conforme tem sido demonstrado por escavações em Gebal (Biblos). Esse povo foi sendo gradualmente substituído por semitas, chamados amorreus, embora esse nome não deva ser confundido com o dos amorreus mencionados no Antigo Testamento. Em cerca de 1800 A.C., havia um ativo comércio que se efetuava entre essa gente e os egípcios. Colônias foram então estabelecidas pelos fenícios em Ugarite, Acre, Dor e Jope. Além dessas, foram fundadas outras cidades, como Sidon, Tiro, Arvade, Beirute, Sumar e Uluza. Todas essas eram cidades estado, uma cidade que controlava a área circundante, incluindo suas aldeias. Biblos (no latim, *Byblus*), também chamada Gebal, manufaturava o papiro, que era transformado em papel, de cujo nome surgiu a designação que usamos para indicar as Escrituras Sagradas, Bíblia. Biblos é a única cidade fenícia que foi totalmente escavada pelos arqueólogos. Navios de Biblos são representados nos relevos egípcios datados do tempo de Saúre, da V Dinastia, cerca de 2500 A.C.

2. *Dominação Egípcia.* Durante alguns séculos, os fenícios estiveram sob a hegemonia egípcia. De fato, houve um controle quase militar do território, durante as Dinastias egípcias XVIII e XIX (1570-1200). Cartas dirigidas por Rib-Adi, de Biblos, e de Abi-Milki, de Tiro, a Amenófis III, em Amarna, no Egito, mostram que, em cerca de 1400 A.C., Sumar e Beirute tinham obtido certo grau de independência e, juntamente com Sidon (que parece ter sido capaz de manter boa dose de independência o tempo todo), estavam fortificando as cidades cananéias contra os ataques de estrangeiros.

A soberania egípcia foi interrompida pelo advento dos hicsos que, durante certo tempo, dominaram a Síria-Palestina e o Baixo Egito. Tutmés III, da XVIII Dinastia (1490 — 1436 A.C.), livrou-se dos hicsos e restaurou a supremacia egípcia. Seus relatórios acerca do que ele encontrou na Palestina permitem-nos saber como era a vida naquela época. Suas listas de despojos incluem vasos, panelas, facas de ouro, tabletes e cadeiras de marfim e objetos de luxo, feitos de ébano, entalhados a ouro.

3. *Começo do Século XIV A.C.* Os hititas e os amorreus invadiram as costas da Fenícia, tendo encontrado pouca resistência por parte dos egípcios. Os reis da região ficaram divididos em sua lealdade, pois alguns continuaram aliados dos egípcios, enquanto que outros bandearam-se para os invasores. Tiro queria ficar ao lado dos Faraós, mas Simira e Sidon juntaram-se aos invasores. Na época, o rei do Egito era o herético Amenhotepe IV (Icnaton, que reinou entre 1370 e 1353 A.C.). Seus arquivos foram descobertos em Tell el-Amarna, e a atividade literária ali representada confere-nos muitas informações quanto à natureza da época. Amenhotepe estava por demais ocupado com assuntos religiosos para preocupar-se com batalhas que estavam tendo lugar na Fenícia. Foi dessa maneira que ele e seus débeis sucessores da XVIII Dinastia perderam o controle sobre seus domínios fenícios. Ramsés II (1290 — 1233 A.C.) restaurou algum poder egípcio na região mas não perdurou por muito tempo.

4. *Independência.* A região obteve um estado de independência que perdurou por cerca de três séculos (1200 — 900 A.C.). Então passaram a existir várias cidades-estado com seus próprios monarcas. Estes governavam sob a idéia do direito divino dos reis, com a ajuda de uma classe aristocrática. Algumas vezes era obtida a união de forças, quando se levantava algum inimigo comum; mas, em sua maior parte, cada cidade estado era independente, comerciando de forma competitiva umas com as outras. Gradualmente foi surgindo uma confederação, com Sidom e, mais tarde, Tiro, como cabeças da mesma. Durante esse período, a área prosperou e o comércio, as artes e o artesanato atingiram a mais elevada expressão. Além disso, efetuava-se um intenso comércio marítimo, o que resultou em um quase exclusivo monopólio fenício. Os fenícios descobriram o Oceano Atlântico, um de seus feitos marítimos mais notáveis. Posteriormente, conseguiram circunavegar a África. Torna-

FENÍCIA

ram-se pescadores, negociantes e agentes de ligação internacionais. Eles guiavam-se pela Estrela Polar. Os gregos aprenderam com os fenícios a arte da navegação e chamavam a Estrela Polar de *Estrela Fenícia*. O mar Mediterrâneo tornou-se assim um lago fenício. Os países às margens do Mediterrâneo ressentiam-se da falta de madeira de construção, trigo, azeite e vinho, e o comércio fenício supria aos mesmos desses produtos vitais. Porém, muitos outros produtos também estavam envolvidos nesse comércio, como o algodão, o vidro, os metais, os têxteis e o corante púrpura.

5. *A Fenícia como Senhora dos Mares*. Sidon e Tiro tornaram-se centros todo-importantes do comércio na área do mar Mediterrâneo. Homero e os autores do Antigo Testamento chamavam os fenícios de *sidônios*. Ver *Ilíada*, liv. 6, 1.290. Homero mencionou vários itens do comércio deles, como ricas vestimentas, bordados e outros itens de luxo. O vigésimo sétimo capítulo de Ezequiel dá-nos uma descrição gráfica de Tiro como um porto e centro comercial. O mais bem conhecido monarca de Tiro foi Hirão (séc. X A.C.). Foi ele quem ofereceu a Salomão os arquitetos e os operários especializados para a construção do templo de Jerusalém, bem como a madeira de cedro necessária para a obra (I Reis 5:5-11; 7:13-34; II Crô. 2:1-16). O templo de Israel foi decorado de acordo com motivos tipicamente cananeus, e seus sistemas rituais e sacrificiais eram similares aos dos cananeus. Salomão construiu uma flotilha com a ajuda dos tírios, tendo sido a primeira marinha mercante que os israelitas tiveram. Foram enviadas expedições em torno das costas da Arábia e da África Oriental (I Reis 9:26-28; 10:11; II Crô. 9:10). Uma princesa tíria (sidônia), de nome Jezabel, casou-se posteriormente com o rei Acabe (que reinou entre 875 e 853 A.C.), e introduziu no reino do norte as práticas idólatras dos cananeus. E uma filha de Jezabel, Atalia, casou-se com Jeorão, rei de Judá. A casa de marfim, de Acabe (ver I Reis 22:39) tinha painéis de marfim cinzelado, bem como outras decorações, executadas por artífices fenícios.

6. *Colônias*. Como já seria de esperar, a comercialização do mundo antigo, por parte dos fenícios, resultou no fato de que eles estabeleceram colônias em muitos lugares. Havia inúmeras colônias, desde a Cilícia até o Egito, passando pela Sicília e pela Espanha, com alguns pontos na Gália e na Numídia, no norte da África. Várias ilhas do Mediterrâneo também receberam ocupantes fenícios. Foi dessa maneira que muitas palavras de origem semítica foram adotadas por outros idiomas, sobretudo nomes próprios locativos, como Malta (no semítico, «refúgio»), Cartago (no semítico, «cidade nova»), e Cadmo (no semítico, «recém-chegado»). A irmã de Cadmo era *Europa*, que se tornou o apelativo de todo o continente europeu, afinal de contas. A Cadmo se tem creditado a introdução do alfabeto em outros países, bem como a construção da cidade de Tebas.

7. *Cartago*. Essa foi a mais rica e saudável de todas as colônias fenícias. Foi fundada em cerca de 814 A.C., por colonos tírios. Chegou a ampliar sua esfera de influência por larga porção do norte da África e do sul da Espanha. Manteve o seu poder até o começo do século VII A.C., quando o poder assírio começou a dilapidá-la. Não obstante, Cartago assumiu o papel de protetor das outras colônias, tendo-se tornado um pequeno império (segundo os padrões modernos), que se estendia desde a Cirenaica até à península ibérica.

8. *O Avanço dos Assírios*. Entre 884 e 859 A.C., sob Assurbanipal, a Assíria começou a exercer pressão sobre as cidades da Fenícia. Assurbanipal foi capaz de extrair tributo de Tiro, Sidon, Gebal e Arvade, recolhendo produtos como tecidos, corantes, metais preciosos, marfim e madeiras nobres. Salmaneser III enviou tropas armadas para a região e chegou a subjugá-la militarmente, em 841 A.C. Os portões de bronze do templo assírio, em Balawate, mostram como Tiro e Sidon tiveram de oferecer muitos presentes e produtos. Adade-Nirari III reduziu Tiro e Sidon ao estado de vassalagem, em 803 A.C. Hiramu, de Tiro, e Sibiti-Biili, de Gubla (Biblos), tiveram de enviar tributos a Tiglate-Pileser III, durante o seu ataque contra Arpada, em cerca de 741 A.C. Ao mesmo tempo, também sujeitou a Menaém, rei de Israel. Tiro e Sidon caíram sob a supervisão direta de um oficial assírio, e pesadas taxas foram impostas, sob a forma de produtos e de metais preciosos. Em 734 A.C., Tiglate-Pileser capturou a fortaleza de Caspuna, que guardava os caminhos que levavam a Tiro e a Sidon, e que se tinham tornado aliadas para efeito de defesa mútua. Sargão continuou suas invasões da costa fenícia e obteve vários triunfos militares. Há relevos no Museu Britânico, provenientes de Nínive, que ilustram essas aventuras assírias. Esar-Hadom saqueou Sidon e transportou os seus habitantes para outra área, na nova cidade de nome Esar-Hadom, ou para aldeias das proximidades. Tiro foi destruída e saqueada por Assurbanipal, em 664 A.C. e, em vista disso, sucumbiu toda a esperança de autogoverno, por parte dos fenícios. Porém, não muito tempo depois, o próprio império assírio entrou em colapso, após a queda de sua capital, Nínive, em 612 A.C. O grande feito foi conseguido mediante o ataque conjunto dos medos, vindos do norte, e dos neobabilônios, vindos do sul.

9. *Os Neobabilônios*. Os herdeiros do poder assírio, os neobabilônios, resolveram tomar conta das costas marítimas fenícias. O Egito, pensando ainda em termos imperialistas, quis opor-se a isso. Em uma batalha que houve às margens do rio Eufrates, o exército egípcio foi derrotado por Nabucodonosor (605 A.C.). Então foram enviadas tropas babilônias para o sul, contra Jerusalém, a qual foi ocupada em 597 A.C. Assim Nabucodonosor destruiu o reino de Judá, e então atirou-se contra a Fenícia. Foram necessários treze longos anos para ele conquistar a cidade de Tiro (585-573). Isso resultou, finalmente, na vitória de Nabucodonosor, que os arqueólogos têm encontrado celebrada em duas estelas, encontradas perto do rio Dogue. Não houve mais nenhuma oposição interna, mas, como é usual, acabou se levantando um outro poder, a saber, a Pérsia.

10. *A Pérsia*. Ciro, o Grande, e seu exército persa (em 538 A.C.), destruíram o estado neobabilônico e **assim ele obteve** domínio sobre toda a Palestina, de um golpe só. A Palestina, pois, tornou-se uma das satrapias de seu vasto império. Sidon foi feita capital dessa satrapia, bem como a residência de um governador persa. Durante o período persa, o idioma aramaico tornou-se uma espécie de língua franca, e negociantes arameus acabaram substituindo os fenícios. Os negociantes gregos também interromperam seus negócios com eles, o que pôs fim a uma grande época comercial. Durante cerca de dois séculos, os persas foram todo poderosos; mas então surgiu no horizonte Alexandre, o Grande, da Macedônia.

11. *Alexandre e Seus Sucessores*. Entre as muitas e abrangentes conquistas de Alexandre, destaca-se a captura da cidade de Tiro, por meio de um mole de terra especialmente construído com esse fim. Ale-

FENÍCIA

xandre obteve a vitória. A destruição foi grande; mas a cidade, com o tempo, acabou se recuperando; e, à semelhança de Sidon, tornou-se próspera durante os períodos helênico e romano. O trecho de Mateus 15:21 fornece-nos alguns indícios nesse sentido. Suas conquistas ocorreram no século IV A.C., e o resultado das mesmas foi que a língua grega tornou-se o idioma internacional, o que continuou pelo império romano adentro, até que já no século II D.C., o latim, finalmente, sobrepujou, de todo, o grego. Após a morte prematura de Alexandre, a Fenícia tornou-se parte do reino sírio, governada pelos monarcas selêucidas. A porção sul era contestada pelos monarcas ptolomeus, do Egito.

12. *Os Romanos*. Em 66 A.C., o governo dos reis selêucidas foi substituído pelo governo dos romanos. Agora não havia mais cidades-estado fenícios, mas tão-somente uma grande província romana naquela região. Novas estradas foram construídas, o comércio internacional foi encorajado, impostos foram abrandados e uma relativa paz foi mantida pelas tropas romanas, posicionadas em Beirute e em Baalbeque. Alguns habitantes daquela região eram seguidores de Jesus (ver Mar. 3:7 *ss*; 7:24 *ss*). A primitiva missão evangelizadora dos cristãos estendeu a Igreja até aquela área (ver Atos 11:19; 15:3 e 21:2).

IV. O Comercialismo

Tão grande foi o poder comercial dos fenícios, que a palavra «comércio» quase chega a ser sinônimo de «fenício». A história do povo fenício, conforme damos na terceira seção, acima, ilustra isso.

Fatores que encorajaram essa atividade:

1. Os fenícios perderam muito terreno para Israel, tendo sido forçados a obter a maior parte de seus recursos ocupando-se no comércio. Temos um caso moderno análogo no Japão, — que, embora pobre em recursos naturais, tem-se tornado uma das nações mais industrializadas e comerciais do mundo, a despeito do exíguo território de que dispõe.

2. As montanhas confinavam o território dos fenícios a uma estreita faixa de terra, forçando-os a voltarem toda a sua atenção para o mar. Foi dessa forma que eles desenvolveram as habilidades próprias da vida marítima, tendo podido lançar muitas colônias, próximas ou distantes.

3. Os fenícios dispunham de amplo suprimento de madeira, de todas as variedades, incluindo o pinheiro, o cipreste e o cedro, que eles empregavam na construção de navios (Eze. 27:9). Eram grandes conhecedores da indústria de extração de madeira (I Reis 5:6). No entanto, esqueceram-se de replantar os densos bosques que iam derrubando, de tal modo que lhes restou somente uma região estéril, onde antes havia grandes florestas. Eles fizeram da madeira um de seus produtos mais importantes. Seus dois grandes portos marítimos eram Tiro e Sidom, embora Biblos, **Arvade**, Arca, Sarepta e Ugarite também fossem portos importantes.

V. Arte e Literatura

As formas de arte dos fenícios combinavam elementos semitas, egípcios e hurrianos, porquanto sempre foram muito voltados para o sincretismo. Eles negociavam com muitos países e esse espírito também penetrou em suas atividades artísticas. Eles manufaturavam e trocavam jóias, vasos, peças de cerâmica de toda a espécie, com o Egito, com a ilha de Creta, com a Grécia, e até com lugares bem distantes. Tornaram-se excelentes fabricantes de objetos de cobre, de bronze, de marfim e de vidro. Entre seus contemporâneos, não havia quem se lhes igualasse no trabalho com metais. Ao que parece, eles foram o

primeiro povo a decorar vasos de metal com flores artificiais. A arqueologia tem demonstrado que as obras gregas do século VIII A.C., sofriam a influência das formas de arte dos cananeus.

A *literatura dos fenícios*, ao que parece, foi bastante volumosa. No entanto, somente fragmentos dos relatos mitológicos de Sanchuniaton, da Babilônia e da história de Menandro, de Tiro, foram preservados até nós. Supõe-se que a atividade literária dos gregos foi influenciada pela correspondente atividade fenícia. É uma ironia que o povo que inventou o alfabeto, tenha deixado tão escassa literatura, mas isso deve-se à frágil natureza do material de escrita que eles usavam (principalmente o papiro) e não por falta dessa forma de atividade. Em Ugarite, foi feita uma grande descoberta de tabletes de argila, entre 1929 e 1933. Tais tabletes datam do século XIV A.C. Esse material é de natureza essencialmente religiosa e ritualista. Há notável paralelismo com as idéias dos hebreus e de sua literatura. Há elementos nos livros bíblicos de Jó, Salmos e Cantares de Salomão que muito se assemelham ao que dizem esses tabletes. O Baal de Ugarite «cavalga pelo céu», tal como Yahweh (ver Sal. 68:4). O trovão é a voz de Baal, tal como é dito a respeito de Yahweh (ver Sal. 29:3-5; Jó 37:2-4). E o Salmo 29 é similar a certas outras expressões fenícias. O empréstimo de idéias e de formas literárias é uma constante entre as culturas, antigas e modernas; e, por essa razão, coisas desse jaez não nos deveriam surpreender.

VI. Religião

O pluralismo da religião fenícia era bem pronunciado, e suas práticas idólatras foram condenadas pelos profetas hebreus (ver I Reis 18 — 19; Isa. 65:11). Pertencentes ao período mais antigo, conforme temos descoberto evidências, os textos de Ras Shamra falam sobre um elaborado culto e mitologia, em torno de Baal, também chamado *Meleque* (que significa «rei»). Nessa literatura também achamos menção a Sapis, um deus-sol, e a Quesepe (Mical), uma divindade do mundo inferior. Os cultos de fertilidade de Anate (Astarte) eram sincretistas, envolvendo elementos egípcios e semitas. Essa mescla produziu o culto de Adônis e de Tamuz, o primeiro dos quais tem sido identificado com o Osíris dos egípcios. O deus da cura era chamado Esmun (equivalente ao grego Asclépio). Cada cidade denominava de *Baal* ao chefe de seu panteão, uma palavra que significa «senhor», ou «proprietário». Pelo menos em nome, esse culto emprestava uma espécie de unidade à religião idólatra dos fenícios. O chefe do panteão de Ugarite era El. Esse nome, que significa «força» ou «poderoso», era um dos nomes para Deus, no hebraico. Ver o artigo acerca de *El*. Ele tinha uma esposa de nome Elate, um filho de nome Alian e uma filha de nome Astarte. As *esposas* de Baal eram chamadas *baalates*. Elas quase sempre apareciam em duplas. Istar (no grego, *Astarte*), era a *baalate* de Biblos. A adoração a ela incluía a prostituição sagrada. Esse tipo de atividade, a propósito, é condenado em Lev. 18; I Reis 1 e 19 e Jer. 3:2. Em seus elementos fundamentais, o relato de Osíris e Ísis é a história sobre Tamuz e Istar. Quanto às formas mais remotas de adoração cananéia, contamos com os textos em escrita cuneiforme, compostos em acádico e ugarítico, com data entre 1600 e 1200 A.C. Algumas alusões a isso aparecem no Antigo Testamento e nos escritos de Filo de Biblos e de Eusébio, o historiador eclesiástico, — que citou o primeiro, além de um outro autor, para nós desconhecido, chamado *Sanchuniaton*. Uma divin-

FÊNIX — FENOMENALISMO

dade extremamente popular era *Hade*, o filho de Dagan, que também era chamado *Baal*, «senhor». Além disso, temos o deus-mar, Iam; o deus da morte, Mote; o deus-lua, Iari; e o deus dos marinheiros, Melcarte. (ALBR AM GY LAM ND UN Z)

FÊNIX

1. Nome de um pássaro místico das lendas egípcias, que se deixou consumir voluntariamente nas chamas, mas ressuscitou de suas próprias cinzas, a fim de ganhar uma vida renovada, jovem. A história que circunda esse pássaro é que o mesmo habitava na Arábia, e que ali viveu por quinhentos anos ou mais. Era sagrado para o deus sol Rá, e era adorado em Heliópolis. Ouvimos falar pela primeira vez a seu respeito nos escritos de Heródoto (*Hist.*), no século V A.C. Uma variação da história é que esse pássaro nasceu diretamente do cadáver de sua mãe. Para os egípcios, a fênix representava a imortalidade. Todos os pontos finais seriam apenas começos de novos ciclos, de tal modo que não há tal coisa como finalidade absoluta. A morte física também se assemelha a isso. — É apenas um novo nascimento. Tertuliano (*De Ressur.* 13:6; *I Clemente* 25) fazia da fênix um símbolo da ressurreição, tendo empregado o trecho de Sal. 92:12 como um texto bíblico em apoio a esse uso, visto que ali temos a *phoinix* ou «palmeira»: «O justo florescerá como a palmeira...» Naturalmente, as duas palavras têm uma pronúncia similar, exatamente a circunstância que provocou a comparação. Por isso mesmo, tanto a fênix quanto a palmeira tornaram-se símbolos da imortalidade e da ressurreição, servindo de temas comuns da arte cristã antiga.

2. *Fenice* também é um porto marítimo da ilha de Creta. Em nossa versão portuguesa, aquela palavra grega é transliterada sob essa forma, *Fenice*, –em vez de ser traduzida. O trecho de Atos 27:12 mostra-nos que esse porto proveu um abrigo seguro para o inverno, melhor que o de Bons Portos, o local onde o navio em que Paulo viajava estava ancorado. Paulo havia advertido aos oficiais do navio, incluindo o centurião que o acompanhava, como prisioneiro que era, que não seguissem viagem. Porém, o mestre do navio ansiava por encontrar um lugar melhor para eles invernarem; e assim, contra o bom senso, e visto que as condições atmosféricas pareciam clarear um pouco, resolveu-se tentar chegar a Fenice. Mas, conforme o apóstolo tinha avisado, o navio foi apanhado por um tufão que o levou para além da ilha de Clauda (ver Atos 27:16), cada vez mais para oeste, na direção da distante ilha de Malta. E foi defronte desta última que, finalmente, o navio naufragou (ver Atos 27:27 *ss*).

A localização do porto de Fenice tem sido disputada. Estrabão (*Geogr.* 10:4, 3) localizava-o no lado sul de um trecho mais estreito da ilha de Creta. Mas Ptolomeu e os geógrafos egípcios localizavam-no na costa sul dessa ilha, em qualquer ponto entre a extremidade ocidental e a extremidade oriental da mesma (3:17,3). Isso sugere um pequeno trecho da pequena península rochosa de Cabo Mouros, que se projeta cerca de um km. e meio, mar adentro. No lado oriental dessa projeção há uma aldeia chamada Lutro, que tem um porto de águas mais profundas; e, no lado ocidental há uma baía maior e mais aberta. Parece que esse é o lado que parece ajustar-se melhor à idéia do antigo porto de Fenice. Esse porto até hoje tem o nome de *Fineca*, que lembra muito o antigo nome. Contudo, alguns intérpretes acham difícil aceitar essa identificação, por causa das direções que aparecem em Atos 27:12, que parecem indicar um porto voltado para a direção oeste, ao passo que Lutro fica voltada para a direção leste. Por isso mesmo, alguns estudiosos pensam que Lucas compreendeu mal a narrativa de Paulo sobre a questão, e aludiu a uma direção oposta. Mas outros opinam que o antigo porto de Fenice não mais existe, devido a mudanças na linha costeira, o que é apenas natural, especialmente se houve tremores de terra, sem falarmos no desgaste natural das costas, devido à ação das ondas. Em meio a argumentos e contra-argumentos, ficamos na dúvida quanto à localização exata desse antigo porto. Mas, coisas como essa, embora interessantes, não se revestem de qualquer importância decisiva para a historicidade de uma narrativa.

FENO

No hebraico, **chatsir**, «erva», que ocorre por vinte e uma vezes no Antigo Testamento. Visto que o feno nunca foi cultivado na Palestina, é errada a tradução «feno» para *chatsir*. Contudo, as traduções, aqui ou ali, traduzem esse termo por «feno». As ocorrências de *chatsir* são: Pro. 27:25; Isa. 15:6; I Reis 18:5; II Reis 19:26; Jó 40:15; Sal. 37:2; 90:5; 103:15; 104:14; 129:6; 147:8; Isa. 35:7; 37:27; 40:6-8; 44:4; 51:12; Jó 8:12; Núm. 11:5. Nossa versão portuguesa da Bíblia traduz por «feno», esse vocábulo hebraico, somente em Pro. 27:25. Interessante é que na última dessas referências, Núm. 11:5; a mesma palavra é traduzida por «alhos silvestres». Tanto no primeiro como no segundo desses dois casos que destacamos, temos uma interpretação, e não uma tradução.

A palavra grega correspondente a *chatsir* é *chórtos*, «erva», «relva», que figura por quinze vezes: Mat. 6:30; 13:26; 14:19; Mar. 4:28; 6:39; Luc. 12:28; João 6:10; I Cor. 3:12; Tia. 1:10,11; I Ped. 1:24 (citando Isa. 40:6,7); Apo. 8:7 e 9:4.

O feno era secado e cortado, a fim de servir de ração para o gado. Por conseguinte, era um produto preparado. O trecho de I Coríntios 3:12 talvez indique o feno, embora o sentido primário da palavra grega *chórtos*, daquele texto, seja *erva*, fazendo contraste entre a vegetação silvestre e as plantas cultivadas.

FENOMENALISMO (FENOMENISMO)

Ver **Fenomenologia** e **Husserl** que oferecem mais detalhes.

Vem do grego *phainomenon*, «aparência». Esse é o nome do ponto de vista que diz que só podemos tomar conhecimento dos fenômenos, e não das coisas mesmas que, aparentemente, produzem-nos. Qualquer tentativa de falar sobre a verdadeira natureza das coisas é rejeitada, e a natureza dos fenômenos é descrita. O que sabemos é somente a experiência dos sentidos, e não a essência mesma das coisas.

1. *Berkeley* identificava o ser com o ser percebido, e assim criou o primeiro sistema fenomenalista. Ele rejeitava a separação concebida por Locke entre um objeto e sua mera semelhança.

2. *Hume* aplicava o ceticismo às origens dos fenômenos e pensava que todas as idéias partem das impressões. Nesse caso, terminamos no ceticismo gnosiológico, porquanto ficamos reduzido a um cortejo de sensações ou impressões.

3. *John Stuart Mill* definia os objetos materiais como possibilidades permanentes das sensações. Quando um objeto é percebido, então é atualizado, embora nunca cheguemos à coisa propriamente dita.

4. *Kant* e seus sucessores eram fenomenologistas pois não pensavam que se encontra a coisa propriamente dita (a natureza real das coisas) na

FENOMENALISMO — FENOMENOLOGIA

experiência de todos os dias. *Renouvier* (vide) é considerado um bom representante desse sistema. Ele era um neokantiano.

5. *Mach* e vários membros do Círculo de Viena (vide), e também A. J. Ayer, juntamente com os positivistas lógicos, promoveram formas diversas de fenomenalismo, visto que a busca pelas definições metafísicas, acerca da verdadeira natureza das coisas, foi abandonada por eles.

A refutação dessa posição inclui os seguintes conceitos:

a. É preciso uma grande dose de não querer saber para que alguém se contente somente com o conhecimento dos meros fenômenos. A pesquisa científica tem investigado muito mais os objetos do que os fenômenos que eles produzem, mesmo que esse conhecimento seja apenas parcial. Sabemos *algo* sobre as coisas propriamente ditas.

b. O fenomenalismo é empirismo extremado. Mas há outras maneiras de sabermos das coisas, como a razão, a intuição e as experiências místicas, que nos conferem algum conhecimento sobre a natureza das coisas, ultrapassando os fenômenos que as coisas produzem.

c. Não faz muito sentido falar sobre os fenômenos que se originam dos objetos, sem que primeiro entendamos alguma coisa sobre os próprios objetos.

FENÔMENO

No grego, **phainomenon**, que significa «aparência». Kant usava esse vocábulo para contrastar com as manifestações da *nous*, isto é, do *noumenon*, que não se presta para as nossas percepções físicas, devendo ser investigadas pela razão, pela intuição e pelas experiências místicas. Aqueles que acreditam na capacidade que os seres humanos têm de conhecer as coisas, à parte dos fenômenos materiais, supõem que o empirismo não é a única maneira de tomarmos conhecimento das coisas. Muitos empiristas, entretanto, supõem que só podemos tomar conhecimento do mundo através dos fenômenos que podemos observar. Devemos relembrar, entretanto, que até mesmo as manifestações espirituais, algumas vezes, ocorrem mediante fenômenos visíveis e audíveis. Além disso, há também os *fenômenos psíquicos* (vide), que são manifestações mentais e espirituais, dando a entender a existência de entidades não materiais, incluindo a alma humana.

FENÔMENO DA VOZ

Muitas pessoas têm podido gravar vozes de entidades invisíveis em gravadores de fita ordinários. Além de vozes, também música, até de tempos antigos, como hinos da antiguidade, têm sido assim registradas. Friedrich Juergenson, em nosso próprio tempo, descobriu esse fenômeno quando gravava outras coisas. As vozes misturaram-se com aquilo que ele estava gravando. Konstantine Raudive, discípulo de Carl Jung, antes de sua morte, que ocorreu há poucos anos, registrou mais de cem mil desses casos. Essa narrativa é feita no livro *O Inaudível Feito Audível*. Essas entidades que se comunicam podem interagir com aquele que está fazendo as gravações, mostrando que estão fazendo observações. Um desapontamento com esse tipo de fenômeno é o baixo nível de intelectualidade demonstrado. Isso sugere que estamos tratando apenas com a vitalidade da personalidade humana, e não com espíritos humanos verdadeiros. Essa vitalidade é uma espécie de energia

que vincula a porção espiritual do homem à sua porção física, capaz de certo tipo de comunicação mecânica, depois que a morte física separou as várias energias que compõem um ser humano. Usualmente, embora nem sempre, essa energia é aquela envolvida nos casos de fantasmas, como também em muitas sessões espíritas. Todavia, há gravações que ultrapassam esse nível tão baixo e, aparentemente, refletem um nível mais alto de ser e inteligência. Apesar de alguma atividade demoníaca poder estar envolvida, isso explica apenas uma pequena porcentagem da totalidade dos casos. O mesmo pode ser dito no caso de espíritos humanos genuínos, desencarnados. O mais provável é que estejam envolvidos *vários tipos* e níveis de seres. A importância desse fenômeno jaz na promessa que o mesmo dá de que pode ser provada a existência **de inteligências não-materiais**.

Não sabemos dizer, no momento, até onde irão essas investigações. Entretanto, trata-se de um fenômeno que deveria ser cientificamente estudado, visto que a ignorância, por sua própria definição, nada vale. A British Broadcasting System tem investigado esse fenômeno. Colocou microfones unidirecionais em uma sala vazia, cuidadosamente guardada. Esses microfones só registravam sons diretamente dirigidos para eles, pelo que eram imunes a sons vindos de qualquer outra direção. A interferência radiofônica foi assim eliminada, anulando uma objeção que com freqüência se fizera. No entanto, dentro de apenas dezoito minutos, mais de duzentas vozes se fizeram gravar nas fitas, como que se competissem para dizer alguma coisa. Alguns experimentadores estão convencidos de que, desse modo, os espíritos dos mortos procuram comunicar-se com os vivos. Contudo, o baixo nível intelectual dessas vozes contribui para pôr essa opinião em descrédito. Se isso realmente acontece, então podemos dizer que parece que isso comprova, pelo menos em parte, a idéia de que, no estado intermediário, as almas que não foram nem para o céu e nem para o inferno, pairam em um mundo intermediário. Porém, seria ridículo fazer da questão uma prática religiosa; mas também seria ridículo determinar a cessação dessas experiências. Deus, afinal de contas, é o possuidor de todo o conhecimento. Não há razão alguma pela qual o homem não deva procurar saber mais. O conhecimento, por si mesmo, é neutro. Pode ser usado de maneira errada, mas também pode ser usado corretamente. Ver sobre *Parapsicologia*.

FENÔMENO PSÍQUICO

Ver o artigo sobre **Parapsicologia**.

FENOMENOLOGIA

Essa palavra vem do grego **phainomenon**, «aparência», e *logos*, «conhecimento», «estudo de», dando a entender o estudo dos fenômenos.

I. Definições: Husserl
Basicamente, a fenomenologia indica a análise dos fenômenos que povoam a consciência das pessoas. A inspeção escrupulosa da própria consciência e do processo intelectual é efetuada, com a identificação das causas externas mais latas e suas conseqüências. Essa identificação visa pôr de lado, ou não levar em conta. Uma vez manuseadas assim as questões da existência, as *essências* dos fenômenos podem ser examinadas. Husserl insistia que se tratava de uma investigação *a priori* acerca das essências dos significados comuns ao pensamento de mentes diferentes, e não de um programa de introspecção psicológica. Por conseguinte, se a palavra é usada

FENOMENOLOGIA — FERIDA

em contraste com a *ontologia*, o estudo do ser, parece que a mesma expressa um sistema que busca descobrir a essência do ser.

Husserl procurava aplicar o método de Descartes da dúvida rigorosa de maneira a eliminar tudo, exceto os fenômenos, conforme os mesmos impressionam a consciência pura. Toda relação entre os fatos e o mundo exterior, empírico, era por ele identificada. É importante observar, nesta altura, que, assim sendo, ele dependia da intuição a fim de compreender a essência das coisas, tendo a confiança de que a mente humana é capaz dessa atividade. Na intuição fenomenológica vemos um objeto como *eidos*, ou essência, ou seja, conforme o mesmo deve ser, e conforme o mesmo não pode ser. Ele acreditava que a mente humana é capaz de intuir diretamente a essência das coisas.

Na análise das essências haveria dois pólos: a *noema*, ou pólo objetivo, e o *noesis*, ou pólo subjetivo. Husserl, pois, supunha que é possível desenvolver uma ciência *a priori* com base na consciência pura, que proveria a base para todo o conhecimento e para toda a ciência. Parece que ele retrocedeu para o idealismo, deixando assim, sem resposta, a posição dos objetos da intuição, em seu relacionamento com o ego transcendental. Ver o artigo separado sobre *Husserl*.

II. Outras Idéias e Usos

O termo «fenomenologia» foi introduzido na filosofia por J.H. Lambert (vide), como se fosse uma *teoria das aparências*, um de seus quatro sistemas básicos (juntamente com as teorias da verdade, da lógica e da semiótica). Mas o termo também tem recebido outras interpretações, segundo se vê nos pontos abaixo:

1. Kant usava o vocábulo para aludir às características gerais dos fenômenos.

2. Hegel empregava o termo para indicar os fatos particulares que exprimem o progresso da mente desde as formas inferiores de experiência até os estágios mais elevados do pensamento absoluto.

3. William Hamilton (vide) pensava sobre a fenomenologia empírica como o ponto inicial do conhecimento objetivo.

4. Eduardo von Hartmann usava a palavra como sinônimo para indicar a *pesquisa geral* sobre qualquer assunto, uma atividade que deve anteceder às conclusões filosóficas.

5. Max Scheler (vide) aplicou a palavra às explorações detalhadas sobre a natureza dos valores.

6. Heidegger (vide), que estudou com Husserl, dirigia esse tipo de análise, que empregava esse termo designativo, para a atividade mediante a qual ele tinha a esperança de redescobrir o *Ser*, mediante a compreensão da natureza humana.

7. Sartre, em seu *Ensaio sobre a Ontologia Fenomenológica*, empregou o termo para indicar a idéia de Heidegger, procurando passar da análise da situação humana para as considerações ontológicas.

FÉRETRO

No hebraico, **mittah**, «cama» e no grego, **sorós**, «esquife». A palavra hebraica é usada por vinte e nove vezes, e apenas por uma vez, em II Samuel 3:31, podemos pensar em um «ataúde», onde o corpo de Abner, recém-assassinado por Joabe, em um ato traiçoeiro, estava sendo conduzido. Porém, é mais provável que se tratasse mesmo de um leito leve, como havia na antiguidade. A tradução portuguesa «féretro» evita definir o que seria o objeto.

A palavra gr. *sorós* aparece exclusivamente em Luc. 7:14. O corpo do filho único da viúva estava sendo transportado em uma maca, tal como até hoje se vê nos funerais de islamitas pobres onde os cadáveres são transportados sobre simples tábuas. Algumas vezes havia, para esse propósito, uma armação de vime. Naturalmente, os ricos tinham esquifes melhores do que os pobres. No grego clássico, a palavra em foco pode significar uma *urna* onde eram guardados os ossos de um morto; mas seu uso, no evangelho de Lucas, deve apontar para a *mittah* dos judeus.

FEREZEUS Ver **Perezeus (Ferezeus)**.

FERGUSON, ADAM

Suas datas foram 1723-1816. Foi um filósofo escocês. Educou-se nas Universidades de Stº André e de Edimburgo. Seguia a escola do bom senso escocês, de Thomas Reid, que defendia o realismo singelo, que diz que as coisas são apenas aquilo que elas parecem ser. Ver o artigo sobre *Conhecimento*; sobre o *Conhecimento e a Fé Religiosa*, e sobre o *Realismo*. Os estudos mais importantes de Ferguson dizem respeito às questões éticas, nos quais ele introduziu um certo conceito de *perfeição* como o critério do certo e do errado e como guia na ética pessoal e social. Seu sistema moral era essencialmente estóico. Ele acreditava na obediência às leis civis, quanto à ética social, e na obediência às leis naturais, quanto à ética individual. Ele acreditava que o homem pode descobrir os seus deveres nas leis naturais. A liberdade seria necessária para o cumprimento apropriado dos deveres e das aspirações dos homens.

Escritos. Institutas da Filosofia Moral; Princípios de Moral e da Ciência Política.

FERIDA

No hebraico, **nega**, palavra que ocorre por **setenta e sete** vezes nas páginas do Antigo Testamento. Em nossa versão portuguesa, em muitas outras versões estrangeiras, a palavra tem sido traduzida, na maioria das vezes, por praga. Mas, como a palavra hebraica é um termo geral que se refere a qualquer lesão da pele ou das membranas mucosas, aproveitamos o trecho de II Crô. 6:29, onde aparece, em nossa versão portuguesa, a tradução «chaga». Outras passagens onde, por exemplo, essa palavra hebraica ocorre: Lev. 13:42,43; Sal. 38:11; Pro. 6:33; Gên. 12:17; I Reis 8:37,38. É nos capítulos treze e catorze de Levítico que a palavra hebraica aparece por nada menos de cinqüenta e quatro vezes.

No grego, *élkos*, «úlcera», «abcesso». Esse vocábulo aparece no Novo Testamento por apenas três vezes: Luc. 16:21; Apo. 16:2 e 11.

Provavelmente, a palavra hebraica era usada para indicar (embora não com exclusividade) um tipo específico de ferida que se tornara comum entre o povo de Israel. Chama-se modernamente «úlcera do deserto», uma úlcera tropical que ocorre, principalmente, nas áreas desérticas do norte da África e do Oriente Médio. Esse tipo de úlcera assemelha-se a uma veia varicosa, surgindo principalmente nas pernas, no dorso das mãos e no rosto.

Nos dias bíblicos as úlceras e chagas deviam ser extremamente comuns, razão pela qual essa aflição é tão freqüentemente mencionada nas Escrituras. O caso de Jó é um exemplo típico. Davi culpou a si mesmo por suas chagas. «Tornam-se infectas e purulentas as minhas chagas, por causa da minha

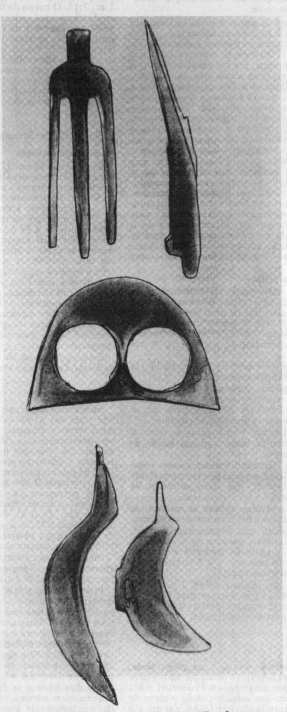

Ferramentas antigas — Cortesia, Zondervan Publishing House

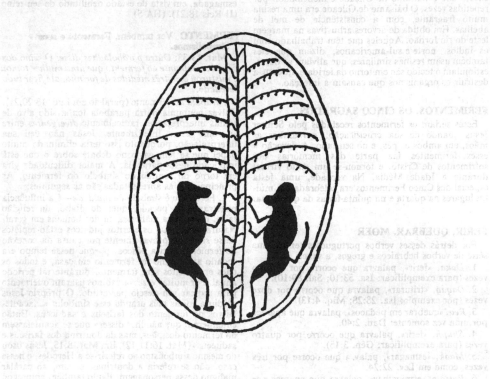

Arte egípcia — babuínos e a palmeira de tâmaras

Reprodução Artística de
Darrell Steven Champlin

FERIMENTOS — FERMENTO

loucura» (Sal. 38:5).

Em Israel, de acordo com a legislação mosaica, havia regras muito rígidas no tocante ao diagnóstico de todas as feridas. Em muitos casos, os pacientes eram forçados a total isolamento. É verdade que algumas dessas regras pareciam duras demais, mas a verdade é que elas ajudavam a retardar a propagação de doenças contagiosas, em uma época quando ainda nem se sonhava com antibióticos e com os modernos recursos da medicina.

Não sabemos dizer muita coisa sobre os medicamentos usados na antiguidade na cura das feridas, exceto que o bálsamo de Gileade é mencionado por repetidas vezes. O bálsamo de Gileade era uma resina muito fragrante, com a consistência de mel de abelhas. Era obtida de árvores arbustivas na margem leste do rio Jordão. Aqueles que têm trabalhado com os índios, **norte e sul-americanos,** dizem que eles também usam resinas similares, que aliviam as dores, estimulam o tecido são em torno da ferida e ajudam a destruir os organismos que causam a infecção.

FERIMENTOS, OS CINCO SAGRADOS

Esses seriam os **ferimentos recebidos pelo Senhor Jesus** quando de sua crucificação: em ambas as mãos, em ambos os pés, e no seu lado. A devoção a esses ferimentos faz parte das memórias dos sofrimentos de Cristo, e tornou-se um culto virtual durante a Idade Média. Na verdade, uma festa especial dos Cinco Ferimentos era celebrada em muitos lugares na quarta e na quinta-feiras da quaresma.

FERIR, QUEBRAR, MOER

Por detrás desses verbos portugueses temos uma série de verbos hebraicos e gregos, a saber:

1. *Daka*, «ferir», palavra que ocorre por dezoito vezes (para exemplificar: Isa. 53:10; Sal. 89:10).

2. *Daqaq*, «triturar», palavra que ocorre por doze vezes (por exemplo: Isa. 28:28; Miq. 4:13).

3. *Rea*, «quebrar em pedaços», palavra que aparece por uma vez somente: Dan. 2:40.

4. *Shuph*, «ferir», palavra que ocorre por quatro vezes (para exemplificar: Gên. 3:15).

5. *Maak*, «esmagar», palav. a que ocorre por três vezes, como em Lev. 22:24.

6. *Ratsats*, «esmigalhar», palavra que aparece por dezenove vezes (por exemplo: II Reis 18:21; Isa. 42:3; Deu. 28:33; Amós 4:1).

7. *Thraúo*, «quebrar em pedaços», palavra grega que aparece por apenas uma vez, em Luc. 4:18, citando Isa. 58:6.

8. *Suntríbo*, «esfregar com», palavra grega que ocorre por sete vezes: Mat. 12:20, citando Isa. 42:3; Mar. 5:4; 14:3; Luc. 9:39; João 19:36, citando Sal. 34:21; Rom. 16:20 e Apo. 2:27.

Há ainda muitas outras palavras hebraicas e gregas, que devem ser examinadas sob o verbete *Quebrar.* Mas as palavras dadas acima têm sido traduzidas com os sentidos de esmagar (Isa. 28:28), injuriar, oprimir (Lam. 4:18), afligir, punir (Isa. 53:5), etc. Estritamente falando, deve-se pensar em um ferimento do qual a vítima consegue recuperar-se, mediante liquefação gradual e absorção dos tecidos danificados, **durante cujo processo** a área afetada muda de cor, no desenvolvimento da cura. Mas as referências bíblicas não incluem somente esse tipo de ferimento superficial, porquanto envolvem até mesmo a pulverização, a trituração, o esmigalhamento, etc.

Usos Figurados: 1. A alma ferida indica dúvidas, temores, angústia e tribulações internas, por causa do pecado (Mat. 12:20). 2. A nação cheia de contusões aponta para as iniqüidades que a marcam (Isa. 1:6; Jer. 6:14). 3. Cristo foi moído por causa dos nossos pecados, indicando os Seus sofrimentos vicários (Isa. 53:5,10). 4. Cristo esmagou a cabeça de Satanás, quando destruiu as conseqüências de seus ímpios desígnios e de seus atos malignos (Gên. 3:15; Rom. 6:20). 5. Os santos fracos são feridos quando ofendidos ou afligidos por Satanás ou falsos mestres, mas são divinamente protegidos (Isa. 52:3; Luc. 4:18). 6. O rei do Egito foi comparado a uma cana esmagada, em vista do estado debilitado de seu reino (II Reis 18:21). (HA S)

FERMENTO Ver também, **Fermento e seus Simbolismos.**

Mat. 13:33: *Outra parábola lhes disse: O reino dos céus é semelhante ao fermento que uma mulher tomou e misturou com três medidas de farinha, até ficar tudo levedado.*

Parábola do fermento (paralelo em Luc. 13:20,21). Talvez nenhuma outra parábola tenha sido alvo de tantas interpretações radicalmente *divergentes* entre si como esta. Infelizmente, Jesus não deu sua interpretação, porquanto isso teria eliminado muito papel que se tem gasto no debate sobre o que está implicado nesta parábola. A maior dificuldade gira em torno do sentido do símbolo do fermento. As principais idéias apresentadas são as seguintes:

1. Fermento é símbolo de *maldade*—é a influência penetrante do pecado, quer do diabo, da religião falsa, da política maliciosa ou dos homens em geral. Naturalmente que os escritos judaicos estão repletos desse símbolo, provavelmente por causa da conexão do fermento com a páscoa, porque nesse tempo era vedado até mesmo ter fermento em casa, e todos os pães eram feitos sem fermento, durante tal período anual. Por muitas vezes os rabinos usaram o fermento para indicar um desejo pervertido. O próprio Jesus aludiu a coisas más usando esse símbolo: «...acautelai-vos do fermento dos fariseus e saduceus. Então entenderam que não lhes dissera que se acautelassem do fermento dos pães, mas da doutrina dos fariseus e saduceus» (Mat. 16:11,12). Em Mar. 8:15, Jesus usou do mesmo simbolismo ao referir-se a Herodes, nesse caso, não se referia a doutrinas, e, sim, ao caráter maligno dessa personagem. Paulo também empregou o vocábulo em I Cor. 5:8 a fim de indicar a malícia de alguma grande maldade moral. As aplicações do símbolo com sentido mau são numerosas. Eis alguns exemplos: a. o papado e a Igreja Católica Romana (interpretação protestante). b. Influência do protestantismo (interpretação católica). c. Diversos elementos falsos, através da história da igreja. d. O pecado original inerente à natureza humana. e. A apostasia na igreja. f. A corrupção geral da igreja, moral e doutrinariamente. g. A influência do diabo sobre a igreja. Talvez haja muitas outras interpretações, — inumeráveis —, mas pelo menos esses exemplos nos dão idéia de quão diversificada tem sido a interpretação e aplicação desta parábola.

2. *Outros acham* que o fermento indica, ao mesmo tempo, o desenvolvimento da *maldade* na igreja, bem como o fato de que esse desenvolvimento seria grande; ou ainda, a influência do pecado original na igreja, porém, lado a lado com a graça gratuita de Deus, é que tais influências formam o caráter geral da igreja. Pode ser que isso seja verdade, mas dificilmente podemos ver esse sentido nestas palavras de Jesus.

FERMENTO — FERRAMENTAS

3. *Respeitando* os intérpretes que tomam o fermento como símbolo do mal, devemos afirmar que, neste caso, não se deve entender isso. Provavelmente Jesus usou de ousadia para *alterar* o sentido comum do símbolo do fermento, a fim de que significasse coisa boa, isto é, o *notável desenvolvimento* do reino dos céus. Apresentamos as seguintes razões em defesa dessa interpretação: a. Nem sempre as Escrituras usam o fermento como símbolo de coisa má. Diz Lev. 23:17: «Das vossas habitações trareis dois pães de movimento: de duas dízimas de farinha serão, levedados se cozerão: primícias são ao Senhor». Dificilmente podemos entender que essas «primícias» de Deus são coisa má. b. A análise do *adágio* mostra que o reino dos céus é comparado ao fermento; não está em foco apenas a influência exercida pelo reino. O fermento caracteriza o reino. Aqui, uma vez mais, seria difícil afirmar que o caráter principal do reino (o cristianismo no mundo) é mau. O fermento não é apresentado como elemento do reino, mas como o caráter mesmo do reino. Fica salientada somente a forma de desenvolvimento do reino ou da influência da igreja no mundo, em seu caráter permeador e penetrante. c. Por diversas vezes outros símbolos são usados de maneiras diversas, como, por exemplo, o próprio fermento, conforme já notamos em Lev. 23:17. Nestas parábolas, a semente simboliza primeiramente a «palavra» (do semeador); mas, na parábola do joio, simboliza o produto da palavra, a saber, «os filhos do reino», o que indica que houve uma modificação no uso desse símbolo. O símbolo do leão é usado para designar Satanás, em I Ped. 5:8, mas é empregado para indicar Jesus Cristo, em Apo. 5:5. As aves são usadas como símbolo mau, conforme se vê em Mat. 13:19 (Satanás), mas o próprio Jesus lançou mão desse símbolo para expressar o caráter manso e simples dos apóstolos (Mat. 10:16). Portanto, nem sempre se deve entender que cada símbolo tenha sempre o mesmo sentido, porque a verdade é que não têm aplicação universal.

4. *Reputar o fermento* como símbolo mau, neste caso, seria ir de encontro à mensagem geral das parábolas que ilustram o desenvolvimento do reino, como a parábola da mostarda e a da semente que cresce inconscientemente (Mar. 4:26-29). Todas essas três parábolas ilustram certo aspecto do *desenvolvimento* do reino. A parábola do grão de mostarda ilustra esse crescimento observado do lado de fora; a do fermento, o crescimento visto pelo lado de dentro, como poder penetrante do reino. E a parábola que se encontra em Mar. 4:26-29 ilustra o crescimento inconsciente, que não é encorajado nem observado pelo homem. Por conseguinte, o caráter geral do texto sugere que, neste caso pelo menos, o fermento não simboliza algo mau.

5. *Finalmente*, não é provável que essa parábola tenha tido por escopo ilustrar a falha do reino no mundo, interpretação essa quase necessária se insistirmos que o símbolo do fermento sempre indica algo perverso, posto que o fermento espalha sua influência pela massa inteira. Mat. 13:33 diz: «até ficar tudo levedado». *Não é provável* que Jesus tenha descrito a influência de sua igreja com tais termos. A explicação mais provável, portanto, é que o fermento, neste caso, simboliza o desenvolvimento da influência da igreja no mundo, uma penetração derivada do poder do caráter da igreja, a ponto de permear o mundo inteiro, capaz de mudar o caráter do mundo, tal como o fermento muda o caráter do pão. Naturalmente que a parábola não ensina que a igreja converterá o mundo todo, conforme ensinam os pós-milenistas, os quais evidentemente *exageram* o sentido do símbolo. Devemos evitar as interpretações que ensinam significados estranhos e exagerados, e que obviamente ultrapassam a simples intenção das palavras do texto. As misturas de questões complexas de teologia e de história eclesiástica ou de história universal não têm papel legítimo na interpretação destas parábolas.

FERMENTO E SEUS SIMBOLISMOS, I Cor. 5:8

1. **Velho fermento.** O fermento da maldade e da malícia. O apóstolo dos gentios já havia deixado claro que a «imoralidade» é um mau fermento na comunidade cristã. Porém, existem muitas outras modalidades de pecado que também têm efeitos malignos, corruptores, insidiosos, que se espalham como câncer. Tais pecados incluem todas as formas de maldade, malícia e impiedade. — Examinando até o décimo primeiro versículo deste capítulo, também se poderia incluir, especificamente, o furto, a idolatria, a cobiça, as críticas iracundas e o vilipêndio contra os outros, além do alcoolismo. Com os praticantes dessas formas de pecado não devemos ter campanhia, nem ao menos para tomarmos refeições com eles.

Contudo, existem ainda outros pecados que atuam como fermento, no seio da igreja cristã, a saber, as obras da carne, conforme a lista que encontramos no trecho de Gál. 5:19,20. Todas as obras da carne, que são fomentadas segundo o princípio do mal que há no mundo, servem de fermento para o cristianismo bíblico. Finalmente, entretanto, todos nós, os remidos, seremos totalmente purificados. Mas para tanto é necessária a atuação do Espírito Santo, – que, ao mesmo tempo, implantará os aspectos positivos do fruto do Espírito Santo. (Ver Gál. 5:22,23). Então é que seremos dignos de Cristo, a nossa páscoa que foi sacrificada por nós; porque assim, a casa não somente terá sido expurgada de todo o fermento, mas também será enfeitada e decorada com todas as formas da justiça positiva do Senhor Jesus.

2. Possui propriedades difusivas, pelo que pode ilustrar como o pecado se propaga e corrompe (ver I Cor. 5:6).

3. Estava associado à páscoa original, pelo que veio a ilustrar o princípio da separação para longe dos ímpios e do mal (ver Êxo. 12:15-20).

4. Ilustra, de maneira positiva, a rápida propagação do evangelho (ver Mat. 13:33).

5. Pode ilustrar a doutrina falsa (ver Mat. 16:6), bem como os mestres ímpios (ver I Cor. 5:6,7), ou mesmo a malícia (ver I Cor. 5:8).

••• ••• •••

FERRAMENTAS

Ver sobre **Artes e Ofícios**.

Nas Escrituras, as ferramentas de trabalho são referidas de maneira apenas incidental, e usualmente, em conexão com as atividades próprias das artes e dos ofícios. Os hebreus não eram, usualmente, destros no emprego de ferramentas de trabalho. Antes de terem migrado para o Egito, eles formavam um clã pastoril. Chegando ali, não demorou muito para perderem sua liberdade, sendo reduzidos a uma condição de grande dependência, com nenhum vagar para se dedicarem às artes ou às profissões liberais. Por isso mesmo, quando da construção do tabernáculo, no deserto, o Espírito de Deus conferiu habilidades a certos homens, como Bezalel e Ooliabe (ver Êxo. 31:1-11;

FERRAMENTAS — FERRARA

35:30 — 36:1), a fim de que tal trabalho pudesse ser executado. Mas, mesmo depois que os israelitas conquistaram a Terra Prometida, eles nunca se tornaram os melhores artesãos. Na época de Salomão, cerca de seiscentos anos depois da época de Moisés, tiveram de ser contratados artífices e operários fenícios, na construção do templo de Jerusalém. Ver I Reis 7:13. Todo esse atraso nesse campo de atividades impedia que os israelitas desenvolvessem suas próprias ferramentas. Na maioria das vezes, eles imitavam as ferramentas egípcias. Como lhes faltou o ferro durante muito tempo, suas ferramentas perdiam em qualidade em relação às ferramentas, utensílios e armas de outros povos, como os fenícios e os filisteus, para exemplificar.

Os que trabalhavam em madeira usavam serras de metal, provavelmente, do tipo egípcio de puxar, com os dentes voltados na direção do cabo. Essas serras também eram usadas para cortar pedras (cf. I Reis 7:9; Isa. 10:15). Há uma tradição antiga que diz que Isaías, o profeta, foi executado ao ser serrado pelo meio (ver Heb. 11:37). O mais provável é que os hebreus usassem malhos, na carpintaria e não martelos (ver Juí. 4:21; cf. 5:26). No entanto, nove palavras hebraicas diferentes são traduzidas como «machado», o que indica que havia diversos tipos desses úteis instrumentos de trabalho pesado. A lâmina desses machados corria paralela ao cabo, ou então, formava um ângulo reto com o mesmo. E o próprio cabo podia ser mais longo ou mais curto. Lê-se na Bíblia que havia ferramentas de pedra, de bronze e de ferro; e os métodos de ajustar essas peças a seus cabos variavam consideravelmente (cf. Deu. 20:19 e 19:5 com II Reis 6:5 e Jer. 10:3). Os machados também eram usados, com bastante freqüência, como armas de guerra (Juí. 9:48; Jer. 46:22). Aliás, isso não se dava somente entre os hebreus. Os gauleses, por exemplo, gostavam muito de usar machados de guerra, e é fato bem conhecido entre nós que muitas tribos indígenas norteamericanas faziam o mesmo. Os carpinteiros também usavam raspadores, plainas e formões, para obter diversos efeitos (ver Isa. 44:13), além de empregarem sovelas e verrumas para o ato de perfurar (ver Êxo. 21:6 e Deu. 15:17).

A faca era de uso o mais generalizado possível, sendo empregada para toda espécie de trabalho. Usava-se a linha, com uma pedra ou um peso de chumbo em uma das extremidades, para servir de prumo; ou então sem esse peso, a fim de fazer medições. Sabe-se que os hebreus também usavam o compasso e algum tipo de esquadro, permitindo a obtenção de ângulos retos perfeitos. Também havia réguas, para o traçado de linhas retas. Há muitas referências bíblicas a esses itens e a esses atos.

Os pedreiros hebreus utilizavam-se de muitas das ferramentas que já mencionamos, embora também usassem uma certa variedade de martelos e marretas (ver I Reis 6:7 e Jer. 23:29). Formões, cunhas, pedras de abrasão, níveis, roletes e guindastes primitivos, também eram conhecidos entre eles. Poderíamos adicionar a essa lista moldes para tijolos, vários modelos de colher de pedreiro e picaretas (cf. o artigo sobre a *Inscrição de Siloé*, onde se vê que nessa inscrição há menção de umas poucas ferramentas não aludidas no Antigo Testamento).

Os ferreiros, em adição a algumas das ferramentas acima mencionadas, como o malho, também lançavam mão de um tipo especial dessa ferramenta, que figura em Isaías 41:7 (onde a nossa versão portuguesa a traduz por «martelo»). Sem dúvida, eles também contavam com a bigorna, com a fornalha, com os foles, com moldes diversos, com conchas para o metal derretido, com limas, com brocas, etc. Por igual modo, eles também deviam conhecer as tenazes e até mesmo a bancada para fixar as peças a serem trabalhadas.

Na agricultura, as ferramentas usadas pelos hebreus incluíam o arado, a foice, o ancinho, o gancho, o aguilhão, o enxadão, o forcado, a pá, a peça de trilhar e o machado (ver I Sam. 13:21; I Reis 7:40,45; Joel 3:13). As ferramentas de corte eram afiadas, quase sempre, mediante o uso de pedras próprias ou de limas (ver I Sam. 13:21). Os ferreiros conseguiam afiar os seus instrumentos também de outra maneira: aqueciam o metal, batendo então com um malho ou martelo, as beiradas da parte cortante de suas ferramentas.

Os oleiros hebreus dispunham de seu próprio conjunto de ferramentas, que incluía a roda do oleiro, o forno, as pás para mexer e retirar a massa, os raspadores, os buris, os cinzéis, etc. Também havia outros ofícios, como o dos tecelões, dos tintureiros, dos pintores, dos fabricantes de tendas, dos joalheiros, dos gravadores, dos escultores, dos bordadores, dos costureiros, etc., cada um dos quais com suas ferramentas e seus equipamentos especiais, condizentes com suas respectivas necessidades.

Essas ferramentas e utensílios, entre os antigos hebreus, como é óbvio, pouco tinham de sofisticação e precisão. Eles nunca tiveram coisa alguma parecida com o torno, com a fresa, com a serra elétrica, além de muitos outros equipamentos modernos comuns, pois o fabrico dessas ferramentas requer grande avanço tecnológico. Todavia, mesmo em comparação com outros povos da antiguidade, os hebreus deixavam muito a desejar. Eles foram muito mais um povo agrícola e pastoril, cuja grande produção sempre foi a literatura sagrada e as atividades religiosas, no que foram imbatíveis. As ciências, como a matemática, a engenharia, a medicina, a astronomia, e muitas outras, nunca ocuparam um lugar cêntrico nos interesses deles. Até mesmo a filosofia só entrou no horizonte deles quando começaram a helenizar-se e, portanto, na época de Alexandre, o Grande, em diante.

Usos Metafóricos

Ferramenta é qualquer coisa que o homem pode empregar para realização de alguma tarefa material ou para concretização de algum ideal. No sentido espiritual, a espiritualidade do indivíduo é essa ferramenta, porquanto, através dela, a pessoa pode cumprir sua missão na terra. Além disso, existem instrumentos como a preparação, a educação, a experiência profissional e o *conhecimento* ou *know how*.

FERRARA-FLORÊNCIA, CONCÍLIO DE

O concílio de Basiléia, de 1421, somente criou inimizades entre aqueles que insistiam — na idéia da suprema autoridade do papa e aqueles que pensavam que essa autoridade suprema cabia aos concílios. Por esse motivo, o papa Eugênio IV transferiu a sua facção para Ferrara, na Itália, onde foram efetuados concílios de 1437 a 1439. A principal finalidade dessas convocações era a de unificar a Igreja Oriental e Ocidental; porém, não se chegou a nenhum acordo. O concílio foi transferido novamente de localidade, dessa vez para Florença. Ali foi admitida a cláusula *Filioque* (que vede) do credo niceno, como representante da posição da Igreja Ocidental. Mas, com o reparo que isso deveria ser interpretado que o Espírito Santo procede «do Pai, *através do* Filho», e não «do Pai *e* do Filho», a Igreja Oriental acabou divergindo, de alguma maneira, da

FERREIRO — FERRO

Igreja Ocidental. Todavia, essa e outras concessões haviam sido virtualmente forçadas, porquanto os gregos haviam chegado ao concílio buscando, acima de tudo, ajuda militar em sua luta contra os turcos. Por isso mesmo, tiveram de fazer concessões quanto a questões doutrinárias, na esperança de obter essa ajuda. As negociações resultaram no *Ato da União*, de 6 de julho de 1439. Dessa maneira, pensou-se que o *Grande Cisma* (que vede), entre a Igreja Ocidental e a Igreja Ocidental havia terminado oficialmente. Contudo, os bizantinos, em sua grande maioria, recusaram-se a reconhecer o decreto. E após a captura de Constantinopla, que ocorreu a 29 de maio de 1453, pelas forças turcas, esse decreto tornou-se nulo. Seja como for, a Rússia nunca aceitou esse decreto, pelo que também todo o esforço desses concílios reduziu-se a nada, o que, por tantas vezes, sucede nas disputas teológicas.

FERREIRO

Ver sobre **Ofícios**. Há três palavras hebraicas envolvidas neste verbete, a saber:

1. *Charash*, «artífice», «gravador». Palavra hebraica que ocorre por vinte e nove vezes; como, por exemplo, em I Sam. 13:19 e Isa. 54:16.

2. *Charash barzel*, «trabalho em ferro», que aparece somente em Isa. 44:12.

3. *Masger*, «ferreiro». Esse termo aparece por quatro vezes com esse sentido, em II Reis 24:15,16; Jer. 24:1,2.

O originador desse ofício foi Tubal-Caim (Gên. 4:22). O contexto de I Sam. 13:19 refere-se aos ferreiros filisteus, que foram os primeiros a trazer para a Palestina a arte de trabalhar com o ferro. O profeta Isaías fornece-nos uma boa descrição do trabalho de um ferreiro, em Isa. 44:12; mas a passagem encontra-se em meio a um trecho que descreve o fabrico de ídolos, mas nenhum ídolo de ferro foi encontrado até hoje. O trecho de Isaías 54:16 refere-se ao fabrico de certo artefato de ferro, embora esse artefato não seja especificado de modo definido, embora a versão portuguesa diga que o ferreiro fabricou uma *arma*; mas essa tradução tem por base o contexto, que possibilita tal tradução.

A palavra «ferreiro» (no hebraico, *masger*) é usada para descrever certa classe de artífices levada para a Babilônia por Nabucodonosor, por ocasião do exílio de Judá para aquele país; mas o sentido exato do termo heb. é desconhecido hoje; entretanto, essa tradução, na verdade, não passa de uma conjetura (ver igualmente, II Reis 24:24,16 e Jer. 24:1 e 29:2).

FERRETE

Ver sobre **Crimes e Castigos**.

FERRO

Há uma palavra hebraica, uma palavra aramaica e uma palavra grega envolvidas neste verbete, a saber:

1. *Barzel*, «ferro», palavra hebraica que ocorre por setenta e cinco vezes, conforme se vê, por exemplo, em Gên. 4:22; Lev. 26:19; Núm. 31:22; Deu. 3:11; Jos. 6:19,24; Juí. 1:19; I Sam. 17:7; II Sam. 12:31; I Reis 6:7; II Reis 6:6; I Crô. 20:3; II Crô. 2:6,14; Jó 19:24; Sal. 2:9; Pro. 27:16; Ecl. 10:10; Isa. 10:34; Jer. 1:18; Eze. 4:3; Amós 1:3; Miq. 4:13.

2. *Parzel*, «ferro», palavra aramaica que só aparece no livro de Daniel, por dezenove vezes (2:33-35,40-43; 4:15,23; 5:4,23; 7:7,19).

3. *Síderos*, «ferro», palavra grega usada somente por uma vez, em Apo. 18:12. A variante *sidéros*, «feito de ferro», ocorre por mais cinco vezes: Atos 12:10; Apo. 2:27; 12:5; 19:15.

O ferro, em sua forma natural, como nos fragmentos de meteoritos, é conhecido pela raça humana há milênios. Porém, passou-se muito tempo antes do homem desenvolver a tecnologia adequada para a produção de ferro, a partir do minério de ferro. A primeira alusão bíblica ao ferro aparece em Gên. 4:22, que antecede à Idade do Ferro. É provável que o ferro, como meteorito, esteja em foco. Essa referência no livro de Gênesis mostra que o ferro era utilizado em objetos feitos desse metal, para o fabrico de instrumentos; mas devemos presumir que tal metal não existia em quantidade muito abundante. Algum ferro podia ser extraído da lava dos vulcões, aumentando um pouco a sua quantidade disponível.

Ao que parece, os hititas foram os primeiros a solucionar o problema da redução do minério de ferro em ferro, que então podia ser usado para fabricar implementos agrícolas, instrumentos, armas de guerra, etc. Os filisteus levaram a arte do trabalho em ferro à Palestina, havendo evidências arqueológicas que demonstram que esse tipo de trabalho foi extensamente desenvolvido e usado pelo povo. Os trechos de Juízes 1:19 e I Samuel 13:19-22 mostram que Israel, por esse motivo, encontrava-se em grande desvantagem militar, porquanto os filisteus possuíam armas e carros de combate feitos de ferro. Porém, durante os reinados de Davi e Salomão, o povo de Israel alcançou os seus vizinhos, no progresso do uso do ferro (I Crô. 29:7). Naturalmente, antes do ferro, houve o uso extensivo do bronze, o que assinalou uma era arqueológica (2700 A.C.). O ferro marcou uma outra era. A era do ferro é datada entre 1200 e 300 A.C. Homero tem muitas referências ao ferro, em seus escritos, o que indica que, desde tempos bem remotos, os gregos sabiam explorar e usar o ferro. A arqueologia e as referências literárias antigas também mostram que os etruscos, os egípcios e os assírios sabiam trabalhar o ferro. Têm sido encontrados na região da antiga Assíria instrumentos de bronze, recobertos de ferro. Quando o ferro começou a ser empregado, o cobre e o bronze continuaram sendo usados em armas de defesa, como os escudos; mas as armas ofensivas, como espadas, facas e lanças, eram feitas de ferro, porquanto esse metal é mais duro e pode receber um fio ou uma ponta mais permanente do que o bronze.

Nos dias de Davi, o ferro passou a ser usado em Israel em maior abundância do que o bronze. As conquistas militares dos filisteus serviram para dar aos israelitas o conhecimento do uso do ferro (ver I Sam. 13:19-22). Os filisteus tinham instalações de mineração e de fundição de ferro, em Gerar. Os trechos de Isaías 44:22 e Eclesiastes 38:28 nos dão alguma idéia sobre o trabalho de forja, em Israel. Alguns eruditos têm falado em termos do progresso do ferro, em Israel, nos dias de Davi e Salomão. O ferro era abundante, juntamente com o cobre, na Arabá, a região entre o mar Morto e o golfo de Ácaba, e as minas dali produziam minério de ferro durante o reinado de Salomão. Outros depósitos de ferro incluíam áreas próximas do monte Carmelo, do monte Hermom, a sudoeste de Midiã, em vários lugares da Síria, na ilha de Chipre, na costa do Ponto da Ásia Menor, e nas ilhas do mar Egeu.

Usos do Ferro, Segundo Referências do Antigo Testamento: entre os despojos de guerra (Núm. 31:22; II Sam. 8:8); na fabricação de carros de guerra,

FERRO — FERRUGEM

provavelmente veículos recobertos com placas de ferro, com rodas recobertas de ferro (Jos. 17:16,18; Juí. 1:19; 4:3,13); o leito do rei Ogue (Deu. 3:11); a ponta da lança de Golias (I Sam. 17:7); os ferros de machados e machados de guerra (Deu. 19:5; II Reis 6:5,6; Isa. 10:34); instrumentos feitos para cortar pedras (Deu. 27:5); serras, arados, etc. (II Sam. 12:31); um estilete para gravar (Jó 19:24; Jer. 17:1); algemas e correntes (Sal. 105:18; 107:10).

O ferro é um dos mais abundantes metais da crosta terrestre, um pouco mais de cinco por cento do material que forma essa crosta. O ferro natural ou nativo é raro como material da crosta terrestre e, quando é encontrado como tal, resulta da lava despejada pelos vulcões em erupção. A maioria dos meteoritos consiste em uma liga de ferro e níquel: 91% ferro e 8,5% níquel. Os cientistas também acreditam que o núcleo do globo terrestre também é uma combinação desses dois metais. Jóias encontradas no Egito pré-dinástico (antes de 3400 A.C.) exibem o uso de ferro e do níquel, provavelmente derivados de fragmentos de meteoritos. Quando o ferro é misturado ao níquel, torna-se infenso à ferrugem, o que explica sua longa duração, com pouca desintegração. A ferrugem, sem qualquer níquel, associado ao cobre, em instrumentos encontrados no Egito, pertence a uma data como 2700 A.C. Isso pode sugerir que ali havia fundições de minério de ferro, desde épocas bem remotas. Isso é confirmado por remanescentes de antiqüíssimas manufaturas de ferro, em locais da Síria e do Iraque. Uma data tão antiga quanto 7000 — 6000 A.C. tem sido sugerida para a descoberta inicial do ferro, visto que, no Egito, contas de ferro oxidadas, têm sido encontradas, quase com essa antiguidade. Algumas contas, encontradas em El Gerzeh, datam de cerca de 4000 A.C., e instrumentos de ferro começaram a ser feitos na IV Dinastia egípcia (cerca de 3100 A.C.). Alguns desses instrumentos têm sido encontrados no interior da grande pirâmide de Cufu, em Gizé. Supõe-se que instrumentos de ferro eram necessários para serem gravados os hieroglifos em pedras duras. Seja como for, a manufatura *comum* de armas, instrumentos e ornamentos, feitos de ferro, só começou já na Idade do Ferro (cerca de 1200 A.C.).

Usos Figurados. A força e a resistência físicas assemelham-se ao ferro (Deu. 33:25; Miq. 4:13; Jó 40:18; Dan. 7:7,19). A quarta besta da visão de Daniel tinha dentes de ferro, e aparece como um animal de ferro, no segundo capítulo do livro de Daniel. O seu reino é visto como tendo artelhos compostos de ferro e barro, ou seja, um ponto de fortaleza e um ponto de fraqueza. O império romano, em seu futuro reavivamento final, é assim retratado. Qualidades morais, como a inflexibilidade, de boa ou de má qualidade, também são assim retratadas (Jer. 1:18; Isa. 48:4). Isso pode ser comparado com a metáfora de pessoas de dura cerviz, teimosos em seus caminhos malignos (Êxo. 32:9; 33:3,5; I Crô. 30:8). A seca prolongada produz um solo duro como o ferro (Lev. 26:19). A escravidão é simbolizada por algemas de ferro (Deu. 28:48). A aflição é simbolizada por uma fundição (Deu. 4:20). O castigo divino é simbolizado da mesma maneira (Eze. 22:18,20). Assim como o ferro pode ser usado para afiar o ferro, assim também um amigo melhora a fisionomia de um seu amigo. Em outras palavras, um amigo torna seu companheiro melhor em muitos sentidos. Os crentes aguçam-se mutuamente em suas graças e dons espirituais. Os mestres aguçam as mentes de seus alunos. A panela de ferro, de Ezequiel 4:3, parece indicar defesas contra o inimigo, como trincheiras,

parapeitos, fortificações, etc. Para Israel, isso servia de sinal de que o cativeiro babilônico avizinhava-se cada vez mais, e que os judeus precisavam preparar a sua defesa, o que, entretanto, seria inútil. Também falamos sobre uma vontade de ferro, indicando uma resolução firme, inflexível.

FERROLHO

No hebraico, **naal**, «fechar». A palavra aparece por seis vezes. Indicava a tranca das portas de madeira ou de ferro que os hebreus usavam para fechar portas de casas (II Sam. 13:17,18; Can. 5:5), portas de cidades (Nee. 3:3,6, 13-15), portas de prisões (Isa. 45:2) etc. A raiz dessa palavra era idêntica ao vocábulo que se referia ao couro ou às sandálias. Talvez por isso a semelhança com a palavra para ferrolho, pois tinham a forma de lingueta. É verdade que também havia portas dotadas de trancas de madeira ou de metal, mas também eram conhecidos os ferrolhos tipo lingueta. Ver Nee. 3:3,6,13-15. Portanto, havia dois sistemas: um deles precisava ser posto no lugar pelo lado de dentro (trancas); e o outro, por meio de uma chave, podia ser destravado pelo lado de fora (Juí. 3:23 *ss*). Ver também *trancas* e *fechaduras*.

FERRUGEM

No hebraico, **chelah**, «zinabre»; no grego, **brosis**, «desgaste» ou «alimento», pois é palavra com duplo sentido, e *iós*, «ferrugem» ou «veneno». A oxidação de certos metais produz um depósito à superfície dos mesmos que, dependendo de sua natureza, chamamos de *zinabre* ou «ferrugem». A palavra hebraica aparece por cinco vezes, em Eze. 24:6,11,12; *brosis*, com o sentido de «desgaste», aparece em Mat. 6:19,20; e *iós* aparece por três vezes, Rom. 3:13; Tiago 3:8 e 5:3.

Nas referências bíblicas, a idéia tem conotações simbólicas. O zinabre que se forma em um tacho de bronze, onde a comida é preparada, torna-se símbolo da iniqüidade não expurgada dos habitantes de Jerusalém, dentro da parábola de Ezequiel (24:6-13). Nos trechos do Novo Testamento, uma acusação similar é feita contra os acumuladores de riquezas mal adquiridas, sob o simbolismo do «desgaste» ou da «ferrugem» que ataca as moedas. Quanto a *iós*, nossa versão portuguesa a traduz por «veneno», em Rom. 3:13 e Tia. 3:8; e por *ferrugem*, em Tia. 5:3. Em qualquer um dos casos, a questão é se a ferrugem testifica sobre a duração passageira das riquezas materiais, ou se está em foco o testemunho de que os ricos preferem acumular riquezas, permitindo que as mesmas se estraguem, do que beneficiar seus semelhantes. Talvez esta última idéia ajuste-se melhor ao contexto, pois, no simbolismo apocalíptico, a ferrugem sempre é uma força viva vingativa (ver TDNT, III, pág. 335).

No hebraico, *yeraqon*, «palidez», «esverdeado». As referências bíblicas a certo fungo comum, que atacava as plantações, na Palestina, devido à umidade atmosférica. Se uma plantação sofreu tal ataque, isto constituiu uma calamidade, pelo que a ferrugem era considerada um castigo divino. Essa palavra heb. aparece por cinco vezes, em Deu. 28:22; I Reis 8:37; II Crô. 6:28; Amós 4:9; Ageu 2:17. O trecho de I Reis 8:37 registra uma oração feita por Salomão, no sentido de que Israel fosse livrado dessa praga. A condição oposta era o sopro dos ventos quentes, em tempos de seca. Ver Deu. 28:22-24; I Reis 8:37; II Crô. 6:28. Ambos os extremos eram indesejáveis e todos os extremos usualmente são indesejáveis.

••• ••• •••

FERTILIDADE, CULTOS DE

FERTILIDADE, CULTOS DE

Era apenas natural que os homens celebrassem a fertilidade dos campos, dos animais e dos seres humanos em meio a observâncias especiais, sacrifícios e culto religioso, porquanto a sua própria existência depende dessas coisas. Nas religiões primitivas, deuses e deusas representavam ciclos de vida e de fertilidade. Assim, no caso de divindades concebidas como do sexo masculino, a sua vida, as suas forças, o seu casamento e os seus ciclos de vida eram vinculados às estações do ano: a primavera, ao nascimento ou à ressurreição do deus; o verão, ao seu florescimento máximo; o outono, ao seu declínio; e o inverno à sua morte e perda da fertilidade. Um importante mito antigo consistia na busca, feita pela deusa terra, por seu filho ou amante perdido (de acordo com diferentes representações). As lendas de Istar e Tamuz, na Babilônia, de Ísis e de Osíris, no Egito, e de Demeter e Persefone, na Grécia, representam todas elas o ciclo anual de decadência e reavivamento da natureza, ou de nascimento (ou ressurreição) e morte, com uma interminável repetição desse mesmo processo, ano após ano. Um importante livro sobre esse assunto, foi publicado em 1906. Seu autor, James G. Frazer, procurou provar que certo número de cultos promoviam a fertilidade das plantações, dos animais e dos homens, celebrando a morte e a subseqüente ressurreição do mesmo deus. Também havia o casamento sagrado de um deus com uma deusa, com a subseqüente geração da vida, o que também era um tema muito comum nas religiões antigas.

1. *No Egito*. Osíris teria sido morto por seu irmão, Sete; mas, teria sido reanimado por sua esposa, Ísis. Por isso, Osíris passou a ser associado à idéia da ressurreição.

2. *Na Mesopotâmia*. O deus sumério *Dumuzi* (no acádico, *Tamuz*), que originalmente foi apenas um rei de Ereque, mas depois deificado e feito consorte da deusa Inana, faleceu. Então Inana (ou Istar) teria descido ao hades, a fim de ali ressuscitar a seu amante. Essas duas divindades, pois, também estavam envolvidas em uma lenda de matrimônio sagrado. É verdade que histórias sobre descidas ao hades são comuns em muitas culturas antigas; e isso deve ser ligado à percepção humana de que a morte não é o fim de toda a oportunidade, e que há possibilidade de avanço espiritual e de renovação, mesmo após a morte física. Assim também, nos livros apócrifos do Antigo e do Novo Testamentos encontramos relatos de descidas ao hades, e esse conceito reaparece em I Pedro 3:18 — 4:6 e em Efésios 4:8 *ss*. Ver o artigo separado sobre a *Descida de Cristo ao Hades*.

3. *Na Grécia*. Ali, a deusa Persefone (Core), representava o debilitamento da vegetação. Lemos que ela teria sido seqüestrada e conduzida ao hades. Sua mãe, Demeter, ficou a lamentar por ela. Uma religião misteriosa desenvolveu-se em torno da história, a saber, os *Mistérios de Core*, celebrados em Elêusis.

Zeus teria enviado Hermes, a fim de trazê-la de volta à terra. Porém, visto que ela comera parte de uma romã que lhe fora dada por Hades, seu marido, ela só podia passar dois terços do ano, no mundo visível, em companhia de sua mãe. A outra terça parte do ano ela tinha de passar no hades, como deusa da morte. Naturalmente, isso corresponde, de certo modo, às estações do ano, e o tempo em que Persefone ficaria no hades corresponderia ao inverno. Isso posto, essa história de uma descida ao hades expõe um sucesso apenas parcial; mas, pelo menos, ali é

embalada a esperança de que, por esse meio, a vida pode ser restaurada. Na mente grega, a imortalidade aparece ligada a essa história, o que se tornou uma parte dos mistérios eleusianos.

A história de Adônis é outro exemplo grego que ilustra o motivo da **morte-hades-ressurreição**. Adônis, intensamente amado pela deusa Afrodite, teria sido morto na metade do verão por um javali. Ao chegar o inverno, ele seria muito lamentado, através das desolações resultantes, próprias dessa estação do ano. Afrodite ficaria inconsolável e faria formas de vida vegetal renascerem com base no sangue de Adônis. Ela simplesmente não queria desistir dele. E fez pressão sobre Zeus, para que o enviasse de volta do hades à terra. Entrementes, Persefone se enamorara de Adônis. Em vista disso, Zeus resolveu o problema com uma meia-medida. Decretou que Adônis deveria viver metade do ano na terra, com Afrodite; e a outra metade do ano no hades, com Persefone. Uma vez mais, encontramos a situação da primavera-inverno, ou seja, da morte e da ressurreição. A morte de Adônis era lamentada intensamente no culto dos gregos; e a sua ressurreição era celebrada em meio a grandes festividades e muita licenciosidade. Uma das características dessas festividades eram os *jardins de Adônis*. Eram expostos vasos com plantas; mas essa vida dissipava-se rapidamente, outra vez, mostrando como Adônis ficaria transitando entre a terra e o hades. Alguns eruditos supõem que o trecho de Isaías 17:10 refere-se aos jardins de Adônis, quando ali lemos sobre «plantações formosas».

O homem anela por livrar-se definitivamente da morte e do hades. Essas são aspirações humanas comuns, ocultas no mais secreto recesso de seu espírito. Suas próprias religiões e mitos tentam resolver esses problemas, mediante uma esperança profética.

4. *Yahweh e o Casamento Sagrado*. Alguns estudiosos têm pensado que uma parcela dos ensinos sobre Yahweh, de Israel, envolve idéias tomadas por empréstimo dos cultos de fertilidade dos cananeus. Nesse caso, Yahweh teria tido um casamento sagrado, conforme se via, por exemplo, na adoração a Baal. Eles acreditam que o simbolismo usado no Antigo Testamento, de Yahweh como um noivo, e de Israel como uma noiva, seria um reflexo desse antigo culto pagão. E outros também supõem que os conceitos fundamentais da imortalidade, do servo sofredor e da paternidade de Deus derivam-se desses antigos motivos e das idéias dos cultos de fertilidade.

5. *O Novo Testamento e Esses Motivos Antigos*. Alguns estudiosos, naturalmente, não crêem na ressurreição literal de Jesus Cristo. Alguns poucos supõem que o relato do Novo Testamento é a mera continuação do tipo de coisas que descrevemos acima. Cristo seria apenas uma outra figura, parecida com Adônis e Osíris. É inútil tentar negar o motivo da ressurreição, nas religiões antigas, segundo têm negado alguns eruditos conservadores. Mas, aqueles que estudam os escritos clássicos têm plena confiança desse fator, no pensamento grego. Na realidade, porém, a nossa atitude deveria ser diametralmente oposta a isso. Se os povos antigos anelavam por não ser deixados no hades, mediante a descida de algum poder divino, até àquele lugar subterrâneo, quão profundamente nos deveríamos regozijar de que, em Cristo, ambos esses anelos do espírito humano tiveram cumprimento! Karl Jung demonstrou que a psique humana abriga diversos motivos fundamentais. Esses motivos transparecem através da arte, da literatura, da religião e dos mitos. As estórias que os

FERVOR — FESTAS (FESTIVIDADES)

homens contam são apenas lendárias, mas a realidade que provoca esses mitos é algo perfeitamente real. Anelamos por receber a vida e o livramento. Por essa razão é que a literatura envolve noções de ressurreição e histórias de descidas ao hades. Há algo de grandemente significativo no fato de que o Novo Testamento promove ambos esses conceitos, assegurando-nos que essas coisas, realmente, eram anunciadas pelos primitivos ministros cristãos. Ver o artigo separado sobre *Baal* (*Baalismo*). Talvez ali tenhamos uma antiga narrativa sobre morte e ressurreição, vinculada às estações do ano, com a morte do inverno e a ressurreição da primavera. Nesse artigo há uma descrição sobre a idéia de como esse culto a Baal pode ter influenciado certas crenças do povo de Israel. Não há sentido em tentar negar as aspirações dos povos antigos, que incluíam os motivos da morte-hades-ressurreição. Devemos perceber como essas aspirações foram perfeitamente cumpridas na experiência de Jesus Cristo. (AM E OS Z)

FERVOR (QUALIDADE MORAL)

Ser fervoroso é ser intenso, zeloso e resoluto no propósito tomado. Uma pessoa fervorosa caracteriza-se por sentimentos e convicções profundas, o que é uma virtude bastante rara. Essa qualidade do espírito faz contraste com a atitude de superficialidade, fingimento e vacilação, tão comum em nossos dias. A maioria das pessoas mostra-se fervorosa em raras ocasiões; poucas mostram-se constantemente fervorosas. Jesus Cristo e o apóstolo Paulo servem de grandes exemplos neotestamentários de fervor. Mas, por outro lado, também há aqueles que se mostram férvidos na prática da maldade. Faraó era um homem intensamente maligno. Foi preciso muita coisa para desviá-lo de seus propósitos de destruição. Os ímpios podem ser inspirados por forças satânicas, que os tornam resolutos praticantes da maldade, ao passo que muitos homens bons podem ressentir-se da ausência de convicções fortes. O fervor espiritual progride por meio do desenvolvimento espiritual, porquanto consiste na intensidade da prática da bondade. Ver o artigo sobre *Desenvolvimento, Meios de*.

FESTA DAS SEMANAS

Ver sobre *Festas* (*Festividades*) *Judaicas*, II. 4. b.

FESTA DAS TROMBETAS

Ver sobre **Festas** (**Festividades**) **Judaicas**, II. 4. f.

FESTAS E COLHEITAS

Ver sobre **Festas** (**Festividades**) **Judaicas**.

FESTAS E FESTIVIDADES DA IGREJA

Ver o artigo separado sobre o *Calendário Eclesiástico*.

FESTAS (FESTIVIDADES) JUDAICAS

Esboço:

   I. Caracterização Geral
   II. Festividades do Antigo Testamento
   III. Festividades Após o Exílio Babilônico
   IV. Gráfico do Ano Sagrado dos Judeus
   V. Festas e Festividades do Novo Testamento
   VI. Festas e Festividades do Judaísmo Moderno

I. Caracterização Geral

As festas assinalam importantes momentos de transição ou acontecimentos de vulto na vida do indivíduo, de uma comunidade ou de uma nação. Datas importantes, como aniversários, aquelas que comemoram acontecimentos significativos, as estações do ano que envolvem a fertilidade, a colheita, ciclos anuais importantes, casamentos, nascimentos, falecimentos, circuncisão, a maioridade, supostos eventos na vida dos deuses, salvadores, heróis, santos, etc., geralmente os homens transformam em motivo para algum tipo de festa ou festividade. Visto que Israel era, essencialmente, uma nação que promovia o culto religioso e não as ciências e as artes, aquela nação desenvolveu muitas festividades importantes que refletiam aspectos de sua adoração religiosa. Além de ocasiões como as que sugerimos acima, o povo de Israel também comemorava coisas como o desmame de um filho ou de um herdeiro, a tosquia das ovelhas, além de ocasiões especiais para esta ou aquela família.

II. Festividades do Antigo Testamento

1. *Festividades Particulares*. Muitas das modalidades de festas alistadas no primeiro ponto deste artigo, acima, podem ser encontradas nas páginas do Antigo Testamento. Exemplos disso, são: casamentos (Gên. 29:22); o desmame de uma criança (Gên. 21:8); aniversários natalícios (Gên. 40:20); a chegada ou a partida de hóspedes (Gên. 19:3; 27:30); a tosquia das ovelhas (Deu. 18:4; I Sam. 25:2,8,36); os negócios de estado (II Sam. 3:20; Est. 1:3; Dan. 5:1); entretenimentos diversos (Est. 5:4,14; 7:2,7); qualquer ocasião especial (Jó 1:4,5; Isa. 5:12).

Festas Comunais. As festas que envolviam a nação inteira eram festividades comunais ou nacionais e são descritas abaixo:

2. *Festividades Semanais: o Sábado*. O dia de Sábado foi santificado pelo Senhor, a fim de comemorar o ato da criação (Gên. 2:1-3). Sua instituição formal teve lugar após o êxodo (Êxo. 16:23). Também relembrava o descanso que o Senhor conferiu a Israel, libertando esse povo da servidão aos egípcios (Deu. 5:12-15). Assim sendo, o sábado tornou-se sinal do pacto que Deus estabeleceu com Israel. O sábado era observado desde o pôr-do-sol (de nossa sexta-feira) até o pôr-do-sol (de nosso sábado) (Êxo. 20:12,13). Nenhum trabalho podia ser executado nesse dia, sob pena de morte (Êxo. 31:14). Essa provisão, todavia, foi exagerada pelas tradições judaicas até um ponto ridículo. Assim, alguns judeus, do período dos Macabeus, permitiram-se ser massacrados no dia de sábado, —em vez de defenderem, para que não o profanassem (I Macabeus 2:38-41). Ver o artigo separado sobre o *Sábado*. Ver também os artigos intitulados *Domingo, Dia do Senhor* e *Domingo, Identificação com o Sábado*, no tocante às atitudes cristãs a respeito desse dia de guarda.

3. *Festividades Mensais: a Lua Nova*. No início de cada novo mês lunar, ofertas especiais eram feitas, a fim de cumprir os requisitos da lei mosaica (Núm. 28:11-15; Esd. 3:5). Eram tocadas as trombetas (Núm. 10:10), as atividades normais cessavam e eram conferidas instruções religiosas (Isa. 1:13,14). Paulo, naturalmente, via todas essas festas como sombras das realidades espirituais vindouras e não recomendava essa observância para os cristãos e nem se opunha a ela (Col. 2:16). As fases sucessivas da lua nos fazem lembrar a contínua provisão de Deus e o seu dom do tempo.

4. *Festividades Anuais*. Os detalhes sobre essas festividades aparecem nos artigos separados, sobre os pontos abaixo discriminados:

a. *A Páscoa*. Ver o artigo separado com esse título.

FESTAS (FESTIVIDADES)

Essa festa comemorava a última praga do Egito, do que resultou o livramento de Israel da servidão (Êxo. 21:11,21,27,43,48). A páscoa (ou festa dos pães asmos) era uma das três festividades anuais importantes, sendo observada no décimo quarto dia do primeiro mês do ano judaico. Por sete dias, só se podia comer pães sem fermento e nenhum trabalho podia ser realizado. O primeiro e o último dias eram dias de convocação solene e eram oferecidos holocaustos (Núm. 28:16-25; Deu. 16:1-8). Paulo alegorizava essa festa, vendo Jesus Cristo como nosso Cordeiro Pascal, que foi sacrificado por nós. Conforme ele mostra, em I Coríntios 5:7, o ato de evitar o fermento tipificava o abandono de toda insinceridade.

b. *Festa das Semanas ou Pentecoste*. Essa festa também era chamada *festa da colheita* e *festa das primícias* (Êxo. 23:16; 34:16,22; Núm. 28:26). Originalmente, era uma celebração da colheita. Posteriormente, tornou-se conhecida como *festa de Pentecoste* (que vede), porquanto era celebrada no qüinquagésimo dia a partir do sábado com que começava a páscoa. Fazia-se uma convocação do povo, e eram oferecidas as ofertas e os holocaustos determinados. O trecho de Tobias 2:1 diz que a festa de Pentecoste é a festa sagrada das sete semanas, o que explica a derivação desse seu último nome. No século II D.C., e daí por diante, essa festa tornou-se um memorial da outorga da lei, no monte Sinai, talvez cinqüenta dias após a páscoa (T.B. Pesahaim 68b). A outorga do Espírito Santo, de acordo com o registro do segundo capítulo do livro de Atos, ocorreu nesse dia festivo. Portanto, temos ali o Pentecoste cristão, que assinala o Espírito Santo como aquele que nos veio guiar na vida cristã, em substituição à lei mosaica. Ver o artigo separado sobre o *Pentecoste*.

c. *Festa das Tendas ou Tabernáculos*. Essa festa tinha lugar no sétimo mês do calendário judaico, cinco dias após o dia da Expiação e prosseguia por sete dias (Êxo. 23:16,17; 34:22). O primeiro e o oitavo dias desse período eram dias de descanso. Eram feitas tendas toscas, com ramos de palmeiras, folhas e raminhos; e, durante aquela semana, o povo habitava nessas tendas. Essa experiência comemorava como Israel fora forçado a viver, quando Deus os tirou do Egito (Lev. 23:33-43). Todas as famílias de Israel e a comunidade inteira, tinham um período de intenso regozijo, porquanto estavam celebrando a sua libertação (Deu. 16:13-15). Eram oferecidos sacrifícios especiais. Eram recolhidos frutos próprios da estação, em memória à provisão divina, que sempre fora adequada, mesmo nos momentos mais cruciais.

d. *Dia da Expiação*. Ver o artigo separado com esse título e também sobre *Expiação*. Essa observância ocorria no décimo dia do mês sétimo, Tisri (Núm. 29:7-11). Havia todo um cerimonial de expiação simbólica, do qual participavam os sacerdotes e o povo. Era enviado ao deserto o bode Azazel (que vede), — que simbolizava o ato de fazer dissipar os pecados do povo. Ver Lev. 16:8,10,26, no tocante a esse particular. Era um dia de ritual, de descanso e de jejum. Havia uma santa convocação e muito se lamentava pelos pecados, paralelamente à atitude de arrependimento.

e. *Dia do Ano Novo*. Os eruditos debatem se, no antigo Israel, havia mesmo ou não essa celebração. Em caso positivo, provavelmente seguia o modelo da festa babilônica *Akitu*, que ocorria na primavera de cada ano. Essa festa celebrava a renovação do reinado do deus *Marduque* sobre os seus seguidores. Alguns estudiosos acreditam que o reinado de *Yahweh*, sobre Israel, era similarmente observado. Esses vêem

evidências para essa opinião em Salmos 47,93,96 — 99, os chamados «salmos de entronização». Se isso é verdade, então é possível que uma festa similar tenha sido realizada por Jeroboão, no oitavo mês do calendário judaico. Isso servia como festa alternativa, no reino do norte, para a festa que se celebrava em Jerusalém, no reino do sul, após a divisão do reino em dois, Israel e Judá (ver I Reis 12:32).

Contra essa teoria, temos o argumento de que não há qualquer menção clara, na Bíblia, a uma festa assim no primeiro mês do ano judaico. A festa das trombetas tinha lugar no sétimo mês e no primeiro mês, ou Nisã. O trecho de Êxo. 12:2 mostra que Nisã era o primeiro mês judaico. Os livros apócrifos, bem como os escritos de Josefo e de Filo não mencionam qualquer festa do Ano Novo, embora faça parte dos informes dados em um tratado intitulado *Rosh Ha-Shanah* (no hebraico, «dia do ano novo»). Exatamente qual a antiguidade dessa observância e qual a sua natureza exata, permanecem pontos debatidos. Alguns intérpretes supõem que a festa das trombetas era, originalmente, a festa do Ano Novo, mas que foi transferida para o outono.

f. *Dia das Trombetas*. É possível que, no começo essa fosse uma festividade celebrada no Ano Novo, embora o ponto seja motivo de debates. Ver Núm. 29:1 e Lev. 23:24. Esse dia sempre caía em um sábado. Eram oferecidos sacrifícios e o labor cessava. Era também tempo de arrependimento e de exercícios religiosos. Era efetuada no primeiro dia do sétimo mês judaico. Alguns pensam que as trombetas referem-se à convocação do povo e que poderia ser um ato profético acerca do recolhimento e restauração do povo de Israel. A tradição não se mostra clara sobre o que o toque das trombetas indicava.

III. Festividades Após o Exílio Babilônico

1. **Purim.** Essa festa (ver o artigo separado a respeito) tinha lugar nos dias 14/15 do mês de Adar (mais ou menos, nosso mês de março). Comemorava o livramento de Israel por intermédio da rainha Ester. Ver Ester 9. Foi estabelecida por Mordecai, no tempo do rei Assuero, da Pérsia. Era dia de festas e alegria, que comemorava a derrota de Hamã. E isso fornece a eterna esperança de que o povo de Deus sempre será livre dos esquemas diabólicos. A observância dessa festa é confirmada em II Macabeus 15:36. Ali, essa festa chama-se *Dia de Mordecai*. Em tempos posteriores, passou a ser observada com a inclusão da leitura do livro de Ester, nas sinagogas. As pessoas comiam, bebiam, alegravam-se e trocavam presentes.

2. *Hanukkah ou Dedicação*. Essa era uma festa que não é mencionada no Antigo Testamento. Celebrava a recuperação e purificação do templo de Jerusalém, por Judas Macabeu, em 164 A.C., depois que fora contaminado por Antíoco IV Epifânio. Também é chamada de *Festa das Luzes*, porque começava com o acender de uma vela, no primeiro dia, com duas no segundo e assim sucessivamente, até haver oito velas, no último dia. Ver T.B. *Sabbath*, 21b. Começa no dia 25 de dezembro (mês de Quisleu, do calendário judaico). O trecho de João 10:22 chama-a de «festa da dedicação».

3. *Dia de Nicanor*. Depois de 160 A.C., no décimo terceiro dia do mês de Adar, havia uma comemoração da vitória sobre Nicanor, general sírio. Ver I Macabeus 13:51,52. Ver o artigo separado sobre *Nicanor*.

IV. Gráfico do Ano Sagrado dos Judeus

FESTAS (FESTIVIDADES)
ANO SAGRADO JUDAICO

Mês	*Festa e Observação*
Nisã (abril)	14 — Páscoa
	15 — Pães asmos
	21 — Encerramento da Páscoa
Sivã (junho)	6 — Pentecoste, sete semanas após a
	a páscoa: outorga da lei mosaica
Tisri (outubro)	1 — Festa das Trombetas (*Rosh Hashanah*),
	2 — Começo do ano civil
	10 — Dia da Expiação
	15 — Festa dos Tabernáculos
	21
Quisleu (dezembro)	25 — Festa das Luzes (*Hanukkah*)
Adar (março)	13 — Festa de Nicanor
	14 — Festa de Purim

V. Festas e Festividades do Novo Testamento

1. *Festas Judaicas Ali Mencionadas*. Sábado, páscoa, pães asmos (Mat. 26:17; Mar. 14:1; Luc. 22:1; João 7:2); tabernáculos, dedicação (João 10:22); pentecoste (Atos 2). São aludidas nada menos de quatro festas da páscoa, durante os dias do ministério de Jesus: João 4:45; 5:1; 6:4; 12:1 *ss*. Nessa ocasião, era costumeiro soltar algum prisioneiro (Mat. 27:15; Mar. 15:6).

2. *Interpretações Alegóricas*. a. Cristo é o nosso Cordeiro Pascal (I Cor. 5:7 *ss*). b. Sábados, luas novas e dias festivos eram apenas sombras das realidades superiores que nos são dadas em Cristo (Col. 2:16,17). c. O sábado simboliza o nosso eterno descanso e redenção em Cristo (Heb. 4:1 *ss*). d. A expiação refere-se ao sacrifício perfeito e final de Cristo, na qualidade de Nosso Sumo Sacerdote (Heb. 8:1 *ss*).

3. *Fim da Observância de Festas Simbólicas*. Em Jesus Cristo não é mais necessário observar dias especiais; mas, se alguém quiser observá-los, tem a liberdade para fazê-lo. Se o crente quiser observar ou não, deve fazer tudo para agradar o Senhor (Rom. 14:4 *ss*).

4. *Festividades Gerais*. — Jesus repreendeu os fariseus porque tanto se preocupavam em ocupar os melhores lugares nas festas religiosas e nos banquetes, por quererem ostentar-se (Mat. 23:6). Havia festividades que comemoravam eventos especiais, à parte das festas nacionais mencionadas no Antigo Testamento, o que fica subentendido em Lucas 14:13. Jesus fez-se presente a uma festa de casamento, no decorrer da qual realizou o seu primeiro milagre (João 2:8 *ss*).

5. *Festas Pagãs*. As comunidades religiosas pagãs e as guildas comerciais tinham seus dias de comemoração, quando ofereciam carnes aos ídolos. Essas carnes eram expostas, durante algum tempo, no interior dos templos; e, em seguida, eram trazidas para os banquetes. Um cristão, que se fizesse presente a um desses banquetes, enfrentava uma questão de consciência, de difícil solução. O apóstolo Paulo permitia liberdade quanto a essa questão; mas eliminou totalmente o consumo de tais carnes e a participação em tais banquetes, se isso fosse ofensivo para algum irmão na fé (I Cor. 10:27). O trecho de Apocalipse 2:14,20 demonstra que, em alguns lugares, onde havia cristãos, essa prática era simplesmente proibida, uma posição mais radical que aquela expressa por Paulo.

6. *A Festa de Amor*. A Ceia do Senhor ou Eucaristia era celebrada, nos dias do cristianismo primitivo, juntamente com uma refeição e não consistia somente na ingestão de pequena quantidade de pão e de vinho.

De fato, a palavra «ceia» indica uma refeição. Esse banquete era chamado *agapé*, no original grego. Ver o artigo sobre *Eucaristia*. Ver também sobre essa palavra grega, no NTI, nas notas expositivas sobre Judas 12.

7. *Festa de Casamento Espiritual*. Jesus lançou mão do símbolo de uma festa de casamento a fim de ilustrar a concretização futura do reino de Deus, entre os homens. Isso ele fez na parábola das dez virgens (Mat. 25:1 *ss*), do casamento do filho do rei (Mat. 22:2 *ss*) e do grande banquete (Luc. 14:15 *ss*). Jesus comparou o seu relacionamento com os seus discípulos com aquele vínculo de amizade que une um noivo e os seus convidados (Mat. 9:15). E João Batista aparece como o amigo ou padrinho do noivo, por ter sido o precursor desse relacionamento amistoso (João 3:29). No último livro da Bíblia também temos menção à festa de casamento do Cordeiro (Apo. 19), quando a Igreja, a Noiva de Cristo, entrará em sua glória, por ocasião da *parousia* (que vede). A universalidade da mensagem do evangelho é referida sob o simbolismo de um banquete que atrai seres humanos provenientes de todos os lugares, do Oriente e do Ocidente, para virem banquetear-se juntamente com Abraão, Isaque e Jacó (Mat. 8:11).

8. *A vida cristã inteira*, por causa de suas alegrias e múltiplas bênçãos, é apresentada sob a figura de uma festa (I Cor. 5:8).

9. *O Banquete do Juízo Final*. O julgamento divino é retratado como um banquete com sacrifícios (Isa. 34:5 *ss*, Eze. 39:17). Esse simbolismo também é empregado em Apo. 19:17 *ss*, referindo-se ao julgamento que ocorrerá por ocasião da *parousia*, quando então os ímpios serão julgados e suas carnes serão consumidas pelas aves. Está em pauta o *Armagedom* (que vede).

VI. Festas e Festividades do Judaísmo Moderno

-Sábado (cada sétimo dia, do pôr-do-sol a pôr-do-sol).

-Páscoa (*pesach*), mês de Nisã, dias 15-22. Quatro dias intermediários são observados por alguns judeus. Os judeus reformados observam somente o primeiro e o sétimo dias.

-Semanas (*shabuot*), mês de Sivã, dias 6 e 7. Os judeus reformados observam somente o primeiro dia. O nono dia do mês de Ab (Tishab' Ab), não é observado pelos judeus reformados.

-Expiação (*yom ha Kippurim*), mês de Tisri, décimo dia.

-Tabernáculos (*sukkot*), mês de Tisri, dias 15 a 20. Os dias intermediários são observados de vários

FESTIVIDADES — FETICHISMO

modos, por diferentes grupos judeus, como dias semifestivos. O primeiro e o oitavo dias são observados pelos judeus reformados, — em vez de observarem o primeiro, o segundo, o oitavo e o nono dias, conforme fazem outros judeus. Celebrações adicionais seguem-se ao vigésimo primeiro dia de Tisri: o Grande Hosana, não observado pelos judeus reformados, no dia 21. Há uma solene assembléia, no dia 22. Há regozijo por causa da lei mosaica, não observada pelos judeus reformados, no dia 23.

-Dedicação, uma festa religiosa de oito dias, que envolve semiferiados.

-Purim (*Ta'anit Esther*), no mês de Adar, dias 14 e 15, que não é observado pelos judeus reformados. Essa festa é combinada com a festa do lançamento de sortes.

Várias Festas Religiosas Secundárias. Lua Nova, Dia Menor da Expiação (um dia de jejum antes da lua nova); K Lag-Bo-omer, no dia 15 dos meses de Shebat e de Ab (no meio do inverno e no meio do verão, um tanto paralelo ao nosso Dia da Árvore). Há várias celebrações locais entre diferentes comunidades judaicas. Nenhuma dessas festas secundárias, contudo, é observada pelos judeus reformados. (AM E MOR ND Z)

FESTIVIDADES E DIAS SANTOS DA IGREJA
Ver sobre **Calendário Eclesiástico**.

FESTO, PÓRCIO

A passagem de Atos 24:27 mostra-nos que Pórcio Festo substituiu a Marcus Antonius Félix como governador da Judéia, tendo sido nomeado para o cargo pelo imperador Nero, em cerca do ano 60 D.C. Para que entendamos a situação em que ele entrou, no tocante a Paulo, ver o artigo sobre *Félix*. Paulo esteve na presença de Félix por várias vezes, a fim de defender-se das injustas acusações dos judeus incrédulos, por causa das quais ele fora detido em Jerusalém, então transferido para Cesaréia, a fim de ser protegido dos judeus fanáticos, que queriam tirar-lhe a vida. Félix deixou-o aprisionado durante dois anos, na esperança de receber algum suborno. Mas isso não sucedeu. Paulo cansou-se de ficar sofrendo a injustiça, e assim apelou para César, para ser julgado diante dele, como cidadão romano que era. Esse apelo foi feito ao governador Festo, — que, em vista disso, foi forçado a enviar Paulo a Roma.

Somente três dias depois de sua chegada em Cesaréia, ele subiu a Jerusalém, onde os oficiais judeus continuaram sua companha de perseguições contra o apóstolo Paulo, na tentativa de envenenar a mente de Festo contra Paulo. Eles exigiram que Paulo fosse levado a Jerusalém, para ali ser julgado. Porém, o verdadeiro propósito deles era assassinar Paulo no caminho para Cesaréia. Festo, contudo, se recusou a anuir aos desejos deles. Após oito dias, ele convocou Paulo e perguntou-lhe se ele estava disposto a ser julgado diante dele, em Jerusalém. Paulo percebeu imediatamente o golpe de astúcia; e, naquele momento, resolveu apelar ao tribunal de César. Foi durante aqueles dias que Herodes Agripa e sua irmã, Berenice (ver os artigos separados sobre eles) fizeram uma visita a Festo. Sendo um famoso prisioneiro, naturalmente, Paulo despertou a curiosidade deles. Assim, Paulo foi novamente convocado e, diante deles, entregou o seu famoso discurso de defesa, registrado em Atos 26. Paulo narrou a história de sua conversão, tendo impressionado profundamente aos seus nobres ouvintes. Agripa julgou-o inocente (Atos

26:32), tendo observado que, se ele não tivesse apelado para César, poderia ser libertado imediatamente. Não obstante, podemos ter a certeza de que o destino de Paulo estava sendo controlado o tempo todo e que a viagem para Roma, seu período em Roma, sua soltura, seu ministério subsequente, seu novo aprisionamento e, finalmente, sua execução, faziam parte de sua missão neste mundo. Portanto, os «poderiam ser» dos homens, não se aplicam a indivíduos espirituais.

Alguns outros poucos fatos são conhecidos no tocante a Festo. Ele subjugou os sicários (assassinos do partido dos zelotes) à força. Também procurou livrar a Palestina dos ladrões e dos mágicos. Pôs-se ao lado de Agripa, contra os judeus, que haviam edificado uma elevada muralha para impedirem-no de ver o átrio do templo, desde a sua sala de jantar. Isso impediu que ele vigiasse aquela área do templo, e não foi uma providência aceitável para os romanos. Entretanto, quando o caso foi levado a juízo, o imperador Nero decidiu-se em favor dos judeus, e a parede continuou de pé. Festo morreu após ter ocupado o ofício de governador somente por dois anos.

FETICHISMO

Primariamente, o fetiche é um objeto natural, no qual, segundo alguns acreditam, habitaria um espírito; ou então é um objeto que representa um espírito que, através de certas cerimônias mágicas, ou ritos religiosos, pode ser atraído, a fim de fazer algo em favor do seu adorador. Portanto, o *fetichismo* é uma forma de religião em que são empregados fetiches, como uma parte importante do culto. Em segundo lugar, a palavra *fetiche* aplica-se a qualquer objeto, conceito ou pessoa a que uma pessoa tem grande devoção. Augusto Comte aplicava esse vocábulo à adoração à natureza; mas esse sentido é geralmente rejeitado hoje em dia. A palavra fetiche também tem sido usada como sinônimo de *ídolo*, pelo que, nesse sentido mais frouxo, o fetichismo é a mesma coisa que a idolatria. Se insistirmos em estabelecer alguma distinção entre idolatria e fetichismo, então diremos que, no fetiche, supostamente habita algum poder espiritual, ao passo que, na idolatria normal, não há tal idéia, pois o ídolo é apenas um *símbolo* de um deus ou de um poder espiritual. Por sua vez, o amuleto distingue-se do fetiche porque o primeiro supostamente teria um poder inerente, e não porque no mesmo habite algum espírito. Um amuleto, contudo, pode ser usado como um fetiche, se algum sacerdote ou shaman puder convencer um espírito a residir no mesmo.

Funções dos Fetiches. Supostamente, os fetiches têm muitas utilidades, em sentido geral, conferindo proteção, impedindo doenças ou mesmo curando-as, assegurando o sucesso, derrotando os adversários, provocando o nascimento de crianças e outorgando vantagens financeiras. Se um fetiche falha, então é lançado fora e substituído por outro. Em uma tribo ou comunidade, um fetiche, quando aparentemente logra bom êxito, assume a posição de um deus.

Na Psiquiatria. Nesse ramo da ciência, um fetiche usualmente refere-se a algum prazer sensual ou sexual derivado da fixação da atenção sobre alguma porção do corpo ou sobre alguma peça de roupa que pertence à pessoa ou é objeto do desejo sexual. Se o indivíduo não der atenção especial àquela parte do corpo, ou a peças específicas de roupa, para tal indivíduo a satisfação sexual torna-se difícil, se não mesmo impossível. Trata-se de uma espécie de fixação, de

FETICÍDIO — FIAÇÃO

uma pequena aberração que, algumas vezes, chega ao ponto de ridículo.

FETICÍDIO

Essa palavra significa «assassinato de um feto». Teólogos, filósofos e médicos continuam discutindo sobre a grande seriedade do aborto provocado. Em um dos extremos, há aqueles que não vêem qualquer coisa de errado no aborto, chegando a supor que o feto sente pouca ou nenhuma dor, nesse processo. No outro extremo, há aqueles que pensam que o feto sente dores excruciantes, e que um feto já deve ser classificado como um ser humano. De acordo com esta última posição, o feticídio é um assassinato. Oferecemos um artigo detalhado sobre esse problema, sob o título *Aborto*.

FEUDALISMO

Esse foi um tipo de governo e de estado social que dominou a Europa entre os séculos IX e XV D.C. O poder político decisivo repousava sobre uma aristocracia latifundiária (os barões). O poder estava investido nos *feudos*, isto é, nas propriedades em forma de terra, manobradas por algum homem poderoso, que as usava como seus domínios. Essas concessões de terras com freqüência eram concedidas por alguma autoridade ainda maior, como o rei ou o papado, a um homem poderoso e capaz, que as administrasse. Por sua vez, o explorador das terras, ou barão, recompensava ao concessionário, sob a forma de taxas, emolumentos e serviços prestados. Os senhores feudais supriam homens para os exércitos do governo central, para que este pudesse declarar guerra às nações inimigas. O chefe de estado tinha vassalos, que o serviam, tal como ele mesmo servia ao poder superior. Isso estabelecia um sistema de *interdependência*.

Visto que a Igreja Católica Romana da Idade Média contava com muitas terras, viu-se muito envolvida no arranjo do feudalismo. Assim, a Igreja Católica Romana adquiriu um imenso poder secular e econômico, por meio desse sistema, chegando a rivalizar com os governos, que também estavam envolvidos no mesmo tipo de arranjo da sociedade. Dentro dos grandes movimentos econômicos do mundo, o feudalismo acabou sendo substituído pelo capitalismo. O feudalismo, visto que escravizava os homens, conforme fazem todos os sistemas econômicos, quando abusam dos direitos individuais, foi um degrau de melhoramento além da escravidão legalizada.

FEUERBACH, LUDWIG

Nasceu em 1804 e faleceu em 1872. Foi um filósofo hegeliano e teólogo. Nasceu na Alemanha. Educou-se em Heidelberg, Berlim e Erlangen. Em Berlim, estudou sob Hegel. Não se vinculou a nenhuma universidade, mas dava conferências públicas. Era financeiramente sustentado pelos interesses de sua esposa, na indústria de porcelana.

Idéias:

1. A religião seria criada quando os homens projetam qualidades humanas em algum objeto de sua adoração. Assim, a trindade divina refletiria faculdades humanas, como a razão, a vontade e o amor.

2. A divindade não seria transcendental, mas seria criada e estaria contida na autoconsciência humana. Portanto, sua teologia, na realidade, era uma forma

de antropologia.

3. Quando deixamos de projetar qualidades que podem ser classificadas como divinas, então entramos no estado do ateísmo. Nesse estado, podemos avaliar com maior exatidão as nossas limitações e possibilidades humanas. No ser humano individual encontramos muitas limitações e imperfeições. Porém, a humanidade, considerada do ponto de vista de seu passado remoto, e projetada para seu futuro ilimitado, parece desconhecer limitações. Isso guinda o homem à divindade, e terminamos criando uma religião da humanidade. Para ele, a verdadeira imortalidade, para o indivíduo, não passava de um sonho sem substância.

4. Sua ontologia era basicamente materialista e sua gnosiologia estava alicerçada principalmente sobre a percepção dos sentidos, ligada ao seu uso da razão. Todas as declarações acerca de Deus eram por ele traduzidas como declarações acerca do homem.

Feuerbach exerceu considerável influência sobre o pensamento teológico e filosófico. Karl Marx e F. Engels tiraram proveito de alguns de seus temas. Porém, sempre que transformamos o homem em um deus, isso acaba resultando em uma profunda miséria. Até mesmo certas formas de ciência têm ultrapassado essa maneira de pensar.

Escritos. Thoughts on Death and Immortality; On Philosophy and Christianity; The Essence of Christianity; The Essence of Religion. (EP F P)

FIAÇÃO

Trata-se da antiga arte de torcer fibras naturais para formar um fio contínuo, mais tarde usado no fabrico de tecidos. Essa habilidade é mencionada tanto no Antigo quanto no Novo Testamentos. Suas origens perdem-se na mais remota antiguidade. Os restos pertencentes à era paleolítica dão sinais de que os homens sabiam costurar e cerzir, sendo perfeitamente possível que a fiação já fosse também conhecida por eles. Desse período têm sido encontradas excelentes agulhas de ossos, com buracos bem feitos. Portanto, é possível que eles usassem fibras afiadas e não tendões ou tiras de couro bem finas. Desde a mais remota antiguidade havia fibras vegetais, sobretudo o algodão e o linho. É mesmo possível que a arte da fiação tenha surgido nas culturas à beira dos vales de rios onde essas plantas eram cultivadas. Os primeiros instrumentos, de uma era ainda não mecânica, foram o gancho, usado como um fuso e a vareta curta, usada como roca, onde o fio ficava enrolado. Visto que esses instrumentos eram feitos usualmente de madeira, não sobreviveram até nós e só aparecem ilustrados nas pinturas e gravuras dos túmulos antigos. Em certos lugares da Palestina também têm sido encontrados carretéis de pedra, onde o fio ficava enrolado. É possível que o raro vocábulo hebraico *kishor* seja uma alusão a um desses carretéis de pedra. Ver Pro. 31:19, onde a nossa versão portuguesa diz «fuso».

O verbo hebraico que significa «fiar» (*tavah*), aparece somente em Êxo. 35:25,26, dentro do contexto das ofertas feitas pelos israelitas para a ereção do tabernáculo, no deserto. Em Israel, a fiação era um trabalho tipicamente feminino. Por isso, as tradições rabínicas registram a admiração dos judeus quando encontraram homens babilônios que fiavam. E a literatura judaica profana refere-se aos vários tipos de fios, bem como o uso que tiveram na construção do tabernáculo e do templo de Jerusalém.

No Novo Testamento, o verbo grego *nétho*, «fiar»,

FIADOR — FICHTE

aparece somente por duas vezes, em Mat. 6:28 e em Luc. 12:27, sempre como ilustração acerca dos lírios do campo, que «não trabalham nem fiam». E esse verbo grego também é usado pela Septuaginta para traduzir as passagens do livro de Êxodo que falam em fiar, embora seja usada uma forma variante do termo grego, *néo*, «fiar».

Os gregos sabiam fiar, o que é ilustrado em um bom número de pinturas feitas em vasos antigos, além de ser uma arte aludida por grande número de autores clássicos, em verso e em prosa, entre os quais podemos citar Eurípedes e Aristófanes. Como já dissemos, entre os judeus, era um trabalho deixado ao encargo das mulheres. Jesus, em um de seus sermões, vincula a idéia à idéia de trabalho árduo. De fato, a fiação era um trabalho necessário e constante, na antiga cultura do Oriente Próximo e Médio.

FIADOR, JESUS COMO

Heb. 7:22; de tanto melhor pacto Jesus foi feito fiador.

Ver o artigo sobre *Pactos*.

Fiador. No grego é usado o termo *egguos*, «patrocinador», «fiador», termo usado somente em Heb. 7:22 em todo o N.T. É possível que a escolha dessa palavra, em vez de *mediador* (Heb. 8:6), talvez se tenha dado devido à influência da similaridade de som do termo grego que figura em Heb. 7:19, traduzido por «nos chegamos». Sim, chegamo-nos através do nosso fiador, Cristo. Essa palavra é formada por «en» (em) e «gualon» (a palma da mão). Portanto, um fiador é «algo posto na mão», como garantia de boa fé acerca da barganha feita. O vocábulo «eggue» indica a própria fiança, ao passo que «egguos» é o fiador. Mas, em sentido bem real, Jesus se tornou a fiança do cumprimento das provisões do novo pacto. Ele é a garantia, dada por Deus aos homens, porquanto Cristo é o Pioneiro do caminho. E, por ser o fiador, ele é também o mediador do pacto, o que é salientado em Heb. 8:6. Ora, tudo isso foi dito a fim de garantir aos leitores a certeza do acesso a Deus, a certeza do eterno bem-estar que nos é dado através da missão remidora de Cristo. O eterno Filho de Deus é quem garante isso. Ele é o «patrocinador» do plano, aquele que o executa. Muito ele sacrificou, visando o sucesso desse plano; ele não pode falhar. Ele viveu para garantir que o mesmo não falhará.

«Quando um homem de posses modestas entra em uma obrigação financeira, mas um amigo rico se torna seu 'fiador', então fica seguro. Outros também confiam nele e dele dependem. Esse é o único uso do termo *fiador*, em todo o N.T. A idéia não é que Jesus se tornou nosso fiador perante Deus. A posição é aqui revertida. Jesus é o 'fiador' de Deus para nós! Certamente a superioridade de Jesus, como garantia, não depende da interpretação do Salmo 110. Mas Jesus é a garantia de Deus perante os homens mediante tudo quanto ele era e é, mediante toda a autoridade espiritual que ele tem como Homem, mediante toda a sua profunda sabedoria, refletida em seus ensinamentos, mediante o seu completo sacrifício. Ele mesmo é a garantia de Deus de que o 'pacto' não será desfeito. 'Que mais poderia ele dizer-vos além do que já disse'?» (Cotton, em Heb. 7:22).

«Ele é, ao mesmo tempo, a garantia de Deus perante o homem e a garantia do homem perante Deus, e, por conseguinte, é o Mediador entre Deus e os homens (ver Heb. 8:6)». (Faucett, em Heb. 7:22).

É Cristo, em seu ofício de sumo sacerdote, que

serve de «garantia» divina, dada ao homem, de que as provisões do pacto que levam os filhos de Deus à vida eterna, não podem fracassar. O exercício de seu ofício sumo sacerdotal garante tudo isso.

FIANÇA, FIADOR

No hebraico temos a considerar duas palavras e, no grego, uma, a saber:

1. *Arubbah*, «fiança», «garantia». Esse vocábulo ocorre apenas uma vez, em Pro. 17:18·

2. *Arab*, «garantia». Palavra empregada por vinte e uma vezes, conforme se vê, por exemplo, em Gên. 43:9; 44:32; Jó 17:3; Sal. 119:122; Pro. 6:1; 11:15 e 20:16.

3. *Égguos*, «garantia», «fiança». Termo grego usado somente por uma vez, em Heb. 7:22.

No Antigo Testamento, em todas as ocorrências das duas palavras hebraicas envolvidas, há alusão a alguma pessoa que se torna fiadora ou responsável por outra. De acordo com a legislação mosaica, um fiador era a pessoa que «intervinha» (no hebraico, *arab*) em favor do devedor insolvente e que assumia a responsabilidade pelo pagamento da dívida. Isso o fiador fazia conseguindo o pagamento por parte do devedor, ou desembolsando do próprio bolso a quantia devida.

O ato de intervenção era simbolizado pelo ato de «dar as mãos», conforme se vê, por exemplo, em Jó 17:3; Pro. 6:1, etc., embora a expressão nunca apareça em nossa versão portuguesa, talvez porque não seria entendida pelo leitor comum. De acordo com as passagens envolvidas, ninguém deveria tornar-se fiador de outrem, precipitadamente, isto é, sem antes considerar cuidadosamente se poderia ou não assumir a responsabilidade pela dívida da outra pessoa. O livro de Provérbios por várias vezes mostra a insensatez de quem se responsabilizava pela dívida de outrem.

No Novo Testamento (Heb. 8:22), Jesus intervém como o «garantidor» ou «fiador» das promessas de Deus que nos foram feitas como parte integrante do novo pacto. Em virtude de sua vida, morte expiatória, ressurreição e ascensão à glória celeste, Jesus Cristo tornou-se a garantia divina de que a salvação que foi iniciada em nossas almas, mediante a morte expiatória de Cristo, será necessariamente completada, até a salvação plena, ou seja, até a redenção do corpo. Ver Rom. 8:11: «Se habita em vós o Espírito daquele que ressuscitou a Jesus dentre os mortos, esse mesmo que ressuscitou a Cristo Jesus dentre os mortos vivificará também os vossos corpos mortais, por meio do seu Espírito, que em vós habita». Ver também o artigo intitulado *Dívida, Devedor*.

FICCIONALISMO

Essa palavra exprime a idéia de **Hans Vaihinger** (que vede), de que entidades fictícias, além de conceitos e princípios imaginários, embora úteis, são a base da matemática, das ciências, da filosofia, da lei e da religião.

FICHTE, IMMANUEL

Suas datas foram 1797-1879. Era filho de outro homem famoso, Johann Gottlieb Fichte (que vede). Foi professor de filosofia em Bonn, e então em Tubingen, na Alemanha. Exigia o retorno da filosofia ao princípio da *personalidade*, acreditando que é errado pensar em Deus como um princípio universal, mas não pessoal. Ele enfatizava um teísmo ético que

FICHTE — FIDEÍSMO

envolve os homens em questões sociais.

FICHTE, JOHANN GOTTLIEB

Nasceu em 1762 e faleceu em 1814. Nasceu em Rammenku, na Lusácia superior. Estudou em Jena. Introduziu o pensamento kantiano em Leipzig. Viajou para conhecer Emanuel Kant e trocar idéias com ele. Escreveu uma *Crítica da Revelação*, incluindo idéias de Kant. Tornou-se, então, professor em Jena. Disse mais do que as autoridades queriam ouvir e tornou-se o fulcro de uma controvérsia, que, finalmente, levou à sua demissão do corpo de professores daquela universidade. Então fez conferências em Erlangen, Berlim e Konigsberg e, finalmente, serviu como reitor da Universidade de Berlim.

Idéias:

1. Embora fosse fortemente kantiano em suas idéias, no começo de sua carreira de filósofo, desviou-se de Kant quanto a alguns pontos. Ao fazer assim, tornou-se um precursor do idealismo absoluto de Hegel e antecipou algumas noções do *existencialismo* (que vede).

2. *O Ego*. O «ego» é uma entidade autônoma, é um ser ativo. Antes de tudo, postula a si mesmo, ou impõe-se, mediante um ato de consciência primitivo; e, em seguida, postula o *não ego*, ou seja, o mundo objetivo, com base nas aparências. O indivíduo não poderia afirmar que está percebendo um objeto, mas apenas que está pensando que o está percebendo. O indivíduo não pode observar a causalidade, mas somente supor que pode observá-la. Portanto, o indivíduo postularia a causalidade e o mundo externo por meio de procedimentos idealistas subjetivos.

3. Antes mesmo da postulação do «ego» e do «não ego», há o «ego absoluto». Esse «ego absoluto» seria a base de todas as postulações. As atividades da razão seguem a necessidade metafísica de postulação, contrapostulação e síntese. — Por isso é que temos a famosa tríada de Hegel, que, na verdade, se encontrava pela primeira vez, nos escritos e ensinos de Johann Fichte: tese, antítese e síntese. Essa seria a força atuante em todas as fases da existência, em todas as coisas. Essa atividade conquistou para ele o título de «pai do idealismo alemão».

4. *Deus*. Fichte identificava o «ego absoluto» do idealismo ético com a pessoa de Deus. Aparentemente, porém, ele pensava no Deus universal e impessoal, rejeitado por seu filho, Immanuel (ver o artigo anterior), exigindo o retorno da noção de personalidade, quando se fala a respeito de Deus. Portanto, o pai cria em um Deus impessoal e o filho acreditava em um Deus pessoal. Johann Fichte identificava Deus como a ordem moral do mundo, uma mera concepção subjetiva. Isso adquiriu para ele a acusação de ser *ateu*, forçando-o a renunciar a sua cadeira de professor da Universidade de Jena.

5. A atividade postuladora do «ego» requer a qualidade fundamental da *liberdade* na existência humana. A liberdade seria o princípio de toda a atividade existencial. Seria uma atividade livre e auto-determinante, e também um princípio da vida e da mente. Seria a força impulsionadora de todo o progresso e da própria civilização. O «ego», ao exercer a sua liberdade, impõe-se, asseverando a sua própria existência. Em seguida, ele postula o «não ego», ou seja, o mundo exterior a si mesmo. O «ego» e o «não ego» limitam-se um ao outro e interagem entre si. Ambos são expressões do «ego absoluto». E o universo, como um todo, seria um *espírito livre*, e não algo pertencente ao mundo da matéria. Portanto,

temos aí o *idealismo* (que vede). O «ego» e o «não ego» seriam dois aspectos diversos do «eu transcendental» ou, meramente, «ego». Esse *ego* pensa sobre si mesmo das duas maneiras descrita (como «ego» e como «não ego»), e assim obtém a autoconsciência. O «ego absoluto», pois, divide-se em aspectos subjetivo («ego») e objetivo («não ego»). O «ego absoluto» é um processo eternamente incompleto, tendo Deus como seu alvo; mas, ao mesmo tempo, é Deus. O «ego absoluto» não é uma substância e, sim, um processo, e que luta para avançar na direção do seu alvo.

6. Visto que o conflito eterno para atingir um ideal faz parte das próprias atividades do «ego absoluto», segue-se que a liberdade é o princípio primário de qualquer *sistema moral*. Os homens são livres e responsáveis por aquilo que eles fazem e são. A autodisciplina é um processo moral, e o seu propósito é desenvolver o ideal da liberdade. A conduta ética é essencialmente social em sua origem, e pública em seu caráter e em sua manifestação. Os deveres são absolutos, devemos fazer o que é certo por sua própria causa, e não meramente por motivos utilitaristas. A razão é a norma dos atos morais e, quando é devidamente consultada, sabe qual é o dever do homem, e também o que é certo e o que é errado. O conceito aristotélico de *virtude* é o princípio normativo da ética de Fichte. Temos o dever de nos aprimorarmos ao máximo, a fim de melhor servirmos à sociedade. Nisso consiste a nossa *virtude*.

Escritos. Attempt at a Critique of All Revelation; On the Idea of a Theory of Science; The Foundations of Natural Rights; A System of Ethics; Way to a Blessed Life; Addresses to the German Nation. (AM E F EP MM)

FICINO, MARSILIO

Suas datas foram 1433-1499. Um filósofo italiano. Nasceu em Figlinas. Educou-se em Florença na Itália. Juntou-se à casa de Cosimo de Médici, que fez dele diretor da Academia Florentina, moldada segundo a Academia de Platão. Ocupava-se no ensino e na tradução das obras de Platão e de Plotino, para o latim. Com a idade de quarenta anos, tornou-se padre católico romano. Pregava na paróquia de Novoli, na catedral dos Anjos, em Florença.

Seu Propósito. Ele procurava unificar idéias cristãs e helênicas, por meio dos conceitos platônicos. Para ele, a verdadeira religião e a verdadeira filosofia seriam idênticas. Ele pensava que as revelações naturais, nos escritos de Platão, não difeririam das revelações especiais do cristianismo e encontrava muitos ensinos éticos comuns a essas duas revelações. Nesse esforço unificador, ele estava apenas secundando o que os pais platônicos da Igreja antiga já haviam feito. Ele acreditava que o alvo de ambas as filosofias é o mesmo: a união final com Deus, mediante uma ascensão interna, da alma. Salientava as *idéias inatas* (que vede), a doutrina platônica das *reminiscências* (que vede) e a imortalidade da alma. Ver sobre a *Imortalidade*.

Ele procurava fazer do platonismo uma espécie de introdução à fé cristã, para as pessoas cultas, da mesma maneira que o fizera Justino Mártir, tantos séculos antes dele.

Escritos. Comentário sobre o Simpósio de Platão; Sobre a Religião Cristã; Teologia Platônica; traduções das obras de Platão e de Plotino para o latim.

FIDEÍSMO

Esse é um conceito, comum à maioria das religiões,

FIDEÍSMO — FIDES HISTÓRICA

que afirma que a fé antecede à razão, e que as doutrinas religiosas não podem ser estabelecidas mediante meios racionais; tão somente poderiam ser aceitas por atos de fé. No que concerne à metafísica, a razão pode aceitar, mas não pode descobrir e nem comprovar. Em sua forma extrema, temos a posição de Tertuliano, que disse: «Creio porque é absurdo»; ou também a posição de Kierkegaard, de que a religião requer a aceitação de doutrinas que parecem absurdas e contrárias à razão. Nos escritos de Agostinho, bem como de muitos teólogos cristãos, a razão é encarada como auxiliar e complementar, mas sempre sujeita à fé. Tomás de Aquino procurou ensinar que a fé religiosa pode vir através da razão, exceto nos casos de certas doutrinas elevadas, que não podem ser atingidas por meio da razão, embora não lhe sejam contrárias.

O fideísmo repousa sobre a simples fé na validade da revelação; mas mostra-se débil devido ao fato de que toda revelação precisa ser interpretada (pois toda interpretação envolve o uso da razão). Por conseguinte, é impossível separar a fé da razão. Além disso, se Deus nos criou dotados de razão, a fim de usá-la, para que tanto debate a esse respeito? Naturalmente, há experiências místicas que transcendem à razão, em cujos casos precisamos depender da intuição, para chegarmos a compreendê-las.

O vocábulo *fideísmo* só foi cunhado no século XIX, por A. Sabatier e seu círculo de protestantes modernistas, em Paris. Foi cunhado a fim de referir-se ao conceito kantiano de que a razão não pode comprovar as verdades da religião, pelo que os crentes dependeriam da fé, e não da razão. Visto que essa doutrina é contrária à posição do *tomismo* (que vede), a palavra tem sido usada, por alguns pensadores católicos romanos como um termo pejorativo para indicar teorias *subjetivas*, alicerçadas sobre experiências religiosas que desvalorizam o uso da razão, na teologia.

FIDELIDADE

1. *Definição Geral*. A *fidelidade* é caracterizada pela firmeza e pela certeza de propósitos, por uma atitude e uma conduta justas, pela devoção de alguém a uma pessoa ou a uma causa, pela incorruptibilidade, pela sinceridade, pela confiabilidade, pelo cumprimento das promessas e votos feitos e pela lealdade sincera.

As idéias contrárias à fidelidade são a infidelidade, a falsidade, a volubilidade, a duplicidade, a indignidade, etc.

2. *A Fidelidade de Deus*. As idéias básicas da fidelidade de Deus são que o Senhor não é arbitrário e nem displicente, mas antes, é sempre confiável quanto a tudo que diz e prometeu, pois suas palavras são verazes e seguras. Deus aplica essas suas qualidades para benefício dos homens. É um ponto fundamental da fidelidade de Deus que ele é *benévolo*. O amor de Deus é que governa a sua Fidelidade. Ele comprometeu-se em fazer o bem para os homens; e o evangelho mostra de que maneira. A fidelidade de Deus é grande (Lam. 3:23); é extensa (Sal. 36:5) e é permanente (Sal. 100:5). A fidelidade de Deus é demonstrada por sua lealdade aos *pactos* (que vede). Deus é leal aos seus pactos (Deu. 7:9). Contudo, Deus esconde o rosto daqueles que não têm fidelidade, ou seja, que não correspondem à sua própria fidelidade (Deu. 32:20).

Um atributo divino. A fidelidade, como um atributo divino, denota a certeza de que tudo quanto Deus declarou ser sua intenção fazer, terá pleno cumprimento. Isso diz respeito às bênçãos temporais (I Tim. 4:8; Sal. 84:11). Também diz respeito às bênçãos espirituais (I Cor. 1:9). Ajuda os homens a enfrentarem as aflições e as perseguições (I Ped. 4:12,13). A fidelidade de Deus está envolvida em aflições que purificam os homens (Heb. 12:4-12), capacitando-os a perseverar (Jer. 31:40). Finalmente, a fidelidade de Deus contribui para a glória eterna dos remidos (I João 2:25).

3. *A Fidelidade dos Homens*. Existem pessoas que cumprem as suas obrigações (Pro. 13:17), cuja palavra é veraz e digna de confiança (Pro. 14:5). Essa fidelidade deriva-se do próprio Deus (Hab. 2:4). Os homens participam da fidelidade de Deus, de modo a entrarem na glória eterna (I Cor. 1:9; I Tes. 5:24). Essa fidelidade capacita-os a triunfar sobre os sofrimentos (I Ped. 4:19). Esses participam da imutável felicidade de Deus (II Tim. 2:13), contanto que exerçam fé e sigam os padrões da emergente fidelidade divina. Os homens fiéis desincumbem-se de seus deveres com exatidão e entusiasmo (Mat. 25:21,23), como mordomos (Luc. 12:42; I Cor. 4:2), e como testemunhas (Apo. 2:13).

A fidelidade humana reflete-se no serviço prestado ao Senhor (Mat. 24 — 25), na declaração da Palavra de Deus (Jer. 23 — 28; II Cor. 2:17), na ajuda ao próximo (III João 5), sendo exercitada em todas as coisas (I Tim. 3:11). A fidelidade humana é uma qualidade rara (Pro. 20:6), é abençoada por Deus (I Sam. 26:23; Pro. 28:20). É demonstrada em situações que requerem a atitude de confiança (II Reis 12:15; Nee. 13:13).

4. *Homens Fiéis da Bíblia*. José (Gên. 39:22,23); Moisés (Núm. 12:7; Heb. 4:2); Davi (I Sam. 22:14); Hananias (Nee. 7:2); Abraão (Nee. 9:8; Gál. 3:9); Daniel (Dan. 6:4); Paulo (Atos 20:20,27); Timóteo (I Cor. 4:17); Tíquico (Efé. 6:21); Epafras (Col. 1:17); Onésimo (Col. 4:9); Silvano (I Ped. 5:12); Ântipas (Apo. 2:13).

5. *Declarações Fiéis*. As epístolas pastorais contêm cinco declarações que são chamadas de *fiéis*, a saber: I Tim. 1:15; 3:1; 4:9; II Tim. 3:11; Tito 3:8. Além disso, as palavras de Cristo são denominadas de fiéis e verdadeiras, em Apocalipse 21:5 e 22:6.

FIDENS QUAERENS INTELECTUM

Essa expressão latina significa «a fé que busca o entendimento». Agostinho, Anselmo e outros teólogos têm insistido que a compreensão só pode ser dada à mente que a busca por meio da fé, que abandonou o ceticismo. Assim, a fé é o solo onde a verdade pode ser cultivada. O ceticismo, por sua vez, é um deserto, destituído de fertilidade.

FIDES HISTÓRICA

Todos aqueles que se têm envolvido na vida religiosa têm plena consciência do fato de que os filhos de pais religiosos *herdam*, por assim dizer, a fé deles. — Sua fé não procede de experiências e convicções pessoais. Esse tipo de herança também deriva-se de grupos, da sociedade, das tradições religiosas, etc., isto é, de grupos maiores que a família imediata do indivíduo. Sem importar como tenha sido adquirida, a fé assim herdada, distinta da fé pessoal e viva, chama-se *fides historica*. A dificuldade quanto a esse tipo de fé é que ela não tem raízes autênticas, e nem é capaz de oferecer resistência contra os golpes adversos da experiência diária. Os adolescentes e jovens não demoram a abandonar esse tipo de fé

FIDES HISTÓRICA — FIGUEIRA

superficial, uma vez que tenham a liberdade de agir por conta própria. Alguns deles, contudo, retornam à igreja e, mediante um encontro real com Cristo, descobrem uma fé viva e pessoal.

A *fides historica*, apesar de suas debilidades, tem algum uso, porquanto pelo menos, injeta na mente alguns elementos religiosos, ainda que, nessa fase, esses elementos sejam estéreis. A responsabilidade dos pais consiste em instilar na alma de seus filhos uma fé mais vital do que essa. A pressão que se verifica nas igrejas evangélicas, de fazer as crianças «professarem a Cristo», levantando as mãos em alguma reunião, vindo à frente e proferindo alguma forma de confissão oral, para então dizer-se que essa criança foi «salva», é uma maneira segura de instilar nas crianças a *fides historica*. Um método muito superior consiste em *ensinar* a criança quanto ao caminho cristão, cultivando nela as virtudes cristãs.

FÍGADO Ver **Orgãos Vitais,** Ponto 4.

FÍGELO

No hebraico, «fugitivo» (?) Juntamente com Hermógenes, ele abandonou o apóstolo Paulo, em um momento em que este precisava de apoio (II Tim. 1:15). Isso pode ter acontecido em Roma ou na Ásia Menor, ou quando Paulo foi detido, ou quando requereu as presenças deles, como testemunhas, quando estava prestes a ser julgado em Roma. É claro que eles o abandonaram com medo de represálias, o que, sem dúvida, constituía uma possibilidade genuína. Não parece que a desistência deles tenha tido motivos doutrinários. Contudo, são contrastados com o leal Onesíforo, que agiu de modo exatamente oposto, tendo ido visitar a Paulo por muitas vezes, na prisão (vs. 16).

FIGUEIRA

No hebraico, há duas palavras envolvidas e, no grego, três palavras, a saber:

1. *Teenah*, «figo», «figueira». Palavra hebraica usada por trinta e oito vezes no Antigo Testamento, como, por exemplo, em Gên. 3:7; Deu. 8:8; Núm. 13:23; Juí. 9:10,11; II Reis 20:7; Sal. 105:33; Pro. 27:18; Isa. 34:4; 38:21; Jer. 5:17; 8:13; 24:1-3,5,8; Joel 1:7,12; Amós 4:9; Zac. 3:10.

2. *Pag*, «figo verde», termo hebraico usado somente em Can. 2:13.

3. *Sükon*, «figo», termo grego que aparece por quatro vezes: Mat. 7:16; Mar. 11:13; Luc. 6:44 e Tia. 3:12.

4. *Sukē*, «figueira». Vocábulo grego usado por dezesseis vezes: Mat. 21:19-21; 24:32; Mar. 11:13,21; 13:28; Luc. 13:6,7; 21:29; João 1:49,51; Tia. 3:12 e Apo. 6:13.

5. *Ólunthos*, «figo verde». Palavra grega usada somente em Apo. 6:13.

Descrição. A **Ficus carica**, que é seu nome científico, é um receptáculo oco, expandido, que contém flores no seu interior e é uma fruta muito suculenta. As flores permanecem ocultas à vista, a menos que o fruto seja cortado ao meio. Há figos de várias espécies, que foram e continuam sendo um dos artigos favoritos na alimentação dos países do Oriente Próximo e Médio. É usado em estado natural ou como passa, numa forma seca. Até hoje, na Palestina, há figos cultivados e figos naturais. Se for bem cultivada, uma figueira pode atingir nove metros de altura, e o seu crescimento é muito rápido. Se for deixada sem cultivo, em um lugar seco e rochoso, a árvore permanece anã, espalhando-se por cima das rochas,

sempre muito baixa. O figo tem um formato um tanto similar à pera. Suas dimensões dependem da espécie plantada. Na extremidade do pedúnculo, há uma pequena abertura por meio da qual certo inseto polinizador, chamado vespa do figo, pode entrar. Quando o figo maduro é ingerido, sementes granulosas são esmagadas pelos dentes. E essas sementes são o verdadeiro fruto da figueira. A parte comestível é apenas o receptáculo protetor, que contém os frutos, as *sementes*. No Oriente, há duas colheitas anuais distintas, a cada ano. Os figos de inverno amadurecem em maio ou junho, e os figos de verão amadurecem em fins de agosto ou em setembro. Visto que há duas colheitas anuais, é possível ficar recolhendo figos durante nove a dez meses, na Palestina. Ali, quando uma dessas colheitas falha, isso representa uma catástrofe agrícola.

Uma figueira, se não for atacada por insetos ou por certas enfermidades, pode sobreviver por quatrocentos anos. Plínio mencionou seis variedades, conhecidas em seus dias. Além dos figos, a figueira produz boa sombra, devido à massa compacta de suas grandes folhas verdes. A árvore geralmente é plantada à beira de poços, para manter fresca a água dos mesmos.

Usos Figurados:

1. *Independência financeira e posse de propriedades*. Um dos ideais dos israelitas consistia em que cada indivíduo tivesse sua própria vinha e sua própria figueira, dando a entender seu próprio lugar, com as necessidades básicas da vida à mão, em suas próprias terras, ou produzidas por seu próprio labor. Lemos em I Reis 4:25: «Judá e Israel habitavam confiadamente, cada um debaixo da sua videira, e debaixo da sua figueira, desde Dã até Berseba, todos os dias de Salomão». Naturalmente, textos assim aludem à *segurança* pessoal.

2. A figueira, portanto, é um sinal simbólico de *prosperidade* material.

3. Se a figueira não produz, então o resultado é a miséria e a aflição, segundo se vê em Salmos 105:33.

4. A *esterilidade espiritual* é representada pela figueira estéril (ver Luc. 13:6-9).

5. A esterilidade espiritual, oculta pela *ostentação*, é simbolizada pela figueira que tem muitas folhas, mas nenhum fruto (Mat. 21:19).

6. A figueira *amaldiçoada por Jesus* (Mar. 11:13,21) simbolizou a sua consternação diante de uma evidente esterilidade. Apesar de que esse incidente teve lugar em uma época do ano em que não era esperado que houvesse figos maduros (começo do mês de abril), é possível que houvesse figueiras que produzissem figos antes da época, quando localizadas em lugares favoráveis. Seja como for, a lição é clara: algumas pessoas produzem muitas folhas, como se fossem espiritualmente muito produtivas, embora isso não corresponda à sua realidade.

7. As figueiras, quando ainda jovens, para que frutifiquem como é mister, precisam ser adubadas com estrume (Luc. 13:8). Isso simboliza a *necessidade de cultivo* dos frutos do Espírito (Gál. 5:22,23).

8. Quando fracassa a safra dos figos, isso simboliza o *julgamento divino* (Isa. 34:4; Jer. 5:17; Joel 1:7; Osé. 2:12).

9. Ezequias utilizou-se de uma pasta de figos, a fim de curar uma úlcera que lhe apareceu no corpo (II Reis 20:7; Isa. 38:21). O símbolo disso é a *cura* da alma mediante os frutos espirituais.

10. Quando falhava a colheita dos figos, isso envolvia uma verdadeira calamidade nacional, para

FIGURA — FILADÉLFIA

Israel (Jer. 5:17; Hab. 3:17). Por igual modo, é uma calamidade pessoal o indivíduo não produzir frutos espirituais em sua vida.

11. Adão e Eva tentaram encobrir a sua nudez, com aventais feitos de folhas de figueira, costuradas umas às outras, depois de caírem no pecado (Gên. 3:7). Ali, o simbolismo é *negativo*. Eles tinham estado revestidos de luz, como seres imortais. Mas agora, foram forçados a ocultar sua nudez, produzida pelo pecado e pela consciência do mesmo, com uma cobertura muito humilde e malfeita, uma provisão inadequada. O homem, em sua queda e degradação, é reduzido a meios ridículos para tentar ocultar a sua má condição. Ele precisa de *redenção*, o que foi simbolizado pelo fato de que o próprio Deus revestiu-os com peles de animais (Gên. 3:21), sem dúvida representando a iniciativa divina na obra da redenção, como também o sangue de Cristo, vertido por nós, no Calvário.

FIGURA (FIGURAS) Ver **Metáfora, Metáforas (Simbolismo)** no índice onde uma lista extensiva é apresentada.

No grego, **antítupos**, «antítipo», «impressão correspondente». Esse vocábulo só aparece por duas vezes, em todo o Novo Testamento, em Heb. 9:14 e em I Ped. 3:21. Nossa versão portuguesa o traduz, respectivamente, por «figura» e por «figurando». Um *antítipo* é a realidade da qual o *tipo* é a representação simbólica ou metafórica. Muitas personagens, objetos e acontecimentos, no Antigo Testamento, segundo pensam os estudiosos, tipificam realidades referidas no Novo Testamento, como, por exemplo, certos aspectos do ministério de Jesus Cristo. No caso dessas duas passagens do Novo Testamento, em Hebreus o antítipo é o «céu», considerado como o lugar da maior manifestação gloriosa de Deus, e o tipo é o «santuário feito por mãos», a tenda da congregação, tantas vezes referida nas páginas do Antigo Pacto. E, no caso de I Pedro, o antítipo é a salvação com que Noé e seus sete familiares foram salvos do dilúvio, e o tipo simbólico é o «batismo» em água.

A tipologia, como método de explanação e interpretação, tem desfrutado de uma aceitação muito mais universal do que a alegoria. Ver os artigos separados sobre *Alegoria; Interpretação Alegórica* e *Tipo, Tipologia*.

FILACTÉRIAS

As filactérias eram cápsulas usadas no braço esquerdo, próximo ao coração e também sobre a testa. Continham um pedaço de pergaminho com quatro passagens das Escrituras, a saber: Êxodo 13:1-10; 11:16; Deuteronômio 6:4-9 e 9:13-21. As filactérias usadas sobre a testa tinham quatro compartimentos, cada qual com um pedacinho de pergaminho, com essas quatro passagens bíblicas. A filactéria usada no braço esquerdo tinha um único pedaço de pergaminho, com todas as quatro passagens. Alguns fanáticos (como certos fariseus, mencionados em Mat. 23:5) honravam tais caixinhas tanto quanto as próprias Escrituras Sagradas, e imaginavam, tolamente, que o próprio Deus também as usava. As dimensões dessas cápsulas demonstrava a medida do zelo de quem as usava. Além disso, os judeus chegaram a mostrar-se supersticiosos, usando as filactérias como instrumentos de encantamentos, para espantar o mal, incluindo os maus espíritos e os demônios.

O Nome. A palavra grega por detrás desse nome indica «salvaguarda», ou algum meio de proteção. Por sua vez, a palavra hebraica, *tephillin* (que significa «oração»), indica objetos seguros ao corpo mediante tiras de couro, usados durante as orações matinais. A prática judaica moderna segue, essencialmente, os ritos determinados na Mishnah, os quais, por sua vez, alicerçam-se sobre as injunções bíblicas de Êxodo 13:9,16 e Deuteronômio 6:8 e 11:18, onde é ordenado que o povo de Deus deveria ligar a lei de Deus às suas testas, entre os olhos, e sobre a mão, como sinal de inquirição espiritual séria e de obediência à lei. Essas caixinhas eram feitas de peles de animais. Cada filactéria era costurada à sua base mediante doze alinhavos, cada um representando as doze tribos de Israel. As caixinhas e as tiras de couro, que as amarravam ao corpo da pessoa, eram de cor negra. Essas tiras eram atadas na parte posterior da cabeça de tal modo que o laço tomasse o formato da letra hebraica *daleth*. E a laçada do braço deveria assemelhar-se à letra hebraica *iode*. E a letra hebraica *sin* era escrita em ambos os lados da caixinha usada sobre a testa. Isso posto, ali estavam as três letras que representavam um dos nomes de Deus, *Sadai*, o «Todo-Poderoso», que é um dos nomes do Senhor, no Antigo Testamento.

Um ritual elaborado estava envolvido na maneira como as filactérias eram atadas ao corpo. Aquela do braço era posta em primeiro lugar e, em seguida, a da testa, com maneiras certas de serem atadas as tiras. Várias orações e bênçãos eram proferidas durante o processo, incluindo a recitação do trecho de Oséias 2:19. Terminadas essas orações, os objetos eram removidos na ordem inversa, e então eram guardados em um saquinho ornamentado, usado exclusivamente para guardar as cápsulas. Um tipo de xale, no hebraico, o *tallit*, era posto dentro do saquinho, antes de qualquer outro objeto.

Os arqueólogos têm encontrado fragmentos de filactérias em Qumran; mas, ali os dez mandamentos também eram usados como coisas postas dentro do saquinho. Na Idade Média, todavia, não havia qualquer prática uniforme, embora todo o ritual tenha continuado a ser observado de várias maneiras. Até hoje os judeus ortodoxos continuam observando esses ritos, embora os judeus reformados tenham-nos abandonado, preferindo aludir aos valores espirituais, –em vez de usar meros símbolos externos.

Não é para admirar que Jesus tenha atacado esses tipos de exageros, quando não passam de uma exibição externa, sem qualquer realidade interna correspondente. Assim também, em nossos dias, é fácil venerar a Bíblia, mesmo com a ausência de qualidades espirituais que a Bíblia recomenda. Também é possível alguém rejeitar as insígnias externas, e também não ser dotado das realidades espirituais que as mesmas representam.

FILADÉLFIA

Esse apelativo significa **amor fraternal**, estando aqui o sétimo e último uso desse termo, no N.T. (Ver também Rom. 12:10; I Tes. 4:9; Heb. 13:1; I Ped. 1:22 e II Ped. 1:7 — este último, por duas vezes). No fim da era presente, quando a tribulação ameaçar o mundo, Deus se dirigirá à humanidade em amor, o que beneficiará a comunidade daqueles que derem lugar ao amor de Cristo em seus corações, assim amando-se uns aos outros. Haverá um refúgio que nos abrigará de toda a contenda; haverá calmaria para as águas agitadas; haverá um oásis no grande deserto espiritual do fim. Isso se encontrará na comunidade da Igreja do Amor Fraternal, cujo Senhor será o Cristo.

FILADÉLFIA — FILANTROPIA

Filadélfia era uma cidade da província romana da Ásia, na porção ocidental do que agora é a Turquia Asiática. Ficava localizada a cento e vinte quilômetros a suleste de Sardes. Nos tempos do N.T., era a segunda cidade mais importante da Lídia. Originalmente, a cidade foi fundada por Eumenes, rei de Pérgamo, no século II A.C., tendo recebido nome de seu irmão, Atalo, cuja lealdade lhe ganhara o título de «Filadelfo». Filadélfia jazia perto do limiar de um trecho fértil da região do planalto, o que lhe dava grande parte de sua prosperidade. No ano de 17 D.C. a cidade foi destruída por um terremoto; mas uma doação imperial ajudou em sua restauração. Então adquiriu o nome de Neokaisareia e, posteriormente, sob o imperador Vespasiano, recebeu o nome imperial, Flávia.

Conforme se dava com a maioria das cidades daquela área, Filadélfia estava imersa na idolatria e, mais tarde, mergulhou no «culto ao imperador». Era famosa pelo número e grandiosidade de seus templos e de suas festividades religiosas.

Como é bem conhecido hoje em dia, a área geral onde estavam localizadas as sete igrejas do Apocalipse, e que recebeu originalmente esse livro, não é mais uma área cristã. Porém, dentre todas as sete igrejas, a de Filadélfia foi onde o cristianismo sobreviveu por mais tempo.

A localidade é agora ocupada por uma aldeia turca, *Allah Shehr*, nome que significa «Cidade de Deus». No dizer de Vincent (*in loc.*): «A situação é pitoresca, pois a aldeia ocupa quatro ou cinco colinas, estando bem suprida de árvores, e o clima é saudável. Acredita-se que uma das mesquitas ali existentes era o lugar das reuniões da igreja endereçada no Apocalipse. Uma coluna solitária, de grande antiguidade, com freqüência tem sido notada, lembrando as pessoas sobre as palavras de Apo. 3:12: 'Ao vencedor, fá-lo-ei coluna no santuário do meu Deus...'».

O geógrafo Estrabão (em 20 D.C.), observou a instabilidade geológica da região onde ficava essa cidade, porquanto estava sujeita a muitos tremores de terra. No entanto, aquele que é fiel, dentro da família de Deus, pode tornar-se como uma COLUNA que resiste firmemente a todos os ataques e problemas. Ver Apo. 3:12: «Ao vencedor, fá-lo-ei coluna no santuário do meu Deus, e daí jamais sairá...»

Filadélfia ficava em uma área fronteiriça de cultura, como portão de entrada para a Ásia Menor. Tinha um estilo cosmopolita de vida, não grego e não romano, ainda que, como é óbvio, fosse influenciado por ambos. Essa maneira «aberta» e irrestrita de viver pode ter inspirado o autor do livro de Apocalipse a falar sobre a «porta aberta» oferecida àquela igreja local, no campo das atividades missionárias. Ver Apo. 3:7,8.

Um versículo controvertido é Apocalipse 3:10. Alguns pensam que o mesmo é prova de que a igreja de Filadélfia (que representaria a Igreja evangélica de nossos próprios dias) é que será arrebatada, o que seria indicado pela expressão «...também eu te guardarei da hora da provação que há de vir sobre o mundo inteiro...» Mas isso não precisa indicar mais do que o fato de que o Senhor protegeria aqueles crentes, em meio à tribulação que viria. A idéia é que o Senhor haveria de mantê-los na fidelidade ao Senhor. Todavia, penso que a questão continua aberta à investigação. Não penso que alguém realmente saiba a interpretação certa, com certeza. Nosso artigo sobre a *Parousia* presta maiores informações sobre esse particular.

O nono versículo desse mesmo terceiro capítulo do Apocalipse é uma ácida alusão às atividades dos judeus perseguidores. Os judeus dali tendiam por ser amargamente nacionalistas e defensivos, em razão do que ocorriam abusos.

A cidade de Filadélfia teve uma longa história subseqüente. No século XIV D.C., quando o Império Romano do Ocidente perdeu aquelas terras da Ásia Menor, devido às pressões dos islamitas, uma pequena comunidade cristã, representativa, resistiu em Filadélfia, demonstrando que eles se tinham tornado colunas inabaláveis (Apo. 3:12).

FILANTROPIA

Esse termo vem do grego **philia**, «amor», e *ánthropos*, «ser humano», ou seja, o amor demonstrado ao próximo mediante atos de benevolência. A filantropia consiste naquela disposição e esforço por promover a felicidade, a elevação social e o bemestar geral de outros, de maneira pública ou particular. Essa atitude tem produzido a organização de instituições de educação e de caridade.

A cultura hebréia reconhecia a necessidade da filantropia, com base na lei do amor do Antigo Testamento. Ver Lev. 19:18: «Não te vingarás nem guardarás ira contra os filhos do teu povo; mas amarás o teu próximo como a ti mesmo: Eu sou o Senhor». O Senhor Jesus sempre aprimorava a legislação veterotestamentária, salientando os motivos por detrás dos meros atos. O próximo pode indicar «qualquer pessoa em necessidade» (ver Luc. 10:25 ss). Jesus também ampliou o escopo do amor, para que incluísse os próprios inimigos (Luc. 6:27). Além disso, a lei do amor precisa ser praticada sem qualquer expectativa de recompensa (ver Luc. 6:29,30). Essa lei sempre insiste sobre a necessidade de um amor demonstrado na prática (Luc. 10:33 ss, e Tia. 2:14 ss).

A Igreja primitiva deu continuação às noções judaicas quanto a esse particular. Durante a Idade Média, a filantropia foi institucionalizada, e muitas organizações que começaram então sobrevivem até hoje. Ordens religiosas inteiras vieram à existência a fim de promover diversos aspectos da lei do amor. As igrejas reformadas, dotadas de recursos bastante menores, fizeram o que puderam para continuar essa ênfase, especialmente através das atividades de seus diáconos e diaconisas.

O reavivamento evangélico também teve seus aspectos sociais e caritativos. Wesley encorajou e apoiou Wilberforce em seus esforços em prol da abolição da escravatura. Cristãos individuais, como **Abraham Lincoln**, finalmente, concretizaram esse ideal. Na Inglaterra, o primeiro país grandemente industrializado, **foram baixadas leis** que controlavam os abusos do capitalismo. O historiador Lecky comentou que o espírito filantrópico do séc. XIX originou-se essencialmente, do reavivamento evangélico em certos países europeus e nos Estados Unidos da América do Norte.

No período final do século XIX, começaram a surgir instituições filantrópicas não religiosas, promovidas, principalmente, por ricos industriais e homens de negócios, que procuravam um lugar para usar seus recursos financeiros extras. Atualmente, em alguns países, como nos Estados Unidos da América do Norte, tais organizações são numerosíssimas, havendo constantes apelos para o recolhimento de fundos. Entrementes, a Igreja, em todas as suas divisões, promove as suas próprias causas humanitárias e de caridade.

FILARCO — FILEMOM

O dia do julgamento incluirá um exame de como tivermos agido no que concerne à lei do amor (ver Mat. 25:31 ss). Ver o artigo geral sobre o Amor. As *experiências perto da morte*, sobre as quais oferecemos um artigo, com esse título, têm demonstrado que a revisão da própria vida, pelo Ser Luminoso, está especificamente centralizada sobre a maneira como cada um de nós tem amado ao próximo. A segunda grande coluna da espiritualidade consiste naquilo que tivermos aprendido e com que propósito tivermos aplicado o nosso conhecimento.

FILARCO

A palavra grega indica o chefe de uma **phulé**, uma divisão do exército grego. Em II Macabeus 8:32 a palavra é usada como se fosse um nome próprio, em algumas traduções. De fato, esse nome próprio existe na história; mas a maioria dos estudiosos pensa que a referência ali é ao ofício de algum comandante militar. Os judeus, sob o comando de Judas Macabeu, mataram a vários milhares de homens, sob as ordens de Nicanor. Um deles chamava-se Timóteo.

FILEFO, G. FRANCESCO

Suas datas foram 1398-1481. Era italiano. Esse homem serve de bom símbolo de um grande número de pessoas. Seu conhecimento da literatura grega não tinha igual, em seus dias. É bom as pessoas terem ricos conhecimentos; e também é bom quando as pessoas destacam-se em alguma coisa. Por outro lado, Filefo foi um bajulador da pior espécie, e também um chantagista dos mais astutos. Ele empregava com grande sucesso a sua capacidade de satirizar a fim de chantagear; e também distribuía elogios habilidosamente escritos, a fim de tirar proveito financeiro dos mesmos. Foi um dos mais famosos eruditos da Renascença. Tornou-se professor em Pádua, na Itália, com a tenra idade de dezoito anos. Também trabalhou em Nápoles, Veneza, Constantinopla, Florença e Milão.

FILEMOM

Esboço:
  I. Autoria; Confirmação Antiga; Crítica Moderna
  II. Data e Proveniência
  III. Filemom e Onésimo
  IV. Motivo e Propósitos
  V. O Cristianismo e a Escravatura
  VI. Qualidade Estética
  VII. Conteúdo
  VIII. Bibliografia

Dentro da coletânea paulina há vários agrupamentos de epístolas. Naturalmente, há aqueles lugares para onde Paulo escreveu mais de uma epístola, como Corinto, para onde provavelmente escreveu quatro epístolas, que foram reduzidas para duas; — duas foram escritas para Tessalônica; diversas aos filipenses (conforme Policarpo nos informa), das quais temos apenas uma, ou talvez mais de uma preservada em fragmentos; além disso, temos as epístolas pastorais, as quais, embora não tenham sido dirigidas apenas a uma pessoa, são epístolas que têm uma finalidade comum, tendo sido escritas praticamente ao mesmo tempo. Portanto, podemos distinguir a unidade formada por Colossenses, Efésios e Filemom, que foram escritas sob as mesmas circunstâncias, na prisão (sem importar se em Roma, em Cesaréia ou em Éfeso), e, naturalmente, escritas na mesma época, enviadas a igrejas ou pessoas da mesma área geral da Ásia Menor. A grande similaridade entre Efésios e Colossenses é bem conhecida; mas os dados pessoais na epístola a Filemom, em comparação com a epístola aos Colossenses, mostram-nos que essa pequena carta pertence ao agrupamento comum, junto com as outras duas citadas. Essa questão é devidamente ventilada no artigo sobre à epístola aos Colossenses, seção II, intitulada «Data e Proveniência». Por causa dessas circunstâncias, alguns estudiosos têm identificado *Filemom* com a epístola aos «laodicenses», mencionada em Col. 4:16; e isso faria de Filemom um laodicense, e não um colossense, conforme normalmente se supõe. Naturalmente que isso permanece na dúvida, embora alguns bons nomes do campo da interpretação neotestamentária também tenham apoiado a idéia.

Sete das epístolas da coletânea paulina são comumente chamadas de «epístolas da prisão», porquanto foram escritas pelo apóstolo, estando ele encarcerado. Essas epístolas são Efésios, Filipenses, Colossenses, as três epístolas pastorais, e Filemom. Tem sido costumeiro atribuir todas elas ao final das atividades de Paulo, pensando que foram escritas em Roma, ou em um dos períodos de aprisionamento, ou em dois períodos, com um intervalo entre os dois. Vários eruditos modernos, porém, crêem que o grupo formado por Efésios, Colossenses e Filemom seja produto de um período prévio de aprisionamento, menos sério, que não lhe ameaçou a vida, em Cesaréia ou Éfeso. A teoria do aprisionamento em *Éfeso* é a que parece mais recomendável. Os argumentos a favor são bons, embora não tenhamos qualquer informação histórica direta a respeito. Se essa idéia é a verdadeira, então esse grupo precede a outras epístolas da prisão por diversos anos. (Quanto às diversas teorias que parecem dar apoio a essa idéia, e quanto a um exame geral acerca do problema, ver o artigo sobre a epístola aos Colossenses, em sua segunda seção).

Com base em questões gramaticais e de estilo literário, uso de palavras e de temas, as epístolas aos Romanos, I e II aos Coríntios e Gálatas, são reputadas como os «clássicos paulinos», universalmente reconhecidas, ao ponto de nem mesmo os liberais mais radicais duvidarem de sua autoria paulina. A aceitação de uma delas, como paulina, requer a aceitação de todas as demais; e, em contraposição com isso, a rejeição de uma delas envolve a rejeição de todas, tão convincentes são as evidências internas do fato de que todas saíram da mesma pena. Outras cinco epístolas têm sido adicionadas a essa lista, com pouca hesitação, tanto por liberais como por conservadores. São as epístolas aos Filipenses, aos Colossenses, I e II aos Tessalonicenses e Filemom. Assim sendo, nove epístolas são aceitas com pouca disputa como pertencentes a Paulo. Na ordem de aceitação aparece em seguida a epístola aos Efésios, que virtualmente todos os eruditos conservadores aceitam como paulina, mas do que muitos liberais duvidam. Finalmente, as epístolas pastorais são adicionadas a essa lista pela maioria dos eruditos conservadores.

Quanto a um estudo mais amplo sobre a coletânea paulina, ver o artigo sobre Romanos, primeiros parágrafos, e seção II.

Quanto à epístola a Filemom, apesar dela poder ser agrupada juntamente com Colossenses e Efésios, por terem sido escritas no mesmo tempo e lugar, sob as mesmas circunstâncias, contudo, em seu conteúdo e propósito, é uma epístola ímpar. É o mais breve de todos os escritos de Paulo preservados

FILEMOM

até nós, ocupando menos de uma página. É epístola altamente pessoal, escrita a um homem sobre uma questão delicada. É um escrito essencialmente não teológico, de cunho ético apenas indiretamente. Contudo, tem um interesse todo próprio, não sendo destituída de importância, sendo, talvez, a mais estética de todas as epístolas de Paulo. Isso foi reconhecido desde o princípio e, por essas razões, foi preservada, não tendo sido considerada indigna de figurar ao lado das grandes epístolas paulinas, formando uma só coleção.

I. Autoria; Confirmação Antiga; Crítica Moderna

Do ponto de vista do vocabulário e do estilo em geral, Filemom se posta ao lado de Romanos, Coríntios, Gálatas e Filipenses. A personalidade de Paulo transparece ali fortemente, e, nos tempos antigos, a sua aceitação como paulina era unânime. «Nenhum erudito moderno de reputação duvida de sua autenticidade... a epístola nos destaca um momento dramático na vida de Paulo, como nenhum escritor posterior teria a habilidade ou o motivo de inventar». (John Knox).

Confirmação antiga. Essa epístola foi incluída no «cânon» de Márcion, o que assinalou o começo da canonização dos livros do N.T. Também figura no *cânon muratoriano*, e é evidentemente aludida por Inácio (Efé. ii; Mag. xii; Polyc. vi), o que, embora um tanto vago, por ser revestida de linguagem levemente diferente, parece ser um autêntico «empréstimo». Inácio apela para um certo Croco, para que lhe fosse permitido permanecer em sua companhia, mais ou menos ao estilo em que Paulo apela em favor de Onésimo. Certamente trata-se de um empréstimo das idéias de Paulo em seu apelo. Embora o apelo de Inácio não fosse em favor de algum escravo fugitivo, mas simplesmente pelo privilégio de reter em sua companhia um bom obreiro, que o acompanhasse a Esmirna, tendo sido colaborador na igreja de Éfeso, contudo, a influência da epístola paulina a Filemom resplandece através daquela. A epístola de Inácio aos Efésios tem vinte e um capítulos; e apesar dessa influência parecer mais marcante no segundo e no terceiro capítulos, todavia, alguma influência pode ser discernida nos primeiros seis capítulos. Nesses capítulos há catorze referências a «Onésimo» (o bispo de Éfeso, naquele tempo, 110 D.C., aproximadamente), ou por nome ou por ofício. Por essa razão, pensa-se que foram feitas alusões propositais à epístola de Paulo a «Onésimo», o que teria impressionado o bispo de Éfeso que tinha esse nome. Alguns estudiosos crêem que esse Onésimo e aquele Onésimo citado por Paulo são uma só pessoa; e, nesse caso, as alusões freqüentes de Inácio, à epístola de Paulo que tinha esse nome, são bem naturais. Esse uso que Inácio faz da epístola a Filemom mostra-nos que ela era bem conhecida, pelo menos para alguns elementos da igreja primitiva. Era reputada como escrito paulino autoritário, ainda que na época não houvesse canonização formal de qualquer dos livros do N.T.

A versão siríaca antiga e a antiga versão latina trazem essa epístola como parte da coletânea paulina, o que nos dá testemunho a seu respeito desde 150 D.C. Tertuliano alude diretamente a ela, sendo o primeiro a fazê-lo (*Adv. Marc.* v.42). Orígenes declarou-se em favor dela (*Hom.* in Jer. 19; *Comm.* in Mat. *tract* 33,34), como também o fez Eusébio (*História Eclesiástica* iii.25), referindo-se àquela epístola como parte dos livros que todos aceitavam ser de autoria paulina.

Jerônimo nos apresenta a única nota discordante na antiguidade, não de sua própria feitura, mas ao mencionar que algumas pessoas, que ele não identificou, rejeitavam a autoria paulina da epístola a Filemom, sob a alegação de que não trata de assunto digno do grande apóstolo, não possuindo quaisquer instruções e doutrinas importantes. Jerônimo responde a essa objeção salientando que todas as epístolas autênticas de Paulo têm certa porcentagem de tal material. Informação similar nos é dada por Crisóstomo. Pode-se ver, pois, que a confirmação antiga da epístola a Filemom é igual àquela conferida às outras epístolas totalmente aceitas como de Paulo e nos tempos modernos, há uma confirmação similar.

Crítica moderna. O único ataque realmente sério contra a autenticidade paulina da epístola a Filemom foi feito por Baur (Ferdinand Cristian, da escola de Tubingen), cuja real razão para a sua rejeição parece ter sido que ele rejeitava como paulina as epístolas aos Colossenses e aos Efésios; e, posto que essa epístola faz parte do mesmo grupo, ele também a repelia. Sua objeção expressa é que ela não contém temas paulinos familiares, nem doutrinas, nem pontos éticos, o que é comum nos seus escritos, porém, em uma epístola tão breve como esta, que visa a um único propósito específico, dificilmente poderia conter algo que se assemelhasse à epístola aos Romanos, por exemplo.

A tendência de Holtzmann era a de aceitá-la, mas ele pensava que os versículos quarto a sexto mostram a mão do autor da epístola aos Efésios, e não a mão de Paulo. Weizsacker (Apostl. *Zeital.*, pág. 545), pensava que o jogo de palavras no nome *Onésimo* (*útil*), provava que essa epístola era uma alegoria. Steck cria que essa epístola foi essencialmente um empréstimo de alguma carta ou cartas de Plínio, o Moço. Todas essas idéias, porém, não têm sido aceitas com seriedade pela vasta maioria dos eruditos modernos, de qualquer escola que sejam eles, porquanto tais idéias são produtos do hipercriticismo ou da imaginação fantasiosa.

«De fato, essa breve epístola a Filemom é tão intensamente original, tão inteiramente inocente de preocupações dogmáticas, e a mente de Paulo deixou uma impressão tão vívida e indelével sobre ela, que só pode ser repelida por ato de violência. Vinculada desde o princípio às epístolas aos Colossenses e aos Efésios, é virtualmente a própria assinatura de Paulo, acrescentada como sua garantia, de que as acompanharia através dos séculos». (*The Apostle Paul*, Sabatier). É com esse parecer que praticamente todos concordam.

Importância da epístola a Filemom, em relação à «coletânea paulina». Alguns têm dito que se Onésimo foi bispo de Éfeso, antes e até 110 D.C., que a primeira tentativa de coligir os escritos de Paulo pode ter sido supervisionada por ele, e que, como uma espécie de «epístola de apresentação» da coletânea, Onésimo teria composto a epístola aos Efésios. A própria epístola a Filemom teria sido uma espécie de *assinatura* do colecionador, adicionada à coletânea inteira, já que envolvia a sua própria pessoa. Já a epístola aos Efésios teria sido a sua tentativa de encerrar, em um único documento, as principais idéias paulinas, dessa maneira revivendo e conservando o interesse pelas epístolas paulinas. Onésimo teria considerado a composição da epístola aos Efésios e o recolhimento das epístolas de Paulo, como um serviço devotadamente prestado ao apóstolo. Naturalmente, essa teoria jamais poderá ser confirmada; mas deixa subentendida a grande importância da pessoa de Filemom, que teria sido um forte impulso por detrás da formação do primeiro cânon; pois Márcion, ao

FILEMOM

formar o seu *cânon*, provavelmente apenas se aproveitou da coletânea que Onésimo reunira. E assim Onésimo, que fora «útil» para Paulo (ver File. 11), pode ter-se tornado útil para ele, e para a igreja inteira, de maneira totalmente não antecipada por Paulo, pois ele deu ao mundo as epístolas de Paulo, uma contribuição de gigantescas proporções.

Contra essa idéia, porém, ergue-se o fato de que devemos supor que Onésimo foi poderoso escritor, tendo ultrapassado o próprio Paulo em alguns particulares, se realmente ele é considerado autor da epístola aos Efésios. Poderia ter sido ele homem de tão grande poder literário? Talvez seja possível, mas não é provável. Contudo, ele poderia ter sido o responsável pela coletânea, mesmo que a epístola aos Efésios já fizesse parte dela, não tendo sido escrita por ele, portanto. A preservação dessa minúscula epístola teria sido natural se o «colecionador» das epístolas paulinas fosse tema da mesma. Esse estaria interessado em sua preservação, ao passo que, se não fosse a sua influência, não teria sido reputada digna de ser preservada. Se há qualquer verdade nessa teoria, provavelmente nunca o saberemos. Se a primeira coleção das epístolas de Paulo teve lugar em Éfeso, e se o «Onésimo» de Inácio e o de Paulo eram uma única pessoa, então essa teoria provavelmente está com a verdade.

II. Data e Proveniência

Posto que as epístolas aos Efésios, aos Colossenses e a Filemom foram escritas na mesma prisão e sob as mesmas circunstâncias, além de terem sido produzidas praticamente ao mesmo tempo, formando uma tríada dentro da coletânea paulina, todas as três têm data e proveniência comum. (Ver o artigo sobre à epístola aos Colossenses, seção II, quanto a uma plena discussão a respeito). Se foram escritas em Éfeso, datam de cerca de 54 D.C. Porém, se foram escritas durante o primeiro período de aprisionamento de Paulo, em Roma, então já pertencem à época de 58-62 D.C. Ver o artigo sobre *Aprisionamento de Paulo em Roma—Uma ou Duas Vezes?*

III. Filemom e Onésimo

Filemom. Podemos supor que ele residia em Colossos (ver Col. 4:9, que identifica aquela localidade com Onésimo), embora alguns eruditos tenham conjecturado Laodicéia. Ele era o proprietário de Onésimo, o escravo fugitivo. O próprio Filemom se converteu através do ministério direto de Paulo, ou através de seu ministério em Éfeso, que ficava próximo, e onde Paulo permaneceu por quase três anos (ver File. 19). É possível que *Epafras* (ver Col. 4:12) tenha sido usado como instrumento de sua conversão. O próprio Paulo, até onde nos leva a narrativa do N.T., não visitara Colossos (ver Col. 2:1); mas o seu trabalho em Éfeso se espalhara por todas as regiões circunvizinhas da Ásia Menor, a moderna Turquia. Éfeso era a capital provincial da área (ver Atos 19:31), sendo o ponto natural de comunicação com as áreas circunvizinhas.

Como é usual, a tradição preenche os hiatos com suas informações, às vezes corretas, mas mais freqüentemente, errôneas. Ali aprendemos que Filemom foi bispo de Colossos, tendo finalmente morrido como mártir, sob Nero.

Parece que Filemom era homem de amplos recursos financeiros, desde que é apresentado como cabeça de casa numerosa. Era homem de caráter nobre, conforme o indica essa minúscula epístola. Alguns inferem, com base nos versículos primeiro e segundo dessa epístola, que Áfia era sua esposa, e que Arquipo era seu filho; mas, acerca disso não há provas. Alguns

têm pensado que a epístola realmente fora dirigida a Arquipo, que seria o cabeça da igreja em Colossos (ver Col. 4:24), ou da igreja próxima de Laodicéia; e isso indicaria que Onésimo era seu escravo, e não escravo de Filemom. Isso também significaria que a epístola deveria ser intitulada «a Arquipo», e não «a Filemom». Porém, visto que Filemom encabeça as saudações, na lista das mesmas, é mais provável que Paulo se tenha dirigido primordialmente a ele. Todavia, ele pode não ter sido o cabeça da igreja que se reunia na «casa», sendo possível que a casa mencionada fosse a de Arquipo, e não a de Filemom. Se porventura esses dois eram pai e filho, então era a casa de Filemom. Pequenos detalhes dessa espécie não podem ser claramente definidos, porquanto nos faltam quaisquer informações claras a esse respeito. Essa «casa» era mostrada às pessoas curiosas até os tempos de Teodoreto (420 D.C.), mas essa identificação, que serviria mais para atrair turistas, provavelmente nunca foi autêntica.

Onésimo. Ele era o escravo fugitivo de Filemom (ou de Arquipo?). Conheceu a Paulo em Éfeso (ou Roma? ou Cesaréia?), onde este último estava aprisionado, tendo sido convertido ao cristianismo pelo apóstolo. (Ver File. 10). Não demorou que se tornasse irmão digno de confiança, *útil* para Paulo (ver Col. 4:9 e File. 11). Seu nome significa *útil* (nome comum dado a escravos); e as observações de Paulo a esse respeito envolvem um jogo de palavras. Foi preciso que se convertesse a Cristo para que se tornasse digno de seu nome. Segundo as leis e as práticas do mundo daquela época, Onésimo poderia ter sido facilmente executado, e até mesmo crucificado; pelo que também Paulo apelou para o senso de humanidade de Filemom, a fim de que tratasse Onésimo com gentileza. É patente, na epístola a Filemom, que o intuito real de Paulo era o de obter a liberdade de Onésimo, a fim de que servisse como cooperador do apóstolo, e não meramente apelar à compaixão de Filemom (ver os versículos treze e catorze). Alguns supõem que o «ministério» que Arquipo deveria cumprir seria o de libertar Onésimo, a fim de que viesse servir em companhia de Paulo (ver Col. 4:17); mas essa é interpretação extremamente duvidosa sobre esse versículo, exigindo, igualmente, outros pensamentos duvidosos, como o que a epístola foi dirigida a Arquipo, e não a Filemom. Alguns dos que defendem essa teoria, pensam que a libertação de Onésimo visaria torná-lo o substituto de Arquipo, como supervisor de Colossos (ou de Laodicéia). Mas essa possibilidade parece ainda mais remota.

O trecho de Col. 4:9 indica que Onésimo, juntamente com Tíquico, fora portador das epístolas aos Efésios, aos Colossenses e a Filemom. As tradições fazem dele bispo de Beréia, onde se diz que ele sofreu o martírio (ver *Constituições Apostólicas* vii.46). Sua memória foi preservada pela igreja latina, na data de 16 de fevereiro, ao passo que a igreja grega prefere 15 de fevereiro; e esta última também lembra Filemom, Áfia e Arquipo, juntamente com Onésimo, 22 de novembro. — Várias tradições circundam esses personagens, segundo a *Acta Sanctorum* (ii, 855-859); mas poucas, ou mesmo nenhuma dessas tradições é autêntica.

Alguns eruditos têm identificado o Onésimo dessa epístola com o bispo de Éfeso do tempo de Inácio (110 D.C.). É possível que ele tenha vivido tanto tempo; e mesmo antes desse tempo pode ter-se mostrado ativo em vários lugares da Ásia Menor, até que chegou em Éfeso. Supondo-se que uma primitiva coletânea de epístolas paulinas tenha sido feita em Éfeso, é possível

FILEMOM

que Onésimo tenha sido o poder por detrás da mesma. Seria natural, pois, que essa pequena epístola tivesse sido preservada, por ter sido escrita acerca da pessoa do *colecionador* da coletânea paulina, que posteriormente veio a ser canonizada, essencialmente conforme foi coligida. Se essas conjecturas dizem a verdade, então Onésimo teve a importante função de preservar as epístolas de Paulo-para a igreja e para o mundo, como um dos primeiros fatores da canonização de todo o N.T. Todavia, tudo isso é pura conjectura, e, apesar de apoiada por nomes significativos, do campo da interpretação do N.T., nunca obteve qualquer coisa parecida com aceitação universal.

Se essa teoria é verídica, porém, então a epístola a Filemom, apesar de pequena, se reveste de singular importância, por ter sido aquela missiva que trouxe Onésimo até Paulo, produzindo a sua liberdade como ministro do evangelho. Em gratidão a isso, Onésimo teria exaltado a seu mestre, Paulo, tendo servido como instrumento de preservação de suas epístolas, como coletânea que posteriormente foi canonizada.

IV. Motivo e Propósitos

O primeiro fator, que produziu a escrita dessa epístola, se deu no momento em que Onésimo, sobrecarregado com os deveres de escravo, e não estando mais disposto a continuar sofrendo, resolveu furtar o seu senhor (ver o décimo oitavo versículo) e obter a sua liberdade mediante a fuga para Éfeso (ou Roma, ou Cesaréia; ver o artigo sobre à epístola aos Colossenses em sua segunda seção). Então, tendo-se convertido ao evangelho por meio de Paulo (ver o décimo versículo), e estando convencido de seu dever de fazer restauração, voltando a Filemom, precisava de uma carta de defesa para o seu senhor, — que, segundo a lei e as práticas vigentes, poderia puni-lo severamente, ou mesmo mandar executá-lo. Por isso, normalmente se pensa que essa epístola é uma apologia escrita por Paulo, na tentativa de levar Filemom a aceitar Onésimo de volta, mas aplicar-lhe nenhuma disciplina severa. Porém, se considerarmos os versículos treze e catorze, veremos que eles indicam claramente que o verdadeiro desejo de Paulo é que Onésimo fosse libertado, para que se tornasse ministro cristão, ajudando-o em seus labores, juntamente com outros homens dignos, cujos nomes decoram as epístolas de Paulo. Desse modo é que ele se tornaria realmente «útil» (ver o décimo primeiro versículo) ou «proveitoso», que é um trocadilho feito com o seu nome. Não somos informados sobre os meios através dos quais Onésimo entrara em contacto com o prisioneiro Paulo, mas talvez isso tenha ocorrido por intermédio de Epafras (ver Col. 4:12), que era da mesma cidade que o primeiro. Também parece que Paulo desenvolvera profundo afeto natural por Onésimo (ver os versículos décimo e décimo terceiro), tendo percebido nele excelente candidato para o ministério, e, no fervor dessas convicções, escreveu esta epístola singularmente bela.

V. O Cristianismo e a Escravatura

Natureza da instituição. Essa epístola levanta a questão da atitude cristã para com a prática da escravidão, porquanto aborda o caso de um escravo fugitivo. Apesar de que a natureza da servidão era determinada principalmente pelas ações pessoais dos senhores de escravos, contudo, em seus aspectos gerais, essa instituição, naquela época, era algo extremamente desumano. Os senhores que tratavam os seus escravos com humanidade formavam a minoria; os demais praticavam atos brutais quase inacreditáveis. A escravidão se tornara parte tão

importante do império romano que se fizera a base econômica da sociedade, eliminando grande parte da livre expressão de todas as atividades comerciais. Não sabemos quantos escravos havia, mas o seu número deve ter sido enorme. Tácito informa-nos que houve grande terror no império romano, devido ao seu número desmesuradamente grande (ver *Anais* xvi.45), o que sempre apresentava a possibilidade de revolta em massa. Petrônio afirmou que nem a décima parte dos escravos conhecia os seus senhores, o que mostra o número gigantesco que devem ter sido. (Ver *Pet.* 37). Eram utilizados em tudo, em propriedades, nos campos ou em mansões das cidades, sendo-lhes dadas todas as tarefas imagináveis, ao ponto de nos provocar o sorriso. Eram criados caseiros, animais de carga, mas também eram pintores, poetas, músicos, escultores, bibliotecários, médicos e até mesmo leitores, que aliviavam o enfado de seus senhores, enquanto estes se banhavam ou se assentavam ociosos, ou comiam. Geralmente se pensava que as realizações de um escravo automaticamente eram lançadas no crédito da inteligência de seus senhores, fato esse que divertia a Petrônio.

A despeito da larga distribuição de escravos em todos os níveis da sociedade, bem como o fato de que eles ocupavam posições de responsabilidade, não nos podemos olvidar que, pela lei eles não passavam de propriedades, algo inventariado como bois ou carroças (Varrão, *De Re Rust.* i.17,1). Essa forma de tratamento era fator de «desumanização» dos escravos, tornando-os insolentes, dotados de baixo nível moral, potencialmente violentos e animalescos. A vida de um escravo estava absolutamente em poder de seu senhor. Podia ser vendido, trocado, punido ou mesmo morto, sem qualquer intervenção das autoridades. Juvenal (vi.28) registra as palavras infames de uma mulher da alta sociedade que crucificara a um seu escravo, pela única razão que isso lhe dera prazer.

A um escravo era permitido ter uma concubina, com quem podia continuar vivendo ou não. E essa concubina podia ser abusada pelo senhor a qualquer momento em que o quisesse fazer, sem qualquer lei regulamentadora. Nenhum escravo era reputado legalmente casado; de fato, isso era proibido segundo as leis romanas, pelo que também não tinha segurança de afeto, e nem controle sobre sua «esposa» ou sobre seus filhos.

A história mostra-nos que a disciplina e a punição dos escravos atingia níveis totalmente desumanos (ver Ter. *Phorm.* ii.1,17; Juv. viii.180). Com freqüência eram cruelmente açoitados, marcados a ferro em brasa em qualquer lugar do corpo, inclusive na testa. Eram crucificados ou lançados às feras vorazes. Não eram reputados como varões, nem tinham auto-respeito, e nem decência moral, porquanto esses eram itens inúteis para seu estilo de vida. A sociedade romana fazia dos escravos uns selvagens, uns vilões. Tácito fala sobre a insolência dos escravos e de suas freqüentes insubordinações. (Ver *Anais* xii.26,27). O fato de que tantos escravos se tinham tornado cristãos, o que lhes oferecia uma nova e elevada dignidade, era algo que os adversários do cristianismo usavam como arma contra os cristãos, o que foi feito por diversos escritores romanos; segundo pensavam esses escritores, a igreja cristã se tornara antro de pessoas desprezíveis, cuja fé não poderia atrair pessoas de respeito.

Havia aqueles casos excepcionais em que um escravo se tornava membro amado e respeitado da família; e muitos eram libertados, no testamento de seus senhores, ou, simplesmente recebiam a liberdade antes da morte daqueles. Assim é que Plínio, o Moço,

FILEMOM

expressou profunda tristeza pela morte de alguns de seus escravos. (Ver *Ep.* viii.16). Vários filósofos se opunham à escravatura, e insistiam que os escravos deveriam ser tratados com humanidade. Sêneca chegou a asseverar que um escravo era apenas um acidente das circunstâncias, não estando isso de acordo com a real dignidade de um homem. Para ele, a escravidão consistia em estar alguém cativado por algum vício, ao passo que a liberdade consistiria em abster-se do mesmo. Porém, tais atitudes permaneciam como próprias de uma elite intelectual da sociedade, com pouquíssima aplicação na sociedade romana em geral.

O cristianismo (em relação à escravatura) não era uma força revolucionária. (Ver Efé. 6:5 e *ss*; I Tim. 6:1 e *ss*; Col. 4:1 e I Ped. 2:18 e *ss*, que são as passagens centrais sobre a escravatura, nas páginas do N.T.). Nenhuma delas ordena a emancipação dos escravos. Antes, aos senhores de escravos é recomendado que tratem de seus escravos com humanidade, ao passo que aos escravos é recomendada a obediência. E nem mesmo na comunidade cristã, onde senhores e escravos algumas vezes eram crentes, a emancipação destes últimos era sugerida ou praticada. É verdade que, em casos isolados, em algumas localidades, eram feitas coletas com o fim de libertar escravos crentes; e alguns senhores crentes reputavam isso seu dever. Mas tal movimento jamais se tornou universal, nem na igreja cristã, quanto menos na sociedade pagã. A sociedade judaica, apesar de praticar a escravização de «gentios» (e não de compatriotas judeus), tinha leis mais humanas; aos escravos, ali eram dados alguns direitos. Essa atitude mais tolerante veio a fazer parte do cristianismo, mas não havia como escapar do fato de que um escravo continuava sendo ali apenas uma propriedade. Infelizmente o cristianismo não avançou além do judaísmo, pois é razoável pensarmos que se um judeu não podia escravizar a outro, por serem «irmãos», como é que um cristão poderia ter como escravo a outro *irmão?* Não poderíamos exigir que uma igreja já perseguida, ainda se lançasse à tentativa de provocar uma revolução tendente a libertar os escravos; mas seria razoável que, dentro da própria comunidade cristã, não se permitisse que um crente conservasse a outra pessoa como escrava, sobretudo se essa outra pessoa fosse crente. O desejo que tinham os cristãos de obedecer aos oficiais do governo e às leis (ver o décimo terceiro capítulo da epístola aos Romanos) os impediam de tentar tal revolução; mas parece-nos que o mero *bom senso* teria eliminado a prática dentro do próprio cristianismo.

O cristianismo poderia ter-se mostrado mais idealista. Com base na passagem de Gál. 3:28, que diz que em Cristo não há nem mulher, nem escravo e nem livre, mas todos são «um», a escravidão deveria ter sido eliminada do seio da igreja cristã. O fato de que assim não sucedeu mostra-nos que os primitivos cristãos, incluindo seus líderes mais proeminentes, realmente não aprenderam a verdadeira profundidade e aplicação de alguns de seus próprios preceitos. Tais preceitos eram idealistas, mas as ações da igreja eram totalmente pragmáticas. E isso nos deixa desapontados.

A verdade transcende a qualquer aplicação local. Embora existam ideais elevados, como aquele de Gál. 3:28, esses ideais não foram aplicados em todas as situações necessárias. Assim aprendemos que as verdades éticas e outros tipos de verdades transcendem a qualquer situação isolada, a qualquer época, a qualquer fé religiosa. Deus é infinito e conhecer a

ele é o que ele exige são inquirições permanentes. É comum, hoje em dia, condenar-se a escravatura. Pelo menos nesse ponto temos melhorado nossos princípios éticos, em relação aos da igreja primitiva, havendo hodiernamente abundância de afirmações dogmáticas em favor dessa ética aprimorada.

A atitude de Paulo para com a escravatura. É inútil a suposição de que o próprio Paulo se opunha à escravatura, mas guardou silêncio. Antes, ele nunca mostrou a intenção de derrubar o sistema e é provável que não se sentisse compelido a fazê-lo. Provavelmente compartilhava da atitude de que se deveria usar de maior simpatia para com os escravos, de que falaram filósofos como Aristóteles, Zeno, Epicuro e Sêneca. Além disso, lembremo-nos da cultura dos hebreus da qual Paulo fazia parte, onde havia uma atitude mais humana para com os escravos. O trecho de Lev. 25:45,46 proibia que um israelita escravizasse a outro. As regulamentações do Talmude exigiam que aos escravos fossem dados os mesmos alimentos que consumiam os senhores, e que aqueles fossem tratados de maneira «fraternal» (*Kiddushin*, 20a). Sob a lei, um escravo fugitivo que fosse recuperado, não deveria ser morto, embora tivesse a responsabilidade de substituir qualquer prejuízo provocado, incluindo o tempo perdido, contra o seu senhor. É provável que Paulo visse sabedoria em tais regulamentos. Ver os trechos de Êxo. 21:2-11; Lev. 25:39-54; Deut. 15:12-18 e 23:16,17, quanto à atitude do A.T. acerca da escravatura. Tais leis chegavam a determinar a libertação final dos escravos.

Contudo, o cristianismo melhorou o tratamento dos escravos, — tendo sido finalmente destruído esse sistema. Vários intérpretes pensam que as leis romanas, que gradualmente foram sendo melhoradas, sofreram a influência cristã. Seja como for, foi o *amor cristão* que finalmente destruiu esse sistema, embora fosse necessário longo tempo para isso.

VI. Qualidade Estética

«Os tributos à beleza, à delicadeza e ao tato da epístola a Filemom vêm da parte de representantes de todas as escolas, de Lutero a Calvino, e então de Renan, de Baur e de von Soden... A epístola tem sido comparada com uma carta dirigida por Plínio, o Moço, a um amigo, em circunstâncias similares. Contudo, citando Lightfood, 'Se a pureza de dicção for excetuada, dificilmente haverá qualquer diferença de opinião em se dar a palma ao apóstolo cristão. Como expressão de simples dignidade, de cortesia refinada, de profunda simpatia e de caloroso afeto pessoal, a epístola a Filemom não tem rival. E sua proeminência se torna um tanto mais notável porque seu estilo é bastante frouxo. Nada deve às graças da retórica; seu efeito se deve exclusivamente ao espírito do escritor'. 'Deleitamo-nos com ela', diz Sabatier, 'em nossa atarefada estrada, descansando um pouco com Paulo, de suas grandes controvérsias e labores fatigantes, no oásis refrescante da amizade cristã. Estamos acostumados a conceber o apóstolo sempre preparado para a guerra, revestido de lógica e de argumentos contundentes. É delicioso encontrar-mos a um Paulo em descanso, capaz de entregar-se, por alguns momentos, a uma conversa amigável, tão plena de liberdade e até mesmo de prazer'». (Vincent, introdução à epístola a *Filemom*).

«Essa epístola apresenta um exemplo encantador e magistral do amor cristão». (Lutero).

«Em parte alguma encontraremos a sensibilidade e o calor da amizade delicada de forma mais belamente mesclada com altos sentimentos de um intelecto superior, sim, de um mestre e apóstolo, do que nesta

FILEMOM — FILHA

epístola breve mas tão sentenciosa». (Ewald).

«Que consciência de dignidade apostólica, que profunda humildade e amor! Que elevação e plenitude de pensamento cristão, exibido no tratamento de um incidente pertencente à mais comum das relações da vida! Que poder de eloqüência! Que delicadeza de sentimentos, mas que argumentos incisivos!» (Wiesinger).

«Trata-se de preciosa relíquia de um grande caráter. Persegue seu objetivo com grande amor e sabedoria cristãos, com tanto tato psicológico, e sem renunciar à autoridade apostólica, de forma tão engenhosa e sugestiva, que essa epístola, vista meramente como espécime da elegância e da urbanidade ética, poderia ser posta entre as obras-primas epistolares da antiguidade». (Meyer).

«Essa epístola é importante ajuda, que nos capacita a entender a Paulo, ao seu caráter, aos seus dotes intelectuais, às suas qualidades de coração». (Burke).

«Se essa epístola não fosse considerada sob outros prismas além de uma mera composição humana, aïnda assim teríamos de reputá-la uma obra-prima». (Doddridge).

«Cícero nunca escreveu com maior elegância». (Erasmo).

«Foi escrita como elemento decorativo do evangelho». (Jerônimo).

«Admiremos a sua elegância». (Bengel).

A epístola similar de Plínio, o Moço (*Letters*, ed. F.C.T. Bosanquet, IX.21), é dada em seguida, para satisfazer à curiosidade do leitor:

«Teu liberto, a quem ultimamente mencionaste para mim com desprazer, esteve comigo; e se lançou a meus pés com submissão tal como poderia ter-se lançado aos teus. Com muitas lágrimas me rogou, e até com toda a eloqüência da tristeza silenciosa, que eu intercedesse por ele; em suma, convenceu-me, com toda a sua conduta, que sinceramente estava arrependido de sua falta. Estou persuadido que se reformou totalmente, devido ao fato de que parece sentir profundamente a sua culpa. Sei que estás indignado com ele, — e também sei que não é sem razão; mas a clemência nunca poderá ser exercida, com tanto aplauso, como onde há mais causa de ressentimento. Antes tinhas afeição por esse homem, e espero que novamente seja assim; nesse ínterim, permite-me solicitar-te apenas que o perdoes. Se porventura ele vier novamente a incorrer em teu desprazer daqui por diante, terás maior motivo para te justificares da ira, conforme também agora te mostras sumamente misericordioso para com ele. Concede algo a esse jovem, às suas lágrimas e ao teu temperamento naturalmente suave; não continues a deixá-lo intranqüilo, e, quero adicionar, não te intranqüilizes tu mesmo; pois um homem da bondade de teu coração não pode irar-se sem sentir grande agitação. Temo que se vier a atuar os meus rogos aos dele, pareça eu querer compelir-te a perdoá-lo. Contudo, não tenho escrúpulos por juntar meu pedido ao dele; e tanto mais fortemente porque o repreendi incisiva e severamente, ameaçando-o positivamente de nunca mais interceder novamente em seu favor. Porém, embora fosse apropriado dizer isso para ele, para induzi-lo a um maior temor de ofender, não o digo para ti. Talvez eu tenha novamente oportunidade de rogar-te nesse sentido, obtendo uma vez o teu perdão; supondo, quero dizer, que a sua falta seja tal que me seja próprio interceder por ele, e a ti, seja próprio perdoar. Adeus».

VII. Conteúdo
I. Saudação (vss. 1-3)

II. Ação de graças e oração, com base nas qualidades cristãs de Filemom (vss. 4-7)

III. Pedido em favor de Onésimo (vss. 8-21)

IV. Pedido de hospitalidade (vs. 22)

V. Saudações da parte de amigos de Paulo (vss. 23 e 24)

VI. Bênção (vs. 25)

VIII. Bibliografia: AM EN HRR I IB MOF NTI TI VIN

FILETO

No grego, «amado». Paulo dirigiu uma palavra muito amarga contra esse homem e Himeneu, como falsos mestres. Provavelmente não erramos quando supomos que eles ensinavam certa variedade do gnosticismo (vide), uma heresia que assediou a Igreja antiga por cerca de cento e cinqüenta anos. Ver II Tim. 2:16-18. Paulo asseverou que os ensinos deles haveriam de se propagar como a gangrena. Eles afirmavam que a ressurreição já havia ocorrido, talvez admitindo que Cristo realmente ressuscitara, mas supondo que isso poderia ser ou deveria ser duplicado nos crentes. No caso da Igreja, provavelmente, eles alegorizavam ou espiritualizavam esse ensino, dependendo somente da imortalidade da alma. Segundo a doutrina deles, a ressurreição não envolveria o corpo físico, mas somente sob a forma do conhecimento da vida e da revolução moral. Ofereço uma longa nota sobre os problemas envolvidos naquele texto, nas notas expositivas do NTI. Ver o artigo geral acerca da *Ressurreição*.

FILHA

No hebraico, **bath**, forma feminina de **bane** (filho). Esse termo é usado por mais de quinhentas e setenta vezes, no Antigo Testamento, com mais sentidos do que a nossa palavra portuguesa correspondente, «filha».

1. O sentido usual de uma *filha*, por geração natural, ou como filha adotiva (Gên. 11:29; 20:12).

2. Uma *sobrinha*, ou qualquer descendente do sexo feminino (Gên. 20:12; 24:48; Núm. 25:1; Deu. 23:17).

3. As mulheres em geral, de qualquer tribo ou nação, como as filhas dos filisteus (Isa. 3:16), ou as filhas de Sião (Isa. 3:16).

4. As mulheres que professam alguma fé religiosa, como as filhas de algum deus estrangeiro (Mal. 2:11). Também podemos incluir nisso as filhas de Sião, quando está em pauta a fé de Israel, e não meramente a nação (Isa. 3:16).

5. O povo de qualquer localidade, coletivamente falando, como as filhas de Jerusalém (Isa. 32:22; Sal. 45:13; Isa. 10:30).

6. *Usos Metafóricos*: a. As cidades menores, próximas das cidades maiores, com base provável na circunstância que, com freqüência, as cidades maiores dão origem às cidades menores, quando os subúrbios mais externos se expandem (Núm. 26:25; Isa. 23:12). Nesse mesmo sentido, uma colônia poderia ser chamada de filha de uma cidade-estado. b. A expressão «filha de noventa anos», que aparece, em algumas traduções, em Gênesis 17:17, simplesmente designa a idade de Sara. Nossa versão portuguesa diz somente «noventa anos». c. O crescimento e a prosperidade de uma família são expressos dizendo que as filhas da mesma se assemelham aos ramos de uma vinha que se espalham por uma parede (Gên. 49:22). d. As santas são filhas

FILHO — FILHO DE DEUS

de Deus, uma expressão que enfatiza o papel de Deus como pai, bem como as relações dentro da família divina (Sal. 45:10-14). e. As «filhas da música», que se vão diminuindo, conforme se lê em Eclesiastes 12:4, representam uma metáfora que indica os pulmões e os ouvidos, os instrumentos para produção e audição dos sons, e, portanto, da música, mediante o processo do envelhecimento. f. Os ramos e brotos de uma árvore são chamados «filhas», pelo menos em certas versões. Nossa versão portuguesa diz «galhos» (Gên. 49:22). Como símbolo de um sonho ou de uma visão, uma filha representa o trabalho, a profissão ou o projeto que alguém está procurando concretizar.

FILHO (FILHOS) Ver sobre **Família**.

FILHO DA PERDIÇÃO Ver **Perdição, Filho da**.

FILHO DE DAVÍ Ver **Messias**, V. 1. e.

FILHO DE DEUS

No grego, **uiòs theoû**. Ver também sobre **Cristologia**. Essa expressão constitui uma afirmação credal favorita da Igreja primitiva, que rapidamente se tornou parte de uma antiga confissão batismal de fé.

Esboço:

I. Origens Veterotestamentárias da Expressão
II. Uso nos Evangelhos Sinópticos
III. Uso no Livro de Atos
IV. Significado da Expressão no Mundo Pagão
V. Uso nas Epístolas Paulinas
VI. Evidências Joaninas
VII. Uso na Epístola aos Hebreus
VIII. Alguns Usos Bíblicos de Importância

I. Origens Veterotestamentárias da Expressão

No hebraico, a expressão «filhos de Deus» é usada frouxamente para descrever os seres angelicais que formam uma espécie de «corte celeste» de Yahweh. Essa, incidentalmente, é uma explicação possível da passagem arcaica de Gên. 6:2-4. (Ver também Jó 1:6 e 2:1, onde o próprio Satanás pode ser incluído nesse ajuntamento). A passagem de Jó 38:7 parece ser um antecedente veterotestamentário do cântico angelical que aparece em Luc. 2:14. E a passagem de Salmos 82:6, onde encontramos as palavras «Sois deuses, sois todos filhos do Altíssimo», também pode apontar para os «anjos». No hebraico, essa expressão é usada para indicar seres celestiais que, na qualidade de compartilhadores da natureza espiritual de Deus, poderiam ser chamados «filhos de Deus», de acordo com um semitismo comum e bem conhecido. O que importa observar é que, sem importar a origem dessa expressão, ela não envolve qualquer associação politeísta, nas páginas do Antigo Testamento. A relação entre Deus e esses seres, até mesmo em face do sentido da palavra «anjo» (no grego, «enviado»), é a de enviador e enviados. Essa explicação tem a vantagem de explicar outras instâncias similares do Antigo Testamento. Para exemplificar, Oséias, 1:10, que descreve Israel como «filhos do Deus vivo». Talvez a idéia por detrás de uma expressão como essa seja a da obediência amorosa, e não tanto a idéia de filiação ou descendência, ou mesmo a idéia de semelhança.

Quanto ao pano de fundo da cristologia neotestamentária, o uso do substantivo singular, «filho», é mais importante. O trecho de Oséias 11:1 registra que o povo de Israel, considerado coletivamente, é chamado por Deus de «o meu filho». Mas, no Novo Testamento, a passagem de Mateus 2:15 aplica isso

diretamente a Jesus Cristo. É possível que «o amor do pacto» constitua o vínculo filial em ambos os lados. A alternância entre a forma singular e a forma plural (no singular está em destaque o sentido coletivo) é típica da teologia do Antigo Testamento; pois, embora o termo apareça ali no singular, não está em foco nenhum indivíduo especial como filho de Deus. Somente quando chegamos no Novo Testamento é que alguém ousou clamar «Aba, Pai», nesse sentido. Primeiramente assim fez o próprio Cristo, e então os cristãos (ver Mar. 14:36 e Rom. 8:15). O trecho de Sal. 2:7 descreve uma certa relação pessoal (ver sobre *Filho Unigênito*), que é aplicada à pessoa de Jesus em Atos 13:33 e em Hebreus 1:5. Esse é um salmo real, que vincula a filiação a Deus ao reinado davídico. A opinião mais provável a respeito é aquela que diz que o rei em foco representa a nação de Israel, que já havia sido descrita como «o filho de Deus».

Seja como for, essa expressão indica uma filiação por adoção, motivada na graça divina, conforme se deu no caso do povo de Israel. Talvez esteja ligada à natureza messiânica do rei, porquanto todos os reis de Israel eram «ungidos» do Senhor (I Sam. 24:6); e isso era duplamente verdadeiro, no caso dos reis da linhagem de Davi. Naturalmente, quando esse tipo cumpre-se na pessoa de Cristo, o sentido do termo ultrapassa em muito ao que diz aquele salmo, no tocante à filiação por natureza e geração. Quanto a um outro exemplo da idéia de *filiação divina*, ver Salmos 89:26,27. E ainda uma outra preparação para o uso do singular é a descrição das misteriosas figuras de Daniel 3:25, onde lemos: «um filho dos deuses». No entanto, a passagem de Daniel 3:28, portanto, três versículos adiante, explica que se tratava do «anjo» de Deus. Mas, com a progressão da revelação divina, a teologia posterior via nisso uma cristofania, à semelhança da interpretação cristã quanto a outras menções do «anjo de Yahweh» ou «anjo do Senhor», nas páginas do Antigo Testamento.

Precisamos entender, porém, que o antigo Testamento não podia desdobrar essa revelação cristológica mais do que isso, sob pena de pôr em perigo a sua própria doutrina fundamental da unidade de Deus. No entanto, tal como no caso da expressão «filho do homem», a expressão «filho de Deus» armou o palco onde a cena do Novo Testamento teria lugar.

II. Uso nos Evangelhos Sinópticos

a. Postulados Iniciais. O evangelho de Marcos, o mais primitivo de todos, abre com a expressão «Jesus Cristo, Filho de Deus». E as evidências textuais em favor da retenção das palavras «Filho de Deus», nesse versículo inicial de Marcos, são muito boas. Isso é tanto mais notável em face da cautela com que Marcos usou essa expressão ou título (cf. também Mar. 15:39). Os trechos de Lucas 1:32 e 35 conferem a Jesus o título de «Filho do Altíssimo» e de «Filho de Deus», respectivamente. A passagem de Mateus 1:23 cita a profecia sobre o Emanuel, de Isaías 7:14, como predição que teve cumprimento em Jesus; e o trecho de Mateus 2:15 aplica as palavras «o meu Filho», que se derivam de Oséias 11:1, diretamente a Jesus Cristo. No começo de todos os três evangelhos sinópticos, a filiação de Cristo é claramente postulada. Não há que duvidar que tanto Mateus quanto Lucas, em seus evangelhos, davam grande valor ao nascimento virginal de Cristo. Mateus via no nascimento virginal o cumprimento da profecia sobre o Emanuel, como um sinal de que, naquela Criança, Deus viera habitar entre os homens. Em Lucas 1:35, a filiação de Cristo é diretamente ligada a seu nascimento virginal, por meio do poder do Espírito Santo (embora a paternidade de Deus não deva ser compreendida em

FILHO DE DEUS

sentido cru e literal). Os termos selecionados pelos diversos escritores sagrados do Novo Testamento ajudam a esclarecer esse ponto. Há dois vocábulos gregos que poderiam ser traduzidos como «filho», a saber, *téknos* e *uiós*. O primeiro indica um filho gerado naturalmente, e Jesus nunca é chamado de «téknos de Deus». O segundo significa um herdeiro, e Jesus é chamado «uiós de Deus».

Não se pode dizer que a 'outrina do nascimento virginal de Cristo seja irrelevante para os escritores do Novo Testamento. Contudo, não foi meramente em razão de seu nascimento físico que ele foi declarado «filho de Deus», conforme se vê em Luc. 1:31,32. A razão fundamental pela qual Jesus foi declarado «filho de Deus», co.iforme Paulo deixa bem claro, foi mediante a «ressurreição dos mortos» (Rom. 1:4).

b. Declarações Batismais. A filiação de Cristo é reiterada quando da narrativa de seu batismo, por João Batista (Mar. 1:11 e paralelos). As palavras «Tu és o meu Filho amado...» constituem uma combinação da declaração de Salmos 2:7 (um rei messiânico) e de Isaías 42:1 (o Servo sofredor do Senhor). O contexto parece associar a idéia de filiação tanto com a possessão do Espírito Santo quanto com o poder de conferir o Espírito Santo a outras pessoas (Mar. 1:8).

Todavia, a cristologia judaica herética distorcia isso, no sentido adocionista, como se o homem Jesus tivesse recebido o Espírito, pela primeira vez, por ocasião de seu batismo, o que O teria transformado no Filho de Deus. No entanto, é evidente que Jesus recebeu o título de «Filho de Deus» muito antes até mesmo de ter nascido. Desde o Antigo Testamento há menções, posto que veladas, ao Filho. Dessas passagens, uma das mais claras é a de Isaías 9:6, onde se lê: «Porque um menino nos nasceu, um filho se nos deu; o governo está sobre os seus ombros, e o seu nome será: Maravilhoso, Conselheiro, Deus Forte, Pai da Eternidade, Príncipe da Paz».

A conexão entre a filiação de Cristo e o Espírito Santo é muito importante (cf. Gálatas 4:6). O batismo, sem importar seus outros sentidos, representa a aceitação pública de Jesus quanto à sua responsabilidade como Filho de Deus, — que, em razão da obediência à vontade do Pai, haveria de conduzir Jesus ao sofrimento e à morte e, em conseqüência, ao reconhecimento, por parte dos remidos, que ele é o Messias e Salvador. «Esteja absolutamente certa, pois, toda a casa de Israel, de que a este Jesus, que vós crucificastes, Deus o fez Senhor e Cristo» (Atos 2:36). Disse Jesus: «Tenho, porém, um batismo com o qual hei de ser batizado...» (Luc. 12:50). E, quando da transfiguração, Moisés e Elias referiram-se à paixão e ao sacrifício de Jesus, que ele estava prestes a cumprir em Jerusalém (Luc. 9:31). Em face da centralidade dessa declaração batismal, pois, não nos podemos surpreender ante o fato de que, na **Igreja primitiva**, o batismo do crente também estava associado à confissão de Jesus como «o Senhor» ou como «o Filho de Deus» (Atos 8:37 e I Cor. 12:3). Apesar da opinião em contrário, de alguns estudiosos modernos, não parece que se possa fazer qualquer distinção entre essas duas confissões.

c. A Tentação de Jesus. Sempre que as tentações de Cristo são particularizadas na Bíblia (como em Mat. 4:1-11), elas são diretamente vinculadas à consciência que ele tinha de ser o Filho de Deus. Não fora isso, tais tentações perderiam inteiramente a sua força e tornar-se-iam destituídas de significado. Aparentemente, a tentação tinha um duplo alvo: fazer Jesus duvidar de sua própria filiação divina e fazê-lo abusar da mesma, mediante alguma exibição espetacular e

egoísta de seu poder divino, o que importaria em uma falha de sua parte, no caminho da obediência. Se Jesus se tornasse um mero operador de prodígios, talvez estivesse qualificado, segundo as concepções pagãs, a ser considerado o Filho de Deus. Mas Jesus não almejava por esse reconhecimento apenas superficial. Talvez isso explique, pelo menos em parte, a sua relutância em exibir abertamente os seus poderes miraculosos, quando era desafiado pelos incrédulos a fazê-lo. — Mesmo às vésperas da crucificação, a tentação para ele evitar a vereda da obediência, como convinha ao Filho de Deus, continuava a fazer-se presente. Ver Luc. 22:42. Porém, visto que o próprio Senhor Jesus revelou aos seus discípulos acerca dessas tentações, precisamos concluir que o conceito de filiação deve ter sido algo que ele compreendia perfeitamente bem, o que envolvia a sua pessoa e o seu ministério. Assim sendo, podemos afirmar que o batismo foi o testemunho do Pai acerca do Filho; mas as tentações foram o testemunho de que o Filho tinha conhecimento próprio de que era o Filho de Deus.

d. Confissões por Parte dos Demônios. O testemunho dos demônios, que se verificou com certa freqüência, conforme é evidente para o leitor dos evangelhos, não era aceito por Cristo (embora ele nunca tenha negado a veracidade desse testemunho), provavelmente porque era um testemunho involuntário, não se originando nem da revelação divina e nem da fé, no sentido cristão. Todavia, era um testemunho sobrenatural e, por causa disso, revestia-se de importância e ficou registrado nas páginas sagradas. O trecho de Marcos 3:11,12, em paralelo com o de Marcos 1:23-25 (onde as palavras «o Santo de Deus» provavelmente têm o mesmo sentido que «o Filho de Deus»), deixa claro que esse testemunho demoníaco rejeitado foi comum durante o ministério de Jesus. E os trechos de Atos 19:15 e Tia. 2:19 testificam sobre dias posteriores, já bem dentro da época da Igreja. Nunca foi duvidado pelos cristãos que Cristo tinha autoridade para expelir os demônios. E nem mesmo os seus adversários puderam negar esse fato. A única questão que estes últimos enfrentavam era a origem desses poderes (Mar. 3:22). Portanto, não temos qualquer razão para duvidar do testemunho dos demônios acerca da filiação divina de Jesus Cristo.

e. Confissões Feitas pelos Discípulos de Jesus. Depois que Jesus acalmou a tempestade, os discípulos O «adoraram», dizendo: «Verdadeiramente és Filho de Deus!» (Mar. 14:33). É possível que esse tenha sido um reconhecimento superficial de homens atônitos — diante daquela exibição de poder sobrenatural; em outras ocasiões similares não houve nenhuma confissão teológica tão plena (ver, por exemplo, Mat. 8:27). Porém, sem importar a força desse testemunho dos discípulos, o fato é que, em Cesaréia de Filipe, Pedro prestou um testemunho ainda mais definitivo sobre a filiação divina de Cristo. Ver Mat. 16:13-16. Porquanto o testemunho de Pedro não foi feito sob o impulso da admiração causada por algum milagre operado por Jesus. De fato, esse foi um ponto culminante para os discípulos e para o próprio Jesus. Desse reconhecimento voluntário, dependia todo o sucesso da missão da futura Igreja. Quando Pedro respondeu: «Tu és o Cristo, o Filho do Deus vivo», mostrou que era dotado do discernimento espiritual que vem unicamente de Deus, e que também garante a vitória cristã. Foi o que João declarou, posto que com outras palavras: «...e esta é a vitória que vence o mundo, a nossa fé» (I João 5:4). Daquele momento em diante, Jesus podia ensinar

FILHO DE DEUS

seus seguidores acerca do significado da *filiação*, bem como de seu caráter messiânico, em termos de sua obediência e morte (Mat. 16:21). E, a esta altura, podemos antecipar que, quando Jesus morreu e ressuscitou, ele foi capaz de ensinar-lhes a maravilhosa realidade da nossa própria filiação a Deus. De fato, as primeiras palavras que Jesus proferiu, depois que ressuscitou, segundo os registros dos evangelhos, foram o seu diálogo com Maria Madalena. E ele disse a ela: «...vai ter com os meus irmãos, e dize-lhes: Subo para meu Pai e vosso Pai, para meu Deus e vosso Deus» (João 20:17). Jesus não veio a este mundo apenas para mostrar aos homens que ele é o Filho de Deus. Isso já seria maravilhoso em si mesmo. Mas, além disso, Jesus veio remir os homens para que se tornem «filhos de Deus» no sentido mais literal dessa expressão. Esse aspecto da missão de Cristo, que tão de perto nos toca, foi expresso pelo escritor da epístola aos Hebreus, quando ele disse: «Eis aqui estou eu, e os filhos que Deus me deu» (Heb. 2:13).

Jesus sempre aceitou, sem fazer qualquer objeção, o título de Filho, reconhecendo esse título como uma prova de que Deus é quem havia iluminado os corações de seus discípulos (Mat. 16:17). Todavia, segundo se vê através do protesto de Pedro, em Mateus 16:22; o reconhecimento da filiação divina de Jesus não incluía, automaticamente, o reconhecimento de que ele era o Messias, o Servo sofredor do Senhor. A mesma combinação das idéias de filiação e de caráter messiânico transparece na confissão de Pedro (Jo. 6:69), bem como na pergunta que o sumo sacerdote fez a Jesus, quando do seu julgamento diante do Sinédrio. Ver Mar. 14:61. A raiz da combinação das idéias referidas por certo encontram-se nas páginas do Antigo Testamento, onde «Filho» e «Messias» aparecem juntos, no caso do Rei davídico prometido.

f. A Autoconfissão de Jesus. Essa confissão ficou implícita desde o batismo e a tentação de Jesus, mas foi feita explicitamente na chamada passagem «joanina», em Mateus 11:25-27 e paralelo em Lucas 10:21,22. Aquela exclamação de Jesus demonstra claramente que ele tinha consciência de sua relação sem-igual com o Pai, definida por ele mesmo como filiação ao Pai, e que consistia no mais íntimo conhecimento e familiaridade e mediação entre Deus e o homem. Tal autoconfissão também está envolvida na aceitação do título, quando usado pelos seus discípulos (Mat. 14:33; 16:16). Por igual modo, ao ser interrogado pelo sumo sacerdote, quando de seu julgamento diante do Sinédrio, Jesus admitiu o título imediatamente, embora fazê-lo fosse convidar a morte sob a acusação de blasfêmia. Na verdade, ter-lhe-ia sido impossível negar a sua própria filiação, porquanto isso teria sido negar a sua própria natureza. E também há outros trechos, nos evangelhos sinópticos, onde Jesus referiu-se a si mesmo, segundo o estilo joanino, como «o Filho», em contraste com «o Pai». O exemplo mais notável disso é o de Marcos 13:32. E nenhum crítico ousa pôr essa passagem em descrédito, como se tivesse sido inventada pela Igreja, visto que a mesma postula o problema do limite da onisciência.

g. A Confissão dos Adversários de Jesus. Tal como o testemunho dos demônios, essa confissão também era involuntária, no sentido que não se originava da percepção da fé. Todavia, não era algum testemunho sobrenatural, como o dos demônios. Apesar disso, é a mais definitiva prova possível da existência dessa reivindicação, por parte de Jesus. A pergunta feita pelo sumo sacerdote, quando do julgamento de Jesus (Mar. 14:61), e a zombaria daqueles que se acotovelavam diante da cruz (Mat. 27:43) destacam esse fato. Pois, a menos que fosse bem sabido que Jesus fizera ou, pelo menos, aceitara tal reivindicação, nem a indagação e nem as zombarias teriam qualquer sentido. Talvez o testemunho do centurião, diante da cruz (Mar. 15:39), também possa ser considerado como um testemunho desses. Tais palavras só poderiam ter aflorado aos seus lábios se ele tivesse conhecimento do que Jesus dissera sobre sua própria pessoa.

III. Uso no Livro de Atos

a. No Período Anterior a Paulo. Nos capítulos primeiro a décimo segundo do livro de Atos há somente uma ocorrência indiscutível da expressão «Filho de Deus». E até mesmo isso dentro de um contexto paulino. Isso nos surpreende, visto que o livro de Atos é a continuação do evangelho de Lucas e o terceiro evangelho contém essa expressão por várias vezes. A única explicação para isso é que a Igreja de Jerusalém, antes da conversão de Paulo, preferia não usar tal expressão, embora, sem dúvida, os primeiros cristãos dessem um alto valor à pessoa de Cristo (ver sobre *Cristologia*). Também é possível que o uso dessa expressão causasse uma colisão direta com os judeus, se fosse usada na pregação cristã. Ora, antes de Estêvão, os cristãos procuravam evitar tal choque. Em Atos 3:13 e 26 é empregado o termo grego *pais*, «servo», «criado». Se a idéia de «Filho» acha-se embutida nos Cânticos do Servo, em Isaías 42:1, então não há nenhum problema quanto à questão, e então o livro de Atos reflete um uso ambíguo da expressão, por parte da Igreja primitiva — o entendimento dos crentes prontamente veria em *pais* o «Filho de Deus»; e os incrédulos não se sentiriam ofendidos. A confissão feita pelo eunuco etíope, em Atos 8:37: «Creio que Jesus Cristo é o Filho de Deus», não se acha nos melhores e mais antigos manuscritos, pelo que não se deve fazer parte do texto original. Portanto, a única instância segura é a de Atos 9:20, quando Saulo, depois que se converteu, passou imediatamente a proclamar Jesus, nas sinagogas de Damasco, como «o Filho de Deus», juntamente com provas bíblicas sobre seu caráter messiânico. Mas esse uso já pertence à próxima seção de nosso estudo.

b. O Período Paulino do Livro de Atos. Esse período é coberto pelos capítulos treze a vinte e oito, com a adição de Atos 9:1-30 (especialmente o versículo 20). Os judeus entenderam muito bem o alcance da pregação de Paulo, no tocante à divindade de Jesus. Isso é demonstrado pelo fato de planejarem tirar-lhe a vida (Atos 9:23). Entretanto, Paulo não temia entrar em choque com seus compatriotas incrédulos. Ele sempre foi conhecido como um «agitador», pelos seus adversários (Atos 17:6; 21:21; 24:5). Sua pregação em Antioquia da Pisídia (Atos 13:16-41) nos serve de modelo quanto à sua prédica nas sinagogas de Damasco e Jerusalém. Conforme já mostramos acima, Paulo não ligava a filiação divina de Cristo primariamente ao seu nascimento, nem ao seu batismo, mas à sua ressurreição, citando o Salmo 2:7, que é um salmo messiânico, como prova. Ver Atos 13:33. O nascimento, o batismo e a ressurreição se complementam; e Paulo não entendia a ressurreição de Cristo em sentido «adocionista», que diz que ele só se tornou Filho de Deus ao ressuscitar dentre os mortos. Antes, conforme Paulo deixa bem claro, por ocasião da sua ressurreição, Jesus «foi declarado» Filho de Deus (Rom. 1:4; onde nossa versão portuguesa, um pouco mais próxima do sentido original da palavra grega ali empregada, *orízo*, traduz por *foi designado*). Em outras palavras, a prova de que Jesus é o Filho de Deus é que a morte não conseguiu retê-lo no sepulcro. Esse é, igualmente, o sentido das

FILHO DE DEUS

palavras de Paulo, «...o primogênito de entre os mortos...», em Col. 1:18. Em sua ressurreição, Jesus tornou-se o primeiro a receber um corpo ressurrecto e glorificado. Cabe a ele a primazia, ainda no dizer do apóstolo, o que significa que, no tempo certo, os «filhos de Deus» serão ressuscitados e glorificados segundo o modelo, que é Cristo. Mas, voltando ao livro de Atos, este não contém outros detalhes sobre a pregação de Paulo aos judeus, por ter sido ele o apóstolo dos gentios, para os quais o assunto não envolvia qualquer polêmica.

IV. Significado da Expressão no Mundo Pagão

Esse significado talvez explique a aparente ausência da expressão «Filho de Deus» na pregação paulina, em comparação com sua ocorrência freqüente em suas epístolas. Para os incrédulos, essa expressão não tinha o menor sentido. Nos tempos helenistas era usada a expressão «homens divinos» para indicar certos mestres religiosos e supostos operadores de milagres. E, na mente popular, haveria os «heróis», que seriam «filhos dos deuses». Paulo, pois, não podia dar a impressão de que apoiava tais idéias pagãs. Se adicionarmos a isso a idéia pagã que os monarcas eram divinos, então compreenderemos ainda melhor a cautela de Paulo, em sua pregação, para evitar tais idéias. Somente quando Paulo podia qualificar expressões como «Filho de Deus» (o que podia fazer em suas epístolas, mas não em sua pregação ao vivo, diante de uma audiência pagã e incrédula), é que ele as usava. Isso explica o uso da expressão em suas epístolas, mas não em sua prédica.

V. Uso nas Epístolas Paulinas

a. Nas Primeiras Epístolas. A primeira menção à expressão «Filho de Deus», nas epístolas de Paulo, acha-se em Gálatas 2:20. Desde então Paulo sentia-se capaz de caracterizar o caminho cristão como «fé no Filho de Deus» (cf. Atos 9:20). Essa fé está ligada ao sentido soteriológico de Cristo, pois Paulo logo ajunta as palavras «...que me amou e a si mesmo se entregou por mim». Romanos 1:3,4 é outra dessas passagens, sobre a qual já comentamos algo, acima. Ali Paulo faz retroceder a filiação divina até o seu nascimento, o que nos permite entender que ele não pensava que Jesus só se tornou divino ao ressuscitar, conforme têm afirmado, equivocadamente, alguns eruditos recentes. Mas Paulo ajunta que, por ocasião de sua ressurreição, a sua divindade foi designada, foi fixada, foi provada. Uma terceira ocorrência da expressão encontra-se em II Coríntios 1:19. Ali o apóstolo ensina que em Cristo há o «sim». Em outras palavras, a expressão «Filho de Deus» inclui a idéia de que nele se cumprem, positivamente, todas as promessas de Deus, mediante as quais Deus resolveu revelar-se. Isso significa que Cristo não é outro senão o próprio Deus revelado. Ora, isso Jesus deixara claro acerca de si mesmo e os judeus tinham entendido muito bem. Lemos em João 5:18: «Por isso, pois, os judeus ainda mais procuravam matá-lo, porque não somente violava o sábado, mas também dizia que Deus era seu próprio Pai, fazendo-se igual a Deus». A quebra do sábado, por parte de Jesus, já seria reputada como motivo suficiente, pelos judeus incrédulos, para ele ser condenado à morte. A isso, porém, Jesus acrescentava um crime ainda mais grave (segundo a opinião dos mesmos judeus incrédulos), ou seja, o de declarar-se «Filho de Deus». Isso equivalia a dizer que ele era «igual a Deus». Ora, esse ponto os seus discípulos entenderam muito bem e pregaram. Por essa verdade eles sofreram e alguns chegaram a morrer como mártires. Essa é a grande revelação do Novo Testamento: Deus manifestou-se em carne humana e viveu entre nós; e o nome dele era Jesus Cristo! Infelizmente, em todas as épocas da cristandade tem havido «cristãos» que não acreditam nisso, mas procuram atribuir a Jesus, quando muito, uma espécie de divindade secundária, uma noção inaceitável diante da Bíblia, a qual reconhece a existência de um único Deus. Ou Jesus é o «verdadeiro Deus» ou não é Deus coisa alguma. O que ele não pode ter sido é um «deus secundário». No entanto, muitos caíram nesse erro de concepção no passado e muitos continuam a cair no presente. Um dos mais claros exemplos dessa negação da plena divindade de Jesus é o das chamadas Testemunhas de Jeová, as quais reiteram idéias que os gnósticos pregavam nos primeiros séculos do cristianismo.

b. Nas Últimas Epístolas de Paulo. A passagem dos anos não debilitou as convicções de Paulo de que, na pessoa de Jesus, Deus manifestara-se em carne humana. O trecho de Efésios 4:13 representa uma teologia paulina mais amadurecida. Ali Paulo equipara o alvo da maturidade espiritual com o «pleno conhecimento do Filho de Deus». Quem é espiritual reconhece o Filho de Deus. Com isso poderíamos combinar o trecho de Lucas 10:22, que lhe é teologicamente paralelo. Nessa passagem do terceiro evangelho, Jesus mostra-nos que, em certo sentido, o mistério que cerca o Filho ainda é maior que o mistério do Pai. Se o Pai foi revelado na pessoa do Filho, somente o Pai conhece as verdadeiras dimensões do Filho: «Ninguém sabe quem é o Filho, senão o Pai...» Somente Deus pode conhecer a Deus em toda a sua amplitude.

Nas epístolas paulinas, entretanto, a cristologia chega ao seu ponto culminante em Colossenses 1:15-20. Tudo quanto é dito ali, refere-se ao «Filho do seu amor», conforme lemos no vs. 13: As primeiras palavras desse trecho dizem quase tudo quanto nos interessa examinar neste verbete: «Ele é a imagem do Deus invisível...» Quando Deus apôs a sua assinatura, na obra da redenção, estava escrito: «Jesus, o Filho».

Em seguida, porém, Paulo acrescenta que Jesus, o Filho, não somente foi o agente preexistente da criação, mas também é o próprio alvo da criação: «Tudo foi criado por meio dele e para ele». O Filho provê sustentação e continuidade à criação inteira: «Nele tudo subsiste». O Filho é o cabeça da nova humanidade redimida: «Ele é a cabeça do corpo, da Igreja». O Filho é o protótipo da futura humanidade ressurrecta e glorificada: «Ele é o princípio, o primogênito de entre os mortos...» O Filho tem em si mesmo «toda a plenitude» divina, o que equivale a dizer que não existe Deus fora de Jesus Cristo. E, finalmente, o Filho, por intermédio de sua morte expiatória, reconciliou Consigo mesmo todas as coisas. Em outras palavras, o pecado de Satanás e seus anjos, bem como o pecado de Adão e seus descendentes, havia feito Deus repelir para longe de seu prazer a sua criação espiritual e material. Porém, em Cristo, Deus efetuou a reconciliação entre a sua pessoa e todas as coisas. E isso, por sua vez, abriu caminho para que possa haver a restauração final. Ver sobre a *Restauração*.

VI. Evidências Joaninas

a. No Quarto Evangelho. O evangelho de João não vai além da teologia expressa em Mateus 11:25,27, que também é indicada em vários outros trechos de tradição sinóptica. Porém, João arranjou seu material de outra maneira, trazendo à tona o pleno sentido de conceitos que, nos evangelhos sinópticos, tinham ficado apenas latentes, subentendidos. João dá início ao seu evangelho com uma vigorosa declaração da

FILHO DE DEUS

teologia do Logos: Jesus Cristo é o Verbo preexistente de Deus, ativo na criação e originador de tudo. Esse papel é firmemente vinculado à sua filiação divina (João 1:14, que é a explicação de João 1:1-3). Quanto a uma discussão sobre a teologia do Logos, ver o artigo *Cristologia*. Nos escritos de João, a filiação divina de Jesus Cristo sempre é vista contra esse pano de fundo cósmico, e não apenas como uma realidade terrena, dependente de algum acontecimento em sua vida neste mundo. Para João, a tarefa do Filho, Jesus Cristo, consistia em mostrar a glória do Pai (João 1:14) e em tornar o Pai conhecido dos homens (João 1:18). A essência da filiação divina de Cristo consiste em ser ele o revelador do Pai. O caráter sem-igual da filiação divina de Cristo é destacado mediante o uso do termo grego *monogenés*, «único da espécie», que qualifica essa filiação (João 1:14-18; 3:16). Ver sobre o verbete *Gerado*. E um outro modo de distinguir a filiação de Jesus dos demais «filhos de Deus», é que João reservou para Jesus o termo grego *uiós*. Ele é chamado de *«uiós* de Deus». Mas aqueles que se tornam «filhos de Deus», por confiarem em Jesus, tornam-se os «tékna de Deus». Já nos referimos a isso no começo desta exposição. João fez uso desse esquema de modo muito coerente para que isso tivesse sido um mero acidente. Sem dúvida, ele estava pensando em estabelecer diferenças de categoria. Além disso, a situação permanente de Cristo como Filho é salientada: «...o Deus unigênito, que está no seio do Pai, é quem o revelou» (João 1:18). Mas os crentes recebem «o poder de serem feitos filhos de Deus» (João 1:12). Na declaração joanina de João 1:18 três pensamentos básicos se destacam: a. Jesus é claramente chamado de Deus: «o Deus unigênito». b. A **permanência e a eternidade** dessa condição são afirmadas: «que está no seio do Pai». c. Deus só pode ser conhecido por nós se reconhecermos ao Filho: «é quem o revelou».

João não alude diretamente ao nascimento virginal. Mas isso concorda com o plano e o propósito de seu evangelho. Embora tivesse relatado fatos sobre o Jesus histórico, João retrocedeu até à eternidade passada. O que ele queria demonstrar, e realmente o fez, é que Jesus é *o verdadeiro Deus*: «Estes (sinais), porém, foram registrados para que creiais que Jesus é o Cristo, o Filho de Deus, e para que, crendo, tenhais vida em seu nome» (João 20:31). João recuou até à eternidade, e ali viu Cristo frente a frente com o Pai, em pé de igualdade: «...e o Verbo estava com Deus, e o Verbo era Deus» (João 1:1).

b. Nas Suas Epístolas. Nos escritos joaninos em geral, a filiação divina e o caráter messiânico de Jesus são vinculados estreitamente. Portanto, a idéia da filiação divina de Cristo tem ali um alvo soteriológico (João 3:16 e 5:25). E as epístolas de João reiteram essas verdades em termos ainda mais inequívocos, embora não precisemos fazer aqui um estudo sobre a cristologia joanina nas epístolas e no Apocalipse. Basta-nos considerar o trecho de I João 5:20: «Também sabemos que o Filho de Deus é vindo, e nos tem dado entendimento para reconhecermos o verdadeiro; e estamos no verdadeiro, em seu Filho Jesus Cristo. Este é o verdadeiro Deus e a vida eterna». Por mais que os incrédulos quisessem distorcer o sentido dessas palavras, quanto à divindade plena de Cristo, permanece de pé o fato de João ter falado: «o verdadeiro Deus». Para ele, esse era um fato que ele sabia e do qual estava convicto. Esse era o alcance e o significado da expressão «Filho de Deus».

VII. Uso na Epístola aos Hebreus

1. Princípios Gerais. Reservamos, mui propositalmente, o tratamento da cristologia na epístola aos Hebreus, no que tange ao uso da expressão «Filho de Deus», para o fim. Na **opinião deste co-autor** e tradutor, é nessa epístola que encontramos alguns dos mais claros ensinos sobre a plena divindade de Jesus. Em nenhuma outra epístola, paulina ou católica, há tantas considerações sobre o Filho de Deus, como nesse tratado aos Hebreus. Por nada menos de doze vezes o autor sagrado lança luz sobre a expressão «Filho de Deus», embora nem sempre tivesse usado essa expressão completa. Ver Heb. 1:2,5,8; 3:6; 4:14; 5:5,8; 6:6; 7:3,28 e 10:29. Na epístola aos Hebreus, pois, a divina filiação de Cristo não é somente afirmada, mas também é defendida e definida. Portanto, mais ainda do que nos escritos joaninos, nessa epístola a filiação divina de Jesus Cristo é claramente ensinada.

Tudo isso é ainda mais notável pelo fato de que foi um tratado dirigido a judeus convertidos ao cristianismo, mas que corriam o perigo de voltar atrás em sua nova fé. A periclitante fé deles girava em torno da plena divindade de Jesus, da qual duvidavam, e o autor sagrado percebeu isso claramente, bem como o remédio para essa dúvida. Ponto após ponto, o autor da epístola aos Hebreus demonstrou a superioridade de Jesus Cristo a todos os «mediadores» do antigo pacto, precisamente pelo fato de que só Jesus é o Filho de Deus. Isso torna-o superior a tudo e a todos. Vejamos:

a. Deus manifestara-se no passado através dos profetas, mas agora havia se manifestado no próprio Filho, criador e herdeiro de tudo (Heb. 1:1).

b. Nenhum mero anjo jamais foi intitulado «Deus» pelo próprio Deus. Mas o Filho mereceu essa designação, por ser uma realidade. E isso situa Jesus em uma categoria exclusiva (Heb. 1:5).

c. Só o Filho está entronizado para sempre. Só ele é o Senhor supremo, o governante de todas as coisas, cuja função não compartilha com nenhuma de suas criaturas (Heb. 1:8).

d. Moisés foi um servo fiel na casa de Deus. Mas Cristo, por ser o próprio Filho, é o proprietário da casa. Isso demonstra a superioridade de Jesus sobre aquele maior de todos os profetas (Heb. 3:6).

e. Os sumos sacerdotes levitas entravam no Santo dos Santos do santuário terrestre uma vez por ano, numa cerimônia que simbolizava a expiação dos pecados. Mas Cristo penetrou no próprio céu, por ser ele «o Filho de Deus», tendo obtido para nós uma eterna redenção (Heb. 4:14). Essa é a primeira vez em que a expressão completa, «Filho de Deus», é usada na epístola aos Hebreus. Está caracterizada a superioridade de Cristo sobre o sacerdócio levítico.

f. O Filho não se nomeou a si mesmo como Sumo Sacerdote celestial. Essa nomeação foi iniciativa de Deus Pai, o que mostra a origem celeste das funções sacerdotais de Jesus (Heb. 5:5).

g. A vida de Jesus neste mundo, caracterizada pela mais estrita obediência ao Pai, serviu-lhe de preparação para ser o Autor da salvação daqueles que nele confiam (Heb. 5:8).

h. Ou honramos a Cristo e a sua eterna expiação, mediante uma inabalável confiança nele, como «o Filho de Deus», ou então estamos nos condenando eternamente. A morte de Cristo é eficaz para a salvação, justamente, porque ele não é algum ser criado, mas é o próprio Deus (Heb. 6:6).

i. O Filho de Deus não teve começo dentro do tempo. Ele é o verdadeiro Deus desde a eternidade. E também está vivo para sempre. Isso demonstra a permanência do seu sumo sacerdócio e como ele é

FILHO DE DEUS

insubstituível nessa função (Heb. 7:3).

j. Na qualidade de Sumo Sacerdote celeste, Jesus Cristo, o Filho de Deus, desconhece imperfeição. Isso resulta em segurança para os seus seguidores, mesmo porque ele foi nomeado nosso representante diante do tribunal de Deus mediante um juramento divino (Heb. 7:28).

l. A obra expiatória de Jesus Cristo, «o Filho de Deus», reveste-se de magnitude tal que, desprezá-la equivale à perdição eterna, sem qualquer apelação possível (Heb. 10:29). Encontra-se nesse versículo a última menção da expressão completa, «Filho de Deus», na epístola aos Hebreus.

2. Conclusão Geral

João Batista, o maior dentre todos os que nasceram de mulher, no dizer de Cristo (Mat. 11:11), veio a fim de dar testemunho sobre Cristo. Testificou ele, pois: «No dia seguinte, viu João a Jesus, que vinha para ele, e disse: Eis o Cordeiro de Deus, que tira o pecado do mundo!... aquele, porém, que me enviou a batizar em água, me disse: Aquele sobre quem vires descer e pousar o Espírito, esse é o que batiza no Espírito Santo. Pois eu de fato vi, e tenho testificado que ele é o Filho de Deus» (João 1:29 e 33). Ora, o autor da primeira epístola de João deixou escrito: «Se admitimos o testemunho dos homens, o testemunho de Deus é maior...» (I João 5:9). Cumpre-nos, pois, dar ouvidos, acima de tudo, ao testemunho de Deus. E Deus testificou acerca de seu Filho, até de maneira audível, em várias ocasiões. Destacamos três das:

a. Por ocasião do batismo de Jesus. «Batizado Jesus, saiu logo da água, e eis que se lhe abriram os céus, e viu o Espírito de Deus, descendo como pomba, vindo sobre ele. E eis uma voz dos céus, que dizia: Este é o meu Filho amado, em quem me comprazo» (Mateus 3:16,17).

b. Quando Jesus orava ao Pai, pedindo que este glorificasse o seu nome. «Então veio uma voz do céu: Eu já o glorifiquei, e ainda o glorificarei» (João 12:28). E o Senhor Jesus ajuntou: «Não foi por mim que veio esta voz, e, sim, por vossa causa» (vs. 29). Oh, a misericórdia divina!

c. Quando da transfiguração de Jesus. Atônitos, diante da imensa transformação e glória da pessoa de Jesus, Pedro tenta dizer alguma coisa. E lemos: «Enquanto assim falava, veio uma nuvem e os envolveu; e encheram-se de medo ao entrarem na nuvem. E dela veio uma voz, dizendo: Este é o meu Filho, o meu eleito; a ele ouvi» (Luc. 9:34,35).

Se o testemunho do Pai, acerca do Filho, não é suficiente para você, prezado leitor, então a sua incredulidade é invencível!

VIII. Alguns Usos Bíblicos de Importância
1. Problema em Marcos 1:1

Filho de Deus. Esta adição aparece nos mss ABDW, Fam Pi, Fam 1 e Fam 13, juntamente com certo número de versões latinas e cópticas. É seguida pelas traduções ASV, AA, AC, BR (que a assinala como duvidosa), NE, IB, KJ, PH, RSV e WY. Tais palavras são omitidas pelos mss Aleph, Theta, 28 e pelos pais da igreja Irineu, Orígenes, Basílio, Víctor e Heráclito (em algumas citações). As traduções GD e W; também as omitem. A evidência objetiva infelizmente está dividida exatamente pela metade. A grande questão, e aquela que sem dúvida favorece o texto mais abreviado, mostrando que o evangelho original de Marcos não continha tais palavras, é: se essas palavras eram autênticas, por que foram elas omitidas? Não existe razão alguma pela qual algum escriba, mesmo parcialmente ortodoxo, haveria de

omiti-las. Parece melhor dizermos, portanto, que essas palavras foram acrescentadas em uma data bem remota. Isso não significa, contudo, que Marcos não chame o Senhor Jesus de «Filho de Deus», em diversas outras oportunidades. Ver, por exemplo, Mar. 1:11; 3:11; 5:7 e 14:61. A questão básica, por conseguinte, não é se Jesus é considerado ou não como Filho de Deus, no evangelho de Marcos, — mas tão-somente se ele foi chamado ou não por esse título em Mar. 1:1. Alguns têm lutado pela autenticidade da expressão nessa passagem, — salientando que neste versículo existem seis genitivos singulares em sucessão, cada um deles terminando com as letras «ou», onde três ou quatro deles provavelmente apareciam na forma abreviada *uu*; por motivo dessa circunstância, pois, não teria sido difícil a algum escriba ter omitido a última dessa sucessão, o que seria uma espécie de haplografia. Apesar de admitirmos que isso poderia ser verdade, o sentido doutrinário dessas palavras é tal que não é provável que muitas cópias, e, subseqüentemente, bom número de pais da igreja, as tivessem omitido. A conjectura que fazemos é que tal omissão, que envolve uma expressão tão importante, deveria ter sido uma instância muito mais isolada, e não algo tão repetido nos manuscritos e nos escritos dos pais da igreja.

2. Jesus como Filho de Deus

Não é necessário que alguém faça um exame exaustivo sobre esse título do Senhor Jesus, quer nos evangelhos e quer na tradição cristã, a fim de perceber que era usado em sentido muito mais elevado do que meramente para designar a Jesus como o *Messias*, segundo esse termo aparece no V.T. Na realidade tenciona apresentar uma espécie de dupla cristologia, apresentando a idéia contrastante do que poderia ser compreendido no termo «Filho do homem». Jesus é o homem representativo, o verdadeiro homem, que sofreu os sofrimentos próprios dos homens, — que se identificou com eles em *todas* as questões essenciais, menos quanto ao pecado. (Ver o artigo sobre a *Humanidade de Cristo*). Ao mesmo tempo, ele é o 'Filho de Deus' distinto dos homens conforme eles se encontram atualmente, ou seja, dotado da natureza divina essencial. É bem provável que pelo tempo em que foi escrito o evangelho de Marcos, essa expressão fosse freqüentemente utilizada como um título divino.

É verdade que a própria expressão não indica, necessariamente, *divindade*, porquanto no V.T. foi usada para indicar Israel, reis e sacerdotes, e meramente dava a entender o modo especial pelo qual Deus estava com eles e os orientava. Porém, também é óbvio que em muitas referências, quando era aplicada a Jesus, significa muito mais do que uma mera relação especial, pois tenciona incluir a idéia de participação na essência divina; e é justamente neste particular que o cristianismo via muito além do que qualquer coisa que o judaísmo entendia com respeito à natureza do Messias. (Ver Mat. 11:27; Mar. 13:32; 14:36; João 20:17; 10:38; 14:10; 5:35; 3:16 e João 1:2). As idéias centrais do termo são as seguintes:

1. Jesus é a personagem *profetizada* pelo V.T., mas em termos que ultrapassam a compreensão judaica ordinária sobre tais profecias.

2. Realmente ele mantém uma *relação especial* para com o Pai (o que também transparece em passagens como João 5:19,30; 16:32; 8:49,50 e Heb. 1:3).

3. Essa expressão tornou-se um termo que designa a *natureza divina* de Jesus. Assume uma natureza transcendental, e passa a ser um título que indica a

FILHO DE DEUS

natureza divina e exaltada do Salvador dos homens. Na qualidade de Messias, segundo a compreensão cristã sobre esse oficio, Jesus é o filho de Deus no sentido mais absoluto. (Ver Mat. 27:43; 9:27; 24:36 e Mar. 13:32). Por causa dessa filiação, ele é o verdadeiro Messias, o Salvador qualificado a salvar, o alvo da criação, pois Deus está duplicando Cristo nos homens salvos. O apóstolo Paulo assevera que o próprio Deus se manifesta em Cristo, o que também é a grande ênfase do quarto evangelho, onde o Cristo é, igualmente, o Logos, o *Verbo* eterno, o criador. (Ver também Col. 1 e 2). Parece fazer parte do ensino do N.T. que, para que Cristo leve os homens a uma verdadeira e plena comunhão com Deus, é necessário que ele seja ao mesmo tempo verdadeiro homem e verdadeiro Deus, e não meramente uma personagem celestial, como os anjos, por exemplo.

A discussão sobre Jesus, na qualidade de «Filho de Deus» (isto é, participante da essência divina), ficaria incompleta se não mencionássemos aquela grande mensagem do evangelho, que é o desígnio de Deus de conduzir os homens a uma profunda união com Cristo, o Filho de Deus, união essa que requer a transformação moral e metafísica dos homens segundo a plena imagem de Cristo. Isso significa que os homens, ao serem transformados à imagem de Cristo, não somente deixarão transparecer a imagem ética de Deus, mas também, na realidade, serão transformados em seres que participam da essência divina (ver II Ped. 1:4) segundo ela aparece na pessoa de Cristo. Terminado esse processo, por conseguinte, os seres remidos pertencerão — a uma ordem extremamente mais elevada que a dos anjos, e podemos apenas conjecturar no que diz respeito ao sentido completo e perfeito de tal ensinamento. Como é que a natureza divina de Cristo (e, por conseguinte, da dos homens que serão transformados à sua imagem) difere da natureza divina de Deus Pai, não somos informados em porção alguma das Escrituras; e ainda que fôssemos informados, não possuiríamos a capacidade intelectual ou espiritual para apreender o sentido do que nos seria dito. Outrossim, no presente nem mesmo possuímos os meios intelectuais e espirituais para compreender o que significa sermos transformados segundo a imagem de Cristo; embora possamos perceber facilmente que essa é a mensagem mais elevada do evangelho, embora ande quase inteiramente esquecida por parte da igreja, — que se preocupa inteiramente com o simples perdão de pecados e com a mudança de endereço para o céu. Todavia, o evangelho envolve muito mais do que isso. Quanto a notas sobre a transformação dos homens à imagem de Cristo, ver no NTI, Rom. 8:29 e Efé. 3:19; ver também II Cor. 3:18; Col. 2:10.

Especulamos que a natureza da alma redimida compartilhará *verdadeiramente* da natureza *divina*, mas de modo *finito*. Ver o artigo sobre *Divindade, Participação dos Homens na*.

3. Na Confissão de Pedro
Mat. 16:16: *Respondeu-lhe Simão Pedro: Tu és o Cristo, o Filho do Deus vivo.*

Mas vós. Essa confissão é significativa. O grego usa o artigo definido antes de cada termo, o *Cristo*, «o Filho», «o Deus vivo». É provável que aqui, em contraste com o uso do grego «koiné», o artigo tenha a função de distinguir e demonstrar (como nossas palavras «este» ou «aquele»). Evidentemente o propósito do autor é distinguir Jesus de qualquer outro que pudesse ser chamado *Cristo* ou *ungido*, de qualquer outro que pudesse ser chamado de filho de Deus; e também, que «o Deus vivo» é o Deus de Israel,

aquele que, através dos profetas, deu indicações sobre a vinda e as obras do Messias. Portanto, Jesus é o único Cristo verdadeiro, o Filho de Deus (mas não como outros podem ser filhos de Deus), e que foi enviado pelo Deus de Israel, o único Deus verdadeiro e vivo, em contraste com os deuses pagãos, que não têm vida nem inteligência. O contexto mostra que Pedro recebeu completamente e sem reservas a missão messiânica de Jesus, não concordando com as opiniões populares, que declaravam ser Jesus apenas um dos profetas «redivivo». Não é Jesus somente um dentre outros «cristos» ou «ungidos», mas é *o Cristo*, o Messias, profetizado no V.T., a personagem longamente aguardada pela nação de Israel. Jesus é a própria esperança de Israel e, nesse sentido, o único Filho de Deus. Pedro, por causa de sua associação com Jesus, havia aprendido diversas lições que lhe indicaram a autêntica identidade de Jesus, especialmente o fato do cumprimento das profecias relativas ao caráter do Messias. Contudo, somente a revelação divina pode ensinar tal lição de maneira mais profunda, como se vê nas palavras de Jesus, no vs. 17: «...porque não foi carne e sangue quem to revelou mas meu Pai que está nos céus».

Embora essa designação, que fora dada a Israel, a reis e sacerdotes, como um título, seja uma designação mais lata do que *Cristo*, e embora possa não ter nenhuma idéia de deidade ou de relação especial para com Deus, é óbvio, por causa do grande número de referências, que, uma vez aplicada a Jesus Cristo, tem em vista tanto uma relação especial com Deus como a própria deidade de Cristo. Ver as referências que ilustram esse fato em Mat. 11:27; Mar. 13:32; 14:36; Sal. 2:7; João 10:17; 10:38; 14:10; 5:35; 3:16; Heb. 1:2. As idéias contidas nesse título, são: 1. Jesus é o personagem profetizado no V.T. 2. Jesus mantém uma relação única com o Pai. O título não indica geração, conforme o entendemos geralmente, e, sim, uma relação sem-par. Ver notas detalhadas sobre essa idéia em Col. 1:15-19 no NTI. 3. Cristo é de natureza divina, dotado da mesma natureza do Pai (ver João 5:19,30; 16:32; 8:49-58 e Heb. 1:3,4; nesta última referência se encontra a nota detalhada sobre a divindade de Cristo; a nota sobre a humanidade de Jesus se acha no NTI em Fil. 2:7). Embora o termo fosse originalmente messiânico (sendo aplicado ao personagem profético), posteriormente assumiu uma natureza transcendental e tornou-se simplesmente um título de Cristo para indicar sua natureza exaltada ou divina.

Vemos, assim, que a idéia de Pedro e do N.T. sobre a missão messiânica de Jesus, *transcende* à idéia, comum entre os judeus, de que o Messias seria um homem comum, nascido de homem, embora escolhido por Deus para cumprir um oficio especial. Os escritos de Justino (*Mart. Dial.* § 48, pág. 144) mostram que essa era a idéia comum entre os judeus no tempo de Jesus.

Filho do Deus vivo, Mat. 16:16. Nota-se, nos paralelos, que a designação é levemente diferente. Mar. 8:29 diz simplesmente «Tu és o Cristo». Luc. 9:20 diz: «És o Cristo de Deus». Diversos expositores discutem sobre qual das três versões representa a declaração original. A designação *Deus vivo* era comum entre os judeus para indicar o seu Deus, em contraste com os deuses de pedra, metal ou madeira dos pagãos, que não tinham vida. Mas em Mat. 16:16 é usado como outro termo para salientar o valor do «Messias»; termo de grandeza, não para designar somente a simples existência do Deus do Messias. Sabendo que os judeus usavam o termo «Deus vivo» comumente, não há razão para não supormos que a

FILHO DE DEUS — FILHO DO HOMEM

confissão original de Pedro e dos apóstolos em geral não tivesse incluído essa designação. Diversas confissões foram feitas (segundo se vê em Mat. 14:33), e, provavelmente foi usada grande profusão de termos. Pedro aumenta a estatura do Messias ao dizer que seu Deus é o Deus vivo, em contraste com os deuses sem vida dos pagãos, o Deus que possui a forma mais elevada de vida. Jesus era o Messias desse grande Deus.

Este texto evidentemente identifica Jesus com o texto de Dan. 7:13 («...filho do homem...») e com o *rei* de Dan. 2:35,44. Portanto, Jesus é o «Filho do homem», identificado com o homem em sua humanidade, mas também identificado com o «Filho do homem», cujas relações são com o «Ancião de dias», uma relação única e não transmissível com o Deus vivo, por ser o «Filho do Deus vivo». O texto mostra a singularidade de Jesus.

No grego, tanto o pronome *vós* como o pronome *tu* são enfáticos. O povo dizia que Jesus poderia ser «João Batista, Elias, Jeremias, um dos profetas», etc. mas a resposta dos apóstolos, subentendida no termo «vós», contrasta com as opiniões populares, pois os apóstolos disseram «Tu és...—não o que o povo afirma, mas—...o Cristo».

Neste ponto deve-se observar que essa confissão forma a base da fé cristã: 1. A confissão do Cristo como o núcleo do sistema cristão, da nova religião que se apresenta como a revelação das verdades mais profundas da criação. 2. O ensino da humanidade de Cristo, ainda que humanidade exaltada, segundo se deve compreender pelo termo «Filho do homem», que aparece neste texto. 3. O ensino da divindade de Cristo, que se deve compreender à base do título «Filho do Deus vivo». 4. O ensino da missão messiânica de Jesus. 5. O ensino de que o Deus do V.T. é o *único* verdadeiro e que este é o Deus do Cristo e da religião cristã. 6. Portanto, o Cristo é o homem verdadeiro, o que implica no ensino da encarnação. 7. A tarefa messiânica de Jesus implica em sua missão de Salvador. Ele é identificado com a esperança messiânica, mas é perfeitamente claro que Mat. 16:16 ensina mais do que essa simples identificação. A importância de Jesus é universal, estendendo-se à terra e aos céus, e dificilmente se limita às esperanças de uma única nação.

FILHO DE PERDIÇÃO Ver **Perdição, Filho de.**

FILHO DO HOMEM

Esboço:
I. Sentido da Expressão e Algumas Estatísticas
II. Origem Veterotestamentária
III. Uso da Expressão no Novo Testamento

I. Sentido da Expressão e Algumas Estatísticas

No hebraico, *ben-adam* (Sal. 8:4; 80:17; Dan. 7:13; Eze. 2:1-3). No grego, *o uiòs toû anthrópou* (em Mateus, 32 vezes; em Marcos, 14 vezes; em Lucas, 26 vezes; em João, 12 vezes; em Atos, 7 vezes; em Hebreus, uma vez; no Apocalipse, duas vezes — um total de noventa e quatro vezes no Novo Testamento, sempre nos lábios do próprio Senhor Jesus, exceto em João 12:34, Atos 7:56; Heb. 2:6; Apo. 1:13 e 14:14). No hebraico a idéia é de alguém que pertence à raça de Adão; no grego, a idéia é de alguém que pertence à raça humana.

Tradicionalmente, essa expressão, «Filho do homem», designaria a humilde humanidade de Jesus Cristo, fazendo contraste com sua natureza divina. Esse sentido está envolvido na expressão; mas, quando examinamos o que a Bíblia tem a dizer a

respeito, vemos que uma significação muito mais profunda é transmitida nas Escrituras Sagradas.

II. Origem Veterotestamentária

— O texto de Salmos 8:4, «...que é o homem, que dele te lembres? e o filho do homem, que o visites?» parece aplicar-se tanto aos homens mortais quanto a Jesus Cristo, em sua encarnação, quando ele se identificou com os homens. Em Salmos 80:17, encontramos o desejo expresso, durante um período de declínio nacional em Israel, pelo aparecimento de algum herói nacional que redimisse a Israel. Essas foram idéias iniciais que ajudaram a formar a consciência judaica acerca da necessidade do aparecimento do Messias. Ele seria o Homem por excelência, que serviria de modelo a todos os homens.

Em Ezequiel 2:1-3, a expressão «Filho do homem», que nesse livro aparece por um total de quarenta e cinco vezes, designa «um filho de Adão por motivo de descendência». Porém, a mais importante ocorrência da expressão «Filho do homem», no Antigo Testamento, encontra-se em Daniel 7:13. Muitos estudiosos estão certos de que ali a expressão alude, primariamente, à personificação do Israel ideal, ou então dos santos do Altíssimo; porém, com um sentido mais profundo, está em foco a figura do Messias prometido, contemplado já em sua glória futura. Lemos ali: «Eu estava olhando nas minhas visões da noite, e eis que vinha com as nuvens do céu um como o Filho do homem, e dirigiu-se ao Ancião de dias, e o fizeram chegar até ele. Foi-lhe dado domínio e glória, e o reino, para que os povos, nações e homens de todas as línguas o servissem; o seu domínio é domínio eterno, que não passará, e o seu reino jamais será destruído». Um homem a quem cabia uma glória que só a Deus pode ser atribuída, não poderia ser um mero homem. De fato, à proporção que avança a revelação bíblica sobre o Messias, mais claro vai se tornando que ele não seria apenas um homem extraordinário, ou algum grande guerreiro salvador de Israel de seus inimigos, mas seria o Deus homem, um figura ímpar e multifacetada. O que nos deixa admirados é que o povo judeu não tenha entendido isso, nem antes do aparecimento de Cristo, quando só havia expectações messiânicas, nem quando do aparecimento de Cristo. Mas, se o povo judeu em geral não compreendeu quem era Jesus Cristo (como também não o entenderam todos os gentios que permanecem na incredulidade), o remanescente eleito compreendeu. Quando Jesus estava no mundo, exclamou: «Graças te dou, ó Pai, Senhor do céu e da terra, porque ocultaste estas cousas aos sábios e entendidos, e as revelaste aos pequeninos. Sim, ó Pai, porque assim foi do teu agrado. Tudo me foi entregue por meu Pai. Ninguém conhece o Filho senão o Pai; e ninguém conhece o Pai senão o Filho, e aquele a quem o Filho o quiser revelar» (Mat. 11:25-27). Compreender a verdade espiritual que cerca a figura do Filho do homem, Jesus Cristo, é uma questão de revelação divina, e não de perspicácia humana.

Alguns estudiosos têm dito que Jesus extraiu dos livros apócrifos e pseudepígrafos a idéia do «Filho do homem»; mas a opinião deles é insustentável. Bastaria esse trecho de Daniel 7:13,14 para derrubar essa idéia. O conceito do «Filho do homem» começa no Antigo Testamento, embora cautelosamente, ainda que inequivocamente. E só no Novo Testamento chega à sua plena fruição.

Mas, voltando ao Antigo Testamento, em Daniel 10:16, o profeta refere-se a «...uma como semelhança dos filhos dos homens me tocou os lábios». E, dois versículos adiante: «Então me tornou a tocar aquele

742

FILHO DO HOMEM

semelhante a um homem, e me fortaleceu». No hebraico, a expressão envolvida é «semelhante a Adão». Sim, aquela figura ainda não era um Adão, um homem, porque ainda não se encarnara.

O termo hebraico *enosh*, «homem», algumas vezes é usado como sinônimo de *ben-adam*, «filho do homem» (ver, por exemplo, Jó 25:6; Sal. 8:4; 90:3; 144:3). Essa palavra hebraica ocorre por um total de quarenta vezes no Antigo Testamento.

O termo hebraico *geber*, «poderoso», empregado por cerca de setenta vezes no Antigo Testamento, foi usado por Jeremias de modo especial, quando disse: «Porque o Senhor criou coisa nova na terra: a mulher infiel virá a requestar um homem» (Jer. 31:22). Mais literalmente, essa passagem diria «uma fêmea envolverá um poderoso», cf. Isa. 7:14.

III. Uso da Expressão no Novo Testamento

Já vimos que das noventa e quatro ocorrências da expressão «Filho do homem», no Novo Testamento, apenas por cinco vezes não foi Jesus quem a usou.
— Portanto, veremos abaixo as razões e o uso que Jesus fez da expressão, e depois examinaremos aquelas cinco ocorrências da expressão, usada por escritores do Novo Testamento.

1. Razões de Jesus no Uso da Expressão «Filho do homem». A primeira razão, naturalmente, é que Jesus estava cônscio de que era o Messias. E Daniel usara a mesma em um inequívoco sentido messiânico. Portanto, quando Jesus se chamou de «Filho do homem» (o que fez por oitenta e nove vezes), isso era o equivalente a dizer: «Eu sou o Messias». A segunda razão é que esse título permitia-lhe ocultar-se quanto à sua verdadeira identidade. O povo judeu não estava preparado para recebê-lo como o Messias. De fato, apenas por uma vez, nos evangelhos, Jesus declara-se abertamente o Messias. Isso ocorreu por ocasião do seu diálogo com a mulher samaritana. Lemos: «Eu sei, respondeu a mulher, que há de vir o Messias, chamado Cristo; quando ele vier nos anunciará todas as cousas. Disse-lhe Jesus: Eu o sou, eu que falo contigo» (João 4:25,26). A mulher samaritana aceitou Jesus como o Messias, ou Cristo, prometido. Quando ela foi falar com seus conterrâneos, indagou: «Vinde comigo, e vede um homem que me disse tudo quanto tenho feito. Será este, porventura, o Cristo?» (João 4:29). Nunca mais Jesus deu a si mesmo o título profético de Messias. Mas fazia-o disfarçadamente, sempre que se intitulava «Filho do homem». Essas considerações permitem que concluamos que os títulos «Messias», «Filho do homem» e «Cristo» são sinônimos perfeitos. Quando entendemos isso, então toda a aura de mistério que circunda a expressão «Filho do homem» desaparece. Só para exemplificar isso, consideremos o diálogo entre certos judeus incrédulos e Jesus. Perguntaram eles: «Até quando nos deixarás a mente em suspenso? Se tu és o Cristo, dize-o francamente. Respondeu-lhes Jesus: Já vô-lo disse, e não credes. As obras que eu faço em nome do meu Pai, testificam a meu respeito. Mas vós não credes, porque não sois das minhas ovelhas» (João 10:24-26). O efeito da pergunta, sobre Jesus, teria sido o mesmo, se os judeus tivessem perguntado se ele era o Messias ou o Filho do homem. A resposta de Jesus foi afirmativa, mas ele também mostrou que não tinha ilusões a respeito deles. Jesus sabia que só as suas ovelhas, os seus escolhidos, chegam a crer nessa profunda verdade.

Uma terceira razão de Jesus, quando usou a expressão «Filho do homem», é que assim ele se identificava com a humanidade dependente (Mat. 8:20; Luc. 9:58). Essa idéia reflete Sal. 8:4: «...que é o

homem, que dele te lembres? e o filho do homem, que o visites?» Temos aí a base do ensino da *kenosis*, ou humilhação de Cristo, quando de sua encarnação, e que Paulo se encarrega de desdobrar e explicar melhor. Ver Fil. 2:5-8. Nessa passagem aprendemos que a encarnação não fez com que o Filho de Deus deixasse de ser Deus, somente porque agora era também o Filho do homem. O que sucedeu, porém, é que Jesus «se esvaziou, assumindo a forma de servo, tornando-se em semelhança de homem; e, reconhecido em figura humana, a si mesmo se humilhou...» Por essa razão é que Jesus viveu na dependência da orientação ao Espírito Santo, orou ao Pai e reconheceu que não sabia de tudo, como, por exemplo, não sabia a data de sua segunda vinda. Esse estado de apequenamento, pois, Jesus exprimia com o uso da expressão «Filho do homem».

Uma quarta razão é que a expressão «Filho do homem» indicava a sua missão remidora (Mat. 9:6 e Luc. 19:10). Sem importar como entendamos «as chaves do reino» (Mat. 16:19), Deus determinara exclusivamente para o Filho do homem a autoridade de perdoar pecados sobre a terra. Em outras palavras, Deus só se tornou Salvador dos homens quando se tornou homem, na pessoa de Jesus Cristo. É o que lemos em Hebreus 2:14: «Visto, pois, que os filhos têm participação comum de carne e sangue, destes também ele, igualmente, participou...»

Uma quinta razão é que a expressão «Filho do homem» indicava a completa vitória de Jesus Cristo como nosso Redentor (João 3:14). O Filho do homem não seria vencido nem na cruz e nem no sepulcro, porquanto haveria de ressuscitar dentre os mortos. E então, como homem perfeito, ele seria o nosso Mediador. Não é precisamente isso que nos diz Paulo? «Porquanto há um só Deus e um só Mediador entre Deus e os homens, Cristo Jesus, homem» (I Tim. 2:5).

Finalmente, a sexta razão pela qual Jesus lançou mão da expressão «Filho do homem», é que a mesma aponta para o Senhorio universal de Jesus Cristo (Mar. 14:62). Sendo Jesus o Filho do homem, uma vez ressuscitado, pouco antes de sua ascensão, ele exprimiu esse senhorio mediante uma palavra de ordem: «Toda a autoridade me foi dada no céu e na terra. Ide, portanto, fazei discípulos em todas as nações, batizando-os em nome do Pai e do Filho e do Espírito Santo; ensinando-os a guardar todas as cousas que vos tenho ordenado. E eis que estou convosco todos os dias até à consumação do século» (Mat. 28:18-20). Cumpre-nos notar que o âmago da mensagem apostólica era precisamente o senhorio universal de Cristo. A palavra «Senhor», quando aplicada a Cristo, é usada por cento e dez vezes somente no livro de Atos. Na qualidade de Senhor, o Filho do homem é o Juiz de todos os homens (Mat. 13:41,42; 19:28). As qualificações de Jesus, para operar como Juiz de todos os homens é que ele era Deus encarnado, vitorioso sobre todos os adversários e sobre a própria morte, e se identificara perfeitamente com o gênero humano, ao ponto de conferir sua natureza divina aos homens que o aceitassem como Salvador. João retratou vividamente o desempenho do Filho do homem, no dia do juízo, em Apocalipse 20:11-15.

Resta-nos agora examinar as cinco vezes em que a expressão «Filho do homem» é usada por alguma outra pessoa que não o próprio Senhor Jesus.

2. Uso da Expressão por Outros que Não o Senhor Jesus. Conforme já dissemos, das noventa e quatro ocorrências da expressão «Filho do homem», nas

743

FILHO DO HOMEM

páginas do Novo Testamento, apenas cinco não foram usadas pelo Senhor Jesus. Vejamos:

a. João 12:34. «Replicou-lhe, pois, a multidão: nós temos ouvido da lei que o Cristo permanece para sempre, e como dizes tu ser necessário que o Filho do homem seja levantado? Quem é esse Filho do homem?» Essa indagação da multidão reflete a ignorância sobre as predições bíblicas em que o povo judeu vivia. Já vimos que Cristo e Filho do homem eram sinônimos. No entanto, eles sabiam o que era o Cristo, mas não sabiam o que era o Filho do homem. A reação de Jesus a essa indagação foi apelar para que saíssem das trevas. E João ajunta: «Jesus disse estas cousas e, retirando-se, ocultou-se deles» (João 12:36). A incredulidade teimosa tem o seu próprio castigo.

b. Atos 7:56. «E disse: Eis que vejo os céus abertos e o Filho do homem em pé à destra de Deus». Quem proferiu essas palavras foi Estêvão, o primeiro mártir cristão, momentos antes de ser executado por apedrejamento. Os adversários de Estêvão e de seu Senhor pensavam que estavam obtendo uma grande vitória sobre aquele crente que tanto os desconsertara. Mas o Cristo vitorioso conferiu a Estêvão a maior experiência que um ser humano pode almejar, a visão beatífica. Já vimos que um dos motivos do uso da expressão «Filho do homem», nos lábios de Jesus, indicava a sua virtude, como um ser humano, até mesmo sobre o último inimigo, a morte. Na visão de Cristo, pois, Estêvão pôde antecipar a sua própria vitória, no dia da ressurreição dos remidos!

c. Hebreus 2:6. «Que é o homem, que dele te lembres? ou o filho do homem que o visites? Fizeste-o, por um pouco, menor que os anjos, de glória e de honra o coroaste... Todas as cousas sujeitaste debaixo dos seus pés». Nesse trecho, o autor da epístola aos Hebreus, dentro de seu argumento acerca da superioridade do Senhor Jesus sobre os anjos, cita o trecho de Sal. 8:4-6, sobre o qual já comentamos no corpo desta discussão.

d. Apocalipse 1:13. «...e, no meio dos candeeiros, um semelhante a filho de homem, com vestes talares, e cingido à altura do peito com uma cinta de ouro». Essas palavras fazem parte da descrição joanina da aparência do Cristo ressurrecto e glorificado, que lhe apareceu na ilha de Patmos, a fim de conferir-lhe as revelações para o maior livro profético e escatológico da Bíblia. Interessante é observar que Daniel também viu uma semelhança a filho de homem (ver Dan. 10:16). Era Jesus, o Filho, antes de sua encarnação. Agora, depois da ressurreição de Jesus, ele torna a aparecer ao apóstolo João como «um semelhante a filho de homem». Sim, Jesus voltara à glória que tivera junto com o Pai, antes que existisse mundo. Ele agora é o protótipo de todos quantos haverão de ressuscitar para a vida eterna.

e. Apocalipse 14:14. «Olhei, e eis uma nuvem branca, e sentado sobre a nuvem um semelhante a filho de homem, tendo na cabeça uma coroa de ouro, e na mão uma foice afiada». Já glorificado, Cristo agora passa agir como o Juiz que está prestes a julgar este mundo. A coroa aponta para o seu direito de governar; a foice mostra que a vida de todos os homens está em suas mãos. Essa visão simboliza, antecipadamente, o juízo final que, no livro de Apocalipse, só é realmente relatado em Apo. 20:11-15. Ver os dois artigos que seguem:

FILHO DO HOMEM em Apo. 1:13

—no meio dos candeeiros um semelhante a filho de homem, vestido de uma roupa talar, e cingido à altura do peito com um cinto de ouro;

No meio dos candeeiros. Essas palavras subentendem os pontos seguintes: 1. a presença de Cristo com sua igreja; 2. sua proteção permanente e sua orientação. Ora, isso subentende o «teísmo», em contraposição ao «deísmo». O teísmo dá a entender que Deus não somente criou, mas também se faz presente em sua criação; ele intervém na história humana; ele recompensa e castiga. Com bases neotestamentárias, isso normalmente é feito por meio de Cristo, no tocante a seus contactos com os homens. Já o deísmo ensina que talvez exista uma pessoa ou princípio divino, que originou a tudo; mas que ele deixou a criação sobre as «leis naturais», não tendo qualquer contacto pessoal com sua criação. Não faria intervenção, nem recompensaria ou castigaria. (Ver Atos 17:27 quanto a várias idéias teológicas e filosóficas sobre Deus, em sua natureza e trato com os homens). «O Senhor é o meu pastor; nada me faltará» (Sal. 23:1).

Variante Textual. Os mss Aleph, 046, a Vg e alguns dos pais da igreja dizem «sete candeeiros». Mas os mss ACP, o Si, o Cop, o Etí, o Ara e os escritos de vários pais da igreja, omitem a palavra «sete». A omissão, mui provavelmente, é correta. O texto mais breve é, normalmente, o correto. Essa palavra foi suprida por empréstimo do décimo segundo versículo.

Filho de homem. Está em foco a pessoa de Cristo, segundo o simbolismo do A.T., o que se vê, por exemplo, em Dan. 7:13, onde se lê sobre o «Filho do homem» (um símbolo messiânico). «Essa designação do Cristo celestial é extraída direta ou indiretamente de uma descrição de Dan. 7:13: '...eis que vinha com as nuvens do céu um como o Filho do homem...'» (Rist, in loc.).

Essa expressão é usada no primeiro livro de Enoque, uma compilação pré-cristã de materiais apocalípticos, apontando para o Messias. O trecho de I Enoque 46:1 apresenta o Cristo como uma figura transcendental, associada à história da humanidade. (Ver também I Enoque 46:2-8). Esse citado livro, como é óbvio, provavelmente baseia suas descrições em Daniel; e podemos supor que a doutrina do Filho do Homem, que fala sobre o Messias, era comum no judaísmo helênico. O N.T. utiliza o título «Filho do homem» com freqüência, apontando para Jesus, o Cristo. O próprio Senhor Jesus aplicou tal título a si mesmo. Salienta sua grande associação aos homens, embora também destaque sua natureza transcendental como o Messias—fala de sua humanidade, mas também alude à sua missão celestial. Esse título é amplamente comentado nos trechos de Mat. 8:20 e João 1:5 no NTI. Esse título também refere-se à sua imensa exaltação, conforme nos mostra Apo. 1:13. Esse aspecto pode ser comparado com o trecho de Mat. 26:64. O «Filho do homem» será visto «assentado à mão direita da majestade, vindo com as nuvens do céu». Em João 5:27 vemos que ao Filho do homem foi dada a autoridade de «executar julgamento», porque ele é o Filho do homem, ou seja, levido à sua íntima associação com os homens. (Ver Apo. 14:14). É o «Filho do homem» que usa a «coroa de ouro» (nele se encerram toda a divindade e toda a majestade). É ele quem brande a «foice», a qual simboliza juízo, o que se dará nos últimos dias, através de «julgamentos apocalípticos», incluindo a tremenda batalha de Armagedom.

«As igrejas são inseparáveis de seu cabeça e centro, Jesus, o qual se movimenta entre os fogaréus de seu templo com a dignidade e a autoridade de um sumo sacerdote». (Moffatt, em Apo. 1:13).

744

FILHO — FILHO, MENINO DO APOC.

Semelhante. Temos aqui a linguagem própria das visões; o vidente contemplou o «Filho de Deus». Porém, apesar de ser «semelhante a um homem», e apesar de possuir a natureza humana, agora glorificada, era mais que mero «homem», já que esse termo é empregado para indicar a natureza humana comum. Mui provavelmente a idéia central no uso da palavra «semelhante» é declarar apenas que aquele que o vidente contemplou «se assemelhava» ao Filho do homem das revelações apocalípticas, pelo que se pode presumir que se trata do mesmo «filho do homem» referido no livro de Daniel. Ele se assemelhava a essa augusta figura; e sem dúvida era o mesmo, conforme o pensamento do autor sagrado.

FILHO DO HOMEM em Mar. 2:10

Ora, para que saibais que o Filho do homem tem sobre a terra autoridade para perdoar pecados (disse ao paralítico).

Filho do homem. Apesar dessa expressão poder ser usada para indicar um «homem típico», no N.T. e na literatura judaica com freqüência é messiânica, derivada de uma interpretação messiânica do trecho de Dan. 7:13-27. No livro de Enoque figura por várias vezes, e definidamente com sentido *messiânico*. Nos evangelhos sinópticos é um título favorito do próprio Jesus, e apesar de visar identificar a Jesus com a humanidade, como aquele que sofre com o homem—um homem típico, por assim dizer, pois sua humanidade era real e simpática—sem dúvida quase sempre é usado para subentender seus direitos messiânicos. O Filho do homem, na visão de Daniel, é uma personagem de grande autoridade, que substitui os quatro grandes poderes mundiais. Jesus usou o título para indicar que o Messias participa do dilema humano a fim de tirar dele os homens. Ele é o *segundo Adão*, uma personagem cheia de simpatia pelo homem, e redentor do mesmo. Sua vida comprovou a validade de sua autodesignação. O uso do título pela igreja primitiva certamente era polêmico. Muitos judeus estavam afeitos ao uso messiânico do termo, e reconheceriam o intuito de Jesus com esse termo. Ao registrar o título, a igreja dizia que Jesus é esse Filho do homem; e sua vida comprovava a assertiva, pelo que ele é o verdadeiro Messias.

«Na qualidade de *redentor* e libertador da humanidade, foi nomeado para anular o poder inteiro do mal entre os homens, ferindo-o nas raízes, bem como em seus ramos e gavinhas, e tanto em seus efeitos quanto em suas causas». (Gould, *in loc.*). A fim de fazer isso com eficácia, foi mister a encarnação. (Ver o artigo sobre Encarnação). Na encarnação o Messias foi devidamente chamado de «Filho do homem», e esse título subentende a missão inteira da encarnação. (Quanto a referência, no N.T., onde Jesus alude a si mesmo como «Filho do homem», ver Mar. 8:38; 13:26; 14:62; Luc. 17:24 e 21:27). O Filho do homem é humilde, mas somente em razão de sua missão messiânica. O mesmo título implica um grande poder vindouro, conforme o demonstra a origem do título em Daniel. (Ver Mat. 26:64 quanto a esse uso no N.T. Quanto ao uso do termo, no que subentende a participação no estado humano humilhado, com seus sofrimentos acompanhantes, ver Mar. 8:31; 9:31; 14:21,41; Luc. 18:31; 19:10; Mt. 20:18,18; 26:45). Ele veio para servir e não para ser servido e para dar sua vida como resgate por muitos (Mar. 10:45 e João 10:11,15).

No A.T., trata-se de um uso *não messiânico*, pois vê baixeza e fragilidade humanas, acompanhadas por sofrimentos, pelos precipícios comuns à humanidade. Assim é que Ezequiel é chamado por esse título por cerca de oitenta vezes. (Ver também Jó 25:6 e Sal. 144:3). Jesus tornou-se o homem representativo tanto em seus sofrimentos quanto em sua glória; tanto em sua vida quanto em sua morte; tanto na derrota quanto no triunfo. (Ver Sal. 8:4-8; Mat. 16:13; 20:18,23). Ele reintegra a glória do homem porque primeiro participou da vil condição humana. A glória humana será reintegrada mediante a participação na natureza divina de Cristo, tal como antes ele participou de nossa vil natureza (ver II Ped. 1:4; Col. 2:10; II Cor. 3:18; Efé. 3:19 e Rom. 8:29). No Filho do homem, pois, a raça humana acha não só simpatia, mas também destino, e finalmente, um tipo totalmente novo de natureza, elevado mui acima dos anjos. Suas relações absolutas com os homens, em sua missão terrestre, abriram caminho para nossas relações absolutas com ele, na qualidade de outros filhos de Deus, conduzidos à glória (ver Heb. 2:10 ss). Assim como ele se uniu a nós, assim seremos unidos a ele. Nele se concretiza o verdadeiro ideal da humanidade, mas não sem que primeiro ele tenha genuinamente participado de nossa natureza. Portanto, nossa participação em sua natureza também será genuína, ainda que ele participe infinitamente da natureza divina, e nós apenas finitamente. No entanto, a eternidade inteira terá por propósito propiciar continuamente nosso preenchimento com a plenitude de Deus (ver Efé. 3:19). Somente Cristo encarna o Homem Ideal; mas os demais filhos haverão de ir crescendo eternamente em seu ideal. Não haverá limite ou fim nesse processo, porque já que teremos de ser preenchidos com a infinidade de Cristo, também infinito será o preenchimento.

FILHO, MENINO DO APOCALIPSE

Apo. 12:5: *E deu à luz um filho, um varão que há de reger todas as nações com vara de ferro; e o seu filho foi arrebatado para Deus e para o seu trono.*

Filho varão. Qual é a «identificação» desse «filho»? Isso é respondido nos pontos abaixo:

1. Alguns dizem que se trata de «Cristo nascido nos homens». Em outras palavras, esse menino seria a «igreja». — Outros pensam que a mulher é que é a igreja. Assim sendo, a igreja, nascida de Deus, daria nascimento a certos homens, mediante a regeneração, o que faz com que Cristo nasça neles. Mas essa interpretação ignora o claro sentido do versículo. Pois somente de Cristo se pode dizer que governará as nações com vara de ferro, por ser esse o ofício do Messias, segundo tantas profecias bíblicas esclarecem.

2. O próprio Cristo é esse «filho varão». Não se trata de Cristo «misticamente concebido», nos membros da igreja. Esses fatos, sabemos com certeza em face das seguintes considerações:

a. Cristo é quem está destinado a reinar, isto é, a «pastorear as nações»; somente de modo secundário é que a igreja fará isso, e sempre em associação com Jesus Cristo. (Ver Apo. 3:21; 19:15,16 e 20:6). As predições do A.T. e os escritos rabínicos confirmam essa verdade.

b. Cristo é quem seria «arrebatado» até o trono, no qual também agora está assentado à mão direita de Deus. (Comparar com Atos 5:31; 7:55,56; Rom. 8:34; Efé. 1:20 e Col. 3:1). Esse «arrebatamento», mui provavelmente, é uma alusão à sua «ascensão aos céus». Ora, isso ocorreu exclusivamente com Cristo. (Ver Atos 1:6, e o artigo sobre a *Ascensão* de Cristo).

FILHO — FILHO, REVELADOR DE DEUS

c. Apesar de que os remidos também se assentarão com Cristo, no trono do Pai (ver Apo. 3:21), isso deve ser aplicado primariamente ao próprio Cristo, por tratar-se de um simbolismo comum, ao passo que a idéia de seus discípulos se assentarem juntamente com ele, em seu trono, se limita ao trecho de Apo. 3:21.

d. O sentido geral deste versículo é que Cristo, mediante sua ressurreição e ascensão, frustrou os desígnios malignos e destruidores de Satanás. A igreja jamais poderia fazer tal coisa; esse poder pertence exclusivamente a Cristo. Conforme diz Lange (*in loc.*): «É manifesto que o Messias é aqui subentendido com o sentido literal do termo—e não em qualquer sentido metafórico. Essa verdade, porém, não invalida o caráter típico dos fatos expostos; o povo de Cristo, em quem ele nasce sobre a terra, tal como ele, será arrebatado para os céus, por meio de sofrimento e morte, sendo liberto dos esquemas satânicos, que visam à sua destruição». À guisa de aplicação, pois, pode-se ver a tentativa de Satanás destruir à igreja nos dias de Domiciano e nos tempos futuros do anticristo; mas a interpretação central aponta literalmente para Cristo, e não, «figuradamente», para a igreja.

3. Ainda há outras interpretações, que se desviam mais ainda da primeira das interpretações, acima mencionadas: Constantino, o Grande; a confissão nicena; a Igreja Católica Romana, etc. Mas nenhuma delas merece a nossa atenção.

Reger todas as nações. Temos aqui uma alusão ao governo milenar de Cristo, após a «parousia» ou segundo advento de Cristo (ver Apo. 20:6). A «vara» é de ferro, mas também aponta para o cajado de pastor, pois o original grego declara, neste ponto, mais literalmente, que ele «pastoreará» todas as nações. A linguagem foi tomada por empréstimo do segundo Salmo (ver especialmente Sal. 2:9). Ele governará como monarca absoluto, mas também será o Supremo Pastor. O grego diz *poimaino*, «pastorear» ou «cuidar». Essa palavra é empregada por onze vezes nas páginas do N.T. (Ver Mat. 2:6; Luc. 17:7; João 21:16; Atos 20:28; I Cor. 9:7; I Ped. 5:2; Jud. 12; Apo. 2:27; 7:17; 12:5 e 19:15). Obtemos a idéia de que esse «governo de ferro» também será um governo de «amor»; pois tal governo, embora extremamente severo, será bom para os governados, transforman-do-os em ovelhas de Cristo. Aprendemos, além disso, que nenhuma das medidas de Deus, por mais severa que seja, visa somente à vingança; antes, tudo tem finalidades benignas. Algumas vezes é mister a vara de ferro para que os homens percebam que o caminho de Deus é melhor. Quando isso acontece, o bem se realiza, Cristo é exaltado e os homens são aprimora-dos. Até mesmo os juízos divinos têm o seu propósito, o que se aprende em Col. 3:6.

O seu filho foi arrebatado para Deus até o seu trono. (Ver o segundo ponto, acima, quanto ao sentido geral dessas palavras). Temos uma óbvia alusão à «ascensão» de Cristo, aqui, e fica entendido, ao mesmo tempo, o poder de sua ressurreição. Assim é que, no livro de Atos, quando se lê sobre a ressurreição de Cristo, automaticamente fica suben-tendida a sua ascensão. (Ver Atos 2:32,33).

O segundo Salmo continua em foco. O Messias celeste é entronizado.

FILHO, REVELADOR DE DEUS

Heb. 1:2: *nestes últimos dias a nós nos falou pelo Filho, a quem constituiu herdeiro de todas as coisas, e por quem fez também o mundo;*

Nestes últimos dias.

Variante Textual. Essa forma aparece nos mss D(3)KLP. Mas os mss P(46), Aleph, ABDKLM, dizem «nos fins destes dias», o que é interpretado como «no fim destes dias», indicando os dias anteriores, em que muitas e variegadas revelações foram dadas. Essa expressão, na forma em que aparece aqui, é peculiar ao versículo. A segunda forma certamente representa o original, contando com o testemunho dos manuscritos mais antigos e dignos de confiança.

Ver o artigo sobre *Manuscritos.*

Essa expressão pode significar para nós «os últimos dias imediatamente antes do retorno de Cristo», conforme ela é algumas vezes usada no N.T. (Ver II Tim. 3:1; II Ped. 3:3 e Atos 2:17). Porém, é mais provável que o autor siga a divisão rabínica normal do tempo, em duas grandes épocas: 1. «estes dias», ou «esta era» é a primeira, incluindo tudo até à inauguração da era eterna; em Heb. 9:9 o autor alude a essa era como «época presente»; 2. também há a era eterna, o tempo em que se consumarão os propósitos divinos. Em Hebreus, temos a expressão *tempo oportuno de reforma* (9:10), isto é, *essa era, e o mundo que há de vir* (2:5) e «mundo vindouro» (6:5), que será inaugurado quando do segundo advento de Cristo. Assim, pois, os rabinos dividiam o tempo em dois grandes «períodos», ou «épocas»—o *presente e o vindouro*. O primeiro advento de Cristo e o período do evangelho (que não é antecipado como longo) são vistos como algo ocorrido «no fim 'destes dias'», em preparação para a «era vindoura», mas não como parte da mesma. Formam uma espécie de transição entre a era «presente» e a era «futura». O autor da epístola aos Hebreus continua antecipando a era em que se «cumprirão os tempos» (Heb. 9:26), que começará quando do retorno de Cristo.

Portanto, a expressão **nestes últimos dias** se refere àquele período em que Cristo foi revelado e ministrou, talvez até incluindo sua morte, ressureição e ascensão, e até mesmo a «era do evangelho», tudo o que é visto como partes constitutivas dos últimos dias da grande primeira era, em preparação para a era vindoura. Todos esses acontecimentos sucedem «no fim» do primeiro período, mas fazem parte do mesmo. Levam a seu «ponto final» essa primeira era, e «introduzem» a nova. Porém, nenhum longo período de tempo foi antecipado como «era da igreja»; de fato, nem se pensava sobre essa era.

Falou pelo Filho. Heb. 1:2, em contraste à fala através dos profetas. Isso não significa apenas as palavras proferidas por Jesus, já que alude à revelação que há em Cristo, falada pessoalmente por ele e revelada mediante seus apóstolos e discípulos, em seu nome e por sua autoridade. Não há qualquer autenticação ao N.T. — que, por essa altura, ainda não tinha sido totalmente escrito, nem canonizado; mas há autenticação, em termos gerais, da revelação cristã, que posteriormente tomou forma concreta no N.T.

Notemos que a palavra *Filho*, no original, não tem artigo definido. Assim sendo, uma «qualidade» de revelação é tencionada. A revelação de Jesus foi uma «revelação de Filho», em contraste com a revelação dada mediante profetas humanos, que naturalmente estavam mais distantes de Deus Pai do que o Filho, em conseqüência do que suas revelações eram parciais e inferiores. A revelação de Deus tem por fito mostrar aos homens como podem compartilhar da *filiação*, através do *Filho*; e somente nele, portanto, podemos chegar a conhecer a plenitude do acesso a Deus. A revelação em Cristo ultrapassa os documentos

FILHO — FILHOS (CRIANÇAS) DE DEUS

escritos, embora possa ser expressa por meio deles. Toda a experiência humana, presente e futura, temporal e eterna, deveria ser um aprendizado da revelação sobre a filiação, através do Filho. O Espírito Santo, o «alter ego» de Cristo, que habita em nós, é a revelação contínua e pessoal do Filho aos homens. Essa revelação pois, é viva e espiritual, e não meramente didática e literária. A revelação do Filho aos homens consiste em mais do que — simples «conhecimento» sobre quem é ele e de quão grande é a sua glória e poder.

A Revelação por Meio do Filho

1. Porquanto, através do Filho unigênito (o Logos, segundo a linguagem joanina), essa revelação tanto é superior quanto é final. Se porventura houver outras revelações, elas também serão «revelações pelo filho», como *continuações* da revelação no Filho, e não revelações subseqüentes e extraordinárias, independentes do Filho.

2. As revelações anteriores, através dos profetas, na forma de visões, sonhos ou por meio da natureza, eram todas revelações preliminares e inferiores. O A.T. cedeu lugar ao novo pacto.

3. Essa revelação «no Filho», alude, especificamente, a um «destino *em companhia* do Filho», e não meramente que uma revelação superior foi dada por seu intermédio. Nosso destino é compartilhar da imagem e natureza do Filho (ver Rom. 8:29), de sua plenitude (ver Efé. 1:23), e da plenitude do Pai (ver Efé. 3:19) e de sua própria natureza divina (ver II Ped. 1:4). (Ver também Col. 2:9,10).

4. A revelação feita no Filho trouxe à luz a verdadeira natureza da salvação. A salvação consiste na filiação (ver Heb. 2:10 sobre isso, ver também o artigo sobre *Filiação*).

O autor sagrado adverte a seus leitores que se vierem a negligenciar, a ignorar ou a não se esforçarem após o benefício que é dado em Cristo, então não haverá esperança de acesso a Deus, e que os que assim fizerem correrão o perigo de total apostasia. Esse é o tema central da epístola aos Hebreus.

Essa revelação por meio do Filho, pois, consiste em: 1. O que ele e outros declararam e que nos ilumina quanto à natureza da realidade última; 2. o que ele é, em sua dignidade, divindade e autoridade; 3. mas também de como nos é conferida a salvação por seu intermédio, de modo a participarmos de sua própria natureza e de suas perfeições. Ele é o Filho, e nele chegaremos à autêntica filiação. O Pai e os filhos compartilham da mesma natureza e da mesma glória.

Esse livro prossegue a fim de descrever o Filho; e isso também nos indica quão grande é a nossa própria filiação, a saber:

1. Ele é o herdeiro de tudo, e nós participamos dessa herança. Ver Romanos 8:17 e Hebreus 1:12.

2. Ele é o *criador* de tudo (e somos parte integrante de sua criação espiritual) (ver Col. 1:16 e Heb. 1:2).

3. Ele é o *resplendor* de Deus e da sua glória (e haveremos de participar do mesmo). Ver II Cor. 3:18 e Heb. 1:3.

4. Ele é a *exata expressão* da substância divina do Pai (e, nele, chegaremos a compartilhar da mesma natureza e substância) (ver Efé. 3:19; Col. 2:9,10; II Ped. 1:4 e Heb. 1:3).

5. Ele é o *sustentador* de todas as coisas (e nele somos assim sustidos e nos tornamos sua própria plenitude, sendo ele aquele que preenche a tudo em todos) (ver Efé. 1:23; Col. 1:16 e Heb. 1:3).

6. Ele é quem nos *purifica* de todo pecado,

dando-nos pleno acesso a Deus Pai (portanto somos feitos aptos para a vida nos lugares celestiais) (ver Efé. 2:1-6 e Heb. 1:3).

7. Ele *terminou sua obra*, realizou sua missão e se «assentou» à mão direita do Pai, participante de sua glória e autoridade (e sua completa missão nos dá acesso ao mesmo Pai). (Ver Efé. 2:21,22 e Heb. 7:3). Cristo entrou no Santo dos Santos, passando a ser o Caminho e o Pioneiro desse Caminho, aquele que nos conduz ao mesmo lugar de glória e bênção eternas. (Ver Heb. 9:24; 7:19-25; 4:14-16 e 10:19,20).

FILHOS (CRIANÇAS) DE DEUS

Ver o artigo separado sobre *Filhos de Deus*.

1. Pessoas Assim Chamadas. Essas são aquelas pessoas que, embora pertencentes à raça adâmica caída, são regeneradas e nascem de novo, tornando-se membros da família divina (João 1:12,13). Tais pessoas não nascem do sangue, nem da vontade do homem, nem da vontade da carne, mas *de Deus*. Ver o artigo geral sobre a *Regeneração*.

a. *A Linhagem Espiritual*. O novo nascimento dá ao indivíduo uma linhagem espiritual. A partir desse momento, ele torna-se filho de Deus em forma preliminar. Continuamente, daí por diante, tal homem vai sendo transformado segundo a imagem do Irmão mais velho (Cristo) (Rom. 8:29). Esse é um longo processo, que passa de estágio a estágio, de uma fase de glória para outra, tanto no tempo quanto na eternidade (II Cor. 3:18).

b. *Resultado Final*. O resultado final desse processo de transformação é a real participação na natureza divina (II Ped. 1:4). Essa participação consiste na obtenção da mesma natureza da de Deus, não sendo isso um símbolo da glória futura. Também não deveríamos reduzir esse ensino bíblico à participação moral nas virtudes divinas.

c. *Qualidade Metafísica*. Essa transformação envolve a participação metafísica na mesma natureza que Deus possui, pois essa natureza foi compartilhada pelo Filho, desde a eternidade, e será compartilhada pelos filhos de Deus (João 5:25,26). Essa participação sempre será finita em nosso caso, mas irá crescendo cada vez mais, e sempre estará em algum estágio de transformação.

d. *Um Processo Infinito*. Visto que há uma infinitude com a qual seremos enchidos, haverá um preenchimento infinito (Efé. 1:23). Esse enchimento é mútuo, porque Cristo, a cabeça, em seu ofício e estatura, continuará imaturo, até que o *seu corpo* torne-se perfeitamente maduro. Esse princípio garante, de modo absoluto, que a glorificação será um processo aperfeiçoador contínuo na eternidade futura. Em caso contrário, certos membros do corpo de Cristo continuariam débeis e enfermiços, o que é impossível de se imaginar. O trecho de Efésios 4:12,13 afirma esse princípio em termos absolutos: «...com vistas ao aperfeiçoamento dos santos, para o desempenho do seu serviço, para a edificação do corpo de Cristo, até que todos cheguemos à unidade da fé e do pleno conhecimento do Filho de Deus, à perfeita varonilidade, à medida da estatura da plenitude de Cristo...» Como é óbvio, esse processo já está em andamento, mas nunca cessará, porquanto jamais chegará tempo em que um homem atingirá a plena estatura de Cristo, o qual participa da infinitude do Pai.

e. *A Plenitude de Deus*. A passagem de Colossenses 2:9 mostra que toda a plenitude de Deus reside em

747

FILHOS — FILHOS DE DEUS

Jesus Cristo, em uma pessoa (conforme significa o termo que ali se acha, «corporalmente»). E o versículo seguinte mostra que essa mesma plenitude está sendo dada aos filhos de Deus, por meio de Cristo. Essa é uma elevadíssima doutrina, sobre a qual não se ouve falar com freqüência em nossos dias. O conceito faz parte do evangelho que era pregado por Paulo, uma noção bem mais iluminada do que aquela que transparece nos evangelhos ou no livro de Atos.

f. *Uma Obra do Espírito*. É o Espírito Santo, que em nós reside, e que nos é conferido em diversos níveis, que realiza a tarefa da concretização espiritual e do crescimento até à idade adulta, espiritualmente falando (Gál. 4:1-6).

g. *Em Relação à Restauração*. As Escrituras deixam claro que também existem os «filhos do diabo» (João 8:44). E isso significa que nem todos os homens estão sendo espiritualmente transformados à imagem de Cristo. De fato, o número dos salvos é relativamente pequeno, embora seja grande em números absolutos (ver Luc. 13:23,24 e Apo. 7:9 *ss*). Porém, em um sentido mais amplo, por direito de criação, todos os seres humanos são filhos de Deus. Visto que o amor envolve a criação inteira, e que todos os homens são alvos desse amor (João 3:16), haverá uma restauração de todos (Efé. 1:10). Mas isso não fará com que os perdidos se tornem filhos de Deus, no sentido da participação na natureza divina, que é o destino dos remidos. Quanto a informações mais amplas sobre esse conceito, onde a restauração é distinguida da redenção, ver o artigo sobre a *Restauração*. Deus *Pai* é maior e tem planos mais amplos do que a maioria dos crentes concebe ou ensina; e é isso que faz esta vida tornar-se otimista, e não algo horrendamente pessimista. Quanto maior for o conhecimento obtido pelas pessoas, tanto maiores esperanças elas terão. Esta vida seria uma grande confusão e tragédia, para a grande maioria dos homens, sem essa esperança.

2. Outros Usos. A expressão «filhos de Deus» também é empregada nas Escrituras com os seguintes sentidos: a. os seres angelicais (Jó 1:6; 2:1; 38:7; Sal. 29:1 e 89:6). Os anjos são uma espécie de filhos de Deus criados, porquanto há diversas *famílias* de tipos de seres que se derivam de Deus (Efé. 3:15). Alguns teólogos têm pensado que os anjos são *divinos*, pois concebem-nos como dotados de uma natureza similar à de Deus; e nesse caso, eles seriam filhos de Deus por natureza. Orígenes opinava que o espírito humano é da mesma espécie que os anjos, somente diferindo deles devido à queda, quando o espírito humano foi rebaixado na escala do ser, por causa do pecado e da rebelião. Essa é uma observação sugestiva, dotada de grande valor. Talvez, mais corretamente ainda, devêssemos dizer que há muitas espécies de anjos, ou mesmo de seres espirituais, da mesma forma que há muitos seres físicos, e que o espírito humano aproxima-se de uma ou de outra espécie de anjos. A redenção do espírito humano, conforme foi comentado acima, dá ao homem uma posição muito superior ao mais elevado arcanjo, porquanto eles não são filhos que participarão, afinal, na plenitude de Deus, como nós participaremos. Não obstante,–não sabemos que destino ou destinos Deus planejou para os anjos, pelo que também é possível que os seres angelicais venham a atingir um elevado destino, acima daquilo que já são. b. A expressão «filhos de Deus» também é usada no tocante aos homens que ocupavam o ofício de *governantes* ou *juízes*, os quais também são chamados *deuses*, porquanto ocupam ofícios divinos, que Deus lhes outorgou. Ver Êxo. 21:6 e João 10:34 *ss*. Esses textos quase certamente subentendem tudo quanto foi

dito no primeiro ponto, acima, acerca da participação do homem na natureza divina. c. O povo de Israel também é considerado «filho de Deus», por ser o primogênito de Yahweh (Êxo. 4:22 *ss*; Jer. 31:9; Osé. 11:1). Nessa qualidade, esse povo é objeto especial do amor e dos cuidados de Deus, e também está sujeito a castigos divinos especiais. Israel é filho de Deus por direito de criação (Deu. 32; Isa. 64:8), por escolha divina (Deu. 7:7), por redenção (Isa. 43:1-6), e por motivo de pacto estabelecido (Deu. 14:1 *ss*). Esse conceito de pacto firmado é ressaltado por todo o Antigo Testamento. Ver o artigo geral sobre a *Aliança*.

3. Em Sentido Supremo, Jesus Cristo é o Filho de Deus (ver João 1:18; 3:16; Mat. 14:33; Mar. 1:1; Rom. 1:3; 5:10; I Cor. 1:9; II Cor. 1:19; Gál. 1:16; Efé. 1:6; 4:13; Col. 1:13; Heb. 1:2). Toda e qualquer revelação, bondade e benefício chegam à humanidade através do *Filho*, sendo essa a constante mensagem espiritual do Novo Testamento. A divindade de Cristo (que vide) fica implícita na expressão «Filho de Deus»; e os remidos são «filhos de Deus» por causa de sua vinculação ao *Filho*, porquanto Cristo haverá de elevar esses filhos até à participação na própria natureza divina, conforme foi anotado no primeiro ponto, acima. A paternidade de Deus é o arquétipo de todas as paternidades. O Novo Testamento encara a filiação de Cristo, dentro da Trindade (que vide) que é a origem e a garantia da verdadeira filiação a Deus. (I IB ID NTI WES)

FILHOS DE DEUS

Esboço

I. No Antigo Testamento
II. No Novo Testamento
III. Sumário de Usos
IV. Filiação, Sinônimo de Salvação

No hebraico temos três expressões diferentes, a saber: a. *bene ha-elohim*, «filhos de Deus» (Gên. 6:2-4; Jó 1:6; 2:1); b. *bene elohim*, «filhos de Deus» (Jó 38:7); e c. *bene elim*, «filhos do poderoso» (Sal. 29:1). No grego, *uioì theoû* ou *uioì toû theoû*, ambas as formas com o sentido de «filhos de Deus».

I. No Antigo Testamento

O sentido da expressão, em Gênesis 6:1-4 é o centro de um dos mais complicados problemas exegéticos do Antigo Testamento. A questão pode ser enfeixada através da seguinte indagação: A quem se refere esse título: a divindades pagãs, a governantes pagãos, aos anjos ou aos descendentes da linhagem de Sete, filho de Adão? Embora divindades pagãs e governantes pagãos, na antiguidade, fossem intitulados «filhos de Deus», não há como provar ou não que tal sentido esteja vinculado a essa expressão do livro de Gênesis. Mas em algumas passagens como Jó 1:6 e 2:1, bem como Daniel 3:25, a expressão parece denotar anjos ou «seres angelicais». A idéia é que os anjos caídos tiveram relações sexuais com mulheres humanas e geraram filhos. No entanto, essa interpretação esbarra com uma formidável objeção — em parte alguma das Escrituras os anjos aparecem como corruptores da humanidade. Mais ainda, Jesus disse que os anjos são seres assexuados, segundo se depreende de Mateus 22:30.

Aqueles estudiosos que preferem pensar nos «filhos de Deus», em Gênesis 6:1-4, como descendentes de Sete, salientam que a expressão *ha-elohim*, em todas as outras passagens em que ela aparece no Novo Testamento regularmente aponta para o único e verdadeiro **Deus**, o que elimina da expressão

FILHOS DE DEUS

qualquer sentido pagão. Eles também argumentam que o Antigo Testamento não desconhece a idéia da relação entre Deus e seus adoradores, como a de um Pai e seus filhos. Isso pode ser visto em Deu. 32:5; Sal. 73:15 e Osé. 11:1, onde a palavra «filhos» ou «filho» relaciona seres humanos a Deus. Em Oséias 1:10, a frase «Vós sois filhos do Deus vivo» tem a mesma significação. Por todos esses motivos, a maioria dos eruditos modernos rejeita esse ponto de vista que interpreta a expressão «filhos de Deus» como seres sobrenaturais, comparando-a com outros trechos veterotestamentários onde aparece a mesma expressão, e que só apontam para seres humanos. Portanto, a fim de explicar a expressão, em Gênesis 6:1-4, alguns eruditos pensam que ela foi ali introduzida por um compilador, como uma introdução à narrativa sobre o dilúvio (vs. 5-8). No entanto, a intenção do escritor original era explicar o surgimento de uma raça de gigantes, na antiguidade. Por conseguinte, alguns especialistas evocam o testemunho de Judas 6 e 7, com paralelo em II Ped. 2:4 ss., onde é destacado o pecado desnatural dos homens de Sodoma, — que seguiram «após outra carne». Ver sobre *Antediluvianos; Gigantes; Nefilim; e Refaim*.

II. No Novo Testamento

Há duas palavras gregas que têm sido traduzidas como «filho» e cujo sentido deve ser aqui distinguido. Uma delas é *téknon*, e a outra *uiós*. A primeira indica um filho por descendência natural, enquanto que a segunda olha a filiação mais do ponto de vista de uma mera relação legal. Referindo-se aos regenerados, João, que enfatiza a idéia de filiação por nascimento, usa *téknon*, mas Paulo, muito mais interessado em frisar a idéia de filiação pelo seu aspecto legal, ou seja, como uma adoção, uma prática bastante conhecida entre os romanos, mas inteiramente desconhecida entre os judeus, usa a palavra *uiós*, para indicar a mesma relação filial. Ver João 1:12; Rom. 8:14,16,19; Gál. 4:6,7 e I João 2:1,2.

Espiritualmente falando, os homens, por natureza, não são «filhos de Deus». Antes, aqueles que não estão em Cristo são «filhos da ira» (Efé 2:3), ou «filhos da desobediência» (Efé. 2:2). Os tais não são controlados pelo Espírito de Deus (Rom. 8:14), mas por uma atitude de desobediência e rebeldia (Efé. 2:2-4). Para que os homens se tornem «filhos de Deus», no sentido neotestamentário, é mister que se tornem tais, mediante a regeneração e a adoção, através da sua aceitação de Jesus Cristo como Salvador e Senhor (João 1:12,13; Gál. 3:26).

A fraternidade universal ensinada pelo Novo Testamento não se deriva do fato de que todos os homens descendem de Adão, embora esse aspecto também seja destacado (ver Rom. 5:12), mas está diretamente vinculada na fé no Senhor Jesus Cristo, como o único divino Salvador do mundo. Outro tanto se dá no caso da paternidade de Deus. Pois, se é verdade que todos dele «somos geração» (Atos 17:28), por força da criação, também é verdade que, espiritualmente, Deus só se torna o Pai dos regenerados pelo Espírito Santo.

A filiação espiritual já é uma possessão presente dos crentes em Cristo (I João 3:2). No entanto, ela só se completará quando da segunda vinda de Cristo (Rom. 8:23), quando então o homem interior do crente por assim dizer virá para fora, pois, até então, passa incógnito neste mundo, não sendo jamais reconhecido pelos seus semelhantes quanto à sua verdadeira identidade espiritual. Somente então serão revelados aos olhos de todos os filhos de Deus (II Cor. 5:10). E João deixou escrito: «Amados, agora somos filhos de

Deus, e ainda não se manifestou o que havemos de ser. Sabemos que, quando ele se manifestar, seremos semelhantes a ele, porque havemos de vê-lo como ele é» (I João 3:2). Esse e os trechos que lhe são paralelos ensinam o mais elevado conceito bíblico sobre o que significa alguém ser um «filho de Deus».

As bênçãos próprias de quem é «filho de Deus» são por demais numerosas para serem todas descritas aqui, a menos que falemos em sentido bem abreviado. Os filhos de Deus são peculiarmente amados pelo Pai (João 17:23), e ele cuida deles com desvelo paternal (Luc. 12:27-33). Eles receberam o nome da família divina (Efé. 3:14,15 e I João 3:1), como também a aparência dos membros da família divina (Rom. 8:29). Foi derramado em seus corações o amor da família divina (João 13:35; I João 3:14). Todos os filhos de Deus recebem o espírito filial (Rom. 8:15; Gál. 4:6). E eles são preparados para prestar um serviço filial (João 14:23, 24 e 15:8). São castigados pelo Pai, quando erram (Heb. 12:5-11). São consolados pelo Pai (II Cor. 1:4) e a sua herança está à espera deles (Rom. 8:17 e I Ped. 1:3-5).

Entre as evidências de que alguém é um autêntico «filho de Deus», poderíamos citar: ser dirigido pelo Espírito de Deus (Rom. 8:14 e Gál. 5:18). Ser dotado de confiança infantil em Deus (Gál. 4:5). Desfrutar da liberdade do acesso a Deus (Efé. 3:12). Amar aos irmãos na fé (I João 2:9-11 e 5:1) e ser obediente ao Pai (I João 5:1-3).

III. Sumário de Usos

1. Seres criados, em sentido geral, são chamados «filhos de Deus». Os seres angelicais são assim denominados (Jó 1:6; 2:1; 38:7 e, talvez, Gên. 6:1-4).

2. Os *homens*, criados segundo a imagem de Deus, incluindo a raça humana inteira. Isso fica subentendido desde o relato da criação (Gên. 1:26-28), que ensina que o homem foi criado à imagem de Deus. Assim, Adão aparece como «filho de Deus» (Luc. 3:38). Os homens podem ser filhos de Deus obedientes ou filhos de Deus rebeldes (Eze. 20:21). O trecho de Atos 17:28 diz que todos os homens são «geração» de Deus.

3. *Israel*, como nação (Osé. 1:10; Jer. 3:14; 4:22; Joel 2:23; Gál. 4:28). O povo de Israel foi escolhido em Abraão, — para anunciar uma mensagem espiritual a todos os homens, a fim de que, mediante a salvação, os homens pudessem tornar-se filhos espirituais de Deus. Em um certo sentido espiritual, os israelitas eram filhos de Deus, e outros povos, não (Mar. 7:27). No entanto, o Filho do homem (Jesus Cristo) veio buscar os filhos perdidos (Luc. 19:9 ss). O amor paternal de Deus levou-o a amar a todos os homens, e a buscar a todos como filhos (II Ped. 3:9; Luc. 15:3-7). A verdadeira filiação encontra-se no relacionamento espiritual do homem diante de Deus, e não por motivo de criação (Mat. 3:9).

4. *Filhos de Deus mediante a fé* (João 8:44). No sentido espiritual, alguns são filhos do diabo (João 8:44). A filiação ocorre por meio da nossa transformação segundo a imagem do Filho (Rom. 8:29). Ver a quarta seção, onde esse pensamento é devidamente desenvolvido.

5. *O singular Filho de Deus* é o *Logos*, — que, em sua encarnação, veio a chamar-se Jesus Cristo (Heb. 1:2). Ver também João 1:3,14; 3:16; 10:36; Mat. 17:5. Apresentamos um artigo separado sobre esse tema, intitulado *Filho de Deus*.

IV. Filiação, Sinônimo de Salvação

Ser filho de Deus, no sentido espiritual, não é meramente um título poético. Mas significa estar

749

FILHOS — FILHOS ESPIRITUAIS

sendo transformado segundo a imagem do Filho de Deus, ou seja, ir adquirindo sua natureza moral e metafísica (Rom. 8:29). Trata-se da mesma coisa que participar da natureza divina, de maneira real, posto que finita (II Ped. 1:4), por meio do poder transformador do Espírito Santo, — que nos vai transformando de um estágio de glória para outro (II Cor. 3:18). Isso quer dizer que a alma humana acaba assumindo toda a plenitude da divindade, tal como sucedeu ao Filho (Col. 2:9,10). Mas, visto que há uma infinitude com que seremos enchidos, deve também haver um enchimento infinito. Aô dizermos essas coisas, estamos tratando sobre o que está implicado na própria *salvação* (vide). — Trata-se de um processo eterno, visto que a sua mais elevada expressão, a *glorificação* (vide) é uma interminável transformação, segundo a qual o que é finito vai absorvendo o que é infinito. Ver os artigos separados: *Filhos (Crianças) de Deus; Filhos Espirituais de Deus; Filiação* e *Divindade, Participação na, pelos Homens.*

FILHOS DO AMIGO DO NOIVO

Ver o artigo sobre o **Matrimônio.**

FILHOS DO ORIENTE

Essa expressão é usada para descrever povos que viviam a leste da Palestina (Gên. 29:1), indicando, especificamente, os habitantes de Harã, na Mesopotâmia. É dito sobre Jó que ele era um deles (Jó 1:3). O trecho de I Reis 4:20 dá a entender que eles eram renomados por sua sabedoria. Os *magos*, referidos em Mateus 2:1, talvez fizessem parte dos filhos do Oriente.

FILHOS DOS PROFETAS

No hebraico, **bene ha-nabiim.** Essa expressão hebraica figura por onze vezes nas páginas do Antigo Testamento, indicando os membros de alguma ordem ou guilda de profetas, dentro da comunidade antiga de Israel. Todavia, a expressão ocorre somente nos livros de I e II Reis, correspondendo à época dos profetas Elias e Eliseu. Não há qualquer idéia de descendência física, porquanto está em foco uma classe ou guilda.

Na verdade, haveria várias guildas ou ramos diferentes de uma mesma guilda, em várias localidades, a saber: a. em Betel (II Reis 2:3); b. em Jericó (2:5); c. em Gilgal (4:38); d. na região montanhosa de Efraim (5:22). No entanto, todas elas eram «dirigidas» pelo mesmo profeta, ao qual chamavam de «senhor» (II Reis 2:3,5; no hebraico, *adon*). O primeiro «senhor» foi Elias. Quando este foi arrebatado para o Senhor, foi substituído por Eliseu, que era membro de uma daquelas guildas. A promoção precisava ser reconhecida pelos demais membros da guilda, e a comprovação era se o novo «senhor» havia recebido ou não os poderes do antigo «senhor» (II Reis 2:8,14).

Muitos estudiosos das antiguidades judaicas acreditam que os «filhos dos profetas» tinham um tipo de vida monástica que se aproxima do monasticismo cristão. Assim, eles construíam edifícios para serem usados pela comunidade (II Reis 6:1 *ss*) e compartilhavam de uma mesa comum (II Reis 4:38-44). No entanto, sabe-se que alguns deles eram casados, o que significa que não havia entre eles um celibato obrigatório (II Reis 4:1 *ss*). Os filhos dos profetas trabalhavam sob as ordens do líder ou «senhor»; e,

geralmente, buscavam a sua aprovação quanto àquilo que realizavam (II Reis 2:16-18; 6:1 *ss*). No entanto, também podiam agir por conta própria (I Reis 20:35).

Embora a expressão hebraica correspondente a «filhos dos profetas», que era uma expressão técnica, não ocorra fora dos livros de Reis, há outras indicações da existência de comunidades de profetas. Provavelmente, esse é o caso do «grupo de profetas», sobre o qual lemos nos dias de Saul e de Samuel (I Sam. 10:5 *ss*; 19:20). Por semelhante modo, nos dois casos em que algum numeroso grupo de profetas é mencionado (I Reis 18:4,19; 22:6), parece haver nisso alguma indicação de que se tratava de uma comunidade profética. Os grupos que agiam juntos, designados apenas como «profetas», no plural, provavelmente também eram comunidades de profetas (II Reis 23:2; Jer. 26:7,8,11). Portanto, embora chamados «filhos dos profetas» somente nos dois livros de Reis, essas comunidades proféticas continuaram existindo durante todo o período da monarquia.

Finalmente, a expressão «discípulo de profeta» (Amós 7:14; no hebraico, *ben nabi*), embora no singular, deveria ser entendida como alusão ao fato de que Amós negava ser membro de alguma comunidade de profetas.

FILHOS ESPIRITUAIS DE DEUS

Ver os artigos separados sobre *Filhos de Deus; Filhos (Crianças) de Deus;* e *Filiação.*

Esboço:

I. Pela Fé

II. A Imensidade da Salvação, Filiação e Salvação

III. Pelo Poder de Deus

IV. Significa a Participação na Natureza Divina

João 1:12: *Mas, a todos quantos o receberam, aos que crêem no seu nome, deu-lhes o poder de se tornarem filhos de Deus;*

I. Pela Fé

Naturalmente, essa é uma das grandes declarações espirituais do N.T.

Considerações sobre a fé:

1. A fé aceita certas crenças sobre o Salvador, mas é imensamente mais do que uma crença.

2. É a dedicação (entrega) da alma às mãos de Cristo.

3. Essa dedicação efetua certa transformação metafísica na alma.

4. A alma dedicada torna-se luz, segundo o padrão da Luz.

5. A fé é uma qualidade, atributo ou expressão inerente à alma. É uma «decisão da vida» que produz a radical transfiguração do próprio ser.

6. Palavras chaves: crer, receber, renunciar (à velha vida), participar (da nova vida), conhecer (ao Filho), ser iluminado.

7. A fé é inspirada e criada pelo Espírito (Efé. 2:8), fazendo parte do dom da salvação; porém, requer a reação humana. Ver o artigo sobre *Fé.*

II. A Imensidade da Salvação: Filiação e Salvação

1. A salvação é efetuada pelo Espírito quando da conversão (mediante a fé e o arrependimento). Ver o artigo sobre o *Arrependimento.*

2. É santificação. A Luz vence as trevas, João 1:5.

3. É participação nas virtudes positivas de Deus (ver Gál. 5:22,23).

4. É transformação da alma segundo a imagem de Cristo, a fim de participar de sua forma de vida (ver

FILHOS ESPIRITUAIS — FILIAÇÃO

Rom. 8:29 e II Cor. 3:18).

5. É participação na vida independente e necessária do próprio Pai (ver João 5:25,26).

6. É a herança dos filhos (seremos co-herdeiros de Cristo, Rom. 8:17).

7. É glorificação (ver Rom. 8:30).

8. É participação na natureza de Deus, incluindo os atributos divinos (ver Efé. 3:19 e II Ped. 1:4).

9. É compartilhar da natureza, vida, herança e glorificação do Logos de Deus (João 1:12). Os remidos serão «logoi»!

III. Pelo Poder de Deus

O poder de serem feitos filhos de Deus. Os resultados desse «recebimento» demonstram certa modalidade do «poder» divino, o qual dá começo à transformação do crente em um verdadeiro filho de Deus, feito segundo a imagem de Cristo e a compartilhar da mesma essência divina.

Por esse motivo, somos forçados a rejeitar interpretações inferiores, que fazem com que esse «poder» seja tão-somente uma «possibilidade» (segundo de Wette e Tholuck), ou uma mera «capacidade» (segundo Bruckner e Godet), uma mera «dignidade ou vantagem» (segundo Erasmo e outros), ou mesmo um mero «direito» ou «privilégio» (segundo Meyer), embora o vocábulo, considerado isoladamente, possa significar exatamente isso. Pelo contrário, tratamos aqui com um «direito» que está apoiado (segundo o próprio texto demonstra) na faculdade espiritual que provê o princípio da regeneração; e isso nos conduz não meramente ao «título» real de filiação (como se via na adoção, segundo os costumes romanos), mas à verdadeira participação na própria essência divina, segundo ela se manifestou na pessoa de Jesus Cristo. Lange diz em João 1:12: «Essa filiação a Deus, por semelhante modo está vinculada ao «semen arcanum electorum et spiritualium» (contrariamente a Meyer, ver João 1:9)... Essa regeneração incipiente também, mui certamente, é de natureza ética, embora não somente ética: também afeta a substância. Cristo é o eterno e unigênito Filho de Deus, por razão de sua própria natureza; os homens se tornam filhos de Deus mediante a regeneração, isto é, um nascimento celestial. Comparar com João 3:3; I João 3:9; Gál. 3:26 e I Ped. 1:23. — Isso expressa a verdade do caso.

IV. Significa a Participação na Natureza Divina

II Ped. 1:4 declara exatamente isto. A idéia é essencial a Col. 2:10. Ver estes dois versículos explicados no NTI in loc. Esta participação é pelo poder transformador do Espírito, através de muitos estágios de glória, II Cor. 3:18. Traz para o homem a imagem e a natureza do Filho, o Irmão mais velho, Rom. 8:29. Será um processo eterno sendo que o finito nunca poderá possuir uma natureza infinita, mas sempre poderá continuar a aproximar-se dela. Salvação (que vide) é filiação, e filiação é uma participação real, mas secundária (finita) na natureza essencial do Pai e do Filho. Ver o artigo separado sobre Divindade, Participação do Homem na.

FILIA

Esse é um dos vocábulos gregos que significam amor (vide). Também pode ter o sentido de amizade ou afeto. A única ocorrência dessa forma nominal (o verbo é philéo), encontra-se em Tiago 4:4; onde é traduzida por «amizade». Ali há um uso negativo da palavra, visto que está em foco a amizade com o mundo. A forma verbal aparece por vinte e cinco vezes. O esforço para distinguir entre agapáo e philéo

não é coroado com grande sucesso, pois o uso léxico dessas palavras justapõe-se um ao outro.

FILIAÇÃO

O Conceito da Filiação

1. Filiação é, na realidade, um termo sinônimo de salvação; pois somos salvos como filhos. A filiação descreve as condições e o fato da nossa salvação. (Ver o artigo sobre a Salvação).

2. Dois termos são usados para descrever a filiação: uios, que pode significar «filho por adoção». É questão vinculada a um antigo costume romano, o que nos dá algumas noções sobre o sentido da filiação. Envolvia a declaração de que alguém era «filho adulto», com plenos direitos à herança. (Ver Rom. 8:16). O outro vocábulo é teknos, que tem o sentido de «filho por geração natural». (Ver João 1:12). É verdade que, com freqüência, as duas palavras eram usadas como sinônimas, a despeito de que esses elementos podem ser distinguidos claramente em alguns casos.

3. A filiação significa que participaremos da própria natureza de Deus Pai, em sentido perfeitamente literal (ver II Ped. 1:4).

4. Dessa forma, chegaremos a possuir igualmente todos os atributos divinos (ver Efé. 3:19), ou seja, a sua «plenitude», com base na participação em sua natureza.

5. Por semelhante modo, possuiremos a «plenitude do Filho», o que é esclarecido em Col. 2:10, no NTI.

6. Já temos certa participação moral na natureza divina (ver Mat. 5:48), e também uma real participação quanto ao «tipo de vida» (o que é comentado em João 5:25,26 no NTI).

7. Por conseguinte, surgirá uma «nova espécie», muito superior aos anjos, porquanto os remidos participarão da própria natureza do Filho (ver Rom. 8:29). Essa nova espécie, comporá a família de Deus, em sentido bem real. A natureza do Pai, porém, é infinita, mas nós participamos de sua natureza em um sentido «finito». Todavia, a eternidade inteira será empregada em nosso progresso na direção de Deus, e iremos participando mais e mais de suas perfeições e atributos. Portanto, a glorificação será um processo eterno, e não um único ato instantâneo, imediatamente após a morte física.

A filiação a Deus garante a herança celeste e a nossa transformação segundo a imagem moral e metafísica do Filho de Deus; e era isso que Paulo queria que entendêssemos, porquanto esse é um dos mais elevados cumes da mensagem cristã, o que é comentado com abundância de detalhes em Rom. 8:29 no NTI. Os filhos de Deus desfrutam de comunhão mística com o Espírito Santo, que é o agente da transformação espiritual que se processa neles. A passagem de Gál. 5:18 enfatiza o fato de que aqueles que são guiados pelo Espírito Santo não estão mais «debaixo da lei»; e o oitavo capítulo da epístola aos Romanos, apesar de não ensinar essa verdade especificamente, deixa entendido que assim acontece, do princípio ao fim do mesmo. Agora existe uma «lei de vida» superior para o crente. Porém, a lei mosaica não é nem o Salvador e nem a regra de conduta do crente do N.T. Cristo é o nosso Salvador, e a comunhão com o Espírito Santo, no homem interior, é que é a nossa «regra de vida», sendo uma regra extremamente superior a tudo quanto poderia ter sido imaginado, como resultado da observância legalista. O resultado dessa regra de vida é a vida vitoriosa, conforme é comentado por Ernest

FILIAÇÃO — FILIPE (APÓSTOLO)

De Witt Burton, em seu livro sobre a epístola aos *Gálatas* (pág. 302): «É claro pois, que a vida pelo Espírito constitui, para o apóstolo, uma terceira maneira de viver, por um lado distinta do legalismo, e, por outro lado, caracterizada pelo fato de que o crente não cede aos impulsos da carne. Sob hipótese alguma é um curso médio entre essas duas coisas, mas antes, é um caminho elevado, que está acima de ambas as coisas, uma vida de liberdade de meros estatutos, uma vida de fé e de amor».

FILIGRANA

Essa palavra portuguesa refere-se a trabalho ornamental feito com fios ou arames. Alguns estudiosos têm pensado que certos engastes de ouro, referidos em passagens como Êxo. 28:13,14,26; 39:6,16-18, envolvessem jóias e trajes especiais que empregavam filigranas. O trecho de Salmos 45:13, de acordo com alguns eruditos, deveria ser traduzido por «...a sua vestidura é adornada com filigrana dourada», em vez de «...a sua vestidura é recamada de ouro». A arqueologia tem ilustrado essa arte com exemplos encontrados no antigo Oriente, e também com exemplares descobertos no Egito, entre jóias funerárias. Símbolos divinos figuram em pedras semipreciosas, em intrincadas filigranas. Os próprios fios de metal são de ouro ou de prata. O termo latino *filum* significa «fio», «cordão», sendo essa a raiz da palavra portuguesa «filigrana».

FILIOQUE

No latim, **e o Filho**. Essa palavra latina foi inserida no artigo do credo niceno constantinopolitano, sobre o Espírito Santo, pela Igreja Ocidental. Isso resultou na declaração: «o qual (Espírito Santo) procede do Pai *e do Filho*». Isso produziu a doutrina da *dupla procedência* do Espírito Santo. Essa doutrina lançou raízes firmes no Ocidente, de Agostinho em diante, tendo sido incluída em declarações e documentos oficiais. Largamente aceita no Ocidente, foi oficialmente adotada pela Igreja Católica Romana. Entretanto, a Igreja Ortodoxa Oriental objetou à doutrina, por pensar que a procedência do Espírito Santo é somente de Deus Pai. A sua inclusão no credo e sua ampla aceitação no Ocidente foram entre as razões pelas quais, em 1054, as Igrejas Ortodoxas Orientais se separaram do Ocidente. A adição da palavra latina *filioque* ocorreu por causa da ânsia por refutar o *arianismo* (que vede). Na tentativa de conseguir a reconciliação entre a Igreja Católica do Ocidente e do Oriente, essa doutrina fora definida pelo concílio de Nicéia, em 787 D.C., com a fórmula: «procede do Pai, *através do* Filho». Entretanto, essa transigência não perdurou muito, visto que muitas das igrejas orientais e muitos prelados rejeitaram-na desde que ela foi lançada.

História. Originalmente, a idéia não fazia parte nem do credo niceno (325 D.C.), e nem do credo de Constantinopla (381 D.C.). Parece que veio a ser incluída, pela primeira vez, na declaração do concílio de Toledo (589 D.C.), que foi um concílio local. A partir de então, tornou-se amplamente aceita em todo o Ocidente. Os ortodoxos orientais apelaram para o trecho de João 15:26, para indicar a procedência do Espírito somente da parte do Pai. Seja como for, a adição da palavra latina *filioque*, ao credo niceno, nunca foi aprovada por qualquer concílio *ecumênico*, ou seja, representante de todos os segmentos da cristandade.

Em defesa dessa adição, podemos observar que ela salvaguarda o ofício do Filho de Deus em relação ao ministério do Espírito Santo. E o trecho de João 15:26 também pode ser assim interpretado. Diz o mesmo: «Quando, porém, vier o Consolador, que eu vos enviarei da parte do Pai, o Espírito da verdade, que dele procede, esse dará testemunho de mim...» Acrescente-se a isso que o Espírito de Cristo é o mesmo Espírito Santo (ver Rom. 8:9 e Gál. 4:6). Se o Filho é da mesma natureza e substância do Pai, então é apenas lógico supormos que o Espírito Santo procede tanto do Pai quanto do Filho. Entretanto, fica-se a indagar até que ponto é possível exagerar quanto a essas delicadas distinções, e se elas são suficientemente importantes para os cristãos dividirem-se uns dos outros, por causa das mesmas. Ver o artigo geral sobre a *Cristologia*, onde são descritos diversos desses debates teológicos, na tentativa que os teólogos têm feito para compreender melhor ao *Deus Homem*, Jesus Cristo.

FILIPE (APÓSTOLO)

Ver o artigo separado sobre os **Apóstolos**, que inclui uma descrição sobre Filipe, mencionando seu relacionamento com os demais apóstolos. O artigo descreve o ofício apostólico, que lhe fora dado pelo Senhor Jesus. Às informações ali providas, acrescentamos alguns comentários, neste verbete.

Seu nome significa «amante de cavalos», sendo um nome muito comum naquele tempo, provavelmente por causa de Filipe da Macedônia. O nome «Filipe» ocorre por trinta e oito vezes nas páginas do Novo Testamento, referindo-se a quatro homens diferentes.

O apóstolo Filipe, um dos doze apóstolos originais, deve ser distinguido do evangelista do mesmo nome (Atos 6:5). Ver sobre *Filipe* (o *diácono*). Este último nunca é mencionado nos evangelhos, mas somente no livro de Atos. O apóstolo Filipe era natural de Betsaida (João 12:21), uma pequena aldeia de pescadores, nas praias ocidentais do lago da Galiléia, que também era a aldeia nativa de André e de Pedro (João 1:44). Mui provavelmente, a princípio ele foi um dos discípulos de João Batista (João 1:43). Certa tradição, preservada por Clemente de Alexandria (Strom. 3.4,25; 4.9,73) faz dele o homem que pediu permissão para sepultar o seu pai, antes de seguir a Jesus, sobre quem se lê em Mateus 8:21. Uma outra tradição afirma ter sido ele da tribo de Zebulom. Tradições assim contêm alguma verdade, mas, com freqüência, são apenas adornos ou suposições. Foi Filipe quem apresentou Natanael a Jesus (João 1:45-49) —comento detalhadamente a esse respeito no artigo sobre os apóstolos. Jesus submeteu-o a um teste antes do milagre da multiplicação dos peixes, dizendo: «Onde compraremos pães para lhes dar a comer?» (João 6:5), indagação essa que tem sido interpretada como se apontasse para certa debilidade da fé de Filipe (Crisóstomo), ou como se refletisse a possível circunstância de que ele tivesse sido o homem que costumava fazer compras para o grupo apostólico (Bengel).

Filipe, ao exibir um espírito que deveria ser comum a todos os crentes verdadeiros, desejou receber uma revelação maior do Pai (João 14:8). Ele ainda não havia compreendido o significado da encarnação. Seu desejo se cumpriu de modo preliminar, visto que ele se encontrava entre aqueles que estavam no cenáculo, no dia de Pentecoste, e que receberam o enchimento com o Espírito (Atos 1:13).

Quanto a informações pós-neotestamentárias a seu respeito, temos uma declaração de Eusébio, o

FILIPE — FILIPE (DIÁCONO)

primeiro grande historiador da Igreja, depois de Lucas. Eusébio informa-nos de que ele viveu como um dos brilhantes fachos de luz espiritual na Ásia (nossa Ásia Menor, uma parte da moderna Turquia), tendo sido sepultado em Hierápolis, juntamente com duas filhas virgens. Aparentemente, ele passou algum tempo na Frígia, antes de falecer, em Hierápolis. Papias (2:4) refere-se a ele como um dos *presbuteroi* (anciãos). Todavia, as tradições não se mostram unânimes acerca de como ele morreu.

Um Evangelho e um Atos apócrifos lhe são atribuídos, embora ninguém leve a sério tal opinião. Ver os artigos sobre *Filipe, Atos de* e *Filipe, Evangelho de*. Suas supostas relíquias estão na Igreja dos Apóstolos, em Roma. A Igreja Católica Romana comemora a sua festa religiosa a 1º de maio, mas a Igreja Ortodoxa Grega o faz a 14 de novembro. Seu símbolo é uma cruz com um pão de cada lado, sem dúvida inspirado pela idéia de João 6:7.

FILIPE (DIÁCONO)

É curioso que o Novo Testamento tem mais a dizer sobre Filipe, o diácono evangelista, e sobre Estêvão, do que sobre a maioria dos apóstolos. Portanto, o leitor não deveria achar estranho que os comentários abaixo ultrapassem, em volume, ao que escrevi sobre os apóstolos, como indivíduos.

A história de Filipe: Atos 8:4-40.

Muitos eruditos têm considerado incerta a conexão cronológica da história de Filipe. Alguns acreditam que a conexão cronológica real de Atos 8:4-40 estaria melhor ligada com os eventos que são relatados, no livro de Atos, após o trecho de 9:31. — Atos 8:4-40, por conseguinte, tratar-se-ia de uma inserção em um período anterior, porquanto Filipe e Estêvão devem ter esplendor juntamente, como os mais notáveis obreiros entre os recém-nomeados «diáconos». Nesse caso, a ordem seria por tópico, e não cronológica. O desejo que muitos têm manifestado de colocar este episódio um pouco mais adiante, na narrativa bíblica, parece apoiar-se no fato de que dá a impressão do mesmo estar mais intimamente vinculado às missões cristãs entre os gentios.

Harnack supõe que o trecho de Atos 8:4 pertence a uma fonte informativa na qual o interesse estava dividido entre Jerusalém e Cesaréia, ou seja, a fonte informativa «Jerusalém-Cesaréia», que tem prosseguimento nos trechos de Atos 9:32-11:18 e 12:1-24. Nesse caso, essa fonte informativa teria sido dividida e registrada em vários lugares da narrativa, em lugares que agradaram ao plano do autor sagrado, embora essa ação talvez tenha modificado um tanto a verdadeira ordem dos acontecimentos, a posição relativa dos mesmos, entre si, de modo a não nos permitir acompanhar os eventos na sucessão exata em que ocorreram. Pelo menos não pode haver dúvida alguma de que o autor sagrado contou com diversas fontes informativas, procedentes de Jerusalém, Cesaréia e outros centros da igreja cristã, onde haviam sido preservadas tradições históricas na forma de material escrito ou oral. Isso também nos mostra o fato de que Lucas, com freqüência, agiu mais como um compilador do que mesmo como um autor. Todavia, isso sempre se verifica em qualquer obra histórica de tamanha envergadura. O prólogo do evangelho de Lucas informa-nos claramente que o autor sagrado reuniu o seu material histórico em diversas localidades.

Outros intérpretes, entretanto, acreditam que esta seção inteira se deriva de uma fonte informativa composta, incluindo algum material petrino, posto que um de seus parágrafos diz respeito à visita que esse apóstolo fez a Samaria, bem como ao seu encontro com Simão Mago (ver Atos 8:14-24). Nesse caso, devemos supor uma fonte informativa pura, de Jerusalém. Alguns têm mesmo identificado essa fonte com a chamada fonte informativa «Jerusalém A» (separada de uma outra fonte informativa, um tanto posterior, intitulada «Jerusalém B»).

R.B. Rackham, em sua obra *Acts of the Apostles*, pág. 112 (Londres: Methuen and Co. 1901), salienta corretamente o caráter dessa história, que se escuda fortemente no A.T., porquanto em lugar de Filipe, poderíamos imaginar facilmente Elias ou Eliseu em ação. Filipe parece ter vagueado ao redor, em movimentos espontâneos, sobre a imediata influência do Espírito de Deus. A sua missão é importante porque representa a primeira invasão definida de território não judaico, com a mensagem do evangelho. Essa missão foi realizada por alguém que também era judeu «helenista», isto é, afeito à cultura e ao idioma gregos; e isso seria, naturalmente, de se esperar, porque, mais que um judeu puro de Jerusalém, sentiria ele a necessidade urgente de uma missão dessa categoria.

De conformidade com a tradição registrada por Epifânio (*Haer.* xx.4), corrente no quarto século da era cristã, juntamente com Estêvão, Filipe teria sido membro do grupo especial de *setenta* discípulos missionários, descritos no décimo capítulo do evangelho de Lucas. Todavia, essa tradição não conta com bases históricas e no presente não nos resta nenhum meio de averiguarmos a veracidade ou a falsidade dessa questão. (Ver o artigo sobre os diversos «Filipes» do N.T.). Após o martírio de Estêvão, quando começaram as perseguições contra os cristãos, Filipe levou o evangelho à Samaria, onde o seu ministério se mostrou extremamente frutífero (ver Atos 8:5-13). De Samaria ele foi para o sul, pela estrada de Jerusalém a Gaza, a fim de levar o eunuco etíope aos pés de Jesus Cristo, do que também se originou a igreja cristã no continente africano. (Ver Atos 8:26-38). Dali Filipe se dirigiu a Azoto, que os filisteus chamavam de Asdode e partindo dali ele dirigiu um ministério itinerante que o levou até Cesaréia (ver Atos 8:39,40), onde evidentemente se estabeleceu, conforme se pode depreender de Atos 21:8. Passou a ser então conhecido como *evangelista*, título esse que era usado para distingui-lo do apóstolo do mesmo nome. Filipe tinha quatro filhas que eram profetisas (ver Atos 21:9), e isso nos deixa perceber a elevada qualidade de vida em família que prevalecia no lar de Filipe.

Dentro da história eclesiástica, *Eusébio* e outros escritores antigos confundiram o apóstolo Filipe com o evangelista Filipe, cuja carreira começou como um dos sete primeiros diáconos da igreja de Jerusalém. Eusébio (*História Eclesiástica* iii.31,39, v.24) informa-nos que Filipe e suas filhas viviam em Hierápolis. Nos dias de Eusébio, o túmulo de Filipe e de suas filhas profetisas podia ser visto naquele lugar; e a essa informação Eusébio acrescenta a citação de Atos 21:8,9. Porém, essa referência visa bem definidamente o diácono evangelista, e não o apóstolo. Contudo, a maioria dos eruditos acredita que nesse caso está em foco o apóstolo Filipe, a despeito da confusão criada por Eusébio, — que talvez tivesse em vista o evangelista, e não o apóstolo. Histórias e tradições subseqüentes (que surgiram após ter sido escrito o livro de Atos) são confusas e discrepantes, sendo que também nada de certo se pode deduzir delas. Os martirologistas gregos faziam de Filipe, em data

FILIPE — FILIPE, EVANGELHO DE

posterior, bispo de Trales, na Lídia. Os escritores latinos, contudo, afirmam que ele permaneceu em Cesaréia, tendo ali terminado os seus dias. A verdade é que em todas as narrações antigas transparece certa confusão entre o apóstolo Filipe e o evangelista Filipe.

É interessante observarmos que, no livro de Atos, tanto Estêvão como o evangelista Filipe ocupam uma atenção maior do que aquela dada à maioria dos doze apóstolos, pois pelo menos muitas coisas nos são contadas sobre esses dois personagens, ao passo que o material dedicado aos apóstolos, excetuando os casos de Pedro e Paulo, é extremamente escasso.

FILIPE (Filho de Herodes, o Grande, e Cleópatra)

Esse Filipe é mencionado por Josefo (**Anti.** 17:1,3), —que afirma que ele foi criado em Roma. Cleópatra de Jerusalém, sua mãe, foi a quinta esposa de Herodes, o Grande. César Augusto nomeou-o tetrarca de Gaulanite, Traconite, Auranite, Batanéia e Ituréia (Luc. 3:1), de acordo com os dispositivos do testamento expresso de Herodes. Sua nomeação ocorreu em 4 A.C. Seu território ficava localizado a nordeste da Palestina, uma área pouco povoada, incluindo regiões que se estendiam para o norte e para o leste do mar da Galiléia, na direção da cidade de Damasco. Casou-se com Salomé, filha de Herodes Filipe I e Herodias. Esse Herodes era filho de Herodes, o Grande, e Mariamne, filha de Simão, o sumo sacerdote dos judeus. Discutimos a seu respeito sob o título *Filipe, Filho de Herodes, o Grande, e Mariamne*.

Em Lucas 3:1 há menção a uma parte de seu território. A Ituréia e a Traconite faziam parte do planalto da Transjordânia, que no Antigo Testamento é chamado de Basã e, modernamente, Haurã, ao sul da cidade de Damasco. A população do lugar era, quase inteiramente, de origem grega e síria; mas Herodes, o Grande, o colonizou, primeiramente com dois mil idumeus, e então com guerreiros judeus provenientes da Babilônia. Os evangelhos registram uma visita de Jesus à região, em Mat. 16:3 e Mar. 8:27.

Foi um dos melhores membros da família de Herodes, tendo governado quase sempre pacificamente, pelo espaço de trinta e sete anos. Faleceu em cerca de 34 D.C. Foi o primeiro rei dos judeus que usou efígies de imperadores romanos em suas moedas, o que causou uma onda de protestos entre os judeus. Josefo (**Anti.** 18:4,6) comenta sobre a moderação e a justiça de seu governo. – Ele também informa-nos de que esse Filipe fundou Cesaréia de Filipe (**Guerras** 2:9,1), mas isso deve ter sido mais um trabalho de reconstrução e decoração, que transformou Panias (moderna Banias, perto do monte Hermon) após o que o seu nome foi alterado. Ver Mat. 16:13 e Mar. 8:27. Betsaida também foi reformada e rebatizada Julias, em honra à devassa filha de César Augusto. Foi essa cidade que ele escolheu para ser a sua capital. Foi a figura moral mais brilhante, embora não política, dentre a família de Herodes. Não foi maculado pelo espírito de intrigas e de traições, que assinalavam o seu irmão, e era amado pelo povo que governava. Todavia, morreu sem deixar herdeiro, e o seu território foi anexado à província romana da Síria. Esse arranjo perdurou por três anos (Josefo, **Anti.** 18:4,6). Então, em 37 D.C., esses territórios foram outorgados a seu sobrinho, Agripa I (37 — 44 D.C.). Esse homem é descrito em Atos 12:1 e 19:23. Era filho de Aristóbulo e neto de Herodes e Mariamne.

••• ••• •••

FILIPE (Filho de Herodes, o Grande, e Mariamne)

Esse homem também atendia pelo nome de Filipe Herodes I. Em Marcos 6:17 ele é chamado, simplesmente, de Filipe. Mariamne, sua mãe, era filha de Simão, o sumo sacerdote. Porém, não deve ser confundido com Filipe, o tetrarca. Josefo (**Anti.** 18:5,4), chamou-o de *Herodes*. Por algum tempo ele foi o provável sucessor de Antipater (Josefo, **Anti.** 17:3,2), mas essa condição acabou sendo anulada. Daí por diante, começou a viver como pessoa comum. Sua esposa foi Herodias, mãe de Salomé. Mas ela acabou abandonando-o para viver com Herodes Ântipas, seu meio-irmão (Mat. 14:3; Mar. 6:17). Filipe vivia na obscuridade, aparentemente, em Roma. A palavra *Herodes* é de origem grega, e significa *herói*, com a força de *heróico*. Ver o artigo geral sobre *Herodes*. Foi o nome de quatro «reis» da Judéia, subservientes a Roma.

FILIPE, ATOS DE

Essa é uma obra apócrifa de data bastante posterior, que mostra depender de outros atos, anteriores. Aparentemente foi compilada perto do fim do século IV D.C. Os evangelhos e atos apócrifos glorificam certos primitivos cristãos, usando seus nomes como autores; mas, na realidade, degradam-nos com muitas histórias fantásticas, obviamente fabricadas. Além disso, essas obras também serviram de veículos de doutrinas extras, não cristãs, geralmente da variedade gnóstica. Os Atos de Filipe têm o mesmo estilo dos Atos de Tomé. Muitas maravilhas operadas por Filipe são ali registradas, uma das quais conta como um leopardo, e até mesmo um cabrito, vieram a crer! Um curiosíssimo incidente aparece na narrativa sobre o martírio de Filipe, quando, no processo, ele perdeu a paciência e deixou-se vencer pela ira. Por causa desse lapso, teve de esperar por quarenta dias, após a sua morte, antes de obter admissão ao paraíso. Embora grotesco, pelo menos o livro entrete e é cheio de imaginação.

FILIPE, EVANGELHO DE

Essa obra, também chamada de **Pistis Sophia**, relata que uma das tarefas atribuídas a Filipe por Jesus foi o de registrar suas palavras e seus atos. A mente popular, em sua curiosidade, com freqüência deseja saber mais a respeito de Jesus, e muitos gênios criativos criam estórias ou escrevem livros. Era apenas natural que toda espécie de esforço literário se tivesse seguido, após a vida de Jesus Cristo. Além disso, havia os hereges, como os gnósticos, que procuravam expressar suas distorcidas doutrinas através de nomes famosos de cristãos primitivos. Isso explica porque existem dois evangelhos, somente no nome de Filipe. O primeiro deles é conhecido na atualidade somente por ter sido mencionado por Epifânio (*Heresias* 26:13,2-3). Essa citação refere-se à ascensão da alma, após a morte física. O segundo dos evangelhos que traz o nome de Filipe como autor não tem qualquer vinculação com o primeiro. Trata-se de uma obra de origem copta e faz parte da biblioteca de *Nag Hammadi* (vide). Elementos desse segundo evangelho concordam com o gnosticismo de Valentino, do século II D.C., e poderia ser datado nos fins do século II ou no começo do século III D.C. Trata-se de uma coletânea de declarações e meditações com pouca ligação entre si, sendo mais um tratado do que mesmo um evangelho. Os seus temas incluem Adão e o paraíso, a criação e as apostas, os nomes de Jesus, algum material tipicamente neotestamentário, idéias

754

FILIPE DE HESSE — FILIPENSES

e incidentes. São também descritos os sacramentos dos gnósticos, que eram o batismo, a crisma, a eucaristia, a ablução(*apolútrosis*) e a câmara nupcial. Ver o artigo separado sobre o *Gnosticismo*.

FILIPE DE HESSE

Suas datas foram 1504-1567. Foi um eminente príncipe protestante da época da Reforma protestante. Tendo esmagado a chamada Revolução dos Aldeões, em 1525, ele tomou sobre si a tarefa de tentar unir os protestantes e proteger militarmente o movimento, com ajuda externa. Foi ele quem organizou o debate de Marburgo, entre Lutero e Zwínglio, em 1529, no interesse da proposta unida. E um esforço similar foi o da liga de Smalkald (vide), embora esta última visasse muito mais à proteção militar do que à concórdia doutrinária. Em 1534, obteve a vitória sobre o imperador Carlos V, em Laufen, e restaurou Ulrico de Wuertemberge ao seu ducado. Foi então que sucedeu algo muito curioso. Com o consentimento de sua esposa legal, Cristina da Saxônia, Filipe contraiu outro matrimônio, com Margarete von der Saale, com quem se casou em 1540. Isso fez dele um bígamo. Ele fizera um acordo com vários líderes protestantes de manter a questão em segredo, para, sob essa condição, continuar no movimento. Entretanto, não demorou muito para o arranjo vir à tona, o que produziu uma situação muito tensa entre ele e seus anteriores amigos e apoiadores. Com isso, seus adversários fortaleceram-se. Houve uma série de recuos e, finalmente, ele rendeu-se ao imperador, em 1547. Foi mantido prisioneiro até 1552, quando a derrota dos Hapsburgos, às mãos do genro de Filipe, Maurício da Saxônia, permitiu que ele retornasse a Hesse.

FILIPE II, DA MACEDÔNIA

Nasceu em Pela, Macedônia (382 A.C.); faleceu em Aegae (336 A.C.). Era o filho mais novo de Amintas II, e pai de Alexandre o Grande. Passou a juventude como hóspede em Tebas, que era então a cidade-estado grega dominante. Ali ele foi educado por Epaminondas, general e estadista tebano. Quando seu irmão, Pérdicas III morreu, ele retornou à Macedônia, casando-se com Olímpias, princesa egípcia, e reivindicou o trono. Reorganizou o exército e fez da Macedônia o poder supremo nos Bálcãs. Então, de acordo com seu plano de unificação da Grécia, foi derrotando, um por um, os outros estados gregos. Depois de capturá-los a todos, incorporou-os ao seu império. Assim, as cidades-estados gregas foram sujeitadas à hegemonia macedônia, condição que perdurou por quase cento e cinqüenta anos. Ele organizou a Grécia em uma Liga Helênica (337), tornando-se comandante-em-chefe do exército; e então planejou a invasão da Pérsia, inimiga tradicional da Grécia. Em um congresso realizado em Corinto, onde recebeu poderes militares supremos, e onde uma estatueta sua foi exibida, Filipe demonstrou ser apenas um mortal, ao ser assassinado por um jovem nobre que, aparentemente, tinha alguma queixa contra ele.

Seu filho, Alexandre, que seria cognominado «o Grande», agiu prontamente para garantir para si mesmo o poder, o que ele conseguiu. Em breve, haveriam de começar as famosas conquistas mundiais de Alexandre.

O corpo de Filipe foi cremado, e seus ossos foram sepultados juntamente com suas armas e tesouros, existentes no palácio real. Então as trevas encobriram

a cena por vinte e três séculos.

Uma das maiores descobertas arqueológicas de todos os tempos. O arqueólogo Manolis Andrônico (Doutor em Filosofia pela Universidade de Salônica) descobriu o túmulo intocado de Filipe, em 1977, com seu esquife de ouro, encerrando seus ossos, e com uma delicada coroa de folhas e frutos de carvalho (um emblema religioso que simbolizava a árvore sagrada de Zeus). O exterior do túmulo estava ornado com uma pintura de caçada aos leões, esporte apreciado pela realeza macedônica. As portas do túmulo nunca antes haviam sido abertas. Também no interior do túmulo foram achadas cinco minúsculas cabeças esculpidas em marfim, com menos de 3 cm de tamanho, e três esculturas de homens e duas de mulheres. Dois desses homens eram Filipe e Alexandre, e as demais esculturas podiam ser de Olímpias e dos pais de Filipe. O crânio exibia um severo ferimento, na órbita do olho direito. Foi feito um molde de gesso, reconstituindo a cabeça. Foi conseguida uma boa representação da fisionomia de Filipe, com a adição de músculos e pele (por meio de moldes de gesso). Um texto literário do século I A.C., confirma que Filipe II recebeu um severo ferimento em seu olho direito, causado por uma flechada, quando do assédio de Metone, em 354 A.C. Esse item particular elimina todas as dúvidas quanto à sua identificação.

A descoberta foi feita em Vergina, uma pequena aldeia grega, a 64 quilômetros a sudoeste de Salônica, localização do antigo local de Aegae, sede da realeza macedônica, na época de Filipe e posteriormente.

Filipe II e o Novo Testamento. Ele não tem qualquer conexão direta com o Novo Testamento grego. Mas seu filho, ampliando as conquistas planejadas pelo pai, e finalmente, sujeitando o mundo civilizado inteiro ao poder grego, propagou o idioma grego por toda parte. Desse modo, esse idioma tornou-se a língua universal da época. Por causa dessa circunstância, o N.T. foi escrito em grego.

Uma figura em cera, representando o crânio de Filipe, incluindo o ferimento na órbita direita, pode ser vista no Museu de Manchester, na Inglaterra. (*Reader's Digest*, março de 1985, «The One-Eyed King from the Golden Casket», págs. 167 *ss*).

FILIPENSES

Esboço:

I. Autoria
II. Data e Proveniência
III. Motivo e Propósito
IV. Integridade da Epístola
V. Temas Principais
VI. Conteúdo
VII. Bibliografia

A igreja cristã de Filipos teve sua origem com os próprios esforços do apóstolo Paulo, durante a sua chamada segunda viagem missionária, conforme o registro histórico de Atos 16:12-40. Tendo ouvido o chamado místico «Passa à Macedônia e ajuda-nos» (Atos 16:9), Paulo alterou os seus planos tencionados de continuar labutando na Ásia Menor; e foi assim que nasceram a missão evangelista européia e a igreja cristã no continente europeu. Posto que a segunda viagem missionária tem sido datada entre 48 e 51 D.C., a visita à cidade de Filipos teria tido a necessidade de ocupar a porção inicial desse período.

Policarpo, em sua epístola aos Filipenses (3:2), indicou que o apóstolo dos gentios havia escrito

FILIPENSES

diversas cartas para eles. Não temos maneira de saber quantas dessas cartas foram escritas por Paulo, porém tem sido quase universalmente aceito que nossa epístola neotestamentária aos Filipenses representa uma ou mais das cartas genuínas do apóstolo Paulo àquela comunidade cristã. (Ver mais abaixo, «Autoria», quanto a autenticidade dessa epístola escrita por Paulo; e ver o ponto intitulado «Integridade da Epístola», acerca da discussão da possibilidade de termos na epístola aos Filipenses mais de uma epístola, que teria sido incorporada na formação da mesma).

Embora Paulo houvesse sido encarcerado e tivesse sofrido várias indignidades na cidade de Filipos, parece que esse apóstolo nutria afeição toda especial pelos membros da igreja cristã dali. A sua epístola aos Filipenses é a mais pessoal e espontânea de todas as missivas que conhecemos, saídas da pena de Paulo. Nessa epístola transparece um afeto que parece jamais ter sido perturbado por conflitos e disputas, especialmente acerca da questão legalista, o que se verifica em diversas outras das epístolas paulinas. Não obstante, podemos considerar a passagem de Fil. 3:1 e *ss*, que encerra uma advertência acerca dos perigos do legalismo.

Ordinariamente, Paulo se mantinha independente das igrejas locais, do ponto de vista financeiro, provavelmente devido ao fato de que anteriormente havia perseguido a igreja de Cristo, o que o levou a acreditar que não deveria servir de fardo para os crentes, mas antes, deveria prestar-lhes um serviço gratuito, abundante e voluntário. Não obstante, Paulo não rejeitou alguma ajuda financeira dos crentes de Filipos, mas recebeu, pelo menos por duas vezes, algum dinheiro, quando se encontrava na cidade próxima de Tessalônica. (Ver Fil. 4:10). Mais tarde, quando Paulo se encontrava aprisionado, os crentes filipenses se lembraram novamente do apóstolo, e, através de Epafrodito, um dos membros daquela igreja, uma vez mais lhe enviaram uma demonstração palpável de seu amor cristão por ele. Foi assim que, no retorno de Epafrodito a Filipos, o apóstolo lhes enviou a epístola aos Filipenses, — que é, essencialmente, uma missiva de agradecimento; mas Paulo também se aproveitou do ensejo para dissertar sobre vários temas, que ele julgou serem benéficos aos seus leitores, segundo se depreende de Fil. 2:25-28.

I. Autoria

Os quatro grandes livros clássicos de Paulo são as epístolas aos Romanos, aos Gálatas, I e II Coríntios. Praticamente nenhum erudito tem duvidado da autenticidade desses quatro livros do N.T. como obras genuinamente paulinas. Elas são tão semelhantes entre si, no que diz respeito ao estilo, ao vocabulário, à estrutura das sentenças e a todas as demais considerações literárias que é necessário aceitar ou rejeitar juntamente todas elas. Por esse motivo é que pouquíssimos estudiosos têm provocado qualquer debate em torno da autoria dessas quatro epístolas. Além dessas quatro, outras cinco epístolas têm sido aceitas como paulinas, com pouca disputa, a saber, Filipenses, Colossenses, I e II Tessalonicenses e Filemom.

Ver comentos gerais sobre o *corpus paulino* no artigo sobre *Romanos*, primeiros parágrafos, e seção II.

A epístola aos Filipenses é aceita como paulina por quase todos os eruditos, embora alguns deles pensem que ela representa mais de uma epístola, sendo realmente uma composição de peças da correspondência paulina, mais ou menos como as epístolas de I e II Coríntios são tidas como representantes de pelo menos quatro missivas, mas que chegaram até nós agrupadas em apenas duas epístolas. (No tocante a esse problema, no que se relaciona a epístola aos Filipenses, ver o ponto IV deste artigo, — intitulado «Integridade da Epístola»).

Dentre as dez a treze epístolas neotestamentárias aceitas como paulinas, sete delas foram escritas na prisão, a saber, Filipenses, Efésios, Colossenses, Filemom, I e II Timóteo e Tito, embora seja quase certo de que nem todas as sete foram escritas da mesma cidade, e por ocasião do mesmo período de aprisionamento. (Quanto a notas expositivas sobre essa questão, ver a seção II do artigo sobre esta epístola, intitulada «Data e Proveniência», bem como os artigos sobre cada uma dessas epístolas, sob o título *Proveniência*).

A própria epístola ao Filipenses (1:1) reivindica a autoria paulina. Timóteo é ali apresentado como um de seus associados, o que sabemos estar de conformidade com a vida de Paulo (ver Fil. 1:1 e 2:19). Além disso, as referências ao seu aprisionamento concordam com aquilo que sabemos ser verdade acerca dos sofrimentos de Paulo (Fil. 1:7). O autor também se refere, de forma muito natural à sua anterior pregação na Macedônia (ver Fil. 4:15), bem como ao fato de que os crentes de Filipos lhe tinham enviado dádivas (ver Fil. 4:10 e 2:25-28), o que não é um elemento que um forjador tivesse querido incluir, porquanto ordinariamente era costume de Paulo viver independentemente das igrejas, quanto ao aspecto financeiro. O conteúdo geral, o estilo e o vocabulário dessa epístola, tudo aponta para a autoria paulina.

Os próprios assédios contra a integridade dessa epístola, ainda que consigam mostrar que nessa epístola está representada mais de uma missiva, não seriam capazes de provar que essa «coleção» não seria paulina. Contudo, os argumentos contrários à autoria paulina são os seguintes:

1. Uma suposta tentativa de mostrar afinidade por com as idéias do *gnosticismo*. (Ver Fil. 2:5 e *ss*). Entretanto, a tríplice divisão celeste, terrestre e do submundo, não tem sido bem recebida pela maioria dos eruditos como uma prova de influências gnósticas, porquanto tais idéias podem ser encontradas tanto na teologia judaica como na teologia cristã, correntes na época de Paulo.

2. A passagem, um tanto indelicada, que aparece no terceiro capítulo dessa epístola, e que chama os opositores de Paulo de «cães» e de «falsa circuncisão», na opinião de alguns estudiosos, seria indigna do grande apóstolo Paulo. Porém, se lermos a primeira epístola aos Coríntios e a epístola aos Gálatas, verificaremos que isso se transforma em uma prova favorável à autoria paulina, e não contrária a ela, pois Paulo não hesitava em falar de forma ousada e mordaz.

3. O trecho de Fil. 4:15, na opinião de alguns eruditos, contradiria os trechos de I Cor. 9:15 e II Cor. 11:9, sob a alegação de que se refere à coleta encabeçada por Paulo para os santos pobres de Jerusalém, que não chegou às mãos desse apóstolo, ou que não foi levantada no começo de seus labores na Macedônia (conforme a epístola aos Filipenses parece indicar), mas antes, no final de seus labores ali. Porém, essa dificuldade é facilmente solucionada quando observamos que essa referência não é ao papel deles na coleta geral para os pobres de Jerusalém, pois

FILIPENSES

Paulo se referia antes às dádivas pessoais que eles lhe tinham enviado; pois a epístola aos Filipenses, pelo menos em parte, visou agradecer o auxílio monetário que os crentes de Filipos haviam enviado ao apóstolo. O décimo sexto versículo desse mesmo capítulo deixa isso claro, onde se lê que o dinheiro, no dizer de Paulo, fora «...o bastante para as minhas necessidades», e não para os santos pobres de Jerusalém.

Todas essas três objeções, entretanto, não têm sido favoravelmente acolhidas pela grande maioria dos intérpretes, razão pela qual essa epístola tem continuado a ser considerada como genuinamente paulina.

A autoridade e a canonicidade da epístola aos Filipenses têm sido questões fixadas desde os tempos antigos. Ela usufrui da mesma autoridade, quanto a esses pontos de vista, que os demais livros clássicos paulinos, e podem ser aplicadas aqui as introduções às epístolas aos Romanos, aos Gálatas e a I e II Coríntios, onde se ventilam as questões do *cânon* e da autoridade antiga. Não houve nenhuma ocasião, na igreja cristã primitiva, em que qualquer pronunciamento sobre o «cânon» tivesse sido efetuado, que não incluísse também a epístola aos Filipenses. Márcion, um dos pais da igreja (150 D.C.), em seu *cânon* neotestamentário de onze livros, que se constituía de dez das epístolas paulinas e de uma forma mutilada do evangelho de Lucas, incluía a epístola aos Filipenses. Todos os demais pais da igreja, após Márcion, que falaram a respeito da questão, jamais deixaram de incluir essa epístola. E antes mesmo da época de Márcion, Policarpo, em sua epístola aos Filipenses, mencionou a correspondência que Paulo tivera com eles, citando o trecho de Fil. 3:11. Nessa coleção de epístolas paulinas, a epístola aos Filipenses evidentemente foi escrita antes de Colossenses e depois de Efésios. (Ver o artigo sobre a epístola aos Efésios, sob *Data*). Essa é igualmente a ordem como essa epístola aparece no cânon muratoriano. Os pais da igreja Inácio, Irineu, Clemente de Alexandria, Orígenes, Tertuliano e Eusébio, todos citaram trechos da epístola aos Filipenses.

II. Data e Proveniência

A data dessa epístola aos Filipenses depende do lugar onde Paulo a redigiu, isto é, do aprisionamento particular durante o qual ele a escreveu. Que o apóstolo era um prisioneiro, quando a escreveu, é óbvio, segundo se vê em Fil. 1:7,12. Sabe-se que Paulo sofreu aprisionamento em Jerusalém, em Cesaréia, em Roma, e, na opinião de alguns, também em Éfeso. As cidades de Roma, Cesaréia e Éfeso, têm sido — sugeridas — como lugares de onde Paulo poderia ter escrito essa epístola. Sobre isso, convém que consideremos os seguintes pontos:

1. Até relativamente há pouco tempo, o aprisionamento de Paulo em Roma, como lugar de onde ele escreveu a epístola aos Filipenses, era a idéia tradicional. As alusões à «casa de César» (Fil. 1:13 e 4:22) e ao «pretório» eram consideradas como conclusivas em favor da proveniência da capital do império. Entretanto, têm sido encontradas pela arqueologia várias inscrições que mostram que os funcionários do governo e os representantes de Roma eram assim chamados, e que onde quer que eles residissem se tornava a *casa de César*. Esse termo era vinculado a muitas categorias de pessoas, como servidores, policiais, guardiães, bem como altos oficiais do governo. E o pessoal administrativo romano, em toda a cidade importante do império, era conhecido pelo termo de «pretório», que incluía todos os funcionários, — que, em Roma ou fora dela,

eram designados pela alcunha de «servos de César». Portanto, essa expressão, que tradicionalmente se pensava dar apoio à idéia de que Paulo escreveu esta epístola aos Filipenses quando estava aprisionado em Roma, na realidade perdeu grande parte de sua força, pois o uso do termo é por demais amplo.

2. Outros argumentos têm sido apresentados em favor da cidade de Roma, como o lugar de onde Paulo redigiu a epístola aos Filipenses. Essa epístola parece antecipar sua possível morte (2:20-23), o que nos mostra que as acusações feitas contra Paulo eram sérias, e que o seu martírio poderia estar próximo. Ora, isso se harmoniza melhor com a situação de Paulo em Roma do que com qualquer outro período de aprisionamento. E isso se verifica especialmente porque, na qualidade de cidadão romano, não é provável que, sob tão adversas circunstâncias, o apóstolo Paulo não tivesse apelado para César, o que de fato fizera em Cesaréia, quando também se encontrava em grande dificuldade. Esse é o mais forte argumento em favor da cidade de Roma, embora se harmonize melhor com o segundo período de aprisionamento nessa cidade (conforme alguns eruditos têm postulado), e não com o primeiro período, porquanto o livro de Atos, em suas observações finais, não nos transmite a impressão de que havia qualquer ameaça tão séria como esta epístola aos Filipenses nos permite entender. Outrossim, Paulo pode ter enfrentado determinados perigos na cidade de Éfeso ou em outra localidade qualquer, sobre o que não temos conhecimento, e sob circunstâncias que talvez não permitissem um apelo fácil a César.

3. Em favor do aprisionamento em Roma também tem sido aduzido o argumento de que a igreja cristã de Roma corresponderia, quanto ao tamanho e à influência, às alusões constantes em Fil. 1:2 e *s*, que parecem indicar uma comunidade cristã considerável. Ora, outro tanto não se poderia atribuir facilmente a Éfeso, e, menos ainda, a Cesaréia.

4. A introdução de Márcion, à epístola aos Filipenses, identifica claramente a sua proveniência como a cidade de Roma. Mas é possível que isso não tenha passado da reiteração de uma opinião antiga, a qual pode estar equivocada visto que os escritos de Márcion datam de cerca de cem anos que tais acontecimentos transpiraram.

5. Outros estudiosos têm postulado a hipótese cesariana. Desde 1731 que Oeder, de Leipzig, sugeriu que Cesaréia teria sido o lugar de onde a epístola aos Filipenses teria sido escrita. Essa idéia, entretanto, não é mais fácil de defender que a hipótese romana. Sobre isso, há algumas considerações que precisamos averiguar:

a. A custódia referida em Atos 13:35, que descreve o aprisionamento do apóstolo Paulo em Cesaréia, não sugere qualquer perigo iminente de martírio, conforme a epístola aos Filipenses dá a entender por toda a parte.

b. Outros estudiosos supõem que o tamanho e o prestígio da igreja cristã de Cesaréia não corresponderam àquilo que é descrito em Fil. 1:12 e *ss*.

c. Quando Paulo se encontrava em Cesaréia, esperava fazer ainda uma visita à cidade de Roma, e não outra visita a Filipos, que era o seu desejo, quando ele escreveu esta epístola, conforme se verifica em Fil. 2:24 e *ss*.

6. Há, finalmente, a hipótese efésia. Embora não haja qualquer certeza no que diz respeito a algum período de aprisionamento de Paulo em Éfeso (a sua luta contra as «feras», que teria ocorrido ali, mencionada em I Cor. 15:32, pode ser uma alusão

757

FILIPENSES

alegórica, e não literal), essa idéia tem ganho algum apoio em anos recentes, não somente como o lugar onde Paulo teria redigido esta epístola aos Filipenses, mas também como o lugar onde ele escreveu as epístolas aos Efésios, aos Colossenses e a Filemom. Os seguintes argumentos são apresentados em favor dessa opinião:

a. Sua referência à sua tencionada visita imediata se torna muito mais inteligível, pois Éfeso ficava muito mais perto de Filipos do que de Roma. Além disso, com base na epístola aos *Romanos* sabemos que Paulo planejava fazer uma viagem missionária à Espanha, depois de ter passado por Roma, e não uma viagem ao território já explorado da Macedônia. Podemos considerar o trecho de Fil. 2:24, onde o apóstolo Paulo estava preparado para reiniciar seu trabalho pastoral entre eles; também se pode considerar o trecho de Rom. 15:23-25, onde se lê sobre intuitos inteiramente diferentes. Essa referência da epístola aos Romanos mostra-nos que Paulo reputava «completada» a sua tarefa no oriente, e que agora queria visitar o ocidente.

b. Existem evidências, nesta mesma epístola aos Filipenses de que foram feitas várias visitas entre esses dois pontos (onde ele se encontrava aprisionado) e Filipos. Os crentes de Filipos ouviram falar do aprisionamento do apóstolo e lhe enviaram Epafrodito com uma dádiva em dinheiro. Então foram enviadas notícias a eles de que seu mensageiro adoecera; e ele, por sua vez, recebeu uma mensagem que mostrava a preocupação daqueles irmãos. Mais tarde Epafrodito foi enviado a eles, levando-lhes esta epístola aos Filipenses.

Timóteo também foi envolvido nesses movimentos, de tal modo que, ao todo, precisamos pensar em quatro viagens pelo menos. Ora, Roma distava quase mil e trezentos quilômetros de Filipos, ao passo que Éfeso ficava a menos da metade dessa distância, portanto, as idas e vindas muito mais provavelmente teriam ocorrido entre Filipos e Éfeso do que entre Filipos e Roma, que ficava muito mais distante. (Ver Fil. 2:19-20).

c. *A menção da dádiva* de que os crentes de Filipos haviam enviado a Paulo parece indicar a passagem de pouco tempo desde que Paulo estivera com eles, e não um intervalo de talvez dez anos, o que teria sucedido, se tal dádiva tivesse sido enviada para ele em Roma.

d. É possível que a visita tencionada por Timóteo (ver Fil. 2:19) deva ser identificada com a visita mencionada em I Cor. 4:17 e Atos 19:22. Nesse caso, a própria revisita de Paulo àquele lugar poderia ser identificada com o que se lê em Atos 20:1-6, onde se veria então o cumprimento do seu desejo de visitá-los, conforme se lê em Fil. 2:24.

Contra a idéia do aprisionamento de Paulo em **Éfeso**, podem ser apresentados os **seguintes argumentos:**

1. Essa idéia é de natureza especulativa, porquanto nada pode ser provado nesse sentido, excetuando talvez a referência isolada que há em I Cor. 15:32.

2. A ausência de qualquer menção sobre a coleta para os santos pobres de Jerusalém parece ser um argumento forte quanto a isso, pois parece que Paulo estava obcecado acerca dessa questão durante esse tempo.

3. A mais séria objeção contra essa idéia é que a epístola aos Filipenses reflete um possível iminente martírio. Nesse caso, por que razão Paulo não apelou para César, o que realmente fez mais tarde, em Cesaréia, quando viu as coisas se complicarem contra ele? Para essa objeção realmente não há resposta.

Essa questão, pois, permanece na dúvida, porquanto nenhuma dessas idéias pode ser defendida de maneira inteiramente bem-sucedida. Porém, afinal de contas, a questão não se reveste de importância capital.

Se porventura a epístola aos Filipenses foi escrita em Éfeso, então teríamos de datá-la entre 53 e 54 D.C., o que significaria que foi escrita antes da primeira epístola aos Coríntios. Por outro lado, se Paulo a escreveu em Cesaréia, então sua data teria sido entre 56 e 58 D.C. E, se porventura, ele a escreveu em Roma, então deve ser datada depois de 58 D.C., que foi quando Paulo chegou pela primeira vez em Roma. No entanto, a epístola aos Filipenses poderia ter sido redigida tão tarde como 60 D.C., ou mesmo mais tarde, se supormos que o apóstolo a escreveu quando de seu segundo período de aprisionamento, talvez tão tarde como 64 D.C. Alguns eruditos datam a chegada de Paulo em Roma tão tarde como o ano de 62 D.C., e, se porventura essa opinião é correta, essa epístola aos Filipenses teria sido escrita de dois a quatro anos depois dessa data.

III. Motivo e Propósito

Embora não possamos ter qualquer certeza, no tocante ao lugar onde Paulo escreveu esta epístola aos Filipenses, podemos determinar facilmente, com base na própria epístola, quais os propósitos e as circunstâncias imediatos sob os quais Paulo a redigiu:

1. A igreja cristã de Filipos se preocupara com o bem-estar material do apóstolo Paulo, porquanto ouvira que ele se encontrava aprisionado; e assim se iniciou uma troca de cartas entre o apóstolo e aquela comunidade cristã. Paulo estava prestes a enviar-lhes Timóteo e Epafrodito, e essa epístola foi em parte mandada a fim de encorajar a boa acolhida a esses mensageiros. Parece que Paulo desejava desarmar qualquer crítica que talvez houvesse surgido com relação a Epafrodito, embora não se possa distinguir claramente por que razão tais críticas tiveram início. (Ver Fil. 2:19 e *s*).

2. Havia algumas dificuldades na igreja de Filipos, quase todas provocadas por questões pessoais, e com as quais Paulo queria tratar. Isso transparece com clareza no trecho de Fil. 2:1-4,14. No trecho de Fil. 4:2 isso é reiterado, sendo dados os nomes dos envolvidos na disputa. Paulo, pois, queria que a igreja se unisse, cessada a contenda, e aproveitou a viagem de *Epafrodito* até eles, a fim de cuidar do problema.

3. Os crentes filipenses, por diversas vezes, haviam enviado doações pessoais ao apóstolo (ver Fil. 1:5 e 4:10,14 e *ss*), o que nos mostra que essa missiva, entre outras coisas, foi uma carta de agradecimento.

4. No teor da própria epístola aos Filipenses há evidências que sugerem que os crentes de Filipos vinham sendo perseguidos, e que precisavam de encorajamento. Por essa razão Paulo os animou a se manterem firmes, dando testemunho vivo em prol de Cristo. (Ver Fil. 1:27; 4:1 e 2:15).

5. O trecho de Fil. 3:1 e *ss*, na opinião de muitos eruditos, seria fragmento de uma carta separada, pois parece inteiramente fora de sintonia com o restante da epístola. Trata-se de uma severa repreensão contra os legalistas de Filipos. Assim se pode dizer com certeza que a «correspondência com os filipenses», sem importar se nossa epístola aos Filipenses é uma única missiva ou representa uma pluralidade de cartas, incluiu o propósito de atacar o legalismo. Seja como for, esse problema provocou talvez a seção mais elevada da epístola, isto é, aquela na qual Paulo mostra quais eram as razões que ele tinha de ufanar-se com um orgulho farisaico, mas como Cristo

FILIPENSES

substituíra toda essa ufania, permanecendo o Senhor como sua única base de jactância e seu alvo único de perfeição.

6. Alguns estudiosos acreditam que havia um partido dos *perfeccionistas* naquela igreja, afirmando que eram superiores aos demais, devido ao orgulho espiritual. Por isso é que esses estudiosos pensam que nessa mesma seção do terceiro capítulo, onde Paulo mostra que nem ele mesmo já havia atingido seus propósitos de perfeição em Cristo, seria um repúdio indireto àqueles que pensavam já ter atingido a perfeição.

7. Não sabemos a gravidade do perigo em que se encontrava Paulo, mas existem várias indicações de que não seria de todo impossível que a sua vida fosse tirada naquela oportunidade, embora seu aprisionamento talvez fosse em Éfeso, e não em Roma. Ver Fil. 1:20, onde ele indica que a glória que poderia dar a Cristo viria pela vida ou pela morte, e que ele já havia ajustado os seus pensamentos à possibilidade distinta de sofrer aquela morte que, para ele, seria «lucro». (Fil. 1:21). Quer «vivo» quer «morto», conforme os homens mortais encaram a questão, o seu grande propósito era o de agradar a Cristo, embora o próprio Paulo desse sua preferência à «morte», pois, segundo declarou ele, estar com Cristo é muito melhor (ver Fil. 1:23). Não obstante, reconhecia a sua responsabilidade para com aqueles que havia gerado espiritualmente em Cristo e assim, por baixo de seu reconhecimento dos perigos que o ameaçavam, parece que Paulo sentia intuitivamente que o seu ministério se prolongaria por mais algum tempo, e que ele ainda teria oportunidade de dar prosseguimento à sua obra apostólica, até mesmo entre os crentes de Filipos (ver Fil. 1:24,25). Portanto, parece-nos que um dos propósitos de Paulo foi o de informar aos crentes de Filipos sobre os verdadeiros perigos que ele estava enfrentando, mostrando-lhes que se tivesse chegado o tempo dele sofrer o martírio, estava preparado para tanto, e que ele sentia que até isso seria bom para ele, e não seria uma tragédia, — como outros pensariam sobre a questão. Esse tipo de informação tinha por intuito aliviar as mentes de seus leitores acerca de sua segurança, e ao mesmo tempo, lhes dava coragem para enfrentar qualquer tribulação que fosse lançada contra eles, tribulação essa que esta epístola subentende que eles já estavam experimentando. Em tudo isso, pois, Paulo descreve qual deve ser a atitude cristã apropriada para com os sofrimentos, os quais podem ser tão severos que levem o crente ao martírio.

IV. Integridade da Epístola

Policarpo, em sua epístola aos Filipenses (3:2), indicou que Paulo lhes havia escrito diversas cartas. Não temos meios para determinar quantas foram essas missivas, embora seja universalmente aceito que nossa epístola aos Filipenses representa uma delas. Alguns eruditos crêem que nesse livro há fragmentos de mais de uma carta. Assim, pois, se a *integridade* da epístola é posta em dúvida por alguns estudiosos, isto é, se essa epístola representa uma única missiva ou mais de uma, que teriam sido combinadas, formando a que atualmente conhecemos, por outro lado a «autenticidade» dessa epístola, como genuinamente paulina, raramente foi posta em dúvida.

Assim sendo, a epístola aos Filipenses é vista mais ou menos como I e II Coríntios, as quais são aceitas por muitos eruditos como cartas compostas pelo menos por quatro epístolas, embora tivessem sido combinadas de uma forma a dar a entender que elas fossem só duas. —Assim, podemos supor que houve uma «correspondência de Paulo com Corinto» que envolveu várias epístolas; e partes das mesmas, ou talvez a totalidade de uma ou duas, mais porções de outras, foram combinadas em duas epístolas compostas. — Os artigos sobre I e II Coríntios explicam detalhadamente as várias especulações que há sobre essa questão. Por semelhante modo, alguns têm pensado ser a «correspondência de Paulo com Filipos».

No que tange ao problema dessa epístola aos **Filipenses**, muitos eruditos acreditam que o terceiro capítulo da mesma, ou pelo menos parte da mesma, pertenceria a uma epístola que Paulo escrevera anteriormente, que versaria sobre a controvérsia com os mestres judaizantes. De fato, esse capítulo é de espírito diferente do restante do livro. No primeiro capítulo Paulo alude aos seus opositores com uma atitude de esplêndida magnanimidade; porém, no capítulo terceiro, ele os denuncia em termos severos e os mais violentos. Além disso, esse terceiro capítulo parece ser uma espécie de conclusão de uma epístola, e não um argumento que se possa colocar com naturalidade no meio de uma epístola, conforme aparece em Filipenses. (Ver. Fil. 3:1-4).

Outros intérpretes, entretanto, asseveram que realmente havia dois grupos distintos, para os quais Paulo se referiu. Suas exortações suaves teriam sido dirigidas para aqueles que ele considerava verdadeiros crentes, ao passo que as exortações severas teriam sido feitas contra aqueles que Paulo reputava como falsos pastores, que precisavam de ser amargamente contrariados. É possível que entre esses estivessem alguns judeus *hostis*, que vaiavam os crentes e os deixavam perplexos embora esses não fizessem parte real da igreja de Filipos. Isso explicaria adequadamente a diferença de tonalidade, dentro dos limites de uma única epístola.

Outrossim, a palavra *finalmente*, que aparece em algumas versões (em nossa versão portuguesa, que usamos como base textual deste artigo, se lê «Quanto ao mais...»), no começo do capítulo terceiro desta epístola, não indica necessariamente que a epístola estava prestes a terminar. E mesmo que porventura tivesse sido assim, poderíamos crer que outros pensamentos invadiram a mente de Paulo, o que o teria impedido de encerrar sua epístola, na ocasião precisa em que essa idéia lhe ocorreu pela primeira vez. Qualquer pessoa que esteja acostumada a ouvir discursos ou sermões feitos por pessoas que não se atêm a notas escritas, sabe como suas mensagens podem estender-se, mesmo depois do orador ou pregador ter afirmado que estava prestes a terminar o seu discurso.

O trecho de Fil. 3:1 indica de forma definida que Paulo já havia escrito aos crentes de Filipos em outras ocasiões, e que já havia dito coisas que agora reiterava. Porém, a idéia de que a nossa epístola aos Filipenses contém fragmentos de tal correspondência, apesar de talvez expressar uma verdade, não é fácil de defender; e as defesas a essa teoria, contrariamente ao caso de I e II Coríntios, não são fortes. Assim é que, entre aqueles que consideram certas porções do terceiro capítulo desta epístola como interpolações, não há acordo sobre a extensão das mesmas. Alguns estudiosos põem-lhe ponto final em Fil. 4:3 (como K. Lake), outros em Fil. 4:1 (conforme A.H. McNeile, C.S.C. Williams e F.W. Bear), e ainda outros sugerem Fil. 3:19 (como J.H. Michael). Bear considera a epístola como composta por três elementos distintos, a saber, uma epístola de agradecimento, que reconhecia a dádiva dos Filipen-

FILIPENSES

ses através de Epafrodito (Fil. 4:10-20), e um fragmento interpolado que denuncia o ensinamento falso dos missionários judaicos—e o **antinomianismo** de certos crentes gentios (Fil. 3:2-4:1). Essa seção, na opinião de certos eruditos, teria sido dirigida a alguma outra igreja, mas que veio a ser vinculada à nossa epístola aos Filipenses, mais ou menos da mesma maneira que o décimo sexto capítulo da epístola aos Romanos, segundo dizem certos estudiosos, teria sido uma carta de introdução de Febe, dirigida não para Roma, mas para algum outro lugar, como Éfeso. Além disso, como terceiro elemento de nossa epístola aos Filipenses, haveria o arcabouço geral dessa epístola, constituída pelos trechos de Fil. 1:1—3:1; 4:2-9,21,23.

Vários eruditos acreditam que essa foi a missiva final do apóstolo Paulo à igreja na terra, uma espécie de mensagem de despedida. Ainda outros estudiosos acreditam que o trecho de Fil. 2:5-11 seja pré-paulino ou pós-paulino, composto por outrem, em nome do apóstolo. Há também aqueles que pensam que essa passagem seja uma espécie de hino cristológico, acrescentado pelo próprio Paulo à sua epístola, ou adicionado mais tarde por alguém à correspondência entre Paulo e os crentes de Filipos. Embora algumas dessas especulações possam parecer um tanto plausíveis, a maioria dos eruditos, incluindo muitos de tendências liberais, **pensa** que essas especulações criam mais dificuldades do que resolvem; e esses eruditos tendem a considerar que a nossa epístola aos Filipenses representa essencialmente uma única missiva de Paulo, a despeito de seus níveis e de sua complexidade de material.

V. Temas Principais

A epístola aos Filipenses **não pode** ser reduzida a uma apresentação de seqüência lógica, porque se trataria de uma composição de várias missivas, de forma um tanto frouxa, que abordam diversos temas. Trata-se da mais pessoal das epístolas escritas por Paulo, a mais reveladora da emotividade do apóstolo dos gentios. Temos aqui uma combinação de notas pessoais, explosões de advertência, de ação de graças e de ternura, reflexões profundas e denúcias extremamente amargas.

1. O tema *da alegria* aparece de maneira mais pronunciada nesta epístola do que em qualquer outro dos escritos de Paulo. Isso pode parecer-nos estranho, considerando-se as circunstâncias tão adversas sob as quais essa epístola foi redigida, pois Paulo se encontrava aprisionado, e pairavam sobre ele tão graves ameaças que ele já pensava que o martírio era uma forte possibilidade. Porém, no capítulo final desta epístola Paulo diz-nos como já havia aprendido a estar contente, nas diversas vicissitudes da vida. Seria uma espécie de estoicismo cristão, produzido por uma vida de intensos e constantes sofrimentos, que o apóstolo sempre atribuía à vontade de Deus, como acompanhamento necessário tanto para a propagação do evangelho como para o desenvolvimento espiritual do crente. (Ver Fil. 1:3,4; 1:25; 2:1,2,16-18,28; 3:1,3; 4:1,4,5,10).

2. *A razão dos sofrimentos* e o triunfo deles sobre os mesmos é outro dos temas centrais desta epístola. O martírio de Paulo era considerado como algo possível, embora ele esperasse que o seu ministério se prolongasse por mais algum tempo, não para sua própria vantagem, mas para a vantagem deles. Sobre isso se manifesta a maior parte do primeiro capítulo, além dos trechos de Fil. 2:15,17 e 4:1. Paulo evidentemente pensava que os crentes de Filipos continuariam a enfrentar perigos similares àqueles que ele mesmo tinha de enfrentar, como perseguições e vários sofrimentos e abusos, incluindo a própria morte. (Ver Fil. 1:27-30). Não obstante, Paulo diz que os sofrimentos dos crentes fomentam o progresso do evangelho. (Ver Fil. 1:12).

3. Paulo sustenta nesta epístola a sua esperança no retorno de Cristo Jesus para breve. Ele foi capaz de olvidar os seus sofrimentos em vista da fé que a *parousia* (a segunda vinda de Jesus) haveria de apagar de vez a agonia do ódio e da hostilidade dos homens, soerguendo os crentes ao nível da glória de Cristo. Ele sabia que a sua morte ocorreria antes disso (ver Fil. 1:23), mas mesmo assim continuava embalando a esperança de que a segunda vinda de Cristo se desse durante sua vida terrena. (Ver Fil. 1:6,10; 2:10,11,16; 3:20,21 e 4:5).

4. Havia ainda a necessidade de exortar a igreja dos crentes de Filipos à coesão e à *humildade*, que consiste da participação na atitude mental de Cristo; e isso levou Paulo a compor sua mais profunda declaração concernente à humanidade de Cristo, à sua missão humana, à sua humilhação, ao seu triunfo em sua missão terrena e à sua exaltação aos lugares celestiais que redundará em sua supremacia sobre tudo quanto há na criação. Entre as epístolas de Paulo, essa é a mais completa afirmativa sobre esse assunto. (Ver Fil. 2:1-11). Nenhuma outra passagem paulina pode comparar-se com essa, sobre a humanidade de Jesus Cristo.

5. A *advertência contra os legalistas* ocupa a primeira porção do terceiro capítulo desta epístola, sendo uma das declarações mais amargas de Paulo acerca desses inimigos do evangelho, o que também constituía um dos principais problemas que havia na igreja cristã primitiva.

6. Essa necessidade de assim pronunciar-se contra o legalismo, levou o apóstolo Paulo a expressar sua própria *dedicação suprema* a Cristo, o seu alvo e os seus propósitos na vida, seus anelos espirituais mais profundos, tudo o que viera a fazer parte de sua vida, quando ele repelira o tipo de fé religiosa que caracterizava os legalistas, — que se orgulhavam em diversas relações humanas, como a descendência física ou como as realizações religiosas. É bem provável que essa seja a mais famosa e a mais usada das seções de todas as epístolas desse apóstolo, quando os pregadores desejam apresentar sermões de ensino para suas igrejas. (Ver Fil. 3:4-16). Não podemos ocultar que há certo aspecto apologético **nessa seção, porquanto Paulo repreendeu àqueles** que **continuavam confiando em uma forma de ufania** humana, a qual anteriormente o caracterizara como intenso fariseu que ele fora. Essa atitude errônea agora parecia atrair a certos crentes, que se imaginavam «perfeitos», assim enganando-se a si mesmos. Paulo nos mostra, na presente seção, que nem mesmo ele podia reivindicar qualquer coisa semelhante à perfeição nesta vida; antes, continuava a esforçar-se em direção ao alvo ideal e elevadíssimo, que ainda não havia atingido.

7. O trecho de Fil. 4:10-20 constituiria a *carta de agradecimento*. Os crentes de Filipos, em mais de uma ocasião, em contraste com tantas outras igrejas da época apostólica, haviam enviado algum dinheiro a Paulo, a fim de ajudá-lo em suas situações financeiras tão estreitas. Portanto, aqueles crentes haviam dado o exemplo de como a igreja cristã, em qualquer era, deve interessar-se por suprir ativamente às necessidades daqueles que «vivem do evangelho». O ideal do A.T. sobre uma casta sacerdotal, que vivia das ofertas voluntárias do povo, é aqui aprovado e confirmado;

FILIPENSES — FILIPOS

mas não como uma espécie de esmola, conforme essa prática tem sido tão freqüentemente reduzida, e, sim, como dever da igreja local, interessada em obedecer os mandamentos de Cristo, para que fosse por todo o mundo e pregasse o evangelho a toda a criatura. As doações monetárias ao trabalho missionário da igreja é uma garantia de que Deus abençoará o doador e lhe suprirá as suas necessidades, conforme nos mostra a passagem de Fil. 4:19.

8. Paulo repreendeu também a contenda que surgira na igreja dos filipenses, resultante de certo orgulho e egoísmo, por parte de membros que tinham aprendido a desprezar a outros. Paulo conclamava aquela igreja local à unidade em Cristo, como meio seguro de eliminar desordens dessa natureza. (Ver Fil. 4:2,3).

9. A epístola de Paulo aos Filipenses contém uma das mais excelentes exortações quanto à pureza íntima, quanto à maneira de pensar, quanto ao estado de consciência,— que deve resultar em ações externas piedosas. Ver Fil. 4:8, onde encontramos a exortação para que os crentes se concentrassem naquilo que é honesto, justo, puro, amável, de boa fama, virtuoso e digno de louvor. É fato sobejamente conhecido que nossas ações procedem da maneira de pensar. Se tivermos de manter ações santas nesta vida, essas devem ter início na fonte, isto é, nos pensamentos. O crente está na obrigação moral de resguardar o santuário de sua mente e de sua alma, cultivando-o com a mensagem da graça de Cristo. Trata-se do mesmo conceito que foi desenvolvido em Rom. 12:1,2. Fica suposto que a vida interior dos pensamentos, se for cuidadosamente cultivada e resguardada, garanti-rá uma vida de pureza e utilidade nas mãos de Deus. Naturalmente que essa é uma idéia central de Cristo, que afirmou que todos os grandes pecados têm sua origem na mente, nos motivos, que finalmente produzem as ações malignas e erradas. Isso é o que também se aprende, em vários trechos do Sermão do Monte (ver Mat. 5—7). Com isso concorda aquela expressão que diz: *o homem é aquilo que pensa*.

VI. Conteúdo

I. Introdução (1:1-11)
  1. Endereço e saudação (1:1,2)
  2. Ação de graças, oração e confiança (1:3-11)
II. Paulo, um prisioneiro cheio de esperança e alegria (1:12-26)
III. O exemplo de Paulo era um consolo para os crentes que sofriam (1:27—2:18)
IV. Características da vida cristã (2:1-18)
  1. Humildade, segundo o exemplo de Cristo (2:1-4)
  2. A humildade e a encarnação de Cristo. Essa humilhação — resultou na sua exaltação Cristo tinha natureza humana verdadeira e foi exaltado por haver completado de forma magnífica a sua missão como homem (2:5-11).
  3. O supremo exemplo de dedicação, deixado por Cristo, leva o crente a aceitar várias obrigações morais (2:12-18)
V. Timóteo e Epafrodito são enviados. Deveriam ser acolhidos como representantes de Paulo e tratados como tais (2:19-30)
VI. A digressão contra os legalistas (3:1-21)
  1. Contra os judaizantes (3:1-3)
  2. Rejeição pessoal de Paulo aos legalistas e aos valores ditados pelo orgulho humano, parale-lamente aos seus novos alvos espirituais em Cristo (3:4-16)

3. Necessidade de uma vida cristã coerente (3:17-21)
VII. Admoestações finais variadas (4:1-9)
VIII. A carta de agradecimento e considerações sobre as dádivas cristãs (4:10-20)
IX. Saudações finais, encorajamentos, apreciações (4:21-23)

VII. Bibliografia: AM EN I IB LAN MOF NTI TI TIN VIN RO Z

FILIPISTAS

Esse é o título dado aos discípulos de Filipe Melancthon (vide), — que procurou modificar, em alguns pontos, a doutrina de Lutero sobre a justificação exclusivamente pela fé, e também sobre a natureza da eucaristia (procurando fazê-la harmoni-zar-se com a doutrina calvinista). Eles aceitaram o chamado Ínterim de Leipzig (vide), de 1548, que se opunha a certos aspectos do luteranismo, pelo que tornaram-se, por sua vez, alvos dos ataques dos luteranos leais e inflexíveis. Foram suprimidos em 1574 pelo eleitor da Saxônia. Comparar com a *Fórmula de Concórdia* (vide).

FILIPOS

Esboço:
  I. Localização
  II. História e Caracterização Geral
  III. Sumário das Descobertas Arqueológicas
  IV. Filipos e as Missões Cristãs
  V. Observações Históricas Subseqüentes

I. Localização

Filipos ficava localizada na parte oriental da Macedônia, em uma planície a leste do monte Pangeus, entre os rios Estrimon e Nestos. Ficava perto do Gangites, um riacho de águas turbulentas, cerca de dezesseis quilômetros distante do mar. Isso posto, apesar de não ser um porto marítimo, visto que ficava relativamente perto do mar, lemos acerca de Paulo e seus companheiros, que «...navegamos de Filipos...» (Atos 20:6). Essa cidade ficava localizada em uma planície fértil, paralelamente à Via Inácia, não muito longe das minas de ouro que ficavam nas montanhas, mais ao norte. Esses fatores emprestavam grande importância estratégica à cidade.

II. História e Localização Geral

Atos 16:12: *e dali para Filipos, que é a primeira cidade desse distrito da Macedônia, e colônia romana; e estivemos alguns dias nessa cidade.*

A cidade de *Filipos* derivou o seu nome do genitor de Alexandre o Grande, — isto é, Filipe II, da Macedônia. Partindo dali, no ano de 334 A.C., é que Alexandre o Grande iniciou sua famosa carreira de conquista mundial. Otávio, já imperador, fez dessa cidade uma colônia romana. As colonias romanas eram pequenas réplicas da própria cidade de Roma. Usualmente um número regular de cidadãos romanos emigrava para uma cidade qualquer, a fim de assegurar a sua romanização. Era reputado como grande honra, para uma cidade, haver sido constituí-da colônia romana.

Lucas alude à cidade de Filipos como *primeira do distrito, e colônia*, o que nos mostra que era cidade de grande importância política. Evidentemente o autor sagrado do livro de Atos era nativo de Filipos. O vocábulo grego *meris*, empregado por Lucas para

FILIPOS

indicar uma *região* ou «distrito», na opinião de alguns eruditos, era antes considerado um erro da parte de Lucas. Mas os papiros descobertos nas areias de *Fayum*, no Egito, demonstraram que essa palavra era usada como expressão idiomática, para denotar as divisões de um distrito. Felibedjik (que significa *Pequena Filipos*) assinala o local das ruínas da antiga cidade. Nas escavações feitas, as estruturas romanas usuais têm sido encontradas, entre as quais podemos citar banhos, teatros, templos cristãos (embora não do período apostólico), um fórum de 150 por 75 metros de dimensões, etc. Acredita-se que um viaduto de arcos, do período colonial, situado a oeste da cidade, pertença aos dias do apóstolo Paulo. Provavelmente esse viaduto foi o caminho por onde os missionários «saíram» da cidade, o que é mencionado no trecho de Atos 16:13. Se assim realmente sucedeu, então o «...rio...» a cujas margens falou o apóstolo Paulo, era o rio Gangites.

Filipe da Macedônia ampliou a localidade (depois de 300 A.C.), tendo-a fortificado como defesa de suas fronteiras, para conter os trácios. Nesse tempo floresciam ali as minas de ouro, e moedas de ouro foram cunhadas em nome de Filipe, tornando-se facilmente reconhecidas como válidas nas áreas circundantes. Quando a Macedônia foi conquistada pelos romanos, tendo sido subseqüentemente dividida em quatro regiões, a cidade de Filipos foi incluída no primeiro desses distritos. (Ver *Lívio*, xlv. 17,18.29).

Alguns eruditos, neste ponto, têm querido emendar o texto sagrado, substituindo a palavra que aparece no original grego, *protes*, pelo vocábulo ordinário *proto*, fazendo com que Atos 16:12 diga: «...cidade da primeira divisão da Macedônia». Isso tem sido efetuado na tentativa de suavizar o problema criado pela declaração de Lucas, que aqui se encontra, de que Filipos era a «primeira» cidade do distrito; pois, na realidade, sabe-se que não era a cidade mais importante desse distrito. A honra do primeiro lugar cabia a Tessalônica e até mesmo a Anfípolis era maior do que Filipos.

Todavia, podemos aceitar a declaração lucana sem fazer-lhe qualquer emenda (e não há para isso qualquer precedente, nos próprios manuscritos), supondo que ele estivesse fazendo referência à questão da importância da cidade em termos muito latos, visto que manifestava assim seu interesse especial pela localidade, posto ser a sua cidade nativa. Ramsay declara acerca desse problema: «Anfípolis era considerada a primeira cidade por consenso geral; Filipos era primeira por sua própria opinião». («*St. Paul, the Traveller*», págs. 206-207).

Com base nos escritos que nos restam de Lívio (ver *Anais* xiv.29), ficamos sabendo que Filipos estava situada no «primeiro» distrito da Macedônia. Por isso mesmo é grande o esforço dos eruditos em tentarem dar solução ao problema da posição da cidade, criado pela declaração de Lucas, através de alguma emenda feita no texto sagrado.

Foi no ano de 42 A.C. que se deu a famosa batalha de Filipos, entre as forças de Antônio e Otávio, contra os exércitos de Bruto e Cássio. Subseqüentemente, chegaram muitos colonos àquela região, e a cidade, naturalmente, cresceu em número e importância. Sua proeminência aumentou ainda mais depois da batalha de Ácio, em 31 A.C., em que Otávio derrotou as forças aliadas de Antônio e Cleópatra. E visto que nessa cidade havia muitos que favoreciam a Antônio, a cidade foi forçada a render-se, entregando suas terras a Otávio. Em seguida, Otávio fez de Filipos uma cidade, em comemoração a essas suas vitórias

militares. Foi o mesmo Otávio quem deu à cidade o seu título de «Colônia Julis Augusta Philippensis», conforme se vê gravado em muitas moedas. Desse modo, tendo-se tornado uma colônia romana, passou a gozar do «direito itálico» (IUS ITALICUM), o que significa que os colonos desfrutavam dos mesmos direitos e privilégios de que usufruiriam se estivessem vivendo em próprio território italiano.

Na epístola que Paulo escreveu aos crentes de Filipos, suas referências à *cidadania* (ver Fil. 1:27 e 3:20), dessa maneira, teriam se revestido de maior significação, porquanto a cidadania sem dúvida significava muito para eles. Após a primeira visita de Paulo e seu aprisionamento nessa cidade, ao ser solto, seus posteriores contactos com a cidade são inferidos em referências nos trechos de Atos 20:1,6, e I Tim. 1:3.

III. Sumário das Descobertas Arqueológicas

A antiga cidade de Filipos foi escavada pela Escola Francesa de Atenas, de 1914 a 1938. Entre as descobertas feitas estava o fórum, ao sul da antiga Via Inácia. Uma espaçosa tribuna foi encontrada ali, a qual talvez tenha estado ligada ao incidente em que Paulo e Silas, que haviam expelido um demônio de uma jovem que ganhava dinheiro para seus senhores, fazendo adivinhações, foram rudemente lançados na prisão. Ver a narrativa em Atos 16:16 *ss*. Foi assim que teve lugar o famoso aprisionamento de Paulo e Silas em Filipos. Dois grandes templos foram desenterrados, juntamente com muitos edifícios públicos e particulares, um teatro romano, etc., quase tudo do século II D.C. Uma arca foi encontrada perto do riacho Gangites. Essas arcas, com freqüência, assinalavam as linhas fronteiriças das antigas cidades. Para dentro desses marcos não podiam penetrar certas coisas, como cemitérios ou santuários de divindades não reconhecidas. Talvez isso explique a razão pela qual Paulo e Silas saíram da cidade, até à beira do rio, para participarem de uma reunião de oração (Atos 16:13). Seja como for, sabemos que os judeus gostavam de ter reuniões de oração à beira dos rios, ou à beira-mar, provavelmente por causa do fato de que a água simboliza a vida. Quanto a essa prática, ver Filo, *Flaccus* 14, e Josefo (*Anti.* 16:10:23).

IV. Filipos e as Missões Cristãs

Paulo deixou a Ásia Menor, a caminho de sua missão européia. Antes de tudo, ele pregou em Filipos, que assim tornou-se o portão de entrada das missões cristãs na Europa. Naturalmente, esse foi um importantíssimo acontecimento histórico, embora, na ocasião, provavelmente Paulo não fizesse idéia da magnitude da realização. Paulo e Silas, pois, foram aprisionados ali. O relato faz parte daquilo que, tradicionalmente, é chamado de Segunda Viagem Missionária de Paulo. De Filipos, eles foram a Tessalônica (Atos 16:12-40). Curiosamente, é nessa altura da narrativa do livro de Atos que a *primeira pessoa «nós»*, é abandonada. Isso indica que Lucas não acompanhou o apóstolo, nessa fase de suas atividades missionárias. Mas o «nós» da narrativa retorna em Atos 20:5, quando Paulo já se encontrava em sua terceira viagem missionária. Lucas ou era nativo de Filipos, ou então estudara ali a medicina, e aparentemente ficou para trás, enquanto Paulo e outros prosseguiram, a fim de poder erigir a igreja local em Filipos.

Sabemos, através de referências neotestamentárias, como II Coríntios 8:1-6; 11:9 e Filipenses 4:16, que a igreja de Filipos mostrou-se generosa em suas doações financeiras às atividades missionárias cristãs, tendo deixado um exemplo positivo antigo desse tipo de

FILISTEUS, FILÍSTIA

atividade. A epístola de Paulo à igreja cristã dali assumiu seu devido lugar entre os documentos imortais do Novo Testamento.

V. Observações Históricas Subseqüentes

No começo do século II D.C., Inácio, bispo de Antioquia, foi condenado à morte por haver-se professado cristão. Foi enviado a Roma, sob a guarda de Trajano. O grupo passou por Filadélfia, Esmirna e Tróia. Então dirigiu-se ao continente europeu, passando por Filipos. E, provavelmente, utilizando-se da Via Inácia, foi até Dirráquium. A igreja em Filipos acolheu prazeirosamente a Paulo. Então a Igreja enviou duas cartas. Uma delas foi enviada à igreja em Antioquia, a fim de oferecer-lhe consolo, por causa do que havia acontecido. A outra foi dirigida a Policarpo, requerendo que lhe fossem enviadas cópias dos escritos de Inácio. Quem nos dá essa informação é Policarpo, em sua *Epístola aos Filipenses*.

Bispos de Filipos fizeram-se presentes aos concílios de Laodicéia, Éfeso e Calcedônia.

FILISTEUS, FILÍSTIA

Esboço:

I. Nome e Caracterização Geral
II. Origem e Raça
III. Território
IV. História
V. Elementos de sua Cultura
VI. Arqueologia

I. Nome e Caracterização Geral

As palavras hebraicas usadas para designar os filisteus e seu território aparecem no singular, *pelisti* (usualmente com o artigo), no plural, *pelistim* e, com menor freqüência, *pelistiyyim*, sem o artigo. O território deles era chamado '*eres pelistim*, ou Filístia. E dessas palavras, naturalmente, é que temos a palavra moderna «Palestina». Alguns estudiosos têm sugerido que esse nome deveria ser identificado com o vocábulo egípcio *prst* (na escrita hieroglífica, o «r» substitui o «l»), bem como a palavra assíria, em escrita cuneiforme, *plastu*. Há referências egípcias que procedem desde Ramsés III (cerca de 1188 A.C.). Alguns eruditos não têm podido encontrar uma provável etimologia semítica, pelo que há quem os considere arianos ou, talvez, originalmente indoeuropeus. Todavia, há eruditos que pensam que eles teriam tido origem semita. As evidências arqueológicas apontam para uma origem micena (grega).

Entre 1200 e 1000 A.C., eles foram os principais inimigos do povo de Israel; e, com base nessa circunstância, sabemos bastante coisa sobre a história dos filisteus, o que, de outro modo, teria permanecido na obscuridade.

Os filisteus eram um povo aguerrido, que ocupava uma faixa de território na porção sudoeste da Palestina, chamada Filístia. Eles dominavam o mar daquelas costas e estabeleceram-se ao longo das costas marítimas do sudoeste da Palestina, desde Jope, mais ao norte, até Gaza, mais ao sul. Seus freqüentes ataques contra Israel tornaram-se a principal razão pela qual o povo judeu desejou tornar-se uma monarquia. Eles sentiam que essa modalidade de governo poderia organizar melhor a nação para enfrentar aquele povo tão hostil.

II. Origem e Raça

Os trechos de Gênesis 10:14 e I Crônicas 1:12 permitem-nos entender que os filisteus vieram de Casluim, filho de Mizraim (Egito), filho de Cão. Posteriormente, eles vieram de Caftor (Amós 9:7; Jer.

47:4). Há monumentos que mostram que os filisteus invadiram a Palestina, juntamente com outros povos do mar, na época de Ramsés III (1195 — 1164 A.C.). Ramsés foi capaz de oferecer-lhes resistência; mas os invasores sobreviveram na Síria e, finalmente, chegaram à porção suleste da Palestina. Tendo-se estabelecido ali, deram seu nome à *Filístia*, atual Palestina (Joel 3:4). Sabe-se que a área em redor de Gerar e de Berseba era ocupada pelos filisteus pelo menos desde a época dos patriarcas. Ver Gên. 21:32 e 26:1.

Há muitas controvérsias sobre a origem e a raça dos filisteus. Alguns eruditos pensam que Caftor é a mesma coisa que a ilha de Creta. O termo *queretitas* significaria *cretenses*, e o termo queretitas parece haver sido aplicado pelo menos a alguns deles. Ver I Sam. 30:14. Então em Eze. 25:16, os termos filisteu e queretitas são usados paralelamente. Os queretitas faziam parte da guarda pessoal de Davi, e isso poderia indicar que ele recrutou alguns poucos filisteus que, sem dúvida alguma, tinham-se convertido à fé judaica. Se os filisteus vieram, originalmente, das costas do mar Egeu, então, como é evidente, eles não eram semitas. Confirmando isso, os arqueólogos salientam que a cerâmica e outros artefatos dos filisteus eram do tipo principalmente miceno (não minoano), embora haja evidências de outras influências também. A palavra *miceneano* significa pertencente a Micenas, ou seja, a civilização que havia em certas partes da Grécia, na Ásia Menor, na Sicília e em outros lugares próximos, antes do avanço dos helenos. Segundo se pensa, eles teriam atingido o zênite de seu poder em cerca de 1400 A.C. Micenas ficava cerca de trinta e dois quilômetros a sudeste do local de Corinto.

Outros eruditos procuram defender a idéia de uma origem semita para os filisteus. Esses alicerçam-se sobre bases essencialmente lingüísticas. Os nomes de suas cidades eram tipicamente semíticos. O estudo dos monumentos assírios tem demonstrado que muitos nomes próprios de pessoas e lugares, relacionados aos filisteus, são de origem semita. Além disso, suas crenças religiosas tendem por classificá-los entre os povos semitas. Portanto, parece seguro que, pelo menos quanto ao idioma, mesmo que não quanto à origem racial, eles eram semitas. O peso das evidências arqueológicas, entretanto, põe-se em favor de uma origem não semítica para os filisteus. Ver a sexta seção, abaixo.

III. Território

Acompanhando o que foi dito acima, chegamos a uma localização às margens do mar Egeu, talvez incluindo a ilha de Creta, como o território originalmente ocupado pelos filisteus. Porém, alguns estudiosos associam-nos a Gerar, nas fronteiras do Egito (Gên. 21:32), como o lugar central de onde eles se propagaram. Seja como for, eles chegaram a ocupar cinco cidades principais, na faixa costeira da Palestina ou das proximidades, a saber, Azoto (Asdode), Gaza, Ascalom (Asquelom) (na costa marítima), Gate e Ecrom, estas duas últimas alguns quilômetros interior a dentro. Essas cidades constituíam a *pentápolis* dos filisteus. A região por eles ocupada era chamada *Filístia*. Esse território tinha apenas cerca de cem quilômetros de extensão, de norte a sul, e muito menos do que isso de largura, de leste a oeste.

IV. História

A história remota dos filisteus é obscura, tal como é obscura a origem deles. Portanto, é possível que eles fizessem parte da antiga história dos gregos, incluindo

FILISTEUS, FILÍSTIA

a do mar Egeu e a da ilha de Creta. As migrações, pois, conduziram-nos até às fronteiras do Egito, em Gerar. Uma alternativa é que fossem um povo que já se encontrasse naquela região desde muito tempo, cuja história anterior perdeu-se completamente. Seja como for, foi naquela região que eles viviam, durante o período dos patriarcas hebreus. Tanto Abraão quanto Isaque negociaram com um rei filisteu chamado Abimeleque, em Gerar. Alguns estudiosos pensam que essa referência é anacrônica, por pensarem que os filisteus só começaram a migrar para a Palestina em 1200 A.C. Até o momento não há qualquer prova extrabíblica para confirmar a presença dos filisteus, na região onde também viveu Abraão, na Palestina. Ver Gên. 21:32; 26:1. Por outra parte, não há qualquer evidência em contrário.

Ramsés III, Faraó do Egito, defendeu-se com sucesso das invasões dos chamados *povos do mar*, incluindo os filisteus (cerca de 1188 A.C.). Mas também sabemos que, nos séculos XII e XI A.C., existiam colônias de filisteus no delta do rio Nilo e na fronteira sul entre o Egito e a Núbia. No entanto, a maior parte dos filisteus estabeleceu-se na porção sudoeste da terra de Canaã, o que comentamos na terceira seção, acima, chamada *Território*. Presume-se que eles absorveram quase todos os outros povos, que estavam no lugar, antes de sua invasão. Com base em sua *pentápolis* (ver acima), eles assediaram seus vizinhos; e, durante o período dos juízes de Israel, tornaram-se os mais ferrenhos adversários de Israel. Isso tomou forma principalmente em associação ao juiz Sansão (Juízes 13 — 16), o que ocorreu no começo do século XI A.C. Eles então controlavam certas áreas pertencentes às tribos de Dã e Judá (Juí. 14:4 e 15:11), e muitos da tribo de Dã mudaram-se mais para o norte, na tentativa de obter alguma tranqüilidade (ver Juí. 18:11,29).

Foi o conflito contínuo com os filisteus que, historicamente, forçou a formação da monarquia de Israel, o que ocorreu por motivos de proteção. Davi declarou guerra aos filisteus, tal como se deu com Salomão, seu filho, o que sujeitou totalmente os filisteus à nação de Israel. Davi conquistou Gate e os territórios circunvizinhos (I Crô. 18:1) e, segundo presumimos, debilitou tremendamente aos filisteus. Salomão sujeitou Gezer (I Reis 9:16). Salomão controlava um território que ia desde as margens do rio Eufrates até à terra dos filisteus, e até às fronteiras com o Egito (I Reis 4:21). Ao que parece, eles continuaram controlando suas três cidades costeiras, mas então deixaram de ser uma ameaça militar para Israel.

Após a divisão da nação de Israel em duas partes, os reinos do norte e do sul (respectivamente, Israel e Judá), Judá não mais foi ameaçada pelos filisteus, embora Israel tivesse sofrido algumas pressões. Durante o reinado de Acaz (o décimo primeiro rei de Judá), os filisteus, entretanto, conseguiram reconquistar algumas de suas antigas possessões (II Crô. 28:18 e Isa. 14:28-32). Todavia, um ano mais tarde, Tiglate-Pileser III subjugou os filisteus, por causa de sua deslealdade. Naquela altura dos acontecimentos, os assírios tornaram-se o poder dominante na Palestina. Samaria teve de vergar-se diante dos assírios, e Judá, sob o reinado de Acaz, tornou-se um reino vassalo, retendo uma precária e incompleta independência. O rei Ezequias revoltou-se contra tal situação. Em sua rebelião, ele também atacou os filisteus, em Gaza (II Reis 18:8). Ezequias é o último rei, mencionado nas Escrituras, a ter qualquer ligação com os filisteus. O rei da Babilônia, Nabucodonosor, conquistou as cidades da Filístia e deportou para outros lugares os habitantes da região. Isso assinalou o fim permanente dos filisteus. Durante o tempo dos Macabeus, o território que antes pertencera aos filisteus ficou novamente sob o controle do povo de Israel. Entretanto, Pompeu, o romano, anexou a região, transformando-a em uma parte da província da Síria.

V. Elementos de sua Cultura

1. Religião. Juntamente com tantos povos antigos, os filisteus eram um povo intensamente religioso. Suas vitórias militares eram celebradas na *casa dos deuses* (I Sam. 31:9), para mostrar que eles dependiam de suas divindades, para delas receber ajuda. Eles levavam ídolos de seus deuses, às suas batalhas (II Sam. 5:21). Sabemos que os filisteus tinham três deuses principais, pelo que formavam uma sociedade politeísta. Esses três deuses foram Dagom, Astarote e Baalzebube, todos os três dotados de nomes de origem semítica. Essa circunstância tem encorajado alguns eruditos a pensar que os filisteus eram semitas, conforme se salientou na segunda seção, acima. Eles tinham templos em Gaza (Juí. 16:21; 23:30) e em Asdode (I Samuel) e, mui provavelmente, em Bete-Seã (I Crô. 10:10), onde Dagom era venerado. A fim de honrar Astarote, templos foram construídos em Asquelom (Heródoto, *Hist.* 1.105). Mui provavelmente, essa adoração é enfocada em I Sam. 31:10. Um templo em honra a Beelzebube foi construído em Ecrom (II Reis 1:1-16). Dagom (nome derivado de *dag*, «peixe») era para eles um poderoso deus. Ele era representado dotado de rosto e mãos humanos, mas com a cauda de um peixe (I Sam. 5:4). Foi para o interior desse templo que a arca da aliança, tomada dos israelitas, foi levada (I Sam. 5:2). Foi a essa divindade que os filisteus agradeceram, quando Sansão foi, finalmente, dominado (Juí. 16:23,24). Os guerreiros filisteus usavam pequenas imagens desse deus, quando se dirigiam à batalha (II Sam. 5:21). De mistura com sua religião havia a mágica e a adivinhação (Isa. 2:6).

2. Governo. Um governo unificado predominava na *pentápolis* dos filisteus. Cinco senhores (no hebraico, *seranim*) eram as principais autoridades deles. Como chefes de cidades, eles controlavam poderes menores na Filístia. A autoridade de um desses senhores (príncipes) podia ser anulada pela autoridade dos demais, visando ao bem de todos (I Sam. 29:1-7). Eles atuavam como governantes e conselheiros (I Sam. 5:8). Eles possuíam autoridade em sentido geral (Juí. 16:5,8), bem como um poder civil, executivo (I Sam. 5:11). Em tempos de guerra eles tornavam-se chefes militares (I Sam. 7:7; 29:1-7). Cada uma das cinco cidades filistéias controlava a região circunvizinha, porquanto eram cidades-estados. Todavia, não sabemos dizer como os principais chefes filisteus obtinham o poder, como eram selecionados.

3. Linguagem. É óbvio que uma vez na Palestina, os filisteus ou perderam o seu antigo idioma e adotaram uma língua semita, ou então seu idioma absorveu muitas palavras de origem semítica, especialmente nomes próprios. Certamente, todos os nomes da Bíblia associados aos filisteus, são de origem semita. Alguns pensam que a palavra que significa «senhores» ou «príncipes» (*seranim*) pode ser associada à idéia de «tiranos», uma palavra de origem asiática ou pré-grega. Alguns selos (sobre tabletes de argila) descobertos em Asdode assemelham-se à escrita cipriominoana, o que nos fala de uma origem cretense. Porém, não temos certeza se esses selos devem ser associados ou não aos filisteus. A linguagem desses selos permanece incerta até mesmo

FILISTEUS, FILÍSTIA — FILO JUDEU

quanto à sua origem.

4. As descobertas arqueológicas (ver a seção VI, abaixo) ilustram alguns elementos da cultura dos filisteus. As descrições sobre a armadura de Golias mostram-nos que eles estavam já dentro do primeiro estágio da Idade do Ferro, sendo claro que eles controlavam as fundições de ferro e mantinham Israel destituído de ferreiros (I Sam. 13:19-22). Fundições de ferro têm sido encontradas apenas em lugares que, antigamente, eram ocupados por filisteus, a saber, em Asdode, Tel Qasile, Tel Jemmeh e Tel Mor. Os filisteus também eram ourives competentes (I Sam. 6:4,5). De modo geral, eram competentes em várias artes e ofícios e a arqueologia tem demonstrado que, do ponto de vista material, a cultura deles era superior à cultura dos israelitas.

VI. Arqueologia

1. Mineração e Fundição. Descrevi isso sob a quinta seção, ponto quatro.

2. Inscrições. Sob o nome **prst**, os anais de Ramsés III (1185 A.C.) referem-se a esse povo. Essas inscrições aludem a aventuras militares. Já desde o século XIV A.C., nas cartas de Tel el-Amarna, há menção aos povos do mar, que talvez incluíssem os filisteus. Relevos feitos no templo de Medinet Habu mostram que esses povos chegaram com seus familiares e seus pertences em vagões e embarcações, e podemos supor que os *prst* faziam parte do grupo. Um outro grupo humano, os *tkr*, também faziam parte dos recém-chegados, são retratados como quem usava turbantes feitos de penas de aves, que se elevavam verticalmente de uma faixa horizontal. Um turbante similar foi encontrado em um disco de argila, encontrado em Faístos, na ilha de Creta. Esse turbante foi atribuído ao século XVII A .C., embora alguns estudiosos pensem no século XV A.C. As inscrições assírias mencionam a Filístia como um de seus inimigos. Uma inscrição de Adade-Nirari III (810 — 782 A.C.) é a primeira dessas inscrições. As inscrições de Tiglate-Pileser III, **Sargão** e Senaqueribe também mencionam esse povo. Documentos em escrita cuneiforme, do tempo do exílio de Judá na Babilônia, mencionam os filisteus entre os povos que foram deportados.

3. Cerâmica. Na Filístia têm sido encontrados objetos de cerâmica desde o século II A.C. A decoração dessas peças é similar à do material encontrado nas regiões do mar Egeu. De fato, alguns eruditos têm classificado vários itens como pertencentes à arte cerâmica micena, isto é, derivações de originais da área do mar Egeu. Porém, também há outras influências, como a cipriota, a egípcia e a palestina local. Os principais itens são canecas de cerveja coloridas de amarelo, com bicos (o que sugere que os filisteus eram bebedores de cerveja), xícaras, vários modelos de jarras, com coloridos em vermelho e preto, e muitos desenhos em espirais e círculos concêntricos e entrelaçados, imagens de aves e de animais.

4. Costumes de Sepultamento. Nenhum cemitério verdadeiro tem sido encontrado nas cinco principais cidades dos filisteus. Todavia, túmulos retangulares têm sido desenterrados em Tel Fara, parecidos com os túmulos da época micena. Esquifes de argila, com uma das extremidades dotada de relevo moldado, incluindo uma representação da cabeça e das mãos do falecido, também têm sido achados. Algumas vezes também foram incluídos braços moldados, em relevo, sobre a tampa dos esquifes. Alguns deles trazem aqueles turbantes com penas, que antes mencionamos. Esquifes similares têm sido encontrados no Egito, notadamente em Tell el-Yehudieh, no delta do Nilo.

5. Relevos em Medinet Habu. Desenhos feitos pelos filisteus, sob a forma de relevos, têm sido encontrados no templo de Ramsés III, em Medinet Habu, perto de Tebas, no Egito. As figuras humanas são retratadas como homens bem barbeados, usando capacetes decorados com canas ou penas, similares aos capacetes emplumados de Creta. As vestes deles incluíam o saiote curto da área do mar Egeu. Aparecem armados de lanças, espadins, escudos redondos e adagas triangulares. Essas armas contam-nos uma grande parte da história desses povos, no tocante aos israelitas. Essa história consistia, principalmente em guerras, matanças e conflitos que, algumas vezes, favoreciam um lado, às vezes outro. Tudo isso serve de triste comentário sobre a natureza decaída do homem, exibindo o guerreiro tribal violento, com seus deuses, que o encorajavam a continuar a matança. Até hoje os homens continuam se mostrando violentos. (AM DOT KA KE (1970) ND UN Z)

FILMER, SIR ROBERT

Suas datas foram 1588-1653. Foi um escritor político, nascido na Inglaterra. Educou-se em Cambridge e foi nomeado cavaleiro pelo rei Carlos I, da Grã-Bretanha. Embora os parlamentares tivessem saqueado a sua casa por muitas vezes, em protesto contra as suas idéias, ele permaneceu um leal apoiador do rei e um notável porta-voz do conceito do direito divino dos reis. Esse conceito insiste que os monarcas recebem de Deus a sua autoridade, e tende por permitir que os reis atuem de modo arrogante, como se fosse impossível que eles errem. Naturalmente, essa doutrina política tem alguma base bíblica, conforme se vê no décimo terceiro capítulo da epístola aos Romanos. Por isso mesmo, Filmer apresentava a sua defesa sobre bases essencialmente bíblicas. Ele procurava traçar essa noção, historicamente, desde Noé até os governantes dos estados europeus. Os ensinos dele foram publicados em seus livros, intitulados, em inglês, *The Power of Kings, Patriarchs,* e outros escritos. Ver o artigo separado sobre o *Direito Divino*.

FILO DE LARISSA

Viveu entre o segundo e o primeiro séculos A.C. Foi um filósofo grego, discípulo de Clitômaco, chefe da quarta academia de Platão; dirigiu conferências em Roma e conheceu Cícero. Era cético moderado. Uma de suas doutrinas, chamada *dogmatismo*, era similar à moderna realidade do bom senso (vide). O ceticismo seria apenas uma metodologia, e não a negação da existência do mundo espiritual. Por detrás desse ceticismo existiria o *Eulogon*, — ou seja, aquilo que é provável ou razoável. Portanto, ele tinha uma abordagem pragmática do conhecimento, enquanto que o ceticismo ocupava o lugar de uma teoria. Mediante este método, ele pensava que o homem é capaz de adquirir conhecimentos práticos e padrões morais, contanto que não nos ocupemos com a verdade última, que é insondável por parte do homem.

FILO JUDEU

Suas datas foram 30 A.C. até 50 D.C. Filo foi um importante filósofo-teólogo que estabeleceu um marco na história do judaísmo. Alguns têm dito que ele foi um

FILO JUDEU — FILOLAU

Moisés que falava o grego, ou um Platão que falava o hebraico. Ele foi um pouco de cada coisa. O que Tomás de Aquino representou para o cristianismo, Filo representou para a fé judaica. Ele procurou fazer uma espécie de reconciliação universal entre a erudição filosófica e a fé dos hebreus. Ele confiava que o *Logos* encontrou muitas maneiras de se comunicar, e que a revelação bíblica não é a única maneira de comunicação. Nesse caso, o raciocínio e a erudição filosóficos têm o seu lugar garantido, devendo ser incluídos em qualquer sistema filosófico - teológico inteligente. Dentro desse sistema, o estudo sobre o conhecimento é mais amplo do que o estudo meramente teológico e, desse modo, contribuições que não nos podemos dar ao luxo de perder de vista, são levadas em conta.

O sistema eclético e harmonizador de Filo combinava a antiga fé judaica com os modos helenistas (especialmente platônicos) de pensamento. De fato, Filo é o grande representante da atividade intelectual dos pensadores judeus da diáspora, no Egito helenizado. Seu trabalho não foi sistematizado, mas está contido em um comentário seu sobre as Santas Escrituras. Ele procurou demonstrar que toda a sabedoria dos gregos teve a sua origem nos ensinamentos de Moisés. Naturalmente, essa é uma tese impossível de ser confirmada; mas os labores de Filo trouxeram à tona muitas coisas em que podemos meditar com proveito. Ele explicava a relação entre Deus e o mundo em termos da doutrina do *Logos*. Quanto a isso, ele antecipou a posição do neoplatonismo. Ele repelia o ascetismo, declarando que não é o abuso contra o próprio corpo, mas o entusiasmo e o arrebatamento extático, ou seja, aquilo que ele denominava de *embriaguez sóbria*, é que pode transpor a distância entre o homem e Deus. Assim, ao mesmo tempo em que ele labutava para desenvolver princípios racionais, defendendo e expondo mediante os mesmos os assuntos iluminados pela revelação, também confiava nas experiências místicas, que fazem Deus tornar-se real para nós. Ver o artigo geral sobre o *Misticismo*.

A Interpretação Alegórica. Ver o artigo separado sobre esse assunto. Filo apelava para a interpretação alegórica a fim de explicar muitas questões históricas do Antigo Testamento. Personagens e eventos históricos tornavam-se personificações de idéias abstratas, virtudes e verdades teológicas. Os aspectos históricos, pois, eram ou ignorados ou relegados a uma importância secundária. Filo foi membro da escola alexandrina; e tanto os judeus quanto os gentios que seguiam essa escola, incluindo os chamados pais alexandrinos da Igreja (Clemente, Orígenes, etc.), apreciavam muito a interpretação alegórica do Antigo Testamento.

Sumário das Idéias Básicas e da Abordagem de Filo:

1. Moisés teria inspirado os melhores aspectos da filosofia grega, especificamente o platonismo e o estoicismo. Filo alegorizava porções do Antigo Testamento no esforço para provar essa tese.

2. Filo foi o fundador do que tem sido chamado de *teologia negativa*. Deus aparece ali como o próprio Ser, dotado de transcendentalidade, incapaz de ser abrangido pelas nossas descrições. Poderíamos compreender melhor a Deus quando limitamos a declarações racionalistas, afirmando o que Deus não é, em vez de tentarmos dizer, racionalmente, o que ele é. Essa tentativa visava a evitar as descrições antropomórficas de Deus, sem importar quanto de verdade as mesmas continham, porquanto elas seriam, automaticamente, extremamente inexatas.

3. O contacto com Deus não se faz mediante proposições teológicas, e nem é atingido mediante o conhecimento íntimo dele. Antes, aproximamo-nos de Deus através de uma experiência mística, em arrebatamento e êxtase. Parte disso consiste no esforço do homem de se libertar da servidão ao pecado. A revelação é um modo válido de comunicação.

4. As *idéias* (universais) de Platão existiam desde todo o sempre na mente de Deus (pelo que teríamos um divino conceptualismo). O Logos é o mediador dos universais na criação. Isso posto, ele seria o criador e o diretor das emanações das idéias de Deus nos mundos físico e espiritual. Essa maneira de pensar é platônica, antecipando a posição do neoplatonismo (vide).

5. Filo promovia a idéia de uma hierarquia de seres espirituais, como a Sabedoria Divina, o Homem Divino, o Espírito, ordens de anjos, etc., idéias essas que têm paralelos no judaísmo sincretista, no gnosticismo, no neoplatonismo, e até mesmo em certos trechos do Novo Testamento, como em Efésios 1:21 e 6:12.

Escritos: Concerning the Artisan of the World; The God is an Immutable Being; On the Contemplative Life; On the Eterning of the World. (AM E EP P)

FILODEMO DE GADARA

Ele viveu durante o século I A.C. Foi um filósofo helênico, nascido na Síria. Estudou em Atenas, sob os cuidados de Zeno de Sidom e de Demétrio da Licaônia. Ele foi o chefe de um tipo de escola epicuréia, em Nápoles, na Itália. Promovia um método empírico de adquirir conhecimentos, em oposição geral aos estóicos. Ele considerava as regras da retórica como prováveis e sempre alicerçadas sobre a experiência. Sofreu alguma influência da parte de Cícero (vide). Sua principal obra escrita foi *Sobre Os Métodos de Inferência.*

FILOLAU

Um filósofo grego, discípulo de Pitágoras, nascido em meados do século V. A.C. Vinte fragmentos lhe são atribuídos, embora pareçam ser obras forjadas pós-aristotélicas. Ele sobreviveu ao incêndio provocado na escola pitagoreana em Crótona e levou a filosofia grega ao continente europeu. Sistematizou a doutrina pitagoreana, julgando que o fogo seria o elemento básico em todas as coisas. Ele supunha que a natureza é controlada e harmonizada pela oposição entre os princípios das coisas limitadas e das coisas ilimitadas. A alma humana seria uma prisioneira do corpo, uma entidade espiritual capturada pelo pecado, neste mundo material. Trabalhava manuseando números, como: $1 =$ ponto; $2 =$ linha; $3 =$ superfície; $4 =$ sólido. E pensava que os números eram a base de todas as coisas, o que representa um passo na direção da teoria atômica. Aos quatro elementos básicos tradicionais, a terra, o ar, o fogo e a água, ele acrescentava um quinto elemento, o *éter*. Ele pensava que a terra estava em movimento, reconhecia o sistema solar, e opinava que dentro do mesmo há um fogo central e uma terra secundária. Daquele fogo central teriam emergido a contraterra, a terra, a lua, o sol, os vários planetas e as estrelas fixas. Todos esses corpos celestes, incluindo o sol, rebrilhariam mediante luz refletida do fogo central.

••• ••• •••

FILÓLOGO — FILOSOFIA

FILÓLOGO

O vocábulo grego significa «amante da erudição», e talvez até «erudito». Foi o primeiro dos cinco cristãos aos quais Paulo enviou saudações (Rom. 16:15), presumivelmente da igreja de Roma, ou, talvez, da Ásia Menor, em Éfeso, se é que o 16º capítulo de nossa epístola aos Romanos faz parte de uma epístola distinta, que foi posta como apêndice da epístola original aos Romanos. Ver o artigo sobre a *Epístola aos Romanos*, oitava seção, *Integridade*, nos últimos parágrafos, onde o problema é abordado. Doroteu fez dele um dos setenta discípulos especiais, referidos no décimo capítulo de Lucas, quando afirmou que o apóstolo André o enviara a Sinope, no Ponto, para atuar como superintendente, naquele lugar. Tradições como essas usualmente têm pouco valor histórico, e são mais adições românticas, que visam preencher os hiatos em nosso conhecimento. É possível que esse homem tivesse uma igreja em sua casa. Visto que seu nome é vinculado ao de Júlia, ele pode ter sido seu marido ou seu irmão. Nereu e sua irmã, mencionados juntamente com eles, podem ter sido seus filhos. Novamente, porém, confessamos que estamos falando apenas conjecturalmente.

FILOPONO, JOÃO

Foi um filósofo helênico dos fins do século V e do começo do século VI A.C. Nasceu em Cesaréia. Foi um pensador neoplatônico tipo alexandrino, talvez um monofisista cristão. Ensinava o triteísmo, em vez do trinitarianismo. Desenvolveu idéias cosmológicas, de mescla com o pensamento cristão. Ele ensinava que Deus é o Criador de todas as coisas, tendo estabelecido as leis naturais para controlar as coisas; referia-se aos corpos celestes como perecíveis, e não divinos. Esboçou uma doutrina do ímpeto e falou sobre o fluxo da luz. Essas idéias contrariam os ensinos de Aristóteles e têm um toque de modernidade. Tais idéias influenciaram os filósofos islâmicos e escolásticos. *Seus Escritos: Sobre a Eternidade do Cosmos Contra Proclo; Sobre a Criação do Mundo; Comentários Sobre a Física de Aristóteles; Sobre a Geração e a Corrupção; Meteorologia; Sobre a Alma.*

FILOSOFEMA

Esse termo vem do grego **philosophema**. O vocábulo indica uma proposição ou demonstração filosófica. Aristóteles usava a palavra para indicar os raciocínios e demontrações filosóficas, em contraste com a retórica, a erística e a dialética.

FILOSOFIA

A filosofia tem-nos ensinado que termos sugestivos como beleza, justiça, amor, etc., não admitem definição. Quando muito, podemos apenas oferecer descrições a respeito, na esperança de que daí emerja alguma noção sobre o seu significado. Por certo, entre os termos indefiníveis, está a própria palavra «filosofia». Esta enciclopédia provê muitos artigos separados sobre os vocábulos e os sistemas filosóficos, como também sobre os próprios filósofos. Portanto, no presente artigo damos apenas uma generalização relativamente breve sobre o assunto.

Esboço:
I. A Palavra
II. Definições e Caracterizações
III. Sistemas Tradicionais
IV. Períodos Principais da História da Filosofia

V. A Filosofia e a Fé Religiosa

I. A Palavra

A palavra «filosofia» deriva-se de duas palavras gregas, *philein*, «amar», e *sophia*, «sabedoria». Ao que sabemos, o primeiro homem a usar essa palavra foi Pitágoras, em cerca de 600 A.C. Ele referiu-se a pessoas chamadas «sábias» (no grego *sófoi*), embora negando que qualquer ser humano fosse realmente sábio, ao dizer: «Nenhum homem é sábio, mas somente Deus. E as pessoas que têm interesse pelas coisas divinas são *buscadoras da sabedoria*», isto é, são os filósofos. De maneira similar, Platão declarou: «Fedro, o nome sábio me parece demasiado grande, adequado somente para a divindade. Mas o amigo da *sabedoria* (o filósofo), ou outro parecido, ir-lhes-ia melhor, e não destoaria tanto» (Fedro, 278 d).

Sócrates empregava a idéia de *buscadores da sabedoria* (amigos da sabedoria), em contraposição àqueles que prentendem possuir a sabedoria, mas que, na realidade, não são sábios, como os sofistas (segundo a sua estimativa).

Na antiguidade, o vocábulo filosofia referia-se tanto à atividade do filósofo como também aos sistemas segundo os quais essa atividade tinha lugar. O apego à sabedoria leva o homem a buscá-la, e é, então, que aflora o conhecimento sobre os princípios fundamentais em qualquer campo do conhecimento humano. Portanto, há uma filosofia específica para cada ramo do conhecimento, embora a filosofia tradicional encerre seis sistemas, que são caracterizados sob a seção III, abaixo.

II. Definições e Caracterizações

Entre as muitíssimas tentativas para definir a *filosofia*, temos escolhido algumas poucas mais representativas:

1. A *definição da filosofia* é decidida dentro da filosofia somente através de seus conceitos e meios. Ela é, por assim dizer, o primeiro dos seus próprios problemas. Cada sistema fornece uma definição tentativa para explicar a filosofia, através de olhos restritivos e especializados. Assim surgiram os sistemas da gnosiologia, da ética, da estética, etc., cada qual com uma definição especializada.

2. A *filosofia* é o saber a respeito das coisas, a direção ou orientação para o mundo e para a vida e, finalmente, consiste em especulações acerca da forma ideal de vida.

3. *Platão* concebia a filosofia como aquela atividade que leva ao descobrimento da realidade, ou verdade absoluta, obtida através da dialética.

4. *Aristóteles* acreditava que a filosofia começa com um senso de *admiração* e *respeito*, diante da vastidão e grandiosidade das coisas. E a atividade filosófica sonda o conhecimento em geral. Portanto, a totalidade do conhecimento humano, bem como os modos de se chegar a esse conhecimento, é que constituem a filosofia. Mas isso envolve apenas a filosofia geral. Para ele, a filosofia fundamental seria a *teologia*, que aborda os princípios e as causas últimas, o que inclui a idéia da divindade, que é o principal de todos os princípios, a Causa de todas as causas.

5. As definições restritas e clássicas ocorrem em pensadores de menor envergadura, como Hegesias (vide), os quais pensam que a filosofia é aquela atividade mental que nos ensina como buscar os prazeres e evitar a dor.

6. Para o *neoplatonismo*, a filosofia, na realidade, seria uma religião, mediante a qual o indivíduo aprende como buscar e obter a *união* com o divino.

FILOSOFIA

7. Durante a *Idade Média*, para a maioria dos filósofos, a filosofia seria a grande serva da teologia, uma disciplina utilizada pela Igreja, mediante a qual os dogmas e as crenças religiosas são examinados, compreendidos e melhor defendidos. Para outros, porém, a filosofia é uma intrusa, que somente ameaça a fé biblicamente alicerçada. Para Tomás de Aquino, a filosofia teria sido uma provisão racional de Deus, para que pudéssemos compreender melhor as realidades religiosas, capaz de abordar todas as coisas, exceto a explicação dos verdadeiros e mais profundos mistérios. Para ele, onde o raciocínio filosófico cessa, a fé completa o curso a ser percorrido. Ele também pensava que a filosofia é aquele processo de raciocínio que examina o universo e obtém, acerca do mesmo, uma interpretação abrangente e plena.

8. Para *Descartes*, a filosofia é a elucidação da verdade final, através do método da dúvida e do conseqüente reexame. Só poderiam ser aceitas como verdadeiras aquelas coisas sobre as quais não restam mais dúvidas; e, mediante a teoria da coerência da verdade, outras proposições são então estabelecidas.

9. *Saint Simon* acreditava que a filosofia é aquele meio através do qual podemos pôr em harmonia, em nossa mentalidade, os elementos do mundo, que parecem desligados uns dos outros.

10. *Hegel* pensava que a função da filosofia é deduzir categorias, isto é, os conceitos básicos necessários para a interpretação de qualquer realidade ou ato, ou a natureza mesma das coisas. Todas as coisas, operando individual e coletivamente, expressariam o Espírito Absoluto, que atua através da tríada de tese, antítese e síntese.

11. *Cousin* opinava que a filosofia é aquela atividade que classifica e interpreta a experiência humana.

12. *Spencer* ensinava que a filosofia é uma disciplina sintética, que incorpora muitos campos de inquirição, unificando-os através de princípios universais. Ele acreditava que a evolução é básica, unificando as idéias de todos os campos do conhecimento, da experiência e do ser.

13. *Bergson* asseverava que a filosofia é, essencialmente, uma função intuitiva, que nos brinda com a compreensão sobre a realidade básica. Segundo ele pensava, a razão engendra muitas falácias.

14. Os *filósofos lingüísticos*, como Schilick, acreditam que a tarefa da filosofia consiste em explorar a lógica da ciência, produzindo a purificação da linguagem filosófica.

15. *C.D. Broad* distinguia entre a filosofia especulativa e a filosofia crítica. É tarefa da filosofia elaborar muitas explicações alternativas no tocante a qualquer assunto, e então, mediante a análise crítica, selecionar entre as melhores alternativas.

16. *Heidegger* pensava que a atividade dos filósofos tem por intuito *redescobrir* o significado do Ser, uma herança antigamente possuída (segundo ele pensava) pela filosofia grega.

17. *Bonhoeffer* distinguia entre o que ele chamava de filosofias da ação (que enfatizam o ser humano) e filosofias do ser (que enfatizam alguma divindade histórica).

18. *William James* descrevia a filosofia como «a tentativa para pensar de maneira clara e metódica, acerca de certas noções ou conceitos que sempre estão girando em nossos pensamentos, e que parecem necessários para nosso processo de pensamento, mas sobre os quais as ciências especiais nada nos dizem».

19. *G.T.W. Patrick* definia a filosofia como a tentativa para combinar as experiências comuns da vida, por um lado, com os resultados das ciências especiais, por outro lado, formando uma teoria mundial coerente e harmônica.

20. Os *positivistas* concebem a filosofia como aquela atividade que procura definir um sentido prático e fornecer uma devida ordem ao método científico, e não aquela fútil tentativa de chegar à verdade final e a um conhecimento certo.

21. Os *pragmatistas* pensam na filosofia como aquela atividade que descobre, dentro da experiência humana, aquilo que é prático, benéfico e útil, e não apenas o que é teoricamente certo, verdadeiro e perfeito.

22. *A definição mais básica* de todas: A filosofia é *a história das idéias*.

III. Sistemas Tradicionais

Todos os campos de pensamento e de atividades têm suas respectivas filosofias. Há uma filosofia da biologia, da educação, da religião, da sociologia, da medicina, da história, da ciência, etc.; mas os *seis sistemas tradicionais*, que entraram na filosofia por meio de Sócrates, de Platão e de Aristóteles, são os seguintes: 1. a Lógica; 2. a Estética; 3. a Ética; 4. a Política; 5. a Gnosiologia (ou Epistemologia); e 6. a Metafísica. Consideremos agora, particularmente, cada um desses seis sistemas:

1. A Lógica. Esse sistema aborda os princípios do raciocínio, suas capacidades, seus limites, seus métodos, seus erros e suas maneiras exatas de expressão. Trata-se de uma ciência normativa, que investiga os princípios do raciocínio válido e das inferências corretas, ou partindo do geral para o particular (lógica dedutiva), ou partindo do particular para o geral (lógica indutiva). A *lógica formal* é a arte do raciocínio dedutivo, aquele ramo da lógica que estuda somente a estrutura formal das proposições, bem como as operações mediante as quais deduzimos conclusões. A lógica *simbólica* ou *matemática* é um desenvolvimento da lógica formal, em que a ambigüidade das proposições verbais e das operações que se fazem com base nas mesmas, chega a ser reduzida a um mínimo mediante o uso rigoroso de símbolos, cada um dos quais tem apenas um ponto de referência, dentro de um dado contexto.

Comentários e Descrições:

a. A *lógica dedutiva* foi formulada por Aristóteles. Ali empregam-se os silogismos, conforme o exemplo abaixo:

> *Todos os homens são mortais;*
> *Sócrates é um homem;*
> *Logo, Sócrates é mortal.*

Acima temos um silogismo legítimo. Mas também há silogismos que não são legítimos, como este outro:

> *Todos os gatos são animais;*
> *Todos os cães são animais;*
> *Logo, todos os gatos são cães.*

Há dezenove formas legítimas de silogismo, além de um outro número, ainda maior, de silogismos ilegítimos. Um silogismo contém três proposições. As duas primeiras proposições (representadas pelas duas primeiras linhas), são as *premissas*; e a terceira proposição é a *conclusão*. A primeira premissa é chamada maior («todos os homens são mortais»); a segunda premissa é chamada menor («Sócrates é um homem»). O termo principal, nesse caso, é *mortal*; o termo menor é *Sócrates*; e o termo médio é *homens*. A lógica dedutiva ensina-nos quais formas e manipulações dos silogismos são válidas, e quais não o são, de acordo com leis específicas.

b. A *lógica indutiva* parte do particular para o geral. Emprega partículas de raciocínio e, com base

FILOSOFIA

nas mesmas, tira uma inferência, que é a sua conclusão. Para exemplificar: a vibramicina tem sido submetida a muitos testes; cada teste contribui com sua informação acerca das circunstâncias, e em que extensão, esse medicamento pode curar certas enfermidades. Seus limites e efeitos colaterais foram determinados; quanto ao fator tempo, por quanto tempo pode ser usado, no caso de cada doença. Com base nesse grande número de *particularidades*, pode-se formular uma declaração acerca da capacidade de cura desse medicamento, que é a conclusão da questão.

c. A *lógica experimental* é o nome aplicado ao sistema filosófico de John Dewey (vide). A verdade que há em qualquer dada situação, ou o valor das idéias só pode ser determinado através de uma contínua experimentação, onde cada conclusão torna-se uma nova premissa, de tal modo que a experimentação nunca chega ao fim, e nem são descobertas verdades absolutas e finais. Cada verdade descoberta serve de motivo para novas investigações.

d. A *lógica simbólica* ou *matemática* é definida sob o primeiro ponto, *Lógica*, no começo deste artigo.

e. A *lógica metafísica*, como no sistema de Hegel (vide), pressupõe que há forças naturais que atuam através da tríada composta por tese, antítese e síntese, que fazem parte da dialética. O Espírito Absoluto manifesta-se em todos os seres, circunstâncias e instituições, mediante esse modo de operação. *Ilustração*: 1. As religiões orientais salientam a comunidade, ou aquilo que é universal; 2. a religião grega enfatizava o indivíduo; 3. o cristianismo resultaria da tensão entre esses dois pontos de vista religiosos (que seriam a tese e a antítese), e torna-se uma síntese do individual com o universal, enfatizando ambos os elementos como uma unidade e uma qualidade resultante.

2. A Estética. Esse vocábulo vem do grego **aisthesis**, «sensível», a palavra é empregada para designar a filosofia das belas artes: a música, a escultura e a pintura. Esse sistema procura definir qual seja o propósito ou ideal orientador das artes (a definição da beleza), apresentando descrições da atividade que apontam para certos alvos. Alguns dizem que arte consiste, essencialmente, em: a. adultos brincando com novos brinquedos; b. transmissão das emoções; c. discernimentos intuitivos quanto à natureza das coisas; d. uma maneira de experimentar o prazer, etc. Temos oferecido ao leitor um artigo separado sobre esse assunto, sob o título, *Arte*. —No seu segundo ponto, *Principais Teorias da Estética*, damos as vinte teorias básicas sobre o que seria a arte.

3. A Ética. Essa é a investigação no campo da **conduta ideal**, bem como sobre as regras e teorias que a governam. Apesar da própria palavra grega, *ethos*, referir-se a costumes e disposições, a ética formal assevera que existem regras permanentes que são impostas ao homem, supondo-se que o homem não é o originador das normas da ética. Por outra parte, existem aqueles filósofos que insistem em que o sentido básico da palavra indica a natureza essencial dessa atividade, e que as regras éticas são produtos da experiência humana, que opera através de tentativa e erro. Alguns pensam que o senso de *dever* é o guia da conduta ideal, enquanto que outros opinam que o *prazer* é esse princípio. A ética religiosa faz *Deus* ser o alvo de toda a conduta ideal. Mas também há aqueles que apontam para a *utilidade* e para os resultados práticos e benéficos como esse alvo. Temos apresentado um detalhado artigo sobre a *Ética*, com muitas teorias e ilustrações. O vocábulo português

«moral» vem do latim, *mos, moris*, que significa «costume», «hábito», «voluntariedade», «capricho». E esse vocábulo, tal como o termo grego, *ethos*, aponta para o fator humano como o elemento mais importante na produção dos costumes éticos. Porém, alguns filósofos pensam que a nossa *moral* é divinamente ordenada.

4. A Política. Ver o artigo separado sobre a **Filosofia Política**. O vocábulo política vem do grego, *polis*, «cidade». A política, pois, procura determinar a *conduta ideal* do Estado, pelo que seria uma ética social. Ela procura definir quais são o caráter, a natureza e os alvos do governo. Trata-se do estudo do governo ideal.

5. A Gnosiologia (Epistemologia). Essa é a disciplina que estuda o conhecimento em sua natureza, origem, limites, possibilidades, métodos, objetos e objetivos. A palavra «gnosiologia» vem do grego *gnosis*, «conhecimento», e *logia*, «estudo», «consideração». E a palavra «epistemologia» vem do grego *episteme*, «conhecimento», e *logia*, «estudo». O uso dessas duas palavras é levemente diferente em inglês e em português. Em inglês, o termo *epistemologia* fala sobre a teoria geral da verdade, um sentido que, em português, é dado à palavra *gnosiologia*. Em nosso idioma, a *epistemologia* refere-se à filosofia do conhecimento científico. Nesta enciclopédia apresentamos dois artigos que ajudarão o leitor a compreender melhor a gnosiologia. Ver sobre o *Conhecimento e a Fé Religiosa* (que apresenta os principais sistemas e as principais teorias da verdade), e também *Epistemologia*, que oferece detalhes adicionais.

6. A Metafísica. No grego temos as palavras **metá**, «após», e **phísica**, «física». Essa palavra teve origem nas obras de Aristóteles, referindo-se simplesmente àquela seção de seus escritos que vinham após o seu tratamento sobre a física. Mas, visto que essa seção abordava assuntos que atualmente denominamos de *metafísica*, tal palavra veio a indicar o estudo das coisas que ultrapassam às entidades físicas. Basicamente, o termo refere-se à investigação quanto à *verdadeira natureza* de qualquer coisa. Popularmente, refere-se a considerações e especulações concernentes a entidades, agências e causas não materiais. A metafísica aborda assuntos como Deus, a alma, as causas, o propósito, o destino, a liberdade, o determinismo, o livre arbítrio, o monismo, o dualismo, o materialismo, o idealismo, a antropologia, a ontologia, a cosmologia, a imortalidade, a teleologia, o problema do mal, etc. Temos apresentado um artigo separado sobre a *Metafísica*, que inclui, em primeiro lugar, suas muitas definições.

Outra Divisão das Disciplinas Estudadas na Filosofia

A. Teoria do Conhecimento:

    1. Lógica
    2. Gnosiologia
    3. Epistemologia

B. Teoria dos Valores:

    1. Axiologia (teoria geral)
    2. Ética
    3. Estética
    4. Filosofia da Religião

C. Teoria do Homem e do Mundo:

    1. Antropologia
    2. Cosmologia (Metafísica)
    3. Teologia

FILOSOFIA

IV. Períodos Principais da História da Filosofia

1. Filosofia Pré-Socrática (séculos VII a V A.C.). As principais investigações dessa filosofia diziam respeito ao desejo de distinguir os elementos básicos do Universo. Essa investigação poderia ter sido totalmente materialista, ou poderia ter sido pampsíquica. É provável que, nas mãos de outros filósofos, poderia ter sido uma coisa ou outra, ou ambas. Quando Tales (vide) afirmou que tudo estava *cheio de deuses*, ele pode ter querido dizer que nada existe que não tenha alguma força controladora divina ou psíquica, como elemento motivador. Ou apenas poderia ter usado um modo poético de exprimir poderes inerentes, naturais e materiais que atuam sobre as coisas. Xenófanes (vide) voltou sua atenção para a investigação de Deus e da ética social. E, na parte final desse período, os sofistas (vide) abandonaram a metafísica, fazendo da ética o alvo de suas investigações. Quanto a esse período ver os artigos separados sobre os seguintes filósofos: Tales, Anaximandro, Anaxímenes, Xenófanes, Heráclito, Parmênides, Anaxágoras, Empédocles, Demócrito e Protágoras.

2. O Período Clássico, o período áureo da filosofia grega; Sócrates, Platão e Aristóteles (470 — 322 A.C.). Durante esse período desenvolveram-se os seis sistemas tradicionais da filosofia, pelo que a investigação filosófica cobria todas as possibilidades tradicionais de investigação. Sócrates foi, antes de tudo, um filósofo ético; Platão também o foi, mas adicionou a metafísica, a gnosiologia, a política e a estética, e antecipou a lógica em sua dialética e nos elementos de sua gnosiologia. Aristóteles deu continuação a essas investigações, tendo adicionado a lógica formal dedutiva. Ver os artigos separados sobre esses três gigantes do mundo da filosofia.

3. As Escolas Éticas, o Ceticismo, o Ecleticismo, o Helenismo (de 350 A.C. até à era cristã). Com Aristóteles terminaram os grandes sistemas especulativos da filosofia grega clássica. A vida política e social dos gregos começou a ruir. Então a filosofia voltou-se da busca pelos grandes mistérios para as preocupações humanitárias, para o homem em sua conduta, ideais e problemas. Alguns voltaram-se para as religiões orientais, em busca da definição do homem e de seu mundo; outros frisaram os sistemas e inquirições éticas. A filosofia salientava a ética acima de tudo o mais, e várias escolas surgiram em cena. Porém, o ceticismo também mostrava-se forte, tendo havido uma espécie de degeneração nas filosofias de Platão e Aristóteles. A própria filosofia deixou de ser uma disciplina separada e refugiou-se na religião, no neoplatonismo, nas religiões orientais e no cristianismo.

a. *Escolas Éticas*: Epicureanismo e estoicismo. Ver os artigos separados sobre *Escolas Filosóficas do Novo Testamento*, e sobre cada título em separado. Ver também o artigo sobre *Ética*, onde se discute sobre essas duas escolas.

b. *Ceticismo*. Ver o artigo separado sobre esse assunto. Antes de Cristo temos a considerar Pirro de Elis, Timão, Argesilau, Carnéades, Clitômaco e Enisidemo, sobre os quais temos apresentado artigos separados. Quando as Academias de Platão e Aristóteles degeneraram, assumiram uma postura um tanto cética.

c. *O Ecleticismo*. Ver o artigo separado sobre esse assunto. O ecleticismo é uma filosofia do bom senso, onde os bons elementos são escolhidos dentre vários sistemas e combinados para formarem uma síntese. O pensamento eclético debilitou o dogmatismo e

encorajou o intelectualismo e o livre pensamento. Quando a Macedônia foi militarmente conquistada pelos romanos, a Grécia foi reduzida a uma província romana. Os romanos eram grandes pensadores ecléticos, e não pensadores originais.

4. A Filosofia Refugia-se na Religião (de 350 A.C. até o começo da era cristã). Esse período justapõe-se ao período anterior. Enfatizou-se aqui como, gradualmente, a filosofia deixou de ser uma disciplina distinta, tendo-se tornado serva de sistemas religiosos. À medida que foi declinando a cultura clássica, a filosofia foi-se transformando em um misticismo religioso. As especulações gregas vieram fundir-se às fés egípcia, caldaica, judaica e cristã. O principal sistema resultante dessa mistura foi o gnosticismo.

a. *No Judaísmo*. As filosofias de Aristóteles e Platão (sobretudo deste último), influenciaram o judaísmo. Filo (30 A.C. a 50 D.C.) tem sido comparado com Moisés a falar o grego, ou com Platão a falar o hebraico. Ver o artigo separado sobre ele, quanto a detalhes. Uma filosofia judaica grega floresceu em Alexandria. Foi naquela cidade que as Escrituras judaicas foram traduzidas para o grego, a versão intitulada Septuaginta (vide). Isso fez parte do processo de amalgamento.

b. *O Neopitagoreanismo* (vide) foi a tentativa para criar uma religião mundial com base na doutrina de Pitágoras (vide). Após a sua morte, a sua escola continuou propagando as suas idéias, embora, finalmente, ela tenha desaparecido de cena, ou se tenha ligado ao neoplatonismo. As sociedades secretas de Pitágoras, com seus mistérios, foram mantidas e encorajadas no mundo romano. Era um sistema que frisava o conhecimento divinamente revelado e a filosofia eclética.

c. *O Neoplatonismo* (vide) teve três representações principais: 1. *A Escola de Plotino*. Ver sobre Amônio Saco, Plotino e Porfírio. 2. *A Escola Síria*. Ver sobre *Jamblico*. 3. *A Escola Ateniense*. Ver sobre Plutarco, o Moço, e sobre Proclo. O neoplatonismo ensinava que Deus é a fonte originária de todas as coisas: Deus é corpo, mente, matéria e forma; a causa sem causa. Ele é o Único, excluindo toda pluralidade e diversidade; Ele contém todas as coisas e está acima do ser, acima de qualquer explicação. Dele emanam-se todas as coisas, em três estágios: em primeiro lugar, o pensamento, a mente, a inteligência. Em segundo lugar, a alma, inferior à mente, uma cópia do pensamento puro. Volve-se para o pensamento puro, por um lado, mas para a matéria, por outro lado. Essa é a alma do mundo, da qual as almas humanas individuais são uma parte. Em terceiro lugar, a mais inferior de todas as emanações é o corpo físico. Apesar de residir na pluralidade, tem o selo do Absoluto.

d. Confrontação e amalgamento com o **cristianismo**. Ver sobre o quinto ponto.

5. Confrontação e Amalgamento com o Cristianismo, a era primeira e patrística do cristianismo. Durante esse período, teve prosseguimento a filosofia eclética romana. Encontramos ali Cícero, o eclético, e também Sêneca, Epicteto e Marco Aurélio, que enfatizavam o estoicismo de maneira eclética modificada. O neoplatonismo prosseguiu durante esse período como um grande movimento.

a. *O voto contrário*. Os pais latinos da Igreja, Tertuliano, Arnóbio, Lactâncio e outros, rejeitavam a filosofia como um produto do paganismo.

b. *O voto favorável*. Os pais gregos da Igreja, Justino Mártir, Clemente de Alexandria, Orígenes, e vários níveis de cristãos neoplatônicos, pensavam que

FILOSOFIA

os melhores aspectos da filosofia grega agiam como um mestre escola, conduzindo os gentios a Cristo, tal como a lei mosaica fizera com os judeus. Esses usavam a filosofia grega como uma maneira de explicar as doutrinas cristãs. Platão parecia-lhes especialmente útil com essa finalidade. Qualquer pessoa que estude as idéias de Platão haverá de entender o porquê. Ele tem excelentes coisas a dizer, capazes de aclarar a maneira em que concebemos a religião. Alguns dos primeiros pais da Igreja supunham (sem dúvida de modo incorreto) que o próprio Platão sofrera a influência de idéias do Antigo Testamento.

6. A Filosofia Pré-Idade Média, Pré-Escolástica (350 — 900 D.C.). Agostinho (vide) foi a linha de separação entre a especulação patrística e a especulação escolástica. Agostinho foi o maior de todos os pais latinos da Igreja. Não houve igual ao Agostinho, como filósofo teólogo, desde Paulo até Tomás de Aquino. O artigo geral acerca dele fornece detalhes sobre o seu pensamento. Além dele temos Boethius (vide), como um dos principais filósofos desse período. John Scotus Erigena foi o precursor do escolasticismo. Suas datas foram 800-877 D.C.

7. O Escolasticismo. Alguns datam os primórdios desse movimento já no século VII D.C., fazendo-o prolongar-se até o século XV D.C. Seja como for, chegou ao seu ponto culminante nos séculos XII e XIII. Temos oferecido um artigo separado sobre o assunto. Esse nome alude aos *homens de escola*, os mestres universitários, filhos da Igreja Católica Romana, que controlavam o sistema educacional da Europa, durante a Idade Média. O sistema estava alicerçado sobre o manuseio filosófico da fé cristã, destacando-se as idéias filosóficas de Platão e Aristóteles, mas, especialmente, a lógica e a metafísica do último deles. O maior filósofo desse período foi Tomás de Aquino. A filosofia dele continua sendo uma poderosa força tanto no seio da Igreja Católica Romana quanto no mundo filosófico. Os principais filósofos teólogos desse período foram Anselmo (1033-1109), Roscelino (1050-1122), Guilherme de Cjampeaux (1070-1121), Pedro Abelardo (1079-1142), Pedro Lombardo (cerca de 1164), Bernardo de Clairvaux (1091-1153), João de Salisbury (1115-1180), Alexandre de Hales (falecido em 1245), Alberto Magno (1193-1280), Tomás de Aquino (1225-1274), Boaventura (1121-1274), Rogério Bacon (1214-1294), João Duns Scotus (1226-1308). Ver os artigos separados sobre cada um desses homens.

8. Prelúdio para a Filosofia Moderna (1400-1500). O trabalho e o espírito das filosofias de Rogério Bacon, Duns Scotus e Guilherme de Occam possibilitaram o surgimento da filosofia moderna. Eles afirmavam que a filosofia deveria ser uma inquirição livre e independente, e não uma mera serva da teologia. Finalmente, isso chegou à plena fruição quando a filosofia foi capaz de repelir a reivindicação de autoridade da Igreja Católica Romana, tornando-se um campo independente de conhecimento e pesquisas. Tanto a filosofia quanto a política têm-se mostrado subservientes à teologia e à Igreja Católica Romana. Porém, com o tempo, o papado foi declinando em seu poder, e muitos escritores católicos romanos começaram a mostrar certa independência em seus pensamentos.

A Renascença (vide) e a Reforma Protestante (vide) lançaram os alicerces para um novo pensamento e para novas teorias e atividades políticas.

Nicolau Maquiavel (vide) (1469-1527), um diplomata italiano e a principal figura política da Itália, lutou por uma Itália independente, livre da dominação exercida pela Igreja Católica Romana nos campos da política, da ciência e da religião. Começaram a surgir novas teorias políticas. Assim, Hugo Grotius (1583-1645) promoveu a doutrina do absolutismo dos governantes, com base no dirieto divino dos reis, expressando isso mediante uma lei natural. Rousseau reagiu contra tal noção, algum tempo depois, tendo promovido os ideais da democracia. Jean Bodin (1530-1596) advogava a teoria que diz que o Estado repousa sobre a razão e a natureza humanas, dando grande importância à opinião popular. O absolutismo persistiu até o século XVIII. Porém, Althusius (1556-1638) exerceu influência sobre o mundo político ao lançar os alicerces para as monarquias e democracias constitucionais.

A Renascença (vide), dos séculos XIV a XVI, foi um período de reavivamento das letras e das artes na Europa, tendo atuado como um período de transição entre a Idade Média e a História Moderna. Um novo interesse pelos clássicos foi uma das questões predominantes durante esse período, e assim foi lançada a base para a ciência moderna.

A Reforma Protestante (século XVI) (vide), foi um rude golpe contra o monopólio da Igreja Católica Romana. Lutero e Calvino retrocederam à teologia e ao misticismo de Agostinho; Zwínglio foi marcantemente influenciado pelo neoplatonismo. Jacó Boehme (1575-1642) enfatizava o misticismo. Herberto de Cherbury (1583-1648) construiu uma filosofia da religião sobre a metafísica natural, e não sobre a metafísica sobrenatural. O *humanismo* (vide) ganhou terreno. O ceticismo e o empirismo foram ganhando poder. As filosofias naturais apareceram pela primeira vez na Itália (o berço da erudição, durante esse período), com Cadan e Telesio. A ciência obteve notável progresso diante dos estudos de homens como Leonardo da Vinci (1452-1519), Copérnico (1472-1543), Galileu (1564-1641), Kepler (1571-1630) e Newton (1642-1727). Ver os artigos separados sobre todos esses homens.

O *tomismo* (vide) tornou-se a posição filosófica oficial da Igreja Católica Romana, por determinação do papa Leão XIII (1767-1903), em parte a fim de fazer oposição ao naturalismo e ao ceticismo, que se impunham gradativamente.

9. A Filosofia Moderna. Giordano Bruno (1548-1600), um monge dominicano que nasceu perto de Nápoles, é considerado o pai da filosofia moderna. Ele fundamentou a sua filosofia sobre o neoplatonismo, mas levou em consideração as novas teorias científicas de Copérnico. Sua principal realização foi separar, finalmente, a filosofia da teologia. Visto que ele advogava uma espécie de panteísmo, identificando Deus com a natureza, foi acusado de heresia e queimado na fogueira, o que sucedeu em Roma, em 1600. Porém, seu pensamento influenciou Leibniz e Hegel, refletindo certos aspectos da cosmologia dos estóicos. Ver o artigo separado sobre *Giordano Bruno*.

Tomás Campanella (vide) (1568-1639) foi um importante filósofo desse período. Passou vinte e sete anos na prisão, por causa de suas idéias políticas. Ele advogava uma educação universal compulsória, com base na ciência e na matemática.

10. Períodos da Filosofia Moderna

a. *Empirismo inglês primitivo*. Francisco Bacon (1561-1626). Abandonou as especulações *a priori* e promoveu o empirismo e o método científico. Também fez oposição às antigas autoridades, como Aristóteles e os escolásticos, referindo-se aos *ídolos da*

FILOSOFIA

mente, que aprisionam os homens. Ver o artigo separado sobre *Francisco Bacon*.

b. *Racionalismo continental*. Descartes (1596-1650) tem sido chamado por alguns de fundador da filosofia moderna. Foi um racionalista, um epistemologista e um metafísico dualista. Desenvolveu o *método cartesiano*, que consiste em deduções matemáticas generalizadas, com ênfase sobre a auto-observação. Ver o artigo separado sobre **Descartes**.

Benedito Spinoza (vide) foi um importante filósofo desse período. Suas datas foram 1632-1677. Ele combinava o neoplatonismo com os princípios da Renascença e do cartesianismo.

c. *Maiores desenvolvimentos*, no empirismo inglês, ocorreram em face da obra de John Locke (vide) (1632-1704). A sua idéia da *tabula rasa* (a mente humana é limpa como uma folha em branco, ao nascer) pôs a sua filosofia sobre o alicerce do empirismo e do método científico. Ele denunciava o conceito das *idéias inatas*, tendo desenvolvido uma complexa gnosiologia empírica. *George Barkeley* (vide), (1685-1753), o idealista, desenvolveu novas teorias do conhecimento. *David Hume* (vide) sacudiu o mundo da filosofia com o seu ardente *ceticismo*. Suas datas foram 1711-1776.

d. *O racionalismo alemão*. Ver sobre *Leibniz*. Ele foi matemático, filósofo, historiador e diplomata.

e. *A filosofia do iluminismo*. O movimento chamado Iluminação ou Iluminismo glorificava o conhecimento, a ciência, as artes, a civilização, o progresso e o humanismo. Ver o artigo separado sobre o *Iluminismo*. Tomás Paine, Guilherme Godwin, Leibniz, Wolff, Jean Jacques Rousseau, foram importantes figuras desse movimento, do ponto de vista da filosofia. Porém, Kant, Herder, Lessing e Schiller atacaram o racionalismo do movimento.

Emanuel Kant (vide) (1724-1804) exerceu uma imensa influência sobre o mundo da filosofia. Procurando acomodar-se ao ceticismo de Hume, ele o ultrapassou e desenvolveu o seu sistema das *proposições* (do conhecimento) e dos *postulados* (quanto à ética, à metafísica e à religião). Sua filosofia é complexa e muito abrangente em sua aplicação universal. Temos deixado essas questões serem consideradas no artigo separado sobre ele. Kant foi um *idealista*.

f. *Os sucessores de Kant* foram Fichte, Schelling, Schleiermacher e Hegel e, neles, encontramos novos desenvolvimentos do *idealismo alemão* (vide). Schleiermacher foi — o maior — de todos os idealistas religiosos de sua época. Hegel, por sua vez, foi o maior expositor do *idealismo absoluto*. Por sua vez, *Schopenhauer* deu ao mundo uma forma clássica do pessimismo, em sua filosofia da vontade.

g. *O positivismo* (vide) foi um resultado natural do empirismo. A metafísica foi completamente abandonada, e desenvolveu-se uma filosofia do método científico. Augusto Comte (1798-1857) estava interessado em reformar a sociedade e, por essa razão, trabalhou no tocante a uma ciência social positiva, tendo rejeitado o pensamento da Idade Média como primitivo. Seu sistema de conhecimento estava alicerçado sobre o conceito de que o conhecimento do homem ocorre em estágios, a começar pelo estágio teológico, ou estágio *antropomórfico* primitivo (infantil), passando daí para o estágio *metafísico*, de acordo com o qual os poderes ou entidades metafísicas substituem os seres humanos (tempo da adolescência) e terminando no estágio *positivo*, que abandona o «caminho» da teologia e enfatiza o «como» da lei da

natureza. Dominam então a ciência natural e o método empírico. O artigo sobre *Augusto Comte* entra em maiores detalhes.

h. *O utilitarismo*. De acordo com esse sistema, a verdade é definida em termos de utilidade, e o prazer torna-se o alvo principal da atividade humana, sem importar qual o tipo de atividade. Ver os artigos separados sobre o *Utilitarismo*, sobre *Jeremias Bentham* (1748-1832), sobre *James Mill* (1773-1836), sobre *John Stuart Mill* (1806-1873). O utilitarismo esteve envolvido em muitas e variegadas reformas da sociedade, incluindo alterações fundamentais na lei.

i. A filosofia da evolução foi promovida por Charles Darwin (1809-1882). Ver os artigos sobre *Darwin* e sobre a *Evolução*. Herbert Spencer (1820-1903) trabalhou em quatro áreas das ciências: a biologia, a psicologia, a sociologia e a ética, e tem sido chamado de evolucionista cósmico. Ele promovia uma forma de agnosticismo (vide) que fazia o Absoluto tornar-se incapaz de ser conhecido.

j. *O novo idealismo* era o mesmo idealismo alemão transferido e adaptado para outros países. Na Inglaterra, importantes filósofos dessa escola foram Thomas Hill Green (1836-1882), Francis Herbert Bradley (1846-1924), Bernard Bosanque (1848-1923). Nos Estados Unidos da América do Norte, Josiah Royce (1855-1916) e Bordan Parker Bowne (1847-1910) mostraram-se proeminentes. Na Itália houve Rosmini-Sebati (1797-1855), Gilberti (1881-1952), Benedectto Croce (1866-1952), e Giovanni Gentile (1875-1944).

l. *O novo positivismo* foi desenvolvido por Ernesto Mach (1838-1916). Nele encontramos a equação entre a mente e o corpo. O método científico foi ainda mais desenvolvido. Richard Avenarius (1853-1896) seguia as idéias de Mach. Todas as categorias do intelecto humano eram concebidas como baseadas sobre a experimentação. O único método para obtenção do conhecimento estaria baseado sobre descrições por meio de proposições exatas, cientificamente determinadas. A metafísica foi por ele rejeitada, como se não tivesse significado para nós, simplesmente por não dispormos de meios para investigar tais assuntos.

m. *O pragmatismo*. De acordo com esse sistema, a verdade é definida em termos daquilo que funciona, que é prático, dependendo dos resultados das ações. Qualquer conceito de verdade absoluta, perfeita e imutável é abandonado. *Charles S. Peirce* (1839-1914) foi o formulador dos princípios do pragmatismo moderno. Uma definição de qualquer conceito reside na totalidade das ocorrências experimentais aplicadas à mesma. *William James* (vide) opunha-se ao racionalismo clássico e ao empirismo inglês tradicional. Ele incluía a fé religiosa em seu sistema, embora com base na praticalidade e utilidade dos seus conceitos. Seria prático e psicologicamente útil acreditar na existência de Deus e da alma. James foi um psicólogo que veio a crer no dualismo (a mente separada do corpo), em face de suas experimentações. Nos escritos de John Dewey (1859-1952) temos o pragmatismo como um instrumentalismo. O instrumentalismo é a idéia que diz que a cognição consiste em forjar os *instrumentos* ideais, que nos permitem equacionar qualquer situação dada. Não haveria finalidades, porquanto cada *fim* torna-se um novo começo, e a experimentação prossegue. As idéias seriam armas teleológicas da mente humana. As idéias são plásticas e devem a sua estabilidade às *funções* vitais a que servem. Outros filósofos pragmatistas de nomeada foram F.C.S. Schiller, A.W. Moore, J.E. Boodin e Hans Vµihinger.

772

FILOSOFIA

Sócrates — 470-400 (200 D.C.)
Cortesia, Museum of Fine Arts, Boston

FILOSOFIA

••• •••

Sócrates

Sócrates era o pai das escolas éticas
gregas. Suas contribuições ao pensamento
ético foram grandes e permanentes. Platão
era seu discípulo mais brilhante.

Sou cidadão, não da Grécia,
nem de Atenas, mas, sim,
— do mundo.
(em Plutarco, *De Exílio*)

Outros homens vivem para comer;
eu como para viver.
(em Plutarco, *Moralia*)

Querido Pã, e todos os deuses que
assombram este lugar. Dai-me
beleza de alma — e possam o homem
exterior e o homem interior ser unidos
e em harmonia.
(Sócrates)

A mais bela música é a filosofia.
(Sócrates)

••• •••

FILOSOFIA

Platão — 428-348 A.C.

Busto em Rockham Hall, University of Oxford
Cortesia, University of Oxford Press

FILOSOFIA

Aristóteles — 384-322
Cópia romana de um original grego
Cortesia, Art Reference Bureau

•••

FILOSOFIA

SANTO AGOSTINHO — 354-430

O elo que ligou o pensamento grego
e a filosofia escolástica
A maior figura na Igreja
desde o Apóstolo Paulo

... ...

Acredito para que possa entender.
(Agostinho contra o ceticismo)
Dê-me caridade e continência —
mas não já-já.
(Agostinho no meio de sua
luta de consciência, antes
da sua conversão)
O que quer saber?
(eles perguntaram de mim)
Deus e a alma! (respondi)
Só isto? (retrucaram)
Só isto! (repliquei)
(Agostinho sobre os alvos da sua
busca de conhecer)
O Senhor tem perdoado e encoberto
os pecados do meu passado.
(Agostinho nas suas *Confissões*)

FILOSOFIA

Tomás de Aquino — 1225-1274
— O Doutor Angélico

Emanuel Kant — 1714-1804

O que Tomás de Aquino representa para a filosofia católica romana, Emanuel Kant representa para a filosofia protestante.

●●●

FILOSOFIA

Homenagem ao Prof. Dr. Leonidas Hegenberg

Prof. Dr. Leonidas Hegenberg

Prof. Dr. Leonidas Hegenberg, o filósofo brasileiro que contribuiu, em obras originais e traduções, a maior quantidade de literatura filosófica, na língua portuguesa, de todos os tempos. Ver a homenagem ao Prof. Leonidas no lado reverso.

•••

FILOSOFIA

HOMENAGEM

••• •••

ao *Professor Doutor Leonidas Hegenberg*

Encontrei-me, pela primeira vez, com Prof. Leonidas Hegenberg em 1968 quando visitei o ITA, São José dos Campos, onde ele era o chefe do Departamento de Humanidades. Ele me convidou para lecionar Filosofia da Religião, e assim começou uma longa e amável associação. No mesmo ano, por sua ajuda, comecei a lecionar História da Filosofia em outra faculdade e Filosofia e Inglês na Faculdade de Engenharia de Guaratinguetá. Foi assim que fui estabelecido no ensino universitário no Brasil. Devo muito ao meu amigo, Leonidas, por ter me ajudado num momento crítico da minha carreira profissional.

Minha homenagem ao Prof. Leonidas é pessoal, mas também, profissional. Sua realização na literatura filosófica, em língua portuguesa, tem sido gigantesca.

* Escreveu 19 livros originais sobre Lógica, Gnosiologia e Filosofia da Ciência

* Traduziu 80 livros para o português.

* Publicou mais de 40 artigos em vários periódicos filosóficos no Brasil e no exterior.

* Contribuiu com mais de 500 notas, comentários e resenhas para diversos periódicos, sobretudo em «O Estado de São Paulo», «Revista Brasileira de Filosofia», «Ita-Humanidades» e «Convívio».

* Colaborou na escrita de diversas enciclopédias.

* Criou e editou (por 13 anos) a revista Ita-Humanidades, uma revista distribuída em mais de 40 países.

A ele faço esta homenagem, agradecendo sua amizade e reconhecendo seu trabalho profissional. É um filósofo *por excelência* a quem dediquei minha *magnum opus*, *O Novo Testamento Interpretado*.

Professor Doutor Leonidas Hegenberg é a maior figura literária no campo de filosofia, em língua portuguesa, de todos os tempos.

••• ••• •••

FILOSOFIA

Oferecemos artigos separados sobre os filósofos mencionados por toda esta seção.

n. *Reavivamento do realismo.* Ver o artigo separado sobre esse assunto. Ver também sobre a posição oposta, o *Idealismo.* O realismo defende a idéia de que o mundo exterior é *real*, mesmo que nenhum agente o esteja percebendo. O *idealismo* supõe ou que o mundo é criação das nossas idéias, ou que aquilo que podemos saber a seu respeito (mesmo que seja uma entidade distinta) vem apenas através das nossas idéias. O neotomismo é um realismo católico romano. Na Alemanha, Granz Brentano (1838-1917), Alexius Meinong (1853-1920) e Edmund Husserl (1859-1938) foram importantes figuras do realismo. Husserl deu ao século XX uma de suas mais importantes doutrinas filosóficas, a *fenomenologia* (vide). A fenomenologia é a ciência de todos os *fenômenos*, os reais e os apenas aparentes. Na Inglaterra, os principais vultos do realismo foram G.E. Moore, Bertrand Russell, S. Alexander e Alfred North Whitehead, acerca dos quais oferecemos artigos separados. Nos Estados Unidos da América do Norte, também houve muitos **neo-realistas** como E.B. Holt, W.T. Marvin, W.P. Montague, R.B. Perry, W.B. Pitkin e E.G. Spaulding; e também houve realistas críticos, como D. Rake, A.O. Lovejoy, J.B. Pratte, A.K. Rogers, George Santayana, R.W. Sellars e C.A. Strong.

o. O *existencialismo* (vide) é representado por Kierkegaard, Heidegger, Sartre e outros, sobre os quais também oferecemos artigos separados.

p. *Os filósofos não-ocidentais*, como os hindus, chineses e japoneses, também merecem artigos separados nesta enciclopédia.

V. A Filosofia e a Fé Religiosa

As religiões, de modo geral, estão alicerçadas sobre a experiência mística. Um profeta recebe uma visão; discípulos reúnem-se em torno dele, como uma importante figura religiosa; seus discípulos registram suas visões e ensinamentos; livros sagrados desenvolvem-se a partir desses registros; forma-se uma organização (Igreja), a fim de preservar e promover aqueles ensinos. Tudo começa nas visões e no discernimento ou intuição do profeta. Por outro lado, a filosofia é basicamente uma inquirição racional e empírica, embora também possa incluir elementos místicos. Muitas pessoas religiosas opõem-se à filosofia e outras chegam mesmo a desprezá-la abertamente. Tal atitude é difícil de compreender. Deus é o criador do intelecto (razão) e é difícil imaginar que alguém seria um antiintelectual, ainda que não anele por enfatizar a intelectualidade humana. Ver o artigo sobre o *Antiintelectualismo.* Nesse artigo afirmo muitas coisas que as pessoas religiosas haverão de considerar com proveito.

1. **Erros** das pessoas religiosas, em seu raciocínio. Apesar de ser verdade que a **revelação**, uma subcategoria do *misticismo* (vide) é a fonte principal da verdade religiosa, outros modos de conhecimento, como a razão, a intuição e o empirismo são úteis, produzindo algo que deveríamos conhecer, mas que a revelação não esclarece. Antes de tudo, temos de interpretar a revelação, e isso requer o uso da razão. Em segundo lugar, nosso entendimento da revelação deve-se, em parte, à nossa intuição e discernimento. Em terceiro lugar, o terreno inteiro da ciência foi desenvolvido por meio do empirismo. Ali encontramos discernimentos quanto a questões de verdade de que precisamos, a fim de chegar a uma gnosiologia adequada. O conhecimento bíblico tem sido muito fomentado pelo avanço nos estudos da geologia, da arqueologia, da astronomia, da biologia e de outras ciências. A ignorância não tem qualquer valor, embora, em alguns círculos religiosos, ela tenha sido valorizada como se fosse uma virtude. O próprio Deus é o *Grande Intelecto*, sabendo tudo sobre todos os campos do conhecimento. Todas as ciências estão apenas descobrindo quais são os pensamentos de Deus, e a ciência é uma busca legítima. Nem todas as pessoas têm uma missão religiosa. Quando um cientista desempenha bem o seu papel e cumpre a sua missão, está servindo a Deus. A ciência tem aclarado certas idéias religiosas, forçando os religiosos a modificarem as suas idéias metafísicas. Certas noções teológicas têm sido abandonadas, por causa do avanço da ciência. Não mais cremos que a terra seja o centro do universo, e que ela esteja parada no espaço. Não mais seguimos a antiga cosmogonia dos hebreus (vide), segundo a qual a terra seria chata, boiando sobre a água, e sobre colunas, com um firmamento (ou taça invertida) por cima, separando águas de águas. Interpretações modernas têm fixado no papel essas idéias primitivas, mas é simplesmente melhor admitirmos que a ciência nos tem feito avançar além de algumas crenças teológicas existentes na antiga cultura dos hebreus, que transparecem na Bíblia em alguns lugares. Ver os artigos sobre a *Cosmogonia* e sobre a *Cosmologia*, onde essas questões são ilustradas. A ciência tem demonstrado a grande antiguidade da terra, especialmente através da *astronomia* (vide), e não mais falamos sobre um jovem globo terrestre, com não mais de seis mil anos de idade. Muito pelo contrário, sabemos que o sistema solar tem, pelo menos, dezesseis bilhões de anos de antiguidade, e que a terra tem entre quatro e cinco bilhões de anos.

2. **A própria revelação não é perfeita.** Nenhum método para se conhecer as coisas, que o homem conhece, está destituído de erros. Os homens, através dos seus *dogmas*, dizem-nos que a revelação é perfeita e completa. Porém, nem as próprias revelações bíblicas dizem tal coisa a seu respeito. Os homens têm um profundo desejo de conhecer os assuntos religiosos em termos absolutos. O que buscam é o *conforto mental*, valorizando o mesmo mais do que a busca autêntica pelo conhecimento. Consideremos o seguinte fator: quanto mais elevada for uma experiência mística, mais inefável será ela. Se quisermos entender certas revelações místicas teremos de reduzi-la a uma forma compatível com a mente humana. Isso significa que, desde o começo, aquilo que conhecemos deve ser adaptado segundo termos antropomórficos. Somente *Deus* realmente conhece a *teologia*. A teologia humana é limitada pela nossa pequenez humana, e falar em outro tom é tornar-se ridículo. Isso posto, não devemos exibir em demasia a nossa ignorância, afirmando que a revelação é completa e perfeita. Tudo quanto passa pela mente do homem e é adaptado à fraca intelectualidade humana, torna-se necessariamente incompleto e imperfeito. Sendo esse o caso, faríamos bem em deixar a luz brilhar de outras maneiras, procurando destacar o *como* e o *quê* dos nossos conhecimentos. A verdade é uma inquirição eterna, e não um acontecimento que nos vem de um golpe só. Isso não significa, entretanto, que não contamos com algumas verdades importantes. De fato, dispomos de verdades que formam o alicerce das nossas vidas, verdades pelas quais bem podemos viver e morrer.

3. **Filosofia, serva da teologia.** Apesar de ter sido bom que Giordano Bruno tenha dado nascimento à filosofia moderna, — que, por isso, tornou-se novamente uma disciplina distinta, a filosofia

FILOSOFIA — FILOSOFIA DA CIÊNCIA

continua servindo para aclarar o pensamento e as crenças religiosas. É óbvio que o teólogo que também é treinado na filosofia é um teólogo melhor do que se não tivesse recebido tal treinamento. Em primeiro lugar, tal teólogo entende as implicações da teologia bem melhor. Minha própria associação com teólogos e filósofos tem demonstrado isso para mim. De fato, posso afirmar com segurança que a melhor coisa que um teólogo pode fazer, a fim de ampliar os seus conhecimentos e a sua maneira de pensar, é estudar a filosofia. Quase todas as escolas teológicas reconhecem isso, requerendo alguma base filosófica para seus alunos de teologia. Além disso, por seus próprios direitos, inteiramente à parte de ser uma ajuda para a teologia, a filosofia tem-nos provido conhecimentos muito úteis. Consideremos os campos da ética, da metafísica e da gnosiologia. Quando a teologia não tem o respaldo da filosofia, mostra-se bastante fraca nesses campos. Não foi por mero acidente que, até o século XX (quando o empirismo assumiu tanta importância, através do surgimento da atitude científica), a maioria dos filósofos ou tem sido ministros ou filhos de ministros. É verdade que a filosofia tem suas corrupções e idéias más; mas outro tanto acontece no campo da teologia. Nada obtemos com a ignorância. A alma iluminada age melhor quando sabe quais opções pode tomar, e não sofre tanto quando se equivoca na busca do conhecimento.

4. A atitude e a filosofia do Novo Testamento. É verdade que Paulo, o rabino judeu, com sua mente repleta de visões e de elevadas buscas espirituais, não encontrou muito uso teórico para a filosofia, conforme se vê em I Cor. 1:18 ss. Por outro lado, os eruditos reconhecem o quanto ele dependia do estoicismo romano, em suas idéias éticas. Tarso era um centro dessa escola de pensamento e Paulo estava familiarizado com as suas máximas, muitas das quais ele usou direta ou indiretamente em suas epístolas. De certa feita, Paulo tentou atuar como filósofo e não obteve muito sucesso (ver Atos 17). Por outro lado, Justino Mártir conduziu muitos intelectuais a Cristo, usando uma abordagem filosófica da fé religiosa, pois supunha que a melhor porção da filosofia grega atuava como mestre-escola para conduzir os pagãos a Cristo, tal como a lei assim fazia no caso dos judeus. Os pais gregos da Igreja concordavam com essa atitude e sempre encontraram muito uso para a filosofia.

O único lugar no Novo Testamento onde a palavra «filosofia» é usada é em Colossenses 2:8, e onde Paulo mostra-se contrário em termos enfáticos. Porém, ali o apóstolo opunha-se às inúteis especulações do gnosticismo, e não à filosofia como um todo. O apóstolo dos gentios empregava o método filosófico quando procurava descortinar os princípios amplos e universais, em sua cosmologia, no primeiro capítulo da epístola aos Efésios, em sua ética no sétimo capítulo de Romanos, e em sua filosofia da história, nos capítulos nono a décimo primeiro de Romanos. Essas passagens certamente vão além daquilo que se poderia esperar da parte de um rabino judeu, demonstrando que ele tinha uma ampla educação que, embora não fosse principalmente filosófica, *incluía* esse aspecto. Essa circunstância é legítima e pode ser imitada de modo seguro e com proveito. (AM BE E EP F MM P)

FILOSOFIA ANALÍTICA

Sob esse título, vários e diferentes programas filosóficos têm sido designados, notadamente os de Bertrand Russell, G.E. Moore, os positivistas lógicos,

Ludwig Wittgenstein e outros. O que eles têm em comum é que nenhum deles procura erigir um sistema metafísico que (como o de Bradley ou o de Leibniz) descreva o mundo diário «apenas como aparência», localizando a Realidade em outro modo de ser, totalmente diferente. Isso não equivale a dizer que nenhum filósofo analítico entra na questão da metafísica.

A *análise* de Russell foi projetada para revelar as estruturas lógicas que a linguagem normalmente oculta. G.E. Moore usou a palavra para indicar o esclarecimento sistemático de qualquer proposição. Tenho um corpo, o tempo é real, etc., mas não posso dizer como e por quê. A tarefa da análise consiste em explicar e em evitar tais declarações como «o tempo não é real», «o mundo é ilusório». No positivismo lógico, a análise tornou-se científica. A sua linguagem é empregada em descrições científicas e empíricas, agressivamente hostis à metafísica, intitulando tais proposições de destituídas de sentido. Ver o artigo sobre o *positivismo lógico*. Wittgenstein, em seus primeiros estágios, usou um tanto os métodos de Russell, promovendo uma análise reducionista, referindo-se à linguagem como uma «pintura» de fatos. Posteriormente, ele veio a crer que a linguagem não tem a única e simples função de descrever o mundo dos fatos. Antes, há muitas e irredutíveis funções da linguagem, servindo a uma multidão de diferentes propósitos humanos. A tarefa do analista consiste em identificar e discriminar essas funções. Muitos problemas filosóficos surgem do uso descuidado da linguagem, e ao analista cabe demonstrar isso.

Uma importante tarefa da filosofia analítica é descobrir o sentido de alguma pergunta. E então, mediante a análise, tentar provar a resposta, ou respostas. Determinadas perguntas não têm sentido, e não merecem ser filosoficamente investigadas. Outra de suas tarefas é a iluminação lógica dos pensamentos, a fim de evitar o que é fato e o que é desarrazoado. (C EP MM)

FILOSOFIA DA BIOLOGIA

De acordo com isso, a biologia é concebida segundo termos filosóficos. As três abordagens básicas têm sido o *reducionismo*, o *vitalismo* e a *biologia orgânica*. Ver os artigos separados, nesta enciclopédia sobre todas as três questões. O artigo sobre a *Biologia* oferece breves definições sobre esses termos, adicionando alguns poucos comentários sobre o problema em geral.

A doutrina platônica dos universais tem aplicações à filosofia da biologia. Platão supunha que existem entidades eternas, imutáveis e espirituais que obrigam as formas biológicas a serem o que são, visto que essas formas seriam cópias das realidades universais. O *conceptualismo* (vide) supõe que todas as coisas que existem emergem das idéias divinas.

FILOSOFIA DA CIÊNCIA

Esboço:

I. Definições e Caracterização Geral
II. Desenvolvimento Gradual
III. Debilidades da Filosofia da Ciência
IV. Contribuições da Filosofia da Ciência
V. Esboço da História da Filosofia da Ciência

I. Definições e Caracterização Geral

Trata-se do estudo filosófico da ciência, por meio do qual seus métodos, alvos e limitações são estabelecidos. A pesquisa científica organizada,

FILOSOFIA DA CIÊNCIA

através do método empírico, tem desenvolvido a maior parte de nossos campos do conhecimento; e para algumas pessoas, essa parece ter sido a *única* maneira autêntica de buscar conhecimentos. A filosofia da ciência, pois, procura mostrar o que há de significativo e distintivo nas asserções feitas pelos cientistas; o que distingue as meras opiniões do conhecimento sólido; como distinguir a verdadeira ciência da pseudociência; quais são os verdadeiros métodos científicos; e até que ponto a ciência pode reivindicar possuir um conhecimento genuíno.

II. Desenvolvimento Gradual

Aristóteles tinha uma ingênua filosofia da ciência. Ele supunha que um juízo, juntamente com uma completa descrição, *seria* o conhecimento. Para exemplificar, suponhamos que eu fosse um zoólogo. Eis que capturo uma ave na floresta. Então chamo o pássaro por seu nome correto. Assim fazendo, terei emitido um juízo. Em seguida, passo a descrever a ave de todas as maneiras possíveis, incluindo a sua estrutura atômica, se é que tenho acesso a esse tipo de conhecimento (Aristóteles não tinha tal acesso). Quando minha descrição tornar-se absolutamente completa, segundo pensava Aristóteles, então terei atingido o pleno *conhecimento* sobre aquela ave. Essa maneira de pensar envolve muitas debilidades, que são descritas abaixo, na terceira seção.

Platão, por sua vez, negava que um mero juízo e uma completa descrição possam produzir o conhecimento. Ele salientava que esse processo depende da percepção dos sentidos, que será algo sempre parcial. Para ele, o conhecimento sempre deveria ser do real, do *universal* (vide), e não acerca dos particulares, dos objetos terrenos, meras cópias da realidade. Esse tipo de realismo, naturalmente, era rejeitado por Aristóteles, que sempre via o universal nos particulares, e não distinto dos mesmos.

Os sofistas, além de outros céticos, abandonaram a busca do conhecimento através da percepção dos sentidos, ou qualquer outro método. Os primeiros cientistas da era moderna assumiam a posição aristotélica sobre o conhecimento, supondo que as suas descobertas logo solucionariam os mistérios do Universo. Foi então que o conhecimento da complexa natureza do átomo começou a aflorar e esses muitos e profundos mistérios derrubaram por terra todas as teorias do conhecimento. Os cientistas, então, retrocederam para o ponto de vista do ceticismo e começaram a asseverar que devemos chamar de conhecimento àquilo que funciona, que é prático, que dá resultados, sem importar quantas teorias não resolvidas restem acerca da natureza da matéria ou do próprio universo. Kant afirmava que até mesmo aquilo que dizemos sobre algo já foi determinado pelas categorias da mente, pelo que poderia ser reflexo ou não da verdade objetiva. O resultado disso foi que o *positivismo lógico* (que é nossa atual filosofia da ciência; vide), permanece cético acerca de um conhecimento completo e perfeito, rejeitando a metafísica como destituída de sentido, e considerando como conhecimento somente àquilo que tem utilidade imediata.

III. Debilidades da Filosofia da Ciência

1. A ciência moderna tem sido reduzida ao método empírico, tachando de «sem sentido» às conclusões obtidas mediante outros métodos, como o racionalismo, a intuição e o misticismo. No entanto, o conhecimento sobre as verdades mais profundas, como aquelas que dizem respeito à alma, à ética, à cosmologia e a Deus, só pode ser obtido com maior proveito através desses outros métodos, embora não

sejam exatos como a matemática. Ao depender somente do *empirismo* (vide), a ciência moderna tornou-se provincialista, parcial. Quando se lê os escritos dos filósofos científicos, vêem-se óbvios hiatos em seu conhecimento acerca do que está sucedendo em outros campos. Eles não dispõem de meios para examinar um homem como *Satya Sai Baba*, só para exemplificar. Se o leitor empregar tempo para ler algum bom artigo sobre ele, perceberá porque faço esta crítica. No tocante à alma, que, desde há muito, tem sido um de meus temas preferidos, sinto-me na obrigação de afirmar que muitos cientistas não têm tomado consciência do que se está desvendando no campo dos estudos sobre a alma, até mesmo no campo das investigações científicas. A abordagem atual é cética, negativa e, com freqüência, hostil a toda pesquisa espiritual, porquanto os cientistas são impelidos por uma modalidade peculiar de crença, uma mescla de ateísmo, empirismo e ceticismo. Naturalmente, estou generalizando, mas reconheço que há exceções. De fato, até parece que os cientistas pioneiros são exatamente aqueles que estão começando a dar-nos provas empíricas da existência da alma; e isso tem servido de valiosa contribuição para o aclaramento das idéias. Nessa busca, a ciência vai-se tornando paulatinamente mais religiosa, e a religião vai-se tornando mais científica! Ver o artigo sobre as *Experiências Perto da Morte*, quanto a uma abordagem científica acerca da alma. Além disso, no artigo intitulado *Imortalidade*, temos oferecido uma seção chamada *Abordagem Científica à Crença na Alma e em sua Sobrevivência ante a Morte Física*, que expõe uma abordagem científica geral acerca desse assunto. Nosso propósito, ao mencionar essas coisas, é mostrar que apesar de acusarmos a ciência de provincialista, temos consciência do fato de que os pioneiros no campo das ciências estão contribuindo decisivamente até mesmo no tocante ao conhecimento vinculado a importantíssimas questões religiosas.

2. A filosofia da ciência não demonstra o devido respeito por outros modos de se tomar conhecimento, como a razão (mesmo sem a experimentação), a intuição e o misticismo. O conhecimento também nos pode ser dado através desses métodos, atingindo informes que estão além da abordagem empírica. Ver o artigo sobre o *Misticismo*.

3. Apesar da ciência poder adotar legitimamente uma *metodologia atéia*, isto é, sem envolver Deus no quadro, a fim de tentar solucionar mistérios que, provavelmente poderão ser finalmente solucionados do ponto de vista natural, por via do empirismo, deve-se reconhecer a hostilidade de muitos cientistas a qualquer abordagem que não seja empírica, por causa de seu pronunciado ateísmo. Mas, algum dia, os cientistas terão de incluir fatores como Deus e a espiritualidade, em seus laboratórios. E assim, quando ultrapassarem o que para eles constitui uma grande barreira, terão obtido um significativo avanço.

4. Os cientistas, seguindo as idéias de seus próprios pioneiros, deveriam considerar com seriedade o conceito que a matéria é apenas secundária, de tal modo que, mesmo que seja plenamente descrita, não pode servir de base da existência. É provável que, por detrás da matéria, esteja a *mente*, e que, por detrás da mente, esteja a *Mente Absoluta* (Deus). Na verdade, conforme dizia Max Planck, o Universo é muito mais como uma idéia do que como uma grande máquina.

5. As tendências exibidas pelos cientistas por desencorajarem os juízos de valor mostram uma degradação, e não um avanço. A primeira de todas as ciências é precisamente a *ética*, que eles desprezam em suas investigações científicas.

775

FILOSOFIA DA CIÊNCIA

6. Os positivistas lógicos apressam-se a classificar de *sem sentido* (se verdadeiro ou se falso, não sabemos dizer) a tudo aquilo que não é sondado pelos métodos científicos e empíricos. Isso não passa de um esnobismo no campo da gnosiologia; é não estudar as coisas com rigor filosófico. A maioria dos cientistas mantém-se inteiramente inconsciente do que está sendo descoberto em outros campos de investigação, especialmente nos campos da *parapsicologia* (vide) e do *misticismo* (vide).

7. A fim de existir, a ciência precisa depender da *invariabilidade*, visto que a menos que as experiências possam ser repetidas, de acordo com leis constantes, nada resultaria disso senão o caos. No entanto, a *teleologia* (vide) é uma importante proposição *metafísica*, pelo que deveria não ter sentido para os filósofos da ciência. Mas cabe-nos perguntar como é que existem leis invariáveis na natureza, a menos que alguma Força Mental tenha estabelecido tais leis. Porventura a teleologia seria resultado do mero acaso? Não são esses termos opostos, contraditórios? A fim de pensar ou especular de modo inteligente acerca da natureza (mesmo que não chegue a questões mais profundas, como a alma ou como Deus) o indivíduo precisa romper as cadeias do empirismo.

IV. Contribuições da Filosofia da Ciência

Se os cientistas não tivessem seguido tão teimosamente o seu empirismo, e sua fanática aplicação à técnicas de laboratório, não poderiam ter chegado aos fantásticos resultados que vemos atualmente. Todos os fanáticos tendem por mostrar-se unilaterais naquilo que pensam e fazem; mas, nessa intensidade, com freqüência obtêm melhores resultados do que outras pessoas. Muitos mistérios anteriores cederam diante dos métodos e da metodologia empíricos (mesmo que não da teoria empírica). O ateísmo, pois, tem servido de útil instrumento nas mãos dos cientistas. Ver o artigo separado sobre o *Ateísmo Metódico*. O *Positivismo Lógico* (vide) tem funcionado como um feixe de raio laser, para realizar as tarefas da ciência. Porém, precisamos lembrar que nem toda a luz está concentrada nos feixes de raio laser. Ver o artigo sobre a *Religião e a Ciência*. Em uma das seções desse artigo oferecemos comentários sobre a própria ciência, e o que os filósofos têm dito acerca da natureza da ciência. Muitos aspectos da filosofia da ciência são ali expostos. Uma das maiores realizações da ciência tem sido tornar obsoletas várias teorias teológicas, o que tem forçado os teólogos a fazerem as adaptações necessárias. Para exemplificar, sabemos agora que a terra não é o centro do Universo, e que ela se movimenta; que a criação (o Universo) é deveras antiqüíssima; que as antigas teorias sobre uma terra plana, sobre um firmamento, tipo taça invertida, sobre a terra a repousar sobre a água, mediante colunas, são conceitos falsos. Ver o artigo sobre a *Astronomia*, quanto a ilustrações. A controvérsia acerca da *evolução* (vide) continua.

V. Esboço da História da Filosofia da Ciência

1. Antigas idéias de Platão, de Aristóteles, dos sofistas e dos céticos têm sido discutidas sob a seção segunda deste artigo.

2. Os primeiros cientistas da era moderna tendiam por aceitar o ponto de vista aristotélico ingênuo.

3. *Francis Bacon* insistia quanto ao método indutivo nas pesquisas científicas. Equivocadamente, ele chamou Aristóteles de racionalista *a priori*; mas na realidade, ultrapassou a Aristóteles quanto à indução radical, que era o seu método preferido.

4. *Descartes* e *Leibniz* expressaram grandes reservas acerca do empirismo, porquanto sentiam que todas as verdades são verdades da razão. A dedução, através de princípios racionais, para eles era mais importante do que a indução.

5. *Locke* e *Hume* afirmavam que todo o conhecimento vem através da percepção dos sentidos, combatendo a noção das idéias inatas. Hume chegou a exagerar, quando criou o seu ceticismo radical; mas, ao assim fazer, influenciou toda a ciência a partir de sua época.

6. *Emanuel Kant* procurou reconciliar o racionalismo com o empirismo, insistindo, em primeiro lugar, que o racionalismo é correto, pois tudo quanto sabe e afirma emerge das categorias racionais da mente, mas que o conhecimento, no mundo prático de todos os dias, precisa ser empiricamente provado. Desse modo, ele presenteou o mundo filosófico com o conhecimento empírico *à priori*. No entanto, ele pode ter expressado apenas um idealismo subjetivo. Todavia, suas contribuições à teoria do conhecimento são óbvias.

7,8. *John Stuart Mill* e *William Whewell* especializaram-se no estudo da indução e do método empírico. Entretanto, Whewell, influenciado por Kant, interpretava a indução como uma *coligação*, ou seja, relacionando um fenômeno a uma hipótese, de tal modo que um fenômeno pudesse ser deduzido de uma hipótese.

9. O desenvolvimento do *convencionalismo* (vide), de acordo com o qual o conhecimento repousaria sobre uma convenção (ou uso) e não sobre o que é natural para o que é real, foi um passo importante ao longo do caminho para o moderno desenvolvimento da filosofia da ciência.

10. *Mach* considerava todos os conceitos científicos como sumários da percepção dos sentidos, tornando-se uma maneira de predizer experiências futuras.

11. *Poincaré* defendia o convencionalismo, supondo que todos os princípios da ciência seriam convencionais, mesmo que as leis não o sejam.

12. *Duhem* pensava que a tarefa da ciência consistia em descobrir a estrutura das relações entre as aparências.

13. *Pearson* asseverava que a ciência é descritiva, e que suas descrições estão alicerçadas sobre a percepção dos sentidos. A ciência, pois, não seria principalmente explicativa, e nem existe para chegar a verdades fixas.

14. O *pragmatismo* tem-se tornado um importante elemento da filosofia da ciência. C.S. Peirce desejava eliminar as declarações destituídas de sentido. Ele enfatizava a abdução como uma das três formas básicas de inferência, juntamente com a indução e a dedução. A abdução indica inferências meramente prováveis. Ver o artigo separado sobre a *Abdução*. O pragmatismo afirma que o valor da verdade e o significado de qualquer pensamento, ato ou conceito científico reside na praticabilidade e na utilidade, e não em sua exatidão teórica. O pragmatismo abandonou a teoria, substituindo-a inteiramente pela prática, por aquilo que parece viável ao homem.

James e Dewey continuaram a usar esse modo de pensar e influenciaram tanto a filosofia quanto a ciência.

15. *O atomismo lógico*. Wittgenstein chamava as verdades lógicas de *tautologias*. Complexas proposições emergem de proposições mais elementares, e as proposições mais elementares são quadros da realidade. Suas idéias influenciaram o desenvolvimento do chamado *Círculo de Viena* (vide).

16. *Bertrand Russell* desenvolveu as idéias de

FILOSOFIA — FILOSOFIA DA HISTÓRIA

Wittgenstein e apresentou o seu *atomismo lógico*. Para ele, o mundo constituir-se-ia de fatos atômicos, que podem ser representados por proposições elementares.

17. O *positivismo lógico* resulta do empirismo extremo. Ver o artigo separado a esse respeito. A assertiva básica é que somente experiências comprovadas em laboratório nos fornecem conhecimentos verdadeiros, mas que até mesmo esse tipo de conhecimento consiste apenas em taxas de probabilidade, que se tornam úteis na prática. Esse sistema é uma espécie de ceticismo científico.

18. O *operacionalismo* (vide) tomou por empréstimo elementos tanto do pragmatismo quanto do positivismo. P.W. Bridgeman (vide) interpretava os significados ou as definições em termos de operações.

19. *Karl Popper* (vide) invocava a verificação como um modo eficaz de fazer investigações científicas. Ele enfatizava ainda mais o elemento da *falsibilidade*.

20. As *modernas filosofias da ciência* incorporam as idéias da indução, do ceticismo, do positivismo lógico, do pragmatismo, do operacionalismo e da falsibilidade. Mário Bunge advertiu-nos contra o mito da simplicidade. Ainda há muita coisa a ser dita acerca de todas as filosofias e de toda a ciência. Paul K. Feyerabend (vide) tem argumentado em favor da ênfase e da novidade, na produção de teorias e tem feito avisos contrários à uniformidade. Todos os campos de conhecimento conduzem-nos a coisas novas, e jamais as portas deveriam ser fechadas para novos desenvolvimentos. (AM E EP F P MM)

FILOSOFIA DA EDUCAÇÃO

Ver **Educação, Filosofia da.** Ver também sobre a **Educação Cristã**.

FILOSOFIA DA HISTÓRIA

Essa expressão não deve ser confundida com *História da Filosofia* (ver sobre *Filosofia*, quarta seção). A *Filosofia da História* é o exame filosófico da história, na tentativa de verificar se é possível chegar-se a uma descrição filosófica da própria história. Por outra parte, a História da Filosofia acompanha as idéias filosóficas de maneira cronológica através da história.

Quanto a definições filosóficas da história, ver sobre *História, Definições Filosóficas da*. As definições filosóficas da história não apresentam, necessariamente, qualquer teoria sistemática quanto ao que está envolvido no processo histórico, pelo que aquele assunto deve ser distinguido do que apresentamos aqui.

Há uma boa diferença entre a história e a filosofia da história. A primeira estuda a história, sem tentar descobrir ali quaisquer padrões repetitivos ou qualquer desígnio ou lei normativa de qualquer espécie. Mas, sempre que alguém encontra alguma força orientadora, ou coisas que têm significado e se repetem, formando ciclos, então já estaremos tratando com a filosofia da história. Ou então, talvez a filosofia da história de alguém é que não existe tal coisa como esses padrões, mas a história seria destituída de desígnio por ser caótica. E, visto que aquele que assim faz já estará filosofando sobre a história, fazendo a respeito dela alguma forma de declaração filosófica, então estará, ao mesmo tempo, criando uma filosofia da história.

1. *A cultura judaica* tinha uma filosofia da história bem definida. Eles acreditavam que a história começou por um ato divino, tendo sido dirigida, teleologicamente, pelo próprio Deus. Contudo, a concepção da história deles era linear, — tivera um começo bem definido, uma força orientadora que se movia para um alvo específico, um alvo final predito por homens santos. Quanto a isso, Israel haveria de ser guia e mestra das nações, até atingir, finalmente, a sua futura era áurea, guiada segundo moldes teístas, quando surgir em cena o Messias, na glória de sua segunda vinda. Naturalmente, a teocracia de Israel misturava a Igreja com o Estado, em uma unidade indivisível.

2. *As religiões orientais e os estóicos* promoviam uma teoria da história diferente, a saber, uma *idéia circular*. Os estóicos acreditavam que o Logos manifestara-se através de grandes ciclos de tempo. Então uma grande conflagração teria assinalado o recolhimento do Logos ao seu estado original, depois que o Logos se cansara de suas emanações. Após certo tempo, indeterminado, o Logos haveria de emanar-se novamente, e isso iniciaria um novo ciclo. Entretanto, esses ciclos significariam que todas as coisas que estão acontecendo, já aconteceram e haverão de acontecer novamente. Isso posto, uma interminável repetição seria a grande característica da história. Uma versão religiosa do ponto de vista cíclico da história é aquela que afirma que o universo nasceu de Deus e está destinado a **reabsorção final**, — a partir do que haverá a repetição do mesmo processo. Ver sobre *Ramanuja*. A idéia platônica dos universais, que se manifestariam por meio dos particulares, — que, por sua vez, são reabsorvidos pelos universais, após muitos milhares de anos de reencarnações (no caso do homem) é uma variante dessa noção. Heráclito concebia a história do homem como se passasse por ciclos de progresso e declínio. Nos tempos modernos, Nietzsche propôs um ponto de vista cíclico da história, em sua doutrina da *recorrência eterna*. Sua idéia, portanto, é bastante parecida com o conceito dos estóicos, que falavam sobre a reabsorção de todas as coisas pela fonte emanadora original.

3. O *cristianismo* tornou a expressar a idéia que os hebreus faziam da história, excetuando que fazia tudo depender, para sua realização, do Messias, em seu primeiro evento, sem seu segundo evento (a *parousia*, vide), no milênio e no estado eterno, condições essas na direção das quais todas as coisas se estão movendo. A espiritualidade é injetada nessa filosofia da história, estando envolvida uma evolução espiritual. O homem físico, mortal, haverá de ser revestido da imortalidade. Sua alma irá sendo gradualmente espiritualizada (ver II Cor. 3:18), de tal maneira que, finalmente, haverá de participar da própria natureza do Filho (ver Rom. 8:29) e, em conseqüência, da natureza divina (ver Col. 2:10 e II Ped. 1:4). Essa filosofia da história é linear, mas segue uma direção que leva a um tipo de vida inteiramente diferente, na eternidade futura, com objetivos ainda bastante indefinidos, por enquanto, mas que se concretizarão quando os processos de redenção e de restauração se tiverem completado. A humanidade inteira é concebida como a dirigir-se a uma grande restauração (vide), que haverá de reverter completamente os efeitos da queda no pecado, o que constitui o mistério da vontade de Deus (Efé. 1:9,10). A idéia é similar à dos estóicos e de Platão, embora sem os grandes ciclos *repetidos*. Não obstante, o trecho de Efésios 1:9 mostra-nos que há ciclos envolvidos, embora cada um, *uma unidade em si mesma*, seja uma força que contribui para produzir a **restauração final**. — A história inteira seria teisticamente guiada — e determinada por esse alvo final. Nada estaria fora do plano ou da

FILOSOFIA — FILOSOFIA DA RELIGIÃO

vontade de Deus.

4. *Agostinho* é reconhecido como um importantíssimo filósofo da história. Ele retinha os aspectos essenciais da visão do cristianismo; mas em seu livro, *A Cidade de Deus*, ele fez da Igreja a força impulsionadora da história presente, em suas tentativas por converter o mundo pagão, o Estado. Visto tratar-se de um poder espiritual, a Igreja seria maior do que o Estado, e deveria dominá-lo. Isso posto, não haveria separação entre a Igreja e o Estado, e este último deveria ser dirigido pela primeira. Essa idéia, posto que não combine com a exposição de idéias da Bíblia Sagrada, exerceu tremenda influência durante a Idade Média, quando a Igreja e o Estado estiveram em constante conflito. Os ideais de Agostinho eram freqüentemente reiterados, e a Igreja procurava impor-se aos governos civis, até mesmo quando, na Europa fragmentada, houve a tentativa de reunificação naquilo que se chamou de *Santo Império Romano* (vide). Uma parte das realizações da reforma consistiu em produzir condições de modo a separar a Igreja do Estado, apesar de João Calvino, na prática real, ter dado continuação ao sonho de Agostinho, em sua experiência teocrática em Genebra.

Os pontos de vista de Agostinho não anteciparam a restauração referida em Efésios 1:9,10 e assim a Igreja Ocidental, como um todo, não promoveu esse aspecto da teologia. A sua *visão beatífica*, como o alvo da história do povo remido, preservava e explicava o ideal cristão da transformação do homem à imagem de Cristo, e a participação desse homem na natureza divina, que é o alvo da história no caso dos salvos.

O chamado Santo Império Romano foi fundado com base nos princípios da obra de Agostinho, *A Cidade de Deus* (*De Civitas Dei*), tendo dominado a cena política da Europa pelo espaço de mil anos. Visto que Agostinho escreveu com cuidado e boa exposição, sobre o assunto, com freqüência, ele é chamado de pai ou fundador da filosofia da história.

5. Os *filósofos franceses* (vide) criaram um ideal elaborado de utopia, na direção do qual, presumivelmente, a humanidade estaria marchando. O processo histórico teria começado na animalidade e, a partir dali, mediante estágios graduais, estaria avançando na direção do estado ideal, utópico. *Condorcet* (vide) pensava em dez estágios através dos quais a história estaria passando; e a nossa era presente seria a final!

6. *Vico* propôs uma espécie de filosofia da história em dois andares, onde as sociedades humanas passam por três estágios: o dos deuses, o dos heróis e o dos homens. Por detrás dos bastidores, um outro drama se vai desenrolando, onde a providência divina cuida para promover um ideal da história.

7. *Augusto Comte* (vide) supunha que três estágios de pensamento têm governado as idéias e os atos humanos: a. o pensamento teológico, no estado primitivo da humanidade; b. o pensamento metafísico, onde forças naturais dirigem os homens; e c. o pensamento científico, dominado pelo positivismo lógico e pelo método científico, libertando o homem de suas anteriores superstições.

8. *Hegel* via na história a força de uma tríade em operação, que controlaria todas as coisas, todos os movimentos da história, todos os campos de empreendimento, absolutamente tudo. Em primeiro lugar haveria a tese, então a antítese (a força contrária) e, então, haveria a síntese, um misto das duas condições anteriores. O Espírito Absoluto seria a força que existe por detrás de tudo. Esse Espírito teria o costume de pensar dessa maneira tríplice, fazendo

todas as coisas acompanharem a sua maneira de pensar. O artigo sobre Comte fornece certo número de tríades, que ilustram a teoria.

9. *Marx e Engels* secularizaram a tríade hegeliana e fizeram dela o poder que estaria por detrás da força mais poderosa neste mundo, a economia. Eles reduziram o espírito de Hegel ao dinheiro. Tal desenvolvimento tem o nome de *materialismo dialético*. O ideal concebido ali operaria sobretudo no campo da luta de classes. O ideal a ser atingido é uma sociedade sem classes, e esse alvo seria absolutamente inevitável (determinismo). Os homens não poderiam fazer cessar o processo, mas apenas ajudá-lo ou tentar impedi-lo, em sua inexorável marcha. Por outra parte, a tradição profética revela-nos que o comunismo internacional encaminha-se para o fim, tendo, no máximo, cerca de cinqüenta anos de vida restantes. Forças superiores haverão de reduzi-lo a nada e, então, ver-se-á que o Espírito, na verdade, governa a matéria.

10. *Spengler* negava que se possa construir uma filosofia da história global. Cada sociedade teria de ser considerada segundo as suas próprias condições. Isso significaria que há pequenas filosofias da história em operação, aplicável somente a cada caso em particular. Todavia, haveria certos pontos de semelhança. Assim, cada sociedade passaria por um processo de nascimento, crescimento, maturidade, velhice e, finalmente, morte.

11. *Toynbee* seguia, em linhas gerais, a análise de Spengler, embora tenha modificado a sua teoria de declínio inevitável. Dentro das operações da história, ele descobriu vários elementos atuantes, como desafio e resposta, retirada e retorno, e uma minoria criativa que atuaria tendo em vista o bem da totalidade da humanidade.

12. O *dispensacionalismo* (vide) é uma filosofia cristã da história. Deus é visto como Alguém que atua através de sete distintas dispensações, em cada uma das quais experimenta uma nova idéia. Cada dispensação terminaria em fracasso, com exceção da última. Uma vez que a missão de Cristo terá então atingido os seus plenos propósitos, o resultado final será a salvação da alma humana. Esse estágio final seria *eterno*. O que terá lugar então dependerá dos pontos de vista teológicos de cada indivíduo. Em nossa cultura ocidental, a prevalecer esse sistema, a maioria dos homens terminaria em desastre; pois, de acordo com nossa herança religiosa, do cristianismo *ocidental*, não há lugar para a restauração final. A teologia *oriental*, todavia, tem uma doutrina mais sana. Ver o artigo sobre *Restauração*. (E EP F MM)

FILOSOFIA DA LINGUAGEM

Ver sobre **Linguagem (Filosofia e); Filosofia da Linguagem**.

FILOSOFIA DA RELIGIÃO

Esboço:

I. Definição e Caracterização Geral

II. Principais Assuntos Examinados

III. Valor Apologético

I. Definição e Caracterização Geral

Ver o artigo separado sobre a **Religião**, que inclui muitas definições da religião, por parte de sistemas, teólogos e filósofos. A filosofia, tal como a religião, como um sistema, começou como uma defesa das crenças religiosas, através do raciocínio filosófico. Assim, temos as provas racionais da existência da

FILOSOFIA E A FÉ RELIGIOSA

alma e de Deus, como exemplos desse tipo de atividade. Porém, uma verdadeira filosofia da religião não é especificamente defensiva, e nem especificamente negativa. Antes, é a consideração de assuntos religiosos mediante a crítica analítica e a avaliação feitas pela filosofia. O propósito disso não é, em primeiro lugar, aceitar ou rejeitar as crenças religiosas e, sim, compreender e descrever as mesmas de forma mais exata e abrangente. «A filosofia da religião é o estudo lógico dos conceitos religiosos e dos conceitos, argumentos e expressões teológicos: o escrutínio de várias interpretações da experiência e das atividades religiosas. O filósofo que pratica a mesma não precisa dedicar-se à religião que estiver estudando... A filosofia da religião deve ser distinguida da *apologética*. Novamente, não é idêntica à *teologia natural*, visto que o filósofo da religião também pode ocupar-se na avaliação de alegadas revelações». (C)

II. Principais Assuntos Examinados

a. A natureza, a função e os valores da religião.

b. A validade das reivindicações religiosas e dos métodos de investigação. O problema da verificação das crenças religiosas. Ver o artigo separado sobre a *Verificação de Crenças Religiosas*.

c. A relação entre a ética e a religião. Ver sobre a *Ética*.

d. O problema do mal. Ver sobre o *Problema do Mal*.

e. A religião natural versus a religião sobrenatural. O problema da revelação, os seus modos e a sua validade.

f. A alma, sua existência, sua sobrevivência diante da morte biológica e o seu destino. Ver os artigos separados sobre *Alma* e *Imortalidade*.

g. A natureza e a existência de Deus. Ver o artigo separado sobre *Deus*.

h. A liberdade e o determinismo, ambos os assuntos merecem um artigo separado, nesta enciclopédia.

i. O misticismo (vide).

j. Os valores humanos; o humanismo.

l. Os credos, as organizações e os ritos religiosos, como também a atividade missionária.

m. A função religiosa como parte da sociedade. A religião é uma das instituições da sociedade.

n. A tradição profética: suas reivindicações, suas debilidades, sua validade, etc. Ver sobre *Profecia: A Tradição Profética e a Nossa Época*.

o. A natureza e a validade dos livros sagrados. As funções dos profetas. A autoridade da Igreja, que preserva a mensagem dos profetas.

p. A natureza da linguagem religiosa, suas fraquezas e sua validade.

III. Valor Apologético

Apesar da filosofia da religião não ser uma apologia, obviamente tem uma certa função apologética, perfeitamente legítima. Isso empresta razão e poder às crenças do indivíduo, mostrando que ser religioso é estar ocupado em uma atividade útil.

FILOSOFIA E A FÉ RELIGIOSA

    I. O Uso Legítimo da Filosofia
    II. A Atitude de Paulo
    III. Definição: Uma História
    IV. Referência Bíblica
    V. Uso e Abuso da Filosofia

I. O Uso Legítimo da Filosofia

1. Vários dos pais gregos da igreja, pensavam que as filosofias mais nobres, como a de Platão, haviam servido como presentes de Deus aos povos gentílicos, tal como a lei fora uma dádiva divina aos israelitas, para guiá-los até Cristo. Essa atitude era compartilhada por muitos dos pais posteriores da igreja, gregos e latinos igualmente.

2. O próprio Paulo tentou a «abordagem filosófica» em Atenas, embora sem sucesso (ver Atos 17). Justino Mártir e outros obtiveram maior êxito com esse método, entre os intelectuais.

3. A maioria dos comentadores concorda em que Paulo não atacava indiscriminadamente toda e qualquer filosofia, mas tão-somente aquela modalidade proeminente na Ásia Menor, que passara a fazer parte do sistema gnóstico. Os cultos misteriosos mesclavam a filosofia com as artes mágicas, chamando-as de «nutrimentos gêmeos da alma». Tal mistura era repelente para Paulo.

4. A filosofia, tal como qualquer outro campo do conhecimento humano, envolve algum bem, — que nos pode tornar melhores pessoas e melhores ministros cristãos, contanto que sejamos criteriosos no que aceitar e no que repelir. Paulo sabia como rejeitar o prejudicial e acolher o que é bom. Muitos dos seus ensinamentos éticos são notavelmente similares aos do estoicismo. Os eruditos concordam em que ele tomou por empréstimo muitas das ilustrações e expressões que usou, daquele sistema. A cidade de Tarso foi um centro do estoicismo romano. E apesar das epístolas apócrifas de Paulo a Seneca, e de Seneca a Paulo, não serem autênticas, elas refletem a antiga observação sobre a similaridade dos autores, em seus princípios morais e seus modos de expressão.

5. *Nota do Tradutor*. Embora eu mesmo não me repute filósofo consumado, tenho feito minhas próprias observações acerca da utilidade ou não da filosofia, no campo do conhecimento bíblico. Se Cristo é a *luz* que ilumina a *todo* homem que vem a este mundo, parte desta iluminação deve ter sido dada na filosofia. — A utilidade desta se nota muito mais uma organizada do pensamento, do raciocínio. Embora não possa fornecer-nos as respostas para os mistérios da existência, que tanto atribulam o espírito das pessoas a eles sensíveis, pelo menos a filosofia é capaz de fornecer ao homem uma série de perguntas bem colocadas, que delimitam nossa incapacidade de encontrar-lhes a solução. «Quem somos? De onde viemos? Para onde vamos?» Ela principalmente indaga. A resposta tem de ser dada pela revelação divina. Sumariando: o espírito humano pergunta, o Espírito de Deus responde. Uma coisa é a filosofia, outra, a revelação bíblica!

«Paulo não se mostrava hostil contra toda e qualquer filosofia. Ele mesmo acabara de expor uma nobre declaração sobre a posição central de Cristo, no universo, utilizando-se de termos e conceitos da filosofia então corrente (ver Col. 1:15-20). O que ele repudia é qualquer filosofia que não leve em conta, com seriedade, a contribuição moral e religiosa da revelação cristã à compreensão sobre a vida». (Macleod, *in loc.*).

«Paulo não condena a filosofia e a sabedoria, mas somente essa falsa filosofia, falsamente chamada de sabedoria». (Robertson, *in loc.*).

«Assim como muitos têm erroneamente imaginado que a 'filosofia' é aqui condenada por Paulo, precisamos frisar o que ele indica por esse termo... à filosofia que nada seja senão a corrupção da doutrina espiritual... sob o termo 'filosofia'. Paulo meramente

FILOSOFIA E A FÉ RELIGIOSA

condenou todas as doutrinas espárias... (Calvino, *in loc.*).

II. A Atitude de Paulo

«O apóstolo não queria condenar todas as artes e ciências, como se fossem inúteis e prejudiciais, tal como a filosofia natural em seus vários ramos, a ética, a lógica, a retórica, quando conservadas dentro dos devidos limites de seu lugar e esfera». (John Gill, *in loc.*).

«Existe uma 'filosofia' que exercita nobremente nossas faculdades do raciocínio e que promove profundamente a religião; tal estudo das obras de Deus, dirige-nos ao conhecimento de Deus e confirma a nossa fé nele. No entanto, há uma filosofia 'vã e enganadora', prejudicial à religião». (Matthew Henry, *in loc.*).

Um Pouco de Erudição

Um pouco de erudição é coisa perigosa;
Sorve fundo, ou não bebas da fonte de Pireu:
Ali sorvos pequenos intoxicam o cérebro,
E beber largamente nos faz voltar à sobriedade.

(Alexander Pope, 1688—1744)

Surpreendentemente, nenhum dos catorze comentários usados como base central deste artigo, condena a filosofia de forma geral; e vários deles chegam mesmo a elogiá-la, ao passo que observam que Paulo se opunha, neste ponto, ao «tipo de filosofia» corrente, então na Ásia Menor, e não à filosofia em geral.

III. Definição: Uma História

A filosofia, por definição básica, é a **história das idéias**. Damos grande importância ao conhecimento da «história dos acontecimentos políticos e sociais», a qual, via de regra, é somente uma crônica das guerras, sendo aquilo que normalmente chamamos de «história». Muito mais importante deve ser o conhecimento de algo sobre a história das idéias, ainda que rejeitemos a maior parte do que os homens têm pensado. O conhecimento daquilo que outros homens têm pensado ajuda-nos a entender e a definir melhor a doutrina cristã, a compreender o que nela está implícito, e como ela ultrapassa o que é meramente humano.

É especialmente importante sabermos algo sobre a filosofia clássica, porquanto algumas doutrinas estão filosoficamente baseadas e são filosoficamente expressas, o que se evidencia, nas páginas do N.T., na epíst. aos Hebreus. (Ver o artigo sobre essa epístola, na seção, *Influência das idéias religiosas e filosóficas*). Há seiscentos anos de filosofia por detrás da doutrina do «Logos», em João 1:1. É importante conhecermos a filosofia, até mesmo aquela que se opõe ao pensamento cristão. Pois podemos resistir mais facilmente o inimigo, quando sabemos quais são os seus ataques e estratagemas.

IV. Referência Bíblica

Filosofia. No grego é **philosophia**, palavra usada exclusivamente em todo o N.T. em Col. 2:8. Esse vocábulo significa «amor à sabedoria». Nos nossos dias, entretanto, é usado para designar estudos sistemáticos e racionais, como a ética, a estética, a metafísica, a política, a lógica, a epistemologia (gnosiologia) e outros de tempos mais modernos, como a filosofia da ciência, a religião, a educação, a matemática, etc. Essa palavra foi usada pela primeira vez por Pitágoras, em 600 A.C., a fim de designar aqueles que «buscam a sabedoria», — em vez dos interesses usuais, como os esportes, os prazeres e as vantagens financeiras. Sócrates se utilizava de tal palavra para indicar os «pesquisadores da sabedoria». Platão afirmava que o termo «sábio» pode ser atribuído somente a Deus, mas que um homem pode ser um «pesquisador» da sabedoria, ou um «filósofo», um «amigo da sabedoria», o que é o sentido implícito no vocábulo.

A influência estóica é evidente nas Escrituras de Paulo. Portanto, a filosofia tinha uma parte na sua formação e no seu pensamento. O que é de algum valor não jogamos fora meramente porque existem maiores valores.

V. Uso e Abuso da Filosofia

1. O próprio Paulo tomou por empréstimo certo número de ilustrações e lições morais derivadas do estoicismo romano, e em razão disso há paralelos entre seus escritos e aqueles de Sêneca, o famoso filósofo estóico romano, contemporâneo do apóstolo dos gentios. Com base nessa circunstância é que surgiram as epístolas apócrifas de Paulo a Sêneca, e deste para aquele. Apesar de serem obras apócrifas, sua própria existência implica na similaridade de expressão (e pensamento moral) entre os dois homens.

2. A filosofia, entretanto, não conta com qualquer doutrina de redenção que possa ser substituta da salvação em Jesus Cristo, embora Platão tivesse antecipado certo número de doutrinas de elevado cunho espiritual que fazem parte do sistema cristão.

3. As objeções de Paulo às idéias dos filósofos, tão evidentes no primeiro capítulo de I Coríntios, estavam alicerçadas sobre o fato de que a porção intelectual da igreja de Corinto (provavelmente seguidores de Apolo) havia virtualmente abandonado a fé cristã (com sua mensagem central da cruz), substituindo-a por um mero sistema de sabedoria humana. Conjecturo que eles contavam com uma série de *mistérios*, em imitação às religiões misteriosas da época e também com uma mensagem filosófica — (com uma mescla de estoicismo e platonismo). Acima de tudo, orgulhavam-se de seus admiráveis poderes de oratória, no que imitavam aos sofistas. Muitos deles, sem dúvida, tinham recebido treinamento formal na arte de falar em público e de debater, as especialidades dos sofistas.

4. O relacionamento que porventura existia entre o cristianismo e a filosofia, e aquilo que os comentários bíblicos declaram a respeito, aparecem nos comentários sobre Col. 2:8 no NTI.

Paulo também queria que compreendêssemos que não pode haver substituto para a mensagem simples da cruz; porquanto é através da mesma que o homem é levado de volta a Deus, através da reconciliação que há em Cristo. Mui provavelmente ele levantava objeção contra as especulações filosóficas, que tendem por detratar da importância de Cristo, e não meramente contra as «apresentações de tipo filosófico» da mensagem cristã.

«A eloqüência e a erudição humanas com freqüência têm sido usadas com êxito na defesa dos pontos secundários do cristianismo; mas a simplicidade e a verdade são as que lhe têm preservado a cidadela». (Adam Clarke, *in loc.*).

Visto que o poder procede de Deus, e não do homem, isso pode ser percebido mais claramente quando o instrumento usado por Deus não é produto polido da sabedoria humana. Porém, para que isso realmente se verifique, é mister que se faça presente o poder real de Deus. A mera substituição de uma pregação erudita pela prédica inculta e ignorante não manifesta por si só, o poder de Deus; mas isso é tão-somente substituir a *sabedoria humana* pela «ignorância humana». E tal medida faria das igrejas evangélicas ainda mais enfadonhas, e não mais

FILOSOFIA — FILOSOFIA GREGA

poderosas. Por outro lado, quando o poder de Deus realmente se faz presente, não há necessidade alguma de revestir a pregação com a habilidade retórica. Mas, quando esse poder se ausenta, nem o discurso simples e ignorante (o que, para muitos parece ser um ponto de orgulho e ufania) e nem o discurso brilhante e retórico pode ter grande valia. Assim sendo, se o poder de Deus estiver presente, a maneira erudita de apresentar o evangelho não lhe servirá de empecilho; antes, tal como se vê nas próprias epístolas de Paulo, onde há passagens supremamente eloqüentes, esse brilhantismo pode ser usado para atingir certos níveis de pessoas, onde uma apresentação ignorante e inculta os repulsaria. O fato é que Paulo era homem de considerável eloqüência, o que transparece em suas epístolas; mas ele ignorava as técnicas dos retóricos ao expor a mensagem de Cristo. Evidentemente Apolo aplicava tais habilidades, posto que não era falso para com a mensagem do Senhor. Por isso mesmo, Apolo não é atingido aqui pelas críticas do apóstolo dos gentios, embora alguns daqueles que faziam de Apolo o seu modelo merecessem tais críticas.

Com a passagem geral que encontramos aqui no primeiro capítulo de I Cor., podemos confrontar a atitude declarada por Justino Mártir (150 D.C.), um dos primeiros dos chamados «pais da igreja», e que foi o principal apologista cristão de sua época. Ele fora um filósofo neoplatônico, bem como um mestre ambulante de algum prestígio. Justino Mártir afirmava que a filosofia o levara aos pés de Cristo, como se ele tivesse sido um aio, mais ou menos como a lei mosaica o fora para alguns judeus. (Ver Gál. 3:24,25). Aqueles que conhecem a filosofia platônica sabem que existem pontos de grande similaridade entre seus conceitos básicos e as idéias básicas do cristianismo, e que uma coisa pode realmente conduzir à outra. É interessante que Justino Mártir nunca se despiu inteiramente de sua capa de filósofo, tendo andado ao redor, procurando convencer as classes intelectuais a virem a Cristo, utilizando-se de seu método filosófico. No entanto, ao mesmo tempo, foi um dos maiores defensores do cristianismo. O valor de seu exemplo não deveria ser completamente olvidado por nós. Pode haver algum valor no mesmo.

Essa atitude de Justino Mártir foi compartilhada pelos pais alexandrinos da igreja, como Clemente e Orígenes, os quais pensavam que a filosofia grega os tinha preparado para o evangelho, sobretudo a filosofia platônica e estóica, tal como a lei mosaica preparara o caminho para tantos judeus. Justino Mártir foi um cristão supremamente dedicado a Cristo, que usou as habilidades inerentes à sua personalidade, bem como as capacidades que lhe foram conferidas por obra e graça do Espírito de Deus, a fim de fomentar a causa do reino de Deus. Não é provável que Paulo tivesse encontrado motivos para condená-lo por isso.

FILOSOFIA: ESCOLAS FILOSÓFICAS NO NOVO TESTAMENTO. Ver Escolas Filosóficas no Novo Testamento.

FILOSOFIA GREGA

Esboço:

I. Esboço da Filosofia Pré-Socrática
II. O Período Clássico
III. As Escolas de Ética
IV. As Academias de Platão e Aristóteles
V. O Ceticismo

VI. O Ecletismo Helenista e Romano
VII. O Neoplatonismo
VIII. Influências sobre o Cristianismo
IX. A Filosofia Grega como um Mestre-Escola

Declaração Introdutória

A filosofia ocidental teve início entre os gregos. A filosofia grega cabe entre 600 A.C. e 600 D.C., mas sobrevive de maneira muito ativa na maioria das culturas modernas. Quando alguém disse que Platão *é a filosofia*, em certo sentido exagerou; mas a declaração encerra uma força que não pode ser negada. Ver o artigo geral sobre a *Filosofia*. Durante o período grego da filosofia, quase todas as alternativas filosóficas foram manuseadas, conforme se faz atualmente, no mundo ocidental. Além disso, muitas teorias científicas, que obtiveram larga aceitação em tempos posteriores, foram propostas pela primeira vez pelos gregos. Entre elas devemos incluir a teoria atômica, a visão heliocêntrica do sistema solar e certa evolução orgânica. Talvez possamos dizer o que os hebreus foram para o pensamento religioso, os gregos foram para o pensamento filosófico.

I. Esboço da Filosofia Pré-Socrática

1. *Filosofias Milesiana e Jônica* (século VI A.C.). Nesse ponto os filósofos procuravam entender a natureza básica da composição do Universo, especificamente da matéria, sugerindo algum dos quatro elementos, como a água (Tales), o ar (Anaxímenes) ou o *apeiron*, ou elemento indeterminado (Anaximandro). Essa atividade pode ter assumido certa forma de *pampsiquismo* (vide) e não de materialismo, se é que a declaração de Tales, de que «tudo está cheio de deuses» deve ser entendida literalmente (referindo-se a alguma força psíquica em todas as coisas), e não poeticamente, para indicar alguma força natural que permeie a todas as coisas.

2. *A Ética Pré-Socrática*. Ver o artigo sobre a *Ética*, segunda seção. Implicações éticas e declarações feitas por Pitágoras, Píndaro, Xenófanes, Anaximandro e Protágoras são discutidas naquele artigo.

3. *Os Pitagoreanos* (vide). As datas dessa escola de pensamento ficam entre 550 e 430 A.C. Todavia, as idéias ali ensinadas sobreviveram por vários séculos depois que essa escola terminou. Tal escola tinha características de uma seita religiosa, fazendo certos elementos das religiões orientais entrarem no sistema. Pitágoras (vide) tornou-se conhecido como uma figura santa e, aparentemente era dotado do poder de bilocação, mediante a projeção da psique. Essa escola tornou-se melhor conhecida por manusear a questão dos *números*. A cada coisa atribuía um número correspondente, que foi uma espécie de antigo discernimento atômico. A matemática, em certo sentido, tem a chave capaz de abrir a explicação da realidade. Platão incorporou essa idéia em seu próprio sistema de idéias. Pitágoras foi homem dotado do poder da palavra. Os seus discípulos costumavam dizer: «Ele mesmo disse isso», o que bastava para comprovar alguma questão.

4. *Heráclito* (vide) (fim do século VI A.C.). Ele acreditava que tudo se acha em estado de fluxo, pois toda a existência estaria em uma espécie de processo interminável, sempre se modificando. Dizia ele: *Panta rei*, «tudo flui». Muitos dizem que foi ele quem iniciou a doutrina do Logos, aquela sabedoria que controla o fluxo de todas as coisas. Ele pensava que o *fogo* era o elemento básico.

5. *Os Filósofos Eleáticos*. Parmênides (vide), Zeno de Eléa (vide) e talvez Xenófanes (vide) negavam o

FILOSOFIA GREGA

fluxo postulado por Heráclito, vendo apenas uma natureza sem mudanças; onde as mudanças são ilusórias. Isso eles faziam com bases racionais, pensando que a razão ocupa posição suprema, e não a percepção dos sentidos. Ver sobre o *Racionalismo*. Essa escola floresceu na primeira metade do século V. A.C.

6. *A Discussão Sobre a Mudança e a Constância.* Foram feitas tentativas para definir o pluralismo e o atomismo. Empédocles (vide) pensava que a terra, o ar, o fogo e a água eram as raízes elementares que se combinam em diversas proporções para compor todas as substâncias. Anaxágoras (vide) falava sobre as *sementes* ou partículas que constituiriam as coisas, e introduziu o conceito da *nous*, ou mente, como a força controladora da natureza. Leucipo e Demócrito (ver os artigos sobre eles) introduziram a teoria atômica, afirmando que a natureza compõe-se de átomos e espaços vazios. Os átomos foram por eles definidos como de número infinito, impenetráveis e imutáveis, embora suas combinações pudessem explicar todas as modificações.

7. *Os Sofistas* (vide) abandonaram as especulações metafísicas e introduziram a gnosiologia e a ética relativas, fazendo do homem o padrão de todas as coisas. Ver sobre Protágoras, Hipias, Górgias e Trasímaco.

II. O Período Clássico

Todos os seis sistemas tradicionais da filosofia foram formulados pelos esforços combinados de Sócrates, Platão e Aristóteles. Temos artigos detalhados sobre esses três e um estudo especial sobre o sistema ético deles, no artigo intitulado *Ética*, seções III (Sócrates), V (Platão) e VI (*Aristóteles*). Ver o artigo sobre a *Filosofia*, quanto a uma descrição dos seis ramos da filosofia, na sua terceira seção. Sócrates foi, antes de tudo, um filósofo ético, que tinha certas qualidades próprias dos místicos religiosos, mas que não se interessava pela metafísica. Ele deixou suas marcas imortais sobre a ética. Platão, embora seu discípulo, ultrapassou ao seu mestre quanto ao escopo de interesses e criou um elaborado sistema de gnosiologia, metafísica, estética e política. Era homem de grande piedade pessoal, a ponto de ter sido chamado de Isaías grego. Em alguns de seus estudos antecipou a lógica. Mas foi Aristóteles, «o intelecto», quem adicionou a *lógica dedutiva*. O período clássico data de 450 a 321 A.C. Platão foi o maior cientista da era clássica.

III. As Escolas de Ética

No escritos de Platão há forte influência de Sócrates. Mas ele também foi o pai da ética, de tal modo que várias escolas foram criadas por seus discípulos, cada um afirmando-se o melhor intérprete do grande mestre. Daí surgiram as escolas do cinismo, do hedonismo, do epicurismo e do estoicismo. Damos um artigo separado sobre cada uma dessas escolas. Ver também o artigo sobre a *Ética*, em sua quarta seção. Pode-se dizer que esse período ocupou o tempo de 350 A.C. até o começo da era cristã. Ver o artigo separado sobre as *Escolas Filosóficas do Novo Testamento*, onde há um estudo mais detalhado sobre as escolas éticas, nesta enciclopédia. Ver os artigos separados sobre Zeno de Cítium, Marco Aurélio e Epicuro, quanto a outros detalhes sobre os movimentos éticos. Todas essas escolas propunham diferentes alvos para a vida humana, com diferentes tipos de conduta ideal. O período das especulações filosóficas terminou com Aristóteles, e então tornaram-se proeminentes a ética e o ceticismo. Naturalmente, esse período foi

assinalado pela desintegração, tanto do poder militar grego (após Alexandre, o Grande) como do pensamento grego original.

IV. As Academias de Platão e Aristóteles

A academia de Platão foi a primeira universidade européia. Ver o artigo separado sobre a *Academia de Platão*. Continuou existindo até os dias de Antíoco, em 67 A.C., embora muito se tenha afastado da filosofia de Platão, tendo-se tornado, essencialmente, em uma agência de expressão do *ceticismo* (vide). Por outro lado, os pensamentos religiosos de Platão encontraram guarida no neoplatonismo (vide). A escola de Aristóteles, o Liceu (vide), também continuou funcionando até muito depois de sua morte. Continuou operando até os fins do primeiro século A.C., sob a direção de Andrônico de Rodes. A princípio foi organizada para promover a filosofia de Aristóteles e as ciências. Assumiu um colorido cético, tal como sucedera à academia de Platão, embora tivesse feito muitas contribuições à erudição quanto aos ideais da educação liberal.

V. O Ceticismo

No campo da filosofia, esse sistema foi organizado inicialmente por Pirro (vide), já na segunda metade do século IV A.C. A influência desse modo de pensar foi grande, exercendo efeitos sobre outras escolas. A base da moderna *ciência filosófica* (vide) é o ceticismo, a noção de que não há tal coisa como um conhecimento perfeito, final e sem erros. David Hume foi o cético mais proeminente do começo da era moderna, e a sua filosofia teve vasta influência sobre toda a filosofia que veio em seguida. Ver o artigo separado sobre o *Ceticismo*.

VI. O Ecletismo Helenista e Romano

Após o declínio dos grandes sistemas especulativos do período clássico, ficou faltando originalidade na filosofia, na esteira de um período de desintegração geral da sociedade grega. A principal tendência era os filósofos selecionarem itens que os agradavam, combinando-os em sistemas mistos. Ver o artigo separado sobre o *Ecletismo*. Os romanos não criaram qualquer nova filosofia. De fato, desde Aristóteles até Agostinho, nada de original apareceu na filosofia. Diferentes combinações foram efetuadas, produzindo novos sistemas; mas esses sistemas estavam apenas recombinando e reordenando idéias anteriores. O estudo de Agostinho quanto ao *tempo* antecipou a teoria da relatividade. Porém, já existia em forma germinal nas discussões de Platão sobre o mundo universal, em comparação com o mundo dos particulares (este mundo físico).

Na prática, os interesses dos romanos, em contraste com a teoria, levou à tendência geral ao ecletismo, perceptível desde o século III A.C. em diante. Ver os artigos separados sobre Cícero, Varro e Sêneca.

VII. O Neoplatonismo

O Neoplatonismo (vide) foi o esforço especulativo final da filosofia grega, entre os séculos III e VI D.C. Embora essas sejam as datas de um sistema formalizado, o neoplatonismo já havia sido antecipado pela academia de Platão, quando Xenócrates, que sucedeu ao sobrinho de Platão, Speusipo, como o líder da academia, identificou Deus com a unidade primária. E, naturalmente, Filo (vide) preparou o caminho para o sistema, tendo apresentado, por assim dizer, uma antiga afirmação do neoplatonismo. Foi uma tentativa para combinar todas as doutrinas filosóficas e religiosas em um único sistema, interpretando tudo do ponto de vista platônico. Quem fundou essa escola foi *Plotino* (vide). Exerceu tremen-

FILOSOFIA — FILOSOFIA HELENISTA

da influência sobre vários dos primeiros pais da Igreja, principalmente do lado grego, e continuou exercendo considerável poder sobre a Igreja da Idade Média.

VIII. Influências Sobre o Cristianismo

Edwin Hatch escreveu um livro intitulado **The Influence of Greek Ideas on Christianity**. Tinha cerca de trezentas e cinqüenta páginas. E, se podemos rejeitar algumas de suas afirmativas, mostra claramente que o cristianismo primitivo foi bastante influenciado pela cultura e pelas idéias gregas. Isso também é verdade — no tocante — ao judaísmo helenista. O cristianismo, pois, não se originou somente com base no Antigo Testamento. De fato, as doutrinas sobre a alma, sobre o mundo em dois níveis (conforme é enfatizado em Hebreus 8:5 e 9:23), etc., tiveram sua origem na filosofia grega, especialmente de Platão. A epístola aos Hebreus foi influenciada por Platão, através de Filo. Ver o artigo sobre Hebreus, seção sexta, quarto ponto, quanto a uma total declaração a respeito. Todos os estudiosos de filosofia e religião têm consciência da grande similaridade entre a ética dos estóicos romanos e os escritos de Paulo, quanto a muitos particulares. Mas também temos o conspícuo exemplo da doutrina do *Logos* (vide), iniciada por Heráclito. Passou pelo estoicismo e pelo neoplatonismo (mormente nos escritos de Filo), e terminou aparecendo em João 1:1 como um dos nomes do Filho encarnado de Deus. Ademais, não há que duvidar que a doutrina de *hades* (vide), tanto no judaísmo quanto no cristianismo, deveu-se, pelo menos em parte à sua formulação pelos gregos. Os primeiros pais da Igreja, especialmente aqueles do lado grego da Igreja, interpretavam a sua teologia do ponto de vista platônico. Essa atividade prosseguiu pela Idade Média, quando Aristóteles (o Filósofo) tornou-se a principal força interpretativa da teologia, especialmente dentro do tomismo (vide).

IX. A Filosofia Grega como um Mestre-Escola

Os pais gregos da Igreja davam muito importância aos estudos dos filósofos gregos, mormente Platão. De fato, alguns desses filósofos eram tidos em tão alta conta que vários teólogos especularam que o hades não poderia ser o lugar onde suas almas residiam. Mas, supondo que pelo fato de não terem sido cristãos também não poderiam estar no céu, suas especulações teológicas criaram um outro lugar, de glória secundária. Essa seria a glória dos filósofos gregos dotados de bons pensamentos, embora não fosse a glória dos remidos. É possível que o segundo capítulo da epístola aos Romanos tenha sido usado como base da idéia. Certamente que a doutrina da *restauração* (vide) antecipa níveis de glória secundária, a serem distinguidas da glória dos eleitos, que chegarão a participar da própria natureza divina (II Ped. 1:4). O trecho de Efé. 1:9,10, que fala sobre o mistério da vontade de Deus, antecipa a aplicação da missão de Cristo, em um nível secundário, no caso de todos os homens. Seja como for, os primeiros pais gregos da Igreja acreditavam que a melhor porção da filosofia grega atuou como um mestre-escola para conduzir os pagãos aos pés de Cristo (preparando o caminho para a sua mensagem), tal como a lei mosaica tivera essa função no caso dos judeus. Essa doutrina é razoável, até onde posso ver as coisas. Aqueles que lerem os escritos de Platão entenderão melhor a razão dessa atitude.

O Logos implanta as Suas sementes por toda a parte, segundo nos ensina a doutrina do *logoi spermatikoi*. A vontade de Deus é poderosa e ele encontra muitos meios para levar a mensagem espiritual até os homens. A melhor parte da filosofia

grega, incluindo os escritos de Platão, embora não somente dele, enriquece a teologia, conforme posso afirmar com base em minha experiência pessoal. Acompanhar a doutrina de Platão sobre a alma, em seus diálogos, e ver como os argumentos racionais podem afirmar tanto a existência da alma como a sua sobrevivência ante a morte física, é uma aventura jubilosa. Coisa alguma, nem no Antigo e nem no Novo Testamentos, equipara-se aos escritos de Platão, quanto a esse particular. A ignorância dos fatos de nada adianta. Quando o conhecimento é recebido com humildade, sempre é vantajoso.

Acerca de qual deva ser a nossa atitude, como crentes que somos, para com a filosofia em geral, ver o artigo sobre a *Filosofia*, em sua quinta seção, *A Filosofia e a Fé Religiosa*. (AM BE E EP F MM P)

FILOSOFIA HELENISTA

Ver o artigo separado sobre o **Helenismo**. O historiador alemão, J.G. Droysen, no século XIX, inventou a expressão *era helenista*. Era usada para designar o período durante o qual a cultura greco-macedônia propagou-se dos Bálcãs para as terras que margeiam a bacia do mar Mediterrâneo, após a morte de Alexandre, o Grande, em 323 A.C., e terminando com a ocupação final romana do último grande reinado grego, em cerca de 30 A.C. Entretanto, a *filosofia helenista* prosseguiu por um longo tempo após a sua morte política. Somente em 529 D.C., quando o imperador Justiniano tornou legítimas as antigas religiões e as antigas filosofias. Portanto, esse período perdurou por cerca de setecentos anos, do ponto de vista da filosofia.

Durante esse período, até cerca de 30 A.C., era grega a liderança política, além de muitas instituições na Ásia Menor, na Síria, na Mesopotâmia e no Egito, com bases na civilização macedônica. Naturalmente, isso incluía a filosofia. Com o fim do período clássico, dominado por Sócrates, Platão e Aristóteles, desenvolveram-se os tradicionais seis ramos da filosofia, e assim chegou ao fim a originalidade. Filósofos de menor envergadura (embora alguns deles importantes), continuaram salientando idéias que os três gigantes haviam proposto, embora o *ecletismo* (vide) fosse a tendência principal.

A Academia de Platão continuou; mas, sob a liderança de Carnéades de Cirene (cerca de 214-128 A.C.), tal academia tornou-se pronunciadamente cética, o que forçou o apodo *academia dos céticos*. Ver o artigo geral sobre a *Academia de Platão*. Carnéades, pois, atacou a gnosiologia dos estóicos, asseverando que não há como o homem conhecer o mundo dos fenômenos, exceto através dos sentidos. E, visto que os sentidos físicos são imperfeitos, e facilmente podem enganar-se, não haveria tal coisa como um conhecimento seguro. Até a existência dos fenômenos, segundo ele, seria admitida somente com base na teoria das probabilidades. Ver também o artigo sobre *Pirro*.

O *Liceu* (vide) de Aristóteles devotava-se às ciências e ao naturalismo, e seus melhores representantes finalmente, partiram para o museu de Alexandria, no Egito, famoso centro da erudição antiga.

Com base nas idéias de *Sócrates*, as escolas éticas do epicurismo, do hedonismo e do estoicismo se foram desenvolvendo. Há artigos separados, nesta enciclopédia, sobre essas escolas. Ver também sobre *Epicuro* e *Zeno de Cítium*, os principais filósofos da época. Epicuro tomou por empréstimo o atomismo dos mais antigos filósofos (ver sobre *Demócrito*), a fim de

FILOSOFIA — FILOSOFIA HINDU

prover seu sistema moral com alguns elementos naturalistas e com uma metafísica antideterminista. Ele tomava uma posição deísta, no tocante à teologia, porquanto não queria aceitar a idéia de deuses caprichosos e destrutivos a influenciarem os homens em sua busca da liberdade de expressão. Fazia do *prazer* mental (hedonismo) o alvo da conduta ideal. Entrementes, os estóicos tinham um sistema inteiramente determinista, com base no controle universal exercido pelo *Logos*. Para eles, a liberdade consistia em fazer o que o Logos requer, e sentir-se feliz com isso. «Apatia» era a sua palavra chave, porquanto a única maneira de manusear a dor seria ignorá-la. O estoicismo romano modificou isso para a *moderação*. Os estóicos apreciavam a metáfora do palco, onde a *Nous* (mente, Logos) determinaria a peça teatral, e onde cada indivíduo teria um papel a desempenhar. O homem seria forçado a aparecer neste mundo na capacidade determinada pela *Nous*, e teria a responsabilidade de desempenhar bem o seu papel, e não a de determinar o resultado do espetáculo. Ver o artigo separado sobre as *Escolas Filosóficas do Novo Testamento*.

Plutarco (350-433 A.C.) foi um importante filósofo desse período, tendo sido o primeiro líder da *Escola de Atenas* (vide). Ele detestava o epicurismo e não apreciava o estoicismo. No entanto, sentia-se atraído pelas idéias de Platão, Aristóteles e Pitágoras. A Escola de Atenas era a Academia de Platão que se tornou neoplatônica. Plutarco acreditava firmemente na liberdade da vontade e pensava que a comunhão com Deus pode ser obtida mediante ritos teúrgicos. Ver sobre a *Teurgia*.

Filo Judeu (vide) tentou ligar Platão ao judaísmo, tendo sido um dos precursores do sistema neoplatônico formal, que só surgiu mais tarde. Suas idéias exerceram alguma influência sobre o Novo Testamento, sobretudo quanto à doutrina do Logos e da visão mundial da epístola aos Hebreus (ver o artigo sobre essa epístola, seção sexta, quarto ponto).

Hermes Trimegisto foi uma importante figura no campo da filosofia e da literatura, nos séculos III e IV D.C. Seu nome significa Hermes Três Vezes Grandioso, como exaltação ao deus pagão Hermes. Seus escritos contêm um conglomerado de idéias de várias religiões e filosofias da época, principalmente de origem grega, fortemente influenciados por idéias platônicas. Ver o artigo acerca de *Hermes*.

Plotino (205-270 D.C.) foi um importante filósofo neoplatônico, que representa o período final da filosofia helenista, antes que o triunfo da Igreja cristã tivesse posto fim àquele período. Ele foi um filósofo egípcio romano, natural de Licópolis, no Egito. Em 245 D.C., fundou sua própria escola de filosofia, na cidade de Roma. Em certo sentido, os deuses pagãos teriam morrido com a ascensão de Constantino ao trono e sua conversão ao cristianismo. Mas seus funerais só terminaram na primeira porção do século VI D.C. Portanto, poderíamos datar o fim do período helenista da filosofia nesse tempo, ainda que, politicamente falando, isso tenha acontecido por ocasião do advento do domínio romano. Ver sobre *Plotino*, sobre o *Neoplatonismo* e sobre *Porfírio*. Alguns têm dito que aquele foi um período de decadência da filosofia (300 A.C. a 529 D.C.). Mas talvez seja melhor falarmos nesse período como *período de prata*, em contraste com a *era áurea* da glória filosófica da Grécia, desde Homero até Aristóteles.

O neoplatonismo e as fés mais antigas tinham-se tornado estéreis e incapazes de produzir resultados,

pelo que acabaram entrando em estado de coma. Em 527 D.C., Justiniano tornou-se imperador do Império Romano do Oriente e, pouco depois, determinou que ser seguidor das fés antigas era uma ofensa criminal. Em 529 D.C., foram fechadas as chamadas escolas de Atenas, por decreto imperial. Os últimos filósofos neoplatônicos, entre os quais Damásio e Simplício, fugiram para a Pérsia, em busca de segurança. Porém, também não foram bem-acolhidos ali, pelo que acabaram voltando. Justiniano permitiu-lhes a **residir nas terras** do império, mas não permitiu que promovessem suas idéias. Ao falecerem, a religião e a filosofia gregas morreram juntamente com eles. Coisa alguma era capaz de fazer cessar o avanço do cristianismo. O Homem da Galiléia havia triunfado em todas as frentes. (AM E HP)

FILOSOFIA HINDU

Assim como é impossível separar o antigo judaísmo da religião, e ali encontrar um nicho separado para a filosofia, assim também a filosofia, tão viva no hinduísmo, estava intimamente ligada à fé religiosa da Índia. Ver o artigo geral sobre o *Hinduísmo*. A própria tradição indiana classifica as suas escolas de acordo com critérios religiosos, o que tende por obscurecer seus verdadeiros elementos filosóficos. Acresça-se a isso que, excetuando sua expressão moderna, que é mais científica, a filosofia hindu é irmã gêmea da fé religiosa hindu.

Não obstante, os filósofos, ao tentarem estabelecer uma espécie de classificação filosófica do hinduísmo, distinguem quatro períodos históricos no mesmo:

1. *Período Formativo*. A esse período pertencem os antigos hinos religiosos, compostos entre 1000 e 800 A.C., sendo mais textos ritualistas, que falam sobre os poderes que governam o universo, de mistura com uma mágica arcaica. Porém, na noção do *Brahman* (vide), essas muitas forças aparecem unidas, como expressões de um único princípio.

Nos mais antigos *Upanisadas*, de 800 A.C. em diante, encontramos os estudos sobre os estados da consciência e sobre certas formas de misticismo. Encontra-se nesse ponto uma diferença fundamental entre a matéria e o espírito, além do que é asseverada a natureza espiritual (*atman*) eterna, do ser humano. Ali o homem aparece preso à matéria, sujeito a experimentar uma longa série de renascimento (ver sobre a *Reencarnação*), na tentativa de libertar-se. Essa série de renascimentos recebe o nome de *samsara*. A liberação (*moksa*) é buscada mediante um desprendimento gradual, de tal modo que a *atman* finalmente pode fundir-se com o *brahman*.

O *pensamento budista* é a forma mais difícil de definir da filosofia hindu. Ver o artigo separado sobre o *Budismo*. O próprio Buda era, essencialmente, um filósofo moral, que não especulou nem sobre Deus e nem sobre a existência da alma. Entretanto, algumas escolas desse sistema vieram, finalmente, a desenvolver uma metafísica genuína, incluindo na mesma a idéia da divindade e da alma humana.

2. *Filosofia Realista ou da Natureza*. Temos ali uma análise filosófica do mundo exterior, que inclui a análise da linguagem e do pensamento. No seu estado primitivo, essa filosofia é representada nos ensinos de Vaisesika, Nyaya e dos jainas. Data de nada menos de 1000 A.C., e a sua atividade básica consistia na tentativa de reduzir as multiformes formas da natureza a alguns poucos fatores básicos. Categorias básicas, como substância e atributos, foram propostas, e também apareceram teorias atômicas. Desenvolveu-se uma espécie de lógica em Nyaya, como

FILOSOFIA — FILOSOFIA ISLÂMICA

também hermenêutica e exegese na Mimansa, de onde emergiram visões semicientíficas do mundo. A idéia das almas humanas como se fossem substâncias foi elaborada e foram propostos átomos eternos. Todavia, os budistas originais rejeitavam ambos esses conceitos. Em vez disso, foi proposto o *dharma*, que seria, a grosso modo, o estado ou reino inteiro da matéria, das emoções, dos pensamentos, etc., como que residindo em uma pessoa, mas não como uma entidade viva que continue a existir na encarnação seguinte. — Outro sentido disso seria a *ordem cósmica* e divina e seus elementos. Seja como for, o *dharma* seria um fator fundamental da existência, pertencente às categorias das substâncias, dos atributos e das ações, indiscriminadamente, cobrindo assim a extensão inteira da matéria, das emoções, etc.

Nas mãos de alguns filósofos hindus, as explicações sobre a natureza assumiram uma natureza mecanicista, atéia e materialista; e eles têm usado idéias mecanicistas com propósitos anti-religiosos. Porém, a tendência do hinduísmo sempre foi buscar alguma explicação mística e religiosa da natureza. A lei, ou *karma* (vide) tornou-se, nesse sistema, mais importante que as supostas leis naturais de cunho mecanicista.

3. *Filosofias Monísticas, Místicas e Ilusionísticas*. No budismo, alguns filósofos têm-se referido a todos os fenômenos como ilusórios. A consciência tem sido reputada por eles como algo absoluto, ao passo que o mundo material seria somente uma projeção ilusória daquela consciência. Em outras palavras, eles postulam uma espécie de *idealismo absoluto*. Na Vedanta, encontramos a síntese entre a *atman* e o *Brahman*, que teria produzido uma unidade ou monismo, como o alvo final de toda a existência. Os hindus descobrem textos de prova para tais noções nos hinos Upanisadas. Há uma espécie de filosofia da linguagem no conceito que diz que a pluralidade das palavras deriva-se da única palavra transcendental, *Brahman*. As idéias estéticas são definidas como experiências com a beleza, relacionadas à concretização do **Brahman**, quando a atman mescla-se com aquela realidade superior. Isso tem paralelo na Visão Beatífica do cristianismo.

4. *Idéias Teísticas*. A crença em uma divindade absoluta e pessoal pode ser datada já desde o século IV A.C. E essa crença reaparece no Bhagavad Gita, dos séculos III e II A.C. O período mais antigo foi caracterizado por declarações um tanto vagas sobre a relação entre um Ser Supremo, a alma humana e a matéria primeva. Após o estabelecimento da Vedanta monística, o teísmo hindu reagiu ao formular, sob o mesmo título, uma outra obra do mesmo título, Vedanta, que foi uma expressão sistemática e realmente filosófica do pensamento teísta. A primeira pessoa a fazer assim foi Ramanuma, já no século XII D.C. Essa tendência prosseguiu, paralelamente a outras idéias, mais antigas. Nos escritos de pensadores hindus como Aurobindo (1872-1950) e Vivekananda (1863-1902), o teísmo foi vigorosamente promovido.

FILOSOFIA, HISTÓRIA DA

Ver o artigo geral sobre a **Filosofia**, seção quarta, onde são discutidos os principais períodos históricos da filosofia. Em certo sentido, a filosofia consiste na *história das idéias*.

FILOSOFIA ISLÂMICA

No islamismo, a filosofia tem merecido a mesma posição e caráter que tem recebido no seio da Igreja Católica Romana. Em contraste com a antiga filosofia judaica (vide), e com a filosofia hindu (vide), tem havido uma genuína filosofia islâmica, ainda que, no caso da Igreja Católica Romana, a filosofia sirva, principalmente, para auxiliar à teologia.

Durante muitos séculos, a filosofia islâmica dependeu das idéias e da cultura gregas. É interessante observar que, com o declínio da Grécia, até o surgimento do escolasticismo (vide), os avanços nas ciências, na medicina, na matemática, na literatura e na filosofia devem ser creditados ao mundo árabe, embora eles se inspirassem inteiramente na antiga atividade dos gregos.

1. *Uma Fonte Originária Principal*. A cidade de Alexandria tornou-se o centro da atividade científica e filosófica do mundo helenista. Ali havia uma biblioteca que, a certa altura, atingiu um milhão de volumes, representando, virtualmente, toda a literatura conhecida do mundo antigo. Ver sobre *Alexandria, Biblioteca de*. Traduções árabes de parte desse grande acúmulo de material, tornaram-se a base da ciência e da filosofia islâmicas.

2. *Crescimento*. À medida que cresceu o interesse dos árabes pelas ciências e pela filosofia, manuscritos gregos foram sendo traduzidos para o árabe. Uma das principais tarefas dos eruditos alexandrinos consistiu em fornecer ao mundo árabe esses documentos antigos. Foi assim que, conforme alguns têm dito, Platão e Aristóteles começaram a falar o árabe. Floresceram nos países árabes escolas platônicas, neoplatônicas e aristotélicas. Os maiores filósofos islamitas surgiram entre os séculos IX e XII D.C., incluindo-se, entre eles, figuras como Alkindi, Al-Farabi, Avicena, Avanpace e Averróis, sobre os quais temos apresentado artigos separados. Al-Ghazzali procurou conservar a ortodoxia islâmica, bem como o misticismo não-filosófico e, assim fazendo, criticou vigorosamente a atividade filosófica do islamismo.

3. *A Europa dos séculos XII e XIII D.C.* muito se beneficiou com as atividades da filosofia islâmica, porquanto muito material registrado em árabe foi traduzido para o latim, ficando assim à disposição de filósofos que não falavam o árabe. Aristóteles tornou-se conhecido dessa maneira, por Alberto Magno e por Tomás de Aquino. E todos sabemos que foi com base nisso que se desenvolveu o escolasticismo (vide).

4. *Os Conflitos*. As especulações neoplatônicas criaram grande conflito com as idéias ortodoxas sobre Allah. Alguns islamitas rejeitavam a abordagem filosófica, enquanto que outros tentavam explicar Allah através dos conceitos de Platão, da mesma maneira que, no mundo cristão, os escritos de Platão tinham sido úteis para formar a teologia, sobretudo dos pais alexandrinos da Igreja.

A introdução do pensamento grego no islamismo separou os tradicionalistas dos progressistas, e ambos os lados tiveram de apelar para a dialética grega a fim de defenderem seus pontos de vista. Como sempre, disso resultaram perseguições, e até mesmo execuções. A escola de *Mutazilah*, que explicava as doutrinas do islamismo através de termos e idéias gregas, foi capaz de permanecer dentro do islamismo, embora tivesse sofrido períodos de perseguição. Alguns romperam com a organização religiosa, como Al-Razi (falecido em 923 D.C.), rejeitando as profecias e promovendo as idéias de Platão e o neoplatonismo. Ele foi anatematizado pela maioria dos islamitas ortodoxos.

FILOSOFIA — FILOSOFIA JUDAICA

Al Kindi (falecido após 866 D.C.) tentou harmonizar a filosofia com a religião, como se fosse uma espécie de Tomás de Aquino muçulmano. Seu sistema era eclético, tendo-se valido das idéias de Platão e de Aristóteles. *Al-Farabi* foi um verdadeiro neoplatonista islâmico, tendo identificado o Allah do islamismo com o Um de Plotino. *Al-Ahsari* foi outra figura similar a Tomás de Aquino dentro do islamismo. *Avicena* incluiu elementos de Platão, de Aristóteles e do misticismo, tendo sido atacado mediante vinte proposições diferentes pelo fundamentalista Al-Ghazzali, que exortou os fiéis a permanecerem em guarda.

Foi dessa maneira que se densenvolveu o misticismo islâmico, chamado sufismo (vide). Os *Ishraqi* produziram uma escola iluminista, cujo expositor mais bem conhecido foi Al-Surawardi (1155-1591). Sua mistura de idéias era, essencialmente, uma forma de neoplatonismo com outros conceitos místicos. Em certo sentido, o sufismo foi uma reação e um protesto contra o crescente poder do aristotelianismo dentro do islamismo. Averróis foi o maior dos filósofos aristotelianos do islamismo (1126-1198). Acusou Al-Ghazzali de não compreender o que a sua escola estava procurando dizer, o que explicaria as suas inúmeras objeções. Porém, a influência de Averróis foi maior fora do islamismo do que dentro do mesmo, quando quinze de seus trinta e oito comentários sobre os escritos de Aristóteles foram traduzidos para o latim, permitindo que as idéias de Aristóteles fossem examinadas pelos filósofos cristãos.

A invasão do Egito pelas tropas de Napoleão, em 1798, e os ideais da Revolução Francesa, produziram enormes choques culturais dentro do mundo islâmico e, como conseqüência, o declínio da atividade filosófica, embora não da atividade religiosa. Os modernos filósofos árabes que têm promovido o positivismo lógico, o existencialismo, etc., dificilmente podem ser tidos como bons representantes da filosofia islâmica.

FILOSOFIA JUDAICA

Esboço:
- I. A Preocupação Final
- II. Filosofia da História
- III. A Filosofia do Livro
- IV. O Problema do Mal
- V. Os Tempos Helenistas
- VI. Começo da Era Cristã
- VII. A Cabala
- VIII. Do Século X D.C. em Diante
- IX. O Iluminismo
- X. O Século XIX
- XI. O Século XX
- XII. Ética — a Grande Contribuição da Filosofia Judaica

I. A Preocupação Final

Talvez Israel tenha sido a única nação da história que tem sido essencialmente religiosa, acima de qualquer outra consideração, e cuja literatura, legislação e formas de governo têm sido inspiradas por Deus. Seja como for, sempre foi uma característica dos hebreus preocupar-se com questões finais. Mesmo que o pensamento dos hebreus tenha começado com o *henoteísmo* (há muitos deuses, mas nós reconhecemos somente um Deus), não demorou para que eles adotassem o *monoteísmo* (vide). A doutrina da imortalidade, porém, só entrou no judaísmo bem posteriormente. No Pentateuco não há referências ou ensinos claros sobre a alma. Embora as leis mosaicas fossem complexas e obrigatórias, não há ali qualquer promessa de recompensa ou de punição eternas, circunstância essa que seria quase impossível de imaginar se ali houvesse qualquer doutrina da alma.

II. Filosofia da História

O Antigo Testamento representa uma filosofia da história. Desde o começo aparece Deus, como o criador de todas as coisas. É criado o homem e, dentre a humanidade, é escolhida uma nação que passa a servir de veículo da mensagem espiritual. Toda a sua história é teisticamente controlada. Sua história é linear, tendo tido um começo no tempo, e passando de um evento para outro, até chegar a um clímax, na exaltação dessa nação acima de todas as demais, mediante o cumprimento do reino messiânico prometido nas Escrituras Sagradas. O ponto final dessa história será uma espécie de era áurea, onde o conhecimento do Senhor propagar-se-á por todo o orbe, e uma utopia geral é concretizada.

III. A Filosofia do Livro

Vários povos antigos tinham livros sagrados, pelo que, quanto a esse particular, Israel não foi um caso isolado. A possessão de livros sagrados indica uma atitude filosófica. Isso significa que ali há fé no *teísmo* (vide), que há um Deus que revela a si mesmo e à sua vontade, e que ele está perto do profeta que é escolhido para guiar o povo. A própria Bíblia não apresenta nenhum sistema filosófico, — embora contenha certo número de conceitos filosóficos básicos. Conforme acabamos de afirmar, temos na Bíblia reflexos claros do teísmo e de uma filosofia da história. Além disso, no livro de Jó, encontramos um tratamento sobre o problema do mal, além de uma sabedoria popular filosófica nos livros de Provérbios e Eclesiastes, este último tendo sofrido alguma influência da cultura grega.

IV. O Problema do Mal

Nesta enciclopédia apresentamos um longo e detalhado artigo sobre esse problema, visto que se trata de um dos mais espinhosos problemas da filosofia e da teologia. Ver sobre o *Problema do Mal*. A grande questão é como pode haver tanto sofrimento aparentemente sem sentido, em face do fato de que há um Deus todo-poderoso, todo-bondoso e que tudo sabe. O livro de Jó aborda diretamente esse problema. Trata-se de uma abordagem profunda e altamente artística, mas muitos teólogos sentem-se perturbados ante algumas de suas conclusões. Nesse caso, o sofrimento ocorreu por causa de uma espécie de aposta entre Deus e Satanás. Deus queria provar que a perseverança de Jó derivava-se de seu amor a ele e de motivos apropriados e não somente por causa de sua prosperidade material. Os supostos consoladores de Jó, que então se apresentaram a ele, na realidade eram seus adversários, e salientaram o *problema do pecado* como a causa de seus sofrimentos. Jó negou isso peremptoriamente e, mui provavelmente, não erramos quando dizemos que ele estava correto em sua avaliação, ainda que, no fim do livro, quando Deus lhe exibiu a sua glória, Jó reconheceu seu próprio estado pecaminoso e miserável. Ver Jó 42:1-6. Jó termina arrependendo-se disso (vs. 6), embora isso não signifique que os seus consoladores molestos tivessem vencido na argumentação. Ele era um miserável pecador, o que se tornou evidente quando a glória de Deus foi revelada; mas, não fora *por causa disso* que Jó fora testado tão severamente. Antes, o teste serviu para que ficasse demonstrada a genuinidade de sua espiritualidade. Talvez a história da intromissão de Satanás, com que o livro começa, tenha servido somente de introdução literária, não

FILOSOFIA JUDAICA

devendo ser levada por demais a sério no tocante ao problema do mal. Mas, talvez, também explique muita coisa que, de outra maneira não teria explicação.

No fim, Jó é grandemente abençoado, tendo recebido muito mais do que havia perdido. Ora, muitos teólogos sentem-se infelizes justamente com esse final feliz, porquanto isso dificilmente caracteriza o problema do mal. Para eles, parece que as tragédias gregas são muito mais realistas quanto a esse aspecto. Na vida real, um homem é esmagado diversas vezes, — é triturado, e, então, é pulverizado, para nunca mais soerguer-se. E o resto da história fica por conta do destino da alma, porquanto é inútil esperar o triunfo deste lado da existência. Geralmente, precisamos ter uma fé que não espere por reversões neste lado da vida. No entanto, às vezes é aqui mesmo que Deus nos abençoa. Pelo que agradecemos ao Senhor por essas bênçãos menores, mas muito apreciadas, que nos reivindicam a retidão que temos em Cristo. O livro de Jó, pois, termina com uma direta *intervenção divina*, para mostrar que Deus não esquece da causa de seus servos fiéis, termina com uma reversão após as mais negras condições.

Há um estranho detalhe no livro de Jó, notado por todos os estudiosos, que é o fato de que o mesmo nunca apela para a lei. Seria isso motivado pelo fato de que foi escrito antes da outorga da lei, sendo assim o mais antigo dos livros do Antigo Testamento? Ou teria sido porque foi escrito já no período helenista, sendo uma espécie de estudo filosófico, embora refletindo uma posição judaica ortodoxa? Ver o artigo sobre *Jó*.

V. Os Tempos Helenistas

As conquistas militares de Alexandre, o Grande, levaram a cultura grega a entrar em contato direto com o judaísmo. As primeiras referências dos gregos aos judeus julgam-nos uma raça de filósofos, provavelmente, porque preocupavam-se com as questões últimas da vida, tal como o faziam os gregos. Mas, quando as idéias do helenismo entravam em choque com as idéias judaicas, isso produzia duas reações opostas. A ortodoxia estreita rejeitava todas as influências pagãs, e muitos chegaram mesmo a lamentar que a Bíblia hebraica tivesse sido traduzida para o grego, na Septuaginta (vide). Porém, outros judeus tentavam acomodar-se adaptando a religião hebraica à filosofia grega. Havia muitos elementos comuns, de tal modo que se podia chegar até a uma espécie de harmonia. O principal filósofo judeu, que procurou obter tal harmonização, foi Filo, um filósofo neoplatônico voltado para o Antigo Testamento. Ver o artigo separado sobre *Filo*. Josefo também nos forneceu alguns comentários filosóficos, embora tivesse sido, principalmente, um historiador dos judeus. Além disso, o livro canônico de Eclesiastes e certos livros apócrifos, como Sabedoria de Salomão e IV Macabeus demonstram interesses filosóficos nítidos.

VI. Começo da Era Cristã

Do século III D.C. em diante, houve centros do pensamento judaico que continuaram ensinando por vários séculos, nos países do Oriente de fala aramaica. A literatura do período, especialmente o *Talmude*, apresenta bem pouca filosofia sistemática; mas vários aspectos de sua teologia eram obviamente influenciados por idéias gregas e persas. Com o surgimento do *calão* islâmico (filosofia empregada para justificar as crenças religiosas), houve o ressurgimento da atividade filosófica. Entre os judeus, os *caraítas* (vide) revoltaram-se tanto contra a filosofia quanto contra as interpretações rabínicas. Eles datam dos séculos IX a XII D.C. e formavam uma espécie de movimento de retorno à Bíblia. Isso não fez cessar nem as interpretações rabínicas e nem as especulações filosóficas, mas levou os rabinos e os filósofos a buscarem melhores maneiras de defender seus pontos de vista e suas atividades.

VII. A Cabala

As datas para o desenvolvimento dessa tradição judaica são 500 a 1000 D.C. Ver sobre a *Cabala*. Isso consistia essencialmente no desenvolvimento das tradições místicas judaicas, com muita dose de especulação filosófica, que não fazia parte do judaísmo primitivo. Importantes cabalistas foram Moses Nahmanides, Ibn Gabirol e Yehudah Hallevi.

VIII. Do Século X D.C. em Diante

O calão dos islamitas, o neoplatonismo e o aristotelismo exerceram grande influência sobre os pensadores judaicos da Idade Média. As reivindicações e metodologias conflitantes da razão e da revelação foram discutidas, como também as provas da existência de Deus e os seus atributos, o determinismo divino em contraste com o livre-arbítrio humano, e as questões sobre a lei e a ética. O mais destacado filósofo judeu desse período foi Moses Maimônides, sobre quem damos um artigo separado. A Cabala foi uma atividade paralela a essa, onde florescia certa tradição mística. Hasdai Crescas e Isaac Abarbanel (1437-1508) pensavam que os filósofos judeus tinham ido longe demais na tentativa de identificarem Aristóteles com Moisés e expuseram o seu protesto. Quase toda essa atividade teve lugar em países islâmicos, ou então na Espanha. Nas terras cristãs, os judeus eram oprimidos, e não tinham liberdade para fazer funcionar suas escolas de investigação. Porém, na Itália da época da Renascença, houve alguma expressão nesse sentido, quando então surgiu Baruque Spinoza, na Holanda, no século XVII. Na Alemanha, o primeiro filósofo judeu de nota foi Mosés Mendelssohn (1629-1786). Após a sua época, filósofos judeus continuaram a participar, e mais livremente, da vida cultural européia.

IX. O Iluminismo

O judaísmo ortodoxo lutava para manter sua tradição e, por isso mesmo, com freqüência opôs-se aos desenvolvimentos do Iluminismo, sobretudo a sua tendência para enfatizar demasiadamente a ciência, rejeitando reivindicações religiosas. Por outra parte, alguns judeus abandonaram totalmente a sua fé, tendo sido arrebatados pela febre provocada pelo Iluminismo. Entre esses dois extremos, havia aqueles que faziam tentativas para harmonizar os mesmos, com alguma fragmentação no tocante ao judaísmo tradicional. Essa grande diversidade impossibilita-nos agora identificar certos aspectos da filosofia judaica da época. Simplesmente houve vários filósofos judeus, que promoviam sistemas diferentes.

X. O Século XIX

O idealismo alemão, dentro das teorias de Kant, de Schelling e de Hegbel influenciou os pensadores judeus. Nachman Krochmal (1785-1840), Salomão Formstecher (1808-1889), Samuel Hirsch (1815-1889) e Mortiz Lazarus (1824-1903) podem ser contados entre os tais. Krochmal foi pioneiro no estudo crítico das fontes históricas, com vistas a definir a essência do judaísmo. Isso preparou o caminho para a ciência do judaísmo (*Wissenschaft des Judentums*), promovida por Leopoldo Zuns (1794-1886) e Abraão Geiger (1810-1874). Como sempre, alguns se opuseram à invasão da filosofia, conclamando os judeus a

FILOSOFIA — FILOSOFIA POLÍTICA

voltarem ao judaísmo, conforme o mesmo aparece na revelação do Antigo Testamento. S.L. Steinheim e S.D. Luzatto são contados entre esses homens.

O *sionismo*, uma nova filosofia política, surgiu no século XIX. Ver o artigo separado sobre esse assunto. Filósofos judeus ativos nesse campo foram A.H. Ginsberg (1856-1927), A.D. Gordon (1856-1922). Por sua vez, A.I. Kook (1865-1935) e Martin Buber (1879-1965) misturaram o misticismo com essa filosofia.

XI. O Século XX

Hermann Cohen (1842-1918) desenvolveu um sistema de *idealismo* e exerceu profunda influência sobre o pensamento judaico. Leo Baeck (1873-1956), Buber e Franz Rosenzweig (1886-1929) desenvolveram alguns de seus pensamentos e o sionismo continuou sendo uma das principais forças entre os filósofos judeus. Buber e Rosenzweig também incorporaram em seu sistema certos elementos do existencialismo (vide).

O nazismo de Hitler destruiu grande parte da vida cultural judaica na Europa, assinalando o fim de uma época, incluindo todos os esforços para harmonizar o judaísmo com o idealismo alemão. Depois disso, a linguagem filosófica do judaísmo tornou-se predominantemente inglesa, e os Estados Unidos da América do Norte o lugar mais importante de expressão do judaísmo. Entrementes, os ideais preliminares do sionismo tiveram cumprimento, posto que parcial, no reavivamento da nação judaica, após a Segunda Guerra Mundial, a partir de 1948. Um filósofo judeu de nomeada foi M.M. Kaplan, que combinou uma forma extremada de naturalismo com a manutenção das formas tradicionais da observância religiosa dos judeus. O existencialismo, porém, continuou exercendo alguma influência, como nos escritos de A.J. Heschel (1907-1972).

XII. Ética — A Grande Contribuição da Filosofia Judaica

Embora o Antigo Testamento não seja um manual de princípios éticos, em qualquer sentido formal, nenhuma outra obra escrita, excetuando talvez o Novo Testamento, tem exercido tão vasta influência sobre o pensamento ético do mundo. Essa influência tem envolvido tanto a ética individual quanto a ética social. O Antigo e o Novo Testamentos, juntamente com os códigos legais romanos, têm sido os mais decisivos fatores na formação das leis civis dos países da Europa e da América. Ver o artigo separado sobre a Ética do *Antigo Testamento*.

FILOSOFIA LINGÜÍSTICA

Esse é o estudo que assevera que o estudo cuidadoso de como a linguagem é usada, ensinada e aplicada aos discursos da vida diária pode iluminar e mesmo transformar ou dissolver problemas filosóficos de longa data. A base dessa suposição é que os próprios problemas originaram-se no uso frouxo da linguagem, mediante o que a ambigüidade, e mesmo a falsidade, penetraram — secretamente — na filosofia. Por esse motivo, pois, alguns filósofos têm dado muita atenção ao uso que fazemos da linguagem, em sua sintaxe, significado das palavras, ambigüidades, etc. Pelo seu lado positivo, podemos dizer que visto que a linguagem é o grande veículo da comunicação e o instrumento do conhecimento científico, por isso mesmo tal estudo produz, naturalmente, os seus frutos. Quanto a seu lado negativo, devemos afirmar que é uma ingenuidade supor que as grandes verdades, que com freqüência transcendem, parcial

ou completamente, a linguagem do homem, possam ser descritas, de qualquer modo mais apto, simplesmente porque são expressas mediante uma linguagem aprimorada. O misticismo deixa claro que quanto mais profunda for uma verdade, mais inefável ela se torna. O que perscruta essas verdades é a iluminação espiritual, e não apenas a análise lingüística.

Os mais importantes expositores da filosofia lingüística têm sido Wittgenstein, J.L. Austin e Ryle (ver os artigos separados sobre esses três estudiosos).

FILOSOFIA PERENE

A expressão, no latim, é **philosophia perennis**, uma expressão cunhada por Steuchen, em 1540, para referir-se às *características comuns* da filosofia de sua época, a saber, o escolasticismo medieval. Tal expressão tem sido usada como sinônimo de *tomismo* (vide). Ainda há outros usos, a saber: 1. o que é comum na filosofia grega; 2. elementos válidos da história inteira da filosofia (Leibniz), que supunha que a sua própria filosofia seria uma continuação dessa tradição; 3. qualquer filosofia dotada de base adequada (Urban), referindo-se, especificamente, aos sistemas de Platão, Aristóteles e Tomás de Aquino.

FILOSOFIA POLÍTICA

I. Definições e Caracterização Geral

A *política* é um dos seis ramos tradicionais da filosofia. Platão pode ser caracterizado como o pai da política, porquanto em sua filosofia, sobretudo em seu diálogo intitulado *República*, ele desenvolveu uma extensa teoria política. A filosofia política ocupa-se com a conduta ideal do Estado, como a ética das sociedades organizadas. Naturalmente, esse aspecto da filosofia estuda questões como formas de governo, seus ideais e alvos, as instituições que envolvem a propriedade, a família, os sistemas legais, a educação pública, as relações internacionais, a estrutura das classes, a religião, os direitos individuais e coletivos, os deveres individuais e coletivos, etc. E, quando alguém começa a filosofar sobre problemas assim, já está tratando da filosofia da política.

II. Origem

Dentro do período da filosofia clássica, de Sócrates, Platão e Aristóteles, encontramos o desenvolvimento dos tradicionais seis ramos da filosofia. Ver o artigo geral sobre a *Filosofia*, terceira seção. A *República*, de Platão, foi a primeira tentativa, até onde somos capazes de sondar, a tratar dos problemas dos ideais e da conduta do Estado. Quais leis e conceitos deveriam governar um estado justo, onde cada indivíduo tem uma tarefa apropriada a cumprir?

III. Idéias e Sistemas Específicos

1. *Platão*. Ele idealizava um Estado em que o sistema educacional haveria de ir separando gradualmente as classes em seus setores apropriados, cada um com a sua própria função e importância. Uma sociedade justa teria a mesma estrutura de uma alma justa. Os filósofos (encabeçados pelo *rei-filósofo*) seriam os governantes, correspondendo à *razão*, no homem. Todas as coisas seriam de propriedade comum, o que significa que o Estado ideal seria comunista. Haveria também os *guerreiros*, a classe dos corajosos (correspondentes à vontade, no homem), que formariam a segunda classe, oferecendo proteção a essa ordem, elementos necessários da sociedade. Seguir-se-ia a classe dos artesãos, negociantes, agricultores, etc., os produtores da sociedade, correspondentes aos apetites inferiores, no homem.

FILOSOFIA POLÍTICA

Cada indivíduo teria a sua ocupação, que contribuiria para o bem-estar total. O rei-filósofo seria produzido após um longo tempo de treinamento, separado de homens de menor envergadura, sendo não somente o mais poderoso, mas também o mais inteligente e justo dos homens. Suas idéias são encontradas, essencialmente, em seus diálogos, *República* e *Leis*. Este último trabalho modificou algumas idéias, expondo mais um ideal democrático, por meio da liberdade, impelido pela vontade moral.

2. *Aristóteles* fazia da família a unidade central do Estado, e não o indivíduo (conforme Platão fizera), e criticou o comunismo de Platão como um sistema prejudicial à família. Sua obra, *Política*, é uma análise de várias formas de governo. Ele opinava que nenhuma forma de governo é melhor que as demais, e que um governo misto, com uma constituição apropriada, seria o melhor que os homens são capazes de fazer neste mundo. Ele pensava que a monarquia, a aristocracia e a *politéia* (uma espécie de democracia), são as melhores variedades de governo. As suas respectivas deformações seriam a tirania, a oligarquia e a democracia popular. Ele parecia preferir a *politéia* como o melhor dentre esses três sistemas.

3. *O Estoicismo*. Esse sistema enfatizava a fraternidade universal dos homens. Cada indivíduo seria membro da *cosmópolis*, responsável diante da lei da razão, conforme ditada pelo todo-poderoso Logos. O governo e a lei dos romanos foram influenciados pelo ideal estóico do homem como um cidadão do mundo. Os governos que toleram leis que limitam os estrangeiros são contrários a esse ideal.

4. *Agostinho*. Ver o artigo separado sobre *Filosofia da História*, em seu quarto ponto, por detrás de suas idéias sobre a política. Para ele, a política envolvia o conflito entre o Estado pagão e a Igreja remida, o primeiro uma força temporal e falível, a outra uma força transcendental e eterna. A Igreja seria a mestra e a orientadora do Estado. A filosofia de Agostinho concebia uma espécie de semiteocracia.

5. *A Idade Média*. As idéias de Agostinho dominaram as relações entre a Igreja e o Estado por cerca de mil anos. Surgiu a doutrina das duas espadas: uma, a da Igreja, e a outra, a do Estado. Em outras palavras, haveria duas autoridades, lado a lado, embora a Igreja dominasse o Estado. Importante, durante esse período, foi a doutrina do direito divino dos reis (vide). Marsílio de Pádua (vide) assinalou um importante ponto na filosofia política, asseverando que o Estado é supremo quanto a questões seculares e que tanto a autoridade do Estado quanto a autoridade da Igreja repousam sobre o povo. Esses conceitos já apontavam na direção da separação entre a Igreja e o Estado e na direção da democracia.

6. *Maquiavel* (vide) proclamou a supremacia do Estado. O poder do Estado precisa ser preservado, por quaisquer meios necessários para tanto.

7. *Grótio* referia-se às leis naturais como a principal força governante no mundo, supondo que os homens reconhecem intuitivamente essas leis. As leis civis deveriam ser o reflexo das leis naturais. Existem princípios auto-evidentes que a *razão* reconhece e aprova.

8. *Hobbes* descreveu como os governos podem ser estruturados segundo linhas aristotélicas, expressando-a monarquia, a aristocracia ou a democracia. Mas, uma vez instituídos, a tendência seria a eliminação dos direitos individuais, à medida que o Estado for-se tornando supremo. Ele enfatizava a existência e a prioridade das leis naturais. Ele acreditava que a monarquia é a melhor forma de governo, enquanto não se corrompe. — Se ela vier a corromper-se, então os homens deveriam buscar um novo contrato com as autoridades.

9. *Locke* pensava que qualquer contrato social, resultando em alguma forma de governo, deveria promover os direitos individuais, objetando até mesmo às monarquias benévolas, sempre que os direitos individuais forem limitados ou destruídos.

10. *Rousseau* misturava idéias de Hobbes e de Locke. Ele enfatizava o governo da vontade geral, que deveria ordenar a sociedade, e assim encorajava a democracia como a forma ideal de governo.

11. *Kant* enfatizava quão desejável é o império da lei universal, isto é, um governo mundial.

12. *Hegel* pensava que o Espírito Absoluto cria todos os movimentos e instituições políticas. A tese seria a família; a antítese seria a sociedade civil; e a síntese seria o Estado. Idealmente, esse Estado deveria ser constitucional, fiel às leis internacionais, que põem em vigor a marcha ideal da história do mundo. Passaríamos da monarquia para as funções executivas e legislativas do governo. O Estado seria a verdadeira finalidade do homem social. Tal tipo de governo estribar-se-ia sobre sua submissão aos interesses públicos, enfatizando os valores nacionais e internacionais e as tradições morais. A vontade social seria um reflexo da Vontade Universal. A forma mais elevada de governo seria a *monarquia constitucional*.

13. *Marx* construiu a sua teoria política sobre a tríade de Hegel, embora fizesse do dinheiro o fator preponderante, —em vez do espírito. Mediante uma série de choques de classes, e de tríades secundárias, chegaríamos à tríade do capitalismo-socialismo-comunismo, onde este último emergiria triunfante, afinal de contas. Ver o artigo separado sobre o *Comunismo*. Ele concebia um período de controle ditatorial como algo necessário para a produção de uma sociedade final destituída de classes.

14. *Maritain* argumentava em favor da democracia como a maneira mais provável de produzir um Estado ordeiro e feliz. E, paralelamente, enfatizava a visão política da Igreja, dizendo que o destino real do homem reside no espírito, nos mundos celestiais, e não neste mundo.

15. O *cristianismo*, como sistema, não apresenta qualquer filosofia política. Transfere todo o idealismo, nesse particular, para o futuro governo de Cristo, durante o milênio, embora existam cristãos verdadeiros que negam a realidade do governo milenar de Cristo. O judaísmo tinha a sua teocracia; e a fé cristã retém certos aspectos do mesmo, embora transferindo o Reino de Deus para os mundos celestiais. De fato, Jesus declarou: «O meu reino não é deste mundo... mas agora o meu reino não é daqui» (João 18:36). Visto que o cristianismo não tem qualquer reino terreno, segundo a nossa opinião, deve haver separação entre a Igreja e o Estado. Não obstante, reconhecemos que a Igreja oferece muitas diretrizes para a atividade política, segundo se vê nos pontos abaixo:

a. Em primeiro lugar, o homem é um ser espiritual, devendo ser tratado como tal. As teorias que deixam de lado essa dimensão e perseguem à Igreja, fechando suas escolas e outras instituições, são sistemas malignos, sem importar os pontos positivos que possam apresentar. As atividades espirituais dever-se-ia permitir larga margem de ação, sendo encorajadas pelo Estado, embora não diretamente promovidas pelo Estado.

b. A *liberdade religiosa* deveria ser garantida na constituição dos Estados, incluindo a liberdade de

FILOSOFIA RADICAL — FIM ABRUPTO

crença, no tocante àquilo que alguém pensa ser correto, sem qualquer temor de retaliação, sem falarmos na liberdade de propagar a própria fé em particular e publicamente.

c. *Obras de caridade*, como também aquelas que promovem a segurança e o bem-estar dos cidadãos são princípios aprovados pela Bíblia. Tais coisas deveriam ser encorajadas pelo Estado.

d. Escolas religiosas de todos os tipos deveriam ter permissão para funcionar e propagar suas idéias. A educação encabeçada pelo Estado não deveria ser imposta sobre aqueles que querem receber uma educação religiosa. Por outro lado, as escolas dirigidas pela Igreja deveriam mostrar-se fiéis aos padrões mínimos de educação ditados pelo Estado. O direito de apelo e de mudanças deveria ser garantido.

FILOSOFIA RADICAL

Fichte tornou-se conhecido como um filósofo que raciocinava intensamente, ou seja, com o propósito de impor modificações. A *filosofia radical* foi um movimento iniciado na década de 1970, promovido por um jornal do mesmo nome. Esse periódico procurava transmitir a mensagem de que a filosofia deveria ser relevante, e não trivial. Os filósofos não deveriam ser meros intérpretes do mundo. Antes, deveriam ser fatores que impõem mudanças. Ver o artigo separado sobre *John Stuart Mill*. — Idêntica atitude deveria ser aplicada à teologia. Acima de tudo, a prática da lei do amor deveria ser a maneira de tornarmos eficaz e operante a nossa teologia. Acrescente-se a isso que deveríamos reconhecer que uma boa teoria (dogma) não é suficiente. A ortodoxia não basta. Deve haver experiências místicas que levem os homens a aquecer as mãos nas chamas da realidade última; deve haver a aplicação prática das nossas crenças; deve haver em nós uma vida transformada.

FILOSOFIA RUSSA

Nenhuma filosofia original tem sido produzida na Rússia. Portanto, a chamada filosofia russa é apenas a filosofia européia, tomada por empréstimo e adaptada. Até mesmo o marxismo, que atualmente domina a União Soviética, não foi uma criação russa.

Alguns Filósofos Russos Notáveis:

1. G.S. Skovoroda (1722-1794). Ele é conhecido como o primeiro filósofo russo. Ele sintetizou o cristianismo, o platonismo, o misticismo e o panteísmo.

2. A.N. Radischev (1749-1802). Foi o mais importante filósofo russo da iluminação, influenciado por Voltaire e por Rousseau. Era essencialmente um filósofo político, que criticava os males sociais da servidão, da censura e da aristocracia.

3. M. Bakunin (ver o artigo separado sobre ele). Foi o primeiro promotor da filosofia hegeliana, mas terminou sendo um anarquista.

4. Tolstoy (vide). — Criou uma espécie de filosofia ética que dependia de conceitos neotestamentários. Promoveu uma espécie de anarquia religiosa, não violenta.

5. V. Soloviev (vide). Misturava idéias de Hegel, o pampsiquismo e o panteísmo. Através dessa síntese, referia-se à história da humanidade, como se a mesma estivesse se movendo na direção de uma espécie de humanidade divina.

6. G.V. Plekhanov (vide). Foi um filósofo marxista, embora explicasse a matéria segundo termos feno-

menológicos. Lenin classificou-o como um idealista, por causa dessa abordagem e, desse modo, criticou-o severamente.

7. N. O. Lossky falava sobre liberdade e sobre o Deus vivo, tendo desenvolvido uma certa filosofia alicerçada sobre esses conceitos.

8. V.I. Lenin (vide) foi um marxista ortodoxo, materialista e ateu. Ele defendia a teoria da *cópia exata* da percepção. Engels já havia ensinado que o mundo pode ser copiado com exatidão, no consciente. O processo dialético era por ele considerado como absolutamente determinante, pelo que a economia, e não Deus, é que controlaria este mundo, de acordo com a opinião de Lenin.

9. A.A. Bogdanov (vide) não aceitava as idéias nem de Lenin e nem de Plekhanov, referindo-se à matéria como uma *experiência coletiva*, além de interpretar a dialética segundo seus termos.

10. N. Berdyaev (vide), visto estar no exílio, sentiu-se livre para dizer o que pensava. Ele frisava a liberdade e a criatividade e promovia um relacionamento místico com o divino.

11. A corrente filosofia russa é apenas o marxismo, visto que nenhum filósofo seria ali contratado para ensinar em uma universidade soviética, a menos que fosse um marxista. Alguns afirmam que na Rússia há uma crescente apreciação das alternativas, especialmente no caso daqueles que têm participado da cultura russa através dos séculos. Ver o artigo separado sobre o *Marxismo*.

FILÓSOFOS NOVOS

Esse é o título dado a um grupo de filósofos sociais franceses, contrários ao estabelecimento, ao marxismo e às ideologias. Esse movimento veio à existência durante a década de 1970, como fruto das rebeldias e protestos de estudantes e operários. Esses filósofos e seus livros foram: André Glucksmann (*Strategy and Revolution in France*); Jean-Marie Benoist (*Marx is Dead*); Philippe Nemo (*The Structural Man*) e Bernard-Henry Lévy (*Barbarity With a Human Face*).

FIM ABRUPTO DE ATOS

Por que motivo o livro de Atos termina tão abruptamente? Abaixo damos as sugestões oferecidas pelos intérpretes:

1. Se o final do livro de Atos é *abrupto*, por outro lado foi feito com apurado gosto artístico e habilidade. E, afinal de contas, talvez tenha sido desígnio do autor deixar a sua obra escrita nesse ponto—Paulo triunfante, ainda que injustamente aprisionado.

2. Lucas *tinha conhecimento* de outros acontecimentos posteriores, e até mesmo da execução do apóstolo Paulo. Mas isso deve ter-lhe parecido por *demais doloroso*, como episódio a ser incluído em sua narrativa. Outrossim, publicar essa história, que seria equivalente a um comentário desfavorável a Roma, teria somente servido para agitar ainda mais as perseguições do governo romano, que já haviam começado contra os cristãos.

3. Outros estudiosos propõem que o livro de Atos deve ter sido escrito antes da data que geralmente lhe é atribuída, supondo que Lucas escreveu quando Paulo ainda se encontrava aprisionado; e, por isso mesmo, quaisquer acontecimentos posteriores ficaram, naturalmente, em branco. Essa explicação foi dada já nos tempos antigos por Jerônimo (*Sobre*

FIM ABRUPTO DE ATOS

Homens Famosos, 7), como também por Harnack, nos tempos modernos (*The Date of Acts*), sendo seguida por muitos outros eruditos, incluindo A.T. Robertson. No entanto, essa data anterior para o livro de Atos não é muito provável. (Ver o item II do artigo sobre Atos, — onde a questão da data desse livro é discutida).

4. Ainda outros intérpretes duvidam que Lucas, o médico amado, tenha sido realmente o autor do livro de Atos, e simplesmente supõem que quem quer que tenha escrito esse livro *não dispunha* mais de qualquer fonte informativa que lhe permitisse dar continuidade à sua história, e assim, simplesmente, a interrompeu, onde terminavam os seus informes. Porém, ainda que assim tivesse sucedido, tal autor, sem dúvida alguma, poderia ter procurado outras fontes de informação, ou mesmo poderia ter criado um final favorável para o apóstolo Paulo. Mas, o mais poderoso argumento contra esta quarta posição é que a autoria lucana do livro de Atos é questão praticamente indiscutível, com o que concordam quase todos os estudiosos do assunto. (Ver o artigo sobre Atos, — em seu primeiro item, intitulado *Autoria*).

5. Outros eruditos supõem que aquele para quem foi dedicado tanto o evangelho de Lucas como o livro de Atos — Teófilo, bem como a comunidade cristã em geral — conhecia bem os fatos posteriores da vida de Paulo, e que, por isso mesmo, nada mais foi preciso ser narrado. Não obstante, se essa fosse a única razão para o término abrupto do livro de Atos, ficaria eliminada a razão artística, pois os crentes primitivos também sabiam de muitas outras coisas acerca desse apóstolo que não foram registradas. E assim, o autor sagrado teria sido mais completo em sua narrativa, a menos que tivesse outros motivos, ainda mais fortes, para deixar sua narrativa histórica truncada.

6. É provável que a suposição mais comum a respeito desse problema seja a que Lucas tivesse pensado em preparar um *terceiro volume* histórico, no qual incluiria o relato do julgamento e a exoneração de Paulo, além de sua *quarta* viagem missionária, à Espanha e outros lugares. Não sabemos dizer com certeza se essa teoria está ou não com a razão, ainda que muitos eruditos creiam nela. Esse terceiro volume, entretanto, não foi escrito, porquanto não há o menor traço de um volume dessa natureza, nem mesmo por parte de qualquer informe tradicional ou lendário, onde se verifica o hábito pernicioso de inventar coisas, quando para elas não há base alguma na realidade. No entanto, não é necessário supormos que um terceiro volume histórico tenha sido projetado por Lucas, para explicar o final abrupto do livro de Atos.

7. Parece melhor supormos que o desígnio do ator sagrado foi o de deixar a sua narrativa exatamente onde a deixou, por *motivos apologéticos*. Lucas não queria registrar acontecimentos de ordem narrativa, que só serviriam para irritar ainda mais as autoridades romanas. Tudo quanto quisera dizer, já tinha dito. Havia le demonstrado que a igreja cristã se desenvolvia em todas as áreas do mundo civilizado daquela época. Havia mostrado quem era Cristo e no que consistia a sua igreja. Havia vindicado a Paulo e à sua causa. Nada mais tinha a dizer. Conforme escreveu McNeile (*St. Paul*, págs. 119 e 120): «A adição de qualquer informe sobre o apóstolo Paulo, de natureza pessoal, por mais interessante e importante que fosse, teria sido uma mancha literária de tal envergadura que Lucas não cometeria jamais, sendo um artista da pena como foi. Depois de haver

planejado um esboço sobre a expansão do cristianismo (conf. Atos 1:8), ele não permitiria que a sua narrativa se transformasse em uma biografia, ainda que do próprio apóstolo Paulo». Contudo, essa resposta de McNeile não é perfeita, porquanto boa parte do livro de Atos é de natureza biográfica.

8. Como variação da segunda e da sétima dessas posições, poderíamos dizer que Lucas, o autor sagrado, já havia feito tudo quanto estava ao seu alcance para comprovar e fortalecer o seu alvo apologético *de conciliar* a opinião oficial de Roma, ao demonstrar que as autoridades romanas locais sempre foram coerentemente favoráveis para com o cristianismo, e que elas haviam antes protegido o apóstolo em vez de persegui-lo. Após ter edificado com tanto cuidado a sua tese, não haveria ele de arruinar tudo, dizendo como as coisas se azedaram, como Paulo fora novamente detido e executado. Pois Lucas esperava obter para o cristianismo a posição de *religião legal*, ante as autoridades romanas, privilégio esse de que o judaísmo já desfrutava. Lucas havia dito tudo quanto podia, a fim de cumprir o seu propósito, e não foi além disso. As posições sexta, sétima e oitava são as mais prováveis, ainda que nenhuma dessas idéias nos forneça uma explanação perfeita. A verdadeira resposta *só o próprio Lucas* nos poderia dar, e teremos que esperar até sermos capazes de conversar com ele a respeito de suas razões, que o levaram a terminar de modo abrupto o seu livro de Atos dos Apóstolos.

Crisóstomo oferece-nos uma estranha e curiosa explicação para esse término abrupto do livro de Atos, — que é tão interessante que não podemos deixar de fazer alusão à mesma. Diz ele: «Nesse ponto, o historiador põe ponto final em seu relato, deixando o leitor *sedento*, para que possa especular por si mesmo. Isso é feito até mesmo por escritores estranhos ao cristianismo. Pois saber de tudo deixa-nos preguiçosos e embotados». (*Homilias* sobre o livro de Atos LV).

Não se há de duvidar que podemos dizer acerca de Paulo, tal como foi dito no tocante a Sócrates, por seus amigos: «Tal...foi...o nosso amigo, um homem a quem todos quantos o conheceram em seus dias poderiam chamar de melhor e mais sábio e mais justo de todos os homens». (*Phaedo*, 118 A).

«Portanto, sejamos imitadores de Paulo, e tomemos a sua alma nobre e adamantina como nosso modelo, de tal modo que, seguindo em sua esteira, possamos velejar com segurança pelo oceano tempestuoso da vida, penetrando no porto tranqüilo da paz, e assim obtenhamos aquela salvação que Deus preparou para os que o amam, mediante a graça e o amor de nosso Senhor Jesus Cristo, o qual vive e reina juntamente com o Pai e o Espírito Santo, em idêntica majestade e glória, bendito para sempre». (Crisóstomo, *Homilias*).

Penso Continuamente Naqueles que Foram Realmente Grandes

Penso continuamente naqueles que foram realmente
grandes,
Que, desde o ventre, relembraram a história da alma,
Através dos corredores da luz, onde as horas são sóis,
Intermináveis e cantantes. Cuja amável ambição
Era que seus lábios, ainda que tocados pelo fogo,
Falassem do espírito, revestido em cântico, da cabeça
aos pés.
E que ajuntaram ramos da fonte,
Os desejos que ornaram seus corpos como
florescências.

O que é precioso jamais deve ser esquecido.
O deleite do sangue tirado de fontes sem data,

FIM DO MUNDO

A irromper nas rochas, em mundos anteriores à
terra;
Para jamais negar seu prazer na simples luz matinal,
Nem sua grave exigência vespertina pelo amor.
Jamais permitirá que o tráfico diminua gradual-
mente
Em meio ao ruído, o florescimento do espírito.

Perto está a neve, perto o sol, nos campos mais altos.
Vede como esses nomes são embalados na erva
ondulante,
E pelas nuvens brancas em exército,
E pelo sussurro do vento, no céu atento;
Os nomes daqueles que na vida lutaram pela vida,
Que usaram nos corações o centro do fogo,
Nascidos do sol, viajaram por um pouco em direção
ao sol,
E deixaram o ar vívido assinado com sua honra.
(Stephan Spender, 1909 -)

Ó Capitão! meu Capitão! nossa temível viagem
terminou,
O navio atravessou cada onda, o prêmio foi buscado
e ganho...
(Walt Whitman)

FIM DO MUNDO

Ver o artigo geral sobre a *Tradição Profética e a Nossa Época*. Ver também sobre *Escatologia*.

Algumas traduções dizem «fim do mundo», em Mat. 13:39 e 24:13,14. Nossa versão portuguesa diz «consumação do século», na primeira referência, e «fim», na segunda referência. A tradição profética aguarda o tempo em que o mundo, conforme o conhecemos agora, chegará ao fim, com o início de um novo ciclo histórico. Mas o vulgo, tomando a expressão «fim do mundo» literalmente, sem entender o que está envolvido, pensa que o mundo terminará numa conflagração em que os homens nem mais terão onde habitar e que toda a vida terrena que conhecemos, se acabará repentinamente. Em tudo isso vai muito de superstição. Nas ocorrências passadas do cometa de Halley, nações inteiras esperaram o fim do mundo e os beatos tornaram-se mais religiosos do que nunca. A aproximação do ano 2000, de acordo com um grande número de pessoas crédulas, nos está levando ao fim da história da humanidade, como se fosse uma chama que se apaga. Este autor escreveu um livro sobre profecias, intitulado *Profecias Para o Nosso Tempo: Quarenta Anos Finais da Terra?* (Nova Época, SP, Brasil). Ali descrevemos as predições bíblicas e as dos místicos modernos que se têm manifestado sobre o assunto. Sugerimos ali que estamos dentro dos quarenta anos finais da nossa dispensação e que vastíssimas destruições, naturais e provocadas pelos homens, ocorrerão nos nossos próprios dias, antes que seja inaugurada a era milenar.

A tradição bíblica profética teve começo no Antigo Testamento. E o esboço que é dado no livro de Daniel, quanto aos tempos do fim, é seguido por outros escritores sagrados. Essa tradição teve prosseguimento durante o período intertestamentário, nos livros pseudepígrafos. Assim, quando chegamos aos tempos do Novo Testamento, um esboço escatológico geral já estava bem estabelecido. O Novo Testamento, por sua vez, acrescentou alguns detalhes, mormente no que tange ao *anticristo* (que vide) e à relação entre a Igreja cristã e esses acontecimentos que culminarão com a segunda vinda de Cristo. Ver sobre a *Parousia*.

Principais Idéias do Antigo Testamento:
1. **Acontecimentos miraculosos e catastróficos**

assinalarão o fim de nossa era (Joel 2:30; Zac. 14:4).

2. As nações serão julgadas e aquelas que tiverem perseguido ou posto obstáculos no caminho de Israel serão objetos especiais da ira (Joel 3:9-12; Oba. 15,16; Zac. 14:12-15).

3. Israel será plenamente restaurada como nação e haverá a renovação de todas as coisas, uma nova harmonia e prosperidade (Osé. 2:22; Joel 3:18; Amós 9:11-15).

4. Algum dia será estabelecida a paz, política e em outros sentidos (Isa. 2:3,4; Miq. 4:3).

5. Algum dia, a natureza estará em paz (Isa. 65:23-25). Isso é importante porque, no presente, a própria natureza envolve uma ameaça mortal constante (terremotos, desastres naturais, enfermidades, morte física).

6. O poder de Deus generalizar-se-á neste mundo. Ele reinará aqui (Dan. 2:44).

7. Haverá a restauração ao estado de impecabilidade (Sof. 3:11-13; Zac. 14:20,21).

8. Haverá a ressurreição para a imortalidade (Dan. 12:2,3).

O exame de todas essas passagens e seu engaste cronológico revela que esse esboço não veio à tona somente porque uma derrotada nação de Israel ficou esperando dias melhores, após os exílios sofridos. A profecia, — em vez disso, resulta da confiança do homem na atuação de Deus na história e envolve uma previsão genuína e não apenas a expressão de belos desejos.

Principais Idéias do Novo Testamento:
1. **Além das coisas alistadas acima, acerca das quais** o Novo Testamento tece comentários, temos a idéia de que o aparecimento do Cristo trouxe modificações e coisas novas. O seu sacrifício pessoal foi a concretização do simbolismo do sistema sacrificial do Antigo Testamento (Heb. 9:26), eficaz para a solução definitiva do problema do pecado.

2. A pregação do evangelho, por assim dizer, já começou nos fins dos tempos, como um sinal dos mesmos (Mat. 24:14).

3. Faz-se a distinção entre os acontecimentos que introduzirão o milênio (que vide) dos acontecimentos que introduzirão a era eterna (Apo. 20:21).

4. A volta de Cristo assinalará o fim do antigo sistema (em que vivemos) e a introdução de um novo sistema. Mas o retorno de Cristo envolve uma série de eventos, que culminará com o retorno dele. E, quando Jesus voltar, do que resultará paralelamente o arrebatamento dos salvos, terá início uma série de acontecimentos preditos que terminará com a destruição do céu e da terra que agora existem, após o milênio. O artigo sobre a *Parousia* aborda essas questões. Ver Mat. 24:29,30; I Tes. 4; I Cor. 15.

5. O anticristo (que vide), que surgirá em cena alguns anos antes da volta de Cristo, será uma poderosa força maligna; mas estará servindo aos propósitos de Deus, posto que como uma força negativa (II Tes. 2).

6. O fim de nosso velho ciclo ocorrerá através de eventos catastróficos naturais, paralelamente a eventos produzidos pelos homens, em seu desvario. Ver II Ped. 3:7-10 e Apo. 21:1 quanto a declarações bem detalhadas sobre o fim desses acontecimentos.

7. O fim da presente dispensação não encerrará todos os planos divinos. Bem pelo contrário, o fim desta dispensação será o começo de uma nova era, da mesma maneira que a morte física, em certo sentido, é um nascimento. A *restauração* (que vide) encontra-se nos planos de Deus a longo prazo.

FINAL, JULGAMENTO — FINÉIAS

FINAL, JULGAMENTO

A mente humana não se sente bem diante da idéia de continuidade, de fluxo e progressão eternos, de *fins* que acabam sendo *novos começos*. Por conseguinte, através da literatura de muitas culturas diferentes, encontramos a idéia do juízo *final*, quando, presumivelmente, os destinos eternos serão inexoravelmente determinados. Ver o artigo geral sobre o Julgamento. O judaísmo também tinha o seu julgamento final. As formas dadas à idéia, que finalmente aparecem nas páginas do Novo Testamento (em lugares como o vigésimo capítulo do Apocalipse), foram desenvolvidas nas obras chamadas pseudepígrafas. Idéias de fogo eterno e de sofrimento contínuo e excruciante, são noções desenvolvidas naquela literatura, e que então são refletidas em certos trechos do Novo Testamento.

A investigação histórica parece indicar que é na religião dos persas que se pode encontrar a primeira clara declaração desse tipo de visão sobre o julgamento divino. Seja como for, facilmente podemos acompanhar o manuseio judaico cristão dessa questão. Quando surgiu o cristianismo, Jesus Cristo apareceu como o Juiz do julgamento final (Atos 17:31). O livro de Apocalipse (19:11 — 21:8) é que nos fornece a mais completa declaração cristã sobre o assunto. Essa perspectiva do julgamento tem servido de tema para muitas formas de arte, e também tem sido a base de um número incalculável de sermões. Com grande freqüência, a modificação dessa doutrina, conforme é vista na restauração prometida em Efésios 1:9,10 — que alude ao mistério da vontade de Deus, no que concerne ao destino final dos homens — é olvidada. Ou então é rejeitada, porquanto muitos anseiam por preservar esse antigo ponto de vista sobre o julgamento divino. Quanto a uma discussão completa a respeito, ver o artigo sobre a *Restauração*. Pessoalmente, acredito que o ensino do mistério da vontade de Deus (aquilo que Deus finalmente, fará) ultrapassa o ponto de vista antigo, pois confere esperança aos homens, emprestando um forte acento otimista à vida, e não pessimista. Isso parece ajustar-se melhor àquilo que deveríamos esperar como resultado da missão de Cristo, bem como àquele poder que reside nessa missão. O trecho de I Pedro 4:6 mostra-nos que o julgamento divino será remedial, e não meramente punitivo. O resultado lógico disso será a *restauração*, visto que o julgamento será um *meio* pelo qual o amor de Deus fará certas coisas pelos homens, que ele não poderia fazer de qualquer outra maneira.

FINALISMO

Essa é a doutrina que diz que o universo, bem como a vida em geral, está se esforçando em busca de *finalidades* ou *alvos*, ou seja, por propósitos definitivos. Existem duas formas dessa doutrina. Em primeiro lugar, os fins podem ser concebidos de antemão e fixados. Ou então, eles podem ser novos começos, ou *fins* criativos, que dão continuação ao processo da inquirição e do desenvolvimento. Alguns filósofos defendem ambas as idéias, combinadas em uma única forma de finalismo. Um dos sinônimos de «finalismo» é *teleologia* (que vede).

FINÉIAS

No hebraico, ao que parece, **oráculo**. Há quem pense que a origem dessa palavra é egípcia. Tem sido confirmada por descobertas arqueológicas da época do Novo Reino egípcio (séculos XVI a XII A.C.).

Outros estudiosos pensam que o sentido dessa palavra ainda não foi determinado, e ainda outros pensam que quer dizer «boca de bronze». Esse é o nome de três personagens da Bíblia, a saber:

1. Um filho de Eleazar, neto de Aarão, o sumo sacerdote. Ver Êxo. 6:25; I Crô. 6:4,50; Esd. 7:5. Era homem zeloso e de ânimo quente. Os israelitas estavam acampados nas planícies de Moábe e lamentavam os pecados a que haviam sido seduzidos pelos midianitas. Um dos príncipes de Judá, de nome Zinri, levou uma mulher midianita, chamada Cozbi, à sua tenda. Finéias, naturalmente, compreendeu o intuito e, indignado, seguiu o casal. Entrou na tenda e traspassou a ambos com a sua lança (Núm. 25:7 *ss*). Esse ato de zelo espiritual chamou a atenção de Moisés, que outorgou a Finéias responsabilidades sacerdotais, na época em que Josué andou fazendo guerra contra os midianitas (Núm. 31:6 *ss*). Foi-lhe prometido que o sacerdócio permaneceria em sua família (Núm. 25:7-11), o que ocorreu em cerca de 1435 A.C.

Após a conquista do território de Canaã, quando os guerreiros das duas tribos e meia do além Jordão estabeleceram um altar não autorizado, Finéias esteve à testa da delegação ali enviada para denunciar aquelas tribos por tal ato. Porém, os representantes das tribos de Rúben, Gade e da meia-tribo de Manassés explicaram que o altar era apenas um memorial das vitórias de Israel e de sua dependência a Deus, e não um lugar onde seriam oferecidos sacrifícios. O esclarecimento foi aceito, e todos os envolvidos sentiram-se satisfeitos. Ver Jos. 22:5 *ss*. Quando da divisão da terra, ele recebeu uma porção de terras como sua propriedade particular, uma colina no monte Efraim que recebeu seu nome, a saber, Gibeá, pertencente a Finéias. Foi ali que Finéias sepultou a seu pai (Jos. 24:33). Aparentemente, ele era líder dos levitas coreítas (I Crô. 9:20). Após a morte de Eleazar, Finéias tornou-se sumo sacerdote (o terceiro da série). Após o ultrajante tratamento à concubina do levita viajante, em Gibeá de Benjamim, foi Finéias quem afirmou, corretamente, que dali resultaria o apropriado juízo divino (Juí. 20:28). Seus anos finais foram passados na obscuridade, até onde diz respeito à história bíblica registrada. Presumivelmente, foi sepultado na colina de Efraim, onde também havia sepultado seu pai (Jos. 24:33).

Símbolo. Finéias tem atraído os estudiosos da Bíblia como exemplo de um sacerdote levita devoto (Sal. 106:30,31). Sua vida de fé, com atos apropriados, lhe foi imputada «por justiça, de geração em geração, para sempre». Declaração parecida é feita acerca de Abraão, em Gênesis 15:6 e Romanos 4:3: «Ele creu no Senhor, e isso lhe foi imputado para justiça».

2. Um levita, pai de Eleazar, que ajudou Meremote a pesar os vasos sagrados do templo (Esd. 8:2 e I Esdras 8:36), que viveu em torno de 458 A.C. O sentido da passagem bíblica mencionada, porém, pode ser que Eleazar era da *família* do Finéias original, visto que, no hebraico, o vocábulo *pai* pode ser usado para indicar um antepassado distante.

3. O segundo filho de Eli (I Sam. 1:3; 2:34; 4:4,11,17,18; 14:3). Esse Finéias foi morto, juntamente com seu irmão, pelos filisteus, quando estes capturaram a arca da aliança. Antes desse evento, esse homem já demonstrara o seu mau caráter e muito entristecera a seu pai.

Fora da narrativa bíblica, temos mais dois homens com o nome de Finéias. Assim, esse foi o nome do último sumo sacerdote, antes de Tito haver destruído

FINITO — FIO DE PRATA

a cidade de Jerusalém, no ano 70 D.C. Ver Josefo, *Guerras* 4:3,8. Por semelhante modo, esse também foi o nome do último tesoureiro do templo de Jerusalém, o qual quando essa cidade caiu diante dos romanos, em 70 D.C., entregou alguns dos tesouros do templo aos invasores. Ver Josefo, *Guerras* 6:8,3.

FINITO

1. O Termo. A palavra portuguesa vem do latim *finis*, «fim», referindo-se a qualquer coisa que tenha fronteiras, fins ou limitações. Muitos filósofos defendem a tese de que não possuímos conceitos do infinito, visto que a nossa experiência, neste mundo, é sempre finita, limitada. Assim, o termo «infinito» significaria, na verdade, «grandíssimo», «muitíssimo», etc. Ademais, não podemos atribuir infinitude a coisa alguma, — exceto verbalmente. O finito é o nosso conceito básico, de tal modo que só pensamos em «infinito» quando não podemos ver o fim de qualquer tipo de série. Portanto, a palavra *infinito* alude à nossa incapacidade de compreender uma série, e não a natureza real dessa série. Alguns têm-se utilizado da palavra «infinito» a fim de se referirem à totalidade de alguma coisa, mas não é dessa maneira que, usualmente empregamos o vocábulo. Outros filósofos supõem que a finitude, em uma série ou em termos do ser, subentende um número ilimitado e, conseqüentemente, seria uma indicação da existência da infinitude. Essa maneira de pensar tem sido empregada por alguns pensadores a fim de tentar provar a existência de Deus, passando do finito para o infinito.

2. Na Teologia. Dentro dos conceitos teológicos, somente Deus é infinito. Todas as outras coisas e seres são limitados, ou seja, finitos. Isso posto, na linguagem teológica, «infinito» é um virtual sinônimo de deidade, ao passo que o termo «finito» representa a existência de todas as coisas criadas. Jesus Cristo, em sua humilhação (ver sobre a *kenosis*), assumiu um aspecto humano, finito, mas sem abandonar a sua infinitude. Naturalmente, ninguém é mais misterioso do que ele. «...pois ele, subsistindo em forma de Deus, não julgou como usurpação o ser igual a Deus; antes, a si mesmo se esvaziou, assumindo a forma de servo, tornando-se em semelhança de homens...» (Fil. 2:6,7).

3. O Deus Finito. a. Nem mesmo todos os cristãos têm defendido a idéia da infinitude de Deus. Alguns pensam que a existência do mal, no mundo, com o caos conseqüente, seria uma prova de que o próprio Deus é finito, pelo que não seria capaz de controlar as coisas de modo absoluto. Dessa circunstância é que teria tido origem o mal. b. O *dualismo* puro (que vede) subentende a existência de um Deus finito, porquanto o mal sempre teria existido, e Deus não teria sido capaz de vencê-lo. O zoroastrismo e o gnosticismo servem de exemplos dessa posição. Mas há outros sentidos em que pode ser dito que Deus é finito. Assim, se Deus já foi menor do que é agora, tendo avançado até à sua atual elevada estatura, e continuando a progredir ainda, conforme é ensinado pelo mormonismo, então Deus é apenas um ser finito, pois, de outra sorte, não poderíamos falar nesses termos. c. Alguns pensam que quando Deus, embora infinito em sua própria natureza, chegou a um *auto-limitar-se*, como quando ele respeita o livro-arbítrio humano e permite que o homem aja conforme melhor lhe parece, então torna-se um ser finito. d. Todos os *sistemas politeístas* propõem deuses finitos, porquanto nenhum deles, a despeito de concebido como muito

poderoso, é isolado em sua divindade. Talvez um deles seja concebido como o mais forte do grupo; mas, até mesmo esse compartilha com outros, de alguma maneira, de seu domínio e poder. e. Todas as doutrinas que supõem que Deus não é o único ser ou coisa que sempre existiu, como naquele sistema de idéias que pensa que a matéria sempre existiu, promovem a noção de um Deus finito. Nesse caso, Deus teria atuado como artesão e organizador das coisas, e não como criador delas, fazendo-as surgirem de sua própria energia. Sendo esse o caso, ele teria sido automaticamente limitado por alguma coisa fora dele mesmo. f. Kant sugeriu que o argumento teleológico pode dar a entender um Deus arquiteto finito, e não um Criador infinito. g. A tese do Espírito Absoluto de Hegel, de tese, antítese e síntese, mostraria que em Deus há um conflito, reduzindo-O ao nível dos seres finitos. h. Algumas formas de pragmatismo supõem que Deus é *primus inter pares*, e, conseqüentemente, finito. i. J.M.E. McTaggart rejeita a idéia de um Deus criador, supondo que tal tipo de Deus deve pressupor a existência do tempo, que ele rejeitava. Qualquer conceito de Deus, portanto, de acordo com o seu modo de pensar, é mais lógico se concebê-lo como um ser finito. j. H. Bergson negava que Deus pode ser responsabilizado pelo sofrimento dos homens; e, com base nisso, supunha que Deus não pode ser considerado infinito, pois, se Deus fosse tal, o sofrimento não existiria. Essa é apenas uma variante da idéia apresentada sob o ponto «a», acima, que tem em vista o problema geral do mal. l. Na religião natural, onde Deus é equiparado com as forças da natureza, o conceito de Deus é que ele é um ser finito. Porém, retrucamos a tudo isso que as limitações que os homens geralmente atribuem a Deus são, tão-somente, as limitações de suas próprias mentes finitas. Ver o artigo geral sobre o *Infinito*.

FINNEY, CHARLES GRANDISON

Suas datas foram 1792-1875. Foi um evangelista e teólogo norte-americano. Converteu-se em sua fase adulta, quando era advogado. Tornou-se mais conhecido por seus dramáticos métodos de reavivamento, conhecidos como o *banco dos ansiosos*, onde os pecadores meditam sobre sua situação diante de Deus e estremecem. Seus métodos pressupunham que o pecador tem a capacidade de corresponder afirmativamente ao apelo evangélico e às justas exigências morais de Deus. Quanto a detalhes sobre isso ver o artigo intitulado *Oberlin, Teologia de*. Ver também sobre *Taylorismo*.

FIO DE PRATA

A única alusão bíblica ao **fio de prata** fica em Eclesiastes 12:6,7: «...antes que se rompa o fio de prata, e se despedace o copo de ouro, e se quebre o cântaro junto à fonte, e se desfaça a roda junto ao poço, e o pó volte à terra, como o era, e o espírito volte a Deus, que o deu». Temos aí várias declarações poéticas que apontam para a dissolução provocada pela morte física. Os intérpretes tem-se interessado especialmente pela referência ao «fio de prata». Isso é assim porque, uma experiência comum, dentro do processo da morte física, — é que a pessoa vê uma espécie de corda umbilical, que tem a aparência de filamentos de eletricidade, que vinculam o corpo material do homem à sua alma imaterial. Se esse fio for partido, o processo da morte torna-se irreversível.

Esse fio de prata também pode ser visto nos casos de *projeção da psique* (que vede). Podemos supor que

FIO DE PRATA — FIRMEZA

o fio de prata serve de canal de transmissão de energias vitais, da parte não-material do homem para a sua parte material. Por outro lado, não há certeza se a referência ao «fio de prata», em Eclesiastes 12:6, que algumas vezes é visto por ocasião da morte ou das projeções da psique, realmente diga respeito a esse fenômeno, que até a parapsicologia tem estudado com grande interesse. Alguns estudiosos supõem que, no livro de Eclesiastes, a alusão seja à coluna vertebral, ou à língua (que emudeceria por ocasião da morte), ou então, poeticamente, que seria uma alusão ao *vínculo* entre a alma e o corpo, sem qualquer alusão específica a qualquer poder ou energia literal. Mas, sem importar se a Bíblia refere-se ou não ao *fio de prata* que algumas pessoas têm visto, nos primeiros estágios da morte (ou que outras pessoas presentes podem ver, durante o processo da morte), esse «fio» sem dúvida é uma realidade. Ver o artigo geral sobre *Experiências Perto da Morte*. Na experiência da morte física, o ato de ver o fio de prata é apenas um dentre vários itens envolvidos. A ciência moderna está dando grande atenção a essa experiência. De fato, no momento, essa é a nossa maneira mais frutífera de tentar provar a existência da alma e a sua sobrevivência ante a morte física, do ponto de vista científico. Ver o artigo geral sobre a *Imortalidade*, que inclui um artigo sobre esse assunto, do ângulo dos homens de ciência. Ver também o artigo intitulado: *Abordagem Científica à Crença na Alma e em sua Sobrevivência ante a Morte Física*.

FIORETTI

Palavra italiana que significa «florezinhas». Refere-se à coletânea de relatos e lendas populares concernentes à vida e à obra de Francisco de Assis (que vede). Essas narrativas, em sua maioria, enfatizam a fé quase infantil desse homem, considerado um santo pela Igreja Católica Romana, e seu senso do sobrenatural. Há cinqüenta e três capítulos nessa obra, com quatro apêndices adicionados posteriormente. Ela foi escrita em cerca de 1328, e seu título completo é *Fioretti di S. Francesco d'Assisi*. Relatos como esses celebram as vidas extraordinárias de certas pessoas, que provavelmente andaram mais perto do Mestre do que outras, e cujas vidas e atitudes podem ser emuladas com proveito. Homens assim sempre serão objetos de lendas, nas quais a verdade aparece mesclada com as invenções humanas.

FIQH

Essa palavra indica a teologia autoritária e a lei do islamismo, alguma lei canônica desenvolvida por quatro escolas ortodoxas: a hanbolita, da Arábia; a hanifita, da Ásia Central; a maliquita, do Egito superior e do Norte da África; e a safiita do baixo Egito, da Índia, da Malaia e da Síria.

FIRMAMENTO

No hebraico **raqia**. Esse vocábulo aparece por dezessete vezes no Antigo Testamento: Gên. 1:6-8,14, 15,17,20; Sal. 19:1; 150:1; Eze. 1:22,23,25,26; 10:1 e Dan. 12:3.

O termo hebraico está ligado a uma forma verbal que significa «eles martelaram», como se alguém tivesse martelado metais. Dentro do contexto cosmológico, isso poderia subentender alguma suposta entidade, nos céus, com formato côncavo, como se fosse uma taça invertida. Contudo, as evidências em favor de tal idéia não são conclusivas, porém, o trecho de Gênesis 1:6 indica, definidamente, algum tipo de barreira *sólida* que separaria a massa de águas superiores da massa de águas inferiores. E, com base em outras fontes informativas, bíblicas e rabínicas, obtemos uma boa idéia do que os hebreus pensavam sobre a *cosmogonia*. Oferecemos um artigo sobre esse assunto. Ver também sobre *Astronomia*, onde temos exposto um gráfico que ilustra as antigas idéias dos hebreus quanto à natureza da criação. Finalmente, ver sobre a *Criação*. O que fica óbvio, em tudo isso é que, a despeito da atividade dos intérpretes, as referências bíblicas que incluem idéias sobre cosmogonia demonstram claramente que os hebreus, juntamente com todos os povos antigos, tinham idéias bastante cruas sobre a natureza do universo.

Quando os intérpretes dizem que o firmamento é um *espaço expandido*, onde se encontram os corpos celestes (objetos sólidos), mas que esse espaço é chamado de «firmamento» por ser considerado como algo durável, eles apelam para um truque, a fim de evitar de reconhecer que a Bíblia não é um livro escrito para ensinar ciência, pelo que nem sempre declara exatamente as questões da cosmologia. Nenhum livro existe que declare com exatidão esse assunto, visto que a nossa ignorância a respeito ainda é grande e o nosso conhecimento é bem diminuto. E a revelação bíblica não nos fez avançar muito nessa direção, mesmo porque não nos foi outorgada para ensinar-nos fatos científicos e, sim, para ensinar-nos como ajustar nosso relacionamento com Deus e com nossos semelhantes. Na verdade, porém, a nossa fé não depende desse tipo de conhecimento, sobre fatos científicos. Fazer a fé repousar sobre tais questões é convidar ao desastre. Contudo, a ciência nos apresenta outras e novas idéias, quanto a muitos campos do mundo material; todavia, não nos ensina coisa alguma sobre as origens. Sempre que os cientistas tentam falar sobre as origens, apenas especulam, pois a ciência não dispõe de meios para investigar como as coisas começaram, mas somente como elas são agora, que já foram criadas. Portanto, a ciência atua de modo completamente separado dos documentos espirituais, cujas declarações sobre assuntos científicos são apenas incidentais e, por muitas vezes, inexatas, refletindo conhecimento dos homens na época em que eles foram escritos (com raríssimas exceções, quando Deus quis revelar fatos científicos, embora não se referisse aos mesmos como tais).

Quanto a outras referências bíblicas sobre o *firmamento*, ver Eze. 1:22; Dan. 12:3; Êxo. 24:10; Apo. 4:6. A palavra hebraica *raqia*, traduzida geralmente por «firmamento», aparece por nove vezes no primeiro capítulo do livro de Gênesis. De conformidade com a cosmologia babilônica e hebraica, havia um *mar* acima do firmamento. E o firmamento separaria os céus da terra, numa espécie de universo em dois pisos. No trecho de Apocalipse 4:6, o vidente João viu um «mar» diante do trono de Deus, embora diferente daquele imediatamente acima do firmamento. O «mar» visto por João parecia feito de cristal, parecendo ser o soalho ou base que apoiava o trono de Deus. Há um empréstimo literário, em Apocalipse, do trecho de Eze. 1:22, que envolve o firmamento.

FIRMEZA

Ver o artigo geral sobre **Coragem**.

••• ••• •••

FIRMEZA NA FÉ — FLABELLUM

FIRMEZA NA FÉ

Há duas palavras gregas que nos convém estudar, dentro deste verbete, a saber: 1. *Stereoma*, «algo firme», sobre o que outra coisa pode repousar. Esse vocábulo ocorre somente por uma vez, em Col. 2:5, onde se lê: «...verificando... a firmeza da vossa fé em Cristo». Provavelmente temos aí uma metáfora de fundo militar. A fé, por assim dizer, apresenta uma *frente sólida*, que age como ponto de ataque e de defesa. 2. Em II Pedro 3:17 temos o termo *sterigmós*, «estabilidade», onde diz o texto sagrado: «...não suceda que... descaiais da vossa própria firmeza». Nossa estabilidade protege-nos do malefício e do ludíbrio que a iniqüidade de todos os tipos nos expõe.

Alguns Elementos:

1. A firmeza é exibida por Deus em todos os seus atos e promessas (Núm. 23:19; Tia. 1:17).

2. A verdadeira firmeza é promovida pela piedade (Jó 11:13-15).

3. A presença de Deus conosco promove a firmeza (Sal. 16:8), como também o faz a confiança nele (Sal. 26:1).

4. A firmeza é uma característica dos verdadeiros santos (João 8:31).

5. Devemos manifestar firmeza na obra prestada ao Senhor (I Cor. 15:58), continuando na doutrina dos apóstolos e na comunhão uns com os outros (Atos 2:42); como também na atitude de expectação (Heb. 3:6), apegando-nos àquilo que é bom (I Tes. 5:21) e resistindo até mesmo sob aflições (Rom. 8:35-37). Os ímpios, por sua vez, não demonstram firmeza espiritual (Sal. 78:8, 37).

FISCALISMO

Esse é o ensino de Círculo de Viena (vide), dos positivistas lógicos (vide), de que toda iinguagem que envolve algum significado deve ser expressa em termos fisicalistas. Isso pressupõe que ninguém pode falar de modo inteligente sobre assuntos metafísicos, empregando termos que aludem a alegadas entidades imateriais. Os limites impostos pelos homens àquilo que eles podem conhecer, usualmente são limitações de suas próprias mentes, e não os limites genuínos da realidade.

FISICOFÍSICO

Um termo cunhado por Ducasse (vide, segundo ponto), em relação ao problema corpo-mente (vide). Há vários tipos de causas e efeitos, em suas relações. Um desses tipos é quando um objeto físico atua sobre outro objeto físico. Então temos uma questão fisicafísica. Outros tipos envolvem algo físico que atua sobre a parte mental; ou algo mental que atua sobre algo físico; ou ainda, algo mental que produz efeitos mentais. O artigo sobre Ducasse explica essas questões. Mas, o problema levantado (a interação entre a mente e o corpo físico) é um dos mais intricados problemas que a filosofia e a teologia têm tido de enfrentar, conforme se pode notar no artigo específico sobre corpo-mente.

FÍSICO-TEOLÓGICO (ARGUMENTO)

Esse é um nome alternativo para o **argumento teológico** (vide), empregado por Emanual Kant (vide).

FISIOCRATAS

Esse foi o nome de uma escola francesa de economistas do século XVIII, encabeçada por François Quesnay (1694-1774). Eles acreditavam que a terra é a base da economia e das riquezas. Eles aplicavam o princípio do *laissez-faire* (no francês, *laissez*, «deixar» + *faire*, «fazer»), ou seja, o princípio do deixar só, às questões econômicas.

FISIÓLOGO

Nome dos tratados alegóricos sobre animais tanto reais quanto imaginários, aos quais se atribuem todos os tipos de qualidades fabulosas. Verdades morais e espirituais eram ilustradas por meio dessas estórias. A prática originou-se em Alexandria, e, então disseminou-se largamente por todo o Ocidente, tendo dado margem a volumosos *bestiários*, livros em prosa e poesia que ilustravam animais reais e fabulosos. Isso penetrou na escultura romanesca e gótica, onde os animais assumiam uma importância simbólica.

FISKE, JOHN

Suas datas foram 1842-1901. Foi um filósofo norte-americano. Nasceu em Hartford, estado de Connecticut. Educou-se em Harvard. Foi conferencista e bibliotecário em Harvard. Tornou-se melhor conhecido por sua defesa da teoria da evolução teísta. Ele acreditava que o poder que iniciou e sustenta o processo evolutivo é o poder de Deus, a sua inteligência, a sua orientação. «Um infinito e eterno Poder... manifesta-se em cada pulsação do universo». Nesse processo, ele via um avanço constante na direção da perfeição, moralmente e em outros sentidos. Outrossim, ele cria que as qualidades espirituais do homem, que o trouxeram desde o reino animal, até à participação no caráter moral de Deus, só podem ser explicadas por uma evolução constante e proposital, segundo a qual a evolução espiritual acompanha a evolução física. Em sua teologia imanente, ele concebia um reinado da alma humana, juntamente com Deus, que seria possuidora das qualidades tipicamente humanas: pessoais, morais e metafísicas. Ele supunha que esse processo evolutivo destina o homem à imortalidade pessoal.

Escritos. *Outlines of Cosmic Philosophy; The Unseen World; Darwinism and other Essays; The Destiny of Man; The Idea of God; Through Nature to God; Life Everlasting*.

FLABELLUM

Palavra latina que significa «leque», «abano». Era um abano essencialmente usado na Igreja Ortodoxa Oriental. Originalmente servia ao propósito prático de afastar os insetos dos elementos do sacrifício eucarístico. Com o tempo, porém, perdeu a sua finalidade original e transformou-se em mero ornamento, feito de metal, decorado com querubins de seis asas. Também passou a ser usado nas procissões religiosas. No Ocidente há algo semelhante. Nas funções papais solenes, de caráter não-litúrgico, grandes abanos, feitos com penas de avestruzes, acompanham a entrada do papa no local da cerimônia. O cerimonialismo é uma daquelas coisas para qual os homens apelam, quando lhes falta a espiritualidade autêntica. Essas coisas têm o intuito de impressionar os circunstantes. Na cristandade, como em todas as religiões antigas e modernas, há uma inegável tendência para o ritualismo. E então a religião não é mais uma questão do cultivo da piedade pessoal e, sim, uma questão de cerimônias solenes. Triste e inadequado substituto, que só serve para

FLACIUS — FLIEDNER

agradar à vista, mas que não satisfaz às verdadeiras necessidades da alma.

FLACIUS, MATTHIAS

Nasceu em 1530 e faleceu em 1575. Foi um reformador luterano que se envolveu nas controvérsias religiosas de seus dias. Combatia tanto os católicos romanos quanto outros reformadores. Era um extremista, pelo que foi expulso da comunhão por mais de uma vez. Sua maior contribuição foi através da literatura, na qual se ocupou ativamente. Desmascarava tanto a história distorcida quanto a má exegese, nos escritos alheios.

FLAGELAÇÃO

Ver sobre **Crimes e Castigos**.

FLAGELANTES

Vem do termo latino *flagellum*, «açoite». As pessoas têm consciência de seus pecados, e algumas delas levam a questão a sério. E pensam que haverão de sentir-se melhor, e talvez até de merecer o perdão divino, se se castigarem fisicamente. Isso ocorria na civilização européia, principalmente no século XIII D.C., uma prática que se desenvolveu do autocastigo, mediante espancamento. As pessoas reuniam-se em grandes números, para praticarem a flagelação. E transformavam a prática em demonstrações públicas, com procissões solenes. A princípio, a prática começou de forma um tanto moderada; mas, com a passagem do tempo, foi-se tornando mais e mais radical, com todas as formas de abuso que se possa imaginar. Quando a coisa chegou a esse extremo, a prática, finalmente, recebeu a desaprovação das autoridades da Igreja Católica Romana, e alguns *flagelantes*, como eram chamadas as pessoas que adotavam esse tipo de autocastigo, foram perseguidos.

FLATUS VOCIS

No latim, «sopro da voz», ou, simplesmente, «sopro», ou seja, uma *mera palavra*, ou o *som da fala*. Roscelino (vide) afirmava que o universal é a mera palavra dita, o que equivale ao *nominalismo* (vide). O artigo geral sobre os *universais* fornece-nos vários pontos de vista atinentes a esse problema.

FLAUTA

Ver o artigo geral sobre *Música, Instrumentos Musicais*.

FLECHA

Ver o artigo geral sobre **Armas, Armadura,** quanto a uma descrição das armas antigas, bem como o seu sentido literal e metafórico nas Escrituras. O arco e a flecha eram uma arma crítica para os antigos, porquanto possibilitava o ataque a certa distância. Os arcos antigos tinham uma única curva; e, às vezes, duas. A corda usualmente era de nervo de boi, enquanto que as flechas eram feitas de canas ou de madeiras leves, armadas com pontas de metal. Algumas vezes o arco era feito de bronze (ver Sal. 18:34). Alguns arcos tinham grande tamanho (ver Zac. 9:10). A fim de ser posta a corda, a extremidade inferior era mantida firme com o pé, o que explica a expressão «armar o arco». Muitos povos antigos usavam o arco e a flecha, como os assírios, os elamitas, os egípcios, os filisteus, e, entre os israelitas, as tribos de Benjamim, Rúben, Gade e Manassés, cujos membros eram exímios atiradores com arco e flecha (ver I Crô. 5:18; 12:2; II Crô. 15:8). Os exércitos gregos e romanos também tinham seus arqueiros, que formavam as tropas leves.

Usos metafóricos. 1. A flecha indica calamidade, enfermidade e aflição (Jó 6:4; 34:6 e Deu. 32:23). 2. O relâmpago é a flecha de Deus (ver Sal. 18:14; 144:6 e Hab. 3:11). 3. Um perigo súbito e inevitável (Sal. 19:5). 4. A língua enganadora (ver Sal. 119:4). 5. Uma palavra ferina (ver Sal. 64:3). 6. Falso testemunho (ver Pro. 25:18). 7. Porém, em Sal. 127:4,5, simboliza crianças bem treinadas. Assim os filhos são instrumentos de poder e ação de um homem dotado de capacidade. 8. A flecha também pode falar da energia eficiente e irresistível da Palavra de Deus, nos lábios do Messias (ver Sal. 45:6 e Isa. 54:2). (ND S)

FLEGONTE

A palavra grega por detrás desse nome significa «queimadura». Ele foi um dos cristãos aos quais Paulo enviou saudações, conforme o registro de Romanos 16:14. Ver sobre Filólogo, uma outra figura do grupo, quanto à conjectura de que ali estamos manuseando uma epístola de saudações enviada à Ásia Menor (Éfeso), uma porção dos escritos paulinos que não foi enviada aos crentes de Roma. O pseudo-Hipólito assevera que ele foi um dos setenta discípulos especiais de Cristo, aludidos no décimo capítulo do evangelho de Lucas, e que se tornou bispo ou superintendente de Maratona. Porém, declarações desse naipe usualmente são apenas adições românticas ao texto, a fim de preencher espaços vazios em nosso conhecimento.

FLETCHER, JOSEPH

Nasceu em Newark, estado de Nova Jersey, nos Estados Unidos da América do Norte, em 1905. Educou-se na Universidade de West Virgínia, na **Berkeley Divinity School,** em Yale e em Londres, na Inglaterra. Também foi pastor evangélico.

Foi um filósofo moral, que se tornou bem conhecido por causa de sua discussão sobre a ética da situação (vide). Também foi professor de ética social da Episcopal Theological School, em Cambridge, estado de Massachussets. Tornou-se mesmo um expositor da ética da situação. Essa forma de ética ensina que não existem leis morais absolutas e que a correção ou erro de um ato é determinado pela situação particular prevalente, devido a motivos pragmáticos. Essa variedade de ética é uma forma de ética relativista. Ver o artigo geral sobre a *Ética*. Apesar de prática, a vida diária, com freqüência, é governada por fatores práticos e situacionais. Há coisas que, por si mesmas, inteiramente à parte de quaisquer situações e circunstâncias, são certas ou são erradas. Além disso, precisamos levar em conta as leis divinas, que não dependem de qualquer situação humana quanto à sua validade.

FLEWELLING, R.T.

Ver o artigo sobre o **Personalismo**, em seu nono ponto.

FLIEDNER, THEODOR

Suas datas foram 1800-1864. Foi o fundador do

FLORA — FLORESTA

diaconato feminino. Ele iniciou uma sociedade em uma prisão, para cuidar das necessidades dos prisioneiros que tivessem sido soltos das penitenciárias. Esse foi o começo da instituição Fliedner Kaiserwerth. Em 1836, ele fundou a casa das diaconisas, bem como todos os ramos de participação feminina nas igrejas evangélicas e também obras de caridade dirigidas pela Igreja, que encontraram expressão nesse tipo de labor. Ver o artigo separado sobre *Diaconisa*.

FLORA

O agregado de plantas indígenas de um país ou distrito, em distinção à *fauna*, que aponta para a vida animal ali existente. Nesta enciclopédia alistamos e discutimos, em separado, todas as formas de vida vegetal mencionadas na Bíblia. A *Lennean Society*, de Burlington House, em Londres, Inglaterra, provavelmente é a mais antiga sociedade do mundo a estudar a flora. Ela alista cento e onze ordens naturais de plantas. Naturalmente, há incontáveis subordens e famílias. Dessas cento e onze ordens, cinqüenta e quatro são mencionadas nas Escrituras, com mais algumas ordens extras, referidas nos livros apócrifos. Em forma de esboço, podemos afirmar que as plantas mencionadas incluem cereais, árvores frutíferas, legumes, cabaças, fibras, condimentos e aromatizantes, mas também drogas, bálsamos, madeiras de construção, arbustos, flores, canas, plantas daninhas, sementes, espinheiros, plantas venenosas, sebes e plantas as mais variegadas.

FLORESTA

No hebraico temos a considerar quatro palavras, — a saber:

1. *Choresh*, «floresta», «mato». Palavra hebraica empregada por uma só vez com esse sentido, em II Crô. 27:4.

2. *Yaar*, «floresta», «lugar espalhado». Esse termo hebraico ocorre por trinta e oito vezes com o sentido de «floresta», embora também signifique «madeira». Ver, por exemplo, I Sam. 22:5; I Reis 7:2; II Reis 19:23; II Crô. 9:16,20; Sal. 50:10; Isa. 9:18; 10:18,19,34; 21:13; 56:9; Jer. 5:6; 10:3; 46:23; Eze. 15:2,6; 39:10; Osé. 2:12; Amós 3:4; Miq. 3:13; Zac. 11:2.

3. *Yaarah*, «floresta», «lugar espalhado». Palavra hebraica que ocorre somente por uma vez, em Sal. 29:9.

4. *Pardes*, «paraíso». Termo hebraico derivado do persa, e é usado apenas por uma vez, em Nee. 2:8. Em nossa versão portuguesa temos a palavra «matas». Alguns estudiosos pensam que essa palavra também significava «jardim».

Na Palestina da antiguidade, as florestas cobriam vastas áreas. Porém, a dilapidação dos recursos naturais, por parte dos homens, tem deixado muitos lugares destituídos de árvores, onde antes havia grandes bosques naturais.

Usos Bíblicos:

1. A floresta dos **cedros do monte Líbano** (I Reis 7:2; II Reis 19:23; Osé. 14:5,6). Antigamente, foi uma extensa floresta. A floresta do Líbano era a mais vasta floresta que havia na Palestina. Salomão empregou cem mil madeireiros, os quais trabalharam durante cinqüenta e cinco anos a fim de proverem a madeira de cedro para o templo, para os palácios, para a casa do tesouro e, segundo presumimos, para outras edificações também. Milhões de metros de madeira flutuavam desde Tiro até Jope, que servia de porto para a cidade de Jerusalém. Essa floresta também era rica em pinheiros e sândalo. Supõe-se que ninguém pensou em impor ali um programa de conservação e restauração.

Há evidências de que antes de Israel ter entrado na Terra Prometida, grande parte da Síria e da Palestina era recoberta de florestas. No entanto, a ganância dos homens destruiu essas florestas, e também podemos supor que as modificações climáticas que houve ali também desempenharam sua parte nessa destruição. Antigamente havia uma floresta de tamareiras no vale do rio Jordão, desde o lago de Genezaré até o mar Morto. Josefo (37-95 D.C.) informa-nos de que mesmo em seus dias, uma floresta de tamareiras, perto de Jericó, cobria cerca de onze quilômetros de território. Havia florestas de carvalhos nas regiões montanhosas da Palestina. Um inseto que vivia nessa floresta produzia o corante escarlate que os israelitas usavam.

2. O nome *casa da floresta do Líbano*, em I Reis 7:2; 10:17,21 e II Crô. 9:16,20, refere-se a um lugar construído por Salomão, em Jerusalém ou nas proximidades. E a madeira para essa construção provinha das florestas de cedro do Líbano. Ou então, por causa de seu vasto número, aquelas árvores dispersas eram denominadas de uma floresta.

3. *A floresta dos carvalhos* dos montes de Basã era uma outra notável área recoberta de densa vegetação (Eze. 27:6).

4. Também havia uma floresta na área ocupada pelos homens de Efraim.

5. O bosque de Betel (II Reis 2:23,24) refere-se a uma área densamente arborizada, situada na ravina que descia até à planície de Jericó.

6. Lemos em I Samuel 14:25 que os israelitas passaram por uma floresta, quando perseguiam aos filisteus.

7. Também havia uma área coberta de florestas, no deserto de Zife, onde Davi se ocultou (I Sam. 23:15 ss).

8. Havia um bosque em Herete, no sul do território de Judá. Davi retirou-se para aquele lugar, a fim de escapar das intenções assassinas de Saul (I Sam. 22:5). Todavia, desconhece-se a localização exata desse bosque.

O arqueólogo W.F. Albright recolheu evidências de que, na Idade do Bronze Média (2000 — 1500 A.C.), grandes florestas cobriam boa parte da região montanhosa da terra de Canaã, que atualmente desapareceram inteiramente.

Usos Metafóricos:

1. Para denotar uma cidade, um reino ou um grande número de pessoas (Eze. 15:6).

2. Aqueles que estão maduros para o julgamento são ameaçados pela ira de Deus como um incêndio que destrói uma floresta (Isa. 10:17,18).

3. Uma floresta pode simbolizar *a falta de frutificação*, quando contrastada com áreas agrícolas, cultivadas (Isa. 29:17; 32:15; Jer. 26:18).

4. O exército assírio também chegou a ser chamado de «floresta», devido ao grande número de seus soldados (Isa. 10:18,19; 32:19). No entanto, a ira do Senhor era capaz de reduzi-los a nada, como um incêndio que se propaga.

5. Jerusalém foi chamada de «bosque do campo do Sul», em Eze. 20:46, porquanto ficava situada na parte sul da terra de Canaã. Os caldeus, quando a atacaram, marcharam na direção sul.

6. Uma árvore tem muitos símbolos, nos sonhos e

798

FLORA

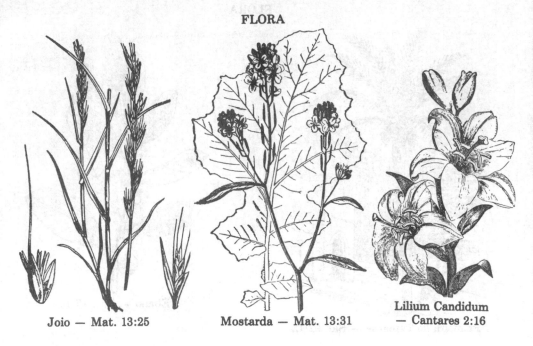

Joio — Mat. 13:25   Mostarda — Mat. 13:31   Lilium Candidum — Cantares 2:16

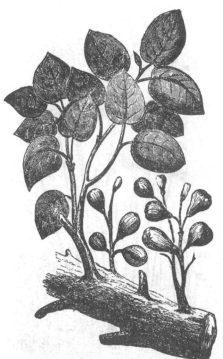

Figueira — Lucas 19:4   Cebola — Núm. 11:5

FLORA

Palmeira de Tâmaras — Sal. 92:12

Ébano — Eze. 27:15

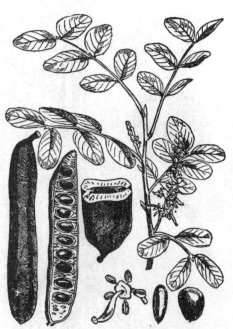
Bolotas — Lucas 15:16

Planta do papiro — Êxo. 17:14

FLORA

Bálsamo — Gên. 43:11

Endro — Mat. 23:23

Cominho — Mat. 23:23

Mirra — Mat. 2:11

Fel — Mat. 27:34

FLORA

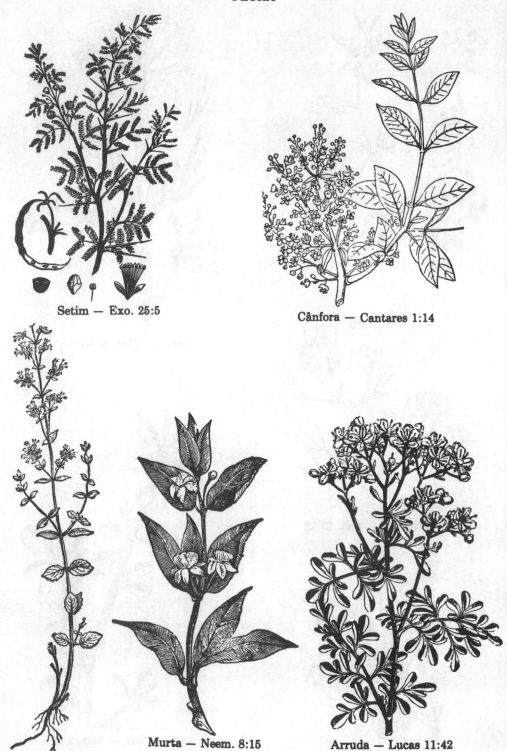

Setim — Exo. 25:5

Cânfora — Cantares 1:14

Hissope — Heb. 9:19

Murta — Neem. 8:15

Arruda — Lucas 11:42

FLORILÉGIO — FÓCIO

nas visões. Ela pode denotar a *árvore da vida*, a fonte da existência eterna, com suas qualidades muito variadas, como a complexidade de ramos que há em uma grande árvore. Uma árvore também pode ser um símbolo fálico, como o pinheiro e outras árvores do mesmo formato. Uma árvore desarraigada fala sobre conflito, derrota, impotência ou castração. Uma árvore também pode simbolizar a mãe de uma pessoa, a origem de sua vida física. Uma árvore firmemente arraigada pode simbolizar a perda da liberdade, mas também pode indicar firmeza. Uma árvore transplantada pode simbolizar mudanças, instabilidade ou falta de frutificação. A casca de uma árvore pode apontar para a proteção que uma pessoa busca contra o mundo ou contra algum perigo.

FLORILÉGIO

Essa palavra portuguesa vem do latim e equivale ao termo grego *Anthologia*, que se refere à coletânea ou extrato dos escritos de um autor ou autores, incluindo as citações notáveis, extraídas de seus escritos. Nos tempos cristãos antigos, essas obras substituíam os livros completos, que eram difíceis, se não mesmo impossíveis de obter. Um exemplo bem conhecido dessa atividade é a coletânea de extratos de Orígenes, por Basílio e Gregório Nazianzeno, cujo propósito era fornecer a essência do pensamento de Orígenes.

FLOURNOY, THEODORE

Suas datas foram 1854-1920. Foi professor de psicologia experimental na Universidade de Genebra, na Suíça. Foi um dos pioneiros no campo da psicologia religiosa. De 1901 a 1915, muitos de seus artigos apareceram nos *Archives de Psychologie*, e, através desse meio, acima de todos os outros, as suas idéias puderam ser ouvidas.

FLUDD, ROBERT

Suas datas foram 1574-1637. Era inglês, nascido em Milgate, em Kent. Foi médico, inventor e filósofo místico. Educou-se em Oxford. Deixou-se influenciar pelas idéias de Paracelso e pelo movimento rosacruz, que era um movimento recente, em seus dias. Ele concebia a existência como se fosse composta de um mundo arquétipo, com um macrocosmo e um microcosmo. O homem seria o microcosmo, relacionando-se ao macrocosmo e aos arquétipos divinos mediante uma certa correspondência simpática. Ele empregava textos bíblicos na tentativa de defender as suas idéias básicas. Também escreveu apologias em prol das doutrinas do movimento rosacruz. Além de seus escritos de natureza filosófica, ele foi médico e inventor. A lira automática foi um de seus mais importantes inventos.

FLUGEL, OTTO

Nasceu em 1842 e faleceu em 1921. Foi pastor em Wansleben, Alemanha. Foi um dos mais ativos entre os herbartianos (vide). Ele ensinava a doutrina de um Deus finito (ver o artigo sobre *Finito*, parte terceira, *O Deus Finito*). Para Flugel, as evidências parecem indicar que Deus não é verdadeiramente onipotente, porquanto haveria uma espécie de interdependência entre ele e a criação. A eternidade de Deus também seria limitada por meio de suas relações com o mundo. Somente os atributos morais de Deus seriam capazes de expressá-lo, sem qualquer condicionamento. A revelação cristã tem servido para preencher

muitos hiatos em nosso conhecimento de Deus; mas Deus continuará sempre sendo o grande mistério, na direção do qual as definições serão sempre apenas aproximações, sem nunca atingirem, realmente, o seu propósito.

FLUXO

De acordo com o dicionário, um «fluxo» é um fluir constante, uma emissão ou movimento de alguma coisa. Na filosofia, essa palavra tem sido revestida de significações especiais. Heráclito dizia que ninguém pode pôr o pé por duas vezes, no mesmo rio, tendo proferido a famosa expressão grega: *Panta reí*, isto é, «tudo flui», ou «tudo está em estado de fluxo». Há muitas aplicações filosóficas dessa doutrina. Assim, tudo está em mutação constante, ou seja, está descendo para a decadência. Também não haveria valores ou entidades fixas. Também não haveria qualquer permanência ou eternidade.

Platão pensava que essas descrições ajustam-se ao nosso mundo físico, mas postulava o mundo imutável e perfeito dos *universais* (vide). Ao mundo das entidades físicas, em constante estado de fluxo, ele denominava de *particulares* (vide). No campo da teologia, encontramos uma óbvia aplicação dessa doutrina na afirmação do estado transitório de todas as coisas físicas e, conseqüentemente, a necessidade de buscarmos o mundo eterno e os seus valores. Diz Colossenses 3:2: «Pensai nas cousas lá do alto, não nas que são aqui da terra...» Os homens que foram cegos pelo ceticismo e pelo materialismo são capazes de perceber somente o fluxo, a futilidade do levantamento e derrubada de autoridades e poderes, a desintegração da sociedade, o desânimo que cerca a mortalidade, com a sua pobreza, enfermidades e morte. Por essa razão, disse o autor da letra de certo hino evangélico: «Fica comigo, Tu que não mudas». Lemos em Hebreus 13:8: «Jesus Cristo ontem e hoje é o mesmo, e o será para sempre». Ver o artigo sobre *Heráclito*, quanto a uma discussão filosófica acerca da doutrina do *fluxo*.

FLUXO DE SANGUE

Ver o artigo intitulado **Enfermidades da Bíblia**.

FÓCIO

Foi patriarca de Constantinopla em 858—867 D.C. e, novamente, em 877-866 D.C. Foi o sucessor do deposto Inácio. Era o homem mais erudito de seu tempo. Foi um leigo que foi nomeado, e então consagrado patriarca de forma — não-canônica. Entrou em conflito com o papa Nicolau I, que se recusou a reconhecer a validade de sua nomeação. Em tudo isso havia medidas políticas, visto que Fócio recusara-se a atender ao pedido do papa para devolver a Ilíria e a Calábria à jurisdição papal. Por essa razão, o papa romano resolveu dar seu apoio ao deposto Inácio. E também excomungou Fócio. Este contra-atacou, afirmando que a supremacia de Roma era apenas uma questão de honra concedida, e não tinha qualquer legalidade eclesiástica, pelo que as decisões papais não precisavam ser respeitadas. Houve novos entreveros, incluindo severo conflito por causa da Bulgária, e o resultado final dessas lutas foi o cisma. Quando o imperador Basílio I subiu ao poder, ele resolveu a pendência depondo Fócio e restaurando Inácio à sua anterior posição. Porém, quando faleceu esse imperador (em 877 D.C.), Fócio reconquistou sua posição. Então o imperador Leão VI novamente o

FOGÃO — FOGO

depôs, em 886 D.C. Nessa oportunidade, a controvérsia ficou solucionada de modo permanente. Fócio foi enviado para o exílio. Portanto, temos aí uma triste história de conflitos eclesiásticos, por causa de poder político e de terras, com o resultado comum de ódio, divisões, deposições, contradeposições e exílio. Pelo menos, em meio a toda essa refrega, ninguém perdeu a vida.

FOGÃO

Ver sobre **Forno**.

FOGO

No hebraico há cinco palavras envolvidas e no grego, duas, a saber:

1. *Ur*, «luz», «fogo». Palavra hebraica usada por cinco vezes com o sentido de fogo: Isa. 24:15; 31:9; 44:16; 47:14; Eze. 5:2.

2. *Esh*, «fogo». Termo hebraico empregado por trezentas e sessenta e quatro vezes, desde Gên. 19:24 até Mal. 3:2, em trinta e quatro dos trinta e nove livros do Antigo Testamento. É a palavra hebraica mais comum para fogo, na Bíblia.

3. *Eshshah*, «fogo». Palavra hebraica e aramaica, usada por apenas duas vezes: Jer. 6:29 e Dan. 7:11.

4. *Beerah*, «fogo», «ardência». Palavra hebraica usada apenas por uma vez, em Êxo. 22:6, na segunda vez em que a palavra «fogo» aparece em nossa versão portuguesa, nesse versículo. Na primeira menção a «fogo», nesse versículo, é usado o termo hebraico mais comum, *esh*.

5. *Nur*, «fogo». Palavra aramaica usada somente no livro de Daniel (3:22, 24-27; 7:9). Aparece por sete vezes, ali.

6. *Pûr*, «fogo». Palavra grega que ocorre por setenta vezes. Alguns exemplos: Mat. 3:10-12; 7:19; Mar. 9:22,43,48 (citando Isa. 66:24); Atos 2:3,19 (citando Joel 3:3); Tia. 3:5; 5:3; I Ped. 1:7; Apo. 1:14; 2:18; 9:17,18; 13:13; 15:2; 21:8.

7. *Purá*, «fogueira», «pira». Palavra grega usada por duas vezes: Atos 28:2,3.

Esboço:
I. Usos Bíblicos Literais
II. Usos Militares
III. Punição Capital
IV. Usos e Regulamentos Religiosos
V. O Fogo Ligado à Idolatria
VI. A Presença Divina e as Teofanias
VII. Como Símbolo do Juízo Divino
VIII. Outros Usos Simbólicos

I. Usos Bíblicos Literais

Os antigos hebreus usavam o fogo para cozinhar, para aquecer ambientes e para servir de iluminação. Ver Gên. 18:6; Êxo. 12:9,39; Lev. 2:14; Isa. 47:14; João 18:25; Atos 28:2; Luc. 15:8; Mat. 5:15. Essas referências ilustram aqueles três empregos principais do fogo. Além desses usos mais comuns, o fogo também era empregado para processar minérios brutos. Uma vez que o metal fosse extraído do seu minério, era aquecido ao fogo até dissolver-se, a fim de ser moldado. Ver Eze. 22:18-20; Êxo. 32:24; Núm. 31:22 *ss* e Jer. 6:29.

Modos de Acender o Fogo. Havia aquele modo de produzir fogo brocando um pedaço de madeira, que, aquecido, acabava irrompendo em chamas. Esse método tem sido confirmado até nos hieróglifos egípcios. Também havia o método comum e universal de bater uma pederneira sobre pedaços de pirita de ferro, o que vinha acontecendo desde os tempos neolíticos. Não se deixava o fogo apagar, a fim de facilitar o seu uso, pois a produção do fogo constituía um pequeno problema. E em tempos ainda mais remotos, provavelmente o fogo era conseguido ao acaso, como quando a queda de um raio produzia chamas. E então era mister não deixar as chamas se apagarem.

II. Usos Militares

A crueldade dos homens levou-os a usar o fogo contra os seus inimigos. O fogo é muito eficaz para inflingir intensos sofrimentos, pondo um fim rápido a qualquer resistência. Tochas inflamadas eram lançadas contra as instalações do inimigo. Isso explica o uso de tochas no ataque de Gideão contra o acampamento dos midianitas, em Juízes 7:16. Cidades eram incendiadas e muitas pessoas pereciam em meio às chamas. A história mostra que muitas pessoas foram envolvidas nessa forma de destruição. No Antigo Testamento, podemos ler sobre os incêndios que destruíram Jericó (Jos. 6:24), Ai (Jos. 8:19), as aldeias dos benjamitas (Juí. 20:48); de Ziclague, pelos amalequitas (I Sam. 30:1); de Jazer, por Faraó (I Reis 9:16); do templo e dos palácios de Jerusalém, por parte de Nabucodonosor (II Reis 25:9). Era costume incendiar o equipamento militar do inimigo, e não meramente as suas instalações. Muitas fontes literárias da antiguidade falam sobre essas táticas, entre muitos povos. Por exemplo, Statius, Theb. 4:5,7; Strobaeus, *Serm.*, part 194; Michaelis, em *Symbol. Liter. Bremens*, 3,254.

III. Punição Capital

Os desvios sexuais eram punidos na fogueira (Lev. 20:14). Os corpos dos inimigos e dos criminosos eram consumidos na fogueira, uma vez que eles fossem mortos (Jos. 7:25). O trecho de Dan. 3:22,24 e seu contexto refere-se à punição capital pelo fogo, fora da cultura de Israel.

IV. Usos e Regulamentos Religiosos

Não era permitido acender fogo em dia de sábado, provavelmente como medida para impedir algum labor desnecessário, como o cozinhar (Êxo. 35:3; 16:23). Talvez para fins de aquecimento, braseiros eram acesos no dia anterior, que então eram mantidos a queimar. O fogo desempenhava um importante papel na adoração efetuada no tabernáculo e no templo de Jerusalém, onde os altares de incenso e das ofertas queimadas requeriam tal coisa. O fogo, no altar de Deus, era uma chama eterna (Lev. 6:13). Esse fogo era a fonte das chamas usadas no altar dos holocaustos. Não se podia usar fogo estranho (proveniente de qualquer outra fonte) (ver Lev. 10:1; Núm. 3:4; 26:61). No Antigo Testamento há mais de cem referências às estipulações que governavam as ofertas queimadas, concentradas principalmente nos livros de Levítico, Números e Deuteronômio. Em algumas raras ocasiões, chamas divinas consumidoras desceram sobre os sacrifícios postos sobre o altar, como nos casos de Aarão (Lev. 9:24); Davi (I Crô. 21:26); Salomão (II Crô. 7:1) e Elias (I Reis 18:38).

V. O Fogo Ligado à Idolatria

Nas culturas antigas era comum fazer sacrifícios humanos na fogueira. Moisés advertiu o povo de Israel a não imitar os cananeus, que praticavam tal abominação (Deu. 12:31; Lev. 18:21). Apesar disso, essa prática brutal algumas vezes chegou a ser usada em Israel (II Reis 16:3; 21:16; Isa. 30:33). Os templos e os ídolos dos povos conquistados eram queimados pelos vitoriosos; e, algumas vezes, Israel assim fez

FOGO — FOGO, SÍMBOLO DE

(Deu. 7:5,25; 12:3; 13:16; Isa. 33:12).

VI. A Presença Divina e as Teofanias

As manifestações de Deus algumas vezes faziam-se acompanhar pelo fogo (Êxo. 3:2; 13:21,22; 19:18; Deu. 4:11). O fogo representava a presença do Senhor, bem como a sua glória (Eze. 1:4,13), a sua proteção (II Reis 6:17), a sua santidade (Deu. 4:24), os seus juízos (Zac. 13:9), a sua ira contra o pecado (Isa. 66:15,16); o seu Santo Espírito (Mat. 3:11; Atos 2:3). Também devemos levar em conta as chamas da sarça ardente, na experiência de Moisés, e da coluna de fogo, no deserto, que orientava o povo de Israel e representava a presença de Deus (Êxo. 3:2; 13:21; 19:18). A referência, em II Reis 1:9-12 e 2:11 às carruagens e cavalos de fogo, diz respeito à presença do Senhor, que se manifestou de modo súbito, em arrebatamento. A presença protetora de Deus evidenciou-se nos cavalos e nos carros de fogo, da experiência de Eliseu (II Reis 6:17).

VII. Como Símbolo do Juízo Divino

Há algumas referências ao fogo, no Antigo Testamento, no tocante à ira de Deus e ao juízo contra o pecado. Isso, sem dúvida, sugeriu a escritores sagrados posteriores que o juízo divino consiste em fogo literal. Assim, a ira de Deus é assemelhada ao fogo (Deu. 32:22; Jer. 4:4; 15:14; Eze. 22:21). Seu ciúme e sua ira consumiriam a terra inteira, como uma grande fogueira (Sof. 1:18). Sua ira derrama-se como fogo, na metáfora usada por Naum (1:6). Deus é comparado com um fogo devorador (Deu. 4:24). Em Gênesis 19:24, lemos que Deus destruiu as cidades de Sodoma e Gomorra mediante fogo. Além disso, o fogo de Deus consumiu duzentos e cinqüenta levitas rebeldes, porquanto fizeram uma oferenda não autorizada (Núm. 16:35). Também é usada a linguagem metafórica que fala no verme que não morre e no fogo que não se apaga (Isa. 66:24), que se refere ao estado dos indivíduos lançados na Geena.

No *livros pseudepígrafos*, que foram escritos no período intermediário entre o Antigo e o Novo Testamentos, temos o desenvolvimento do conceito de que um certo segmento do hades caracteriza-se pelas chamas constantes, como um lugar de juízo e de tormentos. Se alguém dedicar tempo a ler o livro de I Enoque, por exemplo, descobrirá ali abundantes evidências a esse respeito. Esse conceito, segundo muitos pensam, é extraveterotestamentário, embora possa ter sido sugerido pelos versículos acima alistados. O Novo Testamento, em alguns lugares, mormente no Apoc. cap. 20, relacionado à sua doutrina do lago do fogo, utilizou-se da idéia que aparece nos livros pseudepígrafos. Ver sobre o *Lago do Fogo*. Em Enoque 38:5 e 48:9, os ímpios são entregues por Deus nas mãos dos santos, na presença de quem eles queimam como a palha no fogo e afundam na *água* como se fossem pedaços de chumbo. Ver também Sibyll. 3.196-200; 252-253. No Enoque Eslavônico (II Enoque) encontramos um *rio de fogo*, no décimo capítulo.

Quanto a versículos neotestamentários, além daqueles já mencionados, ver Apo. 19:20; Mat. 3:12; 7:19; Mar. 9:43, que têm sido usados como textos de prova em favor de um inferno com chamas literais. Porém, deveríamos observar, em primeiro lugar, que essa doutrina foi tomada por empréstimo dos livros pseudepígrafos. E, em segundo lugar, que o julgamento dos crentes também terá lugar por meio do fogo (I Cor. 3:13 *ss*). Os intérpretes, entretanto, não pensam que, nesta última passagem, devamos pensar em chamas literais. Ademais, no mesmo trecho onde lemos sobre chamas eternas, também lemos sobre o verme que não morre, mas ninguém pensa que devemos entender o «verme» como algo literal (ver Mar. 9:44,46,48). Tentar atormentar uma alma imaterial mediante chamas literais seria como lançar pedras contra o sol. Ver o artigo geral sobre o *Julgamento*.

VIII. Outros Usos Simbólicos

Algumas vezes, as chamas do altar dos holocaustos eram chamadas, simplesmente, de *fogo* (Êxo. 19:18; Lev. 1:9; 2:3; 3:5,9). A presença de Deus, conforme já se viu na sexta seção, acima, é representada pelo fogo. O fogo também simboliza um amor intenso (Can. 8:6), mas também a língua injuriosa (Sal. 120:4; Pro. 16:27; Tia. 3:5), a impiedade (Isa. 9:18), a pureza, a majestade e o terrível aspecto de Deus (Deu. 4:24; Heb. 12:29; Isa. 10:17). O Messias submete o seu povo à prova como se fosse um fogo e destrói os seus inimigos da mesma maneira (Mal. 3:2; Eze. 8:2). O Espírito Santo é assemelhado ao fogo, porquanto ilumina, purifica, destrói o pecado e desperta o amor (Mat. 3:11; Atos 2:13; Isa. 4:4). Os anjos são como o fogo, puros, temíveis e velozes (Sal. 104:4). Os ímpios são perigosos como o fogo (Pro. 6:27). A Palavra de Deus assemelha-se ao fogo, porquanto submete a teste os estados e as condições das almas dos homens; ela aquece, suaviza e purifica, como também ameaça (Jer. 5:14 e 23:29).

FOGO INEXTINGÜÍVEL

Ver o artigo geral sobre **Fogo**, seção sétima, e sobre o *Lago do Fogo*. Durante o período intertestamental, através dos livros apócrifos e pseudepígrafos, o julgamento dos incrédulos veio a ser associado a um proposto fogo inextingüível. Esse conceito foi incorporado em alguns trechos, no Novo Testamento, conforme se lê em Ma 3:12: «...mas queimará a palha em fogo inextingüível».

FOGO, LAGO DO

Ver **Lago do Fogo**.

FOGO, SÍMBOLO DE

Ver também sobre **Fogo**, seções VII e VIII.

O símbolo do fogo é coerentemente associado nas Escrituras ao *dia do Senhor*, conforme verificamos na passagem de I Cor. 3:18, e esse dia é igualmente simbolizado por uma súbita explosão de luz e chamas ardentes, que se despejarão sobre a terra. (Ver os trechos de Mal. 3:1-3; 4:1; II Tes. 1:8 e 2:8). Embora Paulo certamente soubesse de determinada diferença entre o julgamento dos crentes e o julgamento do mundo incrédulo, usou ele praticamente os mesmos símbolos. A expressão *dia do Senhor*, embora envolva quase exatamente a idéia do julgamento, pode ser aplicada, de maneira mais ampla, a diversas ações divinas «decisivas», e não meramente ao segundo advento de Jesus Cristo, quando ele houver de aparecer como o grande Juiz que dirigirá o juízo final. Pois o vocábulo «dia» sugere tanto o aparecimento da luz, que expele as trevas e os seus males, como também sugere uma *nova dispensação*, um novo período em que Deus tratará com os homens de certa forma particular, o que, ao mesmo tempo, fará reverter e renovar o processo histórico. (Quanto à expressão «dia do Senhor», no que essa doutrina está vinculada ao segundo advento de Cristo, ver o artigo, *Dia do Senhor*). Ver igualmente I Cor. 1:8 quanto ao termo «dia», no NTI, naquilo em que o mesmo se

FOGO, SÍMBOLO DE — FOLCLORE

aplica ao segundo advento de Cristo e ao julgamento dos crentes, onde várias referências paralelas são sugeridas.

«O apóstolo Paulo não tencionava descrever os detalhes do segundo advento de Cristo; pelo contrário, declarava de maneira figurada aquilo que afirma, sem qualquer linguagem simbólica, em I Cor. 4:5, isto é, que por ocasião da grande crise do dia do Senhor será perscrutadoramente testado o valor real do trabalho de cada crente individual. Esse teste, pois, é simbolizado pelo apóstolo como o fogo do segundo advento, que envolverá o edifício inteiro reduzindo a cinzas todo o seu material inútil». (Robertson e Plummer, em I Cor. 3:13).

Existem outras interpretações acerca da passagem de I Cor. 3:13, conforme se vê na lista abaixo:

1. Conforme já tivemos ocasião de observar, vários exageros têm sido impingidos aos homens sobre essa passagem que descreve um certo «purgatório», um estado intermediário entre o céu e o inferno e a preparação para o céu dos eleitos. Essa dogmatização da idéia paulina deve ser rejeitada. Não obstante, o *fogo* aludido em I Cor. 3:13 seja um *expurgo* bem definido, tendo uma finalidade claramente *penal* e «disciplinar», e não meramente testadora. Portanto, se usarmos o vocábulo «purgatório», ou alguma outra expressão em seu lugar, ainda que tal vocábulo inclua muitas idéias prejudiciais, ainda assim estaremos descrevendo um conceito paulino. Na verdade, porém, esse julgamento terá lugar nos *lugares celestiais*, e não em algum estado intermediário. Naturalmente que alguém poderia postular o argumento de que isso ocorrerá em níveis inferiores dos lugares celestiais, como se esses. níveis inferiores fossem, de fato, lugares *intermediários*. — Sem dúvida, assim será. Mas, mesmo confessando esta certeza, ainda estaremos dentro dos limites da teologia paulina, embora disponhamos de informações extremamente escassas sobre os *lugares celestiais*, acerca dos quais Paulo fez alusões. (Ver no NTI as notas expositivas sobre os «lugares celestiais» em João 14:6 e Efé. 2:6. Nessas passagens, o «fogo» aparece ligado ao segundo advento de Cristo, e não à morte física dos crentes).

2. Completamente errônea é aquela interpretação que vê, nessa passagem, apenas a destruição de Jerusalém e o ponto final das instituições judaicas.

3. Por igual modo, a palavra *fogo*, neste caso, não se refere à «purificação progressiva» da igreja, por toda a dispensação do N.T. Trata-se de uma referência definidamente escatológica, tendo conexões com o segundo advento de Jesus Cristo. Há aqui alusão a algum tempo futuro de julgamento dos crentes, o que Paulo esperava que ocorresse durante seu próprio período de vida terrena. (Ver I Cor. 15:51).

4. Outros intérpretes (como Calvino), fazem com que I Cor. 3:13 se prenda à propagação da mensagem pura do evangelho pela terra, como um dos efeitos da era da igreja. Essa interpretação é inconcebível aqui, por ser essencialmente não-escatológica.

5. A despeito do uso do símbolo do «fogo», o juízo geral da humanidade inteira não é focalizado aqui, como o *hades, etc.* Pois o julgamento aqui anunciado envolverá exclusivamente os crentes.

6. I Cor. 3:13 não nos encoraja a orar em favor dos mortos. Pois tais orações não fariam a menor diferença quanto ao que sucederá aos crentes, no seu julgamento. Alguns oram em favor dos mortos incrédulos com base na opinião de que o julgamento final será determinado não quando da morte do indivíduo,

e, sim, quando da segunda vinda de Cristo. Talvez haja algum valor nessas orações, mas o N.T. faz completo silêncio sobre a questão. (Ver o artigo sobre a *Descida de Cristo ao Hades* quanto à missão de Cristo além-túmulo, e o que a mesma envolve). Entretanto, seja como for, é verdade que o julgamento é sempre situado para quando ocorrer a segunda vinda de Cristo, ou após o milênio, e jamais quando da morte física de cada pessoa.

FOICE

Há duas palavras hebraicas e uma palavra grega envolvidas neste verbete, a saber:

1. *Chermesh*, «gancho colhedor», «foice». Essa palavra hebraica aparece por duas vezes: Deu. 16:9 e 23:25.

2. *Maggal*, «foice», «faca grande». Esse termo hebraico é usado por duas vezes, igualmente: Jer. 50:16 e Joel 3:13.

3. *Drépanon*, «foice», «gancho colhedor». Esse vocábulo grego é empregado por oito vezes, sete delas no livro de Apocalipse: Mar. 4:29; Apo. 14:14-19.

O termo é comum nos documentos escritos em hebraico e aramaico, pouco antes do início da era cristã. O uso que a palavra tem, no Novo Testamento, apresenta a foice à moda do profeta de Joel, ou seja, como instrumento da ira divina, mediante a qual Deus operará grandes transformações na terra e no universo.

FOLCLORE

O folclore é a ciência das tradições populares. Esse termo vem do inglês *folklore*. Folk significa «povo», ao passo que *lore* quer dizer «conhecimento popular», geralmente anedótico. Portanto, o *folclore* refere-se às estórias, superstições, canções e práticas que transmitem as idéias ou as aspirações de um povo. Os dados folclóricos são transmitidos principalmente de modo verbal, e não por meio de documentos escritos, até que os interessados, naturalmente, reduzam-nos a obras escritas para um estudo mais cuidadoso. Por detrás desse estudo encontra-se a crença de que as histórias e canções de um povo não refletem apenas as suas crendices, mas também incorporam certas verdades, embora ocultas por detrás de mitos. Ou então, essas estórias podem ser símbolos de verdades psicológicas ou espirituais. As estórias infantis, as baladas e as lendas sobre heróis e deuses exibem a mentalidade de um povo e, às vezes, revelam coisas que a literatura erudita, científica e sofisticada não é capaz de fazer.

O folclore também vincula-se à história das religiões. Assim, no período do cristianismo, muitas estórias (algumas delas fantásticas) vieram a ser incorporadas nas crônicas sobre os santos. A Bíblia mesma, como é natural, contém inúmeras alusões a costumes e rituais populares, a mágicas e a coisas puras e impuras. Por semelhante modo, o folclore está envolvido nas raízes da medicina, da agricultura e das forças cósmicas que controlam coisas que as pessoas consideram vitais, como as condições atmosféricas, as enfermidades, a vitalidade física, a fertilidade, etc. Esse campo do conhecimento humano é controlado pelo plantio das diversas culturas agrícolas, de conformidade com as fases da lua, e também influencia a administração de medicamentos naturais, baseados na flora medicamentosa. Outrossim, precisamos considerar todas as variedades de noções sobre o que dá sorte ou tira a sorte, sobre o que é

FOLE — FONSECA, PEDRO

poderoso ou fraco, **sobre o porquê** os animais são o que são, quanto às suas características físicas, seus poderes, sua utilidade ao homem ou ao seu caráter daninho.

O estudo científico do folclore começou nos fins do século XVIII, em resultado do movimento do romantismo. Os eruditos têm procurado encontrar alguma forma de explicação ou definição sobre a natureza do folclore. Mas, tal como no caso de outras palavras muito significativas e abrangentes, o melhor que pode ser feito consiste em descrever os fenômenos, e não em defini-los. Jacob Grimm sugeriu que o folclore consistia apenas em mitos fragmentados. James Frazer, por sua vez, pensava que muito daquilo que agora nos parece irrelevante no folclore, tinha significado, para grupos específicos, quando estes ou aqueles dados surgiram, mas que desde então perderam o sentido, porque os grupos sociais foram modificados em seu caráter.

Há uma certa universalidade que cerca o folclore, como nas suas estórias a respeito de animais agradecidos, dispostos a ajudar o homem, ou acerca de animais de atitude precisamente contrária. Parte disso pode ser devido a empréstimos feitos de uma cultura para outra; mas, sem dúvida, muitos dos dados folclóricos surgiram de modo independente, como acontece também no caso de mitos. Essas estórias refletem necessidades e aspirações comuns a todos os seres humanos. Certamente que a teoria dos *arquétipos* de *Karl Jung* (ver o artigo sobre ele) está envolvida na questão do folclore.

FOLE

No hebraico, **mappuach**, vocábulo que aparece somente em Jer. 6:29, embora subentendido em Isa. 54:16 e Eze. 22:21, quando há menção a chamas. Os foles vêm desde a antiguidade remota, já sendo conhecidos no Egito e em outras antigas culturas. Eram usados na forja ou na fornalha, sendo operados à mão, ou com os pés. Eram feitos com peles de animais, de maneira a haver uma câmara de ar. Eram munidos na ponta com um tubo de bambu ou de metal. O combustível usado geralmente era a madeira. Simples abanos podiam fazer o mesmo trabalho dos foles; mas, o trabalho com metais, que precisava de mais poder, podia ser feito mais convenientemente com o auxílio de foles.

Foles têm sido encontrados em um túmulo perto de Tebas, com o nome inscrito de Tutmés III. Pequenos foles, operados à mão, eram usados em certos trabalhos com metais. A arte da metalurgia passou dos povos que habitavam na Anatólia para os semitas do Crescente Fértil. Ver o artigo sobre *Artes e Ofícios*.
(ID ND UN)

FOME

A fome é um dos meios pelos quais Deus castiga os homens. Mas isso não significa que qualquer escassez já seja um castigo divino. Nosso mundo caótico envolve muitos elementos desagradáveis e misteriosos. Os trechos de Gên. 21:10; 26:1 e Atos 11:28 registram períodos de fome sem vincular aos mesmos qualquer significação espiritual. Não obstante, a fome está incluída no quadro da providência divina (Amós 4:6; Apo. 6:8). Faz parte da fé da maioria das religiões que Deus está por detrás das forças da natureza e é capaz de controlá-las; e também que, algumas vezes, ele causa ou permite que essas forças sejam destrutivas, com propósitos disciplinadores (I Reis 17:1; 18:17,18; Ageu 1:6,9-11; 2:16,17). O cavalo negro da morte, no sexto capítulo do Apocalipse, inclui os elementos da escassez e da fome. Ver o artigo separado sobre *Cavalos, os Quatro do Apocalipse*. Por outro lado, a fertilidade e a abundância estão associadas à divina aprovação (Isa. 4:2; 41:19; Osé. 2:21; Amós 8:13). Assim, encontramos estas duas fórmulas: obediência e prosperidade (Sal. 1:1-3; Pro. 3:7-10; Isa. 1:19), e desobediência e necessidade (Lev. 26:14-16). A experiência humana demonstra, como é óbvio, que nem sempre isso ocorre exatamente assim. Pois os ímpios também prosperam, e os piedosos são perseguidos e padecem necessidade.

1. *Períodos de Fome nas Escrituras*. Esses períodos envolveram as vidas de Abraão (Gên. 12:10); Isaque (Gên. 26:1); José (Gên. 41 —47); Rute (Rute 1:1); Davi (II Sam. 21:1); Elias (I Reis 17 e 18); Eliseu (II Reis 4:38; 6:24 — 7:20), Zedequias (II Reis 25:3); Cláudio, imperador romano (Atos 11:28; Josefo, *Anti*. 20:2,5).

2. *Fome Figurada*. O trecho de Amós 8:11 diz como haverá, algum dia futuro, a fome de ouvir as palavras do Senhor, em face da desobediência do povo de Israel.

3. *Fomes dos Tempos Modernos*. Entre as nações modernas, as fomes mais devastadoras têm sido aquelas da Índia e da China. Milhões de pessoas morreram nos períodos de alguns poucos anos de grandes fomes, em 1769-1770, 1836, 1863 e 1900 na Índia. Na China, fomes devastadoras tiveram lugar em 1877-1879 e 1920-1921. Calcula-se que na atualidade, não levando em consideração a recente fome que houve na Etiópia, cerca de doze mil pessoas morrem a cada dia, por motivo de inanição. Adicione-se a isso que muitos milhões de pessoas vivem em um constante estado de má nutrição e enfermidade crônicas, embora consigam manter-se vivos. Calcula-se que, de fato, mais da metade da população do mundo sofre de desnutrição.

As fomes são causadas por desastres naturais, como as inundações, os fracassos nas colheitas, as secas, a superpopulação, as técnicas agrícolas inadequadas. Segundo os conhecedores do assunto, é precisamente esta última causa que tem produzido a fome que tem havido, ultimamente, na Etiópia. O transporte maciço de alimentos, enviados aos países em necessidade, têm impedido muita miséria humana. A desnutrição, sobretudo quando envolve a falta de proteínas, produz a apatia, a perda dos cabelos, mudanças na pigmentação da pele, crescimento retardado das crianças, a inchação do fígado, anemia e endema geral. As pessoas mal-nutridas também mostram-se mais susceptíveis a todas as formas de enfermidade e a inteligência torna-se embotada, por causa de um cérebro mal-alimentado. De fato, no caso de infantes, danos cerebrais irreversíveis são o efeito mais comum da falta de nutrientes.

Obrigações Morais. A Igreja, o Estado e o próprio indivíduo têm a responsabilidade de ajudar aos necessitados. De todas as medidas, a mais eficaz é a boa instrução, que pode fazer desaparecer, a longo prazo, as causas da desnutrição.

FONSECA, PEDRO

Suas datas foram 1528-1599. Foi um filósofo português. Ficou conhecido como o Aristóteles **português. Educou-se em Coimbra. Era um neo-escolástico, que escrevia em latim. Ingressou na Sociedade** de Jesus aos vinte anos e completou seus estudos filosóficos e teológicos, tendo passado a maior parte de sua vida em Coimbra, como professor. Ele e alguns

FONTE — FORASTEIROS

poucos colegas produziram uma série de manuais, intitulados *Cursus Conimbricensis*. Pessoalmente, foi o autor de uma coleção de oito volumes sobre lógica, chamada *Institutionum Dialecticarum*, que passou por 34 impressões em 1625, e foi usada largamente por toda a Europa.

Apesar de ser, essencialmente, um tomista, ele mostrou independência de pensamento e de expressão quanto a muitas questões. Ele punha grande ênfase sobre a unidade do conceito formal do ser. No campo da gnosiologia, contrariamente a Tomás de Aquino, Fonseca assegurava que uma coisa singular é diretamente conhecida pelo intelecto humano. Também mostrou ser contrário a Tomás de Aquino ao negar que a matéria é o princípio da individualização dos corpos. Ele explicava essa individualização como algo devido a alguma diferença positiva (*differentia*), acrescentada à essência de alguma coisa, uma teoria que nos faz lembrar de Duns Scoto (vide).

FONTE

Há cinco palavras hebraicas e uma palavra grega envolvidas neste verbete, a saber:

1. *Bayir*, «poço», «cisterna». Palavra hebraica usada por apenas uma vez, em Jer. 50:15.

2. *Mabbua*, «fonte». Termo hebraico empregado por três vezes no Antigo Testamento: Ecl. 12:6; Isa. 35:7 e 49:10.

3. *Mayan*, «fonte». Vocábulo hebraico usado por vinte e três vezes, conforme se vê, por exemplo, em Gên. 7:11; 8:12; Lev. 11:36; Jos. 15:9; I Reis 18:5; II Crô. 32:4; Sal. 74:15; 114:8; Pro. 5:16; 8:24; 25:26; Can. 4:12,15; Isa. 41:18; Osé. 13:15; Joel 3:18.

4. *Magor*, «fonte». Palavra hebraica que ocorre por dezoito vezes, conforme se vê, por exemplo, em Lev. 20:18; Sal. 36:9; Pro. 5:18; 13:14; 14:27; Jer. 2:13; 17:13; Osé. 13:15; Zac. 12:1.

5. *Ayin*, «olho», «olhos d'água», «fonte». Palavra hebraica que pode significar *manancial*; esta palavra é usada onze vezes com o sentido de *fonte*: Gên. 16:7; Núm. 33:9; Deu. 8:7; 33:28; I Sam. 29:1; II Crô. 32:3; Nee. 2:14; 3:15; 12:37; Pro. 8:28.

6. *Pegé*, «fonte», «origem». Palavra grega usada por onze vezes: Mar. 5:29; João 4:6,14; Tia. 3:11; Apo. 7:17; 8:10; 14:7; 16:4; 21:6.

Usos da Palavra. Pode estar em vista um lugar bem regado (Sal. 84:6), uma inundação da parte do mar (Gên. 7:11; 8:2), um manancial de água que jorre do subsolo (Ecl. 12:16; Isa. 35:7), uma cisterna ou fonte, ou mesmo qualquer escavação no solo onde possa ser encontrada água (Jer. 6:7), uma fonte que, na língua hebraica, pode ser usada como um mero prefixo, como no caso de En-Gedi (I Sam. 24:1), En-Rogel, que era uma fonte próxima de Jerusalém (II Sam. 17:17; I Reis 1:9), ou então com base na palavra para «escavar», embora também usada para indicar uma fonte (Pro. 25:26). No Novo Testamento só é usada uma palavra grega para indicar «fonte», ou seja, *pegé*.

Usos Figurados. Quinze usos figurados distintos: a. Deus é a fonte de nosso bem-estar espiritual e material (Sal. 36:9; Jer. 17:13). b. A graça divina é a fonte de nossos benefícios (Sal. 87:7). c. O Messias é a grande fonte das nossas bênçãos (Zac. 13:1). d. A graça de Deus assemelha-se a uma fonte (Isa. 41:18; Joel 3:18). e. Israel é a fonte de uma numerosa posteridade (Deu. 33:28). f. Uma boa esposa é uma fonte de bênçãos para um homem (Pro. 5:18), g. A sabedoria espiritual é uma fonte que refrigera aos justos (Pro. 16:22; 18:4). h. A Igreja é uma fonte (Can. 4:12; Isa. 58:11).

i. A salvação é a fonte de todo o **nosso bem-estar** espiritual (Jer. 17:13). j. Uma fonte é um agente purificador (Zac. 13:1). l. A vida é simbolizada por uma fonte (Sal. 36:9). Nossa dependência a um bom suprimento de água é óbvia, se quisermos continuar vivos. Além disso, a alma precisa da água da vida.

Diz um certo hino:

Fonte Tu, de toda a bênção,
Vem o canto me inspirar.
Dons de Deus que nunca cessam
Quero em alto som louvar

Além disso: m. Os filhos são fontes, e a prole de Jacó aparece como a sua fonte, porquanto lhe serviam de meios de ajuda e conforto. No devido tempo, os filhos também tornam-se fontes para seus próprios filhos (Prov. 5:16; Deu. 33:28). n. As fontes e os mananciais denotam a prosperidade, bem como meios da prosperidade material (Osé. 13:5). o. Na adversidade, as fontes secam, do que resulta o deserto (Sal. 107:33). p. Nas visões e nos sonhos, a fonte representa a grande mãe, o gênero feminino, ou então alguma mulher em particular; mas também representa o *renascimento*, por intermédio do que uma pessoa torna-se uma nova criatura. Beber à beira de uma fonte pode indicar a participação na sabedoria e nas bênçãos espirituais; mas, em um nível físico, pode significar as atividades sexuais, visto que todos os *apetites* podem denotar as mesmas.

FONTE BATISMAL

No latim, **fons**, «fonte». Trata-se da pia que contém a água batismal, na Igreja Católica Romana. Na antiga Igreja cristã, usava-se um tanque. Mais tarde, esse tanque foi montado sobre um pedestal. Como respeito pelo rito batismal, essas pias com freqüência eram altamente decoradas, com grande luxo.

FONTE DO DRAGÃO

Esse era o nome de uma fonte ou poço que havia perto de Jerusalém, provavelmente no vale de Hinom. Neemias dirigiu-se até ali, certa noite, tendo passado pela Porta do Vale e chegando até à Porta do Monturo, quando desejou inspecionar as muralhas de Jerusalém, que haviam sido destruídas por um incêndio (ver Nee. 2:13). O local exato dessa fonte é desconhecido atualmente.

FONTE, PORTA DA

A porta da Fonte é mencionada em Nee. 2:14; 3:15 e 12:37. Era um dos portões de Jerusalém, localizado no lado suleste das muralhas, que foram reconstruídas depois do exílio babilônico. Aparentemente, ficava abaixo do Tanque de Siloé (vide), paralelamente ao vale do Cedrom. Era chamada desse modo porque esse portão dava acesso ao tanque de Siloé, também chamado de tanque do Rei.

FORASTEIROS

Forasteiros, I Ped. 1:1. O termo grego «parepidemeo» é o cognato verbal, que significa «residir por pouco tempo» em uma localidade. Assim, o substantivo «parepidemos» significa «exilado», «forasteiro». Isso indica que os crentes são «estrangeiros na terra», cujo intuito é ficar neste mundo apenas por um pouco, cujo lar real é os céus. (Ver I Ped. 2:11 onde Pedro, novamente, dá esse título aos crentes, juntamente com o termo *peregrinos*. Ver também

FORCA — FORMA

Heb. 11:9,13,14, onde a metáfora é igualmente empregada). O décimo quarto vs. deste capítulo mostra-nos que todos esses estrangeiros e peregrinos buscam o país celestial; e Paulo, em Fil. 3:20, mostra que o verdadeiro lar do crente é o mundo eterno e celestial.

FORCA

No hebraico, **ets**, «árvore», «madeiro». Essa palavra hebraica ocorre por trezentas e vinte e uma vezes no Antigo Testamento; mas, por oito vezes, aparece no livro de Ester com o sentido de «forca». Ver Est. 5:14; 6:4; 7:9,10; 8:7; 9:13,25. E somente no livro de Ester a palavra em pauta tem esse sentido.

Hamã, inimigo dos judeus, homem dotado de grande autoridade diante do monarca persa, havia mandado preparar uma forca, na esperança de poder enforcar nela a Mordecai, primo e pai de criação de Ester. Mas Deus fez as coisas correrem de tal modo que Hamã foi quem terminou sendo enforcado no seu próprio instrumento de execução capital. E Mordecai foi livrado da morte. Os eruditos não conseguem concordar entre si quanto à natureza exata desse instrumento de execução. A razão principal é que o termo hebraico é genérico, indicando «árvore», «madeiro». Em segundo lugar, a execução por enforcamento não era uma forma usual de execução na Pérsia, onde tiveram lugar os eventos historiados no livro de Ester. Parece melhor, em terceiro lugar, pensarmos em um «poste» ou «estaca», como tradução da palavra envolvida no livro de Ester. Isso indicaria a empalação (vide em *Crimes e Castigos*). Contudo, no Antigo e no Novo Testamentos encontramos casos de verdadeiro enforcamento, como o de Aitofel, em II Sam. 17:23, e o de Judas Iscariotes, em Mat. 27:5.

FORÇA DAS IDÉIAS

Ver sobre **Fouillée**.

FORÇA DE ISRAEL

Ver sobre **Deus**.

FORÇA DO PENSAMENTO

O filósofo francês, Alfred Fouilée (vide) argumentava em prol do livre-arbítrio humano com base no fato de que o homem é possuidor natural da chamada *força do pensamento*, que seria uma agência causal eficiente. As idéias tendem por concretizar-se. Mediante os estudos sobre a *telepatia* (vide), tem-se descoberto que os pensamentos podem ser transferidos de uma pessoa para outra, tornando-se agentes causadores de acontecimentos os mais diversos. Sabemos que os sonhos de uma pessoa podem ser criados ou influenciados pelos pensamentos de outrem. A hipnose é uma forma de influenciar os pensamentos alheios, o que pode ocorrer de modo verbal, não-verbal e através do simples pensamento. A telepatia também é uma função natural para o ser humano; mas também é um poder de seres inteligentes não-humanos, incluindo os anjos e os demônios. Portanto, o homem está sujeito à força do pensamento de várias ordens de seres. Visto que Deus é o Grande Intelecto, a maior força do pensamento que existe é a de Deus. Ver o artigo separado sobre *Formas de Pensamento*.

••• ••• •••

FORJAR

Esse verbo aparece em **Salmos 119:69**, dentro da frase «Os soberbos têm forjado mentiras contra mim...» Esse uso do verbo «forjar» está de acordo com a maneira de dizer em português. No entanto, no original hebraico o verbo usado significa outra coisa. Ali o verbo é *taphal*, «costurar». Na verdade, o verbo hebraico é usado por mais duas vezes, em Jó 14:17 e Jó 13:4. Nossa versão portuguesa diz, na primeira dessas passagens: «...e terias encoberto as minhas iniqüidades», quando a idéia é antes de costurar essas iniqüidades, como que dentro de um saco, referido na primeira metade desse versículo. E, na segunda dessas passagens, diz a nossa versão portuguesa: «Vós, porém, besuntais a verdade com mentiras...», quando a idéia é que os acusados costuravam verdades juntamente com mentiras.

Quanto à idéia de forjar, ver o artigo geral sobre *Metal*, *Metalurgia*. Ver também sobre *Artes e Ofícios*.

FORMA

Essa palavra portuguesa vem do termo latino *forma*, que provavelmente procede do verbo *ferire*, «bater». Seria o ato de dar formato a alguma coisa. O vocábulo grego por detrás dessa tradução é *eîdos*, de onde nos vem a palavra portuguesa «idéia». Os pensadores têm dito muitas coisas a respeito, a saber:

1. Nos escritos de *Platão*, a palavra grega *eîdos* é um possível sinônimo para os *universais* (vide). Nesse caso, «forma», «idéia» e «universais» seriam meros sinônimos. Oferecemos um extenso artigo sobre os *universais*. A forma ou universal é aquela entidade perfeita, eterna e imutável, copiada pelos *particulares*, ou seja, pelos objetos e entidades terrenos, mas que encontram consubstanciação na realidade dos universais.

2. Quanto a um *tratamento geral* pela filosofia, no tocante aos universais, temos o realismo radical (de Platão), o realismo moderado (de Aristóteles), o conceitualismo e o nominalismo. Há artigos separados, nesta enciclopédia, sobre todos esses quatro termos.

3. *Aristóteles*, em seu realismo moderado (o universal ou forma seria a *realidade*), não distinguia a forma do particular, exceto no caso de Deus, o Impulsionador Inabalável. Tudo o mais seria movido por esse impulsionador. Em um outro sentido, a palavra «forma» é usada para indicar o fator determinante intrínseco de qualquer ser. Quanto aos seres materiais, a forma é aquilo que especifica e determina as espécies diferentes. A forma seria mais real do que a matéria; mas, no caso dos objetos físicos, a forma não pode existir por si mesma, separada da matéria, pelo que seria menos real do que as substâncias individuais.

4. Para *Avicebron* (vide) a matéria não pode ser o princípio da individualização. A forma é que cumpriria essa função, pelo que seriam possíveis as substâncias espirituais individuais.

5. *Gilberto de Poitiers* pensava que as *formas nativas* são as causas das espécies e dos gêneros, e também que essas formas teriam tido sua origem na mente de Deus.

6. *Tomás de Aquino* seguia essencialmente as idéias de Aristóteles, quanto a essa doutrina. A forma classifica um ser dentro de um tipo ou classe definidos. As propriedades das coisas consistiriam em formas, ou aspectos de formas, como parte de sua essência. Além disso, há formas acidentais, coisas que

FORMA — FORMAS DE PENSAMENTO

uma entidade qualquer possui como características, mas que não lhe são essenciais. A forma sensível é a forma dos objetos externos, separada da matéria, através da percepção dos sentidos. Os universais são formas que se derivam da percepção dos sentidos, e que se tornam inteligíveis mediante a razão. A causa formal é a essência ou natureza de uma coisa, aquilo que constitui o seu ser. As formas artificiais são objetos feitos pelo homem. Uma coisa tem uma forma física, mas também tem uma forma metafísica que determina o seu gênero. Também existem formas subsistentes, que podem existir separadas da matéria, conforme Tomás de Aquino.

7. *Duns Scoto* salientava a *quidditas* (esta coisa) das formas, que as tornam entidades individuais.

8. *Guilherme de Ockham* afirmava que a forma é a estrutura das porções materiais de uma entidade.

9. *Emanuel Kant* asseverava que a forma e a matéria são equiva entes em sua estrutura e conteúdo. A matéria seria identificada com as sensações, e a forma seria identificada com os conceitos que determinam as sensações. As suas *categorias* da intelecção (a maneira como a mente humana deve pensar, mediante conclusões *a priori*) eram formas puras do entendimento. O espaço e o tempo seriam duas dessas categorias. As categorias nos fariam pensar da maneira como pensamos; porém, não corresponderiam, necessariamente, à natureza mesma das coisas.

10. *Cassirer* pensava que a principal tarefa da filosofia consiste em acompanhar o desenvolvimento das formas simbólicas, em todas as áreas do pensamento.

FORMA, CRÍTICA BÍBLICA DA

Ver o artigo geral sobre **Crítica da Bíblia,** em seu quarto ponto, intitulado *Crítica da Forma.*

FORMA DE ÍDOLO

No hebraico, **semel,** uma palavra que aparece por cinco vezes no Antigo Testamento. Tem o sentido de «similitude», «semelhança», «figura». A expressão toda, «forma de ídolo», aparece em nossa versão portuguesa em Deu. 4:16: «...para que não vos corrompais, e vos façais alguma imagem esculpida na forma de ídolo, semelhança de homem ou de mulher...» Ver também II Crô. 33:7,15 e Eze. 8:3,5.

Um ídolo sempre é esculpido ou moldado segundo a semelhança de alguma coisa, como uma figura humana, um animal ou algum ente imaginário. Pode estar em pauta qualquer imagem fundida ou esculpida.

FORMA SENSÍVEL

A forma sensível é a forma dos objetos externos, separada da matéria, por meio da percepção dos sentidos, ou seja, aquilo que pensamos que experimentamos através de nossos sentidos físicos, com base em nosso contacto com o mundo exterior. Ver o artigo geral sobre *Forma.* Aprendemos com base na experiência, na razão, na intuição e nas experiências místicas, e daí deduzimos que tais formas com freqüência são ilusórias, e não a substância da vida e da existência.

FORMAL E FUNDAMENTAL, TEOLOGIA

A **Teologia Fundamental** é o estudo da teologia do ponto de vista da revelação cristã, com a ajuda da razão. Porém, quando incluímos a descrição sobre como a obra salvatícia de Deus realmente teve lugar na história, então já estamos entrando na teologia formal. Por igual modo, estudar um sistema de conceitos é estudar segundo o prisma da teologia fundamental; mas tentar relacionar isso a como tal coisa opera na experiência humana já é teologia formal. A história revela a *forma* assumida pelo plano de Deus. Se quisermos compreender a história do ato salvador, teremos de encaixar seus conceitos dentro do seu contexto histórico e prático. Somente dessa maneira poderemos produzir uma autêntica teologia dogmática. Não é suficiente acompanhar como o ato salvador tem operado (história pura). Essa história só pode ser entendida contra o pano de fundo dos conceitos da revelação cristã. Por conseguinte, tudo isso nos fornece uma dualidade em meio à unidade. A história da salvação começa no indivíduo, e então é vista em operação, quando segue o indivíduo que atua na sociedade. Isso posto, a história tem um aspecto individual e outro coletivo.

FORMALISMO

Esse termo é usado, dentro do vocabulário da ética, a fim de descrever o forte apego às observâncias escrupulosas quanto a regras externas. Os formalistas presumem que estão adquirindo méritos, bem como a capacidade de evitar o castigo merecido, através dessa estrita observância.

Os críticos desse tipo de ética frisam que o mesmo pode pôr em perigo a autonomia do espírito humano, dando preferência à letra que mata, — em vez de preferir o espírito que vivifica. Também debilita o anelo humano pela transformação do homem interior, que então se expressa mediante atos externalizados, visto que faz das regras o elemento todo-importante e todo-poderoso. A verdade, porém, é que um homem pode fazer coisas boas sem ser bondoso. Um indivíduo pode enfatizar a mera forma externa, ao mesmo tempo em que despreza o conteúdo real. Sobre isso falou Paulo, quando escreveu: «...tendo forma de piedade, negando-lhe, entretanto, o poder. Foge também destes» (II Tim. 3:5). Emanuel Kant e a *ética deontológica* (vide) têm sido acusados desse erro; e os cristãos primitivos acusaram os judaizantes e os legalistas precisamente dessa perversão. Em tudo isso o que mais importa é a lei do amor. Se alguém é possuidor do verdadeiro amor, estará cumprindo a lei (Rom. 13:8 *ss*). Para possuir o verdadeiro amor, o indivíduo precisa ter espiritualidade genuína. Se alguém possui essa espiritualidade, nunca terá de se preocupar demasiadamente com as regras do jogo.

FORMAS DE PENSAMENTO

Há alguma evidência em favor do ensino de que um pensamento, uma vez formado, assume uma espécie de existência distinta, podendo tornar-se uma espécie de ser elementar. Não sabemos dizer qual nível do ser uma entidade assim é capaz de atingir, e nem quanta inteligência pode haver em uma entidade dessa natureza. O que sabemos é que as pessoas podem ser influenciadas por formas de pensamento positivas ou negativas, que podem ser uma bênção ou um entrave. Mas, saber a posição metafísica de tais supostas entidades não é importante para a afirmação de que aquilo que nós pensamos é importante, e não meramente aquilo que fazemos.

É quase certo que alguns fenômenos atribuídos aos demônios deve-se a nada mais do que às próprias formas de pensamento do indivíduo, ou de outros

FORMAS DE VIDA — FÓRMULA

indivíduos, que se mostram influentes e prejudiciais. A fim de vencer às más influências das formas de pensamento negativo, precisamos dar atenção ao desenvolvimento espiritual, a fim de nos pormos fora do alcance dessas entidades negativas. O homem autenticamente espiritual não terá de enfrentar qualquer dificuldade com essas influências. A doutrina da forma de pensamento ensina-nos quão sério é aquilo em que pensamos. Vamo-nos transformando naquilo em que costumamos pensar. Ver Pro. 23:7: «Porque, como imagina em sua alma, assim ele é...»

FORMAS (IDÉIAS) PLATÔNICAS
Ver **Universais (Formas)**.

FORMAS DE VIDA
Esboço:
1. Considerações Filosóficas
2. Na Teologia
3. Considerações Atinentes ao Juízo, à Restauração e à Redenção

1. Considerações Filosóficas
Wittgenstein (vide; oitavo ponto) foi quem introduziu a expressão «formas de vida» dentro da filosofia, a qual foi extensamente usada por Peter Winch. As formas de vida concebidas por Wittgenstein eram importantes para a sua compreensão da linguagem, porquanto as via implícitas na mesma, incluindo a linguagem da matemática. Aqueles que falam um idioma qualquer concordam quanto a certas regras gramaticais a serem seguidas, pelo que todo aquele que fala um idioma participa, de certo modo, de uma forma de vida. Winch, por sua vez, usava a expressão em sentido ainda mais lato, aplicando-a à religião, à arte, à história, às ciências e aos estilos de vida — todas essas seriam formas de vida, cujas definições e critérios e visões da realidade seriam questões internas, e não externas apenas.

2. Na Teologia
A Bíblia ensina a existência de muitas formas de vida. As ordens angelicais devem representar ordens de diferentes tipos de criaturas angelicais. Ver Efé. 1:21. Há muitas *famílias* de seres, das quais Deus é o Pai (Efé. 3:15). A ciência nos tem familiarizado com a existência de muitas formas de vida física. Na verdade, essas formas são quase intermináveis. E é razoável pensarmos que existem, pelo menos, tantas formas de vida espiritual quantas são as formas de vida física. A ciência postula (e a ficção científica descreve) formas de vida, em universos físicos, acerca das quais nada sabemos. Essas formas de vida dependeriam de condições atmosféricas, físicas e de temperatura de corpo inteiramente diferentes daquelas condições com as quais estamos acostumados na terra. Os parapsicólogos aludem a *dimensões* de vida, em contraste com localidades dessas vidas. Ou seja, em um mesmo espaço, poderiam co-existir duas ou mais dimensões.

3. Considerações Atinentes ao Juízo, à Restauração e à Redenção
Sabemos que a salvação é uma evolução espiritual, através da qual a alma humana vai sendo gradual mas fantasticamente transformada, até que, finalmente, venha a participar da forma de vida de Deus, ou essência divina (II Cor. 3:18), moldada segundo a forma de vida do Filho (Rom. 8:29; ver também Col. 2:10 e II Ped. 1:4). Ver o artigo sobre *Divindade, Participação na, pelos Homens*. Suponho que os perdidos diversificar-se-ão em várias espécies espirituais, dependendo do seu próprio progresso (ou retrocesso?) espiritual. Isso significa que as almas *restauradas* (em contraste com as almas remidas) não participarão da forma de vida divina. Ver o artigo sobre a *Restauração*.

Não sabemos o que está acontecendo quanto à forma de vida angelical; mas pelo menos podemos supor que nenhuma forma de vida é estagnada. Portanto, toda espécie de transformação maravilhosa poderia estar sucedendo entre eles, sem que isso seja esclarecido pela nossa teologia. Seja como for, de certo ângulo, tudo quanto acontece aos seres inteligentes, em sua evolução espiritual, relaciona-se a formas de vida. Deus é a mais elevada forma de vida, e também é a fonte originária de todas as formas de vida. A salvação divina abre o caminho para a preparação de filhos reais da família divina. Há muitas outras famílias, entre as quais operam os propósitos de Deus. Podemos antecipar um tremendo resultado, coerente com o seu amor, poder e graça sem limites.

FORMIGA
A palavra hebraica significa **rastejante**. Ocorre em Pro. 6:6 e 30:25. Pertence à família *Himenóptera* (que significa asas membranosas), da qual há mais de mil espécies. As formigas aladas são o elo sexual da espécie, as demais são operárias e soldados assexuados, formando a esmagadora maioria. As formigas vivem em colônias de algumas poucas dúzias até aos milhões. Algumas são vegetarianas, outras carnívoras. Algumas vivem em árvores, e outras em formigueiros, escavados no solo. Algumas vivem independentes dos homens, mas outras são pestes domésticas.

Uso metafórico. Ver Pro. 6:6-8 e 30:35. O texto sugere a saúva, embora muitas espécies ajuntem seu mantimento durante o verão. Estão em foco previsão e prudência, paralelamente ao trabalho árduo, características essas que os homens fariam bem em imitar. Devemos fazer nosso trabalho com sabedoria, aproveitando as oportunidades, ou criando oportunidades para nosso bem-estar. A saúva, durante a primavera e o começo do verão coleta sementes provindas de uma vasta área, as quais são levadas ao formigueiro. Os talos são tirados e levados para fora do formigueiro, o que torna a entrada do formigueiro conspícua. O trabalho árduo e a previsão envolvidos na operação provêem a base de uma lição moral. O trecho de Pro. 30:25 aponta para a debilidade física das formigas; mas, a despeito disso, mostram que são diligentes.

Fatos concernentes às formigas: 1. Ajuntam vastas quantidades de grãos em seus formigueiros. 2. Localizam seus formigueiros *perto* de boas áreas de suprimento. 3. Comem suas provisões recolhidas durante os meses frios. 4. Encorajam certos outros insetos a recolherem e armazenarem os ovos das formigas, juntamente com seus próprios ovos, havendo nisso um fator adicional para a sobrevivência da espécie. Lições morais podem ser extraídas de cada um desses fatores. (FA S UN Z)

FORMOSA, PORTA Ver **Porta Formosa**

FÓRMULA DE CONCÓRDIA
Essa foi a última das confissões de fé escritas, publicada pelos luteranos alemães em 1577. Posteriormente, esse documento foi incorporado ao *Livro de Concórdia* (vide). O objetivo desse documento foi o de tentar harmonizar facções dissidentes, ao prover soluções para diversas disputas doutrinárias. Havia os

FORNALHA — FORNICAÇÃO

rígidos seguidores de Lutero, e os discípulos mais liberais de Melanchton. Os primeiros eram intitulados *gnésioluteranos*, e os outros, *filipistas* (ver os artigos a respeito).

A Fórmula de Concórdia valeu-se de várias outras declarações anteriores, como a Concórdia da Suábia, a Fórmula de Maulbronn, o Livro de Torgau, etc. Foi preparada por uma equipe de teólogos, dentre os quais os mais influentes foram Jacob Andrea e Martin Chamnitz (vide). Consiste em duas partes, uma breve *Epítome*, escrita por Andrea, e então a porção maior, chamada *Repetição e Declaração Sólidas*. Contém doze artigos sobre assuntos como o pecado, o livre-arbítrio, a justificação, as boas obras, a lei, o evangelho, a eucaristia, a cristologia, a descida de Cristo ao hades, a diáspora, a predestinação e as seitas. A obra procura seguir um meio - termo, evitando os pensamentos extremistas. Mas reafirma, essencialmente, a doutrina da Confissão de Augsburgo (vide). Foi apresentada aos príncipes luteranos e aos concílios das cidades para receber a adoção oficial. Foi obtida uma aceitação apenas limitada; mas, apesar disso, tornou-se um importante marco na história da teologia luterana. Na verdade, tornou-se um meio por intermédio do qual o *luteranismo* (vide) tem mantido a sua independência do *calvinismo* (vide).

FORNALHA

Neste verbete devemos levar em conta cinco palavras hebraicas e uma palavra grega, a saber:

1. *Attun*, «fornalha», «forno». Palavra aramaica que aparece por dez vezes, sempre no terceiro capítulo do livro de Daniel (vs. 6,11,15,17,19-23,26). Trata-se de um forno grande, com abertura no alto, usado para moldar coisas (Dan. 3:22,23). Ao nível do chão havia uma porta, por onde o metal era extraído (vs. 26). Esse tipo de fornalha era usado para infligir punição capital por parte dos persas (Jer. 29:22; Osé. 7:7; II Macabeus 7:5). Esse tipo de fornalha, usualmente, tinha forma de cúpula. Quando ali era queimado algum combustível, a fumaça ascendia sob a forma de uma coluna escura; e a destruição de Sodoma e Gomorra é comparada a isso (Gên. 19:28). E quando o Senhor Deus veio ao encontro dos israelitas, no monte Sinai, houve algum tipo de manifestação que se assemelhava à fumaça de uma fornalha, que ascendia (Êxo. 19:18).

2. *Kur*, «fornalha», «cadinho». Palavra hebraica que ocorre por nove vezes: Deu. 4:20; I Reis 8:51; Pro. 17:3; 27:21; Isa. 48:10; Jer. 11:4; Eze. 22:18,20,22. Essa era uma fornalha feita de pedra calcária, um forno para o fabrico de tijolos. Os hebreus conheciam o processo do refinamento, provavelmente uma técnica que aprenderam no Egito. Ver Pro. 17:3; 27:21; Eze. 22:18 *ss*, e Deu. 4:20.

3. *Tannur*, «forno». Esse vocábulo grego aparece por quinze vezes: Gên. 15:17; Nee. 3:11; 12:38; Isa. 31:9; Êxo. 8:3; Lev. 2:4; 7:9; 11:35; 26:26; Sal. 21:9; Lam. 5:10; Osé. 7:4,6,7; Mal. 4:1. Esse tipo de forno era cilíndrico, usado para propósitos domésticos, como o cozimento de pães. Era um fogão ou forno relativamente pequeno. Ver Gên. 15:17. Também é referido, com um nome grego, em Mat. 13:42; Apo. 1:15; 9:2. Os árabes modernos continuam usando tal utensílio de cozinha.

4. *Alil*, «fornalha». Palavra hebraica usada somente por uma vez, em Sal. 12:6.

5. *Káminos*, «fornalha». Termo grego empregado por quatro vezes: Mat. 13:42,50; Apo. 1:15; 9:2.

Fundição e Refinamento. Eram usadas fornalhas a fim de fundir o minério de ferro, para fundir e refinar o ouro, a prata, o cobre, o estanho e o chumbo. Certos tipos de fornalha eram usados para o fabrico de peças de cerâmica, tijolos, etc. A indústria da metalurgia estava florescendo por volta de 2000 A.C. e muitas instalações de mineração e fundição têm sido descobertas pela arqueologia, ao longo da margem da Arabah. Uma dessas instalações, bem grande, foi encontrada em Mene'iyyeh, cerca de trinta e quatro quilômetros ao norte do golfo de Ácaba. Uma outra foi encontrada em Khirbet en-Nahas, cerca de oitenta e quatro quilômetros mais ao norte. A maior de todas as minas de cobre do antigo Oriente Próximo foi descoberta em Tell el-Kheleifeh (Ezion-Geber, vide), na extremidade sul do wadi Arabah. Foi explorada no século X A.C., provavelmente por Salomão. Uma grande indústria desenvolveu-se em torno da exploração do cobre. Carvão vegetal era usado como combustível. Essa fundição continuava operando no século V A.C. Várias fundições têm sido encontradas na própria Palestina, entre as quais poderíamos mencionar Ain Shems, Tell Jemmeh, Tell Qasile, perto da moderna cidade de Tel Aviv.

Usos Figurados:

Quase todas as referências que há na Bíblia a fornalhas são figuradas:

1. O estado de provação é comparado com o calor e o refinamento em uma fornalha (Deu. 4:20; Isa. 48:11).

2. As promessas de Deus são dignas de confiança e são puras, sem defeito ou qualquer tipo de poluição, como se fosse a prata purificada por sete vezes em uma fornalha. As promessas de Deus, pois, são como a prata pura. Ver Sal. 12:6.

3. A natureza transitória do homem e a desintegração física na qual ele naturalmente cai, por causa da idade avançada, são comparadas a dias que estão sendo consumidos na fumaça e a ossos que estão sendo queimados em uma fornalha (Sal. 102:3).

4. O juízo divino é simbolizado por uma fornalha, em Mat. 13:42 e Apo. 9:2.

5. Cristo, que virá a fim de julgar, e que é glorioso e severo em suas maneiras, assemelha-se ao metal que foi refinado em uma fornalha. O bronze refinado é um metal duro, simbolizando o poder esmagador de Cristo, quando ele tiver de tratar com os seus inimigos (Apo. 1:13,15).

FORNICAÇÃO

Ver o artigo geral sobre os **vícios**, que inclui várias palavras que dizem respeito aos pecados de natureza sexual.

1. *Definição dos Dicionários*. Relações sexuais ilícitas entre pessoas solteiras. Nesse sentido, os fornicários (no grego, *pornoi*) devem ser distinguidos dos adúlteros (*moichoi*).

2. Quando a *porneia* e a *moicheia* são sinônimos? Relações sexuais entre uma pessoa solteira (de qualquer sexo) e uma pessoa casada, podem ser consideradas fornicação ou adultério. *Porneia* pode indicar qualquer tipo de imoralidade, razão pela qual envolve o adultério (*moicheia*), mais limitado. O trecho de Mateus 5:32 envolve esse uso mais amplo. Ver também Mat. 19:9.

3. Em I Coríntios 5:1, a palavra *porneia* é usada com o sentido geral de imoralidade, quando então indica todas as formas de desvio sexual.

4. O trecho de I Coríntios 7:2 diz, no grego, *diá tas porneias*, que pode ser entendido como tentações à

FORNICAÇÃO — FORNOS DE TIJOLOS

imoralidade, de qualquer tipo. Os crentes são exortados a fugirem desse tipo de pecado (I Cor. 6:18), visto que a íntima relação entre Deus e o seu povo assemelha-se ao vínculo matrimonial (Efé. 5:23-27). De fato, o termo «adultério» é freqüentemente usado na Bíblia, em sentido metafórico, para indicar a infidelidade do povo de Deus, um pecado particularmente abominado pelo Senhor (Osé. 6:10; Jer. 3:2,9; Apo. 2:12; 19:2). Todavia, a graça divina é capaz de encobrir todos esses pecados. Assim, até mesmo a prostituta Raabe veio a tornar-se ascendente de Jesus Cristo (Mat. 1:5; Heb. 11:31).

5. Paulo preparou sete listas de vícios; e, em cinco delas, a fornicação é incluída. Ver I Cor. 5:11; 6:9; Gál. 5:19; Efé. 5:3; Col. 3:15. E em cada uma dessas cinco listas é o pecado que figura em primeiro lugar. Os gregos e os romanos não consideravam muito grave o vício da fornicação, embora falassem severamente contra o adultério.

6. Jesus atribuía tanto a fornicação quanto o adultério à concupiscência dos olhos e à idéia da mente, fazendo dos mesmos pecados universais. Pois, quem não tem concupiscência pelo sexo oposto? Ver Mat. 5:28. Uma das preocupações de Jesus, em seus ensinos, era encarar o pecado em seu intuito, e não meramente em sua realização.

7. Paulo referiu-se a esse pecado como uma iniqüidade que impede o indivíduo de participar do reino de Deus (I Cor. 5:11).

8. Paulo dizia que esse é um pecado cometido contra o próprio corpo e, portanto, contra o Espírito Santo, o qual faz do corpo do crente um templo seu (I Cor. 6:18-20). Nas relações sexuais parece haver a mistura de energias espirituais vitais, de tal modo que os dois tornam-se um só. Como isso sucede é algo misterioso, indefinido. Por essa razão é que Paulo encarava com grande seriedade a relação sexual com uma prostituta. Pois ela, por assim dizer, substituía o Espírito Santo, corrompendo àquele que é membro do corpo de Cristo (I Cor. 6:15 ss). Aquele que está unido ao Senhor forma *um só espírito* com ele, o que fala a respeito de uma íntima comunhão mística com ele. Os místicos têm comentado acerca da qualidade espiritual do sexo, dando a entender que está envolvido algo de espiritual, e não meramente a união física de dois corpos.

9. A poligamia, naturalmente, não era classificada como fornicação ou como adultério. Era uma prática generalizada nos tempos bíblicos. Jesus, entretanto, referiu-se favoravelmente ao ideal de um homem e uma mulher (Mat. 19:4 ss).

FORNO

Há três palavras hebraicas e duas palavras gregas envolvidas no verbete:

1. *Kibshan*, «forno», «fornalha». Palavra hebraica usada por quatro vezes: Gên. 19:28; Êxo. 9:8,10; 19:18.

2. *Tannur*, «forno». Vocábulo hebraico empregado por quinze vezes. Por exemplo: Êxo. 8:3; Lev. 2:4; 26:26; Sal. 21:9; Osé. 7:4,6,7; Mal. 4:1; Gên. 15:7.

3. *Kur*, «fornalha», «crisol». Termo hebraico usado por nove vezes: Deu. 4:20; I Reis 8:51; Pro. 17:3; 27:21; Isa. 48:10; Jer. 11:4; Eze. 22:18,20,22.

4. *Káminos*, «forno». Palavra grega usada por quatro vezes: Mat. 13:42,50 e Apo. 1:15; 9:2.

5. *Klíbanos*, «forno». Palavra grega usada por duas vezes: Mat. 6:30 e Luc. 12:28.

Os fornos antigos eram usados para cozinhar, para assar, para queimar o óxido de cálcio, para fundir os minérios ou para o fabrico de peças de cerâmica. Usualmente, os fornos eram feitos de pedra calcária (ou outro tipo de rocha). Tinham forma oblonga, terminando em cúpula. Nessa cúpula havia uma abertura, por onde escapava a fumaça. Uma outra abertura, existente na parte inferior do forno, permitia a inserção de combustível. Os fornos antigos produziam muita fumaça, o que explica a descrição de Sodoma e Gomorra (Gên. 19:28) e a descrição do que sucedeu no monte Sinai, quando Deus veio ao encontro de Moisés (Êxo. 19:18), em cujos trechos há uma comparação com fornos.

Os fornos usados no fabrico do pão eram de formato diferente. Eram feitos mediante um buraco no solo, com cerca de sessenta centímetros de largura, onde era inserido um cilindro feito de cerâmica. Esse cilindro era aquecido, e a massa era então posta em seus lados aquecidos. Ver referências a fornos dessa natureza em Êxo. 8:1; Lev. 2:4; 7:9; 11:35 e 26:26. No trecho de Salmos 21:9 há uma ilustração figurada do julgamento e da ira de Deus, que queimam como uma fornalha ardente. Os sofrimentos experimentados pelos judeus, quando do cativeiro babilônico, são simbolizados pela figura de um forno, em Lamentações 5:10. O dia do julgamento divino é comparado a um forno, em Malaquias 4:1. Uma das torres das muralhas de Jerusalém era chamada «Torre dos Fornos» (Nee. 3:11; 12:38). O nome dessa torre devia-se ao fato de que, nas proximidades, havia fornos para o fabrico de pães e de tijolos.

O tipo de forno que, no Novo Testamento, chamado *klíbanos* (ver Mat. 6:30 e Luc. 12:28) era feito de cerâmica. Era uma jarra grande, usada para cozer o pão. Era aquecido pondo-se o combustível em seu interior. Quando já estava suficientemente quente, as brasas e cinzas eram aquecidas, e a massa era posta em seu interior. Ver os artigos separados sobre *Cozinha* e *Cozinheiro*.

FORNOS DE TIJOLOS

No hebraico, **malben**, palavra que aparece por apenas três vezes: II Sam. 12:31; Jer. 43:9 e Naum 3:14.

Entre os antigos israelitas, o modo usual de construção era fazê-las de tijolos de argila, com reforços, com a palha misturada à massa, uma técnica que eles aprenderam no Egito. Poucos tijolos queimados têm sido encontrados na Palestina. Porém, na época de Davi, provavelmente existiam fornos de tijolos, onde se fabricavam tijolos mais duros e permanentes (II Sam. 12:31). Esses fornos pareciam-se com os fornos de assar pães. Tijolos queimados, bem como fornos de tijolos, têm sido encontrados na Mesopotâmia, em grande abundância; porém, não ao longo dos rios Nilo e Jordão. As referências bíblicas a «fornos de tijolos» (no hebraico, *malben*), que se vêem em trechos como II Sam. 12:31; Jer. 43:9 e Naum 3:14, conforme pensam alguns intérpretes, não se refereriam, realmente a isso. Antes, seriam alusões aos *moldes* usados para fazer tijolos de argila, nada tendo a ver com fornos. Porém, a fornalha ardente de Daniel 3:6,11; 5:19-23, mui provavelmente era um forno de tijolos. Ver também Jer. 29:22. Através de uma carta babilônica, de cerca de 1800 A.C., sabemos que esses fornos de tijolos eram usados com a finalidade de punição capital. Salmos 21:9 provavelmente diz respeito a esse fato. Um forno para cozer peças de cerâmica foi encontrado em escavações feitas em Nipur, onde talvez tenham sido encontrados tijolos do tipo fabricado na Babilônia. (IB ND)

FORNOS, TORRE DOS — FORTE

FORNOS, TORRE DOS

Essa torre é mencionada somente em **Neemias 3:11** e 12:38. A expressão designa uma das torres da muralha média ou segunda, de Jerusalém, que ficava localizada no ângulo noroeste, perto da porta da Esquina. Ficava próxima da intersecção da presente rota da Via Dolorosa com a rua de Estêvão. Alguns pensam que ficava na rua dos Padeiros, mencionada em Jer. 37:21. Essa torre foi restaurada por Neemias, após o exílio na Babilônia (Nee. 3:11 e 12:38). O nome dessa rua provavelmente deveu-se à circunstância de que havia fornos de padeiros, naquela área.

FORQUILHA

No hebraico, **mizreh**. Esse vocábulo hebraico ocorre somente por duas vezes; em todo o Antigo Testamento: Isa. 30:24 e Jer. 15:7. Em nossa versão portuguesa, o termo hebraico é traduzido por «forquilha», em Isaías, mas por «pá», em Jeremias. Se, conforme a opinião de alguns estudiosos, está em vista a forquilha, um implemento agrícola com seis dentes, usado no ato de separar o grão de cereal de sua palha, então em ambos os trechos deveríamos ter a tradução «forquilha».

Outro tanto pode ser dito em relação ao termo grego *ptúon*, que aparece somente por duas vezes no Novo Testamento, em Mat. 3:12 e em Luc. 3:17. Nossa versão portuguesa traduz esse termo grego por «pá». No entanto, as maiores autoridades filológicas do grego dizem que devemos pensar em um instrumento dotado de dentes (sem importar quantos eles fossem), que era usado para separar o grão de cereal de sua palha. Ver também sobre *Garfo*.

FORRAGEM

Ver o artigo geral sobre a **Agricultura**. Cereais e gramíneas serviam de alimentos para os animais domésticos, e a produção dos mesmos era um dos grandes empreendimentos da agricultura antiga, tanto quanto da moderna. O termo hebraico *mispo* deriva-se de uma raiz que significa «misturar», «colher» (ver Gên. 24:25, 32; 42:27; 43:24; Juí. 19:19,21; Isa. 30:24). O termo «misturado», pois, indica uma mistura de grãos e ervas, juntamente com sal e ervas aromáticas. A mistura era então posta na água, para fermentar. Uma ração comum para os animais consistia em palha cortada misturada com cevada, trigo e outros cereais, formando uma espécie de feno. A cevada era o grão mais comumente usado na alimentação dos animais. Eram bolos feitos de feijões e cevada, com algumas tâmaras esmagadas e misturadas à massa.

FORTE, FORTIFICAÇÃO

Ver o artigo separado sobre **Cidade Cercada**.

Ficamos perplexos diante da selvageria e da brutalidade dos homens, que fazem de outros homens suas principais vítimas. Na verdade, em certo sentido, a história da humanidade é a história de matanças, torturas e barbaridades. Consideremos as vastas quantias que, em nossos dias, as nações estão gastando para se armarem e poderem matar aos seus semelhantes. A questão inteira ilustra a grande malignidade do espírito humano, como também a que ponto caiu a espiritualidade do ser humano. Atualmente, uma das principais maneiras de entreter, na televisão, no teatro, no cinema e na rua (na vida real) é a violência. Os criminosos confessam que sentem estranhos prazeres quando ferem e matam.

Pessoas civilizadas, e até mesmo supostamente espirituais desfrutam de programas de televisão com base na violência. Tudo isso revela muito sobre a depravação do espírito humano.

Na antiguidade, toda cidade de qualquer tamanho ou qualidade dispunha de muralhas, fortificações, torres de vigia, terraplenos e portões fortificados — tudo a fim de fornecer proteção, não somente de ataques possíveis, mas de ataques inevitáveis da parte de inimigos que vinham para destruir, matar e estuprar. Os grandes épicos da história humana, como a Ilíada de Homero, ou a Odisséia, são histórias grandiosas de matanças e destruições. Lamentamos quando lemos o Antigo Testamento e percebemos o quanto o povo de Israel esteve envolvido em todo esse sangrento drama, ao mesmo tempo em que eles eram chamados de o povo de Deus. E, em certas ocasiões, Deus foi quem os enviou para destruírem e matarem.

Quando os espiões de Israel estiveram na terra de Canaã, observaram e então prestaram relatório sobre como as cidades dos cananeus eram pesadamente fortificadas e cercadas por grandes muralhas. Isso não impediu os israelitas. E, uma vez que as cidades cananéias foram conquistadas, elas foram cuidadosamente reparadas e refortificadas, porquanto uma guerra nunca põe fim às guerras. A arqueologia tem descoberto muralhas com 4,5 m a 6 m de espessura. E, com freqüência, as grandes cidades tinham muralhas dentro de muralhas. Na verdade, os homens temiam aos homens, e com todas as boas razões. Algumas dessas muralhas tinham até seis metros de altura. Muitas daquelas muralhas eram de pedra sólida. Além disso eram escavados fossos em torno delas, algumas vezes cheios de água, a fim de dificultar ao máximo a aproximação do inimigo dessas muralhas e, muito mais, serem elas derrubadas. Porém, os homens conseguiam realizar qualquer coisa, em seu desvairado desejo de matar e saquear.

Torres eram construídas nas esquinas das muralhas, permitindo que os defensores das cidades pudessem antecipar os ataques vindos de fora (II Crô. 14:7). Fortificações eram edificadas sobre as muralhas e por dentro delas, a fim de ajudarem na defesa. Os portões sempre foram pontos de fraqueza. Os ladrões costumam observar os hábitos de uma família. Quando as portas são deixadas abertas — o que, às vezes, só acontece depois de muitos dias — eles atacam. A mesma coisa sucedia na antiguidade. A maioria das cidades contava com mais de um portão nas muralhas que circundavam a área. Esses portões precisavam ser fortificados e guardados por homens armados. Os portões geralmente eram feitos de duas folhas, recobertas de bronze, para não serem atacados pelo fogo (Sal. 107:16; Isa. 45:2). E o suprimento de água de uma cidade também era um ponto vulnerável em sua defesa, pelo que tinham de ser construídos condutos subterrâneos; ou então a cidade precisava ser construída em redor de fontes de água, que não pudessem ser poluídas ou desviadas de fora dos portões.

A **arqueologia** muito tem feito para ilustrar o ponto, mediante suas escavações em Jericó e em outras localidades antigas. Em Jericó, o arqueólogo John Garstand localizou uma série de cidades muradas, uma acima da outra, nas cidades enumeradas A, B, C e D, que foram iniciadas em cerca de 3000 A.C. A cidade «D» foi aquela conquistada por Josué, em cerca de 1500 A.C. Ela contava com uma dupla muralha de tijolos. Primeiramente havia uma maciça muralha com 1,80 m de espessura. Então havia uma muralha interna, com o dobro dessa espessura. As

FORTE, FORTIFICAÇÃO – FORTUNA

duas muralhas estavam distantes uma da outra entre três e quatro metros. Fortificações similares foram encontradas em Betel. Um elaborado sistema de fortificações protegia a cidade de Jerusalém, do tempo dos jebuseus, a qual, finalmente, foi conquistada por Davi.

Na época da monarquia, em Israel, foram construídas elaboradas fortificações pelos monarcas de Israel e de Judá, em muitos lugares. Saul fortificou Gibeá (Tell el-Ful?), um lugar cerca de seis quilômetros ao norte de Jerusalém. O local foi escavado em 1922-1923, por W.F. Albright. Tinha pelo menos duas muralhas e uma ladeira artificial, que dificulta muito a aproximação do inimigo. Também contava com moles de pedra, e uma grande escadaria de pedra, pela qual o inimigo precisava subir, tornando-se alvo fácil para os defensores da cidade.

Construções Egípcias. Os egípcios construíam grandes muralhas, torres e portões, o que tem sido amplamente ilustrado pelas descobertas arqueológicas, pelas pinturas tumulares, etc. Povos ainda mais antigos simplesmente amontoavam pedras, escavavam trincheiras e construíam torres, no esforço da defesa. Mais tarde, entretanto, a construção de muralhas passou a ser feita com grande técnica, mediante o uso de pedras e tijolos. Muitas trincheiras foram escavadas que, afinal, se mostraram inúteis como defesa.

Métodos de Ataque. Com tanta preparação defensiva, como poderia um inimigo atacar e conquistar com sucesso uma cidade? Antes de tudo, os fossos eram atulhados, ou então eram transpostos por pontes toscas. Grandes aterros eram feitos, para que os soldados pudessem subir até o alto das muralhas, porquanto algumas delas eram tão grossas que simplesmente não podiam ser derrubadas. Torres móveis, feitas de madeira, também eram feitas, para poupar tempo no ataque. Aríetes podiam abrir brechas em muralhas que não fossem espessas demais, ou que não fossem bem construídas. Uma vez que se fizesse uma brecha em uma muralha, ela perdia todo o seu valor como defesa. Os homens que operavam as máquinas para derrubar as muralhas eram protegidos por outros soldados, que procuravam conter os defensores das muralhas. Naturalmente, muitas vidas perdiam-se em ambos os lados da refrega, mas muitas perdas de vida não conseguem estacar a loucura dos homens.

Há poucas décadas atrás, um ditador russo disse ao presidente Kennedy, dos Estados Unidos da América, que a perda de alguns milhões de vidas russas não era um preço demasiado grande para pagar pelo triunfo do comunismo. Os homens não-regenerados sempre deram bem pouco valor à vida humana.

Mas, voltando aos métodos de ataque contra as antigas cidades muradas, escadas eram usadas para escalar muralhas acima, com pesadas perdas em forma de vidas. Eram desfechados ataques em vários pontos (e portões) ao mesmo tempo, a fim de enfraquecer a resistência dos defensores, encerrados dentro das muralhas. Catapultas eram feitas, capazes de lançar grandes pedras para dentro dos muros, matando assim a muitos. Tochas acesas eram lançadas para dentro da cidade. Chuvas de flechas e dardos crivavam as casas e as ruas das cidades sitiadas. — Os habitantes de algumas cidades cercadas padeciam muita fome e necessidade, pois as tropas não permitiam a saída e a entrada de quem quer que fosse. Esse método de sujeição pela fome era empregado quando as cidades eram fortes demais para serem subjugadas de outra maneira. Também eram cortados os suprimentos de água potável. A cidade de Samaria conseguiu resistir aos assírios durante dois anos, mas a combinação de vários métodos, finalmente, a derrotou.

O Terror que Então Tinha Lugar. Uma vez que uma cidade fosse capturada, então havia incêndios matanças, saques e violências sexuais. A história descreve como as forças de Nabucodonosor obliteraram muitas cidades da Judéia, incluindo a própria Jerusalém. Tudo isso contribuía para que as pessoas se tornassem muito religiosas, pois somente a alma entregue à proteção da divindade pode sentir-se segura em circunstâncias assim. No começo da era cristã, Tito imitou Nabucodonosor muito bem, destruindo a cidade de Jerusalém, no ano 70 D.C. No entanto, ele poupou cidades menores da Judéia.

Usos Metafóricos:

1. Um juiz ou soberano postava-se no portão principal da cidade a fim de ouvir as queixas ou resolver problemas do povo. Portanto, «sentar-se ao portão» era brandir o poder e a autoridade.

2. Deus é uma fortaleza para aqueles que estão em necessidade, para quem eles podem fugir em momentos de perigo (Sal. 18:2; Naum 1:7).

3. Perder a própria fortaleza é perder o poder ou autoridade, e entrar em período de debilidade (Isa. 17:3).

4. Derrubar uma fortaleza é derrotar e humilhar (Isa. 25:12).

5. A defesa de um homem bom está nas rochas dos montes, e isso refere-se à proteção divina (Isa. 33:16).

6. Deus serve de torre e fortaleza entre o seu povo, garantindo assim a proteção deles (Jer. 6:27). Diz o trecho de Sal. 91:1,2: «O que habita no esconderijo do Altíssimo, e descansa à sombra do Onipotente, diz ao Senhor: Meu refúgio e meu baluarte, Deus meu, em quem confio».

FORTER, GEORGE BURMAN

Nasceu em 1858 e faleceu em 1918. Foi teólogo e filósofo. Educou-se no Shelton College, na Universidade da Virgínia Ocidental, no Rochester Theological Seminary e nas Universidades de Gottingen e Berlim, na Alemanha. Foi ordenado como ministro batista. Foi o pastor fundador da Primeira Igreja Batista de Saratoga Springs, estado de Nova Iorque, nos Estados Unidos da América. Foi professor de filosofia na McMaster University e, também, na Universidade de Chicago, onde ensinava religião e filosofia. Sua carreira religiosa é uma história de peregrinação que partiu do supernaturalismo teísta e terminou no naturalismo emocional, ou humanismo religioso. Promovia a *idéia de Deus*, que, segundo ele declarava, seria intelectualmente destituída de objetivo, de validade ontológica, mas que seria útil para a sua forma pessoal de humanismo naturalista, como um ideal. Seja como for, ele se apegava firmemente aos valores humanos.

Escritos: The Finality of the Christian Religion; The Function of Religion in Man's Struggle for Existence; Christianity in its Modern Expression, além de outros títulos de menor importância e de muitos artigos.

FORTUNA NA RELIGIÃO GREGA E ROMANA

A palavra portuguesa «fortuna» vem de **fortuna**, no latim, derivado de *dero*, «levar», «carregar». O termo

FORTUNA — FOX, GEORGE

grego é *tuche*, que vem de *tunchano*, «acontecer». Ver o artigo separado sobre *Sorte*. A Fortuna ou Sorte eram personificadas como deusas. E a importância do conceito assim personificado e deificado tornou-se um importante conceito no campo religioso, dos mitos e da filosofia. A deusa *Fortuna* era adorada em Praeneste, e era uma divindade oracular do *Destino* (vide). Praeneste também era chamada Primigênia, visto que era a filha primogênita de Zeus (Júpiter). Em seu ofício de deusa da pura chance, incluindo a idéia de caos, ela era conhecida como Fors Fortuna. Ver os artigos separados sobre *Fatalismo* e *Acaso*. A mente humana está dividida entre o temor do caos e a esperança do designio, o que figura com proeminência no *problema do mal* (vide).

Paulo admitiu a existência do princípio do caos, mas também reconheceu que o próprio caos tem um propósito, visto que força os homens a buscarem refúgio em Deus, o único que pode emprestar sentido e estabilidade às vidas dos homens (Rom. 8:20 *ss*). Ver também sobre *Teleologia*.

FORTUNATO

A raiz desse nome próprio é a palavra latina *fortunatus*, e o seu sentido é «bendito» ou «afortunado». Esse nome aparece tanto em papiros quanto em inscrições da época helenista. Esse era o nome de um discípulo de Cristo, que se mostrou ativo na igreja de Corinto, embora romano de nascimento. Ele visitou Paulo em Éfeso e, então, retornou, juntamente com Estéfanas e Acaico, levando a primeira epístola de Paulo aos Coríntios (I Cor. 7:1; 17:17), em cerca de 59 A.C. Ele e Acaico talvez pertencessem à casa de Estéfanas ou Cloé (I Cor. 16:15; 1:11). Há um Fortunato mencionado em I Clemente 65; que parece indicar que ele continuou vivendo por cerca de quarenta anos após a sua associação com Paulo. Porém, o nome Fortunato era muito comum, e não se pode ter certeza que se tratava do mesmo Fortunato referido em I Coríntios.

FÓRUM DE ÁPIO

Ver sobre **Ápio, Fórum**.

FOSSÁRIOS

Essa palavra vem do latim, **fossor**, «escavador». Tal vocábulo indica os escavadores de túmulos que, na cristandade dos séculos II e III D.C., chegaram a ser considerados profissionais e que, durante algum tempo, provavelmente eram contados com parte do clero menor. Eram pagos mediante as ofertas voluntárias retiradas do tesouro comum da Igreja. Porém, onde entra o dinheiro surgem também os abusos. Os fossários começaram a tornar-se cobiçosos organizando-se em corporações e exigindo maiores benefícios. Por isso mesmo, finalmente, foram dissolvidos como uma classe profissional.

FOSTER, FRANK HUGH

Suas datas foram 1861-1935. Foi educado nas Universidades de Harvard e Andover. Foi professor de teologia sistemática no Pacific Theological Seminary; e também foi professor de filosofia e história no Olivet College. Mostrou-se ativo participante do movimento de ortodoxia do calvinismo da Nova Inglaterra, tendo-se tornado um de seus principais historiadores.

FÓTIO Ver o artigo sobre **Fócio**.

FOUCHER, SIMON

Suas datas foram 1644-1696. Foi um filósofo francês, nascido em Dijon. Educou-se na Sorbonne. Tornou-se opositor de Malebranche e crítico de Descartes e Leibniz. Reavivou os argumentos céticos da Academia de Platão, e utilizou-os a fim de combater os seus oponentes. Apesar disso, ele acreditava que as doutrinas fundamentais da Igreja são auto-evidentes, sendo intuitivamente reconhecidas e aprovadas. Seu alvo intelectual era a reconciliação e a harmonização da religião com a filosofia. Ele tornou-se melhor conhecido por causa de suas obras, intituladas *Sobre a Sabedoria dos Antigos* e *Ensaios na Busca pela Verdade*.

FOUILLÉE, ALFRED

Suas datas foram 1838-1912. Foi um filósofo francês. Foi historiador de filosofia, especialmente das idéias de Sócrates e Platão. Desenvolveu um sistema filosófico ao qual chamou de *idealismo voluntarista*. Tornou-se melhor conhecido por seus argumentos em favor do livre-arbítrio humano (vide), com base no que ele chamava de *idée force* (força do pensamento), que ele pensava ser inerente ao homem. Para ele, a mente seria um poder criativo, que pode levar suas idéias à realização. Escreveu três livros: *A Evolução da Força do Pensamento; A Psicologia da Força do Pensamento* e *A Ética da Força do Pensamento*.

FOX, GEORGE

Suas datas foram 1624-1691. Foi um líder religioso, fundador da *Sociedade de Amigos* (vide), também conhecidos como os quacres. Nasceu em Fenny Drayton. Leicestershire, Inglaterra. — Era aprendiz de sapateiro, no começo de sua vida. Depois, trabalhou com gado e lã. — No início de sua vida adulta era um jovem espiritualmente inquieto e insatisfeito. Aos dezenove anos de idade, conforme ele mesmo disse, «por ordem de Deus», rompeu com todo o relacionamento de família e com seus amigos e iniciou um período de quatro anos de peregrinações. Esse período terminou com uma experiência mística, durante a qual ouviu uma voz que lhe dizia: «Há alguém, a saber, Cristo Jesus, que pode falar à tua condição».

Essa foi a sua primeira experiência com o que ele chamava de *Luz Interna*, um conceito que se tornou a motivação e o impulso básico de sua adoração religiosa. Ele afirmava que o contacto de Deus com os homens não vem através de igrejas, sacramentos ou quaisquer cerimônias ou ritos, mas somente por meio da Luz Interna e da Luz Interior.

Fox começou a pregar e seguiu-se uma carreira tumultuada. Foi encarcerado por oito vezes, sob a acusação de perturbar a ordem, de blasfêmia, de encabeçar reuniões proibidas por lei. Mas, em cada uma dessas oportunidades ele se defendia afirmando que estava «declarando a verdade». Terminado um desses períodos de encarceramento, ele caminhou descalço pelas ruas de Litchfield, clamando em altas vozes: «Ai da sanguinária cidade de Litchfield».

Fox não tinha qualquer intenção de formar uma nova denominação, mas, à proporção que os anos se foram passando, ele viu a necessidade de alguma forma de organização, a fim de preservar e propagar as suas idéias. Muitos discípulos foram feitos e pregadores foram enviados. Ele exercia maior influência sobre as pessoas de classe humilde. Margaret Fell, esposa do juiz Thomas Fell, foi uma

FOX, GEORGE — FRALDAS

notável exceção. Ela levantava fundos para pagar as despesas dos ministros que viajavam e mantinha uma extensa correspondência com os mesmos. Diversas de suas filhas casaram-se com importantes homens do movimento. Em 1669, ela casou-se com o próprio George Fox, depois de haver enviuvado.

O movimento propagou-se por muitos países da Europa, sempre acompanhado por perseguições, até que chegou aos Estados Unidos da América do Norte, com sede no estado da Pennsylvania.

A morte de Fox, em 1691 assinalou o final da fase pioneira do quaquerismo. Ele deixou a fase ativa de sua liderança quando o movimento chegou a ter cinqüenta mil adeptos. O resto da história é contado em nosso artigo intitulado *Sociedade de Amigos*.

Idéias:

1. Não as Escrituras, mas o Espírito Santo, deve ser o poder pelo qual buscamos; não o Cristo externo, dos credos, mas o Cristo no íntimo, é que é o nosso alvo. Não uma adoração externa, nem igrejas, nem doutrinas e nem sacramentos, mas a Luz Interior, que é acendida pelo Espírito de Deus na consciência e na alma de todo ser humano — essa é a nossa grande necessidade. Há aquela experiência mediante a qual o Espírito de Cristo pode apossar-se subitamente de uma alma, e é nisso que consiste a vida espiritual.

2. Um relacionamento imediato com Deus é a grande necessidade humana (ver sobre o *Misticismo*).

3. Fox recusava-se a fazer juramentos, pegar em armas ou retirar o chapéu em deferência a qualquer homem. O pacifismo dos quacres reflete a doutrina da luz interior.

4. Espontaneidade na adoração religiosa. Qualquer pessoa, homem ou mulher, pode usar da palavra em uma reunião de crentes; mas, se ninguém sentir-se impulsionado a falar, então é melhor ficar sentado em silêncio.

5. O nome quacre (que vem do verbo inglês *to quake*, «tremer», «balançar») exprime o temor de Deus e o abalo que eles sentem na alma, em seus encontros místicos com a Luz Interior. O termo inglês *quaker* foi um apodo que estranhos deram ao movimento, em sentido pejorativo. Até hoje os próprios membros não usam essa palavra para designarem a si mesmos. Mas o termo também é derivado da constante admoestação de Fox aos seus seguidores e a outros: «Estremecei diante da Palavra do Senhor». De acordo com o *Journal* de George Fox, *Cent. Ed.* 1:4, foi o juiz Gervase Bennett, de Derby, na Grã Bretanha, quem primeiro lhes deu o apelido de *quakers*, porquanto Fox costumava exortar as pessoas a tremerem diante da Palavra de Deus. Isso ocorreu em 1650. Porém, a história mostra-nos que a expressão já vinha sendo usada antes mesmo disso.

6. Visto que eles frisavam a experiência pessoal, e não as Escrituras, não se tornaram famosos por sua ortodoxia. Sob a influência do evangelismo de grupos evangélicos, algumas porções do movimento vieram a tornar-se mais ortodoxas e evangélicas. Devido a esse e a outros fatores, o movimento acabou dividindo-se em facções, embora todos tenham retido sua distinção de atos humanitários e pacifistas, bem como a ênfase sobre a necessidade de algo mais do que pura ortodoxia para que os homens expressem devidamente a sua fé em Cristo.

Escritos. O *Journal* de George Fox era o veículo de sua expressão literária.

FOXE, JOHN

Suas datas foram 1516-1587. Escritor inglês das histórias dos mártires cristãos. Ele mesmo foi perseguido e exilado pela rainha Maria. Estando no continente europeu, exilado da Inglaterra, ele escreveu sua obra mais famosa, *Actes and Monuments of these Latter and Perillous Dayes*, atualmente intitulada *Foxe's Book of Martyrs*. Essa obra foi publicada pela primeira vez em 1563. Muitos casos de martírio de crentes, durante o reinado da rainha Maria (apelidada de Maria, a Sangüinária) estão contidos nessa obra. Ele tinha acesso aos registros oficiais, pelo que seus relatos são essencialmente fidedignos. Ele mesmo era um puritano convicto e firme, embora fosse indivíduo gentil, que advogava a moderação no trato com as controvérsias religiosas. Após a subida de Isabel ao trono da Inglaterra, Foxe foi ordenado ao sacerdócio, em 1560. Mas continuou um pregador sem partido, principalmente devido aos seus escrúpulos acerca de vestes sacerdotais e rituais. A rainha Isabel recompensou o seu livro sobre os mártires conferindo-lhe um posto em Salisbury. Posteriormente tornou-se cânone de Durham. Seu livro espalhou-se enormemente, e cópias do mesmo foram postas em todas as catedrais e em muitas igrejas paroquiais. — Em 1571, ele propôs codificar a lei canônica, que acabou sendo redigida por Cranmer e outros. Editou os evangelhos no anglo-saxônico, coligidos pelo arcebispo Parker, e publicou diversos sermões. Faleceu em Londres, a 18 de abril de 1587.

FRADE

Vem do latim, **frater**, «irmão», através do francês, *frère*. Esse termo designa qualquer membro das quatro ordens mendicantes originais da Igreja Católica Romana: os franciscanos, os dominicanos, os carmelitas e os agostinianos. O vocábulo deve ser distinguido de *monge*, porquanto o frade é um ministro do evangelho e faz trabalho pastoral, incluindo o ministério do ensino, ao passo que o monge é uma figura religiosa enclausurada, o qual, apenas ocasionalmente, desempenha algum serviço público. Os jesuítas, embora mendicantes, não são frades, mas clérigos regulares. Os agostinianos e carmelitas são chamados *frades brancos*; os dominicanos, *frades negros*; e os franciscanos, *frades cinzentos*, tudo isso por causa de suas vestimentas características. Temos provido artigos separados para cada um deles.

FRADES MENORES

Esse é um nome alternativo para a ordem dos franciscanos, a ordem mendicante da Igreja Católica Romana, fundada por Francisco de Assis, 1207-1209 (vide). Temos provido dois artigos separados, um sobre *Francisco de Assis (São)* e outro sobre os *Franciscanos*.

FRADES NEGROS

Um nome comumente aplicado aos frades dominicanos (ver o artigo), sobretudo na Inglaterra, por causa de sua capa negra e de seu capuz da mesma cor, que usam quando saem de seus mosteiros. (E)

FRALDAS

No hebraico, **shul**, palavra que aparece por onze vezes nas páginas do Antigo Testamento, como em Jer. 13:22,26; Lam. 1:9; Naum 3:5. Aparentemente a fralda era uma peça de pano que cobria a parte inferior do corpo e a sua remoção importava em opróbrio.

••• ••• •••

FRANCISCANOS — FRANCISCO

FRANCISCANOS

Quanto ao pano de fundo da ordem dos franciscanos, ver o artigo sobre *Francisco de Assis* (São).

A palavra *franciscanos*, conforme é modernamente usada, designa vários grupos e indivíduos da Igreja Católica Romana que professam viver de acordo com os ideais de Francisco de Assis. Ele fundou três ordens monásticas que descrevemos com detalhes no artigo sobre ele, sob o primeiro ponto —*Detalhes Dignos de Nota*. A primeira dessas ordens terminou por dividir-se em várias unidades (após várias controvérsias), principalmente, por causa das exigências muito duras da regra monástica originalmente adotada, chamada Ordem dos Frades Menores. E também houve a ordem chamada Frades Menores Convencionais e a ordem dos Frades Menores Capuchinhos.

A segunda ordem é uma ordem de freiras encerradas em conventos, chamadas, popularmente, de Claretianas Pobres, seguindo o nome de Santa Clara. A terceira dessas ordens compõe-se, principalmente, de pessoas leigas. Os franciscanos constituem a mais numerosa ordem monástica da Igreja Católica Romana. Essa terceira ordem é a maior das ordens franciscanas, contando com mais de dois milhões de membros. Nada menos de noventa e oito santos católicos romanos e seis papas pertenceram à ordem dos franciscanos. As várias divisões são juridicamente distintas, embora tenham em comum o seu ideal de se esforçarem por cumprir os ideais de Francisco de Assis.

Os primeiros anos da história dos franciscanos caracterizaram-se por uma rígida pobreza e por um diligente labor em obras de caridade. Eles esmolavam a fim de se disciplinarem espiritualmente, e também a fim de obterem assim o seu sustento. Serviam às classes mais inferiores da sociedade, como os rejeitados, os leprosos e os que não tinham onde morar. Seu ministério social não era pretencioso e nem espetacular. Em seu ensino eles frisavam o arrependimento e a concórdia, e muitos deles criam no retorno iminente do reino de Deus, por meio da «parousia» (vide). Foi a extrema austeridade de suas vidas que, finalmente, provocou as divisões acima referidas.

FRANCISCO DE ASSIS (SÃO)

Nasceu em 1182 e faleceu em 1226. Foi o fundador espiritual dos *frades menores* (vide), também chamados *franciscanos*. Nasceu em Assis, uma cidade de *Úmbria*, na Itália. Era filho de um próspero negociante de tecidos. Até certo ponto de sua vida, teve uma ativa vida social e comercial, e também serviu como militar. Porém, em 1203, ficou gravemente enfermo, o que alterou totalmente o curso de sua vida. Entre 1203 e 1209, ele passou muito tempo na solidão, orando e meditando. Fez uma peregrinação a Roma e ministrou a leprosos e párias da sociedade. Desistiu da fortuna que herdara de seu pai e começou sua missão entre os pobres sem o fardo das atividades e ambições mundanas. Foi um dos grandes exemplos de piedade da Igreja Católica Romana, por ser uma pessoa totalmente dedicada e sem egoísmo, que se perdia a si mesmo em obras de caridade, ao mesmo tempo em que atingia um nível de profunda piedade pessoal. É nesse ponto que a Igreja ocidental mais tem brilhado. Poucos protestantes e evangélicos têm atingido o nível de religiosidade de grandes vultos católicos romanos, sobretudo no campo da caridade. Visto que a lei do amor é a prova

mesma da espiritualidade (ver I João 4:7 *ss*), todos deveríamos dar atenção a essa lição objetiva. Francisco de Assis conseguiu muitos discípulos, desde o começo de sua carreira, e o papa Inocente III sancionou entusiasmado a sua obra de pregação, caridade e ensino entre os pobres. Por toda a região da Úmbria, teve lugar um poderoso movimento religioso de reavivamento, confirmando a validade e o poder de Francisco de Assis, e do movimento franciscano, em seus primeiros passos.

Detalhes Dignos de Nota:

1. A ordem dos frades menores cresceu na Itália e em outros países. Em 1212, foi instituída a *Segunda Ordem de Freiras*, como uma unidade auxiliar do movimento. Já perto da morte de Francisco de Assis, veio à existência a *Terceira Ordem*, também chamada de *Irmãos e Irmãs da Penitência*. Essa ordem era constituída, quase exclusivamente, de leigos. Os homens e mulheres pertencentes à mesma dedicavam-se aos princípios e obras dos franciscanos, atuando como organizações auxiliares.

2. Francisco de Assis fez viagens missionárias à Palestina, entre 1212 e 1220, tendo pregado aos sarracenos e aos mouros.

3. Em 1224, Francisco de Assis teve uma poderosa experiência mística, incluindo uma visão, em resultado da qual apareceram-lhe *estigmas* (ver o artigo a esse respeito), que são marcas permanentes da cruz no corpo do indivíduo.

4. Francisco era homem dotado de constante alegria; e esse elemento de regozijo espiritual era enfatizado na ordem dos franciscanos. — Ele experimentava ondas de amor arrebatador, acerca das pessoas e da natureza, e tinha um profundo entusiasmo por ser pobre, de tal maneira que somente o que era espiritual era capaz de atrair-lhe a atenção.

5. A regra seguida pelos franciscanos era muito estrita, requerendo obediência, castidade e pobreza. Em 1220, Francisco resignou do cargo de cabeça da ordem dos franciscanos, porquanto havia quem não tolerasse as exigências da regra que ele pensava serem necessárias. Os desacordos prosseguiram e devido a isso surgiram várias sub-ordens, com seus próprios nomes, como Frades Menores Capuchinhos, Frades Menores Convencionais e, simplesmente, Frades Menores.

6. Francisco de Assis passou os seus últimos anos de vida em lugares remotos e solitários, na companhia de seus primeiros companheiros, assim retornando às suas raízes, conforme tão freqüentemente sucede na experiência humana. Faleceu em Porciúncula, uma pequena capela perto de Assis, a 3 de outubro de 1226. Foi somente então que foi anunciado (pelo irmão Elias, superior geral da ordem) que Francisco de Assis havia recebido os estigmas, a 14 de setembro de 1224, em La Verna (Alverno). O irmão Leão, companheiro e confessor de Francisco, deixou uma narrativa escrita sobre o ocorrido. (AM E P)

FRANCISCO DE PAULA (SÃO)

Suas datas foram 1416-1507. Foi o fundador da ordem dos Frades Pequenos, moldada segundo a ordem dos franciscanos. Nasceu em Paola, na Calábria, sul da Itália. Viveu durante um ano com os frades franciscanos, quando tinha doze anos de idade. Passou a viver como um eremita. Fundou uma ordem de ermitões, os Eremitas de São Francisco de Assis, que posteriormente teve seu nome alterado para os Frades Pequenos ou Irmãos Menores.

Sendo homem de reconhecida piedade pessoal, foi enviado pelo papa Xisto IV para ser o assessor

FRANCISCO DE SALES — FRAQUEZAS

espiritual do rei Luís XI, da França. O filho de Luís, Carlos VIII, construiu um lugar apropriado para os Frades Menores em Plessis, na França. Francisco continuou ali até à sua morte, a 2 de abril de 1507. Foi canonizado a 1º de maio de 1519, e sua festa é observada a 2 de abril. Em 1562, os calvinistas tocaram fogo em seu corpo, em um tolo ato de protesto. Os Frades Menores efetuam seu trabalho em paróquias, pregando e ensinando.

FRANCISCO DE SALES (SÃO)

Suas datas foram 1567-1622. Foi bispo de Genebra, na Suíça, diretor de almas. Foi o co-fundador da Congregação da Visitação, além de ter sido o autor de uma obra clássica devocional, chamada *Introdução à Vida Devota*. Foi uma obra de grande importância para a teologia ascética, até hoje considerada uma obra clássica a esse respeito. Ver o artigo geral sobre o *Ascetismo*. Foi bispo ecumenista e teólogo da Igreja, a quem o rei francês Henrique IV chamou de «ave rara, na verdade, um cavalheiro devoto e erudito, que desconhece a arte da lisonja... gentil, bondoso, humilde e profundamente piedoso». Seus sermões eram muito apreciados, nos quais transparecia constantemente o tema do amor de Deus. Henrique IV ofereceu-lhe uma ótima diocese na França, mas ele a rejeitou por não querer sair de Savóia, replicando: «Senhor, sou casado; minha esposa é uma mulher pobre, e não posso abandoná-la em troca de uma mulher mais rica», porquanto referia-se à sua própria diocese como sua esposa. Ele teve a coragem de entrar na protestante cidade de Genebra, procurando reconciliar Theodore Beze (sucessor de Calvino) à Igreja Católica Romana. Naturalmente, fracassou, mas afirmou: «O amor haverá de sacudir as muralhas de Genebra; haveremos de invadi-la por meio do amor». Isso exprimia muito bem o seu espírito; e foi esse espírito que o manteve em segurança, onde outros já haviam sido banidos ou executados, por discordarem da opinião da maioria.

Francisco de Sales sempre teve dificuldades físicas com uma circulação sangüínea insuficiente. Isso foi agravado posteriormente pela arteriosclerose, pressão sangüínea muito alta e hidropisia. Morreu em agonia, a 28 de dezembro de 1622, e foi sepultado no Convento da Visitação, em Annecy, a 28 de janeiro de 1623. Foi canonizado a 28 de dezembro de 1661. Sua festa é observada a 29 de janeiro. (AM E)

FRANCKE, AUGUST HERMANN

Suas datas foram 1663-1727. Foi um líder pietista alemão. Foi o fundador do orfanato e das escolas de Halle, que tomaram o seu nome. Foi, simultaneamente, pastor, professor e pioneiro no campo dos serviços sociais. Foi um fervoroso evangelista, erudito e administrador. Tornou-se conhecido porque encorajava às pessoas a estudarem a Bíblia e terem uma boa vida devocional. Seu trabalho na promoção de serviços e caridades sociais demonstrava quão prático era o seu cristianismo.

FRANK, FRANZ REINHOLD

Nasceu em 1827 e faleceu em 1894. Foi professor em Erlangen, Alemanha. Foi um notável teólogo luterano, que examinava e explanava a teologia do ponto de vista da ênfase pietista sobre o renascimento espiritual. Sua ortodoxia era enriquecida por um forte idealismo especulativo. Contribuiu para o pensamento teológico mediante uma aguda análise das idéias de Albrecht Ritschl (vide), um dos grandes teólogos alemães.

FRANK, SEBASTIAN

Suas datas foram 1499-1542. Nasceu em Donauworth, na Suábia, às margens do rio Danúbio. Freqüentou a Universidade de Ingolstadt, onde recebeu estudos sobre humanidades. Entrou então no Colégio Dominicano, associado à Universidade de Heidelberg. — Ali, em 1518, ouviu a defesa de Lutero. Tornou-se um padre católico romano. Posteriormente, converteu-se ao luteranismo. Ainda mais tarde, porém, tornou-se um livre pensador dentro da Reforma, aparecendo então como um campeão dos hereges protestantes. Algumas vezes, inteiramente sozinho, ele lutava contra toda a forma de autoridade eclesiástica e todo pensamento teológico que se afirmava ser possuidor da única verdadeira fé; e, por isso mesmo, era atacado por todos os lados. Lutero, com sua franqueza, às vezes, brutal, intitulou-o de «a boca do diabo», o que Frank, sem dúvida, recebeu com um cumprimento. Foi expulso de Strasbourg e de Ulm. Na Basiléia, Suíça, fundou uma gráfica a fim de continuar publicando as suas idéias.

Sebastian Frank foi um crítico destemido e um reformador social. Expunha os seus ensinos humanísticos e enfatizava a necessidade de experiências místicas como parte inerente da expressão cristã. Misturava com seu sistema as idéias de uma fé não cristã, de um misticismo pagão, na tentativa de obter universalização e enriquecimento. Em certos sentidos, ele antecipava certas atitudes do liberalismo teológico moderno. Seu principal esforço literário intitulava-se *Crônicas*.

Ênfase. Além das coisas acima mencionadas, é imprescindível mencionar que advogava o comunismo cristão, a tolerância religiosa, o pacifismo, a necessidade de encontrar Deus no próprio íntimo, e não meramente a aceitação da ortodoxia externa. A iluminação conferida pelo Espírito Santo era um importante tema de seu ensino. Em suma, Frank foi um profeta da religião espiritual, não sectarista, não institucionalizada. (AM E)

FRANZELIN, JOHN BAPTIST

Suas datas foram 1816-1886. Foi um jesuíta e cardeal austríaco. Foi professor em Roma, muito influente durante o Concílio do Vaticano (vide). Era um dos mais destacados teólogos católicos romanos de sua época.

FRAQUEZAS, GLORIANDO NAS

II Cor. 12:5: *Desse tal me gloriarei, mas de mim mesmo não me gloriarei, senão nas minhas fraquezas.*

A experiência que aconteceu a Paulo foi tão poderosa e dominadora, como se realmente não tivesse ocorrido com ele; é como se ele tivesse visto tudo do lado de fora de si mesmo. Tudo foi tão diferente das experiências ordinárias que Paulo até parecia um homem diferente; e, realmente, foi um Paulo diferente que experimentou tudo, por alguns breves momentos—ele foi arrebatado, desincorporado como um espírito puro, transformado, quiçá como o Senhor Jesus o foi na ocasião de sua transfiguração.

Portanto, Paulo se tornou homem muito abençoado e privilegiado, que ascendeu a cumes altaneiros da

FRAQUEZAS — FRAVASHI

experiência espiritual, como a maioria dos homens nem pode imaginar possível para o estado mortal. E quão acima de seus oponentes isso elevou Paulo, a despeito do abundante uso dos dons espirituais que talvez eles tivessem. No entanto, Paulo não podia jactar-se dessa experiência, não somente porque aconteceu com «um outro Paulo», mas igualmente porque qualquer vanglória macularia seu caráter tão sagrado. Paulo se vangloriara de todas as suas realizações terrenas, havendo certa legitimidade nessa jactância; mas não pôde jactar-se de uma visão como aquela que ele descreve aqui.

«Ele (o apóstolo dos gentios) fala como se houvesse dois Paulos, em um dos quais ele podia gloriar-se, embora não pudesse fazer outro tanto acerca do segundo. E, em certo sentido, havia realmente dois, pois, conforme Orígenes observou: 'Aquele que foi arrebatado ao terceiro céu e ouviu palavras indizíveis', foi um Paulo diferente daquele que declarou: 'De alguém assim me gloriarei...'» (Plummer, *in loc.*).

Salvo nas minhas fraquezas. Paulo retorna aqui ao tema de II Cor. 11:30. Suas fraquezas consistiam de suas debilidades tipicamente humanas, como suas enfermidades e fraqueza corporal, além de suas fraquezas naturais, como ocorre a todo o ser humano, em sua condição mortal. Consideremos a esse respeito, os pontos seguintes:

1. Essas fraquezas resguardavam o apóstolo de um orgulho e de uma exaltação anticristã: mantinham-no na humildade.

2. Essas fraquezas faziam toda a glória, devido seus feitos extraordinários, ser atribuída à fonte originária que tinha razão de recebê-la, a saber, Deus Pai e Deus Filho, que operam por intermédio do Espírito de Deus.

3. Essas fraquezas conservavam as coisas dentro de uma perspectiva apropriada para Paulo. Ele sempre teve que dar valor às realidades espirituais e à sua glória, não podendo jamais vangloriar-se na mera mortalidade e sua condição de debilidade, sem importar quão grande fosse qualquer experiência.

4. Essas fraquezas conservavam Paulo na humildade, como homem, o que permitia que o poder de Cristo repousasse sobre ele e o usasse qual seu instrumento. É Deus quem *dá graça* aos humildes, e, assim sendo, a graça de Cristo repousava sobre o apóstolo dos gentios. (Ver II Cor. 12: 7-10, onde esse tema é desenvolvido, mostrando qual foi o desenvolvimento espiritual do próprio Paulo).

Paulo encarava essa elevadíssima visão, portanto, com certo espírito de desprendimento, sabendo que não a merecia. Fora-lhe conferida por ser ele um ministro especial de Cristo, a fim de que se tornasse mais poderoso em sua alma e no serviço cristão. Não haveria Paulo de jactar-se por causa dela, mas continuaria a gloriar-se de suas fraquezas, porquanto nas suas debilidades a força de Jesus Cristo lhe fora demonstrada.

«Se pudermos compreender corretamente a questão, há quase uma tristeza estranha na distinção que o apóstolo assim traçou entre o antigo 'eu' de catorze anos atrás, com aquela abundância de revelações, e o novo 'eu' do presente, mais fraco e mais triste que o antigo, desgastado por cuidados e tristezas, pela pressa diária da vida e com suas ansiedades sempre crescentes. Então ele via com uma visão aberta; agora ele andava pela fé, e não pelo que via. Quase não podia mais reconhecer a sua própria identidade, e falou do homem que tivera então aquela capacidade de receber visões beatíficas como se fosse outra pessoa, quase como se tivesse morrido e desapareci-

do... Fé, esperança, amor, paz, justiça, estavam todos presentes ainda; mas desaparecera uma glória da terra, bem como a alegria daquele arrebatamento e êxtase jazia no passado remoto, para nunca mais retornar a este mundo». (Plumptre, *in loc.*).

FRATERNIDADE
Ver sobre **Irmandade**.

FRATERNIDADE (AMOR FRATERNAL)

No grego, **philadelphia**, palavra que figura em Rom. 12:10; I Tes. 4:9; Heb. 13:1; I Ped. 1:22; II Ped. 1:7. O termo denota nossa estima, respeito e simpatia, em relação àqueles que, espiritualmente falando, são nossos irmãos, a fim de que possamos ajudá-los, consolá-los e encorajá-los. Espiritualmente falando, eles estão relacionados conosco e com Cristo, pelo que merecem toda a nossa mais dedicada consideração (Rom. 12:10 e II Ped. 1:7).

Mediante uma definição mais ampla, nós deveríamos ampliar essa fraternidade e esse amor para abarcar a todos os homens, os quais, em Adão, são nossos irmãos. Jesus ilustrou graficamente essa verdade, na parábola do bom samaritano (Luc. 10:25-37). O amor é a prova mesma da espiritualidade de alguém (I João 4:7), bem como o cumprimento da lei inteira (Rom. 13:9). Ver o artigo sobre o *Amor*.

FRAUDE CONTRA O CONSUMIDOR

Esse tipo de fraude é um ato mediante o qual um vendedor engana ou rouba a seus compradores. Um negociante pode fazer uma propaganda falsa, vender produtos inferiores, que são apresentados como se fossem melhores do que são, vender enganando no peso das mercadorias, afirmar que certas máquinas ou aparelhos fazem mais do que realmente são capazes de fazer, enganar os compradores quanto à utilidade de algum produto, enganar os compradores quanto à manutenção futura das máquinas ou aparelhos vendidos, enganar quanto à segurança e bom estado de algum produto, etc. Para que o comércio seja bem-sucedido e progressista, deve haver uma contínua confiança entre o vendedor e o comprador. As fraudes contra os consumidores são condenadas no Antigo Testamento (ver Lev. 19:36; Deu. 25:13-16; Pro. 11:1; 16:11; 20:10; Amós 8:5 e Miq. 6:11).

Entretanto, também há as fraudes contra os comerciantes, que tomam a forma de fruto de mercadorias ou lubíbrio quando as mercadorias, aparelhos ou máquinas são apresentados para troca ou reparo. As legislações dos países procuram dificultar as fraudes contra os compradores e contra os vendedores, igualmente. Essas fraudes são tão comuns que os crentes podem ser tentados a apelarem para as mesmas, alegando muitas razões falsas. A Igreja de Cristo existe, entre outras coisas, para opor-se a todas as variedades de males morais, pelo que ela deveria manifestar-se acerca do erro das fraudes contra consumidores e vendedores.

FRAVASHI

De acordo com o zoroastrismo, é a porção eterna de uma pessoa justa, o seu anjo guardião, que luta nas fileiras dos anjos que protegem os seguidores piedosos do zoroastrismo. A palavra apareceu pela primeira vez no Avesta (vide), no «Yasna dos sete capítulos» (*Yasna*, caps. 35-42). Reaparece em *Yashts*, caps. 13

816

FRAZER — FREUD

e 61. Fazendo parte eterna do indivíduo, o seu anjo guardião é similar à doutrina da **super-alma**, de acordo com a qual a verdadeira pessoa é uma elevada entidade angelical, ao passo que a alma humana é apenas uma manifestação dessa entidade, da mesma maneira que o corpo humano é apenas um veículo para ser usado pela alma, durante esta existência terrena.

FRAZER, JAMES GEORGE

Suas datas foram 1854-1941. Foi um eminente antropólogo, folclorista e investigador das sociedades primitivas e suas crenças. — Chegou a acreditar, conforme os seus estudos, que as crenças são, essencialmente, criação do comportamento humano, envolvidas no controle social. Assim, as superstições também realizariam um digno serviço, quando ajudam a controlar os temores e fortalecem o respeito pela autoridade, que proporciona uma sociedade mais bem ordeira. Noções como as de propriedade privada, casamento, moralidade sexual e respeito pela vida são instituições e conceitos que as crenças, até mesmo as crenças supersticiosas, são capazes de fortalecer.

Apesar dessas conclusões, sem dúvida, terem valor, não nos deveríamos olvidar que há evidências em favor da capacidade do homem de transcender aos seus próprios sistemas de crenças, recebendo uma genuína iluminação espiritual. Sempre será um erro conceber o homem como um ser solitário, que seria ou o beneficiado ou a vítima de suas próprias circunstâncias e de sua própria cultura. Antes, há uma dimensão mais elevada da vida, que influencia e controla o homem. As nossas mais excelentes crenças religiosas nos são dadas mediante a revelação, na qual a dimensão superior do homem é afetada positivamente pelo poder divino.

FREIOS DOS CAVALOS

Nem no Antigo Testamento hebraico e nem no Novo Testamento grego encontramos palavras que correspondam ao termo português «freio», quando pensamos em cavalos. As palavras hebraica e grega (respectivamente, *metheg* e *chalinós*) indicam o conjunto inteiro de arreios, para controlar a posição da cabeça desses animais de montaria. O termo hebraico é usado por quatro vezes (Sal. 32:9; II Reis 10:28; Pro. 26:3 e Isa. 37:29). O termo grego é usado por duas vezes apenas (Tia. 3:3 e Apo. 14:20). Nossa versão portuguesa usa a palavra «freios» em ambas essas passagens.

Os romanos chamavam de *frenum lupatum* a um freio dentado, que podia infligir dor em um cavalo relutante. O Museu Arqueológico Jordaniano exibe um freio de origem síria, pertencente ao segundo milênio A.C., com argolas munidas com espigões, voltados para dentro em cada extremidade, a fim de aguilhoar a boca do cavalo pelo lado de fora. Para efeito de comparação, ali é igualmente exibido um freio com junta, de fabricação antiga, mas parecido com os de fabricação moderna. Em muitos caso, em vez de freios, usava-se uma corda passada pelo nariz do cavalo, método esse também usado nos casos do camelo e da mula.

Usos Metafóricos. 1. Na epístola de Tiago (3:2 e contexto) a idéia é que a língua, apesar de ser um membro tão pequeno, à semelhança dos freios dos cavalos, é dotada de poderes que não conduzem com seu reduzido tamanho. 2. Em Apocalipse 14:20 a idéia é a da vastidão da matança, quando da batalha de Armagedom. O sangue se juntará até à altura geral das bocas dos cavalos, por uma extensão de cerca de duzentos quilômetros ao redor! Talvez haja um exagero tipicamente oriental, para efeito de ênfase. 3. O trecho de II Samuel 8:1 encerra um nome próprio, no original hebraico, *Metheg-ammah*, que incorpora a palavra hebraica que significa «arreios». Nossa versão portuguesa prefere traduzi-lo por «rédeas da metrópole». O nome talvez indicasse o poder de restrição que a cidade exercia sobre as regiões circunvizinhas e, talvez, sobre seus próprios cidadãos. (G IB NTI Z)

FRESSURA

Vem de um termo hebraico, **gereb**, que significa «dentro», «interno», indicando as vísceras de algum animal. Era palavra usada para indicar as partes internas do cordeiro pascal (Êxo. 12:9) ou de outros animais sacrificados nos holocaustos. Leis elaboradas governavam a maneira de preparar e usar as várias porções internas dos animais.

FREUD, SIGMUND

Esboço:
- I. Idéias
- II. Freud e a Religião
- III. Freud e os Estudos no Campo dos Sonhos
- IV. Freud e a Ética
- V. Exílio, Coragem e Morte de Freud

Suas datas foram 1856-1950. Foi um médico psicólogo austríaco. Nasceu em Freiberg, na Morávia. É considerado o pai da neurologia. Foi o fundador da psicanálise. Educou-se em Viena, onde estudou medicina; também estudou em Paris. Fez estudos sobre os efeitos da hipnose sobre a histeria; e isso despertou o seu interesse no estudo da psique humana. Foi então nomeado professor extraordinário da Universidade de Viena.

A extensão que ele fazia das idéias sobre os desejos, crenças, etc., inconscientes, requereram e envolveram a introdução de um novo critério sobre as questões mentais. Esse novo critério desafiava a maneira cartesiana de pensar, que identificava a mente com a consciência. Por esse motivo, alguns pensam que o seu trabalho constituiu um esforço emancipatório, visto que ele levou o Id ao nível do Ego, por meio da análise, e assim abriu um mundo inteiramente novo, embora povoado por monstros assustadores. Entretanto, os teólogos bíblicos já haviam descrito os monstros da psique humana, ao descreverem a depravação moral e mental do gênero humano.

I. Idéias

1. Freud desenvolveu uma hipótese sobre a natureza humana (atualmente chamada *psicologia em profundidade*). A psicoterapia precisa levar em conta vários níveis da consciência humana. Os elementos da psique são o Id, o Ego e o Superego. Freud acrescentava esses três elementos aos conceitos do inconsciente. Este atua como um *censor*, um agente de repressão e sublimação. Importante, igualmente, é o conceito do imenso papel da sexualidade na vida e no pensamento humanos. Esses diversos elementos forneceram a Freud o arcabouço geral com base no qual ele constituiu as suas teorias e efetuava as suas análises.

2. *O Ego*. Essa palavra é latina, e significa «eu», apontando para o «próprio eu». Esse é o homem de todos os dias, o indivíduo dotado de consciência racional, em seus pensamentos, motivos e aspirações,

FREUD

conforme Freud o compreendia, mesmo sem sondar outros aspectos do ser humano. Seria a consciência superficial do Id, desenvolvido como reação ao meio ambiente físico e social, o agregado de todos os atos e estados conscientes.

3. *O Id*. Essa é a palavra latina que significa *ele* (neutro), isto é, «a coisa». Mediante esse vocábulo, Freud referia-se à porção oculta e inacessível de nossa psique, que há dentro da mente inconsciente, independente do sentido da lógica, da realidade, conforme a conhecemos, mas antes, atuada por impulsos fundamentais, que procuram a satisfação das necessidades instintivas. Seria o reservatório da energia psíquica, ou *libido*, o que, na opinião de Freud, seria controlado essencialmente, embora não inteiramente, por desejos sexuais primitivos. *O Id* seria a fonte originária do fluxo do libido para dentro da psique humana. O *libido* seria os desejos instintivos que estariam por detrás de todas as atividades humanas, a repressão que leva a neuroses de diferentes tipos. Impulsos primitivos de todos os tipos, incluindo aquele da autopreservação, constituiriam o libido; porém, o impulso primitivo mais primário seria aquele de natureza sexual.

4. *O Superego*. Seria uma espécie de destilado das pressões e requisitos da sociedade, como fonte originária dos ideais e das normas morais, falsas ou verdadeiras. O *superego* seria quase inteiramente inconsciente, dominando o ego consciente. É ali que reside o consciente humano, atuando como crítica do indivíduo. No entanto, poderia manifestar-se de maneira essencialmente falsa, visto ser o resultado da presença e dos requisitos da sociedade, como conseqüência do treinamento, da educação, da religião, etc., e não, necessariamente, um reflexo da realidade, da verdade.

5. *O Conflito*. O *ego* figuraria preso entre os requisitos primitivos do *id* e as pressões do *superego*. O *ego* reagiria como uma espécie de força equilibradora, satisfazendo a alguns desejos, mas repelindo a outros, e sentindo uma grande culpa, se não estiver vivendo de acordo com as exigências do *superego*.

6. *Transigências*. Quando os requisitos do *id* variam muito do *superego*, então o *ego* (juntamente com o *superego*) livra-se disso reprimindo tudo para dentro da psique inconsciente. Esse ato repressivo é chamado de *censura*. As coisas reprimidas, embora perdidas da percepção consciente, influenciam as nossas vidas de maneira muito poderosa. Certos elementos da mesma são *sublimados* para canais frutíferos e aceitáveis. Porém, partindo dessa fonte de repressão, também surgem todas as modalidades de neuroses. Certos elementos reprimidos entram em nossos sonhos, de tal modo que o estudo de nossos sonhos é capaz de revelar as origens das nossas neuroses.

7. *A Psicanálise*. Esse é um processo mediante o qual os elementos reprimidos da psique são trazidos à superfície da mente consciente. Uma vez expostos à luz (segundo se espera), perdem seu poder sobre o indivíduo. As repressões mais perigosas são aquelas que envolvem os impulsos sexuais. Os complexos de Édipo e de Electra (ver os artigos separados a esse respeito) fazem parte do quadro. O primeiro desses complexos é o desejo sexual de um homem por sua própria mãe; e o segundo é o desejo sexual de uma mulher por seu próprio pai.

8. *A Maturidade*. Um homem atinge a maturidade quando é capaz de substituir todas as suas ilusões (mediante as quais obtém conforto mental) pelo princípio da realidade. Ao tornar-se maduro, um homem seria capaz de reconhecer a natureza das coisas, podendo também adaptar-se a elas, sem apelar para a criação de ilusões. A maturidade também consiste no *princípio do prazer*, que pode incluir todos os tipos de prazer, embora, para Freud, isso envolvesse, essencialmente o cumprimento dos impulsos sexuais.

9. *Os Dois Grandes Instintos da Vida*. O primeiro desses instintos seria o *Eros*, o *princípio do prazer*, orientado essencialmente para as questões sexuais. O segundo seria o *Thanatos*, o *instinto da morte*. A história da humanidade, de acordo com certo ponto de vista, seria o conflito entre esses dois instintos fundamentais.

II. Freud e a Religião

Freud não via qualquer coisa de sobrenatural a respeito da religião, tomando a respeito da mesma uma abordagem essencialmente positivista. A religião seria um meio para evitar a neurose. A religião teria promessas de consolo e solução para todas as variedades de problemas. Se um homem apelar para os recursos religiosos, haverá de receber um consolo ilusório, mesmo que tenha acabado de escapar da neurose individual, apenas para cair na neurose coletiva. A religião para ele, era a projeção da imagem paterna, com todas as suas proibições e orientações, para a idéia de Deus, Deus *Pai*. Transferindo a lealdade e obediência de um pai paterno para o Pai celeste, um homem seria capaz de receber, em seus anos maduros, o consolo que havia recebido em criança, sob a autoridade de seu pai biológico. Desse modo, seria capaz de prolongar a sua infância, quanto às condições e às atitudes, durante a sua vida adulta.

2. A *imortalidade* era definida por Freud como a regressão a um modo infantil de pensamento, por meio do que o consolo de uma suposta vida eterna seria obtido.

3. Freud antecipava o fim das religiões, uma vez que a humanidade chegasse a ultrapassar seus preconceitos, projeções e falsa maturidade infantis.

4. Deus seria uma criação do homem, uma projeção da imagem paterna; porém, quando um ser humano deixa de ser infantil, não mais precisa de um ilusório Pai celestial.

5. Freud olhava para a ciência como algo que produziria alterações no pensamento dos homens, eliminando a necessidade que ele tem da religião. Quanto a isso, ele ignorava completamente a necessidade que o ser humano tem da fé religiosa. Muita especulação entrava em seus estudos a respeito da religião.

6. *Contribuição de Freud*. Embora tão negativo e cético, Freud tinha algo a dizer quanto ao campo religioso. Em primeiro lugar, ele desmascarou os monstros e répteis da psique humana, como se ele fosse uma espécie de Calvino psicólogo, que quisesse mostrar o que o homem realmente é. Em outras palavras, de uma maneira não teológica, ele descreveu com eloqüência a depravação humana. Chegou mesmo ao extremo de dizer que até as crianças são altamente depravadas, com todos os tipos de impulsos detestáveis. Ora, os teólogos estão dizendo isso há muito tempo, com sua doutrina do pecado original. Acrescente-se a isso que Freud disse muitas verdades acerca da religião, dentro do contexto das neuroses. Em outras palavras, ele descreveu a religião neurótica e doentia em termos bem vívidos. Porém, o ponto de vista de Freud era unilateral, pois, visto que só estudava pessoas psicologicamente doentes, nunca deu a devida atenção à religião saudável.

818

FREUD — FRÍGIA

Deveríamos adicionar aqui que as demonstrações feitas por Jung, acerca dos poderes psíquicos, na presença de Freud, fizeram este ficar visivelmente abalado, ao ponto de confessar que poderia crer «no próprio Senhor Deus». Mediante o estudo no campo dos sonhos, veio a crer nos fenômenos psíquicos; e podemos ter a certeza de que, em momentos de tranqüila reflexão, ele deve ter pensado que a *alma* estava envolvida de alguma maneira.

III. Freud e os Estudos no Campo dos Sonhos

Freud foi o pai dos estudos científicos sobre os sonhos, por meio de seu livro, *A Interpretação dos Sonhos*. Ver o artigo separado sobre os *Sonhos*, onde oferecemos noções sobre as suas idéias, quanto a esse campo. Escrevi um livro intitulado *Como Descobrir o Significado de seus Sonhos* (Nova Época, São Paulo), onde apresento um sumário de suas idéias a esse respeito.

IV. Freud e a Ética

Freud nasceu de um devoto pai judeu. Porém, foi uma babá católica romana quem lhe forneceu suas primeiras instruções religiosas. Com o tempo, o positivismo lógico de Comte (ver sobre o *Positivismo Lógico*) tomou conta da mente do jovem cientista. Freud revoltou-se e, como sinal disso, abriu o seu consultório de tratamento psiquiátrico em um domingo de páscoa. Dessa maneira, seu rompimento com o seu passado religioso foi completo. Reuniu em seu redor um brilhante grupo de jovens cientistas, como Jung, Adler, e Rank; porém, sua intolerância para com qualquer digressão de suas próprias teorias foi forçando, cada um deles, no devido tempo, a estabelecer a sua própria escola de psicoterapia. Freud veio a tornar-se muito antagônico para com qualquer forma de fé religiosa, conforme foi descrito acima, no segundo ponto deste artigo. Todavia, ele admitia que isso pertencia mais à sua filosofia pessoal do que às suas teorias relativas à psicanálise.

A ética de Freud estava inteiramente assentada sobre o homem. Suas idéias religiosas nunca lhe permitiram conceber que o que é certo poderia ter sido revelado por Deus. Ele assumia uma abordagem positivista, como já dissemos. Os padrões do homem residiriam essencialmente em seu *superego*, de onde partem repressões, nada tendo a ver, necessariamente, com a verdade. Os padrões morais seriam criações humanas; e uma consciência perturbada surgiria simplesmente porque não vivemos à altura dos ilusórios padrões estabelecidos pela sociedade.

V. Exílio, Coragem e Morte de Freud

As perseguições movidas pelos nazistas produziram uma profunda impressão sobre a obra de Freud. Seus amigos da Alemanha tiveram que fugir daquele país. Suas obras foram ali queimadas ou confiscadas. Em 1938, quando os nazistas invadiram a Áustria, confiscaram suas propriedades. Ele teve de fugir de seu país, e acabou indo residir em Londres, onde terminou a sua vida.

As perseguições dos nazistas contra os judeus despertaram dentro dele a sua herança judaica. Nos últimos cinco anos de sua vida, Freud escreveu um livro com o título de *Moisés e o Monoteísmo*, onde é possível ver o paralelismo entre o Egito e a Alemanha nazista, subjacente em alguns de seus pensamentos. Apesar de algumas das idéias ali expostas não poderem ser nem provadas e nem negadas, ao mesmo tempo em que transparecem muitas idéias não ortodoxas, pelo menos podemos perceber uma espécie de retorno à preocupação com a fé religiosa, no espírito de Sigmund Freud.

Coragem Pessoal. Freud foi atacado pelo câncer, tendo-se seguido uma longa e árdua batalha. Submeteu-se a várias intervenções cirúrgicas, sem qualquer resultado positivo. Aqueles que lhe eram íntimos puderam observar sua imensa fortaleza pessoal, que o capacitava a enfrentar todos os baques da vida. Ele continuou escrevendo, trabalhando e fazendo consultas e recebendo visitantes, enquanto que um homem de menor envergadura ter-se-ia deixado jazer inerte em um leito. De fato, ele continuou prestando os seus serviços profissionais até um mês antes de sua morte, que ocorreu em 1939.

Visto que a missão de Cristo inclui aquilo que vai além da morte biológica, conforme se aprende em trechos como I Pedro 4:6, temos razões para esperar que nenhum caso está inteiramente perdido e que, finalmente, em algum tempo, em alguma outra dimensão, a graça divina atingirá a todos os seres humanos como Sigmund Freud e que, em algum ponto, todos haverão de servir à verdade das realidades espirituais. Quando consideramos homens como Freud, apesar de discordarmos de muitas de suas conclusões, também devemos notar suas contribuições pessoais. E assim fazendo, sabemos que estavam servindo à verdade. E a verdade, afinal de contas, é Deus. Jamais deveríamos considerar uma alma humana somente dentro do contexto de uma única vida terrena. A função de Deus consiste em redimir e restaurar todas as coisas (ver Efé. 1:9,10; ver o artigo sobre a *Restauração*); e a vida, antes e depois do nascimento biológico, está envolvida nisso. Portanto, há um grandioso quadro que deveríamos levar em consideração, porquanto, em última análise, Deus não se desfaz de coisa alguma como inútil.

FRIES, JAKOB FRIEDRICH

Suas datas foram 1773-1843. Foi um filósofo alemão. Foi professor de filosofia em Jena, na Alemanha; e então em Heidelberg. Alterou a filosofia de Emanuel Kant injetando na mesma idéias platônicas e romanticistas. Ele negava a validade do agnosticismo metafísico de Kant, asseverando que a mente humana é capaz de apreender diretamente a realidade transcendental mediante o *Ahnung*, que tem sido traduzido como «sentimentos». A alma humana poderia sentir, com exatidão, a verdade mais elevada. A mente humana seria capaz de manter contacto direto com a realidade ideal.

Fries foi influenciado por *Fichte* (vide), além de terem pontos de vista semelhantes aos de *Schleiermacher* (vide), que, como ele, fora educado entre os morávios. No começo do século XX, em Goettingen, houve a fundação da escola neofriesiana. A filosofia de Fries enfatizava o autoconhecimento, que só é, inteiramente proposto pela análise psicológica.

FRÍGIA

Atos 2:10: *a Frígia e a Panfília, o Egito e as partes da Líbia próximas a Cirene, e forasteiros romanos, tanto judeus como prosélitos,*

Da Frígia. A Frígia era um país da Ásia, limitado com a Galácia ao norte, em parte, com a Licaônia, a Pisídia e a Migdônia ao sul, e com a Capadócia a oriente. (Ver *Plínio* 1:5, cap. 32). Compreendia a região que atualmente é a região centro-ocidental da Turquia. As principais cidades desse território, nos tempos neotestamentarios, eram Laodicéia, Hierápolis, Colossos, Antioquia da Pisídia e provavelmente, Icônio. Certamente eram membros judeus desses estados gregos que estavam de visita a Jerusalém,

FRÍGIA — FROMMEL

segundo lemos em Atos 2:10. Nessa área é que se localizava o lendário (?) reino de Midas.

A província desse nome antes incluía a porção maior da península da Ásia Menor; mas, com o tempo, foi dividida em Frígia Maior e Frígia Menor. Os romanos dividiram-na em três fatias, a saber, a Frígia Salutaris, mais a leste, a Frígia Pacatiana, mais a oeste, e a Frígia Queimada (no grego, *Katekaumene*), no meio. Essa última fatia ficava em uma região vulcânica, o que lhe explica o nome.

Os frígios faziam parte do reino (lendário?) do rei Midas. Seja como for, a região acabou sob o domínio dos reis atálidas de Pérgamo e, em 116 A.C., a maior parte da área foi incorporada à província romana da Ásia. A parte mais ao oriente, a Frígia Galática, tornou-se parte da recém-criada província da Galácia, em 25 A.C.

Paulo atravessou a Frígia por duas vezes, no decurso de suas viagens missionárias. Nas páginas do Novo Testamento está em vista a Frígia Maior. Ali encontravam-se cidades como Antioquia da Pisídia (Atos 13:14), Colossos, Hierápolis, Icônio e Laodicéia, além de outras mencionadas no primeiro parágrafo, acima.

A Frígia foi um dos lugares para onde foram muitos judeus da diáspora (vide). Os monarcas selêucidas encorajavam os judeus a estabelecerem-se ali, visto que pensavam que eles serviam de influência estabilizadora. Cícero mencionou grandes impostos cobrados dos judeus ali residentes, e referiu-se especificamente a Laodicéia e Apaméia como lugares onde eles residiam (*Pro. Flacco* 28). As referências que há no Talmude, sobre esses judeus, indicam que, em muitas regiões, eles haviam abandonado o judaísmo tradicional. Judeus provenientes dali encontravam-se em Jerusalém, no dia de Pentecoste, por ocasião do nascimento histórico da Igreja (Atos 2:10). Entre eles havia convertidos ao cristianismo, sendo perfeitamente possível que, através deles, a igreja cristã local da área tenha sido fundada (Atos 2:41), embora sobre isso o Novo Testamento nunca se manifeste. Além disso, as primeiras atividades missionárias cristãs na região envolvem o apóstolo Paulo. O décimo quarto capítulo de Atos informa-nos sobre isso. Todavia, não há quaisquer evidências de que Paulo tenha visitado Colossos, Hierápolis e Laodicéia, cidades do vale do rio Lico, e parte da antiga Frígia. É possível que homens como Epafras (Col. 4:12) e Arquipo (Atos 4:17), membros da igreja cristã em Éfeso, tenham levado o evangelho àqueles lugares. Temos os ministérios de Filipe e do apóstolo João como a base histórica do estabelecimento da Igreja cristã naquele território, para onde foram escritas as sete cartas às igrejas da Ásia, no livro de Apocalipse. O trecho de I Pedro 1:1 mostra-nos que aquela área geral (a qual faz parte da Turquia moderna) contava com certo número de igrejas.

Papias e Apolinário eram bispos de Hierápolis, no século II D.C., havendo informes de que houve muitos mártires cristãos na Frígia, naquela época. Montano, o líder herege, levantou-se na Frígia perto do final do século II D.C. Ele falava sobre um grande e iminente derramamento do Espírito Santo, supondo que a Nova Jerusalém haveria de descer dos céus perto de Perpuz, na Frígia. Ele encabeçou uma espécie de movimento pentecostal, apocalíptico, e conseguiu um grande número de seguidores. Tertuliano foi o mais famoso dos convertidos de Montano. O movimento propagou-se pelo norte da África; mas, quando suas extravagantes promessas não se concretizavam, começou a desaparecer.

No século III D.C. houve um poderoso movimento cristão na Frígia, embora as perseguições também não tivessem cessado, mas antes, continuavam intensas. Eusébio conta que uma cidade inteira foi virtualmente destruída, na década do imperador Diocleciano, com grande matança, porquanto a população inteira da mesma era cristã (*Hist.* 8.11,1). Em tempos anteriores, no começo do século II D.C., Plínio conta-nos que a fé cristã tinha feito com que a província inteira ficasse quase completamente destituída de templos pagãos. O povo, em massa, abandonava os antigos caminhos pagãos, conferindo lealdade ao meio de vida cristão. Portanto, a informação dada por Eusébio deve ser considerada fidedigna. (FRI JON ND RAM Z)

FRIGIDEIRA

No hebraico, **marchesheth**, um vocábulo que aparece por somente duas vezes, no livro de Levítico (2:7,9). A frigideira era um vaso fundo, usado para cozinhar alimentos. Provavelmente era uma chaleira, embora verdadeiras frigideiras também fossem usadas. Seja como for, a referência bíblica ao utensílio deve indicar alguma espécie de chaleira ou caldeirão, onde se punham carnes para cozinhar. Provavelmente era um utensílio mais fundo que a «assadeira» (no hebraico, *machabath*; Lev. 2:5), usada para cozer pães. Ver o artigo geral sobre *Cozinhar, Cozinheiro*.

FROEBEL, FRIEDRICH WILHELM AUGUST

Suas datas foram 1782-1852. Foi filósofo e educador alemão. Nasceu em Oberweissbach. Era autodidata. Trabalhou na escola de Pestalozzi, em Iverdon. Estabeleceu escolas experimentais. Foi o pai do chamado jardim de infância, que fundou em 1837. Juntamente com Pestalozzi (vide) e Comênio (vide), ele pensava que a educação faz parte do processo natural da vida, que deve proceder de um impulso interno para conhecer e crescer. A função do professor consistiria em estimular essa tendência e esse desejo natural, produzindo assim uma ação voluntária. Tudo isso seria possível porque cada empreendimento intelectual, por parte do homem, como a língua, as ciências, a filosofia, etc., são desenvolvimentos naturais do espírito humano, o qual se expressa por meio do desenvolvimento de cada empreendimento humano. Suas obras principais intitulam-se *The Education of Man* e *Pedagogy for Kindergarten*.

FROHSCHAMMER, JACOB

Suas datas foram 1821-1893. Foi padre católico romano e filósofo. Foi professor de filosofia na Universidade de Munique, na Alemanha. Era ardente advogado da separação entre a filosofia e a teologia católicas romanas. Ele explicava o *acesso* ao conhecimento do mundo e a Deus como algo residente na *imaginação*. Através da imaginação, pois, o homem poderia chegar a entender a natureza divina, afirmando a própria relação pessoal com a divindade, evitando o panteísmo e vendo que o próprio mundo deriva-se da Imaginação Divina. O uso que ele fazia do termo «imaginação» parece-se muito com o que outros pensadores têm dito acerca da *intuição* (vide).

FROMMEL, GASTON

Nasceu em 1862 e faleceu em 1906. Foi um teólogo suíço que examinava e concebia a crença religiosa por

FRONESIS — FRUTO

intermédio da consciência moral. Ele salientava esse elemento como aquele que dá respaldo à obrigação e ao dever, em lugar da liberdade, conforme outros têm pensado. Ele opunha-se tanto ao subjetivismo quanto ao relativismo, que tanto influenciavam os filósofos franceses de sua época.

FRONESIS

No grego, **phrónesis**, um vocábulo usado na filosofia para indicar a *sabedoria prática* em contraste com a *sabedoria teórica* (no grego, *sophía*). Na opinião de Aristóteles, a *phrónesis* ajuda-nos a descobrir o ponto de equilíbrio entre dois atos, um de excesso e outro de deficiência. Assim, para exemplificar, a *coragem* jaz entre a covardia e a temeridade; e a *temperança* fica entre a insensibilidade e a glutonaria. Na experiência diária, naturalmente, chegamos a reconhecer o que é caracterizado pela *phrónesis*; mas a razão, naturalmente, está envolvida em tudo isso. Por outro lado, a *sophía* combina a razão intuitiva com o conhecimento rigoroso sobre primeiras causas e princípios. A *sophía* envolve-nos na metafísica; e a *phrónesis* envolve-nos na vida diária, na vida ética.

FRUTO

Uma palavra hebraica principal é usada no Antigo Testamento, e uma palavra grega principal é usada no Novo Testamento. Mas há várias outras palavras hebraicas e uma palavra grega, com esse mesmo sentido, ou com idéia paralela:

1. *Peri*, «fruto», palavra hebraica usada por cerca de cento e quinze vezes, conforme se vê, por exemplo, em Gên. 1:11,12; 3:2; Êxo. 10:15; Lev. 19:23-25; Núm. 13:20; Deu. 1:25; II Reis 19:29,30; Nee. 9:36; Sal. 1:3; Pro. 1:31; Ecl. 2:5; Can. 2:3; Isa. 3:10; Jer. 2:7; Lam. 2:20; Eze. 17:8,9; Osé. 9:16; Joel 2:22; Amós 2:9; Miq. 6:7; Zac. 8:12; Mal. 3:11.

2. *Eb*, «fruto», palavra hebraica e aramaica, usada por quatro vezes: Can. 6:11; Dan. 4:12,14,21.

3. *Yebul*, «aumento», palavra hebraica usada por treze vezes, das quais três com o claro sentido de «fruto»: Deu. 11:17; Hab. 3:17; Ageu 1:10.

4. *Lechem*, «pão», «fruto». Com o sentido de fruto aparece de forma clara por uma vez, em Jer. 11:19.

5. *Meleah*, «plenitude», «fruto». Palavra hebraica usada por duas vezes: Deu. 22:9 e Núm. 18:27.

6. *Nib*, «declaração». Com o sentido metafórico de «fruto dos lábios», aparece por uma vez, em Mal. 1:12.

7. *Tebuah*, «renda», «fruto». Palavra hebraica empregada por quarenta e duas vezes, conforme se vê, por exemplo, em Êxo. 23:10; 25:3,15,16,21,22; Deu. 22:9; 33:14; Jos. 5:12; II Reis 8:6; Pro. 10:16.

8. *Tenubah*, «aumento», «fruto». Palavra hebraica usada por três vezes com o sentido de «fruto»: Juí. 9:11; Isa. 27:6; Lam. 4:9.

9. *Karpós*, «fruto», palavra grega que ocorre por sessenta e quatro vezes no Novo Testamento: Mat. 3:8,10; 7:16-20; 12:33; 13:8,26; 21:19,34,41,43; Mar. 4:7,8,29; 11:14; 12:2; Luc. 1:42; 3:8,9; 6:43,44; 8:8; 12:17; 13:6,7,9; 20:10; João 4:36; 12:24; 15:2,4,5,8, 16; Atos 2:30; Rom. 1:13; 6:21,22; 15:28; I Cor. 9:7; Gál. 5:22; Efé. 5:9; Fil. 1:11,22; 4:17; II Tim. 2:6; Heb. 12:11; 13:15; Tia. 3:17,18; 5:7,18; Apo. 22:2.

10. *Génnema*, «produção», «fruto». Palavra grega que aparece por quatro vezes: Mat. 3:7; 12:34; 23:33; Luc. 3:7.

Além dessas palavras gerais, havia termos especializados no hebraico, conforme se vê na lista abaixo:

1. *Qayits*, «fruto de verão», «primícias». Palavra usada por vinte vezes, segundo se vê, por exemplo, em Gên. 8:22; II Sam. 16:1,2; Sal. 32:4; Pro. 6:8; Isa. 16:9; Jer. 8:20; 48:32; Amós 3:15; 8:1,2; Miq. 7:1; Zac. 14:8.

2. *Dagan*, «trigo», palavra usada para indicar o produto do cultivo agrícola. Estão em foco os cereais em geral, como o trigo, a cevada, as lentilhas, etc., ou então fibras e outros plantios, como o linho, o algodão, a pimenta, o pimentão, e até mesmo, segundo pensam alguns estudiosos, o arroz. O termo aparece por trinta e nove vezes, conforme se vê, para exemplificar, em Gên. 27:28,37; Núm. 18:27; Deu. 7:13; 11:14; II Reis 18:32; II Crô. 31:5; Nee. 5:2,3,10,11; Sal. 4:7; Isa. 36:17; Lam. 2:12; Eze. 36:29; Osé. 2:8,9,22; Joel 1:10,17; 2:19; Ageu 1:11; Zac. 9:17.

3. *Tirosh*, «fruto da vinha», mas também palavra usada para indicar as uvas secas. A palavra é usada por trinta e oito vezes, conforme se vê, por exemplo. em Gên. 27:28,37; Núm. 18:12; Deu. 7:13; 11:14; 12:17; Juí. 9:13; II Reis 18:32; II Crô. 31:5; Nee. 5:11; 10:37,39; Sal. 4:7; Pro. 3:10; Isa. 24:7; 36:17; Jer. 31:12; Osé. 2:8,9,22; 4:11; Joel 1:10; Miq. 6:15; Ageu 1:11; Zac. 9:17. As uvas eram secas ao sol e preservadas em quantidade considerável (I Sam. 25:18; II Sam. 16:1; I Crô. 12:40; Osé. 3:1). As azeitonas eram consumidas ao natural, ou então eram espremidas para produção do azeite (Miq. 6:15).

4. *Yitshar*, «azeite». — Essa palavra hebraica também indicava frutos produzidos em pomar, como as tâmaras, as azeitonas, as romãs, as castanhas, etc., referindo-se àqueles frutos que podiam ser preservados para serem consumidos durante os meses quentes, em contraste com aqueles mencionados no primeiro ponto acima, *qayits*. A raiz da palavra *yitshar* significa «brilhante», «resplendente». É usada por vinte e duas vezes: Núm. 18:12; Deu. 7:13; 11:14; 12:17; 14:23; 18:4; 28:51; II Reis 18:32; II Crô. 31:5; 32:28; Nee. 5:11; 10:37,39; 13:5,12; Jer. 31:12; Osé. 2:8,22; Joel 1:10; 2:19,24; Ageu 1:11.

Preceitos Mosaicos sobre os Frutos. As árvores frutíferas eram consideradas imundas por três anos após o seu plantio. A produção do quarto ano pertencia ao Senhor. Somente do quinto ano em diante seus frutos podiam ser livremente consumidos pela população em geral. Isso impedia a colheita prematura e também a destruição das árvores, além de relembrar aos israelitas (no quarto ano após o plantio) que Deus é a origem de todos os frutos e benefícios colhidos pelos homens. Ver Deu. 20:19,20.

Variedade de Frutos. O clima diversificado da Palestina, devido aos desníveis topográficos, naturalmente permitia a produção de grande variedade de frutos. Os frutos mais comuns são a banana, a laranja e outras frutas cítricas, as tâmaras, as rosáceas em geral, o diospiro, a jujuba, as uvas, os figos, as azeitonas, as romãs, as amoras pretas, vários tipos de melão, o feijão, as amêndoas e as ameixas. As laranjas são ali produzidas por nada menos de seis meses a cada ano, e as uvas, quase por esse período. Os frutos plantados em jardim podem ser colhidos quase durante todos os meses do ano.

Usos Metafóricos:

1. O **Fruto do Espírito**, ou seja, virtudes e qualidades morais e espirituais, cultivadas pelo Espírito de Deus na personalidade do crente. Ver Gál. 5:22,23. Há um longo e detalhado artigo sobre o assunto, sob o título *Fruto do Espírito*.

2. *As promessas messiânicas*. Cristo é o fruto da terra (ver Isa. 4:2).

821

FRUTO — FRUTO DO ESPÍRITO

3. Os *doze frutos*, referidos em Apo. 22:2, referem-se à abundância e prosperidade que haverá no estado eterno, especificamente no caso das riquezas espirituais. Alguns aceitam a menção de forma literal, mas dificilmente isso concorda com a realidade futura. Esses frutos haverão de restaurar, no sentido espiritual, o perdido jardim do Éden.

4. Os *frutos do evangelho* são os próprios homens, quando se convertem do pecado e do paganismo; e também apontam para as obras que, subseqüentemente, eles chegam a produzir (ver Col. 1:6; Rom. 1:13).

5. Os *santos* são frutos recolhidos (ver Isa. 27:6; João 4:36) e produzem frutos de justiça (ver Mat. 7:18; 12:33; Gál. 5:22-24; Pro. 11:30; Fil. 1:11 e Tia. 3:18).

6. Os *filhos* são o fruto do ventre (ver Êxo. 21:22; Sal. 21:10; Osé. 9:16; Gên. 30:2; Deu. 7:13). Os filhos também são chamados frutos dos rins, referindo-se aos poderes reprodutivos do homem (Atos 2:30). Também são chamados frutos do corpo (ver Sal. 132:11; Miq. 6:7).

7. O *fruto do procedimento*, bom ou mau, é o resultado dos atos de cada indivíduo (ver Pro. 1:31; Isa. 3:10; Jer. 6:19).

8. O *fruto das próprias mãos* é o lucro, o ganho, ou a jactância (ver Isa. 10:12).

9. O *fruto da boca* são as palavras boas ou más de uma pessoa (ver Pro. 12:14; 18:20; Heb. 13:15).

10. Os *frutos bons* são as boas obras (Fil. 1:11), incluindo as contribuições caridosas (Rom. 15:28).

11. Os *frutos do arrependimento* são as evidências de que a pessoa se converteu ao Senhor (Mat. 3:8).

12. O *fruto dos ímpios* são as suas más obras (Mat. 7:16).

13. O *fruto para a morte* são as coisas malignas, que promovem a morte espiritual (Rom. 7:5,13; Tia. 1:15).

14. As *obras infrutuosas das trevas* são as obras más que os homens praticam, mediante as quais demonstram que pertencem ao reino das trevas; e essas obras, ao final, produzem malefícios para seus praticantes, em vez de benefícios (ver Efé. 5:11). Do ponto de vista espiritual, as obras de tais pessoas são infrutíferas, ou seja, não produzem bons resultados espirituais.

15. O *fruto produzido no devido tempo* consiste na prosperidade, material e espiritual (Pro. 1:3; Jer. 17:8).

16. *Símbolos nos Sonhos e nas Visões*. O fruto simboliza a realização do indivíduo, o «produto» de seus labores, materiais ou espirituais, os benefícios que ele recolhe de seus atos. O ato de florescer indica que alguém está prestes a realizar o seu potencial. Após a inflorescência vem o próprio fruto. Um fruto de formato alongado pode ser um símbolo fálico. Uma fruta pode representar a reprodução, em sentido literal. Os figos, as peras e outras frutas de formato similar podem representar os órgãos externos femininos. A maçã pode simbolizar a tentação. O ato de furtar maçãs pode indicar o desejo ou mesmo o ato de seduzir. O melão pode simbolizar a gravidez.

FRUTO DO ESPÍRITO

Esboço:

I. A Natureza do Fruto do Espírito
II. A Nova Lei e Seus Resultados
III. Os Frutos Alistados
IV. A Satisfação do Princípio de Lei

Gál. 5:22: *Mas o fruto do Espírito é: o amor, o gozo, a paz, a longanimidade, a benignidade, a bondade, a fidelidade.*

I. A Natureza do Fruto do Espírito

Fruto está no singular (embora existam **frutos** do Espírito), provavelmente por causa das *qualidades* morais alistadas aqui, e que se espera que o Espírito Santo implante no crente, como se *tudo* fosse uma *única notável virtude*, implantada de uma vez só. Todos os seus aspectos são apenas partes integrantes de um único desenvolvimento espiritual. Perfazem o *fruto do Espírito*, — por serem encarados como produção sua, como procedentes de sua pessoa, como algo divinamente produzido, e não apenas como qualidades morais.

Isso nos permite compreender, de imediato, que a vida *espiritual*, na totalidade de seu desenvolvimento, não consiste em resoluções morais e esforços humanos. Pelo contrário, o ser humano do crente vai sendo transformado segundo a *natureza divina* (ver Efé. 3:19). E esse processo de transformação moral está muito além da capacidade do homem mortal decaído. O alvo, por semelhante modo, é por demais elevado, e a vereda é por demais inclinada para o alto para que o homem possa atingi-la como uma realização *humana*. Não obstante, torna-se necessária a cooperação do livre-arbítrio humano, pois, de outro modo, *nada ocorrerá*. É necessário mesmo que o homem seja uma criatura possuidora de livre-arbítrio, e que aprenda a dar preferência *ao bem*, e não ao mal, porque o bem é bom, sendo aprovado por Deus. Somente uma criatura assim é digna de ser *transformada*, somente uma criatura assim pode tornar-se o que Jesus Cristo é, moral e metafisicamente falando. Ver Mat. 5:48 e Romanos 8:29.

Notemos que a palavra *fruto* é posta em *contraste* com o termo *obras*. O homem, por si mesmo, produzirá sempre «obras da carne», por serem seu fruto natural, humano. Porém, existem aqueles aspectos transcendentais do fruto espiritual, que não consistem de esforço humano, mas antes, que estão alicerçados sobre o amor, visto que o *amor* é a raiz de toda a ação moral elevada, o cumprimento de todas as exigências morais da lei. Uma obra, por conseguinte, consiste em algo que o ser humano *pode* fazer; mas o *fruto* é algo nascido por atuação do princípio divino, nele atuante. A palavra *fruto* é uma metáfora freqüente nas páginas do N.T., designando algum «resultado» santo, alguma manifestação moral na vida humana. Tal fruto, na realidade, pode ser bom ou mau; mas, nas páginas do N.T., quase sempre é bom. (Ver os trechos de Mat. 3:8; 7:16; João 5:36; 15:8; Rom. 1:13 e 6:21). Há, por semelhante modo, o «fruto *da luz*» (ver Efé. 5:9) e o «fruto *dos lábios*» (ver Heb. 13:15).

II. A Nova Lei e Seus Resultados

1. As exigências da antiga lei, foram retiradas de cima de nossos ombros. Sobre nós foram impostos os requisitos da nova lei, a lei do *Espírito*, gravada em nossos corações (ver Rom. 8:2).

2. Esse é o novo princípio de vida que nos confere um poder vivo, e não um código frio.

Como estamos sendo conduzidos?

Todos os frutos, por conseguinte, são:

1. Qualidades morais, divinamente implantadas, segundo a *nova lei*.

2. Essas qualidades morais são energias transformadoras que produzem a transformação metafísica dos seres humanos, para que adquiram a imagem de Cristo (ver II Cor. 3:18).

FRUTO DO ESPÍRITO

3. O fruto é um meio de reproduzir aquilo que implanta o fruto; e assim os remidos se tornam membros da família divina, padronizados em seus seres de conformidade com a imagem divina de Cristo Jesus.

4. Esse processo está inteiramente fora do alcance da lei, de qualquer princípio legalista, mas requer comunhão real com o Espírito de Deus. A vida cristã, pois, é um processo místico, e não apenas um processo ético.

5. Todo o desenvolvimento espiritual, portanto, requer a realidade e a busca do Espírito, pois ele é a fonte de tudo. Não é suficiente «ler a Bíblia e orar». A experiência humana mostra-nos que isso não basta. Deve haver a inquirição pelo Espírito Santo, bem como a submissão a ele. Por sua vez, quando sua presença é real para nós, ele usará os meios da meditação, do estudo e da oração; tais meios, entretanto, são praticamente inúteis sem a sua presença. Podem modificar temporariamente o indivíduo, pela mera força mental e moral; mas essa modificação (independente do Espírito de Deus) não pode perdurar.

6. Tornar-se alguém gradativamente perfeito, mediante a implantação do «fruto do Espírito», significa vir a participar perfeitamente da «natureza moral positiva do próprio Deus», ver Rom. 3:21. A impecabilidade é apenas um aspecto primário da busca pela santidade. Os remidos precisam participar de todas as qualidades morais positivas de Deus, e essas qualidades envolvem o «fruto» do Espírito Santo. A possessão dessas propriedades morais serve de poder provocador mediante o que chegaremos a participar da natureza metafísica de Cristo. Isso porque a transformação moral leva à transformação metafísica.

O alistamento de vários aspectos do «fruto» do Espírito, após a lista dos vícios, é uma expansão da idéia de Gál. 5:7—o fato de que a carne e o Espírito são opostos entre si.

III. Os Frutos Alistados

A. Amor, no original grego, **agape**. Com razão essa qualidade do amor aparece logo no começo da lista das virtudes cristãs geradas pelo Espírito de Deus, por ser a fonte originária de todas as demais virtudes.

As Qualidades do Amor

1. O amor é o solo onde são cultivadas todas as demais virtudes espirituais—essa é a mensagem de Gál. 5:22. O décimo terceiro capítulo de I Coríntios ensina-nos a mesma verdade. O amor é o solo onde todos os dons espirituais são plantados e se desenvolvem. O amor é a fonte de toda a espiritualidade.

2. O amor é a prova mesma da espiritualidade; e tem início na regeneração (ver I João 4:7,8).

3. O amor é a principal característica da divina família. Governa todas as ações dentro dessa família, passando do Pai para o Filho, daí para os filhos, e dos filhos para outros filhos, dos filhos para o Filho, e finalmente, deste para o Pai, na ascensão mística da alma. (Ver João 14:21 e 15:10 quanto a esses princípios).

4. O amor consiste em querer para os outros aquilo que queremos para nós mesmos. É a dedicação ao próximo. É o dispêndio de tempo e de energias em favor do próximo, da mesma maneira que nós, voluntária e necessariamente, dispendemos tempo e energias conosco mesmos.

5. O amor inspira e vitaliza a fé (ver Gál. 5:6).

Modalidades do Amor

1. O amor próprio, que, embora não seja condenado nas Escrituras, deve estar sob controle, para que não termine como um insuportável egoísmo.

2. O amor de Deus, de Cristo, dos seres e das coisas celestiais, ou seja, o amor humano dirigido para essas coisas. Esse é o primeiro e o maior dos mandamentos (ver Mat. 22:37,38).

3. O amor de Deus pelo homem, que é a fonte de todo o bem-estar humano. (Ver o artigo sobre o *amor de Deus*). O amor de Deus pelo homem é base de todo amor do homem pelo homem, sendo também o elevado exemplo e padrão mediante o que o amor humano deve ser exercido.

4. Finalmente, há o amor do homem para com o seu semelhante. Esse é o tema expandido no décimo terceiro capítulo da primeira epístola aos Coríntios, sendo também essencialmente, o amor referido em Gál. 5:22 como um dos aspectos do «fruto do Espírito Santo». Porém, o amor como fruto também precisa incluir o amor a Deus, porquanto, sem este, a vida espiritual não terá sentido e nem fruição. O vigésimo quinto capítulo do livro de Mateus mostra-nos que o amor ao próximo equivale ao amor a Cristo e a Deus Pai, no entanto, a maioria dos seres humanos, por enquanto, é incapaz de amar diretamente a Deus. Por essa razão, os homens precisam amar a Deus indiretamente, através de manifestações de gentileza e altruísmo para com outros. Somente a ascendência mística elevada da alma é que permite a um homem amar a Deus diretamente. O amor para com Cristo, naturalmente, também é amor para com Deus; e a esse ponto alguns crentes podem chegar. Esse tipo de amor está incluso no segundo mandamento. (Ver Mat. 22:39,40).

A Metáfora Baseada na Agricultura

1. O agricultor cultiva o solo. O vinhateiro cultiva a vinha. O objetivo desse labor é encorajar o desenvolvimento das plantas. Organismos vivos são os produtos obtidos. Estes podem ser saudáveis ou enfermiços. Aquele que se ocupa do cultivo das plantas, deve ter conhecimento daquilo que faz, pois os resultados dependem principalmente de suas habilidades.

2. As coisas cultivadas são entidades vivas. Por semelhante modo, dentro do cultivo do Espírito, são produzidas em nós as qualidades e os atributos do Deus vivo, e através dessas coisas é que vivemos. Conforme vamos vivendo, gradualmente vamos assumindo a forma de vida do próprio Deus, pois o produto que está sendo produzido é um *filho de Deus*, que será conduzido à glória (ver Heb. 2:10). Contemplemos como os eleitos compartilham da natureza *divina* (ver II Ped. 1:4 e Col. 2:10).

«'*Amor'*... Um desejo intenso de agradar a Deus e de fazer o bem à humanidade; a própria alma e o espírito de toda a verdadeira religião; o cumprimento da lei e aquilo que dá energia à fé». (Adam Clarke, *in loc.*)

B. Alegria. Trata-se de **felicidade** no Espírito. O grego é **chara**. E o termo «charis», traduzido em português por «graça», vem da mesma raiz. Trata-se daquela qualidade de vida que é graciosa e bondosa, caracterizada pela boa-vontade, generosa nas dádivas aos outros, resultante de um senso de bem-estar, sobretudo de bem-estar espiritual, por causa de uma correta relação com Deus; é o «regozijo» no Espírito Santo.

«A alegria envolve pensamentos suaves sobre Cristo, hinos e salmos melodiosos, louvores e ações de graças, com que os cristãos se instruem, inspiram e refrigeram a si mesmos. Deus não aprecia a dúvida e o

823

FRUTO DO ESPÍRITO

desânimo. Também abomina ele a doutrina ousada, o pensamento melancólico e tristonho. Deus gosta de corações animados. Não enviou seu Filho para encher-nos de tristeza, e, sim, a fim de alegrar os nossos corações. Por essa razão, os profetas, os apóstolos e o próprio Cristo exortam, sim, ordenam-nos que nos regozijemos e sejamos alegres... Alegra-te muito, ó filha de Sião; exulta, ó filha de Jerusalém; eis aí te vem, o teu Rei, justo e salvador, humilde, montado em jumento, num jumentinho, cria de jumenta (ver Zac. 9:9). Paulo disse: 'Regozijai-vos sempre no Senhor'. Cristo disse: 'Regozijai-vos antes porque vossos nomes estão escritos nos céus'» (Lutero, *in loc.*, aludindo aos trechos de Fil. 4:4 e Luc. 10:20).

A alegria cristã, entretanto, não é uma emoção artificial. Antes, é uma ação do Espírito de Deus no espírito humano, para que este venha a conhecer que o Senhor Deus está em seu trono, e que tudo está sob seu controle neste mundo, até onde a sua experiência pessoal está envolvida. Essa alegria é a inspiradora da esperança e da coragem. É a confiança em Deus e a satisfação de estarmos vivos em Cristo. (Ver o tema «a alegria do Espírito Santo» nas notas expositivas no NTI sobre I Tes. 1:6; Rom. 5:2; 14:17; 15:13; Fil. 1:25; 4:4; I Ped. 1:9; I João 1:14). É essa alegria do Espírito, no coração e na expressão nossa para com nossos semelhantes, que está aqui em foco.

Há alegria em servirmos a Jesus
Caminhando eu em minha jornada,
Alegria que preenche o coração de louvores,
A cada hora do dia.

Há alegria em servirmos a Jesus,
Alegria que triunfa sobre a dor;
Enche minha alma de música celeste,
Até que me una ao alegre estribilho.

Há alegria em servirmos a Jesus,
Alegria em meio à mais negra noite,
Pois tenho aprendido o grande segredo,
E estou andando em plena luz.

(Oswald J. Smith)

C. Paz. (Ver o artigo sobre **Paz**). Deus é a fonte da verdadeira paz (ver Rom. 1:7 e 15:33), pois isso requer uma harmonia que não é possível sem o favor divino e sem o seu impulso. A queda do homem no pecado destruiu a paz, a paz com Deus, com outros homens, com o próprio ser, com a própria consciência. E assim se estabelece a alienação entre o indivíduo e Deus, entre o indivíduo e os outros homens, e entre o indivíduo e ele mesmo. Por conseguinte, a paz deve incluir a restauração. (Ver no NTI as notas expositivas a esse respeito em Rom. 5:1, onde se lê: «Justificados, pois, mediante a fé, tenhamos paz com Deus, por meio de nosso Senhor Jesus Cristo»).

Foi por meio da instrumentalidade da cruz que Deus estabeleceu a paz (ver Col. 2:10). Portanto, a paz envolve muito mais do que uma tranquilidade íntima, que prevalece a despeito das tempestades externas. Antes, trata-se de uma qualidade espiritual, de origem cósmica e pessoal, produzida pela reconciliação, pelo perdão dos pecados e pela conversão da alma e sua consequente transformação segundo a imagem de Cristo. Quando um homem qualquer abandona ao 'eu' e ao egoísmo, com as suas muitas manifestações, ficando corrigidas as suas relações espirituais com Deus, então a tranquilidade e a paz divinas passam a ser a norma de sua vida. Assim, pois, a verdadeira paz tende para a tranquilidade de consciência.

A paz conserva a mente e a alma crentes na confiança para com o Senhor, pois oferece as condições necessárias para que Deus acolha o homem. (Ver Fil. 4:7). Mediante essa paz, que nos é dada através da reconciliação com Deus, os homens podem viver em paz uns com os outros (ver Rom. 12:18).

«Pela época em que Paulo se preparava para imergir esse termo no Espírito de Cristo, duas correntes de significação fluíam do mesmo, mediante a versão de significação fluíam do mesmo, mediante a versão da Septuaginta (tradução do original hebraico do A.T. para o grego, completada cerca de duzentos anos antes da era cristã). Do grego se derivou a idéia de «harmonia», e do hebraico, o vocábulo desse idioma, «shalom». Este vocábulo hebraico expressava total bem-estar, 'prosperidade', 'sucesso' e 'sanidade', o que tornava uma pessoa qualquer *sã*, espiritual e materialmente, tornando a vida boa e o mundo seguro para a bondade. Isso exigia corretas relações com Deus e justiça entre os homens; e isso envolvia mais do que a liberdade das contendas». (Stamm, *in loc.*).

A paz é o contrário exato do ódio, da desavença, da contenda, do conflito, da inveja, dos excessos, de tudo o que são obras da carne. Produz uma tranquilidade mental alicerçada nas corretas relações com Deus e com os homens, mediante a retidão e a reconciliação. «A paz é o primeiro fruto que se observa após o perdão dos pecados». (Adam Clarke, *in loc.*). Em suas manifestações na alma, por intermédio do Espírito Santo, a paz serve de grande consolador em qualquer e em todas as provações. No dizer de Fil. 4:7, é aquela «...paz de Deus, que excede todo o entendimento».

Oxalá que o mundo pudesse ouvi-lo falar,
A palavra de consolo que os homens buscam;
Para todos os humildes, e para os mansos,
Jesus sussurra paz.

(Della McChain Warren)

«Doce paz, o dom do amor de Deus». (P.P. Bilhorn).

D. Longanimidade. Podemos observar, em toda esta lista, que as qualidades mencionadas são, supremamente, qualidades morais de Deus. Disso consiste a participação nas «perfeições morais» de Deus, quando então nos tornaremos «santos como o Pai é santo», possuidores de toda a sua santidade *positiva*, então meramente tornando-nos impecáveis, o que indica apenas o começo do gigantesco progresso que nos conduzirá à santidade plena.

A *longanimidade* (no grego, *makrothumia*), quando é uma qualidade atribuída a Deus, significa que ele tolera pacientemente todas as iniquidades do homem, não se deixando arrebatar por explosões de ira e furor, o que só poderia significar a destruição do homem. Nisso se manifesta o amor de Deus, como também a sua bondade e gentileza. Os homens cometem pecados, falhas, provocam desordens; mas Deus se mostra longânimo ante tais coisas, aplicando sua misericórdia, e não sua indignação justa. Ora, de nós, os crentes, é esperado que nossas relações com os outros homens se caracterizem pela longanimidade, do mesmo modo que Deus tem agido conosco (ver os trechos de II Cor. 6:6; Col. 1:11 e 3:12). (Quanto à *longanimidade* de Cristo para com os homens, ver I Tim. 1:16; quanto à «longanimidade de Deus para com os homens», ver Rom. 2:4; 9:22; I Ped. 3:20; II Ped. 3:9,15). «A longanimidade do Senhor nos é salvação». Não poderia mesmo haver salvação sem longanimidade divina; e isso mostra a imensa importância da longanimidade.

No dizer de Adam Clarke (*in loc*), a longanimidade consiste em «...suportar as fragilidades e provoca-

FRUTO DO ESPÍRITO

ções alheias, com base na consideração de que Deus se tem mostrado extremamente paciente conosco; pois, se Deus não tivesse agido assim conosco, teríamos sido imediatamente consumidos; suportando igualmente todas as tribulações e dificuldades da vida, sem murmurações e rebeldias; submetendo-nos alegremente a cada dispensação da providência de Deus, e assim derivando benefícios de cada ocorrência».

«A longanimidade é a paciência que nos permite subjugar a ira e o senso de contenda, tolerando as injúrias». (Matthew Henry, *in loc.*).

«Constância de alma, sob a provocação à alteração, tolerância, permanência ante o erro sofrido ou a conduta exasperadora, sem nos deixarmos arrastar pela ira e sem nos atirarmos à vindita... Portanto a paciência, persistência, constância... tolerância ante os erros sofridos, sem ira ou vindita... tolerância para com os indivíduos cuja conduta visa provocar-nos a ira». (Burton, *in loc.*).

E. Benignidade, no original grego, é **chrestotes**, que significa «gentileza», «bondade». Esse termo grego também indica «excelência de caráter», «honestidade». Deus é a sua fonte originária, e Cristo foi quem melhor exemplificou essa qualidade, passando a ser o nosso modelo, tal como no caso de todos os aspectos do fruto do Espírito Santo. O crente que possui essa qualidade é «gracioso», e «gentil», para com seus semelhantes, não se mostrando inflexível e exigente.

«Doçura de temperamento, sobretudo para com os inferiores, predispondo-nos a uma atitude afável e cortês, que nos deixa facilmente abordáveis, quando alguém nos magoa». (Matthew Henry, *in loc.*).

«Os seguidores do evangelho não devem ser inflexíveis e amargos, mas antes, — gentis, suaves, corteses e de fala mansa, o que deveria encorajar outros a buscarem sua companhia. A gentileza pode disfarçar as faltas alheias e encobri-las. A gentileza sempre se mostra alegre ao dar algo a outros. A gentileza pode dar-se bem até mesmo com pessoas ousadas e difíceis, segundo aquela antiga declaração pagã: 'precisas conhecer as maneiras de teus amigos, mas não deves odiá-los'. Nosso Salvador, Jesus Cristo, foi uma pessoa imensamente gentil, conforme os evangelhos o retratam. Acerca de Pedro, ficou registrado que ele chorava sempre que se lembrava da suave gentileza de Cristo em seus contactos diários com as pessoas». (Martinho Lutero, *in loc.*).

«É difícil dizer o quanto as mentes dos homens **se** deixam conciliar por maneiras gentis e por palavras suaves». (Cícero, *De Officiis*)

Pois o amor de Deus é mais amplo
Que a medida da mente humana,
É o coração do Eterno
É maravilhosamente gentil
   (F.W. Faber)

F. Bondade, «retidão», «prosperidade», «gentileza», são outros sentidos possíveis do termo grego *agathosune*. O uso que Paulo faz desse termo, nos trechos de Rom. 15:14 e II Tes. 1:11, mostra-nos que o sentido geral por ele dado à palavra é «bondade», isto é, aquela qualidade de generosidade e de ação gentil para com outras pessoas, tudo se originando, naturalmente, de um caráter intimamente bondoso.

«Uma pessoa é bondosa quando se dispõe a ajudar àqueles que estão em necessidade». (Lutero, *in loc.*).

«O terreno palmilhado por um homem bom é santo». (Goethe, *Torquato Tasso*).

«Não existe homem tão bom que, ainda que se submetesse, em todos os seus pensamentos e ações, às leis, não merecesse ser enforcado por dez vezes durante a sua vida». (Michel de Montaigne).

«A bondade é uma forma especial de verdade e de beleza. É a verdade e a beleza no comportamento humano». (Harry Allen Overstreet).

«O homem bom é o seu próprio amigo». (Sófocles, *Oedipus Coloneus*).

«Sede bondosos, e não vos sentireis solitários». (Mark Twain).

Podemos observar a vida terrena inteira de Jesus de Nazaré, vivida em meio a atos de bondade para com outros. Ora, para que o crente se mostre supremamente bondoso, precisa contar com o auxílio divino; portanto, essa qualidade é um dos aspectos do fruto do Espírito Santo.

G. Fidelidade, no original grego, é **pistis**, que pode significar tanto «confiança» quanto «fidelidade»; e ambas as facetas dessa virtude certamente procedem do Espírito de Deus, embora a *fé* seja o principal aspecto destacado aqui. O justo vive pela fé, e de fé em fé. A fé é posta em contraste com o princípio legalista, que não pode ser frutífero, antes, é *estéril*. (Ver o artigo sobre *fé*. Ver também os trechos de João 3:16; 20:29,30; Atos 16:31). Por conseguinte, a fé não consiste em: 1. um credo; 2. aceitação intelectual de um credo; e 3. um conjunto de doutrinas, conforme essa palavra ocasionalmente é usada. Antes, neste passo bíblico, indica a «confiança em Jesus Cristo», a fé evangélica. (Ver o trecho de Efé. 2:8,9 quanto ao fato, igualmente importante, de que a fé não é produto humano, mas ocorre através da operação divina). Por conseguinte, a fé consiste em confiança da alma em Cristo, resultante de uma experiência com ele. A alma passa a reconhecer a veracidade das realidades espirituais, por ter visto e experimentado tais coisas; e reconhece-as intuitivamente. Ora, quando isso é transmitido à mente consciente, diz-se que o indivíduo veio a *crer*.

A fé, de parceria com o arrependimento, forma a conversão. Mas a fé também é o princípio orientador e normativo da nova vida, e não meramente sua fonte originária. Por igual modo, a fé não é uma nova obra ou algum novo mérito. Pelo contrário, é a entrega da alma às mãos de Cristo, alicerçada sobre o conhecimento espiritual. Isso permite-nos ver quão distante é isso do conceito simples da crença em algum credo, conforme a fé tem sido reduzida em tantas denominações evangélicas hoje em dia. Posto que a fé, paralelamente ao arrependimento, perfaz a conversão, a fé é, realmente, o passo inicial da conversão. Mas isso só pode ocorrer mediante a operação do Espírito de Deus, ainda que se exija também a cooperação do livre-arbítrio humano. Mediante essa operação, a alma humana é levada a depender de Cristo, confiando nele e entregando-se a ele. Isso é fé.

Alguém pode crer em *certos fatos* acerca de Cristo; mas isso é, tão-somente, resultante da fé, e não a sua substância. A entrega da alma às mãos de Jesus Cristo, com a finalidade de ser transformada segundo a sua imagem, nisso é que consiste a fé. Por conseguinte, a fé é um princípio que permeia a vida espiritual inteira, sendo seu iniciador, seu guia, seu aperfeiçoador. É por isso que a Escritura diz: «O justo viverá da fé»; como também ensina ela que vivemos «...de fé em fé» (ver Rom. 1:17). Isso produz aquela «fidelidade» que seria preferível com tradução de «pistis» em Gál. 5:22, de conformidade com muitos estudiosos, a despeito do fato de que nenhuma fidelidade é possível sem o concurso da fé. Ambas essas idéias precisam ser incluídas neste passo bíblico, como um dos aspectos do fruto do Espírito de Deus. Ninguém pode fazer separação entre a fé e a

FRUTO DO ESPÍRITO — FUGA

fidelidade, mas é de acordo com esta última qualidade que os homens agem honesta e beneficentemente para com outros. A fé distinta da fidelidade estaria, realmente, morta.

A fé é vitalizada pelo amor, pois, do contrário, não será a verdadeira fé sob hipótese alguma, conforme aprendemos no sexto versículo do quinto capítulo de Gálatas. A fé é criada, fortalecida e confirmada pela comunhão mística com Cristo, através do Espírito Santo. Portanto, será sempre um contacto divino com o homem. É mister que o indivíduo viva no Espírito para que possa, realmente, conhecer a fé. No caso de alguns crentes, a fé pode ser um *elevado dom espiritual*. Alguns crentes possuem uma confiança em Deus que outros crentes não têm; esses possuem uma fé extraordinariamente desenvolvida, a fim de que possam realizar determinadas missões. (Quanto a esse aspecto da «fé», ver I Cor. 12:9, ver também o artigo sobre *I Coríntios* que alista e descreve todos os dons espirituais). Mas uma verdadeira dependência da alma a Cristo, em qualquer grau, é um dos aspectos do fruto do Espírito, embora deva sempre surgir como algo paralelo à submissão do livre-arbítrio humano; pois, do contrário, não operará. A fé, pois, é uma entrega da alma a Cristo, a fidelidade a ele por causa dessa entrega, e, em seguida, fidelidade e ação honesta para com os outros homens.

«A fé não é simples crença. A crença é passiva. A fé é ativa. É uma visão que inevitavelmente passa à ação». (Edith Hamilton, *Witness to the Truth*).

«A fé é como o amor. Não pode ser forçada». (Arthur Schopenhauer).

«...andamos por fé, e não pelo que vemos» (II Cor. 5:7).

H. Mansidão, é tradução do vocábulo grego **prautes**, que significa «placidez», «modéstia», «gentileza», «cortesia», como traduções possíveis. Essa é a qualidade exaltada na terceira bem-aventurança, uma qualidade de caráter daqueles que haverão de herdar a terra (ver Mat. 5:5). No trecho de Mat. 11:29, vemos que Cristo se refere a si mesmo como aquele para quem os homens devem achegar-se e em quem devem confiar, para que ele lhes tire suas cargas, por ser ele manso e humilde de coração. Na passagem de Fil. 2:1-11, essa qualidade é associada à «mente de Cristo». Consiste em um espírito de mansidão e gentileza no trato com o próximo.

Para Aristóteles, essa característica era um «vício de deficiência», e não uma virtude; e essa parece ter sido a atitude da maioria dos antigos sistemas éticos. Naturalmente, essa qualidade não envolve a autodepreciação, conforme é o hábito de certos indivíduos, que pretendem imitar essa qualidade. E quiçá assim é que Aristóteles encarava tal qualidade, como uma autodepreciação. Trata-se de uma genuína falta de maldade e aspereza, de mistura com as qualidades da paciência e da gentileza. Trata-se de uma submissão do espírito humano para com Deus, e, em seguida, para com o homem. A mansidão é resultado da verdadeira humildade, por causa do reconhecimento do valor alheio, com a recusa de nos considerarmos superiores. Deus é a fonte dessa graça, e Cristo Jesus é o seu exemplo supremo, o que ele demonstrou em todo o seu modo de tratar os homens.

I. Domínio próprio. No grego é **egkrateia**, «autocontrole». Na passagem de I Cor. 7:9, essa palavra é usada em relação ao controle do impulso sexual; mas, em I Cor. 9:25, refere-se a toda a forma de autocontrole e autodisciplina que um atleta precisa exercer para ser bem-sucedido em suas tentativas de obter a coroa da vitória. Parece que Paulo se utiliza dessa palavra, neste contexto, dando a entender

aquele autocontrole que obtém o domínio sobre os vícios alistados em Gál. 5:19-21. Para que seja vitorioso e obtenha a coroa, na luta contra o mal, o crente precisa de uma completa autodisciplina e de total autocontrole. Mas isso só pode ocorrer com a ajuda do *Espírito Santo*. Maior é aquele que se domina do que aquele que conquista uma cidade, no dizer de Pro. 16:32.

Os filósofos estóicos percebiam claramente a verdade expressa por essa virtude do domínio próprio. Eles procuravam fazer com que a razão dominasse a vida inteira, controlando as paixões e firmando a alma. Porém, o poder atuante do Espírito Santo, no íntimo do crente, é mais forte do que a razão humana, embora a razão seja um útil aliado e instrumento dessa habilidade que nos é propiciada pelo Espírito de Deus.

«Considero mais corajoso aquele que domina os seus próprios desejos do que aquele que conquista os seus inimigos; pois a vitória mais difícil é a vitória sobre o próprio *eu*». (Aristóteles, *Stobaeus: Florilegium*).

«Nenhum conflito é tão severo como o daquele que se esforça por subjugar a si mesmo». (Tomás à Kempis, *Imitação de Cristo*).

«Domina-te a ti mesmo. Enquanto não tiveres conseguido isso, serás apenas um escravo; porque será quase a mesma coisa que estar sujeito ao apetite alheio, ou estar sujeito às tuas próprias paixões». (Robert Burton, *Anatomy of Melancholy*).

Variante Textual. Alguns manuscritos antigos, como D(1)EFG, além de muitas versões latinas, acrescentam a palavra *agneia*, que significa «consagração» ou «castidade», a essa lista. Mas isso não representa autoridade textual suficiente para supormos que tal palavra fazia parte do texto original de Paulo. Se, porventura, fosse porção original, não haveria motivo por que teria sido omitida. Algum escriba ou escribas simplesmente expandiram a lista, conforme também se verifica na lista de vícios, que aparece pouco antes.

IV. A Satisfação do Princípio de Lei

Contra estas cousas não há lei. As leis são baixadas a fim de entravarem e eliminarem o mal; mas as virtudes dignas, como aquelas aqui alistadas, não são proibidas nem pela lei de Deus e nem pelas leis dos homens. Pelo contrário, as autoridades e as leis louvam o indivíduo agraciado por essas virtudes. A lei de Deus exige tais virtudes, longe de mostrar-se contra elas. No entanto, elas nos são oferecidas e implantadas, dentro do sistema da graça divina, através da fé, vitalizada pelo amor. A lei de Deus, pois, mostra-se em favor do virtuoso, e não contra ele; mas a lei de Deus não tem o poder de produzir essas virtudes no indivíduo. O «conhecimento» dessas virtudes não está fora do alcance da lei; mas o «perfazê-las» na experiência real, transcende ao poder do princípio legal. O apóstolo dos gentios já havia demonstrado que isso é uma verdade; e parece que isso faz parte do significado dessa expressão, ou pelo menos, parece que isso fica subentendido. O que é produzido pelo Espírito de Deus, dentro do sistema da graça divina, jamais poderia ser condenado pela lei de Deus. Pelo contrário, tal fruto será sempre elogiado pela lei, ordenado por ela.

FUGA (MÚSICA)

Essa palavra vem do latim, **fuga**, «vôo». O termo refere-se a uma forma de composição musical polifônica, usada principalmente na música instrumental, embora, ocasionalmente, também empregue

FUGA — FUMAR

um coro de vozes, como é o caso da *Missa em B Menor*, de Bach. A fuga originou-se do motete (ver o artigo a respeito). Composições musicais breves, sem o acompanhamento de um coro de vozes polifônicas, com base em textos bíblicos latinos, usualmente de natureza litúrgica, eram fugas. O motete entrou em uso no século XIII D.C. Na *fuga*, já há a introdução de um tema musical. A princípio esse tema aparecia em uma parte; mas posteriormente, passou a ser harmonizado com várias vozes. Então, o tema reaparece por toda a composição. Essas composições musicais são legítimas, como desenvolvimento do ideal expresso em Colossenses 3:16: «...louvando a Deus, com salmos e hinos e cânticos espirituais, com gratidão, em vossos corações».

A música moderna que se executa nas igrejas evangélicas são peças sensuais, mais apropriadas para clubes noturnos, como a música tipo *rock and roll*. São perversões musicais, destrutivas para o espírito. Ver o artigo geral sobre a *Música*. Ver também o artigo sobre a *Arte*, que inclui as diversas teorias sobre a *Estética*, onde também há alguns comentários sobre a música.

FULBERT

Foi o fundador da **Escola de Chartres**. Era discípulo de Gerbert de Aurillac. Ver também sobre *Chartres*.

FULGURAÇÃO Ver **Leibnitz, Idéias,** ponto 3.

FULLER, MARGARET

Suas datas foram 1810-1850. Foi uma escritora e filósofa norte-americana. Nasceu em Cambridgeport, estado de Massachusetts e foi educada por seu próprio pai. Era uma menina de prodigiosa inteligência, capaz de ler o latim aos seis anos de idade, bem como todas as línguas européias, antes de atingir os vinte anos de idade. Suas primeiras atividades profissionais deram-se no campo do ensino de línguas. Porém, não demorou muito a interessar-se profundamente pela filosofia e pela religião, associando-se então aos transcendentalistas da Nova Inglaterra. Ver sobre *Transcendental* e sobre *Transcendentalismo*. Uma de suas tarefas era a publicação de *The Dial*, uma revista que promovia as causas desse movimento. Esteve vinculada a Emerson, a Channing, a Hawthorne e a outras figuras de renome, igualmente ativas no movimento transcendentalista. Foi apodada de «sacerdotisa do transcendentalismo». *Escritos: Collected Works; Life Without and Life Within*.

FUMAÇA

No hebraico há quatro palavras envolvidas e, no grego, uma, a saber:

1. *Keheh*, «fraco», «débil». Essa palavra ocorre somente em Isa. 42:3, onde a nossa versão portuguesa diz: «...nem apagará a torcida que fumega...»

2. *Ashan*, «fumaça». Palavra hebraica que aparece por vinte e cinco vezes, conforme se vê em Gên. 15:17; Êxo. 19:18; Jos. 8:20,21; Juí. 20:38,40; II Sam. 5:4; 9:18; Osé. 13:3; Joel 2:30; Naum 2:13.

3. *Ashan*, «esfumaçar». Palavra hebraica que aparece somente por duas vezes: Êxo. 20:18; Isa. 7:4.

4. *Qitor*, «vapor», «fumo». Vocábulo hebraico que ocorre por quatro vezes: Gên. 19:28; Sal. 119:83; Sal. 148:8.

5. *Kapnós*, «fumaça». Palavra grega que é usada por treze vezes: Atos 2:19 (citando Joel 3:3); Apo. 8:4; 9:2,3,17,18; 14:11; 15:8; 18:9,18 e 19:3.

A idéia de fumaça é usada de quatro maneiras diferentes nas páginas da Bíblia Sagrada, a saber:

1. Um símbolo visível da presença invisível de Deus, em uma de suas manifestações divinas. No caso do pacto estabelecido entre Deus e Abraão, enquanto este dormia, viu «...um fogareiro fumegante, e uma tocha de fogo que passou entre aqueles pedaços» (Gên. 15:17). Quando Moisés encontrou-se com Deus, no monte Sinai, «todo o monte Sinai fumegava» (Êxo. 19:18). Uma vez terminado, o templo de Jerusalém ficou cheio de fumaça, quando Isaías contemplou o Senhor em visão (Isa. 6:4) e então esse profeta predisse como segue: «Criará o Senhor, sobre todo o monte de Sião e sobre todas as suas assembléias uma nuvem de dia e fumo e resplendor de fogo chamejante de noite...» (Isaías 4:5). No livro de Apocalipse, a visão de João sobre a tenda do testemunho no céu mostra-nos que «o santuário se encheu de fumaça, procedente da glória de Deus e do seu poder, e ninguém podia penetrar no santuário» (Apo. 15:8). Embora não seja explicitamente afirmado, podemos supor que as referências às automanifestações divinas em passagens como Êxodo 3:2; 13:21; Núm. 10:34 e 14:14, —incluem também a presença de fumaça.

2. O fogo simbólico da ira de Deus é acompanhado por fumaça, segundo se lê em Salmos 18:8: «Das suas narinas subiu fumaça, e fogo devorador da sua boca; dele saíram brasas ardentes». Jó 41:20. Moisés advertiu contra a idolatria, dizendo: «O Senhor não lhe quererá perdoar; antes fumegará a ira e o seu zelo sobre o tal homem, e toda maldição escrita neste livro jazerá sobre ele...» (Deu. 29:20). E o salmista clamou: «Por que nos rejeitas, ó Deus, para sempre? Por que se acende a tua ira contra as ovelhas do teu pasto? (Sal. 74:1).

3. A fumaça dos sacrifícios e do incenso queimado é mencionada em trechos como Ezequiel 8:11 e Salmos 66:15. O vidente João viu a fumaça do incenso elevando-se até os céus. «...e da mão do anjo subiu à presença de Deus o fumo do incenso, com as orações dos santos» (Apo. 8:4).

4. A fumaça também representa aquilo que é transitório, passageiro. Por exemplo, os inimigos (Sal. 37:20; 68:2); os idólatras (Osé. 13:3); os dias (Sal. 102:3); e os céus (Isa. 51:6). Ver também sobre o *Incenso*.

FUMAR

O ato de fumar consiste em aspirar a fumaça, geralmente produzida pela queima do tabaco. Aqueles que fumam charutos ou cachimbos, inalam a fumaça somente até à boca; mas os que fumam cigarros inalam a fumaça até os pulmões. Ora, os pulmões não dispõem de defesa contra a poluição assim produzida, daí resultando grandes depósitos de materiais que são cancerígenos, ou produtores de tumores malignos, ou cânceres.

Somente nos Estados Unidos da América do Norte são consumidos diariamente um bilhão e meio de cigarros. As pessoas que fumam estão inalando um alcalóide volátil e venenoso, quimicamente conhecido como $C10H14N2$. Farmacologicamente, essa droga é classificada como uma droga que afeta os centros nervosos, tão poderosa que, se fosse diretamente injetada no sangue, apenas uma gota, — causaria morte instantânea. Essa droga, popularmente batizada de *nicotina*, provoca um maior número de mortes, anualmente, do que a mais assustadora de todas as drogas potentes, a heroína. Nos Estados Unidos da América do Norte, a nicotina provoca nada menos de

FUMAR — FUNDAMENTALISMO

trezentas e sessenta mil mortes anuais. Entre as emissões potencialmente mortais de um cigarro de tabaco, há pelo menos sete substâncias reconhecidamente cancerígenas, além de outras suspeitas dos mesmos maléficos efeitos. Em adição a isso, há entre quinze a vinte outros irritantes e venenos. O cianido de hidrogênio, por exemplo, um dos mais mortíferos venenos que se conhecem, está presente nos cigarros em concentrações mil vezes maiores do que aquilo que se considera seguro nos meios ambientes industriais.

Além de causar o câncer, o cigarro é acusado de causar batidas rápidas do coração, problemas de circulação, enfisema, a produção de rugas na pele, devido à privação de oxigênio, sem falarmos na morte do feto humano, ao ponto de que a principal causa do aborto é justamente o cigarro. Isso ocorre principalmente através da privação de oxigênio na corrente sangüínea. Acresça-se a isso que a principal causa dos tumores cerebrais é o cigarro. Se são necessários vinte anos para que um fumante acabe afetado por câncer do pulmão, os tumores cerebrais podem ser produzidos em um prazo admiravelmente curto.

Ademais, a fumaça do cigarro é *radioativa*. Aquele que fuma um maço de cigarros por dia, durante um ano, terá recebido radioatividade equivalente a centenas de chapas de raios-X. Um professor japonês, Kazuo Kubota, em um estudo que envolveu cento e onze adultos com mais de trinta anos de idade, demonstrou que o cigarro produz a senilidade prematura. Os produtos químicos existentes no tabaco aceleram o processo da arteriosclerose, o que, por sua vez, diminui o suprimento de sangue oxigenado para o cérebro. O resultado é alguma debilidade mental. O mesmo Dr. Kubota advertiu que os fumantes têm de enfrentar, inevitavelmente, sintomas de senilidade, mais cedo e mais profundos que os não-fumantes.

A duração média dos fumantes *moderados* é abreviada em cerca de oito anos, por causa do fumo.

Os Governos e seus Absurdos. Muitos governos, se por um lado gastam imensas somas em dinheiro procurando a cura do câncer, por outro lado subsidiam a cultura do tabaco e a indústria do fumo, a fim de garantirem maiores impostos, sobre a venda de cigarros. Alguns países têm baixado leis que banem da televisão qualquer propaganda do cigarro. O resultado é que, nesses países, como a Inglaterra e os Estados Unidos da América do Norte, o consumo de cigarros tem sido bastante diminuído. Mas as companhias que exploram a indústria do fumo, diante dessa perda, têm aumentado a sua propaganda nos países do chamado Terceiro Mundo, por meio do que contrabalançam as suas perdas, às expensas da saúde daquelas populações. E os governos desses países têm cooperado com a matança de seus próprios cidadãos, a fim de não perderem os gordos impostos recolhidos com a venda de cigarros.

Com base em trechos bíblicos como I Coríntios 3:16,17 e 6:19,20, nenhuma pessoa espiritualmente séria pode tornar-se fumante. Somos responsáveis pela boa saúde de nossos corpos físicos, a fim de que possam ser usados no cumprimento de nossas respectivas missões espirituais. A possessão e o uso do corpo físico é um sagrado depósito, que o uso do cigarro e de outros vícios, não deveria ser permitido violar.

FUNCIONALISMO, PSICOLOGIA FUNCIONAL

Ver sobre **Psicologia**, quinto ponto, e sobre **Psicologia, Escolas de**, sexto ponto.

••• ••• •••

FUNDA

Ver sobre **Armas e Armadura**.

FUNDAMENTALISMO

Ver o artigo separado sobre a **Crítica da Bíblia**. Sobre o *fundamentalismo*, consideremos os seis pontos abaixo:

1. *Como um movimento*, em contraste com o liberalismo, o fundamentalismo foi um protesto religioso e teológico de após-guerra. Recebeu seu nome dos títulos de uma série de livretos chamados *The Fundamentals: A Testimony of Truth* (doze volumes, 1910-1912).

Doutrinas fundamentais alistadas nessas obras: o nascimento virginal de Jesus Cristo; a sua ressurreição literal, física; a inerrância das Escrituras, quanto a seus manuscritos originais; a teoria substitucionária da expiação; a segunda vinda iminente e física de Cristo; o julgamento eterno dos perdidos.

3. *Uma estrita interpretação* dessas doutrinas não demorou a amargurar e dividir as denominações evangélicas. Com grande freqüência, a despeito do que pensamos sobre as próprias doutrinas, temos de reconhecer que os fundamentalistas tornaram-se culpados de um espírito contencioso. Do mesmo modo que a maldição do liberalismo é o *ceticismo*, assim também a maldição do fundamentalismo é o *espírito contencioso*. Alguém já disse, com certa razão: «Um fundamentalista é um evangélico que se zangou acerca de alguma coisa». Tenho conhecido pessoalmente alguns dos principais líderes do fundamentalismo. Posso testificar sobre a sinceridade deles; e, em muitos casos, acerca da piedade e do zelo pessoais deles. Porém, tenho visto muitas divisões, campanhas de ódio e conflitos por causa de pontos secundários (segundo minha estimativa). Conheço certa escola que se dividiu em torno do debate se os dias da criação foram seis dias literais, de vinte e quatro horas, ou não. Conheço um excelente professor, muito necessário na escola onde ensinava; mas, visto que acreditava no arrebatamento no meio da tribulação, foi despedido. Quem celebrou meu casamento foi um dos chamados «apóstolos da discórdia», homem de consideráveis habilidades e de profundas convicções, que realizou grandes serviços para a Igreja de sua época. Porém, controvérsias e conflitos desnecessários marcaram a sua carreira.

4. *Propósitos do movimento*. O fundamentalismo foi organizado para fazer oposição às tendências liberais nas escolas religiosas e nas igrejas evangélicas. Isso causou a divisão das principais denominações e, também, o surgimento de igrejas bíblicas desligadas de denominações.

O American Council of Christian Churches uniu novas e pequenas denominações que se tinham separado das denominações maiores e mais antigas. No nível internacional, formou-se o *International Council of Christian Churches*. Tipificando o que sucedia nas escolas e seminários foi o cisma liderado pelo professor John Gresham Machen (vide), que rompeu com o Princeton Theological Seminary, a fim de organizar o Westminister Seminary, em Filadélfia. Formou-se um novo grupo, denominado Bible Presbyterian Church, em oposição ao liberalismo do corpo protestante mais numeroso. Revistas como a *Christian Standard* opuseram-se à mais liberal *Christian Century*. Carl McIntire deu início ao seu *Christian Beacon*, jornal que, por muitos anos, tem apoiado e promovido a causa do fundamentalismo, com intermináveis ataques contra qualquer forma de liberalismo e comunismo que possa ser encontrado e

828

FUNDAMENTALISMO — FUNDAMENTO

combatido.

5. *A doutrina*. O termo *fundamentalismo* é sinônimo de *conservatismo* estrito. Nesse sentido, algumas vezes é usado não somente para fazer oposição ao liberalismo, mas também a formas do evangelicalismo, que interpreta menos rigidamente, mais livremente. Homens como B.B. Warfield, James Orr, H.C.G. Moule e G. Campbell Morgan, em *The Fundamentals*, deram o nome a uma estrita interpretação literalista da Bíblia. Quando eu era estudante de certa escola teológica, tivemos um curso intitulado «História do Fundamentalismo», que acompanhava as raízes do fundamentalismo por todas as Escrituras Sagradas, com o intuito de mostrar que, sem importar o título usado, as figuras da Bíblia foram todas fundamentalistas, e que assim deveriam ser todos os crentes na Bíblia. Quanto ao tipo, o fundamentalismo é aparentado da teologia evangélica da época anterior à Iluminação, embora defira da mesma por rejeitar, deliberadamente, os métodos e conclusões da crítica bíblica histórica do período posterior à Iluminação. Os teólogos mais antigos não haviam tratado mais extensivamente as questões envolvidas naquele desenvolvimento, porquanto foram produto de eruditos dos séculos XIX e XX.

6. *Contribuições*. Além de alertar as pessoas sobre inúmeros erros que haviam entrado na cena religiosa, o movimento fundamentalista tem-se mostrado radicalmente anticomunista, exibindo a incompatibilidade básica entre aquele sistema político e os ideais e crenças cristãos. O movimento também tem-se mostrado intensamente evangelizador, promovendo as missões pátrias e no estrangeiro, com um zelo realmente admirável. Portanto, se nos sentimos forçados a mencionar os vícios que têm caracterizado alguns líderes e grupos fundamentalistas, também deveríamos relembrar suas contribuições. Afinal, estamos tratando com uma porção importante e vital da Igreja de Cristo. Meus amigos, há *outros* segmentos que também merecem o nosso respeito.

FUNDAMENTO

Ver os artigos separados sobre *Fundamento da Igreja, Cristo como; Fundamento da Igreja, Pedro como* e *Fundamento dos Apóstolos e Profetas*.

Esboço:

I. As Palavras Envolvidas
II. No Antigo Testamento
III. No Novo Testamento
IV. Usos Metafóricos

I. As Palavras Envolvidas

Há sete palavras hebraicas envolvidas, e duas gregas, a saber:

1. *Yasad*, «fundar», «fundamento». Essa palavra aparece por trinta e uma vezes com esse significado, como, por exemplo, em Êxo. 9:18; I Reis 7:10; II Crô. 31:7; Jó 38:4; Sal. 102:25; Isa. 48:13; Jos. 6:26; I Reis 5:17; Esd. 3:10; Zac. 4:9. Há duas formas variantes. *Yesod*, «fundamento», «fundo», usada por treze vezes, conforme se vê, por exemplo, em II Crô. 23:5; Jó 4:19; 22:16; Sal. 137:7; Pro. 10:25; Lam. 4:11; Eze. 13:14; 30:4; Miq. 1:6; Hab. 3:13. *Yesudah*, «fundamento», palavra que ocorre por apenas uma vez, em Sal. 87:1.

2. *Musad*, «alicerce», «fundamento». Esse termo hebraico figura por duas vezes: II Crô. 8:16 e Isa. 28:16. Há uma variante, *musadah*, que aparece por uma só vez, com o mesmo sentido: Eze. 41:8.

3. *Makon*, «base», «alicerce», «habitação», e que ocorre apenas por uma vez com o sentido de «fundamento»: Sal. 104:5.

4. *Shath*, «príncipe», «coluna», «fundamento», e que aparece por uma única vez com o sentido de «fundamento»: Sal. 11:3.

5. *Oshyoth*, «fundamentos». Palavra que aparece por apenas uma vez: Jer. 50:15.

6. *Ushshin*, «fundamentos». Esse termo ocorre por três vezes, e é de origem aramaica: Esd. 4:12; 5:16; 6:3.

7. *Mosadoth*, «fundamentos», «alicerces». Palavra hebraica que é usada por treze vezes: Deut. 32:22; II Sam. 22:8,16; Sal. 18:7,15; 82:5; Pro. 8:29; Isa. 25:18; 40:21; 58:12; Jer. 31:37; Miq. 6:2.

8. *Katabolé*, «alicerce», «fundamento». Vocábulo hebraico que figura por onze vezes: Mat. 13:35 (citando Sal. 78:2); 25:34; Luc. 11:50; João 17:24; Efé. 1:4; Heb. 4:3; 9:26; 11:11; I Ped. 1:20; Apo. 13:8 e 17:8.

9. *Themélios*, «alicerce», «pedra de alicerce», que aparece por dezesseis vezes: Luc. 6:48,49; 14:29; Atos 16:26; Rom. 15:20; I Cor. 3:10-12; Efé. 2:20; I Tim. 6:19; II Tim. 2:19; Heb. 6:1; 11:10; Apo. 21:14,19. O verbo correspondente, *themelióo*, «fundar», «alicerçar», ocorre por seis vezes: Mat. 7:25; Luc. 6:48; Efé. 3:18; Col. 1:23; Heb. 1:10 (citando Sal. 102:26) e I Ped. 5:10.

Algumas dessas palavras hebraicas e as duas palavras gregas são usadas na Bíblia tanto em sentido literal quanto em sentido figurado.

Desde os tempos mais antigos, os construtores reconheceram a necessidade de alicerces firmes para suas construções.

II. No Antigo Testamento

O termo hebraico **yasad**, «fixar», «fundamentar», «alicerçar» é usado nas Escrituras para indicar todo tipo de alicerce, como do altar (Êxo. 29:12), da terra (Sal. 24:2; Isa. 24:18), de edifícios (Jer. 50:15), do mundo habitado (Sal. 18:15), da cúpula dos céus (Amós 9:6), de Israel (Isa. 44:11), de Sião (Isa. 14:32), dos justos (Pro. 10:25) e do templo de Salomão (I Reis 5:17). Portanto, estão em foco, no uso dessa palavra, tanto alicerces literais quanto metafóricos.

Às vezes, um edifício era levantado sobre alguma superfície natural sólida, como uma rocha. Ou então pedras eram postas à superfície, com o propósito de servirem de alicerce. Porém, um alicerce verdadeiro era «assentado», isto é, posto sobre escavações feitas na terra (Isa. 28:16). Um alicerce era essencial para a durabilidade e fortaleza de uma parede ou muralha (Jer. 50:15). Os alicerces do templo de Salomão tinham as dimensões de quatro por cinco metros, utilizando blocos de pedra cuidadosamente talhados, conforme se aprende em I Reis 5:17; 6:37 e I Crô. 22:2. Os alicerces do segundo templo foram feitos em dois estágios. Primeiramente, nos dias de Ciro, rei da Pérsia, foi levantada uma muralha de retenção, para formar uma plataforma nivelada. Então o rei Dario permitiu que se enchesse de terra o lugar, como um terraço (Esd. 6:3). E, sobre o mesmo, foi lançado um outro alicerce (Esd. 3:10 e Zac. 4:9).

Nos países gentílicos antigos, havia uma prática de consagração dos alicerces de edifícios com algum sacrifício humano, chamado de «pacto do limiar». Mas os arqueólogos, apesar de terem encontrado muitos esqueletos nessas edificações de povos gentílicos, nunca encontraram coisa similar nas construções dos israelitas. O trecho de I Reis 16:34, talvez, tenha em vista esse tão bárbaro costume, quando assevera que Hiel, o betelita (vide), edificou a Jericó, e «morreu-lhe Abirão, seu primogênito» e

829

FUNDAMENTO DA IGREJA, CRISTO

então que «quando lhe pôs as portas morreu Segube, seu último, segundo a palavra do Senhor que falara por intermédio de Josué, filho de Num».

III. No Novo Testamento

Por nada menos de dez vezes a palavra grega *katabolé* é empregada no Novo Testamento para indicar os fundamentos do mundo. Como exemplos disso, ver Mat. 13:35 e Luc. 11:50. O vocábulo grego *themélios* (algo lançado) aparece por dezesseis vezes, usualmente em sentido figurado. Como exemplos disso, ver o fundamento que um homem usa para sobre o mesmo edificar a sua vida (Luc. 6:58), e também Cristo como o fundamento de sua Igreja (I Cor. 3:11). Cristo também é a principal pedra de esquina, ao mesmo tempo em que, de acordo com essa outra metáfora, os apóstolos são pedras que fazem parte do alicerce (Efé. 2:20 e Apo. 21:14,19). Não há nisso qualquer contradição, porquanto Cristo é o único fundamento no tocante à salvação, mas os profetas e apóstolos fazem parte do alicerce sobre o qual a Igreja cristã está sendo erigida. Os judeus costumavam afirmar a mesma coisa acerca dos patriarcas israelitas, que serviram de alicerces da nação judaica. Outros usos neotestamentários da idéia de fundamento podem ser vistos na lista de usos metafóricos da palavra, logo abaixo.

IV. Usos Metafóricos

1. Fundamentos com o sentido de **origem** (ver Jó 4:19). O homem reside em uma casa de barro e a sua origem encontra-se no pó. Esse conceito tem paralelo na narrativa de Gên. 2:7 e 3:19.

2. Fundamento com o sentido de *começo*, como os fundamentos do mundo (ver Mat. 13:35; 25:34).

3. O Messias é o fundamento lançado em Sião (Isa. 28:16; I Cor. 3:11).

4. Os apóstolos e profetas do Novo Testamento fazem parte do alicerce da Igreja de Cristo (Efé. 2:20).

5. Pedro, juntamente com os demais apóstolos (Mat. 16:18 e 18:15-18), faz parte do alicerce da Igreja, como uma construção histórica, mas não no tocante à questão da salvação, que depende exclusivamente de Cristo.

6. Jesus Cristo é o único fundamento da Igreja, no tocante Àquele sobre quem construímos e em quem alicerçamos a nossa expectativa de salvação (I Cor. 3:11).

7. A fé cristã é o alicerce de nossa vida (II Tim. 2:19). Ver o trecho de Provérbios 10:25, que exprime idéia similar.

8. O homem sábio constrói sobre um alicerce de sabedoria e realização espirituais, evitando as areias das vicissitudes humanas, das falsas doutrinas, etc. (Luc. 6:48).

9. A cidade de Deus (composta por todos os remidos no sangue de Cristo) está alicerçada sobre a verdade e sobre o poder de Deus (Heb. 11:10).

10. Há alicerces sobre os quais se apóiam os pilares do céu, visto como montanhas, sobre os quais repousa a abóbada do firmamento (II Sam. 22:8). Alguns consideram poética esse tipo de linguagem; mas os antigos hebreus aparentemente acreditavam nessas coisas de maneira literal. Isso é amplamente ilustrado no artigo sobre a *Astronomia*, nesta enciclopédia.

FUNDAMENTO DA IGREJA, CRISTO COMO

Esboço:
  I. Discussão Preliminar
  II. Os Alicerces e o Grande Alicerce
  III. O Unificador
  IV. A Comunidade do Espírito

I. Discussão Preliminar

I Cor 3:11: ...*ninguém pode lançar outro fundamento, além do que já está posto, o qual é Jesus Cristo.*

Comenta C.T. Craig (*in loc.*), como segue: «A mudança de figura simbólica provoca a mudança de tom. O outro homem, que agora edificava, não é referido por nome. Nada havia de errado com o regar de Apolo no campo, mas sem dúvida alguns materiais defeituosos estavam sendo utilizados na construção. Deus havia comissionado Paulo mediante um ato de sua graça, que fizera dele um apóstolo. Ele era o «sábio construtor», que lançara o tipo certo de alicerce. Não podia mesmo haver *outro alicerce* para a Igreja além de Jesus Cristo. E por que razão isso precisava ser frisado para a comunidade cristã de Corinto? Será possível que o líder da facção que tinha por seu herói a figura de Cefas afirmasse que ele era a rocha sobre a qual estava edificada a *Igreja*? (Ver Mat. 16:18). Isso é perfeitamente possível. Esta passagem dá a impressão de que Paulo tinha em mente essa tradição e que ele resistia com todas as forças contra essa idéia. O próprio Paulo não edificava sobre alicerces lançados por outros homens (ver Rom. 15:20). Não obstante, não se opunha a tal prática por parte de outros, conforme verificamos em suas cordiais palavras a respeito de Apolo. O que atiçava a sua indignação era o *tipo* de trabalho que vinha sendo feito ali. Tal como havia feito oposição a Cefas, face a face (ver Gál. 2:11), assim também Paulo agora não hesitava em fazer oposição àqueles que aparentemente reivindicavam possuir a autoridade de Pedro em Corinto». (Ver o artigo sobre *Fundamento da Igreja, Pedro Como*).

Não há meios para sabermos exatamente à quem Paulo se referia com essas palavras, mas é bem possível que esteja em foco alguma pessoa em particular, como alicerce da igreja de Corinto; embora também seja possível que Paulo estivesse imaginando alguma «doutrina» ou sistema doutrinário desenvolvido em lugar do sistema cristão, centralizado em Jesus Cristo, como alicerce básico de todo o cristianismo. É possível que a tentativa, por parte do partido dos «intelectuais», no sentido de criar uma «nova sabedoria», com base no cristianismo fosse a *doutrina fundamental* contra a qual Paulo fazia objeção aqui. Mas também é possível que ele simplesmente quisesse enfatizar que somente Cristo pode ser o objeto de nossa adoração e serviço, o que significa que a elevação de outros homens, até o lugar que cabe exclusivamente a Cristo, atribuindo-lhes glória, em um espírito faccioso, na realidade seja equivalente a substituir Cristo por outros homens, como o alicerce da Igreja cristã. Este último pensamento parece mais provável, embora não saibamos como demonstrá-lo, porquanto a referência de Paulo na realidade não nos fornece qualquer idéia sobre o que ele queria dizer exatamente.

A única coisa que fica clara, entretanto, é que somente Jesus Cristo pode servir de base sobre a qual edificamos a nossa fé; somente sobre o Senhor pode uma vida remida ser construída, e somente tendo por centro a pessoa de Cristo é que se pode fundar uma comunidade cristã organizada. Por conseguinte, atribuir glória a qualquer outro é roubar do Senhor Jesus da posição fundamental que ele ocupa apropriadamente em sua Igreja. Através desse símbolo do alicerce, pois, Paulo quiçá estivesse tão-somente continuando seu ataque contra o espírito contencioso que havia na Igreja de Corinto, e não lançando um novo ataque contra algum partido diferente, como aquele que tinha por seu herói, a Cefas.

830

FUNDAMENTO DA IGREJA, CRISTO

II. Os Alicerces e o Grande Alicerce

1. Os intérpretes têm posto I Cor. 3:11 em oposição ao trecho de Mat. 16:18; mas tal esforço é fútil, inútil e desnecessário. Pedro, em certo sentido, era uma figura fundamental para a igreja. Mas, em um sentido mais elevado, somente Jesus Cristo é o alicerce da Igreja.

2. Como poderia Pedro ser fundamental para a Igreja? Da mesma maneira que Abraão o foi para Israel. A teologia rabínica comum pensava que Abraão era fundamental para o judaísmo. Por semelhante modo, os apóstolos e profetas formam o alicerce da Igreja (ver Efé. 2:20). Mediante essa metáfora, a Igreja é apresentada como um edifício espiritual, um templo cujo alicerce, por assim dizer, é formado pelos apóstolos e profetas do N.T., pois o crescimento da Igreja dependia das atividades deles. Dentro dessa metáfora, Cristo não é o alicerce inteiro, mas antes, é a principal pedra angular. Ora, uma pedra angular não pode servir de alicerce inteiro. Isso comporia uma metáfora absurda. (Ver Efé. 2:20 e I Ped. 2:6 quanto a Cristo como esse elemento especial do alicerce, e não como o alicerce inteiro). A Igreja encarada pelo ângulo de seu desenvolvimento histórico, por estar alicerçada sobre os ensinamentos dos apóstolos e profetas do N.T., fundamenta-se sobre eles.

3. Mas, no que diz respeito à salvação, só pode haver um alicerce, a saber, Cristo. Ninguém pode alicerçar sua salvação, ou mesmo o desenvolvimento de sua missão espiritual, sobre qualquer homem. Somente Cristo serve como alicerce, estando, então, em foco um alicerce obviamente diferente daquele que é considerado no ponto dois. Cristo, encarado como o principal evangelista, pode ser tido como parte do alicerce da Igreja, a saber, seu mais importante elemento—a pedra angular. Porém, encarado como o Salvador, ele é o único alicerce em que se baseia um crente.

4. Paulo, ao pregar sobre o Salvador e sobre o Senhor, sobre quem devemos edificar as nossas vidas, falou a seu respeito como o único alicerce possível. Se ele *estivesse falando* a respeito do desenvolvimento *histórico* da Igreja, então poderia ter feito menção de outro tipo de alicerce, — que inclui os apóstolos e profetas. Oferecemos notas mais detalhadas acerca desses conceitos, em Mat. 16:18 e Efé. 2:20 no NTI.

5. A polêmica envolvia o seguinte: Visto que Cristo é o único alicerce, a adoração a figuras heróicas, no seio da Igreja, e o orgulho denominacional, são erros totalmente ilegítimos. A sabedoria e os esforços humanos não podem outorgar para nós qualquer alicerce autêntico na vida. Paulo adverte a seus críticos de Corinto e deixa entendido que eles edificavam a jactância humana e não sobre Cristo.

Com a finalidade de conciliarmos as várias passagens envolvidas nessa questão, poderíamos aceitar que, de uma maneira especial, não compartilhada por qualquer outro, Cristo é o fundamento da Igreja cristã. Então, examinando a passagem que ora comentamos, poderíamos dizer que Paulo quis dizer que Cristo é o alicerce básico de sua igreja em um sentido exclusivo. Assim sendo, somente sobre a pessoa de Cristo é que se poderia edificar uma vida cristã individual ou a vida da comunidade cristã em geral. Essa idéia certamente está com a razão, pois nenhum mero homem pode tomar tal posição. Porém, um *outro* sentido, no sentido *histórico*, pode-se dizer que outros fazem parte do alicerce da Igreja cristã. Assim é que a doutrina ensinada por Jesus Cristo foi transmitida através de vários indivíduos, sobretudo, através dos profetas (provavelmente estão em foco os profetas do N.T., em Efé. 2:20) e dos apóstolos. Sobre esses, pois, historicamente falando, é que a Igreja de Cristo foi edificada, porquanto foram os esforços evangelizadores desses homens que ergueram o cristianismo.

III. O Unificador

Nesse caso, o próprio **Jesus Cristo**, por ser o principal evangelista, é também a pedra angular, porquanto ele é o unificador de todo o esforço enviado, bem como o tema central da própria mensagem. Mais ou menos dessa maneira é que podemos reconciliar as diversas referências acerca do fundamento da Igreja; apesar de não podermos ter certeza absoluta se Paulo se sentiria satisfeito perante tal reconciliação. Por isso mesmo é que existem alguns estudiosos que nem procuram estabelecer reconciliação entre essas várias passagens neotestamentárias, simplesmente afirmando que diferentes pontos de vista sobre a questão existem nos escritos dos diversos escritores do Novo Testamento.

Após a destruição da cidade de Jerusalém, a autoridade visível da fé religiosa, que era o templo e o sinédrio, desapareceu. Foi necessário, portanto, estabelecer alguma nova autoridade central, algum novo fundamento e devem ter surgido diferentes soluções para esse problema, em diferentes seções da Igreja cristã. Dentro da literatura judaica, Abraão e os patriarcas são chamados de alicerce da congregação israelita. Portanto, não deveríamos ficar surpreendidos se, de certo modo, alguns homens também sejam chamados de fundamentos da Igreja cristã, a comunidade religiosa do novo pacto, pois isso seria tão-somente a reiteração de uma lógica consagrada pelo uso. Todavia, em seu zelo em favor de Cristo, Paulo poderia ter feito objeção a qualquer idéia dessa ordem, não sendo impossível que I Cor. 3:11 encerre exatamente tal objeção, a despeito do fato de que o cânon do N.T. finalmente, tenha incluído alusões a tais homens, os quais, em um sentido secundário, poderiam ser considerados como alicerces da Igreja cristã. (Ver o artigo sobre *Fundamento da Igreja, Pedro Como*).

Muitos intérpretes protestantes, através de truques de interpretação e de sofismas filosóficos, procuram tirar da passagem de Mat. 16:18 toda a alusão a Simão Pedro como o fundamento; mas muitos excelentes intérpretes, incluindo alguns dos melhores intérpretes protestantes, dizem que essa passagem fica sem sentido se Pedro não está em foco ali.

Deve-se notar, entretanto, que esse passo bíblico de Mat. 16:18 na realidade *não diz* qualquer coisa diferente que a tradição judaica dizia acerca de Abraão ou que o trecho de Efé. 2:20 declara especificamente, e com grande clareza, acerca dos profetas e apóstolos, isto é, que esses são peças fundamentais da Igreja de Cristo. Portanto, é inútil querer desvirtuar a passagem citada do evangelho de Mateus, pois encontraríamos a mesma dificuldade em Efé. 2:20, porquanto aquilo que é dito sobre Pedro, no evangelho de Mateus, é subseqüentemente dito sobre todos os outros apóstolos e sobre os profetas, na epístola aos Efésios. Nossa explicação, pois, deve seguir alguma linha que procure reconciliar a idéia que diz que Jesus Cristo é o alicerce exclusivo da Igreja, com a idéia que diz que certos indivíduos também são peças fundamentais da Igreja, ainda que em sentido *secundário*, conforme foi sugerido, mais acima. Essa interpretação é pelo menos possível, e certamente é superior a algum manuseio desonesto e sofista que somente torce as Escrituras.

O apóstolo Paulo queria que entendêssemos que só pode haver um alicerce—Cristo—porque substituí-lo

FUNDAMENTO DA IGREJA, PEDRO

é pôr em risco a estrutura inteira do edifício espiritual da Igreja. Só existe um sobre o qual podemos construir nossas vidas, e sobre o qual pode ser edificada a vida da Igreja de Cristo, porquanto é por intermédio dele que nos é conferida a vida espiritual em todos os seus aspectos. A pessoa real de Cristo deve ser vista como esse fundamento, o qual não se compõe apenas de alguma doutrina a respeito dele. Porquanto é através dele que nos vem a vida, e não meramente através da crença em alguma doutrina em torno de sua figura. Considerando isso, somos levados a pensar sobre a intimidade ou comunhão mística com ele, através do seu santo Espírito. Nisso é que consiste verdadeiramente o caminho em que as pedras que são sobrepostas ao fundamento podem ser chamadas de «pedras vivas», conforme disse Cefas, em I Ped. 2:5-8. Essas «pedras vivas», portanto, é que chegam a compor a «casa espiritual». Ora, tudo isso pressupõe alguma transmissão real de vida; e somente o próprio Cristo, mediante o seu Espírito, pode fazer isso.

IV. A Comunidade do Espírito

Disso tudo se conclui que a fé não é uma confiança baseada em alguma mera doutrina acerca de Cristo, como também não é a aceitação de algum credo do qual ele aparece como figura central. A fé é parte integrante da comunicação do Espírito, o primeiro passo da regeneração, parte integrante da conversão; e tudo isso é resultado de uma operação divina sobre a alma. Quando Paulo lançou seu fundamento, pois esse fundamento não consistia em sua pregação, mas a sua prédica conduzia Cristo aos corações humanos; e assim é que o fundamento foi posto por ele. E foi assim que a vida de Cristo era transmitida aos corações.

Quão silentemente, quão silentemente,
O maravilhoso dom é conferido!
Assim Deus confere aos corações humanos
As bênçãos de seus céus.
Nenhum ouvido ouvirá a sua vinda,
Mas neste mundo de pecado,
Onde as almas mansas o recebem, contudo,
O querido Cristo entra ali.

(Phillips Brooks).

Que foi posto. Essas palavras, no dizer de vários intérpretes, aludem ao plano divino e à ação de Deus Pai. E essa idéia certamente é verdadeira. O apóstolo Paulo, somente em um sentido bem secundário, através de seu ofício e ministério apostólico, em situações geográficas, lançara o fundamento que já havia sido determinado dentro do plano de Deus. (Com essa passagem se pode comparar I Ped. 2:5-8, onde a construção aparece sob a forma de uma «casa espiritual», composta de pedras vivas, e da qual Cristo é a principal pedra angular, idéia essa que também aparece em Efé. 2:20). Por conseguinte, essa deve ter sido uma metáfora comum entre os cristãos primitivos.

FUNDAMENTO DA IGREJA, PEDRO COMO

Mat. 16:18: *Pois também eu te digo que tu és Pedro, e sobre esta pedra edificarei a minha igreja, e as portas do hades não prevalecerão contra ela;*

Eu te digo. O termo *eu* é enfático aqui; Jesus enfatiza a declaração com a autoridade de sua própria pessoa. O Cristo tem autoridade para fazer tais declarações, e dificilmente outra pessoa a teria. E foi mediante a autoridade do Cristo, o Filho do homem e Filho de Deus vivo que Pedro recebeu esses altos privilégios.

Depois da destruição de Jerusalém e o fim do sinédrio, o problema de autoridade religiosa tornou-se crítico. A Igreja procurava estabelecer sua autoridade na ausência do velho poder eclesiástico. O evangelho de Mateus achou esse poder em Pedro e no voto da congregação (caps. 16 e 18). Outros (como o evangelho de João), acharam esse poder nos apóstolos (João 20:23).

Talvez não exista no N.T., na religião cristã e na história eclesiástica outra doutrina ou trecho bíblico que tenha dado margem a *tanta discussão*, abuso e atenção como este versículo. É uma *quaestio vexata* da teologia, que ocupa um dos primeiros lugares entre essas questões.

Apresentaremos de forma abreviada as principais interpretações sobre a «rocha» na qual está edificada a Igreja; há diversas outras interpretações, mas todas são meras variações destas: 1. A «pedra» sobre a qual a Igreja está edificada é Pedro. 2. A «pedra» é Cristo. 3. A «pedra» é a confissão de Pedro sobre Cristo, aquela confissão que revelou a identidade de Cristo. 4. A «pedra» é a própria revelação. A Igreja está edificada sobre essa revelação. 5. A «pedra» é a fé que procede da confissão, essa fé é a pedra sobre a qual a Igreja foi fundada.

Os argumentos em favor da **segunda interpretação** (Cristo é a *pedra*) são os seguintes: no grego há um jogo de palavras: Pedro é *petros* ou pedrinha, fragmento de uma rocha. Mas Cristo é a *pedra* maciça, sobre a qual está edificada a Igreja. Essa palavra, «petra», foi empregada por Homero ao aludir à rocha que Polifemo pôs à porta de sua caverna, rocha essa tão pesada que vinte e dois carroções não puderam removê-la. Homero também se utilizou dessa palavra para indicar a rocha que Polifemo atirou contra os navios de Ulisses, quando estes se afastavam em sua fuga. Essa rocha, ao bater na água, criou uma onda tão grande que fez os navios retornarem à margem. Assim também, Jesus falou de si mesmo quando disse «esta pedra»—Jesus é a rocha maciça. Se no aramaico não houve esse jogo de palavras, e foi usada uma única palavra para significar «petros» e «petra», no dizer dos defensores dessa interpretação, Jesus teria feito a diferença por um movimento da mão. Quando falou sobre Pedro, ao usar a palavra «petros», deve ter feito um gesto na direção do apóstolo; e quando falou sobre a *petra*, a rocha maciça que é ele mesmo, sobre quem a Igreja deveria ser edificada, deve ter feito um gesto que apontava para si mesmo. Além disso, esses intérpretes afirmam que o Espírito Santo, ao dar este trecho por inspiração, usou de duas palavras para evitar a idéia de que Pedro era a «pedra». Aqueles que assim interpretam se referem à passagem de I Cor. 3:11, que diz: «Porque ninguém pode lançar outro fundamento além do que foi posto, o qual é Jesus Cristo». Alguns também se utilizam do trecho de I Ped. 2:4-9 para demonstrar a mesma coisa; mas esta última referência não parece conter essa idéia, e até mesmo parece ser contrária a ela, como o leitor pode verificar: «Chegando-vos para ele, a pedra que vive, rejeitada, sim, pelos homens, mas para Deus eleita e preciosa, também vós mesmos, como pedras que vivem, sois edificados casa espiritual para serdes sacerdócio santo...»

Os intérpretes que têm sustentado essa idéia, em qualquer de suas formas, são Jerônimo, Agostinho (em seus últimos anos), Anselmo, que, às vezes, também interpreta a «pedra» como se fosse uma alusão a Pedro, Chemnitz, Fabrício, Calovio, Wordsworth, J.A. Alexander. Essa interpretação tem sido a favorita entre o protestantismo, isto é, entre os

FUNDAMENTO DA IGREJA, PEDRO

protestantes comuns, e não necessariamente entre os intérpretes protestantes.

Com relação à **terceira interpretação** (a «pedra» é a *confissão* de Pedro acerca de Cristo), vemos que dificilmente se adapta ao jogo de palavras que encontramos no grego. A interpretação natural do trecho é contrária a essa idéia. Os fatos também lhe são contrários, posto que as Escrituras dizem que a Igreja é edificada sobre os que fazem a confissão, e não sobre a própria confissão, segundo se vê em Efé. 2:20 e I Ped. 2:4-8. Aqueles que têm defendido essa interpretação têm sido: a maior parte dos pais da igreja, alguns papas, Lutero, Febrônio e outros. Mas nota-se que esses homens usualmente não eram coerentes em sua interpretação, porquanto às vezes se referiam à *pedra* como se fora a confissão, outras vezes como se fora a pessoa de Pedro, e, outras vezes, ainda, como se fora o próprio Jesus Cristo. Portanto, essa terceira interpretação não está escudada em autoridade sólida.

A **quarta interpretação** diz que a *pedra* é a *revelação*. A Igreja sempre está edificada sobre as verdades reveladas, tanto no passado, como no presente—e no futuro. Os argumentos contrários à terceira interpretação se aplicam a esta também; mas além disso nota-se que essa quarta interpretação não conta com a autoridade de qualquer intérprete notável.

A **quinta interpretação** afirma que a fé que procede da confissão, o tipo de fé praticada pelos homens, é que é o fundamento da Igreja. Em certo sentido, há alguma verdade nessa interpretação. É verdade que prova que a Igreja não pode subsistir sem aquele tipo de fé demonstrada por Pedro, em Cristo Jesus e é nesse sentido que a fé forma a base da Igreja; mas a simples leitura do texto é suficiente para demonstrar que essa não era a idéia que Jesus tencionava apresentar. Os argumentos contra a terceira interpretação também podem ser aplicados a esta.

Voltemos, pois à **primeira interpretação** que diz que a pedra é Pedro. Há muitas variações dessa interpretação, das quais as seguintes são representativas:

1. De acordo com a doutrina da Igreja Católica Romana, o texto ensina que Pedro é a base ou fundamento da Igreja, separado dos demais apóstolos; e assim aparece a *primazia* de Pedro, no que fica *subentendida* a doutrina do papado. Portanto, a maior parte dos intérpretes católicos romanos, como Launoi, Dupin, e também alguns protestantes, com alguma variação na interpretação (Werenfels, Pfaff, Bengel e Crusius), apresentam essa interpretação. Tais intérpretes exageram o sentido do texto como qualquer leitor pode observar, se não for desviado por fortes preconceitos.

2. A «pedra» é Pedro, mas *não separado* dos outros apóstolos, e, provavelmente, também não separado dos membros da Igreja em geral. Peter Schaff (*in loc.*, em Lange) diz: «Pedro (representando os outros apóstolos), tendo confiado em Cristo e tendo-o confessado (devido a isso), é a *petra ecclesiae*. As outras idéias parecem ter sido criadas especialmente para evitar a interpretação duvidosa da Igreja romana, que tira do texto doutrinas que não se desenvolveram senão alguns séculos após ter sido feita a declaração simples deste texto. Entretanto, não é necessário que se criem interpretações errôneas para evitar outras errôneas. Ainda que esse texto cite Pedro como a pedra *Fundamental* da Igreja, não seria coisa alguma que não possa ser encontrada em outros trechos bíblicos». De conformidade com a leitura simples do texto, é melhor aceitarmos a interpretação

natural, entendendo aqui que Pedro é a «petra», mas no sentido que segue abaixo. Dificilmente o texto tem bom sentido se apresentarmos outra interpretação. Por que Jesus chamou Simão de *petros*, nesta oportunidade? Por que, no vs. 19, são mencionados poderes extraordinários que seriam dados a Pedro? Facilmente, Jesus poderia ter ensinado que Pedro é a pedra fundamental da Igreja, evitando chamá-lo de «petros»; a referência como existe perde todo o sentido se não a entendermos que Pedro seria a pedra fundamental da Igreja. É verdade que no original grego há um jogo de palavras com esses vocábulos, mas o sentido seria mais ou menos como esta paráfrase: «Tu és uma pedra, um pequeno e insignificante fragmento, mas eu mostrarei que grande coisa posso fazer de ti. Tu serás uma rocha maciça, rocha fundamental na minha Igreja, que brevemente começarei a edificar». Os escritos dos rabinos usam expressões como essas, isto é, indicam homens como pedras fundamentais da congregação de Deus. Por exemplo, esses escritos asseveram que Deus não pode edificar o seu mundo sobre o fundamento da geração de Enos, mas que em Abraão o Senhor encontrou tal qualidade de fundamento. E neste texto encontramos a mesma idéia.

Em confirmação dessa interpretação, consideremos os seguintes argumentos:

1. O uso da literatura rabínica, conforme já vimos.

2. O fato de que o jogo de palavras, no grego, realmente indica essa interpretação e não a elimina.

3. No idioma falado por Jesus, o aramaico, a palavra que ele usou para dar nome a Pedro era a mesma palavra que significa «pedra» ou fundamento da Igreja.

4. *As demais* interpretações existem principalmente para combater idéias consideradas falsas da Igreja Católica Romana; mas não se baseiam no próprio texto bíblico.

5. A mesma verdade é ensinada em Efé. 2:20: «Edificados sobre o fundamento *dos apóstolos* e *profetas*, sendo ele mesmo, Cristo Jesus, a pedra angular». O texto mostra que esse edifício é a Igreja, a habitação de Deus no Espírito, a «família» de Deus (vs. 19). E a passagem de Apo. 21:14 indica a mesma idéia.

6. O testemunho do próprio Pedro, em I Ped. 2:4-6, também indica a mesma verdade: «Chegando-vos para ele, a pedra que vive...vós mesmos, como pedras que vivem, sois edificados casa espiritual...ponho em Sião uma principal pedra angular...». A pedra principal, angular é o símbolo de Cristo. Dificilmente a pedra angular pode conter uma referência ao fundamento *inteiro*.

7. Em sentido exclusivo, **somente Cristo** pode ser o fundamento de Igreja, e isso é o que se aprende em I Cor. 3:11, que diz: «Porque ninguém pode lançar outro fundamento, além do que foi posto, o qual é Jesus Cristo». O vs. 10 do mesmo capítulo mostra que o tema é Cristo como alicerce da vida cristã: «...segundo a graça de Deus que me foi dada, lancei o fundamento como prudente construtor; e outro edifica sobre ele; porém cada um veja como edifica... Contudo, se o que alguém edifica sobre o fundamento é ouro, prata, pedras preciosas, madeira, feno, palha...» Essas coisas falam da *vida cristã como que edificada sobre Cristo*, em torno de sua pessoa, e, naturalmente, não pode haver outro fundamento *nesse sentido*. Porém, os textos de Mat. 16 e Efé. 2 (juntamente com outros), não está em foco essa questão, porquanto falam do grande edifício da igreja. Esse edifício, habitação de Deus, tem algumas

FUNDAMENTO DOS APÓSTOLOS

pedras fundamentais, a saber, os apóstolos, os profetas—todos os quais são como que pedras vivas. Nesse edifício Cristo é a pedra fundamental, angular.

8. Precisamos notar que aquilo que foi dito acerca de Pedro em Mat. cap. 16, *foi estendido* aos demais Apóstolos em Efé. 2:20, pelo que o texto de Mateus 16 não subentende a primazia *permanente* de Pedro, segundo ensina a Igreja Católica Romana. Dificilmente, portanto, há qualquer possibilidade de apoio às doutrinas romanistas sobre o papado. Essa interpretação romanista exagera o texto sagrado. Pedro, como pedra fundamental da Igreja, recebeu certos poderes de ofício. Na administração de seu ofício, tinha o poder de «proibir e permitir», conforme mostra o vs. 19. Mais tarde, esses poderes também foram dados aos outros apóstolos. Os demais apóstolos, tendo esses poderes em comum, também eram pedras fundamentais de Igreja (Efé. 2:20).

9. Pedro, no que diz respeito à porção judaica da Igreja, era fundamental no edifício da mesma, como se pode ver em Atos 1:15; 2:14,37; 3:12; 4:8; 5:15,29; 9:34,40; 10:25,26; Gál. 1:18. Ele é a pedra fundamental no sentido bíblico, e não no sentido papista. Para transferir para Pedro ou para qualquer outro indivíduo as idéias de primazia e papado precisamos usar de grande preconceito, imaginação e *ginástica lógica*. Os privilégios e poderes que Jesus deu aqui a Pedro, posteriormente, foram conferidos também a todos os outros apóstolos, e até mesmo aos crentes comuns, como nos indica a referência em Mat. 18:17-19. Não há, nem nas Escrituras e nem na história eclesiástica, evidências que indiquem que, na Igreja primitiva, houvesse papado, ofício esse transferível a outros que também exercessem a autoridade e a posição que Jesus conferiu a Pedro. Esses ensinos procedem da tradição, e não das Escrituras. Contra essa interpretação romanista alinham-se os seguintes argumentos:

1. A doutrina do papado ignora o caráter do símbolo do fundamento, isto é, um fundamento deve ser posto de *uma vez só*, deve ser permanente, não pode ser renovado nem mudado continuamente, como sucede na sucessão papal.

2. Essa interpretação confunde *primazia de tempo* com superioridade permanente de ofício.

3. Essa interpretação confunde o apostolado, que era um ofício *intransferível*, válido somente no tempo de Jesus, com o desenvolvimento do episcopado pós-apostólico na Igreja, que só surgiu depois do tempo dos apóstolos.

4. Essa interpretação envolve o *não-reconhecimento* do ofício dos outros apóstolos, os quais também receberam os poderes e privilégios que foram dados a Pedro naquela ocasião. Eles também foram fundamentos da Igreja, isto é, formaram o alicerce da Igreja (ver Efé. 2:20).

5. Essa interpretação *contradiz* os próprios escritos de Pedro (I Ped. 2:5,6), que são contrários à idéia de um tipo de papado e que jamais podem indicar a existência de tal coisa.

6. Finalmente, podemos afirmar que essas doutrinas, como a do papado, a da extrema primazia de Pedro, só apareceram no dogma *posterior* da história eclesiástica, e não se alicerçam nas próprias Escrituras nem em qualquer precedente da Igreja primitiva. Não havia primazia do bispo de Roma sobre o bispo de Jerusalém, de Cesaréia ou de qualquer outra localidade. A primazia do bispo de Roma foi um desenvolvimento posterior.

As seguintes citações procuram esclarecer melhor o texto. Olshausen (**in loc.**): «Pedro, no seu novo caráter

espiritual, aparece como o sustentáculo da grande obra de Cristo; o próprio Jesus é o criador da coisa em sua totalidade, mas Pedro é a primeira pedra do edifício». Meyer (*in loc.*) escreve: «Sobre nenhuma outra pedra, isto é, Pedro, que foi assim chamado por causa de sua fé firme e forte em Cristo». Alford (*in loc*) diz: «Pedro foi a primeira daquelas pedras fundamentais (Efé. 2:20 e Apo. 21:14) sobre as quais foi edificado o templo vivo de Deus; esse mesmo edifício teve começo no dia de Pentecoste, pela colocação de três mil pedras vivas sobre esse alicerce». D. Brown (*in loc.*) disse: «Não sobre o homem Barjonas; mas sobre o confessor de tal fé inspirada pelos céus».

Edificarei a minha Igreja. Ver o artigo sobre a Igreja. Esse vocábulo se deriva do grego, onde significa «chamados para fora», e se aplica a qualquer assembléia. Aqui encontramos a sua primeira ocorrência no N.T., embora Israel também tenha sido chamado de «igreja». A palavra grega «ekklesia» aparece 115 vezes no N.T., mas somente por três vezes nos evangelhos, e todas elas em Mateus (Mat. 16:18; 18:17, duas vezes). Esse fato, por si mesmo, demonstra que a idéia só se desenvolveu bem após a ressurreição de Jesus. Pouco a pouco a ênfase sobre o *«reino dos céus»* se transferiu para o ensino sobre a *igreja*. O reino literal, na terra, havia sido rejeitado; e por isso a Igreja foi edificada. O próprio nome «Igreja» era antigo, como se vê nas referências em Deut. 18:16; 23:2 e Sal. 22:26, mas a idéia de Igreja, conforme se encontra no N.T., era revolucionária e recente. A nota em Efé. 3:6 no NTI esclarece esse ponto. A referência aqui não indica somente a comunidade dos crentes, mas também implica em uma organização definida, visível—que de alguma maneira, cumpriria os objetivos e as idéias do «reino dos céus» na terra. A referência em Mat. 18:17 (e o texto seguinte) implicam mais claramente a idéia de uma organização, como a congregação judaica, embora separada do judaísmo.

Eis uma citação de Buttrick (*in loc.*), que concorda com a exposição deste versículo nesta enciclopédia, e que serve para ilustrá-la: «Aceitemos como *literalmente* verdadeiros esses versículos, conforme a Igreja Católica Romana dogmaticamente reivindica? Essa rocha se refere a Pedro ou à fé de Pedro? É perfeitamente claro que se refere a Pedro. A tentativa de alguns eruditos em argumentos à base do gênero feminino da palavra grega... certamente é mal-avisada, porquanto Cefas, o nome aramaico que Jesus usou, era certamente o apelido de Pedro, e no aramaico não há distinção de gênero. Portanto, essa 'rocha' significa Pedro como homem de fé ou Pedro escolhido como o *primeiro* de uma linhagem de bispos monárquicos? Certamente como homem de fé. Ambrósio assim ensinava (citado por F.W. Green, *Gospel According to Saint Matthew*, The Clarendon Bible, pág. 207). Até o próprio Cipriano (cerca de 246 D.C.) argumentou que Pedro foi escolhido somente para manifestar a *unidade* de Igreja».

FUNDAMENTO DOS APÓSTOLOS E PROFETAS

O fundamento dos apóstolos e profetas, Efé. 2:20. Esta porção do presente versículo tem ocasionado controvérsias intensas, havendo muitas interpretações a respeito de tais palavras. E tudo tem sido ocasionado pela suposta dificuldade da reconciliação desta passagem, com o trecho de I Cor. 3:11. Alguns estudiosos têm pensado que em face de Jesus Cristo ser ali chamado de «único fundamento», ninguém, em qualquer outro sentido, pode ser denominado de

FUNDAMENTO DOS APÓSTOLOS

«fundamento». Por isso mesmo, muitos estudiosos têm feito esforços vãos para mostrar que Cristo também é o fundamento dessa passagem, contradizendo assim o pensamento de que os apóstolos e profetas possam ser, em qualquer sentido, fundamento da igreja cristã. No entanto, essa posição extremada contradiz o uso rabínico comum, o qual não hesitava em chamar Abraão ou algum outro patriarca antigo de fundamento da fé e da comunidade judaicas. Abaixo oferecemos as diversas interpretações que têm sido expostas acerca do «fundamento»:

1. Alguns pensam que se trata do fundamento que *foi lançado*, isto é, *Cristo*. Porém, como pode Cristo ser, ao mesmo tempo, o alicerce e a principal pedra de esquina desse alicerce? Isso põe a ridículo a metáfora. Tal coisa simplesmente se desconhece em qualquer edificação.

2. Outros opinam que seria o *evangelho*, cujo tema é Cristo, esse seria o fundamento. Porém, apesar disso expressar certa verdade, dificilmente poderia tal coisa ser aplicada neste caso. Alguns eruditos assumem o mesmo ponto de vista quanto ao «fundamento» referido em Mat. 16:18; mas essa é outra opinião que labora em erro.

3. Existem eruditos que pensam estar em Efé. 2:20 o sentido possessivo, a saber, o alicerce *que pertence* aos apóstolos e profetas, que é *Cristo*. Cristo seria o alicerce tanto deles como nosso também. Naturalmente, isso é uma verdade, mas não é o que se deve destacar aqui, pois, uma vez mais, é impossível que o Senhor Jesus seja, ao mesmo tempo, o alicerce e a pedra de esquina.

4. Alguns acham que o fundamento é *revelação*, o assunto central da qual é Cristo.

5. Na realidade, esse «fundamento» se compõe dos próprios *apóstolos* e *profetas* (genitivo de aposição). Essa é a única interpretação que realmente faz sentido. O fundamento, neste caso, não pode ser a pessoa de Cristo, por ser ele apresentado como a pedra de esquina. *Nenhuma* pedra de esquina serve *igualmente* de alicerce. Além disso, visto que o templo se compõe de *pedras vivas*, o alicerce do templo dificilmente poderia ser uma «doutrina», o «evangelho» ou alguma «revelação», que não são pessoas, e que, portanto, não fazem parte de um templo vivo. Nenhuma outra interpretação teria sido apresentada não fora a suposta «necessidade dogmática» de fazer essa passagem reconciliar-se com o terceiro capítulo da primeira epístola aos Coríntios.

Notemos que Pedro diz a mesma coisa, em I Ped. 2:4-6, onde Cristo é exibido como a principal pedra de esquina, eleita e preciosa. É quase certo, outrossim, que Pedro (em Mat. 16:18) é chamado de fundamento; e assim, o que ali é dito a respeito dele, aqui é dito a respeito de todos os apóstolos e profetas. Nada há de estranho nisso, porquanto a literatura rabínica falava da mesma maneira acerca dos grandes patriarcas judeus. (Ver o trecho de Apo. 21:14, onde os «nomes dos apóstolos» aparecem escritos nos «doze» alicerces à nova Jerusalém, o que certamente indica que eles serão os fundamentos daquela cidade (ver Mat. 16:18). Comparar a passagem de Efé. 2:20 com II Tim. 2:19, que diz: «Entretanto, o firme fundamento de Deus, permanece, tendo este selo: O Senhor conhece os que lhe pertencem», —que certamente se refere aos «verdadeiros eleitos de Deus», os quais resistem a todas as tentações à infidelidade.

Não obstante, de maneira sem igual, Cristo é o único alicerce. Ele é o único sobre quem uma vida pode ser erigida; e é dessa maneira que a idéia de alicerce é usada no trecho de I Cor. 3:11. No entanto, quando está em foco a idéia de um templo feito de pedras vivas, pode haver «pedras fundamentais» nesse templo, sem que isso interfira na posição sem igual de Jesus Cristo. Outrossim, o fato de que ele aparece como a principal pedra de esquina, preserva sua posição sem-par, no templo místico.

Ele mesmo, Cristo Jesus, a pedra angular, Efé. 2:20. A idéia expressa aqui se estriba sobre as profecias messiânicas do A.T., concernentes a Cristo, que lhe atribuíam essa posição no templo vivo de Deus. (Ver Sal. 118:22 e Isa. 28:16). Além da presente passagem, os trechos de Ped. 2:6 e Atos 4:11, fazem referência a essa profecia. Cristo Jesus é aquela «pedra» que mantém unido o alicerce e que, ao mesmo tempo, sustenta as paredes, unindo-as ao alicerce, porquanto essa era a função da pedra de esquina.

Alguns intérpretes, entretanto, compreendem que o termo grego *akrogoniaios* (*pedra de esquina*) não indica a pedra do alicerce sobre a qual o edifício repousava, mas antes, a pedra colocada no alto do edifício, como sua coroa e sinal de estar completo. Assim é que a obra *Testamento de Salomão* (22:7) fala sobre a «grande pedra utilizando-se do mesmo vocábulo grego que aqui aparece que deveria ser posta no alto da esquina, para completar o templo de Deus». Se esse simbolismo tiver de ser preferido, então o templo é aqui representado como um produto terminado, do alicerce à pedra final. E, em Efé. 2:21, essa figura simbólica seria ainda ampliada, a fim de incluir a idéia de desenvolvimento, onde os crentes individuais se tornam parte do mesmo, desfrutando de progresso contínuo. A maioria dos intérpretes, contudo, prefere a idéia da principal pedra de esquina, posta no alicerce; e isso está mais de acordo com outras passagens bíblicas e com a idéia desta passagem, onde a pedra de esquina é mencionada juntamente com o alicerce, o que indica, segundo parece, sua íntima conexão, na forma de pedras de alicerce que «sustentam» a estrutura inteira. E isso pode ser comparado com Mat. 21:42, onde o Senhor Jesus relembrou aos oficiais religiosos do judaísmo que a pedra que fora rejeitada se tornara a «cabeça da esquina».

«A pedra 'akrogoniaios', neste caso, indica a pedra primária do alicerce, no ângulo da estrutura e mediante a qual o arquiteto fixava o padrão para as paredes principais e para as paredes cruzadas, em todo o edifício». (W.W. Loyd, em Efé. 2:20).

O fato de que Cristo é a principal pedra de esquina e que os apóstolos e os profetas perfazem o alicerce, mostra sua importância suprema e indispensável para a igreja, tanto naquilo que eram como naquilo que faziam. Porém, Cristo Jesus é quem dá por empréstimo o seu valor àqueles, o que significa que eram grandes somente por sua causa. Não obstante, os apóstolos e profetas são grandes, tal como todos os homens o são, uma vez que sejam transformados segundo a imagem de Cristo, já que participarão da sua própria natureza.

Profetas. Efé. 2:20. Também há controvérsias sobre o que esta palavra visa. Seriam 1. os profetas do A.T.? 2. os profetas do N.T.? ou 3. ambos? Bons intérpretes representam esses vários pontos de vista. A primitiva e ordinária interpretação dos pais da igreja é que estão aqui em foco os «profetas do A.T.» Isso está mais de acordo com o contexto geral, posto que a idéia inteira é que os gentios passaram a compartilhar dos privilégios da comunidade de Israel. Porém, a ordem das palavras, onde primeiramente são mencionados os «apóstolos», e depois os «profetas», talvez indique uma «ordem cronológica», o que significa que, nesse caso, os profetas aqui mencionados seriam aqueles do N.T. (Ver o artigo sobre os *Profetas do*

835

FUNDAMENTO — FUSTIGAÇÃO

Novo Testamento). Na realidade, não dispomos de meios suficientes para dar solução a essa questão; mas, de conformidade com o contexto geral, parece melhor entendermos estarem em foco os profetas do A.T.

FUNDAMENTO, PORTA DO

A passagem de II Crônicas 23:5 é a única onde esse portão de Jerusalém é denominado dessa maneira, fazendo-o em conexão com a execução da usurpadora Atália (II Crô. 23:1-15). Também esse portão é chamado de «portão Sur» (vide), em II Reis 11:6. A Septuaginta, entretanto, chama-o de «portão dos caminhos». Alguns eruditos supõem que se trata da mesma «entrada dos cavalos» (II Crô. 23:15), que, mui provavelmente, era uma conexão entre o palácio real e o templo de Jerusalém. A tradição judaica afiança-nos que essa porta era chamada «do fundamento» porque ali é que os alicerces do santuário foram lançados pela primeira vez. Os judeus chamavam esse portão da cidade por nada menos de cinco designações diferentes.

FUNDIÇÃO

Ver sobre **Metais e Metalurgia**.

FUNERAIS

Ver o artigo sobre **Sepultamento, Costumes de**.

FUNG YU-LAN

Nasceu em 1895. Foi um filósofo chinês. Nasceu em Honã. Educou-se em Pequim e na Universidade de Columbia, nos Estados Unidos da América do Norte. Tem ensinado nas Universidades de Pequim e Southwest Associated. Tem servido como deão em ambas essas universidades.

Idéias:

1. Ele aceita e ensina os quatro pontos fundamentais do confucionismo: o princípio, a força material, o *Tao* e o Grande Todo. Ver o artigo separado sobre o *Confucionismo*.

2. Visto que as coisas realmente existem, elas devem seguir certos princípios nativos à própria existência. Esses princípios são universais, reais, embora nem sempre factuais, ou seja, quando não estão incorporados.

3. O universo encontra-se em um processo de transformações constantes, renovando-se diariamente. Seria um fluxo evolutivo que serviria ao céu.

4. O alvo da vida é servir ao céu, onde estão os universais e as realidades superiores. Os estágios desse serviço são: a. a inocência, onde o indivíduo não tem consciência do que está fazendo, e nem com que propósito; b. um período utilitarista, autobeneficente; c. o serviço moral, mediante o qual o indivíduo beneficia à sociedade; d. uma esfera transcendental, quando o indivíduo torna-se um cidadão do céu, sendo então capaz de servir a princípios mais altos, chegando até a participar da vida divina.

Escritos. History of Chinese Philosophy; The New Rational Philosophy; China's Road to Freedom; A New Treatise of the Way; A New Treatise on the Nature of Man; The Spirit of Chinese Philosophy; A New Treatise on the Methodology of Metaphysics; a Short History of Chinese Philosophy.

••• ••• •••

FURTO

Ver sobre **Crimes e Punições**.

No hebraico, *ganab*, «furtar», vocábulo que ocorre por trinta e nove vezes, conforme se vê, por exemplo, em Gên. 30:33; 31:19,20,26,27,30,32,39; 44:8; Êxo. 20:15; Lev. 19:11; Deu. 5:19; 24:7; Jos. 7:11; II Sam. 19:41; II Reis 11:2; II Crô. 22:11; Jó 27:20; Pro. 6:30; 9:17; Jer. 7:9; 23:30; Osé. 4:2; Oba. 5; Zac. 5:3. No grego temos a palavra *klépto*, «furtar», usada por onze vezes: Mat. 6:19,20; 19:18 (citando Êxo. 20:13,15); 27:64; 28:13; Mar. 10:19; Luc. 18:20; João 10:10; Rom. 2:21; 13:9 (citando Êxo. 20:14,15); Efé. 4:28.

Furtar é um dos pecados humanos mais comuns. Algumas vezes os homens furtam por autêntica necessidade; mas, na maioria das vezes, furtam por motivo de sua preguiça, ou porque gostam mesmo de furtar, devido a uma atitude mental distorcida. Há pessoas que furtam quando não têm necessidade disso, porquanto querem enriquecer mais ainda, mesmo que já tenham o bastante. O ladrão apossa-se daquilo que não lhe pertence, que é propriedade de outrem. Esse furto pode ser de bens materiais, de afeições, de tempo, etc., através de meios ilegítimos. Existe o furto espiritual, não meramente de coisas materiais. Assim, pode-se furtar a fé de uma pessoa, como também sua moralidade, sua autoconfiança, seu auto-respeito, seus direitos e não apenas suas possessões.

1. O mandamento que proíbe o furto faz parte da legislação mosaica original. Ver sobre os *Dez Mandamentos*. O Antigo Testamento inclui proibições referentes ao furto, ao dano às propriedades e ao mau uso das propriedades ou objetos pertencentes ao próximo (ver Êxo. 21:33,34; 22:5,6; 22:4,7,9; 20:15; Gên. 31:31; II Sam. 23:21).

2. O furto é uma abominação (Jer. 7:9,10), sobretudo quando praticado contra os pobres (Pro. 22:22). Nesse aspecto está incluída a fraude (Lev. 19:13).

3. Não pagar salários justos é um furto (Lev. 19:13; Tia. 5:4).

4. O furto é um pecado que contamina os culpados (Mat. 15:20).

5. Os ímpios são inclinados ao furto (Sal. 119:61); a cobiça promove o furto (Amós 3:10).

6. Aqueles que consentem com o furto também tornam-se culpados (Jó 24:14; Oba. 5).

7. Geralmente quem furta também mata (Jer. 7:9; Osé. 4:2).

8. Paira uma maldição sobre o ladrão (Osé. 4:2,3; Mal. 3:5). O furto provoca a ira de Deus (Eze. 22:29,31).

9. O pecado do roubo é um daqueles vícios que exclui as pessoas do reino celestial (I Cor. 6:10).

10. Os tesouros celestes não estão sujeitos ao furto (Mat. 6:20).

11. Aqueles que se convertem à fé cristã não somente não deveriam mais furtar, como também deveriam suprir aos seus semelhantes o necessário, em atos de caridade (Efé. 4:28): «Aquele que furtava, não furte mais; antes, trabalhe, fazendo com as próprias mãos o que é bom, para que tenha com que acudir ao necessitado».

FUSO

Ver sobre **Fiação**.

FUSTIGAÇÃO

Ver sobre **Crimes e Castigos**.

836

FUTURO — FUTURO, VIDA DO

FUTURO

Ver os artigos sobre **Tempo e Espaço, Filosofia do** e também sobre *Espaço*. Ver também sobre *Profecia; Tradição da, e a Nossa Época*.

O futuro, juntamente com o passado e o presente, é uma das designações gerais, indicativas do tempo. O *determinismo* (vide) ensina que o conteúdo do futuro foi determinado de antemão, ao mesmo tempo em que o indeterminismo acredita que o futuro é livre e pode ser modificado por qualquer curso de ação que tome um rumo diferente no presente. Alguns filósofos têm asseverado que tanto o futuro quanto o passado podem ser alterados, dependendo da natureza do presente. Nesse caso, o passado estaria em um estado de fluidez, dependendo da natureza do presente. E, nesse caso, então, o nosso conceito do tempo precisa ser radicalmente revisado. De acordo com certas evidências, a *mecânica quantum* mostra que, algumas vezes, os efeitos podem surgir antes das causas. O problema do tempo está muito envolvido nos conceitos do determinismo e do livre-arbítrio (vide), como também na profecia.

De acordo com certos filósofos, o futuro já existe; mas, visto que está oculto de nossa percepção, parece jazer à frente, aguardando a seqüência dos acontecimentos. Se concebermos o passado, o presente e o futuro como uma estrada que se prolonga por certa distância, e supormos que podemos elevar-nos acima do nível da estrada, vendo-a assim em toda a sua extensão, então poderemos pensar que o passado, o presente e o futuro são um todo integrado; e também que as nossas designações de passado, presente e futuro são apenas conveniências e pontos de perspectiva, e não verdadeiras designações de tempo. Há um sentido em que o presente tanto é passado quanto é futuro. Se os ciclos se repetem, conforme ensinavam os estóicos, então o tempo é circular e repetitivo, e não linear. O hoje do presente é um passado e um futuro, um ponto do ciclo que pode ser experimentado em diferentes contextos.

FUTURO, VIDA DO

Ver o artigo sobre a *Imortalidade*. Ver também sobre *Escatologia; Profecia: Tradição da, e a Nossa Época; Vida Eterna* e *Julgamento*.

Reprodução Artística de Darrell Steven Champlin

Arte egípcia — 4000 A.C., antílopes

1. Formas Antigas

fenício (semítico), 1000 A.C.   grego ocidental, 800 A.C.   latino, 50 D.C.

2. Nos Manuscritos Gregos do Novo Testamento

3. Formas Modernas

G *G* g *g*   G G g g   G *G* g g   G g

4. História

G é a sétima letra do alfabeto português. Historicamente, deriva-se da letra semítica *gimel*, «camelo», e que, no grego, tornou-se *gamma*. Tinha os sons de «k» e de «g». No latim, o C incluía os fonemas G, K e S; mas ali o fonema G foi gradualmente desaparecendo. No século III A.C., o alfabeto latino começou a usar a letra «G». Do latim passou para muitos idiomas modernos, com certa variedade de sons, incluindo o G forte do português, antes de a, o, u; e o G suave, antes de e, i.

5. Usos e Símbolos

G é a quinta nota musical, também chamada **sol** na escala do Dó. Um *G* maiúsculo indica a força constante da *gravidade*. Um g minúsculo representa a *aceleração* imprimida pela força da gravidade. Também representa o *grama* ou *golfo*. *G* é usado como símbolo do *Codex Wolfii A*, descrito no artigo separado *G*.

Caligrafia de Darrell Steven Champlin

G

G

Um manuscrito do Novo Testamento, também chamado von Soden, 87, Codex Wolfii A ou Harleianus (Harley 5684). Data do século IX ou X D.C. Contém os evangelhos, com a falta de algumas páginas, e é membro do grupo da *família E*. Publiquei um estudo sobre a *Família E e seus Aliados em Mateus*, Estudos e Documentos (Salt Lake City, *The University Press*, 1966); e meu colega e amigo, o Dr. Jacob Geerlings, fez o trabalho no tocante aos outros evangelhos. A *Família E* representa um antigo estágio do desenvolvimento do grego koiné, um texto bizantino ou eclesiástico, um texto mesclado que, em seus últimos estágios, produziu o Textus Receptus. Um resultado desse estudo foi o de mostrar de que maneira esse texto desenvolveu-se, e como os escribas foram produzindo variantes espúrias ao longo desse caminho, como um dos aspectos da transmissão do texto do Novo Testamento. Ver o artigo separado sobre o *Textus Receptus*. Ver também o artigo geral sobre os *Manuscritos do Novo Testamento*.

GAÃ

No hebraico, «queimar». Foi filho de Naor, irmão de Abraão. Sua mãe era a concubina de Naor, Reumá (Gên. 22:24). Seu nome também tem sido interpretado como «negridão». Viveu em torno de 1860 A.C.

GAAL

No hebraico, «nojo», «escaravelho». «aborto». Foi o nome de um filho de Ebede (Juí. 9:26-41). Ele foi a Siquém em companhia de seus irmãos e ali açulou o povo para revoltar-se contra Abimeleque. Por ocasião da festa, na qual os siquemitas ofereceram as primícias de seus produtos, no templo de Baal, Gaal, em meio à festa de bebidas, atiçou ainda mais os ânimos do povo contra o ausente Abimeleque. Gaal vangloriou-se de que se desfaria de Abimeleque. Mas mensageiros informaram Abimeleque acerca da rebelião que estava sendo provocada. Zebul, governante de Siquém, continuou em sua lealdade a Abimeleque. À noite, Abimeleque postou suas tropas em derredor da cidade. No dia seguinte, eles aproximaram-se; e então Zebul invocou Gaal para mostrar a sua força e derrubar Abimeleque. Porém, Gaal e suas forças foram esmagadoramente derrotados e postos em fuga. Abimeleque, muito infeliz com o acontecido, capturou a cidade de Siquém, destruiu-a e semeou a região com sal. O profeta viu isso como um justo juízo contra Siquém, porquanto seus habitantes haviam apoiado a Abimeleque, no assassinato dos seus setenta irmãos, a fim de consolidar a sua autoridade. Várias figuras bíblicas tiveram o nome *Abimeleque*, e o artigo separado sobre esse nome preenche os detalhes concernentes à narrativa aqui relatada.

GAAR

No hebraico, «espreitador», palavra que se refere aos filhos de Gaar, que se achavam entre os netinins que retornaram da Babilônia, terminado o exílio, em companhia de Zorobabel (Êxo. 2:47; Nee. 7:49). Eles viveram por volta de 536 A.C.

GAÁS

No hebraico, «tremor». Essa palavra designa um monte do território de Efraim, ao norte do qual ficava Timnate-Sera, célebre porque ali é que se achava o túmulo de Josué (Jos. 24:30; Juí. 2:9). Eusébio afirmava que, em seus dias, o local ainda era conhecido. Um wadi localizado na mesma área também tinha esse nome (II Sam. 23:30; I Crô. 11:32). Um dos trinta heróis de Davi vieram dessa região, segundo se vê nas referências que acabamos de dar. Todavia, o local exato é desconhecido atualmente, embora devesse ficar cerca de trinta quilômetros ou pouco mais a sudoeste de Siquém.

GABAI

No hebraico, esse nome significa «coletor de impostos». Era o nome de um dos chefes da tribo de Benjamim, que veio residir em Jerusalém, após o cativeiro babilônico (Nee. 11:8). Viveu em cerca de 445 A.C.

GABARES, CHEBERES

Esses são os nomes populares dados aos seguidores de Zoroastro que residem na Pérsia, em contraste com aqueles que residem na Índia e em Pársis. Aqueles que não se converteram ao islamismo foram perseguidos. Atualmente, sobrevivem apenas cerca de dez mil deles.

GABATÁ

Termo hebraico ou aramaico equivalente ao grego *lithóstroton*, «salpicado de pedras», referindo-se a um tipo de pavimento de mosaico. Esse foi o lugar, em Jerusalém, onde Jesus foi julgado diante de Pilatos. Ver João 19:13. Nossa versão portuguesa traduz o vocábulo hebraico por *pavimento*.

Há muitas conjecturas quanto à natureza e à localização desse lugar. L. Vincent identificou o lugar como um pátio com cerca de 2400 m(2), por baixo da atual igreja das Senhoras de Sião. As lajes de pedra ali existentes têm mais de um metro quadrado, com cerca de 30 cm de espessura. Algumas dessas pedras ainda exibem as marcas dos jogos feitos pelos soldados romanos. Ver João 19:2,3,34. Na Gábata pois, Pilatos sentou-se em seu *bema*, seu assento de juiz. Foi ali que Pilatos não se mostrou dotado de punho forte o suficiente para resistir às pressões dos judeus incrédulos contra Jesus, mas antes, acabou por entregá-Lo para ser crucificado, embora tivesse reconhecido a sua inocência (João 19:16).

Pavimento, no hebraico, Gabatá, João 19:13. Alguns estudiosos têm pensado que esse nome se deriva do vocábulo grego que significa que o lugar se distinguia por um pavimento recoberto de mosaicos ou marchetaria, e que o que temos aqui é uma transliteração, para o aramaico, desse vocábulo grego. É verdade que Júlio César levara em suas expedições, um pavimento portátil, coberto de mosaicos, para que lhe servisse de tribunal. No entanto, nesta passagem bíblica, dificilmente temos alusão a qualquer coisa semelhante. Pelo contrário, a palavra parece ter-se derivado do termo hebraico *gab*, que significa *costas*, sendo referência a algum tipo de «plataforma elevada». Westcott explica essa palavra como o «beiral da casa».

O vocábulo grego aqui traduzido por *pavimento*, se formou mediante a combinação do termo *lithos* (pedra) e do adjetivo verbal *strotos*, de *stronnumi*, «espalhar», «estender», e era usado para indicar todo

GABATÁ — GABRIEL

trabalho de mosaico, ou então um lugar pavimentado de pedras (ver II Crô. 7:3 na Septuaginta). Essa palavra também figura nas obras de Josefo e Epicteto, bem como nos papiros dos tempos neotestamentários. É muito provável que esse «pavimento» fosse um lugar onde se tinham arrumado pedras, talvez à guisa de mosaico. Era para tal lugar que Pilatos mandava transportar o *bema* ou tribunal, o qual, sem dúvida se compunha de alguma modalidade de plataforma improvisada, de onde ele fazia os pronunciamentos oficiais. (Ver também o trecho de Atos 7:5, que faz alusão a esse tipo de tribunal). O *bema* era, por semelhante modo, o lugar de onde os juízes das competições esportivas supervisionavam os jogos atléticos e davam seu parecer quanto aos vencedores e perdedores. Mas neste caso, tratava-se realmente de um tribunal judiciário.

Sabemos que os romanos (tal como os modernos povos latinos) apreciavam muito adornar os seus lugares públicos. Isso se via até na área geral do pretório, que fora enfeitada com mármores e pedras coloridas, à guisa de mosaicos. Josefo ajunta o informe de que o monte inteiro do templo de Jerusalém fora pavimentado com uma forma de trabalho em mosaico, (ver Josefo, *Antiq.* 5.5,2). Mármore nas cores vermelho, azul, negro e branco era freqüentemente usado nessa modalidade de decoração.

Nos tempos atuais, é costume mostrar aos turistas uma espécie de pavimento de mosaico, próximo do local do templo, sob a alegação de tratar-se do próprio pavimento onde se desenrolou esse julgamento de Jesus diante de Pilatos. Muitos são da opinião de que o pavimento «mencionado apenas aqui por nome», onde Jesus foi conduzido até à presença de Pilatos, segundo se descobriu nas investigações, estava localizado no átrio central da fortaleza de Antônia, que fica por baixo do arco de *Ecce Hommo* (vide). Mas esse arco foi construído somente já nos tempos de Adriano (120 D.C.). Outros eruditos crêem que esse pavimento ficava situado defronte do antigo palácio de Herodes, na Cidade Alta, em Jerusalém. Realmente é impossível alguém provar qual foi o verdadeiro pavimento usado quando desse julgamento de Jesus, se é que o mesmo ao menos ainda existe.

GABATÁ

Esse é o nome pelo qual é chamado o eunuco que armou um conluio contra o rei Assuero, da Pérsia. Mordecai descobriu o que estava sucedendo e revelou a questão ao rei, por meio de Ester. Isso é mencionado nas adições a Ester (12:1). Em Ester 2:21 ele é chamado *Bigtã*, o que se repete em Ester 6:2, embora algumas versões, neste último versículo, digam *Bigtana*. Ele e um homem que planejou com ele, foram executados. Ele viveu em torno de 520 A.C.

GABEL

O livro deuterocanônico (apócrifo) de Tobias (1:1) menciona um membro da tribo de Naftali que tinha esse nome. Além disso, um irmão ou filho de Gabrias, que vivia em Rages, na Média, também atendia por esse apelativo. Tobias deixou com esse homem dez talentos de prata, para guardá-los (Tobias 1.14; 4.20). Posteriormente, ele enviou seu filho, Tobias (pois pai e filho tinham o mesmo nome), para trazer o dinheiro, visto que certos envolvimentos políticos não lhe permitiam fazer pessoalmente a viagem.

••• ••• •••

GABIROL, SOLOMON IBN

Ver sobre **Avicebron, Salomão Ben-Gabirol.**

GABRIAS

Nome do pai ou irmão de Gabel, que vivia em Rages, na Média. Tobias, pai, havia deixado dez talentos de prata sob os cuidados de Gabel. Ver sob *Gabel*, quanto ao incidente. Ele é mencionado no livro apócrifo de Tobias (1.14 e 4.20).

GABRIEL

Esse vocábulo hebraico significa «homem de Deus» ou «herói de Deus». Esse é o nome de alguns dos poucos anjos cujos nomes pessoais são dados rias Escrituras. Ver Dan. 8:16 e 9:21. Ver o artigo separado sobre *Anjo*, onde apresentamos uma elaborada descrição sobre a doutrina que circunda os anjos.

Na Bíblia há várias alusões a esse ser. Ele foi enviado a Daniel a fim de explicar-lhe várias visões que tivera (Dan. 8:16; 9:21). Anunciou o nascimento de João Batista a seu pai, Zacarias (Luc. 1:11). Dialogou com a Virgem Maria a respeito do breve nascimento de Jesus, o Messias (Luc. 1:26). O trecho de Daniel 12:1 sugere que Miguel tem sido o especial campeão angelical da nação de Israel, e que também será o defensor especial de Israel, durante a Grande Tribulação (vide).

A angelologia inclui a idéia de que cada nação conta com um anjo ou com anjos que cuidam do bem-estar dessa nação. E, naturalmente, todos estamos familiarizados com a doutrina do anjo da guarda (sobre o que damos um artigo separado, nesta enciclopédia). Alguns anjos recebem tarefas e missões especiais. Gabriel parece preencher o serviço de um mensageiro, despachado para realizar missões especiais, de vários tipos. Tenho lido sobre duas aparições modernas desse anjo. Uma delas foi a um professor universitário anglicano, o qual foi instruído, em suas visões, a dar início a uma nova comunidade religiosa, a fim de preparar um povo para enfrentar grandes dificuldades que são esperadas para a nossa própria época. Dessas comunidades surgirá a ajuda para recuperar a humanidade, após a Grande Tribulação. Também tem sido dito que esse anjo foi o poder que expeliu o espírito que possuíra o homem envolvido no livro (e no filme) *O Exorcista*. O indivíduo realmente envolvido foi um homem, e não uma adolescente, conforme aparece na versão cinematográfica que tem sido popularizada. Seja como for, depois de terem falhado os melhores esforços de vários padres católicos romanos, o homem possuído afirmou que o anjo Gabriel se pôs visivelmente a seu lado, e então ordenou ao espírito mau, também visível: «Sai!» Daquele momento em diante, a possessão terminou. Subseqüentemente, o homem casou-se e tem levado uma vida normal.

O caso que envolveu o professor anglicano tem sido amplamente investigado por oficiais daquela denominação, e eles têm confirmado a validade da experiência, mesmo que não possam provar a participação específica do anjo Gabriel nesse incidente. Não é possível averiguar essas coisas ao ponto da certeza; mas podemos saber, com certeza, que existem grandes espíritos não-humanos, que acodem em nosso socorro, quando isso se faz mister. Eles são espíritos ministradores, que visam ao benefício daqueles que haverão de herdar a vida eterna (Heb. 1:14).

839

GABRIEL — GADARA

Apesar de podermos duvidar, com certa dose de razão, das elaboradas angelologias que várias fés religiosas têm criado, a realidade de poderes sobre-humanos, que operam em nosso favor, é bem confirmada nas experiências religiosas e não apenas na literatura. No livro pseudepígrafo de I Enoque, quatro grandes arcanjos são nomeados: Miguel, Rafael, Gabriel e Uriel. Ali, eles anunciam a Deus a corrupção dos homens e recebem várias missões para cumprir. Nos escritos rabínicos, Gabriel é apresentado de pé, diante do trono do Senhor, perto do pendão que representa Judá. Os islamitas demonstram grande respeito por Gabriel, afirmando que foi ele quem entregou uma cópia completa do Alcorão a Maomé. Naquele documento ele é chamado de Espírito da Verdade e de Espírito Santo. Também aparece como um grande poder, que far-se-á presente ao julgamento dos homens, no último dia.

No livro de I Enoque, achamos quatro funções distintas de Gabriel, a saber: 1. ele é um anjo que castiga (I Enoque 10:9); 2. ele é um poder no paraíso, que domina as serpentes e dá ordens aos querubins (I Enoque 20:7); 3. ele é um intercessor em favor dos homens (I Enoque 40:6,9); 4. ele é um poder que executará julgamento contra os anjos caídos (I Enoque 64:6).

GABRIEL BIEL

Ver sobre **Biel, Gabriel**.

GADARA, GADARENOS

Esse lugar é mencionado somente em relação a história do homem possuído por muitos espíritos malignos, de tal modo que eles se chamaram de «Legião» (Mat. 8:28; Mar. 5:1 e Luc. 8:26). Uma vez expelidos do homem, os espíritos imundos entraram em uma vara de porcos que por ali pastava, fazendo-os correr até as margens do lago da Galiléia, onde se afogaram. Nos manuscritos há alguma confusão quanto ao nome da localidade, pois dizem Gadara ou Gerasa. Ver sobre *Gerasa*.

Gerasa era uma cidade de Decápolis (moderna Jeras, na Transjordânia), localizada a mais de 50 km a suleste do mar da Galiléia e, conforme Orígenes percebeu (*Comentário sobre João* V, 41, 24), esse é o menos provável dos três lugares. Outra área decapolitana era Gadara, cerca de 8 km a suleste do mar da Galiléia (moderna Um Queis). Embora Orígenes também fizesse objeção a Gadara (o que, segundo ele afirmou, aparece em alguns poucos manuscritos) porque ali não havia nem lago e nem precipício. Josefo (*Vida* IX.42) refere-se a Gadara como cidade que tinha um território «que jazia nas fronteiras de Tiberias» (= o mar da Galiléia). Que esse território chegava até o mar pode-se inferir do fato de que antigas moedas que trazem o nome de Gadara com freqüência retratam um barco. Orígenes preferia Gergesa, não porque ocorre nos manuscritos — ele faz silêncio sobre isso — mas por causa da base dúbia da tradição local (é o lugar «de onde, conforme se frisa, os porcos foram lançados precipício abaixo pelos demônios») e por causa da base ainda mais duvidosa da etimologia («o significado de Gergesa é 'habitação dos que foram expulsos'», e, desse modo, o nome «contém uma alusão profética à conduta mostrada pelos habitantes daqueles lugares ao Salvador, os quais 'rogaram-lhe que se afastasse do território deles'»).

Mat. 8:28: *Tendo ele chegado ao outro lado, à terra dos gadarenos, saíram-lhe ao encontro dois endemoninhados, vindos dos sepulcros; tão ferozes eram que ninguém podia passar por aquele caminho.*

(Mar. 5:1-20 e Luc. 8:36-39). *«Terra dos gadarenos»*. Os mss Aleph C(3) EKLSUVX Fam Pi e as traduções KJ e AC dizem *gergesenos*. Os mss Aleph B C M Delta e todas as traduções, menos KJ e AC, dizem GADARENOS. No relato paralelo de Mar. 5:1, no melhor texto, — a palavra é *gergesenos* (e também na tradução F de Mateus). O verdadeiro texto, em Mateus, sem dúvida é «gadarenos». Há a sugestão que Mateus definiu a localidade como Gadara, aldeia bem-conhecida, — em vez de fazer menção a Gerasa, um lugarejo obscuro. O nome «gergesenos», embora não seja o que aparece no texto, talvez possa ser explicado pelo fato de que em tempos anteriores, esse território era ocupado pelos girgasitas, uma das raças cananéias. O nome, provavelmente, é introduzido aqui por equívoco de algum escriba. Orígenes foi o primeiro a sugerir esse nome em um comentário, e talvez alguns mss apresentem tal nome independentemente do testemunho de Orígenes. Muitas opiniões, geralmente discordantes entre si, abundam em relação a esse problema; e parece que é impossível termos conhecimento exato sobre o local onde ocorreu esse milagre.

Dois endemoninhados. Marcos e Lucas mencionam apenas **um** indivíduo. As explicações sobre esse fato são as seguintes: 1. A referência é à pluralidade de demônios, e não de homens. 2. Mateus reúne duas histórias de Marcos, em 1:23 e 5:1, pelo que Marcos teria razão em falar de um único personagem. 3. A idéia mais comum é de que um dos dois homens era o mais violento, e que o outro dependia dele, pelo que também Marcos e Lucas mencionaram somente o que mais se destacava. Alguns intérpretes nem procuram resolver o problema. Se há alguma solução, a terceira interpretação parece a mais razoável.

Não está em dúvida a localização geral onde se deu esse milagre. Ficava bem perto do mar ou lago da Galiléia. A Mishnah refere-se a Gadara como lugar existente desde o período do Antigo Testamento. Foi variegadamente governada pelos monarcas ptolomeus, pelos selêucidas, pelos judeus e pelos romanos, desde o século III A.C. até a destruição de Jerusalém, em 70 D.C. Gadara era uma das cidades da Decápolis (vide). As ruínas de Umm Qays assinalam o antigo local.

Josefo mencionou o lugar em relação às guerras dos Macabeus. Alexandre Janeu conquistou-o, após um mês de cerco. Ver Josefo (*Anti.* 12.3,3; *Guerras* 1.4.2). Essa cidade foi reconstruída por Pompeu, em 63 A.C. Ver Josefo (*Guerras* 1:7,7). Foi então que ela se tornou uma cidade livre. Gabínio tornou-a capital de um dos cinco distritos da Palestina ocupada. Augusto deu-a de presente a Herodes, o Grande, em 30 A.C. Ver Josefo (*Anti.* 11.7,3; *Guerras* 1.20,3). Mas, quando ele faleceu, a cidade foi anexada à província da Síria. Ver Josefo (*Anti.*17.11,4; *Guerras* 2.18,1). Vespasiano conquistou-a por ocasião da revolta dos judeus, incendiou-a e saqueou toda aquela região. Ver Josefo (*Guerras* 3.7,1). Contudo, ela foi reconstruída, e floresceu uma vez mais. Naquele local têm sido encontradas moedas antigas, desde o século III D.C. Tornou-se a sede de um bispado cristão, a partir de 325 D.C., até que as conquistas islâmicas destruíram os templos cristãos da região.

Arqueologia. Têm sido encontradas extensas ruínas, incluindo as de dois anfiteatros, uma basílica, um templo, várias colunatas, áreas residenciais,'um aqueduto — todas coisas típicas das cidades greco-romanas.

GADE

GADE

Esboço:
1. O Sétimo Filho de Jacó
2. A Tribo de Gade
3. O Território de Gade
4. Gade, o Profeta
5. Gade, uma Divindade Pagã
6. Gade, uma Planta
7. Gade, o Vale

No hebraico, esse nome significa «fortuna». Trata-se do nome de várias personagens e de certas coisas ligadas ao Antigo Testamento.

1. O Sétimo Filho de Jacó. Era filho de Zilpa, criada de Lia, concubina de Jacó. Ele foi chamado assim para indicar que uma tropa (ou muitos filhos), ou a boa fortuna, estava chegando (Gên. 30:9-11). Seu irmão pleno e mais jovem foi Aser, pois todos os outros filhos de Jacó eram apenas seus meio-irmãos, por terem tido outras mães (quatro, ao todo). Gade nasceu quando Jacó jornadeava na região de Labão, em Padã-Arã, durante os sete anos em que trabalhou a fim de pagar por Raquel, sua segunda esposa. Nenhum incidente envolvendo Gade, com exclusividade, é narrado no Antigo Testamento; mas somente aquilo em que ele participou juntamente com toda a família patriarcal. Desceu ao Egito com a sua própria família (esposa e filhos). Teve sete filhos: Zifiom, Haqi, Suni, Esbom, Eri, Arodi e Areli (ver Gên. 46:16). Alguns desses nomes aparecem com formas variantes, em Núm. 25:16. Em seu leito de morte, Jacó predisse que tropas haveriam de atacar Gade, mas que ele, por sua vez, atacaria em seus calcanhares. Isso constitui um jogo de palavras com o sentido do seu nome, Gade (ver Gên. 49:9). Os amonitas, pois, cumpriram essa predição. Os homens de Gade contra-atacaram, o que reflete as guerras tão predominantes no Antigo Testamento e, de fato, por toda a história da humanidade.

2. A Tribo de Gade. Quando essa tribo saiu do Egito, foram encabeçados por Eliasafe, filho de Deuel. Dispunham de 45.650 homens aptos para o serviço militar. Porém, durante as vagueações pelo deserto do Sinai, seu número diminuiu para 40.500. Ver Núm. 1:24,25; 26:15-18. A totalidade do povo de Israel era de 603.550 homens, o que quer dizer que o número de Gade era um pouco menos que um doze avos do total. O espião que eles enviaram, para examinar a terra de Canaã, foi Güel, filho de Maqui (Núm. 13:15). Juntamente com os rubenitas, eles solicitaram e receberam terras em herança a leste do rio Jordão, entre Rúben, mais ao sul, e Manassés, mais ao norte (Deu. 32; 33:20,21). Mas, soldados gaditas ajudaram na conquista dos territórios cananeus a oeste do rio Jordão. No monte Ebal, eles concordaram com as maldições da lei, impostas sobre os desobedientes (Deu. 27:13; Jos. 1:12,14; 4:12). Após sete anos, eles voltaram aos seus lares, porque a conquista da terra de Canaã estava essencialmente terminada (Jos. 22). O trecho de I Crônicas 12:8-15,37,38 fala sobre a ajuda que eles prestaram a Davi, na luta contra os homens fiéis a Saul, e como se fizeram presentes quando da coroação de Davi como rei de Israel. Os árabes e os amorreus mantiveram os gaditas em contínuo estado de conflito armado, tal como fora predito por Jacó (Gên. 29:19; Deu. 33:20; I Crô. 5:19 *ss*). Nos dias de Jeroboão II, eles obtiveram o triunfo na guerra e conquistaram muitos despojos. Mas, quando Tiglate-Pileser levou o reino do norte, Israel, os gaditas compartilharam dessa triste sorte e, juntamente com os rubenitas, foram levados para a Assíria. Foi então que os amonitas e moabitas

conquistaram o território vago (I Crô. 4:18-26; Jer. 48:18-24; 49:1).

Gade é incluído na divisão das terras, predita para o futuro Israel restaurado (Eze. 48:27). O nome *Gade* aparece como nome de um dos portões da futura cidade restaurada de Jerusalém (Eze. 48:34). Doze mil gaditas, segundo está predito, farão parte dos cento e quarenta e quatro mil israelitas, selados por ocasião da futura Grande Tribulação (Apo. 7:5).

3. O Território de Gade. Terminada a conquista da terra de Canaã, a cada tribo de Israel foi dada uma parcela, como herança, na Palestina. A «terra de Gade» é uma alusão bíblica àquela porção que os homens dessa tribo receberam (I Sam. 13:7; Jer. 49:1). Ficava situada a leste do rio Jordão, em Gileade, ao norte do território que coube a Rúben, e separada do território dos amonitas pelo rio Jaboque. De acordo com I Crônicas 5:11, os gaditas ampliaram o seu território para leste, até Salcá, embora Moisés, originalmente, tivesse alocado esse território à tribo de Manassés (Deu. 3:10,13). Porém, compreendamos que é muito difícil traçar linhas fronteiriças exatas entre tribos de atividades pastoris. Em Josué 13:25, a terra de Gade é chamada de «metade da terra dos filhos de Amom». Isso não porque os amonitas, então, fossem os donos dessas terras, mas porque a porção ocidental das margens do rio Jaboque antes tivera esse nome. As cidades principais da tribo eram chamadas de «cidades de Gileade» (Jos. 13:25).

4. Gade, o Profeta. Um profeta, contemporâneo de Davi, teve esse nome. Provavelmente, ele pertencia à escola dos profetas, dirigida por Samuel e que, desde o começo, ligou-se ao filho de Jessé (I Sam. 22:5). Observações bíblicas sobre suas atividades proféticas aparecem em II Sam. 24:11 *ss*; I Crô. 21:9 *ss*, e 29:25. Ele escreveu uma crônica sobre o reinado de Davi, a qual, por certo, foi usada como fonte informativa na história da época, segundo aparece na Bíblia, em I Crô. 29:29, em cerca de 1062 A.C. Ele participava do ministério musical efetuado no templo (II Crô. 29:25) e, sem dúvida alguma, estava vinculado à corte real, em Jerusalém.

— Talvez o incidente mais conhecido que envolveu esse homem tivesse sido sobre a questão do recenseamento feito por Davi, contrariamente à vontade do Senhor. Davi precisou ser castigado por sua arrogância, e foi Gade quem levou a ele o recado do Senhor, dando-lhe três alternativas: três anos de fome; três meses de derrotas, às mãos de seus inimigos; ou três dias de pestilência. Davi preferiu a terceira alternativa e, em três dias, morreram de peste setenta mil homens. O anjo da morte estava de pé, na eira de Araúna (Ornã), o jebuseu (I Crô. 21:15), quando Deus determinou que a praga cessasse. Naquele lugar, foi construído um altar comemorativo. Davi ofereceu holocaustos sobre o mesmo e a dificuldade passou (II Sam. 24:10-25; I Crô. 21). Posteriormente, aquela área em geral tornou-se o sítio onde foi construído o templo de Jerusalém.

5. Gade, uma Divindade Pagã. Ver Isaías 65:11. Essa divindade, representada como um ídolo, era considerada um deus da fortuna ou boa sorte. Sua adoração envolvia vários povos semitas. Ele é mencionado em conexão com *Meni* (Destino). Isaías proferiu uma predição de condenação contra aqueles que participassem de tal veneração. Sua adoração também era popular entre os cananeus, havendo santuários vinculados a ele, em várias localidades, conforme é evidenciado por certos nomes combinados, como Baal-Gade (Jos. 11:17), Migdal-Gade (Jos. 15:37). Seu nome também aparecia em nomes próprios combinados para pessoas, como Gadi e

841

GADE — GADO VACUM

Gadiel (Núm. 13:10,11). Alguns eruditos têm-no identificado com o Marduque, dos babilônios, e com Júpiter, dos romanos. Também é possível que sua adoração estivesse envolvida com a lua e com o sol, o que também sucedia a Júpiter, que era reputado como um corpo celeste da boa sorte.

6. Gade, uma Planta. Ver Êxo. 16:31 e Núm. 11:7. Em nossa versão portuguesa, essa planta aparece como o «coentro», em ambas essas referências. Lemos ali que o maná assemelhava-se à planta «gade», de cor branca. Se o coentro é a tradução certa então devemos pensar no seu nome científico, *Coriandrum sativum*. A semente (fruto) dessa planta é de formato globular, de cor esverdeada. Seu odor e seu gosto são agradáveis. Um óleo volátil é extraído da mesma.

7. Gade, o Vale. Esse era o nome do lugar onde foi iniciado o recenseamento determinado por Davi. As traduções diferem quanto à questão. Ver II Samuel 24:5. Algumas dizem «na direção de Gade», outras dizem «o rio de Gade» e, ainda outras, «o vale de Gade» (conforme diz nossa versão portuguesa). A *Aroer* que aparece nesse texto, provavelmente alude a uma cidade ao norte das margens do rio Arnon, e esse seria o rio ou vale em questão. Seja como for, a extremidade sul do território da Transjordânia está em foco, como a localização geral do mesmo.

GADI

Esse nome vem de um termo hebraico que significa «fortuna». Foi o nome de um filho de Susi, filho de Sodi, que foi enviado por Moisés a fim de explorar a terra de Canaã, juntamente com os outros onze espias (Núm. 13:11). Viveu, portanto, em torno de 1490 A.C.

Esse nome também designa um filho de Matatias e irmão de Judas Macabeu. Essa família, com seus muitos membros, liderou uma revolta dos judeus contra os governantes selêucidas, da Síria. Ver I Macabeus 2.2.

Finalmente, também foi o nome do pai do rei Manaém, de Israel, o qual, posteriormente, assassinou Salum e reinou em seu lugar (II Reis 15:14). Viveu em torno de 740 A.C. O nome *Gadi*, talvez, seja uma forma abreviada de Gadiel, que significa «Deus é a minha fortuna».

GADIS

Sobrenome de João (Joanã), filho de Matatias e irmão mais velho de Judas Macabeu. A família inteira dos Macabeus estava envolvida na revolta dos judeus contra os dominadores selêucidas, de onde emergiu a história das guerras dos Macabeus e dos livros deuterocanônicos (apócrifos) que têm esse nome.

GADITAS

Eram os descendentes de Gade (vide), o sétimo filho de Jacó e, portanto, membros da tribo desse nome. Ver sobre *Gade*, segundo ponto.

GADO VACUM

Um animal importantíssimo para muitas culturas, antigas e recentes. Diversas palavras hebraicas e gregas são assim traduzidas nas Escrituras, talvez indicando variedades raciais. Ver o artigo sobre o *Touro*, quanto a informações que acompanham o presente verbete. Parte da riqueza de Abraão consistia em gado vacum. E, desde então, os israelitas têm criado esse animal. Na antiguidade, além de servir de alimento, o gado era usado nos sacrifícios cruentos. Até mesmo no Egito, o gado era entregue aos cuidados de boieiros e criadores. Uma das palavras hebraicas traduzidas como gado na verdade significa *possessão*, sendo verdade que muitos indivíduos calculavam seus bens materiais em termos de quantas cabeças de gado possuíam. Essa palavra, entretanto, tem um sentido geral, incluindo outros animais, como cavalos, asnos, ovelhas e bodes, animais esses também muito importantes para a economia de Israel, que era um país essencialmente agrícola.

A adoração sacrificial a Yahweh requeria esse animal (Lev. 22:27). Era um animal limpo, pelo que sua carne podia ser usada na alimentação humana. Além disso, antes da era da mecanização, esse animal era útil para transporte de pesadas cargas, como puxar carroças, arados, etc (que vide).

Itens de sua História. O gado vacum descende de um grupo de raças de **Bos primogenius** Ver sobre o *Boi Selvagem*. Vem sendo domesticado pelo menos desde os primeiros tempos neolíticos, aparentemente depois dos bodes e ovelhas, e, provavelmente, inicialmente na parte sudoeste da Ásia. Esse animal, forte e grande, precisou encontrar uma situação agrícola bem desenvolvida para começar a ser domesticado, porquanto precisava ser alimentado e confinado em áreas adequadas para isso. A carne deve ter sido a principal razão de sua domesticação, embora também devamos pensar no leite e no couro. Este último pode ser usado para o fabrico de muitos artigos úteis, incluindo trajes de trabalho, muito duradouros. Antes da era do bronze, muito antes da época dos patriarcas de Israel, o gado já fazia parte da cena agrícola de **grande parte do Oriente** do vale do rio Nilo. Gradualmente, esse animal tornou-se o animal domesticado de maior importância para o homem, conforme sucede até os nossos dias. As estimativas calculam que a população vacum do mundo moderno é de cerca de setecentas milhões de cabeças. A arqueologia tem descoberto inúmeras evidências de gado, em seus muitos usos e aplicações, na Mesopotâmia e no Egito. E, naturalmente, havia o touro sagrado do Egito e o incidente que envolveu Aarão, o que mostra que o povo de Israel não estava isento do absurdo da adoração a esse animal. Ver o artigo sobre o *Boi Ápis*. Mosaicos e selos de muitos locais, pertencentes ao quarto e ao terceiro milênios AC mostram gado em grande variedade de situações e usos. Relevos pintados em templos e modelos, retratam várias espécies de gado, com diferentes colorações. O culto ao touro propagou-se, e encontrou sua expressão mais elevada na Creta da época minoana. Esse culto teve muitas expressões, pelo que havia homens-touros, touros alados e todos os tipos de representação, na arte e na arquitetura.

Na Palestina, segundo os registros históricos mais antigos, bem como nos registros bíblicos, vemos que o gado era largamente usado. Para os hebreus, o gado significava riqueza material, animais para os sacrifícios, alimento abundante, couro para vestuário e para muitos outros usos. - Estes animais também foram de prestimosa ajuda em muitos serviços pesados. Abraão trouxe gado do Egito, e os hebreus, por ocasião do êxodo, levaram consigo rebanhos de gado. Os hebreus tornaram-se habilidosos criadores de gado, tendo desenvolvido várias espécies desse animal. Os bois eram usados para lavrar os campos e trilhar os grãos de cereal, bem como para mover cargas de todas as espécies. A experiência moderna demonstra que o gado criado em áreas de grande calor precisa ser resistente às altas temperaturas; e essa é uma das qualidades do gado vacum, pelo que

GAETÃ — GAIOLA

era capaz de prosperar no vale do rio Jordão.

As palavras hebraicas envolvidas são as seguintes:

1. *Behemah*, «gado». Palavra hebraica usada por cento e oitenta e nove vezes (por exemplo: Gên. 1:24-26; 2:20; Êxo. 20:10; Lev. 1:2; 5:2; Núm. 3:41; Deu. 2:35; 3:7; Jos. 8:2,27; Sal. 50:10; Isa. 46:1; Zac. 2:4).

2. *Beir*, «besta». Palavra usada por seis vezes (por exemplo: Núm. 20:4 e Sal. 78:48).

3. *Miqneh*, «possessão». Palavra usada por setenta e cinco vezes (para exemplificar: Gên. 4:20; 13:2,7; Êxo. 9:3-7,19-21; Núm. 20:19; Jó 36:33; Isa. 30:23; Jer. 9:10; Eze. 38:12,13).

A palavra grega envolvida é *kténos*, «gado», «animal», que aparece por quatro vezes no Novo Testamento: Luc. 10:34; Atos 23:24; I Cor. 15:39 e Apo. 18:13. Tal como no caso da palavra hebraica *miqneh*, acima, uma variante desta palavra grega significa «propriedade», «possessão», isto é, *ktéma*, que aparece em Mat. 19:22; Mar. 10:22; Atos. 2:45 e 5:1.

GAETÃ

No hebraico, «insignificante», embora alguns pensem em «vale queimado». Esse foi nome de um dos netos de Esaú e quarto filho de Elifaz (Gên. 36:11; I Crô. 1:36), que era chefe de um clã edomita. Viveu em algum tempo depois de 1740 A.C.

GAFANHOTO Ver **Praga de Gafanhotos**.

GAFANHOTO DEVORADOR

No hebraico, **yelek**, palavra que figura por nove vezes nas páginas do Antigo Testamento: Joel 1:4; 2:25; Naum 3:15,16; Sal. 105:34; Jer. 51:14,27. Ver sobre *Praga de Gafanhotos*.

GAI

Esse nome, que só aparece como uma variante de *Gate* (vide), significa «vale», no hebraico. Em alguns manuscritos, esse nome ocorre em I Samuel 17:52, onde o lugar aparece, juntamente com Ecrom, como o limite até onde os israelitas perseguiram aos filisteus, depois que Davi triunfou em batalha pessoal contra Golias.

GAIATRI

Essa é uma oração famosa que os hindus piedosos repetem todos os dias. Foi extraída do Rig Veda, terceiro livro (62.10): «Meditemos sobre o adorável esplendor de Savitar; que ele ilumine as nossas mentes». Essa mesma palavra, *gaiatri*, especifica uma das métricas empregadas nos hinos védicos.

GAIO

O nome próprio Gaio é uma adaptação do latim, *Gaius* (com uma variante, Caio), e que significa «estou alegre». Era um nome pessoal comum entre os romanos, com acompanhamento do nome de família, a fim de identificar um membro particular do grupo. Vários indivíduos são assim chamados, nas páginas do Novo Testamento:

1. Um dos companheiros de viagem de Paulo, nativo da Macedônia. Juntamente com Aristarco, foi arrebatado por uma multidão, durante um levante popular em Éfeso, conforme o registro de Atos 19:29, em cerca de 54 D.C. Nada mais se sabe sobre esse homem, exceto aquilo que foi sugerido no texto.

2. Houve um outro Gaio, igualmente companheiro de Paulo, quando o apóstolo subiu a Jerusalém, que também fez parte do grupo que esperou pelo apóstolo dos gentios em Trôade (Atos 20:4 *ss*). Lemos que esse Gaio era natural de Derbe, embora o chamado texto Ocidental diga *Douberus*, que era uma aldeia da Macedônia. Alguns eruditos têm vinculado Derbe a Timóteo, o que faria Gaio, juntamente com Aristarco e Segundo, tornar-se um *tessalonicense*. Mas, seja como for, continuaria ele sendo um macedônio, o que significa que talvez possa ser identificado como o primeiro indivíduo a figurar com esse nome (ponto primeiro, acima). Outros estudiosos, entretanto, rejeitam essa conjectura, não havendo meio algum para obtermos informes certos a respeito.

3. Um coríntio, Gaio, batizado pelo apóstolo Paulo (ver I Cor. 1:14). Uma congregação cristã se reunia em sua casa; e Paulo hospedou-se na mesma durante a sua terceira visita a Corinto. Alguns estudiosos identificam esse Gaio com *Tito Justo* (ver Atos 18:7), supondo, nesse caso, que Gaio seria o seu prenome. Orígenes, em seus comentários sobre o décimo sexto capítulo de Romanos, continuaria uma tradição antiga que afirmava que esse Gaio foi o primeiro bispo ou pastor de Tessalônica.

4. Aquele a quem o apóstolo João se dirigiu em sua terceira epístola, louvando-o por sua retidão e hospitalidade. Esse *Gaio* tem sido identificado côm *qualquer* um dos outros indivíduos desse nome, mas, especialmente, com o primeiro e com o terceiro. Porém, nada se sabe de certo acerca dele, além daquela simples menção na terceira carta de João.

5. Um filósofo que viveu no século II D.C., líder de uma escola platônica eclética, associada à quarta academia. Ele sintetizou o platonismo com o estoicismo, dando a Platão um caráter religioso e místico. Chegou a influenciar os neoplatonistas Proclo e Prisciano.

GAIOLA

No hebraico, **kelub**, «gaiola» ou «cesto». Palavra usada no Antigo Testamento por três vezes (Jer. 5:27 e Amós 8:1,2) e subentendida em Jó 41:5. Ao que parece, os israelitas guardavam pássaros em gaiolas, embora nenhuma informação a esse respeito tenha chegado até nós. Um pássaro preso em uma gaiola simboliza a privação de liberdade, podendo aparecer nos sonhos como uma limitação imposta à alma, ou auto-infligida, ou aplicada por força externa. Também pode indicar o confinamento no hades.

O termo grego *fulake*, que aparece por quarenta e cinco vezes no Novo Testamento, com o sentido mais comum de «prisão» aparece em Apo. 18:2 por duas vezes, nas palavras em itálico, na citação desse trecho: «...*covil* de toda espécie de espírito imundo e *esconderijo* de todo gênero de ave imunda e detestável».

Uma espécie de lugar fechado, tipo caixa, para reter animais ou aves, usualmente feito de varas trançadas, barras, etc. Alguns tradutores têm traduzido as palavras armadilha ou ardil por gaiola. Em Jer. 5:27 e Amós 8:1,2, temos uma gaiola ou cesto. Em Eze. 19:9 há outra palavra hebraica, tomada por empréstimo do assírio *sigaru*, usada para indicar uma gaiola ou prisão. No grego temos as palavras *angos*, «vaso», «receptáculo», usadas na LXX, em Amós 8:1,2; *galeagra*, «gaiola» ou «armadilha para animais», na LXX, em Eze. 19:9; *pagis*, «armadilha», usada na LXX, em Jer. 5:27, e, no Novo Testamento, em Luc. 21:35; Rom. 11:9; I Tim. 3:7; 6:9; II Tim. 2:26; *phulaké*, «vigia»,

843

GAITA DE FOLES — GALÁCIA

«guarda», usada em Apo. 18:2, para indicar uma prisão ou detenção domiciliar, e não uma gaiola. Nesse sentido, a palavra é usada pelos escritores gregos em geral, aparecendo por cento e dezessete vezes na LXX.

Usos Figurados. O futuro império do anticristo será como uma gaiola, com toda a variedade de aves imundas e odiosas (Apo. 18:2). Isso refere-se às corrupções humanas, moral e espiritualmente falando. Em Jeremais 5:27, lemos que as casas dos homens abrigam engano e traição, tal como as gaiolas retêm toda espécie e variedade de aves. O Prisma de Taylor, no Museu Britânico, exibe Senaqueribe afirmando que encerrou Ezequias «...como um pássaro engaiolado, em Jerusalém», sem dúvida dando a entender que o sujeitara à humilhação, por suas ações militares. (G HA I UN)

GAITA DE FOLES

Ver o artigo sobre **Música e Instrumentos Musicais**.

GAIVOTA

No hebraico, **shachaph**, palavra que aparece por duas vezes em todo o Antigo Testamento: Lev. 11:16 e Deu. 14:15. Na Palestina há várias espécies de gaivotas, num total de mais de vinte, algumas residentes e outras migrantes. Algumas dessas espécies vêm do sul, sobrevoando o golfo de Āqaba e pousando em Eliate, antes de prosseguirem terra adentro. Mas outras espécies chegam, fugindo do clima frio, de outras procedências. Entre essas espécies há aquela de dorso negro e aquela de cabeça negra. Quando elas chegam podem ser observadas por toda a parte, às margens do mar Mediterrâneo e do mar Vermelho, no lago da Galiléia ou em qualquer acúmulo de água, que lhes ofereça refúgio e alimentos. Quase todas as espécies de gaivotas são comedoras de detritos, pelo que são aves imundas, de acordo com as instruções levíticas. Algumas traduções dizem *gaivota*, nessas duas referências, acima citadas (como a nossa versão portuguesa), mas outras traduções preferem pensar em algum outro pássaro. A King James Version fala sobre o «cuco» e a RSV (também inglesa), diz «gaivota», no que é secundada pela Berkeley Version. Já a Edição Revista e Corrigida prefere o «cuco», em ambas essas passagens. Ver o artigo geral sobre *Aves da Bíblia*.

GALAADE

Ver sobre **Gileade**.

GALÁCIA

Há uma certa ambigüidade quanto ao uso que o Novo Testamento faz desse termo, devido ao fato de que pode significar duas coisas diferentes, segundo o seu emprego histórico, a saber:

1. O antigo reino étnico da Galácia, localizado na porção norte do grande planalto interno da Ásia Menor, moderna Turquia. Essa área incluia uma grande parte do vale do rio Halis, e compunha-se de porções dos territórios antes conhecidos como Capadócia e Frígia. O nome derivava-se do fato de que os gauleses, um povo celta, a convite de Nicomedes I, rei da Bitínia, entraram na região, atacando, saqueando e expelindo seus antigos habitantes. Atalo I, de Pérgamo, finalmente conseguiu contê-los; mas partindo do território que haviam conquistado, continuaram assediando seus vizinhos.

Aquela gente, com o tempo, dividiu-se em três grupos: os *trocmi*, que se estabeleceram na porção leste, que fazia fronteira com a Capadócia e com o Ponto; sua capital era Távium. Os *tolistobogii* apossaram-se da porção oeste, que fazia fronteira com a Frígia e a Bitínia; sua capital era Pessino. E os *tectosages*, que se estabeleceram na área central, cuja capital era Ancira. Os romanos levaram a paz à região, mediante o poder e a habilidade de Mânlio Vulso (188 A.C.), que fez da mesma uma espécie de tampão, para isolar o agitado reino de Pérgamo.

Os povos dessa região preservaram sua fala céltica até o século V D.C., formando uma comunidade de povos coerente, resistindo a qualquer fragmentação maior. Essas três divisões políticas contavam com um conselho combinado e uma jurisdição coletiva. Deiotaro, o rei gálata, acompanhou a Pompeu, na guerra civil entre este e Júlio César. Por causa disso, quando a sorte das armas não sorriu a Pompeu e a seus aliados, Deiotaro foi acusado perante César de vários atos de insubordinação. Cícero defendeu-o, mas sem sucesso. Mas, quando Júlio César foi assassinado, Deiotaro reconquistou seu poder e deu apoio a Bruto e a Cássio, por ocasião da renovada guerra civil, novamente fazendo uma escolha errada. Porém, visto que Antônio desertou no momento certo, Deiotaro foi capaz de reter o seu reino. Em 42 A.C., Deiotaro assassinou um tetrarca rival, e assim adquiriu a Galácia inteira e as regiões circunvizinhas. Dessa maneira, a região estava tornando-se uma província romana habitada por muitas raças. Muitas batalhas seguiram-se, entre os romanos e os sucessores de Deiotaro; mas, em 25 A.C., Augusto foi capaz de restabelecer a paz na região. O antigo reino gálata foi ampliado, mediante a adição de certas faixas de terra da Frígia, da Licaônia, da Pisídia e talvez, da Panfília, formando-se assim a província romana da *Galácia*. Posteriormente, certas partes da Paflagônia e do Ponto foram acrescentadas, e um legado pretoriano passou a governar a província, até o ano de 72 D.C. Nesse tempo, o território foi novamente aumentado, mediante uma reorganização política. Porém, Trajano tornou a reduzir tal território, em 137 D.C. Sob Diocleciano, a província da Galácia foi reduzida quase ao seu tamanho principal, da Galácia céltica. As principais cidades do território, no século I D.C., eram Ancira, Antioquia da Pisídia e certos lugares visitados pelo apóstolo Paulo em suas jornadas missionárias, a saber, Icônio, Listra e Derbe. Essas cidades contavam com uma população mista, composta de celtas, romanos, gregos, judeus, etc.

2. A Província Romana da Galácia. Uma parte da mesma foi acompanhada no parágrafo acima (incluída na Turquia moderna). Essa região aumentava e diminuía alternativamente de extensão. Em 64 A.C., a Galácia tornou-se um estado suserano de Roma. Seu último monarca foi Amintas, que sucedeu a Deiotaro, o qual falecera em 40 A.C. Ele fora o comandante das tropas gálatas auxiliares, que apoiavam Bruto e Cássio em Filipos, e compartilhou da deserção do contingente gálata a fim de dar apoio a Antônio. Por causa desse apoio, Antônio recompensou Amintas com o reino da Galácia (39 A.C.), que chegou a incluir parcelas da Lícia, da Panfília e da Pisídia. A guerra civil continuou, tornando-se evidente que Amintas fizera uma péssima escola. No entanto, sendo um bom político, acabou desertando para o lado da facção mais forte, obtendo os favores de Otávio (que veio a tornar-se o imperador Augusto, quando chegou ao fim a república romana). Em resultado disso, Amintas reteve a sua autoridade real.

GALÁCIA, MISSÃO DE PAULO

Em 25 A.C., a Galácia recebeu a condição de província romana, a qual incluía o antigo território étnico, além de porções tiradas do Ponto, da Frígia, da Licaônia, da Pisídia, da Paflagônia e da Isáuria. Temos acompanhado o resto da história nas últimas linhas da discussão sob o primeiro ponto, acima.

Foi dentro dessa província romana da Galácia que Paulo labutou. Uma pergunta difícil tem surgido sobre como Paulo usou a palavra Galácia. Ele teria indicado a parte norte ou a parte sul da província? Paulo deu início a congregações cristãs na parte norte, ou os seus esforços envolveram somente a parte do sul? Em termos de distância, as cifras são pequenas, porque de Ancira até às cidades do sul, como Listra, Derbe, Icônio e Antioquia eram apenas cerca de trezentos e vinte quilômetros; e de Antioquia para a Bitínia, não mais do que isso. Porém, as distâncias eram muito mais difíceis de transpor do que o são atualmente. Assim, dizer que Paulo não foi além de meros trezentos e vinte quilômetros em seus esforços missionários, era muito mais significativo nos seus dias do que na atualidade.

O problema inteiro das teorias da Galácia do Norte ou da Galácia do Sul, no tocante aos labores de Paulo, é amplamente discutido no artigo sobre a Epístola aos *Gálatas*, terceira seção, pelo que a questão não é aqui reiterada.

GALÁCIA, MISSÃO DE PAULO
Ver Atos 13:13-14:28.

As congregações locais fundadas durante essa viagem missionária são aquelas mencionadas na passagem de Gál. 1:2, às quais essa epístola aos Gálatas foi endereçada, segundo a opinião de muitos eruditos. Posto que essas igrejas se achavam na região que chamaríamos de «sul» da Galácia, tem-se pensado que a epístola que Paulo escreveu aos «Gálatas» visa aos crentes da *Galácia do Sul*. Havia uma Galácia do Norte, cujas principais cidades eram Ancira, Pessino e Távio. Durante o primeiro quarto do século III A.C., uma tribo de gauleses, vinda mais do norte da Europa, invadiu a Ásia Menor, vagueando e pilhando tudo, até que Átalo, de Pérgamo, conseguiu confiná-la a um trecho do país no tabuleiro do norte, região essa que passou a ser conhecida pelo nome de Galácia, devido a seus novos habitantes gauleses. Alguns estudiosos têm pensado que a epístola de Paulo aos «Gálatas» foi realmente dirigida a eles, e essa idéia se tornou conhecida por teoria da «Galácia do Norte».

A história de como as cidades visitadas durante essa viagem missionária puderam vir a ser chamadas de *Galácia* é narrada de forma breve como segue: O rei gaulês Amintas, através do favor de Augusto, pouco antes do fim do século I A.C., adquiriu um extenso reino, o qual incluía a própria Galácia, parte da Frígia, a Licônia, a Panfília e a parte ocidental da Cilícia. Por motivo de seu falecimento em 25 A.C., todo esse reino passou para o poder imperial de Roma. Subseqüentemente, a Panfília foi constituída como província separada. E, mais ou menos ao tempo da primeira viagem missionária de Paulo, que aqui é narrada, a Cilícia ocidental e uma parte da Licaônia passaram a formar o reino de «Antíoco», ao passo que o restante daquelas regiões mencionadas acima, se tornou parte de uma província romana chamada «Galácia Maior». Por essa razão é que as igrejas cristãs fundadas em Antioquia da Pisídia, em Listra, em Derbe e em Icônio, embora ficassem ao sul da Galácia propriamente dita, ainda ficavam dentro da província da Galácia.

Apesar dessa área encerrar várias raças, bem como condições sociais e políticas bem diversas entre si, todos os habitantes dali eram convenientemente chamados *gálatas*. Há um número crescente de intérpretes que opina que a epístola de Paulo aos Gálatas foi escrita para essas igrejas, e não para igrejas estabelecidas na Galácia do Norte.

Passados cerca de trezentos anos, foi abandonado esse método de agrupar as províncias, o nome «Galácia» passou a ser aplicado novamente apenas à região norte da região e o sentido mais lato do termo (que antes incluíra as cidades mais ao sul) foi esquecido. Os arqueólogos, especialmente Sir William M. Ramsay, relembraram o mundo bíblico do antigo uso da palvra «Galácia», estabelecendo assim a plausibilidade do fato de que a epístola aos Gálatas foi realmente escrita àquelas igrejas cristãs que existiam mais ao *sul* da região, fundadas durante a primeira viagem missionária de Paulo, e não escrita aos celtas ou gauleses da Galácia do Norte. Tudo isso simplifica a harmonia entre a epístola aos Gálatas e o livro de Atos, porque contamos então com uma narrativa sobre a fundação dessas igrejas, ao passo que nada sabemos a respeito da fundação de igrejas cristãs na Galácia do Norte. As igrejas fundadas na Galácia formavam um quarto grupo de igrejas, paralelamente àquelas da Macedônia, da Acaia e da Ásia Menor; e Lucas nos dá o esboço histórico da fundação de todos esses diversos grupos de igrejas. Se as igrejas para as quais a epístola aos Gálatas foi escrita estavam no norte, então existem apenas três alusões possíveis a essa obra de Paulo no livro de Atos, (ver Atos 16:6; 18:23 e 19:1). Pareceria estranho que Lucas não conhecia ou desenvolveu tão deficientemente aquilo que deve ter sido um importante ministério do apóstolo aos gentios. Porém, se os gálatas para quem Paulo escreveu são os do sul, então Lucas registrou para nós uma narrativa minuciosa desse importante labor do apóstolo. Também sabemos que essas cidades do sul da Galácia contavam com numerosas colônias judaicas, e isso, naturalmente, teria criado o problema *legalista* que tanto preocupou Paulo e o levou a escrever sua epístola aos Gálatas. Pois os convertidos do judaísmo, naquelas áreas, apesar de terem se tornado cristãos, continuavam aferrados a pontos de vista tradicionais do judaísmo, trazendo consigo os seus antigos preconceitos e sua tendência por observarem a lei cerimonial. (Quanto a notas expositivas sobre esse problema, ver Atos 11:2-18 no NTI). Além disso, havia pouca ou nenhuma população judaica entre os habitantes celtas dos planaltos da Galácia do Norte, não sendo nada provável que esse problema legalista tenha aparecido justamente nessa região dos gauleses.

A aceitação da teoria sobre a Galácia do Sul, também possibilita a aceitação de uma data anterior para a escrita da epístola aos Gálatas, talvez tão cedo como 49 D.C. Provavelmente essa epístola foi escrita de Antioquia, quando do retorno dali, durante a primeira viagem missionária, e antes da convocação para o concílio de Jerusalém. Assim, pois, o problema legalista da «Galácia» teria sido o problema geral, do que o levante em Antioquia fez parte. (Ver Atos 15:1,2). Paulo ficou algum tempo em Antioquia, segundo aprendemos em Atos 14:28, e, depois de ouvir como as igrejas que ele fundara em sua primeira viagem missionária vinham sofrendo a influência perniciosa dos legalistas, então foi inspirado a escrever-lhes essa epístola, sendo essa aquela que denominamos de «epístola aos Gálatas». Ato contínuo, o concílio em Jerusalém confirmou a revelação dada através de Paulo. Mas o apóstolo teve de ir a

GALACIANISMO — GALARDÃO

Jerusalém, para ajudar a resolver a questão, e não teve tempo de visitar os cristãos da Galácia (ver Gál. 4:20), sendo que em seu lugar, enviou-lhes a epístola aos Gálatas. Posteriormente chegou a visitá-los, entretanto, tendo-lhes transmitido as decisões do concílio (ver o décimo quinto capítulo do livro de Atos, que historia todo esse concílio), segundo se depreende da leitura do trecho de Atos 16:1-6.

GALACIANISMO

Esse termo deriva-se da **Galácia** e da epístola que Paulo escreveu às igrejas cristãs daquela província. O *galacianismo* é a idéia que diz que uma vez que um indivíduo seja salvo pela graça divina, mediante a fé, então deverá observar a lei de Moisés, para que se expresse religiosamente como convém e preserve a sua fé vital. Escreveu Paulo àqueles crentes da Galácia: «Sois assim insensatos que, tendo começado no Espírito, estejais agora vos aperfeiçoando na carne?... Aquele, pois, que vos concede o Espírito, e que opera milagres entre vós, porventura o faz pelas obras da lei, ou pela pregação da fé?» (Gál. 3:3,5). O *legalismo*, um termo usado pelos teólogos, indica a mistura da graça e da lei, com vistas à justificação. Essa é a posição tomada pelo autor do livro de Tiago, embora muitos estudiosos protestem contra essa avaliação.

GALAL

No hebraico, «pesado» (?), embora outros pensem em «grandalhão», «roliço». Há três levitas chamados por esse nome, a saber:

1. Um filho de Asafe (I Crô. 9:15). Viveu em torno de 536 A.C.

2. Um filho de Jedutum (Nee. 11:17). Foi avô de Obadias (ou Abda), que retornou da Babilônia, após o exílio (I Crô. 9:16). Viveu por volta de 445 A.C.

3. Um membro da família de Elcana, que retornou do cativeiro babilônico (I Crô. 9:16). Também viveu em torno de 445 A.C. A maioria dos eruditos identificam os homens de número dois e três, como o mesmo.

GALARDÃO   Ver também **Coroas.**

I Cor. 3:14: *Se permanecer a obra que alguém sobre ele edificou, esse receberá galardão.*

Podemos estar certos de que o julgamento dos crentes será perscrutador. Ninguém será ali capaz de enganar o Juiz, nas esferas eternas, conforme tantos agora podem enganar os homens quanto ao caráter real e ao valor do trabalho que fazem. Não é um erro supormos que alguns dos supostos «maiores» cristãos, que realizaram aparentemente uma tarefa mais magnificente, serão desvendados como «últimos», naquele dia. Esses serão aqueles cujas realizações foram efetuadas mediante a força da carne, da capacidade humana, dos dotes naturais, e não através do Espírito de Deus. Além disso, alguns daqueles que agora são reputados como *últimos*, serão então primeiros. Esses serão aqueles que tiverem sido humildes em sua vida de oração e de trabalho cristão, embora aparentemente tenham contribuído bem pouco para os destinos da vida humana. Somente o Senhor Jesus pode fazer o julgamento preciso e apropriado (ver I Cor. 4:4,5).

Além disso, haverá alguns casos que não constituirão surpresa. Aqueles que tiverem trabalhado com diligência, mediante os meios espirituais, o que se tornou conhecido pelos homens, receberão sua devida recompensa. E outros, que obviamente não se importaram grandemente com as realidades espirituais, mas antes, viveram para a carne, verão que o pouco que pensaram ser valioso, será consumido pelo fogo, transformando-se em nada, e os seus seres serão desnudados de toda a pretensão de desenvolvimento em Cristo.

Devo partir de mãos vazias,
Para encontrar assim meu Redentor?
Sem dar-lhe um dia sequer de serviço,
Sem depositar um só troféu a seus pés?

....

Oh, se pudesse recuperar os anos de pecado,
Se pudesse tê-los devolvidos agora.
Eu os daria para meu Salvador,
E me inclinaria humilde à sua vontade.
    (C.C. Luther)

«Não é um tolo aquele que dá aquilo que não pode reter, a fim de ganhar aquilo que não pode perder». (*James Elliott*, missionário evangélico martirizado por índios do Equador).

Como seremos julgados, nós, os crentes? Mediante a consideração da maneira como tivermos consumido nossas vidas. Quais foram as nossas esperanças, os nossos desejos, os nossos motivos, as nossas ambições, ao trabalharmos no evangelho? Qual foi a nossa atitude espiritual, nossas intenções mais secretas, ao nos ocuparmos do nosso serviço prestado a Jesus Cristo; temos amado aos irmãos e temos procurado servi-los sinceramente, ou temos amado tão-somente a nós mesmos? Temos amado a Jesus Cristo, ou ele tem sido para nós apenas alguma forma de princípio religioso ou idéia abstrata? Uma avaliação verdadeira dessas perguntas, e as respostas que elas provocam em nós, nos darão uma boa idéia do que poderemos esperar perante o *tribunal de Cristo*.

Um grande político do sul dos Estados Unidos da América do Norte estava moribundo. Um amigo íntimo se aproximou de seu leito e lhe perguntou: «Devo orar por você?» E ele respondeu: «Não. A minha vida deve ser a minha oração. Este momento não é tão significativo como os anos solenes que se passaram. Que eles permaneçam». E nessa resposta encontramos uma profunda verdade. Não importa o momento da transição a que denominamos de morte, mas o que importa é a inteireza da vida antes da morte. Para o crente a morte é tão inconseqüente como o sono. Mas o pensamento de irmos ao encontro do Senhor de mãos vazias deveria fazer-nos franzir o cenho, preocupados.

1. O galardão não é a mesma coisa que a salvação eterna, no sentido ordinário da palavra. Em outras palavras, não significa que um indivíduo galardoado irá para os lugares celestiais, mas que aquele que não foi galardoado irá para o *hades*, ou para algum outro lugar qualquer de julgamento severo e eterno.

2. Porém, visto que a *glorificação* é uma parte integrante da salvação, e que os galardões têm muito a ver com a extensão e a natureza da glorificação, os galardões, na realidade, fazem parte da salvação. A extensão em que tivermos de ser transformados segundo a imagem de Cristo, quando assumirmos suas qualidades morais e metafísicas, será determinada pela extensão em que formos galardoados.

3. Parte dessa glorificação envolve o conceito inteiro das «coroas», as quais não devem ser encaradas como objetos físicos e literais, mas antes, como realizações espirituais, como «graus de glória», como a níveis de participação em tudo quanto Jesus Cristo tem e é.

4. O conceito *materialista* dos galardões, como se estes fossem «bens» nos lugares celestiais, como

846

GALARDÃO – GÁLATAS

mansões, etc., é uma idéia completamente antibíblica. Possessões materiais serão realmente nossas, mas não são elas os galardões que nos cumpre conquistar. O que está envolvido nos galardões é sermos semelhantes a Cristo, é compartilharmos mais plenamente do que ele é, é realizar mais plenamente aquilo que ele realiza. Também está envolvido o recebimento de sua imagem moral e metafísica, o que nos transformará em seres muito superiores aos próprios anjos, porquanto seremos participantes da própria natureza divina (ver II Ped. 1:4). Isso é o que está envolvido nos galardões. (Ver o trecho de Rom. 8:29 e as notas expositivas ali existentes no NTI onde se sumaria essa doutrina).

5. Quando formos transformados em seres dotados de grande poder, então nos serão dadas tarefas de grande magnitude, para cumprirmos nos lugares celestiais e eternos. Nossa futura capacidade de realizar essas grandiosas tarefas resultará do nosso galardão em Cristo, o que, por sua vez, resultará de nossos esforços conscientes por sermos transformados segundo a sua imagem.

6. Seja como for, não devemos supor que os galardões, uma vez recebidos, importarão em um estado fixo, estagnado. O grande alvo da total perfeição segundo a imagem de Cristo (participação na natureza divina, II Ped. 1:4), é um alvo que finalmente terá o seu cumprimento, absolutamente, no caso de todos os redimidos. Isto exige que a glorificação seja um *avanço espiritual contínuo*, nos lugares celestiais. O corpo de Cristo não pode ficar doente, portanto, a perfeição de todos os seus membros, afinal, deve ser realizada, no sentido mais alto possível.

Deus é a Perfeição Máxima, e nossa espiritualidade sempre estará avançando na direção desta perfeição absoluta.

GÁLATAS

Esboço
I. Autor
II. Data e Proveniência
III. Quem Eram os Gálatas?
IV. Motivo da Escrita: Propósitos
V. Temas Principais
VI. Conteúdo
VII. Bibliografia

A epístola aos *Gálatas* tem sido corretamente intitulada de *Declaração da Independência Cristã*. No entanto, é ao mesmo tempo uma missiva que nos mostra a nossa completa dependência de Deus. Nossa independência diz respeito à legislação mosaica e suas exigências, tanto no que concerne a ser ela um possível agente salvador, como no que concerne a ser ela uma *norma de conduta cristã*. Paulo procura mostrar-nos que a liberação da lei mosaica é, ao mesmo tempo, um relacionamento com *Cristo*, através do Espírito Santo, o que pressupõe que passa a haver uma *nova regra* da vida, uma *nova fé*, que importa ser seguida pelos cristãos, porquanto todos os indivíduos regenerados são *libertados* do legalismo. Por essa razão, essa epístola, acima de todas as outras, com a única exceção da epístola aos Romanos, é a *Carta Magna* da fé cristã.

Embora a epístola aos Gálatas talvez não tenha sido escrita com a idéia de que seria lida através de todos os séculos, continua falando sobre a suprema necessidade da alma humana, em todos os tempos, a saber, a salvação em Cristo. Essa salvação é compreendida em sua perspectiva apropriada: a salvação não é uma proposição legalista e sacramen-

tal, mas antes, é uma proposição mística, em que o Espírito Santo regenera a alma. O próprio Espírito Santo se torna nosso guia na vida, e nesse ofício ele se atarefa a formar a imagem de Cristo no íntimo dos remidos. Portanto, em certo sentido, somos Cristo, somos Cristo em formação, estando destinados a compartilhar — finalmente — de todas as suas perfeições morais e metafísicas. Ora, isso é algo inteiramente diferente do legalismo mosaico, com seu código e suas cerimônias, com sua exigência de uma obediência perfeita aos seus mandamentos.

O indivíduo que permanece sob tal legalismo e nele confia, não pode obter o favor de Deus; todavia, grande favor há em reserva para ele, contanto que se volte para Deus através dos meios místicos e espirituais determinados por Deus, e não através dos meios legalistas e sacramentais, que também foram dados por Deus, de acordo com a legislação mosaica, mas tão-somente como ensinos simbólicos. A fraqueza da natureza humana, afundada nas maiores profundezas do pecado, a perder continuamente a batalha contra o mal por todo o lado, não pode elevar-se a si mesma, nem mesmo através da observância consciente de uma lei perfeita.

«A justiça perante Deus requer uma nova natureza; e nenhum indivíduo pode refazer a si mesmo. Somente Deus, por meio do Espírito de seu Filho, pode fazer tal coisa. Por conseguinte, a jubilosa aceitação do dom livre de Deus, que é a vida eterna, é a única maneira de alguém adquirir a liberdade do temor, do pecado, da ira e da morte. Onde se encontra o Espírito do Senhor, — aí também há liberdade. A liberdade cristã, entretanto, não consiste de licenciosidade; pois embora a nova vida que temos em Cristo não possa ser sujeitada a qualquer código legal, aqueles que a possuem são filhos de Deus, dotados de um caráter moral muito mais elevado do que a lei era capaz de proporcionar. A fé que aceita a graça de Deus é ativada por esse amor criador a produzir o fruto do Espírito». (Raymond T. Stamm).

Se compararmos, portanto, a mensagem da epístola aos Gálatas com o antigo judaísmo, veremos claramente que se tratava de um documento revolucionário. Qualquer pessoa que visitasse as sinagogas, aos sábados, sob hipótese alguma ouviria ali mensagem que se assemelhasse ao que aqui está escrito, por mais bem alicerçados que estivessem os mestres judeus das sinagogas nas idéias do A.T. O judaísmo fizera de Deus um grande monarca, ou mesmo um tirano terrível, um credor, um juiz severíssimo; de tal modo que, para escapar de sua vingança, todos os homens teriam que esforçar-se perenemente por serem perfeitos observantes da legislação mosaica. Através das revelações espirituais por ele recebidas, Paulo procurou livrar os crentes de tais conceitos, capacitando-os assim a palmilharem pela vereda da liberdade, isto é, o caminho da graça que conduz os homens de volta ao Senhor Deus, tendo o Espírito Santo como guia e Jesus Cristo como alvo de expressão. Paulo, pois, anulou todo o sistema sacrificial do judaísmo, com seu intricado esquema de leis e cerimônias, tendo exposto a lei moral sob uma nova luz, isto é, apresentando-a como reveladora do pecado humano, como juiz e condenadora e não como salvadora. Ora, esse evangelho cristão era simplesmente revolucionário, motivo pelo qual Paulo, com seus escritos, provocou reação contrária tão amarga, tanto dentro como fora do seio da igreja cristã, por parte de indivíduos religiosos mas míopes, que nada podiam ver senão legalismo e sacramentalismo como seus ideais religiosos.

A igreja cristã primitiva estava cindida e dividida

GÁLATAS

por causa dessa controvérsia *legalista* acerca da qual lemos neste livro, e que é subentendida em muitos trechos da epístola aos Romanos, além de ser descrita nos capítulos décimo primeiro e décimo quinto do livro de Atos. Foi essa grande controvérsia que provocou o primeiro concílio universal da igreja cristã, realizado em Jerusalém e registrado historicamente no décimo quinto capítulo do livro de Atos. Esse concílio eclesiástico pronunciou-se em favor de Paulo e de suas idéias de liberdade cristã; mas toda a história eclesiástica subseqüente mostra-nos que isso realmente não deu solução à controvérsia, porquanto os legalistas puseram-se a seguir nos calcanhares de Paulo por onde quer que ele fosse em suas jornadas missionárias, procurando causar-lhe aborrecimentos.

Além desses perseguidores que agiam dentro da igreja cristã, havia ainda aqueles judeus incrédulos que perseguiam o apóstolo Paulo onde quer que o encontrassem, enviando até mesmo delegações que o seguissem de perto, pelas cidades gentílicas. Finalmente detiveram-no no templo de Jerusalém e resolveram assassiná-lo. Porém, tendo fracassado os seus planos homicidas, e tendo Paulo sido enviado a Cesaréia, o apóstolo foi deixado sob a custódia do governo romano. Em Cesaréia, pois, Paulo ficou aprisionado por dois anos; mas até mesmo ali foi assediado por judeus incrédulos provenientes de Jerusalém. Finalmente ele foi levado a Roma, como prisioneiro, e o registro histórico do livro de Atos termina nesse ponto.

A tradição, bem como determinadas citações dos primeiros pais da igreja relatam-nos sobre a sua soltura após esse período de aprisionamento, referindo-se a uma viagem missionária que ele fez ao ocidente, à Espanha, onde iniciou um novo ministério, até que, finalmente, foi novamente aprisionado, tendo sido martirizado nessa oportunidade por ordem do imperador Nero. (Ver as notas expositivas de conclusão do livro de Atos, que fala sobre essas questões, com maiores detalhes, no NTI).

Essas perturbações foram sofridas pelo apóstolo Paulo devido à sua intransigente posição em defesa da liberdade da fé cristã. Pelos judeus, de dentro e de fora da igreja cristã, Paulo foi acusado de ser inimigo e destruidor da obra de Moisés. Essa gente estava certa de que Deus falara por intermédio de Moisés; mas não podia ter a mesma certeza de que Deus falava por meio de Paulo. Antes, visto que esse apóstolo parecia ensinar uma doutrina tão contrária à de Moisés, estavam certos de que ele não passava de um embusteiro, de um enganador. Portanto, por mais estranho que isso nos possa parecer atualmente, nos seus próprios dias era reputado o maior de todos os hereges, tendo sido perseguido sem descanso e sem misericórdia por causa disso.

A epístola aos Gálatas foi escrita a uma comunidade de crentes gentios que haviam sido perturbados pelos elementos legalistas, tendo por intuito servir de tratado que lhes reassegurasse a liberdade cristã que os crentes desfrutam em Jesus Cristo. A autoridade apostólica de Paulo fora posta em dúvida, razão pela qual ele também procura reestabelecer nesse livro essa sua autoridade, mostrando que aquilo que ele ensinava não era de sua própria criação, mas antes, lhe fora dado por revelação do próprio Cristo.

I. Autor

Com base em considerações de estilo, de vocabulário, de reiteração de temas, de desvendamento da personalidade do autor e de considerações literárias de toda a sorte, praticamente não existe um único estudioso das Escrituras que duvide da autoria

paulina dos quatro grandes *clássicos paulinos*, a saber, as epístolas aos Romanos, aos Gálatas, e as suas epístolas aos Coríntios. Esses quatro livros permanecem de pé ou caem juntos, porquanto ou todos foram escritos por Paulo ou nenhum deles foi escrito por esse apóstolo, tão óbvio é que o mesmo indivíduo escreveu todos os quatro. Somente ocasionalmente é que a autoria paulina desses quatro livros do N.T. têm sido posta em dúvida. Nenhuma tentativa séria nesse sentido fora feita até o século passado, quando F.C. Baur e os seus seguidores adiantaram a teoria que a epístola aos Gálatas era resultante da controvérsia legalista que houvera na igreja cristã primitiva, tendo sido escrita, por conseguinte, por elementos paulinistas, em nome de Paulo, a fim de emprestarem senso de autoridade à posição que haviam tomado. Essa teoria, entretanto, não tem sido bem recebida pelos eruditos em geral, os quais podem encontrar ali muitos indícios de natureza histórica e biográfica, que seriam impossíveis de inventar, até mesmo pelos mais engenhosos seguidores do apóstolo Paulo.

As circunstâncias referidas nessa epístola se coadunam perfeitamente com o que se sabe acerca do cristianismo da época de Paulo. Outrossim, a experiência religiosa refletida na epístola é característica daquilo que se sabe sobre Paulo, como homem. Diz Morton Scott Enslin: «Esta é uma epístola genuína de Paulo; e que a possuímos essencialmente conforme foi originalmente escrita tem sido posto em dúvida com grande raridade, e isso jamais por críticos sem preconceitos. Nem se pode pensar em uma carta forjada. A excitação óbvia sob a qual ela foi escrita; **a** forma apaixonada de expressão; as mudanças súbitas de pensamento, tudo isso é mui improvavelmente obra de algum crente ensaísta posterior... Não se trata de um ensaio frio, estudado. Paulo se sentia tão excitado que seus pensamentos com freqüência ultrapassavam seu poder de expressão». (*The Literature of the Christian Movement*, parte III, Introdução aos Gálatas, pág. 216).

Juntamente com as epístolas de Romanos, I e II Coríntios, além de cinco outras das epístolas paulinas, Filipenses, Colossenses, I e II Tessalonicenses e Filemom, a epístola aos Gálatas ocupa lugar antiqüíssimo dentro do *cânon* do N.T. Não há que duvidar que até mesmo em seus dias de vida, já havia uma coletânea de livros escritos por Paulo. Podemos considerar a passagem de II Ped. 3:16, que se refere aos seus escritos como «Escritura», o que, evidentemente, lhes dão autoridade similar aos escritos do A.T.

O primeiro uso histórico da epístola aos Gálatas como um «livro sagrado», ou seja, como parte do *cânon* das Escrituras, ocorreu em cerca de 144 D.C., nos escritos do herege gnóstico Márcion. Este incluiu a epístola aos Gálatas entre os dez livros de Paulo que ele considerava inspirados, juntamente com uma forma mutilada do evangelho de Lucas. Esses onze livros é que constituíam o seu «cânon» das Escrituras. Uma geração mais tarde, o «cânon» muratoriano (de cerca de 185 D.C.) também incluía essa epístola como escrita por Paulo. Antes mesmo disso, Policarpo, em sua epístola aos Filipenses, a citou. Nos dias de Irineu, um dos pais da igreja, essa epístola aos Gálatas já vinha sendo usada pelo gnóstico Valentino, conforme somos informados no livro de Irineu, *Adv. Hae.* 3:3, bem como pelo seu discípulo, Teodoro (ver Exc. ap. Clem. Alex., cap. 53). O próprio Irineu se utilizou dessa epístola aos Gálatas (ver Adv. Haer. III.7,2), como também o fez Clemente de Alexandria, outro dos pais da igreja (ver *Strom*. III, pág. 468), a

GÁLATAS

exemplo de Tertuliano (ver *De Praescript. Haer.*, cap. 6). Portanto, a epístola aos Gálatas era abundantemente usada nos séculos II e III da era cristã, quando vieram aqueles pais da igreja. Pode-se asseverar, por conseguinte, que a autoridade canônica da epístola aos Gálatas não é inferior a qualquer outro dos livros do N.T., e que a sua posição como livro de autoria paulina tem sido confirmada através de toda a história do cristianismo.

II. Data e Proveniência

Datar com exatidão quando foi escrita a epístola aos Gálatas é uma tarefa impossível. Porém, a tentativa para datá-la depende muito da consideração de quem eram os *Gálatas* para quem Paulo escreveu; e esse ponto é amplamente debatido na seção seguinte da introdução, no ponto III, intitulado «Quem eram os Gálatas, para quem Paulo escreveu?» Se aceitarmos a chamada teoria da «Galácia do Norte», isto é, que as pessoas para quem Paulo escreveu eram descendentes de uma tribo gaulesa que invadira o norte da Ásia Menor e ali se estabelecera, no século III A.C., até que foram finalmente contidos por Átalo, de Pérgamo, que os limitou a um território nortista, onde havia um platô, região essa que posteriormente se tornou conhecida por «Galácia», por causa dessa tribo de gauleses, então a data da escrita da epístola aos Gálatas seria extremamente difícil, pois não há praticamente nenhum indício, no livro de Atos, que nos permita acompanhar nesse livro histórico as atividades do apóstolo Paulo nessa citada região. Tão-somente, em Atos 18:23, ficamos sabendo que essa epístola não poderia ter sido escrita por Paulo antes da jornada mencionada nesse versículo; e isso fica suposto porque o trecho de Gál. 4:13 subentende duas visitas de Paulo à Galácia, antes dele ter escrito essa epístola. Ora, se Paulo não a escreveu senão depois de sua segunda visita ali, então sua escrita não se verificou imediatamente depois de seu retorno para Antioquia da Síria, ao término de sua primeira viagem missionária. Nesse caso, não poderíamos datar a epístola aos Gálatas antes de 53 D.C., e ela passaria a ocupar o terceiro lugar na ordem cronológica das epístolas paulinas.

O trecho de Gál. 4:13, entretanto, pode ser compreendido como referência a duas visitas de Paulo, realizadas em seqüência rápida, ambas as quais teriam tido lugar antes da visita descrita em Atos 18:23. Assim, pois, duas visitas à área do sul poderiam ter sido feitas durante a primeira viagem missionária de Paulo, e então a epístola aos Gálatas teria sido escrita pouco depois dessa viagem. De fato, Gál. 1:6 subentende que Paulo escreveu essa epístola pouco depois de sua visita ali, e que não se passou muito tempo entre a sua primeira visita à Galácia e a escrita da epístola aos Gálatas. Isso teria tido lugar em cerca de 49 D.C., fazendo dela a primeira das epístolas paulinas canônicas, e, por sua vez, o mais antigo documento neotestamentário escrito, que veio a fazer parte da coletânea que conhecemos por N.T. Por conseguinte, a data em que a epístola aos Gálatas foi escrita, em relação ao livro de Atos, deve ser fixada ao término da primeira viagem missionária de Paulo, pouco depois de seu retorno a Antioquia da Síria. (Ver Atos 14:26).

Essa data anterior deve ser favorecida, nem que seja devido a uma importante consideração. É que se o concílio de Jerusalém, conforme o registro do décimo quinto capítulo do livro de Atos, tivesse precedido à escrita da epístola aos Gálatas, seria impossível que Paulo não tivesse feito qualquer referência específica aos decretos baixados naquele concílio, decretos esses que foram escritos e enviados

às igrejas cristãs gentílicas. Como poderíamos imaginar que Paulo pudesse ter escrito tal epístola, que defende denotadamente a liberdade cristã, especialmente a dos crentes gentios, sem nem ao menos aludir aos decretos do concílio historiado no décimo quinto capítulo do livro de Atos? É impossível conceber tal lacuna, pelo que também somos forçados a concluir que a sua visita a Jerusalém, mencionada em Gál. 2:1-10, não pode ter sido a mesma visita referida no décimo quinto capítulo do livro de Atos, mas antes, deve ser identificada com a chamada «visita da fome», em Atos 11:30.

Foi nessa *visita da fome* que ocorreram os vários encontros e debates entre Paulo e os outros apóstolos, conforme o registro de Gál. 2:1-10, ocasião em que a missão de Paulo entre os gentios foi aprovada pelos demais apóstolos, apesar de que a questão inteira do legalismo não fora apresentada ainda ao concílio, para que se procurasse chegar a uma decisão. Tudo isso, entretanto, antecedeu à visita de Paulo a Jerusalém, quando do concílio, segundo o registro do décimo quinto capítulo do livro de Atos, quando as questões da invasão do legalismo nas fileiras do cristianismo foi ventilada e examinada pela igreja inteira. Desse concílio é que se seguiram as legítimas declarações escritas sobre a liberdade gentílica em face da legislação mosaica. É impossível acreditarmos que isso já tivera lugar quando Paulo escreveu sua epístola aos Gálatas, porquanto ele não faz qualquer alusão ao fato, que poderia ter usado como argumento definitivo para mostrar a posição errônea dos legalistas. O fato de que ele não menciona esses decretos do concílio de Jerusalém mostra-nos que ele escreveu a epístola aos Gálatas antes dos acontecimentos registrados no décimo quinto capítulo do livro de Atos. Portanto, a epístola aos Gálatas foi o primeiro dos livros paulinos, e, por conseguinte, o primeiro de todos os livros do nosso N.T.

Tudo isso poderia explicar a grande surpresa expressa pelo apóstolo Paulo, em Gál. 1:6; «Admirame que estejais passando tão depressa daquele que vos chamou na graça de Cristo, para outro evangelho». Não se havia passado muito tempo, desde que Paulo estivera entre os crentes para quem agora escrevia. Nem bem havia o apóstolo retornado de sua primeira viagem missionária, quando ouviu falar sobre a divisão causada pelos legalistas no seio da igreja cristã; e imediatamente ele escreveu e enviou essa epístola aos Gálatas, em grande agitação de espírito, antes do concílio de Jerusalém, referido no décimo quinto capítulo do livro de Atos. De conformidade com esse ponto de vista, a segunda visita feita à Galácia, referida em Gál. 4:13 como algo que antecedeu à escrita dessa epístola, foi a mesma visita referida em Atos 14:21-23, quando Paulo retornou a Listra, Icônio, Antioquia da Pisídia e regiões circunvizinhas.

Se essas especulações estão corretas, então o ano de 49 D.C. seria uma data razoável para a escrita da epístola aos Gálatas; todavia, diversos eruditos têm descoberto alguns problemas em torno de toda essa idéia. Por exemplo, salientando que o décimo primeiro capítulo do livro de Atos sem dúvida teria mencionado algo sobre essas atividades de Paulo, se isso realmente houvesse ocorrido e se aquela visita não tivesse sido meramente para enviar alívio material. Além disso, alguns estudiosos supõem que I e II Tessalonicenses, que foram escritas não muito depois da epístola aos Gálatas, certamente teriam alguma alusão ao conflito contra os legalistas. Porém, tais argumentos têm seus contra-argumentos; e assim vemos que estudiosos de valor se têm posto de um ou

849

GÁLATAS

de outro lado desse problema.

Se a teoria denominada *Galácia do Norte* está com a razão, então o lugar mais provável de onde Paulo escreveu esta epístola aos Gálatas foi a cidade de Éfeso, porque Paulo, após ter trabalhado na Galácia por uma segunda vez (ver Atos 18:23), prosseguiu para Éfeso, onde permaneceu por três anos. De conformidade com essa teoria, é bem provável que durante esse período é que foi composta a epístola aos Gálatas. Mas outros estudiosos supõem que o lugar da escrita teria sido a cidade de Corinto (ver Atos 20:3); e, nesse caso, a epístola aos Gálatas não pode ter sido escrita senão em 57 ou 58 D.C. Existem ainda alguns eruditos que supõem que Corinto foi o lugar onde essa epístola foi composta, mas antes da visita do apóstolo Paulo a Éfeso, ou seja, no tempo descrito no décimo oitavo capítulo do livro de Atos, ou seja, uma data tão anterior como 51 D.C.

Por outro lado, se a teoria denominada *Galácia do Sul* é que está com a razão, então essa epístola poderia ter sido escrita de Antioquia da Síria, lugar para o qual Paulo retornou, depois de sua primeira viagem missionária. Na verdade em torno dessa questão há uma grande variedade de opinião, e os eruditos permanecem divididos em torno da questão. A posição assumida por este artigo é a de que a epístola aos Gálatas foi escrita em cerca de 49 D.C., tendo sido, por conseguinte, a primeira das epístolas canônicas do apóstolo Paulo; e mui provavelmente ela foi escrita em Antioquia da Síria, antes da realização do concílio de Jerusalém narrado no décimo quinto capítulo do livro de Atos.

III. Quem eram os Gálatas, para Quem Paulo Escreveu?

O termo Galácia (ver Gál. 1:2) é por si mesmo ambíguo, porque, nos tempos antigos, essa palavra era usada para indicar duas regiões distintas. Tal uso continuava ambíguo nos tempos de Paulo. Esse vocábulo podia denotar a «Galácia» étnica, no centro da Ásia Menor; ou podia denotar a província romana da «Galácia», — de maiores dimensões geográficas. Se a epístola de Paulo aos Gálatas foi enviada à Galácia étnica, nas regiões situadas mais no extremo norte, então precisamos supor que Paulo visitou essa região conforme os indícios existentes em Atos 16:6 e 18:23, ou pelo menos, conforme fica subentendido por uma ou por outra dessas referências bíblicas. Na realidade, entretanto, não há qualquer evidência sólida de que o apóstolo Paulo tenha jamais visitado essa área do extremo norte, e muito menos que tenha fundado igrejas cristãs ali. Por outro lado, contamos com provas abundantes de que ele visitou a área mais ao sul da província da Galácia, onde também estabeleceu igrejas locais, isto é, nas regiões de Listra, Icônio, Derbe e Antioquia da Pisídia (Turquia moderna) conforme o relato histórico de Atos 13:14—14:23, onde Paulo e Barnabé tanto estiveram ativos, durante a chamada «primeira viagem missionária». Todas essas localidades ficavam situadas ao sul da província romana chamada Galácia. Porém, os «gálatas» que ali habitavam não eram idênticos aos «gálatas» étnicos, os quais eram descendentes das tribos gaulesas que tinham vindo estabelecer-se naquele território; antes, os leitores de Paulo, habitando naquela província romana da Galácia, eram naturalmente chamados de «gálatas», ainda que não pertencessem à raça dos gauleses. Na realidade, pertenciam às raças dos frígios e dos licaônios. Não obstante, da mesma maneira que hoje em dia o grupo misto dos ingleses, gauleses e escoceses são chamados de *britânicos*, assim também, aquela gente do sul da Galácia era conhecida pelo nome de *gálatas*.

A distância entre as duas regiões, segundo nossos conceitos modernos, não foi grande, sendo não mais do que 500 quilômetros. Mas nos tempos antigos, esta distância representava muitos dias de viagem árdua.

Missão de Paulo na Galácia (Atos 13:13—14:28).

As igrejas cristãs fundadas quando da primeira jornada missionária, portanto, mui provavelmente são aquelas referidas como «...*da Galácia*...» em Gál. 1:2. É posto que essas igrejas ficavam situadas na região que se tornou conhecida por «Galácia do Sul», pode-se supor que a epístola que Paulo escreveu aos Gálatas visava os crentes da Galácia do Sul. Mas havia também a chamada «Galácia do Norte», cujas principais cidades eram Ancira, Pessino e Távium. Durante o primeiro quarto do séc. III A.C., uma tribo nortista de gauleses invadiu a Ásia Menor, assaltando e pilhando, até que o rei Átalo, de Pérgamo, os confinou em um território que havia em um platô das regiões nortistas. Esse território passou a chamar-se «Galácia», devido à sua população gaulesa. Alguns estudiosos têm pensado que a epístola de Paulo aos Gálatas foi escrita realmente para eles, formando assim a chamada «teoria da Galácia do Norte».

Abaixo narramos a história abreviada da formação das cidades visitadas durante essa viagem missionária (a primeira do apóstolo Paulo).

O rei gaulês Amintas, favorecido por César Augusto, pouco antes dos fins do século I A.C., adquiriu um vasto território, que incluía a Galácia propriamente dita, parte da Frígia, a Licaônia, a Pisídia, a Panfília e a Cilícia ocidental. Por ocasião de sua morte, em 25 A.C., todo o seu reino caiu sob o poder dos romanos. Subseqüentemente, a Panfília foi constituída como uma província em separado. E ao tempo da primeira viagem missionária de Paulo, a Cilícia ocidental e parte da Licaônia formavam o reino de «Antíoco», ao passo que o restante daquelas regiões acima mencionadas se tornou parte da província romana que se chamou «Galácia Maior». Assim sucedeu que as igrejas cristãs fundadas nas cidades de Antioquia da Pisídia, Listra, Derbe e Icônio, embora ficassem ao sul da Galácia propriamente dita, contudo se encontravam dentro da província romana do mesmo nome. Assim sendo, apesar dessa área ser ocupada por várias raças, em diversos estágios sociais e condições políticas, contudo, — todos esses habitantes eram denominados *gálatas*. Um número crescente de intérpretes acredita que a epístola paulina aos Gálatas foi escrita para essas igrejas da região do sul da Galácia, a província romana desse nome, e não às hipotéticas igrejas da região do norte, sobre as quais não existe nenhum registro histórico neotestamentário que ateste a sua fundação. A teoria que vem sendo abraçada por esse número crescente de estudiosos se chama de teoria da *Galácia do Sul*.

Após a passagem de trezentos anos, esse agrupamento romano de províncias foi abandonado, e o nome «Galácia» reverteu à porção norte daquela província, e o sentido mais lato do termo (que também incluíra as cidades do sul) foi esquecido. Os arqueólogos, especialmente Sir William M. Ramsy, é que têm — relembrado — ao mundo da erudição bíblica do antigo uso da palavra *Galácia*, o que emprestou plausibilidade à opinião que a epístola paulina aos Gálatas foi realmente enviada para as igrejas cristãs dessas cidades do «sul», as quais são mencionadas como igrejas fundadas por Paulo durante sua primeira viagem missionária, contrariando-a opinião mais antiga, que pensava que Paulo escrevera a epístola aos Gálatas para os celtas ou gauleses que habitavam na região mais ao norte, na Galácia do Norte.

850

GÁLATAS

Ora, tudo isso simplifica em muito a harmonização entre os registros da epístola aos Gálatas e os registros históricos do livro de Atos; porquanto, neste último livro, encontramos a narração da fundação das igrejas de Antioquia da Pisídia, Derbe, Listra e Icônio, ao passo que nada se sabe quanto à fundação de igrejas na Galácia do Norte.

As igrejas fundadas por Paulo na Galácia formam um quarto agrupamento de igrejas cristãs, paralelamente às igrejas existentes na Macedônia, na Acaia e na Ásia Menor. Lucas nos fornece o esboço histórico da fundação de todos esses grupos de igrejas locais. Porém, se as igrejas para as quais Paulo escreveu sua epístola aos Gálatas estavam situadas ao norte, então contamos apenas com três alusões possíveis a esse trabalho missionário de Paulo. (Ver Atos 16:6; 18:23 e 19:1). E seria realmente de estranhar que Lucas não tivesse sabido ou não houvesse desenvolvido essa porção tão importante do ministério de Paulo. Por outro lado, se os gálatas para quem Paulo escreveu sua epístola eram aqueles da Galácia do Sul, então Lucas registrou para nós uma narração pormenorizada sobre esse importante labor paulino.

Ora, sabemos que as cidades de Antioquia da Pisídia, Derbe, Listra e Icônio contavam com avantajadas colônias judaicas, o que bastaria para ter criado o problema com o *legalismo*, que tanto preocupou o apóstolo Paulo e que o motivou a escrever sua carta aos Gálatas. — Esse problema surgiu quando convertidos vindos do judaísmo, daquelas áreas, penetrando nas igrejas cristãs, mas sendo ainda mais judeus do que cristãos, queriam impor aos demais os seus antigos preconceitos relativos ao cerimonial judaico e seus pontos de vista legalistas. (Ver o artigo sobre o *legalismo*). Outrossim, havia pouca ou nenhuma população judaica no platô nortista ocupado pelos celtas, isto é, na Galácia do Norte, sendo extremamente difícil que tivessem surgido problemas com o legalismo judaico naquelas regiões nortistas.

A aceitação da teoria chamada «Galácia do Sul» nos capacita a aceitar uma data anterior para a escrita da epístola aos Gálatas, talvez tão cedo como 49 D.C. Essa epístola mui provavelmente foi escrita de Antioquia, quando Paulo para ali retornou, depois de sua primeira viagem missionária, e antes da realização do concílio de Jerusalém, historiado no décimo quinto capítulo do livro de Atos. Assim, o problema legalista da «Galácia» faria parte do problema geral que envolveu em parte a cidade de Antioquia da Síria. (Ver Atos 15:1,2). Paulo permaneceu por algum tempo em Antioquia da Síria, conforme ficamos sabendo em Atos 14:28; e ao receber notícias de como as igrejas que ele havia fundado durante a sua primeira viagem missionária haviam sido assediadas pelos legalistas, ele se sentiu impelido a escrever-lhes a epístola chamada «aos Gálatas». Além disso, Paulo teve de subir a Jerusalém, procurando dar solução ao conflito com os legalistas. Por essa razão, não podendo visitar pessoalmente os crentes da Galácia, enviou-lhes essa epístola. (Ver Gál. 4:20). Mais tarde, entretanto, visitou realmente aqueles crentes da Galácia, tendo-lhes transmitido as decisões a que se chegou durante o concílio, conforme se lê no décimo quinto capítulo do livro de Atos. O décimo sexto capítulo desse livro, portanto, historia uma outra visita de Paulo à Galácia. (No que tange a uma discussão acerca das «epístolas de Paulo», no que elas se relacionam umas às outras, quanto à sua ordem cronológica, e onde também se ventilam pontos como conteúdo geral, autenticidade, etc., ver o artigo sobre

Romanos, seção II).

IV. Motivo da Escrita: Propósitos

A ênfase que Paulo dá à sua chamada para o apostolado, logo no primeiro versículo desta epístola, mostra-nos claramente que ele estava na defensiva; pois embora ele fosse o próprio genitor espiritual das igrejas da Galácia, a sua autoridade como ministro de Cristo fora posta em dúvida. Por essa razão é que Paulo escreveu enfaticamente: «Paulo, apóstolo, não da parte de homens, nem por intermédio de homem algum, mas por Jesus Cristo e por Deus Pai...» E isso a fim de assegurar aos seus leitores que tanto a sua pessoa como a sua mensagem eram aprovadas pelos céus.

A introdução à epístola aos Gálatas não encerra qualquer observação laudatória, mas é estritamente formal, de conformidade com o antigo estilo epistolar. Em contraste com isso, pode-se verificar os seus louvores à igreja de Roma, no prólogo da epístola aos Romanos. Além disso, nem bem ele começou sua epístola e logo deixou transparecer a sua agitação de espírito: «Admira-me que estejais passando tão depressa daquele que vos chamou na graça de Cristo, para outro evangelho...» Nessa sentença de Paulo destacam-se as palavras «...*outro evangelho*...» Na continuação da epístola, vemos que Paulo atacava os «legalistas» e ao seu «outro evangelho», o qual, mui provavelmente, era uma mescla de conceitos cristãos e mosaicos. Em outras palavras, aos ensinos apostólicos, os legalistas aliavam os ensinamentos de Moisés, conforme este era então compreendido. E isso criava a controvérsia sobre o «legalismo», acerca do qual lemos no décimo primeiro capítulo do livro de Atos, e, especialmente, no décimo quinto capítulo desse mesmo livro.

Os convertidos dentre as comunidades judaicas, especialmente aqueles que tinham vindo do fariseísmo, conforme fora o próprio apóstolo Paulo, pensavam que havia necessidade do sistema das boas obras para a salvação, ou pelo menos, do rito inicial da circuncisão, perfazendo assim um sistema sacramentalista. Em algumas de suas passagens, temos a impressão de que Paulo considerava esses legalistas como *irmãos*. (Ver, por exemplo, a parte inicial do décimo quarto capítulo da epístola aos Romanos). Em seu fervor, Paulo evidentemente estava escrevendo com o seu espírito em grande agitação, quando tomou da pena para registrar sua epístola aos Gálatas, motivo pelo qual não estendeu a mão de comunhão àqueles legalistas, os quais, mui provavelmente, haviam surgido de dentro das próprias comunidades do cristianismo da Galácia, devido aos convertidos vindos do judaísmo e à influência provável de «legalistas» ambulantes, que procuravam seguir o apóstolo Paulo por onde quer que ele fosse, a fim de perturbar o seu trabalho, já que o reputavam um herege dos mais perigosos, que pretendia destruir a obra de Moisés. Devemos observar os versículos oitavo e nono do primeiro capítulo da epístola aos Gálatas, que nega totalmente a validade do «evangelho» que se ouvia dos lábios dos oponentes de Paulo.

Depois de sua primeira visita à Galácia, tendo retornado a Antioquia da Síria, provavelmente quase imediatamente Paulo ouviu notícias sobre como os legalistas vinham perturbando as igrejas da Galácia. Estes teriam penetrado sorrateiramente quase assim que ele partira, tendo convencido a muitos dos crentes gálatas de que Paulo era adversário de Moisés. Assim conseguiram solapar não somente o seu prestígio entre os crentes da Galácia, mas também destruíram

GÁLATAS

virtualmente a sua mensagem sobre a graça de Deus em Cristo, misturando-a com exigências legalistas próprias do judaísmo. Por conseguinte, certos pregadores «conservadores» desempenhavam um «bom» papel, persuadindo os crentes da Galácia que a fé não é suficiente, mesmo que se trate da fé em Jesus, o Messias genuíno. A essa fé necessário seria adicionar as leis e os costumes de Moisés, chegando-se ao extremo de recusar qualquer contacto ou comunicação com os gentios, incluindo o comer em companhia deles, apesar de já se encontrarem nas fileiras do cristianismo. Tratava-se do separatismo radical típico do judaísmo, e os trechos de Gál. 2:11-14 e 4:10 mostram-nos quão grande era o caos lançado nas igrejas da Galácia, por causa desses problemas.

Por essa razão é que os **legalistas** levantavam questões acerca da validade da doutrina paulina da graça divina e da suficiência de Cristo para a salvação. E ainda ultrapassavam esse particular, pois igualmente atacavam pessoalmente a Paulo, lançando uma sombra de dúvida sobre o seu apostolado, se é que não procuravam abertamente lançar no descrédito o seu apostolado. Os adversários de Paulo salientavam que ele não fora um dos apóstolos originais de Cristo, e que agora distorcia os verdadeiros ensinamentos de Jesus. (Ver Gál. 1:10 e *ss*).

Há provas de que, para complicar ainda mais os problemas enfrentados pelo apóstolo Paulo, entre os seus inimigos, havia vários supostos convertidos que tinham vindo do paganismo puro, e que agora pervertiam a sua doutrina da graça em um sistema de libertinagem, afirmando que o corpo é que encerra o princípio do pecado, e que o seu uso é de pouca ou nenhuma conseqüência para a alma, a qual, por ocasião da morte física, fica livre da presença do pecado e entra no estado de santidade e pureza. Esses tais, portanto, interpretavam as exigências paulinas sobre a crucificação do *velho eu*, com as suas paixões pecaminosas, como meramente uma nova forma de escravidão à lei. (Notemos os trechos de Gál. 2:19,20; 5:14,22-24).

Esses elementos vindos do paganismo chegavam ao extremo de dar a entender que Paulo nem ao menos ensinava um sistema de *graça*, mas continuava representando Moisés e sua doutrina da circuncisão. (Ver Gál. 2:81 e 5:11). Parece, pois, que o apóstolo Paulo sofreu ataques vindos de dois grupos distintos de radicais, a saber, os «legalistas» e os «libertinos». Os conservadores legalistas procuravam avidamente encontrar lapsos morais, para provar seu ponto de que a doutrina de Paulo sobre a graça divina conduzia os homens exatamente a isso. Por outro lado, os libertinos acusavam-no de recusar-se a romper definitivamente com Moisés e suas exigências. Por conseguinte, surgiram problemas e debates não meramente acerca da própria pessoa de Paulo, mas igualmente muitos conflitos entre essas duas facções radicais da igreja. O debate entre essas duas facções se tornou tão agudo que Paulo teve de advertir os seus leitores contra o perigo de se morderem e devorarem mutuamente. (Ver Gál. 5:15). O próprio apóstolo Paulo se utilizou de uma linguagem cortante e mesmo sarcástica contra os seus detratores, imputando-lhes os defeitos de ambição egoísta e covardia. (Ver Gál. 4:16,17 e 6:12,13).

Não há que duvidar que Paulo muito gostaria de fazer-se presente para dar solução pessoal aos problemas; mas, por enquanto isso não era possível. Por essa razão, pois, é que lhes escreveu a epístola que se chama epístola aos Gálatas. (Ver Gál. 4:20).

No tocante à questão dos motivos que levaram Paulo a escrever essa epístola, Lange, em sua introdução à epístola aos Gálatas, apresenta-nos as seguintes observações: «O estado espiritual daquelas igrejas da Galácia, que a princípio fora um motivo de alegria, havia sido tristemente perturbado por certos indivíduos cujos nomes não são revelados, os quais, sem dúvida alguma, se diziam cristãos, embora de tendências judaizantes ou farisaicas. É claro que essa gente viera do estrangeiro, talvez como emissários provenientes da Palestina. Dificilmente teriam sido prosélitos. Tal conclusão, porém, não se baseia em Gál. 5:12 e 6:13. Esses se declaravam em oposição direta ao ponto de vista cristão, ponto de vista esse que, até então, prevalecera naquela igreja; e, outrossim, dirigiam seus ataques polêmicos diretamente contra o apóstolo Paulo, como o primeiro a promulgar aqueles pontos de vista. A persuasão que se arraigara através de Paulo, de que a justificação e a salvação devem ser obtidas exclusivamente por meio da fé em Cristo, devido à sua graça, eles opunham a assertiva de que certas obras da lei, especialmente a observância de festividades judaicas, e o recebimento da circuncisão, eram medidas necessárias para a salvação. Por motivo de prudência é que eles não exigiam a observância da lei mosaica em sua inteireza. A fim de obterem simpatia para com os seus ensinamentos, diametralmente contrários à doutrina de Paulo, eles procuravam solapar a consideração em que os crentes da Galácia o tinham, negando a sua dignidade apostólica, apelando para a autoridade de apóstolos mais antigos, especialmente Tiago, Pedro e João, como as verdadeiras colunas da igreja, contra quem, conforme eles apresentavam o caos, Paulo se opunha, ao passo que eles mesmos lhe eram contrários. De fato, parecem ter imputado a Paulo até mesmo a suposta 'incoerência' de algumas vezes pregar a circuncisão entre os judeus (ver Gál. 5:11), o que significaria, portanto, que a sua doutrina da liberdade dos crentes, em face da lei mosaica, procedia tão-somente de uma complacência indigna ante os gentios. (Comparar com Gál. 1:10)».

Nesse seu comentário, Lange não dá a entender a existência de duas facções diversas que se opunham ao apóstolo Paulo; porém, as notas expositivas oferecidas mais acima devem ser suficientes para demonstrar a existência de *dois* grupos de opositores que combatiam a Paulo. Atacavam-no de pontos doutrinários extremos; e, além disso, se combatiam entre si.

A própria epístola aos Gálatas mostra-nos exatamente quais eram os pontos por causa dos quais Paulo vinha sendo atacado, e que formas de doutrina ele achou necessário salientar novamente:

1. A base da aceitação perante Deus. (Ver Gál. 2:16,17; 3:10,17; 4:3-6 e 5:2-4).

2. A supremacia e exclusiva suficiência de Cristo. (Ver Gál. 2:21; 3:18 e 4:8,9).

3. A validade do evangelho e do apostolado de Paulo. Ver Gál. 1:10 e *ss*. A maior parte do segundo capítulo dessa epístola na realidade é uma prolongada defesa da autoridade paulina. (Gál. 1:11—2:14).

4. A sede da autoridade religiosa. Seria Moisés ou Cristo, ou seria Moisés e Cristo? Para quem devemos olhar como autoridade, na fé cristã recém-firmada, que mui obviamente é uma graduação mais elevada sobre a fé do antigo judaísmo? A supremacia e a exclusiva suficiência de Cristo, tal como no segundo ponto, acima, é a resposta de Paulo.

5. Relação entre a *liberdade* e a *responsabilidade* do crente. O trecho de Gál. 5:22-24 é a declaração clássica sobre essa questão. A graça nos relaciona

GÁLATAS

como parentes de Cristo, e, nesse sistema, o Espírito Santo opera no íntimo, a fim de produzir fruto santo. Portanto, na fé religiosa, esse fruto não mais depende de observâncias legalistas, festividades, leis, dias especiais e cerimônias, como a circuncisão. Antes, na fé cristã deve haver aquela comunhão mística com Cristo, o que nos assegura a vida vitoriosa, o que é muito maior e poderoso do que as observâncias legalistas, por mais conscientemente que elas sejam cumpridas. (Ver também Gál. 2:20 e 5:24, que versam sobre essa questão).

6. A unidade da igreja cristã. Na Galácia as igrejas se agitavam, lutando contra o apóstolo Paulo e estando divididas entre si, conforme as notas expositivas abaixo esclarecem. Em Cristo, entretanto, não podem continuar existindo facções e conflitos, porquanto Cristo é a essência da harmonia divina. (Ver Gál. 5:15 e 6:12,13). Paulo procurou demonstrar que Cristo remove os antigos preconceitos e as barreiras próprios do judaísmo, porquanto, em Cristo, todos os remidos se tornam um só, sem qualquer distinção de raça ou de camada social. Para os crentes, essa é uma doutrina tão comum que se torna axiomática; porém, nos tempos de Paulo, entre pessoas criadas segundo a cultura judaica, essa idéia era simplesmente revolucionária. Podemos observar a discussão apresentada por Paulo, em Gál. 2:1-14 onde descobrimos que lhe foi necessário repreender a Simão Pedro por causa dessa questão. Quanto mais não condenaria ele os legalistas, que perturbavam os crentes da Galácia? (Ver Gál. 5:6; 6:15 e 3:26-28).

7. *Universalidade da mensagem cristã*. Trata-se de um tema que era extremamente comum na igreja cristã primitiva, conforme se pode ver claramente em todos os evangelhos. Não era uma lição fácil de ser aprendida; e até mesmo o grande apóstolo Pedro teve de receber uma visão mística especial a fim de ficar convicto da verdade em torno da matéria, ou seja, que em Cristo, os judeus não mais ocupavam uma posição de privilégio. (Ver Atos 11:1-8). O segundo capítulo da epístola aos Gálatas, mostra-nos como esse problema continuava afetando até mesmo a apóstolos do Senhor Jesus. A passagem de Gál. 3:26 mostra-nos que o ideal seria a total eliminação das distinções estabelecidas pelo judaísmo, ficando implantada exclusivamente a graça divina, em Cristo Jesus. Toda essa epístola aos Gálatas, na realidade, é um tipo de defesa de toda a suficiência e universalidade de Cristo, bem como da nova fé que temos nele, que liberta tanto a gentios como a judeus, tanto a varões como a varoas, tanto a escravos como a livres, situando-os todos em um mesmo nível.

V. Temas Principais

A discussão acima esboça alguns dos tópicos principais ventilados pelo apóstolo Paulo, conforme se evidencia de seus diversos argumentos contra os seus oponentes. O próprio livro aos Gálatas, entretanto, não tem natureza totalmente polêmica, embora não haja dúvidas de que se trata da epístola mais polêmica dentre todas as que Paulo escreveu, tendo sido escrita especificamente a fim de argumentar e refutar idéias e práticas errôneas, pervertidas. É interessante observarmos que, na história eclesiástica, essas regiões da Galácia continuaram sendo centros produtores de heresias e facções entre os cristãos. Por conseguinte, o que ocorreu nos dias de Paulo foi apenas o começo de uma longa história de perturbações, de natureza religiosa, que afetava sobretudo aquelas regiões do mundo.

Sobre essa questão da agitação religiosa na Galácia, diz Lightfoot, em seu comentário sobre a epístola aos Gálatas, o que segue: «As notícias

fragmentárias de sua carreira subseqüente (a do apóstolo Paulo) refletem alguma luz sobre o temperamento e a disposição das igrejas da Galácia, nos tempos de Paulo. A Ásia Menor era chocadeira de heresias, e, dentre todas as igrejas cristãs asiáticas, não havia nenhuma tão inclinada para a dissensão como a igreja gálata. A capital da Galácia foi a grande fortaleza do reavivamento montanista, que se prolongou por mais de dois séculos, dividindo-se em diversas seitas, cada qual distinguida pelos gestos mais fanáticos, como observâncias rituais minuciosas. Ali, por semelhante modo, eram encontrados ofitas, manqueanos e sectários de todas as variedades. Foi durante as grandes controvérsias do século IV D.C. que houve dois bispos sucessivos, Marcelo e Basílio, que perturbaram a paz da igreja; pois um deles se colocou ao lado do sabelianismo, e o outro se fez aliado do erro ariano. Um dos pais da igreja desse período, Gregório Nazianzeno, denunciou 'a insensatez dos Gálatas, que abundam em muitas ímpias denominações'».

A essa observação geral e negra, podemos acrescentar uma nota preparada por Lange (**in loc.**), que citou Lightfoot quanto a esse particular: «Apesar das perseguições tanto de Diocleciano e de Juliano, que tentaram pessoalmente restaurar o paganismo na Galácia, os crentes se comportaram com fortaleza e constância».

Portanto, podemos ter a certeza de que a escrita da epístola aos Gálatas não foi um esforço vão, pois não há que duvidar que esse documento apostólico se tornou a Declaração da Independência Cristã, pois, embora tivessem prosseguido as heresias, houve cristãos que conheceram a Cristo realmente, e que aceitaram e aplicaram a mensagem de Cristo, conforme ela aparece contida nessa epístola. Os temas principais desse livro, são:

1. A defesa do apostolado de Paulo é um de seus assuntos principais. (Ver Gál. 1:1,8,11-14 e 2:1-21). Paulo declara que o seu apostolado havia sido recebido da parte de Deus Pai e da parte de Deus Filho. Além disso, a sua mensagem se harmonizava com aquilo que pregavam os apóstolos mais antigos, os quais também reconheciam a sua autoridade de apóstolo de Cristo entre os gentios. Existem referências esparsas, aqui e ali, no resto dessa epístola, que aumentam o peso dessa defesa própria, conforme mostramos nas referências acima citadas.

2. O verdadeiro evangelho de Cristo foi recebido por *revelação*, que abre o caminho para a liberdade cristã, independente do antigo judaísmo. Os demais apóstolos concordavam com Paulo também nesse particular, de tal modo que Paulo não criara doutrina alguma, e nem pervertera os ensinamentos de Cristo, conforme alguns erroneamente afirmavam. (Ver Gál. 1:8-10 e 2:1-14). Essa liberdade cristã consiste do abandono da lei mosaica, até onde se poderia pensar que a mesma tem uma função salvadora, e até onde se poderia pensar que a mesma serve de «guia da conduta diária» dos redimidos. Pelo contrário, o crente passa a depender exclusivamente de Jesus Cristo e de seu sistema da graça divina. (Ver Gál. 2:15-21). Esse era também o evangelho que Abraão conhecia. (Ver Gál. 3:6-18). Tal evangelho traz liberdade e igualdade entre todos os remidos. (Ver Gál. 3:26-29). Através desse evangelho é que os homens se tornam filhos de Deus e herdeiros juntamente com Cristo. (Ver Gál. 4:1-20). (Quanto a notas expositivas sobre a completa significação da *filiação a Deus*, ver Rom. 8:29 e Efé. 1:23 no NTI).

3. Relações entre a lei e a graça. A lei mosaica teve uma função «intermediária». Não servia de agente

853

GÁLATAS

salvador, mas, quando muito, foi uma espécie de mestre-escola, o que nos mostra o quanto o pecador necessita de Cristo. (Ver Gál. 3:19-25 e 2:15-19. O trecho de Gál. 3:6-18 mostra-nos o caso ilustrativo de Abraão).

4. O sistema da graça divina não permite licença para o pecado. Esse grande tema é amplamente expresso e desenvolvido em Rom. 6-8, sendo mais abreviadamente abordado na epístola aos Gálatas. Destaca-se nisso o fato de que a maturidade espiritual é requerida da parte dos herdeiros de Deus; o sistema da graça incorpora suas responsabilidades e seus frutos inerentes e necessários. (Ver a mensagem de Gál. 5:1-6:18). Deve haver o uso correto da liberdade, a fim de que o indivíduo seja libertado dessa servidão ao pecado e à lei, lei essa que «intensifica o pecado», fazendo-o «avultar» (ver Rom. 5:20), e isso subentende que o indivíduo deve tornar-se servo de Cristo. A liberdade cristã, pois, dá a entender uma nova servidão, um novo serviço, prestado a outrem, e isso através da lei do amor. Além disso, a lei é fruto do Espírito Santo (ver Gál. 5:22), o que significa que deve ser uma qualidade necessária de todo o crente, porquanto a vida em Cristo consiste da comunhão mística com o Espírito.

5. *Os herdeiros de Deus*, seus filhos, são necessariamente controlados pelo Espírito Santo, mediante a sua permanência habitadora que garante a produção do fruto espiritual, o que significa a manifestação da retidão, que a lei podia tão-somente destacar, mas não produzir. O conceito paulino da religião mística é assim confirmado nesta epístola aos Gálatas. (Ver o oitavo capítulo da epístola aos Romanos, onde domina esse tema). Assim, pois, a fé cristã não consiste em uma nova modalidade de lei ou padrão, e, sim, de uma «fé viva», do contacto com a divindade e da comunhão no íntimo com o Senhor. Esse é o «coração» mesmo do cristianismo, que vinha sendo não somente negligenciado pelos crentes da Galácia, mas que também raramente é expresso pela moderna igreja cristã. (Ver Gál. 5:22-25). A vida original se encontra «no Espírito», e, subseqüentemente, a conduta cristã é produzida e insuflada pelo mesmo Espírito de Deus. O cristianismo, por conseguinte, quando é devidamente compreendido, se eleva muito acima de qualquer expressão legalista ou sacramental, que era o fator predominante do judaísmo, mas antes, eleva o crente, ainda nesta vida terrena, até os lugares celestiais, quanto à experiência de seu homem interior. Cristo está em nós, sendo ele a esperança da glória, e isso através do Espírito Santo. O Espírito Santo garante a herança futura, mas agora mesmo ocupa-se produzindo a imagem de Cristo no crente. Os vários aspectos do fruto do Espírito Santo são, meramente, produção de Cristo, no íntimo. Por isso é que Paulo pôde dizer em verdade, «...para mim, o viver é Cristo...», pois a vida que agora o crente tem é vivida através da comunhão mística com Cristo Jesus. (Ver Gál. 2:20).

6. *Princípio da colheita* segundo a semeadura. Esse é um dos temas mais freqüentemente citados e mais bem conhecidos do apóstolo Paulo, expresso em Gál. 6:7,8. Essa lei é universal e absoluta. Aquilo que um homem colhe é o que ele semeou. Não podemos nos libertar dessa lei, nem mesmo mediante a fé em Cristo, pois apesar do pecado não mais nos ser imputado, e a despeito do fato de que a vida eterna nos é garantida em Cristo, contudo, recebemos aquilo que fazemos, de bem ou de mal, e isso tanto nesta vida terrena como nos lugares celestiais. O pecado perdoado não subentende que o crente pode escapar das conseqüências e penalidades naturais do pecado.

Quanto a isso, basta-nos considerar o caso de Davi, o qual, apesar de haver sido perdoado de seu pecado de adultério e homicídio, não obstante passou o resto de sua vida pagando por seus erros propositais. (Com isso se pode comparar o trecho de II Cor. 5:10). Nessa passagem encontramos a espantosa declaração de que os crentes serão levados ao tribunal de Cristo, onde receberão «aquilo que tiverem feito», de «bom ou de mau». A vida sempre vem ao encontro do nosso *eu*, demonstrando o que esse «eu» tem sido, quais as condições motivadas pelas nossas ações, e por que fomos levados a este ou àquele estado espiritual. Assim, pois, um crente poderá vir a entrar no reino celeste «como que através do fogo», ou poderá fazê-lo «abundantemente». E isso depende tão-somente da permissão por ele dada, ao Espírito Santo, para que o Senhor oriente o seu coração, dominando-lhe a vida e produzindo os seus frutos espirituais. Portanto, o princípio da colheita segundo a semeadura é uma lei absoluta, que se aplica a todos os homens, quer sejam crentes ou incrédulos. Cristo nos liberta dos horrores do julgamento final; não obstante, teremos que encontrar o nosso próprio «eu», até mesmo do outro lado da porta de Deus que denominamos de «morte física», e que nos dá entrada a uma nova forma de vida, a fruição da vida eterna.

Esses fatos solenes ou são ignorados ou são convenientemente esquecidos por alguns, na igreja moderna. Para eles a lei da colheita segundo a semeadura se aplica somente aos incrédulos. Esse é o tipo de doutrina libertina contra o qual o apóstolo Paulo combatia, e que se tornara um dos principais ensinamentos de seus adversários. No entanto, partirmos «para o outro lado» da existência não implica em estagnação. Pois apesar do crente ter talvez se aleijado nesta existência terrena, no que tange à sua vida espiritual, vindo a colher os resultados adversos de sua corrupção, e sendo assim salvo como que «através do fogo», não podendo entrar com abundância nos lugares celestiais, contudo, lhe haverá de prosseguir na direção daquele grande alvo que é a perfeição em Cristo, em que todos os remidos haverão de compartilhar de sua natureza moral e metafísica, e, de fato, de sua divindade (conforme lemos em II Ped. 1:4). Esse elevadíssimo alvo está assegurado no caso de todos os crentes verdadeiros, e o oitavo capítulo da epístola aos Romanos e o primeiro capítulo de Efésios indicam-nos essas verdades, apesar do que para alguns crentes será necessário muito mais tempo para atingirem tal alvo. É infantil aquela idéia que pensa que haverá estagnação espiritual nos lugares celestiais, situando todos os crentes em um único nível de avanço espiritual, meramente devido à morte física. A morte física é tão-somente uma transição para outra forma de existência, não significando a mesma que o crente obtém automaticamente, por meio dela, tudo quanto lhe foi prometido nas Escrituras; e isso porque aquilo que nos foi prometido deve ser formado em nós através da atuação do Espírito Santo no homem interior, e isso sem importar se ocorrerá ainda nesta existência terrena, ou já nos lugares celestiais. O alvo da existência, para os remidos, entretanto, é o mesmo, ou seja, a perfeição absoluta em Cristo. Portanto, com base nessa verdade, pode-se perceber a importância suprema da lei da colheita segundo a semeadura, sendo essa uma lei universal de toda e qualquer existência moral.

VI. Conteúdo

1. **Saudações, 1:1-5.** Aqui já foi incluída uma defesa da autoridade e do apostolado de Paulo.

2. **O único verdadeiro evangelho, 1:6-10.** Trata-se

GÁLATAS — GALESBURG

da polêmica desse apóstolo contra os seus oponentes, especialmente aqueles que se inclinavam para o legalismo.

3. A comissão apostólica de Paulo. 1:11-17. A sua comissão era divina, e não humana; mística, e não legalista. A comissão apostólica de Paulo era dominada pela expressão total de sua vida, tendo sido determinada desde o seu nascimento. Paulo mostrou ser um instrumento especial da graça de Deus, em termos similares àqueles usados pelo Senhor Jesus a fim de descrever a personalidade de João Batista.

4. Relações de Paulo para com os demais apóstolos. 1:18-2:10. Os outros apóstolos reconheciam a sua autoridade apostólica e pregavam o mesmo evangelho que ele anunciava.

5. Paulo, campeão da liberdade cristã, 2:11-19. Acima de todos os demais apóstolos, Paulo compreendia e defendia, de forma coerente, o sistema da graça divina, ao ponto de ter-se tornado necessário repreender a Simão Pedro, devido à forma hipócrita com que este último, de certa feita, tratava os irmãos vindos dos povos gentílicos, devido a pressões que sofrera da parte de «irmãos de inclinações legalistas».

6. A fé de Paulo e sua independência da lei, 2:15-21.

7. Paulo defende o sistema da graça divina, 3:1-4:31.

a. Com base na experiência pessoal, dele e deles 3:1-5.

b. Com base na vida de Abraão, pai dos fiéis. 3:6-18.

c. Com base na natureza «intermediária» da lei mosaica, 3:19-25.

d. A posição dos crentes em Cristo, dentro do sistema da graça divina, 3:26-4:11. Destacam-se aqui a liberdade em Cristo, a igualdade que os crentes têm em Cristo e a maturidade espiritual daqueles que são os herdeiros de Deus.

e. As relações de Paulo para com seus filhos espirituais, 4:12-20.

f. A liberdade conferida pela graça, ilustrada por uma alegoria, 4:21-31.

8. A responsabilidade do crente, dentro do sistema da graça, 5:1-6:18.

a. O uso correto da liberdade do crente em Cristo. 5:1-15.

b. O Espírito no íntimo é a *nova lei* que produz a retidão, 5:16-26.

c. Os irmãos mais fracos precisam de encorajamento, 6:1-6.

d. A lei da colheita segundo a semeadura, 6:7-10.

e. Observações finais: a ufania falsa e a verdadeira, os sinais de um servo verdadeiro de Cristo, 6:11-17.

VII. Bibliografia. AM E EN I IB LAN LUTH MOF NTI TE TI VIN RA(1900) RO

GÁLBANO

No hebraico, «brancura». Trata-se de uma resina gomosa, com um forte odor de bálsamo. No hebraico a palavra é *chelbenah*, que ocorre apenas por uma vez, em Êxo. 30:34. Era cerca de uma quarta parte do incenso sagrado. Tem sido identificado com a *F. galbaniflua* ou com a *F. rubricaulis*. Ambas as espécies medram na Pérsia. Além de serem usadas como perfume ou incenso, essas substâncias eram usadas como medicamento, como um antiespasmódico. Essas substâncias são graxas, pegajosas e granuladas. Quando misturadas a perfumes ou ao

incenso, isso tanto intensifica quanto prolonga o poder desejado. A planta, de aparência como a samambaia, tem grosso pedúnculo e flores amarelas. A folhagem, como a da samambaia, é perene. A goma exuda da parte inferior da haste, em gotas que podem ser recolhidas.

GALEEDE

No hebraico, «monte de testemunhas». Jacó deu nome a uma pilha de pedras, que havia empilhado como memorial do pacto estabelecido entre ele mesmo e Labão. Esse nome, dado por Jacó, foi Galaade. Mas Labão, em seu próprio idioma, chamou-lhe Jegarsaaduta, que significa a mesma coisa em aramaico. Ver Gên. 31:44-54. Uma refeição comunal acompanhou o estabelecimento da aliança. A questão ilustra uma prática comum entre os antigos israelitas, quando se tratava de estabelecer acordos. Algumas vezes, uma estela servia ao mesmo propósito. Ver Gên. 28:18; Jos. 4:39; 22:26-28. É bem possível que o território da Transjordânia se chamasse Gileade, por causa de algum acordo estabelecido ali. O sentido dessa palavra, Gileade, não está acima de dúvidas; e alguns eruditos pensam que está relacionado ao nome Galaade.

GALENO, CLÁUDIO

Um médico e filósofo grego que viveu entre 130 e 200 D.C. Nasceu em Pérgamo, na Mísia. Viajou extensamente. Era estudioso de filosofia. Trabalhou como médico em Roma. Freqüentou a escola de Marco Aurélio. Nos campos das idéias científicas, da lógica e da ética era aristotélico. Também era gramático e escreveu sobre questões da medicina. Suas idéias sobre a medicina sobreviveram até bem dentro da Renascença (vide). Somente no século XVI começaram a aparecer provas de que algumas das principais idéias de Galeno não eram corretas. Foi copioso escritor sobre temas da filosofia, da medicina e da anatomia. Muitos dos seus livros se perderam, mas alguns sobreviveram sob a forma de cópias em árabe. Entre aqueles de que ele foi autor, podemos citar *Escritos Menores* (três volumes); *Institutio Logica; Corpus Medicoram Graecorum; Sobre as Faculdades Naturais; Sobre as Paixões e os Erros da Alma*. Esses são títulos traduzidos das versões de que dispomos de seus escritos. Galeno serve de exemplo de um tipo de ortodoxia que, durante muito tempo, dominou o campo do conhecimento, e que somente com um maior avanço ainda da ciência mostrou estar equivocada. As ortodoxias fazem o trem parar na estação; mas a verdade continua avançando. Não obstante, os pioneiros cujas idéias acabam sendo aceitas como ortodoxas, com freqüência muito têm a contribuir para o conhecimento geral humano. Aristóteles foi o maior cientista de seus dias, tendo servido de modelo durante muitos séculos. Atualmente, porém, ele é tido como um mau e primitivo cientista, se o compararmos com a ciência moderna. O conhecimento humano sempre se assemelhará a isso.

GALESBURG, REGRA DE

Essa foi uma declaração feita por um grupo de luteranos conservadores norte-americanos, reunidos em Galesburg, no estado de Illinois, Estados Unidos da América do Norte, em 1878. Essa declaração definia a posição desse grupo no tocante ao púlpito e ao companheirismo diante do altar, com possíveis intercomunicações e comunhões com outras denomi-

GÁLIA — GALILÉIA

nações evangélicas. Dizia a mesma: «Os púlpitos luteranos pertencem somente aos ministros luteranos; os altares luteranos pertencem somente aos comungantes luteranos». Incluímos essa regra, nesta enciclopédia, como um exemplo negativo. É triste quando os cristãos, mediante suas declarações oficiais, formam clubes exclusivistas, cujas regras barram a outros cristãos. Isso esquece-se do nobre sentimento expresso em Salmos 119:63:

«Companheiro sou de todos os que te temem, e dos que guardam os teus preceitos».

GÁLIA

Nome do país dos gauleses, o território entre o rio Reno, os Alpes, os Pirineus e o Oceano Atlântico. Os habitantes dessa área eram de origem mista. É provável que grupos migrantes, de fala indo-européia, chamada *celta*, tenham entrado na região vindos do leste, durante a Idade do Bronze (segundo milênio A.C.). No começo do século V A.C., os celtas, que eram chamados gauleses pelos romanos, atravessaram os Alpes, entraram na Itália e se estabeleceram no vale do rio Pó, uma região que, mais tarde, tornou-se conhecida como Gália Cisalpina (isto é, Gália do lado de cá dos Alpes), a fim de distingui-la da Gália Transalpina (Gália do lado de lá dos Alpes). Em 391 A.C., os gauleses saquearam Roma, mas, finalmente, foram empurrados de volta para o norte. Roma conquistou o território deles, e começou um processo de pacificação. Os gauleses eram famosos como guerreiros, cavaleiros, artesãos, trabalhadores em metal, mineiros e agricultores. Júlio César subdividiu-os em belgas, celtas e aquitânios. Ondas de celtas migraram para vários lugares como o norte da Grécia, o vale do rio Danúbio, e vários lugares do que é hoje a Alemanha e a França. A província romana da Galácia (vide), recebeu deles o seu nome. Nicomedede I, rei da Bitínia, convidou-os para virem ocupar aquela área; e não demorou muito para que estivessem assaltando e saqueando a Ásia Menor. Quanto a plenos detalhes sobre como esses povos e a Galácia estavam relacionados um ao outro, dentro dos acontecimentos relatados no Novo Testamento, especialmente no tocante ao ministério de Paulo e à epístola aos Gálatas, ver sobre a *Galácia* e sobre os *Gálatas*, terceira seção.

GALICANISMO

Ver o artigo separado sobre os **Artigos Galicanos**. A filosofia do *galicanismo* está alicerçada sobre esses artigos. O termo refere-se a dois movimentos que tinham idéias similares, dentro da Igreja francesa. Em um dos lados da questão estavam os políticos, que defendiam os direitos da realeza e da lei contra o papado e o clero católico romano. No outro lado estavam os eclesiásticos, que defendiam a *autonomia* da Igreja francesa, em relação aos reis da França e sua subordinação aos papas e aos concílios gerais da Igreja. Ambas as tendências foram unidas sob Luís XIV, nos Artigos Galicanos, publicados em 1682. Depois disso, a autoridade eclesiástica de Roma obteve mais espaço, embora tivesse persistido alguma oposição francesa à doutrina da infalibilidade papal. O termo *galicanismo* é atualmente usado em sentido lato, para indicar qualquer atitude de independência por parte de qualquer igreja nacional, contra o poder de alguma hierarquia eclesiástica. Essa posição deve ser contrastada com a do *Ultramontanismo* (vide). Esta última é a posição dos católicos romanos que desejam ver toda a autoridade da Igreja nas mãos do papa, em oposição àqueles que desejam um desenvolvimento mais independente, por parte de alguma igreja nacional.

GALILÉIA

Esboço:
   I. Caracterização Geral
   II. Localização Geográfica
   III. Lugar da Vida e do Ministério de Jesus
   IV. Dados Históricos
   V. Outros Pontos de Interesse

I. Caracterização Geral

Ver o artigo separado sobre **Galileu**. Essa palavra vem do hebraico, *galil*, que significa «círculo», «anel», ou seja, um *distrito* ou *região*. Conforme o conhecemos, esse nome é uma transliteração para o grego. O nome da região é antiqüíssimo, ocorrendo sob as formas hebraicas *galil* e *galilah* (ver Jos. 20:7; 23:32; I Reis 9:11; II Reis 15:29). Lê-se em Isaías 9:1: «...Galiléia dos gentios...» Ver também I Macabeus 4:15 e Mat. 4:15. Essa palavra designa uma das três principais divisões da Palestina, na época de Jesus; as outras divisões eram a Judéia e a Samaria.

Antigas Fronteiras. Pouca informação temos que nos capacite a determinar as antigas fronteiras da Galiléia, e podemos supor com segurança que não havia uma geografia política fixa na área chamada Galiléia. O termo aparece pela primeira vez quando da conquista da terra de Canaã por parte do povo de Israel. A cidade de nome Cades, na região montanhosa de Naftali, de acordo com Josué 20:7; 21:32 e I Crônicas 6:76, ficava na Galiléia. Com base em várias referências bíblicas, podemos supor que esse termo incorporava o território de Naftali (II Reis 15:29); a área tribal de Aser, com a cidade de nome Cabul, é a mesma referida em I Reis 9:11-13 e Josué 19:27; e talvez também envolvesse o distrito tribal de Zebulom (Isa. 9:1). Se essas observações estão certas, então podemos afirmar que, de modo geral, a Galiléia do Antigo Testamento é a mesma do Novo Testamento.

II. Localização Geográfica

Já vimos quais eram as antigas fronteiras. Durante os períodos dos Macabeus e da dominação romana, o termo *Galiléia* designava a porção norte da Palestina, a oeste do rio Jordão e do mar da Galiléia.

A demarcação exata da região da Galiléia, nos tempos do V.T., é tarefa difícil. Entretanto, suas dimensões como província, sob o jugo romano, são conhecidas. Formava um território *retangular* de cerca de sessenta e cinco quilômetros de norte a sul, e de quarenta quilômetros de leste a oeste. A leste, tinha por demarcação fronteiriça o rio Jordão e o mar da Galiléia, e ficava a pouca distância do Mediterrâneo, por causa da extensão da *Siro-Fenícia* na direção sul. Originalmente compunha-se de territórios determinados para as doze tribos. A influência gentílica era forte, porquanto a região estava cercada de populações gentílicas por três lados. Dessa maneira, a Galiléia passou a contar com uma população mista e diversificada, o que era causa do desprezo com que a tratavam os judeus mais «puros» do sul da Palestina. (Ver João 7:52). A maioria dos lugares que Jesus conheceu já desapareceu, e isso sem deixar qualquer vestígio. As florestas da Galiléia, dos tempos neotestamentários, foram substituídas pelo «maquis», um arbusto característico das costas do mar Mediterrâneo.

III. Lugar da Vida e do Ministério de Jesus

Os evangelhos sinópticos, Mateus, Marcos e Lucas,

856

O Mar da Galiléia

Foto por Alistair Duncan

O Vale de Jezreel

Foto por Alistair Duncan

GALILÉIA

enfocam a atenção sobre o ministério de Jesus na Galiléia, de tal modo que somente alguns lugares ali mencionados não se encontram naquele distrito. Em contraste, o evangelho de João concentra a atenção principalmente sobre o ministério de Jesus em Jerusalém. Essa circunstância é comentada no artigo sobre o evangelho de João, partes quatro e dez. Somente cerca de dez por cento do material do quarto evangelho tem paralelos nos evangelhos sinópticos. As cidades da Galiléia cujos nomes foram imortalizados por causa do ministério de Jesus ali, incluem Cesaréia, Filipos, Tiberíades, Corazim, Seforis, Jocneã, Betsaida, Nazaré, Caná, Cafarnaum, Naim, Cesaréia da Palestina e Ptolemaida. Jesus foi criado em Nazaré e estabeleceu o quartel-general de sua missão em Cafarnaum (ver Mat. 4:13). Isso cumpriu uma notável predição que se encontra no livro de Isaías, o que é referido em Mat. 4:14-17. Os primeiros e principais discípulos de Jesus eram provenientes da Galiléia, segundo se aprende em Mat. 4:18 ss. Foi também na Galiléia que o Senhor apareceu pela primeira vez aos seus discípulos, após a sua ressurreição. Ver Mat. 28:7.

IV. Dados Históricos

1. Não temos muitas informações sobre essa área, antes da conquista do território por parte de Israel. As evidências arqueológicas mostram que havia habitantes ali desde as eras Calcolítica e do Bronze (cerca de 4000 — 2000 A.C.). Escavações efetuadas em Megido e Bete-Seã mostram isso. Existiam textos de execração egípcios, dos séculos XX e XIX A.C., que mencionavam certas cidades da Galiléia, como Aco, Acsafe, Bete-Seã e, talvez, Cades e Bete-Semes. O controle egípcio sobre a região evidencia-se pelas listas de nomes da campanha militar de Tutmés III, de Ramsés II e de outros. As cartas de Tell el-Amarna (cerca do século XIV A.C.) dizem-nos como o Egito perdeu essa área e como outras potências vieram ocupar a mesma.

2. *Quando da conquista da terra de Canaã*, Israel passou a controlar toda aquela região geral. Os povos cananeus foram derrotados. Ver Josué 11:1-11. A Galiléia foi dividida entre quatro tribos diferentes, conforme lemos em Jos. 19:10-39. Israel habitava, principalmente, em áreas não povoadas da Galiléia, tendo-se mesclado etnicamente com os cananeus e com outros povos da região. Talvez somente Issacar obteve êxito na expulsão dos cananeus de seu distrito (Juí. 1:30-33). Gideão combateu contra os midianitas e amalequitas e os derrotou (Juí.6), embora suas vitórias não tivessem sido nem completas e nem permanentes.

3. *O Período do Reino de Israel*. O rei Saul unificou em um bloco as tribos de Israel. Pôs a Galiléia e a via Maris (a principal rota comercial da região) sob o seu controle. Os filisteus restringiram os territórios ocupados pelo povo de Israel; mas, na época de Davi, eles foram derrotados, e os israelitas começaram a controlar melhor a Galiléia. O rei Hirão, de Tiro, embora cananeu, ajudou Salomão a edificar o templo. Como pagamento, Salomão ofereceu-lhe o controle de vinte cidades da Galiléia; mas, após tê-las examinado, Hirão as devolveu a Salomão (I Reis 9:10-14; II Crô. 8:1,2).

No período subseqüente, do reino dividido, Asa, rei de Judá, juntamente com Ben-Hadade I, da Síria, combateu contra Israel, na Galiléia. A região continuou sendo disputada por Israel e por Arã (Síria). Onri e Acabe recuperaram as perdas territoriais que ali tinham sido sofridas, mas Hazael (ver II Reis 10:32) tornou a reconquistá-las. Jeroboão, filho de Joás, libertou a região da dominação

estrangeira durante algum tempo (ver II Reis 14:25 ss). Depois, porém, houve a invasão encabeçada por Tiglate-Pileser III, rei da Assíria, em 734 A.C., e quase todas as cidades da Galiléia caíram sob o seu domínio (II Reis 15:29; 16:7). Quando caiu a capital, Samaria, em 722 A.C. esse foi o fim do reino do norte, Israel, ali e em qualquer outro lugar.

4. Vários poderes, em sucessão, vieram a governar a Galiléia, como a Assíria, a Babilônia, a Pérsia, a Grécia, os monarcas seléucidas, os Macabeus e, finalmente, os romanos, acompanhando a história geral do resto do povo de Israel.

5. *Nos Tempos do Novo Testamento*. Em 47 A.C., Roma enviou Herodes, o Grande, a fim de conquistar a Galiléia. Isso foi conseguido militarmente, de tal modo que, a princípio, ele era ali apenas um chefe militar e não um rei. Livrou a região de assaltantes e homens violentos (ver Josefo, *Anti.* 14:9,2). Em 37 A.C., Herodes tornou-se rei dessa e de outras regiões. Isso prosseguiu até o ano 40 D.C. Então seu filho, Ântipas, subiu ao poder, fazendo de Tiberíades a sua capital. Portanto, ele era o governador do período da vida de Jesus, excetuando o período de sua infância. Os zelotes opunham-se ao domínio romano e tinham sua base mais forte na Galiléia. Alguns dos discípulos de João Batista pertenciam a esse grupo. Pelo menos um dos discípulos de Jesus também havia pertencido ao partido dos zelotes. As dificuldades com o governo romano manifestavam-se de várias maneiras. No ano 40 D.C., Calígula determinou que Petrônio, governador da Síria, erigisse uma estátua em honra ao imperador, no templo de Jerusalém. As reações dos judeus ao ato foram radicais. Muitos milhares de judeus reuniram-se, durante quarenta dias, em Tiberíades e Ptolemaida, a fim de protestar contra o suposto sacrilégio. Petrônio teve de desistir da idéia. Quando Agripa I faleceu, a antiga Galiléia foi dividida quanto à autoridade política. Uma porção ficou ao encargo de Agripa II, até o ano 100 D.C. Roma administrava a outra parte da Galiléia por intermédio de outros governantes.

A oposição dos judeus a Roma continuou a intensificar-se, tendo atingido um ponto culminante na revolta que exigiu a invasão romana. No ano 70 D.C., Jerusalém foi destruída, e toda a Galiléia ficou sob o governo romano direto. Quando Herodes Agripa morreu, em 100 D.C., a Galiléia foi anexada à província romana da Síria.

Uma vez destruída Jerusalém, os estudiosos e rabinos judeus refugiaram-se na Galiléia. Tiberíades foi escolhida para ser o novo centro da fé judaica. Foi ali que o Talmude (vide) veio à existência. Em data posterior, os eruditos massoretas atuaram ali e o resultado foi o texto padronizado do Antigo Testamento em hebraico, intitulado texto massorético. Ver o artigo sobre a *Massorah*.

V. Outros Pontos de Interesse

Josefo nos dá a informação interessante de cerca de três milhões de habitantes. Havia ali muitas aldeias com mais de quinze mil habitantes (*Guerras* 3:3,2). Isso permite-nos entender como é que tão grandes multidões podiam seguir a Jesus. Uma grande rota comercial atravessava a Galiléia, ligando Damasco ao Egito, por meio do Wadi 'Ara, em Megido, com rotas alternativas em Taanaque e Jocneã. Em Megido, a estrada dividia-se em três, uma delas seguia para o oriente, para Bete-Seã, passando além de Astorete, a capital de Basã, até ligar-se com a estrada do Rei, em Damasco. Também havia outras rotas secundárias. Uma estrada principal estava localizada na Alta Galiléia, que ia de Tiro até Abel-Bete-Maaca, no sopé do monte Hermom. Isso

GALILÉIA — GALILEU

abria a Galiléia para o Oriente Próximo. Josefo considerava os homens da Galiléia corajosos e sinceros (ver *Guerras* 3.3,2). O período do Antigo Testamento nos apresenta os seguintes indivíduos notáveis: Baraque, Gideão, Jonas e Elias. Doze dos discípulos de Jesus eram da Galiléia. Além disso, quando alguém fala em «o Galileu», todos sabem de quem se trata. (AH AM EW SMI Z)

GALILÉIA, MAR DA

Esse corpo de água potável tem vários nomes, como mar da *Galiléia* (Mat. 4:18), mar de *Quinerete* (Núm. 34:11) e lago de *Genezaré* (Luc. 5:1). Tem a forma de pera, está localizado no norte da Palestina e é formado pelo alargamento do rio Jordão, em certo trecho de seu curso. Fica a 212 m abaixo do nível do mar, com quase dezoito quilômetros de comprimento e cerca de treze quilômetros de largura. Sua profundidade média é de 45 m. Fica situado em uma grande bacia, formada por uma grande falha geológica. O Jordão deságua no mesmo, vindo do norte, onde suas águas ficam avermelhadas e turvas. O lago também é alimentado por muitas fontes em suas margens. No entanto, suas águas são relativamente límpidas. Contudo suas praias ao norte e a leste são barrentas e rochosas. Mas suas margens ocidentais descem em uma inclinação suave. Durante certa metade do ano, as colinas ao redor ficam desnudas de vegetação; porém, durante a primavera aparece uma vegetação subtropical. Os peixes eram e continuam sendo abundantes no lago, e a indústria de pesca ali sempre foi uma atividade importante para os habitantes das cidades que margeiam o lago. O monte Hermom, sempre encimado por neve, não fica muito longe e o ar resfriado, ao encontrar-se com o ar morno do vale, pode causar súbitos e violentos tufões sobre o lago, o que fica demonstrado em Marcos 4:37.

Em torno de suas praias há antigas ruínas, mas quase todas as cidades mencionadas nos tempos bíblicos, até mesmo do Novo Testamento, desapareceram com pouquíssimos vestígios. Contudo, há as ruínas de Tell Hum (Cafarnaum), Kerazeh (Corazim) e Taricheae, conhecido como um antigo lugar que exportava peixes. Outras identificações são extremamente precárias. Nos dias do Novo Testamento, nada menos de nove cidades, de não menos de quinze mil habitantes cada uma, em média, estavam localizadas em suas praias.

O mar da Galiléia, que fica cerca de noventa e seis quilômetros ao norte de Jerusalém, ajudava a determinar o tipo de vida que se levava em toda a região ao derredor. As ocupações dos habitantes incluíam a agricultura, a fruticultura, o tingimento de tecidos, o curtume, a pesca e a fabricação de embarcações. Todas essas atividades, mais ou menos importantes, dependiam desse lago e de seus tributários, a fim de prosseguirem. Jesus realizou muitos de seus trinta e três milagres historiados em redor desse lago. Ele usava Cafarnaum (vide) como seu quartel-general de labores na Galiléia, onde também passou a maior parte da sua vida.

GALILEU

Um habitante da Galiléia (vide; Mat. 16:59; Mar. 14:70; Luc. 13:1; 22:59; 23:6; João 4:45; Atos 1:11; 2:7; 5:37). Esse nome aludia tanto a gentios quanto a judeus que habitavam na Galiléia, uma porção da Síria-Palestina, ao norte da planície de Esdrelom e do vale de Jezreel, e ampliando-se para o leste até às praias do lago da Galiléia, enquanto que para oeste

chegava até as margens do mar Mediterrâneo. Após o retorno do cativeiro babilônico, a região foi reocupada pelos judeus, embora também houvesse outras populações que também ocupavam a região. João Hircano e seus sucessores subjugaram a região e fundiram sua população mista de arameus, árabes, sírios e povos helênicos, formando um Estado judaico. Apesar de se tornarem judeus quanto à nacionalidade, eles falavam o aramaico como sua língua nativa. O elemento judaico da região aumentou quando, sob os hasmoneus, pessoas vindas de outras regiões de Israel foram viver na Galiléia. Os fariseus e os zelotes radicais encontraram solo fértil na Galiléia, para seus respectivos movimentos. Judas, o fundador e principal líder dos zelotes (vide), era dali, razão pela qual ele era chamado Judas, o Galileu. Josefo (*Guerras*, Exc. II) estabeleceu distinção entre o norte da Galiléia e o sul da Galiléia, embora todos os habitantes fossem chamados, indistintamente, galileus. Essa palavra é uma transliteração do vocábulo hebraico que significa «distrito dos gentios». Entre os judeus, por essa razão, o termo «galileu» tornou-se uma espécie de sinônimo de «inferior». Os judeus jamais quiseram se esquecer de que os galileus eram um povo de raça mista. Josefo, que também era galileu, serviu como governador da região por algum tempo. Ele defendia o povo da região como leais lutadores, não cedendo diante das muitas corrupções a que se curvavam os habitantes de outras regiões de Israel.

Naturalmente, dali procediam os principais discípulos de Jesus. José, ao que parece, emigrou de Belém da Judéia para a Galiléia, visto que, juntamente com Maria, ele saiu dali e para ali retornou, após o nascimento de Jesus. Ver Luc. 2:4. Jesus extraiu da vida comum da Galiléia muitas ilustrações para seus ensinamentos. Ficaram inclusas ocupações como a dos agricultores, dos criadores de gado e dos pescadores.

Os galileus falavam com um sotaque diferente de todos os habitantes judeus do país; e isso os identificava imediatamente, conforme é evidente na experiência de Pedro, depois que ele negou a Jesus (Mar. 14:70; Luc. 22:59). O aramaico ali falado diferia quanto à pronúncia, à escolha de palavras e até quanto à sintaxe. Algumas das declarações de Jesus evidenciam o pano de fundo aramaico, embora ditas em grego. João 3:3 *ss* é trecho que serve de exemplo disso. Os autores romanos referiam-se zombeteiramente à origem galiléia do movimento cristão. Isso refletia o desprezo geral mostrado pelos rabinos, acerca dos galileus. Juliano referiu-se a Cristo como o *Deus galileu*, e até estabeleceu uma lei que ordenava que os cristãos fossem chamados, exclusivamente, «galileus». Algo de muito curioso aconteceu no seu leito de morte. Ele sempre combatera contra os cristãos. Mas, moribundo por causa de um ferimento em seu lado, apanhou um pouco do sangue que lhe escorria do ferimento e, jogando-o na direção do céu, exclamou: «Venceste, ó galileu!» Ver o artigo separado sobre *Juliano*.

Quanto à observância religiosa, os galileus eram mais relaxados do que seus estritos primos judeus, de Jerusalém. Isso veio a ser mais um fator que explicava sua posição de inferioridade, diante das autoridades judaicas. Ver João 1:46; 7:52. Não obstante, após a destruição de Jerusalém, em 132 D.C., pelas tropas do imperador Adriano, mestres judeus buscaram refúgio na Galiléia; e então Tiberíades tornou-se um dos grandes centros da erudição judaica.

Atos 2:7: *E todos pasmavam e se admiravam, dizendo uns aos outros: Pois quê! não são galileus todos esses que estão falando?*

Galileu — 1564-1642

Pintura de Sustermans, a única referência autêntica de seu rosto

Sua ciência avançou a *verdade* a despeito da oposição das ortodoxias da ciência e da teologia.

CRONOLOGIA DE GALILEU

1564 — Nasce em Pisa, em 15 de fevereiro, Galileu Galilei.

1575 a 1577 — Estuda em Florença.

1581 a 1585 — De volta a Pisa, estuda medicina, sem concluir o curso.

1589 a 1592 — Torna-se professor de matemática em sua cidade natal.

1592 a 1610 — Ocupando a cátedra de matemática no 'Studio de Padua', realiza vários estudos e experiências sobre o problema da queda dos corpos e inventa diversos instrumentos.

1610 — Publica o *Siderens Nuncius (Mensagem das estrelas)*, obra que obteve grande repercussão na Europa. Nela, Galileu divulga o resultado de suas observações com telescópio, afirmando, por exemplo, a existência de montanhas na Lua e de quatro satélites em torno de Júpiter. Retorna a Florença.

1610 a 1632 — Prossegue com suas observações astronômicas, polemizando intensamente com seus opositores. Critica abertamente a física aristotélica e o sistema cosmológico de Ptolomeu. Recebe, em 1616, uma advertência formal da Inquisição, que condena as teorias sobre o movimento da Terra e proíbe o ensino do sistema heliocêntrico de Copérnico.

1632 — Publica em Florença o *Dialogo sopra i due massimi sistemi del mondo (Diálogo sobre os dois principais sistemas do mundo)*, criticando de novo o sistema aristotélico e defendendo Copérnico. Cinco meses depois, o livro é proibido pela Igreja Católica.

1633 — Inicia-se em 12 de abril o processo contra Galileu. Em 22 de junho, o cientista é obrigado a abjurar suas convicções. Condenado a cárcere privado, vai para Arcetri e retoma seus estudos de mecânica.

1638 — Após algumas tentativas frustradas, publicam-se, na Holanda, os *Discorsi*, redigidos na prisão. Galileu já está completamente cego, mas segue em suas investigações.

1642 — Em 8 de janeiro, morre Galileu, em Arcetri, com 78 anos.

de Ciência Hoje, jan/feb, 1989

É possível que existam emanações desconhecidas para nós. Lembra-se de como correntes elétricas e «ondas invisíveis» foram ridicularizadas? O conhecimento sobre o homem ainda está na sua infância.   (Albert Einstein)

GALILEU — GALILEU GALILEI

Ordinariamente, os judeus da capital, Jerusalém, *zombavam* dos galileus, porque consideravam-nos incapazes de falar em aramaico perfeito, quanto menos algum idioma estrangeiro de forma correta e fluente. Mais que isso, porém, agora aqueles galileus (os apóstolos) estavam falando em tantos idiomas de forma eloqüente, com poder de persuasão, impulsionados como eram pelo Espírito Santo. Tudo isso parecia totalmente incongruente para aquela multidão, que de galileus só esperavam outra coisa; e isso explica a perplexidade daquela gente ante o fenômeno que ocorrera.

No que concerne às duas palavras aqui usadas para expressar a surpresa das multidões, diz Vincent (*in* loc.) o seguinte: «A primeira palavra denota a primeira surpresa avassaladora. O verbo significa literalmente, 'por fora de lugar', ou seja, tirar alguém de seu sentido normal. Comparar com Mar. 3:21: 'Está fora de si'. A outra palavra, *se admiravam*, denota uma admiração contínua, dando a entender que consideravam tudo perplexos, havendo a sugestão de que começavam a especular sobre a questão».

«Por enquanto, pequeno era o número dos seguidores de Cristo, procedentes de Jerusalém. Os galileus falavam um aramaico rude (ver Mar. 14:70), e provavelmente também falavam um grego vernáculo capenga. Não eram fortes em questão de linguagem; e, no entanto, eram justamente eles que demonstravam ali poderes lingüísticos tão marcantes» (Robertson, *in* loc.).

A palavra «...*galileus*...», neste versículo, não se refere a qualquer seita religiosa em particular, como sucedeu ao movimento dos seguidores de Cristo, que veio a ser designado posteriormente pela alcunha de «galileus», porque procediam principalmente dessa província. Aqui, entretanto, a referência é à nacionalidade daqueles que haviam nascido na região da Galiléia, parte integrante da Palestina, que era habitada por uma população mista. Por esse termo é que tais pessoas eram distinguidas dos habitantes da Judéia. Os galileus eram conhecidos pela sua negligência em estudar o seu próprio idioma, não demonstrando graças verbais, sendo acusados de cometerem erros de gramática e de falarem o aramaico com vários erros ridículos de pronúncia. (Ver Luc. 1:26 no NTI).

«Deve-se observar que isso está em acordo preciso com o que o apóstolo Paulo descreve como efeito do dom das línguas. Servia o mesmo de 'sinal' para os incrédulos, enchendo-os de admiração; porém, o trabalho de conversão e convicção era deixado ao encargo do dom da profecia. (Ver I Cor. 14:22)». (E.H. Plumptre, *in loc.*).

Juliano, o Apóstata e outros escritores, referiam-se muitos anos mais tarde aos cristãos zombeteiramente, tachando-os de *galileus*. Mas não é esse sentido pejorativo que está aqui em foco. (Quanto a esse uso posterior do termo, ver a obra de Juliano, *Apera*, parte 1, par. 557, parte 2; Ep. 49, par. 203 e 204; e também Arriam. *Epicteto* 1:4, cap. 7).

••• ••• •••

GALILEU GALILEI

Um astrônomo e filósofo natural nascido em Pisa, Itália (suas datas foram 1564 — 1642). Educou-se quase inteiramente no mosteiro de Valombrosa, em Florença. Entre 1581 e 1585 estudou na Universidade de Florença e então ensinou em certa academia florentina, fazendo preleções sobre a matemática. Ele aderiu à nova astronomia, que tinha por base várias teorias de Copérnico. Ver sobre *Copérnico*. Foi censurado pelos teólogos do Santo Ofício, em 1616, tendo sido proibido de ensinar as novas idéias. Galileu concordou, mas então publicou um diálogo, confrontando as antigas e as novas idéias. Porém, era fácil verificar de que lado ficavam suas simpatias; e Galileu entrou novamente em dificuldades. Seus críticos sabiam que Aristóteles não poderia ter-se enganado, que a terra tinha de ser o centro do Universo e que não poderia estar em movimento. Galileu foi convocado para ir a Roma, pelas autoridades da Inquisição. A 21 de junho de 1634 foi acusado de haver rompido o acordo de não ensinar as novas doutrinas astronômicas, por ter publicado aquela farsa de um diálogo onde acabava ensinando, novamente, aquilo de que fora proibido. Temendo perder a vida, Galileu leu sua retratação no dia seguinte. O que estava em jogo, em toda a questão, era a noção aristotélica de que todo movimento implica em imperfeição, e todos sabiam que a criação de Deus não podia ser imperfeita. Se isso fosse verdade, então só a terra seria perfeita, e todo o Universo, girando ao redor da terra fixa, seria imperfeito! No entanto, a teologia havia adotado Aristóteles como guia de seu pensamento científico, embora a Bíblia jamais o tivesse elegido para a posição. Galileu teve permissão de voltar para sua vila, em Florença, mas sob prisão doméstica. Passou os oito anos restantes de sua vida fazendo pesquisas e estudos científicos; mas a sua voz fora silenciada.

Questões Envolvidas. As melhorias de Galileu quanto ao telescópio permitiam-lhe ver a natureza refletida da lua, das luas do planeta Júpiter, das fases de Vênus, dos anéis de Saturno, da ocorrência das manchas solares e da rotação do sol sobre seu próprio eixo, além de evidências das órbitas dos planetas, em redor do sol. A *heresia* de que ele foi acusado era a sua crença de que a terra orbita em redor do sol, o que fazia com que a terra não fosse mais o centro do Universo. Ambas as idéias eram consideradas, pelas autoridades eclesiásticas, como contrárias à suposta ordem divina das coisas. Os teólogos recusavam-se, terminantemente, a olhar os corpos celestes pelo seu telescópio. E Galileu precisou retratar-se de joelhos. Reconheceu o seu «erro», para satisfação de seus perseguidores. No entanto, diz-se que, quando se levantou, após ter feito sua solene retratação, Galileu foi ouvido a murmurar: *E pur si muove*, «No entanto, ela (a terra) se movimenta».

Algumas de suas Descobertas Científicas:
Além daquelas mencionadas no penúltimo parágrafo, acima, ele descobriu o isocronismo do pêndulo e seu uso em relógios; os princípios básicos da dinâmica; o compasso proporcional e o termômetro; fez muitas melhorias no telescópio; descobriu que a Via Láctea é uma constelação de estrelas; descobriu a interdependência de movimentos e forças, ou seja, a invariabilidade de relações de causa e efeito, dando isso origem a uma nova maneira de pensar sobre o Universo e suas forças; que todas as entidades têm peso, e que o peso consiste em uma contínua força de atração sobre os objetos, para o centro da terra; e que, no vácuo, todos os corpos caem com igual velocidade. Este último ponto foi testado pelos astronautas norte-americanos na lua, e foi confirmado. Uma pena de ave cai sobre o solo com a mesma velocidade que um bloco de chumbo, no vácuo, visto que, ali, não há resistência do ar à passagem de objetos; as estrelas e os planetas não são menos capazes de corrupção do que a terra.

GALILEU GALILEI — GÁLIO

No campo da filosofia, Galileu aceitava o atomismo, em consonância com a teoria lógica. Ele fazia a distinção entre as qualidades primárias e secundárias das coisas, uma distinção, usualmente, associada ao nome de Locke. A idéia de que aquilo que é mensurável é uma questão objetiva, ao passo que as coisas não mensuráveis ficam no campo da subjetividade, são princípios que têm guiado as pesquisas científicas durante séculos.

Escritos: O Analisador; Diálogo sobre os Dois Principais Sistemas Mundiais; Diálogos Concernentes a Duas Novas Ciências.

Contribuições. As contribuições científicas e filosóficas de Galileu são por demais óbvias para termos de descrevê-las. Além dessas contribuições, devemo-nos lembrar que ele também nos provou um exemplo de trabalho pioneiro, de alguém que teve a coragem para propor e investigar novas idéias. Nesse exame, certas idéias mostram-se falsas, mas outras mostram-se corretas, afinal. Em ambos os casos, deveria haver tolerância suficiente, a fim de que as idéias possam ser submetidas a teste por parte de pessoas competentes, que se disponham a olhar através do telescópio, e não que se recusem terminantemente a averiguar as provas de que suas teorias estão equivocadas.

Uma curiosa nota histórica acerca de Galileu, em nossos próprios dias, é que o papa João Paulo II pronunciou-se em favor do «perdão» a Galileu, removendo, assim, o estigma que se prendera ao seu nome, por haver sido julgado pelos inquisidores e ter sido forçado a retratar-se, embora estivesse, o tempo todo, com a razão.

«Não devemos ter medo de estar dizendo asneiras. As gerações futuras provavelmente ficarão perplexas, não porque nossas ousadas teorias sejam bizarras, mas por serem conservadoras e terem uma natureza tão tímida». (H.H. Price).

«A verdade, esmagada até à terra, levantar-se-á de novo;

Os anos eternos de Deus lhe pertencem;

Mas o erro, ferido, retorce-se em dores,

E morre entre seus adoradores».

(William Cullen Bryant)
Bibliografia. (AM BE E EP F MM PWA)

GALIM

No hebraico, «montões». Esse era o nome de uma aldeia localizada no território de Benjamim, ao norte de Jerusalém, perto de Gibeá de Saul e de Anatote. Ver I Sam. 25:44; Isa. 10:30. A Septuaginta diz que essa cidade ficava no território de Judá. Parece que entre os versículos 59 e 60 do décimo quinto capítulo de Josué, na Bíblia hebraica, foram omitidos os nomes de várias cidades, que a Septuaginta preservou. Há estudiosos que pensam que isso ocorreu acidentalmente. Nessa lista, Galim é agrupada com as cidades que ficavam a sudoeste de Jerusalém, o que deve explicar a confusão quanto à localização, que varia entre Benjamim e Judá. Seja como for, a cidade é mencionada como o lugar onde vivia Palti, a quem foi entregue Mical, esposa de Davi. O local de Galim é atualmente desconhecido.

GALINHAS

A única menção a aves domesticadas, no Antigo Testamento, em conexão com a provisão da mesa diária de Salomão, aparece em I Reis 4:23. A palavra hebraica ali envolvida, *barburim*, tem sido traduzida como gansos, peixes cevados, galinhas de angola, etc. Nossa versão portuguesa diz «aves cevadas». O mais provável é que esteja em foco o *Centropus aegyptius*, uma espécie de cuco, que, em alguns países, até hoje é considerado um saboroso acepipe. Seja como for, a nossa galinha descende do *Gallus gallus* da Índia, uma ave que ali aparece nas florestas. Há evidências de sua domesticação desde tão cedo quanto 2000 A.C. A galinha apareceu no Egito antes do século XIV A.C., trazida do Oriente. É bem possível que os israelitas tivessem conhecimento dessa ave nessa época. Por volta de 500 A.C., a galinha já era ave bem conhecida por todo o mundo grego. A partir de cerca de 600 A.C., há um selo, descoberto em Tell El-Nasbeh, com a gravura de um galo de briga. Portanto, a partir desse tempo, a ave era conhecida na Palestina. Esse selo tem estampado o nome de Jaazanias, oficial do rei (II Reis 25:33). Naturalmente, isso não prova que a ave fosse domesticada e estivesse servindo como item da alimentação dos israelitas nessa época. O ganso tem uma história mais antiga na Palestina. A imagem do ganso tem sido encontrada em gravuras feitas em marfim, encontradas em Megido, pertencentes acerca de 1000 A.C. Portanto, é possível que essa única referência à palavra hebraica *barburim* diga respeito ao ganso.

No Novo Testamento. Encontramos o canto do galo, mencionado como uma medida de tempo, em conexão com a negação de Pedro quanto a Jesus Cristo (Mat. 26:34,74; Mar. 14:30; Luc. 22:34; João 18:27). No entanto, os galos não costumam cantar em horas certas, embora a crendice popular assim o diga. De fato, eles cantam a qualquer hora da noite, se assim quiserem fazê-lo, e ninguém pode fazê-los fechar o bico durante as primeiras horas da manhã. No entanto, não seguem o relógio de nenhum homem. Nos trechos de Mat. 23:37 e Luc. 13:34 temos menção à galinha, que junta seus pintinhos sob as asas, a fim de protegê-los, como ilustração de como Cristo gostaria de recolher aqueles que o rejeitavam, se ao menos quisessem confiar nele. (I ID UN)

GÁLIO

Atos 18:12: *Sendo Gálio procônsul da Acaia, levantaram-se os judeus de comum acordo contra Paulo, e o levaram ao tribunal,*

Há uma inscrição, encontrada em Delfos, que menciona Gálio (irmão de Sêneca, o filósofo estóico romano), a qual possibilita-nos datar a chegada de Gálio em Corinto, mais ou menos no verão de 51 D.C. Delfos era a sede do santuário de Apolo, que estava situado defronte de Corinto, do outro lado do golfo de Corinto. — Paulo aparentemente esteve na cidade por um ano e meio, ou mais, conforme a descrição do décimo primeiro versículo do capítulo dezoito do livro de Atos. Isso quer dizer que Paulo deve ter chegado a Corinto no ano de 50 D.C. Essa é a única data que podemos precisar com exatidão, no tocante a todas as viagens do apóstolo dos gentios. A inscrição a que nos reportamos mais acima, foi publicada em 1905, e consiste em quatro fragmentos. (Ver Deissmann, *Paulo*, apêndice *i*). Continha palavras de uma carta de saudações enviada pelo imperador Cláudio à cidade de Delfos, a qual também menciona o nome de Gálio, conforme foi descrito acima.

Sêneca, o famoso filósofo estóico romano, era irmão mais jovem de Gálio, e o poeta romano Lucano, era seu sobrinho. Sêneca dedicou a Gálio as suas obras intituladas «Ira» e «A Vida Feliz». Nessas obras ele traça um relato extremamente favorável de Gálio, onde diz, entre outros louvores, estas coisas: «Outros

GÁLIO — GALO

vícios ele desconheceu, mas à lisonja ele abominava». «Amá-lo com todas as forças era amá-lo pouco demais»; e ainda: «Nenhum mortal foi tão doce (dulcis) para com os outros, conforme ele se mostrava para com todos». (*Ep. Mor. Civ. I; Quaest. Iva. Pref.* ii).

Theodore P. Ferris (*in loc.*), diz acerca de Gálio: «Paulo foi muito feliz pelo fato de que Gálio era o procônsul da Acaia naquele período particular de tempo. Gálio foi um homem construído em escala grande. Era muito culto. Seu irmão mais jovem foi Sêneca, o filósofo. Gálio estava acostumado a cuidar de coisas importantes, e não, à semelhança de muitos líderes políticos, a cuidar de coisas triviais e sem importância. Um homem assim quase certamente vê as coisas de um amplo ponto de vista. Não se deixa enredar por considerações tolas e pessoais. Pode contemplar uma questão inteiramente à parte de suas relações pessoais com a mesma. Seu juízo é inflexível, mas calmo. É dotado de sabedoria para discriminar entre as desordens sérias da sociedade e a petulância juvenil entre irmãos».

«Quando Paulo foi levado à presença de Gálio, a acusação foi de que ele desobedecia a uma lei romana. O judaísmo era uma religião permitida no império romano, mas nem toda a religião tinha tal permissão. Ora, Paulo pregava algo que não era o judaísmo. Por conseguinte, estaria ele violando a uma lei romana. Gálio, entretanto, percebeu, sem demora, a malícia que havia nessa acusação. Antes mesmo que o apóstolo Paulo tivesse oportunidade de defender-se, Gálio declarou algo mais ou menos como segue: 'A questão que me estais apresentando, não envolve qualquer ponto das leis romanas. Envolve tão somente vossas próprias desavenças. Por isso, não se trata de uma questão digna do meu tribunal, e me recuso a dizer qualquer coisa a respeito dela'. Em face da reação justa de Gálio, os gregos ficaram tão contentes, porque os judeus foram postos em seu devido lugar, por aquele juiz romano, que tomaram o principal da sinagoga e se puseram a espancá-lo. E onde estava Gálio, enquanto tudo isso sucedia? '...Gálio, todavia, não se incomodava com estas cousas'». (Moffatt).

O nome completo de Gálio era Lucius Junius Annacus Gálio. Fora adotado por Gálio, o retórico. Sua família era originária da Espanha. Quanto a referências a Gálio e também a Sêneca, seu irmão filósofo, ver Plínio, *História Natural* xxi,33; Tácito, *Anais xv*.73; *Dio Cássio*, lxi,35 e lxii.25.

Os desvarios do imperador Nero, levaram Sêneca, que fora seu tutor, a cometer suicídio forçado. Em face disso, Gálio, temendo pela sua própria vida, fez súplicas temerosas a Nero (ver Tácito, *Anais* xv.73). Mas isso de nada lhe adiantou, porquanto também foi executado por ordem de Nero, em 65 D.C. Jerônimo (segundo os escritos do historiador Eusébio) informa-nos de que Gálio também foi forçado a cometer suicídio, a exemplo de seu irmão Sêneca. Todavia, não podemos ter muita certeza sobre esse particular. É um daqueles acontecimentos estranhos da história o fato de que o apóstolo Paulo, por semelhante modo, caiu vítima da loucura bárbara de Nero.

A grande exatidão de Lucas como historiador: É muito significativo o fato de que somente Lucas, entre os escritores que mencionaram a pessoa de Gálio, chama-o de «procônsul». Mas esse fato histórico foi confirmado pela inscrição encontrada em uma pedra calcária cinzento-claro, proveniente das pedreiras de «*Hagios Elias*», perto de Delfos, que já foi citada por nós mais acima, nos comentários atinentes a este versículo.

A respeito disso, comenta Robertson (*in loc.*): «A província da Acaia, após diversas modificações (primeiramente fora senatorial, e depois se tornara imperial), sendo unida e desligada da Macedônia, foi devolvida ao senado por Cláudio, no ano de 34 D.C., em que o seu procônsul recebeu o título de governador. É deveras admirável que os escritos de Lucas sejam confirmados sempre que uma nova descoberta é feita».

Sendo Gálio apenas um recém-chegado, é provável que os judeus tivessem pensado que poderiam influenciá-lo a tratar de Paulo com violência; e passaram da idéia às ações. Foi assim que, pela segunda vez, Paulo enfrentou um procônsul romano. Sérgio Paulo (ver Atos 13:7) foi o primeiro deles.

GALLUPPI, PASQUALE

Suas datas foram 1770-1846. Foi um filósofo italiano, nascido em Tropea. Estudou em Nápoles. Representava uma eclética combinação de filosofias francesas e de espiritualismo, combinando idéias de Cousin, Royer-Collard e Maind Brian (ver os artigos a respeito deles). É melhor lembrado por causa de suas idéias sobre a natureza da consciência. Ele asseverava que isso envolve a consciência simultânea do próprio «eu» e das coisas percebidas em derredor, em cuja situação o *solipcismo* (vide) seria sempre impossível. Ver o artigo separado sobre o *Espiritualismo*, o qual, na filosofia, deve ser distinguido do *espiritismo* (vide).

GALO

Para nós, um **galo** é o macho da família dos galináceos. Mas muitas fontes informativas esclarecem que, para os hebreus, os galos eram os machos de várias espécies de aves domésticas. As traduções mostram-se um tanto confusas a esse respeito, parcialmente porque vários pássaros mencionados na Bíblia são de identificação duvidosa. Portanto, podem estar em foco cisnes, gansos e galinhas d'Angola. Em I Reis 4:23 lemos sobre «aves cevadas», que faziam parte do cardápio de Salomão. Há alguma probabilidade de que lhe eram servidas galinhas domésticas. Ver o artigo geral sobre as *Aves da Bíblia*. De fato, a única menção a aves domésticas aparece nessa referência. Não sabemos dizer quando o costume começou entre os hebreus. A *Mishna* informa-nos que os judeus não criavam galinhas em Jerusalém, por causa das coisas santas que havia na cidade, uma explicação que não entendemos quanto ao seu alcance. A galinha não era considerada uma ave imunda, e podia ser comida livremente. Mas, por causa de seu hábito de ciscar o chão e de agitar insetos imundos, não podia ser criada perto dos lares dos judeus. Todavia, quem quisesse poderia criar galinhas fora das cidades.

A domesticação de aves para consumo humano teve origem na Ásia, até onde é possível investigar a questão, embora não se saiba o local exato onde isso teve início. A galinha era conhecida na Índia, mas não no Egito. Os gregos obtinham pássaros domesticados da Pérsia. E é provável que os romanos tenham introduzido a prática na Palestina. Isso tem levado muitos intérpretes a pensarem que as aves cevadas de I Reis 4:23 não eram galinhas.

É no Novo Testamento que temos menção clara ao galo. Em todas as referências do Novo Testamento, essas aves aparecem em conexão com a negação de Cristo, por parte de Pedro (Mat. 26:34,74,75; Mar. 14:30,68), excetuando unicamente a menção ao canto do galo, com designação do amanhecer, em Marcos 13:35.

GAMADITAS — GAMALIEL

Por ocasião da última ceia, Jesus predisse que Pedro haveria de negá-lo por três vezes, antes que o galo cantasse. Todas as quatro narrativas sobre a questão afirmam que o galo cantou imediatamente após a negação de Pedro. Mas Marcos 14:30,72 fala em um segundo cantar do galo. Detalhes e fantasias têm sido acrescentadas à narrativa bíblica, como aquela que diz que aquele galo específico fora preparado para a tarefa. Provavelmente, tudo quanto Jesus quis dizer era que Pedro haveria de negá-lo ainda bem no começo do dia. Não é provável que Jesus estivesse pensando no próprio canto do galo. Seja como for, a questão não se reveste de maior importância. Há uma igreja, em Jerusalém, que comemora o evento, chamada de Igreja de São Pedro em Galicanto. Ver sobre o *Cantar do Galo*.

GAMADITAS

A palavra ocorre exclusivamente em Eze. 27:11. O original hebraico parece ter o sentido de «homens valorosos». Todavia, a Septuaginta tem, no grego, *phulakés*, que significa «guardas», «sentinelas». O vocábulo é usado para aludir a certos indivíduos que ocuparam as torres de Tiro. Algumas traduções, entretanto, interpretam a palavra como se fosse um nome próprio, e não uma função, dizendo algo como «homens de Gamade». Alguns eruditos têm pensado em interpretações como «pigmeus», «guerreiros», «capadócios», etc.

GAMALIEL

No hebraico, «galardão de Deus». Esse nome refere-se a dois indivíduos mencionados na Bíblia, um no Antigo e outro no Novo Testamento, a saber:

1. Um chefe da tribo de Manassés, que recebeu a tarefa de ajudar no recenseamento de Israel, no deserto do Sinai. Ver Núm. 1:10; 2:20; 7:54,59 e 10:23. Viveu em cerca de 1490 A.C.

2. O Gamaliel do Novo Testamento foi um famoso rabino e sábio judeu, referido somente em Atos 5:34 e 22:3.

Atos 5:34: *Mas, levantando-se no sinédrio certo fariseu chamado Gamaliel, doutor da lei, acatado por todo o povo, mandou que por um pouco saíssem aqueles homens;*

As únicas referências neotestamentárias a esse homem, *Gamaliel*, são aqui e em Atos 22:3. Era filho de Simeão e neto do famoso rabino Hilel. Era doutor da lei e membro do sinédrio, sendo um dos principais elementos da seita dos fariseus. Tornou-se o líder da escola liberal dos fariseus, em oposição ao ramo mais conservador dos seguidores de Shamai, outro rabino famoso naquela época. Paulo menciona Gamaliel como um de seus mestres (ver Atos 22:3). Sua dignidade era enaltecida pelo fato de ser chamado *Rabban* (nosso mestre), e não meramente «rabino» *meu mestre*, que era o título mais usual. A Mishnah (Sota ix.15) diz acerca de Gamaliel: «Desde que o rabban Gamaliel, o Velho, morreu, não houve mais reverência pela lei, a pureza e a abstinência morreram ao mesmo tempo». Basta isso para servir de poderosa condenação contra a moral daqueles tempos. Várias tradições têm feito dele um cristão, como nos *Reconhecimentos Clementinos* 1.65, porém, para sermos exatos, não há qualquer evidência sólida em apoio a isso. Gamaliel é nome que aparece nas listas tradicionais daqueles que ocuparam o cargo de presidente do concílio, ou seja, do sinédrio.

Ele Cumpriu a sua Missão

1. Deus pode usar até mesmo os ímpios para cumprir seus propósitos, redundando isso em glória positiva para si mesmo.

2. Gamaliel foi usado neste caso. Era homem de caráter, mas a história não demonstra que ele tenha jamais vindo a Cristo durante sua vida terrena. Talvez ele tenha podido fazê-lo além-túmulo (conforme o trecho de I Ped. 4:6 indica que pode ser).

3. Cada indivíduo tem um caráter sem-par que deve exibir-se em sua vida e missão, e não somente dentro do tempo, mas também por toda a eternidade.

4. Como muitos outros, Gamaliel foi influenciado, mas não convertido. Muitos, dentro das próprias fileiras da igreja, se acham em idêntica situação. Muitos existem que possuem iluminação, mas que ainda não experimentaram a regeneração.

É nota interessante de rodapé no tocante a Gamaliel, que o seu pai Simeão, foi o mesmo que tomou o Salvador ainda infante em seus braços, conforme está registrado em Luc. 2:25 e é nota triste o fato de que seu pai reconheceu ao Messias ainda infante, reconhecimento esse não compartilhado pelo filho, Gamaliel, quando Jesus cresceu e tornou-se adulto. Gamaliel não foi testemunha da destruição de Jerusalém, porquanto faleceu *dezoito* anos antes dessa triste ocorrência. Talvez o Senhor o tenha poupado, devido ao serviço por ele prestado à igreja, embora nunca tivesse feito parte integrante do movimento cristão; ou, pelo menos, não possuímos qualquer prova positiva de que ele se tenha tornado cristão. O filho de Gamaliel, de nome Simeão, pereceu nas ruínas da cidade, tendo sido também um rabino proeminente e membro do sinédrio. Foi dito acerca de Gamaliel que ele «ordenou, antes de sua morte, que o levassem ao sepulcro vestido de linho; pois, antes desse tempo, costumavam levar os mortos vestidos em seda; e isso foi mais lamentável para a sua parentela do que a sua morte propriamente dita», (*Ganz Tzemach David*, parte 1, fol. 25:2).

Gamaliel foi um grande homem em sua geração, tendo sido ele o primeiro dentre sete rabinos a ser chamado pelo título superior de *Rabban*. À semelhança de outros rabinos, ele tinha um lema famoso que sobreviveu à sua morte: «Procura para ti um mestre, evita estar na dúvida; e não te acostumes a dar os dízimos por adivinhação». (Edersheim, *History of the Jewish Nation*, pág. 128). É motivo de pesar que Gamaliel não tenha seguido o seu próprio conselho, procurando um mestre que o pudesse conduzi-lo aos pés de Cristo, porque o Senhor Jesus ter-lhe-ia dado um título melhor que o de *Rabban*. Robertson (*in loc.*) pensa que Gamaliel defendeu aqui a causa dos apóstolos como mera medida para ganhar um ponto sobre os saduceus, porque seria apenas um oportunista político. Porém, com base no texto sagrado, parece que devemos dar-lhe mais crédito do que isso, porquanto ele parece ter sido honesto e sincero no que fez.

Retirar os homens, por um pouco, são palavras que podem significar por pouco tempo ou para uma pequena distância; e talvez ambas as coisas expressem a verdade. Gamaliel removeu a presença física dos apóstolos, pois, se tivessem permanecido, suas palavras mui provavelmente teriam exercido pouquíssimo efeito sobre aqueles homens desvairados de ira. Teriam passado o tempo franzindo sobrolhos para os apóstolos, em vez de ouvirem palavras de razão e de moderação.

As tradições cristãs contêm dados curiosos. Assim, nos *Reconhecimentos Clementinos* somos informados de que Gamaliel tornou-se cristão já no fim de sua

GAMO — GANDHI, MOHANDAS

vida (cerca de 70 D.C.), embora não haja qualquer evidência que corrobore tal tradição. Seja como for, é evidente que ele foi um promotor indireto e involuntário do cristianismo. Ele fez ouvir a voz da moderação e da tolerância, em referência aos primeiros cristãos, em meio a clamores que exigiam o derramamento de sangue. Vozes assim são ouvidas apenas com raridade; mas abençoado é o homem que age dessa maneira.

GAMO

No hebraico, **zemer**, um animal de duvidosa identificação. A palavra aparece exclusivamente em Deu. 14:5. As identificações vão desde a girafa, ao gamo e à cabra montês. Nossa versão portuguesa prefere pensar no «gamo». A «camurça», que é outra possibilidade, é um pequeno antílope que vive nas montanhas da Europa, não podendo ser o animal em questão. Muitos estudiosos preferem pensar na «cabra montês». Na área do Sinai, provavelmente era um animal abundante nos dias bíblicos, e até hoje existe essa espécie naquela região.

GAMUL

No hebraico, «recompensado», ou, talvez, «desmamado». Esse foi o nome do chefe do vigésimo segundo turno de sacerdotes que serviam, alternativamente, no templo de Jerusalém. Na época de Davi, os sacerdotes recebiam suas incumbências mediante o lançamento de sortes (I Crô. 24:17).

GANÂNCIA

1. **Definição**. A ganância é um desejo ansioso e egoísta, quando o egoísmo busca satisfação própria. É a paixão pelas riquezas (a avareza), é a cobiça. A ganância expressa-se de muitas formas diferentes. O ganancioso busca, acima de tudo, satisfazer às necessidades do organismo, nos campos do sexo, do vestuário e do luxo, incluindo tudo quanto está dedicado aos cuidados e à decoração do corpo físico. Também envolve o desejo por alimentos, em excesso e em grande variedade. Quando um desejo é bom, por mais intenso que seja, — não é denominado *ganância*.

2. *No Tocante à Bíblia*. Desejos excessivos e mal-orientados são proibidos pelo décimo mandamento (ver Êxo. 20:17 e Deu. 5:21). Jesus advertiu acerca da escravidão da ganância (Luc. 12:15; Mat. 6:19-24). Essa é uma das obras da carne, sendo um dos principais vícios humanos (Rom. 1:29). A lista de vícios preparada por Paulo, contudo, dá maior proeminência aos pecados sexuais. A ganância é uma forma de idolatria (ver Col. 3:5). A ganância perturba a vida social e não somente a vida do indivíduo (Pro. 28:25). O ganancioso dá demasiado valor às riquezas temporais, o que pode desviá-lo inteiramente das realidades espirituais (Sal. 10:3; Mat. 6:24). A ganância é uma das grandes características dos ímpios e apóstatas (Rom. 1:29). Os ociosos também se tornam gananciosos (Pro. 21:26). É uma desgraça para o crente (I Tim. 3:3; Efé. 5:3). Esse pecado origina-se no coração do indivíduo (Mar. 7:22,23). O seu resultado é a injustiça e a opressão (Pro. 28:20; Miq. 2:2). A ganância é um dos principais vícios, ameaçando a salvação da alma (I Cor. 6:10 e Efé. 5:5).

3. *Uma Atitude Espiritual Apropriada*. Desejar coisas é um sentimento legítimo, contanto que seja orientado para os valores espirituais. Lemos em Colossenses 3:2: «Pensai nas cousas lá do alto, não nas que são aqui da terra». E declarou Agostinho: «Que essas coisas não ocupem a minha alma; que Deus a ocupe» (*Confissões* 10:51). Ver o artigo mais detalhado, sobre a *Cobiça*.

GANDHARVA

Uma divindade obscura nos Vedas, usualmente apresentado como o medidor do espaço e apresentada ao sol. Porém, no Zend Avesta, esse nome designa um monstro tipo dragão. Alguns estudiosos pensam que a referência primária é a certos espíritos que, posteriormente, serviriam como músicos divinos, que serviam a Indra, no céu. A palavra que no sânscrito significa «música», *Gandharva*, aparentemente, aponta para o uso religioso do termo. Seja como for, esses espíritos musicais seriam possuidores de certos poderes, mormente sobre as mulheres. Eram respeitados e amados pelas apsaases, as ninfas celestiais do céu de Indra.

GANDHI, MOHANDAS KARAMCHAND

Líder político e religioso indiano. Nasceu a 2 de outubro de 1869, em Porbandar. Educou-se em Londres, na Inglaterra. Recebeu a alcunha de *Mahatma*, que significa «grande alma». Ainda jovem, estudou advocacia e foi atuar na África do Sul. Porém, não se sentiu realizado com essa atividade e renunciou às vantagens materiais a fim de liderar os indianos sul-africanos em sua luta por justiça e igualdade. Foi então que ele desenvolveu a doutrina que o seu nome imortalizou: a não-violência e o uso da força da verdade, a fim de produzir mudanças políticas e econômicas. Em 1914, Ghandi retornou à Inglaterra, tendo-se mostrado leal ao governo britânico durante a Primeira Grande Guerra, na esperança de que fosse outorgado o direito da Índia autogovernar-se, uma vez terminada a guerra, dentro da comunidade de nações do império britânico. A 6 de abril de 1919 ocorreu a rebelião de Amritsar, que chocou profundamente a Gandhi. Ele então proclamou um dia de Humilhação Nacional, exortando o povo a pôr em prática os princípios da resistência passiva, da não-violência em parceria com o boicote econômico e político, bem como o desenvolvimento das indústrias nacionais da Índia. Em 1921 tornou-se o líder do Congresso Nacional da Índia. A completa independência nacional da Índia tornou-se o grande alvo que se buscava. Embora hindu, Gandhi acrescentou elementos cristãos à sua plataforma política, usando o Novo Testamento como orientação espiritual e em apoio à sua filosofia de não-violência, de acordo com o Sermão do Monte de Jesus. Juntamente com o Novo Testamento, a Bhaghavad Gita (vide) era sua principal orientação espiritual. Entre seus ideais havia aquele de eliminar o sistema de castas, tão prevalecente na Índia, além daquele outro, de unir politicamente os hindus e os islamitas. Porém, os islamitas se recusaram a cooperar nesse projeto, e assim o *Paquistão* veio à existência, como um estado islâmico separado da Índia. Na tentativa de enfatizar a seriedade dos seus esforços, por diversas vezes Gandhi apelou para a greve de fome, em protesto contra a política inglesa, ou como um meio de unir o seu povo em um esforço coletivo.

Em 1947, seu sonho maior tornou-se uma realidade. À Índia foi concedida total independência. Mas, realizada essa obra, foi assassinado por um fanático hindu, poucos meses mais tarde. Seu assassino era membro da Mahasabha, uma facção

GANESHA — GARRIGOU-LAGRANGE

nacional hindu extremista, que se opunha à separação do Paquistão. Todavia, isso em nada maculou o serviço humanitário e religioso da Grande Alma, o Mahatma Gandhi. Ele nos legou um exemplo imortal de liderança moral e espiritual, que tem inspirado a muitos nesta nossa época perturbada.

GANESHA

Esse era o nome do filho de Siva, dotado de cabeça de elefante, uma divindade muito popular no hinduísmo sivita. Ele é considerado o deus da sorte, da prosperidade e da sabedoria. Além disso, as preces a ele dirigida, segundo os hindus, removem os obstáculos difíceis que o indivíduo pode encontrar ao longo da vida. Ele é representado como alguém gordíssimo, a montar sobre as costas de uma ratazana.

GANGRENA

Ver sobre as **Enfermidades da Bíblia**.

GANO, JOHN

Suas datas foram 1727-1804. Foi um clérigo batista que serviu como capelão do Exército Norte-americano Continental, quando as treze colônias originais estavam lutando contra a Inglaterra, em busca de sua independência. Uma vez cessadas as hostilidades, em uma celebração que houve em Washington, ele ofereceu uma oração especial. No entanto, contrariando uma estória que corria entre os batistas, ele não imergiu George Washington em Valley Forge.

GANSFORT, JOHN WESEL

Foi chamado de **Doctor Contradictionum**, por causa de seus pontos de vista contrários às doutrinas comuns da igreja cristã. Nasceu em 1420 e faleceu em 1489. Foi educado pelos Irmãos da Vida Comum (vide), e sempre mostrou ser um amigo leal dos membros desse movimento. Os protestantes gostam de apontar para seu nome como um dos precursores de Martinho Lutero (vide) e, por conseguinte, da Reforma Protestante (vide). Porém, a similaridade era somente quanto a certos pontos de vista, embora não quanto às atitudes, porquanto Gansfort salientava a fé em meio ao amor cristão e, à semelhança de Erasmo, ele mostrava-se irônico.

GARÇA

No hebraico, **anaphah**, uma espécie de ave que aparece somente por duas vezes, em Lev. 11:19 e Deu. 14:18. Como no caso de todos os animais e pássaros mencionados na Bíblia, não há certeza, entre os tradutores, quanto à ave em foco, neste caso. Essa palavra hebraica tem sido variegadamente traduzida por águia, papagaio, andorinha, etc. Mas a ave mais provavelmente em vista é a garça. A referência em Lev. 11:19 alista essa ave como imunda como alimento para os israelitas. Ver o artigo separado sobre *Limpo e Imundo*, que oferece os conceitos gerais sobre a questão, incluindo alimentos proibidos. Esse pássaro pertence à família das *Charadriidae*. Tem asas longas e pontudas e cauda curta. Encontra-se largamente disseminada pela Europa, pela Ásia e pelo norte da África. Alimenta-se de lesmas, vermes, rãs e outros pequenos animais. É uma ave voraz e irritadiça, que busca viver em alagadiços, onde encontra alimento abundante. É provável que seus hábitos alimentares tenham-na feito ser incluída entre os alimentos proibidos na legislação levítica. A expressão bíblica «a garça segundo a sua espécie», que aparece naqueles dois trechos bíblicos, provavelmente, indica que havia várias espécies pertencentes ao gênero.

GAREBE

No hebraico, «coceira», «escama». No Antigo Testamento, nome de um acidente geográfico e de uma pessoa, a saber:

1. Nome de um outeiro que ficava próximo da cidade de Jerusalém, aludido somente em Jer. 31:39. Servia de marco para os limites futuros da cidade. Alguns estudiosos têm-no identificado com o Gólgota, ou então com Bezeta. A verdade, porém, é que o local é desconhecido, e os eruditos não concordam nem mesmo com o ponto cardeal, em relação a Jerusalém, onde o mesmo estaria localizado.

2. Nome de um descendente de Jetro ou Jeter, um itrita, um dos trinta heróis guerreiros de Davi, (II Sam. 23:38; I Crô. 11:40). Os itritas eram uma família de Quiriate-Jearim (vide). No entanto, outros intérpretes opinam que Garebe deve ter sido um nativo da aldeia de Jatir (vide), porquanto entendem que a palavra original envolvida seria similar (apenas com uma mudança de pontos vocálicos) àquela que aparece no texto padrão. Seja como for, os itritas eram descendentes de Jetro ou Jeter, o que lhes explica o nome.

GARFO

No hebraico, **mazleg** (no plural, **mizlagoth**). Essa palavra figura por duas vezes com a primeira forma: I Sam. 2:13,14. E, como forma feminina plural, figura por cinco vezes: Êxo. 27:3; 38:3; Núm. 4:14; I Crô. 28:17 e II Crô. 4:16.

O garfo era um instrumento usado no tabernáculo a fim de remover alguma porção de carne que fervia no caldeirão (I Sam. 2:13,14). A julgar pela diferença de nomes empregados, parece que havia mais de um tipo de garfo usado com esse propósito. Mas, visto que contamos somente com os nomes desses instrumentos, no hebraico, é impossível oferecermos qualquer descrição mais detalhada sobre os mesmos, a não ser que aquele tipo mencionado em I Samuel tivesse três dentes. Ver também sobre *Forquilha*.

GARFO DE HUME

Ver sobre **Hume, Garfo de**.

GARMITA

No hebraico, talvez, «ossudo». Essa palavra é usada como um apelativo de Abiqueila, descendente de Judá, através de Calebe, filho de Jefuné. Seu nome ocorre somente em I Crô. 4:19. Ele deve ter vivido em torno de 1400 A.C. O significado desse apelido não tem explicação, e permanece obscuro. Não passam de conjecturas as idéias de que ele seria um homem de ossatura forte, ou então que era homem muito vigoroso.

GARRIGOU-LAGRANGE, R.M.

Filósofo e teólogo francês, nascido em 1877 e falecido em 1964. Era frade dominicano que participou do reavivamento do interesse pela filosofia de Tomás de Aquino e que foi um dos instrumentos para o reestudo sério das idéias dessa antiga figura,

GAS — GATE-HEFER

no século XX. Portanto, pode ser classificado como neotomista ou **como neo-escolástico**. Ver sobre o *Escolasticismo*.

Escritos. God, His Existence and His Nature; The Thomaistic Synthesis; seis volumes de *Comentários* sobre a *Summa Theologica*, de Tomás de Aquino.

GAS

Esse nome próprio aparece em I Esdras 5:34. Era um homem que servia no templo de Jerusalém. Era um dos filhos dos servos de Salomão. Seu nome, entretanto, é omitido na lista paralela de Esd. 2:57.

GASSENDI

Filósofo e matemático francês. Nasceu em 1592 e faleceu em 1655. Foi professor de teologia e de filosofia em Aix La Chapelle e, posteriormente, foi professor de matemática no Collège Royal de Paris. Foi um importante oponente de Descartes (vide), tendo promovido o interesse de muitos pelas filosofias materialistas de Epicuro e Lucrécio (vide). Seus escritos incluíram as obras *De Vita et Moribus Epicuri; Philosophiae Epicuri Syntagma* e *Syntagma Philosophicum*.

GATAS

Essa é a porção mais antiga do **Zend Avesta** (vide), que consiste em dezessete hinos, arranjados em cinco seções, seguindo uma certa métrica específica. Esses hinos preservam a forma mais autêntica dos ensinamentos de Zoroastro (vide).

GATE

A palavra hebraica significa «lagar». Esse era o nome de uma das cinco cidades dos filisteus, dirigida por um de seus muitos príncipes ou senhores, desde a época de Josué até uma data comparativamente tardia. O nome dessa cidade é mencionado por trinta e três vezes no Antigo Testamento: Jos. 11:22; I Sam. 5:8; 6:17; 7:14; 17:4,23,52; 21:10,12; 27:2-4,11; II Sam. 1:20; 15:18; 21:20,22; I Reis 2:39-41; II Reis 12:17; I Crô. 7:21; 8:13; 18:1; 20:6,8; II Crô. 11:8; 26:6; Sal. 56 (título) e Miq. 1:20.

Em Gate, quando Josué efetuou sua conquista, ainda havia ali anaquins, uma raça de gigantes; aparentemente essa raça conseguiu perpetuar-se até algum tempo mais tarde. Golias, o famoso gigante morto por Davi, era natural de Gate. Ver Jos. 11:22 quanto aos *filhos de Anaque* ou *anaquins*.

Os habitantes de Gate eram os «geteus» (II Sam. 6:10,11 e 15:18). No texto hebraico, em Josué 13:3, isso aparece sob a forma de *gitti* ou *gittim*. As outras cidades filistéias importantes eram Gaza, Asdode, Asquelom e Ecrom. Todas essas cidades estavam localizadas (incluindo Gate) na fronteira sul da Palestina, e cada uma contava com seu próprio príncipe ou rei (Jos. 13:3; I Sam. 6:17). O constante estado de guerra que havia na antiguidade fazia com que todas as cidades antigas fossem muradas, e Gate não era exceção à regra (II Crô. 26:6). Ver também o artigo sobre *Forte, Fortificação*.

Dados Históricos. Homens de Gate mataram **alguns israelitas por tentarem furtar o seu gado** (I Crô. 7:21 e 8:13). Os filisteus capturaram a arca da aliança, levando-a para Asdode e, então, para Gate (quando houve uma série de infortúnios) e daí para Ecrom. Os infortúnios prosseguiram, pelo que eles enviaram a arca da aliança de volta aos israelitas (I

Sam. 5:6-10; 6:17). Os filisteus foram um vexame constante para Israel, nos dias de Samuel (I Sam. 9:16; 10:6; 13:3,5,19; 14:21; 17:1; 23:27). Davi matou o gigante Golias, que era natural de Gate (I Sam. 17:4,23; II Sam. 21:20). Isso conferiu algum descanso a Israel. Anaquins residentes em Gate foram mortos por Davi. Eles tinham seis dedos em cada mão e seis artelhos em cada pé. Apesar de antigas desavenças, quando fugia de Saul, Davi refugiou-se em Gate (I Sam. 21:10-15; Sal. 56:1). Na sua segunda visita ali, ele levou consigo as várias esposas e seiscentos homens; e Aquis, o rei, não somente recebeu-o bem, como também lhe deu a cidade de Ziclague para servir de residência (I Sam. 27:1-28). Davi devolveu o favor (I Sam. 28:1,2). As cidades filistéias de Gate e Asquelom são mencionadas no lamento de Davi por causa da morte de Saul e Jônatas (II Sam. 1:20). Davi acabou conquistando Gate e as aldeias ao derredor (I Crô. 18:1). Aquis, mesmo assim, continuou sendo chamado rei de Gate (I Reis 2:39-41), mas, evidentemente, tornara-se subserviente a Davi. Reoboão fortificou a cidade de Gate (II Crô. 11:8). Hazael, de Damasco, capturou-a nos fins do século IX A.C. (II Reis 12:17). Uzias derrubou as suas muralhas, quando andou guerreando na Filístia (II Crô. 26:6). Mas Amós, em data posterior, descreveu a cidade como pertencente aos filisteus (Amós 6:2), o que nos permite comprovar que a mesma vivia mudando de mãos; ou então, que na época daquele profeta, a cidade estava em estado de vassalagem ao território de Judá. Sargão, da Assíria, capturou a cidade com a área em derredor, nos fins do século VIII A.C., ou seja, em 715 A.C. Gate, juntamente com Asdode, Judá, Edom e Moabe, haviam formado uma frente unida contra a Assíria, mas sem proveito. A partir desse tempo, Gate saiu inteiramente das páginas da história, de tal modo que, atualmente, sua localização é incerta. Ela tem sido identificada com Tell es-Safi, a pouco mais de dezenove quilômetros ao norte de Asdode, e com Tell Shekh Ahmed el-'Areini, perto de 'Araz el-Menshiyeh, cerca de vinte e quatro quilômetros a leste de Asquelom, e cerca de onze quilômetros ao sul de Tell es-Safi. Aparentemente, o nome era comum, visto que quatro ou cinco cidades foram assim denominadas, nos tabletes de Tell el-Amarna. Isso talvez deva-se ao fato de que o nome significa «lagar», e muitas localidades podem ter sido assim designadas.

GATE-HEFER

No hebraico, «lagar de escravação». Esse era o nome de uma cidade situada na fronteira entre Zebulom e Naftali (Jos. 19:3). Foi o lugar onde nasceu o profeta Jonas (ver II Reis 14:25), o qual tem sido identificado com a moderna el-Meshed, que fica cerca de cinco quilômetros a nordeste de Nazaré. Essa tradição favorece a conexão dessa localidade com o profeta Jonas. Jerônimo, no século IV D.C., testificou que o túmulo de Jonas ainda era conhecido em seus dias, cerca de três quilômetros de Seforis, que seria em Gate-Hefer, embora nos seja impossível averiguar quão exata é uma tradição como essa. Pelo menos, as evidências arqueológicas mostram que o lugar vinha sendo habitado pelo menos desde o tempo de Jonas. Um outro túmulo, identificado como o lugar do sepultamento de Jonas, encontra-se em Nínive, antiga capital da Assíria. Onde Jonas teria sido, realmente, sepultado? A questão, contudo, é secundária, e não nos deve preocupar muito.

••• ••• •••

GATE-RIMOM — GAUNILO

GATE-RIMOM

No hebraico, «lagar de Rimom», isto é, «lagar da romã». Esse foi o nome de dois lugares diferentes, referidos no Antigo Testamento, a saber:

1. Uma cidade do território de Dã, entregue aos levitas. Ficava na planície da Filístia, perto de Jope. É mencionada somente em Jos. 19:45; 21:24.

2. Uma cidade levítica que ficava no território da meia-tribo de Manassés, na porção oeste do rio Jordão. Foi então entregue às famílias dos filhos de Coate. Essa cidade é mencionada duas vezes, em Jos. 21:25 e em I Crô. 6:69. Muitos eruditos pensam que tanto em Jos. 21:24 quanto em Jos. 21:25 há menção a uma única cidade. Nesse caso, esta cidade seria a Bileã referida em I Crô. 6:70. O manuscrito B, da Septuaginta, diz *Ibatha* (Bileã), no vs. 25, omitindo a segunda menção a Gate-Rimom, conforme se vê, por exemplo, em nossa versão portuguesa. Bileã ficava situada cerca de vinte e quatro quilômetros a suleste de Megido. No entanto, devemos notar que a primeira Gate-Rimom (vs. 24), aparece como pertencente à tribo de Dã, ao passo que a segunda Gate-Rimom (vs. 25), aparece como pertencente à meia-tribo de Manassés. Parece-nos por basta isso para mostrar que eram duas cidades diferentes, e não uma só.

GATO

Supõe-se que o gato era um útil animal doméstico em Israel, embora não haja qualquer referência ao mesmo, nem no Antigo e nem no Novo Testamento. No Egito, como se sabe, algumas vezes o animal era adorado como uma divindade. É possível que, por essa razão, os gatos não eram comumente criados entre os israelitas, embora o touro também fosse um comum objeto de adoração dos egípcios. A verdade é que as pessoas podem passar bem sem os gatos, embora não tão bem sem o gado vacum. No livro de Baruque, o animal é mencionado como habitante comum dos templos pagãos. O emprego de gatos, nos templos antigos, sem dúvida estava associado ao fato de que eles caçam e matam os ratos, os quais seriam abundantes em lugares onde se abatiam animais para serem sacrificados.

O gato era considerado um animal imundo, a julgar pela classificação levítica. Portanto, se os israelitas criavam gatos, certamente não seriam animais domésticos de estimação. Talvez fosse apenas um animal usado como caçador de ratos. No entanto, os povos vizinhos a Israel usavam gatos como animais de estimação. A arqueologia tem encontrado muitas representações e figuras de gatos, no Egito. Parece que ali os gatos pareciam-se mais com as espécies selvagens da Europa. Uma estatueta de marfim, representando um gato, foi encontrada em Laquis, pertencente acerca de 1700 A.C. Isso talvez sugira que o gato era um animal comum ali, embora também possa indicar que a estatueta fora importada do Egito. Têm sido encontrados muitos gatos mumificados no Egito, o que testifica sobre a posição divina que esses animais ali desfrutavam. A deusa-gata, Baste era a protetora da metade oriental do delta do rio Nilo. O centro de seu culto ficava em Bubastis, um lugar mencionado no trecho de Ezequiel 30:17, e onde essa cidade é chamada Pi-Besete. (S Z)

GAUDAPARA

Filósofo indiano que viveu no século VI ou no século VIII D.C. Foi o primeiro filósofo indiano a expor sistematicamente a Advaita Vedanta (vide), onde há uma interpretação não dualista da filosofia Vedanta (vide). Ele propôs que tanto o budismo quanto a Vedanta estão arraigados na literatura upanishádica; e essa literatura serviu de base para o seu pensamento.

Idéias:

1. Ele refuta todas as teorias sobre a doutrina da criação e asseverava que o mundo é uma expansão de Deus. Suas descrições, quanto a isso, são interessantes. Essa expansão Deus teria feito por esporte, porque queria se divertir, dando vazão à sua vontade, aos seus sonhos, às suas atividades ilusórias. Ele pensava que seria impossível qualquer coisa ter-se *originado* no Absoluto.

2. Nossa experiência com o mundo é ilusória, e a ilusão é nossa, e não de Deus. É como se estivéssemos confundindo uma corda com uma serpente. Na realidade, não haveria qualquer ilusão. As coisas são nossas imaginações organizadas. O mundo real seria essencialmente indescritível e inconcebível, por ser uma parte das asserções de Deus, de seus sonhos.

3. Deus (Brahman) pode ser concebido pelo puro conhecimento ou pela meditação não contaminada. Nesse estado, todas as categorias se unem em uma Unidade, transcendendo qualquer forma de dualidade ou pluralidade. Então cessa de existir qualquer interação entre sujeito e objeto, porquanto tudo fica unido à consciência pura.

As idéias de Gaudapara ficaram preservadas na obra intitulada *Mandukya Verses*.

GAULANITES

Esse era o nome de um distrito a leste do mar da Galiléia. Para o sul ampliava-se até Hipos, e para o norte até Selêucida. O nome desse distrito deriva-se da cidade de Golã (vide). As evidências arqueológicas têm localizado a cidade de Golã cerca de vinte e sete quilômetros a leste do mar da Galiléia, perto da moderna cidade árabe de Sheikh Sa'd. Nos tempos do Novo Testamento, essa província foi governada por Herodes Ântipas. Golã era uma das cidades de refúgio e pertencia ao território de Manassés (Jos. 20:8; 21:27; Deu. 4:43).

GAUNILO

Ele foi um erudito beneditino do século XI D.C. Tornou-se conhecido por causa de suas objeções ao Argumento Ontológico (vide). Anselmo pensava que é o insensato que diz que Deus não existe, conforme diz Salmos 14:1. Mas Gaunilo impôs-se a tarefa de defender o insensato. Ele escreveu um livro, cujo título em latim era *Liber pro insipiente*, ou seja, «Livro em Favor do Insensato». Esse livro contém uma crítica contra o argumento ontológico, que não tem sido melhorada em grande coisa através dos anos. O ataque principal desse argumento de Gaunilo é que podemos criar todas as coisas que existem somente em nossa imaginação, mas não podemos criar existências reais através dessa imaginação. Logo, não podemos derivar um argumento em prol da existência do Ser divino somente com base nos conceitos que formamos dele. Podemos imaginar ilhas de grande beleza, lugares paradisíacos e utópicos, mas nossos meros pensamentos não trarão essas coisas à existência. Em outras palavras, não podemos predicar a existência. Não podemos fazer as coisas virem à existência tornando-as predicados em nossa linguagem, ou afirmando-as mediante declarações lingüísticas. Tomás de Aquino aceitava alguns dos raciocínios de Gaunilo contra Anselmo e, por isso mesmo, fez as suas provas da existência de Deus basearem-se sobre

GAUTAMA BUDDHA — GAZA

os princípios de causa, de ser necessário, etc. Ver sobre os *Cinco Caminhos*. No entanto, o argumento ontológico de Anselmo conseguiu reter algo de seu encanto, e os filósofos ainda procuram aplicá-lo. Meu artigo a respeito frisa que o pensamento básico de Anselmo não é a predicação na linguagem, mas a intuição que o homem tem, com base nas experiências místicas. Isso posto, predicamos a existência de Deus porque nós O experimentamos em nossa consciência, a qual, por sua vez, expressa-se através da linguagem. Para que alguém consiga, realmente derrotar o argumento ontológico, primeiro terá de mostrar que as experiências místicas são inválidas.

GAUTAMA BUDDHA
Ver sobre **Buda**.

GAUTAMA NYAYA
Ver sobre **Nyaya**.

GAUTHIER, F.P.
Ver sobre **Maine de Biran**.

GAVIÃO
No hebraico, **neta**, uma palavra que aparece por três vezes com esse sentido: Lev. 11:16; Deu. 14:15 e Jó 39:26. Nossa versão portuguesa diz «falcão», na última dessas referências. No mundo existem cerca de dezoito espécies de gavião, variando em tamanho desde uma ave bem pequena até pássaros volumosos. O termo é usado para incluir desde o gavião pardal até o abutre. Mas a maioria das traduções e versões elimina o milhafre, que é um falconídeo. Cabe aqui, novamente, um reparo feito em outros verbetes. As palavras hebraicas referentes às espécies animais por muitas vezes confundem os estudiosos, pois os hebreus não classificavam cientificamente a fauna e a flora, dando nomes às espécies muito mais pela aparência das mesmas.

Até hoje a região da Palestina é rica em aves de rapina. As disposições levíticas proibiam a ingestão de suas carnes (Lev. 11:13). Ver o artigo separado sobre *Limpo e Imundo*, que inclui comentários sobre os animais assim classificados, juntamente com as leis que governavam essas questões, em Israel.

Usos Metafóricos. O gavião é um símbolo de crueldade sem misericórdia. A maioria das espécies compõe-se de caçadores implacáveis. Além disso, fala-se em *olhos de gavião*, indicando aqueles que observam atentamente aos outros, a fim de tentarem descobrir algo que possam criticar nas pessoas. Ou então, a visão fantasticamente aguçada do gavião pode ser empregada como figura para a percepção aguda, física ou mental.

GAY, JOHN
Suas datas foram 1699—1745. Ele foi um filósofo inglês, educado em Cambridge e um dos mais importantes precursores do *utilitarismo*. Temos provido uma detalhada exposição de seu sistema no artigo sobre a *Ética*, como também sob o título *Utilitarismo*. Ver também sobre *Jeremias Bentham*.

Gay acreditava que a felicidade humana é o grande alvo da ética, uma felicidade derivada da vontade de Deus. Seu tipo teísta de utilitarismo foi, posteriormente, secularizado. Buscando um conceito unificador da virtude, ele queria encontrar algo condizente com a natureza e a razão, que se adaptasse bem às coisas. Em outras palavras, algum tipo de bem comum e universal, que promovesse o bem-estar de todos os homens. Assim, ele criou uma *regra de vida*, que, segundo ele imaginava, cumpria suas aspirações e a *felicidade*, de uma vez por todas. Essa era a substância daquela regra. Visto que somente Deus faz os homens sentirem-se felizes ou infelizes, ele baseava a felicidade sobre a vontade de Deus, supondo que a felicidade é o que realmente Deus quer para toda a sua criação. Supomos que Deus é supremamente feliz; e assim, quando buscamos a Deus, necessariamente compartilhamos dessa sua condição. Ele cria que o homem deve adquirir ativamente o conhecimento dessa grande virtude moral, procurando então propagá-la, visto que a mesma não é uma idéia inata ao homem. Ele dava grande valor ao princípio da busca pelo prazer e do evitar a dor (hedonismo), como a maneira prática de alguém adquirir a felicidade. A felicidade de cada indivíduo dependeria, além disso, da felicidade de todos os homens, pois o homem seria um animal comunal. Assim, devo estimar aqueles que buscam a minha felicidade, e eles haverão de me estimar, se eu buscar a felicidade deles.

GAZA
Esboço:
I. Caracterização Geral
II. Localização e Características Geográficas
III. Dados Históricos

I. Caracterização Geral
Gaza era uma das principais cidades dos filisteus, na parte sudoeste da Palestina. Era aquela que se achava mais ao sul, a pequena distância das margens do mar Mediterrâneo, no caminho que levava da Palestina ao Egito. Ficava situada à margem da estrada de Acabá a Hebrom, que atravessa quase todo o comprimento do grande wady el-Arabá. Trata-se de um local habitado pelos homens desde a mais remota antiguidade, mencionada em Gên. 10:19. Era originalmente habitada pelos aveus, que foram, finalmente, expulsos pelos caftorins (ver sobre *Caftor*; Deu. 2:23). Assinalava a fronteira sul da terra de Canaã (Gên. 10:19). Josué conquistou essa cidade, ampliando a sua campanha militar até àquele lugar (Jos. 10:41). No entanto, Josué poupou os anaquins, ou gigantes, que ali viviam (ver Jos. 11:21,22). Quando o território foi partilhado entre as tribos de Israel, essa área tornou-se parte de Judá (Jos. 15:47). O reino de Salomão incluía esse lugar (I Reis 4:24). Ezequias feriu os filisteus até Gaza (II Reis 18:8). A história de Israel corre em contínuo paralelo com a história dos filisteus, visto que esses dois povos viviam em constante contacto e conflito. Às vezes vencia um dos lados e outras vezes, o outro.

A antiga Gaza era chamada *Deserto de Gaza*, tendo sido destruída pelo rei hasmoneano Alexandre Janeu, em 93 A.C. Em 57 A.C., Gabínio, governador romano, fundou a nova cidade de Gaza, um tanto mais próxima do mar Mediterrâneo. Alguns arqueólogos e historiadores localizam o local do batismo do eunuco etíope cerca de três quilômetros ao norte de Azoto, perto do cômoro da cidade de Asdode, dos filisteus. Ali fica o único lugar onde havia água potável naquela porção da rota das caravanas que levava a Gaza. Em tempos antigos, Gaza fora uma cidade fortificada, que resistiu a Alexandre, o Grande, por nada menos de cinco meses. Foi novamente destruída pelos romanos, depois que começou a guerra destes com os judeus, em cerca de 70 D.C. Gaza era uma das cinco principais cidades da Palestina. (Quanto às histórias do A.T., associadas com *Gaza*, ver os

GAZA

trechos seguintes: Deut. 2:23; Gên. 10:19; Jos. 10:41; 11:21,22; 13:3; 15:47; Juí. 1:18; 16:1-3,21-31; Jer. 47:1; Amós 1:6,7 e Sof. 2:4 e 9:5).

É bem provável, embora não seja certo, que a antiga cidade de Gaza seja atualmente representada por Tell El-Ajjul, cerca de quase quatro quilômetros da costa do Mediterrâneo. O arqueólogo Flinders Petrie escavou ali de 1930 a 1934, e descobriu cinco níveis distintos de ocupação humana, as primeiras quatro camadas pertencentes à Idade do Bronze Média, e a quinta pertencente à Idade do Bronze Posterior (3000 A.C.—1000 A.C.).

O novo local, fundado por Gabínio, governador romano, que fica mais próximo do mar Mediterrâneo, também tem sido explorado pela arqueologia; porém, sendo uma localidade ocupada hoje em dia, não têm sido muito satisfatórios os resultados obtidos nessas escavações.

«Gaza era aldeia que ficava cerca de quatro quilômetros da beira-mar; era a última cidade pela qual passavam os viajantes que íam da Fenícia ao Egito, e ficava na entrada do deserto, de conformidade com a narrativa dada por Adriano, em Exped., Alex. liv. ii. cap. 25». (Adam Clarke, *in loc.*).

II. Localização e Características Geográficas

Além daqueles particulares mencionados na primeira seção, acima, devemos observar que Gaza ficava cerca de oitenta quilômetros a noroeste de Jerusalém e a quase cinco quilômetros terra adentro, para quem parte das margens do Mediterrâneo. Ficava cerca de dezenove quilômetros ao sul de Asquelom, uma outra das grandes cidades filistéias. Gaza ficava situada em uma colina, em meio à uma planície fértil, e contava com quinze fontes de água fresca, o que fazia a agricultura da região ser muito próspera. Tornou-se um centro de comércio, bem como um lugar onde exércitos estacavam, a fim de refrigerar suas tropas e suas montarias.

III. Dados Históricos

A primeira referência bíblica a Gaza acha-se em Gên. 10:19, onde ela é mencionada como uma das cidades fronteiriças dos cananeus. Já existia e prosperava antes mesmo do período de Abraão, quando o território dos cananeus ia desde Sidom (ao norte), até Gerar e Gaz (a sudoeste). Os mais antigos habitantes do lugar foram os aveus (Deu. 2:23). Nos dias de Josué, os aveus e os cananeus controlavam toda aquela área(Jos. 13:3,4). Gaza é mencionada no monumento de Tutmés III, que usava a mesma como base de suas guerras contra a Síria (cerca de 1480 A.C.). A invasão da Palestina, por parte dos filisteus, ocorreu em cerca de 1200 A.C., e foi então que Gaza se tornou uma das principais cidades da Filístia. Quando Israel também chegou àquela região geral, houve séculos de entrechoques, em que a sorte das armas sorriu ora para um lado ora para outro. Antes desse acontecimento, e durante longo tempo, o Egito havia dominado a região (séculos XV e XIV A.C.). O tablete nº 320 de Tell el-Amarna alude às relações entre o Egito e essa área, ainda que ali a cidade de Gaza não seja especificamente mencionada. E o tablete nº 289 dessa mesma coleção menciona Gaza e refere-se a dificuldades com os 'Apiru, o que, quase sem dúvida alguma, , é uma referência aos hebreus, que estavam conquistando a terra. Até tão tarde quanto 1200 A.C., o Egito exerceu grande influência sobre a região, conforme nos mostra o Papiro Anati I, dos fins da XIX Dinastia egípcia.

Foi em Gaza que Sansão realizou seu feito de prodigiosa força física de arrancar os portões da cidade, levando-os até Hebrom (Juí. 16:1-3). Mais tarde, porém, terminou encarcerado naquela mesma cidade (Juí. 16:21). Foi nessa cidade que os filisteus expuseram-no ao ridículo público, depois de lhe terem cegado ambos os olhos. Foi ali que eles celebraram sua vitória, em honra a seu deus, Dagom. E também foi ali que Sansão derrubou a casa onde estavam os filisteus em grande número, ao quebrar as colunas que sustentavam a mesma (Juí. 16:33 *ss*).

Salomão estendeu o seu reino até àquela cidade (I Reis 4:24); mas a mesma acabou voltando aos filisteus (I Sam. 6:17; II Reis 18:8). Ezequias obteve ali uma vitória temporária (II Reis 18:8). Em 734 A.C., Tiglate-Pileser III fez de Gaza uma cidade tributária da Assíria. Esse monarca assírio recebeu ouro, prata, vestes de linho e outros itens valiosos, que lhe foram enviados pelos habitantes dessa cidade. Gaza, pois, tornou-se parte do império assírio, embora os filisteus tivessem continuado a exercer alguma influência sobre aquela região.

Em 704 — 681 A.C., Senaqueribe guerreou contra as cidades de Judá e as dominou (701 A.C.; II Reis 18:13), e, então, trancou Ezequias em Jerusalém como se ele fosse um pássaro engaiolado, conforme ele se jactou. O país foi devastado em redor, embora Jerusalém se tivesse aguentado ainda por algum tempo. Um certo Silibel tornou-se governador de Gaza, mas sujeito à Assíria. Outros dirigentes filisteus também governaram, mas como meros títeres. Depois a região foi dominada pelos persas, somente para estes serem, por sua vez, derrotados por Alexandre, o Grande, em 332 A.C. Foi então que Gaza tornou-se uma cidade helenista. Durante o período romano, a mesma tornou-se um centro da Igreja cristã. As tradições afirmam que Filemom, a quem Paulo escreveu uma das epístolas do Novo Testamento, foi o primeiro pastor ou bispo de Gaza. A única referência a essa cidade, no Novo Testamento, fica em Atos 8:26, onde se menciona uma estrada que ia de Jerusalém a Gaza. Diodoro (19,80), referiu-se a uma antiga Gaza; e também pode ter havido uma nova Gaza, construída ligeiramente mais ao sul da cidade original. Josefo refere-se a Gaza como uma das cidades costeiras (*Anti*. 14:4,4), sendo bem provável que ele estivesse aludindo à nova cidade. É possível que as palavras que encontramos nesse trecho do Novo Testamento, «este se acha deserto», seja uma alusão à estrada que atravessava o deserto, e que ia até Gaza. Estrabão (16.2, 30) também disse que Gaza ficara deserta (no grego, *éremos*), após a sua destruição por parte das tropas de Alexandre, o Grande; mas é provável que ele se tenha equivocado, querendo referir-se a Alexandre Janeu.

Em 66 D.C., Gaza foi atacada e destruída por um contingente de judeus rebeldes, segundo nos diz Josefo (*Guerras* II.18,1). Porém, visto que chegaram até nós moedas pertencentes ao período de 68 a 74 D.C., temos de concluir que essa destruição foi parcial, ou que não demorou a ser reconstruída a cidade. Nos séculos II e III D.C., a cidade era um próspero centro da cultura greco-romana. A Igreja cristã tinha ali um de seus centros de atividade. No entanto, os árabes ocuparam-na em 634 D.C. O segundo califa, Omar I, governou e prosperou ali. O túmulo de Hasim, o bisavô de Maomé, está localizado ali, de acordo com uma tradição islâmica. Al-Shafi'i, o principal sistematizador da lei islâmica, nasceu ali, em 767 D.C. Durante as cruzadas, o lugar foi temporariamente cristianizado de novo, e foi ali erigida a chamada igreja de São João. Entretanto, a cidade tornou a cair nas mãos dos árabes e, posteriormente, esse templo cristão tornou-se a atual grande mesquita islâmica da cidade.

GAZA — GEAZI

Os turcos conquistaram a cidade em 1517. Napoleão conquistou-a em 1799. Os britânicos dominaram-na durante a Segunda Guerra Mundial. Durante o mandato britânico sobre a Palestina, Gaza tornou-se a sede do governo do distrito do mesmo nome. Terminado esse mandato, o exército egípcio ocupou o lugar, em 1948. Em uma área com apenas trezentos e noventa quilômetros quadrados, tornou-se o abrigo de cerca de duzentos e cinqüenta mil refugiados árabes, que passaram a ocupar a área juntamente com seus oitenta mil habitantes originais. De acordo com os termos da Resolução da Partilha da Palestina, das Nações Unidas, de 29 de novembro de 1947, Gaza e suas cercanias haveriam de formar parte de um estado árabe palestino; mas, os conflitos que houve pouco depois, impediram essa realização. A chamada Faixa de Gaza continuou sob o controle dos egípcios até 1967, quando, novamente, passou para as mãos do estado de Israel. Sua população atual é de cerca de meio milhão de habitantes.

Nenhuma pesquisa arqueológica de vulto tem sido possível em Gaza. Ver o artigo geral sobre *Filisteus, Filístia*. (AM PRI SMI)

GAZALI, AL

Ver **Al-Gazali**.

GAZÃO

Vem de uma palavra hebraica derivada do termo que significa «lagarta» (ver Amós 4:9). Esse foi o nome de um dos chefes de uma família de netinins, que retornaram após o cativeiro babilônico, em companhia de Zorobabel (em 536 A.C.), e que fixaram residência em Jerusalém. Ver Esd. 2:28; Nee. 7:51. A forma variante *Gazera* aparece em I Esdras 5:31.

GAZARA

Ver sobre **Gezer**.

GAZELA

No hebraico, **tsebi**, «gazela». Esse mamífero é mencionado por catorze vezes (ver Deu. 12:15,22; 14:5; 15:22; II Sam. 2:18; I Reis 4:23; I Crô. 12:8; Pro. 6:5; Can. 2:7,9,17; 3:5; 8:14 e Isa. 13:14). Trata-se de um antílope pequeno, de formas graciosas, com chifres recurvos e olhos grandes e gentis (gênero *Gazella*). Até hoje é comum no norte da África e na Arábia. Já foi comum em muitas regiões da Palestina e países adjacentes, mas agora o local mais próximo dali onde ele aparece é o Curdistão. Ver *Veado* quanto à discussão geral a respeito desse animal.

GAZER

Ver sobre **Gezer**.

GAZERA

Ver I Macabeus 4:15; 7:45; e 13:43. Esse é um dos nomes alternativos da cidade de *Gezer* (vide). Em Esdras 2:48 e Nee. 7:51, essa cidade aparece com o nome de Gazão (vide).

GAZEZ

Esse nome vem de um termo hebraico que, provavelmente, significa «tosquia» ou «tosquiador».

Esse é o nome de duas personagens, referidas no Antigo Testamento, em um único versículo, I Crônicas 2:46.

1. Um filho de Calebe por meio de Efá, sua concubina. Viveu por volta de 1520 A.C.

2. Um neto de Calebe, filho de Jefuné. Esse Gazez era filho de Harã. Viveu por volta de 1500 A.C.

Uma outra opinião é que a palavra «Gazez» pode referir-se a uma família calebita derivada de um filho ou irmão de Harã. Essa é a opinião de muitos comentadores modernos, em contradistinção à idéia exposta em «um» e «dois», acima, de que seriam dois homens com esse mesmo nome, um filho e outro neto de Calebe.

GEADA

No hebraico, **qerach**. Essa palavra significa «cristal», «gelo» e «geada». Nesse último sentido aparece por três vezes: Gên. 31:40; Jó 37:10 e Jer. 36:30. Há uma outra palavra hebraica, *chanamal*, que também tem sido traduzida por «geada», em algumas traduções, mas que, na realidade, significa «saraiva». Ver Salmos 78:47, onde a nossa versão portuguesa a traduz por «chuvas de pedra».

Uma segunda palavra hebraica é *kephor*, «geada», que também figura por três vezes: Êxo. 16:14; Jó 38:29 e Sal. 147:16. Essa palavra vem de um verbo que significa «cobrir», podendo referir-se à geada verdadeira, ao gelo ou à neve.

Uma leve camada de geada é freqüente em certos períodos do ano, na Palestina. Assim, sobre a superfície de uma lagoa, aparece uma camada fina de gelo. O clima, na região, é bastante divergente. A neve precipita-se nos lugares mais elevados, embora não em quantidade e nem freqüentemente. Além disso, há regiões de deserto nas terras baixas.

A geada forma-se quando a temperatura cai subitamente, por causa de correntes de vento e massas de ar. No clima da região da Palestina também caem a saraiva, a neve e o orvalho gelado.

GEAZI

Há quem pense que, no hebraico, o nome significa «negador» ou «diminuidor», mas outros pensam que significa «vale da visão». Esse foi o nome de um servo especial e de confiança de Eliseu. Ele é mencionado por doze vezes, pelo seu próprio nome: II Reis 4:12,14,25,27,29,31; 5:20,21,25; 8:4,5.

A história relatada sobre ele, nas Escrituras, em cada lance acompanha incidentes da vida de seu senhor. Os incidentes específicos relacionados a ele, são os seguintes:

1. Em I Reis 4, Geazi sugere a Eliseu que a melhor maneira de recompensar à mulher sunamita, por sua bondade e gentileza, seria prometer-lhe um filho. Com o tempo, nasce o menino; mas, quando já andava, a criança morre. Geazi é enviado pelo profeta a fim de deitar o cajado de profeta sobre a criança, na esperança de fazê-la reviver. Mas isso não funcionou, pelo que Eliseu precisou ir pessoalmente, a fim de ressuscitar o garoto.

2. Em II Reis 5, lemos a narrativa sobre a cura da lepra de Naamã. Este desejou recompensar a Eliseu com dinheiro, mas o profeta não estava interessado no dinheiro. Em um momento de cobiça, Geazi resolveu ficar com o dinheiro para si mesmo. Por essa razão, ele foi atrás do general sírio, dizendo-lhe, mentirosamente, que Eliseu havia mudado de parecer. Geazi ficou com o dinheiro, mas, logo em seguida, foi castigado apanhando lepra. Não obstante, foi

GEBA — GEBAL

declarado limpo, e pôde continuar em companhia de seu senhor. Não sabemos dizer se ele foi afetado ou não pela verdadeira lepra, porquanto várias afecções da pele, chamadas de «lepra» no Antigo Testamento, não eram a verdadeira lepra. Os antigos não tinham meios para classificar de modo estrito as enfermidades.

3. Em II Reis 8:1-6 encontramos Geazi a narrar ao rei Jorão os grandes feitos de Eliseu, bem como as operações da providência de Deus. Sucedeu que enquanto a narrativa estava sendo feita, quando a mulher cujo filho tivera sua vida restaurada, apareceu diante do rei reclamando suas terras e sua casa que lhe haviam sido usurpadas, enquanto ela estivera ausente, durante um período de fome. O rei ficou impressionado pela coincidência e atendeu-a sem tardança. Na verdade, existem coincidências significativas. Ver o artigo sobre o *Acaso*.

GEBA

No hebraico, «colina», «altura». Em algumas traduções aparece com a forma de Gaba. Ver Jos. 18:24; Esd. 2:26; Nee. 7:30. Esse era o nome de uma cidade do território de Benjamim, a nordeste de Gibeá e a leste de Gibeão. Foi entregue à tribo de Levi (Jos. 21:17; I Crô. 6:60). O local foi usado como acampamento, por Saul e Jônatas, quando se opunham aos filisteus, localizados em Micmás (I Sam. 13:16). Davi combateu esses mesmos adversários, nesse mesmo lugar (II Sam. 5:25). Em Esdras 2:26 e Neemias 7:30, o nome é dado em relação àqueles que retornaram do cativeiro babilônico. Os benjamitas vieram a residir ali, após o exílio babilônico. E dali saíram cantores que ajudaram na dedicação do novo templo de Jerusalém (Nee. 10:29). Todavia, não deveria ser confundida com a Gibeá de I Sam. 13:3. Os eruditos identificam-na com a moderna Jeba, a onze quilômetros a nordeste de Jerusalém e a três quilômetros a leste de Ramá.

GEBAL

No hebraico, uma **linha**. Provavelmente indica uma «fronteira». Esse é o nome de uma cidade e de um distrito, referidos nas páginas do Antigo Testamento:

1. A cidade chamada por esse nome era uma antiqüíssima cidade fenícia, cujos habitantes dedicavam-se ao comércio por todo o mar Mediterrâneo. Modernamente é chamada Bebeil, cerca de quarenta quilômetros ao norte de Beirute. Essa cidade é mencionada somente em Jos. 13:5 e I Reis 5:18. O nome grego dessa cidade era Biblos, isto é, «livro», visto que ali se fabricava um tipo de papel, feito com canas de papiro. No trecho de Jos. 13:5 encontramos o vocábulo «gibleus», que eram os habitantes de Gebal. Em I Reis 4:18 aprendemos que Salomão contratou dali certos pedreiros, para que ajudassem na construção do templo de Jerusalém. Também eram peritos construtores de navios e marinheiros (Eze. 27:9). Populações dessa área ajudaram na colonização da área do mar Mediterrâneo. Ver o artigo separado sobre a *Fenícia*. Os fenícios, naturalmente, eram cananeus. Ver sobre *Canaã e Cananeus*. O comércio era muito ativo entre esse lugar e o Egito, e as embarcações empregadas nesse intercâmbio eram chamadas *viajantes de Biblos*. Os artigos importados eram equipamentos para a construção de navios, madeiras de construção e para móveis, pinho, cedro para muitos usos, incluindo para a feitura de esquifes de múmias, resinas para mumificação, etc. As importações incluíam o papel, vasos de ouro e de prata, perfumes, tecidos de linho, cordas e couros de gado vacum. A lenda do sacerdote Wen-Amon menciona o couro como um dos produtos envolvidos no comércio que estava sendo promovido entre o Egito e Biblos, em cerca de 1100 A.C. As cartas de Tell el-Amarna também mencionam esse comércio entre o Egito e Biblos. As escavações arqueológicas têm mostrado que esse lugar vinha sendo ocupado pelos homens desde cerca de 5000 A.C. O sarcófago de Airão, rei de Biblos, tem inscrições alfabéticas, as quais foram um estágio dentro do desenvolvimento do alfabeto fenício.

Dados Históricos. A arqueologia tem mostrado que essa área vinha sendo ocupada desde os tempos neolíticos, ou seja, desde o quinto milênio A.C. Desse remoto período foram encontradas ruínas de muralhas antigas, um castelo e um templo. Ali havia vilas, bem como por toda a parte ocidental da Ásia, já nesse tempo. Na era calcolítica posterior, Gezer e Gebal tinham uma população que vivia em cabanas circulares ou retangulares. Eles usavam prata nos seus enfeites, e sepultavam seus mortos em grandes urnas de barro.

No quarto milênio A.C., havia um florescente comércio entre essa região e o Egito. Inscrições em selos evidenciam que as rotas comerciais atravessavam a Palestina e a Síria.

Em cerca de 2800 A.C., Gebal foi incendiada, embora não muito depois tivesse sido reconstruída. Isso sucedeu durante a época do antigo reino do Egito. Gebal era uma virtual colônia do Egito, um lugar-chave para seu comércio exterior e também para suprimento de cedros vindos do Líbano. O templo de Baaltis foi erigido durante esse tempo, e o Egito tinha participação ativa no culto que ali se processava.

Pelos fins do terceiro milênio A.C., já havia sido desenvolvida uma escrita silábica em Gebal, que utilizava hieróglifos egípcios adaptados. Inscrições feitas sobre chapas de cobre nos dão idéia desse tipo de escrita. Os nomes pessoais e locativos envolvidos são semíticos, provavelmente amorreus.

O Egito desfrutou de sua era mais próspera durante o reino médio (XII Dinastia). Nesse tempo, a maior parte da Palestina, incluindo a área de Gebal, esteve sobre o domínio egípcio, e Gebal servia como colônia egípcia. Era importante como entreposto comercial.

As chamadas cartas de Tell el-Amarna incluem mais de cinqüenta missivas que o rei Ribadi, de Gebal, enviou a Faraó, rei do Egito. Ele permanecia fiel ao Egito. Foi nesse período histórico que os *habiru* (hebreus) estavam conquistando a terra de Canaã.

Na época de Ramsés II (cerca de 1290 — 1224 A.C.), Gebal, além de suas atividades comerciais, também atuava como fortaleza de fronteira para a província egípcia de Canaã. Os povos do mar (vide) destruíram essa cidade em 1194 A.C., quando estavam a caminho do Egito, contra o qual guerrearam. Isso debilitou o Egito, afrouxando o seu domínio sobre a região de Gebal.

O poder assírio dominou todo o mundo antigo e, sob os monarcas Assurnasirpal (883 — 859 A.C.), Tiglate-Pileser III (745 — 727 A.C.), Senaqueribe (705 — 681 A.C.), Esar-Hadom (681 — 669 A.C.) e Assurbanipal (669 — 627 A.C.), Gebal foi submetida a essa potência estrangeira, tendo sido forçada a pagar tributos.

À medida que outros poderes mundiais foram surgindo, como a Babilônia, a Pérsia, a Grécia e Roma, a cidade de Gebal, com toda a área em derredor, tornou-se, sucessivamente, sujeita a cada um deles. Também há ruínas de um castelo construído pelas cruzadas, no século X D.C.

GEBER — GEDERATITA

2. Indicando um distrito geográfico, esse nome aparece em conexão com Amom, Amaleque, Moabe e Edom. A única referência bíblica a esse distrito fica em Sal. 83:7, estando em foco uma área ao sul do mar Morto, perto da cidade de Petra, em Edom. Essa região, a nordeste de Edom, também era conhecida por Temã. Os habitantes da região se aliaram aos moabitas e aos árabes, contra Israel.

GEBER

No hebraico, «guerreiro» ou «forte». Esse é o nome de duas personagens que figuram nas páginas do Antigo Testamento, a saber:

1. Geber, filho de Uri (I Reis 4:19), que estava encarregado do distrito de Gileade, da parte oriental do rio Jordão e do sul de Ramote-Gileade. Alguns eruditos supõem que esse Geber, e o de número «dois», abaixo, teriam sido o mesmo indivíduo. Viveu em torno de 1020 A.C.

2. Ben-Geber (I Reis 4:13). Foi um dos oficiais de Salomão, encarregado de prover suprimento alimentício para a corte real. Foi governador do distrito de Ramate-Gileade, a leste do rio Jordão, ou seja, Havote-Jair e o distrito de Argobe. Se não era o mesmo homem do número «um», acima, então era filho daquele. Viveu por volta de 1000 A.C. Por um erro tipográfico, lemos *Ben-Geder* em nossa versão.

GEBIM

No hebraico, «fontes», «cisternas», «valetas». Esse nome refere-se a uma aldeia do território de Benjamim, mencionada na lista de lugares conquistados pela Assíria. Esse nome ocorre exclusivamente em Isa. 10:31. Ficava localizada entre Mademena e Nobe. Eusébio, em seu *Onomasticon*, identificou a cidade grega de *Geba* com essa localidade, o que seria o moderno wadi el-Gib; mas há muitas dúvidas quanto a tal identificação. Outras sugestões são Khirbet ed-Duweir e Bath el-Battash, embora não haja certeza sobre coisa alguma. Comparar com *Gobe*.

GEDALIAS

No hebraico, «Yahweh é grande», ou então «engrandecido por Yahweh». Esse foi o apelativo de cinco personagens referidas no Antigo Testamento, a saber:

1. Um filho de Jedutum e seu segundo auxiliar no coro de levitas organizado por Davi para os cultos religiosos do templo de Jerusalém. Seu nome ocorre somente em I Crô. 25:3,9. Viveu por volta de 960 A.C.

2. Um filho de Amarias e avô do profeta Sofonias (Sof. 1:1). Viveu em torno de 635 A.C.

3. Um filho de Pasur, um daqueles que faziam oposição ao profeta Jeremias (Jer. 38:1-3). Viveu por volta de 590 A.C.

4. Um sacerdote da época de Esdras, que se casara com uma mulher estrangeira e teve de se divorciar dela após o exílio (Esd. 10:18). Viveu em torno de 456 A.C.

5. O filho de Aicão e neto de Safã, secretário do rei Josias. Foi nomeado governador de Judá, por Nabucodonosor, após a destruição de Jerusalém, em 583 A.C. Seu nome ocorre por vinte e sete vezes: II Reis 25:22-25; Jer. 39:14; 40:5-9, 11:16; 41:1-4,6,9, 10,16,18; 43:6. Isso ocorreu quando o poder da Babilônia atingira o seu ponto culminante. Seu pai fora um homem moderado, que havia protegido a

Jeremias; e os babilônios julgaram que ele daria continuidade à política de seu genitor, pelo que lhes pareceu aceitável como governador nomeado. Ver Jer. 26:24. De fato, herdou a moderação de seu pai e o respeito por Jeremias (Jer. 40:5 ss). Nebuzaradã ordenou-lhe que protegesse ao profeta (Jer. 39:11-14). Gedalias estabeleceu o seu governo em Mispa, para onde tinham acorrido muitas pessoas, em face do avanço do exército babilônico. Ele procurou ajudar àqueles que haviam fugido, evitando envolvimentos e intrigas políticas e militares. Por essa razão, rejeitou o esquema de Joanã, filho de Careá, para assassinar a Ismael, filho de Netenias. Todavia, a moderação de Gedalias não impediu que fosse envolvido nos acontecimentos, em um período de grande violência. Após somente dois meses de governo, ele com muitos líderes judeus e soldados babilônios ali acampados, foram mortos por Ismael. Os judeus sobreviventes, fugiram para o Egito, a fim de tentarem escapar da indignação dos babilônios, que certamente se faria sentir em breve. Jeremias foi forçado a acompanhá-los ao Egito. Esse evento pôs fim a todas as esperanças de Israel poder manter qualquer forma de independência, sob o domínio da Babilônia. O que restava do povo de Israel agora achava-se na própria Babilônia, até após o retorno do exílio babilônico, quando começou uma nova fase na história do povo de Israel. A tradição judaica honra a Gedalias, rememorando o seu nome com um dia de jejum. Essa celebração ocorre no terceiro dia do mês de Tisri, que teria sido a data de seu falecimento. Ver Zac. 7:5; 8:19. Foi encontrado um selo em Laquis, com a seguinte inscrição: «De Gedalias, que está sobre a casa».

GEDER

No hebraico, «murada». Foi uma cidade real dos cananeus, conquistada por Josué. É mencionada somente em Josué 12:13, em toda a Bíblia. Ficava perto de Debir (vide). Alguns a têm identificado com Gedor (vide). Essa cidade ficava localizada na planície de Judá, na vertente ocidental da região montanhosa de Judá, na Sefelá. Um cidadão dessa localidade, chamado de «o gederatita», e cujo nome pessoal era Jozabade, é mencionado em I Crônicas 12:4. Ele se aliou a Davi, em Ziclague. Porém, outros estudiosos pensam que sua terra natal era *Gederá* (vide), no território de Benjamim. Assim sendo, deveria ser identificada com a moderna Jidireh ou com a Khirbet Gudeira, embora não haja certeza quanto a isso.

GEDERÁ

No hebraico, «curral de ovelhas». Nome de uma cidade de Judá. Essa palavra reflete a forma feminina de Geder (vide). É mencionada somente em Jos. 15:36. E a forma plural desse nome é Gederote (Jos. 15:41). Era um dos catorze locais da Sefelá (colinas baixas), alistados em Jos. 15:33-36. Era local do nascimento de certos artífices habilidosos que serviam como oleiros do rei (I Crô. 4:23). Vários locais modernos têm sido sugeridos como a identificação certa, principalmente Jidiré, cerca de seis quilômetros e meio a noroeste de Zorá e Estaol. Todavia, nada podemos dizer de certo quanto a isso. Interessante é observar que a *Gadara* (vide) do Novo Testamento, provavelmente, emprestou seu nome da antiga palavra hebraica que está sendo discutida.

GEDERATITA

Ver sobre **Geder**.

GEDERITA — GEENA

GEDERITA

Um nativo de Geder ou de Gederá (vide). Era um epíteto de Baal-Hanã, um homem que foi nomeado por Davi como supervisor de seus bosques de oliveiras e de sicômoros, nas planícies baixas de Judá (I Crô. 27:28). Deve ter vivido em torno de 1000 A.C.

GEDEROTAIM

No hebraico, «dois currais de ovelhas». O trecho de Josué 15:33-36 menciona catorze cidades, e essa é a última delas. A Septuaginta traduz por «Gederá e seus currais de ovelhas», dando a entender que não haveria qualquer lugar distinto (em contraste com Gederá, vide). Mas isso seria tradução do hebraico Gederothaih, e não Gederothaim, conforme diz o texto massorético. Se porventura tratava-se de uma cidade distinta, então podemos presumir que ficava perto de Gederá; porém, não podemos dizer mais do que isso.

GEDEROTE

Essa é a forma plural de Gederá (vide). Significa «currais de ovelhas». Aparece na lista de cidades que figura em Jos. 15:37-41, ou seja, as cidades a sudoeste de Jerusalém. Era uma cidade da planície de Judá, que os filisteus tomaram do rei Acaz (II Crô. 28:18). Parece que Gederote não é o mesmo lugar que Gederá. Sua localização geral pode ser determinada por sua associação com outras cidades mencionadas naquela lista. Alguns eruditos têm-na identificado com a Cedrom do período dos Macabeus (I Macabeus 15:39; 16:9). Esta tem sido identificada com a moderna cidade de Qatra, mas esta parece ficar por demais para o ocidente. Nada certo pode ser dito a respeito.

GEDOR (CIDADES)

No hebraico, «muralha». Esse era o nome de várias cidades aludidas no Antigo Testamento, a saber:

1. Uma antiga cidade dos montes de Judá (Jos. 15:58), a pouca distância de Hebrom. Parece que Penuel, pai de Gedor (ver abaixo), foi o fundador dessa cidade. Comparar com I Crô. 4:4. Ela tem sido identificada com Khirbet Gedur, perto de Belém. Talvez fosse a cidade em que habitava Josabade, o gederatita (I Crô. 12:4). Alguns de seus habitantes se aliaram a Davi, em Ziclague, quando ele fugia de Saul (I Crô. 12:7). Entretanto, outros estudiosos pensam que se tratava de uma cidade distinta. Se era uma localidade distinta (Jos. 15:58 e I Crô. 12:7), não relacionada ao mesmo lugar, então poderia ser identificada com a moderna Khirbet Gadeirah, a norte de El Jib.

2. Uma cidade de Benjamim (I Crô. 12:7), discutida sob o primeiro ponto, acima.

3. Uma cidade de Judá (I Crô. 4:18), que talvez deva ser identificada com a de número «um», acima.

4. Uma cidade que, ao que parece, ficava ao sul dos montes de Judá, circundada por férteis pastagens, e que antes havia sido ocupada pelos amalequitas. Ver I Crô. 4:39.

GEDOR (INDIVÍDUO)

No hebraico, «muralha». Esse era o nome de um filho de Jeiel, de Gibeom. Ele era benjamita, antepassado do rei Saul (I Crô. 8:31 e 9:37). Ele viveu por volta de 1100 A.C.

GEENA

No hebraico, «vale do Hinom». Era um vale a sudoeste de Jerusalém, onde, antigamente, era praticada a adoração a Moloque (II Reis 23:10). Com o tempo, o local tornou-se o monturo da cidade, onde havia fogo a queimar continuamente o lixo. Esse nome, pois, tornou-se símbolo da punição futura (I Esdras 27:3; II Esdras 7:36). Os apocalipses judaicos deram ao mundo religioso as suas imagens sobre o juízo. Tais imagens vieram a repousar, de modo literal e popular, nas descrições do julgamento futuro. Em alguns lugares, o Novo Testamento incorporou essas descrições. Daí, obtemos a idéia de chamas literais como a forma de julgamento futuro. Além disso, a palavra Geena tem sido traduzida por «inferno», em muitas traduções, nos trechos de Mat. 5:22,28,30; 10:28; 18:9; 23:15,33; Mar. 9:43,45,47 e Luc. 12:5. Também podemos supor que a Geena equivale ao «lago do fogo», referido em Apo. 19:20; 20:10,14,15. Ver o artigo separado sobre o Lago do Fogo, uma imagem que também foi tomada por empréstimo dos livros pseudepígrafos. As pessoas que insistem que as chamas em questão devem ser entendidas literalmente, também insistem que os vermes do texto do nono capítulo de Marcos também são literais.

O julgamento (vide) não se torna menos literal se intepretarmos as chamas e os vermes de modo figurado. Por outro lado, deveríamos ser sábios o suficiente para reconhecer que as descrições dos livros pseudepígrafos sobre o julgamento final, o que, em alguns trechos são refletidas no Novo Testamento, não têm a palavra final acerca do juízo divino. Assim, o trecho de I Pedro 4:6 refere-se a um julgamento remedial, de tal modo que podemos afirmar que a ira de Deus é um dedo da Sua amorosa mão, pois o julgamento tanto é retributivo quanto é remedial. Cristo, em sua descida ao hades, levou a mensagem do evangelho àquele lugar, universalizando a oportunidade de salvação, embora nem todos aceitem a oferta. Ver o artigo sobre a Descida de Cristo ao Hades. O mistério da vontade de Deus consiste em restaurar aos não-remidos, formando uma unidade em torno de Cristo (Efé. 1:9,10,23). O julgamento final desempenhará certo papel, para efetuar esse grande alvo, visto que Deus pode fazer melhor certas coisas, através do julgamento, do que através de qualquer outro meio. Minha opinião sobre essa questão aparece no artigo geral sobre a Restauração. O julgamento será tão severo e exato quanto tiver necessidade de ser e, em seu aspecto punitivo, perdurará por tanto tempo quanto tiver de sê-lo, a fim de produzir o mistério da vontade de Deus. Essa é a esperança que o evangelho nos apresenta, a qual tem sido obscurecida mediante a insistência sobre a preservação do ponto de vista das obras pseudepígrafas sobre o julgamento. Mas a revelação bíblica vai além desse ponto, apresentando grandes possibilidades de alegria para toda a humanidade.

Visto que somente uma pequena minoria finalmente virá a ser remida (ao passo que todos os outros serão meramente restaurados), o julgamento prosseguirá para sempre, porquanto terá sido perdido aquilo que poderia ter sido ganho (a salvação, na forma de participação na natureza divina; ver II Ped. 1:4; Col. 2:10). Isso constituirá uma perda indescritível, não sendo uma perda desprezível. Não obstante, a graça de Deus é realmente profunda e ampla, provendo uma outra operação sobre as almas, através de Cristo, certamente também gloriosa e magnificente, embora fique muito aquém da obra da salvação. Por quanto tempo o dia da redenção haverá de

GEENA — GEMALI

continuar é uma questão de pura especulação. A narrativa bíblica sobre a descida de Cristo ao hades assegura-nos que a morte biológica do indivíduo não assinala o fim de sua oportunidade. Minha própria opinião é que essa oportunidade continuará pelos ciclos da eternidade; e também que os homens que não foram remidos serão diversificados em várias espécies de ser, os quais não participarão da natureza divina (o que chamamos de «salvação»). Isso posto, essa participação é impedida pela evolução espiritual do próprio indivíduo, que não atinge o ideal do plano remidor. Todavia, mediante o propósito restaurador de Deus, que faz parte do mistério de sua vontade, haverá uma certa recuperação dos perdidos, mesmo que eles jamais cheguem ao nível espiritual dos salvos. O primeiro capítulo da epístola aos Efésios certamente indica que muitas eras estarão envolvidas em todo esse processo. Eis a razão pela qual tenho especulado que estamos tratando de espécies espirituais e de um processo evolutivo espiritual. Para que uma alma humana venha a participar da natureza divina, têm de ocorrer grandes transformações metafísicas, a fim de que seja obtida uma natureza totalmente diferente. Especulo, pois, que o mesmo tipo de processo assinalará o que sucede às almas não remidas, posto que isso venha a envolver essência e natureza diferentes das dos remidos. O trecho de II Cor. 3:18 certamente refere-se a muitos ciclos de evolução espiritual, sempre atingindo estados superiores de glória. Visto que há uma infinitude com que seremos enchidos, sem dúvida também haverá um enchimento infinito. O que é finito jamais chegará a compartilhar da infinitude de Deus, mas poderá ir-se aproximando cada vez mais da infinitude divina, desfrutando de uma crescente plenitude, interminavelmente. Conhecemos pouquíssimo sobre essas questões, embora alguns de nossos conceitos revistam-se de tremendas implicações. E o que sabemos ultrapassa em muito às antigas idéias de estagnação, de um céu fixo para os remidos e de um inferno fixo para os perdidos. Essas idéias simplificam demasiadamente as questões envolvidas e nada nos esclarecem quanto às futuras operações da vontade de Deus, conforme elas são sugeridas, por exemplo, em Efésios 1:9,10. Tenho a confiança de que a missão de Cristo, com base no amor universal de Deus, realizará, finalmente, muito mais do que certos ramos da cristandade estão antecipando atualmente. Em caso contrário, então o amor de Deus realmente é limitado, seu plano apresenta defeitos, e a missão de Cristo falhou quase inteiramente. Ver o artigo separado sobre *Hinom*.

GEILER VON KAISERBERG

Conhecido como João de Kaiserberg. Nasceu em 1445 e faleceu em 1510. Foi um místico e pregador católico romano. Nasceu em Schaffhausen, na Suíça, e morreu em Strasburgo. Educou-se na Universidade de Freiburg, da qual se tornou reitor em 1476. Dois anos mais tarde foi nomeado pregador da catedral de Strasburgo. Pregava sermões eloqüentes e candentes, exigindo reforma. Denunciava as corrupções eclesiásticas e as condições morais lassas de seus dias. Tem sido chamado, por isso mesmo, de «o Savonarola da Alemanha».

GEITESWISSENSCHAFTEN

Vocábulo alemão que significa «ciência da mente», usado em contraste com as ciências naturais. Hegel foi o primeiro a empregar essa palavra para distinguir um dos ramos de sua filosofia de outros ramos, que seriam três: a lógica, a filosofia da natureza e a filosofia da mente. E outros pensadores aproveitaram o termo. Entretanto, H. Rickert usava o vocábulo para aludir àquelas ciências que abordam a história e a cultura.

GELILOTE

No hebraico, «círculos». Esse era o nome de uma localidade existente nas fronteiras do território da tribo de Benjamim, mencionada somente em Jos. 18:17. Ficava no extremo sul da tribo de Benjamin. Na descrição da fronteira norte da tribo de Judá, a mesma localidade aparece como Gilgal, em Jos. 15:7. Por esse motivo, alguns estudiosos pensam que Gilgal é a forma correta do nome. No entanto, essas duas passagens abordam possessões de duas tribos diferentes, pelo que os versículos envolvidos não falam sobre a mesma coisa. A palavra Gilgal significa «círculo», provavelmente, referindo-se a algum círculo feito de pedras, que assinalava um local, talvez uma fronteira. Provavelmente a palavra Gelilote era usada em sentido topográfico, para indicar «fronteiras» ou «área», não havendo uma cidade com esse nome específico.

GELO

No hebraico, **qerach** ou **qorach**, que aparece por apenas três vezes no Antigo Testamento: Jó 6:16; 38:29 e Sal. 147:17, com esse sentido, embora também signifique «geada» e até «cristal». Com o sentido de «geada», também ocorre por três vezes, a saber: em Gên. 31:40; Jó 37:10 e Jer. 36:30. E, com o sentido de «cristal», é usada por uma vez, em Eze. 1:22. O sentido literal dessa palavra hebraica é «liso». Os povos do extremo norte da terra sem dúvida apreciariam o sentido dessa palavra hebraica para «gelo», pois sabem que o gelo é liso e escorregadio, provocando muitas quedas e acidentes durante os meses de inverno.

Na Palestina, a neve depositada no inverno pode atingir cerca de sessenta centímetros de espessura, na cadeia montanhosa central. Isso é, realmente, muito pouco, em comparação com o que sucede nos países mais próximos do círculo ártico. Em Jerusalém, mui ocasionalmente a água gela. Em Ezequiel 1:22, a mesma palavra hebraica é usada para indicar «cristal», visto que muitos antigos supunham que o cristal de rocha (um minério), seria apenas água permanentemente congelada. Em Jó 6:16, a palavra é usada figuradamente, para descrever amigos traiçoeiros. Esses são como torrentes de água, turvas de gelo. O gelo pode simbolizar a indiferença, a hostilidade, o perigo, a ausência de vida, alguma ameaça à vida, a estagnação, os obstáculos à vida, embora também envolva a idéia de preservação, visto que o frio extremo pode ser usado com esse propósito.

GEMALI

Talvez «condutor de camelos», embora muitos estudiosos preferiram pensar em um sentido incerto. Era o nome do pai de Amiel, príncipe ou dirigente de Dã, que se achava entre os espias escolhidos para explorar a terra de Canaã, antes da entrada do povo de Israel ali (Núm. 13:12, única ocorrência do nome). Viveu em torno de 1490 A.C. Foi um dos dez espias a dar um relatório pessimista do que viram na terra de Canaã. Em resultado, não teve permissão de entrar na Terra Prometida, mas pereceu no deserto.

••• ••• •••

GEMARA — GENEALOGIA

GEMARA

Ver o artigo geral sobre o **Talmude**. A palavra *Gemara* vem do árabe e significa «aprendizado». É usada para referir-se aos comentários dos eruditos rabínicos da *Mishna* (vide), que era o código das leis judaicas, formulado pelo famoso rabino Judá I, o patriarca de seus colegas, no começo do século III D.C. Esse código tornou-se o livro de texto das academias palestinas e babilônicas. As discussões orais e escritas desse código foram recolhidas e reduzidas a um escrito posto em boa ordem. Chegaram até nós sob a forma de um Talmude palestino e de um Talmude babilônico. O primeiro originou-se nas academias da Terra Santa, nos séculos III e IV D.C.; e o segundo nas academias da Babilônia, nos séculos III, IV e V D.C. O *Talmude* inclui tanto a *Mishna* quanto os *comentários*, isto é, a *Gemara*. Os mestres da Gemara eram chamados *Amoraim* (intérpretes). Muitos deles abordavam materiais que comentavam como se fossem materiais inspirados. Isso significa que haveria o Antigo Testamento inspirado, e também as tradições relativas ao mesmo, igualmente consideradas inspiradas.

GEMARIAS

No hebraico e no aramaico, «Deus aperfeiçoou», ou *Yahweh fez acontecer*. Esse era o nome de quatro pessoas mencionadas na Bíblia:

1. Um filho de Milquias, enviado pelo rei Zedequias a Nabucodonosor, que levou uma mensagem de Jeremias aos judeus cativos na Babilônia (ver Jer. 29:3). Tal comunicação advertia-os acerca de falsos profetas, que os iludiam com promessas de pronto retorno à sua própria pátria. Viveu em torno de 590 A.C.

2. Um filho de Safã, escriba do templo de Jerusalém nos dias de Jeoaquim. Baruque leu em voz alta as profecias de Jeremias, aos ouvidos do povo, na câmara de Gemarias, vinculada ao novo portão do templo, construído pelo rei Jotão (Jer. 26:10; ver também II Reis 15:35). Micaías, filho de Gemarias, tendo relatado o acontecido a seu pai, produziu as circunstâncias em que Baruque foi convidado a repetir a leitura daquelas profecias, dessa vez no palácio real. Na reunião que então houve, outros escribas e conselheiros estavam presentes, os quais narraram todas essas questões ao rei. Ver Jer. 26:10-24. Isso aconteceu em cerca de 607 A.C.

3. O filho de um certo Hissiliaú, mencionado no ostracon I de Laquis, um caco de barro que data da época de Jeremias. Também tinha o nome de Gemarias.

4. Um oficial militar judeu no Egito, em Elefantina, também atendia por esse nome. Ele é mencionado em dois papiros escritos em aramaico (Cowley 22 e 33). Seu pai aparece ali com o nome de Iedonias.

GENEALOGIA

Ver os artigos separados sobre **Genealogia de Jesus**, o **Cristo**, e **Genealogias**.

Esboço:

I. Definição Geral e Considerações Preliminares
II. Usos da Palavra no Antigo Testamento
III. A Importância dos Registros Genealógicos
IV. Tipos de Genealogias Bíblicas
V. As Genealogias como um Instrumento da Cronologia
VI. Listas Genealógicas do Antigo Testamento
VII. Listas Genealógicas do Novo Testamento
VIII. Genealogias na Moderna Igreja Cristã

I. Definição Geral e Considerações Preliminares

— Genealogia é o estudo da origem, da descendência e da relação entre famílias. Essa palavra deriva-se do grego *genos*, «raça», e *logos*, «discurso». No caso de algumas nações antigas, as genealogias revestiam-se de grande importância, pois as sociedades eram organizadas segundo linhagens tribais. Dentro da cultura dos hebreus, as genealogias preservavam as identificações tribais e as possessões sob forma de terras, sendo muito importantes para uma cultura nitidamente agrícola. Cada geração constitui um grau, sem importar se partimos de um homem para seus ascendentes ou de um homem para seus descendentes. Os pais e os filhos de um homem estão relacionados a ele no *primeiro* grau. Seus avós e seus netos estão relacionados a ele no *segundo* grau. Essa questão é muito importante para a determinação da questão de casamentos legais entre pessoas de uma mesma família. De acordo com as leis civis, irmãos e irmãs estão relacionados entre si no segundo grau, primos-irmãos no quarto grau, e primos secundários no sexto grau. Certas culturas também permitem casamentos entre parentes no quarto grau; mas, geneticamente falando, isso é perigoso.

A *lei canônica* considera irmãos e irmãs relacionados entre si no *primeiro* grau (cada qual está um grau afastado dos pais comuns). E os primos-irmãos estão relacionados no terceiro grau. O costume, nos países cristãos, tem proibido casamentos entre parentes no quarto grau, de acordo com suas leis civis. As leis nacionais mais antigas refletiam isso muito bem; mas as leis modernas mostram-se mais liberais quanto à questão. O parentesco por *afinidade* é um relacionamento criado pelos laços do casamento. Os graus de afinidade também são calculados da mesma maneira que as relações sangüíneas. Alguns povos mostram-se extremamente sensíveis para com casamentos dentro de uma mesma família. Os chineses, para exemplificar, não permitem o casamento de pessoas com o mesmo nome de família, sem importar qual o grau de parentesco.

II. Usos da Palavra no Antigo Testamento

A palavra hebraica **yahas** ocorre somente por uma vez em todo o Novo Testamento, como um substantivo, dentro da expressão *seper hayyahas*, «livro da genealogia» (Nee. 8:5). Ali, refere-se ao registro daqueles que retornaram a Jerusalém em companhia de Sesbazar, após o cativeiro na Babilônia. Em sua forma verbal, a palavra ocorre em Esdras-Neemias e Crônicas, com a idéia de «registrar-se mediante uma genealogia». Ver Esd. 2:62; 8:1,3; Nee. 7:5,64; I Crô. 4:33; 5:1,7,17; II Crô. 4:33; 5:1,7,17; 7:5. O termo hebraico *toledot*, «geração», é usado no sentido de «história genealógica». O termo pode referir-se a linhas familiares específicas, ou então pode ter o sentido vago como registro geral de nomes, sem especificar quaisquer relações de família.

III. A Importância dos Registros Genealógicos

Os hebreus davam grande importância às genealogias, conforme vimos no primeiro ponto, acima. Seus registros contêm genealogias que se estendem por um período de mais de três mil e quinhentos anos, desde a história da criação de Adão até o cativeiro de Judá (cativeiro babilônico). Além disso, na obra de Esdras-Neemias vemos a mesma preocupação, referente ao período após o cativeiro. — O trecho de Esdras 2:63 diz, expressamente, que alguns que

874

GENEALOGIA

vieram de Jerusalém procuraram os seus registros genealógicos. Parte desse interesse consistia no desejo de preservar a função sacerdotal dentro da linhagem das famílias, segundo era especificado na legislação mosaica e na prática. A divisão da nação hebréia inteira em tribos, e a alocação de cada tribo à sua herança, na forma de território, e então para cada família de cada tribo, como sub-herança fazia dos registros genealógicos algo de extrema importância, pois era a base econômica daquele povo voltado para as atividades agrícolas. A expectação messiânica, descendente dos patriarcas, por meio de Davi, também era um importante aspecto do grande valor dado aos registros genealógicos. Os evangelhos de Mateus e de Lucas enfatizam esse aspecto. Era mister que Jesus fosse da casa de Davi, pois o Messias tinha de vir daquela linhagem. Ver Luc. 20:41; Mat. 1:1; 12:35; Lucas 1:27; João 7:42 e Rom. 1:3.

A **literatura rabínica** afiança que, após o cativeiro babilônico, os judeus mostraram-se extremamente cuidadosos em preservar seus registros genealógicos (*Babyl. Gemar.* vol. 14:2). Josefo afirmava que era capaz de provar que descendia da tribo de Levi, mediante *registros públicos* disponíveis. Ver *De Vita Sua*, par. 998. E ele também ajunta que, a despeito dos cativeiros e dispersões sofridos por Israel, as tábuas genealógicas nunca foram negligenciadas. Durante o período de dominação romana, entretanto, houve grande destruição desses registros genealógicos e a preservação das linhagens tornou-se um empreendimento privado e, sem dúvida, inexata. Também sabemos que tanto as genealogias públicas quanto as genealogias bíblicas, com freqüência, envolviam muitos hiatos, alguns deles graves, pelo que consideráveis inexatidões penetraram na questão, mesmo nos tempos antigos, antes do começo do cristianismo.

IV. Tipos de Genealogias Bíblicas

Há três tipos de genealogias nas páginas da Bíblia:

1. Em I Crônicas 1:1 *ss* encontramos uma simples lista de nomes. Podemos supor que essa lista seja apenas representativa e não exaustiva.

2. Em Neemias 7:5, a genealogia aparece como uma simples lista daqueles que voltaram do cativeiro babilônico, sem qualquer referência a relações de família.

3. Também existem listas detalhadas (mas algumas vezes, representativas) de listas de relações de família. Ver Gên. 5; I Crô. 6:33-43; Esd. 7:1-5; e, no Novo Testamento, como exemplo disso, Mateus (primeiro capítulo) e Luc. 3:23.

V. As Genealogias como um Instrumento da Cronologia

O arcebispo Ussher (vide), fazendo cálculos com base nas genealogias do livro de Gênesis, chegou à conclusão de que a criação teve lugar em 4004 A.C. Concedendo uma margem de erro de alguns séculos (ou mesmo milênios), muitos eruditos bíblicos têm utilizado esse tipo de cálculo. Seja como for, mediante esse cálculo, ficamos com um globo terrestre jovem demais, totalmente contrário àquilo que a ciência tem sido capaz de demonstrar. Além disso, esse método não tem como explicar por que motivo a luz continua vindo de galáxias tão distantes quanto dezesseis bilhões de anos luz.

B.B. Warfield mostrou que as genealogias da Bíblia contêm hiatos («The Antiquity and Unity of the Human Race», *Studies in Theology*, 1932). As passagens de Esdras 7:1-5 e Mateus 1:1-17 contêm genealogias representativas, e não exaustivas, completas. Isso pode ser demonstrado mediante a simples

comparação com os registros do Antigo Testamento. Também poderíamos indagar quantos desses registros do Antigo Testamento também são representativos, e não definitivos. Ver Gênesis 5 e 11. O estudioso conservador, Merrill F. Unger, disse sobre esse ponto: «Usar essas listas genealógicas de Gênesis a fim de calcular a data da criação do homem (cerca de 4004 A.C.), conforme fez o arcebispo Ussher, não somente é algo destituído de base, a partir do estudo comparativo das genealogias que há na Bíblia, como também é algo incontestavelmente provado como equivocado, mediante os fatos da arqueologia moderna. A duração total do período desde a criação do homem até o dilúvio, e então do dilúvio até Abraão, não é especificada nas Escrituras. Que as genealogias dos capítulos quinto e décimo primeiro do livro de Gênesis são drasticamente abreviadas, contendo nomes altamente seletivos, é um ponto sugerido pelo fato de que cada lista contém apenas dez nomes, de Adão até Moisés e dez de Sem até Abraão. É perfeitamente evidente que a *simetria* foi o alvo na construção dessas listas genealógicas, e não uma linhagem ininterrupta de pai para filho» (no artigo «Genealogy» no *Bible Dictionary*). E esse mesmo autor continua a fim de dizer que o mesmo princípio atuou nas genealogias de Jesus, em Mateus e Lucas. Ver o artigo separado sobre a *Genealogia de Jesus, o Cristo*, como ampla demonstração desse fato.

Naturalmente, não há manipulação das genealogias que possa fazer Adão retroceder até o começo da criação da terra, pois então já estaremos manuseando com bilhões de anos e não apenas com milhares de anos. Tenho expressado tudo isso no artigo sobre a *Astronomia*, onde é discutida a imensa antiguidade da criação. Ver também sobre *Criação*, especialmente as suas seções II e VII.

Uso no antigo Oriente Próximo. A arqueologia tem mostrado que genealogias representativas, compostas de modo simétrico, eram uma prática comum entre os povos vizinhos ao povo de Israel. Na lista de reis sumérios, *Mes-kiag-Nanna* é chamado de filho de Mes-anni-padda, mas as descobertas arqueológicas têm mostrado que, na realidade, foi seu neto. A palavra *filho*, conforme se vê no vocabulário da língua hebraica, é usada frouxamente para indicar *descendente*. O rei Tiraca (cerca de 670 A.C.) refere-se a Sesostris III (cerca de 1870 A.C.), como seu pai, embora cerca de mil e duzentos anos separassem um do outro. As genealogias árabes exibem o mesmo tipo de fenômeno. Não há qualquer razão para supormos que as genealogias dos hebreus fossem diferentes das de seus vizinhos.

VI. Listas Genealógicas do Antigo Testamento

1. De Adão a Noé (Gên. 4 e 5; I Crô. 1:1-4).

2. Descendentes de Caim (Gên. 4:17-22).

3. Descendentes de Noé com as listas das nações descendentes de Sem, Cão e Jafé (Gên. 10; I Crô. 1:1-23).

4. De Sem a Abraão (Gên. 11:10-26; I Crô. 1:24-27).

5. Os descendentes de Abraão através de Quetura (Gên. 25:1-4; I Crô. 1:32,33).

6. Descendentes de Naor (Gên. 22:20-24).

7. Descendentes de Ló (Gên. 19:37,38).

8. Descendentes de Ismael (Gên. 25:12-18; I Crô. 1:29-31).

9. Descendentes de Esaú (Gên. 36; I Crô. 1:35-54).

10. Descendentes de Jacó: por meio de Lia (Gên. 46:1-6); por meio de Bila (Gên. 46:7,8); por meio de Zilpa (Gên. 46:9,10); por meio de Raquel (Gên. 46:11,12).

875

GENEALOGIA DE JESUS, O CRISTO

11. Descendentes de Rúben (Gên. 46:9; Êxo. 6:14; Núm. 26:5-11; I Crô. 5:1-10).

12. Descendentes de Simeão (Gên. 46:10; Êxo. 6:15; Núm. 26:12-14; I Crô. 4:24-43).

13. Descendentes de Levi (Gên. 46:11; Êxo. 6:16-26; I Crô. 6:1-53). Encontramos aqui uma das qualificações para o sacerdócio, visto que esse ofício estava limitado de acordo com dados genealógicos.

14. Descendentes de Judá (Gên. 46:12; Núm. 26:19-22; I Crô. 2:3 — 5:33; 9:4). A linhagem real, de Salomão a Josias, é ali delineada. Ver I Crô. 3:10-15.

15. Descendentes de Issacar (Gên. 46:13; Núm. 26:23-25; I Crô. 7:1-5).

16. Descendentes de Zebulom (Gên. 46:14; Núm. 26:23-25; I Crô. 7:1-5).

17. Descendentes de Dã (Gên. 47:23; Núm. 26:47-50; I Crô. 7:13).

18. Descendentes de Gade (Gên. 26:16; Núm. 26:15-18; I Crô. 5:11-17).

19. Descendentes de Aser (Gên. 46:17; Núm. 26:44-47; I Crô. 7:30-40).

20. Descendentes de José (Gên. 46:20; Núm. 26:28-37; I Crô. 7:14-27; através de Efraim e Manassés, que Jacó aceitou como seus próprios filhos, segundo se vê em Gên. 48:5,12).

21. Descendentes de Benjamim (Gên. 46:21; Núm. 26:38-41; I Crô. 7:6-12; 7:1,40; 9:8; 35:44). Essa era a linhagem de Saul (I Crô. 8 e 9).

22. Listas miscelâneas de vários indivíduos, que correspondem a certos períodos da história de Israel:
a. Os levitas da época de Davi (I Crô. 15:5-24); b. Josafá (II Crô. 17:8); c. Ezequias (II Crô. 29:12-14); d. Josias (II Crô. 34:8-13); e. Zorobabel e Joaquim (Nee. 12:1-14); f. Neemias (Nee. 10:2-13).

23. Registros de nomes, e não de genealogias, embora instâncias em que a palavra hebraica correspondente é empregada: listas de famílias e indivíduos que retornaram a Jerusalém, do cativeiro babilônico, em companhia de Zorobabel (Nee. 7:5-63; Esd. 2:2-61; 8:2-14; Esd. 10:18-43; Nee. 10:1-27; 11:4-19; I Crô. 9:3-17).

VII. Listas Genealógicas do Novo Testamento
Em Mateus 1:1 temos o termo grego *genesis* traduzido como «genealogia». Além disso, temos referências às genealogias gnósticas, que dizem respeito a supostas emanações da divindade, nada tendo a ver com as genealogias da Bíblia, em I Tim. 1.4 e Tito 3:9. O trecho de Heb. 7:6 tem a forma verbal, *geneologeo*, que significa «seguir a linhagem ancestral», referindo-se ao caso de Melquisedeque, que não tinha genealogia, no tocante ao seu ofício sacerdotal.

Há somente duas genealogias reais no Novo Testamento, ambas relacionadas a Jesus, o Messias. Temos apresentado um artigo separado sobre isso, intitulado *Genealogia de Jesus, o Cristo*.

VIII. Genealogias na Moderna Igreja Cristã
A única denominação cristã que tem dado maior atenção a essa questão, fazendo das genealogias uma parte integral de sua fé religiosa, é a Igreja de Jesus Cristo dos Santos dos Últimos Dias (os mórmons). Essa denominação tem os mais completos registros genealógicos entre quaisquer outras organizações no mundo. Esses registros são conservados em câmaras subterrâneas, nos sopés das montanhas Rochosas, em Salt Lake City, estado de Utah, nos Estados Unidos

da América do Norte. São instalações tão seguras que somente uma bomba atômica diretamente atirada contra esse alvo, é capaz de destruí-las. Os mórmons acreditam em batismo pelos mortos (I Cor. 15:29; ver uma completa exposição a respeito nas notas expositivas no NTI), supondo que isso provê mérito para os **espíritos desincorporados**, que poderiam ou tirar vantagem desse batismo por procuração, ou desconsiderar o mesmo (dependendo do exercício de sua livre vontade). Se um desses espíritos aceitar os méritos assim providos, poderia atingir a plena redenção, de conformidade com a doutrina mórmon. Os registros genealógicos, pois, ajudam na prática do batismo pelos mortos, substituídos por seus parentes vivos, ou mesmo por outros, sem nenhuma relação de parentesco. (ISBE ND NTI WHG Z)

GENEALOGIA DE JESUS, O CRISTO

I. Genealogia de Jesus (Mat. 1:1-17)

O evangelho de *Mateus* é nosso evangelho mais universal. Tem por intuito satisfazer às necessidades de todos os homens, judeus e gentios, conduzindo-os a Jesus, o Messias, o Salvador do mundo. Parte de seu conteúdo atrai aos judeus, tal como é o caso desta genealogia, que tenciona provar a legítima reivindicação de Jesus ao trono de Davi. Outra parte de seu conteúdo é especialmente atrativa aos gentios, sobretudo aquelas seções que mostram que Jesus não limitou sua missão entre os judeus e também a *Grande Comissão*, que mostra que o evangelho terá de ser pregado ao mundo inteiro. (Ver Mat. 4:15,25; 8:11,12; 21:43 e 28:19,20).

O **Messias**, segundo o ensinamento rabínico, teria direitos legais ao trono de Davi; e ser descendente seu fazia parte desse direito. Muitas famílias judaicas possuíam genealogias extensas, exatas e que cobriam longos períodos de tempo. A genealogia que se segue, porém, arranjada como está em grupos de catorze nomes, mostra que o seu intuito era o de ser representativa e não completa. Já a genealogia de Lucas (Luc. 3:23-38) parece mais preocupada em ser completa, pois contém quarenta e dois nomes, em vez dos vinte e sete nomes de Mateus. Lucas traça a descendência não através de reis (como é o caso de Mateus), mas através de outro filho de Davi, Natã (II Sam. 5:14) e inclui muitas pessoas obscuras. A lista de Mateus, até Zorobabel, provavelmente se baseia sobre o texto de I Crô. 1—3 (na LXX). Todavia, não sabemos qual fonte ou fontes informativas ele usou para fazer sua compilação inteira. — Seja como for, seu ponto ficou demonstrado: Jesus era descendente tanto de Davi quanto de Abraão, ficando assim consubstanciada sua reivindicação à posição messiânica, pelo menos no que tange à exigência de ser ele filho de Davi.

«*De Jesus Cristo*». «Jesus» vem do hebraico *Jehoshua*, que após o cativeiro passou a ser escrito «Jeshua», que significa *Jeová, o Salvador*. Por esses nomes, «Jesus» e «Cristo», o Senhor foi definitivamente identificado às esperanças e profecias dos judeus relacionados ao Messias prometido. Os escritos do V.T. assim o apontaram, e toda a sua vida foi uma demonstração da validade desse testemunho. Aqueles que são tentados a diminuir a importância da vida terrena de Jesus devem observar esse fato. As duas pessoas do V.T. que têm o nome «Jesus» são ambas tipos de Cristo. Josué, filho de Num, é tipo de Cristo em sua função de capitão e libertador de seu povo. O sumo sacerdote Josué (Zac. 3) prefigura a Cristo como nosso sumo sacerdote (ver o artigo sobre *a Humanidade de Cristo*).

876

GENEALOGIA DE JESUS, O CRISTO

«Cristo». Sendo adjetivo, tornou-se nome próprio devido ao seu uso no evangelho. Assim foi usado até mesmo pelo Senhor (Mat. 23:8,10). É tradução do vocábulo «Messias», que no hebraico significa «ungido». Os reis, os sacerdotes e os profetas são pessoas que têm o direito de ser ungidas, símbolo da confirmação de seu cargo. Jesus, o maior de todos os reis, sacerdotes e profetas, é chamado de *o Cristo*, superior a todos os outros, porque sua unção foi especial; veio do Espírito de Deus, e não de origem terrena. A unção era aplicada aos enfermos, aos cegos e até mesmo aos mortos (Tia. 5:14; João 9:5,11; Mar. 14:8). Jesus, como ungido, exerceu de tal maneira suas forças espirituais sobre aqueles males que nós não o reputamos simplesmente como *um* ungido. Ele é mais que isso. Ele é *o Cristo*, e não empregamos esse termo acerca de nenhuma outra pessoa.

«Filho de Davi». O Messias deveria ser *Ben-Davi*. Esse foi o título do Messias e representa, de forma especial, a esperança do reino de Israel e a esperança do poder e da salvação que o novo *«Davi»* traria. A genealogia prova o direito que Jesus tinha de ser chamado «O Messias». Jesus possuía as qualificações do Messias, tanto no plano espiritual como na descendência física. Os judeus nunca aceitariam um Messias que não fosse descendente de Davi. Jesus tinha não só a descendência física de Davi, mas também seu espírito e os direitos que lhe foram outorgados por Deus. Muitos houve, dentre a descendência de Davi, que não tiveram as demais qualificações, além dessa. Sabemos pela literatura dos judeus (Josefo) que tais genealogias eram guardadas nos arquivos públicos, e é provável que essas tenham sido as fontes de informações do autor, o que indicaria que ele não fez deduções pessoais, e que as genealogias do V.T. foram fontes secundárias.

«Filho de Abraão». Abraão, pai da raça judaica, foi progenitor de Jesus. A genealogia não vai além de Abraão porque o evangelho foi escrito especialmente para os judeus. A primeira profecia que precisou de qual raça ou família descenderia o Messias, refere-se a Abraão como pai da raça que daria o Messias ao mundo (Gên. 22:18). A última promessa dessa natureza inclui Davi.

Observações Gerais sobre a genealogia de Jesus:

1. As genealogias em Mateus e em Lucas, que diferem entre si, são uma só; não se originaram de duas linhagens, uma de José e outra de Maria. Essa foi a idéia universal da igreja, — até o século XV, quando Annius de Viterbo, que morreu em 1502, achou uma diferença entre a linhagem de José (em Mateus) e a linhagem de Maria (em Lucas). A idéia partiu da igreja romana, mas os protestantes também a acolheram.

2. É mais ou menos recente a idéia de que a genealogia de Mateus apresenta a linhagem de *José*, e que a de Lucas dá a linhagem de *Maria*; é possível que isso expresse a verdade, mas não o podemos afirmar com certeza, nem podemos explicar com segurança as suas diferenças.

3. O autor teve acesso aos registros das genealogias, e provavelmente a matéria por ele exposta teve como fonte principal tais registros; também é possível que as genealogias do V.T. tivessem servido de fontes secundárias.

4. As genealogias não são unicamente descendências pessoais, mas também têm o propósito de demonstrar o direito que Jesus tinha de subir ao trono de Davi e de ser chamado o Messias. Assim sendo, vários nomes são omitidos propositalmente. A genealogia de Mateus trata especialmente da descendência real, referindo-se principalmente ao tempo dos reis, à—linhagem real—à época deles. Vemos, pois que a matéria foi manuseada de forma especial, com propósitos específicos, e não com a idéia de fornecer uma lista completa dos ascendentes de Jesus.

5. Aqueles que opinam que as genealogias de Mateus e Lucas seguem a linhagem de José, explicam que a de Lucas mostra a descendência pessoal de Jesus, pelo que apresenta muitos nomes, não de reis ou da linhagem real, que Mateus *não* tinha razão para mencionar. Assim sendo, a genealogia de Lucas mostraria a descendência *humana* de Jesus, da parte de Davi; e a de Mateus apresentaria a descendência real de Jesus, da parte de Davi.

6. Se as genealogias apresentam ou não a descendência por parte de ambos, de José e de Maria, o certo é que Maria *também* era descendente de Davi (Luc. 1:27,32; 2:4,5). O testemunho dos pais da igreja confirma essa idéia (Hegesipo, Jerônimo e Eusébio, 3:32).

7. Provavelmente a maior parte dos antepassados de ambos foram os mesmos, pois eram da mesma casa e família de Davi. Não é impossível que fossem parentes, talvez até primos.

8. Assim sendo, temos certas idéias sobre as diferenças entre as genealogias, mas não temos conhecimento exato do problema, nem respostas perfeitas; porém, podemos afirmar, sem hesitação, que as diferenças e as lacunas nessas genealogias, foram *propositalmente* feitas pelos autores.

9. Além do fato de que tais listas de nomes têm pouco interesse ou importância para os modernos, especialmente para os gentios, o evangelho de Mateus foi escrito visando leitores *judeus*; e assim, desde o princípio, tais leitores deveriam ficar satisfeitos, porque os judeus sempre deram muita importância a esse tipo de registro e muito descobriram num registro que mostra a identidade e a autoridade do Messias.

Informação Geral sobre a genealogia de Mateus:

Mateus apresenta Jesus como **herdeiro** legal do trono de Davi. A genealogia de Lucas expõe sua descendência sangüínea. A genealogia de Mateus é resumida, e alguns nomes foram omitidos de propósito. Abrange 42 gerações, num período de dois mil anos. Está dividida em três partes de catorze gerações cada, o que provavelmente foi feito com a ajuda da memória. O primeiro grupo, de Abraão ao rei Davi, abrange mil anos. O segundo grupo, do rei Davi ao exílio babilônico, abrange quatrocentos anos. O terceiro grupo, do exílio a Cristo, tem treze gerações, sendo que a 14ª obviamente inclui Maria, abrangendo seiscentos anos. O final de cada série de catorze gerações está ligado a alguma época crítica da história de Israel, as quais são: *a .monarquia, o cativeiro* e o *Messias*. Disso pode-se deduzir que o autor não fez qualquer tentativa para apresentar uma cifra exata no número de ascendentes de Jesus, pois o uso de um número *fictício* era comum entre os judeus. Em Esdras 6, por exemplo (onde se vê uma genealogia com o mesmo número de lacunas), nada menos de seis gerações de sacerdotes são omitidas, como transparece pela comparação com I Crô. 6:3-15.

II. A Genealogia de Jesus segundo Luc. 3:23-38

A questão da genealogia de Jesus, dada por Mateus e Lucas, especialmente porque contém algumas *vastíssimas* diferenças, tem deixado perplexos a muitos eruditos, desde o princípio da igreja primitiva. Muitas explanações complicadas e engenhosas têm sido expostas para explicar essas diferenças. Quanto a um sumário sobre essas idéias, o leitor deve consultar as notas dadas em Mat. 1:1 no NTI. De modo geral, dois métodos têm sido empregados para explicar as principais dificuldades:

GENEALOGIA DE JESUS, O CRISTO

1. Lucas teria dado a genealogia de *Maria*, enquanto que Mateus fornece a de *José*. Essa explicação foi pela primeira vez proposta por Ânio de Viterbo, no ano de 1490, um erudito católico romano. Essa explicação foi aceita por Lutero, e também por muitos protestantes desde então; porém, não é de modo geral favorecida nem pelos eruditos católicos romanos e nem pelos eruditos protestantes atualmente. Quando muito, não passa de uma conjectura, que pode ser verdadeira ou não.

2. Jesus, *legalmente*, era filho de José, mas não descendente verdadeiro, mas mesmo assim poderia ser apropriadamente chamado de filho de José. A própria anotação de Lucas (vs. 23), «...como se cuidava...», em referência a Jesus como filho de José, confirma o ponto de vista que expomos acima, e pelo menos essa dificuldade é esclarecida.

Lucas 3:23: *Ora, ao começar o seu ministério, tinha cerca de trinta anos; sendo (como se cuidava) filho de José, filho de Eli;*

O nascimento de Jesus. Data. Lucas fornece uma estimativa geral da idade de Jesus, quando do princípio de seu ministério. Desviando-se dessa indicação, o monge romano, Dionísio Exiguus, do século VI D.C., ao preparar um calendário eclesiástico, calculou que Jesus teria nascido no ano 753 da fundação da cidade de Roma; mas outros cálculos poderiam ter sido apresentados, se ele tivesse baseado suas datas na informação de Luc. 2:1, onde se declara, por conclusão lógica, que tanto João Batista quanto Jesus nasceram antes da morte de Herodes, o Grande, isto é, antes de 4 A.C. As teorias modernas determinam a data do nascimento de Jesus em cerca de 6 A.C. Que Jesus contava com cerca de 30 anos de idade, quando do começo de seu ministério, parece assegurado pelo conhecimento de que isso teria sido uma idade natural, visto que era costume judaico, entre os levitas ou sacerdotes, dar início ao seu período de serviço com essa idade, ou, pelo menos, não antes disso. (Ver Núm. 4:3,47).

As principais diferenças nas genealogias dadas por Mateus e Lucas, são as seguintes:

1. Lucas enfileira *cinqüenta e seis* nomes, retrocedendo até Abraão, em vez dos quarenta e dois nomes apresentados por Mateus.

2. Eli aparece como pai de José, em vez de Jacó (como diz Mateus).

3. Há *sete diferentes antepassados* imediatos de Zorobabel (vss 26 e 27), isto é, na comparação entre os nomes dados por Lucas e os nomes dados por Mateus.

4. Neri, em vez de Jeconias, aparece como pai de Salatiel (vs. 27).

5. A descendência até Jesus passa por *Natã* (vs. 31) em vez de fazê-lo por meio de Salomão, conforme diz Mateus.

6. Lucas faz retroceder a genealogia *até Adão*, passando por Abraão, ao passo que Mateus retrocede somente até Abraão. (Essa extensão foi provavelmente adicionada a fim de demonstrar a universalidade de Cristo, um dos propósitos de Lucas, ao escrever o seu evangelho).

O dificílimo segundo ponto é tentativamente explicado em Mat. 1:16. As outras questões podem ser explicadas pela teoria de que ambos os autores omitiram alguns nomes, sem fazer qualquer tentativa para apresentar listas absolutamente completas, mas tão-somente uma espécie de sumário da ascendência de Jesus. Aqueles que aceitam duas linhagens diferentes, *uma real* (de Mateus), e a outra *simples e humana* (ou sacerdotal, segundo alguns comentadores, de Lucas), parecem ter boas razões, porquanto os

nomes contidos nas duas genealogias são bastante diferentes. Todavia, tudo isso são meras tentativas para explicar as diferenças, o que parece preferível a dizer que uma delas é a genealogia de José e que outra é a genealogia de Maria, embora alguns eruditos continuem defendendo essa opinião.

«*Filho de José, filho de Eli*». Mateus faz José ter por pai «Jacó», enquanto que Lucas diz que esse pai é *Eli*. (Quanto a uma possível explicação acerca dessa diferença, ver as notas em Mat. 1:16 no NTI).

Luc. 3:27: *Jodá de Joanã, Joanã de Resa, Resa de Zorobabel, Zorobabel de Salatiel, Salatiel de Neri.*

Problemas em Lucas vss. 27,31

Os nomes dos indivíduos mencionados, de Eli a Zorobabel (Luc. 3:27) são desconhecidos, exceptuando o fato de que aqui são mencionados. O restante da genealogia pode ser comparada ao trecho de Gên. 5:3-32. Nenhuma tentativa foi feita a fim de apresentar uma lista completa.

Muitas famílias, especialmente famílias sacerdotais, conservavam extensas genealogias. Josefo transcreve a sua própria linhagem, a partir do tempo dos Hasmoneanos (Macabeus), baseado nos registros dos tabeliães públicos (ver *Vida*, c.1). E também declara que não somente na Judéia, mas também em Alexandria, na Babilônia e em outras cidades, onde quer que os judeus se tivessem estabelecido, tais registros eram conservados, anotando os nascimentos e os casamentos de todos os elementos pertencentes ao sacerdócio, acrescentando que cópias eram enviadas a Jerusalém. Os registros evidentemente retrocediam nada menos de duzentos anos. Os membros da casa de Davi dificilmente ter-se-iam mostrado menos cuidadosos em preservar tais registros do que os indivíduos pertencentes à linhagem de Arão. Pela história aprendemos que Hilel, o famoso escriba dos tempos de Jesus, era conhecido como indivíduo pertencente à linhagem de Davi.

Nesta seção, os problemas são dois: 1. As diferenças entre os nomes e o número das pessoas que aparecem nas duas genealogias; e, 2. no vs. 27, Salatiel é chamado de filho de Neri, no evangelho de Lucas, enquanto que em Mateus seu pai aparece como Jeconias. A primeira dessas dificuldades é explicada (pelo menos se tenta dar uma explicação) nas notas sobre o v. 23 no NTI, último parágrafo, bem como nos comentários relativos a Mat. 1:1. Mas a segunda dessas dificuldades conta com certo número de métodos, que têm sido empregados para explicá-la, a saber:

1. Que Jeconias e Neri foram *a mesma pessoa*, e que ambos os apelativos se referem ao mesmo indivíduo. Naturalmente que isso é possível, mas parece que essa tentativa corta o nó, em vez de desatá-lo, porquanto descansa na mais pura suposição.

2. Outros têm pensado que o Salatiel das duas listas não é a mesma pessoa, e que, por isso mesmo, tiveram *pais diferentes*. Isso é ainda menos provável, entretanto.

3. No trecho de I Crô. 3:19, Zorobabel aparece como filho de Pedaías, irmão de Salatiel. A linguagem de Jer. 22:30 sugere o pensamento de que Jeconias faleceu sem deixar herdeiro. Dessa forma, a linhagem real teria expirado em Jeconias, e, subseqüentemente, Salatiel, filho de Neri, representante da linhagem de Natã, *tomou o seu lugar* na linhagem da herança: Assim sendo, em certo sentido, Salatiel era filho de Jeconias, embora, no sentido literal, fosse filho de Neri. Isso parece ser uma explanação mais razoável, embora tenha de continuar sem o apoio de prova alguma.

GENEALOGIA DE JESUS, O CRISTO

Luc. 3:31: *Eliaquim de Meleá, Meleá de Mená, Mená de Matatá, Matatá de Natã, Natã de Davi,*

Essa seção nos leva de volta a Davi, e no versículo trigésimo primeiro chegamos a uma das principais divisões de *catorze* gerações por divisão, que Mateus apresenta em sua genealogia. O ponto prévio de convergência se dá em Salatiel e Zorobabel, o que ocorreu durante o período do cativeiro na Babilônia.

A grande dificuldade que avulta neste ponto particular é que Mateus declara que a linhagem de Cristo atravessa Salomão, ao passo que Lucas declara que o fez por intermédio *de Natã*. Abaixo expomos algumas das tentativas de reconciliação que têm sido apresentadas:

1. Aqueles que asseveram que as genealogias apresentam duas linhagens diferentes—uma por intermédio de Maria e outra por intermédio de José—não têm de enfrentar outro problema além daquele de sua opinião não ser aceita (e isso pela maioria dos estudiosos).

2. Assim sendo, poderíamos dizer que Salomão representa a linhagem real, e que Natã representa a linhagem sacerdotal, e que ambos foram ancestrais de Jesus Cristo.

3. Outros eruditos afirmam que a linhagem real expirou na pessoa de Jeconias, e que Salatiel, filho de Neri e representante da linhagem de Natã, é apresentado como um substituto. Contudo, isso não explicaria a omissão de Salomão, se a intenção de Lucas tivesse sido a de apresentar alguma linhagem real.

4. Parece melhor aceitarmos que encontramos aqui, simplesmente, o traçado de duas linhagens distintas, e não necessariamente uma de Maria e outra de José, mas tão-somente a linhagem real, que passou através de Salomão, e a outra humana ou sacerdotal, que passou através de Natã. Mas, uma vez mais, *nada podemos asseverar com certeza*.

Lucas 3:32-34a. *De Davi a Abraão.*

Neste particular concordam as listas apresentadas por Mateus e por Lucas, porquanto ambas nos levam até Fares, acerca de quem se lê na passagem de Rute 4:18-22. Nada existe de especial para observarmos nesta seção do evangelho de Lucas, mas na seção paralela do evangelho de Mateus, quatro mulheres têm seus nomes incluídos na genealogia de Jesus. (Quanto a notas sobre a importância desse fato, ver as notas em Mat. 1:2-6 no NTI).

Lucas 3:33-38. *De Abraão a Adão.*

Somente Lucas tem este texto. Alicerça-se nos trechos de Gên. 11:12-26 e 5:7-32, conforme aparecem na versão da LXX, pelo que encontramos o nome *Canaã*, no vs. 36, nome esse que não figura nos manuscritos hebraicos que sobreviveram até nós. Alguns estudiosos acreditam que a LXX está equivocada ao fazer tal inclusão; mas outros crêem que o texto da LXX, neste caso particular, é preferível aos textos hebraicos existentes, e é bem provável que essa seja a verdade da questão. Os *mss* hebraicos existentes dizem «Selá» neste ponto, — em vez de «Canaã».

Esta porção da genealogia de Jesus mui provavelmente foi acrescentada por Lucas por *diversos motivos*, os quais são:

1. Lucas desejava salientar o caráter *universal* de Jesus Cristo. Ele aparece como filho de Adão, ou seja, filho do homem, salvador universal, e não meramente filho de Abraão, isto é, Messias judaico.

2. Jesus aparece assim como que um *segundo progenitor* da raça humana—o progenitor espiritual. Isso também é enfatizado por Paulo, no trecho do quinto capítulo da epístola aos Romanos.

3. Em sentido todo especial, Adão e Jesus, embora não da mesma maneira, eram *filhos de Deus*. Dessa forma, temos aqui uma alusão à filiação sem-par de Jesus Cristo. Mas, afinal de contas, até mesmo a origem terrena de Jesus, como de resto a de todos os homens, é divina, porquanto Deus é quem criou o homem no princípio. É por essa razão que nas Escrituras o homem não é apresentado como parte integrante do reino animal, mas, em sentido todo especial, filho de Deus, embora não no sentido exato em que Jesus é o Filho de Deus.

Pelo exposto, verifica-se que a redenção do homem é questão extremamente importante, porquanto, na pessoa de Jesus Cristo, todos os homens têm o privilégio de serem restaurados à posição de filiação especial. De fato, a mensagem do evangelho envolve a redenção total, de tal maneira que o homem passará, finalmente, a ser transformado segundo a imagem e a essência da natureza de Cristo, e dessa forma é que Deus conduzirá muitos filhos à glória, por intermédio de Cristo.

Ora, ao fazer retroceder a linhagem de Jesus Cristo *até Deus*, e não meramente até Adão, Lucas ensina uma doutrina mais elevada do que meramente a de afirmar o direito de Jesus ao trono de Davi e às suas reivindicações messiânicas, por ser ele descendente físico de Davi. Mas Lucas permite que os *raios da filiação* divina transpareçam nessa genealogia, ficando ultrapassados os raios da filiação adâmica. Quando o sol começa a brilhar, a lua não parece dar grande luz. Lucas, assim sendo, fez o sol brilhar; e isso porque visava o benefício da humanidade inteira. A filiação de Jesus a Davi é uma notável realidade, mas torna-se tão-somente como a luz da lua, eclipsada pela luz intensamente brilhante do sol, ao percebermos que Jesus Cristo, e, subseqüentemente, todos os indivíduos que nele confiam, são filhos de Deus.

••• ••• •••

GENEALOGIA DE JESUS, O CRISTO

AS GENEALOGIAS DE MATEUS E LUCAS
GRÁFICO COMPARATIVO

Mateus	Ambos	Lucas		Mateus	Ambos	Lucas
		1. Adão		21. Ozias		40. José (73)
		2. Sete		22. Joatão		41. Judá
		3. Enos		23. Acaz		42. Simeão
		4. Cainá		24. Ezequias		43. Levi
		5. Maleleel		25. Manassés		44. Matate
		6. Jarede		26. Amom		45. Jorim
		7. Enoque		27. Josias		46. Eliézer
		8. Matusalém		Jeoacaz		
		9. Lameque		Jeoaquim		
		10. Noé		*omitidos*		
		11. Sem		28. Jeconias		47. Josué
		12. Arfaxade		Jeoiaquim		
		Cainã		Zedequias		
		13. Salá		*omitidos*		
		14. Eber				48. Er
		15. Faleque				49. Elmodã
		16. Ragaú				50. Cosão
		17. Seruque				51. Adi
		18. Naor				52. Melqui
		19. Tará				53. Neri
	1. Abraão				29. Salatiel (54)	
	2. Isaque				30. Zorobabel (55)	
	3. Jacó			31. Abiúde		Resa
	4. Judá			32. Eliaquim		56. Joanã
	5. Farés			33. Azor		57. Jodá
	6. Esrom			34. Sadoque		58. Joseque
	7. Arão			35. Aquim		59. Semei
	8. Aminadabe			36. Eliúde		60. Matatias
	9. Nasom			37. Eleazar		61. Maate
	10. Salmom					62. Nagai
	11. Boaz					63. Esli
	12. Obede					64. Naum
	13. Jessé					65. Amós
	14. Davi					66. Matatias
15. Salomão		34. Natã				67. José
16. Roboão		35. Matatá				68. Janai
17. Abias		36. Menã				69. Melqui
18. Asafe		37. Meleá				70. Levi
19. Josafá		38. Eliaquim		38. Matá	38. Matate (71)	71. Matate
20. Jorão		39. Joná			(Matá e Matate podem ser o mesmo)	
Acazias						72. Eli
Joás				39. Jacó		
Amazias					40. José	
omitidos				••• ••• •••	41. Jesus	

GENEALOGIAS (I Tim. 1:4)

«...genealogias sem-fim...» As palavras «...sem-fim...» podem qualificar tanto as «fábulas» como as «genealogias». Mas, mesmo que qualifiquem apenas *genealogias*, o fato é que o autor sagrado demonstra ter pouca paciência com os refinamentos dos hereges. Sentia ele que aquelas doutrinas tinham a extravagância de uma capoeira de mato. A palavra grega aqui traduzida por *genealogias*, fala sobre o traçado da linhagem de ancestrais (em forma verbal, «genealogeo», que significa «traçar a linhagem», em Heb. 7:6), sendo usada somente aqui e em Tito 3:9.

1. Poderia indicar um interesse obsessivo pelas genealogias, **por razões de auto-exaltação,** através de «linhagens significativas», ou por razões religiosas. Os mórmons de nossos dias dão excessiva importância às genealogias, simplesmente porque praticam o «batis-

mo pelos mortos», sendo importante para eles batizarem tantos parentes falecidos quanto lhes for possível; e isso requer o conhecimento de genealogias. Em Salt Lake City, no estado de Utah, nos Estados Unidos da América do Norte, possuem os mais completos registros genealógicos do mundo, guardados em uma caverna artificial escavada nas Montanhas Rochosas, de tal modo fortes que somente um impacto direto de bomba atômica poderia destruí-los. É possível que os gnósticos também tivessem alguma crença ou prática religiosa que conferia excessiva importância às genealogias.

2. Também é possível que o autor sagrado esteja aludindo à interpretação *alegórica* das narrativas do A.T. Filo e outros escritores judeus assim interpretavam esses registros, sendo possível que diversas fábulas se tenham vinculado a essa prática. É possível

GENERAL – GÊNESIS

que isso fizesse parte das inquirições intelectuais dos gnósticos, como suplemento.

3. Outros estudiosos supõem estar em foco alguma espécie de orgulho «judaico», nos registros apropriados das linhagens ancestrais. Talvez usassem desse artifício para fomentar seu orgulho racial e seu exclusivismo. Mas tal interpretação não é muito provável, considerando que é quase certo que os hereges eram gnósticos e gentios, ainda que tivessem adotado algumas formas judaicas.

4. Outros eruditos, pensando que esta repreenda se volta puramente contra as doutrinas gnósticas distintivas, supõem que essas *genealogias* são as especulações em que se ocupavam, com gradações intermináveis de «aeons», ou emanações angelicais de Deus. Acerca disso os gnósticos também podem ter criado vários mitos, acerca de quem seriam e do que fariam esses «aeons». Irineu (*Haer. Praef.* I) e Tertuliano (*Adv. Valentine; de Praescript*, 33) dão apoio a esta quarta posição, já que eles mesmos tinham estado ocupados em similares especulações, entre os gnósticos. Ver sobre *Gnosticismo*.

Sem fim. Isto é, sem objetivo, inútil, sem alvo, de demora entediante, investigações intermináveis sem conclusões proveitosas.

GENERAL

Segundo o uso moderno, esse vocábulo refere-se à mais alta patente militar de um exército, ainda que, em alguns países, haja uma patente ainda mais elevada, a de marechal, como é o caso do Brasil. Em algumas traduções da Bíblia, o termo é usado, nas páginas do Antigo Testamento, para indicar elevados oficiais militares. Mas há traduções alternativas, como príncipe, chefe, comandante, etc. Ver I Crô. 27:34; Gên. 12:15; Apo. 6:15; Atos 25:23. Talvez o cargo militar mais próximo do generalato que encontramos, nas páginas do Antigo Testamento, seja o caso de Joabe, que comandou, com notável perícia, as operações militares de Davi. Ver o artigo separado sobre ele. Ver o artigo sobre *Exército*.

GÊNERO

1. *A Palavra*. Vem do termo grego *genos*, que significa «raça», «prole». Mas, na lógica, o termo passou a indicar «espécie» ou «classe».

2. Na lógica aristotélica, a palavra traz consigo um sentido lato e abrangente, designando toda uma classe ou espécie. As subclasses são então chamadas espécies. Na filosofia, nenhum desses termos tem qualquer coisa a ver com os estritos padrões biológicos.

3. As definições são constituídas de acordo com o *gênero* e a *diferença específica*. Cada espécie terá algo que a diferencia de outras espécies do mesmo gênero. Assim, esse modo de classificação é útil.

4. O vocábulo *ser* pode significar o conceito inteiro de gênero e como tal, não é passível de definição.

5. Os princípios de classificação, conforme foram sugeridos acima, são apenas convencionais e úteis, e não verdadeiros reflexos das complexidades apresentadas pela natureza.

GENEROSIDADE Ver **Liberalidade e Generosidade**

GENESARÉ

Palavra hebraica que significa «jardim das riquezas». A primeira menção de tal nome aparece em I Macabeus 11:67. Os Targuns judaicos identificam o nome com a designação mais antiga, *Quinerete* (vide). Ver Deu. 3:17 e Jos. 19:35, onde esse nome mais antigo aparece na Bíblia.

1. O nome Genesaré aplica-se ao *distrito* da Galiléia, nas margens ocidentais do lago da Galiléia. Essa região foi visitada por Jesus, a caminho de Cafarnaum (ver Mat. 14:34).

2. O mar ou lago da Galiléia também é chamado por esse nome, em Lucas 5:1. Ver o artigo separado sobre *Galiléia, Mar da*.

3. Uma cidade, localizada nas margens ocidentais do lago da Galiléia, também tinha esse nome. Ver Jos. 19:35.

Descrição da Campina de Genesaré. Essa é uma pequena planície que há às margens ocidentais do lago da Galiléia, entre Cafarnaum e Magdala. Tem cerca de seis quilômetros de comprimento, na direção norte-sul, ao longo do lago, com a largura máxima de três quilômetros. Vai-se elevando lentamente a partir do lago, que fica a 198 m abaixo do nível do mar Mediterrâneo. Nos dias de Jesus, de acordo com as descrições que encontramos nos escritos de Josefo (*Guerras* 3:10, 8), a região era muito fértil e de rara beleza. O clima variava do quente ao temperado. Contava com muita arborização, flores e várias colheitas, como a das uvas, dos figos, das azeitonas, do arroz, do trigo, de melões e de legumes. Os rabinos chamavam a região de «jardim de Deus».

GENESARÉ, LAGO DE

Ver dois artigos separados, a saber, **Genesaré** e *Galiléia, Mar da*. Lago de Genesaré é um nome alternativo para o mar ou lago da Galiléia. Ver Luc. 5:1.

GÊNESIS

Gênesis. O livro de Gênesis constitui a primeira seção da Tora ou Livro da Lei. Em Hebreu este livro é chamado *Bereshîth*, (no começo), vocábulo derivado das palavras iniciais do livro. O nome português originou-se da Septuaginta (grego *génesis*), por intermédio da Vulgata Latina. Em conformidade com o conteúdo do livro, o vocábulo «gênesis» significa «começo»

Há um número de problemas que se relacionam com o Livro de Gênesis que são tratados em artigos separados. Estes artigos, além de examinar os problemas, acrescentam muitas informações sobre os assuntos do livro. Talvez a maior dificuldade do livro seja a *historicidade* dos acontecimentos narrados, antes do tempo de Abraão. Ver *Cosmogonia, Cosmologia, Criação, Antediluvianos, Dilúvio, Éden, Cronologia* e *Adão*.

I. Importância do Livro

II. Composição

III. Conteúdo

IV. Teologia

V. Descobertas Arqueológicas

VI. Considerações Finais

I. Importância do Livro

A importância do livro de Gênesis tem sido acentuada do ponto de vista de três aspectos principais: teológico, literário e histórico.

1. Teológico. O livro de Gênesis contém grande teologia e deve ser considerado como o «começo de toda teologia». Os principais conceitos de Deus como um ser supremo, onipotente, e extremamente sábio,

881

GÊNESIS

são introduzidos neste livro. Gênesis oferece também um tratamento teológico às questões da origem do mundo, origem do homem, origem do pecado, e aos problemas da queda do homem do estado de graça, do plano de redenção, do julgamento e da providência divina. O livro narra como um remanescente da raça humana foi providencialmente poupado e preparado de maneira tal a permitir o crescimento do plano de redenção, sob a direção do Pai, para toda a humanidade.

2. Literário. O livro de Gênesis é considerado uma das grandes obras literárias de todas as épocas. Seu autor descreve as atividades de Deus como guia da criação e da história de maneira vigorosa. Os contos individuais, verdadeiras obras-primas de narrativas interessantes e intensas, são entrelaçados inteligentemente, não prejudicando assim a unidade do tema. O livro segue um plano lógico e em geral evita detalhes desnecessários. Seus personagens são apresentados não como figuras mitológicas mas como seres humanos reais, passíveis de faltas e de virtudes. Quem escreveu Gênesis observou a vida de duas perspectivas: exterior e interior. Do lado exterior ele considerou as coisas materiais; do lado interior ele considerou os desejos, as ambições, as alegrias, as tristezas, o amor e o ódio. — Os assuntos tratados no livro incorporam uma rara combinação do simples com o complexo. Temas vitais para o homem envolvendo suas mais profundas necessidades e aspirações, são tratados de maneira extremamente simples, quase infantil. Este fato é importante no sentido de que a mensagem do livro pode ser captada até mesmo pelos menos instruídos.

A importância literária desse livro é ainda ressaltada pelas freqüentes referências feitas a ele nos outros livros das Escrituras. Segundo afirmam alguns, Gênesis é o alicerce mesmo dos outros livros do Pentateuco.

3. Histórico. Como história, os primeiros capítulos de Gênesis ilustram somente o **status** da cosmologia hebraica daquela época. Do capítulo 12 em diante, por outro lado, o caráter histórico do livro é fortalecido. A autenticidade da história patriarcal e do autor é evidente nesses capítulos. Nem as falhas na história de Abraão, nem os pecados crassos dos filhos de Jacó (dentre os quais os pecados de Levi, o progenitor da raça sacerdotal), foram ocultados.

O mesmo autor cujos princípios morais são tão censurados pelos antagonistas de Gênesis, com relação ao relato sobre a vida de Jacó, produz na história de Abraão, uma figura de grandeza moral que somente poderia ter-se originado em fatos reais.

A fidelidade do autor se manifesta principalmente 1. na descrição da expedição dos reis da Alta Ásia para a Ásia Ocidental; 2. nos relatos a respeito da pessoa de Melquisedeque (Gên. 14); 3. na descrição dos detalhes circunstanciais envolvidos na compra de um cemitério hereditário (Gên. 23); 4. na genealogia das tribos árabes (Gên. 25); 5. na genealogia de Edom (Gên. 36); 6. e nos impressionantes detalhes que são entretecidos com as narrativas gerais. Na história de José a história patriarcal entra em contato com o Egito; e quanto as narrativas fornecidas pelos escritores clássicos antigos, bem como os monumentos do Egito, acrescentam esplêndidas confirmações. Por exemplo, o relato apresentado em Gên. 47:13-26 descrevendo como os Faraós se tornaram proprietários de todas as terras, exceto aquelas pertencentes aos sacerdotes, é confirmado pelos escritos de Heródoto (II.109), e de Diodoro Sículus (I.73). O método de embalsamamento descrito em Gênesis 1 concorda inteiramente com a descrição de Heródoto (II.84).

Submetendo-se o livro de Gênesis a um exame minucioso, outros dados similares podem ser encontrados. Do ponto de vista crítico, Gênesis é considerado uma fonte primária da história antiga.

II. Composição

A unidade de composição não só do livro de Gênesis, mas de todos os livros do Pentateuco, tem sido um tema controversial entre os críticos. O caso de Gênesis tem sido particularmente investigado, e como a questão da unidade do livro está intimamente relacionada com o problema de autoria, apresentaremos a seguir, duas linhas principais de pensamento sobre o assunto: 1. o ponto de vista conservativo, 2. o ponto de vista crítico.

1. Ponto de Vista Conservativo. A teoria conservatista reivindica que o livro de Gênesis foi recebido por Moisés como revelação direta de Deus, pois Moisés evidentemente tinha contatos imediatos com Deus. Defendendo a teoria da autoria mosaica os conservativos oferecem os seguintes argumentos:

a. Considerando as evidências internas que provam que Moisés escreveu pelo menos algumas porções dos livros do Pentateuco, parece plausível assumir que ele tenha escrito a obra inteira, inclusive Gênesis.

b. A matéria tratada de Êxodo a Deuteronômio exige uma subestrutura como Gênesis. Sentindo essa necessidade, Moisés talvez tenha usado o material disponível da época e feito uma compilação dessa matéria na forma de tradição antiga.

c. Passagens como João 5:46 e *ss*, em que Jesus se refere aos «escritos de Moisés», podem ser interpretadas como escritos meramente atribuídos a Moisés. Por outro lado, essas passagens podem igualmente serem interpretadas como pronunciamentos da autoria mosaica desses escritos.

d. *A Comissão Bíblica da Igreja Católica* sugere que embora Moisés seja o autor do *Pentateuco*, talvez ele tenha empregado pessoas para trabalhar sob sua direção como compiladoras. Esta seria uma maneira de explicar as diferenças estilísticas do livro.

2. Ponto de Vista Crítico. Empregando o método de análise do texto os críticos modernos afirmam que existem pelo menos três fontes distintas que serviram de base para o livro de Gênesis: P, E, e J. Alguns fanáticos no estudo das fontes literárias têm fragmentado essas fontes em subfontes, contudo, como essas subdivisões não os têm conduzido a nenhuma conclusão importante, nos limitaremos ao tratamento das três fontes citadas acima, as quais foram provavelmente baseadas no tradicional. A *fonte* P(S), de caráter basicamente formal e estatístico, relata o tipo de material que os *sacerdotes* cultivavam, como por exemplo, Levítico 1—16. Contudo, momentos de grandeza são também encontrados nesta fonte, a saber, Gênesis 1. *P* é a fonte mais recente das três, pertencendo provavelmente ao período entre os séculos quinto ou sexto A.C.

A *fonte E*, e a fonte J se distinguem principalmente pelo emprego respectivamente dos nomes Eloim e Jeová para Deus. Além desta diferença o documento *E* se apresenta intimamente inter-relacionado em suas partes, formando assim, um todo sólido. O documento *J* por outro lado, não apresenta essa mesma solidez, mas é de natureza meramente complementar, fornecendo detalhes nos pontos em que *E* se torna abrupto e deficiente. A fonte *E* pertence provavelmente ao século VIII A.C.; e a fonte *J* ao século IX A.C. Ver o artigo separado sobre a teoria *J E D P(S)*. Ver também sobre o *Pentateuco*.

Os críticos modernos reivindicam que essas fontes foram subseqüentemente combinadas pela mão de

GÊNESIS

um autor final cujo nome é desconhecido. Os antagonistas do ponto de vista crítico mantêm que Gênesis foi escrito por um único autor, e que o uso de dois nomes diferentes para Deus não deve ser atribuído à origem do livro em duas fontes distintas, mas aos diferentes significados desses nomes. Talvez essa observação seja plausível com referência aos nomes de Deus, todavia, as diferenças de estilo e vocabulário que claramente distinguem porções do livro de Gênesis ainda permanecerão misteriosas se essa explicação for aceita.

Data e Lugar. Os estudiosos que aceitam a autoria mosaica do livro de Gênesis são compelidos a explicar algumas passagens da obra como notas de rodapé adicionadas posteriormente pelos copistas. —(Exemplos: 12:6; 13:7; 14:17 e partes de 36:9-43). O lugar de origem do livro sugerido por eles é a península Sinaítica. Os críticos que não reivindicam autoria mosaica oferecem datas tentativas somente para as fontes individuais, como mencionadas anteriormente. Quanto à cópia final, só se sabe que foi compilada depois do Exílio, afirmam eles. O local da compilação é desconhecido.

III. Conteúdo

O livro de Gênesis pode ser esboçado de várias maneiras:

1. *Esboço Histórico*. Este é o esboço mais geral e popular, — que divide o livro em duas partes principais.

a. *História Primordial*. Capítulos de 1 a 12. Estes capítulos tratam de assuntos de natureza universal, tais como a origem da terra e a origem da raça humana.

b. *História Patriarcal*. Capítulos de 12 a 50. Estes capítulos relatam a história dos antepassados de Israel. Cerca de dez histórias são apresentadas no livro (2:4; 5:1; 6:9; 10:1; 11:10,27; 25:12,19; 36:1; 37:1), dentre as quais algumas ocupam-se com personagens importantes, a saber, Tera, Isaque, Jacó e José. Algumas histórias tratam de importantes categorias tais como terra e céu, ou os filhos de Adão e os filhos de Noé; outras tratam de personagens como Ismael e Esaú. Apesar de não oferecer um tratamento profundo sobre dificuldades sugeridas pelo texto, esse esboço é eficaz, pois enfatiza a direção de Deus da história da humanidade e mostra como ele usou diversas pessoas para cumprir seus propósitos finais.

2. *Esboço Temático*. Esse esboço divide o livro em quatro assuntos principais.

a. Livro do Princípio (1—11)

b. Livro da Fé (12—25)

c. Livro da Luta (26—35)

d. Livro da Direção (36—50)

3. *Esboço Detalhado do Conteúdo*:

A. História da Criação (1:1—2:3)
   1. Criação do céu e da terra (1:1—1:22)
   2. Criação dos seres viventes (1:24—2:3)

B. História Humana (2:4—9:26)
   1. Criação do homem (2:4—2:17)
   2. Criação da mulher (2:18—25)
   3. Queda do homem (3:1—25)
   4. Multiplicação da raça humana: Caim e Abel (4:1-7)
   5. O primeiro homicídio (4:8-26)
   6. A genealogia de Sete (5:1—32)
   7. A corrupção geral do gênero humano (6:1-12)
   8. A pena do dilúvio (6:9—8:22)
   9. O pacto que Deus fez com Noé (9:1-29)
   10. Os descendentes de Noé (10:1-32)
   11. Língua universal (11:1-6)
   12. A confusão das línguas (11:7-32)

C. História dos Patriarcas: A escolha de Abraão, Isaque, Jacó, e Judá
   1. Abraão entra na Terra Prometida (11:27-14:24)
   2. Pacto e promessa de um filho (15:1-18:16)
   3. Anunciada a destruição de Sodoma e Gomorra (18:17-19:23)
   4. Destruição de Sodoma e Gomorra (19:24-19:38)
   5. Sara, Isaque e Ismael (20:1-23:20)

D. Isaque
   1. Isaque e Rebeca se casam (24:1-67)
   2. Morte de seu pai e nascimento de seus filhos (25:1-34)
   3. Isaque vai a Gerar: Renovação da Promessa (26:1-35)

E. Jacó
   1. Trapaceia o irmão e obtém as bênçãos (27:1-46)
   2. Foge para Arã e renova a promessa em Betel (28:1-22)
   3. Os casamentos de Jacó em Arã (29:1-31)
   4. O nascimento de seus filhos (29:31—30:26)
   5. Labão faz novo Pacto com Jacó (30:27-43)
   6. Retorno de Jacó para a Terra Prometida (31:1-34:31)
   7. Renovação da Promessa em Betel (35:1-29)
   8. Os descendentes de Esaú (36:1-43)

F. Judá e José
   1. José é vendido por seus irmãos (37:1-36)
   2. Judá e Tamar (38:1-30)
   3. José na casa de Potifar (39:1-23)
   4. José na prisão (40:1-23)
   5. José interpreta os sonhos do Faraó (41:1-37)
   6. José como governador do Egito (41:37-57)
   7. Os irmãos de José vão ao Egito: primeira vez (42:1-38)
   8. Os irmãos de José retornam ao Egito (43:1-34)
   9. Os irmãos e pai de José no Egito (44:1-47:31)
   10. Jacó abençoa seus filhos (48:1—49:28)
   11. Morte de Jacó e José (49:29—50:26)

IV. Teologia

De certo modo o livro de Gênesis constitui a primeira filosofia da história, embora não se baseie em argumentos mas em convicção. Não há no livro todo, nenhuma tentativa de provar que Deus existe, ou que realmente agiu tal qual o autor relata. Alguns pontos de vista importantes a respeito da doutrina de Deus emergem deste livro, a saber:

1. *Deus é o único e supremo monarca do universo e de seu povo*. O livro mantém um monoteísmo latente, preparando o alicerce para declarações tais como a de Deuteronômio 6:4.

2. *Deus é onipotente*. Através de sua poderosa palavra ele pode criar o que bem desejar.

3. *Deus é onisciente*. — Ele soube o local do esconderijo de Adão e Eva no jardim, bem como o fato de que Sara riu secretamente dentro da tenda. Ele está também presente longe da casa ancestral, como Jacó surpreendidamente descobre em Gênesis 28:16.

3. *Deus é extremamente sábio*. Ele criou um universo integrado, no qual todas as coisas demonstram perfeita eficiência segundo o uso e o propósito designados.

4. *Deus tem profunda misericórdia e amor por sua criação*. Isto é evidente principalmente no que se refere ao homem, obra-prima de sua criação. Ele não só criou o homem mas providenciou-lhe tudo que precisava para sua sobrevivência. O homem caiu do estado de graça, mas Deus providenciou um plano de

883

GÊNESIS — GENÉTICA

redenção; guiou e protegeu o caminho dos patriarcas para que esse plano fosse cumprido.

5. *Deus se revelou a seu povo*. Às vezes num sonho, (31:11), outras vezes através de um misterioso agente, «o anjo do Senhor» (31:11).

Este livro 'erece também uma clara noção da natureza do homem:

1. O homem é uma criatura dotada de parte material e imaterial.

2. O homem é dotado de livre-arbítrio: pode dizer «sim» ou «não» à tentação.

3. O homem foi criado como um ser superior, obra-prima de Deus, livre de qualquer mancha. Mas ai! O homem caiu do estado de graça. A história da queda por sua vez, embora soe estranha para muitos ouvidos modernos, ainda é objeto de estudo em ética e em religião. O autor de Gênesis tinha observado que um grande desastre poderia emergir de uma desobediência aparentemente *trivial*.

4. O homem será restaurado: os dois elementos básicos para a redenção são: graça da parte de Deus e fé da parte do homem. Gênesis 15:16 declara claramente que Abraão creu nas promessas do Senhor, «E creu ele no Senhor, e foi-lhe imputado isto por justiça». Esta passagem figura proeminentemente no desenvolvimento da teologia de Paulo (Rom. 4:3,9,22,23).

V. Descobertas Arqueológicas:

Descobertas arqueológicas modernas têm desvendado o mundo de Gênesis. Civilizações nos arredores da Palestina estão sendo descobertas com todas suas riquezas e variedades. A existência de povos tais como os Horitas e os Hurrianos (até recentemente apenas nomes) tem sido confirmada. A civilização dos Amoritas, enterrada por muitos séculos, está se emergindo lentamente. Atualmente pode-se afirmar que os Hititas foram poderosos conquistadores que influenciaram o curso da história no passado.

Temas tais como Criação, Paraíso, e Dilúvio são encontrados também em muitas mitologias do mundo. Tabletes de barro encontrados na Mesopotâmia contêm muitos mitos cujos temas e detalhes são encontrados também no livro de Gênesis.

Na história da criação há algumas semelhanças entre os registros hebraicos e babilônicos: 1. Ambas as histórias registram um caos antigo. Até mesmo o nome para esse caos é semelhante em cada língua. 2. Segundo os dois relatos, houve luz antes dos astros serem criados. 3. Há paralelismo também nas crônicas do Dilúvio: Os deuses mandaram a inundação mas salvaram um homem que construiu um navio para se abrigar da tempestade. O homem testa o término da catástrofe soltando pássaros, e oferece sacrifícios quando tudo está terminado.

Há também algumas diferenças drásticas entre as narrativas hebraicas e as babilônicas:

1. A história hebraica mantém um monoteísmo latente; os outros relatos são de natureza politeísta.

2. Os princípios morais registrados na história hebraica são extremamente mais altos que os das outras civilizações.

Achados espetaculares na cidade de Ur dos Caldeus são de grande importância para o conhecimento da história da civilização, todavia de menos relevância direta para as narrativas bíblicas. É mister observar que num local não muito distante de Ur, os escavadores encontraram evidência de uma inundação de comparável tamanho. Porém, dizem os críticos, isso não prova a historicidade de Gênesis 6-8, pois tem sido provado que muitas vezes na história, diferentes áreas da Mesopotâmia foram inundadas.

O mundo cultural dos patriarcas tem sido iluminado pelos achados do segundo milênio A.C. em Nazu (perto da moderna Kirkuk). Foram encontrados nessa localidade inúmeros documentos que ilustram detalhadamente muitos costumes patriarcais. Por exemplo, quando a estéril Sara deu à Abraão uma escrava, Hagar, para que concebesse filhos, ela estava fazendo exatamente a mesma coisa que as mulheres de Nazu faziam. A única diferença era o fato de que as últimas eram proibidas de maltratar a escrava. O ato da venda dos direitos de primogenitura feito por Esaú, bem como os problemas de Jacó na obtenção da esposa de sua escolha são entendidos com mais clareza através desses tabletes (Nazu tabletes). Unger afirma que «o grande serviço que a pesquisa arqueológica está desenvolvendo no período mais antigo da história bíblica demonstra que o quadro dos patriarcas apresentado em Gênesis se ajusta perfeitamente ao estilo de vida da época». (Unger, *Archaeology and the Old Testament*, p. 120).

VI. Considerações Finais.

O presente artigo referiu-se a alguns problemas peculiares do livro de Gênesis, tais como autoria e historicidade. Essas questões têm sido objeto de controvérsia entre os eruditos, todavia, nenhum tema tem sido tão controvertido no livro como o tema da criação. Há um estridente conflito entre o ponto de vista da ciência moderna e o relato desse livro sobre as origens do mundo.

Bibliografia: ALB ANET AM BA E I IB IOT LEU WES YÖ Z

GENESIUS, FRIEDRICH HEINRICH WILHELM

Suas datas foram 1786-1842. Foi orientalista, crítico da Bíblia e gramático do hebraico. Nasceu na Alemanha, em Nordhausen, Hanover. Foi professor de teologia da Universidade de Halle. Foi tanto um mestre popular quanto um pesquisador pioneiro. Estabeleceu o estudo científico das línguas semíticas, especialmente do hebraico. Sua abordagem científica também foi aplicada ao estudo geral do Antigo Testamento. Sua gramática e seu léxico hebraicos têm passado por muitas edições, tendo sido usados pelo mundo inteiro, com tradução para vários idiomas.

GENÉTICA

Esse vocábulo vem do grego, **genesis**, «origem». Filosoficamente falando, essa palavra denota a investigação quanto às origens. Assim, temos o método de genética histórica, de Herder; a psicologia genética, de Ward; e a epistemologia genética, de Piaget. Ver o artigo separado sobre a *Falácia Genética*, que consiste no equívoco de' supor que os estágios finais de um processo qualquer podem ser avaliados estritamente em termos de seus primeiros estágios.

Em português, a palavra «genética» também indica uma ciência que, atualmente, vem-se desenvolvendo rapidamente, e que tem suscitado várias questões éticas. Houve tempo em que as pessoas assumiam certa atitude fatalista quanto aos genes, porquanto pensavam que nada se pode fazer para alterar aquilo que alguém está destinado a ser e fazer, por causa de sua herança genética. Porém, os estudos científicos com os genes, os cromossomos e as variações genéticas têm possibilitado modificações em resultados antes supostamente inevitáveis. Em certas áreas das atividades humanas, isso tem criado problemas éticos.

Os genes guiam o desenvolvimento dos organismos

GENÉTICA — GENOCÍDIO

animais determinando como os aminoácidos são reunidos para formar as proteínas. Algumas dessas proteínas são enzimas que regulam as reações químicas; mas as chamadas mutações, algumas vezes, causam enzimas defeituosas. Na média, cada pessoa transporta consigo cinco genes prejudiciais. Se uma pessoa deriva de seus pais os mesmos genes defeituosos, isso pode resultar em um desastre biológico. Os genes determinam mil e oitocentas características já identificadas. Cerca de cento e cinqüenta desses genes podem causar severo retardamento mental; e os cientistas acreditam que o comportamento humano, e não somente as características físicas, pode ser causado pelo genes do indivíduo. Isso abre todo um novo capítulo para o estudo dos problemas éticos.

A dieta correta e a administração de hormônios ou de genes ausentes podem fazer uma boa diferença em um indivíduo que, de outro modo, ficaria defeituoso. Em alguns casos, as enzimas podem ser supridas por injeções ou por órgãos transplantados. Os cientistas estão trabalhando no campo da adição de genes, utilizando-se de vírus transportadores. Mediante esse método, talvez possam ser corrigidos certos defeitos genéticos.

Há várias áreas relacionadas à manipulação dos genes, bem como questões relativas à herança genética pontilhadas de problemas éticos, a saber:

1. *Limitação de filhos*. Algumas vezes, é preferível que as pessoas não se reproduzam, por causa de seus genes defeituosos, embora seja difícil convencê-las disso. Além disso, todos os métodos de limitação do número de filhos deixam as pessoas revoltadas, mesmo quando o é prudente não produzir filhos que corram um alto risco de nascerem com defeitos físicos ou mentais sérios. Tudo isso está envolvido nos métodos de controle de nascimentos. Ver o artigo separado sobre *Controle da Natalidade*.

2. Problema ainda mais sério é o *aborto* (vide). Se as características genéticas de um dado casal tornam muito alta a probabilidade de gerarem um filho defeituoso, a mulher deveria abortar se chegar a ficar grávida? Quanto a certas condições genéticas, a análise das células do feto, extraídas do fluido do saco aminiótico pode determinar a taxa de risco envolvida.

3. A *seleção* de genitores talvez se torne possível cientificamente algum dia. Isso poderia ser um fator que ameaça a família. O debilitamento da família pode ter vastíssimas implicações éticas pessoais e sociais. Caso essa seleção viesse a se tornar prática comum, teria de haver um controle estrito, evitando possíveis abusos e desastres. Por causa dos males possivelmente envolvidos, muitos pensadores consideram toda a idéia extremamente imoral. Mas há quem veja nessa técnica artificial um meio de garantir a produção de grandes intelectos, líderes e personagens que poderiam produzir modificações realmente revolucionárias no seio da humanidade. Imagine-se contarmos com quinhentos cientistas do tipo Einstein, todos trabalhando ao mesmo tempo!

4. A eliminação de defeitos genéticos não é uma questão das mais controvertidas, além de prometer grandes melhorias quanto ao campo da saúde pública.

5. A *criminalidade hereditária*. Garante a pesquisadora sueca, Marianne Rasmusen, que a criminalidade é hereditária. Segundo ela, assim como se herda a predisposição para certa cor dos cabelos e muitas outras características físicas, também se herda a tendência para o crime. Essa professora da Universidade de Umea, no norte da Suécia, apresentou uma tese sobre o assunto ao Conselho Sueco de Prevenção da Criminalidade, dizendo que «a diferença no sistema nervoso autônomo leva os indivíduos à normalidade ou à criminalidade». Rasmusen diz que uma infância difícil ou ambientes adversos pouco contribuem para isso, com base em uma pesquisa com mil crianças, adotadas ou não.

Essa pesquisa, naturalmente, deveria ter prosseguimento em muitos países, pois suas implicações são grandes. Se o ponto for comprovado, a sociologia será forçada a fazer uma total reavaliação de suas premissas básicas acerca da pobreza e do crime. Os teólogos, por sua vez, serão forçados a olhar com novos olhos a medicina. A doutrina da reencarnação também terá de ser reexaminada. Uma alma defeituosa poderá produzir maus efeitos na herança genética do corpo que está prestes a controlar, sendo ela a causa de uma má herança genética? Ou o espírito torna-se vítima da herança genética do veículo que ele assume, com ou sem o concurso da preexistência da alma? Poderes espirituais podem vencer as más tendências, herdadas através do veículo físico?

Temos aprendido, pela experiência, que as grandes questões, como aquela que estamos ventilando aqui, usualmente têm várias respostas, e não somente uma. Isso posto, a herança genética poderia ser a causa de *alguma* criminalidade. Mesmo assim, permanecem de pé os problemas éticos e metafísicos de que temos falado.

GENEUS

Nome próprio que vem de um termo grego que significa «nobre». Esse era o nome pessoal do pai de Apolônio, o governador sírio que tanto perturbou aos judeus, nos dias de Antíoco V. Ver II Macabeus 12:2.

GENIZA

Esse termo deriva-se da palavra hebraica que significa «esconder» e «armazém». Trata-se de um lugar da sinagoga onde são guardados materiais escritos, de natureza religiosa, já descartados. O termo *shemot* (nomes) é aplicado a esse acúmulo de material escrito, visto que contém os nomes de Deus. Por causa dessa circunstância, mesmo que parte desse material seja considerado herético, não se pode abusar do mesmo. Entre esse material também há livros e manuscritos desgastados. Entre tal material, em certas ocasiões, têm sido encontradas obras valiosas, como quando, no século XIX; antigos manuscritos foram descobertos e removidos da Sinagoga Esdras, próxima da cidade do Cairo, no Egito. Entre esse material têm sido, também, encontrados alguns fragmentos do livro apócrifo Eclesiástico, no original hebraico. Antes dessa descoberta, tal livro era preservado somente sob a forma de versões. Esse livro foi, originalmente, escrito em hebraico (em cerca de 180 A.C.), mas foi traduzido para o grego pelo neto do seu autor. Naturalmente, os fragmentos encontrados não faziam parte da composição original, mas somente faziam parte da tradição hebréia sobre o livro.

Os materiais da geniza são periodicamente removidos das sinagogas e sepultados em um cemitério, chamado pelo mesmo nome, algumas vezes juntamente com pessoas piedosas.

GENOCÍDIO

Essa palavra vem de **genos**, «raça», e **cide**, «matar». Termo cunhado por Raphael Lemkin, a fim de aludir

GENOCÍDIO — GENTILE

ao extermínio sistemático de grupos raciais ou nacionais. O termo foi usado pela primeira vez como um libero contra os crimes de guerra da Alemanha nazista, durante a Segunda Guerra Mundial. O primeiro problema teológico e ético que encontramos no tocante a essa questão é o genocídio que encontramos no Antigo Testamento, quando Israel efetuou a conquista da Palestina e tentou extirpar, sistematicamente, vários povos. Por isso mesmo, os pais alexandrinos da Igreja interpretavam de modo simbólico e místico, e não literal, os trechos do Antigo Testamento que se referem a esses acontecimentos. Em outras palavras, a idéia inteira que *Deus* foi o cabeça dos exércitos israelitas, envolvidos no genocídio, é rejeitada, ao mesmo tempo que são vistas várias lições morais e espirituais nas Escrituras que narram a história. Alguns estudiosos conservadores salientam que os povos exterminados assim eram idólatras e altamente corrompidos, pelo que mereciam mesmo ser exterminados. De acordo com esse ponto de vista, Israel foi instrumento de um juízo divino muito necessário. Mas, apesar desse argumento ter certa força, quando lemos os relatos sobre as matanças de parte a parte, nas páginas do Antigo Testamento, ficamos indagando, perplexos, várias coisas: primeiro, — *parece* que estamos lendo sobre tribos *selvagens*, e não sobre nações civilizadas. Segundo, é difícil compreender como uma literatura tão elevada, como a do livro de Salmos, por exemplo, pode ter sido produzida em tal contexto. Naturalmente, também temos uma literatura grandiosa em Homero e a Ilíada e a Odisséia giram em torno das idéias de matar e ser morto. *Terceiro*, espiritualmente falando, como é que um povo civilizado poderia envolver-se continuamente em tantas matanças e atrocidades?

Naturalmente, *Hitler*, nos tempos modernos, foi o grande campeão das matanças em massa. Se a Alemanha nazista tivesse vencido a guerra, Hitler teria sido aclamado como um grande e heróico líder nacional. E outros homicidas em massa têm sido considerados grandes heróis, como Alexandre, o Grande. Os homens, em seu pútrido estado espiritual, sempre fizeram dos grandes assassinos as suas figuras notáveis. Porém, a Alemanha nazista perdeu a guerra, pelo que os seus crimes foram finalmente desmascarados. No entanto, os seis milhões de judeus que Hitler exterminou são apenas uma pequena porcentagem da carnificina total da Segunda Guerra Mundial. Se os teólogos ainda precisavam de qualquer prova da depravação da humanidade, os acontecimentos da Segunda Guerra Mundial fornecem provas as mais abundantes.

As chamadas nações civilizadas também têm seus problemas. Os homens têm desenvolvido e usado temíveis métodos de extermínio em massa; mas os militares retornam a seus países de origem e são coroados como heróis. Por irônico que pareça, quando, ainda recentemente, os soldados ingleses retornaram das ilhas Malvinas, no Atlântico Sul, ao largo da Argentina, depois de haverem devastado o exército argentino mal-preparado e pior dirigido, foram saudados no porto de entrada por bandas de música que tocavam, alegremente, o hino «*Quando os Santos Chegam Marchando*». Um dos mais famosos soldados norte-americanos, **Audey Murphy**, que, em certa oportunidade, sozinho, matou um destacamento de mais de duzentos soldados alemães, retornou aos Estados Unidos da América como um herói. Sua fama abriu para ele uma carreira na indústria cinematográfica, e ele tornou-se um astro dos filmes de «cowboys», onde sempre em grande desvantagem numérica, conseguia matar a muitos, antes de ser morto por sua

vez. Ironicamente, foi morto em um acidente de automóvel, como já acontecera a outro herói da Segunda Guerra Mundial, o general Patton.

Os costumes e as leis dos homens tornam possível, e até mesmo desejável, o ato de matar. Isso demonstra a que nível tão baixo caiu o espírito humano. Além disso, nos cinemas e na televisão, uma das principais formas de entretenimento é o jogo da morte. Quando não é isso, então é o sexo, ou então alguma comédia. E é, então, que se obtém a grande salada: homicídio-sexo-comédia. E essa é a maior diversão de todas!

Os homens estão sob a ameaça temível da guerra atômica, que os profetas afiançam-nos ser inevitável. Eles também garantem que a humanidade sofrerá um choque tão grande, diante disso, que isso será um dos fatores que contribuirá para um grande despertar espiritual. Espera-nos uma era áurea, mas não antes das lições necessárias terem sido aprendidas. O atual guerreiro tribal terá de ser substituído por um homem mais espiritual.

GENTILE, GIOVANNI

Suas datas foram 1875-1944. Foi um filósofo idealista italiano. Nasceu em Castelvetrano, na ilha da Sicília. Educou-se em Pisa. Tornou-se professor de filosofia das Universidades de Palermo, Pisa e Roma. Trabalhou também como Ministro da Instrução Pública, — tendo estabelecido significativas reformas. Foi associado íntimo de Croce (vide); mas Gentile terminou sendo um filósofo do *fascismo* (vide), e isso destruiu o relacionamento. Veio a ser o ministro da Educação de Mussolini, o ditador italiano, o que serve para demonstrar o seu envolvimento no movimento fascista. Acabou assassinado em 1944.

Idéias:

1. Ele rejeitava a diferenciação, feita por Croce, entre a categoria teórica e a categoria prática da mente. Segundo pensava ele, a única realidade seria o *ato do pensamento*, o que, ao mesmo tempo, é um *ato criativo*. A natureza é um pensamento morto. Como *algo em si mesmo*, a natureza não seria cognoscível.

2. A sua filosofia veio a ser conhecida como *Atualismo* ou *Idealismo Atual*, com elementos similares aos do idealismo de Hegel. O ato puro é o Espírito Absoluto que se concretiza no mundo. O sujeito, ou indivíduo que pensa, tem uma consciência que inclui tanto o sujeito como o objeto do pensamento, ou seja, aquilo que é interno e aquilo que é externo ao sujeito. O *idealismo* (vide) emerge como uma verdade, quando alguém se torna consciente da estrutura lógica de sua experiência.

3. O ato do sujeito (seu pensamento ativo) adquire um estado ontológico. O objeto da experiência do indivíduo é o limite ideal de sua experiência. A autoconsciência e a autocriação são fenômenos iguais. O ato é a base da liberdade humana; a liberdade humana é autocausada.

4. As tríadas dialéticas de Hegel, representam o *Pensamento no processo de pensar*. — A filosofia consiste no exame de como acontece a síntese entre o sujeito e o objeto. Em contraste com Hegel, Gentile fazia as tríadas centralizarem-se em uma filosofia da educação. Todas as atividades, mas, especialmente, aquelas que envolvem as artes e a religião, tornam-se centrais para a educação elementar. A síntese filosófica desses elementos é a tarefa central das escolas secundárias.

5. *Sistemas Emergentes*. As idéias religiosas de Gentile criaram aquilo que se conhece como

GENTILEZA — GENTIO

Espiritualismo Cristão. Ver sobre o *Espiritismo* (*Espiritualismo*), em seu primeiro parágrafo. As implicações políticas dessa filosofia sustentaram em parte o fascismo, que se preocupava com o Estado como uma corporação. Ugo Spirito encabeçava essa escola de pensamento. Suas idéias foram apresentadas sob o título de *Problematicismo*, que afirma que a função da filosofia é esclarecer, criticar e produzir confrontos existenciais.

GENTILEZA, DOCILIDADE

No grego, **epieikeia**, vocábulo que aparece por duas vezes em sua forma nominal, Atos 24:4 e II Cor. 10:1. E, em sua forma adjetivada, *epieikés*, ocorre por cinco vezes: Fil. 4:5; I Tim. 3:3; Tito 3:2; Tia. 3:17; I Ped. 2:18. Além disso, em I Tes. 2:7 e II Tim. 2:24, aparece a forma *epios.* O sentido básico de *epieikeia* é ação justa, com base em padrões eqüitativos, com as idéias secundárias de *moderação* e *condescendência.* A gentileza de Cristo e a moderação de Paulo deveriam ter inspirado os crentes de Corinto a conduzirem-se de melhor maneira (ver II Cor. 10:1). Os crentes também devem mostrar-se gentis para com todos os homens (Fil. 4:5). A *gentileza*, que é uma das manifestações do amor, é algo essencial nessa demonstração.

O termo grego *chrestótes* (ver Rom. 2:4; 3:12 (citando Sal. 14:3); 11:22; II Cor. 6:6; Gál. 5:22; Efé. 2:7; Col. 3:12 e Tito 3:4) aparece como nome de um dos aspectos do fruto do Espírito, em Gál. 5:22, traduzido por *gentileza*, em algumas traduções (nossa versão portuguesa prefere a tradução *benignidade*). O vocábulo incorpora as idéias de gentileza, docilidade, *etc.* Muitos estudiosos, como Trench (*Synonyms of the New Testament*), pensam que «benignidade» é mesmo a melhor tradução desse vocábulo grego.

> *«Pois o amor de Deus é mais amplo*
> *Que a medida da mente humana;*
> *É o coração do Eterno*
> *É maravilhosamente gentil».*
>
> (F.W. Faber)

Na qualidade de fruto do Espírito, a *gentileza* é um poder e uma presença espiritual cultivados, e não uma realização humana. Naturalmente, outro tanto pode ser dito acerca de toda outra manifestação da espiritualidade, embora o homem tenha o dever de cultivar todos essas virtudes cristãs, conforme se vê, por exemplo, em Fil. 2:12,13.

No dizer de Trench (*Synopsis of the New Testament*), a *gentileza de Deus* alude a «Sua atitude, sempre que abandona seus estritos direitos sobre os homens; quando ele anui diante da imperfeita retidão deles, dando valor àquilo que, se fosse rigidamente estimado, não teria qualquer valor; quando ele se recusa a impor penas extremas; quando ele relembra o estofo de que somos feitos, medindo, de acordo com isso, o seu relacionamento conosco». Em outras palavras, a bondade e a gentileza de Deus são expressões de seu amor, do que resultam o *perdão*, a *salvação* e a *restauração* dos homens. Ver os artigos separados sobre cada um desses tópicos.

GENTILI, ALBERICO

Suas datas foram 1552-1608. Foi um protestante italiano que fugiu para a Inglaterra, onde se tornou Professor Régio de Leis Civis, na Universidade de Oxford. Sua obra *De Jure Belli Libri Tres* foi essencialmente dedicado às regras que deveriam governar as guerras entre os povos. Quanto ao governo, ele advogava um governo internacional para a Europa, onde as decisões seriam feitas pela maioria de votos dos estados participantes.

GENTIO

1. O Vocábulo
2. Os Pactos e o Caráter Ímpar de Israel
3. As Poluções das Nações
4. Os Gentios e a Espiritualidade
5. A Missão da Igreja entre os Gentios: a Igreja Gentílica
6. Os Gentios e as Promessas do Reino
7. Os Gentios e a Restauração

1. *O Vocábulo.* Quanto ao vocábulo «gentio» precisamos examinar tanto o original hebraico quanto o original grego:

a. No hebraico, *goyim*, que significa «nações» ou «estrangeiros», em contraste com Israel. Essa palavra quase sempre aparece no plural no Antigo Testamento. Ver Gên. 10:5; Juí. 4:3; Isa. 11:10; 42:1,6; 49:6,22; 54:3; 61:6; Jer. 4:7; 4:22; Lam. 2:9; Eze. 4:13; Osé. 8:8; Miq. 5:8, etc.

b. No grego, *ethnos*, termo genérico que indica «nação», mas incluindo a nação de Israel. Ver Mat. 24:7; Atos 2:5 (e também Isa. 7:5 e 23:2). Paulo contrasta judeus e gentios em Rom. 2:9,10. Mas ali usa o termo grego *ellen*, a fim de indicar qualquer pessoa que não fosse judia, mas que falasse o grego. Ver também João 7:35 e Rom. 3:9 quanto a esse uso do termo. Tal uso explica-se porque, nos dias do Novo Testamento, o grego tornara-se a língua universal, e quem falasse o grego nem sempre era de sangue grego.

2. *Os Pactos e o Caráter Ímpar de Israel.* Deus tem estabelecido com a humanidade vários pactos. Aquele que foi estabelecido com a nação de Israel, na península do Sinai, distinguiu essa nação de todas as outras nações (Gên. 12:2; 18:18; 22:18; 26:4). E todas as demais nações passaram a ser os «gentios». Essa é a característica que faz de Israel uma nação sem igual no mundo (Deu. 26:5; Êxo. 19:6). Essa singularidade sempre teve efeitos sobre o relacionamento entre Israel e todas as demais nações (Êxo. 24:10; Lev. 18:24,25; Deu. 15:6).

3. *As Poluções das Nações.* Grosseira idolatria e imoralidade caracterizavam as nações gentílicas, más qualidades essas que, constantemente, ameaçavam o caráter ímpar de Israel (I Reis 14:24), e que acabaram resultando em juízo contra o povo de Israel (II Reis 17:7 *ss*). Entre esses juízos, os cativeiros assírio e babilônico foram os exemplos supremos. A luta contra a poluição moral e as constantes denúncias dos profetas de Israel contra as nações, fizeram com que o termo *gentio* assumisse um tom pejorativo. Um judeu estigmatizava um seu compatriota chamando-o de gentio ou de cobrador de impostos. Ver Mat. 18:71. Esse sentimento era tão profundo e forte que Tácito foi levado a observar que os judeus «consideravam o resto da humanidade com todo o ódio que se vota a inimigos» (*Hist.* 5:5). Um judeu piedoso nunca entrava na casa de um gentio, com receio de ficar contaminado e assim ficar cerimonialmente impuro. Ademais, sempre que possível, quando estava viajando, evitava áreas e cidades dos gentios, pelo mesmo motivo.

4. *Os Gentios e a Espiritualidade.* Desde o começo mesmo de Israel como nação, por meio de Abraão, Deus estendeu o seu favor aos povos gentílicos. O próprio pacto abraâmico previa que os gentios seriam abençoados, juntamente com a nação de Israel (Gên.

GENTIO — GERA

22:18). Nele (Abraão) todas as nações seriam abençoadas. Nisso é que podemos ver a *razão* do caráter ímpar de Israel: essa nação seria o mestre e o guia espiritual das nações. Isso nada tinha a ver com a idéia de se orgulharem os israelitas e desprezarem as demais nações. A superioridade da nação de Israel só existia para que os israelitas fossem os mediadores da mensagem e das bênçãos de Deus às nações (ver Isa. 61:6). Em outras palavras, Israel deveria ser uma nação missionária entre as demais nações, e o mundo deveria ser o seu campo missionário. Porém, por haverem rejeitado ao seu próprio Messias, os filhos de Israel foram temporariamente cortados, e a missão deles foi interrompida pela era do reino. Ver Rom. 11:11-35. Política e nacionalmente, Israel agora precisa ser pisada pelos gentios até que o relógio de Deus traga-os de volta à sua posição original de mestres (ver Luc. 21:24). Entretanto, chegará o tempo em que todo o povo de Israel será salvo, não havendo como aplicar isso somente ao remanescente do período da Grande Tribulação. Ver Rom. 11:25-27. Ver o artigo separado sobre a *Queda e Restauração de Israel*.

5. *A Missão da Igreja entre os Gentios: a Igreja Gentílica.* Não foi fácil aos crentes judeus aprenderem que a Nova Fé tinha, como sua prioridade máxima, a evangelização das nações, embora isso seja uma clara provisão da Grande Comissão (ver Mat. 28:19,20). Pedro, embora apóstolo, precisou receber uma visão especial a fim de poder entender devidamente esse ponto (ver Atos 10:9 *ss*). Um apóstolo especial, encarregado dos gentios, foi nomeado, a saber, Paulo, o qual trabalhou mais abundantemente do que todos os demais, assim garantindo o sucesso de sua missão (ver Gál. 2:9 e I Cor. 15:10). O amor de Deus visa a todos os homens (João 3:16) e a expiação de Cristo tem efeitos absolutamente universais (ver I João 2:2). Quanto à missão da Igreja entre os gentios, ver textos como Atos 9:15; 10:45; 11:1,18; 13:42; 15:3,7,12,14; 18:6; 22:21; 26:17,20; 28:28; Rom. 1:13; Gál. 2:2; Col. 1:27. O termo *cristianismo gentílico* salienta o fato de que, quase desde os seus primórdios, a Igreja cristã primitiva contava com mais membros gentílicos do que com membros judeus. Então teve início a evangelização do mundo, e uma *noiva gentílica* (a Igreja), tem sido chamada para pertencer a Cristo (Efé. 5:27 *ss*). De acordo com o trecho de Atos 11:20 *ss*, elementos não-judeus foram admitidos, em primeiro lugar, pela igreja cristã de Antioquia. Israel foi apenas o começo. Dentro do período de atuação de Paulo, todos os principais lugares do mundo então conhecido haviam sido evangelizados (ver Col. 1:6).

6. *Os Gentios e as Promessas do Reino.* De acordo com as profecias bíblicas relativas ao Reino, o Messias tornar-se-á a luz dos povos gentílicos (Isa. 42:6); a salvação haverá de ampliar-se até os confins da terra (Isa. 49:6); os gentios haverão de buscar ao Senhor (Isa. 11:10); a terra encher-se-á do conhecimento do Senhor, assim como as águas cobrem o leito do mar (Isa. 11:9).

7. *Os Gentios e a Restauração.* O propósito restaurador de Deus ampliar-se-á para muito além do período do reino, período esse que opera como uma espécie de preparação para as eras eternas. O mistério da vontade de Deus (ver Efé. 1:9,10) haverá de produzir uma restauração universal, que atingirá todas as almas humanas de todos os tempos. Contudo, antecipo que isso atuará em dois níveis: a redenção, que alcançará apenas a minoria dos eleitos, levando-os à participação na natureza divina (ver II Ped. 1:4; Col. 2:10; II Cor. 3:18); e a restauração, que envolverá uma realização secundária, embora tam-

bém gloriosa, da missão de Cristo. Ver o artigo separado sobre a *Restauração*, quanto a detalhes completos sobre essa doutrina.

GENTIOS, ÁTRIO DOS

Ver **Átrio dos Gentios**.

GENUBATE

No hebraico, «furto». Nome do filho de Hadade, o idumeu, e de uma princesa egípcia, irmã de Tapenes, a rainha do Faraó que governava o Egito já perto do fim do reinado de Davi. Viveu em cerca de 1000 A.C. Ele fugiu de Edom, quando Davi invadiu o país. Todos os homens daquele exército, que foram aprisionados, foram mortos. Seu nome aparece somente em I Reis 11:20.

GENUFLEXÃO

Essa palavra vem do latim, **genu-flexio**, «dobrar os joelhos». Uma postura cerimonial assumida em certos instantes das observâncias litúrgicas da Igreja Católica Romana. Ocorre antes do bendito sacramento; por ocasião do *incarnatus*, do Credo; e em outras oportunidades, quando uma reverência especial é tida como apropriada.

GEOMETRIA

Termo que vem do grego, **ge**, «terra» e **metrein**, «medir». A geometria é aquele ramo da matemática que trata do espaço e suas relações, especialmente no que concerne às propriedades e medidas de pontos, linhas, ângulos, superfícies e sólidos. Como uma ciência, a geometria teve as suas origens entre os antigos egípcios, os quais tinham de retraçar os limites dos campos a cada ano, em resultado das inundações anuais do rio Nilo. Os gregos, sobretudo Euclides (cerca de 300 A.C; *vide*), fizeram da geometria uma ciência dedutiva e teórica, com base em postulados. A matemática em geral tinha muita importância para a filosofia grega, porquanto ilustrava como a mente humana pode chegar a certas verdades por meio de axiomas e do raciocínio, sem qualquer aplicação de provas empíricas. Além disso, a geometria era usada como uma disciplina mental, que os filósofos julgavam boa para todos os interessados.

Nos tempos modernos, princípios não-euclidianos têm-se inserido em nossa maneira de pensar. De acordo com a física de Einstein, a geometria clássica descreve de modo falso a existência. Para exemplificar, o espaço é uma entidade não-euclidiana. Segundo essa forma de geometria, os postulados de Euclides, a respeito do espaço, não conseguem manter-se de pé.

GERA

Vem do termo hebraico **ger**, «residir temporariamente». Esse nome era muito aplicado a pessoas da tribo de Benjamim, desde o período patriarcal até o exílio babilônico. Podemos enumerar três homens com esse nome, nas páginas do Antigo Testamento:

1. O filho de Bela, neto de Benjamim (I Crô. 8:3). O apelativo ocorre novamente em I Crô. 8:5,7, onde talvez esteja em foco a mesma pessoa, embora haja eruditos que pensam que está em foco outra pessoa (número «dois», abaixo). Em Gên. 46:2, esse homem aparece como filho de Benjamim. Encontrava-se entre os descendentes de Jacó, quando o patriarca migrou

GERA — GERAÇÃO

para o Egito, em cerca de 1871 A.C. Interessante é que em I Crô. 7:7, o lugar onde esperaríamos ser mencionado Gera, é ocupado por Uzias. Em face disso, muitos estudiosos pensam que o trecho envolve alguma confusão. A maioria dos nomes, em Gên. 46:21, deve ser entendida como nomes de chefes de clãs; mas Gera é nome omisso, em uma lista similar em Núm. 26:38-41.

2. O pai (ou ancestral) de Eúde, o juiz (Juí. 3:15). Viveu por volta de 1295 A.C.

3. O pai de Simei. Foi este último quem amaldiçoou a Davi, quando ele fugia de Absalão (II Sam. 16:5; 19:16,18; I Reis 2:8). Viveu antes de 966 A.C. Gera, antepassado de Eúde, e Gera, antepassado de Simei, podem ter sido a mesma pessoa.

GERA (PESSOAS)

No hebraico, provavelmente, «peregrino», alguém que fica em um país somente por algum tempo. Nesse caso, o nome derivar-se-ia do termo *ger*, «peregrinar». Nas páginas do Antigo Testamento, nome de três benjamitas que viveram em épocas diferentes, a saber:

1. Um filho de Bela e neto de Benjamim, um dos doze patriarcas de Israel. Ver I Crô. 8:3,5,7. Em Gên. 46:21, ele aparece como um dos irmãos de Bela, e portanto, filho de Benjamim. Em I Crô. 7:7, o nome «Uzi» aparece no lugar do nome de Gera. Há estudiosos que pensam que a passagem de I Crô. 8:3,5,7 não alude somente a um homem com esse nome e, sim, a dois, ou mesmo três. Neste último caso, há um Gera mencionado no terceiro versículo, outro no começo do quinto versículo, e ainda um terceiro Gera mencionado, no sétimo versículo, que seria o pai de Uzá e Aiúde. O filho de Bela viveu por volta de 1871 A.C.

2. O pai ou antepassado de Eúde, o juiz (ver Juí. 3:15). Viveu por volta de 1295 A.C.

3. O pai de Simei. Este último amaldiçoou a Davi, quando esse rei fugia de Absalão (II Sam. 16:5; 19:16; 18; I Reis 2:8). Viveu antes de 966 A.C.

GERAÇÃO

Há vários pontos que precisamos considerar quanto a essa palavra:

1. *Na Filosofia*. A palavra *geração* vem do latim *generara* (gerar, criar). A palavra é usada para exprimir um dos conceitos aristotelianos sobre as mudanças, como oposto da *corrupção*. A geração seria uma mudança do não-ser para o ser, ao passo que a corrupção seria a mundança do ser para o não-ser. A geração e a corrupção relativas são tipos de alteração, ou de mudança de *qualidade*. Aristóteles tinha três tipos básicos de mudança, e esse era um deles. Além desse tipo, teríamos mudanças quanto à quantidade e quanto à mudança de lugar. As alterações envolveriam tanto o crescimento como a diminuição da massa dos organismos.

2. *Usos Bíblicos*. Há dois termos hebraicos e quatro termos gregos a ser considerados, ou seja:

a. No Antigo Testamento, o termo hebraico *toledot*, que ocorre por dez vezes no livro de Gênesis (2:4; 5:1; 6:9; 10:1; 11:10,27; 25:12,19; 27:2 e 36:1), com o sentido de história genealógica. A Septuaginta, usualmente, traduz esse termo hebraico pelo grego *genesis*, que também é a palavra empregada em Mat. 1:1, referindo-se à genealogia de Jesus.

b. No Antigo Testamento, o termo hebraico *dor*. Essa palavra pode referir-se a algum período

específico de tempo (Gên. 15:16; Deu. 23:2,3,8; Isa. 51:9; 58:12; Sal. 45:17; 72:5). Esses períodos podem ser passados ou futuros. Essa palavra também pode referir-se a alguma classe de homens, como uma «geração perversa e deformada» (Deu. 32:5), ou como uma «linhagem do justo» (Sal. 14:5).

c. No Novo Testamento, o termo grego *genesis*, que é usado com diversos sentidos: em Mat. 1:1, aparece como registro genealógico de Jesus; em Mat. 1:18 e Luc. 1:14, como o nascimento de Cristo; em Tia. 1:23, como o rosto natural da pessoa, o rosto com que a pessoa nasceu; em Tia. 3:6, refere-se ao curso da natureza (literalmente, «curso do nascimento»). Alguns estudiosos supõem que, em Mat. 1:1, esteja em foco a história inteira de Jesus, o Cristo, como equivalente à expressão portuguesa «livro da história de». Nos mistérios órficos, esse vocábulo aparece com o sentido de «roda da origem humana». Simplício sobre Arist. *De Caelo*, 2, par. 377.

d. No Novo Testamento, o termo grego *genea*. A Septuaginta usou essa palavra para traduzir o termo hebraico *dor* (2.b). Ela indica as pessoas que vivem em um determinado tempo (Mat. 11:16); ou uma determinada extensão de tempo (Luc. 1:50). Também refere-se aos componentes de uma genealogia (Mat. 1:17). Pode indicar uma família, um clã ou uma descendência (Josefo, *Anti.* 17.20). Também pode apontar para uma nação, conforme se vê em Mat. 24:34 e Luc. 21:32. O período de tempo ocupado por uma geração é o sentido dessa palavra em Dionis. *Hal.* 3:15; em Phil. *Mos.* 1,7; em Josefo, *Anti.* 5.336 e também em Gên. 50:23. Uma *era* é, igualmente, um significado possível dessa palavra (ver Mat. 1:17 e I Clemente 50:3).

e. No Novo Testamento, a palavra grega *gennema*, «criança» ou «prole» (Mat. 3:7; 12:34; 23:33; Luc. 3:7). Faz parte da denúncia severa de João Batista: «Raça de víboras...» (Mat. 3:7).

f. No Novo Testamento, a palavra grega *genos*, «raça», como se vê dentro da expressão «raça eleita», de I Pedro 2:9, que indica os eleitos como um todo.

Na linguagem bíblica, uma geração, que corresponde ao período ocupado pela existência de toda uma geração, usualmente, aparece como um período médio de quarenta anos, como, por exemplo, o período de tempo em que Israel vagueou pelo deserto. Aquela ficou conhecida como «geração do deserto». Quanto à expressão que se encontra em Mat. 24:34, «não passará esta geração», ver o artigo separado com o título de *Geração que Não Passa*.

3. *A Geração Eterna do Filho de Deus*. Essa difícil questão teológica é abordada em um artigo separado, intitulado *Geração Eterna* (vide).

GERAÇÃO, DIFERENÇA DE (ou GERAÇÕES, HIATO DE)

Corresponde à expressão inglesa «generation gap», ou seja, o espaço de tempo entre uma geração mais velha e uma geração mais jovem. Refere-se à alienação em que vivem muitos jovens em relação a seus pais e à sociedade. Por certo número de razões nebulosas, muitos jovens sentem-se insatisfeitos com a sociedade em que vivem, distanciando-se da mesma. Alguns distanciam-se mediante a indiferença; mas outros tornam-se revoltados contra tudo e contra todos. As mudanças ideológicas e tecnológicas súbitas e rápidas deixam muitos jovens inseguros. A ameaça de aniquilamento pela força atômica é algo que eles aceitam como um ameaçador legado da geração mais velha, deixando-os perplexos. O próprio envolvimento de tantos jovens com drogas e outras atividades

889

GERAÇÃO — GERAÇÃO NÃO PASSARÁ

anti-sociais fazem esse distanciamento tornar-se ainda maior.

Tradicionalmente, os jovens são aqueles que protestam e se revoltam, geralmente sem qualquer reflexão madura, favorecendo então idéias radicais, impraticáveis, utópicas. Os jovens mostram acentuada tendência para a impraticabilidade idealista e para a impaciência diante das coisas como elas são, preferindo as soluções rápidas e superficiais para problemas profundos. Mas as pessoas de mais idade tendem por acomodar-se ao *status quo*, por já terem perdido a fé em soluções a curto ou a longo prazo.

Apesar desse distanciamento entre as gerações sempre ter existido, o que nos permite prever que também sempre existirá, pelo menos essa distância pode ser encurtada, sempre que permitirmos que o amor oriente nossas atitudes e ações. A correta educação, o treinamento religioso apropriado e atividades políticas corretas podem contribuir para que se encontre uma solução para esse problema, que se configura grave em nossos dias. Sempre que houver justiça social e esperança de melhores dias, as pessoas, de todos os níveis da sociedade humana, haverão de unir-se mais.

GERAÇÃO ETERNA

Evidentemente, Orígenes inventou a expressão *eternamente gerado*. Ele ensinava que o Logos, na qualidade de Filho, procede de Deus Pai, não por meio de divisão, mas espiritualmente, por geração eterna. O Logos, como Filho, é eternamente gerado pela vontade do Pai. Desse modo, quando o termo gerado é aplicado ao Filho, não subentende a idéia de começo, conforme a palavra geralmente significa. Antes, subentende um processo e um relacionamento eternos. O Filho tem a mesma natureza do Pai; mas, a idéia de ter sido gerado faz com que ocupe uma posição subordinada, como Filho, em relação ao Pai. Portanto, a designação *geração eterna* fala sobre as relações intertrinitarianas entre o Pai e o Filho, e não sobre uma suposta criação do Filho, por parte do Pai. E nem a palavra «geração» indica que Jesus, o homem, foi adotado como filho por seu pai adotivo, José, tendo sido gerado em Maria, por meio da influência e do propósito do Espírito Santo. A geração do corpo humano de Jesus, que o Logos usou, é uma outra geração, mas forma um assunto distinto do que estamos ventilando. Jesus, o homem, foi gerado dentro do tempo, tendo-se fundido com o Logos, daí resultando a natureza divina humana. Essa foi uma geração genuína, mas não aquela que está em foco neste artigo. Antes disso, antes da encarnação, há uma filiação divina e eterna, conforme também fica claro em João 1:18 e I João 4:9. Ver também João 5:26, onde encontramos a distinção de pessoas, dentro da deidade. Entre o Pai e o Filho há uma certa superioridade e subordinação quanto à ordem, mas não quanto à natureza essencial (João 5:19; 8:28). Subordinação, todavia, não subentende inferioridade, mas antes diferença quanto à ordem, à posição e à função. O trecho de Sal. 2:7, que diz: «Tu és meu Filho, eu hoje te gerei», é citado em Heb. 1:5 para mostrar um dos fatores que empresta ao Filho de Deus a sua elevada exaltação acima de todos os outros seres. É evidente que isso se deu antes da encarnação. Poderíamos supor que essa geração foi de um ser pré-encarnado, mas não de um ser eterno. Porém, visto que o Logos (em quem reside o princípio do Filho) é eterno (João 1:1), então também é dito que o Filho é eterno. Portanto, ele foi gerado, em um certo sentido, ao mesmo tempo que, em outro sentido, ele é eterno. Ver o artigo detalhado sobre o *Logos*. A eternidade é um elemento essencial dessa doutrina. Um Logos temporal não tem qualquer precedente na filosofia e na religião.

GERAÇÃO NÃO PASSARÁ (MAT. 24:34)

O sentido deste versículo é difícil de se precisar, na opinião de muitos intérpretes, e alguns acreditam que não podemos ter certeza de seu significado. A maior dificuldade consiste em compreender o que está em foco em seu sentido mais breve. Parece evidente que o autor esperava a volta de Jesus, antes da morte dos ouvintes de Jesus. (Ver Mat. 16:28). Se assim for, naturalmente ele estava equivocado. Não obstante, a igreja, em todas as gerações, deve ser impulsionada por essa expectativa. Abaixo temos as principais interpretações:

1. Jesus ter-se-ia referido somente à *destruição de Jerusalém*, e isso, naturalmente, teve cumprimento naquela mesma geração, se usarmos o costume do V.T. de considerar que cada geração perdura quarenta anos. O problema aqui razões, entretanto, é o significado de «tudo isto». A fim de conservar essa interpretação, não se deve incluir a «parousia» (que faz parte definida dos assuntos que acabam de ser ventilados nas palavras de Jesus). Esta interpretação ensina que Cristo veio «em espírito» (não literalmente) na destruição de Jerusalém. Nesse caso «tudo isto» equivaleria às palavras «todas estas cousas», conforme lemos no vs. 33. Por essas razões, essa interpretação não parece natural, porquanto parece óbvio que esta profecia inclui, de modo definido, a idéia da vinda literal de Cristo, no fim da atual dispensação.

2. Alguns eruditos mais liberais explicam simplesmente que Jesus estava *equivocado*, como também Mateus porque a «parousia» ou segunda vinda de Cristo não teve lugar no espaço de uma geração.

3. Outros têm procurado explicar a dificuldade, fazendo com que «geração» signifique *raça*, «espécie», «família» ou «nação», dizendo que tal profecia tãosomente assegura a continuação de Israel, como nação, até a vinda de Cristo, isto é, que Israel, na sua identidade como raça e como nação continuará até chegar aquele acontecimento. Paulo declara exatamente isso em Rom. 11:25, *ss*. Essa explicação é possível; contudo, vai de encontro ao uso comum da palavra «geração», conforme se vê em passagens como Mat. 1:17; 23:26 e Atos 13:36, onde o sentido claro é um período de tempo, mais ou menos de quarenta anos, ou a extensão da duração da vida das pessoas que vivem em um determinado período. O texto não parece indicar que «raça» ou «nação» seja o sentido tencionado aqui.

4. Outros explicam que a «geração» de que aqui se trata é o período de tempo quando os sinais da grande tribulação, ou mesmo sinais anteriores de angústia, no fim da atual dispensação, *se tornarem evidentes*. A geração que *então estiver viva* não passará completamente antes de completar-se todo esse processo, incluindo a vinda de Cristo. Essa interpretação goza de algum apoio devido à analogia com a primeira interpretação. É verdade que os acontecimentos que conduziram à destruição de Jerusalém, a partir do tempo da profecia de Jesus em diante, não ocuparam mais do que uma geração, e que algumas pessoas pertencentes à geração de Jesus continuaram vivas até que Jerusalém foi destruída. Assim também será no tocante à vinda de Cristo, após a tribulação. A partir do começo dos horrendos sinais do fim desta dispensação, até a culminação final dos acontecimen-

890

GERAR — GERAR, GERADO

tos, quando da vinda de Cristo, a geração que então estiver viva, no começo dessas ocorrências, não passará inteiramente até que tudo se complete. É improvável que esse seja o sentido das palavras de Jesus; ou pelo menos não parece ser esse o sentido do versículo, se considerarmos a profecia em seu aspecto mais prolongado, quer Mateus tenha ou não compreendido essas implicações. É óbvio que ele não as entendeu inteiramente.

Existem ainda outras interpretações acerca do termo *geração*, além daquelas que enumeramos acima, e que são alistadas abaixo: 1. A raça humana (Jerônimo); 2. a criação (Maldonado); 3. os discípulos, a geração de crentes (Orígenes, Crisóstomo, Paulus). Se adicionarmos que «essa geração» indica aquela geração particular de crentes que estará viva no fim desta dispensação, e que verá tanto o começo como o fim de todos esses acontecimentos, que trarão o «fim» a este sistema mundial, teremos a interpretação de número quatro, que é dada acima e o mais provável é que esse seja o sentido do versículo. Ver Lucas 21:32.

GERAR

No hebraico, «região» ou «lugar de pernoite». Gerar era a principal cidade dos filisteus, nos dias de Abraão e de Isaque, localizada na fronteira sul da Filístia, não muito longe de Gaza. Foi visitada por Abraão, após a destruição de Sodoma (Gên. 20:1), e também por Isaque, quando houve uma seca no resto da terra de Canaã (Gên. 26:1). A região era fértil e adequadamente regada. Foi a sede do primeiro reino filisteu de que temos notícia. Ficava entre os dois desertos de Cades e de Sur. Quanto à sua localização, perto de Gaza e Beerseba, ver Gên. 10:19; 20:1 e 26:1,26. Nos dias de Abraão, os habitantes da região eram aguerridos e dedicados ao pastoreio. *Abimeleque*, cujo sentido é «pai de reis», aparentemente, era um título hereditário, e não monárquico eletivo, e esse era o título dos governantes da Filístia.

Os reis dali cobiçaram as esposas respectivas de Abraão e de Isaque, sem saberem que elas eram tais, porquanto aqueles patriarcas apresentaram-nas como suas irmãs. A Bíblia Anotada de Scofield refere-se às inverdades assim ditas por esses patriarcas como seus «lapsos em Gerar». Devemo-nos lembrar, entretanto, que, naquela época, os monarcas locais tinham poderes absolutos sobre todas as mulheres, tanto do local quanto das que entrassem em seus domínios. Se um desses chefes desejasse uma mulher casada e o marido da mesma objetasse, isso poderia significar, facilmente, — a morte dele e a incorporação da mulher no harém real; e ninguém podia protestar. Assim, as mentiras pespegadas por esses dois patriarcas foram arriscadas, mas, potencialmente, salvaram-lhes a vida. De certa feita, ouvi uma professora de Escola Dominical referir-se a esse caso com indignação, dizendo: «Abraão não protegeu sua esposa, nesse incidente». No entanto, a intenção de Abraão foi precisamente a de proteger sua esposa, disposto a sacrificar a virtude dela, a fim de salvar a própria vida e quem sabe, a vida de Sara. E quem sabe mais o que poderia ter acontecido!

Lemos em II Crônicas 14:13,14 que, posteriormente, Asa, rei de Judá, derrotou os invasores etíopes, tendo-os perseguido até Gerar. Em seguida, os judeus saquearam toda aquela região.

Os eruditos supõem que os filisteus só vieram a ocupar realmente a área de Gerar várias centenas de anos depois da época de Abraão e de Isaque. Porém, podemos adiantar que o livro de Gênesis refere-se a Abimeleque como o rei daquele lugar, de modo geral,

o qual veio a cair sob o domínio dos filisteus posteriormente (Gên. 26:1).

O antigo local de Gerar tem sido identificado com o Tell Abu Hureirah, cerca de quinze quilômetros ao suleste de Gaza e a pouco mais de vinte e quatro quilômetros a noroeste de Berseba. Escavações arqueológicas têm mostrado que a região vem sendo ocupada desde o período do Bronze Médio (1800 — 1600 A.C.). Tell Jemmeh também tem sido escolhido como o local da antiga Gerar. Fica um pouco mais perto da orla marítima. A arqueologia dá informações sobre a localidade desde o período do Bronze Posterior, incluindo até o período bizantino. Muitos dos objetos ali achados indicam que era um lugar rico, provavelmente localizado em uma lucrativa rota de caravanas. Altares de incenso, pertencentes aos séculos VI até IV A.C., são decorados com homens e camelos, o que demonstra a existência de um sistema comercial formal.

GERAR, GERADO

No hebraico temos **yalad**, «gerar», «produzir». Palavra de uso freqüente no Antigo Testamento, usada por cerca de pelo menos quinhentas vezes, de Gênesis ao livro de Zacarias. No grego temos *gennáo*, «gerar», que figura por cerca de cem vezes, desde Mateus 1:2 até I João 5:18.

A idéia é freqüentemente usada no sentido literal, como se vê nas genealogias do Antigo e do Novo Testamentos. Mas a importância da palavra, bem como os conceitos nela envolvidos, encontra-se mais em seus usos metafóricos.

1. Em Salmos 2:7, em relação ao rei davídico que era esperado (o Messias), temos o ponto de vista de adoção.

2. Porém, quando diz respeito a Cristo, vamos além disso, nas páginas do Novo Testamento. Assim, temos o «Filho unigênito de Deus», em João 3:16. A palavra «unigênito» significa «único de sua espécie», ainda que, provavelmente, tenhamos ali a idéia de uma *eterna geração*: o Filho nunca teve começo, mas sempre foi o Filho. Nesse caso, o termo refere-se à posição de Cristo e Sua relação com a deidade, não se devendo pensar em qualquer ponto dentro do tempo. Esse conceito é necessário para preservar a idéia de eternidade, dentro do conceito trinitariano, segundo o qual um dos membros da Trindade eterna (ver o artigo) é o Filho, segundo também declara João: «E o Verbo se fez carne, e habitou entre nós, cheio de graça e de verdade, e vimos a sua glória, glória como do unigênito do Pai» (João 1:14).

3. *Na Literatura Joanina*. Existem aqueles que nasceram de Deus (João 3:5,6). Ver sobre a *regeneração*. Os trechos de Gálatas 4:5 e Romanos 8:15 (ver as notas a respeito no NTI) aludem à adoção espiritual, e, sob esse símbolo, são ilustrados certos aspectos da filiação. Mas também se destaca o fato de que há necessidade de nascimento do alto, ou regeneração, mediante o que uma nova e exaltada espécie de ser está vindo à existência. Essa nova espécie de ser humano chegará a compartilhar plenamente da própria forma de vida de Deus, a sua essência e natureza (II Ped. 1:4), moldada segundo o tipo de vida exibida pelo Filho (Rom. 8:29; II Cor. 3:18). Dentre todos os conceitos religiosos, esse é o mais elevado de todos. (Ver João 1:12,13; I João 3:9; 4:7; 5:1,4,18). Aprendemos na Bíblia que o Espírito Santo é o agente que produz esse nascimento espiritual. Por exemplo: «...ele nos salvou mediante o lavar regenerador e renovador do Espírito Santo» (Tito 3:5). Lemos que Cristo também nasceu de Deus

GERASA (GERASENOS)

(I João 5:18). Sem dúvida está em foco a unidade de essência, conforme também se aprende em João 10:30. E essa mesma unidade de essência, quanto à natureza, também é prometida aos filhos de Deus. «...e como és tu, ó Pai, em mim e eu em ti, também sejam eles em nós...» (João 17:21).

Aquele que nasceu de Deus vence o mundo (I João 5:4). Aquele que nasceu de Deus purifica-se a si mesmo, na expectação da *parousia* ou segunda vinda de Cristo (ver o artigo) (I João 3:2,3). Finalmente, aquele que nasceu de Deus pratica a lei do amor, o que serve de comprovação de seu novo nascimento e de sua conseqüente espiritualidade (I João 4:7). Esse é o nosso mais elevado princípio ético. (A B NTI)

GERASA (GERASENOS)

Marcos 5:1: *Chegaram então ao outro lado do mar, à terra dos gerasenos.*

Trata-se de uma longa narrativa, para mostrar o *grande poder* de Jesus como exorcista. Que ele podia resistir com sucesso e poder às forças das trevas, é fato usado pelos evangelistas para provar sua autoridade messiânica. Os judeus sempre tiveram o grande problema de aceitar um Messias que fosse o Servo Sofredor. Por essa razão os evangelhos dão muitos e variados argumentos em favor da missão messiânica autêntica de Jesus. O principal argumento é o de suas obras poderosas, mormente os milagres. A tradição talmúdica exigia que o Messias fosse operador de milagres. Outra dessas provas é a mensagem poderosa de Jesus. O Messias teria de trazer novos discernimentos e enriquecer a teologia antiga. Mas o Messias também poderia fazer oposição bem-sucedida aos poderes satânicos. Assim, os evangelhos exibem bom número de incidentes nos quais o poder de Jesus facilmente dominou casos de possessão demoníaca, até mesmo da natureza mais difícil. Em seu exorcismo, Jesus ignorou totalmente os métodos ordinários da época, que incluíam vários ritos, cerimônias, encantamentos, etc. Sua mera palavra era o bastante, pois conheciam sua identidade e respeitavam sua autoridade, não podendo oferecer-lhe resistência. (Ver João 20:31 quanto ao propósito dos evangelhos de «comprovar o caráter messiânico de Jesus»).

A *única alusão* bíblica à área *gadarena* envolve a história de Gadara: o milagre da vara de porcos. A palavra «gadarenos» (que figura nas notas textuais) se acha em vários manuscritos, em Mat. 8:26; Mar. 5:1 e Luc. 8:26; mas é original somente em Mateus. Gadara data do período do A.T., e, nos tempos do N.T. fazia parte das cidades de Decápolis. As ruínas de Umm Qays assinalam o local. O milagre da passagem diante de nós evidentemente teve lugar em uma subárea dessa cidade (ou região), próxima à beira do mar da Galiléia.

Gerasa era cidade importante do período clássico, a meio caminho entre o mar Morto e o mar da Galiléia, a 32 km do rio Jordão. O moderno povoado existente no local se chama *Jaras*. Muitas ruínas dos tempos romanos estão localizadas ali e na área em geral, datando principalmente de cerca do ano 130 D.C., na época de Adriano. A cidade começou a declinar no século III D.C. mas não foi totalmente abandonada senão já no tempo das cruzadas. Sua localização improvável, em relação ao milagre deste texto, tem dado margem a especulações de que outra cidade do mesmo nome ou de nome parecido estava localizada perto do mar da Galiléia. Talvez Gergesa esteja em pauta. Mas isso é pura conjectura.

Aqui Jesus se achava em território pagão; mas seu poder foi junto com ele. Ele é o Senhor de todos, e mudanças geográficas não podem diminuir sua autoridade. Sem dúvida essa é uma das lições que devemos aprender da história a nossa frente.

Muitos estudiosos têm encontrado dificuldades na história, supondo que contém várias lendas e superstições da época, embora alguns talvez pensem que houve aqui um caso válido de exorcismo. Outros pensam que a mesma tem um tom apócrifo, e um deles cita um dos trinta e nove artigos da igreja anglicana sobre os «livros apócrifos», e pensa que tais palavras se aplicam neste caso: «Apesar de poder ser lida como exemplo de vida e instrução de maneiras, é uma base precária para estabelecer sobre ela qualquer doutrina». Mas tudo isso é desnecessário, pois os estudos modernos no campo da parapsicologia tendem a confirmar a existência e possessão de espíritos, até de múltiplas possessões, em vez de negá-las. As explicações psicológicas falham totalmente em muitos casos. Parece-me que há uma observação fatal que anula os argumentos daqueles que supõem que as chamadas *possessões demoníacas* sejam meras—perturbações—psicológicas ou insanidades. Indagamos: como pode ser que severíssimos casos de perturbação mental podem ser instantaneamente curados pela ordem do exorcista? Quem já ouviu falar em debilidade mental ceder tão prontamente a uma breve oração ou à ordem de um homem? A verdadeira insanidade, que nada tem a ver com espíritos malignos, dificilmente pode ser curada desse modo. Mas algumas pessoas que—evidentemente—estão muito enfermas mentalmente, são assim curadas. Há quem não esteja insano, mas possesso. Qualquer ministro crente, cuja vida é limpa, pode expulsar demônios ordinários. Alguns saem com maiores dificuldades, e exigem o esforço de várias pessoas, em união.

Vs. 1. *Nota textual*. Quanto a uma discussão mais completa sobre o problema da localidade que envolve este texto, ver a nota textual existente em Mat. 8:28 no NTI. A palavra *gadarenos* aparece nos *mss* ACEFG HKMSV, Fam. Pi e é retida pelas traduções AC e KJ. Os *mss* BD e muitas versões latinas e saídicas dizem «geresenos». Todas as traduções, exceto AC e KJ, seguem esta última variante. Sem a menor sombra de dúvida isso reflete o texto original do evangelho de Marcos, embora o de Mateus diga «gadarenos». «Gergesenos» aparece nos mss LU e Delta, mas ninguém aceita essa variante como se fora o texto original.

Ver o artigo separado sobre *Gadara*.

Identificações, Localizações e Descrições. Várias fontes informativas apresentam Gerasa como uma cidade da Arábia, de Decápolis, de Gileade ou da Peréia. Visto que essas regiões se justapunham, provavelmente uma única cidade está em pauta, em todas essas referências. Essa cidade ficava situada perto do rio Jabo, cerca de vinte e nove quilômetros a leste do rio Jordão e a trinta e dois quilômetros a sueste de Pella. Tem sido identificada com a moderna Jarash. Ptolomeu informa-nos que era uma cidade de Coele-Síria, a cinqüenta e seis quilômetros de Pella. Plínio, porém, chama-a cidade de Decápolis (vide), e que teria sido fundada pelos romanos, após a conquista da Síria, em 65 A.C. Josefo a menciona juntamente com Pella e Goal, em conexão com os esforços bélicos de Alexandre Janeu, a leste do rio Jordão, em cerca de 83 A.C. (Ver *Guerras* 1:4,8). Ele menciona novamente a cidade em conexão com a rebelião judaica que culminou na destruição de Jerusalém e de toda a região circunvizinha, em 70 D.C. Antes desse tempo, a cidade havia sido

GERBERT — GERIZIM

reedificada pelos romanos, tendo-se tornado um lugar onde habitavam residentes gentios. Foi reconstruída no século II D.C. e durante algum tempo, prosperou. O cristianismo também medrou bem ali, com a construção de muitas igrejas na região. Um bispo da cidade, no século V D.C., esteve presente ao concílio de Calcedônia.

Gergesa. Alguns estudiosos identificam *Gergesa* como o verdadeiro local onde Jesus fez o milagre que envolveu a *legião* de demônios. Essa cidade se localizava a meio caminho da margem leste do lago da Galiléia. Muitos pensam que esse local é mais provável, para aquele acontecimento, do que Gadara, que ficava mais para o suleste da extremidade sul desse lago. Orígenes, comentando sobre a confusão que cerca a localidade onde ocorreu o milagre em questão, asseverou que o caso ilustra o fato de que os escritores sagrados nem sempre se preocuparam com localizações geográficas precisas, em relação às narrativas que eles historiaram.

GERBERT DE AURILLAC

Esse era o verdadeiro nome do papa Silvestre II (pontificado entre 999 e 1003 D.C.). Nasceu em Auvergne, na *França.* Foi treinado entre os beneditinos de Aurillac e na Espanha, onde estudou matemática, astronomia e música com o bispo de Vichy. Após ter feito uma peregrinação a Roma, estudou em Rheims e se especializou em filosofia, dialética e matemática. Ali, tornou-se cabeça da escola episcopal. Impressionou o imperador Oto II em um debate público, em Ravena, e foi nomeado abade de Bobio. Por um período curto e infeliz, foi o cabeça desse famoso mosteiro; mas não demorou a voltar a Rheims, onde se tornou arcebispo. Em 999, Oto III providenciou para que Gerbert fosse escolhido como papa, quando então Gerbert tomou o nome papal de Silvestre II.

No campo da filosofia, contribuiu para a literatura da lógica e apresentou argumentos em prol da unidade entre a fé e a razão. Fulbert, fundador da Escola de Chartres, foi um de seus discípulos. Sua influência contribuiu para o desenvolvimento da filosofia especulativa.

Escritos. Sobre o Razoável e o Uso da Razão; Sobre o Corpo e o Sangue do Senhor; Cartas de Gerbert.

GERGESA

Ver o artigo **Gerasa, Gerasenos.** Por ocasião do milagre da expulsão da legião de demônios (Mat. 8:28 *ss;* Mar. 5:1 *ss* e Luc. 8:26 *ss*), há uma certa confusão atinente à área geográfica envolvida, como se pudesse ter sido Gadara, Gerasa ou Gergesa. Essa questão é amplamente discutida no artigo mencionado. Alguns estudiosos crêem que *Gergesa,* localizada a meio caminho entre as extremidades sul e norte do mar da Galiléia, em seu lado oriental, é a melhor candidata. Os escritores dos evangelhos talvez não fossem tão cuidadosos quanto a designações geográficas, quanto a esse particular.

GERHARD, JOHANN

Suas datas foram 1582-1637. Foi um teólogo dogmático luterano, sistematizador e defensor da ortodoxia luterana. Foi professor em Jena pelo espaço de vinte anos. Foi professor, líder eclesiástico e conselheiro de príncipes. Sua obra principal intitula-se *Loci Theologici,* que exerceu vasta influência. Essa obra foi publicada em nove volumes. Uma outra obra

sua foi a *Confessio Catholica,* obra teológica publicada em quatro volumes. Além disso, escreveu um livro de meditações chamado *Meditationes Sacrae,* que foi traduzido para vários idiomas e até hoje é usado. A obra literária maciça de Gerhard, sua catolicidade evangelística, sua exatidão e sua precisão lógica detalhada qualificam-no como o Tomás de Aquino luterano. Seus contemporâneos considera-vam-no como o maior teólogo vivo.

GERIZIM

Esse monte, que significa «habitantes do deserto» ou «lugar desértico», é mencionado na Bíblia somente por quatro vezes: Deu. 11:29; 27:12; Jos. 8:33 e Juí. 9:7. Ver também sobre o monte *Ebal.* O monte Gerizim fica situado defronte do monte Ebal, olhando por cima do vale de Siquém. Esse vale tem cerca de cinco quilômetros de comprimento, sendo estreito o suficiente para que um grito seja ouvido de um lado para o outro. O monte se eleva cerca de 869 m acima do nível do mar Mediterrâneo, em seu lado ocidental. A parte ainda mais alta do Hermon, onde já cai a neve, fica um pouco mais para o norte. Do cume do monte Gerizim pode-se avistar a maior parte da Palestina. Fica no centro de Samaria, próximo de Siquém, cerca de dezesseis quilômetros a suleste da cidade de Samaria. Os locais sagrados de Siquém e do poço de Jacó são facilmente avistados dali. Tornou-se importante como um dos centros da adoração dos samaritanos, chegando a rivalizar com Jerusalém (ver João 4:20). Naturalmente, a região também é sagrada para os judeus, porquanto foi por ali que Abraão e Jacó entraram na Palestina (ver Gên. 12:6; 33:18). Jacó edificou um altar, cavou um poço e comprou um terreno onde, mais tarde, os filhos de Israel sepultaram os ossos de José (Jos. 24:32).

Os montes Gerizim e Ebal também foram o local onde Josué reuniu o povo de Israel, em preparação para a conquista da Terra Prometida. O monte Gerizim tornou-se o símbolo das bênçãos proferidas sobre os obedientes, ao passo que o monte Ebal tornou-se o símbolo das maldições divinas sobre os desobedientes (Deu. 11:29; 27:11-14). Foi no monte Gerizim que Josué leu a lei de Moisés à assembléia inteira dos filhos de Israel (Jos. 8:30-35), mas o altar foi erigido no monte Ebal (Jos. 8:30).

Esses acontecimentos ilustram o fato de que a mulher, à beira do poço de Jacó, disse a verdade ao Senhor Jesus: «Nossos pais adoravam neste monte...» (João 4:20), talvez dando a entender que Jerusalém era um centro secundário e espúrio de culto a Yahweh. Jesus, porém, rejeitou a idéia de *lugares* especiais, como importantes para a adoração a Deus, afirmando que os verdadeiros adoradores cultuam a Deus em espírito e em verdade (João 4:23).

A tradição localiza o altar erigido por Abraão para sacrificar a Isaque em Gerizim. Mas não sabemos se essa tradição está com a razão.

Durante os reinados de Davi e Salomão, a adoração de Israel estava centralizada e unificada em Jerusalém onde também o templo foi construído. Mas, quando ocorreu a divisão do reino (Israel, ao norte, e Judá, ao sul), Jeroboão fez de Siquém a capital do reino do norte; e isso fomentou, uma vez mais, o caráter sagrado de Gerizim. Ele desencorajava propositalmente a adoração em Jerusalém, a fim de fortalecer a sua facção política (I Reis 12:25). Chegou mesmo ao extremo de instituir a adoração ao bezerro, em Betel e em Dã, o que constituiu gravíssimo pecado. O resultado de tudo isso foi uma nova e separada religião, com seu centro em Siquém e no monte

GERIZIM — GÉRSON

Gerizim.

O rei da Assíria se apossou da região e estabeleceu ali povos pagãos, que trouxe de outras regiões de seu império. E ordenou que um sacerdote de Israel ensinasse ao pequeno remanescente judaico a sua religião. Mas, apesar disso representar uma certa restauração religiosa, também continha elementos de perversão (II Reis 17:24-34).

Terminado o cativeiro, Manassés, por permissão de Alexandre, o Grande, edificou um templo em Gerizim; e os samaritanos aliaram-se ao culto que ali se processava. Mas ali havia uma forma poluída de culto, incluindo a idolatria. Esse templo, posteriormente, foi destruído por João Hircano (cerca de 128 A.C.). Porém, até hoje, uma seita samaritana oferece ali um sacrifício pascal, no alto do monte Gerizim, de acordo com as prescrições do décimo segundo capítulo do livro de Êxodo. E outras observâncias religiosas também são ali efetuadas, conforme se vê nos parágrafos abaixo.

O relato sobre as origens do templo samaritano, em Gerizim, naturalmente, absorveram elementos apócrifos. Com base em referências bíblicas, como Neemias 4 e 13:28, juntamente com várias tradições, Josefo (ver *Anti.* 11:8,2) expôs a idéia de que o evento que levou ao estabelecimento desse culto foi o matrimônio de Manassés, filho de um sumo sacerdote de Jerusalém, com a filha de Sambalate, um oficial gentílico em Samaria. Manassés recebeu ordem para abandonar sua esposa pagã, mas Sambalate sugeriu que ele construísse um templo rival. E foi assim, ao que se presume, que surgiu o templo em Gerizim, que alguns datam dos dias de Alexandre, o Grande (cerca de 330 A.C.). Porém, outros estudiosos dizem que isso ocorreu um século antes. Seja como for, o que se sabe com certeza é que, na época dos Macabeus, esse templo foi arrasado até o chão (ver Josefo, *Anti.* 13:9,1; *Guerras* 1:11,6).

O monte Gerizim é atualmente chamado *Jebel et-Tor*, e os atuais samaritanos conservam sua antiga reverência pelo local, conservando as tradições atinentes ao mesmo por mais de dois milênios. O monte Gerizim é utilizado para cerimônias relativas à páscoa, ao Pentecoste e à festa dos Tabernáculos. Os samaritanos identificam esse monte com o monte Moriá (vide), de Gênesis 22:2, onde Deus teria posto o seu nome (Deu. 12:5).

GERLACH, STEPHEN

Nasceu em 1546 e faleceu em 1612. Foi capelão da embaixada alemã em Constantinopla. Estudou na Universidade de Tubingen, Wurtt. Como pastor no Oriente Próximo, cultivou ali muitas amizades de valor. Seus escritos e diários preservam informações valiosas sobre a época e os lugares associados às suas atividades por todo o Oriente Próximo, incluindo países como o Egito, a Palestina, a Turquia e a Grécia. Levou para a Alemanha, da Grécia, valiosos manuscritos. Uma espécie de recompensa pelos seus muitos labores teve a forma de sua nomeação como professor de teologia na Universidade de Tubingen.

GERMÂNICA, FILOSOFIA

Essa expressão é usada para descrever a filosofia que se aliou ao pietismo (vide), em contraste com o movimento de Leibniz-Wolff. Contudo, esse contraste só passou a ser assim designado nos séculos XVII e XVIII. O conflito terminou, contudo, com o surgimento da filosofia de Emanuel Kant. Este foi um produto da tradição pietista e como tal, pode ser considerado como o ponto culminante da chamada Filosofia Germânica. Naturalmente, ele foi muito além dos limites tolerados por essa designação. Entre seus antecessores mais importantes, que foram lídimos representantes da Filosofia Germânica, podemos citar Christian Thomasius, Andreas Rudiger e A.F. Hoffman, sobre os quais apresentamos artigos separados. Mas também devemos mencionar Christiam August Crusius (vide), que exerceu influência direta sobre Kant.

GERMÂNICA, TEOLOGIA

Martinho Lutero foi o responsável pela publicação de um tratado de natureza mística, nos fins do século XIV, que foi intitulado com seu nome. No entanto, o autor verdadeiro da obra é desconhecido, embora pareça ter ele aparecido dentre o círculo dos Amigos de Deus (vide). A obra é de cunho devocional, enfatizando o crescimento do cristão, tendo por alvo a perfeição.

GERON

Esse nome vem do termo grego que significa «homem idoso», «senador». Foi o nome de um indivíduo dotado de autoridade política sob Antíoco Epifânio. Parte de sua tarefa consistia na tentativa de forçar os judeus a abandonarem o culto religioso tradicional, herdado de seus antepassados. Ver II Macabeus 6:1.

GERRENIANOS

Esse vocábulo refere-se a uma localização geográfica e a seus habitantes, que permanecem problemáticos. A palavra ocorre em II Macabeus 13:24. Lísias estava combatendo a Judas Macabeu, em 162 A.C. Dificuldades na Síria, entretanto, forçaram-no a estabelecer a paz com os judeus. Antes de voltar a Antioquia, ele deixou Hegemonides encarregado do governo desde Ptolemaida até os *gerrenianos*. O contexto sugere algum local no sul, já perto da fronteira com o Egito. E, por essa razão, alguns estudiosos supõem que *Gerar* (vide) esteja em foco. Uma sugestão alternativa é a cidade de Gerra; mas essa já ficava dentro do território egípcio, pelo que não pode ser a localidade em pauta.

GERSITAS

Esse é o nome de uma das tribos cananéias cujas terras foram confiscadas por ocasião da invasão da Palestina pelo povo de Israel. O nome aparece somente em I Samuel 27:8. É provável que essa gente habitasse na cidade de *Gezer* (vide). Há uma nota detalhada, nesta enciclopédia, sobre esse lugar, sobre a sua história, etc. As cartas de Tell el-Amarna dizem *Gazri*, nome esse que, provavelmente, refere-se ao mesmo povo. Alguns supõem que o nome seja uma corrupção produzida por escribas (mediante ditografia; vide), em lugar de *gesuritas* (ver sobre *Gesur*). Outros eruditos, porém, rejeitam essa conjectura. Também há aqueles que supõem que não está em foco Gezer, e, sim, o monte Gerizim, e que a alusão seria aos habitantes daquela área, não estando ela tão ao norte como era o caso de Gezer.

GÉRSON

Esse nome é de procedência estrangeira, tomado por empréstimo pelo vocabulário dos hebrus. Seu

GÉRSON — GERSONIDES

significado é incerto, mas os eruditos supõem que esteja relacionado ao termo hebraico *garas*, «expulsar». Portanto, poderia significar algo como «fugitivo». Ver Êxodo 2:22. Todavia, a palavra pode ser corruptela de uma forma estrangeira original, envolvendo um jogo de palavras verbais de alguma sorte. Seja como for, o nome designa três pessoas diferentes, nas páginas do Antigo Testamento:

1. O filho mais velho de Moisés, dos dois que lhe nasceram na terra de Midiã. Sua mãe foi Zípora. O outro filho de Moisés chamava-se Eliezer. Ver Êxo. 2:22 e 18:3. Esses dois homens eram simples levitas, ao passo que os filhos de seu tio, Aarão, desfrutavam de todos os privilégios próprios do sacerdócio, brandindo muito maior autoridade (I Crô. 23:15). Aparentemente, Moisés era imune ao nepotismo, uma atitude rara entre os líderes e os políticos. A Bíblia informa-nos somente quanto ao seu nascimento, à sua circuncisão e à sua genealogia. Seu nome veio a ser vinculado a um dos clãs levitas. Ver Êxo. 24:24-26. Viveu por volta de 1500 A.C.

O trecho de Juízes 18:30 afirma que a família de Jônatas, que servia ilegalmente como sacerdotes, em Dã, até o cativeiro assírio, descendia de Gérson. Davi empregou alguns dos descendentes de Gérson, juntamente com os descendentes de Eliezer. Sebuel foi um dos principais gersonitas; e Reabias foi um filho de Eliezer, e também um grande líder. Ver I Crô. 23:15-17. — Outro Sebuel, séculos mais tarde, descendente de Gérson (nossa versão diz «filho de Gérson»), foi o tesoureiro-mor de Davi (I Crô. 26:24,25).

2. O filho mais velho de Levi (I Crô. 6:16,17,20,43, 62,71, etc.). Viveu por volta de 1700 A.C.

3. Um líder do clã de Finéias, que, por isso mesmo, é chamado de seu *filho*, atendia por esse nome. Encontrava-se entre os que voltaram com Esdras do cativeiro babilônico. Ver Esd. 8:2. Viveu por volta de 450 A.C.

GERSON, JEAN DE

Teólogo, místico e eclesiástico francês, que nasceu em Gerson, perto de Rethel, na França, a 14 de dezembro de 1363, e faleceu em Lyon, no mesmo país, a 12 de julho de 1429. Estudou no colégio de Navarra da Universidade de Paris, onde, finalmente, recebeu seu doutorado. Ensinou nessa mesma universidade, da qual foi o chanceler pelo espaço de trinta e quatro anos.

Gerson defendia os direitos das universidades contra os reis e os papas. Ele usava a sua influência e autoridade com vistas a terminar o Grande Cisma, ou seja, a divisão eclesiástica que recebeu esse nome. Ver sobre o *Cisma*. Com esse propósito, foi um dos mentores da convocação do concílio de Pisa, que procurou sanar o cisma papal entre Roma e Avignon. Também foi representante do rei da França por ocasião do concílio de Constança (1414-1418), no qual prevaleceu a sua doutrina da supremacia dos concílios sobre a autoridade do papa. Esse mesmo concílio tanto depôs o papa João XXIII quanto também procurou condenar a João Huss, e a influência pessoal de Gerson esteve por detrás de ambos os atos. Após seu aprisionamento, João Huss foi executado na fogueira, a 6 de julho de 1415. Ver sobre *Huss, João*. Gerson tinha feito oposição ao duque da Burgúndia, por haver assassinado ao duque de Orleães, e tentou provocar um julgamento político contra uma casa francesa da Burgúndia, por ocasião do concílio de Constança. Nesse esforço, porém, fracassou, pelo que não foi capaz de retornar em segurança a Paris. Por

esse motivo, transferiu-se para Lyon, após breve permanência na Suíça. Em Lyon, um seu irmão era prior da abadia Celestina. Ali ele se pôs a ensinar crianças e escreveu sobre a teologia mística, enfatizando a doutrina da contemplação, como a união de amor com Deus, dizendo que o componente desse amor é o Espírito Santo.

Escritos: *Teologia Mística; O Monte da Contemplação; Sobre as Consolações da Teologia; Contra a Vã Curiosidade em Questões de Fé*, além de muitos outros ensaios sobre reformas nas universidades e sobre o estado da Igreja.

GERSON, LEVI BEN

Ver sobre **Gersonides, Gerson, Levi Ben**.

GERSONIDES, GERSON, LEVI BEN

Suas datas foram 1288-1340. Foi um teólogo judeu, filósofo aristotélico e astrônomo. Nasceu em Bagnols, no Languedoc, na França e viveu em Orange e Avignon. Também foi médico praticante e matemático. Era pensador corajoso, deixando-se guiar, principalmente, pelo pensamento de Aristóteles. Foi o sucessor de Maimônides (vide), na assertiva de que a razão e a ciência deveriam ser os guias da cultura e da erudição na comunidade judaica. Sua influência sobre outras pessoas estudiosas fica demonstrada pelo fato de que o papa Clemente VI, em 1342, fez arranjos para que alguns de seus estudos astronômicos fossem traduzidos para o latim, e pelo fato de que Spinoza adotou a teoria de milagres de Gersonides.

Idéias:

1. Suas principais discussões filosóficas cobrem as áreas da alma, das profecias, da onisciência de Deus, da providência, da astronomia, da física e metafísica e, finalmente, da criação e dos milagres.

2. Somente o Intelecto divino e ativo é verdadeiramente imortal. Mas os intelectos passivos, desenvolvidos e relacionados com indivíduos, dependem dos universais (vide), que possuem existência real. Dessa maneira, pode-se afirmar a imortalidade do homem como indivíduo e não apenas como humanidade. Mas as realizações intelectuais, em algum sentido, são condições para a concretização desse alvo.

3. Apesar de que Deus, potencialmente, conhece todas as coisas, o Seu conhecimento é autolimitado, porquanto, simplesmente, ele não está interessado em todas as coisas. O conhecimento de Deus incluiria todas as leis cósmicas, bem como as influências causadoras das realidades celestiais que afetam este mundo terrestre. Porém, seu conhecimento não incluiria os *detalhes* da vida do homem, em razão do que o homem seria um ser livre, não limitado pela presciência divina.

4. Deus é imutável, desconhecendo contingência. Somente aquilo que é mutável e contingente pode fazer parte de uma espécie. Assim, o homem conhece a si mesmo, mas Deus, simplesmente, não estaria interessado em detalhes.

Interessante é observar que entre os modernos comentadores da Bíblia, o metodista Adam Clarke (vide) afirmava autolimitação da parte de Deus, quanto à sua presciência. Fazia isso a fim de achar lugar para o livre-arbítrio humano (vide). Agostinho, entretanto, já havia solucionado esse problema, ao afirmar que apesar de Deus saber tudo quanto acontecerá aos homens, também sabe que os homens agirão livremente. Isso posto, longe de presciência divina contradizer a liberdade humana, serviria de garantia da mesma. Seja como for, para Gersonides o

GERSONIDES — GESTALT

mundo não teria sido previamente determinado.

5. A profecia é válida, visto que os profetas são capazes de participar do intelecto *ativo* de Deus.

6. A providência de Deus abrange a tudo, mas de diferentes maneiras. Alguns homens dispõem de uma providência divina especial, porquanto chegam a participar, em extensão maior que a comum, do intelecto ativo de Deus. Outros homens participam de maneira secundária na providência, porquanto não participam, de modo significativo, no intelecto ativo de Deus. Isso parece ser uma maneira fantasiosa de se referir ao desenvolvimento espiritual do indivíduo, e com que grau de intensidade cada um participa, como um intelecto, do *Intelecto* divino.

7. Gersonides defendia a eternidade da matéria, seguindo a idéia de Aristóteles, mas falava em termos do começo do mundo, visto que o mesmo é finito. O começo do mundo dependeria da sua organização, e não por ter vindo do nada. Ele não imaginava o fim da matéria. Rejeitava a astronomia tipo Ptolomeu, supondo que a existência compõe-se de quarenta e oito esferas e de oito planetas, e que cada um desses planetas seria guiado por alguma inteligência. Era defensor da astrologia.

8. Gersonides acreditava na validade dos milagres, mas limitava as esferas em que os mesmos podem operar. Nas esferas celestes, não poderiam ocorrer milagres, visto que isso seria incoerente com o caráter absoluto de Deus. Porém, poderiam ocorrer no fluxo desta esfera terrestre e, de alguma maneira, resultariam, ao menos em parte, das vicissitudes das leis naturais. Os milagres não poderiam conter autocontradição, e seus efeitos também não seriam duradouros.

9. Gersonides enfatizava o argumento teleológico (vide), em prol da existência de Deus, em vez de acentuar o argumento cosmológico.

10. De acordo com Gersonides, Deus pode ser conhecido através de atributos tanto positivos quanto negativos. (E F EP P)

GERSONITAS

Adjetivo gentílico que indica os descendentes de Gérson, um dos filhos de Levi, filho de Jacó (ver Núm. 3:21; 4:24,27; Jos. 21:33). Ver o artigo separado sobre os *Levitas*. No livro de Números, os gersonitas são divididos em dois clãs: *Libni*, o mesmo Ladã de Núm. 3:18,21; e *Semei* (Núm. 3:18,21). No recenseamento feito no deserto, os gersonitas orçaram em sete mil e quinhentos homens (ver Núm. 3:22). A localização dos gersonitas era a ocidente do tabernáculo (Núm. 3:23). Parte da responsabilidade deles consistia em transportarem as dez cortinas de linho, as onze cortinas de pêlos de cabra, as duas cobertas da tenda, feitas de peles de animais, as cortinas da porta do tabernáculo, além de algum outro equipamento. Ver Núm. ?.25,26; 2:25,26. Eles empregavam dois vagões pux4dos por quatro bois cada um, nesse mister.

Após a conquista da Terra Santa, aos gersonitas foram dadas possessões entre os descendentes de Issacar, de Aser e de Naftali, bem como entre a meia-tribo de Manassés, na Transjordânia (Jos. 21:6; 27:33; I Crô. 6:62,71-76; 6:1-43). Suas terras ficavam no extremo norte, em ambas as margens do rio Jordão.

Embora tivessem se localizado tão longe de Jerusalém, os gersonitas compartilhavam, entusiasmados, da adoração centralizada que havia ali. Asafe era gersonita, e foi um dos principais músicos da época de Davi (I Crô. 16:4,5). Outros gersonitas importantes foram Hemã, filho de Joel (I Crô. 15:17); Jeieli, Zetã e Joel, que estavam encarregados do tesouro do templo, também foram homens importantes, dentre os gersonitas. Ver I Crô. 26:21,22; 23:8. O trecho de I Crônicas 23:7-10 contém uma lista de gersonitas que trabalhavam no templo de Jerusalém.

Alguns gersonitas participaram das reformas instituídas por Ezequias, conforme se aprende em II Crônicas 29:12-15. Durante o reinado de Josafá (ver II Crô. 20:14 *ss*), Jaaziel, um dos descendentes de Asafe, foi pregador e líder religioso importante. Terminado o cativeiro babilônico, o único clã gersonita mencionado na Bíblia é o de Asafe (vide). Ver Esd. 3:10 e Nee. 11:17.

GERUTE-QUIMÃ

No hebraico, «hospedaria de Quimã» ou «hospedaria da saudade», provável sentido da palavra hebraica por detrás de «Quimã». Esse lugar, posto que próximo da cidade de Belém, permanece não identificado. Talvez derive o seu nome de um filho de Barzilai (II Sam. 19:37-40). Joanã e seus companheiros ali permaneceram enquanto planejavam descer ao Egito, após o assassinato de Gedalias, quando Nabucodonosor, imperador da Babilônia, o havia nomeado governador sobre o que restava da Judéia, após o cativeiro babilônico e a deportação dos habitantes da Judéia para outros lugares, em cerca de 586 A.C. Ver Jer. 41:17.

GESÃ

No hebraico, «imundo», embora alguns prefiram pensar no sentido de «firme» ou «forte». Foi o terceiro filho de Jadai, descendente de Calebe (I Crô. 2:47). Viveu por volta de 1210 A.C.

GESÉM

Palavra derivada do árabe, com o sentido de «chuva». Mas há outros significados possíveis, como «volume» ou «substância». Ainda outros estudiosos pensam que o sentido da palavra deve ser dado como desconhecido. Seu nome figura exclusivamente no livro de Neemias (2:19 e 6:1,2,6). Ele foi um árabe, inimigo dos judeus e de Neemias, depois que os judeus voltaram do cativeiro babilônico para a Terra Santa. Planejou contra a vida de Neemias, em cerca de 445 A.C. Alguns têm suposto que ele fosse samaritano, mas seu título árabe pode identificá-lo apenas como governador de Edom, e não como um idumeu. Outros eruditos, entretanto, têm-no identificado com um rei do norte da Arábia, cujo nome aparece em uma inscrição de Deão, na Arábia, ou então, sob forma modificada, *Gashm, rei de Quedar*, em uma inscrição aramaica descoberta no Egito. Sabemos que os monarcas daquela região tiravam proveito do comércio palestino, por causa das rotas comerciais que atravessavam a Palestina, vindas da Arábia, até às costas do mar Mediterrâneo. Onde houver dinheiro, aí manifestar-se-á a política; e onde houver a política, aí surgirão conflitos. Gesém, pois, opunha-se aos desígnios do governo judaico, tomando-o como sedicioso, e sujeitando-o ao ridículo. Por essa razão foi que Gesém participou ativamente no conluio de Tobias, contra a segurança de Neemias (ver Nee. 2:19 e 6:2-9).

GESTALT

Essa palavra, que é de origem alemã, significa o

GETSÉMANI — Cortesía, Matson Photo Service

IGREJA RUSSA DE MADALENA, BASÍLICA DE GETSÊMANI, E JARDIM GETSÊMANI — Cortesia, Matson Photo Service

GESTALT — GETSÊMANI

todo organizado de alguma coisa. Ver sobre a *Psicologia Gestalt*, no oitavo ponto do artigo sobre *Psicologia, Escolas de*.

A *gestalt* é um todo organizado ou coerente, cujas porções constitutivas são determinadas pelas leis intrínsecas ao todo, e não por mera associação ou justaposição ao acaso. Esse nome identifica a escola de psicologia fundada por Max Wortheimer, Wolfgang Kohler e Kur Koffka.

Além desse uso, importante como é para a filosofia, a *teoria gestalt* relaciona-se também à percepção dos sentidos. A visão, naturalmente, tende por organizar uma série de pontos e linhas em padrões coerentes, mediante a analogia com o que já foi experimentado, e a tendência natural de procurar organizar as coisas. Essa teoria implica em um processo fenomenológico como algo inerente à visão. Em outras palavras, aquilo que é *visto* é acompanhado pela sua interpretação, de tal modo que aquilo que alguém vê não reflete, necessária e fielmente, o que realmente existe no campo da visão. O mesmo processo aplicar-se-ia às idéias em geral. A pessoa religiosa, quando ouve uma nova idéia, imediatamente procura ajustá-la àquilo que ela já sabe e no que acredita. Se não conseguir fazê-lo, então rejeita a idéia com um certo desdém. Destarte, a pessoa terá fechado a sua mente para possíveis novas verdades. O absurdo envolvido nesse processo é que o indivíduo se elege a si mesmo como o critério da verdade. Porém, nenhum critério autêntico para a verdade pode ser encontrado em uma mente fechada. Nada é mais óbvio neste mundo do que o fato de que a verdade, com freqüência, apanha-nos de surpresa, revolucionando aquilo que pensamos.

GESTO

Ver o artigo sobre as **Atitudes**.

GESUR

Um pequeno principado arameu a leste do rio Jordão e ao sul de Maacá, que se tornou território de Manassés (ver Deu. 3:14 e II Sam. 15:8). (UN)

GESUR, GESURITAS

O sentido do vocábulo hebraico por detrás desses termos é incerto, embora uma conjectura razoável seja «ponte». Gesur era um país que ficava na margem oriental do rio Jordão, e os gesuritas eram um povo que habitava perto do Sinai.

1. *O País*. Esse território pertencia à Síria, contíguo à fronteira norte de Israel, no lado oriental do rio Jordão, entre o monte Hermom, Maaca e Basã (Deu. 3:13,14; Jos. 12:5. Ver também II Sam. 15:8 e I Crô. 2:23). A área ocupada pelas populações dali, juntamente com os maacatitas, ficava nas fronteiras do território outorgado a Jair, o manassita (Deu. 3:14). O trecho de Josué 12:5 mostra-nos que a conquista da Terra Prometida, pelos israelitas, chegou até aquele ponto. Aquela gente não foi deslocada do território e, naturalmente, os seus descendentes vieram a tornar-se motivo de dificuldades para os israelitas. Gesur, juntamente com Arã (Síria), conquistou Havote-Jair, que antes pertencera a Jair, o manassita, juntamente com outros lugares (I Crô. 2:23). Na época de Davi, essa região tinha um rei de nome Talmai. Sua filha, Maaca, tornou-se uma das muitas esposas de Davi (II Sam. 3:3). Ela foi a mãe de Absalão, que, quando cresceu, refugiou-se com seu avô materno, em Gesur, depois de haver

mandado assassinar traiçoeiramente a seu meio-irmão, Amom, pcrque este violentara sua irmã, Tamar. Absalão ficou ali por três anos, antes de voltar ao território de Israel (II Sam. 14:23,32; 15:8).

2. *Os Habitantes*. Esse povo vivia ao sul do território dos filisteus, já no Sinai. Quando da conquista da Terra Prometida, o território deles não fora, originalmente, conquistado pelos israelitas (Jos. 13:2). Quando Davi refugiou-se junto a Aquis, rei de Gate, desfechou ataques armados contra os gesuritas e contra outras populações. Mas, iludido pelas aparências, Aquis pensava que eram ataques de Davi contra sua própria gente, os israelitas (I Sam. 27:8). Por esse motivo, Aquis pensou que Davi se alienara totalmente de seu povo de Israel, e que, por isso mesmo, residiria entre a gente dele, como seu servo permanente. É difícil entendermos toda a matança que Davi se meteu, durante esse tempo, porquanto matava a todos, homens, mulheres e até animais. John Gill, comentando sobre I Samuel 27:10, afirma que Davi matou tanta gente com o propósito bem definido de enganar a Aquis, a fim de que pudesse residir mais confortavelmente entre os filisteus, mas ajunta que não deveríamos defender tanto derramamento de sangue. Sem dúvida, tudo isso constituiu um crime da parte de Davi. A sua razão para tanta matança era eliminar qualquer relatório sobre o que ele andava fazendo, a fim de que Aquis não viesse a descobrir que ele não estava atacando aos israelitas. É realmente difícil entender alguns dos *heróis* da fé. Mas, afinal, eles foram apenas homens, com tantos defeitos como quaisquer outros homens.

GÉTER

O significado desse nome não é conhecido. Todavia, foi o nome do terceiro dos filhos de Arã. Ele é mencionado somente por duas vezes em duas passagens do Antigo Testamento: Gên. 10:23 e I Crô. 1:17. Nesta última passagem, ele aparece como um dos filhos de Sém, quando, na realidade, era um dos seus descendentes, através de Arã. Viveu por volta de 2200 A.C., ou mesmo antes disso. Mas, nenhum povo, nação ou população tem sido identificado como seus descendentes diretos.

GETSÊMANI

Essa palavra é uma transliteração para o grego, e daí para o português, do aramaico, que significa «lagar de azeite». No aramaico é *gath shemadni*. O Getsêmani era um jardim ou pomar de oliveiras que havia a leste de Jerusalém, no caminho que levava ao ribeiro do Cedrom, até o monte das Oliveiras. O lugar passou a ser considerado sagrado devido ao fato de que foi um lugar associado à vida de Jesus, especificamente o local onde ele sofreu tantas agonias mentais, na noite anterior à sua crucificação, e onde fez uma ingente oração, buscando a vontade do Pai quanto àquilo que estava prestes a acontecer em sua vida. O relato aparece em todos os quatro evangelhos: Mat. 26:36-57; Mar. 14:32-53; Luc. 22:39-53 e João 28:1-13. É um dos poucos lances da vida de Jesus narrado pelos quatro evangelhos. O local é identificado como um bosque de oliveiras de propriedade das igrejas armênia, grega, russa e católica romana. Os franciscanos vêm cuidando da porção que cabe aos católicos romanos desde 1681. Contém oliveiras de imensa antiguidade, desde a época em que a cristandade plantou aquele bosque, no tempo da imperatriz Helena, que visitou Jerusalém em 326 D.C. Naturalmente, é desconhecido o local

GETSÊMANI — GEZER

exato da agonia de Jesus, mas podemos ter a certeza de que a área geral é naquela região.

Os detalhes que nos são fornecidos pelo Novo Testamento indicam que atingia-se o local somente depois de fazer a travessia de parte da colina arborizada (Mat. 26:36; Mar. 14:26,32; João 18:2 e Luc. 21:37, trechos esses que também indicam que Jesus, com freqüência, ia até ali a fim de repousar, orar e ter comunhão com os seus discípulos). Assim fez o Senhor, pois, na noite em que foi entregue às mãos de seus inimigos. Após celebrar a ceia, tendo deixado o cenáculo onde estivera reunido com seus discípulos, atravessou o vale do Cedrom, subiu o monte das Oliveiras, e ali falou com seus discípulos sobre vários assuntos: que eles seriam dispersos; que a sua ressurreição produziria uma renovada união entre eles; que Pedro seria tentado a negá-lo (Mar. 14:26-31). Pedro, Tiago e João acompanharam o Senhor Jesus até o Getsêmani, e ele lhes ordenou que vigiassem. Mas eles falharam reiteradamente no cumprimento dessa ordem, por causa de pesado sono que deles se apossou. O Senhor orou por três vezes, pedindo para ser libertado da cruz, mas terminou reconhecendo e aceitando a vontade do Pai.

Existe uma tradição antiga que diz que há oito antiqüíssimas oliveiras que assinalam o local com precisão. Mas, contra isso temos o fato de que Tito, em 70 D.C., derrubou todas as árvores que havia a leste da cidade, conforme Josefo nos informa (ver *Guerras* 6:1,1). No entanto, quem pode saber se Tito derrubou por terra até à última árvore do lugar? Ele poderia ter deixado de pé algumas delas. Tudo isso, porém, é especulação, e nada sabemos dizer com certeza a esse respeito.

«Quem passou pela vida em branca nuvem
E em plácido repouso adormeceu;
Quem não sentiu o frio da desgraça,
Quem passou pela vida e não sofreu;
Foi espectro de homem — não foi homem,
Só passou pela vida — não viveu».

(Francisco Otaviano)

GETTIER, PROBLEMA DE

Edmund L. Gettier, em um artigo publicado em 1963, intitulado *Analysis*, levantou dúvidas concernentes à natureza da verdadeira crença justificada e ao seu relacionamento com o conhecimento.

O que é a crença verdadeira justificada? Consideremos o seguinte exemplo. Suponhamos que eu não cresse na existência da alma, e cresse que eu sou apenas o meu corpo físico. Porém, ao morrer, eis que vejo que o eu real não é o corpo físico. Posso ver meu corpo jazendo sobre o leito, e reconheço que o mesmo foi apenas um veículo. Tomo então consciência de um novo «eu», embora não faça qualquer idéia quanto à natureza desse «eu». Reconheço que tenho uma *crença* que é aparentemente verdadeira, que é justificada pelas circunstâncias. Logo, tenho uma crença verdadeira justificada, embora faltem-me teorias e descrições sobre a questão. Essa crença poderia ser chamada apenas de *conhecimento*; embora seja um conhecimento muito fundamental, indescritível. Não obstante, essas fagulhas de conhecimento podem envolver grandes implicações.

Ao falar sobre problemas assim, Gettier punha em dúvida se podemos classificar ou não tal crença de conhecimento. Ele injetou na questão o problema da possível identificação errônea. Uma pessoa pode supor que está vendo uma ovelha, em um campo, quando, na realidade, o que ela está vendo é um cão.

Aparentemente, ela tinha um crença verdadeira justificada; mas a mesma está contaminada por uma conclusão equivocada. Porém, se um elemento de equívoco entra no quadro, dificilmente poderíamos falar em crença *verdadeira*. Isso, automaticamente, elimina a idéia de mero equívoco. Temos então de concordar com Gettier que ocorrem identificações equivocadas; mas, em tais casos, não está em pauta nenhum conhecimento, mas apenas idéias erradas. Roderick Chisholm fortaleceu a definição do conhecimento, como uma crença verdadeira justificada, ao inserir uma outra palavra, ao referir-se a *crenças verdadeiras justificadas não defeituosas*.

Quase todo o nosso conhecimento, de fato, consiste em crença verdadeira justificada; mas também só é verdadeiro conhecimento quando podemos descrevê-lo como *não defeituoso*. Até os maiores cientistas se equivocam ou fazem identificações apenas parciais, na sua busca pelo conhecimento. A teologia não está imune a isso. Até mesmo nossas mais elevadas verdades contêm alguns defeitos. Somente Deus conhece realmente a teologia. A crença justificada pode vir através do método empírico, científico, ou através da razão, da intuição e das experiências místicas e religiosas. Sempre haverá diversos níveis de sucesso nesse campo das crenças verdadeiras justificadas, como também a intromissão de equívocos e a necessidade de revisar e reconstruir. Algumas vezes, como na ilustração que demos acima, uma crença verdadeira justificada repousa sobre alguma experiência aparentemente verdadeira. Tais casos, como é óbvio, estão abertos a contínuas considerações, para que se verifique que sua justificação é válida. O conceito daquilo que é *verdadeiro* está sempre sujeito a adições, subtrações e modificações.

GEULINCX, ARNOLD

Suas datas foram 1624-1669. Foi um filósofo belga. Estudou e conferenciou na Universidade Católica de Louvain. Depois, converteu-se ao calvinismo (vide). Tornou-se discípulo de Descartes, o qual, ao procurar solucionar o problema do *corpo-mente* (vide) postulou a teoria do *ocasionalismo* (vide). Por ocasião de sua morte, era professor da Universidade de Leiden. Suas idéias estão contidas em dois livros, ambos publicados postumamente, intitulados *Ética* e *Metafísica*.

GEZER

1. *O Nome*. No hebraico, essa palavra significa «precipício». A tradução da Septuaginta diz Gazera; mas aparece com a forma de *Geder*.

2. *Localização*. Gezer é uma antiqüíssima cidade que ficava localizada à margem noroeste da Sefelá, acima da planície marítima, cerca de vinte e nove quilômetros a noroeste de Jerusalém, e a vinte e sete quilômetros a suleste de Jafa. Dali, obtém-se uma ótima visão da planície de Ono (Nee. 6:2). Essa planície era atravessada, na direção norte-sul, por uma estrada, que era a principal rota marítima da região. Uma estrada lateral, que conduzia à região montanhosa, através de Belém, levava diretamente a Gezer. Ocupava uma posição estratégica, visto que guardava uma das poucas estradas que levava de Jerusalém a Jafa. Ver II Sam. 5:25 e I Crô. 14:16, quanto a referências bíblicas a essa localidade.

3. *História*. Gezer fora uma cidade real dos cananeus, situada naquilo que se tornou a porção ocidental do território da tribo de Efraim. Até onde vão os registros históricos, foi mencionada pela primeira vez por Tutmés III, na lista de cidades que

GEZER — GIBEÁ

ele conquistou, quando de sua primeira campanha naquela região. Áli o nome da cidade aparece como *q-dj-r*. Em uma estela, esse Faraó mencionou prisioneiros feitos em Gezer. Um tablete, em escrita cuneiforme, menciona os gitim (Gath ou Gitaim). Gezer imiscuiu-se nas muitas batalhas e intrigas que o povo da área encetou contra o Egito. Os governantes de Gezer procuraram ocupar cidades e áreas chaves, que guardavam as rotas que conduziam a Jerusalém. Porém, o Faraó Merzepta intitulou-se de «redutor de Gezer», o que dá a entender que ele conseguiu dominar a oposição ao Egito que ali havia. Sua vitória ali é descrita em uma estela que os arqueólogos descobriram. Quando da XVIII Dinastia egípcia, foi posta sob a direção de um governador egípcio (1570 A.C. e depois). Porém, obteve alguma independência e, na época da conquista da Terra Prometida, pelos filhos de Israel, a cidade contava com seu próprio rei, Horão.

Já desde 3000 A.C., Gezer era um centro importante, tendo-se tornado uma virtual fortaleza. Por esse motivo foi que Josué (no século XIII A.C.), tendo atacado aquela área em geral, nunca conseguiu expelir os cananeus daquela região. Ver Jos. 10:33; 16:5,10 e Juí. 1:29. Israel obteve ali poder suficiente para forçar os habitantes a pagarem tributo e proverem labor forçado. Os levitas costitas receberam a cidade como herança, bem como toda a região em redor, que, como já dissemos, fazia parte do território de Efraim. Ver Jos. 21:21; I Crô. 6:67.

Quando Davi estabeleceu a sua capital em Jerusalém, declarou guerra aos filisteus, tendo-os perseguido até Gezer (II Sam. 5:25; I Crô. 14:16). No século X A.C., o rei do Egito capturou e arruinou Gezer. O que sobrou, ele deu à sua filha, como presente de casamento. Por esse motivo é que Salomão reconstruiu a cidade (I Reis 9:16,17).

Não mais se ouve falar em Gezer, nas páginas da História, até à conquista da mesma pelos assírios, no tempo de Tiglate-Pileser, ou em sua campanha contra a Filístia (734 A.C.), ou em seu ataque contra Israel (733 A.C.). A arqueologia tem descoberto um relevo que fala sobre a conquista do lugar por esse monarca assírio. Dois tabletes, escritos em assírio, em escrita cuneiforme, encontrados entre as ruínas de Gezer, mostram que Tiglate-Pileser estabeleceu ali uma colônia. Subseqüentemente, o controle do lugar retornou à Judéia, sob Josias, e talvez também sob Ezequias.

Há algumas evidências de que alguns que retornaram do cativeiro babilônico estabeleceram residência em Gezer. Isso apesar de que o trecho de I Esdras 5:31, onde alguns manuscritos dizem «filhos de Gezer», diga em manuscritos de qualidade superior, «filhos de Gazam». Aparentemente, Gezer esteve envolvida no conflito entre a XXIX Dinastia egípcia e a Pérsia (398-393 A.C.), conforme uma laje de pedra, encontrada na área, parece dar a entender.

Antes do aparecimento dos Macabeus, Gezer era uma cidade gentílica. Quando os governantes selêucidas foram derrotados, eles retiraram-se para Gezer, como um lugar de refúgio (ver I Macabeus 4:15 e 7:45). Baquides fez da cidade uma fortaleza (I Macabeus 9.52; Josefo, *Anti.* 13:1,3). Baquides (vide) foi governador da Mesopotâmia durante os dias de Antíoco Epifânio e general do exército sírio na época de Demétrio Soter. Simão Macabeu conquistou a cidade de Gezer, segundo nos diz Josefo (*Guerras* 1.2,2; *Anti.* 13.6,7). Mas Antíoco Sidete reconquistou a cidade (Josefo, *Guerras* 1.2,5; *Anti.* 13.7,3).

Quando do domínio romano, Gezer já havia perdido sua anterior importância, tendo sido reduzida a uma pequena aldeia. Na era bizantina, uma outra cidade, cerca de sete quilômetros de distância, para o sul-suleste, Emaús-Nicópolis, era muito mais importante do que Gezer. Eusébio, em seu *Onomástico* 66.19 — 68.2, descreve essa outra cidade.

4. *Arqueologia*. O local de Gezer foi identificado por C. Clermont-Ganneau, em 1870. Várias inscrições foram ali encontradas. O arqueólogo R.A.S. Macalister escavou as ruínas de Gezer em *Tell Jezer*, em 1902, e muitas escavações foram efetuadas durante o período de 1902-1909. Mais trabalho arqueológico foi ali desenvolvido em 1934, por A. Rowe. Em anos mais recentes, outros arqueólogos têm continuado as escavações, incluindo o Hebrew Union College e a Escola Bíblica e Arqueológica de Jerusalém, sob a direção de G.E. Wright. Ruínas ali achadas têm sido datadas dos períodos Calcolítico, Bronze Antigo I, II e III, Bronze Médio II, Bronze Posterior, Idade do Ferro e épocas das dominações persa, helenista e romana. Foi encontrado um portão que procede da época de Salomão. (ALB in JPOS, IV, 1924; ALB em BASOR, vol. 41; 1931; idem, nº 89, 1943; H. Darrell Lance, em BA, XXX, 1967; MACA (1912); ND UN Z)

GIA

No hebraico, «fonte». Um lugar, não identificado, mencionado somente em Sam. 2:24. Outros estudiosos preferem pensar no sentido de «cascata» ou «ravina», para essa palavra. Estava na rota da fuga de Abner, quando fugia de Joabe e Abisai, depois de haver morto a Asael, seguindo a derrota das forças de Esbaal, pelas tropas de Davi. O local é mencionado em conexão com a colina de Amá.

GIBAR

No hebraico, «herói» ou «poderoso», nome do antepassado de noventa e cinco pessoas que voltaram do cativeiro babilônico com Zorobabel (Esdras 2:20). No trecho paralelo de Neemias 7:25, aparece o nome *Gibeom* em lugar de Gibar. Visto que essa lista de Neemias relaciona as pessoas às suas cidades de origem, e não a seus antepassados, no registro que se segue imediatamente, em Esdras 2:21, é incerto qual teria sido o original.

GIBEÁ

No hebraico, «colina», «outeiro». Nome usado com esse sentido em muitas passagens do Antigo Testamento, tanto para indicar várias localizações geográficas como até mesmo de uma pessoa. Visto que Israel era uma região montanhosa, na maior parte de seu território, não é surpreendente que muitas localidades tivessem sido denominadas Gibeá.

1. Quanto a localidades que tinham esse nome, devemos notar que vários nomes usados no Antigo Testamento derivam-se da mesma raiz, o que resulta uma certa confusão. Assim, há os nomes Geba, Gibeá, Gibeate e Gibeom. O texto massorético exibe considerável confusão no que concerne a esses nomes. Quanto a esse texto, ver sobre a *Massorah*. Assim, Gibeom, uma das principais cidades dos *heveus* (Jos. 11:19) é confundida com Gibeá de Saul (II Sam. 21:6), e também como Geba, mencionada em I Crônicas 14:15. E, então, para confundir as coisas ainda mais, a Gibeom de I Crônicas 14:16, na realidade, é a mesma que a Geba de II Sam. 5:25. Geba e Gibeá, mui provavelmente, referem-se ao mesmo lugar e são freqüentemente confundidas. Em

899

GIBEÁ — GIBEATITA

Juízes 20:31, não há como fazer com que o caminho ali mencionado na realidade fosse de Gibeá a Gibeá, pelo que deveríamos pensar de Gibeá a Geba. Nossa versão portuguesa resolve a dificuldade dizendo «...para Gibeá do Campo». Mas, dois manuscritos posteriores do texto massorético, em vez disso, dizem «para Geba». Contudo, em Juízes 20:10, Geba, sem dúvida é Gibeá. Nossa versão portuguesa diz ali: «...Gibeá de Benjamim». Na verdade, Geba é a forma masculina do nome, ao passo que Gibeá é a forma feminina do mesmo nome; e parece que as duas formas eram usadas intercambialmente. Assim, se o leitor sentir-se confuso diante de tantos nomes parecidos, pelo menos poderá consolar-se diante do fato de que os eruditos também têm ficado confusos.

2. Gibeá era o nome de uma cidade na região montanhosa de *Judá* (Jos. 15:27), identificada com a moderna *el Jab'ah*, situada cerca de dezesseis quilômetros a noroeste de Beit Immar. Talvez fosse essa a cidade natal de Micaía, a mãe de Abias, rei de Judá (II Crô. 13:2). Dando-lhe o nome de Babaata, Eusébio e Jerônimo situavam-na a doze milhas romanas de Eleuterópolis, afirmando que ali é que residia o profeta Habacuque. Ficava cerca de treze quilômetros e meio a sudoeste de Jerusalém.

3. Também havia uma Gibeá nas colinas de *Efraim*, uma área que pertencia a Finéias, neto de Aarão. Foi ali que Eleazar, o sacerdote, foi sepultado (Jos. 24:33). Josefo (*Anti.* 5.1,29) chegou a mencioná-la; mas, atualmente, sua localização é desconhecida. O *Onomástico* de Eusébio situava-a a cinco milhas romanas de Gofna, na estrada para Neápolis (Siquém). Ela ficava cerca de quinze milhas romanas ao norte de Jerusalém. Alguns estudiosos têm-na identificado com o *wady el-Jib*, a meio caminho entre Jerusalém e Siquém.

4. Gibeá também era uma cidade de *Benjamim* (I Sam. 13:5), também chamada «Gibeá de Saul» (I Sam. 11:4). Era assim chamada porque foi ali que Saul nasceu (I Sam. 10:26). Ele usou a cidade como sua residência, quando era rei de Israel (I Sam. 13 – 15). Nos tempos de Davi, depois que ele passou a controlar a Israel, os gibeonitas enforcaram sete dos descendentes de Saul, nas muralhas de Gibeá, a fim de fazer expiação pela matança que ele provocara entre os habitantes daquele lugar (II Sam. 21:6). A Septuaginta diz «Gibeom» nesse lugar. Antes disso, o local serviu de cena de um crime desumano, registrado em Juí. 19:12 *ss*, por causa do qual os benjamitas foram quase exterminados. No conflito intenso que se seguiu, foram mortos quarenta mil homens das outras tribos, e vinte e cinco mil homens de Benjamim, tudo por causa de concupiscência sexual envolvendo a concubina de um levita. O levita desmembrou o corpo de sua concubina e enviou pedaços do mesmo a várias porções de Israel, exigindo vingança. Os israelitas aniquilaram a localidade, mas pouparam a quatrocentas virgens para serem esposas dos seiscentos homens benjamitas sobreviventes (Juízes 19 — 21). E as outras mulheres, que se faziam necessárias, foram trazidas de Silo.

W.F. Albright começou a fazer escavações nesse lugar, em 1922. O local moderno chama-se *Tell el-Ful*, que significa «colina dos Feijões». Fica cerca de cinco quilômetros ao norte de Jerusalém. O local dá mostras de ter sido habitado por muitos povos. Seu primeiro nível representa o fim da Idade de Bronze e o começo da era do Ferro, quando então foi construída ali uma fortaleza (perto do fim do século XII A.C.). Esse lugar foi incendiado mais ou menos nesse tempo; e alguns estudiosos identificam isso com a destruição descrita no livro de Juízes 19 e 20, ligada ao relato mencionado no parágrafo anterior. O lugar continuou desabitado por cerca de um século depois disso. O segundo nível representa a época de Saul. Novamente, tornou-se uma fortaleza. Um arado de ferro foi um dos itens ali encontrados. Os filisteus, porém, destruíram-na e, novamente, a mesma ficou desabitada, somente para vir a ser habitada novamente, algum tempo mais tarde. Porém, após os dias de Davi, a cidade foi abandonada novamente pelo espaço de mais um século. O terceiro nível revelou uma fortaleza que foi usada entre os séculos IX e VII A.C. Esse lugar pode estar vinculado à Geba mencionada em I Reis 15:22, e onde, provavelmente, o nome correto deve ser Gibeá (nossa versão portuguesa diz «Geba»). Essa fortaleza foi destruída por Nabucodonosor; e seguiu-se então um abandono por diversos séculos. O lugar foi novamente fortificado na época dos Macabeus. Judeus residiram esporadicamente no local, até à destruição de Jerusalém, no ano 70 D.C. E, a partir dessa data, o local nunca mais foi habitado. Um curioso achado arqueológico foi encontrado nesse local. Uma manjedoura de pedra foi achada ali, com data aproximada do tempo do nascimento de Jesus Cristo. Pode-se supor que a manjedoura mencionada por ocasião do nascimento de Jesus era similar a essa. Ver as notas expositivas no NTI, em Lucas 2:7, quanto a informações sobre a manjedoura de Jesus.

5. Há uma outra Gibeá em I Samuel 10:10, chamada de «Gibeá-Eloim» em I Sam. 10:5. Essa localidade tem sido identificada com Ram Allah; mas outros estudiosos preferem identificá-la com Gibeá de Saul. No entanto, o mais provável é que tenha sido um lugar distinto, provavelmente o mesmo que Geba Ram Allah, onde Saul mostrou-se ativo e onde residia. Saul visitou esse lugar; mas, aparentemente, isso ocorreu antes de ter escolhido o local como sua residência.

6. Gibeá em *Quiriate-Jearim*. Foi nessa localidade que a arca da aliança foi guardada em segurança, depois que os filisteus a devolveram aos israelitas, até que Davi, finalmente, transportou-a para Jerusalém (II Sam. 6:3,4; ver também I Sam. 7:1,2).

7. Certo homem, chamado Gibeá, era descendente de Calebe (I Crô. 2:49). O nome de seu pai era Seva, cuja mãe era Maaca, uma das concubinas de Calebe (I Crô. 2:48). Viveu em cerca de 1410 A.C.

GIBEÁ DE SAUL

Ver sobre **Gibeá**, quarto ponto.

GIBEATE

Em algumas versões (embora não em nossa versão portuguesa, que diz «Gibeá»), esse é o nome de uma cidade da tribo de Benjamim, perto de Jerusalém (Jos. 18:28). Alguns identificam esse lugar com a Gibeá de Benjamim (ver sobre Gibeá, quarto ponto, chamada «Gibeá de Saul»), que ficaria cerca de oito a dez quilômetros ao norte de Jerusalém. Mas outros estudiosos preferem pensar em uma cidade diferente, embora próxima daquela.

GIBEATITA

Adjetivo gentílico que indica um nativo de Gibeá (vide). E adjetivo aplicado a Semaa, pai de dois benjamitas que, a princípio, serviam a Saul, mas que depois bandearam-se para Davi (I Crô. 12:3).

••• ••• •••

GIBEOM — GIBEONITAS

GIBEOM

1. O Nome. No hebraico, **ghibhon**, significa «colina», «outeiro». Ver o artigo separado sobre *Gibeá*, uma palavra que vem da mesma raiz, e que designa várias cidades mencionadas no Antigo Testamento. Gibeom era uma cidade que ficava cerca de dez quilômetros a noroeste de Jerusalém, na estrada para Jope.

2. Caracterização Geral e História. Gibeom foi uma célebre cidade dos dias do Antigo Testamento. O nome não ocorre no Novo Testamento. Era uma grande cidade, originalmente uma das capitais dos heveus. Ver Jos. 11:19. É mencionada pela primeira vez no Antigo Testamento em conexão com o ludíbrio que seus habitantes pespegaram em Josué. Eles induziram-no não somente a entrar em liga com eles, assim poupando-os do extermínio, mas também a fazer guerra contra cinco reis, que os tinham ameaçado. Ver Jos. 9:3-17. Assim agindo, eles escaparam da mesma sorte que tinham tido as cidades de Ai e Jericó. Josué entrou em acordo com os embaixadores de Gibeom, antes de saber que eles eram da cidade, a qual, naturalmente, fazia parte da lista das cidades que precisavam ser conquistadas. O tratado incluiu as aldeias de Quefira, Beerote e Quiriate-Jearim. Mas, embora Josué tivesse cumprido a palavra empenhada, não os destruindo, reduziu-os à servidão, de tal modo que se tornaram lenhadores e puxadores de água. Ver Jos. 9:23. A circunstância criada por esse acordo provocou a batalha de Bete-Horom, durante a qual houve o famoso longo dia de Josué. Ver Jos. 10. Em nosso artigo sobre a *Astronomia*, quinto ponto, discutimos vários itens interessantes na Bíblia, relativos a esse assunto.

Finalmente, a região foi entregue a Benjamim, como possessão, — e então a cidade foi declarada cidade dos levitas. Ver Jos. 18:25 e 21:17. Após a destruição de Nobe, por parte de Saul, o tabernáculo foi armado em Gibeom, onde permaneceu até à construção do templo de Jerusalém. Ver I Crô. 16:39; I Reis 3:4,5 e II Crô. 1:3 *ss*.

Os gibeonitas levavam uma vida precária entre os israelitas. — Saul, aparentemente, só tolerava a presença deles. No entanto, lemos acerca de uma grande matança contra os gibeonitas, que ele promoveu (II Sam. 21:1 ss.). Nos dias de Davi, eles exigiram que fosse feita justiça contra esse ato, em razão do que sete dos filhos de Saul foram entregues aos gibeonitas, os quais foram punidos por eles executados. Somente Mefibosete foi poupado.

O conflito entre os soldados de Joabe e os soldados de Abner teve lugar em Gibeom; mas a luta não envolveu os nativos do lugar (II Sam. 2:12 *ss*). Joabe ganhou a batalha, mas não foi capaz de deitar mão em Abner.

Salomão foi até Gibeom a fim de oferecer sacrifícios, e foi ali que Deus sondou-o acerca de seus mais profundos desejos. Salomão escolheu a sabedoria, e não vantagens pessoais e materiais, e acabou ganhando até mesmo esse tipo de vantagens (I Reis 3:4; II Crô. 1:3 *ss*). Nessa época, Gibeom era um dos lugares altos onde se efetuava um culto idólatra, o que prevaleceu ali por longo tempo. Como um dos *lugares altos*, Gibeom é mencionada novamente por duas vezes, em I Crônicas 16:39 e 21:29.

Com base em Jeremias 41:16, aprendemos que, após a destruição de Jerusalém por Nabucodonosor, Gibeom tornou-se, novamente, a sede do governo de toda aquela região.

Cerca de quinhentos anos depois da associação de Gibeom com Salomão, Melatias e outros naturais de Gibeom ajudaram Neemias a reconstruir as muralhas de Jerusalém. Ver Nee. 3:7; ver também Nee. 7:25. Um falso profeta de Gibeom era chamado Hananias, e Jeremias predisse a sua morte (Jer. 28:1 *ss*). As genealogias de I Crônicas 8:29 e 9:35 mencionam um homem de nome Gibeom; e o mais provável é que se tratasse de um homem da cidade de Gibeom.

3. A Arqueologia e a Cidade de Gibeom. James B. Pritchard, da Universidade do Estado da Pennsylvania, dirigiu as escavações em várias verões dos anos de 1956, 1957, 1959 e 1960. Essas escavações foram feitas no local chamado modernamente *el-Jib*. Foram encontrados restos arruinados de habitações, que remontam à era do Bronze Antigo e Médio II. Uma ocupação pertencente à era do Bronze Posterior talvez tenha sido o lugar conhecido por Josué. Pertencente à Idade do Ferro Antigo foi escavado um grande poço seco, com uma escadaria que descia por suas paredes internas, até uma profundidade de 10,70 m escavada na rocha. Dali descem outros degraus, descendo por um túnel por outros cinquenta metros, até uma câmara com água. Esse túnel contava com noventa e três degraus, escavados na rocha sólida. Os arqueólogos não têm muita certeza quanto à razão dessa construção; mas parece que ali havia um manancial de água. É possível que o *açude de Gibeom*, mencionado em II Sam. 2:13, seja precisamente essa construção. Em data posterior, um outro túnel foi aberto até uma fonte fora das muralhas da cidade, a fim de obter maior suprimento de água para a cidade. Nas asas de várias jarras ali encontradas, havia selos reais, juntamente com os nomes dos proprietários e daquela cidade, Gibeom. Essa escavação, provavelmente, foi feita no século VII A.C., conforme demonstram as descobertas feitas naquela área em geral. A esse mesmo período pertence uma extensa indústria de fabrico de vinhos. Jarras fechadas de vinho eram guardadas em adegas frescas, escavadas na rocha. As asas de jarras tinham nomes familiares aos leitores da Bíblia, como Amarias, Azarias e Hananias. A abundância de jarras encontradas, talvez, indique que elas estavam relacionadas à indústria produtora de vinhos do local. Adegas para estocar vinhos, cortadas na rocha, chegavam ao número de sessenta e seis.

Uma grande necrópole foi desenterrada, pertencente aos tempos romanos. Vários túmulos e um columbário estavam entre as coisas descobertas. Muitos artefatos foram recuperados dentre essas descobertas, incluindo excelentes espécimes de cerâmica. (AM ND PRIT (1962) UM Z)

GIBEONITAS

Ver o artigo sobre **Gibeom**. O termo **gibeonitas** refere-se aos habitantes da cidade de Gibeão, como também, talvez, dos habitantes das três aldeias circunvizinhas de Gibeom, Quefira, Beerote e Quiriate-Jearim (Jos. 9:17). Temos relatado a história dessa gente, no tocante a Israel, no artigo sobre *Gibeom*, pelo que não repetimos aqui esse material. Após o tempo de Saul, não há menção aos gibeonitas como um povo distinto, mas eles podem ser considerados como parte dos *netinins* (vide). Eles foram perdendo importância como um povo, por causa das matanças sofridas. Os gibeonitas eram contados entre os mais antigos habitantes da terra de Canaã. O trecho de Josué 11:19 chama-os de *heveus*. Alguns dentre os tetinins foram nomeados servos do templo de Jerusalém (I Crô. 9:2), com base no que entendemos que houve um processo de absorção, fazendo de alguns deles, senão mesmo da maioria deles, israelitas. Além das referências gerais a essa

GIBETOM — GIDEÃO

gente, houve um poderoso guerreiro gibeonita, que foi um dos heróis de Davi, que fez parte de sua guarda pessoal de trinta valentes, chamado «Ismaías» (I Crô. 12:4). Um outro gibeonita foi Melatias, que ajudou Neemias a reconstruir as muralhas de Jerusalém, após o cativeiro babilônico.

GIBETOM

No hebraico, «altura» ou «côumoro». Esse era o nome de uma cidade dos filisteus que ficava nos territórios ocupados pela tribo de Dã (Jos. 19:44). Foi entregue aos levitas como sua possessão. Foi ali que Baasa matou Nadabe (I Reis 15:26). Onri atacou a cidade e conquistou-a dos filisteus. Também foi ali que Onri foi proclamado rei, e foi dali que ele partiu, a fim de declarar guerra ao renegado rei Zinri, o qual foi morto, e cujo lugar Onri ocupou. Ver o relato inteiro em I Reis 16:11-20. O local antigo tem sido identificado com o moderno Tell Melat. Gibetom era uma importante fortaleza no ramo oriental do chamado Caminho do Mar, a rota utilizada por Tutmés III em suas campanhas militares contra a Síria, e por Esar-Hadom, em seu ataque contra o Egito.

GIDALTI

No hebraico, «tornei grande» ou «magnifiquei (a Deus)». Esse era o nome de um levita coatita, filho de Hamã. Este último atuava no templo de Jerusalém como cantor, e Gidalti era dessa mesma profissão. Ver I Crô. 25:4,6,7. Eles faziam parte do vigésimo segundo dos vinte e quatro turnos de sacerdotes que cuidavam do culto divino (I Crô. 25:29). Gidalti e treze irmãos tocavam a trombeta de chifre, nos cultos do templo. Isso aconteceu por volta do ano 1000 A.C. Diversos dos nomes dados no quarto versículo não podem ser explicados como nomes hebreus, e isso tem servido de problema para os intérpretes. Alguns estudiosos supõem que não se tratam de nomes próprios, mas de um versículo de um salmo ou de uma lista de salmos. Por outro lado, o conhecimento que temos do hebraico antigo não é tão grande assim; e, por isso mesmo, os nomes poderiam ser nomes semíticos aceitáveis, embora não os conheçamos através de qualquer outra fonte informativa.

GIDEÃO

Esboço:

I. Nome e Pano de Fundo Bíblico
II. Caracterização Geral
III. Eventos Significativos e Lições da Vida de Gideão
IV. Gideão no Novo Testamento

I. Nome e Pano de Fundo Bíblico

Essa palavra vem do hebraico e significa «lenhador» ou «guerreiro». Ele era filho de Joá, o abiezrita, da tribo de Manassés, que residia em Ofra, em Gileade. do outro lado do rio Jordão. Ele foi o quinto juiz de Israel, segundo os registros bíblicos. Em Juízes 7:32 e 7:1, ele também é chamado *Jerubaal,* que significa «que Baal se esforce» ou então «que Baal pleiteie». E o nome **Jerubesete** aparece em II Samuel 11:21, um nome que significa «que a vergonha se esforce». Êsses nomes eram sobrenomes.

II. Caracterização Geral

Gideão foi quem libertou os israelitas dos midianitas. O relato aparece no livro de Juízes, capítulos sexto a oitavo. Os midianitas, que eram nômades árabes dos desertos da Síria e da Arábia,

tinham invadido a porção central da Palestina. Em um de seus muitos súbitos ataques, eles mataram os irmãos de Gideão, em Tabor. Foi então que Gideão recebeu uma experiência mística, na qual o Anjo do Senhor chamou-o, com o intuito de fazer dele o libertador de Israel. E foi-lhe dito que derrubasse o altar de Baal e erigisse, no lugar do mesmo, um altar dedicado a *Yahweh*. Por causa desse feito, ele obteve o apodo de *Jerubaal* (ver III.2). Gideão reuniu uma pequena força (muito menor do que seria necessária para a tarefa), e surpreendeu os midianitas sob a escuridão da noite. E foi capaz de empurrá-los na direção do rio Jordão, capturando e matando a dois dos príncipes midianitas, Orebe e Zeebe. Gideão continuou a perseguição, até às margens do rio Jordão, e ali alcançou aos reis midianitas Zeba e Zalmuna, aos quais prontamente executou.

Visto que agora Gideão era um herói militar e realizara um importante serviço, Israel quis fazer dele um rei. Os reis eram úteis especialmente para fins de organização e proteção. Quando Israel exigiu um rei, o propósito deles era, essencialmente, esse. Mas, para surpresa geral, Gideão não estava interessado em tornar-se rei. Só queria os brincos de ouro que havia tomado como parte dos despojos de guerra. Isso lhe foi concedido, e, com esse material, ele fez uma *estola* sacerdotal, a fim de honrar a Yahweh. A estola era uma espécie de veste sacerdotal. Ver Juízes 8:27. Essa estola, provavelmente, foi pendurada em algum lugar conspícuo da cidade de Ofra. Era apenas um memorial; mas os israelitas transformaram-na em um ídolo. Em outras palavras, tornou-se o centro de atração de um santuário religioso, sendo provável que petições e promessas fossem feitas ali, conforme se vê nos modernos santuários idólatras. O texto bíblico denomina isso de «prostituição», conforme podemos ler em Juízes 8:27, visto que toda idolatria desvia os homens para longe da adoração ao Senhor, sendo uma infidelidade espiritual. A questão inteira, pois, tornou-se prejudicial para Gideão e seus familiares. Mas, seja como for, o serviço prestado por Gideão, livrando Israel de seus adversários, foi um dos pontos altos na história de Israel, antes da monarquia. Por isso é que, nos livros proféticos, encontramos a expressão «dia dos midianitas», para indicar um evento significativo. Ver Isaías 9:4. Esse evento tornou-se ainda mais significativo porque aquele foi um acontecimento provocado por Deus, sem a ajuda humana.

III. Eventos Significativos e Lições da Vida de Gideão

1. Gideão surgiu em cena em um *período necessário* da história de Israel. Os midianitas e amalequitas, além de outras tribos nômades, tinham invadido e saqueado Israel. Israel ainda não havia centralizado o governo. As tribos eram desunidas e desorganizadas. Cada indivíduo fazia aquilo que melhor lhe agradasse (Juí. 21:25). — A idolatria era comum. As plantações dos israelitas eram regularmente saqueadas e destruídas, deixando-os passar fome. Em meio a toda essa tribulação, os israelitas clamaram ao Senhor. Gideão, pois, foi a resposta dada por Deus. Ele era o homem da hora e do momento. Cada um de nós tem alguma missão significativa a cumprir, alguma singularidade que pode ser útil para o propósito divino. Ver Apo. 2:17.

2. *A Intervenção Divina*. O Anjo do Senhor anunciou a chamada divina a Gideão (Juí. 6:11 *ss*). Gideão pediu um sinal confirmatório de que tivera uma genuína visitação da providência divina, e o Anjo fez com que o alimento posto sobre uma pedra fosse instantaneamente consumido, quando tocou no

GIDEÃO

mesmo com a ponta de seu cajado. Diante disso, Gideão reconheceu que seu visitante era o próprio Anjo do Senhor, e exclamou: «Ai de mim, Senhor Deus, pois vi o Anjo do Senhor face a face» (Juí. 6:22). Naturalmente, essa é uma grande lição, e a nossa fé religiosa deveria levar-nos na direção das realidades espirituais, para encará-las de frente. A mera ortodoxia doutrinária jamais satisfaz à alma humana. Precisamos, igualmente, do toque místico em nossas vidas, para que seja criada e mantida uma fé vital. Ver o artigo sobre *Desenvolvimento Espiritual, Meios do*.

Atendendo à comissão divina, Gideão teve a coragem de derrubar o altar de Baal, derrubando também o bosque que era usado como lugar de adoração a essa divindade pagã. Em lugar de Baal, Gideão levantou um altar a Yahweh, e ali fez oferendas ao Senhor. Foi então que Gideão foi apelidado de Jerubaal, «que Baal pleiteie», isto é, em seu próprio favor, visto que seu altar fora derrubado. O povo queria executar a Gideão pelo que ele tinha feito; mas Joás conseguiu persuadir o povo de que se Baal fosse realmente um deus, ele poderia defender-se sem ajuda humana.

3. *A Famosa Porção da Eira*. O Espírito do Senhor estava com Gideão, mas, a despeito disso, ele não tinha muita certeza. Por isso, requereu um sinal da parte de Deus, para mostrar que, realmente, era intenção de Deus livrar Israel por intermédio dele. Ele era apenas um agricultor, sem qualquer treinamento para a guerra; e, além disso, era temível a tarefa que lhe fora dada, que facilmente poderia custar-lhe a própria vida. Assim, solicitou um sinal divino. E isso nos fornece a história das duas porções de lã que ele deixou ao relento (Juí. 6:37 *ss*). Uma só porção de lã não lhe pareceu suficiente. Apesar da primeira prova ter-lhe sido atendida, ele continuou na dúvida. Mas, quando o sinal lhe foi concedido pela segunda vez, a porção de lã ficou seca e o terreno ao redor ficou úmido com o orvalho, então ele reconheceu que, de fato, Deus estava com ele. Esse relato é familiar para qualquer criança da Escola Dominical; e continua a encantar-nos. Quem de nós já não expôs a sua porção de lã para submeter a teste a vontade de Deus? Algumas vezes, funciona; de outras vezes, não. Mas, seja como for, a providência divina cuida de todos nós, se buscarmos honestamente a vontade de Deus.

4. *Trabalhando com Pouca Coisa*. Gideão ansiava por reunir uma força armada para medir forças com os midianitas. Deus, porém, não precisava dos planos e nem das forças de Gideão. Pelo contrário, diminuiu o Senhor o número dos homens e armas. Todos aqueles que não tivessem coragem de lutar, podiam retirar-se. Portanto, nada menos de vinte e dois mil homens o fizeram, e somente dez mil restaram. Mas isso ainda era mais do que Deus precisava, embora Gideão precisasse deles desesperadamente. Mas um teste, para ver quem beberia água à beira do rio sem desviar a vista para a frente, permitiu que somente trezentos homens armados continuassem. Todos os que beberam água como cães, lambendo-a com a língua, foram enviados para casa. No entanto, os midianitas e os amalequitas formavam um grande exército, como se fossem uma praga de gafanhotos, e os seus camelos não tinham número. Eram como a areia do mar, por causa de sua grande multidão (Juí. 7:12). Gideão, em meio aos preparativos para a batalha, foi encorajado por uma experiência mística, uma visita noturna ao Anjo do Senhor (Juí. 7:9 *ss*). Nessa visão, foram dadas a Gideão instruções vitais. Em seguida, Gideão conseguiu ouvir um sonho que um dos soldados inimigos tivera, e que predizia a

vitória dos israelitas (Juí. 7:13,14). Gideão acreditou no sonho, pois compreendeu que se tratava de um sinal que Deus permitira que lhe fosse dado. E isso tudo muito o encorajou.

Foi criado o *notável estratagema* dos cântaros e das tochas. Cada um dos trezentos homens de Gideão recebeu uma trombeta, cântaros vazios e tochas dentro dos cântaros. Aproximando-se do acampamento do inimigo no escuro, quando os soldados midianitas estavam dormindo, primeiramente partiram os cântaros, produzindo grande ruído. Então gritaram juntos: «Pelo Senhor e por Gideão!» As tochas acesas davam a impressão que, por detrás dos trezentos homens, havia um grande exército pronto para atacar. O resultado do estratagema é que o terror apossou-se dos soldados midianitas. Muitos fugiram em desabalada confusão; e outros, em estado de pânico, lançaram-se contra as gargantas de seus colegas. O resultado disso foi uma grande matança entre os midianitas, com completa derrota do inimigo. E vários dos líderes principais estavam entre os mortos.

A lição é óbvia; e, para nós, vital, em muitos casos. Deus pode fazer muita coisa contando com bem pouco, podendo obter vitórias inesperadas. O relato inteiro representa uma intervenção divina, em que o homem fez a sua pequena parte, parte essa que, por si mesma, teria sido insuficiente. Notemos que todo o ocorrido foi preparado por sinais e comunicações espirituais. O sétimo capítulo do livro de Juízes conta a história em sua inteireza.

5. *A Estola: Sinal e Idolatria*. Temos comentado a esse respeito na segunda seção, intitulada *Caracterização Geral*. Vemos ali como uma coisa boa pode ser distorcida ao ponto de levar um homem piedoso a cair numa armadilha, através da astúcia e distorção mental de outras pessoas.

6. *Gideão Rejeita a Glória Terrena*. Muitos militares tornaram-se os grandes líderes de seus países. As pessoas admiram o poder, a decisão e as glórias obtidas em campo de batalha. Gideão, entretanto, foi uma exceção a isso, tendo rejeitado a idéia de tornar-se rei de Israel. O povo de Israel precisava de organização e de proteção (Saul, finalmente, foi escolhido como rei, a fim de prover essas coisas à nação), mas Gideão sabia que o trono não era o lugar que lhe competia. Na determinação da vontade de Deus, algumas vezes é importante sabermos o que precisa deixar de ser feito, mesmo quando pareça lógico realizar isto ou aquilo. Ver Juí. 8:22 *ss*.

7. *Um Período de Paz*. A vitória sobre os midianitas trouxe um período de paz e tranqüilidade para Israel. Gideão nunca mais precisou fazer o papel de guerreiro. Antes, encontramos Gideão vivendo entre seus muitos filhos, nada menos de setenta, visto que, conforme dizem as Escrituras, ele «...tinha muitas mulheres» (Juí. 8:30). O notório *Abimeleque* (vide), foi um desses filhos de Gideão; e acabou entrando pelo mau caminho. Por ocasião da morte de Gideão, Abimeleque assassinou a todos os seus irmãos, com a única exceção do mais jovem, Jotão, que conseguira ocultar-se. Ver Juí. 8:28-32 e cap. 9. Gideão, entretanto, viveu até avançada idade; e, quando faleceu, foi sepultado no sepulcro de Joás, seu pai, em Ofra, sua cidade natal.

IV. Gideão no Novo Testamento

No Novo Testamento, Gideão obtém um lugar de honra na lista dos heróis, no décimo primeiro capítulo da epístola aos Hebreus (vs. 32). Ele foi um dos que subjugaram um reino por meio da fé. A expressão

GIDEÃO — GIGANTES

«dia dos midianitas» parece ter-se tornado proverbial para indicar alguma libertação divina, sem a ajuda humana (ver Isa. 9:4). Isso é algo que precisamos relembrar. Todos nós podemos ter o nosso próprio «dia dos midianitas», quando o poder de Deus faz alguma coisa acontecer que está acima de nossas forças. Desse modo, tal como no caso de Gideão, Deus obtém para si mesmo toda a glória, e nós temos a oportunidade de nos maravilharmos diante de sua graça. (AM G IB YAD Z)

GIDEL

No hebraico, «grande». Esse é o nome de dois homens, mais conhecidos nas Escrituras através de seus descendentes, a saber:

1. Um ascendente de uma família de netinins, ou servos do templo. Eles retornaram em companhia de Zorobabel do exílio babilônico (vide). Ver Esd. 2:47 e Nee. 7:49. No trecho paralelo de I Esdras, em lugar de Gidel aparece *Catua*.

2. Um ascendente de outra família de servos do templo, da época de Salomão. A referência específica é aos descendentes dele, que retornaram do cativeiro babilônico em companhia de Zorobabel (Esd. 2:56 e Nee. 7:58). Eles o acompanharam na mesma caravana. Os filhos originais dos servos de Salomão descendiam de prisioneiros de guerra, sujeitados a labores forçados (ver Jos. 9:23 e I Reis 9:21).

••• ••• •••

GIDEÕES

Os **Gideões** são uma associação religiosa internacional e interdenominacional de leigos evangélicos, organizada em 1899 por John H. Nicholson, Samuel E. Hill e William J. Knight, da Young Men's Christian Association, em Janesville, estado de Wisconsin, nos Estados Unidos da América do Norte. O seu programa inclui o evangelismo e a compra de Bíblias para efeito de distribuição gratuita em hotéis, hospitais, penitenciárias e escolas. Em novembro de 1908, a organização começou a distribuir Bíblias em hotéis, em grande escala; e foi, precisamente, por causa desse esforço que a organização tornou-se conhecida por toda a parte. Em 1937, começou a distribuição de Bíblias em escolas públicas. Em 1941, foi efetuada a distribuição de Bíblias entre as forças armadas norte-americanas, de tal modo que cada soldado norte-americano tivesse o seu próprio Novo Testamento. As Bíblias e porções bíblicas assim distribuídas são compradas mediante ofertas voluntárias de todos os grupos e denominações cristãs. Atualmente, a organização é um dos maiores compradores de Bíblias do mundo inteiro.

O emblema dos Gideões consiste em um cântaro com duas asas e uma tocha, em memória à narrativa bíblica sobre Gideão, em sua notável vitória sobre os midianitas, conforme o registro do sétimo capítulo do livro de Juízes. A sede central da organização fica na cidade de Chicago, estado de Illinois, nos Estados Unidos da América do Norte.

GIDEONI

No hebraico, «guerreiro». Esse era o nome do pai de Abidã, um príncipe da tribo de Benjamim, e um daqueles que foram nomeados para fazer o recenseamento do povo de Israel na península do Sinai. Gideoni viveu por volta de 1490 A.C. O seu nome aparece por cinco vezes no Antigo Testamento: Núm. 1:11; 2:22; 7:60,65 e 10:24.

GIDOM

No hebraico, «desolação», «derrubada». Esse foi o lugar para onde os guerreiros restantes da tribo de Benjamim fugiram, diante das demais tribos de Israel. Os benjamitas caíram no erro de dar apoio aos algozes da concubina de um levita. O levita desmembrou o corpo morto de sua concubina e enviou pedaços para todo o Israel, exigindo vingança. Ver Juí. 20:45. Aparentemente, Gidom ficava situada entre Gibeá e a colina de Rimom. No entanto, o local exato é desconhecido para a erudição bíblica moderna. Sabe-se apenas que ficava cerca de cinco quilômetros a leste de Betel.

GIGANTES

Várias palavras hebraicas têm sido traduzidas por «gigante». Nenhuma delas significa, especificamente, um «gigante». Mas, devido à maneira como foram usadas, vieram a ser associadas a raças de gigantes. As lendas antigas associavam pessoas de estatura incomum como se fossem prole de mulheres com criaturas angelicais. O trecho de Gênesis 6:4 é assim interpretado por alguns estudiosos; e não há que duvidar que pelo menos alguns rabinos assim compreendiam esse versículo. Por exemplo, o vocábulo hebraico *nefil*, um dos termos envolvidos, na realidade significa «valentão», ou «tirano». O Targum de Jônatas menciona esses seres, chamando-os pelos nomes de Sancazai e Uziel, e classifica-os como anjos caídos. O mesmo conceito tem sido promovido em várias obras pseudepígrafas do período intermediário entre o Antigo e o Novo Testamentos. A maioria dos especialistas na Bíblia não leva isso muito a sério; mas é possível que esse tivesse sido o sentido na mente do autor original do livro de Gênesis. Seja como for, oferecemos abaixo um sumário das passagens onde ocorre a palavra «gigantes»:

1. *Nefil* (*nefilim*), que se deriva do verbo *nafal*, «cair», o que nos permite traduzir aquela palavra por «caídos». Temos aqui a questão mencionada no parágrafo anterior, que envolve o trecho de Gênesis 6:4. Minhas fontes interpretativas estão divididas quanto à questão da interpretação. Alguns estudiosos entendem ali a menção a *anjos caídos*, pelo que os gigantes envolvidos seriam uma *prole desnatural* (Unger). John Gill, em contraste com isso, embora mencione essa interpretação, refere-se a eles como seres humanos naturais especialmente debochados (portanto, *caídos*). Nesse caso, a expressão «filhos de Deus» refere-se a homens espiritualmente dotados, e não a anjos ou seres não-humanos de qualquer espécie. Alguns intérpretes mencionam então Judas 6, que alude aos anjos que não mantiveram o seu primeiro estado, mas tiveram relações sexuais com mulheres humanas. Contra isso, porém, temos claro ensino bíblico de que os anjos não têm sexo (Mat. 22:30). Além disso, essa interpretação envolve graves problemas metafísicos. Pois mesmo que os anjos fossem seres capazes de reproduzir-se, visto que são espíritos imateriais, é difícil ver como eles poderiam produzir os espermatozóides necessários para a procriação física. Alguns intérpretes admitem a força desses argumentos; mas declaram que, quer gostemos quer não, isso é o que o texto ensina, e que, naturalmente, o texto fala de uma lenda. Mas há quem prefira interpretar a passagem como o rompimento da separação entre a linhagem piedosa de Sete e a linhagem ímpia de Caim, em razão do que o testemunho sobre Yahweh, que fora entregue à linhagem de Sete, acabou falhando (ver Gên. 4:26). A mesma palavra hebraica aparece em Números

GIGANTES — GILBOA

13:33, referindo-se a um povo agigantado, chamado de os *anaquins*, ou filhos de Anaque.

2. *Refaim*. Essa palavra significa «fortes». Refere-se a uma raça de gente que vivia no lado oriental do rio Jordão. Eles emprestaram o seu nome a um vale perto de Jerusalém. Os intérpretes referem-se às tribos originais de Moabe, Edom e Amom, nos dias de Abraão (cerca de 1950 A.C.). Quedorlaomer, segundo as Escrituras, derrotou-os quando se aliaram uns com os outros. No período da conquista da Terra Prometida (cerca de 1440 A.C.), Ogue, rei de Basã, representava o que restava ainda desse povo. Ver Deu. 3:11; Jos. 12:4 e 13:12. O trecho de II Sam. 21:6,18,20,22 (ver também I Crô. 20:4,6,8) refere-se a certos filisteus como «descendentes dos gigantes», homens de elevada estatura.

3. *Anaquins*, ou seja, «filhos de Anaque». No capítulo treze de Números, os espias enviados por Moisés, em preparação para a conquista da Terra Prometida, encontraram essa gente. Os vs. 32 e 33 mencionam homens de *grande estatura*, que faziam os homens de Israel assemelharem-se a gafanhotos. Eram os filhos de Anaque. A passagem de Deuteronômio 9:2 mostra que a estatura gigantesca dessa gente tornara-se proverbial. Nos dias de Moisés, eles habitavam nas regiões de Hebrom (Jos. 11:22). Havia três clãs principais, encabeçados por Aimã, Sesai e Talmai, todos eles filhos de Anaque (Núm. 13:22). Josué conseguiu destruir essencialmente esses clãs (Jos. 11:21; Juí. 1:20).

4. *Emins*. O trecho de Deuteronômio 2:10 menciona essa raça de gigantes, que habitava na região de Moabe. Lemos, em Gênesis 14:5 e Deuteronômio 2:11, que eles eram tão altos e numerosos quanto os enamins.

5. *Zanzumins*. Ver Deuteronômio 2:20. Esses formavam uma raça de gigantes que habitavam na terra de Amom. Quando da conquista da Terra Prometida, esse povo também foi essencialmente destruído.

6. *Gibor*, que significa «homem poderoso» ou «valente» (conforme se vê em Gên. 6:4; Jos. 1:14 e I Sam. 9:1). Em algumas traduções, como em Jó 16:14, dizem «gigante» (nossa versão portuguesa diz «guerreiro», uma tradução bem provável). A Septuaginta diz *gigas* (gigantes) em Gên. 6:4; 10:8,9; I Crô. 1:10; Sal. 29:5; 33:16; Isa. 3:2 e várias outras passagens.

7. *Referências Miscelâneas*. Da Gate dos filisteus, onde morava um anaquins, é que veio o famoso gigante Golias (I Sam. 17:4). Alguns dizem que ele descendia dos refains, um remanescente dos quais fugira para a Filístia. De acordo com a Bíblia, sua altura era de seis côvados e um palmo, o que fazia dele um homem com 2,75 m de altura. Isso pode parecer impossível; mas eu conheci pessoalmente um lutador profissional que tinha 2,45 m de altura. Basta adicionar mais trinta centímetros para que se chegue à altura de Golias. Ver o artigo separado sobre *Golias*. Dois outros gigantes filisteus são mencionados em II Samuel 21:16-22. As mitologias babilônica e grega mencionam gigantes e seres imortais de imensa estatura, capazes de ter filhos com mulheres humanas, em paralelo com a possível interpretação de Gênesis 6:4. W.F. Albright, em seu livro, *From the Stone Age to Christianity* (pág. 226), menciona essas lendas, supondo que elas refletem a crença de que, no caso de Israel, estariam em foco os *deuses astrais*, que teriam sido criados por Yahweh. No Antigo Testamento, esses seres são chamados de «filhos de Deus», e seriam capazes de gerar filhos em mulheres humanas. Aqueles que lêem a literatura clássica sabem da facilidade com que, ali, os deuses (ou as deusas) eram capazes de ter relações sexuais com os seres humanos, produzindo os chamados *heróis* da antiguidade. Sem dúvida, havia esse tipo de doutrina, sendo possível que o trecho de Gênesis 6:4 seja apenas um reflexo dessa idéia. Contudo, trata-se apenas de um *mito*.

GIGANTES, VALE DOS

Ver sobre **Refains, Vale dos**.

GIGITAS

Ver o artigo geral sobre **Gate**. Os **gigitas** eram os habitantes desse lugar, conforme se vê em Jos. 13:13. Seiscentos deles aliaram-se a Davi, tornando-se parte integrante de suas tropas (II Sam. 15:18,19). Talvez fossem mercenários. Obede-Edom, que guardou a arca da aliança durante algum tempo, era um gigita (II Sam. 6:10), talvez por haver ele nascido ali, embora levita. Mais provavelmente, porém, ele foi assim chamado por ser natural de Gate-Rimom, uma cidade dos levitas.

GILALAI

No hebraico, «pesado», «rolante» ou «sujo». Alguns pensam no sentido «(o Senhor) rolou para fora»; mas outros acreditam que a palavra é de origem incerta. Seu nome ocorre somente em Nee. 12:36. Foi um sacerdote, dentre um grupo de outros, —que tocou instrumentos musicais de Davi, por ocasião da consagração das muralhas de Jerusalém, sob a direção de Esdras. Viveu ele em torno de 445 A.C. O nome, porém, não aparece na versão da Septuaginta, ao relatar o ocorrido.

GILBERT DE LA PORREE

Suas datas foram 1076-1154. Foi o maior lógico do século XII. Foi bispo de Poitiers. Representava um realismo moderado, uma posição de meio-termo entre Platão e Aristóteles. Ver o artigo sobre os *Universais*. Ele ensinava que a Trindade divina deve sua existência e unidade ao fato de que compartilham comumente de sua substância. Deus é puro ser, a forma mesma da existência. As três pessoas da Trindade seriam Deus por participarem dessa forma pura. A forma pura seria uma só, mas as pessoas participantes da mesma seriam três. Isso posto, é mister distinguir entre Deus como ser puro (monoteísmo) e Deus como triúno. Essa distinção levou De La Porree a enfrentar dificuldades. Seus pontos de vista foram condenados como heterodoxos. Bernardo de Clairvaux opunha-se a ele e à sua idéia sobre a Trindade. O sínodo de Rheims, contudo, deu apoio a suas obras, sob a condição que ele corrigisse suas opiniões sobre a Trindade.

Por longo tempo, o *Livro dos Seis Princípios* foi tido como de sua autoria; mas muitos eruditos modernos duvidam da validade desse parecer. Temos dele, entretanto, duas obras: *Comentário sobre Boethius* e *De Trinitate*.

GILBOA, MONTE

O hebraico parece significar «fonte borbulhante». Há uma fonte cerca de oitocentos metros a leste da cidade de Jezreel, que fica localizada no extremo ocidental do monte Gilboa. É possível que o nome desse monte se tenha derivado dessa fonte. A colina

GILBOA — GILEADE

do Hermom, que alguns chamam de Pequeno Hermom, faz parte da cadeia montanhosa que corre paralela à cadeia onde está o monte Gilboa. E, no meio das duas cadeias, fica o vale de Jezreel. Esse vale também é chamado de planície de Esdrelom. A cadeia de Gilboa ficava no território da tribo de Issacar (II Sam. 1:21). Nesse lugar, Saul e seus três filhos foram mortos em batalha contra os filisteus (I Sam. 28:4; 31:1,8; I Crô. 10:1). Davi compôs um belo hino fúnebre quando ouviu falar sobre isso, a fim de expressar sua tristeza. Nesse hino, pois, há várias notas sobre as condições geográficas da região. Ver II Sam. 1:19,25. Atualmente, essas colinas são chamadas *Jebel Fukua*; mas o nome antigo ainda é retido pela aldeia de nome Jelbon, que fica localizada em um outeiro da mesma cadeia montanhosa.

Essa cadeia montanhosa tem apenas cerca de treze quilômetros de comprimento, e cerca de cinco a oito quilômetros de largura. O pico mais alto chama-se, atualmente, Xeque Burqan, com apenas 517 m de altura. Muitas batalhas notáveis tiveram lugar naquela área. Perto de Megido, para sudoeste da planície de Esdrelom, o Faraó Tutmés III lutou contra os cananeus, cerca de oitocentos e cinqüenta anos antes das forças do Faraó Neco terem matado ao rei Josias, em Megido (II Reis 23:29). Débora derrotou Sísera, ajudado pelo ribeiro do Quisom, que começa no monte Gilboa (Juí. 5:21). Perto dessa área, Gideom obteve a sua extraordinária vitória sobre os midianitas (Juí. 6:33). Em Jezreel (vide), a casa de Onri construiu uma capital de verão (I Reis 18:45 e II Reis 9:15). Essa cidade ficava no espigão do monte Gilboa, cerca de sessenta metros acima da superfície da planície. Ocupava uma posição estratégica sobre a principal rota comercial do Egito para Damasco (o chamado «Caminho do Mar»; *vide*), bem como sobre a principal estrada entre o litoral do mar Mediterrâneo e o rio Jordão. Foi em Gilboa que Jeú assassinou a Jorão, de Israel, e sua mãe, Jezabel. Partindo dali, ele perseguiu, alcançou e assassinou a Acazias, de Judá (ver o nono capítulo de II Reis).

GILDAS

Viveu em cerca de 493-570. Foi um monge britânico, autor do livro *Queda da Bretanha*, uma melancólica descrição da Bretanha cristã (país de Gales), durante e depois da invasão dos anglo-saxões nessa ilha.

Os detalhes sobre a vida de Gildas não são considerados completamente fidedignos, pelos estudiosos. Porém, parece que ele foi para a Bretanha antes do ano de 550 D.C., tendo fundado um mosteiro perto de Vanes. Sua história é repleta de condenações, por parte dos sacerdotes, contra os vícios de seus contemporâneos, além de mostrar-se um tanto confusa e de estilo dogmático. Porém, visto que contamos com bem poucos outros registros acerca de sua época, essa obra reveste-se de considerável importância quanto à história daquele período.

GILEADE

O Nome. O nome hebraico pode significar «monte do testemunho», talvez relacionado ao árabe, *jalaad*, «íngreme», «áspero». Mas a maioria dos estudiosos prefere pensar que o sentido permanece incerto. Gileade designa uma região montanhosa a leste do rio Jordão; mas também é o nome de uma cidade e de várias pessoas, referidas no Antigo Testamento:

1. A Região Montanhosa

a. *O Nome*. O trecho de Gên. 31:47,48 leva-nos a crer que o nome significa «monte do testemunho», embora por derivação popular, e não por etimologia científica (no hebraico, *galed*). Parece que, a princípio, o nome era da cidade existente na região, que então emprestou seu nome ao monte próximo. Por outro lado, a palavra árabe *jalaad*, «íngreme», «áspero», parece apropriada para descrever a região, sendo bem possível que essa seja a verdadeira derivação do nome Gileade.

b. *A Área Desse Nome*. A área geral é a região da antiga Palestina (atualmente chamada Jordânia), situada a leste do rio Jordão. Era chamada Galaaditi, na época dos Macabeus. Porém, o termo não era usado com precisão e uniformidade. Algumas vezes, a área indicava a região inteira a leste do Jordão (ver Gên. 37:25; Jos. 22:9 *ss*; II Sam. 2:9; II Reis 15:29; Amós 1:13; Eze. 47:18). Outras vezes, o elevado platô de Moabe é excluído; mas tudo quanto está ao norte disso, até Basã, é incluído (ver Deu. 3:10; Jos. 13:11; II Reis 10:33). A fronteira sul de Gileade não se estendia tanto como sucedia segundo o uso popular do nome, pois o distrito de Jezer não estava incluído nesse uso (Núm. 32:1; II Sam. 24:5,6). A área, falando em termos gerais, ia desde o lago da Galiléia até a extremidade norte do mar Morto, ou seja, tinha cerca de noventa e sete quilômetros de comprimento e trinta e dois quilômetros de largura. Ao norte estava limitada por Basã; ao sul, por Moabe e Amom (ver Gên. 31:21; Deu. 3:12-17).

c. *Conexões Tribais*. Durante a sua história, Gileade algumas vezes aparecia associada à tribo de Gade; e outras vezes, à tribo de Manassés. A fronteira norte da tribo de Gade era o rio Jaboque, ou a cidade de Maanaim, que tem sido explorada pelos arqueólogos ao sul do rio Jaboque. Gileade aparece como pertencente à tribo de Gade, em Juí. 5:17; Núm. 32:39 *ss*; Deu. 3:15. Mas, alguns trechos bíblicos, como Deu. 3:13 e Núm. 32:39 *ss*, associam-na com a tribo de Manassés. Os homens das tribos de Rúben e Gade queriam esse território, devido às boas terras de pastagem ali existentes, para os animais que criavam (ver Deu. 3:12-17).

d. *Dados Históricos*. A arqueologia tem mostrado que a porção norte de Gileade vinha sendo habitada desde nada menos que o século XXIII A.C. Quando Israel invadiu a Terra Prometida, ali residiam os amorreus e os moabitas. Moisés desejava atravessar o território deles; mas, como a permissão para tanto lhe foi negada, disso resultou o usual conflito armado com sua matança. Em resultado, a tribo de Gade ficou com o território (Núm. 21). Os homens das tribos de Manassés e de Gade gostaram da área do outro lado do rio Jordão, pelo que Moisés concordou em ceder-lhe aquelas terras, sob a condição de que prometessem que, primeiramente ajudariam as demais tribos de Israel a conquistarem as terras a oeste do rio Jordão. Isso foi feito, segundo se vê no capítulo vinte e dois do livro de Josué. Uma vez que as terras ao ocidente do Jordão foram conquistadas, as terras do lado oriental do Jordão, ocupadas por aquelas tribos, nem sempre ajudaram o resto de Israel em tempo de crise, conforme é demonstrado com o conflito contra Sísera (Juí. 5:17). Durante o tempo dos juízes, os amonitas assediaram os israelitas em Gileade. Sob a liderança de Jefté, essa opressão foi aliviada (Juízes 11). Os efraimitas sentiam-se infelizes com Jefté e outros gileaditas, por não haverem sido convidados a participar da luta pela libertação. Por essa razão, houve uma pequena guerra civil, na qual a tribo de Efraim foi derrotada. Ao fugirem os homens de Efraim tinham de atravessar os vaus; mas os gileaditas os bloquearam. Todo aquele que quisesse

GILIADE — GILGAL

atravessar tinha de pronunciar «Chibolete»; mas, se dizia «Sibolete», não podendo exprimir bem o vocábulo, era morto. Ver a história toda no décimo segundo capítulo do livro de Juízes.

Os amonitas, entretanto, continuaram mostrando-se pestíferos para Israel. Saul, pois, combateu-os, tendo obtido uma grande vitória em Jabes-Gileade (I Sam. 11). Após sua derrota e morte, Abner fez o filho de Saul, Is-Bosete, ser rei em Gileade (II Sam. 2:8,9). Davi fugiu para Gileade quando Absalão obteve, temporariamente, o mando da nação. A batalha decisiva contra Absalão, que resultou em sua morte, teve lugar em Gileade (II Sam. 18). Então Gileade foi incluído no recenseamento feito por Davi (II Sam. 24:6). Elias era natural de Gileade (I Reis 17:1), havendo, no seu caso, uma distinção peculiar, contrária ao costume judaico: sua genealogia não é dada.

Damasco, da Síria, foi o inimigo que andou atacando essa região de Israel nos séculos IX e VIII A.C. O profeta Amós condenou a extrema crueldade dos atos dos sírios (Amós 1:13). Oséias queixou-se da grande iniqüidade dos habitantes de Gileade (Osé. 6:8). Quando Israel e Judá entraram em aliança para pôr fim ao domínio sírio em Ramote-Gileade (I Reis 22:1-4), Acabe morreu na batalha. Jeú estabeleceu um pacto com Salmaneser III, em cerca de 837 A.C., para manter longo o poder assírio. Mas o rei Oséias terminou servo do rei da Assíria (ver II Reis 17:3). Hazael, da Síria, sujeitou uma parte dos territórios de Israel, incluindo Gileade (II Reis 10:33). Tiglate-Pileser III invadiu tanto Israel quanto Judá, e derrotou ambas essas nações. Muitos cativos foram levados para o exílio, incluindo muitos de Gileade (II Reis 15:29). Judá continuou existindo, mas muito debilitada. A nação de Israel, porém, terminou nessa oportunidade. Josias, de Judá, apossou-se de Gileade. Mas, quando a Babilônia invadiu toda aquela região, Judá perdeu controle em toda a parte, incluindo em Gileade. O profeta Obadias profetizou a restauração de Gileade à tribo de Benjamim (vs. 19). Após o cativeiro babilônico, Tobias foi nomeado governador do território de Amom, que ficava contíguo à província de Gileade, e começou a reinar como subordinado ao monarca persa. Em 163 A.C., Judas Macabeu recuperou, temporariamente, a região de Gileade (Galaade), e transportou muitos de seus habitantes para Judá (I Macabeus 5:9-54). Nos dias do Novo Testamento, Gileade passara a fazer parte da *Peréia* (vide).

2. A Cidade de Gileade

Alguns estudiosos pensam que em Oséias 6:8 é mencionada uma cidade com o nome de Gileade. Diz nossa versão portuguesa: «Gileade é a cidade dos que...» Mas outros intérpretes pensam que deveríamos entender o trecho como se dissesse que Gileade era *como uma cidade* cheia de iniqüidade. Visto que não há qualquer outra menção, bíblica ou não, a uma cidade com esse nome, parece que temos de ficar com essa segunda interpretação. Nesse caso, «Gileade» foi nome usado por esse profeta em um sentido diferente do usual.

3. O Bálsamo de Gileade

Ver o artigo separado sobre **Bálsamo**. Os trechos de Jer. 8:22; 46:11 e 51:8 mostram que essa substância, uma goma aromática, era considerada dotada de propriedades medicinais. Era um artigo do comércio, presumivelmente produzido em Gileade, ou, de alguma outra maneira, estava associado a Gileade (ver Gên. 37:25 e 43:11). Um hino evangélico moderno usou esse nome como símbolo da cura espiritual de almas «enfermas pelo pecado».

4. Três Homens de Nome Gileade

a. Um filho de Maquir e neto de Manassés (Núm. 26:29,30), que viveu por volta de 1800 A.C. Os maquiritas, pois, eram gileaditas. Ver Núm. 26:29, 30; 27:1,32, 40; 36:1; Jos. 17:1; Juí. 5:17; I Crô. 2:21 e 7:14.

b. O pai de Jefté (Juí. 11:1,2). Mas outros pensam que «Gileade» é ali usado como personificação de uma comunidade (ver vs. 7,8). Se foi, realmente, um indivíduo, então deve ter vivido por volta de 1250 A.C.

c. Um descendente de Gade e ancestral dos gaditas de Basã (I Crô. 5:14). Viveu por volta de 780 A.C. O nome «Gileade» refere-se, pois, a uma tribo gadita.

GILEADITAS

Esse adjetivo pátrio aparece em Juí. 12:4,5; Núm. 26:29 e Juí. 10:3, referindo-se a um ramo da tribo de Manassés, que descendia de Gileade (ver 4 a, no artigo *Gileade*). Parece que eles eram subestimados por israelitas de outras procedências. Juízes 12:4 refere-se a isso, quando diz: «Ajuntou Jefté todos os homens de Gileade, e pelejou contra Efraim; e os homens de Gileade feriram a Efraim, porque este dissera: Fugitivos sois de Efraim, vós gileaditas, que morais no meio de Efraim e de Manassés». Essa declaração parece referir-se aos gileaditas como um punhado obscuro de gente, destituídos de fama, que habitavam entre duas tribos famosas e nobres. Ver o artigo sobre *Gileade*.

GILES DE ROMA

Suas datas foram 1247-1316. Foi um filósofo escolástico. Nasceu em Roma e estudou em Paris. Ensinou em Paris. Era frade agostiniano, mas defendia o tomismo (vide). Foi arcebispo de Bourges. Criticava a física aristotélica, cuja análise do movimento em certo sentido antecipava as concepções modernas das forças envolvidas na queda dos corpos. Escreveu obras como *Quodlibetea; Sobre a Alma; Sobre o Poder da Igreja*, e também vários *comentários* sobre Aristóteles.

GILGAL

1. O Nome

Esse nome significa «círculo». Talvez a alusão seja a um círculo feito com pedras, usado para assinalar um território. O sentido básico do vocábulo é «rolante», derivado do hebraico *galal*, «rolar». O uso original da palavra *Gilgal* é curioso. Depois que Israel escapou do Egito, foi dada a Josué a ordem divina de que o sinal da circuncisão deveria ser aplicado a todos os israelitas, a fim de ser renovada a antiga identidade deles com Abraão. Esse ato de circuncisão, portanto, foi referido como um «rolar para longe o opróbrio do Egito», dentre o povo de Israel. Ora, o local onde isso foi feito foi precisamente Gilgal. Ver Jos. 5:9 e seu contexto. Subseqüentemente, o nome foi empregado para designar várias outras cidades de Israel.

2. Várias Cidades

a. *Gilgal Perto de Jericó.*

Essa cidade ficava a leste da antiga cidade de Jericó, situada entre esta e o rio Jordão. Esse é o lugar referido no quinto capítulo do livro de Josué, e acima descrito em relação à origem do uso do termo. Um monumento de pedras foi levantado ali (Jos. 4:19,20), que pode ter tido ou não o formato de um círculo. Todavia, é possível que esse não tenha sido o motivo do uso original do termo, visto que a circuncisão foi a razão para o uso da palavra. A páscoa foi observada nesse lugar, e dali os israelitas

GILGAL — GILGAMÊS, EPOPÉIA DE

lançaram-se à marcha em redor de Jericó, durante sete dias. As circunstâncias indicam que Gilgal foi usada como uma espécie de acampamento geral, enquanto que as localidades em volta foram sujeitadas a ataques. Josué foi encontrado ali pelos gibeonitas, depois que Ai fora destruída; e, novamente, depois que ele erigira um altar no monte Ebal (Jos. 8:30; 9:6). Foi de Gilgal que os israelitas partiram, a fim de defender Gibom; e foi para ali que eles retornaram, após conquistar a vitória (Jos. 10:15,43).

Juí. 2:1 e 3:19, provavelmente, referem-se à mesma Gilgal. A arca da aliança foi transferida para Silo; mas Gilgal continuou sendo um importante lugar para Israel, como uma das três cidades que faziam parte do circuito de Samuel (I Sam. 7:16). Saul utilizava-se de Gilgal como base de operações, quando lutava contra os amalequitas. Foi ali que ele tentou explicar sua desobediência, por não haver extirpado completamente o povo proscrito por Deus. Isso provocou a famosa sentença de Samuel: «Eis que o obedecer é melhor do que o sacrificar, e o atender melhor do que a gordura de carneiros» (I Sam. 15:22). Posteriormente, vários profetas de Israel denunciaram Gilgal. Ver Osé. 9:15; Amós 4:4. Nos dias de Samuel, a cidade estava intimamente associada a Betel. Alguns eruditos supõem que a Gilgal em questão deve ser entendida como aquela mencionada em II Reis 2:1, a cidade descrita sob o ponto «b» abaixo. No século VIII A.C., na época entre Uzias e Ezequias, Gilgal tornou-se o centro de uma adoração inadequada, formalizada, o que também ocorreu no caso de Betel. Uma estrada ligava essas duas cidades e ao que tudo indica, estavam vinculadas por fortes laços uma com a outra (II Reis 2:1,2). Miquéias (6:5) relembrou o povo de Israel sobre esse lugar e sobre a responsabilidade deles de darem testemunho sobre a retidão e sobre o poder salvador de Deus.

b. A Gilgal Associada a Elias e a Eliseu

Ver II Reis 2:1,2; 4:38. Pensa-se que esse lugar ficava situado cerca de seis quilômetros e meio de Betel e Silo. Descrevemos esse lugar no último parágrafo sobre a Gilgal descrita sob «a». É possível que a moderna cidade de Jilmiliah, um pouco ao norte de Betel, assinale o local antigo. Foi nessa Gilgal que Eliseu lançou ervas na panela envenenada, tornando comestível a comida que estava sendo ali preparada.

c. A Gilgal da Galiléia

O trecho de Josué 12:23 alista o rei de Goim, em Gilgal, como um dos monarcas vencidos por Israel. Algumas traduções dizem ali «rei das nações de Gilgal», o que corresponde, mais de perto, ao texto hebraico. A Septuaginta diz «Galiléia». A tradução inglesa Revised Standard Version diz «o rei de Goim na Galiléia» (vertendo o trecho para o português). Os goiim, mui provavelmente, foram um dos povos deslocados de sua terra em razão da conquista da Terra Prometida por Israel. Nenhuma identificação certa dessa Gilgal (se essa é a forma correta do texto) tem sido feita; mas, por causa de lugares nomeados juntamente com ela, pode-se afirmar, com plena confiança, que a mesma ficava localizada entre o mar Mediterrâneo e a Galiléia, na porção norte de Samaria.

d. A Gilgal da Fronteira de Judá

Essa Gilgal ficava defronte da subida para Adumim, que fica no lado sul do vale do filho de Hinom (Jos. 15:7). O trecho de Josué 18:17 fala sobre uma certa cidade, chamada Gelilote em termos similares, de tal modo que é possível que esses nomes refiram-se ao mesmo lugar. Na verdade, Gilgal e Gelilote vêm de uma mesma raiz. A única diferença é que Gelilote é a forma feminina plural de Gilgal.

Alguns estudiosos pensam que a mesma cidade descrita sob «a» está em pauta. Em caso contrário, então devemos pensar em uma cidade um pouco mais para o ocidente.

e. A Gilgal Perto do Monte Ebal

Esse lugar é mencionado em Deuteronômio 11:30. Alguns têm identificado essa cidade com a Gilgal mencionada no ponto «a», acima, mas o trecho de Deu. 11:29 parece requerer uma identificação diferente, visto que esta cidade ficava nas proximidades dos montes Ebal e Gerizim.

f. Bete-Gilgal

Esse foi o lugar de onde vieram cantores para participar da dedicação da muralha recém-construída de Jerusalém, nos dias de Esdras e Neemias. Essa também poderia ser a Gilgal descrita no ponto «a», acima; mas alguns eruditos supõem que seria ainda um outro lugar com esse mesmo nome, e que ainda não foi identificado. Ver Nee. 12:29.

3. A Arqueologia e Gilgal

Estamos agora abordando o caso da Gilgal do ponto 2. a. James Muilenburg escavou a área e identificou a moderna Khirbet el-Mefjir, perto de Jericó, como o local da antiga Gilgal. Fica a pouco menos de dois quilômetros a nordeste de Tell es-Sultan, que é a mesma Jericó do Antigo Testamento. Mas há quem ponha em dúvida essa opinião, disputando, especialmente, acerca da antiguidade do lugar. Acha-se ali o palácio Umaiada do califa Hisã (724-732 D.C.). Khirbet en-Nitleh, a cinco quilômetros a sueste de Jericó, é um outro local que poderia assinalar a antiga Gilgal. Ruínas bizantinas de considerável extensão têm sido encontradas ali. Josefo (Anti. 5.6,4) situava Gilgal a quarenta estádios do vau do Jordão, que atualmente é identificada como al-Maghatas. Ficava a dez estádios de Jericó. Isso poderia coincidir com a identificação feita por Muilenburg, a saber, Khirbet el-Mefjir. Seja como for, cerâmica feita durante a Idade do Ferro foi encontrada nas escavações feitas por Muilenburg, pelo que foi ocupada pelo menos desde 1000 A.C. Isso elimina a crítica contra a antiguidade da ocupação do lugar, mesmo que não nos faça retroceder até às datas a que pertencem algumas referências bíblicas.

GILGAMÊS, EPOPÉIA DE

A principal obra da antiga literatura assírio-babilônica é o Épico de Gilgamés. Conta a história das explorações e aventuras heróicas de Gilgamés. Provavelmente, por detrás da estória há algum rei que realmente existiu; mas a narração sobre a sua vida viu-se envolvida por uma nuvem de lendas, aventuras e fantásticas descrições. Seja como for, na qualidade de governante de Uruque, bem como seu amigo, Enquidu, eram seres meio-homens, meio-touros. Em relação à Bíblia, esse épico assume grande importância para nós, porquanto preserva uma antiga história sobre o dilúvio. Supostamente foi um relato contado a Gilgamés por seu antepassado, Utnapistum, a quem ele buscara quando, em uma peregrinação, procurava o segredo da imortalidade. A versão melhor preservada desse épico vem da biblioteca assíria de Assurbanipal. A versão babilônica desse épico, provavelmente, foi composta em cerca de 2000 A.C., alicerçada, em parte, sobre as lendas sumérias do período de 3000 A.C., ou mesmo antes. Uma tradução dessa versão, para o inglês, em versos livres, foi publicada por William Ellery Leonad, intitulada Gilgamesh, Epic of Old Babylonia, em 1934. Em nosso artigo sobre o Dilúvio de Noé, há mais detalhes sobre a questão. Ver a terceira seção desse artigo.

GILGAMÉS EPOPÉIA DE — GILL, JOHN

Gilgamés é o herói de certo número de lendas e mitos poéticos. Alguns pensam que essa personagem viveu tão cedo quanto 4000 A.C. Ele é descrito de várias maneiras. Alguns relatos fazem dele um homem nobre e justo, homem de grande força e coragem; mas outros relatos fazem dele um homem violento e vil, um tirano cheio de truques e astúcias. As mais importantes peças literárias são os doze tabletes do *Épico de Gilgamés*.

Sumário do Conteúdo

1. *Primeiro Tablete*. Gilgamés governou Uruque como um tirano. Os deuses, não tendo gostado disso, levantaram um oponente, um homem selvagem chamado Enquidu. Mas Gilgamés percebeu que seu adversário poderia ser arruinado por meio de uma prostituta.

2. *Segundo Tablete*. A prostituta teve êxito em seu trabalho, e Enquidu torna-se como qualquer outro homem. Então Gilgamés e Enquidu entram em grande luta corporal; e, nesse processo, vêm a respeitar-se e tornar-se amigos um do outro.

3. *Terceiro Tablete*. Juntos, os dois preparam-se para lutar contra o monstro Huvava.

4. *Quarto Tablete*. Há preparações exaustivas para o combate.

5. *Quinto Tablete*. O conflito é descrito.

6. *Sexto Tablete*. Istar resolve seduzir Gilgamés e cria o Touro Celeste a fim de punir Gilgamés, se ele resistir à sedução. Mas Gilgamés e Enquidu matam o touro.

7. *Sétimo Tablete*. Istar fica furiosa e convence os deuses a matarem Enquidu por meio de uma praga.

8. *Oitavo Tablete*. Gilgamés lamenta a morte de Enquidu.

9. *Nono Tablete*. Abalado diante dos tristes acontecimentos, Gilgamés começa a pensar sobre a imortalidade. E começa a vaguear, em busca da imortalidade.

10. *Décimo Tablete*. Em sua busca pela imortalidade, Gilgamés conversa com diversas personagens mitológicas sobre a natureza da mortalidade e sobre a natureza da imortalidade. Em suas vagueações, finalmente encontrou o sumério chamado Utnapistim, que estava destinado pelos deuses a não perecer no dilúvio.

11. *Décimo Primeiro Tablete*. Temos então um relato detalhado sobre o dilúvio. Esse tablete tem sido cuidadosamente estudado pelos eruditos da Bíblia. O que se torna imediatamente óbvio é que há ali muitos paralelos da narrativa bíblica. Mas também há algumas diferenças significativas, especialmente no campo teológico, da moral, acerca dos deuses, etc. A própria narrativa é uma peça literária brilhante, cheia de suspense e de aventura. Alguns eruditos alemães do século XIX pensavam que a obra apresentava uma personagem que é um possível tipo de Cristo, em seu ofício messiânico. A questão é de que maneira esse épico está relacionado à Bíblia. Alguns supõem que se trata de uma corrupção e elaboração da história de Noé. Porém, seu conteúdo imediatamente impossibilita tal teoria. Também não podemos pensar que a história da Bíblia seja uma adaptação dessa lenda. Antes, o mais provável é que ambos os relatos dependam (pelo menos em parte) do acúmulo de histórias sobre o dilúvio, existente na Mesopotâmia, com suas adaptações e adornos peculiares. O que é indiscutível é que a narrativa da Bíblia é de natureza muito mais elevada, com sua teologia calcada sobre o monoteísmo e a moralidade sólida. Ver o artigo geral sobre o *Dilúvio de Noé*.

12. *Décimo Segundo Tablete*. A despeito de todos os seus heróicos esforços, Gilgamés não consegue obter a imortalidade. E isso é lamentado no último tablete. (HEI THOM)

GILL, JOHN

Nasceu em 1697 e faleceu em 1771. Foi teólogo e escritor de comentário bíblico. Sua pátria era a Inglaterra. Foi autor do primeiro comentário da Bíblia inteira, versículo por versículo, em inglês. Pertencia aos batistas Particulares, aquele ramo dos batistas calvinistas da Inglaterra. Era um dos mais hábeis hebraístas de seus dias. Embora seu comentário seja atualmente obsoleto, quanto a certas particularidades, pois a erudição bíblica nunca estacou, continua sendo uma obra de grande valor, que eu, autor, desta enciclopédia, consulto pessoalmente com regular freqüência. Meu comentário, *O Novo Testamento Interpretado* contém muitas citações extraídas de John Gill. Quanto a esta enciclopédia, tenho-o consultado com freqüência sobre questões que envolvem o Antigo Testamento. No entanto, Gill foi um calvinista radical, que não hesitava em torcer um texto a fim de ajustá-lo a esse rígido sistema. Só podemos lamentar tal coisa; mas, excetuando essa sua fraqueza (houve momentos em que ele precisou aplicar uma *eisegese*, e não uma *exegese*; *vide*), ninguém era capaz de comentar tão bem a Bíblia quanto John Gill. Foi um escritor prolífico, especialmente considerando-se o fato de que não tinha máquina de escrever, e tinha de escrever tudo à mão. Seu comentário bíblico equivale a dezesseis mil páginas datilografadas, com dois mil e quatrocentos espaços por página. Além dessa obra, ele também publicou outra, intitulada, em inglês, *Body of Divinity*, que foi publicada em um único volume, mas que poderia ter sido publicada em três, porquanto os publicadores queriam mostrar-se ostentadores, impressionando os leitores com um imenso volume. Também é de sua autoria um livro intitulado, em inglês, *The Cause of God and Truth* (*A Causa de Deus e da Verdade*), o qual foi escrito especificamente como defesa do calvinismo, massacrando o arminianismo. Mas, a fim de fazer valer essa teologia unilateral, Gill precisou aplicar sua eisegese. Spurgeon chegou a comentar como John Gill pôde ter *distorcido* e *aleijado* tão terrivelmente um texto qualquer, a fim de ajustá-lo a seu sistema. Porém, isso é o que todos os sistemas são forçados a fazer, visto que o Novo Testamento não se presta a defender qualquer sistema teológico que os homens tenham inventado; e tanto o calvinismo quanto o arminianismo são apenas visões parciais de uma verdade maior. Assim, quando a Bíblia olha para o relacionamento de Deus com o homem, mostra-se calvinista, do ponto de vista de Deus (Deus é quem toma toda a iniciativa); mas, quando vê esse mesmo relacionamento do ponto de vista humano, então a Bíblia mostra-se arminiana (o homem precisa corresponder à iniciativa divina). O calvinismo, porém, só quer ver as coisas do ponto de vista divino; e o arminianismo, somente do ponto de vista humano. E daí resulta a fraqueza de ambos esses sistemas. Poderíamos dizer a mesma coisa afirmando que a apresentação bíblica não é suficientemente homogênea para ser limitada a qualquer dos sistemas teológicos unilaterais dos homens — calvinista ou arminiano. Não obstante, embora reconhecendo seus exageros, nada tenho senão louvor a John Gill, que foi e continua sendo um dos gigantes no campo da literatura bíblica.

Ver o artigo geral sobre **Comentários Sobre a Bíblia.**

GILÔ — GINETOM

GILÔ, GILONITA

No hebraico, «exílio». Era uma cidade do território de Judá, localizada nos montes do extremo sul desse território (Jos. 15:51). Era a cidade natal de Aitofel (II Sam. 15:12), e onde ele acabou cometendo suicídio (II Sam. 17:23). O adjetivo gentílico *gilonita* é aplicado somente a esse homem, em toda a Bíblia. Aitofel era um dos conselheiros de Davi. O local da cidade tem sido tentativamente identificado com a moderna *Khirbet Jala*, que fica a poucos quilômetros a noroeste de Hebrom.

GILSON, ETIENNE

Nasceu em Paris, em 1884. Estudou na Universidade de Paris. Ensinou na Universidade de Strasbourg, na Sorbonne, o Colégio da França, e no Toronto Institute of Medieval Studies. Interessava-se por demonstrar a viabilidade do tomismo (vide) com um sistema metafísico que tem aplicação atual. Fez um excelente trabalho no campo dos estudos históricos sobre os filósofos e os sistemas filosóficos, o qual, à parte do uso ilustrativo em apoio à sua tese principal, tem valor em si mesmo como uma pesquisa histórica. Ele demonstrou como a filosofia platônica, aristotélica e agostiniana serviram de bases do tomismo e do neotomismo. Salientou tanto o essencialismo quanto o existencialismo que fazem parte do tomismo. Essas duas dimensões da realidade podem ser unidas uma à outra, de acordo com o seu julgamento, formando um juízo existencial que vincule, um ao outro, o ser e a cognição.

Escritos. Thomism; The Philosophy of Saint Boanaventure; Saint Thomas Aquinas; Introduction to the Study of Saint Augustine; The Spirit of Medieval Philosophy; Christianity and Philosophy; The Unity of Philosophical Experience; Being and Essence; Being and Some Philosophers; The Spirit of Thomist, além de várias outras obras, que não alistamos aqui.

GIMEL

No heb., **camelo**. Essa é a terceira letra do alfabeto hebraico. Corresponde à letra grega *gamma* e ao nosso «g». No Salmo 119, aparece na terceira seção, onde cada verso começa com essa letra, no texto original hebraico. Ver Sal. 119:17-24.

GINÁSIO

A base dessa palavra portuguesa é o termo grego *gúmnos*, que significa *nu*. O ginásio, pois, era um lugar onde se praticavam exercícios físicos. É fácil de compreender que, em um local assim, as pessoas usassem pouca ou nenhuma roupa, pelo que ali era fácil alguém ter uma visão de comparativa nudez. Originalmente, na Grécia, o *ginásio* era o lugar onde os atletas treinavam para os jogos olímpicos e para outras competições esportivas. Posteriormente, os ginásios passaram a ser instituições culturais e educacionais importantes naquele país. De fato, o ginásio era um aspecto essencial de qualquer cidade grega afluente, uma das idéias prevalentes era «mente sã em corpo são».

A história nos permite entender que os gregos, pelo menos algumas vezes, se não mesmo usualmente, tanto rapazes quanto moças, treinavam e competiam absolutamente despidos, ou então vestidos mui sumariamente. A antiga representação grega, *A Corrida de Atalanta*, mostra como essa jovem, Atalanta, foi finalmente derrotada na corrida. Ela teria sido uma jovem grega rapidíssima na corrida, que derrotava até os rapazes treinados. Finalmente, foi derrotada por Hipomenes, que lançou aos pés dela uma maça de ouro. A tentação foi grande demais para ela. Ela se inclinou para apanhar **uma maçã de ouro**, com isso perdeu aqueles segundos suficientes para o rapaz poder derrotá-la na prova. Mas, nas representações artísticas, ele aparece vestindo apenas uma tanga, enquanto que ela está um pouco mais coberta.

Usualmente, um ginásio era mais do que um único edifício. Era um complexo de edificações com instalações próprias para ginástica, corrida, lutas, boxe, lançamento de disco, lançamento de dardo, etc., além de banhos. Muitos deles contavam com pórticos cobertos, para que as pessoas continuassem a praticar sob condições atmosféricas adversas. E pórticos externos, ligados àqueles, eram utilizados pelos filósofos, que quisessem expor o que tinham para dizer. De fato, os ginásios tornaram-se centros de educação, de tal maneira que a educação dos rapazes gregos tinha lugar quase inteiramente ali, o que explica o uso moderno dessa palavra para indicar uma *escola* de nível médio. A história nos informa que Atenas contava com três grandes ginásios, cada um deles dedicado a uma atividade específica. Cada um desses ginásios tornou-se famoso por causa de sua associação com algum filósofo famoso: a Academia, com Platão; o Liceu, com Aristóteles; e a Cinosarges, com Antístenes e os cínicos.

Os romanos não davam grande valor aos ginásios; e os judeus consideravam-nos uma desgraça, por várias razões. Apesar disso, foi construído um ginásio em Jerusalém, por judeus helenistas, sob a liderança do sumo sacerdote Jason, nos dias de Antíoco Epifânio. Esse ginásio era parte do processo de helenização que Antíoco tanto queria instalar em Israel (ver I Macabeus 1:10,14; II Macabeus 4:7-9). Muitos rapazes judeus se envergonhavam de serem vistos despidos, por causa da circuncisão a que tinham sido submetidos, como parte de seu cerimonial religioso. Os judeus ortodoxos, porém, pensavam que era absurdo os rapazes se envergonharem de sua circuncisão; e esse foi um dos motivos pelos quais aquele projeto foi tão combatido pelos judeus. O ginásio de Jerusalém sobreviveu até que Tito destruiu a cidade, no ano 70 D.C. Paulo faz várias alusões a eventos esportivos, praticados nos ginásios. Ver sobre o boxe (I Cor. 9:26), a luta (Efé. 6:12), a corrida (I Cor. 9:24; Gál. 5:7; Fil. 3:12-14). Ver também os artigos separados sobre *Esportes* e *Atletismo*.

GINATE

Os estudiosos não sabem o que essa palavra significa no hebraico. O pai de Tibni chamava-se *Ginate*. Tibni e Onri entraram em conflito porque ambos queriam tornar-se o rei, quando Zinri suicidou-se, após ter assassinado a Elá, filho de Baasa (I Reis 16:21 *ss*). Cerca de metade do povo queria Tibni como rei; e a outra metade Onri. Tibni tornou-se o sexto rei da nação do norte, Israel, sob essas circunstâncias confusas. Mas, após quatro anos, a facção de Onri venceu. Tibni faleceu e Onri começou a reinar em cerca de 886 A.C.

GINETOM

No heb., essa palavra tem um sentido incerto, embora talvez signifique *jardineiro*. Esse foi o nome de um dos sacerdotes que assinou o pacto encabeçado por Neemias (Nee. 10:6). Era cabeça de uma família que se mostrou ativa depois do exílio babilônico. Ver também Nee. 12:4,7,16. Seu filho, Mesulão, é

GINZO — GIRGENSOHN

mencionado como um dos contemporâneos do sumo sacerdote Joiaquim (Nee. 12:16). Isso ocorreu entre 536 e 410 A.C. Em algumas versões, também aparece a forma *Ginetói*, como nome desse homem, forma essa que alguns eruditos pensam ser uma corrupção. Seja como for, a mesma pessoa está em foco.

GINZO

No heb., **sicômoro**. Esse era o nome de uma das cidades que os filisteus tomaram de Acaz (II Crô. 28:18). Ficava localizada no sul do território de Judá. As perdas territoriais e materiais sofridas por Acaz, às mãos dos filisteus, que coincidiram com os ataques dos filhos de Edom, levaram-no a apelar para Tiglate-Pileser, da Assíria (II Crô. 28:16). A cidade de Ginzo é mencionada na Bíblia somente nessa conexão. Trata-se do local moderno chamado *Jimzu*, que fica a poucos quilômetros ao norte de Gezer (vide). Está localizada a cinco quilômetros de Lude (atualmente chamada Lida).

GIOM (FONTE)

A palavra hebraica correspondente significa «irrompimento». Duas fontes principais supriam Jerusalém de água potável, nos dias do Antigo Testamento, e Giom era a mais importante das duas. Ficava localizada no vale do Cedrom, logo abaixo da colina oriental chamada Ofel. Essa fonte era coberta para protegê-la de violação por inimigos, visto que estava localizada fora das muralhas da capital. Foi construído um conduto especial, a fim de trazer água dali até o centro da cidade. A água, pois, era trazida até uma cisterna, dentro das muralhas da cidade. Ezequias havia perguntado: «Por que viriam os reis da Assíria, e achariam tantas águas?» (II Crô. 32:2-4). Para garantir que não sucederia assim, foi construído um túnel (o túnel de Ezequias), escavado na rocha sólida, com 542 m de comprimento. Obras similares foram efetuadas em Megido e em Gezer (vide), o que significa que a obra não era nenhuma novidade da engenharia. Muito antes disso, em cerca de 2000 A.C., os jebuseus haviam cortado uma passagem através da rocha sólida, desde o topo da colina de Ofel, de onde baixavam cântaros de água por meio de uma fenda de doze metros, a quinze metros da fonte de Giom. Essa fenda foi encontrada em cerca de 1867, em uma expedição arqueológica encabeçada por Charles Warren. Em 1891, foi descoberto um canal feito à superfície do solo, que trazia água de Giom até o antigo açude de Siloé, localizado perto da extremidade sudeste da cidade.

É possível que, quando Davi invadiu a cidade, tivesse obtido acesso à mesma através daquela fenda (ver II Sam. 5:6-9). Giom foi escolhida como o local da unção de Salomão como rei (I Reis 1:33,38,45), o que, provavelmente, teve um sentido simbólico, associado às propriedades transmissoras de vida da água, porquanto aquela fonte de água era tão vital para a sobrevivência de Jerusalém. Em tempos posteriores, foi construído um aqueduto, a fim de assegurar um suprimento de água ainda mais abundante (Isa. 7:3). O túnel de Ezequias (vide) é o esforço de engenharia mais significativo, no tocante a essa fonte, nos tempos pré-exílicos.

Após o cativeiro babilônico, esse manancial não era suficiente, e vários aquedutos tiveram de ser construídos, a fim de trazer água ainda de mais longe. Pôncio Pilatos ou construiu um desses aquedutos ou reparou um aqueduto já existente, com fundos retirados do templo, o que causou não pequena agitação entre o povo judeu.

GIOM (RIO)

Giom vem do hebraico e significa «irrompimento». Esse nome, além da famosa fonte com esse nome (ver sobre *Giom (Fonte)*, também era a designação de um dos quatro rios que banhavam o Éden, onde Adão e Eva foram criados e postos pelo Senhor Deus. Alguns eruditos supõem que a referência é a um dos quatro braços de um mesmo rio que atravessava o Éden, rio esse que se dividiria em quatro, após deixar para trás a área. Ver Gên. 2:10-14. Mas outros eruditos pensam que Giom era apenas um canal que ligava entre si os rios Tigre e Eufrates. As alterações geológicas, as mudanças de leito de rios, etc., fazem com que qualquer declaração dos estudiosos, quanto a essa questão, seja precária. Os estudiosos liberais simplesmente duvidam da autenticidade de *quatro* rios (dois além dos grandes rios, Tigre e Eufrates) e dizem que o relato sobre o jardim do Éden é mitológico, e que, por isso mesmo, não podemos determinar acidentes geográficos ali existentes. Ver o artigo separado sobre o *Éden*. A narrativa bíblica parece falar em um único rio que se dividia em quatro braços menores. O fato, porém, é que os rios Tigre e Eufrates não se originam de um manancial comum, pelo que a topografia local da atualidade não se ajusta a esse antigo relato bíblico. É possível, porém, que algum grande terremoto, ou mesmo a mudança de pólos magnéticos tenha obliterado completamente qualquer configuração geográfica antiga. Ver o artigo separado sobre *Pólos, Mudança dos* e sobre o *Dilúvio*, em sua segunda seção.

GIRGASEUS

Esse é o nome de uma das sete principais tribos que residiam na terra de Canaã, e que Israel deslocou dali. Ver Gên. 10:16; 15:21; Deu. 7:1; Jos. 3:10; 24:11; I Crô. 1:14 e Nee. 9:8. O nome da principal cidade deles era Carquisa, nome que, ao que parece, ocorre em textos hititas em escrita cuneiforme, embora tal identificação não seja certa. É possível que o nome signifique «clientes de um deus» (provavelmente Ges, que era um deus sumério da luz). O culto de Ges entrou na Palestina em cerca de 2000 A.C. Nos textos ugaríticos há os *gros*, que alguns estudiosos supõem tratar-se do mesmo povo (aparece em escritos do século XIII A.C.). Disputa-se sobre a antiga localização desse povo, mas alguns supõem que eles ocupavam a área a leste do lago da Galiléia. Talvez fossem um ramo dos heveus. Em nove dos dez lugares onde encontramos listas das tribos de Canaã o nome deles é omitido, embora sejam mencionados na décima dessas listas, onde então os heveus não são mencionados; e daí deriva-se aquela conjectura. Josefo (*Anti.* 1.6,2) desconhecia qualquer povo desse nome que tivesse permanecido entre o povo de Israel. R. Nachman, nos comentários judaicos, afirma que, temendo o avanço dos israelitas, os girgaseus retiraram-se para a África. Talvez isso esteja alicerçado sobre a circunstância que, embora estivessem condenados à destruição (Gên. 15:20,21; Deu. 7:1; Jos. 3:10), eles são omitidos nas listas daqueles que, efetivamente, foram destruídos (ver Deu. 20:17). No entanto, são mencionados como um povo com quem os israelitas misturaram-se por casamento (Juí. 3:1-6). É possível, pois, que alguns deles tivessem fugido, e outros tivessem ficado. Em Gênesis 10:16, encontramos o termo «girgaseus», como descendentes do quinto filho de Canaã.

GIRGENSOHN, KARL

Suas datas foram 1875-1925. Foi um teólogo

GITAIM — GLÓRIA

protestante alemão. Nasceu em Desel, na Letônia. Foi conferencista em Dorpat. Também foi professor de teologia sistemática nessa mesma cidade; depois, em Greifswald e, finalmente, em Leipzig. Quanto à doutrina, ele era conservador. E foi um escritor prolífico. O que mais distinguia o seu pensamento era a sua tentativa de aplicar a psicologia experimental à fé religiosa. Entre suas obras escritas estão: *Die Religion, ihre psychischen Formem und ihre Zentralidee; Seele und Leib; Der seelische Aufbau des religiosen Erlebens;* e também uma autobiografia, *Die Religionswissenchaft in Selbstdarstellungen.*

GITAIM

No hebraico, «dois lagares». Esse era o nome de um lugar ou cidade, para onde os habitantes de Beerote fugiram, em busca de refúgio (II Sam. 4:3). Esse lugar ficava localizado perto de Beerote, no território de Benjamim. Beerote era uma cidade dos gibeonitas (Jos. 9:17). Nesse lugar, alguns israelitas estabeleceram-se, após retornarem do cativeiro babilônico (Nee. 11:33). Esse nome, no hebraico, aparece no *dual,* o que, de acordo com a opinião de alguns eruditos, significa que duas cidades, com o mesmo nome, são ali referidas. Nesse caso, o segundo lugar ficava a noroeste de Jerusalém, no local da moderna Kurbet-Hazzur. E o lugar, no território de Benjamim, tem sido identificado com a Gamteti das cartas de Tell el-Amarna, localizada em Ramleh, ou nas proximidades.

GITITE

Essa palavra aparece, em algumas versões, nos títulos dos Salmos 8, 81 e 84. Nossa versão portuguesa diz, em todos esses três lugares: «...segundo a melodia: Os lagares...» Entretanto, os eruditos não têm muita certeza sobre o que está em foco aí. Trata-se de um substantivo feminino no hebraico. Têm sido feitas as seguintes conjeturas:

1. Podia ter sido um instrumento musical, feito ou usado originalmente em Gate, uma das principais cidades da Filístia. Ver sobre *Gate.*

2. Ou então esses três Salmos eram entoados na época da vindima, visto que o vocábulo talvez se relacione à palavra hebraica que significa «lagar». Ver Nee. 13:15. Poderíamos dizer, nesse caso, que os três salmos em questão eram chamados por algum título como Salmos da Vindima.

3. Ou estaria em foco algum tipo de melodia, criada em Gate. Unger diz que talvez esteja em foco «A Marcha da Guarda Gitita». Não diz, entretanto, onde ele obteve tal informação.

Nossa versão portuguesa parece refletir as idéias segunda e terceira.

GIZONITA

Essa palavra figura somente em I Crônicas 11:34, onde é um apelativo dado a Bené-Hasém, que fazia parte dos heróis guerreiros de Davi. Trata-se de um nome no gênero masculino, derivado de alguma cidade ou localização, sem dúvida de origem gentílica (provavelmente cananéia). A localização é desconhecida atualmente, mas, no livro de II Samuel, o homem assim chamado aparece como filho de Jasém, o que poderia significar que Gizom era o nome do lugar. Contudo, nada sabemos acerca de uma cidade de nome *Gizom.* Outros estudiosos sugerem *Gizó,* afirmando ainda que «gizonita» é uma corrupção de *gunita.* Nesse caso, encontramos em Núm. 26:48,

uma referência a esse lugar e a essa gente. Lemos ali: «...de Guni, a família dos gunitas».

GLADDEN, WASHINGTON

Suas datas foram 1836-1918. Formou-se no A.B. Williams College. Trabalhou em vários hospitais do exército norte-americano. Foi pastor de várias igrejas congregacionais. Foi autor, conferencista e líder eclesiástico. Fazia parte do pessoal editorial da revista *The Independent.*

Escritos. Being a Christian; How Much is Left of the Old Doctrines; Present Day Theology; Ruling Ideas of the Present Age; Ultima Veritas (poesias); *Recollections,* e muitos outros, totalizando nada menos de cinqüenta livros.

Ele foi um enérgico líder e pensador, conhecido por sua destemida defesa do direito de pensar. Também foi uma influência vitalizadora na vida da Igreja evangélica. Seu hino mais bem conhecido é «Oh, Mestre, Deixa-me Andar Contigo».

«Oh, Mestre, deixa-me andar Contigo,
Em humildes veredas de serviço gratuito;
Ensina-me Teu segredo, ajuda-me a suportar
A tensão da labuta, a canseira da preocupação.
.....
Com uma esperança que rebrilhe radiosa,
Descendo pelo caminho expansivo do futuro;
Com uma paz que somente Tu podes dar,
Contigo, Mestre, deixa-me viver».

GLOBOS

No hebraico, **gullah**, nome dado aos capitéis de forma globular que havia nas duas colunas fronteiriças do templo de Jerusalém, mencionados por cinco vezes, em I Reis 7:41,42; II Crô. 4:12,13. Todavia, essa palavra hebraica ainda é usada por mais duas vezes, em Ecl. 12:6 e em Zac. 4:3. Na primeira dessas duas passagens, nossa versão portuguesa diz «corpo». Em Zacarias 4:3, nossa versão portuguesa omite a palavra, embora se perceba que a alusão é à palavra «vaso», que aparece no versículo anterior.

GLOGAU, GUSTAV

Suas datas foram 1844-1895. Foi professor de filosofia da Universidade de Kiel, na Alemanha. Acreditava que somente a psicologia pode mostrar como as forças espirituais, envolvidas em todos os campos, como na estética, na ética, na sociedade em geral e na religião, emergem para formar a história. O princípio central de toda a filosofia é Deus. Afirmava ele que Deus existe porque eu existo, o que, em certo sentido, exprime uma grande verdade: se existe o efeito, deve existir a causa. Ele também afirmava que em Deus subsiste o mundo das idéias, de onde procedem todas as coisas. E, entre as funções dessas idéias, haveria o desenvolvimento de todos os espíritos finitos. Glogau negava o valor da lógica, considerada isoladamente.

GLÓRIA

Esboço:
    I. Definição Geral
    II. Idéias do Antigo Testamento a Respeito
    III. Idéias do Novo Testamento a Respeito
    IV. A Glória Escatológica e a Salvação do Homem

I. Definição Geral
A glória consiste em honra exaltada, em louvor ou

GLÓRIA

reputação, ou em alguma coisa que ocasiona o louvor ou é o objeto desse louvor. O termo pode ser sinônimo de «adoração» ou de «louvor adorador». Também pode significar esplendor, magnificência e bem-aventurança, em sentido terrestre ou celestial. Outrossim, pode referir-se a resplendor ou brilho, às emanações de luz, ao halo imaginado em torno de figuras santificadas, ou ao esplendor e brilho do Ser divino. A própria presença de Deus pode ser chamada de glória, por causa de seu estado exaltado.

II. Idéias do Antigo Testamento a Respeito

Vários termos hebraicos são usados para indicar a idéia de «glória». O vocábulo mais comum é *kabod*, que se deriva de *kabed*, «ser pesado», dando a idéia de alguma coisa importante. Por extensão metafórica, veio a indicar valor, dignidade, esplendor, algo revestido de *substância* espiritual. A palavra era usada para aludir à estatura ou ao peso físico de uma pessoa, ou então às *riquezas* ou à *posição social* de alguém. Ver Gên. 45:13 quanto a esse sentido. Assim, José era homem investido em alta posição, e rico, o que explica a sua glória. As riquezas eram esplendorosas (Est. 5:11; Sal. 47:16 *ss*; Isa. 16:14; 17:4; 61:6). Os exércitos eram considerados a glória visível de uma nação (Isa. 8:7). Uma grande multidão de pessoas, pertencentes a um rei, constituíam a sua glória (Pro. 14:28).

Especificamente, no que tange a Deus, a sua glória é a sua espantosa presença, as suas perfeições, os seus atributos, a sua santidade. A glória de Deus é a expressão de sua santidade, tal como a saúde manifesta-se sob a forma de beleza física. Ver Êxo. 33:18; 16:7,10; João 1:14. A idéia de glória com beleza também pode ser vista no fato de que a glória do Líbano eram suas florestas de cedros (Isa. 60:13); a glória das ervas são as suas flores (Isa. 40:6). O próprio Deus, por causa de seu amor, bondade e poder, é a glória de seu povo (Jer. 2:11; Zac. 2:5). Quanto à glória, como *resplendor*, ver Eze. 1:4,14,18; 11:22 *ss*. A aparência divina é de uma majestade gloriosa (Êxo. 24:17). O *valor* intrínseco, que se manifesta claramente, é uma manifestação de glória.

III. Idéias do Novo Testamento a Respeito

1. *Usos Diversos*

Em I Ped. 2:20, temos a única ocorrência do termo grego *kléos*, que significa *renome*, em cuja passagem a nossa versão portuguesa traduz por «glória», ao dizer: «...que glória há, se, pecando e sendo esbofeteados por isso, o suportais com paciência?...» Em todas as demais ocorrências da idéia, no Novo Testamento, temos ou o verbo grego *doksázo*, que ocorre por sessenta vezes, de Mat. 5:16 até Apo. 18:7, ou então o substantivo grego *dóksa*, que ocorre por cento e sessenta e cinco vezes, desde Mat. 4:8 até Apo. 21:26. Ambos esses termos derivam-se de outro vocábulo grego, *dokéo*, que significa «pensar», «considerar», «parecer», «ser influente». O substantivo *dóksa* envolve os conceitos de brilho, resplendor, conforme se vê em Atos 22:1; II Tes. 1:9; II Ped. 1:17; Apo. 15:8; 19:1; 21:11,13; II Cor. 3:7 *ss*, etc.

O estado dos remidos, na vida vindoura, aparece como um estado *glorioso*. O Senhor Jesus entrou em sua glória, isto é, em seu estado de exaltação, de perene felicidade, de poder total (Luc. 24:25). O mesmo termo, porém, é usado a respeito de sua gloriosa preexistência (João 17:5,22,24). O homem é um *reflexo* da pessoa de Deus, ou seja, uma manifestação secundária da glória de Deus (I Cor. 11:7). Podem estar em foco as idéias de esplendor e magnificência, coisas que atraem os olhos e ofuscam a

mente (Mat. 4:8; Luc. 4:6; Apo. 21:24,26). Também pode estar em foco o resplendor meramente humano (I Ped. 1:24).

Além disso, no Novo Testamento e na literatura extrabíblica da época, essa palavra grega podia significar «fama», «renome», «honra». Ver Luc. 2:14; Gál. 1:5; I Cor. 10:31; II Cor. 4:15; Fil. 1:11; Atos 12:23; Rom. 4:20; Apo. 19:7; I Clemente 20:12 e 50:7.

No plural, *dóksai*, essa palavra pode ser usada como um termo que alude aos *seres angelicais*, dotados de considerável poder e magnificência (II Ped. 2:20; Jud. 8 e Testamento de Judas 24:2). A «glória» para a qual temos sido chamados aponta para o futuro estado de exaltação, nos mundos celestiais (I Ped. 1:3). No sentido de *honra*, encontramos o vocábulo usado em João 5:41,44 e 8:54. Em João 9:24 e 12:43, a palavra significa «louvor». Em Lucas 14:10 e Rom. 11:36, transparece a idéia de «adoração».

2. *No Tocante a Cristo*

Cristo, como o Logos e Filho de Deus, existia em estado de glória antes de sua encarnação (João 17:5,22,24). Cristo é o mistério de Deus manifestado em favor da salvação dos homens, um mistério rico e glorioso (Col. 1:27). O resplendor de Cristo é a sua glória divina (Heb. 1:3). Cristo é glorioso por ser a própria imagem de Deus (João 1:14). Acima de todos, ele glorificou ao Pai em sua pessoa e em sua vida terrena (João 17:4). O trecho de II Coríntios 8:9 enfatiza as riquezas de sua pessoa e de sua manifestação; e Filipenses 2:6 afirma que o Cristo subsiste na forma de Deus, ou seja, é um Ser glorioso. Por causa da encarnação, podemos obter um vislumbre da glória de Cristo, segundo nos ensina o primeiro capítulo do evangelho de João. Encarnado, o Filho glorificou ao Pai e O tornou conhecido (João 1:18; 17:4,6). Ele era a própria *shekinah* de Deus, que veio habitar entre os homens (João 1:14; Apo. 21:3). Os milagres efetuados por Jesus Cristo foram vislumbres do poder de sua glória, que ele nos concedeu (João 2:11 e 11:40). Por ocasião de sua transfiguração, a sua glória tornou-se manifesta de forma mais intensa (Mat. 17:1 *ss*), porquanto, normalmente, enquanto esteve neste mundo, essa glória era contida, para que os homens pudessem suportar a presença de Jesus. A glória de Cristo também foi vista em sua ressurreição e ascensão (Mat. 27 e 28). Mesmo após a sua ressurreição e ascensão, as Escrituras referem-se a manifestações diversas de sua glória, como quando de seu aparecimento a Estêvão (Atos 7:55 *ss*), a Saulo de Tarso (Atos 9), ou nas várias visões e experiências místicas que foram fontes da inspiração divina das Sagradas Escrituras. Ver I João 1:1 *ss* Cristo foi ressuscitado mediante a glória do Pai (Rom. 6:4). Foi elevado para a glória (I Tim. 3:16). Agora encontra-se *na glória*, à mão direita de Deus (Atos 2:33; 7:55 *ss*; I Cor. 15:27; Efé. 1:20 e Fil. 2:9 *ss*).

IV. A Glória Escatológica e a Salvação do Homem

O homem é o reflexo ou imagem de Deus, bem como a sua glória (I Cor. 11:7). Em Cristo, pois, isso terá cabal cumprimento no estado eterno. Os remidos estão sendo transformados segundo a imagem de Cristo (Rom. 8:29), passando por muitos estágios de glória (II Cor. 3:18), até que venham a compartilhar da plenitude de Deus (Efé. 3:19), participando da natureza divina, a exemplo de Cristo, posto que de maneira finita (Col. 2:10; II Ped. 1:4). Chegaremos, pois, a compartilhar do corpo glorioso de Jesus Cristo ressuscitado. Em outras palavras, receberemos corpos novos, imateriais, espirituais, que servirão de veículo

913

GLÓRIA — GLÓRIA DE DEUS

apropriado para a alma remida, nos lugares celestiais (Fil. 3:21). Compartilharemos também da gloriosa herança de Cristo (Efé. 1:18), e as riquezas de sua glória haverão de transparecer em nós e através de nós (Rom. 9:23). Então é que Cristo será glorificado em seus santos (II Tes. 1:10). Haverá a coroa da glória, que importará na participação nas perfeições e atributos divinos (II Tim. 4:8). O próprio estado eterno, celestial, é chamado de «glória», por motivo de sua indescritível magnificência e resplendor (Col. 3:4).

A *parousia* de Cristo (vide) manifestar-se-á de maneira gloriosa (Mat. 16:27; Mar. 8:38). Jesus voltará ao mundo em poder e grande glória (Mat. 24:30). Sentar-se-á em um trono de glória (Mat. 19:28; 25:31). Uma vez no céu, haveremos de contemplar a sua glória (I Ped. 4:13; Tito 2:13). Popularmente, o próprio céu é chamado de «glória». E isso tem alguma base nas Escrituras. Ver Sal. 73:24 e João 17:24. A glória de Deus pode ser vista na face de Jesus Cristo, sendo refletida pela Igreja (II Cor. 4:3-6). Cristo estabeleceu conosco uma nova aliança (II Cor. 3:7-11), que é desfrutada tanto agora como no estado eterno, na glória celestial (II Ped. 4:14 e Rom. 8:18). Ver os artigos separados sobre a *Glória de Cristo*; sobre a *Glória de Deus* e sobre a *Glorificação*.

GLORIA (EM LATIM)

Esse termo é usado para referir-se à segunda seção da missa ordinária da Igreja Católica Romana. É regularmente usada, exceto durante o advento, a quaresma e as cerimônias fúnebres. Trata-se de um cântico de alegria, que teve origem nas festas de Natal.

GLÓRIA DE CRISTO

Referências e idéias. A **excelência e a glória de Cristo:**

1. Isso ele possui como Deus (ver João 1:1-5; Fil. 2:6,9,10). 2. Como Filho de Deus (ver Mat. 3:17 e Heb. 1:6,8). 3. Como alguém unido ao Pai (ver João 10:30,38). 4. Como o primogênito (ver Col. 1:15,18). 5. Como primeiro gerado (ver Heb. 1:6). 6. Como o Senhor dos senhores, etc. (ver Apo. 17:14). 7. Como a imagem de Deus (ver Col. 1:15 e Heb. 1:3). 8. Como o criador (ver João 1:3; Col. 1:16 e Heb. 1:2). 9. Como o Deus bendito (ver Sal. 45:2). 10. Como mediador (ver I Tim. 2:5 e Heb. 8:6). 11. Como o profeta (ver Deut. 18:15,16 com Atos 3:22). 12. Como o sacerdote (ver Sal. 110:4 e Heb. 4:15). 13. Como o Rei (ver Isa. 6:1-5 com João 12:41). 14. Como o Juiz (ver Mat. 16:27 e 25:31,33). 15. Como o Pastor (ver Isa. 40:11,12; João 10:11,14). 16. Como o Cabeça da igreja (ver Efé. 1:22). 17. Como a verdadeira luz (ver Luc. 1:78,79).

João 1:14 — Vimos a sua Glória

Vemos aqui *uma alusão* às manifestações de Deus nas páginas do V.T. Ali lemos que Deus se manifestou de maneiras que pudessem ser percebidas e compreendidas pelos homens. (Ver Éx. 16:10; 24:16; I Reis 8:11; Is. 6:3 e Eze. 1:28). Entretanto, ocasionalmente—resplandecia—uma glória maior do que a comum, na pessoa de Cristo, a ponto mesmo dos homens terem dificuldade em suportar tais manifestações. Isso se verificou particularmente quando da transfiguração de Jesus. (Comparar Luc. 9:31 com II Ped. 1:16,17). Em alguns dos milagres operados por Cristo essa glória se evidenciou de modo todo especial. (Ver João 2:11; 11:4-40). Essa glória se manifestou, embora com menor resplendor, na vida e

no caráter perfeitos de Jesus, isto é, em seu cumprimento da idéia absoluta do que seja um verdadeiro homem.

Philip Schaff (*in loc.*), no Lange's Commentary distingue *quatro estágios* nessa glória de Cristo:

1. A glória do estado *anterior à encarnação*, na preexistência, que o «Logos» desfrutava junto ao Pai. (Ver João 17:5).

2. A manifestação *simbólica* e preparatória dessa glória, no V.T., conforme vista pelo olho profético, como no trecho de Is. 12:41.

3. Sua revelação *visível*, na forma humana, na vida e na obra do Verbo encarnado, que resplandecia em cada milagre, conforme se vê por exemplo, no trecho de João 2:11.

4. A manifestação *final* e perfeita de sua glória divino-humana, na eternidade, e da qual todos os crentes haverão de compartilhar, segundo se lê em João 17:24.

GLÓRIA DE DEUS

Ver Rom. 3:23.

Essas palavras «...glória de Deus...» são diversamente interpretadas, segundo a lista dada abaixo:

1. Seria o caráter verdadeiro que o homem pode possuir. Isso seria a «glória de Deus», porquanto o homem foi criado segundo a imagem de Deus. Em outras palavras, o homem fica aquém desse caráter tencionado.

2. Seria a ufania com que o homem se «gloria» diante de Deus, em sentido negativo, uma ufania falsa; mas, igualmente, em um sentido genuíno, o gloriar-se verazmente em Deus. Ninguém pode fazer aquilo que os judeus se ufanavam de conseguir, conforme aprendemos em Rom. 2:17. Ninguém pode verdadeiramente gloriar-se em Deus, estando ainda em seu estado de perdição, porque está alienado de Deus.

3. Seria a imagem de Deus. O homem haverá de ser transformado segundo a imagem moral de Deus, e, por intermédio de Cristo virá a ser um autêntico filho de Deus, feito de conformidade com a sua imagem. No entanto, fica aquém desse alvo, por causa do pecado.

4. Seria a glória da *vida eterna*, isto é, a participação na imortalidade essencial de Deus, na vida necessária e independente de Deus. (Ver os trechos de João 5:25,26 e 6:57). Segundo essa quarta posição, é impossível para o homem vir a obter a vida eterna.

5. Seria a *própria pessoa* de Deus, em sua glória essencial, ficando particularmente destacados os seus atributos; e, no presente contexto, estaria em foco a santidade perfeita de Deus, que é a sua glória. Nesse caso, o homem não pode atingir esse alvo, por causa do pecado; e nem mesmo pode entender tal verdade, quanto menos alcançá-la.

6. Seria o *lugar da habitação* de Deus, os céus, pois ele habita na glória.

7. Embora todas as seis interpretações dadas acima encerrem alguma verdade que pode ser demonstrada pelas Escrituras, em Rom. 3:23, a glória de Deus é a *aprovação divina* que é necessária para a realização da salvação. A natureza pecaminosa dos homens arruina esta aprovação, que, então, vem através da pessoa e missão de Cristo, e a identificação dos homens com ele. Quanto à palavra *glória* usada no sentido de *reconhecimento* ou *honra*, ver Fil. 1:11; I Ped. 1:7; I Tim. 1:17; Heb. 2:7; II Ped. 1:17.

GLÓRIA – GLORIFICAÇÃO

Senhores, se o que pensais
Deixasse vestígios claros,
Os divórcios eram mais
E os casamentos bem raros.

Senhores, houvesse espelhos
Para ver o que pensamos,
E beijáveis de joelhos
Toda a lama que pisamos.

(Augusto Gil, Porto, Portugal, 1873-1929)

A aprovação de Deus exige a operação radical da transformação da alma humana. Nesta transformação reside a *glória de Deus*.

GLÓRIA IN EXCELSIS

Expressão latina que significa «glória nas alturas». Essas palavras dão início ao hino composto em latim com esse nome. Baseia-se sobre o texto bíblico que alude à exultação dos anjos, por causa do nascimento de Cristo (Luc. 2:14). Desconhece-se a origem da composição, mas foi usada a princípio pela Igreja Grega nas matinas (ou *orthros*), isto é, a primeira das horas canônicas, geralmente à meia-noite. Na Igreja Anglicana, porém, já se trata de uma oração feita pela manhã. O papa Teléforo (pontificou entre 125 e 136 D.C.) é quem teria introduzido esse hino na liturgia romana, para ser entoado durante o Natal. O papa Símaco (pontificou de 498 a 514 D.C.) reavivou a prática, permitindo que o mesmo pudesse ser usado pelos bispos aos domingos e nas comemorações dos dias santos. Aí pelos meados do século XI D.C., aos padres foi permitido que usassem esse hino em todos os dias festivos. Há nada menos de quatro formas diferentes da *Glória in Excelsis*, a grega, a espanhola, a inglesa e a romana. Na comunhão anglicana, a composição é utilizada como um hino de ação de graças para após a comunhão.

GLÓRIA PATRI

Expressão latina que significa «glória ao Pai». Há um hino que começa com essas palavras. Trata-se dè uma breve atribuição de louvor às *três Pessoas da Trindade*, usada nas igrejas ocidentais no fim dos salmos e cânticos do divino ofício, além de outras ocasiões. As palavras foram transformadas em um hino usado por todas as igrejas cristãs, uma doxologia empregada por ocasião do final do culto religioso. A Igreja Grega dá início a seus cultos com um hino dessa mesma substância.

Glória Patri

«*Glória ao Pai, ao Filho e ao Espírito Santo,*
Tal como era no princípio, agora e para sempre e
sempre.
Amém e Amém».

GLORIFICAÇÃO

Esboço:

I. Caracterização Geral
II. Sua Essência: Transformação Segundo a Imagem de Cristo
III. Um Processo Eterno

Observações Introdutórias:

A palavra «glorificação» é usada nos seguintes casos:

1. *Tornar glorioso* ou honroso, louvar, exaltar. Ver João 12:28; 13:31; 32; Atos 2:13. No caso de Jesus Cristo, isso teve lugar, especialmente, por ocasião de sua ressurreição e ascensão.

2. *Conduzir* os crentes ao estado celestial da glória, onde compartilharão do estado glorioso de Jesus Cristo, participando de sua imagem e natureza, isto é, da própria natureza divina (Rom. 8:29; Col. 2:10; II Ped. 1:4). Isso significa que receberemos a própria plenitude de Deus (Efé. 3:19).

3. *Exibir o louvor* (ver I Cor. 6:20). Os céus declaram a glória de Deus, no dizer de Salmos 19:1. Os homens glorificam a Deus em suas vidas, quando obedecem aos seus preceitos e buscam o desenvolvimento espiritual (I Cor. 10:31; João 17:5; Heb. 6:1 ss). Estê artigo destaca mais o segundo ponto, acima, ou seja, o aspecto escatológico do assunto, *a glorificação do crente*. Ver o artigo separado a respeito da *Glória*, onde há muitas idéias concernentes à «glorificação», em seu aspecto e uso mais amplo.

I. Caracterização Geral

As grandes doutrinas bíblicas que envolvem a salvação do homem assemelham-se aos elos de uma corrente. Temos assim a eleição, a chamada, o arrependimento, a fé (estas últimas duas coisas formam a conversão), a regeneração, a justificação, a união com Cristo, a santificação, a preservação (cujo lado humano é a perseverança) e a glorificação. Como vemos, a *glorificação* é o último elo dessa cadeia. Porém, cada um desses elos aponta para algum estágio e/ou qualidade do processo da salvação. A *glorificação* espera-nos ainda no futuro, pois é o aspecto celeste da salvação do homem, aquilo que o Senhor realizará, em último lugar, em favor das almas humanas remidas. Porém, caímos em erro quando pensamos na glorificação como um ato único, isolado. Antes, trata-se de um processo eterno. Ver sob a terceira seção, abaixo.

(Ver Rom. 8:30).

A verdade é que Paulo *não* estabelece claras distinções entre as doutrinas de justificação, santificação e aspectos da glorificação. Em Rom. 8:30, *santificação* é omitida e Paulo pula da *justificação* para a *glorificação*, — como se esta fosse o próximo passo no progresso da experiência cristã. Porém, a verdade é que a justificação *subentende* a santificação, sendo mesmo a sua semente e raiz. Podemos observar, em Rom. 5:18, a expressão «justificação que dá vida», o que indica que a justificação é a base e a fonte da vida, e essa vida é a «vida eterna»; e a vida eterna é a «glorificação», já que, nas Escrituras, «vida eterna», não significa meramente existência sem princípio ou sem fim, mas antes, uma «modalidade de vida». Quando as Escrituras falam da «vida eterna», pois, indicam a vida de Deus, da qual os crentes se tornaram participantes mediante a regeneração efetuada pelo Espírito Santo. A justificação, portanto, é a fonte, contendo em forma de semente esse tipo de vida, aqui chamado de «glorificação».

Esses também glorificou. Essa glorificação inclui tudo quanto está envolvido na transformação do crente segundo a imagem de Cristo, em que o remido participa de sua natureza moral e metafísica, bem como de sua herança, o que é comentado com pormenores nas notas expositivas sobre o vigésimo nono versículo deste oitavo capítulo da epístola aos Romanos no NTI.

«O fato que a vida deles (dos crentes) foi elevada a um novo nível aponta para a medida muito maior em que finalmente participarão da perfeição divina». (Gerald R. Cragg, *in loc.*).

O tempo passado do verbo, *glorificou*, é usado neste versículo porque a glorificação é aqui encarada como algo já realizado e certo no plano divino, apesar

GLORIFICAÇÃO – GLOSSOLALIA

de sua concretização estar reservada para o futuro. Podemos observar que o tempo passado é utilizado no caso de todos esses atos divinos, a presciência, a eleição, a justificação e a glorificação; e tudo pela mesma razão.

«Estritamente falando, a *glorificação* pertence ao futuro; — mas o apóstolo considera todos esses diferentes atos como se estivessem juntamente focalizados em um único ponto, no passado. A glorificação está subentendida na justificação». (Sanday, *in loc.*).

Todos os demais passos, após a justificação, são apenas desdobras subseqüentes do destino humano, que conduzem à glorificação. Os homens são «conhecidos», «predestinados», «eleitos», «justificados» e «santificados» a fim de que finalmente venham a ser *glorificados* como filhos de Deus. A glorificação completa consiste da condução dos filhos de Deus à glória; e isso porque são filhos do *Pai celeste*, devendo ser *participantes* das perfeições do Pai eterno, bem como co-herdeiros de Cristo, possuidores de sua mesma natureza e herdeiros de toda a sua herança. Isso ocorrerá quando a igreja se tornar a plenitude daquele que preenche a tudo em todos.

Glorificou. Isso não significa que tal glória lhes seja propiciada através dos sofrimentos, ou através dos dons extraordinários do Espírito Santo; porque a palavra «glorificar» jamais é utilizada nesse sentido. Além disso, Paulo se referia aos santos em geral, e não apenas acerca de alguns indivíduos. Se essa interpretação, aqui combatida, fosse verdadeira, então ninguém seria predestinado, chamado e justificado, enquanto não possuísse os dons extraordinários do Espírito Santo; e ninguém possuiria os dons extraordinários do Espírito a não ser essas pessoas. No entanto, muitos têm exibido tais dons, sem se interessarem muito pela graça de Deus e pela felicidade eterna. Pelo contrário, a glória eterna está aqui em foco, de conformidade com aquilo que o apóstolo vinha falando no contexto... que consistirá na semelhança a Cristo, em comunhão com ele e em contemplação eterna de sua pessoa, bem como na liberdade de todo o mal e no aprazimento de tudo que é bom: e essa é a finalidade da graça predestinadora...mencionada em Rom. 8:29...» (John Gill, *in loc.*).

II. Sua Essência: Transformação Segundo a Imagem de Cristo

Ver o artigo separado sob o título *Transformação Segundo a Imagem de Cristo*. Esse artigo descreve a essência daquilo que será efetuado por ocasião da nossa glorificação.

III. Um Processo Eterno

Equivocamo-nos quando pensamos na salvação como algo obtido de uma vez por todas. Apesar de podermos dizer que uma pessoa foi salva quando ela se *converteu*, com isso estamos apenas dizendo que, em algum ponto, *começou* a salvação de sua alma (na hipótese de que ela, realmente, foi regenerada). Pode-se também afirmar que um homem foi salvo quando não está mais debaixo do poder condenador do pecado, e a sua *santificação* começou. Também podemos dizer que um homem foi salvo quando ele deixa para trás o seu corpo mortal e entra no mundo da luz. Porém, por ocasião da glorificação futura, ele chegará a participar — de uma maneira nova daquilo que significa estar salvo. Então terá começado a absorver os atributos divinos, com base em uma real (porém finita) participação na natureza divina. *Visto que há uma infinitude com que teremos de ser cheios, também deverá haver um enchimento*

infinito. Consideremos os fatores abaixo:

1. A *glorificação* inclui a participação na *plenitude de Deus* (Efé. 3:19). De fato, isso envolve uma impossibilidade, mas, na prática, podemos dizer que os remidos irão obtendo mais e mais da plenitude de Deus, o que significa que os seus atributos, que se derivam de sua natureza divina, irão tornando-se, paulatinamente, os nossos atributos. Deus é o nosso Pai celeste; e nós, como seus filhos, compartilhamos de seus *genes espirituais*, uma metáfora que significa que cada vez mais nos tornaremos aquilo que nosso Pai é e manifestaremos essa sua natureza. É errado pensar no céu como um lugar onde impera a estagnação. Um crente pode entrar no céus, mesmo tendo falhado de muitos modos, ao cumprir aquilo que dele se esperava. Um crente pode até ser salvo pelo fogo. Ver I Cor. 3:15. Mas, se ele permanecesse assim por toda a eternidade, o corpo místico de Cristo ficaria enfermo. Portanto, após o seu julgamento, ele prosseguirá. Ele *reiniciará* sua caminhada espiritual em certo ponto, por causa de suas obras e da qualidade da espiritualidade que ele desenvolveu, durante a sua peregrinação terrena. Desse modo, ele prosseguirá, obtendo cada vez mais da imagem de Cristo e da plenitude de Deus. Ora, Cristo também é a plenitude de Deus (Col. 2:9), e destarte, também vamos obtendo da plenitude de Cristo (Col. 2:10).

2. *O Espírito Santo opera* na questão da glorificação. Estamos sendo transformados segundo a imagem de Cristo de um estágio de glória para outro (II Cor. 3:18). Não há razão alguma para supormos que isso não envolva um processo eterno, pois a verdade é que nunca atingiremos esse alvo de modo absoluto, mas sempre poderemos ir avançando nessa direção. O grande alvo é sermos tudo quanto Jesus Cristo é, em sua natureza e em suas perfeições. Por essa razão, somos filhos de Deus que estão sendo conduzidos à glória (Heb. 2:10). Estamos sendo continuamente conduzidos à glória.

3. Sem quaisquer metáforas, a essência daquilo que significa estar salvo (e, por conseguinte, glorificado) é afirmado em II Pedro 1:4: «...nos têm sido doadas as suas preciosas e mui grandes promessas para que por elas vos torneis co-participantes da natureza divina...» Sim, na glorificação passaremos a compartilhar da natureza divina de uma maneira nunca antes experimentada. Tomo isso como uma participação *real* na mesma forma de energia e de essência de vida que tem o próprio Deus, segundo isso se manifesta na pessoa de Jesus Cristo. Não compreendo, de maneira simbólica, esse versículo de I Pedro. Não obstante, a criatura humana é sempre finita, e continuará sendo finita, mesmo na glória celestial. Isso posto, essa participação na natureza divina também será sempre finita. Todavia, ela irá crescendo continuamente. Esse *aumento* da glória, portanto, é a essência da glorificação, em sua eterna inquirição.

GLOSSOLALIA

Essa é uma palavra grega que significa «falar em línguas». Refere-se a um tipo de declaração estática, algumas vezes formada de sílabas sem sentido, mas sempre envolvendo alguma língua antiga ou moderna, humana ou angelical. Esse fenômeno tem uma história antiga no campo da religião ou mesmo fora dele. Trata-se de um fenômeno que o cérebro é capaz de produzir. Mas, nesse caso, apesar de muito agitar a pessoa, — não é sinal de qualquer experiência religiosa profunda. — Acresça-se a isso que é perfeitamente possível uma pessoa ter uma profunda experiência mística ou religiosa, sem qualquer sinal

GLOSSOLALIA — GNOSIS

de línguas. Quando válidas, entretanto, as línguas não são apenas um ponto no qual uma pessoa assumiu um poder superior, para capacitá-la a cumprir melhor a sua missão. Pode ser o sinal ou o acompanhamento de uma profunda experiência espiritual, que confere a um homem uma maior espiritualidade. Apesar de que em alguns grupos evangélicos essa experiência é tida como um sinal necessário do batismo no Espírito (vide), as Escrituras Sagradas e a experiência demonstram que a essência desse batismo pode ser obtida com ou sem o sinal das línguas. As línguas, apesar de não serem inúteis (porquanto servem para edificação própria daquele que as fala; ver I Cor. 14:4), não formam a essência do batismo no Espírito Santo.

Temos provido um longo estudo sobre a questão, em artigos separados. Ver os seguintes: *Dons Espirituais*, ponto décimo quarto; ver também sobre *Línguas, Falar em*, que ilustra, com um caso especial, esse fenômeno, e que demonstra a universalidade que está envolvida nessa experiência. E, finalmente, ver o artigo intitulado *Batismo no Espírito Santo*.

GLUTÃO

No hebraico, **zalal**, que aparece por quatro vezes com esse sentido: Deu. 21:20; Pro. 23:20,21; 28:7. No grego, *phágos*, que ocorre por duas vezes: Mat. 11:19 e Luc. 7:34. A palavra hebraica envolve a idéia de «leveza» de «falta de dignidade», o que significa que um indivíduo qualquer entrega-se à frivolidade, comendo, bebendo e divertindo-se. Essa palavra indica mais do que meramente a pessoa que come demais, o que também é glutonaria. E o vocábulo grego *phágos* significa aquele que come demais. Deriva-se do verbo *phagein*, forma infinitiva, cujo tempo presente é substituído pelo aoristo, *esthío*.

O trecho de Deuteronômio 21:20 refere-se a esse vício dentro do contexto de um filho rebelde, que também é glutão e beberrão. De acordo com a legislação judaica, esses pecados (ou a combinação dos mesmos) tornavam o indivíduo culpado digno da pena de morte. O vício da glutonaria é repreendido em Provérbios 23:21. Os trechos de Mat. 11:19 e Luc. 7:34 referem-se a esse vício em conexão com as acusações assacadas contra Jesus. Na verdade, Jesus nunca foi asceta. Mas estava longe de ser um glutão e beberrão. O trecho de Tito 1:12 fala em «ventres preguiçosos» (no grego *gastéres argaí*). O termo grego *gastér*, significa «porções internas», incluindo o estômago; mas pode indicar, metaforicamente, um glutão, que vive para satisfazer o estômago.

O conceito da glutonaria, pois, sempre aparece associado a outros excessos pecaminosos. Lemos que os antigos romanos, em seus festins e banquetes, provocavam o vômito, para que pudessem tornar a comer: comiam e vomitavam, comiam e vomitavam. Apesar disso ser muito repelente, e a despeito de nem todos combinarem o comer em excesso com uma vida devassa, mesmo assim é errado sobrecarregar o corpo com alimentos demasiados. Um pregador ou ministro obeso (a menos que sofra de algum problema glandular) é uma propaganda má para o evangelho. Pois, ao mesmo tempo em que ele prega contra outros vícios, ele mesmo vive preso, tão obviamente, ao vício de comer em demasia. Suas enxúndias servem de demonstração pública de que é um homem viciado. Ver o artigo geral sobre os *Vícios*.

GNANA IOGA

Ver sobre a **Jnana Ioga**, sob o ponto quinto, «c», do artigo geral sobre a **Ioga**.

GNÉSIO-LUTERANISMO

A primeira parte dessa palavra, «gnésio», significa *genuíno* ou *sincero*. A palavra inteira indica aqueles luteranos que tomam a posição de Lutero, defendendo a doutrina da *ubiqüidade* na eucaristia ou Ceia do Senhor. Essa posição foi desenvolvida por John Brenz e defendida por Jakob Andreas e Mathias Flacius Illyricus. Porém, outros luteranos opunham-se a tal idéia, como os seguidores de Philip Melanchton (apelidados *filipistas*), os quais negavam essa doutrina, e, quanto a outras doutrinas, aproximavam-se bastante da posição calvinista. Por isso mesmo, esses tais foram chamados *criptocalvinistas*. O mais bem conhecido dos gnésio-luteranos era Flacius (vide), mesmo porque gostava muito de envolver-se em controvérsias religiosas. Após a morte de Melanchton, os luteranos traçaram inúmeras declarações doutrinárias, algumas das quais promoviam um dos lados, — enquanto outras promoviam o outro lado dessa questão, — quase dividindo o luteranismo. Em 1574, os filipistas de Wittenberg foram aprisionados pelo eleitor Augusto, o que permitiu que os gnésio-luteranos lograssem um breve momento de triunfo. Entretanto, a controvérsia prosseguiu durante muito tempo. Foram feitos esforços tendentes à reconciliação entre as facções envolvidas, no século XVII. George Calixtus defendia o liberalismo de Melanchton, ao passo que Abraham Calovius promovia o dogma rígido, original, do luteranismo. Por todos os demais segmentos das igrejas reformada e evangélica, a fragmentação era a ordem do dia, com todas as suas conseqüentes controvérsias.

GNOSIOLOGIA

Ver os artigos sobre **Conhecimento e a Fé Religiosa e Epistemologia.**

No grego significa *estudo* (ou raciocínio) *sobre o conhecimento*. A gnosiologia é um dos seis ramos tradicionais da filosofia. Os demais cinco ramos são a ética, a estética, a política, a metafísica e a lógica. Ver os seguintes artigos: *Filosofia; Epistemologia*, mas especialmente, o *Conhecimento e a Fé Religiosa*. Esse último artigo contém os principais sistemas da *gnosiologia*, como também as principais *teorias da verdade*. Ver também: *Conhecimento; Conhecer; Conhecendo a Deus; Conhecendo o Amor de Cristo*; e o *Conhecimento e a Ética*.

GNOSIS

Essa é uma palavra grega que significa **conhecimento ou cognição.** Por causa das associações em que aparece na literatura, com freqüência «gnosis» ocorre como um sinônimo de conhecimento esotérico ou *gnosticismo* (vide). Porém, esse vocábulo também tem um certo uso cristão. Dentro do contexto do gnosticismo, a *gnosis* é o caminho da salvação, por meio de um tipo especial de conhecimento.

1. A Gnosis Cristã

No contexto cristão, encontramos uma espécie de *agape-gnosis*, um amor-conhecimento caracterizado pelo poder iluminador do Espírito, em combinação com o cultivo espiritual da lei do amor, como o princípio que nos orienta na vida. Paulo ensinava a salvação por meio da fé (Rom. 5:1), com base na obra expiatória de Cristo e em sua ressurreição doadora de vida (Rom. 4:25). O termo grego *gnosis* aparece por vinte e nove vezes no Novo Testamento, algumas vezes em sentido não-teológico. Porém, em Lucas 1:77, achamos o «conhecimento da salvação», que nos foi

GNOSIS — GNOSTICISMO

dado mediante o advento de Cristo. As autoridades religiosas judaicas haviam corrompido o ensino religioso ocultando a chave do conhecimento (Luc. 11:52); e as profundezas do conhecimento de Deus são insondáveis (Rom. 11:33). Isso mostra-nos que a ignorância não tem qualquer valor.

Há um dom espiritual do *conhecimento* (I Cor. 12:8), onde opera a iluminação espiritual, trazendo em sua bagagem as realidades e as doutrinas cristãs. O verdadeiro mestre tem acesso ao conhecimento através desse dom. No entanto, todo o conhecimento do mundo, desacompanhado do amor (ou seja, quando não há o *agape-gnosis*), é inteiramente inútil (I Cor. 13:2). As línguas também tornam-se aproveitáveis para o próximo quando transmitem conhecimento (I Cor. 14:6). O verdadeiro conhecimento espiritual nos é conferido através da iluminação, conforme o apóstolo deixa claro em Efésios 1:17.

O amor de Cristo ultrapassa a nossa capacidade de conhecimento; e é no conhecimento de Cristo que obtemos a sua plenitude (a pleroma) (Efé. 3:19). O conhecimento sobre Cristo é tão excelente que, a fim de adquiri-lo, podemos sacrificar todas as coisas (Fil. 3:8). Em Cristo estão ocultos todos os tesouros da sabedoria e do conhecimento (Col. 2:3). A nossa responsabilidade é adicionar a virtude à fé, e o conhecimento à virtude, o que significa que o conhecimento é uma das colunas mestras da salvação e da vida cristã.

A chamada *experiência perto da morte* (vide) tem-nos ensinado que as duas grandes pilastras sustentadoras da espiritualidade são o amor e o conhecimento. O conhecimento consiste em capacidade e no «know-how» para podermos cumprir nossas respectivas missões. Há um conhecimento falso, que precisa ser evitado, e até mesmo denunciado (I Tim. 6:20).

O misticismo cristão pode ser considerado como a conseqüência normal do desenvolvimento na graça. Há um certo nível de conhecimento cristão que consiste somente na tomada intelectual de conhecimento do que dizem as doutrinas, com a capacidade de defini-las e descrevê-las. Isso está envolvido no conhecimento espiritual, como um primeiro estágio; mas é apenas um aspecto do conhecimento cristão, e não a sua própria substância. Não há qualquer poder salvatício nesse conhecimento; mas o conhecimento espiritual faz parte daquilo que significa ter sido salvo. Disse Paulo: «...para o conhecer (Cristo) e o poder da sua ressurreição...» (Fil. 3:10).

2. A Gnosis Heterodoxa

Os gnósticos tinham um conhecimento esotérico com base em ritos sagrados, no misticismo oriental, na mágica e em um corpo de doutrinas muito sincretistas, através de cuja mistura eles esperavam poder obter a salvação. Há conhecimento que só podemos adquirir mediante alguma fonte mais elevada, através da revelação. Parte do conhecimento já existe no homem, podendo ser utilizado mediante a meditação e a contemplação. Isso é um autoconhecimento em suas implicações. Os gnósticos acreditavam no poder remidor de seu tipo de conhecimento. Para eles, o amor era uma conseqüência do conhecimento correto, como um ato moral dependente do conhecimento. Precisamos entender que qualquer sistema, como o gnosticismo, dá grande valor ao conhecimento; e, assim sendo, deve encarar o conhecimento como algo que envolve atos, a concretização daquilo que o conhecimento requer. Portanto, «saber e fazer» é uma máxima razoável, porquanto é difícil imaginar que qualquer indivíduo gnóstico pensasse ser capaz de

obter alguma coisa simplesmente acreditando nas doutrinas de seu sistema. Todos os sistemas religiosos requerem alguma coisa de seus adeptos; e, se *fizerem* aquilo que *sabem* que devem fazer, então beneficiam-se de seu conhecimento. Porém, uma pessoa pode vir a conhecer coisas erradas e falsas; e, pôr esse conhecimento em prática de nada adianta. Os gnósticos pensavam que eles conheciam a verdade, e praticavam coisas que, segundo pensavam, poderiam conferir-lhes a salvação.

3. O Conhecimento e os Sistemas Fechados

Quase todos os sistemas mostram-se arrogantes no tocante ao conhecimento que possuem. Podemos incluir nisso as próprias denominações cristãs evangélicas. Para muitos, um conjunto de crenças é tido como a substância mesma do conhecimento. Entretanto, a experiência ensina-nos que o nosso conhecimento é apenas parcial. E quase todo o conhecimento que possuímos contém algum defeito. E é exatamente por esse motivo que o homem precisa continuar inquirindo e crescendo. Se alguém chegar a construir um sistema de conhecimento que não admita desenvolvimento, então esse sistema torna-se um túmulo do conhecimento. Somente Deus realmente *conhece* as coisas. Todos nós nos encontramos em algum estágio de *descobrimento*.

4. Artigos sobre o Conhecimento (para consultar):

    a. *Conhecimento e a Fé Religiosa*
    b. *Conhecimento, Conhecer*
    c. *Conhecendo a Deus*
    d. *Conhecendo o Amor de Cristo*
    e. *Conhecimento e a Ética*

GNOSTICISMO

Introdução e Caracterização Geral

A palavra «gnosticismo» vem do grego *gignoskein*, «saber», referindo-se a um movimento dedicado à obtenção de um *conhecimento* genuíno maior, por meio do qual, segundo seus adeptos criam, poderia ser obtida a salvação. O gnosticismo, tal como as religiões misteriosas dos gregos, reivindicavam possuir uma sabedoria esotérica, que se tornaria propriedade dos iniciados, em contraste com os de fora, que não seriam assim privilegiados. Segundo esse sistema, os iniciados eram os *eleitos*, ao passo que os demais não eram passíveis da redenção, pelo que seriam os *hílicos*, ou seja, aqueles de tal modo imersos no princípio material que não podiam obter qualquer coisa que fosse espiritual. Conhecimento místico, ritos e práticas mágicas eram promovidos pelo sistema gnóstico. Esse sistema fez competição com o cristianismo bíblico durante cerca de cento e cinqüenta anos, tendo atingido o seu ponto culminante na segunda metade do século II D.C. Irineu (vide) escreveu contra o sistema, e muito daquilo que conhecemos sobre o gnosticismo nos veio através dos escritos de Irineu. Entretanto, o gnosticismo perdeu o ímpeto no século III D.C., ao mesmo tempo que o maniqueísmo *(vide)* veio substituí-lo como o competidor principal do cristianismo bíblico. Houve grande variedade de sistemas gnósticos. As variedades mais importantes eram os ofitas, de Celso; os nicolaitas; os arcônticos; os setitas; os carpocratianos; os naaseni; os simoniani; os barbelognósticos; os bardesanesianos; os basilidianos (vide); os marcionitas (vide); os ceríntios; os valentinianos (vide); os ebionitas (vide) e os elquesaítas.

Muitas variedades dessa heresia se espalhavam por diversas áreas do mundo antigo; o que é dito aqui serve apenas de caracterização geral. A forma particular de

GNOSTICISMO

gnosticismo, encontrada em Colossos, e que tinha um elemento judaico pronunciado além do comum, é amplamente comentada na seção III no artigo sobre Colossenses; e este artigo deve ser consultado, pois ali há informações sobre a situação local do erro religioso que foi o impulso por detrás da escrita da presente epístola. Em outras palavras, Paulo escreveu justamente para refutar a heresia gnóstica que havia em Colossos.

Os pais da igreja primitiva chamavam o gnosticismo de «sabedoria grega», e Harnack o chamava de *helenização aguda do cristianismo*. Há certa verdade em ambas essas designações, mas ambas são incompletas. O gnosticismo combinava elementos da filosofia grega, das religiões pagãs misteriosas, do judaísmo e do cristianismo; mas, sob algumas formas, o gnosticismo já existia no mundo pré-cristão, como aliado das religiões místicas orientais. O judaísmo e o cristianismo modificaram essas religiões místicas em várias áreas, onde as três entravam em conflito. Estudos mais recentes têm indicado que devemos ver o gnosticismo mais como uma forma de misticismo, com influências babilônicas, egípcias, iranianas e hindus, e não somente uma forma de filosofia dotada de especulações místicas. No gnosticismo se combinavam a orientalização da civilização greco-romano e a helenização do Oriente.

No tocante ao cristianismo, o gnosticismo consistia, essencialmente, na tentativa de fundir as revelações dadas por meio de Cristo e seus apóstolos com os padrões de pensamento já existentes. Se porventura o gnosticismo tivesse tido sucesso, nessa tentativa, o cristianismo tornar-se-ia apenas mais outro culto misterioso greco-romano.

Esboço:

1. Plano de Salvação
2. Categorias dos Homens
3. Intermediários
4. Deus
5. Quanto a Cristo
6. A Expiação pelo Sangue
7. Docetismo
8. Ética e Conhecimento
9. Empréstimos
10. Personagens Principais
11. Gnosticismo Combatido no Novo Testamento
12. Sumário de Algumas Idéias Gnósticas Básicas
13. O Gnosticismo e a Literatura

1. Plano de Salvação

O **gnosticismo** expunha, essencialmente, um plano de salvação, tal como o faz o cristianismo, o que significa que o conflito básico era inevitável. O gnosticismo pintava a realidade como que dividida em dois dramas distintos, a saber, um espiritual e cósmico e outro histórico e terreno. No mesmo está retratado o ciclo da criação, da existência, dos sofrimentos, da morte e da ressurreição. Nos mais elevados céus estaria um ser supremo, intocável, inabordável. Realmente, seria um ser deísta, o qual, mediante poder criador, delegaria poder a seres inferiores, os quais entrariam em contacto com a matéria, ao mesmo tempo que ele não se deixava tocar e nem influenciar pelo drama histórico inferior. Não poderia tocar na matéria, visto que esta seria o princípio mesmo do mal, o que só poderia contaminá-lo. Também haveria um *demiurgo*, —que teria criado este mundo, o qual entraria em contacto com o mesmo, uma idéia que, na realidade, não difere muito da doutrina do *Logos* do cristianismo, embora expressa por moldes inferiores. Nisso se vê traços da filosofia platônica, que já postulara o «demiurgo», e o drama cósmico, que teriam relações com o nosso drama histórico. No gnosticismo também se postulava uma «queda cósmica», que consistiria, antes de tudo, da alienação entre esta criação e Deus, o que corresponderia à «queda histórica», que envolveu o homem. Uma vez mais, isso não difere muito das idéias que, sobre a mesma questão, podem ser extraídas do Antigo e do Novo Testamentos. Também haveria a *pleroma* ou manifestação total de Deus, nas dimensões celestiais, que seriam suas emanações, partículas de sua própria natureza; e também haveria as *hysterema*, ou seja, emanações inferiores acompanhantes, de natureza terrena. O Deus Altíssimo não seria o responsável pela criação deste mundo e seu caos, pois este seria o domínio do «demiurgo»; no entanto, Deus seria o responsável pela criação ou emanação do «demiurgo».

O objetivo inteiro da vida seria a libertação da alma, que é a parte imaterial do homem, deste mundo material, porque a matéria, incluindo nossos corpos físicos, seria inerentemente má, totalmente incapaz da redenção. Assim sendo, o alvo seria a separação entre o espírito e a matéria, ficando de lado a imperfeição e o mal, com a volta às dimensões do espírito, da luz e da santidade. Ora, em vista da matéria não poder ser remida, não importaria o que fazemos com nossos corpos; e poderíamos puni-los com o ascetismo ou nos entregarmos à mais completa licenciosidade. Ao mesmo tempo, sem qualquer impedimento, a alma poderia ser cultivada. Tanto o ascetismo como a licenciosidade seriam meios de cooperação com o processo deste mundo; e deveríamos agir assim na esperança de que isso liberte finalmente a alma do meio ambiente físico. Finalmente, o propósito deste sistema mundial seria aniquilar totalmente à matéria, que seria a raiz verdadeira de todo o mal. Poderíamos ajudar esse processo abusando do corpo, o qual seria apenas a prisão material da alma, pois o corpo físico perecerá juntamente com a matéria, na conflagração final. Esse processo de elevação da alma, mediante a entrega do corpo aos excessos ascéticos ou licenciosos, não poderia ser efetuado sem o conhecimento e a sabedoria esotéricos, que seriam revelados aos gnósticos através de certos ritos, sacramentos, práticas mágicas, etc. Segundo pensavam os gnósticos, assim é que a salvação seria conhecida pelos homens, assim é que a alma seria instruída para a sua fuga.

2. Categorias dos Homens

Ainda segundo as idéias gnósticas, os homens pertenceriam a três categorias: os *hílicos*, os *psíquicos* e os *pneumáticos*, ou seja, respectivamente, os «materialistas», os «meio-espirituais» e os «espirituais». Os *hílicos* estariam presos à matéria, estando sempre sujeitos ao mal, às astúcias de Satanás, às influências do reino das trevas, pelo que seriam totalmente incapazes de receber a redenção. Esse grupo incluiria a vasta maioria dos homens, sendo impossível para eles qualquer raio de esperança. O hipercalvinismo caiu nesse mesmo erro, embora com base em diferentes premissas. Isso pode ser confrontado com o que se aprende no primeiro capítulo da epístola aos Efésios, onde tudo quanto há na criação aparece sujeito à restauração em Cristo, o que é prometido como algo que, finalmente, terá lugar. O trecho de I Tim. 2:1-5 é especificamente contrário a esse ponto de vista de que a maioria dos homens não pode ser salva, conforme dizia a heresia gnóstica. Os *psíquicos* estariam sujeitos a uma redenção inferior, por meio da fé. Nessa classe eles numeravam os profetas do A.T., bem como homens bons de toda a

919

GNOSTICISMO

sorte; mas, apesar da redenção dos tais ser digna, nunca faria os homens subirem aos paroxismos da glória. Isso estaria reservado aos *«pneumáticos»*, que seriam os homens verdadeiramente espirituais. Tal experiência consistiria da reabsorção no ser divino, perdendo-se totalmente a individualidade. E dessa maneira, por assim dizer, o «homem» transformar-se-ia em um *super-homem*, e o «ego» transformar-se-ia no «superego». Tal redenção máxima, segundo eles diziam, seria produzida pela «gnosis» ou «conhecimento», de cujo termo se deriva o vocábulo «gnosticismo». O conhecimento por eles buscado era esotérico, mediado por meio de artes mágicas, cerimônias e um falso misticismo. Somente um exíguo número de iniciados poderia receber esse conhecimento remidor. Para eles, o conhecimento seria manifestadamente superior à fé.

3. Intermediários

Entre Deus e os homens haveria uma interminável série de emanações, formadas por poderes superiores, as «stoicheia», ou «aeons», que seriam iguais aos anjos, na síntese que resultou do encontro das religiões misteriosas orientais com o judaísmo e o cristianismo. Esses poderes seriam «emanações» de Deus, possuidores de partículas da «pleroma» ou plenitude divina; participariam da natureza divina, pois as emanações, na realidade, seriam partículas de raios do sol divino, o fogo central. Isso deve ser contrastado com a doutrina de Paulo, em Col. 1:19; 2:9, onde se aprende que *Cristo* possui a inteira *«pleroma»* de Deus, ou em Col. 2:10, onde os remidos são vistos como quem ficará cheio da plenitude divina.

4. Deus

Quanto a Deus—os gnósticos tinham um conceito *deísta* de Deus. Para eles, ele seria totalmente «transcendental», isto é, não entrava em contacto com os homens e nem mesmo poderia fazê-lo, pelo que tivera de arranjar mediadores, que seriam uma sucessão quase interminável de sombrios «aeons» (as emanações angelicais). O *deísmo* ensina que há um ser supremo, mas que não teria qualquer interesse pela sua criação (ou emanação), não interferindo na história humana, porquanto nem puniria e nem recompensaria. O N.T., entretanto, é eminentemente «teísta», posição essa que ensina que Deus é imanente no mundo, através de Cristo, mantendo contacto com este mundo, recompensando, punindo e modificando o curso da história humana. Assim é que o segundo capítulo da primeira epístola de Timóteo pinta Deus como «o Salvador», tão distante está ele de ser total e perenemente transcendental. Outrossim, há apenas um mediador, e não muitos; e esse mediador é Cristo (ver I Tim. 2:5).

O Deus Altíssimo estaria bem remoto deste mundo. Não haveria modo como o Deus supremo pudesse tocar na matéria, pois isso apenas o contaminaria. Deus seria um ser desconhecido, inefável, acerca de quem nada pode ser atribuído. O problema dos gnósticos, portanto, consistia em explicar como ele emanara a si mesmo e produzira os universos e a terra. Isso eles procuravam solucionar na doutrina dos *aeons* e do «demiurgo». Antes de tudo, haveria trinta emanações superiores, que estariam bem próximas do fogo central. Cada uma dessas emanações originou a emanação imediatamente inferior, pelo que haveria uma espécie de resplendor divino cada vez menor, com poderes cada vez mais limitados. Bem longe da chama divina, eis que chega uma emanação, a mais distante das trinta, que chegaria na linha separatória entre o que é celeste e o

que é terreno. Visto estar ela tão distanciada de Deus, quando criou a terra, fez um mau trabalho, o que explicaria a confusão e os sofrimentos que há neste mundo, como o problema do mal, o mais difícil de todos os problemas da teologia e da filosofia. Essa última das trinta emanações eles chamavam de «demiurgo», sendo identificado com o Deus do A.T., o Deus dos judeus.

5. Quanto a Cristo

Os gnósticos acreditavam que Cristo não seria o — *Verbo* exaltado —, mas apenas um dentre muitos «aeons» ou emanações angelicais. Seria um dentre muitos salvadores ou pequenos deuses, mas em sentido algum seria divino como Deus é divino. Antes, seria um *aeon* que participava, em parte, da essência e dos atributos divinos. O fato de que os *aeons* podiam ter contacto com a matéria, o princípio mesmo do mal, mostrava que Cristo não seria um «aeon» muito elevado. Nenhum «aeon», muito menos o Verbo divino (a primeira emanação divina), poderia encarnar-se, porquanto isso o envolveria na corrupção do mal. Portanto, o mundo em que vivemos seria um caos porque seu próprio criador teria problemas. Alguns mestres gnósticos identificavam o «Deus» do A.T. como o criador deste mundo, ao passo que outros o identificavam com «Cristo». Seja como for, esses «aeons» eram vistos como quem estava bem distante de Deus, o fogo central, pelo próprio fato de que podiam entrar em contacto com a matéria. Os gnósticos eram «docéticos» (palavra derivada do termo grego *dokeo*, que significa «parecer»). Acreditavam eles que o «aeon» chamado de *Espírito-Cristo*, na realidade, não se encarnava. Isso seria impossível, porque tal coisa serviria somente para corrompê-lo. Antes, seu suposto corpo humano seria um fantasma, e tudo quanto ele fez aqui foi um papel teatral. Ou então, conforme pensavam muitos dos gnósticos, o *Espírito-Cristo* teria vindo possuir o corpo físico de Jesus de Nazaré, quando de seu batismo, tendo-o abandonado por ocasião de sua morte, pelo que a morte de Jesus não teria valor como expiação. Disso concluíam que o «Espírito-Cristo» não teria vindo «pelo sangue» (ver I João 5:6) e que nenhuma expiação fora efetuada por ele. (Ver II Ped. 2:1). (Ver I João 4:2,3 e as notas expositivas ali existentes no NTI acerca do ataque contra o «docetismo», dos gnósticos. Ver também Col. 2:9, que ataca o baixo ponto de vista dos gnósticos sobre a «natureza» de Cristo). De acordo com a doutrina paulina, Cristo possui toda a «plenitude» de Deus, a sua «pleroma». Os gnósticos, porém, imaginavam que cada «aeon» possuiria apenas partículas dessa plenitude ou *pleroma* (a natureza de Deus e os seus atributos).

Em alguns sistemas gnósticos, porém, o demiurgo se torna o Cristo do N.T. embora outros dentre eles atribuíssem posição superior a Cristo. Mas não se deveria identificar esse «aeon», esse espírito de Cristo, com o homem Jesus de Nazaré. Esse «aeon» meramente ter-se-ia apossado do corpo do homem Jesus, por ocasião de seu batismo (outros gnósticos diziam que isso ocorreu quando de seu nascimento), tendo permanecido com ele até a sua crucificação e morte, ponto em que o abandonou. Alguns manuscritos do N.T. chegam mesmo a dizer, em Mat. 27:47: «Meu poder, meu poder, por que me abandonaste?» em vez **dessas** palavras serem dirigidas a Deus. É que ali o homem Jesus estaria falando ao «aeon» que o abandonara, deixando-o aflitíssimo, porque isso o deixava um homem alquebrado e derrotado. Naturalmente, esses manuscritos, por serem relativamente recentes, não representam o texto original, mas nos fornecem algum discernimento sobre a maneira de

GNOSTICISMO

pensar dos gnósticos.

6. A Expiação pelo Sangue

Os gnósticos também negavam a validade da expiação pelo sangue de Cristo. Jesus teria recebido esse poder por ocasião de seu *batismo*, mas este o abandonara quando de sua crucificação, pelo que também sua morte não seria o elemento essencial de sua missão. Para eles, Cristo veio «por meio da água» (o batismo), mas não «por meio do sangue» (a expiação na cruz). (Ver João 5:6 acerca disso, como também II Ped. 2:1, que rebate tal negação gnóstica).

As descrições sobre o gnosticismo, em Colossenses e nas cartas católicas, nos fornecem boa compreensão sobre a maneira de pensar dos mestres gnósticos, que tinham penetrado nas fileiras cristãs. Nesse sistema, pois, quão vil era a posição atribuída a Cristo, em comparação com o que Paulo ensinava. Nos escritos deste, Cristo não era apenas um dentre muitíssimas emanações, mas era a verdadeira *pleroma* de Deus, a sua «inteira plenitude», o que os gnósticos pensavam estar disperso pelo agregado inteiro dos «aeons». Alguns mestres gnósticos, porém, atribuíam a Cristo uma posição superior a isso, julgando-o o mais esplendente dos «aeons».

7. Docetismo

A maioria dos gnósticos aceitava alguma forma de *docetismo*, isto é, o conceito de que Cristo não foi um homem real, que sua vida humana foi apenas um papel teatral, que sua morte e sofrimentos foram aparentes, e não reais, e que o verdadeiro Cristo é uma personalidade angelical. Contra essas crenças é que foi escrita a primeira epístola de João, denunciando àqueles que não aceitavam a humanidade autêntica de Jesus Cristo. «Nisto reconheceis o Espírito de Deus: todo espírito que confessa que Jesus Cristo veio em carne é de Deus; e todo espírito que não confessa a Jesus, não procede de Deus; pelo contrário, este é o espírito do anticristo, a respeito do qual tendes ouvido que vem, e presentemente já está no mundo... aquele que confessa o Filho, tem igualmente o Pai» (I João 4:2,3 e 2:23).

8. Ética e Conhecimento

Quanto à ética, os gnósticos criam ser bom abusar do corpo mediante o ascetismo ou a licenciosidade, porquanto isso ajudaria o sistema cósmico em seu suposto desígnio de destruir a matéria, da qual o corpo é representante. A resposta dada pelo N.T. é que a verdadeira fé requer a santidade, pois todos aqueles que nascem de Deus serão santos (ver I João 2:29). O evangelho autêntico tem um imperativo moral, não estando despido da necessidade de santidade no corpo (ver Rom. 12:1,2), conforme os gnósticos ensinavam erroneamente. As várias notas expositivas referidas no NTI especialmente a de Col. 2:18 expandem essas idéias, além de darem as diversas categorias do pensamento gnóstico. A leitura desses comentários ajudará o leitor na compreensão dos problemas abordados nas epístolas joaninas.

Conhecimento. O gnosticismo fez do conhecimento seu fator superimportante. Este conhecimento era secreto, místico, mágico e gnóstico e era a base da própria salvação e de todas as observações éticas.

No cristianismo, a ética da *gnosis* («conhecimento») se torna uma espécie de «amor-conhecimento», esforçando-se por tornar Deus conhecido por meio do amor, expresso entre os homens através da fraternidade. Pode-se notar no grande «hino ao amor», no décimo terceiro capítulo da primeira epístola aos Coríntios, que o conhecimento é pintado como a «desaparecer», ao passo que o amor nunca falha; e até mesmo dentre as três virtudes cristãs máximas, a fé, a

esperança e o amor, este último é reputado o maior. Paulo orava pelos crentes, —a fim de que viessem a conhecer a Deus, mediante a sabedoria e a revelação divinas (ver Efé. 1:17), mas isso não pode ser obtido sem que o indivíduo conheça o amor de Deus, que ultrapassa a todo o entendimento. Por esse método é que os homens haverão de receber «toda a plenitude de Deus» (ver Efé. 3:18,19).

9. Empréstimos

A doutrina do gnosticismo, a doutrina das emanações ou «aeons», provavelmente foi tomada por empréstimo, ou pelo menos foi influenciada em parte, do mitraísmo, uma das religiões misteriosas da Pérsia. Mitra era um deus-herói, o qual, enquanto esteve na terra, dedicou-se ao serviço da humanidade. Após uma última ceia, que celebrava o sucesso de seus labores remidores, ele ascendeu ao céus; dali ajuda seus seguidores na terra no conflito deles contra as forças do mal. Os iniciados nessa adoração passam por sete estágios de desenvolvimento, o que prefiguraria a passagem final da alma pelos sete céus. Mediante cerimônias místicas é que seus seguidores passariam pelos vários graus; e essas cerimônias incluíam abluções, refeições sagradas, ritos sacramentais, etc. Tal religião admitia somente varões em suas fileiras, pelo que somente os homens poderiam ser remidos. Fomentava a crença nos «aeons» ou emanações de Deus.

O gnosticismo também emprestou muitas idéias do misticismo oriental, de modo geral, da mitologia e filosofia grega, do judaísmo e do cristianismo.

10. Personagens Principais

Foram Valentino e Basílides, ambos de Alexandria, e ambos com um passado helênico. Valentino esteve em seu zênite em cerca do ano 150 D.C. Viveu em Roma entre 138 e 161 D.C. Basílides esteve no ápice de sua fama em cerca de 130 D.C. A principal diferença entre este último e Valentino era a inversão das emanações, pois ele pensava que o desenvolvimento da divindade se dera do menor para o maior, da terra para os céus. E ele pensava que a terra evoluíra de baixo para cima, não sendo uma espécie de emanação final de uma série quase infinita, proveniente do Deus Altíssimo. Saturnino encabeçava a seção do gnosticismo sírio, que floresceu em Antioquia por volta de 125 D.C. Um dos primeiros entre os mestres gnósticos foi Cerinto, contemporâneo do apóstolo João, em Éfeso. Ele misturava isso com certas formas judaicas, aceitando traços da doutrina ebionita. Rejeitava todo o A.T., e seu Deus, o que era comum entre os gnósticos. Márcion, por sua vez, rejeitava a totalidade do A.T., e aceitava somente algumas das epístolas de Paulo e uma forma mutilada do evangelho de Lucas, como suas Escrituras autoritárias.

Uma das mais estranhas seitas gnósticas era a dos ofitas, que veneravam à serpente. Ensinavam eles que o deus desta terra é mau, um «aeon» inferior, ao passo que a serpente seria boa. Alguns deles revertiam as Escrituras, afirmando, por exemplo, que personagens como Moisés e Elias foram forças malignas da história humana, mas que Faraó e Acabe foram santos homens em favor do bem.

11. Gnosticismo Combatido no Novo Testamento

As passagens neotestamentárias que parecem repreender alguma forma da heresia gnóstica, são: Col. 1—3 (e os trechos paralelos em Efésios); várias porções da primeira epístola de João, como 2:22 e *ss*; 4:3; II João 7; I Tim. 1:4 e *ss*; 4:3 e *ss*, 2:18; 3:5-7; Tito 1:14 e *ss*. É óbvio que vocábulos como «plenitude» (no grego, *pleroma*) (ver Col. 1:19 e 2:9),

GNOSTICISMO

espíritos elementares (ver Col. 2:8) (no grego, *stoicheia*), e vários nomes de ordens angelicais, como potestades, principados, domínios, etc. (ver Efé. 1:21 e outros trechos de Colossenses e Efésios), «mistério» (ver Efé. 1:10; 3:3; Col. 1:26; 2:2 e muitos outros lugares) foram todos tomados por empréstimo do vocabulário gnóstico e das religiões misteriosas; e foram usados de maneira diversa ou similar a maneira como eram usados naquelas religiões, segundo as exigências da teologia cristã.

Oito livros do N.T. combatem o gnosticismo que assediou a igreja pelo espaço de 150 anos. Esses livros são as três epístolas joaninas, as epístolas aos Colossenses, Judas, e em certas passagens, Efésios, o evangelho de João e o Apocalipse.

12. Sumário de Algumas Idéias Gnósticas Básicas

a. O *dualismo* da realidade, a clara divisão entre o bem e o mal, entre a luz e as trevas. O mundo **material é incompatível com o mundo espiritual. Um sistema de emanações tornou-se necessário, para** fazer com que qualquer tipo de princípio espiritual pudesse mesclar-se com o mundo da matéria, visto que qualquer contacto direto entre os dois faria o espírito contaminar-se.

b. *Sete poderes*, quase maus, quase hostis, que teriam criado o mundo, e que seriam ordens angelicais, seriam as últimas emanações de Deus, das quais se derivariam o mundo material e os poderes malignos.

c. *A Grande Deusa Mãe dos Céus*, conhecida como *Sofia*, teria descido a este mundo material, onde teria dado à luz os sete poderes referidos no ponto «b», acima.

d. *O Homem Primevo*, que teria existido antes dos mundos materiais, teria vindo a este mundo a fim de declarar guerra às trevas que acompanham a materialidade. Com o aparecimento dele, começa o drama da história do mundo. Ele é dominado pelas trevas; mas, finalmente, consegue libertar-se.

e. *O Soter* (Salvador), com freqüência, é visto como idêntico ao *Homem Primevo*, o qual, ao libertar-se, também abriu uma porta para a liberdade dos iniciados do gnosticismo. De acordo com alguns sistemas gnósticos, ele também tinha a tarefa de libertar *Sofia*. A união de um com o outro, pois, trouxe a salvação para os *eleitos*.

f. *Por meio do conhecimento*, do ascetismo ou da libertinagem, os gnósticos procuravam separar-se do princípio da materialidade, onde residem o pecado e a degradação. Liberada, a alma é elevada até Deus. Em todas aquelas seitas em que a Grande Mãe desempenhava um papel, a prostituição sagrada fazia parte do processo de liberação. Seja como for, a alma verdadeiramente liberada seria reabsorvida pela natureza divina, perdendo totalmente a sua individualidade.

13. O Gnosticismo e a Literatura

A maior parte dos livros apócrifos do Novo Testamento envolve um certo elemento gnóstico. Os primeiros tributários desse rio do gnosticismo podem ser discernidos nas obras apócrifas e pseudepígrafas do Antigo Testamento. As obras gnósticas posteriores, com freqüência, assumiam a forma de apocalipses, seguindo o modelo que aparece em livros como Daniel, I Enoque, etc. As cosmologias e angelologias de livros como I e II Enoque, e também Jubileus, certamente estão alicerçadas sobre conceitos gnósticos. Os quatro anjos que governam as quatro estações do ano, os sete espíritos que correspondem aos sete dias da semana, são conceitos que se encontram em livros como Tobias, Testamento de Levi e os livros de

Enoque, bem como no Apocalipse e no Apócrifo gnóstico de João, na biblioteca de Nag Hammadi. Além disso, há os *trinta aeons*, que correspondem aos trinta dias do mês do calendário solar, identificados com os poderes que governam os corpos celestes (conforme se vê em I Enoque e em Jubileus). Esses aeons são chamados, coletivamente, de *pleroma* (a plenitude das emanações de Deus). Elementos místicos e especulações também estão baseados sobre alguns livros bíblicos, como o de Ezequiel, embora, mais pesadamente ainda, alicercem-se sobre escritos apócrifos e pseudepígrafos.

Principais Escritos Gnósticos

Até bem recentemente, o que se conhecia por gnosticismo derivava-se de escritos lançados contra os gnósticos, como *Contra Heresias*, de Irineu; a *Reputação de Todas as Heresias*, por Hipólito; e o *Panarion*, de Epifânio. Entretanto, durante as últimas duas décadas, tem havido a publicação de muitas obras escritas diretamente por autores gnósticos. Foi descoberta uma biblioteca gnóstica em Nag Hammadi, no Egito. Ali estão contidas traduções de obras dos mais diversos caracteres para o cóptico, incluindo material proveniente do maniqueísmo. Assim, temos o *Evangelho da Verdade* (talvez escrito por Valêncio); o *Evangelho de Tomé* (declarações do Senhor Jesus ressurrecto, algumas das quais são variações de declarações existentes nos evangelhos canônicos). Esse material continua sendo estudado. Temos apresentado um artigo separado sobre essa descoberta, intitulado *Nag Hammadi, Manuscritos de*. A impressão geral que derivamos desses documentos antigos é de que os primeiros pais da Igreja, apesar de possíveis preconceitos que tivessem, proveram-nos um quadro geralmente exato a respeito das crenças gnósticas.

Outras obras gnósticas, conhecidas somente através de citações que perduram até hoje, são o *Evangelho de Eva* (citações); *Sofia de Jesus Cristo; o Diálogo do Redentor;* a *Fé de Sofia*; os *Livros de Jeú* (todos disponíveis). Provavelmente, essas obras foram produzidas no Egito. Também temos o *Evangelho dos Doze Apóstolos*, que talvez seja idêntico ao *Evangelho dos Maniqueus*. O *Evangelho de Filipe*, que se conhece somente no cóptico, provavelmente, teve um original grego e deve ter sido produzido no século II D.C. Esse evangelho reflete os evangelhos canônicos, como também alguns ensinamentos de Paulo. Tem um estilo poético e um agudo discernimento psicológico, conforme se vê em outras obras gnósticas. Nesse evangelho, o grande *mistério* é a câmara nupcial, onde ocorre a união com realidades celestiais. Seja como for, Jesus teria revelado grandes segredos a Filipe. Irineu também menciona o Evangelho de Judas, que não mais existe; mas o *Apócrifon de João* até hoje está preservado. Seu autor teria sido João, filho de Zebedeu, e as revelações dadas ali formam um complexo sistema cosmológico, onde opera um tipo especial de redenção. Irineu tinha conhecimento desse evangelho, pelo que é provável que tenha sido publicado no século II D.C. O *Evangelho de Maria* também foi produzido mais ou menos nessa época. A heroína é Maria Madalena. Alegadamente, ela recebeu revelações da parte do Cristo ressurrecto, que ela, então, transmitiu aos outros discípulos. O *Evangelho de Pedro* contém alguns elementos gnósticos e já era conhecido antes do ano 200 D.C. Além desse, há também o *Atos de João*, que demonstra alguma dependência do *Apócrifon*. A natureza desse livro é altamente docética no tocante a Cristo. Encontram-se elementos gnósticos no livro *Pregação de Pedro*; mas o livro *Atos de Tomé* é uma

922

GOBE — GOEL (REMIDOR)

franca obra gnóstica. Nesse livro, Tomé aparece como irmão gêmeo de Jesus, aparecendo também como o principal porta-voz de Jesus, neste mundo de misérias.

Bibliografia. AM B C E J ND NTI P RG RW Z

GOBE

No hebraico, «oco» ou «poço». Outros estudiosos pensam que o sentido é *locustário*, um tipo de gafanhoto. Parece ter sido um lugar plano onde aconteceram duas batalhas entre os hebreus e os filisteus (II Sam. 21:18,19). Em I Crô. 20:4, que é trecho paralelo, alguns manuscritos e versões dizem *Gezer*, em vez de Gobe. Isso ocorre em nossa versão portuguesa também. Além disso, algumas cópias da Septuaginta dizem *Nobe*, em lugar de Gobe; e ainda outras cópias dizem *Gate*. Logo, houve alguma corrupção no texto. Alguns eruditos supõem que Gobe ficava perto de Gate, o que talvez explique essa última variante. Mas, a autenticidade do nome Gobe é sugerida pelo fato de que, algumas vezes, os antigos davam nomes às suas cidades e outros acidentes geográficos, segundo os nomes de insetos e outros animais. Este argumento é válido se Gobe significa, realmente, *locustário*.

GOBINEAU, ARTHUR

Suas datas foram 1816-1882. Foi um filósofo francês, nascido em Paris. Também era nobre e atuou como diplomata. Ele tornou-se melhor conhecido por haver introduzido na história e na filosofia o conceito da superioridade racial dos arianos. Chegou mesmo ao extremo de declarar que somente a raça ariana tem a capacidade para adquirir cultura. Podia encontrar a influência ariana em todos os avanços notáveis da civilização. E onde quer que não encontrasse um indivíduo da raça ariana envolvido em algum bom empreendimento, supunha que deveria ter havido algum, envolvido na questão de alguma forma. Ele defendia a necessidade de preservar pura a raça ariana, visto que a miscigenação com outras raças destruiria as boas qualidades da raça. As principais virtudes da raça ariana, de conformidade com ele, seriam a beleza, a inteligência e a força.

Escritos. Essay on the Inequality of the Human Races; The Religions and the Philosophies in Central Asia.

GODET, FREDERIC LOUIS

Suas datas foram 1812-1900. Foi um teólogo protestante suíço. Nasceu em Neuchatel, na Suíça. Foi professor do príncipe Frederico, da Prússia, que posteriormente se tornou imperador, com o título de Frederico III. Os dois continuaram sendo amigos íntimos.

Godet veio a tornar-se professor de teologia em Neuchatel. Finalmente, desligou-se da igreja oficial e foi nomeado professor pela Igreja Evangélica de Neuchatel, que ele havia ajudado a fundar. Ali ele ensinava exegese do Novo Testamento e outros assuntos. A instituição chamava-se Faculdade Livre de Teologia. Fora da Suíça, Godet tornou-se conhecido como escritor de comentários bíblicos, traduzidos para o alemão e para o inglês. Seus escritos exibem grande erudição e facilidade de expressão. Também escreveu sobre a história da Reforma protestante e sobre outros assuntos.

Seu filho, **Philippe Ernest Godet**, tinha reputação literária pessoal, tendo-se especializado em poesia. Também **nasceu em Neuchatel**, na Suíça, em 1850.

Publicou uma obra sobre a história da literatura francesa. Publicou três volumes, reunindo todos os escritos de Isabelle de Charriere.

GODFREY DE FONTAINES

Nasceu em Tournai, na França, em data desconhecida. Mas faleceu em 1320. Foi um filósofo e teólogo escolástico, que escreveu catorze *Quad-liberta* (séries de perguntas), defendendo e desenvolvendo aspectos das idéias de Tomás de Aquino. Todavia, ele diferia de Tomás de Aquino quanto a um ponto importante. Dava grande valor ao princípio da individualização. Foi educado em Paris e tornou-se professor de filosofia da Sorbonne e, posteriormente, bispo de Tournai. Não estabelecia qualquer distinção entre a essência e a existência. Escreveu sobre a ética, em seu livro intitulado *Questões Disputadas Sobre o Valor*.

GOEL (REMIDOR)

Essa é a palavra hebraica que significa «remidor», quando aponta para o trabalho do *parente remidor*.

1. Caracterização Geral

Quando da conquista da Terra Prometida, a cada tribo de Israel foi dado um certo território, e cada família recebeu seu terreno. A lei judaica tinha provisões severas tendentes à preservação das propriedades das famílias. Assim, quando uma pessoa qualquer, pressionada pela pobreza, via-se na iminência de vender suas terras, era dever do parente remidor intervir e redimir a propriedade da família. Igualmente, se uma pessoa se vendesse como escrava, a fim de saldar uma dívida sua, o parente remidor estava na obrigação de saldar a dívida de seu parente. Ver Lev. 25:25; Rute 4:4; Lev. 25:47 ss. Além disso, o parente remidor deveria agir como intermediário nos casos em que uma pessoa desejava fazer restituição a um parente. Se não houvesse parente remidor, então a compensação ficava com o sacerdote, como representante de Yahweh, o Rei de Israel (Núm. 5:6 ss). Com base nos capítulos três e quatro do livro de Rute, tem-se inferido que entre os deveres do parente remidor (no hebraico, *goel*, que vide), havia o dever de casar-se com a viúva de um parente falecido; mas a lei do levirato limitava essa obrigação a algum irmão solteiro do falecido. É provável, porém, que o parente mais próximo, ao remir um terreno, também se casasse com a viúva, embora permaneça em dúvida até onde ia essa obrigação.

Um tipo de Cristo. Nesse costume antigo, como é óbvio, há um tipo de Cristo como nosso Redentor. A redenção envolve a família inteira de Deus, e o nosso Irmão mais velho, Jesus Cristo, é o nosso redentor. Ver o artigo geral sobre a *Redenção*.

2. O *goel* ou «remidor» era responsável para comprar de volta as propriedades que algum seu irmão (ou parente) tivesse vendido, e que, de outra maneira, acabaria por perder-se (Lev. 25:25,26). Usualmente, tais propriedades eram vendidas, a fim de saldar dívidas. A pessoa também poderia receber, finalmente, alguma restituição que fosse devida a algum parente seu. Se não houvesse nenhum parente para receber tal restituição, então um sacerdote qualquer ficava com a restituição, como representante de Yahweh que ele era (ver Núm. 5:6 ss).

3. O *parente remidor* (se fosse irmão da pessoa remida) tinha a responsabilidade de restaurar e preservar o bom nome de um seu irmão, que tivesse falecido sem filhos. Então precisava ficar com a viúva de seu irmão, como se fosse a sua própria esposa. A

GOEL — GOGUE E MAGOGUE

isso se chamava de *casamento levirato*. Dessa maneira, nasceriam crianças que haveriam de preservar as propriedades e os direitos da família. O ato também preservava o bom nome do falecido (ver Deu. 25:5; ver também Gên. 28:8). Boaz é um exemplo desse ato dos mais conhecidos pelos alunos de Escola Dominical, embora ele não fosse irmão do falecido, mas apenas um seu parente. Ver os capítulos terceiro e quarto do livro de Rute. Ao que parece, estritamente falando, Boaz não estava na obrigação de prestar esse serviço, visto que não era irmão do falecido marido de Rute, e nem há qualquer evidência bíblica de que um parente distante qualquer estivesse nessa obrigação. Portanto, Boaz usou de uma certa medida de graça, em todo o incidente. É possível que, em determinadas ocasiões, o parente mais próximo (não um irmão) sentisse a obrigação de cumprir tal dever. O parente mais próximo tinha o direito de redimir as propriedades, e que, pelo menos em certas oportunidades, aparentemente envolvia também a necessidade de casar-se com a viúva do parente falecido.

4. Visto que o assassinato de um parente envolvia o fato de que ele era cortado de sua parentela e de suas possessões terrenas, era dever de seus parentes vingar o morto. Essa era a tarefa que cabia ao vingador do sangue (ver Núm. 35:23-34; Deu. 19:1-3). Ver o artigo separado sobre essa questão, intitulado *Parente, Vingador do Sangue*.

5. *Deus como o Goel*. Deus, a fonte originária de toda a vida, redime os homens da morte espiritual e confere-lhes uma eterna possessão (Isa. 40—46; Jó 19:25). Davi chamou Deus de seu goel e de sua força (Salmos 19:14, onde a nossa versão portuguesa diz «...*Senhor*, rocha minha e redentor meu»). O trecho de Provérbios 23:11 chama Deus de *goel do órfão*. Isaías usa esse termo hebraico por nada menos de treze vezes, indicando o divino goel: Isa. 41:14; 43:14; 44:6; 47:7; 48:17; 49:26; 54:5,8; 60:16; 63:16. O ato de Deus, como o divino redentor, estava condicionado ao fato de seu povo abandonar o pecado (Isa. 59:20).

6. *Cristo é o nosso Goel*. Quanto a isso, basta examinar trechos neotestamentários como Mat. 20:28; Tito 2:14; I Ped. 1:18,19; Col. 1:13; I Tes. 1:10.

GOETHE, JOHANN VOLFGANG VON

Suas datas foram 1749-1832. Foi poeta, dramaturgo e profundo pensador alemão, que tratou, em seus escritos, dos mais profundos problemas e dilemas humanos, incluindo as questões metafísicas e teológicas. Ele fez isso com grande discernimento, em todas essas áreas. — Por causa da penetração de seus estudos nos meandros da alma humana, e suas tentações e de suas realizações, ele tem sido apelidado de poeta da *salvação por inspiração*. Esse aspecto de seu pensamento transparece mais claramente em sua obra imortal, *Fausto*, na qual trabalhou a maior parte de sua vida, largando-a por algum tempo e retomando-a mais tarde.

Mefistófeles (o diabo, a quem Fausto vendera a sua alma, a fim de adquirir sabedoria e poder), levou-o a várias grandes iniqüidades. Ele acabou reconhecendo que Satanás arruinara a sua vida. Mas, quando, finalmente, chegou a hora de morrer, ele clamou para o Poder do Bem, que poderia ter salvado os destroços em que ele se tornara: «Oh, pára, pois és tão lindo!» E, no momento mais crítico, quando estava prestes a ser arrastado para o inferno por vários demônios, foi surpreendentemente libertado por anjos, que entoaram:

«O nobre espírito agora está livre
E salvo dos esquemas da maldade.
Todo aquele que aspira sem desistir,
Não está fora do alcance da redenção».

Por isso mesmo, Goethe, também tem sido apelidado de poeta da *salvação mediante a esperança*. Nos momentos mais críticos, ele injetava o princípio da eterna graça. Nas palavras finais do poema, temos a declaração de um coro de personagens místicas, que nos asseguram:

«Tudo quanto é transitório
É mero símbolo, e não alma;
E toda a nossa insuficiência
Avança para o Todo».

Naturalmente, isso reflete, de certo modo, a mensagem do mistério da vontade de Deus, sobre o que se lê em Efé. 1:9,10. Deus é quem escreverá o capítulo final da história de cada alma humana, apesar das longas eras dos erros e das vicissitudes humanas. Naquele capítulo final, escrito pela graça eterna, haverá a unidade de todas as coisas em torno de Cristo.

GOGUE

Não se conhece o significado dessa palavra, no hebraico. Todavia, alguns estudiosos arriscam o sentido de «monte elevado». Nas páginas do Antigo Testamento, aparece como nome de dois indivíduos; e, no Novo Testamento, parece estar em pauta alguma localização geográfica, combinada com outra, chamada Magogue:

1. Um rubenita, neto de Joel, aludido somente em I Crô. 5:4. Viveu por volta de 1600 A.C.

2. O governante *Magogue*. — Ver o artigo, *Gogue e Magogue*. Esse Gogue, ao que parece, foi uma personagem histórica, príncipe de Meseque e Tubal. Alguns estudiosos interpretam as passagens envolvidas (Eze. 38:2,3,14,16,18; 39:1,11), como se elas dissessem «príncipe de Ros, Meseque e Tubal». Então pensam que *Ros* corresponderia à Rússia, Meseque corresponderia a Moscou e Tubal a uma cidade e um rio que se deriva desse nome, um tanto mais para o oriente de Moscou. Nossa versão portuguesa interpreta o nome *Ros* como «cabeça» (sentido literal da palavra hebraica), dizendo: «...príncipe e *chefe* de Meseque e Tubal...»

Alguns eruditos têm identificado Gogue como Giges, rei da Lídia, em cerca de 660 A.C., que os assírios chamavam de *Gugu*. Tal nome acabou tornando-se uma metáfora para indicar algum poderoso inimigo de Israel, **pronunciando uma** tremenda batalha que Israel terá de enfrentar, nos últimos dias, antes da segunda vinda de Cristo, conforme se explica no artigo sobre *Gogue e Magogue*.

GOGUE E MAGOGUE

O trecho de Apocalipse 20:8 reflete, evidentemente, Ezequiel 38 e 39, no que concerne a Gogue, chefe e príncipe de Magogue. Naquela passagem do Novo Testamento, lemos: «...Satanás será solto da sua prisão, e sairá a seduzir as nações que há nos quatro cantos da terra, Gogue e Magogue, a fim de reuni-los para a peleja...» Há dois detalhes que precisamos destacar aqui: Primeiro, conforme a linguagem usada o indica, nesse trecho do Novo Testamento «Gogue» não é mais um indivíduo, e, sim, uma localização geográfica — um extremo de uma região cujo outro ponto extremo seria Magogue. Segundo, o livro de Ezequiel parece referir-se a um acontecimento anterior ao milênio, e até mesmo à batalha final do

GOGUE E MAGOGUE

Armagedom, não fazendo parte da mesma (ver Apo. 20:7-9), ao passo que o Apocalipse alude a uma ocorrência que haverá ao término do milênio.

A batalha do Armagedom, sem interessar quais as suas proporções exatas, será o último conflito armado da história da humanidade, de nação contra nação. O alvo do ataque será Israel, e os atacantes serão todas as outras nações do globo. Já no caso da batalha referida em Ezequiel 38 e 39, embora o alvo também seja a nação de Israel, os atacantes serão vários aliados provenientes do norte de Israel, encabeçados por Gogue, o príncipe. E, no caso da rebeldia final, contra o governo milenar do Senhor Jesus, aludido no livro de Apocalipse, as nações estarão de pleno acordo entre si. Conjuntamente, tentarão oferecer resistência ao Senhor Jesus, lideradas pelo próprio Satanás.

Sete Visões de como Satanás é derrubado e seu Governo Termina, Apo. 19:11-21:8.

Revolta de Gogue e Magogue (20:7-10): Depois do Milênio.

A felicidade imensa do Milênio terminará ainda com uma outra revolta. Os homens, de algum modo, embora tenham vivido em um meio ambiente propício, não aprenderão a ser leais a Deus por meio de Cristo. Portanto, Satanás encontrará terreno fértil quando, por permissão divina, receber outra oportunidade de corromper aos homens. O episódio de Gogue e Magogue se baseia verbalmente sobre Eze. 38:39; mas, profeticamente, aqueles capítulos se referem à Terceira Guerra Mundial, quando haverá uma batalha decisiva na Palestina, entre o anticristo e sua federação de dez reinos, por um lado, e a União Soviética e seus aliados por outro. Este último grupo será derrotado fragorosamente. Portanto, o autor usa uma passagem para expressar-se verbalmente, mas faz tal predição relacionar-se a um período posterior ao milênio, no que se constituirá a revolta final, e não algo antes da tribulação. Naturalmente, pensamos que ambas as predições são verazes: Ezequiel ter-se-ia reportado a um acontecimento, e o vidente João ter-se-ia reportado a outra ocorrência, mas, em ambos os casos, estarão envolvidos exércitos russos. As tradições apocalípticas judaicas manuseiam as predições sobre Gogue e Magogue de modos diversos; algumas dão a entender que tudo será antes do reino messiânico, e outras, depois e, ainda outras, durante o reino messiânico. (Ver *Abodah Zarah* 3b; *Her. Apocalipse* de Elias; Lactanius *«Instituições Divinas»* vii.26; *Epítome* 72; *Apocalipse Siríaco de Esdras* 12-13 e I *Enoque* 56:5-8). Todas essas previsões têm em comum, porém, que o ataque é desfechado contra a aparentemente indefesa nação de Israel, especificamente, Jerusalém. Isso se dará no caso da Terceira Guerra Mundial e, uma vez mais, depois do milênio. No primeiro caso, é atacada a nação literal de Israel; no segundo caso, são atacados os mártires que reinarão em Jerusalém.

Apocalipse 20:7: Ora, quando se completarem os mil anos, Satanás será solto da sua prisão,

Satanás será solto. Satanás será solto para que submeta os homens a um teste final, por permissão de Deus. Teriam os homens aprendido permanentemente sua lição? Teriam eles aprendido a ser leais realmente a Deus, mediante Cristo? A maioria, sim! Mas alguns, não! Isso é o que aprendemos nesta seção. O milênio será um período de instrução, de prova, e não apenas um paraíso, a idade áurea, embora também seja isso. Este versículo mostra, por igual modo, que Satanás em nada estará mudado, mas os homens terão de aprender isso mediante horrenda demonstração. Somente Deus pode exigir com razão a lealdade da parte dos homens.

Sua prisão. Esse será o abismo ou «hades», conforme se vê nos três primeiros versículos deste capítulo. O anjo tê-lo-á amarrado com grande corrente, fechado a chave e selado a porta de entrada do abismo. Mas essa situação será revertida. Satanás sairá do hades, tal como antes sucedera ao anticristo (ver Apo. 17:8) e reiniciará a sua carreira de ludíbrio e destruição. Dessa vez, entretanto, será entravado quase imediatamente, após o que é enviado para o juízo final, (ver Apo. 20:10).

Outras idéias sobre o sétimo versículo:

1. Assim como Satanás não terá aprendido sua lição mediante o castigo, assim também homens ímpios e desvairados parecem estar fora do alcance do poder remidor de Deus, o que é pensamento extremamente solene. «Ah! se o meu povo me escutasse, se Israel andasse nos meus caminhos!» (Sal. 81:13).

2. No primeiro paraíso, Satanás teve permissão de usar suas artes maléficas. Conseguiu enganar o homem e conduzir a humanidade ao desastre. Por igual modo, no segundo paraíso, ele terá sucesso idêntico; mas isso não conduzirá a uma tribulação universal, conforme sucedera na primeira investida.

3. A nova tentativa de seduzir os homens, por parte de Satanás, exaure a paciência de Deus, conforme se vê nos versículos seguintes.

4. Satanás terá de ser solto novamente a fim de mostrar de uma vez por todas, à criação inteira, que ele não pode ser reformado, devendo ser rejeitado total e finalmente. É incorrigível. Os homens, por sua vez, serão testados quanto à sua lealdade. Ninguém pode prestar a Deus mero serviço de lábios. Essas duas razões, e talvez outras, estão envolvidas como **explicação de porquê Satanás será solto de novo. A lição é que os homens, na verdade, têm de nascer de novo,** se tiverem de ser realmente santos e dedicados ao Senhor. Não poderá haver imitações infalíveis diante da prova; outrossim, a verdadeira santidade é necessária para a participação na verdadeira vida eterna do estado eterno (ver Heb. 12:14 e Rom. 3:21).

Apo. 20:8: e sairá a enganar as nações que estão nos quatro cantos da terra, Gogue e Magogue, cujo número é como a areia do mar, a fim de ajuntá-las para a batalha.

Seduzir as nações. Satanás é o grande mentiroso, o pai da mentira, e agora agirá novamente segundo seu caráter inerente (ver João 8:44). Nele não há verdade; é o máximo do ludíbrio. Em contraste, Deus tem somente o bem em sua natureza. Já o homem é uma mistura de bem e de mal. Mas Satanás nada tem de bem em sua pessoa. Quando ele dá a aparência de ser bom, fá-lo com motivos perversos e ulteriores. Assim, se ele faz algo por alguém, conferindo-lhe algum pedido, por exemplo, é somente com o propósito de trazer-lhe algum mal final, após ter-lhe conquistado a confiança. Os homens precisam compreender isso. Portanto, Satanás será solto de sua prisão infernal, para que demonstre o que ele realmente é, que em nada mudou. Seu oferecimento de uma lealdade alternativa, uma vez que fracasse, deixará claro que somente Deus merece a confiança dos homens, somente ele pode ser a fonte de bondade e realização. (Pode-se ver como o «engano» tem sido a tarefa principal de Satanás, no livro de Apocalipse, em Apo. 12:9; 13:14; 19:20 e 20:3).

As nações que há nos quatro cantos da terra. Em outras palavras, todas as nações, ainda que os inimigos provenientes do norte de Israel, a terra de Gogue e Magogue, venham a ser os principais

GOGUE E MAGOGUE — GOLÃ

envolvidos nessa revolta. Os antigos, não entendendo que a terra é redonda, supunham que fosse quadrada, com quatro cantos, o que explica essa expressão. João, por sua vez, usa a linguagem popular de seus dias (ver Apo. 7:1 no NTI quanto a outra referência a isso, e onde essa idéia é comentada).

Gogue e Magogue. Há várias alusões a esses nomes nos apocalipses judaicos, todas as quais envolvem inimigos de Israel. Mas o seu ataque é variegadamente situado antes, durante ou depois do reino messiânico (ver *Abodah Zarah* 3b; Apocalipse Hebraico de *Elias*; Lactâncio, *Instituições Divinas*, vii.27; *Epítome* 72; Apocalipse Siríaco de *Esdras* 12-13 e I *Enoque* 56:6-8). A dependência literária desses nomes, porém, provavelmente se prende a Eze. 38 — 39. Aquela predição, contudo, se refere a uma luta antes do estabelecimento do reino de Cristo, durante o período da «grande tribulação», naquilo que consideramos seja a Terceira Guerra Mundial, em que o anticristo e sua federação de dez reinos se lançarão contra a União Soviética e seu aliados. A batalha decisiva terá lugar na Palestina, e as forças russas serão completamente derrotadas. A Rússia ocupará a Palestina toda e as nações árabes circunvizinhas, perto do fim do século 20, a fim de fazer cessar o contínuo conflito entre os árabes e israelenses e controlar o petróleo do mundo. O anticristo, com sua federação, se arrojará contra a Rússia, na Palestina. Disso resultará uma guerra atômica, com vastíssima destruição. Com a derrota da Rússia, o anticristo reinará supremamente, excetuando o poder da China. A batalha do Armagedom, pois, será a guerra contra a China, depois que esta tiver conquistado grande parte da Rússia e da Europa. O encontro das forças do anticristo e das forças chinesas será, uma vez mais, na Palestina. Isso sucederá mais ou menos na segunda década do século XXI. Será outro conflito armado terrível, que destruirá nações inteiras. Também haverá intervenções da natureza, talvez com a mudança dos pólos e o rearranjo dos continentes, o que deixará como sobreviventes apenas pequena parte da humanidade. Deus fará intervenção de várias maneiras e, finalmente, será estabelecida a idade áurea. Entretanto, após os mil anos do reinado de Cristo, a paz e a harmonia serão *novamente* interrompidas, por outro levante das nações contra Deus, evidentemente encabeçadas pela Rússia e seus aliados do norte. Essa revolta final é que está em foco em Apo. 20.

A identificação de Gogue e Magogue não é indubitável. Os comentadores estão divididos quanto às seguintes possibilidades:

1. Seriam os inimigos de Israel vindos do norte, sem distinção de nações particulares.

2. Seriam os inimigos em geral de Israel, sem identificação de localidade (uso espiritual).

3. Alguns vêem aqui os godos e outros antigos povos guerreiros.

4. Josefo identificava os citas como descendentes de Magogue, um povo da Sibéria ocidental. Isso, naturalmente, nos leva a uma possível identificação com a União Soviética.

5. Na opinião de alguns, «Magogue» é a designação da nação ou nações envolvidas, ao passo que «Gogue» seria o seu príncipe ou chefe (ver Eze. 38:2). Nessa referência, «Meseque», é identificado por alguns como «Moscou»; «Tubal» seria a cidade de «Tobolsk». Se isso é verdade, então a Rússia está claramente em foco. Pelo menos é certo que Gogue e Magogue são usados como nomes simbólicos para indicar todos os adversários do Messias, da igreja cristã e da nação de Israel; mas cremos que a identificação da União

Soviética, neste ponto, é *quase certa*.

Para a peleja. Nessa oportunidade a batalha não será grande, porquanto haverá a intervenção divina, que porá fim a tudo (ver o nono versículo). Mas, é interessante notar que as três grandes batalhas dos fins dos tempos, aquela referida em Eze. 38 — 39, durante a tribulação; — a batalha de Armagedom (ver o artigo separado sobre este assunto), após a tribulação, a qual dará início à «parousia»; e após o milênio, essa guerra de Gogue e Magogue, todas terão como ponto central a terra da Palestina, o território do povo escolhido de Deus.

O número desses é como a areia do mar. Eles conquistarão muitos aliados. Quão estranho, mas quão típico será tudo! Os homens, embora ricos materialmente e, segundo todas as aparências, espiritualmente abençoados, podem permanecer inconversos, prestando apenas serviço de lábios a Cristo. E é isso que sucederá durante o milênio. Porém, não se tendo convertido em seus corações, serão presa fácil para o inimigo e grande ludíbrio de Satanás. Revoltar-se-ão e mostrarão que sua natureza humana é decaída, a despeito do fato de que viverão em um meio ambiente perfeito, o da idade áurea. «Importa-vos nascer de novo» (João 3:3-5).

Outras idéias sobre o oitavo versículo:

1. Satanás terá de ser derrotado novamente, em sua promoção do mal, a fim de que o mundo inteiro veja a que ponto isso leva. Mas os homens têm tremenda dificuldade para aprender essa lição.

2. «Os cães atacam aos leões, as feras atacam aos homens, os bárbaros e selvagens atacam à igreja de Deus. Todas essas são batalhas efetuadas devido aos motivos mais puramente instintivos, cuja racionalidade nem precisamos tentar provar. Na antítese de Caim e Abel, na realidade foi o mortal que assaltou ao imortal» (Lange, *in loc.*). A maldade não tem racionalidade, e se revoltará em meio mesmo à era de ouro.

GOGUE, FORÇAS DE Ver sobre **Hamona**.

GOIM

Essa é a palavra hebraica, no plural, que significa «nações». Alguns estudiosos opinam que o termo procede do acádico, *gayum*, «tribo». Na linguagem do Antigo Testamento, porém, indica a idéia de «raças pagãs, não-judaicas». Quanto às suas conexões geográficas, o vocábulo veio a ser associado à porção nordeste da Síria. Um território governado por um certo Tidal, mencionado em Gênesis 14:1, é chamado por esse nome. Além disso, há uma força armada gentílica, na Galiléia, derrotada pelas tropas comandadas por Josué, que tem esse nome (ver Jos. 12:23). Em Juízes 4:2,13 o nome de uma localidade, *Harosete-Hagoim*, parece ser outra alusão a essa idéia, indicando uma área da Galiléia. E outro tanto deve ser dito acerca de Isaías 9:1: «...nos últimos (tempos) tornará glorioso o caminho do mar, além do Jordão, Galiléia dos gentios».

Onde Goim estaria localizada, depende de como identificarmos *Tidal*. A maioria dos estudiosos identifica Tidal como um nome hitita ou sírio (nesse último caso, relacionado a *Tudalia*). E esse é o nome de uma certa região da Síria. Porém, a idéia de que a palavra «goim» refere-se, coletivamente, aos povos não-israelitas, não é bem recebida pela maioria dos estudiosos.

GOLÃ

No hebraico, «cativo», embora haja quem pense no sentido «redondo». Esse é o nome dado a uma aldeia

Gólgota — Cortesia, John F. Walvoord

Túmulo do Jardim (de Gordon)
— Cortesia, John F. Walvoord

CALVÁRIO (DE GORDON) MOSTRANDO A ROCHA EM FORMA DE UMA CAVEIRA — Cortesia, Matson Photo Service

GOLÃ — GOLIAS

levítica de Basã, no território da tribo de Manassés, em Deu. 4:43; Jos. 20:8; 21:27 e I Crô. 6:71. A pequena província de Gaulonite deriva seu nome dessa cidade. Refere-se ao distrito que ficava a leste do mar ou lago da Galiléia.

Golã era uma das três cidades de refúgio da porção leste do rio Jordão. As outras duas cidades de refúgio eram Bezer e Ramote (ver Deu. 4:43). Tornou-se a principal cidade da província de Gaulonite, que foi uma das quatro províncias em que Basã foi dividida, após o cativeiro babilônico. Pode ser identificada com a moderna Sahem el-Golan, cerca de vinte e dois quilômetros e meio de Afeque (Hipos). Alguns eruditos pensam que sua localização exata ainda precisa ser descoberta. Golã foi cena tanto de uma derrota, como, posteriormente, de uma vitória alcançado por Alexandre (Josefo, *Anti*. 13:13,5). Nos dias do Novo Testamento, pertencia à tetrarquia de Filipe. Segundo Eusébio, o nome Gaulã (Golã), era o nome de uma grande aldeia, que emprestou seu nome a todo o território circunvizinho.

GOLFINHO Ver **Texugo (Dugongo)**.

GOLFO DE ÁCABA

Trata-se do braço nordeste do mar Vermelho. Para oeste fica a península do Sinai. Para leste, a terra de Midiã (deserto de Arábia). O termo hebraico que indica o mar Vermelho (mar de Sargaços) é usado em sentido amplo para aludir à região dos lagos Amargos, no delta do Nilo, e os golfos de Suez e Ácaba, e talvez o próprio mar Vermelho. No hebraico, *yam sup* refere-se ao golfo de Ácaba, pelo que a cidade portuária de Eziom-Geber (Eliate) é declarada como cidade situada no golfo chamado em hebraico *yam sup* (ver I Reis 9:26). Enquanto vagueava pelo deserto, Israel recebeu ordens para ir de Cades-Barnéia para internar-se no deserto «pelo caminho do mar Vermelho» (ver Núm. 14:25; Deu. 1:40,41 e 2:1). Após uma segunda permanência em Cades-Barnéia, Israel foi novamente «pelo caminho do mar Vermelho», a fim de rodear o território de Edom,— que ficava a leste de Arabá (ver Núm. 21:4 e Juí. 11:16). O golfo de Ácaba mui provavelmente está aqui em foco. O trecho de Êxodo 23:31 pode ser outra referência bíblica a esse local. (Z)

GÓLGOTA Ver o artigo geral sobre o **Calvário.**

GOLIAS

1. *Seu Nome*

Segundo alguns estudiosos, a palavra hebraica significa «exílio». Porém, se o nome está relacionado a uma raiz árabe similar, então significa «forte», «vigoroso». Golias foi um guerreiro gitita, durante a época do reinado de Saul (século XI A.C.).

2. *Descendência*

Apesar de Golias ser chamado de filisteu, parece que, racialmente, ele era descendente dos antigos *refains*, uma conhecida raça de gigantes da antiguidade, e dos quais apenas um remanescente ainda sobrevivia nos dias de Saul. Alguns refains haviam-se refugiado junto aos filisteus, aliando-se a eles. Os amonitas haviam dispersado os refains (Deu. 2:19 *ss*).

3. *História Relatada*

A passagem de Núm. 13:32,33 registra a história dos espias que, ao voltarem, expuseram o seu relatório sobre os ocupantes da Palestina e as possibilidades de conquista. Afirmaram eles que ali

havia «gigantes». Eram os filhos de Anaque; e, em confronto com eles, os israelitas pareciam gafanhotos. No entanto, algumas décadas depois, Josué foi capaz de extirpar totalmente os anaquins das montanhas e de Hebrom. Nenhum deles restou na terra de Israel, embora ainda pudessem ser encontrados em Gate, uma das principais cidades da Filístia. Asdode também acolheu alguns deles. Ora, Golias era um gigante de Gate. Na qualidade de guerreiro filisteu, ele entrou em choque com Saul e, por conseguinte, com Davi. Arrogantemente, valendo-se de sua gigantesca estatura, Golias desafiava a qualquer israelita a um combate singular com ele. Mas seu desafio não era aceito, dia após dia. Davi, que visitava a região onde se realizaria a batalha entre israelitas e filisteus, a fim de levar alimentos para seus irmãos, que faziam parte do exército israelita, tomou conhecimento da situação. E então, em nome de Israel, acabou aceitando o desafio lançado por Golias, na esperança de livrar Israel de tão grave ameaça. Habilidoso com a funda, por causa de seu trabalho como pastor de ovelhas, que precisava proteger seus animais das feras do campo, ele rejeitou quaisquer outros instrumentos de guerra. E, com uma pedrada certeira, na testa de Golias, conseguiu abater por terra o gigante. Ato contínuo, Davi decepou a cabeça do gigante com a própria espada deste. Nas Escrituras, a história é contada no capítulo dezessete de I Samuel.

4. *A Estatura de Golias*

— O trecho de I Samuel 17:4 informa-nos que Golias tinha seis côvados e um palmo de altura. Isso significa que ele tinha 2,75 m de altura. Alguns céticos têm duvidado disso. Porém, conheci pessoalmente um lutador profissional que tinha 2,45 m. Portanto, mais trinta centímetros e chegaríamos à estatura de Golias. De fato, alguns esqueletos humanos têm sido encontrados até com 3,20 m de altura. Os especialistas calculam, com base na envergadura desses esqueletos, que tais homens pesariam entre quatrocentos e quinhentos quilos. E interessante é que esses esqueletos têm sido encontrados precisamente na região do Oriente Próximo, onde também viviam os anaquins e outras raças de gigantes da antiguidade. A armadura de Golias (cota de malhas) pesava cerca de 57 kg; e a ponta de sua lança, sete quilos (I Sam. 17:5,7). Depois de sua morte, a princípio a sua espada foi guardada em Nobe, sob jurisdição dos sacerdotes. Porém, o sacerdote Abimeleque entregou-a a Davi, quando este fugia de Saul (I Sam. 21:9; 22:10).

5. *Problemas do Texto Bíblico*

A passagem de II Samuel 21:19 atribui a morte de Golias a um certo Elanã; mas, em I Crônicas 20:6, lemos que esse homem abateu a Lami, irmão de Golias. Alguns eruditos têm procurado solucionar o problema afirmando que o Golias envolvido nesse incidente foi um gigante diferente, embora do mesmo nome; mas muitos estudiosos não aceitam essa explicação. A maioria deles pensa que houve um erro qualquer de cópia, o que parece uma explicação mais provável do que aquela que supõe que Davi nunca matou gigante nenhum, e que, somente posteriormente, a fim de glorificá-lo (visto ter-se tornado rei de Israel), o feito da morte de Golias foi atribuído a ele. Ver o artigo separado sobre *Elanã*, segundo ponto, onde aparece um sumário de explicações sobre esse problema.

6. *As Lições Morais*

O relato sobre Davi e Golias tem sido usado para ilustrar como uma pessoa pode vencer, contando com a força do Senhor, quando seus próprios recursos são

GÔMER — GOMORRA

fracos e inadequados. Uma outra lição é sobre a coragem. Algumas vezes, é preciso coragem para defrontar e vencer um inimigo ou uma situação adversa. A coragem é aventureira, não desanimando diante de circunstâncias contrárias ou de cálculos racionais. Outros relatos de grande coragem física são aqueles de Jônatas, filho de Saul, o qual, sozinho, lutou contra toda uma guarnição de Filisteus (I Sam. 14:6-15); de Moisés, que resistiu a certo número de pastores ameaçadores (Êxo. 2:16-19); e de Gideão, que se dispôs a enfrentar uma grande multidão, com apenas trezentos homens (Juí. 7).

GÔMER

No hebraico, «perfeição» ou «término». Esse é o nome de duas personagens da Bíblia:

1. O filho mais velho de Jafé, filho de Noé. Gômer foi pai de Asquenaz, Rifate e Togarma (Gên. 10:2,3). Em Ezequiel 38:6, Gômer é descrito como um povo aguerrido, aliado de Magogue (cujo governante é chamado Gogue), proveniente do norte. É muito provável que seus descendentes tenham sido os cimérios (no acádico, *gimmirrai*; no grego, *kimmeroi*). A história relata que os cimérios foram forçados a sair da região que hoje é o sul da Rússia pelos citas. Os cimérios então atravessaram as montanhas do Cáucaso e entraram na Ásia Menor (atual Turquia) aí pelos fins do século VIII A.C. No século VII A.C., eles lutaram contra os assírios, conquistaram Urartu, subjugaram a Frígia e a Lídia, e invadiram as cidades gregas da costa ocidental da Ásia Menor. Heródoto informa-nos que esse povo habitava no Maetis, na Quersoneso Auriana.

Os cimérios eram arianos de raça. Estrabão, Plutarco e Heródoto ajuntam que os cimérios, em data bem remota, estabeleceram-se ao norte do mar Negro, tendo dado o seu nome à Criméia, a antiga Quersoneso Taurica. Mas, tendo sido expulsos de seus territórios pelos citas, eles refugiaram-se na Ásia Menor, no século VII (Heródoto, *Hist*. 4:12). As referências bíblicas a Gômer, no livro de Ezequiel, são bastante vagas. Só podemos compreender que está em foco algum inimigo bárbaro, que descerá do norte nos últimos dias. Josefo (*Anti*. 1.6,1) diz que os ancestrais dos gálatas formavam uma colônia celta, de nome *Gômer*. Os *gomeri* podem ser equiparados aos címbrios dos tempos dos romanos, bem como aos *cymry* do País de Gales. Os nomes Câmbria e Cumberlândia parecem preservar aquele antigo nome. Os povos celtas chegaram a ocupar toda a Europa ocidental, a região atualmente ocupada pelas ilhas britânicas, Portugal, Espanha, França, Suíça, e partes da Alemanha, da Áustria e da Checoslováquia. Também ocuparam parte da Bélgica e o extremo norte da Itália. Os chamados povos eslavos também contam com forte porcentagem de sangue celta. O povo brasileiro, descendente direto de portugueses, também conta com boa porcentagem de sangue celta. Na Espanha, os galegos formam a população de mais puro sangue celta da península. Há muitos brasileiros descendentes de espanhóis da Galícia.

2. Nome da filha de Diblaim. Ela foi uma prostituta que se tornou esposa ou concubina do profeta Oséias (Osé. 1:3), em cerca de 785 A.C. Simbolizava, portanto, a adúltera nação de Israel, posteriormente restaurada. Oséias teve vários filhos com essa mulher, os quais receberam nomes próprios simbólicos para ensinar aos israelitas certas lições morais e espirituais. Alguns intérpretes, entretanto, opinam que o relato inteiro sobre Oséias e Gômer deve ser entendido metaforicamente, por suporem impossível que um profeta do Senhor pudesse, realmente, casar-se com uma prostituta. Oséias recebe ordens do Senhor para casar-se mais tarde com uma mulher adúltera; e alguns estudiosos supõem que seria essa mesma mulher, a qual, por algum tempo, ou abandonara a Oséias, ou fora repelida por ele, por haver-se prostituído. Não há certeza, contudo, que essa mulher adúltera tenha sido a mesma Gômer; mas, em caso positivo, então temos nisso uma lição sobre cura e restauração espirituais. Os filhos de Oséias e Gômer tinham estes nomes: Jezreel, Lo-Ruama e Lo-Ami (vide, quanto às lições tencionadas através desses nomes próprios).

GOMORRA

A palavra hebraica parece significar «submersão». Um termo árabe cognato possível é *ghamara*, «inundar». Gomorra foi uma das cidades da planície, ao sul do mar Morto, destruída juntamente com Sodoma, como castigo divino, para servir de lição universal. Ver Gên. 10:19; 13:10; 19:24,28.

Gomorra tornou-se proverbial, juntamente com Sodoma (vide), como lugar onde imperava uma intolerável iniquidade, até chegar à sua total destruição. No Novo Testamento, Jesus, Paulo, Pedro e Judas referem-se a Sodoma e Gomorra como antigos exemplos da ira retributiva de Deus. Ver Mat. 10:15; Rom. 9:29; II Ped. 2:7 e Jud. 7.

A primeira referência bíblica a Gomorra dá-nos a entender que essa cidade ficava situada ou no extremo sul ou no extremo leste do território dos cananeus (Gên. 10:19). Os informes bíblicos indicam que o distrito do rio Jordão, onde Gomorra estava localizada (juntamente com Sodoma, Admá, Zeboim e Zoar) era uma área produtiva e próspera, **densamente povoada,** em cerca de 2054 A.C. Essas cidades estavam todas localizadas no vale de Sidim (Gên. 14:3), uma região atualmente recoberta por um lençol de água, no extremo sul do mar Morto. Juntamente com Sodoma e outras cidades da região, Gomorra foi derrotada por uma confederação de reis mesopotâmicos, que invadiu o vale do rio Jordão, ao tempo de Abraão.

Ló, sobrinho de Abraão, talvez por razões financeiras, resolveu viver entre os ímpios pagãos da região. Então ocorreu a destruição, da qual Ló só foi salvo mediante a intervenção de Abraão. Em cerca de 2050 A.C., a região foi devastada por uma imensa conflagração. Lemos em Gênesis 14:10 que na região havia muitos poços de betume. Por toda a área, em redor, até hoje podem ser encontrados depósitos naturais de betume. A área fica localizada bem em cima de uma falha geológica, sujeitando-a a muitos tremores de terra. Muitos intérpretes acreditam que o desastre que atingiu a região incluiu um terremoto, e talvez até alguma forte erupção vulcânica, dando a impressão de que o que ocorreu foi apenas um desastre natural. Mas outros estudiosos crêem em uma intervenção divina, paralelamente a perturbações dos elementos naturais. Ao que parece, sal e enxofre foram expelidos do solo para o ar, de tal modo que, literalmente, choveu «enxofre e fogo», da parte do Senhor, sobre toda aquela planície (Gên. 19:24). A história que envolve a esposa de Ló, que foi transformada em estátua de sal, provavelmente reflete o fato de que ela foi apanhada pela erupção, não tendo conseguido escapar. O monte de Sodoma, que os árabes conhecem pelo nome de Jebel Usdum, é uma massa de sal com oito quilômetros de comprimento, na direção norte-sul, na extremidade suleste do mar Morto, o que nos faz lembrar da

GONGO — GORDURA

narrativa bíblica. Tácito (*Hist*. 5:7) e Josefo (*Guerras* 4.4) informam-nos que as ruínas das cidades da planície continuavam visíveis em sua época. Segundo todas as indicações, desde aqueles dias, a região veio a ser coberta pelas águas do extremo sul do mar Morto, formando um trecho onde as águas são mais rasas que o normal.

GONGO
Ver sobre **Música, Instrumentos Musicais**.

GONZOS, DOBRADIÇAS
Há duas palavras hebraicas envolvidas: 1. *Tsir*, «forma», «gonzo», usada apenas por uma vez com esse sentido, em Pro. 26:14. 2. *Poth*, «gonzo», «abertura», também usada somente por uma vez com esse sentido, em I Reis 7:50. Em nossa versão portuguesa, temos a tradução «gonzos», no primeiro caso; e «dobradiças», no segundo caso.

Os antigos não tinham dobradiças, conforme as conhecemos atualmente. As portas, no Oriente Médio, giravam sobre gonzos, feitos em uma extremidade superior e em outra extremidade inferior de um dos lados da porta. As perfurações onde ficavam encaixados os gonzos ficavam na verga e no batente da porta.

O uso metafórico, no livro de Provérbios, é interessante. Uma porta não sai do seu lugar, embora gire em torno de seus gonzos. Por igual modo, o preguiçoso revolve-se no seu leito, mas não vai a parte alguma e nada faz.

GOODMAN, NELSON
Nasceu em 1906 em Somerville, estado de Massachusetts. — É um filósofo norte-americano. Estudou em Harvard. Tem ensinado nas Universidades de Tuft, da Pennsylvania, Brandeis e Harvard. Seu nome tem estado associado ao *nominalismo* extremado (vide). Ver também sobre os *universais*. Ele ataca a idéia inteira da similaridade, que deu origem ao conceito do universal como uma entidade real. Indivíduos objetivaram meras similaridades, assim criando os universais; mas esses são apenas *nomes* que damos a coisas presumivelmente similares. Goodman asseverava que não existem dois predicados que sejam exatamente sinônimos, e que só existem coisas individuais. Assim, as *classes* seriam apenas o resultado de falsas reconstruções, mediante as quais, coisas aparentemente similares são associadas entre si.

GÓRDIO, NÓ
Ver o artigo sobre **Nó**, em seu último parágrafo.

GORDON, CALVÁRIO DE
Ver sobre o **Calvário**.

GORDON, GEORGE ANGIER
Suas datas foram 1853-1929. Nasceu em Insch, na Escócia, a 2 de janeiro de 1853. Emigrou para a América do Norte. Ocupou-se em trabalhos manuais até ser encorajado por um ministro do evangelho a freqüentar o Seminário Teológico Bangor. Foi ali que ele estudou para o ministério evangélico. Completando ali o seu curso, ingressou na Universidade de Harvard, a fim de estudar filosofia. Então serviu como pastor da Igreja Congregacional, tendo servido

nesse mister à Igreja Old South, de Boston, por quarenta anos. Também serviu como pregador do colégio e pastor das Universidades de Harvard e Yale.

Gordon exerceu certa influência sobre *Bushnell* (vide), o qual se tornou o principal advogado da nova teologia (vide). Também foi um ardente estudioso de Platão e de Aristóteles, um crítico severo do calvinismo, defensor da esperança mais ampla da graça de Deus, com vistas à redenção do homem. Suas principais obras escritas foram *The Christ of Today*; *Ultimate Conceptions of Faith*; *Religion and Miracle*; *Aspects of the Infinite Mystery*; *Immortality and the New Theodicy*.

GORDON, SEPULCRO (TÚMULO) DE
Ver sobre o *Túmulo de Gordon*. Ver também sobre *Sepulcro, Santo, Igreja do*.

GORDURA
Há cerca de doze palavras hebraicas envolvidas na idéia, a saber:

1. *Cheleb*, «gordura», «a melhor parte», «tutano». Essa palavra ocorre por oitenta e oito vezes, nas páginas do Novo Testamento, conforme se vê, por exemplo, em Gên. 4:4; Êxo. 23:18; Lev. 3:3,4,9,10, 14,16,17; 4:8,9,19,26,31,35; 17:6; Núm. 18:17; Deu. 32:14,38; Juí. 3:22; I Sam. 2:15,16; II Sam. 1:22; I Reis 8:64; II Crô. 7:7; 35:14; Sal. 17:10; Isa. 1:11; 43:24; Eze. 39:3,19; 44:7,15.

2. *Beri*, «gordo», «firme». Palavra usada somente uma vez: Eze. 34:20.

3. *Bari*, «gordo», «firme». Palavra que aparece por seis vezes: Gên. 41:4,18,20; Juí. 3:17; I Reis 4:23; Zac. 11:16.

4. *Dashen*, «gordo», «opulento». Palavra que figura por dez vezes. Deu. 31:20; Sal. 22:29; 92:14; Isa. 30:23; Pro. 11:25; 13:4; 28:25; Isa. 34:6,7; Pro. 15:30.

5. *Mashmannim*, «substâncias gordurosas». Palavra que é utilizada por seis vezes, embora no plural só apareça por uma vez, em Nee. 8:10.

6. *Peder*, «gordura», «graxa». Palavra usada somente por três vezes: Lev. 1:8,12; 8:20.

7. *Shaman*, «engordar». Palavra usada por cinco vezes: Nee. 9:25; Isa. 6:10; Deu. 32:15 e Jer. 5:28.

8. *Shemen*, «azeite», «óleo». Palavra empregada por quatro vezes: Isa. 25:6; Isa. 28:1,4.

9. *Shamen*, «oleoso», «gorduroso». Palavra usada por oito vezes: Gên. 49:20; Núm. 13:20; I Crô. 4:40; Nee. 9:25,35; Eze. 34:14,16; Hab. 1:16.

10. *Marbeq*, «engorda», «estábulo». Com o primeiro sentido, aparece apenas por uma vez: I Sam. 28:24.

11. *Meri*, «cevado». Palavra usada por cinco vezes: I Reis 1:9,19,25; Amós 5:22; Isa. 1:11.

12. *Beri basar*, «gordo na carne». Expressão hebraica que só aparece por duas vezes: Gên. 41:2,18.

Consideremos os quatro pontos abaixo:

1. Essa palavra é usada pela primeira vez na Bíblia em Gên. 4:4, onde se lê que Abel ofereceu das primícias de seu rebanho e da gordura do mesmo, uma oferenda ao Senhor.

2. A legislação mosaica afirmava que toda a gordura dos animais oferecidos em holocausto ao Senhor, pertencia a ele (Lev. 3:14-17; 7:30).

3. Os capítulos terceiro a sétimo de Levítico especificam que as porções gordas dos animais sacrificados, como as entranhas, os rins, o fígado e a cauda das ovelhas, eram pertencentes ao Senhor.

GORE —GORHAM

Essas porções precisavam ser sacrificadas juntamente com o animal morto (Êxo. 23:18).

4. Alguns estudiosos têm pensado que ao povo de Israel foi proibido comer gordura; mas a proibição envolvia somente os animais sacrificados nas cerimônias religiosas. Isso torna-se claro em Deu. 12:15,16, 21-24. Essa proibição alicerçava-se sobre a idéia de que a gordura é a porção mais rica do animal, pelo que só podia pertencer Àquele que é a Fonte originária de tudo, Deus. Outras nações observavam práticas similares, aparentemente com base no mesmo tipo de filosofia.

Uso Figurado. O sangue era considerado como a vida da carne, em algum sentido místico e misterioso, e não apenas em sentido biológico (Lev. 17:14). Contudo, era reputado de importância secundária em relação à carne, sobretudo as porções gordas. A gordura simbolizava a saúde, o vigor físico e a abundância. É por isso que, no hebraico, encontramos expressões como «gordura da terra», «gordura da tribo» ou «gordura do azeite», indicando sempre as porções seletas disto ou daquilo, conforme o caso. Ver Gên. 45:18; Sal. 81:16; Deu. 32:14; Núm. 18:12; II Sam. 1:22.

Na atualidade, alguém ser «gordo», em algumas culturas, é sinônimo de ser «forte». Mas a ciência tem demonstrado os efeitos prejudiciais da gordura, — na dieta. Além disso, cada vez mais se pensa que a figura do gordo é antiestética. Uma expressão comum para indicar várias qualidades negativas, é: «Ele só tem gordura, mas não músculos».

GORE, CHARLES

Suas datas foram 1853-1932. Ele foi uma importante figura da comunidade anglicana, que exemplificou vários problemas de interpretação. Com nove ou dez anos de idade, ele encontrou um livro que dava instruções quanto a questões como a confissão, a absolvição, o jejum, a presença real no sacramento, as três horas de devoção, o uso do incenso, etc. E, embora tão pequeno, sentiu-se fortemente atraído por aquelas idéias e cerimônias. Tornou-se um líder religioso da Igreja Anglicana, tendo permanecido fiel a seus pontos de vista sacramentais da fé religiosa. Por longo tempo foi deão da Universidade de Oxford, tendo sido fundador da ordem religiosa chamada Comunidade da Ressurreição. Serviu como bispo anglicano em Worcester, Birmingham e Oxford. Sua teologia foi-se modificando com a passagem do tempo. Ele abandonou o Movimento de Oxford (vide) e abraçou a nova crítica bíblica, conforme fica demonstrado em seu ensaio *Lux Mundi* (vide). Adotou uma teoria da encarnação baseada na *kénosis* (vide), de acordo com a qual Cristo realmente esvaziou-se de todas as suas prerrogativas divinas. Ele pensava que o Filho deveria ser concebido como uma personalidade que vivia, orava, pensava, falava, agia e até mesmo realizava os seus milagres sob as limitações impostas pela humanidade. Desse modo, maneira são evitados todos os vestígios de *docetismo* (vide). Cristo também torna-se o pioneiro da vereda espiritual, o grande exemplo que devemos seguir, porquanto, como homem, foi capaz de fazer o que realizou, impulsionado pelo Espírito Santo. Ver o artigo sobre a *Humanidade de Cristo*. Gore também procurou expor uma doutrina da presença real de Cristo, nos elementos da eucaristia, sem apelar para a transubstanciação (vide).

À parte das questões teológicas, Gore era forte defensor dos problemas sociais, advogando ainda a reforma dentro da comunidade anglicana. Sua última grande obra, e excelente apologia de suas crenças, teve o título de *The Reconstruction of Belief.*

GÓRGIAS (FILÓSOFO GREGO)

Suas datas foram 483-380 A.C. Nasceu em Leontini, na ilha da Sicília. Em 427 A.C. foi a Atenas, buscar apoio contra Siracusa. Após um ano ele se estabeleceu em Atenas, como professor de retórica, e assim introduziu essa disciplina entre os atenienses. Ele é a figura central do diálogo de Platão que tem o seu nome, e é o objeto do ataque contra os sofistas (vide).

Idéias:

1. Górgias era um cético total, que duvidava da realidade da própria existência. Para ele, nada existe, porque, se existisse, teria ou de ter provindo do nada, o que é irracional, ou então teria de ter provindo de alguma outra coisa, o que também não é possível.

2. Mesmo que alguma coisa existisse, não a poderíamos conhecer, porquanto nunca podemos harmonizar a coisa alegadamente conhecida com o pensamento que tenta conhecê-la.

3. Se alguma coisa existisse, mesmo que pudesse ser conhecida, ser-nos-ia impossível comunicar tal conhecimento, visto haver um hiato invencível entre a intenção e a compreensão.

4. O diálogo *Górgias* define a retórica como a arte da persuasão que produz crenças concernentes ao que é justo e ao que é injusto.

Górgias foi o primeiro filósofo a introduzir cadência na prosa e a usar argumentos baseados no lugar comum. Ele escreveu um tratado intitulado *Sobre a Natureza das Coisas*, que não mais existe. Porém, conhecem-se duas obras suas, intituladas *O Elogio de Helena* e *A Apologia de Palmedes*.

GÓRGIAS (GENERAL)

Górgias foi um general sírio, que serviu sob as ordens de Antíoco IV. Em 166 A.C., ele comandou um destacamento de tropas que partiu de Emaús, na planície da Filístia, onde estava acampado o corpo principal do exército, a fim de desfechar um ataque noturno contra Judas Macabeu. Mas este, sabendo do plano daquele com antecedência, fez suas tropas retirarem-se, e então dirigiu-se em um contra-ataque, contra o próprio acampamento militar de Górgias. Quando Górgias retornou, encontrou seu acampamento incendiado; e, temendo piores conseqüências, fugiu (I Macabeus 3:38; 4:25). Porém, cerca de um ano mais tarde, Górgias derrotou José e Azarias, que estavam encarregados das forças judaicas da Judéia, na ausência de Judas Macabeu (Josefo, *Anti.* 12:8,6). Em II Macabeus 12:32-37, lemos sobre como Judas novamente derrotou Górgias, e como quase foi feito prisioneiro por um cavaleiro chamado Dositeu. II Macabeus 12:32 é trecho onde Górgias aparece como governador da Iduméia, o que é um equívoco. Governador de «Jamnia», porém, seria informação correta. Todavia, há estudiosos que pensam que, de fato, ele foi governador da Iduméia durante certo período de tempo.

GORHAM, CONTROVÉRSIA DE

Essa expressão está baseada no nome de G.C. Gorham (1787-1857), um clérigo evangélico de Cambridge, na Inglaterra. O Livro de Oração Comum, da Igreja Anglicana, ensinava a doutrina da regeneração batismal (vide), embora a questão não estivesse claramente definida, não esclarecendo se o

GORTINA — GÓSEN

próprio sacramento do batismo era adequado ou não para tanto, ou se a graça preveniente também se fazia necessária. Os clérigos da Igreja alta diziam que a regeneração sempre se segue ao ato do batismo. Gorham iria receber uma posição paga na diocese de Exeter, mas o bispo Philpotts não gostou das respostas dele acerca da questão da regeneração batismal, e, por isso, recusou-se a dar-lhe a posição. Gorham, em vista disso, expôs a questão a um tribunal eclesiástico provincial. Mas esse tribunal decidiu contra ele, defendendo a doutrina da regeneração batismal como parte das doutrinas da Igreja Anglicana. Mas, sem desistir, Gorham apresentou o problema à Comissão Judicial do Concílio Privado, o tribunal de apelo final (até 1833).

Esse foi o primeiro caso trazido a essa corte, que envolvia a liberdade clerical na interpretação de questões disputadas. Esse tribunal não declarou a veracidade ou o erro da posição de Gorham, mas defendeu o seu direito de ser diferente. Seu ensino não foi oficialmente aprovado, mas foi declaração não incoerente com os ensinos da Igreja Anglicana. Esse parecer deixou desolados os clérigos da Igreja alta (essencialmente anglo-católicos, *vide*). Isso ocorreu na época em que Manning se bandeou para a causa católica romana. E o resultado foi que a latitude de interpretação ficou garantida na comunidade anglicana, um princípio vigorosamente defendido atualmente naquela comunidade. Tal atitude, certamente correta, em minha opinião, é uma raridade entre as denominações cristãs, a menos que se trate de uma denominação de inclinações liberais.

GORTINA

Esse nome aparece em I Macabeus 15:23. Gortina era a segunda mais importante cidade da ilha de Creta (vide), depois de Cnossus. Ficava situada mais ou menos a meio caminho entre os dois pontos extremos da ilha, na planície de Messara, às margens do rio Letaeu, cerca de dezesseis quilômetros distante do mar. Platão informa-nos que essa cidade foi fundada por uma colônia proveniente de Gortin, na Arcádia (*Leis* 4). Nos tempos clássicos, essa cidade, juntamente com Cnossus, controlava a ilha; mas, posteriormente, as duas cidades ocuparam-se em um conflito armado quase permanente (Estrabão 10). Gortina aliou-se a Roma, em 197 A.C., contra Filipe V, em uma época em que se tornou a mais importante cidade de Creta. Dentro do império romano, Gortina tornou-se a capital das províncias de Creta e Cirenaica.

Foram iniciadas escavações arqueológicas em Gortina, em 1884. Foi, então, descoberto o Código Legal de Gortina. Esteve em vigor nos meados do século V A.C., e tratava, principalmente, sobre os direitos da família. Em cerca de 139 A.C., Roma enviou uma carta a essa cidade, como também a outras cidades autônomas, sendo isso que está em foco na referência de I Macabeus. Josefo (*Anti.* 16:12,1; *Guerras* 2:7) e Filo (*Leg. ad Caium*, 36) ambos mencionam que em Gortina havia uma certa população judaica.

GÓSEN

O sentido dessa palavra é desconhecido. Esse é o nome de três localidades geográficas, nas páginas da Bíblia, a saber:

1. Gósen era uma província ou distrito do Egito, onde Jacó e sua família estabeleceram-se, a convite de José, e onde eles e seus descendentes permaneceram por um período de quatrocentos e trinta anos (Gên. 40:10; **46:28; 50:8; 56:37;** Êxo. 7:22; 8:26). A Bíblia, porém, não fornece descrições precisas acerca da extensão e das fronteiras desse território. Só há indicações que dão uma idéia geral a respeito. Ficava no lado leste do rio Nilo, o que pode ser deduzido com base no fato de que não se lê que Jacó e sua gente atravessou para o outro lado do rio Nilo, como também não houve necessidade de que, quatro séculos mais tarde, — os israelitas o atravessassem, quando do êxodo. O trecho de Êxodo 13:17,18 dá a impressão de que a terra de Gósen ficava contígua à Arábia. Ver também Gên. 45:10. O relato do livro de Êxodo mostra que não ficava muito distante do mar Vermelho. Provavelmente, ficava no Baixo Egito, no lado leste do ramo Pelúsico do rio Nilo, perto de Hierópolis. «Terra de Gósen» e «Terra de Ramessés» são expressões que apontam para uma só região. Israel iniciou o êxodo da cidade de Ramessés (Êxo. 12:37; Núm. 33:3), uma cidade que eles mesmos tinham ajudado a edificar. Ver Êxo. 1:11. Visto que eles tinham de trabalhar em Pitom (ver Êxo 1:11), Gósen não pode ter ficado muito longe desse lugar. Gósen ficava localizada na estrada da Palestina ao Egito. A antiga cidade de Ramessés tem sido localizada ou em Tânis (Zoã), ou perto da moderna aldeia de Qantir. E os eruditos modernos pensam que esta última é a escolha mais provável. O wadi Tumilat assinala o sítio da antiga Pitom, que ficava na parte suleste do Delta do Nilo. Ver o artigo separado sobre *Pitom*. Com base nesses detalhes, Gósen pode ser situada no território entre Saft el Henneh, no sul (na extremidade ocidental do wadi Tumilat), e Qantir e El Salhieh, que ficam no norte e no nordeste.

A porção oriental do delta do Nilo seria um local apropriado, pois ficava perto da corte real (Gên. 14:10). José servia ao seu Faraó (provavelmente hicso) em Mênfis (um lugar perto da moderna cidade do Cairo). Essa localização também se ajusta bem ao local da entrevista que Moisés teve com Faraó, em Pi-Ramessés (Êxo. 7—12). A região era fértil e excelente para pastagens e vários tipos de cultivo agrícola. Entretanto, os Faraós não davam tanto valor a essa região quanto valorizavam outras regiões do Egito, por estar muito distante dos canais de irrigação do rio Nilo. Esse território ampliava-se por cinqüenta a sessenta e cinco quilômetros, tendo como centro o wadi Tumilat e indo desde o lago Timsa até às margens do Nilo. Tânis era chamada de Casa de Ramessés (cerca de 1300-1100 A.C.). Esse local foi a região onde habitaram os hebreus até saírem do Egito, e também permaneceu essencialmente imune às várias pragas que, por ordem de Deus, atingiram o Egito (Êxo. 11:2,3; 12:35,36).

2. *Gósen da Palestina*. Esse era o nome de um distrito existente no sul da Palestina (Jos. 10:41; 11:16). Ficava localizado entre Gaza e Gibeon. As campanhas militares encabeçadas por Josué levaram-no por toda a região montanhosa, pelas terras do sul (Neguebe), pelas terras baixas (Sefelá), e pelas vertentes dos montes (Asedote) da porção ocidental da Palestina. Os informes bíblicos especificam a área desde Cades-Barnéia até Gaza, e também «toda a terra de Gósen até Gibeom» (Jos. 10:41).

3. *A Cidade de Gósen*. Essa cidade é mencionada em associação a Debir, Socó e outras cidades da região montanhosa de Judá (Jos. 15:51). Ficava localizada na porção sudoeste de Judá. A cidade de Gósen ficava no distrito de Gósen (segundo ponto, acima), sendo provável que o distrito derivava o nome dessa cidade. Tem sido identificada com o Tell el

GÓTICA — GOVERNO

Dhaririyeh, a pouco mais de dezenove quilômetros a sudoeste de Hebrom; ou então, conforme outros estudiosos têm pensado, ficava um pouco mais para leste desse lugar.

GÓTICA, VERSÃO DA BÍBLIA

Ver o artigo geral sobre **Bíblia, Versões da**. Em meados do século IV D.C., Ulfilas, intitulado apóstolo dos godos, traduziu a Bíblia do grego para o gótico. A fim de fazer isso, precisou criar um alfabeto gótico, reduzindo aquele idioma à forma escrita. A versão gótica é a mais antiga produção literária que se conhece, em qualquer língua germânica.

Atualmente, contamos com seis manuscritos góticos, todos eles na forma de fragmentos. O mais completo desses manuscritos pertence ao século IV ou V D.C., encontrando-se na Biblioteca da Universidade de Upsala, na Suécia. Contém porções dos quatro evangelhos, segundo a ordem ou arrumação ocidental, isto é, Mateus, João, Lucas e Marcos. Foi escrito sobre velino púrpura com tinta prateada, razão pela qual é chamado de Codex de Prata. As linhas iniciais dos evangelhos e a primeira linha de cada seção do texto foram escritas em letras douradas. Além desses manuscritos, há também uma folha de manuscritos bilíngües, em latim e gótico, além de fragmentos de outros manuscritos, todos eles palimpsestos. O texto é do tipo bizantino antigo (koiné); mas textos tipicamente ocidentais, particularmente no caso das epístolas paulinas, foram subseqüentemente introduzidos no texto, com base em antigos manuscritos latinos.

GOTONIEL

Trata-se de um nome pessoal antiqüíssimo entre os hebreus, que remonta pelo menos aos tempos de Moisés. Porém, na literatura relacionada à Bíblia, encontra-se somente em Judite 6:15, referindo-se ao pai de Chabris, o qual era um dos chefes da cidade de Betúlia.

GOVERNADOR

Governador: — É alguém que governa por autoridade que lhe foi delegada por alguma autoridade superior, como um rei, um príncipe, um presidente. Na linguagem moderna, governador é alguém que foi eleito para dirigir um Estado que faz parte de uma nação. Por exemplo, o governador do estado do Amazonas, no Brasil. De conformidade com essas definições gerais, o seu território está restringido a alguma unidade política, dentro do contexto geral da nação. José foi o primeiro ministro do Egito durante algum tempo (Gên. 42:6; 45:26), e foi chamado «governador». Todavia, em seu caso, não houve restrição de autoridade, mas tão-somente delegação de autoridade. Gedalias foi governador da Palestina, após a queda da cidade de Jerusalém, por determinação do rei Nabucodonosor II, da Babilônia, em 587 A.C. Ver Jer. 40:5. Terminado o cativeiro babilônico, Zorobabel e Neemias, embora judeus de raça, foram governadores ou administradores persas (Nee. 5:14,18; Hab. 1:14). Nos dias do Novo Testamento, havia governadores de vários tipos, representantes da autoridade romana. Pilatos foi procurador ou governador da Judéia (Mat. 28:14).

Durante o período de dominação romana, vários títulos eram usados para designar diferentes graus de autoridade, em ofícios distintos, embora a todos eles pudéssemos chamar de «governadores». Os *procônsu-*

les eram nomeados pelo senado romano, governando uma província por um ano. Os imperadores podiam nomear governadores para as chamadas províncias imperiais, por tempo indefinido. Os governadores das províncias imperiais tinham o título técnico de *legados*. Os governadores de subdivisões das províncias imperiais eram chamados *procuradores*, como foi o caso de Pilatos. Outros exemplos desse último ofício foram: Sérgio Paulo, governador da ilha de Chipre (Atos 13:6 *ss*); Gálio, governador da Acaia (Atos 18:12); Félix (Atos 23:26); Festo (Atos 26:32). Já Quirínio, governador da Síria, serviu como legado. Em suma, a palavra *governador* não era um termo técnico, e, sim, geral, indicando qualquer tipo de chefe.

O termo hebraico mais comumente usado no Antigo Testamento para indicar a idéia é *pechah*, que ocorre por trinta e oito vezes: I Reis 10:15; II Crô. 9:14; Esd. 8:36; Nee. 2:7,9; 3:7; 5:14,15,18; 12:26; Est. 3:12; Ageu 1:1,14; 2:2,21; Mal. 1:8; Esd. 5:3,6,14; 6:6,7,13; I Reis 20:24; II Reis 18:24; Isa. 36:9; Jer. 51:23,28,57; Eze. 23:6,12,23; Dan. 3:2,3,27; 6:7; Est. 8:9 e 9:3. E, no Novo Testamento, a palavra mais comum para indicar essa idéia é *egemón*, empregada por vinte vezes: Mat. 2:6 (citando Miq. 5:1); 10:18; 27:2,11,14,15,21,27; 28:14; Mar. 13:9; Luc. 20:20; 21:12; Atos 23:24,26, 33; 24:1,10; 26:30 e I Ped. 2:14.

Outros Usos da Palavra Governador:

1. O chefe de uma tribo (Êxo. 28:21; Núm. 1:16; 2:3).

2. Um legislador e governante (Juí. 5:14; Gên. 49:10; Pro. 8:15).

3. Qualquer homem dotado de propriedades e de autoridade local (Jos. 12:2; Sal. 105:20; Gên. 24:2; II Crô. 23:20).

4. Um rei dotado de poderes civis e militares (II Sam. 5:2; 6:21; I Reis 4:6; 18:3).

5. Um chefe vassalo de outro (I Reis 10:15; II Crô. 9:14).

6. Quem ocupava um ofício por nomeação (Gên. 41:34; Juí. 9:28).

7. Qualquer indivíduo investido de autoridade (Gên. 42:6; Dan. 2:15; 5:29).

8. Qualquer tipo de chefe (Gên. 21:22; I Reis 16:9).

9. Um oficial de categoria (etnarca) (II Cor. 11:32).

10. Um mordomo, guardião ou tutor (Gál. 4:1,2).

11. Alguém que dirigisse uma festa ou outra celebração (João 2:9).

12. O piloto de um navio (Tia. 3:4).

GOVERNO

Esboço:

I. Filosofia Política
II. Formas de Governo
III. Uma Instituição Divina
IV. Sumário de Idéias do Novo Testamento

A *política* é um dos seis ramos tradicionais da filosofia. Ver o artigo geral sobre a *Filosofia*, terceira seção, *Sistemas Tradicionais*. O Novo Testamento delineia os deveres do crente no tocante ao Estado. Quanto a isso, ver o artigo separado intitulado *Governo, Instituição de Deus*. Ver também o artigo sobre o *Direito Divino*.

Visto que o crente vive em algum país específico, e sob um governo específico, isso faz dele um cidadão de dois mundos — o material e o celestial (ver Fil. 3:20). Isso é assim, e, goste ele ou não, a política sempre será um elemento importante para a fé religiosa. Agostinho supunha que o Estado deveria

932

GOVERNO

estar sujeito à Igreja (uma doutrina que ele descreveu em sua obra *A Cidade de Deus*), lançando o alicerce filosófico para a união da Igreja com o Estado, mas onde a Igreja seria o fator dominante. Naturalmente, esse ponto de vista sempre fez parte do judaísmo, que refletia os ideais da teocracia (vide). Jesus, entretanto, não ensinou tal coisa como norma para o cristianismo: «Dai, pois, a César o que é de César, e a Deus o que é de Deus» (Mat. 22:21). Porém, com o desabamento político do Império Romano do Ocidente e com o fortalecimento gradual do papado, a idéia da união da Igreja com o Estado foi tomando vulto. Tanto é assim que quando Carlos Magno fundou o Santo Império Romano, no ano 800 D.C., este estava fundado sobre as duas pilastras do Estado e da Igreja. A política da separação desses dois poderes resultou do fortalecimento dos governos seculares da Europa, já nos fins da Idade Média, a par com a Reforma protestante. Ver o artigo geral sobre a *Filosofia da História*, quanto a diversos pontos de vista sobre o que a história e os governos humanos dão a entender quanto a essa questão.

Esta enciclopédia encerra artigos separados sobre as idéias políticas dos principais filósofos, tanto sob seus nomes específicos como no artigo geral sobre a *Filosofia Política*. Os nomes dados nesse artigo fornecem ao leitor os títulos que deveriam ser examinados individualmente.

I. Filosofia Política
Ver o artigo separado com esse título.

II. Formas de Governo
Ver os artigos separados sobre *Estado, Monarquia, Democracia, Aristocracia, Comunismo, Teocracia, Oligarquia* e *Filosofia Política*. No Antigo Testamento, na nação de Israel, foi promovida uma teocracia, subentendendo que ali havia um fortíssimo *teísmo* (vide). Em outras palavras, Deus não somente existe, mas também é imanente em sua criação. Entre os israelitas, aceitava-se que Deus se manifestava de forma comum e significativa, antes de tudo, através dos profetas e, secundariamente, através do sistema geral de governo, administrado a princípio pelo sacerdócio, e então pela monarquia.

O teísmo prossegue nas páginas do Novo Testamento. Mas, visto que a Igreja está dispersa entre as nações (o que significa que entra em contacto com várias formas de governo) e, visto que Israel deixou de existir como a força que dominava as agências da Igreja, nenhuma forma isolada de governo terreno podia e continua podendo ser promovida como ideal para os cristãos. Destarte, o Novo Testamento não promove qualquer forma de governo, embora lance diretrizes acerca dos deveres dos governos, e acerca das reações dos crentes a esses governos. Essas questões são descritas no artigo intitulado *Governo, Instituição de Deus*, bem como na quarta seção do presente artigo.

III. Uma Instituição Divina
Em seu **teísmo** (vide), o Novo Testamento parte do pressuposto de que Deus é a grande força por detrás do governo humano. O direito divino dos reis conta com certo texto de prova no décimo terceiro capítulo de Romanos. Ver o artigo separado sobre o *Direito Divino*. O trecho de Atos 5:29 modifica esse princípio insistindo, *antes de tudo*, sobre a obediência devida a Deus, sempre que os poderes espirituais e civis entrarem em choque. O *teísmo* ensina que Deus não somente existe, mas também é o grande Poder Imanente no mundo, guiando, recompensando e castigando aos homens. Em contraste, o *deísmo*, apesar de ensinar que existe alguma forma de poder divino (pessoal ou impessoal), supõe que esse poder deixou a criação sob o governo de *leis naturais*, porquanto não intervém diretamente na história humana. Já que Deus intervém, então é que ele se interessa pelos governos humanos. Tanto Paulo (Romanos 13) quanto Pedro (I Pedro 2:12 *ss*) ensinaram a necessidade de obediência aos reis e governantes em geral, com base no fato de que foi a autoridade divina que determinou tais ofícios. Oferecemos uma completa exposição da questão no artigo separado intitulado *Governo, Instituição de Deus*.

IV. Sumário de Idéias do Novo Testamento
A. Pano de Fundo Judaico
Durante o período patriarcal, os hebreus viviam como seminômades, e o governo, em Israel, era encabeçado pelo pai de cada família, ou pelos chefes das tribos, quanto às questões que extrapolavam às questões domésticas. O pai de cada família também era um sacerdote, e os chefes de tribos eram líderes religiosos, e não meramente políticos. Sabemos que entre os nômades beduínos da Arábia, cada chefe de família tinha autoridade até mesmo de vida e morte sobre os membros de sua família. O relato sobre o sacrifício de Isaque, por Abraão, prova que essa situação também prevalecia entre os hebreus. Um pai podia realizar um ato desses sem qualquer consideração às leis civis, às suas restrições e aos castigos impostos por elas.

No Egito, o povo de Israel era escravo, e a autoridade de Moisés, a princípio, não foi bem recebida. Mas, a organização política, efetuada na península de Sinai, deixou Moisés inteiramente encarregado do governo da nação, e sua autoridade residia na lei divina. Podemos dizer, pois, sem medo de errar, que, nesse período da história de Israel, essa nação vivia sob uma *teocracia* (vide). Foi formada uma casta sacerdotal, a fim de dar apoio ao sistema legal recém-criado. A essência das leis então instituídas pode ser vista nos capítulos cinco e seis do livro de Êxodo.

Seguiu-se então o tempo dos juízes, quando toda a Terra Prometida já havia sido conquistada. O livro bíblico desse nome narra muitos incidentes interessantes desse período. Um juiz era sempre um poderoso homem de Deus, dando continuação ao princípio do governo teocrático. Alguns eram mais poderosos do que outros. Mas, seja como for, não havia qualquer organização governamental central, e Israel vivia sob constante ataque, ou atacava constantemente os seus inimigos. E tornou-se evidente que a melhor proteção seria dada por um rei, que unificaria o povo hebreu. E assim, contra a sua vontade, Samuel acabou criando a instituição do governo. O resultado foi o que restou do governo teocrático ficou na dependência de quão piedoso ou ímpio foi, desde então, cada rei de Israel.

A influência de potências estrangeiras, combinada com as corrupções internas de alguns reis, algumas vezes levou Israel à mais descarada idolatria, revertendo o ideal teocrático. Israel precisava aprender que não bastava contar com um monarca enérgico. Eles precisavam ter o tipo certo de rei. Lemos que Davi foi homem conforme o próprio coração de Deus; mas também lemos sobre muitas matanças insensatas, nas quais ele se meteu. Seja como for, durante o período da monarquia, oficiais subordinados faziam parte da casta sacerdotal, das forças armadas; e, dentre os nobres havia mordomos, escribas, escrivães, conselheiros, etc. Ver II Reis 10:22; I Reis 4:2 *ss*; II Sam. 8:18, que são trechos que mencionam várias dessas funções.

933

GOVERNO

No exílio, Israel se fazia representar por anciãos, sacerdotes e príncipes, mas todos subordinados aos poderes estrangeiros. Quando retornou à sua terra, Israel investiu autoridade nos conselhos de anciãos, e o sumo sacerdote era a figura mais poderosa. Essa condição prosseguiu até os dias de Herodes, o Grande, quando Israel caiu novamente sob o poder estrangeiro, e seus conselhos tornaram-se sujeitos à autoridade dos romanos.

O templo de Jerusalém era o símbolo que unificava a teocracia de Israel, exibindo o poder de Deus, mesmo depois que aquela forma de governo deixou de existir. Desse modo, Jerusalém tornou-se uma cidade santa, e não somente a capital governamental de um país. Quando esse templo foi destruído, em 70 D.C. (com uma destruição ainda mais completa em 132 D.C.), o que ainda restava da teocracia desapareceu inteiramente.

B. Tempos Neotestamentários

Quando o Novo Testamento começou, Roma dominava suprema sobre o mundo **civilizado ocidental**, incluindo a Judéia. Autoridades romanas foram postadas nas principais cidades da Judéia, como Cesaréia e Jerusalém. A Galiléia ficou ao encargo dos príncipes herodianos. Roma governava através de reis vassalos, deputados e procuradores. Todavia, o nacionalismo judaico, sempre muito forte, mantinha a nação em estado de levante permanente. Os zelotes eram os terroristas daquela época; e as tropas romanas nunca se afastavam da Judéia, a fim de salvaguardar a autoridade romana. O ideal patriótico dos judeus era restaurar o antigo reino judaico; porém, não havia forças na nação que pudesse fazer esse ideal concretizar-se.

Jesus foi apanhado em meio à confusão de tipos de governos e de ideologias. Jesus Cristo não foi nenhuma figura política, conforme alguns eruditos liberais têm afirmado. Ele era bastante indiferente para com a política, pois os seus pensamentos estavam sempre ocupados com as doutrinas e experiências celestiais. A tentação de Jesus incluiu o oferecimento de autoridade política, por parte de Satanás (Mat. 4:9). Porém, Jesus não estava nem um pouco interessado por tal oferta. Também houve pressão popular, para fazer dele um rei (João 6:15). Jesus foi interrogado pelas autoridades judaicas quanto a essa questão (Mat. 22:15 *ss*). Jesus evitava falar sobre as reivindicações de um reino; mas não ocultou essas reivindicações de seus discípulos. No entanto, tais reivindicações diziam respeito a um Reino celestial, e não a um reino terrestre. Ver Luc. 22:29,30; João 18:36,37. Não há dúvidas de que muitos dos primeiros discípulos de Jesus pensavam em termos de autoridade terrena, quando pensavam sobre o Reino de Deus. Mas, afinal, com a destruição de Jerusalém, no ano 70 D.C., e com uma nova devastação em 132 D.C., os olhos da Igreja voltaram-se, definitivamente, para o céu.

Essa destruição de Jerusalém deixou a Igreja sem o templo, como um ponto de referência, sobre como Deus governava e controlava o seu povo. O evangelismo e o ensino tornaram-se as principais atividades da Igreja. Mas, mesmo assim, os cristãos tinham de interagir com os governos civis. Abaixo damos os princípios que podem ser extraídos do Novo Testamento, no que tange a essa questão:

C. Idéias do Novo Testamento

1. *Com base nas declarações de Jesus*, podemos deduzir as seguintes idéias: a. O reino de Jesus não tinha natureza política. Ele sujeita os homens a um governo mais alto, espiritual (João 18:36,37). b. Os poderes temporais derivam a sua autoridade de Deus, e estão sujeitos ao governo divino (João 19:11). c. Os poderes temporais têm direitos que precisam ser reconhecidos, sem interferir com os princípios espirituais (Luc. 20:25). A vida de Jesus nos ensina a não nos preocuparmos demais com os poderes deste mundo. Um «profeta» moderno, bem conhecido, proibiu os seus discípulos de terem qualquer coisa a ver com a política, o que, em sua opinião, anda tão cronicamente corrompida que a espiritualidade é morta, quando se associa a ela. Há grande verdade nisso, embora não possamos fazer disso um princípio absoluto.

2. O trecho de Atos 5:29 *ss* é o *texto de prova padrão* para mostrar que, se devemos respeitar aos poderes civis, a consciência cristã continua ocupando lugar supremo, e que esse fato, algumas vezes, nos leva a desobedecer às ordens das autoridades governamentais. Como é claro, alguns cristãos têm abusado desse princípio. Algumas pessoas chegam a enganar-se na sua declaração de renda, apelando para esse texto bíblico. Porém, devemos entender quando esse princípio deve ser aplicado, e quando não o deve. A Alemanha nazista, que dominava uma Igreja muda, serve de exemplo histórico de que a Igreja pode falhar quando não protesta no tempo certo e em voz bem clara, a fim de procurar fazer uma diferença em coisas prejudiciais que acontecem em qualquer período, por imposição dos governos humanos.

3. Por detrás de todos os governos devemos pensar na *soberania de Deus*. Ver o artigo separado sobre esse assunto.

4. O governo humano deriva-se da *autoridade divina* (Dan. 4:17,25; Jer. 27:6; Mat. 22:15 *ss*; Rom. 13:1-7; I Ped. 2:12 *ss*). Porém, as declarações constantes nesses trechos são gerais, ignorando os abusos e imoralidades de governantes individuais. Como exemplo disso temos Nero, que era o imperador de Roma quando essas passagens neotestamentárias foram escritas. A verdade é que se destruirmos a autoridade dos governos humanos, terminaremos no caos. Portanto, é mais aconselhável seguirmos os governos gerais e sofrer os abusos, do que insistir sobre os nossos direitos, guerrear em favor dos mesmos, e terminar em maior confusão. Em suma, a política é um mal necessário. Jesus viveu em meio de verdadeiro turbilhão político, sentindo as forças que O pressionavam de ambos os lados. No entanto, não promoveu nenhuma revolução, afirmando somente que os direitos de Deus devem ser respeitados acima de qualquer outra consideração. Ora, isso não serve de texto de prova em prol da revolução; mas tão-somente de palavra de cautela, para não nos desviarmos em nossas prerrogativas.

5. O *respeito pelo governo* significa que devemos obedecer as leis específicas, como pagar impostos e atender a inúmeras outras regras, segundo se vê em Rom. 13:6 *ss*. Sem dúvida, esse é um reflexo do problema enfrentado pelo próprio Senhor Jesus, conforme nos mostra o trecho de Mat. 22:15 *ss*. A questão é especificamente mencionada porque permaneceu um espinho na prática da Igreja cristã.

6. Essa mesma passagem ensina que também devemos estar *sujeitos* a subgovernantes, secundários, como agentes ou representantes do poder centralizado (Rom. 13:7). Há muitos a quem devemos «honra».

7. A mesma passagem parte da suposição de que os governantes civis, de modo geral, mesmo que não em casos específicos, governarão visando ao *bem-estar público* (vs. 3).

8. Porém, além de nossa responsabilidade para com os governantes, temos o dever de consciência de obedecer, o que, ao que se presume, coincide com a

GOVERNO — GOVERNO ECLESIÁSTICO

maioria das coisas que os governantes terrenos nos ordenam a fazer (vs. 5).

9. O trecho de I Tim. 2:14 recomenda que *oremos* pelos governantes civis. Eles precisam de orientação da parte de Deus, e também estão sujeitos ao poder salvatício de Deus, visto que ele deseja que todos os homens sejam salvos e cheguem ao pleno conhecimento da verdade.

10. *Aprimoramento da Ordem Social.* Nada existe nas páginas do Novo Testamento que proíba os crentes de tentarem melhorar a ordem social, mediante a participação na política. Contudo, apesar de alguns crentes *individuais* terem todo o direito de se ocuparem na carreira política, a Igreja, como um *corpo geral*, jamais deveria ocupar-se nas lutas políticas partidárias. É nossa opinião que os ministros do evangelho não deveriam desvirtuar sua elevada chamada celestial mediante a militança política. Afinal, é o sistema político do mundo que produzirá a figura sinistra do anticristo, de parceria com a não menos sinistra figura do falso profeta, resultante da falsa religiosidade. Os únicos adversários à altura que eles terão serão aqueles que estiverem dando testemunho fiel de sua fé em Jesus Cristo como Salvador e Rei. A própria Igreja Católica Romana, através do papa Paulo II, tem repetidamente frisado que os padres não devem ser políticos, mas ministros da Igreja. Nos Estados Unidos da América do Norte, em tempos recentes, muitas denominações e indivíduos têm ignorado essa sabedoria (incluindo muitos grupos evangélicos), tendo passado a pregar muito mais a política do que o evangelho. Como é óbvio, isso está acontecendo também no Brasil. Há mais de um caso de «ministro» do evangelho que se meteu na política, e agora não mais milita em favor da fé que nos foi dada de uma vez por todas, participando dos conchavos políticos como qualquer outra velha raposa. Não nos admiraremos muito se um desses «ministros», chegado o tempo certo, vier a ser reconhecido como o falso profeta, a segunda figura da trindade satânica: o anticristo, o falso profeta e o próprio diabo.

Tudo isso não impede que a Igreja promova questões morais que tenham implicações políticas. Ficamos desapontados ante a atitude da Igreja primitiva para com a *escravidão* (vide), um dos piores males sociais. Apesar da Igreja primitiva não ter tido autoridade para eliminar tal instituição, pelo menos, dentro da própria Igreja, deveria ter tido suficiente senso para não a pôr em prática. Talvez isso sirva de exemplo do que aqui afirmamos. A Igreja deveria ter discernimento o bastante para reconhecer os grandes males sociais de nossos dias, declarando-se em favor da retidão, sem imiscuir-se nas lutas políticas. (EP ND NTI P Z)

GOVERNO ECLESIÁSTICO

Esboço:

I. Na Era Apostólica:
1. Problemas Preliminares
2. Informações específicas sobre o governo eclesiástico no Novo Testamento:
   a. A controvérsia petrina
   b. Os apóstolos e a sucessão apostólica
   c. Os bispos
   d. Os pastores e os diáconos
   e. Os mestres e outros líderes
   f. Esforços cooperativos
   g. Concílios da Igreja antiga
   h. A ação democrática
   Conclusão

Um princípio indispensável

II. No Cristianismo Histórico:
1. Governo Episcopal
2. Governo Presbiteriano
3. Governo Congregacional
   Conclusão.

I. Na Era Apostólica:

1. Problemas Preliminares

Um dos vícios de muitas denominações evangélicas consiste em tentar achar-se na economia do Novo Testamento, como melhor ou exclusiva representante dessa economia, em comparação com as outras denominações. O primeiro problema a enfrentar, quando um grupo assume tal atitude, é que o próprio Novo Testamento não se mostra homogêneo quanto a essa questão do governo eclesiástico. Várias práticas denominacionais podem ser apoiadas mediante textos de prova extraídos daquele documento sagrado. O segundo problema é que, enquanto certas denominações seguem melhor uma certa ordem neotestamentária, quanto a outros pontos elas são piores. O terceiro problema é a filosofia inteira envolvida na questão. Foi planejado por Deus que o Novo Testamento servisse de guia perfeito no tocante ao governo eclesiástico, além de que uma denominação qualquer não pode ir? A resposta é um sonoro *não*. E isso porque, segundo foi dito acima, o próprio Novo Testamento não mostra ser um documento homogêneo quanto a esse particular. Para que extraíamos desse documento sagrado alguma forma específica de governo eclesiástico, precisamos ser seletivos quanto aos textos de prova escolhidos. No tocante à questão do governo eclesiástico, o Novo Testamento não nos oferece linhas mestras absolutas, mas apenas sugestões.

Ilustração. Ilustrando de modo breve o que acabamos de dizer, consideremos uma denominação evangélica qualquer. Os batistas servem. Consideremos os pontos abaixo: 1. Algumas denominações vêem em Cristo e em seus apóstolos a indicação de que o Novo Testamento requer uma hierarquia de autoridade. Essa hierarquia é variegadamente interpretada; mas, pelo menos, ultrapassa em muito a qualquer coisa que os batistas exibem em sua estrutura governamental. Ver Mateus 16:18 e João 20:22,23. A doutrina da *sucessão apostólica* (que vide), de uma forma ou de outra, é levada a sério pela maior parte da Igreja, incluindo a Igreja Católica Romana, as Igrejas Ortodoxas Orientais, a Igreja Anglicana e a Igreja Presbiteriana. Esses grupos encontram autoridade para suas respectivas posições, no Novo Testamento. E o artigo mencionado expõe as razões desses grupos. 2. Os batistas não têm supervisores de áreas, embora quase todos os demais grupos denominacionais contém com os mesmos, aos quais chamam de bispos. E, para tanto, encontram autoridade para tal prática nas epístolas pastorais, onde vemos Timóteo e Tito atuando como autoridades sobre certas regiões, ordenando ministros. Todavia, os batistas eliminam tal possibilidade com a sua interpretação. Entretanto, não há que duvidar que Timóteo e Tito não eram apenas pastores comuns de igrejas locais. Embora o próprio Novo Testamento não designe suas funções específicas, eles eram, pelo menos, representantes oficiais do apóstolo Paulo. E muitos estudiosos vêem neles um precedente que deve ser continuado na Igreja de todos os séculos. 3. O ministério dos homens. O ministério neotestamentário é inteiramente *masculino*. Mas os batistas, tanto nas suas igrejas locais como em seus programas missionários, têm investido grande autoridade em

GOVERNO ECLESIÁSTICO

mulheres, que funcionam, pelo menos parcialmente, como ministros. O Novo Testamento nunca pensou em tal feminilização do ministério, conforme se vê em textos como I Coríntios 14:34 e I Timóteo 2:11,12. De acordo com a prática batista, as mulheres estão fazendo tudo menos manterem-se caladas nas igrejas. De fato, estão ocupadas em muito ensino público. Mulheres missionárias ocupam o púlpito. Nenhuma delas usa o véu. E, no entanto, essas coisas são ordenadas no Novo Testamento. 4. No que concerne à questão do governo democrático, os Batistas mostram-se excelentes, cumprindo o trecho de Mateus 18:15 ss. Porém, mesmo quanto a isso, pode-se afirmar que o que é dito não tem por intuito governar a total política eclesiástica, mas apenas o aspecto da disciplina. O mero fato de que a disciplina está alicerçada sobre uma base democrática não significa que todo o governo eclesiástico deva ser democrático.

A ilustração dada acima não tem o menor intuito de degradar as denominações batistas. Qualquer denominação pode ser assim manuseada, porque nenhuma denominação evangélica está seguindo o Novo Testamento em todos os pontos relativos ao governo eclesiástico. E nem isso pode ser concretizado, visto que o próprio Novo Testamento não se mostra homogêneo quanto a essa questão.

2. Informações Específicas sobre o Governo Eclesiástico no Novo Testamento:

a. A Controvérsia Petrina. Mateus 16:18 apresenta Pedro como a rocha sobre a qual a Igreja haveria de ser edificada. Isso tem paralelo nas idéias dos patriarcas como alicerces da congregação judaica. A idéia reaparece em Efésios 2:20, onde apóstolos e profetas do Novo Testamento são o alicerce da Igreja e Jesus Cristo é a principal pedra de esquina. É impossível Cristo ser o alicerce e a pedra de esquina, ao mesmo tempo, em uma mesma ilustração. Não há como contornar o trecho de Mateus 16:18, para que a rocha seja Cristo, e não Pedro. Em I Coríntios 3:11 ss, Cristo aparece como o único alicerce da Igreja, mas ali a questão é a salvação e a base da vida espiritual, enquanto que em Mateus a questão é a atitude de fé, em relação à divindade e caráter messiânico de Jesus. Em Mateus 16 a questão é organizacional, e não soteriológica. Nesse sentido, homens podem ser alicerces da Igreja, e o Novo Testamento assim diz. Notemos que os mesmos privilégios dados a Pedro, em Mateus 16:19, são dados aos demais apóstolos, em Mateus 18:18. Notemos, igualmente, que ali estão em foco a admissão ao reino de Deus, bem como a exclusão do mesmo, e que devemos saber fazer a diferença entre o reino e a Igreja. Quanto a notas expositivas mais completas sobre essa questão, ver o artigo sobre *Pedro, Rocha Basilar da Igreja*. O NTI, em Mateus 16:18, oferece muitos detalhes sobre a questão. Deve ser reconhecido, entretanto, que essa questão tem dividido os cristãos através dos séculos, muitos dos quais não aceitam que Cristo ensinou que Pedro é a pedra ou rocha sobre a qual a Igreja está fundada, mormente em face do fato de que o próprio Pedro afirma que Jesus é a pedra ou rocha (ver Atos 4:11).

Pedro foi o primeiro papa? Se o foi, e se uma linha de sucessão papal também é autêntica, então somente a Igreja Católica Romana conta com um governo eclesiástico apropriado, exceutando unicamente os mórmons, cujo presidente, intitulado de principal apóstolo, é uma figura similar à do papa. Não há que duvidar que Pedro esteve em Roma, foi bispo ali, e ali sofreu o martírio. Ver o artigo sobre *Pedro*. Ver as notas sobre I Pedro 5:13, no NTI. Nesse trecho, «Babilônia» é um código para Roma, o que também é usado em Apocalipse 16:19; 17:5; 18:2,8,10,21. Portanto, o próprio Novo Testamento informa-nos que Pedro terminou a sua vida em Roma, concordando com a antiga tradição que diz que Pedro e Paulo foram executados ali pelo império romano, um mediante crucificação e outro mediante decapitação. Que ele foi um pastor de liderança, com poderes episcopais, não se pode duvidar. Nos apóstolos estavam concentrados todos os vários ministérios que posteriormente surgiram, ainda nos dias dos apóstolos. Além de sua função apostólica, eles eram profetas, evangelistas, pastores e mestres. Em I Pedro 5:1, Pedro intitula-se «presbítero», certamente sem prejuízo de seu apostolado, pois o ministério pastoral fazia parte do ministério apostólico. Mas isso está longe de indicar que Pedro tenha sido o primeiro papa. A maioria dos eruditos católicos romanos admite que a doutrina sobre o papa precisou de vários séculos para desenvolver-se. Mas, segundo eles, esse tardio desenvolvimento histórico não labora contra a verdade, porquanto o Espírito coopera com a Igreja e utiliza-se do processo histórico para efetuar a sua obra. Dificilmente alguma coisa de valor deixa de sofrer um desenvolvimento histórico. Deus opera através da história, e não podemos esperar tudo adredemente preparado no Novo Testamento, já perfeito e completo, não sujeito a desenvolvimento. Além disso, ainda segundo os intérpretes católicos romanos, o Novo Testamento é um livro de começos, e não de perfeitas finalidades. E eles também se utilizam do argumento da razão: Para que a Igreja possa evitar a fragmentação, conforme tem ocorrido e continua ocorrendo no protestantismo, torna-se necessária uma autoridade central, poderosa, unificadora. De que melhor maneira isso poderia ser conseguido, senão mediante uma autoridade vicária de Cristo, que centralize esse poder em si mesma? Na ausência de tal autoridade vicária, teríamos um rebanho sem Pastor, mas antes, um rebanho entregue a inúmeros subpastores, um rebanho que iria se subdividindo cada vez mais, com a multiplicação de subpastores.

Contra o argumento do desenvolvimento, podemos dizer que nada requer que o único desenvolvimento legítimo seja o da Igreja Católica Romana. Esse argumento apenas legitima todos os desenvolvimentos históricos que têm surgido no cristianismo, incluindo todos os ramos francamente heréticos. Portanto, tal argumento anula a si próprio. Quanto ao argumento da fragmentação, temos a observar que o papado não garantiu que a Igreja Católica Romana permanecesse fiel aos princípios do Novo Testamento. Tal fragmentação, quando muito, é organizacional, e nunca espiritual. A Igreja de Cristo é uma só, composta de todos os regenerados pelo Espírito, e que, portanto, foram postos naquele corpo espiritual do qual Cristo é a Cabeça (ver I Cor. 12:13). São precisamente esses que jamais aceitaram a substituição de Cristo por uma mera figura humana, que se auto-intitula de «vigário» (substituto) de Cristo. A verdadeira Igreja de Cristo é uma entidade espiritual, e não uma organização religiosa. Há uma organização religiosa que conta com uma figura liderante que se arroga o título de cabeça universal da Igreja. Mas a entidade espiritual conta com um Cabeça insubstituível, que é Cristo. Paulo referia-se a isso, quando disse: «Porque ninguém pode lançar outro fundamento, além do que foi posto, o qual é Jesus Cristo» (I Cor. 3:11).

Aqueles argumentos católicos romanos podem ter peso para alguns. Mas a própria história, pelo menos até a época de Constantino—quando então o bispo de

GOVERNO ECLESIÁSTICO

Roma adquiriu mais prestígio e, portanto, mais autoridade que a de outros bispos—não podemos ver nos vários bispos de Roma figuras papais. Em outras palavras, não há qualquer evidência histórica favorável ao papado senão depois de Constantino. Isso significa que Pedro nunca ocupou posição e funções papais. Se a intenção divina era que Pedro fosse o *começo* de tal ofício, e não um produto acabado e representante do papado, então já teríamos de ouvir um argumento totalmente diferente. Esse argumento teria de dizer que Pedro foi um protopapa. Porém, até mesmo isso seria um dogma. Todo dogma precisa ser examinado quanto à possibilidade de sua veracidade ou de sua autenticidade. Alguns dogmas correspondem à verdade; mas outros, não. Ver o artigo sobre o *papado*, quanto a uma declaração mais detalhada sobre a questão. Esse artigo traça o desenvolvimento histórico do poder e da autoridade do papa.

O Papa e as Profecias. Tenho algo a dizer que, provavelmente, muitos não aceitarão facilmente. Sem importar o que o leitor pense sobre a autoridade papal, devemos admitir que tal ofício foi uma necessidade *histórica*, dentro da cristandade. A tradição histórica fala da necessidade de um ofício de grande liderança, até o tempo da futura conversão de Israel, quando o centro do cristianismo gravitará novamente para Jerusalém. De acordo com certas predições, o ofício papal conta apenas com mais quinze ou vinte anos de existência, até cerca do ano 2000. O atual papa, João Paulo II, só teria mais dois sucessores. O último papa, que será chamado Pedro, será assassinado. E então o ofício papal desaparecerá definitivamente. Assim dizem as predições, que são aceitas até mesmo por muitos católicos romanos. Ora, podemos indagar se o ofício papal cumpriu uma função necessária. Respondo que, apesar dos abusos, assim tem sucedido. Mas, ao assim dizer, não afirmo que o papado tenha cumprido uma função neotestamentária. Antes, a função do papado tem sido histórica. Todos sabemos que a Igreja Católica Romana, durante os mil anos da Idade Média, preservou a civilização ocidental, protegeu manuscritos bíblicos, e, de maneira geral, preservou a vida da Igreja, apesar de muitos abusos e exageros. O papado foi um fator chave em tudo isso. Após a grande tribulação, a nação de Israel, pelo espaço de mil anos, será a protetora da civilização, o solo do qual a Igreja, por assim dizer, surgirá novamente, cumprindo um outro grande ciclo histórico. Antes, Roma teria cumprido essa missão; e precisamos dar crédito ao que merece crédito, embora também possamos e devamos criticar aquilo que está errado. Se a igreja de Tiatira (ver Apo. 2:18 *ss*) representa a igreja medieval, então temos ali um quadro das corrupções que entraram na cristandade. Contudo, essa era a Igreja da época, sem a qual não haveria Igreja. Mas vemos que Cristo apelou a Tiatira, como uma igreja a ele pertencente, e lhe fez promessas, caso ela seguisse as suas instruções. Isso não significa que ela não devesse sofrer reformas. A própria carta à igreja de Tiatira mostra a necessidade de tais reformas.

b. Os Apóstolos e a Sucessão Apostólica. Textos como os de Mateus 16:18; João 20:22 *ss*; Atos 1,5,9,10; a narrativa inteira sobre Paulo no livro de Atos; Gál. 1:12 *ss*, além de muitos outros, mostram que o ofício apostólico é um ofício distinto. Em caso contrário, não poderia ter sido dito que eles fazem parte da fundação da Igreja, juntamente com os profetas do Novo Testamento, segundo se vê em Efésios 2:20. E nem o Apocalipse os apresentaria sob o símbolo de alicerces da Igreja (Apo. 21:14). Após a queda de Jerusalém, quando então a autoridade investida no templo de Jerusalém chegou ao fim, a Igreja encontrou a sua autoridade nos apóstolos, que eram testemunhas oculares da vida, da morte, da ressurreição e da ascensão de Cristo. Aos apóstolos foi dada a tarefa de iniciarem a Igreja (Mat. 28:19,20; Atos 1:8; II Cor. 11:28). Apesar do termo «apóstolos» ter sido usado, em sentido mais amplo, para indicar grandes líderes cristãos, como Barnabé (I Cor. 9,5,6), Andrônico e Júnias (Rom. 16:7) e Tiago, irmão do Senhor (Gál. 1:19), isso em nada labora contra o uso distintivo dessa palavra para indicar um ofício especial e poderoso. Quanto a informações gerais a esse respeito, ver o artigo sobre os *Apóstolos*. O problema aqui ventilado, no tocante ao governo eclesiástico, não procura determinar se o ofício apostólico era distintivo da Igreja primitiva, ou não. Esse ponto é admitido pelos teólogos de todas as denominações cristãs. De fato, o próprio Novo Testamento repousa sobre a autoridade de Cristo e seus apóstolos. A questão crítica envolve somente a questão da sucessão apostólica.

A Sucessão Apostólica. O ofício apostólico tinha o intuito de continuar de qualquer forma? Os católicos romanos, os ortodoxos orientais, os anglicanos e até os presbiterianos acreditam em formas variegadas de sucessão apostólica. O assunto é amplamente ventilado no artigo sobre essa questão, ponto VIII do artigo sobre os apóstolos (Apostolado). Se a idéia da sucessão apostólica corresponde à verdade dos fatos, então o tipo congregacional de governo eclesiástico é um erro sério. Não se trata de um problema fácil, e a solução para o mesmo depende muito de dogmas e da fé, e não tanto de declarações do Novo Testamento. Muitos grupos congregacionais fazem os dogmas e a prática repousar sobre o mero fato de que isso recebe espaço no Novo Testamento, embora tais coisas não sejam especificamente ordenadas ali. Assim, o que fazer com o ofício apostólico? É evidente que o mesmo ocupa muito espaço, nas páginas do Novo Testamento? Seria suficiente alguém dizer que *somente* aqueles que foram testemunhas da vida e da ressurreição de Jesus poderiam qualificar-se para esse ofício, utilizando o texto prova de Atos 1:21 *ss*? Paulo, que viu o Senhor somente sob a forma de visões, já abre uma exceção a essa regra ideal.

c. Bispos. Alguns anciãos eram bispos? Ou, em outras palavras, exerciam autoridade sobre áreas, e não meramente sobre igrejas locais? Isso sucedeu claramente no período pós-apostólico. Mas alguns alicerçados nas epístolas pastorais, tentam mostrar que isso sucedia já na época dos apóstolos. Certamente parece que Timóteo e Tito estavam operando em esferas mais amplas do que alguma mera igreja local, quando saíam a ordenar pastores para as igrejas locais. Muitos bons eruditos evangélicos assim têm pensado, sem nada dizermos sobre os estudiosos católicos romanos, ortodoxos orientais e anglicanos. Todos sabemos que os apóstolos tinham poderes que, em parte, mais tarde foram dados aos bispos. Certamente os apóstolos, quanto ao seu raio de ação, não se restringiam a alguma igreja local. É razoável supormos que seus principais discípulos, que os ajudavam em suas atividades missionárias, tivessem recebido autoridade sobre *novas áreas* que eram abertas, onde várias novas igrejas eram estabelecidas. Parece mesmo que isso se tornou uma necessidade. O trecho de Tito 1:5 diz especificamente que Tito constituísse presbíteros «em cada cidade», segundo Paulo lhe havia ordenado. Nesse caso, teríamos Tito, o bispo de Creta, não operando em uma única igreja local, mas percorrendo toda aquela

GOVERNO ECLESIÁSTICO

ilha, supervisionando e nomeando anciãos em várias cidades da mesma. Qual *pastor*, em nossos dias, assumiria a responsabilidade de chegar em um estado, e **visitar diversas cidades**, a fim de nomear outros pastores? Isso jamais poderia ocorrer no tipo congregacional de governo. Em Tito vemos uma função, existente na Igreja primitiva, que ultrapassa aos princípios **batista-congregacionais, e que**, pelo menos parece ter sido o começo de um ofício que, mais tarde na história eclesiástica, foi investido nos bispos. Isso não sancionaria os abusos e exageros que entraram no ofício. Desses abusos e exageros, o pior foi o da criação de toda uma hierarquia eclesiástica, com ofícios que, nem de leve, transparecem nas páginas do Novo Testamento, desvirtuando o princípio solidamente neotestamentário de ministérios que se complementam, sem a existência de qualquer hierarquia que, necessariamente, envolve a idéia de superiores e subalternos. Mas, mesmo se isso não sancionasse abusos e exageros, daria a alguns bases para a suposição de que havia uma autoridade centralizada, onde um homem só tinha autoridade sobre toda uma igreja local, desde os dias do Novo Testamento. Que essa autoridade estava então encarnada nos apóstolos, é algo indiscutível; mas que também estava encarnada em seus discípulos imediatos, parece indiscutível. Pelo menos a partir do século II D.C., há evidências abundantes no sentido de que o ofício de bispo, diferentemente do ofício pastoral localizado, já estava firmemente estabelecido. Ver o artigo sobre os *anciãos*, quanto a informações mais detalhadas. Ver especialmente o primeiro ponto: *Origem e desenvolvimento do ofício, no Novo Testamento*.

d. Pastores e Diáconos. Certamente, eles eram autoridades eclesiásticas locais. Ver o artigo separado sobre eles. O artigo sobre os *Anciãos* provê informações gerais sobre suas funções e qualificações. Também se faz ali a tentativa de averiguar como o ofício pastoral surgiu, derivando seus aspectos principais do judaísmo ou de aspectos das guildas e organizações seculares. Um dos problemas que **surge, de imediato**, é a questão da liderança plural. Os grupos dos Irmãos detestam o ministério de um homem só em cada igreja. Esses grupos pensam que ter cada igreja um *único* pastor, profissionalizado, constitui uma desgraça e uma contradição com a ordem neotestamentária. Eles insistem sobre um ministério pluralista nas igrejas, afirmando também que tais líderes devem surgir dentro da própria congregação, através do poder do Espírito, e não através de um treinamento acadêmico, em escolas ou seminários. Precisamos admitir que essa era a ordem que prevalecia nos dias do Novo Testamento; mas, isso faz escolas, seminários e um treinamento profissional ser errado? Tal treinamento não é benéfico para os próprios ministros? O Novo Testamento deveria ser usado para aniquilar uma boa instituição e uma boa prática, só porque surgiu apenas mais recentemente? Não há qualquer erro nessa prática, se os homens que estão sendo treinados são aqueles que o Espírito selecionou para dirigir o processo do aperfeiçoamento e da educação dos crentes? Pelo menos quanto a esse particular, não podemos dizer que o Novo Testamento é um livro de começo, e nem de finalidades, e que certos desenvolvimentos são benéficos, mesmo que sejam extrabíblicos? Naturalmente, todas as denominações evangélicas de hoje têm desenvolvimentos extrabíblicos, muitos dos quais são beneficentes. Bastaria que pensássemos na Escola Dominical, que é um utilíssimo desenvolvimento, de data recente. Mas,

quem quer desfazer-se da Escola Dominical, somente porque ela não é mencionada nas páginas do Novo Testamento? Até os grupos dos Irmãos têm essa instituição. Poderíamos também mencionar as Escolas Cristãs, os acampamentos bíblicos, as organizações da mocidade, além de muitas instituições com finalidades de ensino, incluindo aquelas que permitem que as pessoas aprendam novas artes e ofícios. Há também as sociedades missionárias ao estrangeiro, grupos organizados para combater o abuso das drogas, grupos de caridade, etc. Meus amigos, não há fim dessas organizações eclesiásticas extrabíblicas, muitas das quais são úteis, valiosas e até mesmo necessárias na sociedade moderna. Muitos grupos dos Irmãos objetam às sociedades missionárias ao estrangeiro, supondo que a igreja local deveria enviar os seus próprios missionários. A dificuldade dessa objeção é que os grupos que assim pensam não fazem muito trabalho missionário, o qual, se fosse entregue aos cuidados deles, desapareceria totalmente. O moderno movimento missionário tem dependido de instituições e de métodos extrabíblicos.

e. Mestres e Outros. Com bases neotestamentárias, estamos falando sobre os pastores-mestres, aqueles que eram pastores e também tinham o dom de ensinar. Esses mestres devem ser considerados dignos de dobrada honra (alguns dizem que isso significa salário, com o que concorda a nossa versão portuguesa, que diz «dobrados honorários»; I Tim. 5:17). O dom de ensinar é alistado na descrição paulina sobre os ministérios da Igreja, Efé. 4:11. Ali aparecem também os apóstolos que eram enviados especiais do Senhor; os profetas, que ensinavam por inspiração do momento, não limitados à preparação intelectual prévia (Atos 11:27; I Tim. 1:18; I Cor. 14:28-33), mas que em sentido algum eram infalíveis, conforme se vê em I Coríntios 14. Naturalmente, um bom mestre pode ser impulsionado pelo Espírito, sem que isso invada o dom mais extático dos profetas. E também temos ali os evangelistas, que eram homens que recebiam o dom especial de persuadir as pessoas a aceitarem o evangelho, impelidos pelo Espírito na abertura de novas áreas. Era esse o grande empreendimento que fazia a Igreja expandir-se. Naturalmente, os apóstolos eram os evangelistas supremos, dotados de muito maior autoridade do que o tipo comum de evangelistas. Não obstante, durante o período formativo da Igreja, os evangelistas tinham considerável autoridade nas igrejas locais, bem como nas áreas onde eles atuavam, que ultrapassava os limites das igrejas locais isoladas. Há comentários isolados, no NTI, em Efé. 4:11, sobre os profetas, os evangelistas, os pastores-mestres.

f. Esforços Cooperativos. Paulo usava a sua autoridade como, por exemplo, para recolher uma oferta das igrejas gentílicas para ser oferecida aos santos pobres de Jerusalém. Podemos ter a certeza de que outras autoridades cristãs estiveram envolvidas nessa questão. Houve também outros desses esforços cooperativos (Rom. 15:1,26,27; II Cor. 8:19; Gál. 2:10). As igrejas cristãs tinham o costume de contribuir para fundos especiais, que visavam a vários propósitos benevolentes (Atos 11:27-30). Havia grande comunicação entre as igrejas, embora estivessem espalhadas em uma grande área (Rom. 16:3-6,16; I Cor. 16:19; II João 13). As igrejas também uniam-se no envio de missionários (Atos 11:22-26; 13:1). —À medida que os credos se foram tornando mais importantes, os grupos que concordavam melhor entre si, começaram a enviar tais esforços de modo mais restrito, em benefício de seus próprios grupos; e isso foi o começo do estabelecimen-

GOVERNO ECLESIÁSTICO

to de denominações cristãs, que tinham sua própria autoridade.

g. Os Primeiros Concílios Eclesiásticos. No Novo Testamento encontramos a menção a dois concílios dessa natureza: O do décimo primeiro capítulo de Atos, acerca do período de fome; e o do décimo quinto capítulo do mesmo livro, acerca do legalismo de certos crentes judeus. O primeiro discutiu sobre a admissão dos gentios na Igreja; e o segundo discutiu sobre aqueles problemas que resultaram dessa admissão, quando a Igreja assumiu um aspecto menos judaico. Visto que os apóstolos estavam vivos e foram envolvidos na questão, eles tinham o poder de ditar às igrejas as crenças e as práticas que deveriam ser seguidas. Nesse caso, encontramos uma *autoridade central* que ultrapassava a autoridade das igrejas locais. Outros concílios eclesiásticos (ver o artigo sobre esses concílios), efetuados após a época apostólica, e que envolveram a maior parte da cristandade da época, mantiveram a idéia da autoridade central; e isso tornou-se um dos elementos da estrutura governamental da Igreja. O artigo sobre a *Autoridade* provê detalhes sobre a questão.

h. A Ação Democrática. Os trechos de Mateus 18:15 **ss**, e Atos 1:21 **ss**, são textos de prova genuínos em favor da ação democrática pelas igrejas locais. Os batistas e outros grupos congregacionais têm feito dessa prática a regra exclusiva. Nessas igrejas, todos os atos, desde a chamada de um pastor até as questões de importância secundária, dependem do voto da congregação. Ali as decisões são resolvidas pelo voto da maioria. Outros grupos evangélicos, porém, supõem que essa prática é exagerada, ao mesmo tempo em que admitem seu valor, no tocante a *certas* questões. Na Igreja primitiva, a prática envolve apenas algumas questões, conforme a leitura dos trechos envolvidos nos mostra. Não há no Novo Testamento qualquer instrução que nos permita generalizar a prática, de maneira tal que todos os atos da igreja tenham de ser resolvidos com base no voto da maioria. Essa generalização é um dogma, repousando sobre a fé de que era assim que as coisas eram resolvidas no cristianismo primitivo. A despeito disso, o voto democrático deve ser considerado um princípio importante, ainda que não o único princípio e a única maneira como as coisas devam ser efetuadas pelas igrejas cristãs.

Conclusão. A exposição acima feita mostra-nos que o Novo Testamento é bastante heterogêneo no tocante às questões de governo eclesiástico. Além disso, a manipulação de textos de prova, juntamente com a *interpretação* dos mesmos, podem outorgar-nos várias formas de governo eclesiástico. Parece seguro dizermos que os autores do Novo Testamento não estavam procurando fornecer-nos um padrão específico de governo eclesiástico, pelo que há liberdade dos crentes agirem conforme lhes parecer melhor, com base nesses vários exemplos. Naturalmente, os conflitos provocados pelas questões de governo eclesiástico têm sido um dos fatores que têm criado fragmentações e denominações, e onde cada fragmento afirma estar mais próximo do ideal da ordem eclesiástica neotestamentária.

Qualquer tipo de governo eclesiástico atualmente existente, depende dos seguintes elementos: 1. Quanto do Novo Testamento deve ser tomado como padrão, visto que ali há muitos ofícios eclesiásticos, além do ofício pastoral. 2. Quanto podemos ir além do que diz o Novo Testamento, no tocante a funções e organizações extrabíblicas. 3. Quanto desenvolvimento histórico devemos permitir. O que dizer, nessa conexão, sobre arcebispos, cardeais, etc.? 4. Quais

variedades de dogmas uma igreja sustém, que a capacitam a renovar ofícios eclesiásticos que existiram nos tempos pós-apostólicos, mas que alguns estudiosos consideram terem-se tornado inoperantes com a morte dos apóstolos. Nessa categoria poderíamos incluir o próprio ofício apostólico e o ofício papal. O que acontece quanto a esse aspecto não dependerá somente do que o Novo Testamento estipula, mas também de nosso próprio ponto de vista sobre o que é razoável, mediante interpretação *e* racionalização.

Um Princípio Indispensável. As modernas igrejas evangélicas seguem um modelo episcopal, presbiteriano ou congregacional de governo eclesiástico, segundo se explica melhor abaixo. Os adeptos desses sistemas encontram no Novo Testamento precedentes para todos os três modelos. Porém, quando lemos o livro de Atos, as epístolas dos apóstolos, etc., ficamos impressionados com um princípio ainda mais basilar, o qual, talvez por falta de termo mais sugestivo, queremos chamar de sistema teocrático, segundo normas tipicamente neotestamentárias. As igrejas da era apostólica contavam com um governo eclesiástico ideal devido à presença de homens divinamente preparados para esse mister, a saber: os apóstolos, os profetas, os evangelistas, os pastores e mestres. Devido à presença dos apóstolos, representantes diretos de Cristo, dotados de profundo discernimento espiritual, o Senhor Jesus fazia valer a sua vontade, manifestando-a através dos dons ministeriais investidos nos apóstolos. E, mesmo depois que o ministério apostólico desdobrou-se nos outros três, assim continuou sendo, porque a voz do Espírito era ouvida nas igrejas, através desses homens carismáticos. Vale dizer, Deus governava a sua Igreja através dos ministérios por ele levantados, os quais eram impulsionados pelo Espírito Santo. Isso pode ser visto mais claramente em certos grandes episódios, como no concílio de Jerusalém (Atos 15), onde a carta enviada às igrejas gentílicas diz, a certa altura: «Pois pareceu bem ao Espírito Santo e a nós não vos impor maior encargo além destas cousas essenciais...» (Atos 15:28). Houve abusos, como o caso de Diótrefes, que não aceitava a autoridade apostólica, e do que João queixa-se em III João 9,10. Mas, podemos ter a certeza de que o Cabeça da Igreja cuidou de disciplinar devidamente a esses indisciplinados.

Quando foi feita a Reforma protestante, segundo todos os estudiosos concordam, ela foi apenas parcial. O modelo católico romano foi modificado aqui e ali, de acordo com as possibilidades do momento. E todas as reformas posteriores também mostraram-se insuficientes, porque, quanto à questão do governo eclesiástico, é preciso devolver a Cristo, de modo consciente e proposital, as rédeas do governo de sua Igreja. Não que Cristo não a esteja governando, mas fá-lo contornando sistemas que não levam em conta o seu senhorio. Entre nós, o ministério é levantado mediante uma máquina extrabíblica, segundo a qual os homens decidem tudo sem indagar a vontade do Senhor, mediante o voto da maioria da congregação ou mediante as decisões unilaterais de um concílio episcopal ou presbiteriano. Sistemas inteiros têm sido constituídos sobre essa base puramente humana. Não admira, pois, que haja tanta insatisfação, entre os evangélicos, no tocante ao governo eclesiástico. A opinião pessoal deste tradutor é que somente quando devolvermos ao Senhor Jesus o direito de governar a sua Igreja, segundo os moldes teocráticos do Novo Testamento, a questão será resolvida. Quanto a isso, por um lado sou muito pessimista; e, por outro lado muito otimista. Pessimista porque não penso que os homens farão isso por motivo próprio e sim,

GOVERNO ECLESIÁSTICO

convencidos por razões bíblicas. A natureza humana com extrema dificuldade sujeita-se aos princípios espirituais, e imensos interesses humanos teriam de ser sacrificados para que os atuais sistemas fossem voluntariamente abandonados, a fim de que se desse lugar ao governo de Cristo. Não vejo, portanto, qualquer esperança de reforma, segundo esse lado da questão. Porém, sou otimista quanto à questão do governo eclesiástico porque sei que o Senhor Jesus, no tempo devido, fará intervenção. Que tempo devido é esse? Segundo penso, será quando do período atribulado dos últimos dias. O anticristo encarregar-se-á de destruir a máquina administrativa externa da Igreja. Dos escombros, o Senhor restaurará o governo eclesiástico, segundo moldes neotestamentários, tornando-se ele não apenas um Cabeça teórico (como se vê atualmente entre nós), mas um Cabeça atuante de sua Igreja. Segundo vejo as coisas, sem importar até que ponto os grupos evangélicos se afastem do ideal neotestamentário, a intervenção divina, nos últimos dias corrigirá os desmandos humanos dos séculos, devolvendo ao seu povo um governo teocrático, ou seja, através de homens realmente levantados pelo Espírito. Minha opinião pessoal é que, nos últimos dias da Igreja, veremos a renovação dos quatro ministérios básicos referidos em Efésios 4:11 *ss*. De acordo com a explicação dada ali pelo apóstolo, chegaremos então ao estado perfeito. Antes disso, veremos muita imperfeição. A filosofia envolvida nesse quadro é a seguinte: a Igreja primitiva achava-se em um estado espiritual ideal; com o desaparecimento dos apóstolos e de todo um ministério levantado pelo Espírito, a Igreja entrou em decadência espiritual; na sua misericórdia, Deus fez intervenções parciais, coincidentes com as diversas reformas que têm ocorrido através dos séculos, e das quais a Reforma do século XVI é apenas um episódio; nos últimos dias, sob condições inteiramente novas (as da tribulação final), Deus intervirá de forma definitiva, levando a sua Igreja àquele estado que a preparará para obter a vitória sobre as forças do mal, encarnadas no anticristo, e para galgar até aquele degrau espiritual que a tornará pronta para o encontro com o Senhor e para o arrebatamento e a glorificação. À semelhança dos escritores do Novo Testamento, podemos aplicar aqui trechos que, primariamente, dizem respeito a Israel, como Jer. 23:4: «Levantarei sobre elas pastores que as apascentem, e elas jamais temerão, nem se espantarão; nem uma delas faltará, diz o Senhor». Ou então: podemos invocar o testemunho apostólico, que prevê as chuvas finais, que levarão a plantação do Senhor ao ponto do amadurecimento necessário antes da colheita: «Sede, pois, irmãos, pacientes, até a vinda do Senhor. Eis que o lavrador aguarda com paciência o precioso fruto da terra, até receber as primeiras e as últimas chuvas. Sede vós também pacientes, e fortalecei os vossos corações, pois a vinda do Senhor está próxima» (Tia. 5:7,8). As primeiras chuvas corresponderam ao período apostólico; as últimas chuvas corresponderão ao período final da Igreja, sob condições externas adversas, quando o Espírito fará sua intervenção final. Enquanto não vierem as últimas chuvas prometidas, a plantação, que é a Igreja, estará em desenvolvimento. Essa é a minha visão do governo eclesiástico, que haverá de manter-se em estado imaturo enquanto não ocorrer a intervenção final do Espírito. Podemos diagnosticar a enfermidade; mas só o Senhor Jesus curará a condição enfermiça, no tempo aprazado, de acordo com as profecias bíblicas.

II. No Cristianismo Histórico

Os três tipos básicos de governo eclesiástico. Esses tipos básicos são: o episcopal, o presbiteriano e o congregacional. Na maior parte das denominações evangélicas, esses três tipos manifestam-se mesclados uns com os outros, em doses variegadas. Assim, o sistema episcopal outorga grande parcela de autoridade e de funções aos presbitérios, em seus sínodos e igrejas. Mas, nessas mesmas igrejas aparecem funções onde o processo democrático avulta. E até mesmo os grupos batistas, apesar de suas igrejas locais serem inteiramente autônomas, deixam-se influenciar, naquilo que fazem, por suas autoridades denominacionais. Essas autoridades talvez não votem, mas influenciam de modo bem definido àqueles que votam, mediante seus conselhos ou pressões.

1. Governo Episcopal. Esse é um sistema que confere maior autoridade aos bispos, e aos presbíteros (padres) e diáconos menor poder. Esse ofícios são mencionados no Novo Testamento, e já pudemos ver que há precedentes para os mesmos nas epístolas pastorais, como em Tito 1:5 *ss*, levando-nos a supor que, mesmo durante a era apostólica, havia anciãos que tinham poderes sobre distritos, e não apenas sobre igrejas locais. Pelo menos no começo do século II D.C., assim sucedia, pelo que há um antiquíssimo precedente histórico. Em favor do princípio episcopal, temos o exemplo neotestamentário dos apóstolos (que vide), exemplo que é ressaltado como prova de que esse sistema de governo eclesiástico é superior aos demais. Além disso, consideremos o caso de Tiago, no concílio de Jerusalém. Ele não fazia parte do grupo apostólico, mas também não se pode dizer que ele foi um pastor ordinário. Com base naquilo que conhecemos acerca dele e de sua autoridade, podemos dizer que ele ocupava uma posição que mais tarde foi investida nos bispos. Timóteo e Tito pareciam ocupar uma posição intermediária entre Paulo e os pastores das igrejas locais. Assim sendo, enquanto os nomes bispo e anciãos são termos intercambiáveis nas páginas do Novo Testamento, as *funções* específicas de vários outros indivíduos que tinham os mesmos títulos, transcendiam às funções de alguns deles. Apesar de que todos eram anciãos, nem todos teriam idêntica autoridade, e essa desigualdade de autoridade envolvia autoridade sobre certas áreas, e não meramente sobre igrejas locais. Ainda outros estudiosos têm pensado que Tiago, embora não fazendo parte do grupo apostólico original, tornou-se tal quando o Senhor Jesus lhe apareceu. Paulo dá a entender que aceitava Tiago, irmão do Senhor, como um dos apóstolos (ver Gál. 1:19). E Timóteo e Tito agiram como meros delegados do apóstolo Paulo, e não por autoridade própria. Isso significa que eles nem precisavam ter funções diferentes das dos demais anciãos. Além disso, esses mesmos estudiosos relembram que Timóteo nunca é chamado «pastor», e, sim, «evangelista», no Novo Testamento (ver II Tim. 4:5), o que deita por terra todo o argumento acima. Os apóstolos ordenavam anciãos nas igrejas por eles fundadas (Atos 14:23), e assim também, por determinação de Paulo, fizeram-no Timóteo e Tito em certas oportunidades. Mas, voltando à possibilidade de que os «bispos» estavam surgindo como uma graduação superior à dos pastores, sabemos que esse sistema de governo eclesiástico estava vivo nos tempos de Inácio, na Ásia Menor, onde as citações deixam entrever que havia uma tríplice hierarquia: a dos bispos, a dos anciãos e a dos diáconos.

Argumentos em Contrário. 1. Pode ser demonstrado, nas páginas do Novo Testamento, que os títulos «bispo», «pastor» e «ancião» são intercambiáveis, pelo que não se deve pensar em uma hierarquia nem em relação a esses três títulos e nem em relação aos

GOVERNO ECLESIÁSTICO

demais ministérios: apóstolos, profetas e evangelistas, mas antes, deve-se pensar em ministérios complementares, de acordo com o que a autoridade estaria igualmente dividida, e onde os apóstolos eram os grandes supervisores. 2. Também se tem argumentado que a idéia da sucessão apostólica não é uma doutrina bíblica, pelo que salientar que os apóstolos foram os bispos primitivos, embora fosse uma verdade nos dias apostólicos, não correspondia à realidade dos fatos em tempos posteriores. 3. Que dizer sobre as igrejas locais que não tinham origem apostólica? Nesses casos, quem exercia a autoridade episcopal? 4. Certas citações extraídas do *Didache* refletem muito mais uma situação congregacional.

Rebates desses Argumentos. 1. Apesar dos termos «bispo», «pastor» e «ancião» serem intercambiáveis, pode-se mostrar que havia funções distintivas. 2. A sucessão apostólica (que vide), é uma idéia que pode ser defendida com sucesso, partindo-se de evidências encontradas no Novo Testamento. 3. Houve, realmente, igrejas que não foram fundadas pelos apóstolos, em cujos casos os apóstolos não operavam como bispos. Mas, nesses casos, seus representantes, figuras como Timóteo e Tito, ocupavam a posição de bispos. 4. Mesmo que fique demonstrado, com absoluta certeza, que o tipo congregacional de igrejas existia já no século II D.C., isso em nada militaria contra o tipo de governo episcopal que prevalecia de modo geral. É perfeitamente possível que várias formas de governo eclesiástico existissem paralelamente desde os tempos mais antigos; mas, dentre os três sistemas principais, o sistema episcopal parece ser o que mais se aproxima do ideal neotestamentário.

2. Governo Presbiteriano. Ao tempo da Reforma protestante, os líderes presbiterianos pensavam que estavam restaurando a ordem original; porém, não são muitos os líderes presbiterianos de nossos dias que afirmam tal coisa. No entanto, eles estão prontos a defender a tese de que há precedentes, no Novo Testamento, para a forma de governo presbiteriano. No Novo Testamento, é óbvio que os presbíteros ou pastores ocupam posição importante. De acordo com a doutrina presbiteriana, os presbíteros são idênticos aos bispos, suprindo o poder principal da igreja local. Em cada localidade, parece haver certo número de presbíteros que formam uma espécie de comissão que se encarrega das questões das igrejas locais. Podemos extrair essa idéia de textos como Heb. 13:17 e I Tes. 5:12 *ss*. As narrativas dos concílios de Atos 11 e de Atos 15 mostram que os presbíteros ou pastores, congregando-se independentemente da igreja local e de suas funções, podiam tomar decisões importantes e obrigatórias que as igrejas locais, sem qualquer voto dos membros, eram obrigadas a seguir. Na era pós-apostólica, o desenvolvimento eclesiástico trouxe à existência os bispos como independentes e até superiores aos presbíteros. É claro que isso ocorreu de modo contrário aos ensinos do Novo Testamento, onde presbíteros e bispos são apenas títulos diversos de uma mesma função ministerial. Talvez isso tenha ocorrido por causa das perseguições, quando era conveniente os cristãos contarem com uma liderança forte, investida em indivíduos particulares que podiam consolidar as diversas funções da Igreja cristã. Dentro do governo presbiteriano, os presbíteros são aqueles que tomam as decisões importantes relativas às questões eclesiásticas, que não precisam de aprovação do voto da congregação. Certas passagens do Novo Testamento, conforme mostramos acima, demonstram que a Igreja primitiva funcionava dessa maneira.

Argumentos em Contrário. 1. Existem passagens no Novo Testamento que mostram os presbíteros decidindo as coisas sem o voto da congregação. Mas, nessas mesmas passagens, os apóstolos estão envolvidos. Portanto, continuamos no ambiente episcopal, e não no ambiente do governo presbiteriano. 2. Também há aquelas passagens que indicam que as coisas eram decididas por voto da maioria de cada congregação, como Mateus 18:15 *ss*. 3. Apesar dos termos presbítero e bispo terem sido intercambiáveis nos dias apostólicos, há evidências em favor da convicção de que alguns presbíteros realmente funcionavam como bispos, no sentido posteriormente dado à palavra, conforme se vê em Tito 1:5 *ss*.

Rebates desses Argumentos. 1. A sucessão apostólica cumpre-se nos presbíteros e não em figuras como os bispos dos séculos posteriores aos apóstolos. 2. Apesar de que algumas questões eram e deveriam continuar sendo decididas mediante o voto da maioria da congregação, o método usual de governo deveria ser através da autoridade dos presbíteros. Os exemplos que aparecem no Novo Testamento, sobre voto congregacional, são incidentes isolados, e não cobrem o campo geral do governo eclesiástico.

3. Governo Congregacional (inclui batistas). **A igreja local governa a si mesma, mediante o voto** dos membros, sobre todas as questões importantes. A decisão da igreja local é independente das autoridades externas à igreja local, mesmo que essa igreja pertença a alguma denominação. Os líderes denominacionais podem dar conselho e pressionar, mas nunca podem forçar uma igreja local a fazer qualquer coisa. Podemos extrair evidências em favor dessa posição, nas páginas do Novo Testamento. Em primeiro lugar, temos trechos como Mateus 18:15 *ss* e Atos 1, ou no livro de Atos dos Apóstolos, na escolha de Matias em substituição a Judas Iscariotes. Em segundo lugar, há o sacerdócio de todos os crentes (Col. 1:18), que subentende a igualdade de todos os membros. O pastor, embora líder da igreja local, tem somente um voto, quando qualquer decisão precisa ser tomada; e assim, no momento da decisão, ele pesa tanto quanto qualquer outro membro isolado. Em terceiro lugar, é a forma congregacional de governo que melhor preserva certas importantes verdades bíblicas. Já pudemos mencionar o sacerdócio de todos os crentes. Isso envolve a importante questão do *acesso* a Deus. Cada crente tem o direito de acesso direto ao trono do Senhor (Heb. 10:19). Os governos de tipo episcopal acrescentam a doutrina errônea de sacerdotes como intermediários entre Deus e os crentes. Isso debilita uma mui importante doutrina do Novo Testamento, segundo a qual Cristo é o único Mediador (I Tim. 2:5). Em quarto lugar, até mesmo a autoridade que os apóstolos tinham sobre as igrejas locais tem sido exagerada, e isso não estabelece precedente para um tipo episcopal de governo eclesiástico, nem mesmo nos casos de Timóteo e Tito. O fato de que eles ordenaram anciãos, e tinham um ministério que incluía alguma área, e não apenas alguma igreja local, não prova que eles tivessem autoridade de bispos. Eles tinham um poder delegado por Paulo, para ordenarem pastores sobre certas áreas, mas eles não eram supervisores daquelas áreas de nenhum modo especial. Em quinto lugar, não existe tal coisa como a sucessão apostólica. Essa é uma doutrina humana, e não um ensino neotestamentário. Em sexto lugar, o princípio democrático está mais afinado com o ideal de que todos os crentes são *um só* em Cristo (Gál. 3:28). Em sétimo lugar, trechos extraídos do *Didache* (que vide), mostram que, no segundo século D.C., havia igrejas de governo

941

GOVERNO ECLESIÁSTICO

eclesiástico tipo congregacional.

Argumentos em Contrário. 1. Apesar de que certos trechos, como Mateus 18:15 e Atos 1 possam mostrar que certas coisas eram realizadas mediante o voto da congregação, outros trechos, como Atos 11 e Atos 15 mostram que coisas importantes eram resolvidas mediante decisões tomadas pelos apóstolos e presbíteros. E essas decisões tornavam-se obrigatórias. 2. É verdade que todos os crentes são sacerdotes, e que todos nós somos um em Cristo, mas isso não significa que não existam diferentes *funções* de poder, no governo eclesiástico. O Novo Testamento mostra essas distinções. 3. Cada membro individual tem acesso a Deus, mas isso nada tem a ver com diferentes funções de poder, dentro do governo eclesiástico. A salvação do indivíduo, e a expressão da mesma, não faz com que cada membro seja igual a todos os demais membros, dentro da hierarquia de governo da igreja. Em qualquer país, todos os cidadãos são iguais diante da lei, mas nem todos os cidadãos são prefeitos da cidade, ou governadores do estado, ou presidentes da república. 4. Qualquer pessoa que **lê** a narrativa bíblica sobre os apóstolos poderá ver que, em sentido algum, o poder deles tem sido exagerado. Basta ler os trechos de Atos 5 e I Coríntios 5:5 para averiguar-se que eles tinham o poder de infligir severos castigos, ou até a morte, contra membros ofensores. Eles mantinham as chaves do evangelista, com as quais abriam até novos países e povos para o evangelho. Eles eram os alicerces da Igreja (Efé. 2:20). Uma autoridade assim jamais poderia ser atribuída a membros individuais, por mais dignos que eles fossem diante de Deus. Outrossim, a Igreja precisa de um governo centralizado, como aquele representado pelos apóstolos e anciãos. Doutra sorte, chega-se exatamente àquilo que tem sucedido no tipo congregacional de governo eclesiástico: fragmentação e contínua divisão. 5. Apesar do princípio democrático realmente existir no Novo Testamento, sua aplicação limita-se somente a certas coisas, como a disciplina dos membros da igreja local. Essa democracia limitada não pode ser extrapolada até cobrir todos os casos e situações. O próprio Novo Testamento mostra-nos que uma democracia limitada não existia nem nos dias dos apóstolos, e nem imediatamente depois. 6. É lógico supormos, mesmo sem invocar trechos do *Didache*, que havia governos eclesiásticos tipo congregacional, no segundo século da era cristã, em alguns lugares. Entretanto, isso é contrabalançado pelo fato que as citações tiradas dos escritos dos pais da Igreja demonstram que o tipo episcopal de governo era o predominante.

Rebates desses Argumentos. 1. Visto que a sucessão apostólica cessou, e visto que os bispos, considerados superiores aos pastores, tiveram um desenvolvimento a partir do século II D.C., isso nos deixa com o ideal congregacional para todos os séculos subseqüentes à era apostólica. 2. Isso também significa que o ideal de todos os crentes com sacerdotes deve tomar precedência, assim encorajando o ideal democrático. 3. Há diferentes funções entre os membros da igreja, bem como diferentes autoridades, mas todas devem estar contidas dentro da igreja local, e não dispersas por alguma área, a ponto de destruir a independência da igreja local. 4. Mesmo que pudesse ser provado que os próprios apóstolos tinham poderes extraordinários, não temos qualquer direito de transferir tal poder para outras pessoas, após a era apostólica. 5. Apesar do Novo Testamento não aplicar o ideal democrático a todas as situações, trata-se de um princípio digno de uma aplicação mais ampla. 6. É evidente que o tipo de governo eclesiástico tipo episcopal existia no século II D.C., mas também havia o tipo de governo eclesiástico congregacional. Visto que o governo eclesiástico congregacional é melhor, esse tipo deveria ser encorajado entre nós.

Conclusão. Se levarmos em conta todas as evidências e argumentos, tornar-se-á patente que, com um pouco de convicção, podem ser defendidos todos os três tipos de governo eclesiástico: o congregacional, o episcopal e o presbiteriano. Na igreja neotestamentária havia elementos que nos poderiam conceder precedentes em favor de todas as três formas. Cada um desses tipos de governo eclesiástico tem suas vantagens e desvantagens. Cada um desses tipos está sujeito a abusos. Porém, se quisermos permanecer em terreno neotestamentário, torna-se óbvio que, em face da presença e atuação dos apóstolos, era a forma episcopal de governo eclesiástico que estava em operação. Levanta-se, pois, a questão se esse tipo de governo eclesiástico tinha ou não tinha o intuito de prosseguir entre os crentes de todos os séculos, mediante o poder do Espírito. As respostas a uma indagação como essa podem embaraçar-nos em muitas disputas, conforme pode ser ilustrado no artigo sobre a *Sucessão Apostólica*.

Destaca-se Outra Importante Questão. Cumpre-nos tentar solucionar esse complicado problema do governo eclesiástico, mediante um rígido apelo ao Novo Testamento? Os autores sagrados esperavam que as gerações subseqüentes tentassem provar tudo, ou estabelecer tudo mediante um apelo direto a seus escritos? Não seria melhor, pelo menos no caso do governo eclesiástico, permitir que cada denominação tomasse suas próprias decisões, atraindo a si mesma quem concordasse com os padrões estabelecidos? Será mister termos rigidez e unidade de operação sobre essa questão, a fim de agradarmos a Cristo, ou a pluralidade de métodos de governo eclesiástico também é aceitável? Mais do que isso ainda, não poderia a *pluralidade*, por si mesma, mostrar-se útil para o desenvolvimento da Igreja como um todo? As denominações, tradicionalmente, atraem aqueles que se sentem mais confortáveis com certos padrões, idéias e formas de governo eclesiástico. Que as igrejas façam seu trabalho de atração, sem entrarem em conflito acerca de questões que, diante de outras, são meramente secundárias.

De fato, o que realmente importa é se Cristo está podendo governar ou não as igrejas, com a mesma liberdade e senhorio com que governava a Igreja primitiva. Se, mediante qualquer sistema que seja, Cristo for por nós alijado de sua legítima posição de Cabeça da Igreja, ficaremos acéfalos, e certamente, estabelecendo-se tal condição, não demorará muito para que deixemos de ser uma verdadeira igreja do Novo Testamento. Por isso, o que mais importa não é o tipo de governo eclesiástico que for instaurado, pois qualquer desses modelos pode estar operando, ao mesmo tempo em que não damos a Cristo o lugar que ele merece. Como vimos, na era apostólica, todos os três modelos foram postos em operação, em diferentes circunstâncias e momentos. O que realmente importava é que os crentes primitivos estavam em ligação vital com Cristo, não somente quanto à vida espiritual de cada membro individual, mas também do ponto de vista da comunidade cristã como um todo, cujos rumos eram traçados e orientados pelo Espírito. Nessa conexão, o exemplo dado por Israel é muito ilustrativo. Enquanto houve ali um governo teocrático, o povo de Israel ia caminhando, embora com tropeços. O pedido de um rei, segundo Samuel predisse, trouxe conseqüências desastrosas para

GOVERNO, INSTITUIÇÃO DE DEUS

Israel. O quarto monarca de Israel, Reoboão, provocou a divisão do reino em dois: Israel e Judá. No reino do norte, Israel, houve uma sucessão de reis ímpios, o que culminou com o exílio assírio. E, no reino do sul, apesar de ter havido alguns reis realmente piedosos, o fim foi idêntico, quando Judá foi levado para o exílio babilônico. Israel desapareceu como nação organizada. Judá voltou do exílio, mas nunca mais houve rei, e o próprio exílio babilônico deu início aos tempos dos gentios, com a conseqüente redução do povo de Israel à condição da cauda das nações, e não de cabeça. E somente quando Israel converter-se, e aceitar o Senhor Jesus como seu Messias e Rei, o que reinstaurará o governo teocrático ali, o povo de Israel gozará novamente das plenas bênçãos celestes. Por que a Igreja não aprende essa lição? «Estas cousas lhes sobrevieram como exemplos, e foram escritas para advertência nossa, de nós outros sobre quem os fins dos séculos têm chegado» (I Cor. 10:11).

GOVERNO, INSTITUIÇÃO DE DEUS

Ver o artigo separado sobre **Governo**. Aqui enfatizamos um aspecto daquele assunto. Este artigo utiliza Rom. 13:1-7 como a base da discussão, sendo que esta passagem é o mais completo texto no Novo Testamento sobre este assunto. Outros textos neotestamentários são incorporados na exposição.

Esboço:

I. Caracterização Geral
II. A Sujeição de Todos
III. Conseqüências da Desobediência
IV. O Bom Ministério
V. A Boa Consciência
VI. Pagando o Preço

I. Caracterização Geral

A conduta cristã ideal concernente ao estado, Rom. 13:1-7.

O assunto abordado nesta seção é quase sem-par na coletânea paulina de escritos inspirados. Somente no trecho de II Tes. 2:6 encontramos uma referência específica à relação que deve haver entre o crente e o estado, e somente aqui, no décimo terceiro capítulo desta epístola aos Romanos, é que temos uma explanação específica, apesar de breve, sobre esse tema. Essa seção, pois, é de muito maior importância do que poderia ser indicado por sua brevidade, tendo desempenhado importantíssimo papel na história, no que diz respeito às relações entre a igreja e o estado.

Paulo escreve para os crentes de Roma, em um período histórico de *relativa calma*; porém, a própria presença desta seção sugere-nos que deve ter havido sinais de rebeldia por parte de alguns dos membros da igreja cristã. É fácil para os crentes, exaltados ou mesmo inchados em sua «posição celestial», impelidos por seus pensamentos de serem «cidadãos de um país celestial, e meros forasteiros e peregrinos à face da terra», reputarem com negligência as exigências das leis do estado ou das leis municipais aos seus cidadãos. Não há que duvidar que Paulo percebeu o grande perigo que há por detrás dessa atitude, se ele for levado a pontos extremos, porquanto estava bem cônscio, devido às muitíssimas viagens que fazia, da proteção que o governo romano lhe vinha oferecendo. E o próprio livro de Atos registra vários livramentos de Paulo por intervenção de elementos do governo romano, quando ele poderia ter sido muito maltratado ou mesmo poderia ter sido morto, não fora essa intervenção. De fato, um dos propósitos do livro de Atos é justamente demonstrar que a igreja cristã primitiva com freqüência se beneficiava com a proteção romana, ao mesmo tempo em que os discípulos de Jesus estavam incansavelmente perseguidos pelos judeus, os quais, na opinião de Lucas, o escritor sagrado desse livro bíblico, eram os verdadeiros perturbadores da ordem. Lucas, pois, procurava convencer as autoridades romanas sobre a necessidade de proteger o movimento cristão, dando-lhe a posição de religião legítima e reconhecida pelo estado, o que já fora feito no caso do judaísmo.

Paulo deve ter percebido, por conseguinte, o perigo de destruir essa boa vontade das autoridades romanas. O apóstolo não havia previsto que a igreja cristã perderia inteiramente essa proteção, e que em breve se tornaria vítima de ferozes e continuadas perseguições. Portanto, Paulo escreveu a fim de estabelecer regras gerais sobre qual deve ser a atitude dos crentes para com os governantes terrenos. E a sua mensagem é que devemos nos submeter a essas autoridades, porquanto aquele que governa, fá-lo pelo poder de Deus, já que Deus é quem determina as autoridades humanas, por sua própria dispensação. Se, porventura, Paulo houvesse escrito mais tarde, quando a igreja cristã sofria perseguição, — é possível que houvesse modificado vários de seus preceitos, exarados aqui no décimo terceiro capítulo da epístola aos Romanos. Porém, foi providencial que ele não escreveu mais tarde, pois, conforme as coisas sucederam, ele escreveu sobre qual deva ser a nossa atitude em circunstâncias *normais*. Assim sendo, ele não aborda qual deve ser a atitude dos crentes quando o estado fere a consciência cristã. Para tal conjuntura, podemos examinar as palavras do apóstolo Pedro, em Atos 4:19 e 20, onde se lê: «Mas Pedro e João lhes responderam: Julgai se é justo diante de Deus ouvirmos antes a vós outros do que a Deus; pois nós não podemos deixar de falar das cousas que vimos e ouvimos». Todavia, supondo que o estado esteja protegendo, e não perseguindo ou tentando destruir a igreja cristã, não haverá qualquer conflito de consciência para os crentes, procurando ajustar os deveres para com Deus e para com o estado. Sob circunstâncias calmas, pois, os nossos deveres são claros — cumpre-nos obedecer à lei, sabendo que essa lei, em última análise, foi estabelecida por Deus, e sabendo que os governantes humanos são ministros de Deus.

Entretanto, a obediência aos governos humanos, em tempos quando a igreja não está sendo diretamente atacada, pode ser exagerada. Durante a Alemanha nazista, quando os judeus estavam sendo destruídos aos milhões, sabemos, através do testemunho de muitos que os *cristãos* da Alemanha, embora tivessem plena consciência dos horrores praticados por seu próprio governo contra seus cidadãos de origem judaica, não levantaram protesto algum, por medo e por não quererem se envolver. E quando, finalmente, surgiram os primeiros protestos por parte de líderes cristãos alemães, contra a conduta desumana e brutal dos governantes nazistas contra os judeus, esses protestos foram tardios demais, além de muito débeis. Para crédito dos cristãos alemães, devemos dizer que alguns poucos eclesiásticos alemães sofreram por causa da oposição que fizeram contra as perseguições contra os judeus. Assim, embora o quadro então dominante fosse tão negro, aqui e ali estamparam alguns lampejos de luz.

As explanações do apóstolo dos gentios, pois, têm aqui um alcance limitado, embora isso de forma alguma dê razão àqueles que procuram proteger-se de todo o envolvimento na justiça social, ocultando-se por detrás de suas palavras tão gerais, que nos

GOVERNO, INSTITUIÇÃO DE DEUS

recomendam a obediência ao estado. Tal obediência, de conformidade com os *princípios éticos* cristãos, não pode ser absoluta, a menos que as circunstâncias sejam relativamente favoráveis a essa espécie de obediência. O que Paulo queria era resguardar os crentes de seus dias contra a rebeldia insensata e contra a falta de respeito para com os governantes, com o propósito de preservar a paz entre a igreja e o estado, a fim de que o evangelho pudesse prosperar.

Com o décimo terceiro capítulo da epístola aos Romanos, podemos comparar o trecho de I Ped. 2:13-17, que reflete os pontos de vista petrinos sobre essa mesma questão. Surpreende-nos deveras que, mesmo após as severas perseguições contra o cristianismo terem começado, quando o governo imperial romano se transformara em um horrível monstro, e não mais protetor da nova religião de Cristo, os cristãos, de modo geral, continuavam mantendo o senso de dever e de respeito no que tange ao governo. Essa passagem, da primeira epístola de Pedro, foi escrita praticamente uma geração mais tarde que o décimo terceiro capítulo da epístola aos Romanos, o que nos permite entender que nem mesmo — tão contrárias circunstâncias — haviam podido abalar a boa conduta geral dos crentes primitivos, no que diz respeito à obediência devida ao governo.

O crente, pois, está se tornando cidadão do país celestial, nem por isso cessa de ser cidadão do país de seu nascimento, ou do país que tenha adotado como seu. Está na obrigação, por conseguinte, de prestar às suas autoridades o devido respeito e obediência. E, se porventura não agir assim, estará labutando contra o senhorio de Deus, e não meramente contra a autoridade delegada aos homens, e isso servirá tão-somente para lançar opróbrio contra o governo de Deus e o nome de Jesus Cristo.

Ora, tudo isso é apenas a expansão do ensinamento que aparece no décimo segundo capítulo desta epístola, acerca do amor cristão. O crente, portanto, tem a obrigação de cuidar do bem-estar de todos, incluindo a obrigação de amar a seus próprios inimigos, tudo com base no princípio do amor cristão. Assim sendo, não pode ignorar as leis do estado, visto terem sido baixadas com o fito de preservar a ordem e o bem-estar da população em geral. Aquele que desconsidera essas leis, – desrespeitando concomitantemente os líderes de sua nação, estado ou cidade, desconsidera igualmente o bem-estar da população. Ora, tal atitude sem dúvida não é ditada pelo amor cristão, amor esse que deve governar todas as ações do crente. Acima de todos, o crente deve ser uma pessoa patriota, visto ter mais razões e motivos para sê-lo que qualquer outra pessoa.

Nada disso é contrário às alterações. Mas essas alterações devem ocorrer de forma ordeira, de conformidade com a lei, e não mediante a violência. O Senhor Jesus foi um pacifista, no que tange ao governo de seus próprios dias terrenos. Queria produzir grandes transformações sociais, mas somente através de meios espirituais. Isso porque corações humanos transformados produziriam uma sociedade mais justa. Afinal de contas, a única transformação social permanente é aquela produzida através de homens transformados em seu coração. Todas as outras modificações sociais são artificiais e temporárias, exigindo supressão e violência para que sejam mantidas, conforme também a história mundial testifica abundantemente. A moralidade cristã, entretanto, pode produzir transformações sociais mediante a sua influência benéfica, mesmo quando os homens não são conduzidos aos pés de Jesus Cristo em

grandes números. Ora, é na direção dessa forma de transformação social que os crentes devem esforçar-se. Não obstante, a salvação das almas se reveste de muitíssima maior importância que qualquer alteração social, por mais importante que essa forma de alteração seja dentro de sua respectiva categoria.

Sanday e Headlam oferecem-nos os seguintes pensamentos adicionais, no tocante aos propósitos desta seção do décimo terceiro capítulo da epístola aos Romanos: «O apóstolo agora passa dos deveres do crente individual para com a humanidade em geral para os deveres do crente para com certa esfera definida, a saber, para com os governantes civis. Apesar de nos aferrarmos ao que foi dito, acerca da ausência de um sistema claramente definido ou de um propósito bem definido nestes capítulos, podemos observar uma linha mestra de pensamento, através desses capítulos, que é a promoção de relações pacíficas em todas as relações da vida. A idéia do poder civil bem pode ter sido sugerida pelo versículo dezenove do capítulo doze, que diz que esse poder civil é um dos ministros da ira e da retribuição divinas (ver Rom. 12:4). Seja como for, a justaposição dessas duas passagens serve para lembrar-nos de que a condenação à vingança e retaliação individuais não se aplica à ação do estado, ao pôr as leis em vigor; porquanto o estado, nesse sentido, é ministro de Deus, sendo a justa justiça de Deus que opera através do mesmo».

O chamado **direito divino dos reis** é apoiado nesta seção, embora não em sentido absolutista, como **imaginam tolamente alguns que têm pervertido e distorcido as palavras do apóstolo dos gentios neste** particular. Alguns intérpretes têm pensado que essas instruções paulinas têm uma aplicação muito mais extensa e especializada (ao mesmo tempo) do que elas podem ter, conforme já tivemos ocasião de ilustrar nos comentários mais acima. Porém, quando o anticristo subir ao poder, obrigando os homens a aceitarem o seu ímpio domínio, começando sua tentativa de destruir a igreja de Deus e a verdadeira fé revelada, será necessário que os homens piedosos lhe façam oposição. Paulo não poderia mesmo ter pensado de outra maneira, ainda que, excluindo a idéia absolutista, ele teria confirmado o «direito divino dos reis».

Esperamos ver o anticristo ainda em nossa geração, porquanto muitos pensam que ele terá subido ao poder, por volta de 1992, de conformidade com certas indicações extrabíblicas. Seja como for, quando o anticristo aparecer, teremos a obrigação moral de nos opormos a ele, cada qual à sua maneira, cada qual em sua posição social, conforme as suas oportunidades individuais e conforme ditarem as necessidades. Em tempos normais, entretanto, devemos tomar os mandamentos paulinos aqui exarados, acerca de nossas obrigações para com o governo civil, a sério e absolutamente.

II. A Sujeição de Todos

Rom. 13:1: *Toda alma esteja sujeita às autoridades superiores; porque não há autoridade que não venha de Deus; e as que existem foram ordenadas por Deus.*

A teologia judaica concordava de modo perfeito com essa forma de declaração, pelo menos em termos gerais e quanto à sua filosofia básica. Segundo o sistema teológico judaico, Deus era tão fortemente salientado como a grande e única causa que, virtualmente, não havia lugar para quaisquer outras causas secundárias. Deus, pois, era considerado não somente a causa primária, mas também o princípio total de causa, como causa primária, formal, eficiente e final. Nele é que todas as coisas teriam origem e nele todas

GOVERNO, INSTITUIÇÃO DE DEUS

as coisas encontrariam o seu alvo. Nele todas as coisas encontram o seu plano (causa formal) e através dele todas as coisas são produzidas ou realizadas (causa eficiente). Naturalmente, de acordo com tal ponto de vista, o poder civil, nacional, estadual ou citadino, só podia ser encarado como um poder delegado por Deus. Se assim não fosse, então é que haveria causas estranhas à pessoa de Deus, e isso a teologia judaica não podia aceitar.

Observemos esta passagem, abaixo citada, da Sabedoria de Salomão (6:1-5), escrita em cerca de 50 A.C. a 40 D.C., que reflete o pensamento judaico sobre os governantes terrenos:

Pois vosso domínio vos foi dado da parte do Senhor,
E vosso senhorio do Altíssimo.
Ele examinará vossas obras e sondará vossos planos;
Pois sendo servos de seu reino, não julgastes
*   retamente,*
E nem observastes a lei,
E nem seguistes à vontade de Deus.
Ele virá contra vós terrível e repentinamente,
Pois um juízo severo atingirá os que estão em lugares
*   altos.*

(Tradução de Goodspeed, aqui vertida para o português).

O fato de que Deus instituiu autoridades governamentais tem uma *dupla aplicação moral*, a saber:

1. As próprias autoridades civis estão na obrigação de reconhecer a origem de seu poder, governando de conformidade com a justiça, no temor de Deus; porque, se assim não agirem, aguarda-as um mui severo julgamento. (Esse é o ponto de vista salientado pelo escritor do livro apócrifo *Sabedoria de Salomão*, citado acima).

2. As pessoas sujeitas ao governo civil devem obedecer ao mesmo como se estivessem obedecendo ao próprio Deus, reconhecendo que a autoridade que possuem lhe foi conferida por Deus. Assim, quem obedece aos governantes humanos, naquilo que é justo, obedece, ao mesmo tempo, a Deus.

A aplicação dessas verdades é bem clara, portanto: «Todo homem esteja sujeito...» Há traduções que dizem *alma*, em vez de «homem»; mas o emprego da palavra *alma* refere-se aos homens simplesmente como criaturas vivas, sem nenhuma referência especial à porção «imaterial» do homem. Todo homem deve sujeitar-se às autoridades civis, e isso inclui, acima de todos, e não menos que os outros, aos crentes, visto que os discípulos de Cristo, acima de todos, devem mostrar-se ansiosos por obedecerem às autoridades civis devidamente instituídas. Todo o crente pertence a duas comunidades, a saber: a religiosa, que reivindica autoridade celestial; e a civil, que é a comunidade totalmente material e terrena. É verdade que isso pode criar muitos conflitos de consciência, sobretudo se a sociedade terrena mostrar-se anticristã em seu conceito e funções. Não obstante, Paulo não aborda aqui as várias possibilidades de exceção no tocante à obediência devida às autoridades civis, mas meramente lança uma regra geral, a ser seguida em tempos «normais».

Paulo declara essa proposição inteira de forma *inequívoca*. E isso é bom, porque se ele tivesse começado a descrever exceções, sem dúvida muitos sentir-se-iam impelidos a se apegarem a essas exceções, pervertendo-as segundo os seus próprios desejos, de conformidade com sua conduta má, em vez de se aterem aos princípios teológicos fundamentais. As regras aqui estabelecidas por Paulo, naturalmente, se aplicam a circunstâncias normais ou relativamente normais. No caso de surgirem situações

de radicalismo, entretanto, como sucedeu durante a Alemanha nazista, ou conforme se espera que venha a acontecer na futura Grande Tribulação, sob o domínio ímpio do anticristo, então será mister que os crentes se oponham a tal governo ímpio, continuando a obedecer a Deus e não prestando obediência a homens pervertidos.

Todo o conceito aqui exposto requer a fé na **providência divina**, que determina os acontecimentos no seio da humanidade. Poderíamos recordar a história de José, filho de Jacó, que foi traído pelos seus próprios irmãos, tendo sido vendido como escravo no Egito. Ali chegando, teve tremendas dificuldades com a esposa de Potifar. Contudo, triunfou sobre todos esses obstáculos, e chegou a reconhecer plenamente a mão de Deus em todas aquelas tão exasperantes vicissitudes. Assim, em Gên. 45:5, vemos que Deus enviou José ao Egito, antes de seus irmãos, a fim de lhes *preservar a vida*, porquanto, através da sabedoria e prudência de José, houve alimentos suficientes para o grande período de fome. Em Gên. 45:7 aprendemos que José também foi para ali enviado de antemão a fim de preservar uma «posteridade» na terra, especialmente a posteridade de Israel, através da qual surgiria o Messias. Em Gên.45:8,verificamos que José foi feito como que «pai» de Faraó, havendo obtido a sua simpatia e favor, a fim de que todas essas coisas pudessem ter realização. Em Gên. 45:9 notamos que José foi feito senhor de todo o Egito, a fim de que o plano divino pudesse concretizar-se por seu intermédio. E, finalmente, em Gên. 50:20, descobrimos que aquilo que se pensou de mal contra José, pelos seus próprios irmãos, teve por finalidade dar lugar a Deus mostrar a sua bondade, «salvando em vida a muita gente».

Poderíamos concluir, através desse e de outros exemplos bíblicos, que até mesmo as más ações dos homens, mediante a aplicação da vontade de Deus, podem redundar e realmente redundam para o bem dos homens. Deus faz intervenção e vence o mal até mesmo nos casos onde o mal fora cuidadosamente planejado pelos homens, o que nos autoriza a dizer que, em sentido secundário, Deus usa até mesmo o mal para o bem. Todas essas considerações fazem parte desta doutrina de Paulo, no tocante ao estado.

As palavras do Apóstolo, por conseguinte, quase nunca deixam de ter alguma relevância para os crentes, no que concerne à relação destes últimos para com o estado, embora apareçam outras ocasiões em que será necessário o crente dizer: «Importa mais obedecer a Deus do que aos homens». Em todos esses casos de exceção, contudo, deve haver algum conflito real de consciência, e não apenas alguma debatida questão pragmática.

Conforme dissemos acima, algumas traduções dizem, no princípio deste versículo, «*Toda alma esteja sujeita...*», em vez de «Todo homem...», conforme lemos nesta versão portuguesa que serve de base desta enciclopédia. Aquela tradução, que está mais de conformidade com o original grego, reflete, contudo, um hebraísmo, cujo sentido não é mais do que «todo homem». Esse mesmo fenômeno reaparece em Atos 2:43 e Rom. 2:9. O que se salienta nisso é a «individualidade». É como se Paulo houvesse dito: «Todo indivíduo esteja sujeito...», não querendo ele dar a entender que essa obrigação envolve somente a comunidade religiosa cristã.

Paulo não se oporia à modificação e alteração nas normas do governo civil, mas sem dúvida não daria seu apoio somente ao tipo «pacífico» de revolução. Na verdade, porém, ele nem aborda essa questão. O que

945

GOVERNO, INSTITUIÇÃO DE DEUS

ele faz aqui é opor-se à «iniqüidade». Os protestos devem ser feitos *legitimamente*, dentro das estruturas existentes, que dão margem a modificações. O cristianismo, como uma fé pessoal e como uma doutrina ética, bem como na qualidade de uma força espiritual, jamais foi politicamente revolucionário.

A despeito do governo eclesiástico, amoldado segundo os padrões bíblicos e neotestamentários, seja essencialmente democrático, conforme fica amplamente demonstrado na narrativa do livro de Atos, o cristianismo não tem por intuito combater contra uma forma de governo em favor de outra forma qualquer. Os crentes que vivem em diversos países, onde imperam formas de governo às vezes tão díspares, têm toda a obrigação de respeitarem e obedecerem às suas respectivas autoridades civis. Uma vez mais, entretanto, o espírito do amor cristão pode servir de instrumento na modificação da forma de governo, embora isso não seja nenhuma função direta da igreja. Somente como conseqüência indireta é que essa transformação social para melhor tem lugar. O alvo primordial da igreja de Cristo é o de propagar o reino espiritual de Deus. Erram os pregadores cristãos que, no púlpito, se imiscuem nas questões políticas, a menos que o façam para combater os abusos humanos contra a vontade expressa de Deus.

Pacifismo?

Este versículo tem sido usado em apoio ao serviço militar prestado por crentes. Naturalmente, não há nenhuma relação direta com o que aqui é dito com essa idéia surgida apenas recentemente na história da igreja cristã. Não obstante, poder-se-ia dizer que este versículo dá mais apoio à idéia da militância, já que quase todos os governos civis requerem o serviço militar dos seus cidadãos.

É interessante que os crentes em geral, através da história da igreja, não têm sido pacifistas. Não obstante, os pacifistas têm alguma razão em seu respeito pela vida humana, que pode ultrapassar seu senso de dever para com as obrigações dos cidadãos a seu governo. Certamente é errado matar. E certamente é um erro moral de proporções gigantescas um país enviar homens para conquistar a outro. Não se pode negar que a violência e a guerra são males próprios da humanidade. É possível que a melhor solução para o crente, nessa conjuntura, seja que ele não se deve recusar a servir no exército de seu país, mas, no caso de alguma guerra injusta, se recuse a pegar em armas. Poderia servir no corpo médico, como motorista de caminhão, ou fazendo qualquer outra coisa não diretamente ligada à função precípua de liquidar o inimigo. Caso esse outro serviço se torne impossível para ele, resta-lhe o outro único recurso de apelar para a sua consciência, fazendo o que lhe parecer melhor; porquanto, esta passagem do décimo terceiro capítulo da epístola aos Romanos *não* nos fornece qualquer orientação definida acerca dessa questão. Não há tal orientação porque Paulo não estava considerando a eventualidade das exceções, quando escreveu esta seção de sua epístola aos Romanos. Antes, opunha-se ele à iniqüidade, e não escrevendo alguma constituição que governasse todas as ações dos crentes no tocante à sua atitude para com as autoridades civis.

«Há grande necessidade, em nossos dias, de enfatizar, perante todos os crentes, essa solene exortação do apóstolo (Paulo). O desregramento, o desprezo às autoridades, nos tem sobrevindo como um dilúvio. Esse desregramento (anomia) é a essência mesma do pecado. ...'desregramento': o espírito que se recusa a deixar-se controlar, e que Deus definiu como pecado! ...'desregramento' está acima e abaixo

de toda a desobediência à lei».

«Não vemos por toda a parte os sinais de que a iniqüidade ou desregramento dos últimos dias está vindo sobre nós. Na infidelidade aos tratados, por parte das nações; no desrespeito à antiqüíssima honestidade aos contratos particulares; no 'rompimento' de todos os controles paternos por parte de nossa 'juventude transviada'; na pressa com que os 'expressionistas' desdenham dos antigos princípios morais, como se fossem princípios obscurantistas; na aplicação de nomes 'modernos' ao adultério e à lascívia, como 'carícias', 'experiência sexual', etc., no dilúvio de revistas que exploram temas violentos e sexuais, sem falarmos nas novelas de 'mistérios'; na indisposição demonstrada pelo público em realmente 'punir' o crime, mostrando simpatia geral para com o pecado!» (Newell, *in loc.*).

III. Conseqüências da Desobediência

Rom. 13:2: *Por isso quem resiste à autoridade resiste à ordenação de Deus, e os que resistem trarão sobre si mesmos a condenação.*

O poder vem de Deus, a autoridade vem de Deus, o domínio vem de Deus, porquanto Deus é sempre visto como a causa única e exclusiva de tudo. Por essa mesma razão é que a desobediência a poderes secundários (nomeados por ele), à lei (efeitos de sua lei eterna); às autoridades (delegadas pela autoridade máxima de Deus), às potestades (extensão do monarca de todos os mundos) é desobediência ao próprio Deus. Uma vez mais, neste versículo, Paulo está pensando em tempos *normais* ou relativamente normais, não levando em consideração quaisquer exceções históricas necessárias. Posto que a resistência às autoridades civis atrai contra o transgressor o juízo divino, sendo uma verdade tão comum que chega a ser uma máxima, pode-se esperar que os crentes, que pertencem ao reino celeste, com justiça serão punidos pelos governantes terrenos, se porventura resistirem erroneamente à sua autoridade, e isso com toda a justiça. E isso é assim porque o poder divino que autoriza os governos, igualmente autoriza o castigo que esses governos devem impor à iniqüidade.

Se opõe. No original grego, trata-se de uma palavra cujo sentido é «lançar em batalha contra». Encontramos aqui a idéia de uma resistência formal, planejada, proposital. Paulo fala sobre a desobediência e a iniqüidade propositais, e não meramente acerca de algum lapso acidental na obediência. É conhecido nos registros históricos mundiais que, na cidade de Roma, houve perturbações provocadas por facções religiosas, não sendo de forma alguma impossível e, de fato, é perfeitamente provável, que alguns cristãos, e não somente judeus, tivessem sido envolvidos em levantes de menor monta e em atos de desrespeito à autoridade civil. Roma punia tais rebeldias, e com justiça, segundo a opinião aqui expressa pelo apóstolo dos gentios. As grandes perseguições contra o cristianismo ainda não haviam rebentado, pelo que também Paulo não se referia a injustiças ou a tratamentos desumanos contra a igreja cristã de Roma. Se porventura esse apóstolo houvesse escrito uma geração mais tarde, quando já se tinham tornado comuns esses atos de desumanidade contra os cristãos, perpetrados por figuras exponenciais do governo romano, e mesmo por ordem imperial, mui provavelmente, Paulo teria feito algumas modificações no teor do texto deste conselho geral. Foi oportuno, entretanto, que o décimo terceiro capítulo desta epístola aos Romanos houvesse sido escrito em período de relativa tranqüilidade para o cristianismo, de tal modo que as regras aqui baixadas por Paulo

GOVERNO, INSTITUIÇÃO DE DEUS

têm uma aplicação mais geral e universal do que se tivessem sido escritas sob outras circunstâncias.

Ordenação, é palavra que se deriva de um verbo grego cujo significado é «pôr no lugar», algo formalmente firmado, como uma «lei» baixada pelo governo. Está em vista algo decretado com a devida consideração, que conta com o apoio decisivo da autoridade governamental. Tais «ordenações» os cristãos estão na obrigação moral de observarem, até mesmo mais do que os incrédulos, os quais não possuem princípios teológicos especiais que sirvam de base para suas ações, e que obedecem às autoridades por motivo de considerações puramente terrenas, e não por considerações «espirituais», como é o caso dos crentes.

Condenação. No original grego, é usado aqui o termo comum que significa «julgamento». Mui provavelmente é indicada aqui uma *sentença judicial*. Esses pronunciamentos judiciais são autorizados por Deus, tal como o poder de legislar é conferido a certos seres humanos. O crente, se porventura vier a ser punido pelas autoridades civis, devido a algum mal por ele praticado, não tem do que se queixar, porquanto tal punição terá sido uma retribuição divinamente autorizada, posta nas mãos do homen.

Não há qualquer referência aqui à *punição eterna*, conforme alguns intérpretes têm imaginado. Trata-se de um julgamento civil, por causa de crimes de natureza civil. Não obstante, trata-se de um julgamento «divino», no sentido de haver sido autorizado por Deus.

Desconsiderar a lei e os castigos legais impostos pelo estado é deixar subentendido que nosso próprio bem-estar pessoal é mais importante que o bem-estar da sociedade. Assim fazendo estaríamos exaltando as nossas preferências, nossos desejos egoístas, acima da ordem e da higidez do estado. Porém, se propositadamente estabelecemos um estado doentio através de crimes privados, então, finalmente, como indivíduos, nós mesmos seremos os grandes prejudicados. Sócrates, no diálogo platônico intitulado «Crito», demonstrou que tudo quanto possuímos devemos aos nossos respectivos estados. Mediante o estado é que temos vida, nutrição, educação, etc. Alegremente recebemos seus benefícios. Como, pois, nos recusaríamos a receber suas justas punições, suas tentativas de manutenção da ordem social? Se todos fossem relapsos nesse ponto, o caos certamente seria o resultado.

O apóstolo Paulo não fazia aqui a tentativa de compor uma teoria sobre ciência política, mas estava baixando regras de «bom senso» acerca da conduta cristã.

É verdade que Paulo ensinara, em diversas de suas epístolas, que os seguidores de Cristo não estão *debaixo da lei*. Mas, ao assim dizer, referia-se à legislação mosaica religiosa, no que se refere às questões de soteriologia, e não com relação às leis civis, relativas à conduta diária do homem na sociedade. Contudo, através dos séculos, alguns elementos têm querido perverter a doutrina paulina, fazendo dele o capitão dos desregrados e rebeldes. Isso, entretanto, ele contradiz nesta passagem do décimo terceiro capítulo de Romanos.

IV. O Bom Ministério

Rom. 13:3: *Porque os magistrados não são motivo de temor para os que fazem o bem, mas para os que fazem o mal. Queres tu, pois, não temer a autoridade? Faze o bem, e terás louvor dela;*

Este versículo torna ainda mais patente, conforme tem sido salientado nesta exposição geral, a começar

pela introdução a este décimo terceiro capítulo de Romanos, que Paulo falava pelo menos acerca de tempos *relativamente* normais. É de se esperar que aqueles que são elevados a postos de autoridade sejam suficientemente humanitários para baixarem leis essencialmente justas, pondo-as em vigor de modos essencialmente justos. O fato de que muitos governos, através dos séculos, não têm agido assim com justiça, não faz parte do escopo do argumento de Paulo. Antes, ele olhava somente para a situação contemporânea do império romano de seus dias. Porquanto estava bem lembrado de que, na qualidade de missionário cristão, com freqüência havia sido livrado de elementos violentos e multidões de judeus fanáticos, por parte de oficiais romanos. Estava familiarizado com o governo romano no próprio império, e considerava-o geralmente justo.

Ao contrário do que têm pensado tantos, Paulo não estava olhando *profeticamente* para os tempos em que Nero e outros imperadores abusaram grandemente de sua autoridade (embora esse terror não estivesse longe de começar, e apesar do fato de que o próprio Paulo foi morto por causa dessas perseguições imperiais), quando assassinaram a milhares e milhares de cristãos inocentes, que nenhuma culpa tinham de todas as acusações que foram feitas contra eles. Quanto ao presente, Paulo tão-somente quis mostrar que, a fim de não temerem às autoridades, os crentes precisavam apenas mostrarem-se obedientes às leis civis.

«A atitude inteira expressa por Paulo, neste ponto, sugere a existência de súditos reais, isto é, *súditos* leais por convicção (devido à consciência) e, por conseguinte, leais sem importar se são tratados com justiça ou não em determinadas ocasiões. Outro tanto se verifica na primeira epístola de Pedro (ver especialmente I Ped. 3:13)». (John Knox, *in loc.*).

É realmente significativo o fato de que a primeira epístola de Pedro foi escrita em um período muito mais difícil para os cristãos primitivos, quando as perseguições imperiais já haviam tido início, com grande fúria. No entanto, até mesmo nessa primeira epístola de Pedro o dever de obedecerem os cristãos às autoridades civis é lembrado aos crentes.

Magistrados. O plural mostra-nos aqui que Paulo fala em termos gerais. A obediência ao magistrado é algo deduzido como algo necessário, neste versículo, porque, ordinariamente, essa obediência produz resultados benéficos, ao passo que a atitude contrária, a da rebeldia, produz resultados desagradáveis e até mesmo trágicos. Paulo também deixa entendido que todos os crentes são pessoas interessadas pela paz e segurança, no que diz respeito às suas vidas diárias, e no que tange aos benefícios que o governo civil tem para oferecer aos seus cidadãos. Com este versículo podemos comparar a passagem de I Tim. 2:1,2, onde somos instruídos a favor dos reis e de todos os que se acham investidos de autoridade, para que vivamos vida tranqüila e mansa, com toda piedade e respeito».

«O homem reto deve ser respeitador da lei civil, e não precisará temê-la. Sob um bom governo, debaixo de uma provisão legal sempre presente, o cidadão decente não precisará temer o que as autoridades civis possam fazer contra ele. Se porventura andar em temor, é que algo anda errado, ou com o próprio estado, ou com a compreensão acerca do devido papel e escopo do governo humano. Porém, sempre que a higidez do estado for considerada como ponto pacífico, podemos supor que o homem que teme à autoridade é igualmente um homem mau e culpado. E andará apreensivo com toda a razão. Entre ele e a

947

GOVERNO, INSTITUIÇÃO DE DEUS

comunidade em que vive terá de existir um antagonismo constante. Seu tipo de vida não pode ser reconciliado com os princípios da ordem pública. À base desse fato, o apóstolo Paulo oferece-nos um bom exemplo de conselho prático. Se alguém quer viver isento de receio das autoridades constituídas, acima de suspeitas, não pratique o mal. Porém, em adição à sua capacidade de restringir negativamente os maus cidadãos, o estado pode oferecer encorajamentos positivos. A aprovação daqueles que estão em autoridade é mais do que uma alternativa ao medo; e Paulo menciona essa questão como uma digna seqüência à nossa conduta correta». (Gerald R. Cragg, *in loc.*).

«As falhas ocasionais da justiça por parte das autoridades executivas, não nega que a administração estrita da justiça seja menos apropriada como seu dever e ofício». (Sanday, *in loc.*).

Rom. 13:4: *porquanto ela é ministro de Deus para teu bem. Mas, se fizeres o mal, teme, pois não traz debalde a espada; porque é ministro de Deus, e vingador em ira contra aquele que pratica o mal.*

Comparando-se com essas palavras, devemos levar em conta a mensagem do trecho de Rom. 11:32. Todos os decretos e todas as ações de Deus, de alguma maneira, estão vinculados à justiça e ao benefício dos homens. De conformidade com essa idéia, podemos igualmente supor que visto o governo humano ter sido estabelecido por Deus, deve haver alvos benéficos, associados ao mesmo. As autoridades, por conseguinte, são «ministros de Deus», porquanto à sua própria maneira, e dentro de sua própria esfera, são instrumentos de Deus. Ora, sendo as autoridades instrumentos nas mãos do Senhor, e sendo Deus o princípio mesmo da bondade, é evidente que tal governo deve visar ao benefício, e não detrimento da sociedade. Paulo dá prosseguimento aqui as suas *declarações gerais*, referentes a «períodos normais», ao fazer esta exposição sobre o assunto, sem jamais olhar para o lado das possíveis exceções.

Bem. Trata-se do mesmo louvor que aparece no versículo anterior. O bem social em geral é aqui focalizado. O apóstolo subentendia uma vida caracterizada pela paz e pela prosperidade relativa, que é o objeto de todo o bom governo. Pelo menos os crentes devem ter a esperança de serem deixados em paz pelas autoridades, para que possam prosseguir em suas buscas espirituais, porquanto, apesar de viverem espiritualmente separados da sociedade, fazem parte integrante dessa sociedade no que tange às questões práticas da vida diária. O bom cristão, por conseguinte, pode esperar ter oportunidade de mostrar-se ativo na sociedade, conforme é desejável e útil. Os magistrados haverão de observar homens honestos, lançando mão deles para funções úteis. Tais funções visarão ao benefício tanto do crente individual como do bem-estar da sociedade inteira em que habita tal crente. Todas essas noções, portanto, podem ser incorporadas dentro da palavra *bem*, que aparece neste versículo.

Por outro lado, há também a *espada*, símbolo da vingança e do castigo. Que nenhum crente, visto ter dado sua lealdade ao país celestial, venha a supor insensatamente que estará isento da punição por parte das autoridades civis, se porventura vier a errar, porquanto esse direito pertence às autoridades, por direito divino. As autoridades podem tornar-se «vingadoras», agindo em lugar de Deus, que se vinga do mal, e isso com a finalidade de punir o mal, onde quer que o mesmo seja encontrado, mesmo que seja encontrado na vida dos seguidores de Cristo, onde jamais deveria ser encontrado.

O governo humano se alicerça sobre a necessidade de ordem; e a necessidade de ordem subentende que alguém precisa brandir o direito de suprimir o mal. Não fora isso, o caos seria o único resultado.

Espada, que os magistrados brandem, não visa mera decoração, e nem serve apenas para ameaças vazias de sentido. Foi entregue para ser usada. O apóstolo, com isso, quer dizer que o castigo contra a maldade é algo necessário. Naturalmente, Paulo não estava defendendo a guerra e a violência, ao assim escrever; e também não falava contra o pacifismo, conforme alguns intérpretes têm suposto erroneamente. Esse tema dificilmente pode ser ventilado de conformidade com os termos constantes nesta seção do décimo terceiro capítulo da epístola aos Romanos. Paulo queria dizer tão-somente que aqueles que estão investidos de autoridade devem condenar e punir ao mal, com verdade e justiça.

Punição Capital:

«O imperador Trajano, presenteou um governador provincial, que partia para a província que lhe cabia governar, com uma adaga. Nela havia a seguinte inscrição gravada: 'Para mim. Se eu merecê-la, em mim'». (Vincent, *in loc.*).

Por conseguinte, a «espada» serve aqui de símbolo da supressão do mal, de execução de juízo, tanto contra os cidadãos como contra as autoridades que errarem. Por isso mesmo manifestou-se Ulpiano como segue: «Aqueles que governam províncias inteiras, possuem o direito da espada». (*Jus Gladdi*, i. 18,6 §8). Algumas vezes a espada serve de símbolo do direito de aplicar a «punição capital».

Alguns estudiosos pensam que o direito da «punição capital» é que está em foco nesta passagem. A Bíblia, naturalmente, não se opõe à punição capital; e, em vários trechos que se referem à sua aplicação, dá apoio à sua necessidade e legitimidade. Não obstante, não cabe aos «teólogos» decidirem se essa lei deve ser aplicada ou não em qualquer dada sociedade. Se uma cultura qualquer acha por bem eliminar de suas leis essa forma de punição, muito bem. Debaixo de Deus, essa cultura tem esse direito. Isso fica subentendido nesta passagem, porquanto os magistrados, os legisladores, recebem seus poderes por decreto divino, embora possam deles abusar.

É claro, com base nesta passagem, que a punição capital é sancionada pelas Escrituras. Ao mesmo tempo, a sua abolição não é excluída, tal como a abolição da escravatura não estava excluída, se o desenvolvimento gradual do princípio cristão assim parecesse exigir. Porém, se a punição capital deve ser abolida ou não, isso é uma questão que cabe aos juristas, publicistas e estadistas decidirem. Os teólogos, como tais, não têm o direito de emitir parecer e tomar decisões em favor de uma ou de outra coisa.

Para castigar. Geralmente, a expressão grega por detrás desta tradução, refere-se à «ira de Deus», embora haja também várias exceções. (Ver essas exceções em Efé. 4:31; Col. 3:8; I Tim. 2:8 e Tia. 1:19 e *ss*). Está aqui em foco, portanto, a «ira de Deus», embora aplicada ou administrada através dos governantes terrenos. A ordem moral no universo requer a presença da *ira divina*; mas, na sociedade humana, ela é administrada através de seus «ministros» civis, as autoridades constituídas.

A referência à «espada», que há neste versículo, talvez tenha subido à mente de Paulo devido à *adaga* ou espada que os oficiais romanos traziam consigo, como símbolo de sua autoridade, o que incluía, necessariamente, o direito de punir. A *espada* é

GOVERNO, INSTITUIÇÃO DE DEUS

considerada como símbolo do poder sobre a vida e a morte. (Ver Tácito, *História*, iii.68; *Dio Cássio*, xlii.27). Lemos a respeito de Antônio que ele jamais ficou um momento sem o acompanhamento desse símbolo de autoridade.

V. A Boa Consciência

Rom. 13:5: *Pelo que é necessário que lhe estejais sujeitos, não somente por causa da ira, mas também por causa da consciência.*

A moralidade cristã deve ser motivada por algo muito maior do que o temor do castigo. Esse temor talvez seja suficiente para algumas pessoas, mas isso não pode caracterizar o crente. Antes, o que o crente deve temer é o opróbrio que suas más ações podem trazer contra o nome da família divina. Mais do que isso ainda, porém, o apóstolo Paulo mostra-nos que o crente deve ser o melhor dos cidadãos, a nata mesma da sociedade, moralmente falando, porquanto possui motivos muito superiores para ser bom. Pois os crentes têm consciência que estão em contacto direto com o Espírito Santo e estão perante ele como responsáveis; e isso serve de testemunho íntimo que dirige os seguidores de Cristo, desviando-os do mal e conduzindo-os ao bem.

Consciência. A consciência humana, embora se utilize do veículo do cérebro físico, é uma faculdade espiritual, própria da alma. Trata-se da natureza inteligente e moral da alma. O homem, por ser um ente espiritual, tem comunicações naturais com o Espírito de Deus, e algumas vezes recebe iluminação da consciência divina quanto à natureza do mal. Tanto a razão como a intuição levam o homem a corrigir conclusões morais errôneas, quando o indivíduo mostra-se honesto, não sendo um perverte-dor proposital da consciência.

«A consciência só se manifesta a fim de mostrar-nos o caminho pelo qual devemos andar, mas, por semelhante modo, é dona de sua própria autoridade; ou, em outras palavras, é nosso guia natural, o guia que nos foi atribuído pelo Autor de nossa natureza; por conseguinte, pertence à nossa condição do ser; e é nosso dever conduzir-nos por essa vereda e seguir esse guia... trata-se daquele princípio mediante o qual pesquisamos, e então aprovamos ou desaprovamos o nosso próprio coração, nosso temperamento e nossas ações. E deve ser considerado não somente aquilo que exerce sobre nós alguma influência, o que se poderia dizer acerca de todas as paixões, de todos os apetites inferiores; mas, semelhantemente, é algo superior, porquanto, com base em sua própria natureza, reivindica superioridade sobre todas as outras influências. E isso porque ninguém pode formar uma noção sobre essa faculdade, a consciência, sem levar em conta o *juízo*, a 'orientação', a 'superintendên-cia'. Tudo isso faz parte constitutiva da idéia, isto é, da própria faculdade da consciência, pois lhe pertencem as funções de presidir e governar, devido à própria economia e constituição do ser humano. Se porventura tivesse força, tal como tem direito; e se porventura pudesse manifestar a sua autoridade, a consciência governaria de modo absoluto o mundo». (*Sermões II* e *III*, *Acerca da Natureza Humana*, bispo Butler).

Dependendo de como o espírito humano reage em relação ao Espírito de Deus, a consciência pode ser descrita das seguintes maneiras: 1. fraca (ver I Cor. 8:7,12); 2. má ou contaminada (ver Heb. 10:22 e Tito 1:15), 3. cauterizada (ver I Tim. 4:2); 4. pura (ver II Tim. 1:15); 5. livre de ofensa (Atos 24:6); e 6. boa ou honrada (ver Heb. 13:17 e I Ped. 3:16).

Paulo confiava, pois, que o crente dotado de uma faculdade íntima e devidamente treinada, que reconhece instintivamente o bem e o mal, dando preferência ao bem, e que isso opera com relações aos assuntos do estado, envolvendo tanto as ações individuais como as ações sociais, e isso contribuindo para a feitura de cidadãos melhores, se viesse a fazer o bem, não teria nenhuma razão para temer as autoridades.

«Consciência e reputação são duas coisas. A consciência é devido a nós mesmos, e a reputação é devido ao próximo». (*Agostinho*).

«Existe outro homem, dentro de mim, que se ira contra mim». (Sir Thomas Browne, *Religio Medici*).

«Trata-se de voz suave e calma». (William Cowper, *The Task*).

«Uma boa consciência é um Natal constante». (*Benjamim Franklin*).

«Aquela coisa feroz que costumeiramente se chama de consciência». (Thomas Hood, *Lamia*).

«Não existe testemunha tão terrível, e nem acusador tão poderoso, como a consciência, que habita no peito de todo o homem». (Políbio, *Histórias*).

«O verme da consciência observa as mesmas horas que a coruja». (Schiller, *Kabale und Liebe*).

«Que o homem que não tem consciência sobre tudo, não confie em coisa alguma». (Laurence Sterne, *Tristram Shandy*).

VI. Pagando o Preço

13:6: *Por esta razão também pagais tributo; porque são ministros de Deus, para atenderem a isso mesmo.*

Os impostos cobrados sobre terras e propriedades, sobre salários, sobre questões alfandegárias, sobre os serviços públicos, etc., são medidas necessárias para a boa ordem na sociedade. Todos os cidadãos se beneficiam das obras de um governo bem organizado e ordeiro; e é evidente que todo governo assim precisa de dinheiro para operar. A mera leitura dos evangelhos demonstra que vários dentre os judeus, sobretudo dentre o partido dos fariseus, mas envolvendo também outros dentre os partidos políticos radicais (como era o caso dos zelotes), pensavam que era um crime, cometido contra Jeová, pagar tributo a um governo estrangeiro, embora o governo essencial da Palestina fosse o império romano. E isso provocou muitas perturbações de ordem nos dias do Senhor Jesus e posteriormente, tendo sido uma das principais causas de levante gigantesco dos judeus nos anos 790 e 132 D.C., quando os exércitos romanos destruíram a cidade de Jerusalém e grande parte da Palestina.

Mas o Senhor Jesus favorecia o pagamento de impostos, até mesmo a um governo estrangeiro, conforme o governo romano era considerado pela maioria dos judeus. (Ver Mat. 22:21; 17:25-27; Luc. 20:20-25). E o apóstolo Paulo tomou o lado do Senhor Jesus em favor do pagamento de impostos por parte dos cidadãos crentes, sem importar se tal pagamento fosse feito a um governo *pagão*, não-judaico e não-cristão, conforme era o caso dos crentes que habitavam na cidade de Roma, que estavam na obrigação de pagarem taxas e impostos ao governo romano.

Não obstante, Paulo não aborda a questão dos abusos na taxação, o que sempre foi motivo de discórdias, através da história, tendo causado muito derramamento de sangue e muita miséria entre os homens. Paulo não haveria de negar a existência de tais abusos, e nem haveria de ser inimigo de reformas, contanto que estas fossem feitas sem violência, e de acordo com os devidos processos da lei. De outro modo, a sua atitude, indubitavelmente, seria que é

GOVERNO, INSTITUIÇÃO DE DEUS

melhor que um crente seja explorado do que venha a contribuir para adicionar mal ao mal, mediante violências ou vinganças individuais ou coletivas. À sua maneira típica, entretanto, Paulo estabelece uma regra geral no que diz respeito a questão, neste cap., sem olhar de um lado para outro, apresentando *exceções* possíveis a essa regra.

Quase nem precisamos frisar que existem muitos crentes desonestos acerca das questões de dinheiro, os quais, à semelhança dos incrédulos, enganam o fisco acerca das deduções de impostos, afirmando terem ganho menos do que ganharam. Aqueles que assim fazem, «furtam» o governo do dinheiro que lhe pertence por lei; pelo que também não são menos culpados, moralmente falando, do que os ladrões que invadem algum empório e, mediante a violência, se apossam do que não lhes pertence. Tão-somente mostram-se mais calmos e ordeiros. Não obstante, é claro que Paulo não queria que fôssemos «ladrões calmos e ordeiros», mas antes, não queria que furtássemos sob hipótese alguma. O crente que faz assim, embora não seja violento em sua desonestidade, não é menos desonesto que aquele que se mostra violento em seus assaltos contra a propriedade alheia.

Podemos observar, uma vez mais, que Paulo chama os oficiais do governo de *ministros*; porquanto dão atenção contínua a *este serviço*, isto é, o serviço público. Essas palavras podem significar o seguinte:

1. O serviço do tributo.

2. As ministrações públicas em geral, que requerem taxação.

A segunda possibilidade concorda melhor com o contexto em geral, mas a primeira dessas possibilidades tem recebido a aprovação da maioria dos comentadores bíblicos. Neste último caso, deve-se pensar que a coleta de tributos era um serviço honroso, até mesmo delegado aos homens. Geralmente não é assim que olhamos para essa questão; a despeito do que se trata de uma grande verdade. A maioria dos intérpretes, contudo, prefere a interpretação mais ampla. Esses funcionários públicos, em todas as suas atividades governamentais, são ministros de Deus. Por essa razão, merecem o salário que recebem, e precisam e merecem o dinheiro que se utilizam em suas atividades em benefício da sociedade.

Paulo também parece haver expresso a idéia de que o pagamento de impostos, por si mesmo, é um feito digno dos crentes, não apenas para que cumpram seus deveres e sejam honestos, mas igualmente por visarem ao benefício da sociedade em que vivem. Todo o crente, por conseguinte, deve ansiar por desempenhar esse papel, embora com algum sacrifício pessoal.

Ministros. Esta é uma palavra que no original grego é usada mais freqüentemente em conexão com o culto religioso, com os sacerdotes, etc. O governo humano, pois, é elevado à esfera da religião, porque esses homens, não menos do que aqueles que cuidam diretamente das questões espirituais, são servos de Deus. Portanto, merecem o que recebem, e precisam de dinheiro para o trabalho que desejam realizar em benefício da coletividade. No grego posterior, entretanto, esse vocábulo passou a ser comumente usado para indicar os servos militares, os servos dos reis, bem como aqueles que serviam nos templos religiosos (uso esse que aparece no trecho de Heb. 8:2). Por essa razão dizemos que talvez Paulo não tivesse querido dizer nada de especial com seu uso, porquanto poderia ser um serviço amplo o que estava na mente do apóstolo, tal como nossa palavra

moderna *ministro*, que não subentende necessariamente qualquer serviço religioso. É interessante que Paulo se utilizou dessa palavra para indicar a si mesmo como o servo de Cristo, no trecho de Rom. 15:16. Também alude a Epafrodito, nessa mesma capacidade, em Fil. 2:25, ainda que, naquela passagem, ele seja descrito como servo de Paulo. No original grego o vocábulo é «leitourgos», o qual, como é óbvio, está vinculado ao nosso termo moderno, *liturgia*.

«A mesma comissão que outorga ao estado o direito de restringir e de castigar, também lhe confere o direito de exigir subsídios de seus membros, a fim de realizar as suas justas operações; são *ministros de Deus*, são seus 'leitourgoi', palavra esta com freqüência usada em relação ao serviço sacerdotal, o que certamente é sugerido aqui, visto que são autoridades civis, as quais, em seu trabalho, fazem um serviço de natureza quase religiosa, dentro da ordem divina das coisas; são ministros de Deus, e com **essa exata finalidade perseveram em suas tarefas, já que labutam na administração, executando, conscientemente ou não, o plano divino que visa a paz social».

«Temos aqui um mui nobre ponto de vista, que envolve tanto os governados como os governantes, com base no que podemos considerar os problemas prosaicos e as necessidades das finanças públicas. Assim compreendidos, os impostos são pagos não com um assentimento frio-e compulsório a uma cobrança mecânica e, sim, como um ato que está de conformidade com os planos de Deus. E esses impostos são planejados e exigidos, não meramente como expediente para ajustar o orçamento, mas como algo que a lei de Deus mesma sanciona». (Moule, *in loc.*).

Rom. 13:7: Dai a cada um o que lhe é devido: a quem tributo, tributo; a quem imposto, imposto; a quem temor, temor; a quem honra, honra.

A **ênfase paulina** sobre as questões monetárias, no tocante às relações entre o crente e o estado, sugere-nos que esse foi um dos pontos delicados que provocaram a sua atenção especial sobre o assunto. Os cristãos de Roma, que professavam o nome de Cristo e que se mostravam piedosos em sua congregação local, exerciam os dons espirituais, mas, ao mesmo tempo, ignoravam os impostos que deveriam pagar, pagando menos do que lhes era exigido, e isso através de meios escusos e desonestos. Ora, essa atitude não é coerente com a consciência cristã. Os intérpretes bíblicos não têm conseguido harmonia, em seus pontos de vista, acerca das distinções que devem haver entre as palavras usadas pelo apóstolo Paulo, *tributo*, e *imposto*; mas abaixo expomos as idéias principais a respeito:

1. O *tributo* seria as taxas diretas, que fariam contraste com os impostos, que seriam taxas indiretas.

2. Mas outros pensam que a palavra «tributo» indica o dinheiro cobrado por alguma nação estrangeira dominadora, ao passo que o termo *imposto* indica as taxas ordinariamente cobradas dos cidadãos de um país pelo seu próprio governo.

3. Existem estudiosos que revertem esse sentido. Tributos seriam os impostos cobrados por um governo de seus próprios cidadãos, ao passo que os impostos seriam as cobranças feitas por uma potência estrangeira aos cidadãos de um país dominado.

4. Ainda outros eruditos pensam que o «tributo» seria o «genus», isto é, as taxações em geral, ao passo que os *impostos* indicariam espécies distintivas de taxas.

GOVERNO — GOVERNO MUNDIAL

5. Ainda outros intérpretes pensam que a palavra «tributo» significa as taxas cobradas de indivíduos, sobre suas «pessoas», ao passo que o vocábulo «imposto» indicaria as taxas sobre propriedades, mercadorias, etc.

Na realidade, não há meio para determinarmos exatamente a diferença entre essas duas palavras usadas por Paulo, *tributo* e *imposto*, e nem tal distinção realmente se reveste de qualquer significado especial. Paulo estava falando acerca de todas as formas de questões monetárias que afetam os crentes em relação ao governo humano, exigindo o apóstolo que os crentes se mostrem honestos sobre todas essas questões.

«O ideal expresso pelo apóstolo Paulo não confunde igreja e estado e nem os põe em antagonismo um contra o outro; mas antes, coordena-os apropriadamente dentro dos princípios éticos cristãos. O romanismo subordina o estado à igreja; o erastianismo (como o fazem 'atualmente o fascismo e o comunismo) subordina a igreja ao estado, usualmente confundindo-os; e o puritanismo também os confunde, embora mais como se se tratasse de um princípio teocrático reconhecido». (Schaff e Riddle).

«Se um homem habituar-se a desrespeitar as 'personagens oficiais', não demorará a sentir-se inclinado a dar pouco respeito ou obediências às próprias leis». (Adam Clarke, *in loc.*).

Respeito. Algumas traduções preferem dizer *temor a quem temor*, o que expressa o original grego mais literalmente. Mui provavelmente está em foco um *temor respeitoso*, o que seria uma atitude natural para com aqueles que governam, os quais têm o direito de punir, de aprisionar e de impor diversas formas de julgamento contra os malfeitores. Os crentes devem ter esse respeito não somente por «temor», mas também por motivo de consciência, conforme diz Paulo no quinto versículo deste capítulo, porquanto a consciência cristã formada é que deve dirigir todas as ações dos crentes no tocante ao estado.

A quem honra, honra. Aqui a idéia é a de uma atitude de reverência para com os que estão investidos de autoridade. Pedro chega a dizer-nos que devemos honrar a todos (porquanto todos os homens foram feitos à imagem de Deus), e que devemos *amar* à irmandade; mas também diz Simão Pedro que devemos *temer* a Deus e *honrar* aos reis. A atitude cristã deve exigir todas essas atitudes, porquanto todo homem é potencialmente transformável segundo a imagem de Cristo, sendo possuidor de uma alma imortal de valor tremendo. Não obstante, aqueles que são *ministros* de Deus, porquanto fazem a obra de Deus no nível da sociedade humana, conforme o apóstolo Paulo considerava que são as autoridades civis, merecem nosso respeito somente por essa razão, sem levar em conta qualquer consideração acerca do valor da alma humana.

GOVERNO MUNDIAL

Esboço:

I. As Nações Unidas
II. Conflitos e Obstáculos Nacionalistas
III. Os Ideais do Governo Mundial
IV. O Governo Mundial e as Profecias

Declaração Introdutória

O *estoicismo* (vide) encarava os homens como cidadãos do mundo, e não de alguma única nação. Esse sistema exerceu influências sobre as leis romanas, levando a decisões legais favoráveis aos estrangeiros, — os quais, tradicionalmente, recebiam uma posição de segunda categoria nas nações onde estivessem jornadeando. Einstein (vide), chamava o nacionalismo de *sarampo* de uma nação, indicando com isso que as nações que promovem o nacionalismo são apenas crianças pequenas, que adquiriram uma doença própria da infância. Presume-se que, ao atingirem o estado de maturidade moral e cultural, serão capazes de conviver em paz, sob um único governo. A teoria política de Emanuel Kant concebia um domínio universal da lei. Esse ideal é relativamente fácil de descrever, mas nunca conseguiu prevalecer um govei:no mundial, nem mesmo na forma mais humilde. Alexandre, o Grande, era um universalista. Ele imaginava um estado mundial, mas a sua morte prematura não lhe deu uma oportunidade de ver o que poderia fazer nesse sentido.

I. As Nações Unidas

Ver o artigo separado sobre esse assunto. Ver também sobre a *Ordem Internacional*. A experiência tem demonstrado que as Nações Unidas, embora pareçam ser uma autoridade universal, estão longe de ser um governo mundial. E essa situação dificilmente mudará para melhor em breve. Há cerca de cento e cinqüenta nações no mundo atual, e cento e trinta delas são membros das Nações Unidas. Porém, por sua própria definição, uma nação é um poder soberano, de tal modo que embora qualquer nação membro das Nações Unidas possa exercer pressão para que os países ajam de certa maneira, ela não pode forçar outras nações a fazê-lo. As Nações Unidas encorajam as negociações, mas as soluções não podem ser impostas. Qualquer membro da organização pode se retirar da mesma quando quiser. Outrossim, o caráter dessa organização fala sobre «o princípio da igualdade soberana de todos os seus membros» (artigo segundo, primeiro parágrafo). Enquanto esse artigo estiver em vigor, essa organização não poderá impor a subordinação que seria necessária para a formação de um governo mundial.

II. Conflitos Nacionalistas

Uma nação é uma tentativa para tornar homogêneo um povo, ou mesmo vários povos, formando uma única unidade. O caso mais notável é o da União Soviética, composta por cento e sessenta e nove grupos étnicos diferentes, no dizer da própria Academia Soviética de Ciências. Todavia, tal unidade nunca consegue ser perfeita, embora muitas nações componham-se, essencialmente, de vários povos unidos. A Checoslováquia é composta de checos, que são celtas, e de eslavos. A despeito dos conflitos internos, em uma nação prevalece um certo patriotismo unificador. Uma nação representa um conjunto de ideais, de valores e objetivos culturais. Esses valores podem entrar em conflito com os valores de outros agrupamentos humanos, que podem ser bem diferentes. Consideremos esse tipo de conflito, conforme o vemos na Europa. Um dos primeiros presidentes dos Estados Unidos da América do Norte promoveu a conquista **do continente norte-americano de uma** costa marítima à outra, a fim de impedir a continuação, naquele continente, da situação existente então e até hoje na Europa. Consideremos os conflitos das nações **latino-americanas com a nação irmã norte-americana,** de cultura preponderantemente germânica. Profundas e reais diferenças separam os povos, — e nenhum poder conseguirá, em breve tempo, unificá-los. Uma nação desenvolve uma espécie de «alma», que caracteriza todo aquele povo. Essa alma é rica ou pobre, é agressiva ou pacífica, é idealista ou materialista, é democrática ou ditatorial, etc. Nem

951

GOVERNO MUNDIAL

todos os povos estão equipados para o ideal democrático. E nem todos os países podem se adaptar à forma capitalista de economia, onde a iniciativa individual é uma necessidade imperiosa. Certos povos jamais poderão ser forçados a aceitar de bom grado um tipo de governo comunista ditatorial, o que requer o sacrifício dos direitos do indivíduo. Por outro lado, certos povos parecem preferir governos que tomem as decisões principais, dispondo-se a perder a liberdade individual, a fim de seus habitantes sentirem-se seguros, através da subordinação. Acrescente-se a isso que outras nações, como Israel, têm um profundíssimo senso de tradição, que, com freqüência, se mistura com assuntos religiosos. Essa é a razão pela qual a moderna nação de Israel não sente que pode sacrificar os territórios que ela adquiriu, e que pertenciam à antiga nação de Israel. A atitude deles é: «Se Deus os deu, que ninguém tente tomá-los!»

Não nos admiremos, pois, que a declaração de direitos das Nações Unidas dê aos membros do Conselho de Segurança o direito de veto. Sem esse direito, o mais provável é que a maioria das nações não se interessaria por se tornarem membros da organização.

Alguns dos problemas mais urgentes incluem como reconciliar a liberdade com a segurança; os valores do indivíduo com os valores da coletividade; os valores de certas nações particulares com os valores da maioria das nações; a reconciliação entre tão variegados ideais e aspirações; o conflito entre os ideais políticos. Além disso, infelizmente, certas teorias políticas, como a do comunismo, são declaradamente contrárias à religião, confessadamente atéias, em teoria e em seus atos. Bastaria esse fator para separar as nações por longo tempo, apesar dos melhores esforços dos universalistas. A liberdade e a segurança só podem ser reconciliadas em torno de Deus; e, se alguém deixa Deus do lado de fora, não haverá qualquer garantia de liberdade. Para enevoar ainda mais o quadro, temos o absurdo de certas nações que, em nome de Deus, fazem guerras e procuram impor sua vontade sobre outras, destruindo assim o ideal da liberdade, através da religião.

III. Os Ideais do Governo Mundial

O ideal de um governo mundial é um sonho que persiste entre os homens. Porém, como todo sonho, mantém-se sempre fugidio. Uma lei universal, presumivelmente, eliminaria conflitos que provocam as guerras; também serviria de meio para uma distribuição mais eqüitativa de recursos; aliviaria o problema da pobreza, mediante esforços universais; garantiria que muito dinheiro fosse canalizado para projetos pacíficos, visto que as nações não mais estariam dispendendo fortunas imensas para se armarem até os dentes. Muitas indústrias poderiam desenvolver-se melhor. Haveria a unificação das comunicações e serviços, mediante a cooperação dos sistemas de informação via satélites. Os homens ficariam livres do temor da destruição súbita, e poderiam fazer planos a longo prazo quanto a projetos pacíficos. Ficaria eliminado o orgulho nacional, tão destrutivo e dispersivo; e, conforme Jesus deu a entender que deveria ser, o próximo de qualquer indivíduo seria aquele que estivesse padecendo alguma necessidade.

Autores e políticos têm tomado sobre si a tentativa de planejar algum governo mundial. Um exemplo desses é o de Grenville Clark e Louis Sohn, os quais, juntos, apresentaram suas idéias em seu livro *World Peace Through World Law*. Essa obra propunha que se fizesse uma revisão na declaração de direito das Nações Unidas. É ali reconhecido que qualquer tentativa para produzir um único governo no mundo deve estar alicerçado sobre uma lei mundial *posta em vigor*. Haveria, pois, um único tribunal mundial, um único código de leis, e uma força policial mundial e permanente que, presumivelmente, fizesse as nações que se desviassem do reto caminho, voltarem ao bom senso. O total desarmamento de todas as nações da terra também faz parte desse planejamento. Várias organizações e comissões têm promovido suas respectivas versões sobre como um governo mundial poderia ser estabelecido. Poderíamos mencionar os Federalistas do Mundo Unificado, o Movimento Mundial, o Governo Federal Mundial e o Grupo Parlamentar Britânico para um Governo Mundial. Um nacionalismo teimoso, entretanto, tem conseguido frustrar todos os esforços nesse sentido. Adicione-se a isso que há vários outros graves problemas: os homens não têm a sabedoria suficiente, neste ponto da história, para criar, gerenciar e pôr em ação esses planos. O próprio homem é por demais defeituoso, moral e espiritualmente, para poder concretizar um ideal dessa envergadura.

IV. O Governo Mundial e as Profecias

Os intérpretes futuristas vêem que um governo mundial está predito para os últimos dias, encabeçado pelo anticristo. O décimo terceiro capítulo do Apocalipse, que descreve a besta saída do mar (o anticristo), na opinião de muitos profetiza o aparecimento de uma poderosa figura política e religiosa que, por um breve período de tempo, conseguirá uma espécie de ressurreição do antigo império romano. As profecias parecem indicar que haverá uma espécie de união política de países ocidentais, que derrotará outra confederação política do Oriente. E assim, pelo menos durante um curto período de tempo, o anticristo elevar-se-á supremamente sobre todos, conseguindo impor um governo mundial ao preço de uma inigualável destruição.

Alguns estudiosos cristãos pensam que a Igreja será arrebatada antes desses acontecimentos; mas outros pensam que a Igreja terá de atravessar na terra esse período. Ver sobre a *parousia*. O que parece inegável é que, posto fim ao reinado de terror do anticristo, mediante a volta de Cristo, a nação de Israel surgirá como cabeça das nações, inaugurando o reino milenar de Cristo (espiritual ou literal?). O milênio (vide) representa uma realização genuína de um governo mundial, onde prevalecerão princípios espirituais. Para que isso ocorra, entretanto, a humanidade como um todo terá de ser transformada. Um homem mais universal e espiritual terá de substituir o presente guerreiro tribal. A missão do anticristo será importante, porquanto armará o palco para o milênio. Ele será, contudo, apenas um instrumento nas mãos de Deus, a fim de mostrar aos homens onde eles terminarão em sua rebeldia contra o Senhor.

O anticristo impulsionará em conflito mortal as principais forças adversárias. Primeiramente a federação de dez reinos (o império romano redivivo; ver Apo. 17:12,13) contra a União Soviética e seus aliados. Em seguida, o anticristo encabeçará o mundo inteiro contra a China e seus aliados. A maciça destruição das nações preparará o caminho para uma ordem social, política e religiosa inteiramente nova. Os antigos ciclos históricos sempre terminam em destruição. E, das cinzas, emergem novos ciclos. O milênio será um desses novos ciclos históricos. Ver os artigos separados sobre *Milênio; Anticristo; Profecia: Tradição da, e a Nossa Época*.

••• ••• •••

GOZÃ — GRAÇA

GOZÃ

No hebraico, «alimento», «comida». Essa cidade é mencionada por cinco vezes no Antigo Testamento: II Reis 17:6; 18:11; 19:12; I Crô. 5:26; Isa. 37:12. Nossa versão portuguesa, tal como outras versões estrangeiras, dá a impressão, em três dessas cinco passagens, que se trata de um rio, e não de uma cidade. Os trechos que mostram que, na verdade, era uma cidade, são II Reis 19:12 e Isa. 37:12, onde aparece uma lista de cidades destruídas pelos assírios, nos dias do reinado de Senaqueribe.

Gozã era uma cidade da Mesopotâmia, localizada às margens do rio Habor, um tributário do rio Eufrates. Ficava a leste da importante cidade patriarcal de Harã, e a noroeste de Nínive, capital do império assírio. Muitos hebreus foram deportados para essa cidade, em 722 A.C., porquanto o reino do norte, Israel, ficou essencialmente devastado. Ver II Reis 17:6; 18:11; 19:12 e I Crô. 5:26. O nome assírio dessa cidade era *Guzanu*. O moderno *Tell Halaf* assinala o local dessa antiga cidade. Fica às margens do rio Kabur (no Antigo Testamento, Habor), onde o mesmo cruza as fronteiras entre a Síria e a Turquia, cerca de trezentos e vinte quilômetros a leste da extremidade nordeste do mar Mediterrâneo.

A partir de 1911, vêm sendo feitas escavações arqueológicas nessa localidade. Ali têm sido descobertas evidências de uma antiga civilização, que remonta cerca de 4000 A.C. Os arqueólogos ficam impressionados diante da qualidade e da beleza das peças de cerâmica ali achadas. Essas explorações arqueológicas também têm trazido à superfície tabletes pertencentes aos séculos VIII e VII A.C., onde aparecem inscritos vários nomes de origem semita. Esses nomes poderiam estar relacionados à presença de exilados israelitas, que estariam vivendo ali, durante aquele período da história.

GOZO

Ver o artigo sobre a **Felicidade**.

GRAAL, SANTO

Ver sobre **Santo Graal**.

GRAÇA

Efé. 2:8: *Porque pela graça sois salvos, por meio da fé; e isto não vem de vós, é dom de Deus;*

Observações Preliminares

A palavra portuguesa **graça** vem do latim **gratus**, «agradável», «amável». As três graças clássicas da sorte, da fortuna e da providência (ver os artigos a respeito das três coisas) expressavam o conceito dos antigos sobre as graciosas operações do poder divino. Dentro da teologia cristã, a «graça» veio a indicar o favor divino, gratuitamente oferecido, com base na missão de Cristo, recebida através da confiança humana na Palavra de Cristo.

Os termos hebraicos e gregos traduzidos por «graça» envolvem um certo número de significações na Bíblia, a saber:

1. Beleza física, com formas graciosas (Pro. 1:9; 3:22).

2. O favor e a bondade divinos, para com os homens, ou então de um ser humano para com outro (Gên. 6:8; II Sam. 10:2; II Tim. 1:9).

3. A glória futura, a vida eterna em todo o seu potencial (I Ped. 1:13).

4. O evangelho, que anuncia a graça divina, em contraste com a lei mosaica (João 1:17; Rom. 6:14; I Ped. 5:12).

5. Os dons espirituais (no grego, *charísmata*) (Rom. 15:15; I Cor. 15:10; Efé. 3:8).

6. As virtudes cristãs, como o amor, a liberalidade e a santidade, que também podem ser chamadas de «graças» (II Cor. 8:7; II Ped. 4:12).

7. A edificação espiritual, conferida pelo Espírito Santo, é uma graça (Efé. 4:29).

8. A nossa linguagem torna-se temperada com sal, quando serve para comunicar idéias que servem para edificar e para fomentar a santidade (Col. 4:6).

9. Ser alguém chamado para a graça é ouvir o anúncio do evangelho, possibilitando-o de receber os seus benefícios (Gál. 1:15).

10. O princípio da graça divina, em contraste com a lei e os méritos humanos, através de cujo princípio a salvação é oferecida aos homens. A misericórdia e a graça divinas são dadas aos homens sobre o fundamento da missão de Cristo, recebidas pela fé (Efé. 2:5,8; Col. 1:6). Esse aspecto da graça é que é discutido no artigo que se segue.

Esboço:

I. O Vocábulo. No Grego, *Charis*
II. Palavras que Indicam Graça
III. Graça como Meio de Salvação
IV. A Graça no Antigo Testamento
V. A Graça no Novo Testamento
VI. Graça como Atitude Divina para com o Homem
VII. A Graça, Conforme é Vista na Igreja
VIII. Sumário do Uso do Termo *Graça* no Novo Testamento
IX. Descrições Teológicas das Operações da Graça
X. Interpretações Históricas e Teológicas Sobre as Funções da Graça de Deus

1. O vocábulo: No grego é **charis**. A palavra traduzida por «graça» envolve muitos sentidos. Significa graciosidade, atrativos (ver Josefo, *Antiq*. 2,231), favor, cuidados ou ajuda graciosa, boa vontade (ver Atos 11:2; Rom. 3:24 e Gál. 1:15), saudação nas cartas, bênção expressa no fim das mesmas ou o desejo de bem-estar acerca dos leitores dessas cartas. Isso ocorre em todas as epístolas de Paulo, aparecendo ali os significados de aplicação prática da boa vontade, favor, dom gracioso, bênção graciosa (ver II Cor. 8:4,6 e *ss*, 19); favor divino e gratuito. Deus é o Deus de toda a graça (ver I Ped. 5:10; I Cor. 1:4 e II Cor. 4:15); pelo que esse vocábulo também indica os efeitos produzidos pelo modo gracioso como Deus trata com os homens (ver II Cor. 8:1; Rom. 1:5; 12:3; 15:15; I Cor. 3:10; Gál. 2:9 e Efé. 3:2) e também o sentimento de gratidão (ver Heb. 12:28 e Rom. 7:25).

II. Palavras que indicam graça: além do próprio termo grego, «charis», diversas outras palavras são aliadas ao mesmo, quanto ao seu sentido, e, com freqüência, essas palavras são usadas em conexão com as ações graciosas de Deus para com os homens. A graça envolve temas como o «perdão», a «salvação», em seus aspectos inicial, progressivo e final, a «regeneração», o «arrependimento», o «amor», a «longanimidade» e a «misericórdia» de Deus.

III. A graça como meio de salvação. O sistema soteriológico de **graça-fé**.

1. Esse é o conceito teológico da graça, mostrando como o mesmo opera na redenção do homem, usualmente em contraste com o sistema da «lei».

2. Isso incorpora as idéias dos vocábulos alistados

GRAÇA

nos pontos I e II, acima, a saber, o livre-favor de Deus, os seus «dons» aos homens, a sua bondade incomensurável, etc., e tudo com base no próprio desígnio divino, e não no valor do próprio indivíduo.

3. Esse «livre-favor divino» é recebido (mas nunca merecido) mediante a fé, conforme nos ensina o presente versículo; e essa é a teologia padrão de Paulo.

4. A graça opera por causa do «amor» de Deus e através do mesmo, mas sempre com o tempero de sua «misericórdia». A graça é divina, e não tem sua origem no homem, ainda que a perversidade humana possa rejeitá-la ou anulá-la.

5. A graça é «mediada» pela eleição divina, isto é, o decreto de Deus, embora isso não elimine o livre-arbítrio humano. Porém, de que modo a eleição e o livre-arbítrio podem ser verdadeiros ao mesmo tempo, não sabemos dizê-lo. (Ver Rom. 8:29 e 9:15,16 quanto a uma discussão acerca do problema das relações entre o livre-arbítrio e o determinismo).

6. A graça, embora mediada pela eleição, opera universalmente, visando à salvação de todos os homens (ver Rom. 11:32; I Ped. 3:18-20 e 4:6); e isso também mediante decreto e favor divinos. Também não sabemos como ambas as coisas podem ser uma verdade, mas aceitamos tal fato. Há um certo modo pelo qual Deus usa o livre-arbítrio humano sem destruí-lo, ainda que não saibamos explicar como isso sucede. As limitações do conhecimento humano, entretanto, não eliminam o valor da veracidade de certas proposições bíblicas. A fé pode ver e aceitar verdades mais elevadas do que pode fazê-lo a razão.

7. Dentro do sistema da graça-fé, Deus redime o homem de modo totalmente à parte de seus méritos pessoais, e não em cooperação com os mesmos, porquanto a salvação vem exclusivamente pela fé, independentemente de obras. (Ver Rom. 3:24,28 no NTI, no tocante a notas expositivas completas sobre a «justificação pela fé»).

8. Contudo, segundo certo ângulo, a graça e as obras são sinônimas. A salvação deve incluir, necessariamente, a «santificação»; e esta última, como é claro, tem de incluir obras santas. Outrossim, os galardões determinam a extensão da glorificação, e os mesmos estarão alicerçados sobre as *nossas obras*. Mas essas *obras* não são as obras da lei e nem têm qualquer alicerce sobre os méritos humanos. Antes, são aspectos do fruto do Espírito (ver Gál. 5:22,23), sendo produzidos no homem pelo Espírito, à medida que este se transforma segundo a imagem de Cristo. Sem isso, ninguém jamais verá a Deus (ver Heb. 12:14). Todavia, visto que essas «obras» resultam das operações do Espírito, nada tendo a ver com o poder e o mérito humanos, na realidade são exteriorizações da graça divina. Portanto, essas duas realidades espirituais são sinônimas, meras perspectivas diversas pelas quais contemplamos o mesmo processo. A «graça» assinala o fato de que o dom da salvação é algo totalmente «divino». As «obras», de acordo com a exposição acima, indicam aquilo que realmente é feito no homem e através do homem, pelo Espírito Santo. Não há qualquer contradição, pois, entre a graça e as obras, se ambas forem entendidas «espiritualmente». Essas «obras» não redundam em mérito humano, não se baseando na obediência à lei, considerada esta como um sistema. Pelo contrário, resultam da lei divina, escrita nas tábuas do coração. Operam segundo a «lei do Espírito», a força santificadora que atua sobre o crente (ver Rom. 8:2).

9. Cada passo progressivo da vida cristã se deve à graça. (Ver II Cor. 3:18, acerca do poder transformador do Espírito). A «chamada» vem pela graça (ver

Gál. 1:5); o «arrependimento» também se deve à graça (ver II Tim. 3:5); e a própria «fé» tem origem na graça, pois também vem do Espírito (ver Efé. 2:8 e Gál. 5:22).

10. A graça *não elimina* a obediência, mas antes, torna-a imperiosa (ver Rom. 1:5 e 6:17). A graça requer a «santificação», sendo a produtora desta última, porque é mediadora do poder do Espírito Santo, o qual é o agente dessas operações. A obediência e a santidade são meramente termos que apontam para a mesma realidade, a «santificação», mediante o que a imagem de Cristo vai sendo formada em nós. (Ver o artigo sobre a «santificação»).

11. Portanto, aquilo que realmente torna santos os homens não é a lei, e sim a graça, e a santidade de que o homem necessita é a própria santidade divina, a única que Deus pode aceitar nos seus remidos. (Ver Rom. 3:21 acerca da «santidade» ou «justiça» de Deus, dada aos homens dentro do sistema da *graça-fé*).

12. Portanto, ninguém pode começar pela graça e então passar a seguir a lei, como *guia* da conduta diária. A lei não pode guiar o crente, da mesma maneira como não poderia tê-lo salvo, a princípio. (Ver no NTI as notas expositivas em Gál. 3:3 quanto a essa idéia. Ver Rom. 3:18,20 e Gál. 3:19 acerca da verdadeira função da lei, onde se vê que ela não tem função salvadora, por ser-lhe isso impossível). A graça transcende ao poder da lei, e somente esse poder transcendental pode redimir, realmente, uma alma eterna. Dentro do sistema da graça-fé, o indivíduo se reveste de «Cristo», mediante a comunhão mística; e isso exige a sua santidade, e então a assegura, pois, do contrário, não terá ele sido salvo pela graça, sob hipótese alguma (ver Gál. 3:27). Mas o Espírito, que nos apresenta a Deus Pai, e nos torna filhos de Deus, garante a santidade e a salvação plena.

13. A salvação, portanto, é um processo místico, produzido pelo Espírito que vem habitar nos homens e ter comunhão com eles. Esse é um produto da graça, já que a lei jamais poderia proporcionar tal coisa.

14. *O Espírito Santo* leva os homens a viverem segundo a lei do amor, espiritualizando-os e levando-os a cumprirem a lei inteira (ver Gál. 5:13,14). A fé opera mediante o princípio do amor (ver Gál. 5:6).

15. A graça não elimina a lei da *colheita segundo a semeadura*, porquanto reforça a responsabilidade humana, em vez de eliminá-la. Na graça o indivíduo pode e deve ser santificado, pois, de outra maneira, nunca poderá ver a Deus (ver Heb. 12:14 e Gál. 6:7,8). A graça torna tudo isso possível, pois serve de mediadora do Espírito divino para com os homens. A lei nunca poderia mediar o contacto místico, porque somente mostrava o pecado, exigindo uma retidão que os homens não podem mesmo produzir.

16. A graça assegura que a salvação será finalmente completada nos remidos, no caso daqueles que tiverem confiado em Cristo, levando-os da conversão à glorificação final (ver Rom. 8:14-39). Se alguém desviar-se (o que as Escrituras ensinam ser possível), será trazido de volta, ou nesta vida física, ou além do sepulcro, em alguma dimensão espiritual, de tal modo que a promessa de Cristo se cumpra, tendo ele garantido que «nenhuma ovelha» se perderá. A graça é aquela medida constante e poderosa que jamais permitirá que se perca aquele que confiou em Cristo. (Ver o artigo sobre a *Segurança Eterna*). A *queda* é algo relativo à vida anterior às fronteiras eternas. Mas à «segurança» deve, finalmente, caracterizar o crente, porquanto «pertence» ele a Cristo, mesmo que do Senhor se tenha desviado e perdido contacto com o Espírito. Na graça, a «segurança» é absoluta, pois essa

954

GRAÇA

é a promessa de Deus. Nada poderá separar-nos, *finalmente*, do amor de Deus, que há em Jesus Cristo, ainda que, temporariamente, nossa própria perversidade possa fazer tal coisa. Deus tem suas maneiras graciosas e convincentes de eliminar, por fim, essa perversidade humana.

17. Apesar de que a graça, naturalmente, como uma proposição teológica, se alinhe juntamente com a predestinação e a eleição, pois nelas todo o crédito da salvação humana é atribuído a Deus, o que a graça também declara, não é ela contraditória ao livre-arbítrio e à responsabilidade humana. Isso é confirmado tanto pela doutrina neotestamentária como pela experiência diária. A própria graça possibilita uma salvação universal (ver Rom. 11:32); e o seu produto, a cruz de Cristo, atrai todos os homens a Cristo (ver João 12:32). Os decretos divinos são estabelecidos na graça; e de alguma maneira eles cooperam com o livre-arbítrio humano e se utilizam deste, sem destruí-lo. Porém, como isso ocorre, não sabemos dizê-lo. Existe uma graça «geral» e também uma graça da «eleição». Mas como reconciliar esses dois aspectos entre si, não sabemos. Sem dúvida serão dois lados de uma verdade maior, que algum dia haveremos de compreender.

IV. A graça no A.T. Paulo dá a entender que o caminho de salvação é o mesmo, tanto no Antigo quanto no Novo Testamentos. Os capítulos quatro e nono a décimo primeiro da epístola aos Romanos, com suas muitas citações do A.T., comprovam o ponto. Os oponentes do apóstolo dos gentios, porém, nunca aceitaram essa tese, porque, na realidade, a idéia mais difundida no A.T. é a da «lei» e da salvação mediante a obediência a essa lei. Nada existe de mais susceptível à prova do que assim é que toda a cultura judaica, antiga e moderna, tem compreendido a questão. A idéia paulina era revolucionária, produto de uma revelação superior, não tendo sido aceita pela maioria dos religiosos antigos, principalmente pela igreja cristã judaica, conforme vemos no décimo quinto capítulo do livro de Atos. Ver o artigo sobre *Legalismo*. No entanto, muitos dos «irmãos legalistas», continuando a confiar na circuncisão e nas obras da lei, eram crentes autênticos, pois haviam recebido o toque do Espírito Santo e se tinham convertido ao Senhor, tendo a Cristo como seu «Cabeça» (ver Col. 2:19). Deus tem tempo para corrigir as nossas «crenças». O essencial não é a fé em algum credo, e, sim, se um homem foi ou não tocado pelo Espírito transformador. E condições idênticas prevalecem na igreja cristã de nossos dias. Muitos crêem que, de algum modo, estão fazendo acréscimos à sua salvação mediante atos de devoção, ritos, sacramentos, etc. Porém, estão equivocados. Todavia, muitos deles aparentemente conhecem experimentalmente a Cristo e o têm como seu Cabeça. E isso faz com que pertençam ao Senhor.

Apesar de que não se pode demonstrar claramente no A.T. o sistema da *graça-fé*, em contraste com o sistema da «lei», aqui e acolá aparecem pontos de «discernimento» quanto ao princípio mais elevado da graça, antecipando os ensinamentos neotestamentários. A ilustração de Paulo acerca de Abraão, no quarto capítulo da epístola aos Romanos, com base na narrativa do A.T., é exemplo disso—Abraão foi justificado pela fé. Com isso, como é claro, os legalistas não concordavam. (Ver Deut. 7:7,8, onde se aprende que a eleição do povo de Israel se baseou exclusivamente sobre a vontade de Deus; e isso antecipa o ensino da «graça», ainda que talvez não declare diretamente tal princípio).

Por igual modo, várias indicações atinentes ao «arrependimento», que reconhecem ser este o recebimento de um novo coração, algo que depende de uma operação no íntimo, e não de mera obediência externa ao princípio legalista, comprovam o que acabamos de declarar. (Ver Joel 2:13; Eze. 18:31). O novo coração é dom da graça divina (ver Jer. 31:31-34); pelo que a graça é antecipada em certos trechos do A.T., quando estes falam sobre o arrependimento.

V. A graça, nos escritos neotestamentários, não-paulinos. O termo «charis» nunca aparece nos lábios de Jesus, nos evangelhos sinópticos. Porém, diversas das suas parábolas ensinam o «princípio da graça», como um ato divino. (Ver Luc. 14:16-24 e 15:20-24. Ver também Mar. 1:15; 6:12 e Luc. 24:27). O livro de Atos, igualmente escrito por Lucas, indica, com grande freqüência, que a salvação vem pela fé, à parte das obras (ver o décimo quinto capítulo de Atos, na decisão do concílio de Jerusalém, que se manifestou sobre a questão). Por semelhante modo, nos capítulos um e dois da primeira epístola de Pedro e também em I Ped. 3:7 e 5:10, aprende-se estar em operação o princípio da graça, com prístina clareza, embora o assunto não seja ali tão bem desenvolvido como nos escritos de Paulo. A epístola aos Hebreus emprega muitas palavras que indicam a «graça». (Ver Heb. 2:9; 12:14,15,28. Ver também acerca da expressão «trono da graça», em Heb. 4:16; e da expressão «Espírito da graça» em Heb. 10:29). O evangelho de João não desenvolve o conceito da graça, mas apenas salienta a necessidade de «fé» para haver a salvação, o que é um elemento básico do sistema da graça. (Ver João 3:3—5,16). A «graça e a verdade» vieram por meio de Jesus Cristo, em contraste com a «lei», que viera por intermédio de Moisés (ver João 1:17). Dessa forma, apesar de que somente o apóstolo Paulo desenvolve as descrições teológicas do sistema da «graça-fé», o N.T. inteiro é um documento que ilustra essa verdade. Moffatt, por conseguinte, estava com razão, quando escreveu: «A religião do N.T. é a religião da graça; em caso contrário, nada é, nem é graça e nem é evangelho». (*Grace in the New Testament*, pág. xv).

VI. A graça como atitude divina para com os homens. «A essência da doutrina da graça é que Deus é por nós. E, o que é mais, ele é por nós, embora nós mesmos sejamos contra ele. Mais ainda, ele não é por nós meramente como uma atitude geral, mas tem agido eficazmente em nosso favor. A graça é sumariada no nome Jesus Cristo... Jesus Cristo é Deus por nós... tudo isso é verdade porque Cristo veio, morreu, ressuscitou e 'a graça veio por meio de Cristo Jesus' (João 1:17). A encarnação do Filho de Deus, o seu sofrimento obediente, a sua morte com sacrifício e a sua ressurreição triunfal, não nos mostram apenas que Deus é gracioso, mas o *próprio ato* gracioso de Deus, porquanto ele se volta para nós e efetua esse relacionamento, é da essência da graça outrossim, é da essência da graça que ela é livre... E visto que a graça é a decisão livre de Deus a nosso respeito, em Cristo, que procede de sua graciosidade, segue-se que não temos habilidade de conquistar sua graça ou favor. É por essa razão que a graça se opõe às obras da lei, tacitamente por todo o N.T., e, de modo expresso, em passagens como Rom. 3:19 e ss ; João 1:16; Gál. 2:11-21 e Efé. 2:8». (T.H.L. Parker, pág. 258 do *Baker's Theological Dictionary*).

VII. A graça, segundo é vista na igreja cristã. Era popular, entre os escolásticos (Tomás de Aquino e outros), salientar a idéia da salvação cooperativa, em que o puro favor de Deus cooperaria com as obras humanas, juntamente com a observância dos ritos e

955

GRAÇA

demais provisões da igreja. Já que essas «obras» eram interpretadas de modo «legalista», e não de modo «espiritual», a idéia do «mérito humano», mui necessariamente, participava da soteriologia da cristandade. Isso significava que «a graça de Deus» não poderia mais ser logicamente considerada o único meio de salvação do homem.—Sem perceber, a igreja retornara à sinagoga judaica. A contínua e exagerada ênfase sobre os méritos humanos transformou a «graça», virtualmente, em algo que qualquer um poderia escolher ou não, à sua vontade; e mesmo nos casos em que ela fosse plenamente escolhida, não era reputada força suficientemente poderosa para realizar tudo aquilo que é requerido para a salvação. Martinho Lutero pôs em dúvida toda essa maneira de pensar, devolvendo a graça a seu trono teológico. Todavia, alguns elementos protestantes continuaram pensando que os sacramentos são os «meios» de transmissão da graça de Deus, embora interpretassem os mesmos como instrumentos do Espírito de Deus, insistindo que nenhum «mérito humano» está envolvido no seu uso e eficácia. Outrossim, os sacramentos não teriam o mínimo valor a menos que os beneficiários usassem da «fé»; ou então, como alguns supõem até hoje, o *pacto da graça* continua operante até que os beneficiários (como se dá no caso dos infantes batizados) sejam pessoalmente capazes de exercer fé. Outros protestantes, entretanto, vieram a rejeitar os sacramentos como «meios» da graça, aceitando os mesmos como meros símbolos da graça e das provisões de Deus, ao passo que os benefícios derivados dela operam mediante o — contato *místico* - com o Espírito Santo, inteiramente à parte de elementos físicos. Dentro da «graça», até a própria fé do indivíduo é considerada «inspirada» por Deus; contudo, a maior parte dos cristãos crê que a cruz provê uma graça geral, propiciando a todos os homens a possibilidade de exercer fé, se assim quiserem fazê-lo. Outrossim, a perversidade da vontade humana pode resistir à graça divina.

Maravilhosa graça de nosso amoroso Senhor,
Graça que ultrapassa nosso pecado e culpa,
Lá no Calvário monte derramada,
Ali, onde se verteu o sangue do Cordeiro.

(Julia Johnson)

VIII. Sumário do uso do vocábulo «graça», nas páginas do N.T.

1. Em termos gerais, significa *favor*, benevolência, da parte de Deus ou dos homens. (Ver Luc. 1:30, onde Maria recebe o favor divino; Luc. 2:40, onde se lê que Jesus crescia na graça de Deus, sujeito a sua benevolência e favor). Os apóstolos, a princípio, obtiveram o «favor» ou «aprovação» do povo (ver Atos 4:33). 2. É palavra usada para indicar as «bênçãos» dispensadas por Deus, os atos de bondade «beneficente». Jesus era «cheio de graça» e dispensa a mesma (ver João 1:14). Isso porque ele estava «favoravelmente disposto» para com outros; e a graça divina opera por igual modo. (Ver I Cor. 1:4 e II Cor. 9:8, onde se aprende que Deus é favoravelmente disposto para com a igreja, acompanhando tal favor com atos de bondade). 3. O vocábulo também indica a *fé cristã*, em sua inteireza. Nessa categoria, talvez caiba o trecho de João 1:17 que diz que a lei veio por meio de Moisés, mas «graça e verdade» vieram por meio de Jesus Cristo. Nesse sentido, a «graça» é posta em contradistinção à lei; e de fato, os pontos essenciais da fé religiosa, dentro do sistema da «graça», estão contidos na revelação cristã. Em Atos 13:43, a exortação é que os novos convertidos continuassem na fé cristã. Em Rom. 6:14 é afirmado que não estamos debaixo da lei, e, sim, da graça. Ver também II Cor.

1:12; Gál. 1:6; Col. 1:6; II Tim. 2:1; Tito 2:11; Heb. 12:15; I Ped. 5:12. Apesar da própria fé cristã nem sempre estar em foco nessas referências, essa fé é que contém e dispensa a graça de Deus, a qual opera mediante a fé e seu sistema religioso. 4. A graça pode indicar as *bênçãos* e os benefícios especificamente adquiridos por Jesus Cristo. O trecho de Rom. 5:15,17, tem a «graça» em oposição à «morte». Ela é a medida que transmite vida, resultado da missão, da expiação e da ressurreição de Cristo. (Ver também as bênçãos das epístolas paulinas em geral. «A graça do Senhor Jesus Cristo seja convosco»). 5. A graça faz parte das saudações e bênçãos, pelo que, na fórmula epistolar, é expressão de «um desejo de bem-estar espiritual», em favor dos leitores. Isso ocorre em todas as epístolas paulinas, no começo e no fim das mesmas. 6. A graça indica também o ofício ou autoridade dos apóstolos (ver Rom. 13:3). 7. Pode significar um «dom», «salário» ou «dinheiro recolhido» para os pobres, ou seja, esmolas (ver Luc. 7:32-34; I Cor. 16:3; II Cor. 13:4; Eclesiástico 17:22). 8. Pode significar «agradecimento» ou «ação de graças» (ver Luc. 17:9; Rom. 6:17; I Cor. 10:30). 9. Pode indicar *galardão* ou «recompensa» (ver Mar. 6:32-34 e Mat. 5:46). Esse é um sentido comum no grego antigo. 10. Indica também o «meio de buscar o favor ou a bondade de outrem» (ver I Ped. 2:19,20). 11. Indica ainda «alegria», «prazer», «gratificação», pois o termo grego «charis» é usado em lugar de «chara», e isso com freqüência, no N.T. (ver File. 7:11; II Cor. 1:5). 12. Aponta para um ato «agradável» a outrem (ver Atos 24:27). 13. Mostra aquilo que tem o poder de buscar e obter favor, uma conduta gentil (ver Luc. 4:22; Efé. 4:29 e Col. 4:6). Normalmente, o vocábulo *charis* tem a idéia de «benção» ou «benefício», que promove o bem-estar dos homens; e, em sua definição neotestamentária, no que diz respeito ao sistema da «graça-fé» (em contraste com a lei), isso indica, ordinariamente, que tal benefício espiritual é dado como um dom da parte de Deus, embora não merecido pelos homens. Portanto, o termo grego «chario», isto é, «regozijo-me», parece ter a mesma raiz; pois, de fato, a «graça», em suas muitas formas de manifestação, é motivo de grande regozijo.

Graça Considerada Como Oportunidade

1. É verdade que a «oportunidade» de **obter** a salvação, através de meios determinados por Deus (mesmo que incluíssem obras humanas), seria uma forma de graça. Mas, não é a graça aludida no presente texto.

2. As próprias obras são predeterminadas por Deus e ordenadas aos homens para as praticarem (conforme nos mostra o décimo versículo). De certa maneira, pois, as próprias obras são produtos da graça divina. Naturalmente, devemos pensar em obras espirituais, inspiradas pelo Espírito, e não em obras humanas meritórias.

3. Deus nos proporciona a oportunidade de cumprir a sua vontade. Nesse sentido, tal oportunidade é graça.

IX. Descrições Teológicas das Operações da Graça

1. **Graça Atual.** De acordo com a teologia católica romana, esse tipo ou função da graça é uma ajuda sobrenatural dada por Deus, capacitando a pessoa a evitar o pecado ou a realizar algum ato (ou atos), que tende à sua salvação. — Esse dom é interno, embora também tenha natureza transitória.

2. **Graça Habitual.** Essa graça opera a fim de santificar a pessoa, visto que, sem esse tipo de ato e intervenção divinos, ninguém poderia tornar-se santo. Naturalmente, essa graça requer a cooperação da

GRAÇA

vontade humana, embora transcenda ao poder da vontade do homem.

3. Graça Irresistível. Essa idéia está ligada a Agostinho e a Calvino, como um dos temas favoritos da teologia da predestinação. De acordo com ela, a graça de Deus atua incondicional e irresistivelmente nos eleitos, garantindo a salvação deles, produzindo a reação favorável dos homens para com o evangelho, e garantindo que essa reação seja absolutamente completa e eficaz. A graça irresistível, em conseqüência, garante a eterna segurança dos eleitos. Sem dúvida, os eleitos desviar-se-iam de sua vereda espiritual, não fosse esse poderosíssimo fator da graça divina.

4. Graça Geral. No outro lado da moeda, há aquela doutrina que diz que a graça de Deus é tão poderosa que capacita todos os homens, de todos os lugares, em todos os tempos, a reagirem favoravelmente ao evangelho, contanto que a vontade deles concorde com isso. Assim, um homem alienado de Deus, não poderia voltar-se sozinho para Deus; mas, a graça geral de Deus garante a real possibilidade do retorno de todos os homens a Deus, e não somente de algum grupo eleito. O apelo universal do evangelho repousaria sobre a realidade dessa graça geral, porque, do contrário, o convite do evangelho a todos os homens seria uma impostura. Ademais, sem essa graça geral divina e sem a liberdade humana de escolha, não poderia haver responsabilidade moral nos homens.

5. Graça Preveniente. Esse seria o ato divino que influencia os homens a buscarem a bondade e a espiritualidade, *antes* de qualquer reação por parte deles. Aqueles que acreditam em batismo de infantes aplicam esse princípio ao caso. Deus faria pelos infantes algo que eles não podem fazer por si mesmos. Esse tipo de graça não é algo que opere de uma vez por todas. Antes, seria uma operação contínua, no caso de crentes, tanto quanto no caso de incrédulos. Trata-se da influência do Espírito de Deus, neste mundo, a fim de realizar os seus desígnios benévolos, incluindo o propósito de salvar, mas também a graça necessária para o crescimento espiritual e para o bem-estar geral. A maior parte dos teólogos opina que essa forma de graça não opera de forma irresistível. Certos teólogos limitam a graça preveniente de Deus, supondo que ela só opera no caso dos eleitos, levando-os à fé, ao passo que todos os outros são deixados em sua incredulidade.

6. Graça Santificadora. A graça de Deus atua sobre a alma de um homem a fim de transformá-lo. Essa graça permite a presença permanente de Deus na vida de uma pessoa, operando em harmonia com os desígnios do evangelho. Ela produz a união mística com Cristo e cria no homem novas atitudes e novos hábitos. A santificação faz parte da nossa transformação segundo a imagem de Cristo (Rom. 8:29; II Cor. 3:18), que é o propósito e o alvo da nossa salvação. É dessa maneira que chegaremos a compartilhar da própria natureza divina (Col. 2:10; II Ped. 1:4), e, por conseqüência, da *plenitude* de Deus (Efé. 3:19). Tal resultado jamais poderia ser alcançado sem o concurso da graça de Deus.

A posição do catolicismo é que os vários *sacramentos* são agentes da graça de Deus. A maioria dos protestantes prefere o conceito da comunhão mística com o Senhor, sem meios intermediários sacramentais, que são apenas *símbolos* das operações da graça, e não canais ou instrumentos da mesma. Quanto à *graça sacramental*, ver a seção décima, quarto ponto.

7. Graça Suficiente. Esse é o poder de Deus, conferido aos homens, mediante o Espírito Santo, o que lhes dá a capacidade de fazer alguma coisa, ou de crescerem espiritualmente, mas que os homens, mediante a negligência, podem deixar de usar. Esse termo pode ser entendido como sinônimo de *graça geral*. Até mesmo o pior dos pecadores tem o potencial para vir a Cristo, pois a graça de Deus é suficiente para trazê-lo, tendo-lhe sido oferecida especificamente com essa finalidade. Outrossim, essa graça suficiente é aplicada de fato, finalmente, de conformidade com o mistério da vontade de Deus, conduzindo todos os homens à unidade em torno de Cristo (Efé. 1:9,10). Quanto a esse aspecto da questão (embora nem todos serão, finalmente, conduzidos à salvação), a graça suficiente torna-se na *graça eficaz*, explicada no ponto abaixo. Isso se relaciona aos planos a longo prazo que Deus traçou para beneficiar aos homens. Ver o artigo geral sobre a *Restauração*, quanto a esse conceito.

8. Graça Eficaz. Essa é a graça suficiente quando se torna atuante sobre as vidas dos homens, dentro das questões da salvação, da santificação, da transformação segundo a imagem de Cristo, do crescimento espiritual e da restauração. Sobre essa graça repousam todos os benefícios que a humanidade pode esperar obter. Dentro do mistério da vontade de Deus, essa graça será, finalmente, eficaz em um sentido universal. Não fora esse fator, — a vida humana poderia ser definida de uma forma pessimista. Em outras palavras, teria sido melhor que a humanidade em geral nunca tivesse vindo à existência. Mas o artigo sobre a *Restauração* demonstra o magnificente triunfo da *graça divina*.

9. Graça Comum. Ver o artigo sob este título.

X. Interpretações Históricas e Teológicas sobre as Funções da Graça de Deus

1. *No Antigo Testamento* encontramos os princípios da graça e da fé. Ver as *Observações Preliminares*, no começo deste artigo. A grande declaração paulina: «O justo viverá pela fé», é uma citação extraída do Antigo Testamento. Ver Hab. 2:4. Paulo também observa que Abraão foi justificado pela fé (Rom. 4:3), tendo extraído essa idéia do trecho de Gên. 15:6. No entanto, Tiago afirma claramente que Abraão foi justificado pelas obras da fé (Tia. 2:21). E, três versículos adiante, faz a justificação depender tanto da fé quanto das obras da fé. Essa posição, sem dúvida, representa a posição do Antigo Testamento. Se não fora assim, a doutrina de Paulo teria sido considerada comum, e não revolucionária. A agitação que a doutrina paulina causou mostra que a mesma contradizia a teologia ortodoxa judaica. E era aquele que *praticasse* os mandamentos e as ordenanças da lei que obteria a *vida* (Lev. 18:5). Na verdade, é inútil tentar encontrar as idéias de Paulo nos escritos de Moisés. Em caso contrário, a revelação cristã seria uma mera repetição da revelação veterotestamentária, e não um avanço em relação a esta última. Basta falarmos com um rabino sobre a questão. Ele nos dirá o que os judeus realmente criam, antes de certas passagens do Antigo Testamento terem sido cristianizadas.

2. *Paulo* ensinava a doutrina da graça, acompanhada pela fé salvadora (Efé. 2:8 *ss*). O capítulo quinze de Atos demonstra o conflito que isso provocou no mundo teológico. As epístolas aos Romanos e aos Gálatas são a nossa mais cuidadosa descrição da nova doutrina, a qual, quando proferida no princípio, foi considerada a mais horrenda heresia, pois parecia anular os ensinamentos de Moisés. O segundo capítulo da epístola de Tiago, exibe a reação de

GRAÇA — GRAÇA COMUM

alguns cristãos contra a nova doutrina, embora também haja quem interprete que não há qualquer discrepância entre Paulo e Tiago, pois enfocavam diferentes aspectos da doutrina cristã.

3. *Agostinho* (vide) argumentava contra as idéias de *Pelágio* (vide), empregando a mais pura doutrina paulina. Deus proveria tanto a graça quanto a vontade para recebê-la, o que significa que tanto a graça preveniente quanto a graça eficaz dependem da soberana vontade de Deus, e não da vontade do homem. A única maneira de alguém rejeitar a graça divina é não ser uma pessoa em quem a graça de Deus não esteja operando, ou, em outras palavras, não pertencer ao grupo dos eleitos. Os eleitos, por outro lado, são influenciados pela divina graça irresistível.

4. *A Graça Sacramental.* Em certos segmentos da Igreja cristã, no Oriente e no Ocidente, os *sacramentos* foram vinculados indevidamente ao princípio da graça divina, e então os teólogos, com base nisso, criaram uma religião sacramentalista. De acordo com a mesma, a graça de Deus é transmitida aos homens através dos sacramentos (vide), não podendo ser transmitida sem os mesmos. Para nós, essa é uma posição distorcida, falsa. Deus nos comunica a sua graça por meios místicos, através da atuação direta do Espírito, e não por meios sacramentais. Ver sobre o *Misticismo*. Entendemos a palavra «misticismo» como um contacto real entre o Espírito de Deus e o espírito do homem. É mediante esse contacto que é outorgada e opera a graça divina. A *graça sacramental* é a concepção que diz que a graça divina não é meramente simbolizada pelos sacramentos, porquanto afirma que os sacramentos são o instrumento da comunicação dessa graça, o *sine qua non* da distribuição da graça divina entre os homens.

5. *John Tauler* (vide) promovia o *ascetismo* (vide) como um agente que coopera com a graça divina, garantindo a volta do homem a Deus.

6. *Lutero* (vide) assumia uma posição paulina-agostiniana sobre a graça de Deus; e esse foi o maior elemento teológico isolado da Reforma Protestante (vide). Porém, ele foi além do que fora Agostinho, pois negava a eficácia da vontade humana, como também a realidade do livre-arbítrio humano.

7. *Calvino* (vide) tomava uma extremada posição paulina agostiniana, expondo um sistema de rígida predestinação. De acordo com o seu sistema, a graça geral é negada, ao mesmo tempo em que a graça irresistível (ver sobre esses itens no ponto nono, acima) é enfatizada, mas somente no caso dos eleitos. E na minha opinião, esse evangelho peca por deficiência.

8. *Melanchton* (vide) procurou suavizar a posição de Lutero, e ensinou uma doutrina do *sinergismo* (vide). Três fatores, supostamente, estariam envolvidos nas operações da graça divina: o Espírito Santo, a Palavra de Deus e a vontade humana. Em oposição a essa idéia temos o *monergismo*, o conceito de que somente o Espírito de Deus está envolvido nas operações da graça, inteiramente à parte da vontade e dos esforços humanos. O *monergismo* era a posição de Lutero e de Calvino, embora eles não tivessem empregado esse vocábulo. O termo *sinergismo* vem diretamente do grego: *syn*, «com» e *ergeein*, «trabalhar», e, portanto, «trabalhar em cooperação com», com o envolvimento de vários elementos. Até onde podemos ver as coisas o trecho de Filipenses 2:12,13 exprime a idéia do *sinergismo*: «Assim, pois, amados meus, como sempre obedecestes, não só na minha presença, porém muito mais agora na minha ausência, desenvolvei a vossa salvação com temor e tremor; porque Deus é quem

efetua em vós tanto o querer como o realizar, segundo a sua boa vontade». Mas outros trechos do Novo Testamento exprimem um puro monergismo, como o nono capítulo da epístola aos Romanos.

9. *Suarez* (vide, ponto quarto) criou o termo *congruísmo*, a fim de descrever o seu conceito de como a livre decisão humana, referente à salvação, cede diante da vontade de Deus, mediante a graça divina. A graça divina, infalivelmente, conduz o pecador a Deus, mas ela não é incongruente com o livre-arbítrio humano. Esse ponto tem sido intensamente debatido, mas as discussões não têm produzido uma resposta clara acerca de *como* isso funciona. Ver os artigos sobre o *Livre-Arbítrio* e sobre o *Determinismo*. Ver também o artigo suplementar sob o título *Predestinação*.

10. *Jonathan Edwards* (vide) limitava a *graça preveniente* de Deus exclusivamente aos eleitos. Deus faria certos homens (os eleitos) crerem; os demais seriam deixados em sua incredulidade.

11. *A.E. Taylor* falava sobre a *eterna iniciativa* divina, mediante a qual Deus busca os homens, devendo isso corresponder à iniciativa do indivíduo, — a cada pessoa em particular. E essa combinação é que leva uma alma à imortalidade. Isso soa como as idéias do *sinergismo*. (B C E NTI P W)

GRAÇA COMUM

Essa é uma expressão usada pela teologia reformada (vide). Ela afirma que há uma graça divina que beneficia a todos os homens, embora não leve todos à salvação da alma, e nem envolva o intuito divino de salvar a todos os homens. Em contraposição, temos a *graça especial*, que é a operação divina em favor dos eleitos. A graça comum nos permite reconhecer todo o bem que existe no homem e na natureza, em sentido universal, sem sacrificar a singularidade da religião cristã, sobretudo em sua doutrina da eleição.

Elementos da Graça Comum. 1. Ela opera através do Espírito, restringindo o mal resultante da natureza pervertida do homem, embora não chegue a regenerar aos não-eleitos. 2. Ela permite o desenvolvimento cultural necessário para a civilização, uma atividade legítima para os homens. 3. Ela permite que haja certo bem nas religiões não-cristãs, embora isso não as nivele ao cristianismo; e, naturalmente, ela não reconhece nelas qualquer poder salvador. 4. Ela admite a presença de algum bem nos não-regenerados. Um homem pode ter o senso de direito, de justiça, de ordem, de beleza, de altruísmo; embora essas qualidades morais não sejam suficientes para a sua salvação.

Críticas à Teoria da Graça Comum. 1. É verdade que o ministério do Espírito reduz a perversidade humana no mundo; mas as Escrituras mostram que Deus está interessado em muito mais do que na redução do pecado. Ele está interessado na salvação de cada alma (João 3:16; I Tim. 2:4; I João 2:2). 2. Os desenvolvimentos culturais têm seu lugar dentro do destino físico da humanidade, fazendo parte integrante do plano divino, tanto quanto o desenvolvimento espiritual. O homem tem um duplo destino: o físico e o espiritual. Esses destinos estão vinculados um ao outro, embora sejam distintos um do outro. A graça de Deus envolve ambos esses aspectos, e ambos são importantes. No entanto, o aspecto físico só pode ser considerado importante se envolver alguma importância final. Sem dúvida, Deus está interessado nas almas daqueles que desenvolvem conhecimento, ciência, artes, etc. Em outras palavras, está em foco a

GRAÇA — GRAÇA SOBRE GRAÇA

cultura. Doutra sorte, não nos restaria muitos bens sobre os quais pudéssemos falar. 3. Apesar de ser correta a admissão de que muitas religiões não-cristãs envolvem algum bem, a explicação grega ainda é melhor. Segundo os pais gregos da Igreja, o *Logos* implanta as suas sementes por toda a parte. Os melhores aspectos da filosofia grega operaram como mestre-escola para levar os gregos a Cristo, tal como a lei mosaica o fez no caso dos judeus. Apesar de que nem toda fé religiosa é igual quanto à verdade contida, é possível que em todas as fés religiosas o Logos lhes tenha insuflado os passos preliminares que, no cristianismo, são desenvolvidos até o nível de uma expressão superior. Isso não faz com que todas as religiões sejam boas, mas dá a entender que o Logos universal não se limita a qualquer religião isolada, e que o plano divino é muito mais amplo e profundo do que geralmente supomos. Acerca de tudo isso, deveríamos contar com certa perspectiva histórica. De fato, o processo da salvação das almas acompanha o desenrolar da história e os desenvolvimentos se processam com grande lentidão. O *Logos* (vide sobre o *Verbo*) está operando em todo o universo e neste mundo, através do processo histórico. E todos ficarão surpresos diante do resultado final, que se manifestará no tempo predeterminado. De fato, a restauração final de tudo está em foco (Efé. 1:10). Ver o artigo sobre esse assunto, quanto a maiores informações. 4. Não basta supormos que algum bem genuíno reside no homem não-regenerado. Isso não se reveste de importância definitiva, se Deus, propositalmente, deixar de lado a vasta maioria dos homens, de tal modo que, finalmente, somente a tragédia eterna caracterizará as suas vidas. 5. A doutrina da graça comum é um reconhecimento (não plenamente desenvolvido) de que o favor geral de Deus também envolve um favor especial. Seria inútil que Deus tivesse uma atitude favorável a todos os homens, se isso também não se expressasse mediante um programa genuíno da salvação de almas. Não basta que os homens cumpram seus deveres cívicos de retidão, se disso não resultar, em última análise, na retidão espiritual. 6. Em suma, é deficiente e distorcida aquela teologia que faz Deus estar *pouco* interessado pelos homens, como se fizesse o bem somente a alguns poucos, como um ricaço que distribui guloseimas a algumas crianças famintas que se juntam diante do seu portão. Contra essa má teologia, temos muitas referências, no Novo Testamento, que demonstram a universalidade do plano remidor e a totalidade final da *aplicação* da missão de Cristo entre os homens de todos os séculos, tanto no passado quanto no futuro. 7. A *soberania* de Deus é uma realidade, mas ela atua como aliada de seu amor, e não como uma força destrutiva. Sendo essa a verdade, só podemos esperar o bem para todos, finalmente, embora nem todos cheguem à posição de salvação e glória dos remidos. Para tanto, será preciso muitas eras, na verdade, mas, finalmente, isso caracterizará toda a existência, conforme também somos ensinados em Efésios 1:10 (que vide). A mensagem central do evangelho é que a soberania de Deus é o poder que avulta por detrás do seu amor. Sem isso, não há boas novas para o homem moderno. De fato, sem esse conceito, o evangelho seria antes uma má-nova para o homem moderno, um antievangelho. O conceito da graça comum, distorcida como tem sido, nas mãos de muitos teólogos, é um antievangelho. (B E)

GRAÇA E ÉTICA

Atualmente, quase todos os teólogos, protestantes ou católicos romanos, concordam quanto à premissa fundamental da necessidade da graça para a recuperação espiritual do homem. A queda do homem no pecado foi por demais radical e profunda para que ele possa retornar sozinho a Deus, para ele voltar à vereda espiritual e, finalmente, à salvação. Onde os teólogos não encontram terreno comum é sobre quanto da vontade humana está envolvida na questão. Oferecemos amplas descrições sobre a *graça* divina, no artigo geral sobre esse assunto. Ver a décima seção do mesmo, quanto aos vários pontos de vista teológicos e históricos sobre a graça. Alguns mestres falam em *monergismo*, dando a entender que somente Deus mostra-se ativo como uma força na salvação do homem, mediante a graça. Mas outros ensinam o *sinergismo*, dizendo que a vontade do homem é uma realidade, podendo responder, positivamente, à graça divina, devendo fazer parte daquilo que a graça divina realiza. O trecho de Filipenses 2:12,13 parece ensinar o sinergismo, ao passo que o nono capítulo de Romanos (ver também Efé. 2:8,9), somente para exemplificar, ensina o monergismo. Como é óbvio, a ética está envolvida em toda essa questão, pois a conduta ideal do homem resulta do princípio da graça. Ver o artigo geral sobre a *Ética*, nona seção, quanto aos princípios gerais éticos do *teísmo*, incluídos no Novo Testamento.

GRAÇA SOBRE GRAÇA

Ver João 1:16.

As interpretações sobre essa cláusula têm assumido as seguintes formas:

1. Tratar-se-ia da graça *da restauração*, substituindo a graça perdida no paraíso.

2. Tratar-se-ia da graça *neotestamentária*, em lugar da graça própria do V.T. (Assim pensava Crisóstomo).

3. Tratar-se-ia, em primeiro lugar, da *justificação*; e secundariamente, da *vida eterna*. (Assim julgava Agostinho).

4. Trata-se de *graça após graça*, num suprimento sempre mais crescente da graça de Deus. Assim pensa a maioria dos modernos estudiosos, e é a idéia geral da interpretação dada acima. Contudo, as outras três posições também contêm algum elemento de verdade, e a antítese do primeiro capítulo deste evangelho, que contrasta a graça que foi trazida por meio de Jesus com a graça que veio por intermédio de João Batista e do V.T., parece indicar, bem definidamente, que uma nova graça dispensativa, por meio de Jesus Cristo, também faz parte dessas considerações.

Carlos Wesley expressou admiravelmente bem essa idéia em um hino, quando disse:

E quem nossa pobreza retém,
Mais dons receberemos,
Múltiplas graças e bênçãos vêm
E tudo quanto Deus pode dar

O filósofo judeu *Filo* quase diz outro tanto em duas passagens. Em *A Posteridade de Caim*, XLIII.14: «Pelo que também Deus sempre faz cessar os seus primeiros dons, antes que seus recebedores fiquem nédios e se tornem insolentes; e, reservando-se para o futuro, dá outros dons no lugar daqueles, além de um terceiro suprimento em substituição ao segundo; e sempre há novidade em lugar de bênçãos anteriores, algumas vezes de qualidade diferente, e outras vezes da mesma categoria». E também em «Abraão», XLVI.273, podemos ler: «Admirando o homem, por causa de sua fé nele, Deus o recompensa com fé (ou fidelidade)». (Ver F.H. Colson e G.H. Whitaker editores, *«Philo with an English Translation»*, Nova

GRAÇAS — GRALHA

Iorque, G.P. Putnam's Sons, 1929, 1935; e Loeb «Classical Library», II.413; VI.133).

GRAÇAS ÀS REFEIÇÕES, AÇÃO DE

Essa é uma breve oração (na prática, repetitiva) que as pessoas religiosas, crentes ou não, proferem imediatamente antes de tomarem suas refeições. Essas são preces de ação de graças, pelo suprimento material (somente de alimentos, ou incluindo toda espécie de suprimento material). Quão apropriadas são essas orações é algo sugerido em trechos bíblicos como Rom. 14:6; I Cor. 10:31 e I Tim. 4:4. O próprio Jesus nos deixou exemplo desse ato (Mar. 8:6,7; Luc. 24:30).

Entre os judeus, fazia-se uma oração de ação de graças antes e depois de cada refeição, e essas orações eram oferecidas até mesmo pelas mulheres, escravos e crianças. Como já seria de esperar, muitas regras e regulamentos vieram a ser adicionadas a essas preces, entre os judeus, de tal modo que a forma da prece variava de acordo com o tipo de alimento que estava prestes a ser consumido. Assim, uma forma de oração era usada antes da ingestão de frutos, outra para o vinho, outra para os cereais, etc. Ignorando todos esses exageros, devemos afirmar que é apropriado ao crente ser agradecido ao Senhor pelo suprimento de suas necessidades materiais, incluindo os alimentos, porquanto todo esse suprimento depende da vontade e da bondade de Deus. Se Deus se interessa até pela queda de meros pardais (ver Mat. 10:29), então certamente não quer que as pessoas que pertencem a seu povo passem fome. Jesus ordenou aos homens que não se mostrassem preocupados a respeito das coisas materiais, incluindo os itens alimentares básicos, porquanto a vida consiste em muito mais que o alimento. Nosso Pai conhece as nossas necessidades nesse campo. Mas Jesus recomendou: «...buscai, pois, em primeiro lugar, o seu reino e a sua justiça, e todas estas cousas vos serão acrescentadas» (Mat. 6:33; ver também o contexto, começando pelo vs. 25).

GRACIANO

Viveu por volta de 1150 D.C. Ele é conhecido como *pai da lei canônica*. Ele foi um erudito e eclesiástico italiano. Pouco se sabe sobre a sua vida. Provavelmente ele nasceu em Carraria-Ficulle, em Chiusi, na Itália. Ingressou na ordem calmadolesa e viveu no mosteiro de São Félix e em Nabor, em Bolonha. Em sua época, Bolonha era o centro de um reavivado interesse pela jurisprudência romana. Graciano escreveu a influente obra *Concordantia discordantium canonum*, «Harmonia de Cânones Discordantes». Essa obra coligiu e sistematizou mais de três mil textos atinentes à disciplina eclesiástica. Muitas fontes informativas foram consultadas, incluindo os cânones dos concílios eclesiásticos, os decretos papais, os reescritos e os escritos de canonistas anteriores. Não foi pequeno o trabalho para dar-lhes alguma ordem e pô-los em harmonia. O *Decretum*, conforme essa obra veio a ser chamada, foi compilado entre 1139 e 1150. O nome de Graciano aparece nesses documentos até o ano de 1143. Parece ter falecido em 1159. A obra foi muito comentada pelos sucessores de Graciano. Ele fez em favor da *Lei Canônica* (vide) o que Pedro Lombardo fez pela teologia (ver sobre *Pedro Lombardo*), razão pela qual eles têm sido apelidados de «dois ovos do mesmo ninho». A obra de Lombardo intitulava-se *Quatturo Libri Sententia*.

••• ••• •••

GRACIOSO

No hebraico, **khane**; no grego, **eucháristos**. Mas também há outras palavras envolvidas.

1. *Definição Básica*

Uma pessoa graciosa é alguém disposta a mostrar graça, vigor, bondade e amor a outras pessoas. A cortesia também faz parte das idéias envolvidas nesse vocábulo.

2. *Usos Bíblicos*

a. Uma mulher graciosa é honrada (Pro. 11:16). Aquela que exibe generosidade, amor e gentileza não pode perder a sua recompensa.

b. As palavras de um homem sábio são graciosas, expressando coisas que beneficiam aos homens (Ecl. 10:12).

c. Homero (*Odis*. 7.175) usou a palavra grega *cháris* para falar sobre a beleza física e a personalidade atrativa. Colossenses 4:6 reflete esse uso: «A vossa palavra seja sempre agradável, temperada com sal, para saberdes como deveis responder a cada um». O crente deveria usar uma linguagem graciosa, atrativa. Isso inclui a necessidade de saber como responder às pessoas quando fazem alguma pergunta referente à fé ou a alguma questão espiritual. Devemos falar de modo gentil, capaz de conquistar as pessoas para Cristo. Ver o artigo separado sobre *Linguagem, Uso Apropriado da*.

d. A própria salvação vem através da oferta graciosa de Deus, com base na missão de Cristo. Ver o artigo geral sobre a *Graça*.

GRADUAL

Essa palavra vem do latim, **gradus**, «degrau». Na linguagem bíblica, de acordo com algumas traduções, o adjetivo *gradual* era dado a certos Salmos, entoados nos degraus do *ambon* (palavra grega que significa «plataforma», que era uma espécie de púlpito ao qual se chegava mediante degraus). Entretanto, atualmente é combinado com o *Aleluia* e abreviado para dois únicos versículos. Nossa versão portuguesa nunca usa esse adjetivo. Em certos manuscritos (vide), esse adjetivo é usado entre a *epístola* e o *evangelho*, como o mais elaborado dos cânticos litúrgicos. De maneira frouxa, o termo é usado para referir-se a qualquer interlúdio musical entre as várias partes da cerimônia da eucaristia. De acordo com a liturgia anglicana, o *gradual* vem depois da epístola. De acordo com a prática judaica, um cantor entoava um salmo após cada leitura de um trecho bíblico, enquanto a congregação repetia uma porção após cada versículo. E os primeiros cristãos adotaram essa prática. Por volta do século V D.C., essas participações musicais tinham-se tornado extremamente complexas e ornadas, e coros estavam envolvidos na execução das mesmas. A missa católica romana, porém, preserva essa forma de maneira bem mais simples.

GRADUALE

Esse é o título de certo livro de liturgia que contém os cânticos entoados em latim, durante a missa da Igreja Católica Romana. Ver sobre *Salmos de Romagens*, que tem alguma ligação com essa questão.

GRALHA

Essa palavra, no hebraico original, aparece somente em Lev. 11:18 e Deu. 14:16, como uma das aves vedadas ao consumo dos israelitas. Mas a identificação da ave é muito problemática, e as

GRAMA — GRANDE APRENDIZAGEM

versões variam desde o cisne até à coruja cornuda. É difícil saber de onde os revisores de nossa Bíblia portuguesa colheram a idéia de que se tratava da gralha. A verdade, porém, é que uma opinião é tão válida quanto outra qualquer, pois é impossível sugerir uma tradução consciente do termo hebraico. A LXX sugere a íbis, ave da qual há oito espécies na Palestina, embora nada há que apóie tal tradução. Modernamente, Driver sugeriu a «corujinha». É impossível que o cisne seja a tradução correta. O cisne mudo é um visitante dos lagos e dos rios, durante o inverno, mas o mais provável é que os israelitas desconhecessem essa ave, sobretudo no deserto. Além disso, ninguém atina com a razão pela qual o cisne poderia ser considerado uma ave imprópria para o consumo humano, ou imunda.

GRAMA

Ver sobre **Erva**.

GRANADA

No hebraico, **nophek**, um termo que aparece por quatro vezes, em Exo. 28:18; 39:11; Eze. 27:16 e 28:13. Nossa versão portuguesa diz «esmeralda», em todas as quatro passagens, o que também sucede em outras versões. No entanto, o sentido da palavra hebraica parece ser mais «carbúnculo», «rubi», «granada».

A granada envolve um grupo isomórfico de minerais de mistura com o cálcio, o magnésio, o **manganês** e o ferro, juntamente com o alumínio e o cromo. Os nomes dos diversos minerais do grupo são a andradita, o piropo, o magnésio-alumínio, a espessartita, o manganês-alumínio, a almandina e o ferro-alumínio. As granadas são relativamente comuns, bem distribuídas em formações rochosas. Usualmente têm um tom vermelho escuro, embora também possam ser róseas, marrons, amarelas, negras ou mesmo verdes. Algumas são mesmo incolores. Os espécimes de cores mais claras são usados como gemas, com variegados como rubis do Cabo, carbúnculos, pedras cinamomo, demantóide, essonita, rodonita e topazita. A granada também é um abrasivo industrial importante. É largamente usada para alisar a borracha e o couro. Ver também sobre a *Esmeralda*.

Restam muitas dúvidas sobre o sentido exato de muitas palavras hebraicas, sobretudo no tocante à fauna, à flora, a pedras preciosas e semipreciosas, etc. Isso explica as opiniões contraditórias dos estudiosos, quando se referem a essas questões.

GRANDE (GRANDEZA)

A principal palavra hebraica é **gadol**, usada por mais de quatrocentas e cinqüenta vezes com esse sentido, desde Gên. 1:16 até Mal. 4:5. Outra palavra hebraica importante é *rab*, «muito», «abundante», usada por quase quinhentas vezes, desde Gên. 6:5 até Zac. 14:13. No grego também temos duas palavras que podemos considerar com proveito: *megas*, «grande» (utilizada por cento e noventa e cinco vezes, desde Mat. 2:10 até Apo. 21:12); e *polús*, «muitos», «numerosos» (que aparece por quase quatrocentas vezes, desde Mat. 2:18 até Apo. 19:12).

Como vemos, a idéia de pluralidade também está incluída, de tal modo que uma multidão pode ser chamada de «grande». A iniqüidade humana, que provocou o dilúvio, como castigo, era *grande* (Gên. 6:5). Tal palavra também é usada para indicar

pessoas dotadas de alguma qualidade notável ou que tenham feito alguma coisa prodigiosa. No Novo Testamento, a palavra grega *megas* é usada para indicar coisas volumosas ou espaçosas (Mar. 14:15); para quem tenha idade avançada (Rom. 9:12); para indicar os ricos (Heb. 10:35); para algum sonido forte (Apo. 1:10); para o que é importante (Efé. 5:32). A palavra grega *polús* indica a idéia de *muitos*, de «grande número» (ver Mat. 7:22, para exemplificar). É muito freqüente, sobretudo no livro de Apocalipse, onde ocorre por nada menos de oitenta e duas vezes.

Neste artigo, porém, queremos destacar, principalmente, a idéia de *grandeza espiritual*. Aquele que lança mão dos diversos meios de crescimento espiritual, haverá de obter esse tipo de grandeza. Ver o artigo sobre *Desenvolvimento Espiritual, Meios do*. O Senhor Jesus lançou a regra básica quanto a isso. O crente que quiser ser grande, deve ser servo de todos, ou seja, deve pôr em execução, de maneira suprema, a lei do amor (ver Mat. 20:27). Viver a lei do amor é a prova da espiritualidade (I João 4:7 ss). Ver o artigo geral sobre o *Amor*. Jesus demonstrou quão grande era, espiritualmente falando, ao lavar os pés de seus discípulos (João 13). Jesus mostrou-se grande em espiritualidade pessoal e em obras poderosas. No entanto, cada pessoa é singular, dotada de uma missão especial a cumprir (Apo. 2:17). O ponto culminante da grandeza da alma humana é atingido na sua transformação segundo a imagem de Cristo (Rom. 8:29), o que lhe permitirá obter a própria plenitude de Deus (sua natureza e seus atributos) (Efé. 3:19), fazendo-a participar da natureza divina, como verdadeiro filho de Deus, de acordo com a natureza e a imagem do Filho, Jesus Cristo (II Ped. 1:4).

GRANDE APRENDIZAGEM

Esse é o título de uma obra literária clássica, em chinês, de origem desconhecida. Exerceu forte influência sobre a filosofia neoconfuciana. Essa obra é conhecida e vem sendo usada desde o século XI de nossa era; mas foi a partir do século XII que a mesma tornou-se proeminente, por obra de Chu Hsi (vide). Tornou-se uma das quatro obras principais do confucionismo. As outras três intitulam-se *Analectos; o Livro de Mêncio* e a *Doutrina do Meio-Termo*. Durante seis séculos (1313—1915), esses livros serviram de base do exame a que eram submetidos os candidatos a alguma função pública, o que demonstra a grande importância obtida pelos mesmos, na sociedade chinesa em geral.

Idéias:

1. O bem da sociedade é melhor promovido pelo cultivo da vida de cada indivíduo, seguido pelo cultivo de cada família. É importante cuidarmos da mente, despertando em nós o senso de justiça, de responsabilidade e de amor. Cada indivíduo deve ter a vontade sincera de fazer o que é certo. As ações requerem o cultivo do conhecimento.

2. O *conhecimento* requer investigação. O tipo certo de conhecimento encoraja a vontade sincera, a mente reta, uma vida pessoal de alta qualidade, uma família bem equilibrada, um estado ordeiro. Se houvesse estados ordeiros, através da aplicação desses meios, então também haveria um mundo ordeiro e pacífico.

3. Um indivíduo, mediante seus pensamentos e seus atos, pode renovar a si mesmo em um único dia. Tendo feito isso, ele pode transformar tal coisa em um hábito, renovando sua decisão a cada dia. Uma pessoa deve servir a seu patrão com piedade, e às

GRANDE — GRANDE ÚLTIMO

pessoas mais velhas com amor fraternal. O indivíduo pode servir a multidão com amor.

4. Há três coisas boas a serem buscadas: o desenvolvimento do caráter pessoal; amar às pessoas; permanecer no mais elevado bem que possa ser atingido.

GRANDE COMISSÃO Ver Comissão, a Grande.

GRANDE DIA

Apo. 6:17: *porque é vindo o grande dia da ira deles; e quem poderá subsistir?*

Grande dia. Trata-se de um termo rabínico. O julgamento é com freqüência chamado de «grande dia», nos escritos rabínicos. Isso pode ser comparado com o trecho de Joel 2:11, que parece ser a base deste versículo; e também se pode comparar com Naum 1:6, que lhe é similar. A expressão «grande dia», e outras que lhe são equivalentes, são freqüentes no livro de Enoque e na literatura judaica posterior. (Ver I Enoque 45:2; Joel 2:11,31 e Sof. 1:14 quanto a essa expressão). A passagem de Jud. 6 encerra a mesma expressão, «o julgamento do grande dia». Esse dia será grande devido «à grande questão em jogo», porquanto será um dia totalmente extraordinário. Não se deve pensar em um «único dia» de vinte e quatro horas, entretanto. Antes, será um «período» quando Deus julgará os homens, embora normalmente indique o julgamento no mundo eterno, o julgamento das almas, e não juízos temporais.

GRANDE INSTAURAÇÃO

Ver sobre **Bacon, Francisco**, no penúltimo parágrafo.

GRANDE MÃE

Mater Deum Magna, a grande deusa-mãe, era a figura central de um culto religioso que começou na Frígia, atingiu a Grécia e, finalmente, penetrou em Roma. Esse culto chegou à Trácia no século VI A.C., e tornou-se conhecido na Ática aí pelo século IV A.C. Esse culto cresceu no Império Romano até o ponto de tornar-se um dos três cultos religiosos mais importantes, juntamente com o *mitraísmo* (vide) e com o culto a *Ísis* (vide).

A *Grande Mãe* era conhecida por muitos nomes, dependendo da localização geográfica onde ela era adorada. Assim, encontramos os nomes Cibele, Dindimene, Mater Idaea, Sipilene, Agolistis, Amas, Rea, Gaia, Demeter, Maia, Ópis, Telus e Ceres, todos dados à Grande Mãe. Ela era considerada a mãe de todos os deuses, não admirando, pois, que ela fosse chamada de *Grande!* Ela era a grande Geradora, a Toda-Nutritiva, ocupando um papel crucial para a fertilidade da terra. Sendo tida como deusa da natureza, ela é representada como companheira dos animais, mormente dos leões.

A Grande Mãe contava com muitos centros de veneração. Mas os lugares favoritos para sua adoração eram os montes e cavernas. Em alguns lugares, os seus ritos eram orgiásticos. Seus servos e ministros especiais eram chamados coribantes, que eram eunucos que se vestiam com trajes femininos. Por causa desse aspecto da adoração da Grande Mãe, a **auto-emasculação tornou-se** uma prática comum entre seus seguidores, e os candidatos ao sacerdócio da Grande Mãe castravam-se como uma espécie de ponto culminante de ritos selvagens, que sempre acompanhavam a adoração a ela. No entanto, ela mesma era considerada casta, virgem e celibatária.

Dentro do Império Romano, o período de 15 a 27 de março era dedicado a festividades públicas em honra a Grande Mãe. Uma pedra sagrada (um meteoro), na cabeça de uma imagem da Grande Mãe, era levada em procissão. A adoração a Atise, uma outra deusa, com o tempo mesclou-se com a adoração à Grande Mãe, — formando uma espécie de dupla divina. Nessas celebrações, a imersão no sangue de touros e carneiros sacrificados era um dos pontos altos. E pensava-se que disso resultava a regeneração espiritual. Foram necessários muitos séculos para que essa religião, finalmente, se enfraquecesse. Em 394 D.C., na época de Eugênio, continuava existindo; mas, depois de sua época, finalmente, desapareceu. Entretanto, mediante a leitura deste artigo, o leitor poderá perceber facilmente que certos elementos desse culto sobrevivem até hoje, embora sob formas modificadas, até mesmo na cristandade. Como é que a Grande Mãe podia ser, ao mesmo tempo, igualmente virgem e celibatária? Por que os homens glorificam essas incoerências? É que com sua mentalidade absurda, adoram absurdos!

GRANDE MAR

Esse é um dos nomes bíblicos dados ao *Mar Mediterrâneo* (vide). Algumas vezes, era chamado simplesmente de «o mar», como em Núm. 13:29; Jos. 16:8 e Jonas 1:4. E também aparece o nome «grande mar» (Núm. 34:7; Jos. 9:1; Eze. 47:15), por causa da grande extensão dessa massa de água. Além disso, era chamado de «mar ocidental», porquanto a terra dos hebreus estava localizada em sua extremidade oriental, estendendo-se daí para o ocidente (Deu. 11:24; 34:2; Joel 2:20; Zac. 14:8). Detalhes mais completos a respeito aparecem no artigo referido por nome, acima.

GRANDE SINAGOGA

Um título alternativo é **Grande Assembléia**. Ambos os nomes referem-se a um grupo de estudiosos judeus que se reunia de vez em quando, a começar nos dias de Esdras (vide), e durante mais dois séculos depois dele. O propósito desses eruditos era interpretar as leis existentes e criar novas leis, — conforme as circunstâncias o exigissem. A história não preservou para nós minúcias exatas quanto ao número deles e nem sobre as questões atinentes à sua organização interna. No entanto, a história posterior atribui a eles muitas leis e instituições importantes. Com base nisso podemos deduzir que esse grupo era formado por homens poderosos e da maior confiança, cujas decisões eram consideradas autoritárias.

GRANDE TRIBULAÇÃO

Ver sobre **Tribulação, A Grande**.

GRANDE ÚLTIMO

Essa expressão refere-se ao princípio subjacente do pensamento chinês. Há duas compreensões básicas sobre esse princípio, a saber:

1. Shao Yung (vide) representa aquele grupo de eruditos que pensavam que o grande princípio orientador é o do *yang e ying* (vide), ou seja, o número, a forma e seus conceitos opostos, em todas as coisas. Esses princípios, apesar de serem opostos, formam, contudo, uma unidade, pois expressam uma única realidade.

2. Chu Hsi (vide) falava sobre o *grande último* como a essência de todas as coisas, em sua totalidade. Ver o

GRANDE VEÍCULO — GRÃO

segundo ponto do artigo intitulado *Chu Hsi*.

Em ambos os casos, entretanto, esse grande princípio é identificado com a mente, com a razão e com as leis morais.

GRANDE VEÍCULO

Ver o artigo sobre os **Veículos do Budismo**.

GRANDES CISMAS

No decorrer da história da Igreja cristã, tem havido três *cismas* que os estudiosos têm chamado de *grandes*:

1. A separação entre a Igreja Ocidental e a Igreja Oriental, em 1054 D.C.

2. O chamado *Grande Cisma Ocidental*, que se refere ao período, entre 1378 e 1417, quando houve dois, ou mesmo três papas ao mesmo tempo, digladiando-se entre si. Esse cisma dividiu toda a Igreja ocidental em campos rivais. Começou no final do chamado Cativeiro Babilônico (1309—1377), quando o papado foi dominado pelos reis da França, e a corte papal foi deslocada de Roma para a cidade de Avignon, na França. Esse cisma terminou mediante a eleição de Martinho V como papa, embora Benedito VIII, teimosamente, tivesse persistido em chamar-se papa. A morte deste último, entretanto, pôs fim a toda a querela (1423). Seus cardeais escolheram Clemente VIII como sucessor; mas este submeteu-se a Martinho V, seis anos mais tarde. Como é patente, esse cisma foi muito prejudicial para o prestígio do ofício papal. Um dos resultados disso foi que a chamada *teoria conciliar* ganhou novas forças. Muitos teólogos queriam que os concílios exercessem autoridade sobre o papa; e, durante algum tempo, essa teoria se saiu vencedora. Mais tarde houve reações do partido papista, que obteve sua maior vitória quando do concílio do Vaticano, em 1870, que decretou, entre outras coisas, a infalibilidade papal e o domínio deste sobre os concílios. Os historiadores também asseveram que esse Grande Cisma Ocidental foi um dos fatores que contribuíram para a Reforma Protestante.

3. *A Reforma Protestante*. Ver o artigo separado sobre esse assunto. Essa foi a divisão mais importante que houve na Igreja ocidental, produzindo uma significativa fragmentação. Contudo, várias doutrinas foram purificadas, e surgiu em cena um novo impulso em favor da liberdade religiosa. No entanto, muitos estudiosos afirmam que a Reforma Protestante foi apenas parcial, e que deve haver uma reforma da Reforma Protestante. Por essa razão, vários grupos evangélicos têm procurado se organizar exclusivamente com bases neotestamentárias. Contudo, o ideal é difícil de concretizar, pois cada um de nós é, em certo sentido, um produto do meio em que vive, o que dificulta muito o desembaraçar dos erros do passado. Quanto às causas e resultados da divisão entre o Ocidente e o Oriente, em 1054, ver o artigo geral sobre a *Ortodoxa Oriental, Igreja*, sob o título *O Grande Cisma*. E ver também o artigo intitulado *Filioque*.

GRANTH

Esse é o nome do livro sagrado dos siques (vide). Consiste, essencialmente, nos poemas de Nanaque, o fundador dessa fé. Nanaque nasceu em 1469 e faleceu em 1538. O livro também inclui escritos de Kabir e de Gurus, que foram os sucessores de Nanaque, na liderança do movimento. O décimo guru do movimento, ao chegar o momento de nomear o seu sucessor, recusou-se a fazê-lo, mas fez do próprio livro, *Granth*, a autoridade a ser seguida. Desse tempo em diante, essa é a condição que tem prevalecido entre eles. Com o tempo, o *Granth* passou a ser considerado objeto de adoração, pelo que os escritos ali contidos são reputados sagrados.

GRÃO

Ver os artigos gerais sobre **Agricultura e Alimentos**.

No hebraico, *tseror*, palavra que significa «sacola», «grão» e «pedregulho». Com o sentido de *grão* aparece somente por uma vez, em Amós 9:9, onde diz o Senhor: «...sacudirei a casa de Israel entre todas as nações, assim como se sacode trigo no crivo, sem que caia na terra um só grão». Portanto, nessa única menção, a palavra é usada em sentido metafórico.

No grego encontramos o vocábulo — *kokkos*, «grão», «semente», que ocorre por sete vezes: Mat. 13:31; 17:20; Mar. 4:31; Luc. 13:19; 17:6; João 12:24; I Cor. 15:47. Esse termo tem sua raiz na palavra grega que significa «círculo», «redondo».

Na antiga nação de Israel os mais importantes produtos agrícolas eram grãos ou cereais de vários tipos, além do vinho e do azeite, conforme se lê, nessa ordem, em Deuteronômio 7:13 e 11:14. As sementes dos grãos eram plantadas logo no começo da estação chuvosa, correspondendo ao nosso mês de outubro. A cevada era o cereal que amadurecia primeiro (março e abril do ano seguinte), e o trigo amadurecia de uma semana a um mês mais tarde, dependendo do regime das chuvas. Mas esse amadurecimento dos grãos também dependia da altitude do terreno cultivado. A colheita maior se dava logo no começo de junho, da qual participavam todos os membros da família. Eram usadas pequenas foices de mão nesse mister, e o grão era separado da palha, em terrenos preparados para isso (as eiras), com a ajuda de animais, que arrastavam pesos para lá e para cá, repetidamente. O grão assim trilhado era lançado no ar, para o vento separar, definitivamente, a palha do cereal. Então os grãos eram guardados em grandes receptáculos; e, chegado o momento de seu uso, era moído até tornar-se farinha.

Grãos ou Cereais Mencionados na Bíblia. 1. O trigo era o cereal mais valorizado na antiguidade, sendo cultivado em todos os lugares onde o clima o permitia (Gên. 41:2; Êxo. 29:2). O trigo era utilizado na feitura de vários tipos de pão. Mas as espigas também eram torradas e comidas inteiras, sem qualquer preparação especial. O melhor trigo da Palestina era cultivado nos vales férteis de Jezreel, de Samaria e da Galiléia. Nos tempos da dominação romana, o Haurã, na Transjordânia, era um dos grandes celeiros de cereais do Império Romano. 2. A *cevada*, depois do trigo, era o grão mais comum da Palestina. Podia ser cultivada em solos de qualidade inferior, e seu período de amadurecimento também era mais curto. Era o alimento dos pobres e dos animais. Ver Juí. 7:13; Eze. 4:9; João 6:9; I Reis 4:28. Há uma espécie de cevada selvagem que cresce na Galiléia, estendendo-se para o nordeste, na direção do deserto da Síria. É provável que as variedades cultivadas, naquela região toda, se derivassem desse tipo. Era a forragem universal de cavalos, mulas e asnos (I Reis 4:28), embora também fosse usada no fabrico do pão dos pobres (Eze. 4:9). Por ser um artigo barato, era usado na chamada oferenda de ciúmes (Núm. 5:15), e também podia ser usado como pagamento das prostitutas (Osé. 3:2; Eze. 13:19). Um bolo de cevada aludia à pobreza ou à baixa condição social de alguém (Juí. 7:13). 3. A

GRATIA CREATA — GRATIDÃO

espelta era uma espécie de trigo inferior, que medrava no Egito (Êxo. 9:32) e na Palestina (Isa. 28:25). Algumas vezes era usada misturada com o trigo, no fabrico do pão (Eze. 4:9). Algumas traduções traduzem ali por «centeio», mas os eruditos concordam que o centeio não era conhecí»bo entre os hebreus. 4. O *painço* era um grão muito miúdo, mais ou menos como a semente de mostarda, usado como forragem para os animais. Nossa versão portuguesa omite tanto esse cereal como um outro elemento, na lista de Ezequiel 4:9. Há uma considerável confusão quanto a esses dois últimos nomes da lista. O *painço* é traduzido, em algumas versões, por «milho», embora se saiba que o milho, na época, só era conhecido pelos índios da América, sendo desconhecido na Ásia, na Europa e na África, antes do descobrimento do Novo Mundo, já em 1492. E, quanto ao outro elemento, algumas versões dizem «aveia», o que não corresponde aos fatos, pois o termo hebraico correspondente, *kussemet*, era a «espelta», um tipo inferior de trigo (ver o segundo ponto, acima). O *painço* corresponde ao termo hebraico *dochan*, usado somente por uma vez, precisamente em Eze. 4:9, sendo um dos dois termos omitidos pela nossa versão portuguesa.

Ilustrações. Israel era uma nação agrícola, e era apenas natural que rabinos e mestres, incluindo o Senhor Jesus, usassem metáforas baseadas na vida agrícola para propósitos didáticos. Assim, temos as parábolas do semeador (Mat. 13:3-23; Mar. 4:3-20); do joio e do trigo (Mat. 13:24-30); da semente que cresceu secretamente (Mar. 4:26-29); do rico com seus celeiros transbordantes de cereais (Luc. 12:16-21) e do grão de trigo que cai no chão, morre, mas depois ressuscita sob a forma de abundante produção (João 12:24). Paulo também se utilizou da idéia do trigo que morre e depois floresce, como símbolo da ressurreição (I Cor. 15:36). Em Amós 9:9 temos uma metáfora em que Israel, entre as demais nações do mundo, haverá de sofrer tribulações e perseguições, sacudida para lá e para cá; mas, no fim, segundo a promessa divina, será restaurada, não havendo perecido inteiramente.

Grãos, guardados em jarras tampadas, têm sido encontrados pelos arqueólogos. Têm sido assim encontrados grãos de trigo, de cevada, de espelta e de aveia, entre os escombros de Jericó. Um ponto interessante é que, antes dessas descobertas arqueológicas, muitos especialistas pensavam que a aveia era desconhecida na Palestina, devido ao fato de que a palavra hebraica correspondente jamais aparece no Antigo Testamento. Também para admiração de todos é que alguns grãos, descobertos pelos arqueólogos, acabaram brotando e produzindo fruto!

GRATIA CREATA

A primeira dessas duas palavras vem do latim para «graça», que significa «ali um favor recebido ou realizado». A *gratia creata* seria aquela que a alma humana seria capaz de realizar, através do amor divino. É evidente que isso não passa de especulação de teólogos medievais. A Bíblia só reconhece a graça como uma atitude da parte de Deus para com o homem, conferindo-lhe aquilo que ele não merece. Embora um homem possa se mostrar gracioso para com outro, isso jamais entrou nas cogitações dos escritores sagrados, quando eles falavam sobre a graça como a atitude divina que nos permite a salvação.

GRATIA GRATIS DATA

Expressão latina que significa «graça livremente dada». A expressão é usada para indicar as operações da graça que ultrapassam aquilo que se poderia esperar da alma humana, sem a ajuda divina. Tal expressão também designa os dons carismáticos que preparam outras pessoas para receberem a graça divina. Seria a influência do Espírito Santo sobre a alma, antes da infusão da graça salvadora ser conferida. Naturalmente, temos aí outra especulação, que só serve para confundir o quadro da graça divina. Em certo sentido, poderíamos dizer que tudo quanto os homens recebem de Deus vem pela sua graça. Mas o Novo Testamento reserva a palavra «graça» (no grego, *cháris*), para indicar aquela atitude divina que sempre leva um homem à salvação, sem nunca especular sobre as atitudes divinas antes desse momento, e, muito menos, chamando essas atitudes anteriores, igualmente, de «graça». Dentro da teologia sacramentalista (tão bem representada pela Igreja Católica Romana, embora não com exclusividade), essa expressão refere-se à influência divina sobre a pessoa, para que ela receba corretamente os sacramentos e seja por eles beneficiada. Ver o artigo sobre os *Sacramentos*.

GRATIA GRATUM FACIENS

No latim, essa expressão indica aquela «graça ou favor que fez alguém tornar-se *agradecido*». Seria uma graça real e salvadora, em contraste com a *gratia gratis data* (vide), que atuaria como uma influência preparatória. Seria algo criado no homem pelo poder divino, mediante o que o indivíduo torna-se agradável a Deus, tornando-o aceitável. Essa graça restauraria o *donum superaditum* que o homem tivera quando de sua criação, mas que perdeu por causa da queda no pecado. Novamente, são meras especulações de teólogos medievais. A Bíblia nunca levanta tais problemas. A única diferença entre essas especulações e aquela outra que ficava debatendo quantos demônios cabem na ponta de uma agulha, é que esta última não recebeu nenhum título em latim.

GRATIA INCREATA

Seria a graça não dada e nem realizada. Essa expressão é empregada para designar o amor divino, em suas operações. Seria uma graça *não criada* por qualquer agência humana. Essa é uma classificação inteiramente desnecessária, pois nenhuma graça divina é criada por agência humana.

GRATIA PREVENIENS

Ver o artigo sobre a *Graça*, em sua seção nona, sexto ponto, *Graça Preveniente*. Essa seção do artigo também descreve várias outras funções da graça, que recebem nomes como graça real, graça habitual, graça irresistível, graça geral, graça santificadora, graça suficiente e graça eficaz. Há especulações protestantes, tanto quanto católicas romanas ou ortodoxas. É difícil escapar a atividade de especular, — devido ao nosso espírito inquisitivo e à nossa pequena maturidade espiritual, quando não se trata mesmo de aberrações mentais. É muito penoso o avanço pela trilha estreita da verdade!

GRATIDÃO

1. *Definição*. A raiz latina dessa palavra portuguesa é *gratus*, que significa «agradável». Isso posto, a *gratidão* é aquela atitude de alguém que fica satisfeito e agradado diante de alguma coisa, e assim sente-se grato. É a reação de um homem diante de outro, que fez algo em seu favor, e que fez certa diferença para

GRATIDÃO — GRÉCIA

melhor em sua vida. No sentido teológico, envolve a gratidão e os sentimentos de endividamento de uma pessoa, por haver Deus exibido a graça salvadora a ela, fazendo-a prosperar nesta vida e garantindo-lhe a felicidade eterna, através da missão de Cristo e do ministério do Espírito Santo. Um dos vícios dos pagãos, conforme Paulo os alista, é o da ingratidão. Ver Rom. 1:21. Eles têm conhecimento da existência de Deus, e experimentam muitos de seus benefícios, mas não se mostram agradecidos.

2. *A Fonte Necessária*. Todos os benefícios, dons e vantagens dos homens procedem de Deus. Paulo ensinava que se há algo diferente em uma pessoa, que chama a atenção de outras, isso se deve a algum dom de Deus. Sendo esse o caso, faríamos bem em evitar a jactância, porquanto tudo quanto somos e temos é um dom de Deus (I Cor. 4:7). Tiago ajunta que todo dom perfeito nos é dado por Deus (Tia. 1:17).

3. *Os Devedores*. Todos os homens são devedores. A própria vida é um dom de Deus. O sustento das necessidades físicas também nos é dado por sua graça. O destino e o propósito na vida de cada pessoa também foram planejados por Deus. Nós amamos ao Senhor porque ele primeiramente nos amou (I João 4:19). O próprio evangelho é iniciativa divina, visando ao benefício dos homens. Há grandes promessas **referentes ao futuro bem-estar dos remidos** e, **secundariamente, até no caso dos não-remidos**, através dos planos da *redenção* e da *restauração* (ver os artigos a respeito). Kierkegaard (vide) fez uma grande observação quando disse: «Sou um pobre coitado de quem Deus cuidou e em favor de quem ele tem feito indescritivelmente mais por mim do que eu jamais esperei... e agora somente anseio pela paz da eternidade, a fim de nada mais fazer, senão agradecer a ele» (*The Journals*).

4. *Motivações*. Ver o artigo separado sobre *Motivo, Motivação*. Paulo ensina-nos, em Romanos 2:4, que a bondade de Deus é que nos leva ao arrependimento. Após o arrependimento ocorre o processo da salvação, que, neste mundo, começa com a regeneração, e termina na glorificação. Além desse tipo de gratidão essencial, há aquilo que inspira o nosso serviço. Romanos 12:1 é trecho que situa o serviço prestado pelo homem diretamente sobre as muitas misericórdias de Deus. Desse modo, nosso serviço torna-se razoável, como reação à misericórdia e a graça divinas. **Devemos louvar ao Senhor**, que nos chamou das trevas para a luz (ver I Ped. 2:9). «Quando o Senhor restaurou a sorte de Sião, ficamos como quem sonha. Então a nossa boca se encheu de riso, e a nossa língua de júbilo; então entre as nações se dizia: Grandes cousas o Senhor tem feito por eles» (Sal. 126:1,2). Temos recebido gratuitamente, da parte do Senhor, e estamos na obrigação de dar gratuitamente do que temos recebido (ver Mat. 10:8).

Outros fatores motivadores de nossa gratidão são a misericórdia de Deus (Sal. 106:1; 107:1), o dom de Cristo (II Cor. 9:15), o reino e o poder de Cristo (Apo. 11:17), o livramento do pecado (Rom. 7:23-25), a proximidade da presença de Deus (Sal. 75:1), o suprimento de nossas necessidades físicas (Rom. 14:6; I Tim. 4:3,4), a vitória sobre o pecado, a morte e o sepulcro (I Cor. 15:47), a sabedoria e o poder (Dan. 2:23), o triunfo do evangelho (II Cor. 2:14), o recebimento da Palavra de Deus (I Tes. 2:13), a conversão das almas (Rom. 6:17), a graça estendida a outras pessoas (I Cor. 1:4; Fil. 1:3-5), todas as coisas boas que Deus nos envia nesta vida (II Cor. 9:11; Efé. 5:20).

5. *A Falta de Gratidão*. Parte da apostasia dos gentios consistia na falta de gratidão (Rom. 1:21). Os ímpios são adversos à gratidão.

6. *Alguns Resultados da Gratidão*. Arrependimento (Rom. 2:4), Deus fica satisfeito e agradado (Sal. 92:1), oferecimento de louvor (Sal. 50:14), louvor a Cristo (I Tim. 1:12), intercessão por outras pessoas (I Tim. 2:1,2; II Tim. 1:3); oração (Nee. 11:17; Fil. 4:6).

7. *Algumas Citações Notáveis Sobre a Gratidão*.

«A gratidão é o sinal das almas nobres» (Esopo).

«A terra não pode produzir coisa alguma pior do que um homem ingrato» (Ausônio).

«Um homem inclina-se muito por queixar-se da ingratidão daqueles que subiram mais do que ele» (Samuel Johnson).

«A gratidão da maioria dos homens é apenas o desejo secreto de receberem benefícios ainda maiores» (François de la Rochefoucaud).

«A gratidão é a menor das virtudes, mas a ingratidão é o pior dos vícios» (um provérbio popular).

«Mais aguçado que o dente de uma serpente é ter um filho ingrato» (Shakespeare, em *Rei Lear*).

GREBEL, KONRAD Ver **Menonitas, 1.**

GRÉCIA

Esboço:
  I. Caracterização Geral
  II. O Nome
  III. Geografia e Localização
  IV. Dados Históricos
  V. A Filosofia Grega
  VI. A Religião Grega
  VII. A Língua Grega
  VIII. A Literatura Grega
  IX. Esboço de Descobertas Arqueológicas

I. Caracterização Geral

«Todos nós somos gregos. Nossas leis, nossa literatura, nossa religião, nossa arte têm todas suas raízes na Grécia» (Percy B. Shelley).

A importância da Grécia, dentro da história humana, é uma questão de claro registro histórico. A importância da Grécia, para o Novo Testamento, revela-se no fato de que a missão européia de Paulo foi, essencialmente, uma missão de evangelização da Grécia. E, naturalmente, a língua grega foi o grande veículo de propagação, tanto do Antigo Testamento, por todo o **mundo não-palestino**, através da versão da Septuaginta (vide), quanto também foi a língua em que todo o Novo Testamento foi composto (excetuando algumas poucas e breves frases e palavras). Por isso mesmo, o idioma grego (em seu período *koiné*, o grego que se falava por todo o império romano, desde cerca de II A.C. até II D.C.) continua sendo estudado até hoje pelos estudantes de teologia. E tão grande tem sido, até hoje, o impacto da cultura grega no mundo, que uma grande porcentagem de universidades oferece cursos de grego clássico, quanto à sua língua e literatura. Todavia, a questão não pode ser deixada nesse ponto. Se tivéssemos de isolar os dois principais fatores que formam as pedras basilares de nossa cultura ocidental, diríamos: Israel e a Grécia.

A filosofia grega (vide) é a mãe da filosofia ocidental, bem como um fator importante na maneira de pensar e de escrever de certo número dos primeiros pais da Igreja. Isso posto, a nossa teologia cristã ocidental (e não somente a teologia cristã oriental) foi fortemente influenciada por idéias gregas, mormente as de Platão. Justino, Clemente, Orígenes e Agostinho (para mencionar, somente alguns poucos) foram profundamente influenciados por Platão; e as formulações teológicas deles confirmam esse fato.

GRÉCIA

A Grécia é um país de pequenas dimensões (de acordo com os padrões modernos), localizado na parte sul da península dos Bálcãs. Uma das maiores civilizações do mundo já floresceu ali. O moderno estado da Grécia ocupa não somente a parte sul da península dos Bálcãs, mas também as ilhas jônicas, ao longo de suas costas ocidentais, a grande ilha de Creta, um tanto mais ao sul, e, excetuando as ilhas de Imbros e Tenedos (que pertencem à Turquia e que os turcos chamam de Imroz e Bozcaada), todas as ilhas do mar Egeu, incluindo a ilha de Rodes.

Quem foram os primeiros habitantes da Grécia é um dos mais famosos enigmas da história. A língua deles era indo-européia e eles localizaram-se, primeiramente nos estados micenos do Peloponeso, conforme tem sido recentemente determinado pelo deciframento da escrita linear B, do segundo milênio A.C. E quando eles aparecem pela primeira vez nos registros históricos, já ocupavam ambas as margens do mar Egeu. Duas grandes atividades marcaram o começo da história deles: a filosofia e o governo republicano. Esse tipo de governo começou nas costas jônicas da Ásia Menor. A Jônia tem sido identificada como lugar onde se instalaram os descendentes de Javã (ver Isa. 66:19), filho de Jafé, neto de Noé (ver Gên. 10:1-4).

A história grega antiga inclui o relato de colônias gregas que se estabeleceram na área do mar Negro, na ilha da Sicília e no sul da Itália, e também ao longo das margens do Mediterrâneo, para o ocidente, até Marselha (na França atual) e a Espanha. Alexandre, o Grande, expandiu os estados gregos para o Oriente, até tão longe quanto as fronteiras ocidentais da Índia. Isso posto, apesar do território da Grécia ser tão pequeno, a esfera de influência do império grego não foi nada pequena. Os jônicos eram uma colônia da Ática; e, visto que, nos tempos clássicos, tinham vindo do Oriente, algumas vezes eram chamados asiáticos, e não europeus. Na realidade, todos os povos europeus são provenientes da Ásia, mesmo que tenham estado antes na África (como é o caso dos iberos, da península Ibérica), antes de entrarem na Europa. O trecho de Joel 3:6 menciona os gregos como compradores de filhos de Judá, vendidos por negociantes de escravos de Tiro. Ele falou sobre isso em cerca de 800 A.C. A passagem de Ezequiel 27:13 menciona Javã (a Grécia) e Tiro, como negociantes de escravos. Os trechos bíblicos de Daniel 8:5,21 e 11:3 predisseram o surgimento de Alexandre, o Grande, o bode que «tinha um chifre notável entre os olhos», que vinha do Ocidente, ocupando toda a face da terra, e que dominava a tudo com a velocidade de um leopardo alado (Dan. 7:6). A Grécia, pois, feriu e substituiu a Média Pérsia, representada pelo carneiro (Dan. 8:3,4).

Alexandre, o Grande (vide), aluno de Aristóteles, foi o gênio militar que espalhou a cultura grega por todo o mundo conhecido e civilizado de sua época. A *era helenista* começou com ele, tendo continuado por mais trezentos anos (desde 323 A.C. até o começo da era cristã). Estados gregos multiplicavam-se para o Oriente até à Índia. Mas, por ocasião da morte de Alexandre, o Grande, de seu império surgiram os reinos selêucida e ptolemaico. O primeiro desses reinos derivava seu nome de *Seleuco Nicator*, um dos generais de Alexandre, que, depois da morte deste, governou no território sírio que Alexandre havia conquistado. Seis reis tiveram o nome de *Seleuco*, formando uma dinastia que governou a Síria desde 312 A.C. até à conquista romana da região, em 64 A.C. Por sua vez, Ptolomeu I, outro general de Alexandre, foi o fundador da dinastia ptolemaica. Nada menos de catorze monarcas do Egito chama-ram-se *Ptolomeu*. Essa dinastia greco-macedônica governou o Egito desde 323 A.C. até 30 A.C., quando os romanos, finalmente, conquistaram o Egito. Temos provido artigos separados sobre ambas essas dinastias. A fragmentação política era uma das características dos antigos gregos, e essa circunstância prosseguiu no caso dos sucessores de Alexandre, o Grande. Muitos estados gregos originaram-se daí, durante o chamado período helenista.

Mas, se politicamente falando, a fragmentação foi-se intensificando, no campo da cultura houve uma espécie de *unificação* em torno do *ideal grego*. A porção inteira do Mediterrâneo oriental, e grande região em redor, foi elevada acima da norma comum da civilização, devido à influência grega. O ideal de uma vida livre e cultivada em uma pequena comunidade autônoma (que fora antes prerrogativa de alguns poucos estados egeus), tornou-se uma espécie de padrão universal. Atenas continuou sendo a capital cultural do mundo, e o grego tornou-se o idioma universal. Entrementes, foram surgindo outros grandes centros da cultura grega, como Pérgamo, Antioquia e, especialmente, Alexandria, onde o elemento judaico era fortíssimo. O predomínio grego no terreno da cultura era tão grande que os homens podiam ser divididos, a grosso modo, em gregos (os civilizados e eruditos) e bárbaros (o resto da humanidade, de cultura inferior). O trecho de Romanos 1:14 reflete essa maneira de dividir culturalmente os homens. Para os judeus, entretanto, havia os judeus e os pagãos. O orgulho humano sempre se mostra ativo, produzindo as divisões e preconceitos humanos até mesmo na linguagem. Assim, o uso da língua grega era sinal de civilização e prestígio (ver Atos 21:37-39). Aqueles que sabiam usar o idioma grego, embora não fossem racialmente gregos, ainda assim podiam ser chamados helenistas, conforme se vê, por exemplo, em Atos 6:1 e 9:29. Até mesmo judeus, que usavam o grego, ao que se presume, eram assim chamados, em contraste com outros judeus que não sabiam falar o grego. No entanto, a passagem de Atos 9:29, parece referir-se a **não-judeus**: «Falava e discutia com os helenistas...» O termo comumente usado para indicar não-judeus, nas páginas do Novo Testamento, é «grego» (no grego, *hellen*) (ver Atos 18:17 e Rom. 1:16).

No começo da era cristã, os territórios que antes tinham feito parte da Grécia, vieram a integrar a província romana da Acaia. O procônsul romano residia em Corinto. Atenas, porém, continuou sendo o centro da cultura e da erudição. Jovens romanos iam a Atenas tal como hoje muitos jovens estudantes estrangeiros aspiram freqüentar universidades como a Sorbonne, Harvard, o Massachusets Institute of Technology, a Universidade de John Hopkins, e outros grandes centros, em vários países. Aprendemos pela história que as escolas de gramática, de retórica, de dialética e de filosofia de Atenas viviam repletas de estrangeiros, antes e depois do advento do cristianismo.

O cristianismo foi levado à Grécia pelo apóstolo Paulo, que visitou Filipos (Atos 16:12), Tessalônica, Beréia, Atenas e Corinto (Atos 17 e 18). Essa missão foi impelida pela *chamada macedônia* de Paulo (ver Atos 16:9), tendo constituído a sua segunda viagem missionária.

II. O Nome

O vocábulo **Grécia** vem do latim, **Graecia**. Os *graeci* (palavra latina) eram os gregos. Originalmente, o nome foi aplicado a um grupo humano indo-europeu que ocupava a extremidade noroeste da península dos Bálcãs, do outro lado do *calcanhar* da península

Demóstenes, Cópia Romana de
um Original Grego
Cortesia, Vatican Library

GRÉCIA, A PARTENON — Cortesia, Metson Photo Service

Canal que atravessa o istmo de Corinto
— Cortesia, John F. Walvoord

Estrada de Lechaeum, Corinto
— Cortesia, John F. Walvoord

Delfos, Grécia Central   Cortesia, Matson Photo Service
Teatro de Apolo

GRÉCIA

Itálica. É curioso que essa região, seu povo e seu idioma tenham-se tornado conhecidos por meio de palavras latinas. Outras curiosidades lingüísticas como essa têm ocorrido. Assim, a *Palestina* obteve seu nome das tribos filistéias, que viviam na extremidade sudoeste da terra atualmente chamada Palestina. A chamada faixa de Gaza, de nossos dias, marca o local onde habitavam os filisteus. Os gregos chamavam seu país de *Ellás*, pelo que eles mesmos eram os helenos. Todavia, esse nome designava, originalmente, uma pequena tribo do sul da Tessália (Homero 2.683,684). Os nomes tribais apareceram primeiro, porque a Grécia não formava um país unificado, e muitos séculos de história se passaram, até formar-se o país que hoje em dia chamamos de Grécia. As principais tribos helenas eram os acaeanos, os argivos e os danai. Os nomes veterotestamentários de «Javã» e «Dodanim» parecem referir-se aos gregos jônicos da Ásia Menor e aos danai.

III. Geografia e Localização

Três penínsulas projetam-se da Europa para dentro do mar Mediterrâneo. E duas dessas penínsulas são formadas mediante o avanço do mar entre os sistemas montanhosos desse continente. Geograficamente falando, a Grécia é aquela região que é banhada pelas águas na extremidade suleste da cadeia montanhosa da Europa central e do sul. A Grécia é uma região montanhosa com elevações e precipícios com estreitas planícies nos vales, com serras montanhosas e picos, cuja massa é interrompida, na direção leste-oeste, por profundas gargantas, indentadas pelo mar invasor, cercada por vários grupos de ilhas, especificamente aquelas ilhas do mar Jônico e do mar Egeu (as Espradas e as Cicladas). As ilhas de Creta e do Dodocaneso, embora não façam atualmente parte da Grécia, geográfica, etnológica e historicamente sempre estiveram vinculadas à porção continental da Grécia. A história grega foi significativamente influenciada por seu terreno acidentado, que separava povos da mesma raça geral em tribos que, com freqüência, se hostilizavam. Não era um país que facilitava a unidade, por causa das dificuldades de transporte e comunicação dos tempos antigos. Cidades-estado foram a resposta para essa condição, e a fragmentação foi o resultado natural da mesma. Quando os gregos procuraram expandir-se, tornaram-se marinheiros, colonizadores de outras terras, e isso os internacionalizou. Atualmente, a Grécia é classificada como um país de pequenas dimensões, na porção sul da península dos Bálcãs, incluindo ainda as ilhas Jônicas (mais para oeste), a grande ilha de Creta (para o sul) e a maior parte das ilhas do mar Egeu, incluindo Rodes (para leste e suleste). A Grécia moderna é um país do suleste europeu, que tem a área de 130.918 km(2).

IV. Dados Históricos

A história da Grécia antiga pode ser dividida, a grosso modo, em duas grandes eras: a pré-história e a história até 1000 A.C.; e então a história de 1000 A.C. até 330 D.C. O período anterior a 1000 A.C. só é conhecido essencialmente através das descobertas arqueológicas; e, daí por diante, por essas descobertas, paralelamente à literatura antiga. A civilização grega clássica começou a surgir dentre a cultura micena, em cerca de 1000 A.C., e foi essa a civilização que deixou tão rico legado à raça humanidade.

1. Pré-história (até 1000 A.C.).

Quanto a esse período, encontramos as usuais classificações arqueológicas do período neolítico (6000 — 2800 A.C.); a Idade do Bronze Antiga (2800 — 2000 A.C.); a Idade do Bronze Média (2000 — 1570 A.C.); a Idade do Bronze Moderna (1570 — 1000

A.C.).

a. *Período Neolítico*. A região que hoje é a Grécia tornou-se bem povoada com o desenvolvimento da agricultura. Artefatos de cerâmica e outros itens têm sido encontrados no continente, na ilha de Creta e em algumas ilhas do mar Egeu. Sabemos que as populações que viviam na orla marítima ocupavam-se na pesca e na navegação. Agricultores cultivavam o trigo e a cevada, e domesticavam o cão e outros animais. A cerâmica ali descoberta revela que os gregos sofriam as influências do Oriente Próximo.

b. *Idade do Bronze Antiga*. Estados civilizados apareceram no Oriente Próximo. Os gregos, ao que parece, aprenderam com eles como usar o bronze. O mármore era usado para fazer figurinhas humanas e certas peças de instrumentos musicais de cordas. Os gregos tornavam-se cada vez melhores marinheiros, e muitos gregos residiam na Ásia Menor.. Peças de cerâmica provenientes do continente europeu, sobretudo de Lerna, perto de Argos, tinham um polimento especial. Há evidências de guerras e destruições na parte européia da Grécia, durante esse período. Chegaram invasores vindos do norte, que provavelmente falavam um grego de forma bem primitiva. Evidências que mostram a presença de gregos antigos têm sido achadas em Corinto e em Assôs. Também há evidências lingüísticas do uso de um outro idioma que tinha freqüentes sons sibilantes, como *ss* e *nth*.

c. *Idade do Bronze Média*. Invasores vindos do norte fortificaram suas cidades com muralhas de pedra bruta (pedras empilhadas, sem qualquer cimento entre elas). Desenvolveram-se novos formatos nas peças de cerâmica. Já perto do fim desse período, acentuaram-se as influências cretenses sobre os demais gregos. Os habitantes de Creta viviam em um ambiente mais pacífico do que os habitantes da parte continental do país, pelo que a cultura dos cretenses foi progredindo sem interrupções, desde o período minoano antigo até o período minoano médio. Surgiram reinos independentes em torno de lugares como Cnossos, Paestos, Malia, Cato e Zacro. A arqueologia tem podido desenterrar grande riqueza de material proveniente desse período, como palácios, templos, pátios, residências luxuosas com banheiros e água corrente. Muitos itens de luxo, como figurinhas feitas de marfim, vasos extremamente decorados e peças de cerâmica de paredes finíssimas, habilidosamente pintadas, têm sido descobertos pelos arqueólogos. Na decoração usavam-se figuras representando seres humanos, animais, plantas e peixes. Os cretenses ocupavam-se na agricultura, na navegação marítima e no comércio com o estrangeiro. A Grécia histórica retém a memória de Minos com seu fantástico palácio de Cnossos. O vocábulo *minoano* refere-se a uma avançada civilização da idade do Bronze, que floresceu em Creta entre 3000 e 1100 A.C., quando também havia duas típicas variedades de escrita linear (composição em *linhas*), que usavam sinais silábicos e pictográficos ao mesmo tempo. Essas formas escritas foram encontradas em tabletes de argila, no palácio de Minos, em Cnossos, no palácio de Nestos, em Pilos, e em outras cidades gregas e cretenses, do século XVII ao século XIII A.C.

d. *Idade do Bronze Moderna*. O centro das atividades, em torno do mar Egeu, eram os palácios dos governantes. Uma grande erupção vulcânica, segundo parece, destruiu os palácios minoanos. Também há evidências de que os gregos da parte continental da nação controlavam Cnossos, durante esse período. Na Grécia propriamente dita, por esse tempo, prevaleceu a chamada *idade micena*, assim designada porque a civilização da época centralizava-

967

GRÉCIA

se em torno da cidade de Micenas. Essa civilização propagou-se até à Ásia Menor, à ilha de Sicília e a países estrangeiros, ante o avanço dos helenos, e atingiu o seu ponto culminante por volta de 1400 A.C. Micenas era uma antiga cidade da parte nordeste do Peloponeso. Grandes escavações têm sido efetuadas ali, a partir de 1876. As evidências mostram certa influência minoana. Um grupo de sepulcros, chamados *Sepulcros em Círculo B*, escavados na rocha, fora da fortaleza ali existente, continha objetos minoanos, juntamente com produtos nativos da região. Máscaras feitas de ouro, braceletes, tabuleiros de jogos feitos de marfim, adagas com incrustrações, etc., têm sido encontrados nesses túmulos e em outras escavações feitas na parte continental da Grécia e nas ilhas do mar Egeu. A arqueologia tem ilustrado a existência de duas estruturas notáveis: os túmulos chamados *tolos* e os palácios. Esses túmulos eram estruturas com cúpulas falsas, feitas de tijolos, nos quais as pessoas entravam por meio de corredores. Os palácios (diferentes daqueles da ilha de Creta) tinham um *megaron*, ou seja, um grande salão central, com uma lareira e um pórtico com colunas. É evidente que esse plano geral foi usado nos templos posteriores da Grécia.

Nesse tempo, a Grécia estava dividida em vários reinos independentes como os de Micenas. Tirinos, Pilos, Atenas, Tebas e Iolcos, este último na Tessália, o lendário lar de Aquiles. Os ricos viviam em palácios, enquanto que os aldeões viviam em vilas muito inferiores, que circundavam os palácios. No entanto, ainda não havia grandes cidades na porção continental da Grécia. A civilização micena tinha certa forma de escrita. Foi encontrado um depósito de tabletes, gravados com o que atualmente se conhece por escrita linear B. Outras evidências dessa forma de escrita têm sido encontradas em Cnossos, Tirinos e Tebas. A forma de escrita linear B contém uma antiqüíssima variedade de grego.

A Grécia micena compunha-se de agricultores, artesãos e guerreiros. Um dos ataques feitos por esses guerreiros foi o famoso ataque contra Tróia, referido nos poemas homéricos, a Ilíada e a Odisséia. Em quais proporções estão ali misturadas a história, as lendas e a mitologia é algo que continua sendo debatido pelos estudiosos. Seja como for, a arqueologia tem provido grande abundância de evidências quanto a esse período, com a descoberta de muitos artefatos, armas, armaduras, carruagens e referências literárias. Depois de 1300 A.C., foi passando a força da era micena. Guerras, pragas e desastres naturais diminuíram drasticamente a população da Grécia. Houve a infiltração de um povo hostil, vindo do outro lado da cadeia dos Bálcãs, chamados dorianos, os quais puderam ocupar grande parte da ilha de Creta e as ilhas circunvizinhas. Dessa forma, estabeleceram-se vários dialetos gregos: o eólico, o ático, o dórico e o jônico eram os principais (mais conhecidos através de fontes literárias que chegaram até nós).

2. A Civilização das Cidades-Estado da Grécia

Os historiadores dividem esse período em quatro partes: a. época de formação (1000 — 800 A.C.); b. desenvolvimento das cidades-estado (800 — 500 A.C.); c. ponto culminante (500 — 404 A.C.); d. declínio (404 — 338 A.C.).

A era micena terminou em desastre, ou melhor, desastres. A população ficou muito reduzida. Pequenos povoados tornaram-se o padrão. Para proteção mútua e prosperidade, os gregos retornaram à agricultura de subsistência e ao pastoreio, e a tendência passou a desenvolver unidades pequenas, **quase auto-suficientes**. O comércio com o estrangeiro

e a navegação não se interromperam de todo, mas diminuíram significativamente. O ferro começou a ser usado, e isso resultou em mudanças tecnológicas. A metalurgia tornou-se uma profissão independente, e seus produtos passaram a ser usados na agricultura e como armas de guerra. Outros fatores também estiveram envolvidos na descentralização, havendo evidências em prol da declaração de que, em cerca de 500 A.C., várias centenas de pequenas cidades foram transformadas em **cidades-estado**, essencialmente unidades **auto-suficientes** que promoviam seus próprios ideais nos campos da filosofia, da religião e da autonomia política. A tradição patriarcal já fazia parte, antes disso, do pensamento **grego; e a cidade-**estado só serviu para fortalecer essa filosofia. A unidade social última era a mansão patriarcal. A autoridade da *polis* era investida nos adultos do sexo masculino; as famílias formavam o *genos* (clã), e os clãs formavam a *phratri* (tribo). A economia estava alicerçada sobre a propriedade privada. Mas o poder não estava distribuído de forma eqüitativa. Os guerreiros donos de terras formavam o poder maior. Os escravos formavam a unidade menos importante. A escravidão era uma instituição bastante limitada, até o ano 800 A.C. Os proprietários de terras tinham grande poder; os destituídos de terras e das riquezas dali decorrentes exerciam pequena influência.

Os níveis da sociedade eram: a aristocracia latifundiária (donos de terras) e a militar, que ocupavam o topo da pirâmide; os agricultores donos de terras, já de influência menor que aqueles (a classe média antiga); os agricultores sem terras, artesãos e trabalhadores do dia-a-dia, vinham em seguida; os estrangeiros residentes, mais abaixo ainda; e, finalmente, a classe dos escravos, à base da pirâmide. A **cidade-estado** era a sincretização de algumas poucas aldeias espalhadas por uma área, e a proteção mútua era a sua principal motivação. Para exemplificar, as aldeias da Ática contribuíram com seus recursos e poderes sob a autoridade da acrópolis, dando início a um novo tipo de estado. A democracia era a mentalidade normativa nessa unidade política. Tebas e Esparta tornaram-se centros para outras regiões, e a oligarquia começou a dominar nesses lugares. O *tirano* era o chefe político dentro desse sistema; e, se ele fosse cruel e corrupto, então era um tirano no sentido moderno. O termo grego correspondente significa apenas «senhor» ou «governante». A palavra é de origem dórica, *koiranos*, que se deriva de *kúrios*, a palavra grega comum para «senhor».

Em Atenas, Sólon provomeu reformas constitucionais de acordo com diretrizes democráticas (594 A.C.). Seguiram-se, porém, governos tirânicos; mas Cleístenes (507 A.C.) introduziu uma genuína forma de governo democrático. A cidade de Esparta, em contraste, tornou-se uma sociedade militarista tirânica, organizada com base no código selvagem do semilendário Licurgo. O **ponto culminante da cidade-**estado ocorreu em cerca de 500 A.C. Unidas as cidades-estado (sobretudo Atenas e Esparta) obtiveram uma surpreendente e grande vitória sobre o poderoso império persa, e assim fizeram esse império cessar em sua expansão para o Ocidente, que pretendia ocupar a Grécia européia. Isso obteve o efeito literal de liberar as cidades gregas da Ásia Menor, que antes tinham caído sob o controle do reino da Lídia (século VII A.C.), mas que então havia sido absorvido pelo império persa. As datas dessa guerra são 499 — 478 A.C. Heródoto foi o historiador antigo que nos brindou com o relato da mesma. Essa é uma das razões pelas quais ele é apodado de «pai da história».

GRÉCIA

Em seguida ocorreu a infeliz **guerra do Peloponeso** (431 — 404 A.C.), durante a qual Esparta e Atenas lançaram-se à destruição uma da outra. Sendo militarmente mais forte, Esparta foi a vencedora; mas suas perdas também foram consideráveis. Nunca mais, depois disso, Atenas conseguiu recuperar sua antiga pujança. Foi Tucídides quem registrou esse triste relato. O expansionismo ateniense fora a causa principal dessa guerra intensa. Atenas tentara tornar-se o poder grego mais forte, tanto em terra quanto no mar. Sua expansão pelo mar jônico causava grande consternação entre os coríntios. Corinto considerava essa faixa marítima como sua, e Corinto era o poder marítimo mais poderoso da liga do Peloponeso, encabeçada por Esparta.

Os Números em Atenas. É possível determinar a população da cidade de Atenas, nos dias de Péricles (cerca de 450 A.C.) mediante as seguintes considerações: a suposta democracia de sua época era, na verdade, controlada por cerca de quarenta e três mil cidadãos. As mulheres, que também deveriam ser mais de quarenta mil, estavam excluídas de qualquer participação política. Os estrangeiros residentes também não tinham tal participação; e o número deles orçava em cerca de vinte e oito mil e quinhentos. Os escravos formavam o grupo mais numeroso, cerca de cento e dez mil; e eles, naturalmente, não tinham qualquer participação no governo. Se então incluirmos as crianças, podemos afirmar que a população de Atenas, nessa época, girava em torno dos quatrocentos mil habitantes. Esses números não incluem os residentes do resto da Ática.

Declínio. As coisas não voltaram ao normal absoluto, após a destrutiva guerra do Peloponeso. Atenas tornou-se, uma vez mais, o porto mais importante do mar Mediterrâneo; mas agora precisava competir com Corinto, Megara, Boécia, Rodes, Quios e Tassos. Além disso, certos poderes estrangeiros tinham-se apossado de mercados que antes pertenciam à Grécia; e, sem esses mercados, as condições haviam piorado para todos os gregos. Alguns *poucos* obtiveram maior poder; mas a *maioria* saiu perdendo. Atenas foi forçada até mesmo a pagar subsídios aos cidadãos mais pobres, para poder manter a paz social. Houve várias guerras civis, enquanto várias forças lutavam buscando a liderança. Apesar de haver herdado o império ateniense, em 404 A.C., Esparta também foi declinando rapidamente.

Por outro lado, a cidade de Tebas foi subindo em proeminência, e chegou a derrotar os espartanos, por ocasião da batalha de Luectra (371 A.C.). Mas, passada uma década, Tebas e Esparta voltaram a medir-se, quando da batalha de Mantinéia (362 A.C.). Nenhuma delas saiu-se vencedora; mas Epaminondas, o governante tebano, foi morto. O resultado geral foi que nenhuma cidade grega foi capaz de obter a supremacia, e nenhuma delas estava interessada em conseguir a unificação do país. Essa desunião foi que deu origem ao poder crescente da Macedônia, sob a liderança de Filipe II (vide), o qual governou entre 359 e 336 A.C. Um notável feito da arqueologia tem sido o descobrimento dos ossos desse homem, e nosso artigo sobre ele descreve isso. Ele foi o pai de Alexandre, o Grande (vide).

3. O Domínio da Macedônia e Alexandre, o Grande

A batalha de Queronéia (338 A.C.) resultou na completa sujeição da Grécia à Macedônia. Os macedônios também eram gregos; mas, na antiguidade, haviam sido considerados bárbaros que falavam um dialeto grego, e que tinham tendências helenizadoras. No entanto, foram os macedônios que,

finalmente, conseguiram unificar a Grécia inteira dentro da liga helênica de Corinto, de acordo com a qual Filipe II organizou **todas as cidades-estado** da Grécia. Alexandre, seu filho, anelava somente por guerras de conquista. Ele lembrou aos gregos o delito persa (cento e cinqüenta anos antes) de haver invadido a Grécia; e resolveu punir os persas por causa disso, juntamente com outras potências estrangeiras. Alexandre conseguiu bater facilmente os persas; e passou muito além deles. Tornou-se o grande dominador de todo o mundo conhecido e civilizado da época, e a sua história aparece em um artigo separado a seu respeito.

4. O Helenismo

A cultura, a língua — e o poder militar dos gregos agora dominavam o mundo conhecido. — O período helenista começa com Alexandre, o Grande, e prolonga-se no tempo mais trezentos anos. Oferecemos algumas descrições a esse respeito, nos últimos parágrafos, sob a primeira seção deste artigo, e também no artigo separado intitulado *Helenismo, Helenistas.*

5. Roma, a Potência do Ocidente

É fato de observação comum que a civilização começou no Oriente Médio e foi avançando progressivamente para o Ocidente. Isso tornou-se ainda mais evidente no caso da Grécia e de Roma. O conflito entre Roma e a Macedônia começou quando Roma estabeleceu uma cabeça de ponte sobre o mar Adriático oriental, depois de duas campanhas contra os piratas de Ilíria (229 — 228 e 219 A.C.). Isso provocou a primeira guerra macedônica (215 — 205 A.C.), quando Filipe V era o rei da Macedônia. Este aliara-se a Cartago, no norte da África. Mas a vitória de Roma, nessa ocasião, e também quando a segunda guerra macedônica (200 — 197 A.C.), fez Roma tornar-se o poder maior na Grécia. Estranhamente, Roma recebeu o apoio de vários estados gregos, como a liga da Etólia, Atenas, Esparta e Rodes. Em 196 A.C., Tito Quinctius Flaminius declarou a independência de todas as cidades gregas. A própria Grécia foi reorganizada, como uma província romana. No começo, os gregos mostraram-se entusiasmados com a nova ordem de coisas; mas, não demorou muito para reconhecerem amargamente a sua sujeição. Um novo império tinha nascido. Ver os artigos separados sobre *Roma* e sobre o *Império Romano.*

6. A Era Áurea e a Era Argêntea

Fazemos bem em notar (embora interrompendo a ordem cronológica da nossa narrativa) a *era áurea* da Grécia. Em vários sentidos, o clímax da civilização grega ocorreu no século V A.C., na cidade de Atenas. Os principais elementos dessa cultura foram as instituições políticas, o lançamento dos alicerces da filosofia ocidental e a produção de **muitas obras-primas literárias**, em vários campos do saber. Atenas produziu, no terreno da literatura, um dos mais perfeitos espécimes da comunicação humana, tendo ultrapassado, quanto à produção literária, a todas as nações antigas. Além desses feitos, a Atenas do século V A.C. também produziu obras de arte das mais esplendorosas da humanidade. Embora tivesse ficado atrofiada em sua originalidade, a mente grega conseguiu espalhar suas produções, pelo mundo civilizado inteiro, durante a era helenista (ver acima), que alguns historiadores modernos têm designado de *era argêntea.*

V. A Filosofia Grega

As realizações dos gregos, quanto a esse campo, foram admiráveis. Todos os seis ramos tradicionais da filosofia emergiram na Grécia, tendo sido sistemati-

GRÉCIA

zados por Sócrates, Platão e Aristóteles. E as bases de toda filosofia posterior foram lançadas nessa época. Oferecemos um artigo separado sobre esse assunto, com o título de *Filosofia Grega*.

VI. A Religião Grega

Sob o título **Gregos Primitivos, Religião dos,** oferecemos uma detalhada descrição da fé religiosa dos gregos, conforme ela se desenvolveu e se expressou entre eles, na antiguidade.

VII. A Língua Grega

A variedade do idioma grego chamado **koiné** (a língua franca ou comum, que chegou a ser falada por todo o mundo **greco-romano** durante quase cinco séculos), foi propagada pelas tropas de Alexandre, o Grande. Chegou mesmo a ser o idioma universal durante esse período. Foi por esse motivo que o Novo Testamento foi inteiramente escrito nessa língua. Ver o artigo separado intitulado — *Língua do Novo Testamento*.

VIII. A Literatura Grega

A finalidade desta seção é demonstrar a grandiosidade da literatura da antiga Grécia, com a menção de autores gregos e seus livros, o que demonstra a grande variedade de suas produções literárias, muitas das quais têm sobrevivido até os nossos próprios dias. Em contraste com isso, deveríamos considerar a escassez relativa da literatura preservada, produzida por outros povos antigos. Platão é um dos poucos, se não mesmo o único autor antigo, cujas obras têm sido preservadas de forma absolutamente completa, excetuando os casos em que algum livro seu se perdeu, por não haver qualquer referência histórica ao mesmo. Os chamados pais gregos da Igreja cristã pensavam que a melhor parte da filosofia grega atuou como um **mestre-escola**, conduzindo os gentios a Cristo, tal como o Novo Testamento tivera essa função no caso dos judeus. Talvez essa avaliação seja exagerada; mas, se for correta, então precisaremos respeitar esses escritos como um dos instrumentos através dos quais o *Logos* tem operado entre os homens, implantando em muitos lugares as suas sementes, e assim garantindo uma colheita abundante. Naturalmente, não queremos dizer com isso que os escritos gregos sejam inspirados por Deus, no sentido em que afirmamos que o Antigo Testamento o é. Mas precisamos reconhecer que os filósofos fizeram indagações bem colocadas, para as quais eles não tinham respostas, mas que são respondidas nas Sagradas Escrituras. Essas indagações são, acima de tudo, três: Quem somos? De onde viemos? Para onde estamos indo? Isso fala sobre identidade, origem e destino, grandes temas bíblicos.

«A antiga literatura grega, em seu valor intrínseco e em sua influência, provavelmente é a maior literatura do mundo, se excluirmos as Sagradas Escrituras. Poucas outras literaturas seculares podem oferecer ao menos um ou dois autores da classe de Homero, Safo, Ésquilo, Sófocles, Eurípedes, Tucídides, Aristófanes, Platão e Aristóteles. E poucas outras literaturas podem dar apoio a seus grandes autores com uma hoste de figuras literárias igualmente grandes, embora secundárias. Os gregos antigos não somente produziram obras-primas, mas igualmente proveram modelos para os homens das eras subseqüentes imitarem, em quase todos os tipos de composição escrita, incluindo poesia épica, tragédia, comédia, poesia lírica, historiografia, diálogos e tratados filosóficos, oratória, biografia, romance em prosa, etc. A literatura grega, em seu sentido mais amplo serve de alicerce da cultura ocidental. E também não podemos olvidar que a base da literatura grega, por

sua vez, era o grande fundo de folclore oral dos gregos, que consistia em fábulas e mitos... Não há tesouro mitológico que se possa comparar com o dos gregos, quanto à riqueza, profundeza e sofisticação... todo grego estava familiarizado com essas estórias desde o berço» (AM).

Essa entusiástica avaliação, se considerarmos todo o leque de produções literárias, certamente está certa. Quanto ao lado religioso, precisamos ainda mencionar o Antigo e o Novo Testamentos, como ainda mais fundamentais para a nossa cultura ocidental, do que a literatura grega. Apesar disso, pode-se afirmar que essa foi a última das autênticas produções gregas, em língua grega. No entanto, o Novo Testamento foi influenciado, principalmente, pelo Antigo Testamento hebraico, e, em segundo lugar, pelas idéias gregas, que se tinham tornado o padrão durante a era helenista, idéias essas que, por sua vez, tinham influenciado o pensamento judaico do período intertestamentário. Para exemplificar este último ponto, a fé hebraica sincretista aceitara doutrinas como a do Logos, da imortalidade da alma (com ou sem o acompanhamento da ressurreição do corpo), da reencarnação (um ensinamento comum das escolas dos fariseus e dos essênios), além de racionalizações filosóficas, na tentativa de descrever a natureza e os atos de Deus.

1. O Período Pré-Ateniense

Desse período são as monumentais obras de Homero (a *Ilíada* e a *Odisséia*), os hinos homéricos (embora não escritos por Homero), os poemas heróicos (o Ciclo Épico, atualmente perdido), os poemas didáticos de Hesíodo (*Obras e Dias* e *Teogonia*), e poemas líricos como os de Safo, Alceu, e Simonides. Podemos ajuntar a isso a filosofia pré-socrática, da qual só dispomos de fragmentos de escritos de Tales, Anaximandro, Anaxímenes, Parmênides e Zeno (ver sobre *Pré-socráticos*).

2. O Período Ateniense

Os mais notáveis autores gregos dos séculos V e IV A.C. foram quase todos atenienses, por nascimento ou associação, ou por ambas as coisas. Nesses dois séculos, Atenas produziu uma plêiade de pensadores e escritores como o resto do mundo nunca viu igual, se levarmos em conta o trabalho pioneiro deles e os modos de expressão literária que eles representavam. Iluminaremos algo quanto aos gêneros literários da tragédia, da comédia, da filosofia e da oratória.

a. *Quanto à tragédia*, houve Ésquilo (524 A.C.), Sófocles (450 A.C.) e Eurípedes (contemporâneo deste último). Ésquilo escreveu *Os Eumênidas; As Mulheres de Tróia; As Aves; Aréstia* (uma tríada), os *Persas, Prometeu Amarrado* e outras obras, atualmente perdidas. Sófocles escreveu sete peças teatrais que sobreviveram até nós, incluindo *Édipo* e *Antígone*. E Eurípedes produziu *Alcestis, Medéia, Hécuba, Helena* e *Íon*.

b. *Quanto à comédia*, temos as obras de Aristófanes, que incluem *As Nuvens;* a *Lisístrata; As Aves; As Rãs* e *Plutão*.

c. *Quanto à história*, os grandes clássicos foram os de Heródoto (485 A.C.) — a história das guerras com a Pérsia — e de Tucídides (450 A.C. — a história da guerra do Peloponeso). Um historiador de menor envergadura foi Xenofonte (400 A.C.), que escreveu a obra *Anábasis*, que inspirou a Alexandre, o Grande, a encetar suas conquistas militares. Mas também escreveu outras obras, como *Helênica* e a *Educação de Ciro*.

d. *Quanto à filosofia*, houve a Memorabilia, de Zenofonte, que nos fornece uma **autoritária** descri-

970

GRÉCIA

ção de Sócrates. O próprio Sócrates nada escreveu; mas um seu pupilo, Platão, escreveu mais de vinte diálogos filosóficos, todos os quais existem até hoje. Entre essas obras podemos mencionar *Crito*, a *Apologia*, *Faedo*, *Taeteto*, *Simpósio* e *República*. Essas obras serviram de pedras do alicerce da filosofia ocidental, dentre as mais destacadas. Um estudante de Platão, Aristóteles, escreveu a *Ética Nicomaqueana*, *Os Poéticos*, *Física*, *Metafísica*, *Política*, *Retórica*, *Sobre os Céus*, *Sobre a Alma*, *Geração dos Animais* e *Lógica*. Finalmente, temos as obras menores, mas mesmo assim importantes, das escolas socráticas e seus representantes, os sofistas, os céticos, os estóicos e os epicureus.

e. *Quanto à oratória*, ninguém foi capaz de ultrapassar os sofistas. A Grécia do século IV A.C. foi a era áurea da oratória. Tornou-se quase mania freqüentar os tribunais de justiça de Atenas, a fim de ouvir os esplêndidos discursos. Aristófanes satirizou essa atividade em sua obra *As Vespas*. Lísias foi um dos mestres desse tipo de literatura. Existem trinta de seus mais de trezentos discursos. Isócrates foi outro famoso retórico e orador. Demóstenes (350 A.C.) foi um habilidoso orador político, um supremo modelo de eloqüência. Contando com esse tipo de pano de fundo, não é para admirar que os filósofos de Corinto considerassem o apóstolo Paulo um homem de linguagem crua (II Cor. 10:10). Nenhum rabino judeu seria capaz de igualar-se em eloqüência aos mestres gregos! Pode-se dizer que a profissão dos advogados modernos deriva-se, quase diretamente, dos sofistas gregos. Basta adicionar a eles o conhecimento dos jurisconsultos romanos!

3. O Período Helenista

Até onde vai a literatura, esse período também tem sido chamado de era *alexandrina*, por causa da influência da biblioteca que havia nessa cidade, fundada pelos Ptolomeus, os governantes gregos do Egito. Temos apresentado um artigo separado sobre esse assunto, com o título de *Alexandria, Biblioteca de*. Foi fundada por Ptolomeu I, em cerca de 300 A.C. Começou com cerca de duzentos mil manuscritos, mas atingiu a mais de setecentos mil manuscritos, no século II D.C. De acordo com a tradição, foi para essa biblioteca que a versão da Septuaginta foi preparada. O número de autores ali representados é simplesmente espantoso, conforme se diz no artigo sobre o assunto.

a. *Quanto à comédia*. Durante esse período, a comédia intitulada «O Homem Iracundo», de autoria de Menandro (o melhor dos escritores comediantes), era uma peça notável, embora houvesse inúmeras obras representando tais temas, como o de um escravo cheio de truques, o de um soldado fanfarrão, o da prostituta sedutora, a bruxa com coração de ouro, o pai ultrajado, o jovem amante, a jovem traída, etc..

b. *Quanto à poesia*. O poema pastoril ou bucólico foi um novo gênero literário que surgiu nos tempos helenistas. O poeta siciliano, Teócrito (cerca de 280 A.C.) é considerado o pai desse gênero literário. Alguns de seus poemas tinham por intuito ser dramatizados privadamente, e no palco. Também temos os epígramas de Calímaco (300 A.C.), de quem se perderam quase todas as composições. O seu oponente, Apolônio de Rodes, escreveu o bem conhecido poema épico *Argonáutica*. Foi ele quem fez a declaração clássica: «Um livro grande é um livro mau», o que envolve uma certa verdade, em muitos casos. Poemas didáticos floresceram durante esse tempo, abordando temas como a caça, a pesca, as estórias de animais com lições morais, a astronomia, a geografia, etc.

c. *Quanto à filosofia*. Carnéades, da Nova Academia de Platão, era um botânico e também um filósofo cético. Fragmentos de suas obras são peças sobre botânica, — e também esboços biográficos chamados *Personagens*. Os cínicos estavam bem representados por Diógenes (412 — 323? A.C.), que escreveu muitas peças cortantes. Zeno (300 A.C.) foi o principal representante dos estóicos. Ele escreveu livros como *Sobre a República; Sobre a Vida de Acordo com a Natureza; Sobre a Natureza Humana; sobre o Amor*, e vários outros, que conhecemos apenas como fragmentos. Epicuro (300 A.C.) foi o arquioponente dos estóicos, e expunha um hedonismo (vide) moderado. Ele escreveu *Sobre a Natureza* (37 livros), dos quais dispomos de fragmentos de nove deles; e também o livro *Cânone*, cartas a Heródoto, a Pitocles e a outros. Mais de trezentas obras têm sido atribuídas a seu nome.

d. *Durante o período romano*. Alguns escritores romanos escreveram em grego. Isso porque muitos deles falavam o grego, ao passo que poucos gregos de raça sabiam o latim. Marco Aurélio e Juliano escolheram o grego como a língua usada em seus escritos. Políbio foi um historiador importante de cerca de 200 A.C. Plutarco foi o maior biógrafo dos tempos antigos. Sua obra principal intitulava-se *Vidas Paralelas de Gregos e Romanos*. No campo da filosofia, obras notáveis desse período foram os escritos neoplatônicos de Plotino (205 — 270 D.C.). Seus ensaios, arranjados em nove grupos, são chamados de *Eneadas*. Porém, o neoplatonismo entrou em eclipse, ofuscado pelos pensadores cristãos. A maior obra literária cristã é o *Novo Testamento*, o último dos documentos gregos verdadeiramente importantes, embora escrito quase inteiramente por judeus.

IX. Esboço de Descobertas Arqueológicas

Todos os lugares de interesse bíblico contam com artigos separados nesta enciclopédia. Portanto, muita coisa foi escrita sobre a arqueologia e sobre locais gregos, à parte deste artigo. A segunda viagem missionária de Paulo começou com a chamada à Macedônia (ver Atos 16:9). Essa missão teve por alvo, essencialmente, a Grécia, pelo que também os nomes locativos que aparecem, a começar por aquele capítulo, até o capítulo dezenove, onde então encontramos Paulo novamente em Éfeso (na Ásia Menor), são nomes gregos. Apresentamos aqui um breve esboço que menciona as principais descobertas e esforços arqueológicos referentes à Grécia. Em contraste com outros países, na Grécia os monumentos continuam visíveis e não requerem escavação. No entanto, têm sido feitas ali extensas e mui frutíferas escavações arqueológicas.

Três notáveis características da arqueologia grega:

1. O homem tem ocupado a região da Grécia há milênios..

2. A civilização grega extrapolou as fronteiras da Grécia.

3. As fontes literárias são abundantes em evidências que têm enriquecido o conhecimento que os arqueólogos possuem da civilização grega.

As evidências mostram que o homem tem vivido na Grécia pelo menos por cem mil anos. E, na opinião deste autor, isso envolve até mesmo raças pré-adâmicas. Ver o artigo sobre os *Antediluvianos*. Porém, a arqueologia tem colhido dados, realmente, desde cerca de oito mil anos atrás. Sabemos que, por volta de 2000 A.C., a área era habitada por povos de língua grega, envolvidos no comércio com outras populações das margens da bacia do Mediterrâneo. Todavia,

971

GRÉCIA

também têm sido encontrados muitos restos de sucessivas camadas de habitação, de antes desta data, ou seja, de 2000 a 6000 A.C. Cidades, santuários, templos, palácios, etc., em vários níveis, têm sido explorados. A instituição das cidades-estado teve início em cerca do ano 1000 A.C. E, quanto a esse período, e daí para diante, contamos com grande acúmulo de informações, com base nas pesquisas arqueológicas e nas fontes literárias. Têm sido encontrados muitos textos escritos, incluindo inscrições, tratados, honorários e fórmulas fúnebres.

As cidades gregas e a literatura grega serviam a certos eruditos da Renascença (vide), como materiais de aprendizado. Entre os anos de 1400 e 1800, a literatura grega tornou-se parte do currículo de estudos do homem educado. No século XVII, as esculturas do Partenon foram desenhadas, conforme elas se encontravam, antes que os ruinosos efeitos da guerra entre os turcos e os venezianos as tivessem danificado. Em 1732, foi fundada em Londres a Sociedade dos Diletantes, a qual encorajava viagens à Grécia, com a finalidade de obter conhecimento, em primeira mão, das antiguidades clássicas. A obra de J.J. Winckelmann, *História da Arte Antiga*, distinguia claramente entre as produções gregas e romanas, quanto ao tipo e ao estilo.

No século XIX houve um maciço esforço para compreender a Grécia com suas tradições e instituições tão importantes. Após 1830, escavações arqueológicas formais começaram a produzir resultados espetaculares. Foi fundada a Sociedade Arqueológica Grega, em 1837, e assim o estudo sobre a Grécia antiga tornou-se uma disciplina de estudos avançados, por seus próprios direitos. Outras sociedades vieram unir-se a essa cruzada, incluindo a Escola Francesa de Atenas (1846), um ramo do Instituto Arqueológico Alemão (1875) e a Escola Norte-americana de Estudos Clássicos, em Atenas (1881). Um ramo do Instituto Arqueológico da Áustria (1898), além de escolas italianas e suecas, emergiram já no século XX.

Escavações pioneiras na Grécia foram feitas por Heinrich Schliemann, no século XIX. Ele era um negociante alemão, e não um erudito. Mas, apesar disso, suas escavações em Tróia foram muito frutíferas. Foi descoberto que Tróia ficava cerca de cinco quilômetros do estreito de Dardanelos. A cidade mencionada nos épicos de Homero é aquela encontrada no sétimo nível, nessas escavações. Schliemann, em seguida, voltou a sua atenção para Micenas, no continente europeu (1876), onde encontrou o Círculo dos Sepulcros, um lugar de sepultamentos da realeza miceneana, com toda a espécie de artefatos, incluindo máscaras de ouro, adagas incrustadas de ouro, caixas de jóias, taças de ouro e ornamentos desse mesmo metal precioso. Também descobriu o monumental Portão do Leão, através do qual o rei Agamenon deve ter passado, no começo da guerra de Tróia. Certos tabletes inscritos, que foram decifrados após o falecimento de Schliemann (somente na década de 1950, por Michael Ventris, na Inglaterra), mostraram ser uma antiqüíssima forma de grego. Dessa forma, pois, ficou provado que, tal como Homero já havia afirmado, os antepassados dos gregos de seus próprios dias eram os miceneanos. A destruição de Tróia pelos gregos, teve lugar em cerca de 1240 A.C.

As *sociedades arqueológicas* acima mencionadas tornaram-se ativas em toda a porção continental da Grécia, além de outras áreas de interesse para a civilização grega. Os ingleses e alemães muito trabalharam nos locais das colônias gregas da Ásia Menor. Os britânicos encontraram o templo de Ártemis, em Éfeso. Olímpia foi escavada pelos alemães. Foi desenterrado um gigantesco templo dedicado a Zeus, que abrigava uma estátua com 12,20 m de altura, desse deus, trabalhada em marfim e ouro. Esse templo, de fato, era uma das sete maravilhas do mundo antigo. — Também foi descoberto o estádio dos jogos olímpicos, além de muitos artefatos na região, incluindo armaduras, estátuas e oferendas votivas. Os franceses escavaram em Delos, na ilha sagrada de Apolo. Outras explorações arqueológicas foram efetuadas em Epidauro, onde foi encontrado o santuário de Ascélpio, além de um grande complexo de edificações. Foram desenterrados teatros ao ar livre, alguns deles com capacidade para doze mil pessoas sentadas, ou mesmo mais.

Pelos fins do século XIX, a arqueologia havia atingido proporções colossais na Grécia. Arqueólogos **norte-americanos escavaram em Corinto e em Argos. Foi encontrada cerâmica coríntia típica, que foi** exportada para lugares distantes. O templo de Hera foi encontrado em Argos. Muitos itens idólatras, relacionados à adoração a essa deusa, foram encontrados, como também objetos de bronze, de marfim, de vidro e de terracota. Os franceses, por sua vez, escavaram o santuário de Apolo, em Delfos. Um magnífico friso, representando deuses e gigantes em guerra, como se fossem gregos e troianos, foi descoberto. Um cocheiro de bronze foi achado em Delfos. Foram escavadas as ilhas Cicladas pelo arqueólogo grego Chrestos Tsountas. Ele encontrou ali centenas de túmulos pré-históricos, com artefatos e figurinhas de mármore e frascos de sombras para os olhos femininos. A ilha de Melos foi escavada pelos ingleses. O arqueólogo alemão Hiller von Gaertringen escavou a cidade de Tera, nas ilhas Cicladas, além de vários locais da linha costeira da Turquia, onde, na antiguidade, houve muitos povoados gregos.

Já no começo do século XX, os esforços dos arqueólogos tinham-se tornado maciços e sofisticados. Grandes escavações foram efetuadas em Delos, Corinto, Olímpia, Micenas, Cnossos, Faístos e em várias áreas e cidades de Creta, sem falarmos em Sesclo, Dimini e Esparta. E, por volta de 1930, a arqueologia grega havia assumido a estatura de uma autêntica disciplina acadêmica e de uma ciência.

Atenas. Os alemães fizeram grandes escavações **arqueológicas nessa cidade, em 1927. Foi descoberto** o agorá (mercado), **pelos norte-americanos em 1930.** Foi descoberto o cemitério Kerameikos de Atenas. Ficava um pouco adiante do grande portão Dipilon. Muitas esculturas de túmulos foram desenterradas, dadas do período clássico. Foram desenterrados esqueletos pertencentes até o século IX A.C., e, naturalmente, numerosos artefatos foram encontrados juntos com esses esqueletos. Arqueólogos **norte-americanos deram prosseguimento** ao trabalho no *agorá*. A área inteira foi examinada meticulosamente, e com grande zelo. O *agorá* era o antigo mercado, o fórum e o centro das atividades sociais da cidade. Essas escavações muito contribuíram para iluminar todos os aspectos da vida da época democrática de Péricles. O próprio agorá estava cercado de escolas, tribunais, templos, edifícios do governo, colunatas e árvores frondosas. Uma incontável lista de artefatos veio à luz, incluindo moedas, pesos de tear, dados, jarras de vinho, vasos, bonecas, bilhetes de teatro, etc. Uma colunata (no grego, *stoá*) em três andares, construída no século II A.C., foi reconstruída, a fim de abrigar a grande quantidade de material descoberto nessas escavações. Atualmente,

GRÉCIA — GREGÓRIO

os arqueólogos e outros estudiosos deleitam-se no exame desses itens, alguns dos quais remontam aos tempos neolíticos.

Em cerca de 1970, os locais explorados pela arqueologia, na Grécia, eram tão numerosos, e o material desenterrado era tão abundante, que os próprios arqueólogos profissionais sentiam-se perdidos no meio do labirinto. Livros, monógrafos, teses e livros populares, em número cornucópico, vieram à tona. A Grécia antiga vive hoje nas mentes de milhares de pessoas, fascinadas ante a glória que foi a Grécia.

Bibliografia: AM BOT C E EP FRE FREE MM MUR P ROS TUS WY Z

GREEN, THOMAS HILL

Um filósofo inglês nascido em Kirkin, Yorkshire, em 1836. Educou-se em Oxford. Pertencia à escola idealista neo-hegeliana. Tornou-se conhecido por sua oposição aos empiristas e utilitaristas britânicos, contra os quais aplicou argumentos kantianos e hegelianos. Denunciava vigorosamente a afirmação de Hume, de que coisa alguma é real, exceto as sensações. Bem pelo contrário, dizia ele, «ser real é estar relacionado às outras coisas». Outrossim, as relações são feitas pela mente.

Idéias:

1. A mente consiste na autoconsciência. E é a mente que nos fornece uma indicação quanto à natureza real da existência. A distinção entre as meras aparências e a realidade não consiste numa verdadeira distinção entre a mente e o que existe fora dela. Antes, consiste apenas na distinção da mente como algo limitado e da mente como algo absoluto. O universo, considerado coletivamente, era chamado por ele de *mente divina*.

2. Não existiria tal coisa como sensação ou desejo isolado. O desejo faz parte de um padrão, por ser um elemento do todo, envolvido na satisfação da completa auto-realização do indivíduo. Cada motivo tem um alvo, sem importar se conhecido ou oculto.

3. A auto-realização é o grande alvo dos homens. A perfeição humana está envolvida na realização própria. O Estado tem a responsabilidade de ajudar os indivíduos nessa inquirição. Portanto, o cidadão deve ser servido pelo Estado, em vez de estar subordinado ao mesmo. Desse modo, os direitos humanos, o direito de protestar e de revoltar-se, e também a questão dos deveres a serem cumpridos — tudo flui do conceito apropriado da natureza e dos propósitos do estado.

Escritos. Introduction to the Philosophical Work of David Hume; Prolegomena to Ethics; Lectures on the Principles of Political Obligation.

GREGÓRIO, O GRANDE (GREGORIO I), PAPA

Suas datas foram 540-604. Nasceu de uma rica família de senadores em Roma. Foi criado como cristão. Seguiu a vida pública, tendo ocupado o ofício de *praefectus urbis*, o mais elevado oficial civil de Roma, com trinta anos de idade. Foi então que decidiu abandonar o mundo, dedicando sua vida a Deus e à espiritualidade, e tornou-se monge. Durante algum tempo viveu uma vida monástica, caracterizada pelo ascetismo. Porém, o papa Pelágio II (pontificou de 578 a 590) reconheceu os talentos de Gregório, e desejava valer-se de seus préstimos. Desse modo, fez dele um dos sete diáconos de Roma, tendo-o enviado a Constantinopla como seu represen-

tante diplomata em 579. O propósito daquele papa era conseguir o apoio dos bizantinos contra os lombardos, que estavam ameaçando a Itália. Porém, essa missão diplomática fracassou, surgindo então a desconfiança nas autoridades do Estado como protetores da Igreja.

Em 585, em Roma, Gregório terminou a sua primeira obra literária, um comentário sobre o livro veterotestamentário de Jó. Em 589, vários desastres naturais abateram-se sobre a cidade de Roma, como inundações, uma praga e grande escassez de alimentos. O papa Pelágio foi uma das vítimas da mortandade. Foi então que Gregório foi escolhido como sucessor daquele, a 3 de setembro de 590.

Gregório foi um bispo modelar, um fervoroso defensor da piedade monástica, um escritor prolífico, que deixou o seu impacto em todos os aspectos da Igreja Católica medieval. Os historiadores ajuntam que ele foi homem de profunda piedade pessoal, e foi isso, acima de tudo, que, finalmente, lhe valeu o título de *santo*. Gregório era agostiniano quanto às idéias teológicas, embora não tenha sido um pensador original. Seu agostinianismo simplificado veio a tornar-se a posição teológica padrão do Ocidente latino-cristão, e suas obras, nos campos da teologia e da literatura, conquistaram para ele o título de *Grande Doutor* da cristandade ocidental, uma das quatro figuras do Ocidente que foram brindadas com esse título. Ver o artigo separado sobre *Doutor da Igreja.*

Seu pontificado lançou as bases do poder moral e político do papado da era medieval. Teve de enfrentar muitos problemas, e procurou impor reformas à Igreja. Seus decretos abordavam questões como o celibato, a simonia (vide) e o apoio financeiro aos mosteiros. Também introduziu várias inovações litúrgicas, revisando textos e promovendo o cântico, além de ter organizado a chamada *Schola Cantorum.* Não é provável que o Cântico Gregoriano e o Sacramentário Gregoriano (vide) possam ser atribuídos a ele. Porém, uma de suas realizações foi a reorganização do *Patrimônio de São Pedro*, os vastos estados papais, espalhados por todo o território italiano.

Talvez tenha sido um infortúnio Gregório envolver-se tão radicalmente nos aspectos econômicos da Igreja. Porém, precisamos esclarecer que grande parte desses fundos eram gastos em empreendimentos caridosos, o que sempre foi uma das virtudes da Igreja Católica Romana. A história informa-nos que a população inteira da Itália central cada vez mais dependia de Gregório quanto ao suprimento de suas necessidades materiais; e essa gente, naturalmente, apoiava-o lealmente. Gregório não se opunha ativamente aos direitos imperiais, em contraste com os direitos eclesiásticos. Porém, estabeleceu um precedente, deixando de lado ou indo além dos poderes legais seculares. Durante algum tempo, a Igreja estava destinada a obter maiores poderes do que os do Estado. É possível que durante o pontificado de Gregório VII (falecido em 1085), a Igreja Católica tenha atingido o seu ponto culminante de poder político, eclipsando a autoridade do Estado. Ver o artigo separado chamado a *Igreja e o Estado.* — Foi no tempo de Gregório I, e por sua decisão, que o celibato tornou-se obrigatório para as principais ordens religiosas do catolicismo. Mas o decreto dele foi apenas a continuação e fortalecimento de decisões anteriores, que já haviam sido tomados dentro do catolicismo, acerca dessa questão. O casamento foi proibido para todos os clérigos; e se algum deles se tivesse casado, antes do decreto papal

GREGÓRIO I — GREGÓRIO V

haver sido baixado, então o tal teria de abandonar totalmente as atividades sexuais, até mesmo com sua legítima esposa. Ver sobre *Celibato*.

O Trabalho Missionário. Em 596, Gregório I enviou Agostinho (não confundir com Santo Agostinho), prior de seu mosteiro romano, juntamente com quarenta monges, à Grã-Bretanha. Eles conseguiram converter ao catolicismo o **rei Areberto, de Kent**; e, dessa maneira, a Inglaterra foi transformada em um grande campo missionário católico. O relato que gira em torno disso é que Gregório, quando ainda era diácono, encontrara alguns **jovens escravos anglo-sáxões** em um mercado de escravos, e quis ajudá-los. Sabendo que **eram** *anglo-saxões*, comparou-os com «anjos» (um jogo de palavras de mau gosto). Daí proveio o seu interesse pela Inglaterra. Os registros mostram que ele quis comprar jovens escravos **anglo-saxões, dar-lhes** liberdade e fazer deles missionários católicos, enviando-os de volta à Inglaterra. Porém, não se sabe se ele concretizou ou não esse plano.

Escritos. Uma coletânea oficial das cartas de Gregório I, intitulada *Registro*, escrita no tempo em que ele era papa. *Cuidados Pastorais* é outra obra sua, um brilhante escrito sobre as virtudes e o caráter necessários aos ministros. E ele também escreveu comentários bíblicos sobre o livro de Jó (chamados *Magna Moralia*), sobre o Filho, sobre o primeiro livro dos Reis, quarenta homilias a respeito dos evangelhos e vinte e dois sermões sobre o livro de Ezequiel. Uma outra obra sua, chamada *Diálogos*, contém estórias populares sobre milagres (com muitos detalhes supersticiosos de mistura), ensinamentos sobre o purgatório, sobre aparições de mortos aos vivos, e sobre o poder das relíquias. As objeções que se fazem aos ensinamentos de Gregório I, usualmente, alicerçam-se sobre certas porções desses diálogos. O dia de sua festa é 12 de março. (AM E P)

GREGÓRIO II (PAPA)

Suas datas aproximadas foram 669 — 731. Ele foi papa de 715 a 731. Nasceu na cidade de Roma. Quando diácono, acompanhou o papa Constantino I a Constantinopla, no ano de 710, para entrevistar-se com o imperador Justiniano II. Foi nomeado bispo e tornou-se papa em 715. É melhor lembrado por causa de suas dificuldades com os lombardos e com o imperador bizantino Leão III. Foi esse papa quem enviou **o monge anglo-saxão,** Winfred (posteriormente conhecido pelo nome de Bonifácio) como missionário, à Alemanha. Quando Bonifácio voltou, a fim de apresentar o relatório sobre a sua missão, foi nomeado bispo, a 30 de novembro de 722.

Os lombardos tinham entrado em conflito com os imperadores bizantinos, e Gregório II procurou manter boas relações com ambos. Porém, não conseguiu manter o bom equilíbrio, e acabou tendo choques com os lombardos e com os imperadores bizantinos. Em 726, o imperador bizantino, Leão III, baniu as imagens sagradas do império. Ver sobre a *Controvérsia Iconoclasta*, no artigo sobre as *Imagens*. Mas Gregório, que defendia a idolatria, reteve fundos que, usualmente, eram enviados da Itália para Constantinopla, tendo denunciado o imperador por haver este legislado sobre questões de fé. Essa controvérsia teve prosseguimento, tendo sido um dos fatores, posto que não dos principais, que separaram a Igreja Católica do Ocidente da Igreja Católica do Oriente.

Gregório II renovou templos católicos, encorajou a vida monástica e desempenhou um significativo papel na redação do chamado *Sacramentário Gregoriano* (vide). Seu dia festivo é 13 de fevereiro.

GREGÓRIO III (PAPA)

Faleceu em 741. Foi papa de 731 a 741. Era sírio de nascimento. Foi eleito papa no dia da morte de Gregório II. Envolveu-se nos conflitos iconoclásticos descritos no artigo sobre as *Imagens*, tendo defendido o uso de imagens de escultura nos templos católicos. Um outro importante fator social que agitou o seu pontificado foi a agressão militar dos lombardos. O *iconoclasmo* é a política que envolve a supressão de imagens, esculpidas ou pintadas, em qualquer forma de devoção cristã. Gregório III excomungou o imperador bizantino, Leão III, e Anastácio, o patriarca de Constantinopla, porque eles eram defensores do iconoclasmo. O imperador bizantino resolveu declarar guerra a Roma, por causa disso; mas a sua frota naufragou no mar Adriático. Destarte, ele apelou para a retaliação econômica, tendo confiscado propriedades e valores pertencentes ao chamado *Patrimônio de São Pedro* (vide). Liutprando, rei dos lombardos, também ameaçou as possessões materiais da Igreja de Roma. Porém, lado a lado com essas controvérsias, Gregório III encontrou tempo para promover o trabalho missionário que Bonifácio (vide), o monge anglo-saxão, havia iniciado na Alemanha, além de cuidar da obra geral da sé romana. Faleceu a 28 de novembro de 741. Sua data festiva é 28 de novembro.

GREGÓRIO IV (PAPA)

Faleceu em 844. Foi papa entre 827 e 844. Era nativo da cidade de Roma. Foi cardeal antes de ter sido eleito papa. Renovou vigorosamente e embelezou o ritual da Igreja de Roma; protegeu a cidade de Roma dos ataques dos sarracenos. Promoveu missões católicas nos países escandinavos. Tal como a maioria dos papas da época, envolveu-se em conflitos com os poderes civis. Tentou intervir nas dificuldades da Igreja com Lotairo, um filho do imperador Luís, da Gália. Procurou a ajuda das igrejas da região, nesse empreendimento. Muitos oficiais eclesiásticos objetaram a essa manifestação política do papa. Seja como for, Lotairo acabou depondo traiçoeiramente a seu pai, Luís, e tornou-se o imperador, derrotando assim as aspirações do papa. E o papa retornou a Roma muito mortificado e desapontado.

GREGÓRIO V (PAPA)

Faleceu em 999. Foi papa de 996 a 999. Seu nome era Bruno, era filho do duque de Caríntia, e primo e capelão do imperador Oto III. Foi o primeiro alemão a tornar-se papa, e conseguiu chegar a esse ofício com a incrível pouca idade de vinte e quatro anos. Durante o seu tempo, houve uma insurreição popular em Roma, instigada pelo nobre romano Crescêncio. Este estabeleceu um antipapa chamado João XVI. Gregório V precisou fugir para o norte, retornando à companhia de Oto, o imperador. Oto, entretanto, conseguiu abafar a insurreição. João caiu em desgraça, e Crescêncio foi decapitado.

Gregório V tornou-se conhecido por haver renovado a catedral de Canterbury, onde colocou monges na direção, em lugar dos cânones seculares. Como sinal de sua estima, deu ao arcebispo de Canterbury o seu próprio pálio (vide).

••• ••• •••

GREGÓRIO VI — GREGÓRIO VIII

GREGÓRIO VI (PAPA)

Faleceu em cerca de 1048. Foi papa de maio de 1045 até 20 de dezembro de 1046. Mas alguns historiadores duvidam da legitimidade de seu pontificado. A questão é deixada em aberto na lista oficial do *Annuario Pontificio*. Seu período caracterizou-se por tremenda confusão no ofício papal. Benedito IX, embora não estivesse qualificado para tanto, foi nomeado papa, em 1032. Em 1044, foi expulso de Roma por um grupo de nobres contrários a ele; no entanto eles guindaram o bispo João de Sabina como antipapa. Em troca de uma grande soma em dinheiro, Benedito abdicou em favor de Giovanni Graziano, nome secular de Gregório VI. Não muito depois, entretanto, Benedito mudou de parecer sobre toda a negociata (embora não tenha devolvido o dinheiro recebido). Dessa maneira, três homens, ao mesmo tempo, reivindicavam a cadeira papal: Gregório, Benedito e Silvestre. Os registros históricos não são claros, mas parece que os sínodos de Sutri (20 de dezembro de 1046) e de Roma (23 e 24 de dezembro do mesmo ano) solicitaram que Gregório resignasse. Ou então, conforme outros historiadores asseguram, depuseram-no, juntamente com Silvestre. Dessa forma, o papado ficou vago, e o bispo de Bamberg, Suidger, tornou-se papa, com o nome de Clemente II, interrompendo assim a seqüência dos Gregórios.

GREGÓRIO VII (PAPA)

Suas datas como sumo pontífice católico romano foram de 1073 a 1085. Ele é considerado uma das mais importantes figuras da história do papado. E com razão é considerado, pelos historiadores eclesiásticos, como aquele que assinalou a transição da Idade das Trevas para a Idade Média, o que trouxe condições mais favoráveis tanto para a Igreja quanto para o Estado. Ver o artigo sobre a *Igreja e o Estado*. Foi justamente com ele no papado que a Igreja Católica, pelo menos durante algum tempo, enfeixou maiores poderes que os poderes dos estados europeus.

O nome secular de Gregório VII era Hildebrando. Nasceu na Toscana, de pais humildes. Associou-se a Gregório VI (vide), vinculando-se à sua corte. Foi juntamente com ele para o exílio, na Lorraine. Nessa ocasião visitou, embora não se tivesse ligado definitivamente, o mosteiro de Cluny, onde estavam sendo promovidas reformas eclesiásticas. Retornou a Roma e serviu em várias ocupações sob as ordens de Leão IX. Seus retratores pintavam-no como um gênio maligno, que operava por detrás dos bastidores a fim de modificar a política papal, desde muitos anos antes de ocupar a sé romana. Porém, havia muitas forças interessadas igualmente na questão. Hildebrando tornou-se conselheiro íntimo do papa Alexandre II (pontificado entre 1061 e 1073), e, por ocasião do falecimento deste, foi eleito papa, a 23 de abril de 1073.

Reformas e Vicissitudes Políticas. Muitos oficiais eclesiásticos reconheciam a necessidade de reforma, incluindo Pedro Damien (vide), o cardeal Humberto de Lorraine, São Hugo, abade de Cluny e Leão IX, seu predecessor. Hildebrando combateu a imoralidade entre o clero, impôs as regras do celibato, opôs-se à simonia e combateu a *investidura*, e baixou um decreto com o intuito de pôr fim a tal prática. A investidura era o termo usado para indicar a nomeação de bispos ou abades por algum governante secular. Como é óbvio, os governantes seculares usavam a prática a fim de obter maior poder político, mas dificilmente estavam qualificados para fazer a

escolha, seja como for. Henrique IV, o rei da Alemanha, ignorou o decreto de Gregório VII e nomeou diversos bispos na Itália. O papa protestou e Henrique retaliou, fazendo seus bispos alemães condenarem o papa como usurpador, em Worms, em janeiro de 1076. Ele também recusou-se a reconhecer que, em qualquer sentido, estivesse sob a autoridade do papa. Gregório replicou a tudo isso excomungando Henrique IV. A nobreza alemã, já cansada da tirania do rei, exigiu que ele se submetesse ao papa, pois, em caso contrário, cuidariam de arranjar outro rei. E Henrique, vendo que não tinha alternativa, arrependeu-se humildemente (aparentemente), chegando mesmo a vestir o cilício negro dos penitentes. A excomunhão foi suspensa; mas, quando Henrique regressou à Alemanha, foi rejeitado como rei, de qualquer maneira, e o duque Rodolfo da Suábia foi coroado rei. Seguiu-se então uma guerra civil. Gregório queria convocar um concílio para endireitar as coisas, mas Henrique recusava-se a concordar com isso. Por essa razão, o papa excomungou-o novamente. Dessa vez, Henrique não estava inclinado a arrependimentos fingidos, mas promoveu uma sangrenta guerra civil. Acabou entrando na cidade de Roma, em 1084; e instalou um antipapa, forçando Gregório a fugir para o castelo de Sant'Ângelo. Gregório convocou a ajuda do líder normando, Roberto Guiscar, duque da Apúlia, a fim de vir libertá-lo. Henrique deixou a cidade precipitadamente, porquanto não tinha o menor desejo de enfrentar esse novo inimigo. Mas, uma vez convocados, os normandos entraram em Roma e prontamente a saquearam. Gregório VII foi forçado a acompanhar as tropas normandas. Faleceu na cidade de Salerno, a 24 de maio de 1085. Suas últimas palavras foram: «Amei a justiça e odiei a iniqüidade; e por isso, morro no exílio». Foi canonizado como santo em 1584. Seu dia festivo é celebrado a 25 de maio.

Gregório VII é lembrado por suas reformas e por suas aventuras políticas, por suas vitórias e por seus infortúnios. Ele foi o primeiro papa a excomungar um governante secular, isentando seus súditos da obediência a tal governante, o que mostra até que ponto o papado havia adquirido em ascendência política. Gregório VII não fazia qualquer distinção entre as questões seculares e as religiosas, afirmando que os poderes das chaves de Pedro permitiam-lhe, ou mesmo obrigavam-no, a agir daquela maneira. Também tentou subordinar outros governantes seculares, além de Henrique IV. Obteve considerável poder sobre os reis da Dinamarca, da Boêmia e da Inglaterra. Procurou incluir vastas propriedades existentes na Espanha ao chamado Patrimônio de São Pedro. Consolidou os poderes do papado em todas as frentes e exerceu controle direto sobre os reis, em muitos casos. Parte do seu propósito não era o de dominar, mas o de livrar a Igreja da crescente opressão por parte dos governantes seculares, que nomeavam prelados e vendiam cargos eclesiásticos. Seja como for, Hildebrando foi um dos papas mais notáveis da história. Ficamos perplexos diante de como a Igreja e o Estado conflitaram daquela maneira; mas, por certo número de séculos, essa foi a situação predominante. Lembramo-nos da teocracia de Israel e, não há que duvidar que muitos eclesiásticos, através dos séculos, têm pensado que o Antigo Testamento lhes fornecia intermináveis textos de prova para a prática, para nada dizermos sobre a interpretação política religiosa das chaves do reino.

GREGÓRIO VIII (PAPA)

Ele faleceu em 1187. Foi papa de 21 de outubro até

GREGÓRIO IX — GREGÓRIO XI

17 de dezembro de 1187. Ao nascer, recebeu o nome de Alberto di Morra, em Benevento, na Itália. Fundou uma estrita casa de Santo Agostinho, em Benevento. Serviu à Igreja Católica a vida inteira. Tornou-se oficial da Cúria Romana e chanceler da Igreja, em 1178. Como papa, reinou apenas por cinqüenta e sete dias. Nesse breve período, promoveu reformas e enviou uma cruzada para libertar Jerusalém dos islamitas e estabeleceu a paz com o imperador Frederico Barbarroxa. Foi eleito papa na cidade de Derrara, e nunca chegou a Roma, para dali governar a Igreja Católica. Faleceu em Pisa.

GREGÓRIO IX (PAPA)

Suas datas aproximadas foram 1170 — 1241. Pontificou entre 1227 e 1241. O seu nome secular era Ugolino. Estudou em Paris e em Bolonha, esta última, na Itália. Seu tio foi o papa Inocente III (vide). Foi mordomo do papa, no tempo daquele. Tornou-se então cardeal diácono e cardeal bispo de Óstia, na Itália. Como legado papal, mostrou considerável habilidade diplomática. A Igreja Católica Romana vivia em conflito constante com os estados europeus. Antes mesmo de tornar-se papa, Ugolino já estava em luta contra o imperador Frederico II, imperador do Santo Império Romano, de Nápoles e da Sicília. É que esse rei não cumpriu uma promessa de promover outra cruzada contra os islamitas. Antes, preferiu aumentar seus domínios territoriais conquistando faixas de terra italiana. Isso ameaçava a segurança da Igreja, como é claro. Ugolino, ao tornar-se papa (com o nome de Gregório IX), forçou Frederico a realizar a cruzada que havia prometido. Frederico partiu, mas fingiu-se doente. O papa ficou sabendo que ele estava procurando tapeá-lo e o excomungou. Então Frederico partiu novamente, mas nunca foi perdoado pelo papa, que enviou um exército para ocupar os territórios que aquele monarca governava. Frederico, mediante sua habilidade política, convenceu os islamitas a devolverem Jerusalém aos cristãos; mas o que Gregório queria era mesmo uma guerra, a fim de preservar o ideal das cruzadas (vide), e considerou aquele tratado com os muçulmanos uma zombaria.

Dessa vez, Frederico ficou realmente indignado, pois seus esforços **tinham sido reduzidos** a nada. Assim, retornando, expulsou as forças papais de seu reino; mas, finalmente, estabeleceu a paz com Gregório, em 1230. Todavia, isso não pôs fim ao conflito entre a Igreja e o Estado. Havia ainda o perigo que Frederico, em seu crescente poder e prestígio, finalmente viesse a absorver os estados papais (vide). Frederico continuava expandindo-se. Derrotou as cidades lombardas. Voltou sua atenção para a ilha de Sardenha, que o papado considerava seu território. Gregório, alarmado diante da contínua marcha de Frederico, excomungou-o e liberou seus súditos da obediência a ele devida, tendo-o acusado de uma longa lista de crimes. O resultado disso foi a guerra entre as forças armadas do papa e as forças armadas do império, que se espalhou como fogo de palha. Nos tempos de Gregório IX, nunca surgiu uma resolução sobre quem deveria governar o quê. Gregório advogava a idéia de **eleger um anti-rei.** Frederico, porém, estacionou os seus exércitos diante dos portões de Roma, a fim de impedir que algum concílio se reunisse. Gregório faleceu enquanto o exército de Frederico montava guarda diante dos portões da chamada Cidade Eterna — Roma.

Gregório e suas outras atividades. Ele ajudou Francisco de Assis (vide) em seu trabalho e em suas diretrizes. Investigou a heresia dos albigenses, no sul da França, o que, conforme dizem os historiadores, assinalou o começo da política que, finalmente, produziu a *Inquisição* (vide). Gregório IX também promoveu o desenvolvimento da lei canônica. Ele nomeou Raimundo Penaforte para dirigir esse empreendimento. O resultado foi a publicação das *Decretais*, em cinco volumes, que veio a tornar-se a base da lei canônica, tendo sido revisada em 1918. (AM E)

GREGÓRIO X (PAPA)

Suas datas foram 1210—1276. Governou como papa de 1271 a 1276. Nasceu em Pacenza e teve o nome de Teobaldo Visconte. — Estudou a lei canônica em Paris e em Liege, esta última na Bélgica. Foi arquidiácono de Liege. Foi comissionado pelo papa Clemente IV para promover uma cruzada contra a Terra Santa. De fato, ele partiu nessa cruzada; mas, antes de atingir seu destino, foi eleito papa. O ofício papal ficara vago por três anos. Ele agiu prontamente quanto ao problema das deterioradas relações entre a Igreja e o Estado, e procurou reconciliar-se com as autoridades seculares do império bizantino. Porém, isso não perdurou por longo tempo. Teobaldo voltou a afagar suas idéias de uma cruzada. Instituiu também algumas reformas, incluindo o método de conclave para eleger bispos, o que foi publicado em sua bula *Ubi periculum.* Um conclave é um concílio ou reunião secreta. Em Roma, os membros da comissão se reuniam e faziam sua escolha por detrás de portas fechadas.

A caminho de volta para Roma, após o concílio (efetuado em Lyon, na França), Teobaldo faleceu e foi sepultado em Arezzo. Tornou-se uma figura venerada naquele lugar. O papa Benedito (pontificado entre 1740 e 1758), incluiu o nome de Gregório X na lista dos mártires católicos romanos.

GREGÓRIO XI (PAPA)

Suas datas foram 1329—1378. Governou como papa de 1370 a 1378. Nasceu na diocese de Limoges, na França, com o nome de Pierre de Beaufort. Foi nomeado cardeal com apenas dezenove anos, por seu tio, o papa Clemente VI. Parecia inexorável que alguém que se tornara cardeal com dezenove anos, viesse a tornar-se papa.

Ele era um bom canonista e homem de profunda piedade pessoal. Também era homem de oração, desinteressado pelas atividades próprias da juventude. Urbano V havia feito a sede do papa retornar a Roma; mas o papado acabara voltando para Avignon, na França, onde pontificaram vários papas. Gregório XI, pois, foi o último dos papas do exílio francês.

Bridget da Suécia teve uma experiência mística na qual lhe foi revelado que o papado retornaria sua sede a Roma. Isso foi comunicado a Gregório XI. Catarina de Siena, repetiu a informação mística. Porém, havia muitas forças que se opunham ao retorno. Os estados papais estavam em caos, por causa das guerras entre a Igreja e o Estado. Na França, a atenção do papa voltava-se para muitas questões diferentes, incluindo o fato de que seus familiares eram contrários à mudança da sede do papado. A despeito de tudo, o papa literalmente deu um passo por sobre o cadáver de seu pai, que se opusera à resolução, e, a 13 de setembro de 1376, partiu para Roma. Ao chegar ali, imediatamente, teve de enfrentar problemas variados, incluindo uma revolta em algumas das propriedades papais. Cidades pertencentes ao patrimônio papal,

GREGÓRIO XII — GREGÓRIO XIV

como Bolonha, estavam em conflito com outras cidades. Bolonha conflitava com Florença. O papa Gregório XI morreu antes desses problemas terem tido solução. De fato, ele faleceu na mesma tarde em que se reuniria um congresso convocado para procurar solução para esses muitos problemas. Mas o conclave que ocorreu depois de sua morte, consolidou a mudança da sede do papa para Roma, de tal maneira que Gregório XI foi o último dos papas franceses. No entanto, em resultado desse conclave, ocorreu o Grande Cisma Ocidental. Este começara no fim do chamado cativeiro babilônico do papado, ou seja, o tempo em que a sede papal estivera na França, dominada pelos reis franceses (de 1309 a 1377). Ver os artigos separados sobre *Grandes Cismas* e sobre *Cisma*. (AM E)

GREGÓRIO XII (PAPA)

Suas datas foram 1325—1417. Reinou como papa de 1406 a 1415. Nasceu em Veneza, com o nome de Ângelo Correr. Foi bispo de Castello, na Itália. Foi patriarca latino de Constantinopla; foi escolhido para ser cardeal. Finalmente, foi eleito papa. Então, resolveu pôr fim ao Grande Cisma Ocidental (vide no artigo separado intitulado *Grandes Cismas*). Ele e seu rival, Benedito XIII, o qual pontificou entre 1394 e 1417, concordaram em resignar simultaneamente, a fim de abrir caminho para a eleição de outro papa, pondo assim um paradeiro ao cisma. Porém, chegado o momento crítico, nenhum deles cumpriu a promessa de resignar. Então os cardeais de ambos os papas abandonaram-nos e convocaram um concílio geral, em Pisa (1409). Esse concílio depôs tanto a Gregório XII quanto a Benedito XIII, fazendo de Alexandre V um novo papa. Ele governou entre 1409 e 1410. Entrementes, os dois papas depostos recusaram-se a aceitar a decisão do concílio geral, com o resultado de que todos três papas ficaram pontificando ao mesmo tempo, combatendo-se uns contra os outros. Isso tornou-se um grande escândalo na Igreja Católica Romana, uma situação detestável para o imperador Sigismundo. Ele persuadiu o segundo papa de Pisa, João XXIII (reinou de 1410 a 1415), a convocar um novo concílio, em Constança, na Suíça, em 1414. João XIII foi prontamente deposto. Alexandre V resignou da cadeira papal, em 1415, em favor do retorno de Gregório XII como único papa oficial. Isso foi consolidado quando Benedito XIII foi deposto, dois anos mais tarde. Então Gregório XII passou a pontificar como único papa, até à sua morte, a 18 de outubro de 1417.

GREGÓRIO XIII (PAPA)

Suas datas foram 1502—1585. Reinou como papa entre 1572 e 1585. Nasceu de uma proeminente família italiana e tinha o nome secular de Ugo Boncompagni. Formou-se em leis civis e em leis canônicas na Universidade de Bolonha. Em cerca de 1530, teve um filho ilegítimo de nome Giácomo. Foi para Roma. Tornou-se bispo de Viesti, no sul da Itália. Em 1561, freqüentou o concílio de Trento (enviado por Pio IV), em vista de seu conhecimento da lei canônica. Foi eleito papa em 1572.

A *Reforma Protestante* (vide) havia abalado severamente o mundo religioso. O concílio de Trento tomou medidas que buscavam fortalecer a Igreja Católica Romana. Disso resultou a *Reforma Católica* (vide), e o papa Gregório XIII foi um dos grandes promotores da mesma. As atividades dele incluíam várias medidas repressivas. Assim, organizou a

Congregação do Índice (vide), que tinha o poder de proibir a publicação e a distribuição de livros condenados e de outras formas de propaganda. Enviou Possivo à Suécia e à Rússia, e conseguiu influenciar o rei João III a voltar a Roma. De modo geral, ele implementou e reforçou os decretos baixados pelo concílio de Trento. Mas fracassou na tentativa de organizar uma outra cruzada contra os turcos.

Reformas e Atividades. Além das coisas que já mencionamos, ele instituiu o Calendário Gregoriano, em 1582. Pelos meados do século XVIII, esse calendário reformado havia sido adotado por todos os países cristãos ocidentais. Ver o artigo separado sobre *Calendários Juliano e Gregoriano*. Ele ordenou a compilação de uma nova edição do chamado *Corpus Juris Canonici* e reformou a música sacra. Instituiu novas festividades litúrgicas, como a do Santíssimo Rosário (1573) e a de Santa Ana (1584). Restaurou edifícios e instituições e estabeleceu escritórios papais diplomáticos permanentes.

Sua obra no campo da educação foi extensa. Fortaleceu a Sociedade de Jesus (os jesuítas) e exigiu uma melhor educação para os membros do clero. Os jesuítas de seu tempo estiveram à testa do avanço na educação religiosa, tendo estabelecido vários seminários. Gregório fez doações ao Colégio Romano, dos jesuítas; e esse colégio, posteriormente, foi chamado Universidade Gregoriana, como uma honra e um reconhecimento. Também fundou em Roma o Colégio Grego e o Colégio Inglês, e deu sua ajuda a outros colégios jesuítas. Durante o seu pontificado foram fundados vinte e três novos seminários católicos romanos.

Trabalho Missionário. As realizações e atividades de Gregório foram extensas; mas ele se tornou conhecido (após a sua reforma do calendário) pelos seus esforços em favor das missões. Enviou missionários e subsidiou missões estrangeiras na Índia e no Japão.

Porém, não conseguiu restaurar o catolicismo romano nem na Suécia e nem na Rússia. Mas obteve êxito em suas tentativas de restaurar o catolicismo romano em alguns estados germânicos e na Polônia.

Por outro lado, suas muitas realizações e doações a instituições de educação dilapidaram o tesouro papal, e isso causou muita insatisfação. Seu sucessor, Xisto V, muito fez para remediar a situação. Gregório XIII faleceu em Roma, a 10 de abril de 1585.

GREGÓRIO XIV (PAPA)

Suas datas foram 1535—1591. Reinou como papa em 1590 e 1591. Seu nome de batismo era Niccoló Sfaondrati. Nasceu em Somma, perto de Milão, na Itália, a 11 de fevereiro de 1535. Era filho de um nobre italiano, — que entrou no clero quando sua esposa faleceu, e veio a tornar-se cardeal, em 1550. Niccoló, por sua vez, tornou-se advogado em Pávia. Com vinte e cinco anos de idade, tornou-se bispo de Cremona, e foi um dos prelados a fazer parte do concílio de Trento. Com quarenta e oito anos de idade, tornou-se cardeal. A 5 de dezembro de 1590, foi eleito papa.

Gregório XIV não gozava de boa saúde, pelo que só conseguiu suportar as tensões do ofício papal por um ano. Promoveu as decisões tomadas no concílio de Trento. Mas caiu no erro de nomear um seu sobrinho como cardeal secretário de Estado, o qual tinha apenas vinte e nove anos de idade. A ambos, porém, faltava experiência diplomática, e seus esforços acerca da melhoria de relações entre a Igreja e o Estado

GREGÓRIO XV — GREGÓRIO DE NISSA

fracassaram de modo geral. O pior fracasso foi a tentativa de unir os católicos romanos da França contra Henrique IV. Gregório XIV morreu em Roma, a 16 de outubro de 1591.

GREGÓRIO XV (PAPA)

Suas datas foram 1554—1623. Reinou como papa de 1621 a 1623. Nasceu a 9 de janeiro de 1554, em Bolonha, Itália, com o nome de Alessandro Ludovisi. Procedia de uma antiga e poderosa família italiana. Formou-se em direito na cidade de Bolonha. Entrou no ministério católico romano. Ocupou vários ofícios eclesiásticos. Arbitrou disputas entre facções políticas existentes nos estados papais. Tornou-se arcebispo de Bolonha em 1612. Foi encarregado de várias missões diplomáticas e tornou-se cardeal em 1616.

Ele teve um breve reinado como papa, sendo relembrado apenas por um ato, o estabelecimento da Congregação da Propagação da Fé, mediante a bula *Inscrutabili divinae*, publicada a 22 de junho de 1622. Essa organização tinha a incumbência de supervisionar as missões no estrangeiro. Um de seus alvos era livrar essas missões dos esforços colonizadores das potências européias. O trabalho missionário patrocinado pela Espanha e Portugal, por exemplo, tornou-se uma tarefa da Igreja centralizada, e não desses poderes locais, que usavam a religião como um meio de consolidar seus esforços colonizadores. Também foi Gregório XV quem estabeleceu a regra que a eleição do papa precisa ser feita mediante, pelo menos, a maioria de dois terços dos votos. Isso reduziu muito a possibilidade de poderes externos influenciarem a eleição de seus candidatos favoritos. Infelizmente, esse papa apelou muito para o nepotismo. Nomeou um irmão seu como general das forças militares papais, e um sobrinho como cardeal secretário do Estado. Faleceu em Roma, a 8 de julho de 1623.

GREGÓRIO XVI (PAPA)

Suas datas foram 1765—1846. Seu pontificado foi de 1831 a 1846. Nasceu em Belluno, na Itália, tendo recebido o nome de Bartolommeo Alberto Cappellan. Serviu como monge calmadolês e durante esse tempo ficou conhecido como Mauro Cappellari. Ele defendia a centralização da autoridade papal, conforme também o demonstra a sua principal obra escrita, *O Triunfo da Santa Sé e da Igreja Contra os Ataques dos Inovadores* (1799). Ele afirmava que o papa deve ser considerado infalível, quando fala como chefe da Igreja. Ocupou vários postos importantes, até tornar-se cardeal em 1826. Encabeçava a Sagrada Congregação para a Propagação da Fé, que supervisionava o trabalho missionário católico romano por todo o mundo.

Imediatamente depois de eleito papa, em 1831, teve de enfrentar uma revolta dentro dos estados papais (vide). Essa revolta só foi abafada com a intervenção de tropas armadas austríacas. Gregório XVI introduziu reformas para reduzir as tensões dentro dos estados papais; mas, quanto a isso, conseguiu êxito apenas parcial. Houve um novo levante, e exércitos austríacos e franceses ocuparam porções dos estados papais, até 1838, a fim de manterem a paz ali. Gregório e seus principais oficiais assumiram uma posição inflexível. Geralmente, ele tinha por norma exigir obediência por parte dos súditos às autoridades legitimamente constituídas. Por isso mesmo, opôs-se aos poloneses católicos romanos, na revolução deles contra o czar Nicolau I, da Rússia. Também procurou desencorajar os católicos irlandeses, por se terem

rebelado contra seus governantes ingleses. E denunciou a violência como um meio de atingir alvos políticos. Ele defendia a autoridade e os direitos da Igreja Católica Romana, sempre que algum poder político tornava-se ameaçador.

Escritos e Idéias. Gregório XVI escreveu doze encíclicas. Em *Mirari vos*, **ele se manifestou contra as** idéias democráticas de Felicite de Lamennais; em *Singulari nos* ele condenou um livro de autoria daquele mesmo homem, intitulado, em francês, *Paroles d'un Croyant*. Suas cartas, de modo geral, demonstravam a oposição do papado às idéias liberais e democráticas. Opunha-se à doutrina da separação entre a Igreja e o Estado, e condenava a revolução violenta como um instrumento político.

O seu pontificado foi responsável, pelo menos em parte, por uma considerável expansão da Igreja, com a multiplicação de suas atividades em muitas frentes. Ele determinou o curso que deveria ser seguido por seu sucessor, Pio IX, a fim de aumentar a centralização da autoridade da Igreja, restringindo as doutrinas católicas romanas dentro de moldes mais estreitos. Faleceu em Roma, a 1º de junho de 1846.

GREGÓRIO DE NISSA

Suas datas aproximadas foram 335—398 D.C. Foi um dos chamados pais da Igreja e um dos três grandes teólogos do Oriente (os **outros foram Gregório** Nazianzeno e Basílio). Era irmão deste último, conhecido também como Basílio, o Grande (vide). Gregório de Nissa nasceu em Cesaréia da Capadócia. Iniciou sua vida adulta em uma carreira eclesiástica, mas renunciou a mesma a fim de casar-se, e tornou-se professor universitário. Por insistência de seu irmão, Basílio, foi feito bispo de Nissa, em cerca de 371. Demóstenes, vigário (governador) do Ponto, tentou encarcerar Gregório, sob a acusação de haver dilapidado o dinheiro da Igreja. Outros bispos aliaram-se a Demóstenes, e Gregório foi deposto. Porém, quando faleceu o imperador Valêncio, que era do partido ariano, Gregório voltou à sua posição de bispo.

Gregório pôs-se ao lado de Gregório Nazianzeno por ocasião do concílio ecumênico de Constantinopla (381). Ele foi um dos nove bispos a apoiar a ortodoxia, tendo exercido considerável influência sobre os negócios civis e eclesiásticos. Juntamente com Basílio e Gregório Nazianzeno, é classificado como um dos três grandes eclesiásticos e teólogos capadócios. No Oriente, seu dia festivo é 10 de janeiro e, no Ocidente, é 9 de março.

Escritos. Seus escritos podem ser divididos em cinco categorias: tratados dogmáticos, obras exegéticas, tratados ascéticos, orações, sermões e cartas. Dispomos de onze obras dogmáticas, quase todas polêmicas. Uma delas, intitulada *Contra Eunômio* (12 volumes) refuta o arianismo (vide). A *Grande Oração Catequética* é uma espécie de compêndio de doutrinas cristãs. No *Diálogo Sobre A Alma e a Ressurreição*, ele imita o *Faedo*, de Platão. Há outras dez obras exegéticas, sobre vários assuntos. Há também seis obras exegéticas que conquistaram para Gregório o título de «pai do misticismo». Seus sermões e orações demonstram a sua eloqüência e as suas habilidades retóricas. Um sermão feito a 25 de dezembro de 386, dá-nos muito material interessante sobre a história do Natal. Treze cartas autênticas de Gregório chegaram até nós. Seu material escrito o situa à testa dos teólogos especulativos do Oriente, sendo a primeira apresentação sistemática das doutrinas do cristianismo, desde Orígenes. Acima de

GREGÓRIO — GREGÓRIO NAZIANZENO

todos os teólogos de seu tempo, ele demonstrou como a filosofia pode ser posta a serviço da verdade cristã, ajudando a esclarecer a teologia.

Ele seguia Orígenes (vide) na crença de uma final redenção *universal*. — Porém, ele negava a doutrina oriental comum da preexistência da alma. A harmonia no universo presente, e a perfeita harmonia do universo futuro, derivar-se-iam da harmonia inerente ao Ser de Deus. Portanto, de acordo com esse ponto de vista, essa condição *deve* prevalecer, finalmente, sobre todas as coisas. (AM E P)

GREGÓRIO DE RÍMINI

Suas datas foram 1300—1358. Nasceu na Itália. Foi um filósofo escolástico. Estudou em Paris. Ensinou na Itália e na França. Foi membro dos eremitas de Santo Agostinho. Chegou a ser um dos líderes daquela ordem monástica. Ele era seguidor de Agostinho e de Ockham em seu pensamento teológico filosófico, mas, contrariando a este último, argumentava que existe tal coisa como idéias inatas, afirmando também que Deus, embora totalmente livre, sempre age em consonância com as suas perfeições.

GREGÓRIO DE TOURS

Suas datas aproximadas foram 538—593. Nasceu em Clermon-Ferrand, na França. Era filho de uma nobre família celto-romana. Originalmente, era chamado Georgius Florentius. Quando menino e adolescente foi educado pelo bispo Niceto, de Lyon. Quando este último morreu, seu tio, o bispo Gaalus, deu continuação à educação de Gregório. Então, Avito (que também se tornara bispo), tornou-se protetor de Gregório. Gregório tornou-se diácono e, mais tarde, bispo de Tours. Precisou enfrentar muita confusão e lutas, mas foi capaz de trazer paz ao lugar. Seu nome é lembrado por causa de seus esforços literários, e não por motivo de quaisquer eventos espetaculares em sua vida. Foi o principal historiador dos francos, e seu livro, *Historia Francorum* é o mais bem conhecido dentre seus muitos livros. Ele mesmo enumerou o que escreveu: dez livros de história; sete livros sobre milagres; um livro sobre as vidas dos pais da Igreja; um comentário sobre os Salmos; um livro sobre os ofícios eclesiásticos. Sua história dos francos (em dez volumes) foi escrita entre os anos de 575 e 591. Apesar de haver sido um historiador com vários defeitos, um dos quais era que ele via demasiadamente a teologia na história, contudo, sua obra é um rico tesouro de informações sobre a vida, a linguagem, a geografia e as religiões da Gália do século VI D.C. Seus livros sobre milagres e sobre as vidas dos pais da Igreja, apesar de preservarem crônicas lendárias, também servem de ricas fontes informativas, com muitos detalhes curiosos e interessantes. Seu livro sobre os ofícios eclesiásticos é um manual prático de astronomia, escrito para ajudar a determinar as ocasiões certas de realizar certos ofícios divinos noturnos, mediante a observação das posições de várias constelações no firmamento. (AM E)

GREGÓRIO DE UTRECHT

Suas datas aproximadas foram 707—776. Nasceu perto de Trier, na Alemanha, de uma distinta família franca. Recebeu sua educação elementar sob os cuidados de sua avó viúva, que se tornara abadessa do mosteiro de Pfalzel. Foi ali que ele conheceu Bonifácio (vide), quando estava a caminho de Hesse e

da Turíngia. Foi Bonifácio quem influenciou Gregório a tornar-se missionário, e assim Gregório associou-se a Bonifácio. Quando Bonifácio foi a Roma, em 738, Gregório acompanhou-o, e dali trouxe livros valiosos. Em cerca de 750, Gregório tornou-se o abade de São Martinho, em Utrecht, transformando aquela abadia em um centro intelectual, uma escola de treinamento para missionários. Após o falecimento de Bonifácio, o papa Estêvão II fez de Gregório o administrador da missão católica entre os frísios. Nunca foi consagrado bispo; mas, na realidade, dirigiu a vida espiritual de Utrecht por cerca de vinte anos. Morreu em resultado de uma paralisia progressiva, que ele suportava com espírito muito forte. Sua festa é observada a 25 de agosto. (AM)

GREGÓRIO NAZIANZENO

Suas datas foram 329—390 D.C. Ele foi um dos maiores teólogos produzidos pela Igreja Oriental. Ele foi amigo de Basílio, o Grande (vide). Foi bispo e um dos doutores da Igreja Oriental. Ver o artigo sobre os *Doutores da Igreja*. Nasceu em Arianzo, a propriedade da família, perto de Nazianzo, na Capadócia, que ficava localizada no que é hoje o centro da Turquia. Finalmente, tornou-se bispo de Nazianzo. Estudou em Cesaréia, na Capadócia, onde se tornou amigo de Basílio. Também estudou em Alexandria e em Atenas. Foi brilhante estudante e homem de grande piedade pessoal. Em cerca de 361 D.C., foi ordenado sacerdote por seu próprio pai, —que, anos depois, consagrou-o bispo. Gregório não estava interessado em posições eclesiásticas, mas aceitou-as a fim de agradar àqueles que queriam promover a sua carreira cristã.

Contudo, Gregório abandonou a participação ativa na Igreja e, por algum tempo, retornou a um mosteiro. Porém, em 379 D.C., ele partiu para Constantinopla, a fim de pastorear um pequeno rebanho. Seu brilhantismo tornou a manifestar-se, mediante seus eloqüentes sermões; e, pouco depois, foi nomeado patriarca de Constantinopla. Ali deu apoio às doutrinas do credo niceno contra o arianismo. Todavia, bispos do Egito e da Macedônia desafiaram o seu direito de ser patriarca de Constantinopla, apelando para o décimo quinto cânon do concílio de Nicéia, que proibia a transferência de um bispo de uma sede para outra. Gregório, não se dispondo a lutar, simplesmente resignou-se e voltou a Nazianzo. Finalmente, retirou-se para Arianzo, devotando-se às práticas monásticas, à meditação e a escrever. Ali faleceu em cerca de 390 D.C. Sua festa é observada a 25 de janeiro no Oriente, e a 9 de maio no Ocidente.

Gregório tem sido classificado como um dos três grandes teólogos capadócios, juntamente com Basílio e Gregório de Nissa (vide). Seu método de busca da verdade consistia em iluminar as verdades da fé mediante a razão, guiada pelas Escrituras. Grandes mistérios, como o da Trindade, ele aceitava pela simples fé, sem requerer qualquer explicação razoável. Os seus escritos que restam são consideráveis, podendo ser divididos em várias categorias, como orações, poemas e cartas. Contamos com quarenta e quatro orações autênticas de sua autoria. Sua eloqüência na pregação obteve para ele o título de «o Demóstenes cristão». Ele escreveu mais de quatrocentos poemas, dos quais cerca de duzentos têm natureza histórica e biográfica. Um desses poemas, intitulado *Sobre a Vida Dele*, contém quase duas mil linhas de autobiografia. Existem duzentas e quarenta e uma de suas cartas autênticas. Várias delas encerram temas doutrinários, incluindo a

GREGÓRIO — GREGOS PRIMITIVOS

refutação de doutrinas não-ortodoxas. Sua teologia definia as três Pessoas Divinas em termos do Pai (não gerado); do Filho (gerado); e do Espírito Santo (procedente). Ele empregava o termo *theótokos* (geradora de Deus) em referência a Maria como mãe do «Deus» que é Jesus. Essa doutrina, ambiguamente expressa por Gregório, tornou-se muito importante na história de certos segmentos da cristandade. Deus, como o Espírito eterno, não tem pai e nem mãe; Jesus, a encarnação do Filho, teve mãe, Maria. Maria só pode ser considerada mãe de Deus, no sentido secundário de que ela foi mãe do homem Jesus Cristo. E isso está longe de fazer dela parte da deidade, conforme ensina, erradamente a Igreja Católica Romana (AM E P)

GREGÓRIO, O ILUMINADOR

Suas datas aproximadas foram 257—333 D.C. Ele foi um grande propagandista pioneiro da fé cristã, na Armênia. Seus esforços missionários contribuíram para a supressão do paganismo naquele país, com o desenvolvimento da Igreja Armênia. A nação armênia venera Gregório, o Iluminador, como seu apóstolo e protetor. Antes de Gregório, o evangelho já havia chegado à Armênia; mas a Igreja cristã ali existente fora destruída pelos persas, sob Ardasir I, que deu início à dinastia sassânida, em cerca de 226 D.C. Esse governante persa matou o rei armênio, Khosrov; mas seu filho, Tirídates, conseguiu escapar. Ele retornou com um exército e saiu-se vitorioso. Aprisionou a Gregório, que estava procurando restaurar ali o cristianismo; mas Tirídates acabou convertendo-se ao cristianismo. Isso levou à declaração da Armênia como uma nação cristã, em 284 D.C.

Gregório foi apodado de «o Iluminador» por causa de seus eloqüentes sermões. Quando Gregório faleceu, seu filho, Aristaques, deu prosseguimento à sua obra. Aristaques participou do concílio de Nicéia (325 D.C.). Um outro filho de Gregório, Bardanes, tornou-se bispo, e o ofício de *catholicos* (delegado universal) permaneceu na família de Gregório por mais de cem anos.

Muitas fontes literárias narram a vida de Gregório, incluindo vinte e três cartas e homilias, supostamente escritas por ele. No entanto, sabe-se atualmente que essa coletânea pertence a uma data posterior a ele, talvez tendo sido escrita por Mesrope (vide). Agatângelo, nos fins do século V D.C., escreveu uma biografia de Gregório. Mas, infelizmente, grande parte do material ali existente é lendário. As igrejas armênia, bizantina e síria celebram a festa em honra a Gregório a 30 de setembro, mas a Igreja latina o faz a 1º de outubro.

GREGÓRIO TAUMATURGO

Seu título significa «operador de maravilhas». Não se sabe a data de seu nascimento, embora se saiba que ele morreu em cerca de 270 D.C. É considerado um dos pais da Igreja oriental. Nasceu em Neocesaréia, no Ponto (alguns estudiosos dizem que em cerca de 213 D.C.). Era filho de uma rica família pagã. Seu nome original era Teodoro, mas por ocasião de seu batismo como cristão recebeu o novo nome de Gregório. Recebeu boa educação pagã quanto à retórica, ao latim e às leis romanas. Ele e seu irmão foram estudar direito em Beirute. Porém, foi em Cesaréia da Palestina que eles conheceram o famoso teólogo, Orígenes (vide). Sentiram-se tão atraídos por ele que passaram cinco anos (cerca de 233 — 238) estudando sob a sua direção, e ambos tornaram-se

cristãos convictos. Posteriormente, Gregório tornou-se o primeiro bispo de Neocesaréia. Sua vida ali é narrada por Gregório de Nissa, e Basílio, o Grande, também tece algumas considerações a respeito. É possível que a maior parte desse material tivesse sido fornecida por Macrina, a Velha, a avó deles, que Gregório conseguiu converter ao cristianismo.

Gregório estava intensamente interessado em missões evangelizadoras; mas a perseguição lançada por Décio, imperador romano, impediu os seus labores. E ele foi forçado a refugiar-se nas montanhas. Quando a paz retornou, ele restaurou a vivacidade da Igreja. As narrativas sobre sua vida contêm o relato de vários milagres, mas quanto disso é lendário, não se sabe dizer. Seja como for, com base nessa circunstância, ele se tornou conhecido como «operador de maravilhas» (no grego, *thaumaturgós*) — de onde vem seu apelido *Taumaturgo*.

Escritos. Ele escreveu um livro chamado *O Panegírico de Orígenes*, um elaborado *elogio*. Gregório, que estudara com Orígenes, reverenciava o seu mestre. Esse elogio contém valioso material sobre os primeiros anos de vida adulta de Gregório, e também sobre os métodos de ensino de Orígenes. Gregório também escreveu *A Exposição da Fé*, um credo sucinto, que trata, especificamente, sobre a Trindade. Sua *Epístola Canônica* fornece orientações a um bispo desconhecido, acerca de como tratar do caso de cristãos apóstatas, alguns dos quais terminaram sendo saqueadores, durante a invasão dos godos, em cerca de 254 — 258 D.C. Gregório também escreveu uma paráfrase sobre o livro de Eclesiastes, e também um outro livro com o estranho título de *To Theopompus, Sobre o Passível e o Impassível em Deus*, cujo propósito era o de explanar sobre a paixão de Cristo a leitores pagãos. Vários outros escritos, conhecidos por seus títulos, existem até hoje. Seu dia festivo é celebrado a 17 de novembro.

GREGOS PRIMITIVOS, RELIGIÃO DOS

Alguém declarou com muita razão: «A religião dos povos helênicos começou no politeísmo e terminou no misticismo» (P). E Gilbert Murray descreveu cinco estágios distintivos da história da religião grega:

1. Período Pré-Olímpico. Esse período fica todo antes de 1500 A.C. Informações sobre esse período mais antigo precisam ser derivadas de alusões existentes na literatura posterior, onde encontramos alusões a ritos primitivos, sangüinolentos, bem como ao animismo, tudo o que é começo comum da religião de qualquer cultura humana. Os mitos gregos estão repletos de pedaços de quebra-cabeças. «Dificilmente existe qualquer horror das superstições primitivas que não encontrem vestígios distantes no registro da história grega» (Gilbert Murray, pág. 1, Five Stages of *Greek Religion*, 1951). Antes que Zeus e os deuses do Olimpo viessem povoar as mentes dos homens, houve uma prolongada era de ignorância primitiva e brutal, um período de *artifícios bestiais dos pagãos*, conforme alguém o caracterizou. Foi um tempo de temor e de adoração aos espíritos, com sacrifícios de animais e de seres humanos, com a adoração às forças da natureza, terrena e celestial, um tempo de apelo à mágica e às adivinhações.

2. Período Olímpico. Esse período viu o triunfo de uma série de deuses, a princípio governados por Cronos e, posteriormente, por *Zeus*, seu filho rebelde. Alguns estudiosos começam por aí a história da religião helênica, ou seja, cerca de 1500 A.C., e terminando em 360 D.C. Durante o período olímpico,

980

GREGOS PRIMITIVOS, RELIGIÃO DOS

começou a era grega clássica, que se foi formando lentamente. Conforme comentou Heródoto: «A raça helênica destacava-se dentre os bárbaros, como mais inteligente e mais emancipada da insensatez» (*Hist*. 1:60). A religião da Acaia é claramente retratada nos clássicos de Homero, a *Ilíada* e a *Odisséia* (850 A.C.), onde encontramos uma literatura da mais excelente qualidade. Porém, é patente que o que ali foi descrito foi a consolidação de muitos séculos de tradição e desenvolvimento religioso. A fé praticada pelos acaeanos representava adaptações com base em muitos cultos locais. Contudo, tal religião derivava-se, acima de tudo, da religião dos minoanos, de Creta (2008—1400 A.C.), em parte adaptada pelos príncipes micenos da Grécia, entre 1600 e 1200 A.C. Também havia elementos tomados por empréstimo dos invasores gregos vindos do norte ou dos primitivos habitantes da região do mar Egeu, que os gregos chamavam de *pelasgianos*. Os arqueólogos modernos chamam essa civilização da idade do Bronze (2500—1100 A.C.) de *heládica*. Quase com toda a certeza, Rea e Ártemis eram divindades minoanas; Atena era miceniana; Zeus (na língua indo-européia primitiva *Dyeus*, o deus do firmamento) e Héstia eram gregos; mas Hermes, Demeter e Core (Persefone) eram das ilhas do mar Egeu. Ainda outras divindades vieram da ilha de Chipre, como Afrodite, identificada com Istar ou Astarte; ou da Anatólia, de onde vieram Apolo e Hefaístos. Hera, a principal esposa de Zeus, era jônica.

Homero vestiu esses deuses em vestes humanas, como também vestiu seres humanos em vestes divinas, de tal maneira que os gregos tinham deuses antropomórficos e seres humanos deificados. Seus deuses, embora imortais, estavam sujeitos a ferimentos e dores (*Ilíada* 5.334-362), eram impelidos por paixões tipicamente humanas, planejavam uns contra os outros, seduziam mulheres (ou homens, no caso das deusas) e imiscuíam-se nos conflitos humanos. As mansões dos deuses dos gregos ficariam no monte Olimpo, pois ali é que Homero reunira o grande concílio dos deuses, harmonizando séculos de tradições (*Odisséia* 6.41-46). A esses deuses, pois, os homens atribuíam a sua boa sorte, as suas misérias e os seus bons e maus impulsos, porque, conforme eram os homens, assim também eram os seus deuses (*Odisséia* 1.188,189; *Ilíada* 19:85-89). Contudo, a loucura dos homens **era a causa** de muitos de seus infortúnios (*Odisséia*, 1.32-34). O Olimpo era o mais elevado monte da Grécia, entre a Tessália e a Macedônia, às margens do mar Egeu; e a mitologia grega associava esse lugar com a habitação dos deuses. Mas o que os gregos imaginavam é que ali havia uma espécie de concílio de deuses do firmamento, essa idéia era sugerida pelos 2.919 m do pico mais elevado dessa serra. Os homens costumam olhar para o *alto*, em busca de seus melhores deuses, embora eles tenham pensado que até mesmo no interior da terra (no hades) haveria o predomínio de poderes divinos. Os deuses do Olimpo, contudo, tinham suas falhas, seus vícios, suas intrigas, seus erros e eram extremamente vingativos. Apesar disso, o quadro que deles se formava tinha alguns laivos de esperança, pendendo mais para o lado da justiça. Mas, em contraste com eles, os gregos também imaginavam os horrendos poderes do mundo inferior, o hades, onde atuariam as divindades da morte e do julgamento, bem como as fúrias (vide).

Quase todos os deuses antigos interessavam-se por vários tipos de sacrifício (incluindo sacrifícios cruentos), que os homens pudessem oferecer-lhes. Os deuses gregos não formavam exceção a essa regra. Os homens apelavam aos deuses por meio de holocaustos (*Ilíada* 1.458-512); eram feitos votos e libações eram derramadas; o suave odor das ofertas queimadas ascendia ao céu; e preces especiais eram oferecidas (*Ilíada* 9.499-512). Os deuses cooperavam, comunicando-se com os seus adoradores, prestando-lhes toda a espécie de informações úteis, por meio dos adivinhos, dos sacerdotes e dos sonhos (*Ilíada* 1.62,63).

Heródoto (Hist. 2:53) atribuía a Homero e a Hesíodo a genealogia, os títulos, as prerrogativas, as funções e as aparições dos deuses. Naturalmente, nisso há um grande exagero, embora estivessem envolvidos compiladores e harmonizadores, que foram modificando aos poucos o que aqueles disseram. Através deles, muitos cultos locais foram reunidos, daí emergindo uma espécie de religião grega unificada, com seus livros sagrados — os escritos de Homero, que se tornaram uma espécie de Bíblia dos gregos.

3. As Escolas do Século IV A.C. O período olímpico foi seguido pelo aparecimento de vários cultos religiosos (séculos VII a IV A.C.), o que pôs a religião dos gregos dentro de uma nova perspectiva. Foi nesse período que a busca pela salvação da alma começou a ser salientada. Tornaram-se doutrinas importantes os ensinos sobre a imortalidade da alma e suas peregrinações, mediante várias encarnações (ver o artigo sobre a *Reencarnação*). Mas, os ritos orgiásticos de Dionísio obtiveram tremendo avanço. Então apareceram os *mistérios eleusianos* de Demeter (vide). De importância especial, dentro desse quadro, foi o *orfismo* (vide). Este último prometia a salvação mediante a comunhão mística e a unidade final com Deus. Essa religião exerceu uma significativa influência sobre as filosofias de Pitágoras e de Platão.

Xenófanes (vide) atacou os deuses antropomórficos de Homero e expôs uma espécie de monoteísmo (ou panteísmo?). O estoicismo espiritualizou as descrições homéricas e desenvolveu um sistema ético que exerceu grande influência no mundo antigo. Os poetas Píndaro, Ésquilo, Sófocles e Eurípedes ultrapassaram a Homero quanto à nobreza de sua ética, e abordaram dificílimos problemas da filosofia e da teologia, como o *Problema do Mal* (vide). Sócrates também ensinava uma ética excelente, embora evitasse as questões da metafísica. Platão desenvolveu a melhor religião grega, com suas nobres idéias sobre os *universais* (vide) e suas perfeições, que tanto influenciaram muitos dos primeiros teólogos cristãos. Aristóteles concebeu idéias cosmológicas que, posteriormente, tiveram grande utilidade para definir certos problemas teológicos, como o *tomismo* (vide). Porém, também precisamos mencionar os *sofistas*, os quais estavam interessados somente na praticalidade e nas vantagens próprias, assumindo uma posição cética diante das verdades e dos valores religiosos e espirituais, e que negavam a validade de qualquer regra ética mista.

4. Debilitamento Gradual da Religião Grega. Começando com Alexandre, o Grande, (que estudou com Aristóteles), e durante trezentos anos depois dele, a cultura, a filosofia, o idioma, os valores e a religião gregos espalharam-se por todo o mundo então conhecido. Porém, a originalidade dos gregos morreu com Aristóteles. Esse período assinalou o colapso das religiões tradicionais da Grécia. A filosofia refugiou-se na religião; e a religião passou a ser representada pelos desenvolvimentos do neopitagoreanismo e do neoplatonismo. Porém, também houve a filosofia **religiosa greco-judaica**, que se foi desenvolvendo em torno de Alexandria, no Egito, e que veio a exercer

981

GRELHA — GRILHÕES

vasta influência sobre as raízes do judaísmo posterior e sobre o cristianismo.

A maior de todas as modificações foi o surgimento do cristianismo, que alterou para sempre o mundo grego. Elementos da filosofia e da religião dos gregos começaram a misturar-se com o cristianismo; mas toda forma de religião grega, nessa época, começou a perder a sua identidade. O politeísmo, que durante tanto tempo fora o fator religioso dominante no mundo grego, foi-se debilitando cada vez mais. Contudo, foram necessários séculos para que o politeísmo morresse definitivamente. A Sorte e a Fortuna cederam lugar à vontade de Deus. O Logos foi identificado com o Cristo. O *gnosticismo* (vide) surgiu em cena como um movimento sincretista, que combinava o antigo com o novo, os mitos com a revelação divina, a filosofia com a teologia, as religiões misteriosas com os mistérios cristãos.

5. Um Último Protesto. Juliano, imperador romano, foi apodado de O Apóstata por haver abandonado o cristianismo e haver tentado restaurar o paganismo no império. Ele era primo do imperador Constantino. Quando ele tinha apenas seis anos de idade, alguns soldados de Constantino, por razões puramente políticas, mataram seu pai e outros parentes próximos. E, quando ele chegou à idade suficiente para tanto, revoltou-se contra a sua criação cristã. Juliano estudou em Atenas e foi inspirado a abandonar o cristianismo, em troca do que ele pensava ser uma nobre forma de paganismo. Foi o sucessor de Constantino, como imperador, e reinou de 361 a 363 D.C. Despediu todos os cristãos de todos os cargos oficiais e baixou medidas repressivas, como a proibição dos cristãos ensinarem os clássicos. Todavia, não perseguiu fisicamente aos cristãos. Antes, procurou reformar o paganismo e reestabelecer o mesmo nas fronteiras do império romano. Reverteu ao politeísmo, com o deus-sol como a principal divindade. Todavia, suas reformas só foram bem sucedidas durante o seu breve reinado. Depois que ele morreu, as coisas voltaram à normalidade no império romano. Após ter governado somente por vinte e quatro meses, foi morto por um golpe de dardo, em uma batalha contra os persas. Pouco antes disso acontecer, alguém indagou, zombeteiramente: «O que está fazendo agora o Filho do carpinteiro?» A resposta dada foi: «Está preparando um esquife para o imperador!» Relata-se que quando Juliano foi ferido pelo dardo, disse: «Tandem vicisti, Galilaee!», palavras latinas que significam: «No fim, venceste, galileu!» Ver o artigo separado sobre *Juliano, o Apóstata*.

GRELHA

No hebraico, **mikbar,** palavra que é usada por seis vezes no Antigo Testamento, sempre no livro de Êxodo (27:4; 35:16; 38:4,5,20; 39:39). Essa palavra indica qualquer coisa «torcida» ou «bordada», ou então uma gelosia, um trabalho trançado. A passagem de Êxodo 27:4 fala sobre uma espécie de grade de bronze, que rodeava a porção inferior do altar dos holocaustos (vs. 5). Nessa grelha de bronze havia quatro argolas, onde se punham varas, permitindo que o altar fosse transportado (Êxo. 27:4,7).

Os estudiosos não têm muita certeza sobre a serventia dessa grelha, mas as sugestões apresentadas é que ela recebia as brasas acesas, ou então que protegia o altar, agindo como suporte para todo material posto sobre o mesmo. Escreveu John Gill: «Uma chapa de bronze com perfurações, para

permitir a passagem ou do sangue que escorria dos corpos de animais sacrificados, ou as cinzas dos mesmos, uma vez queimados... servia para receber as brasas e os ossos que caíam de sobre o altar, e assim podia denotar a pureza do sacrifício de Cristo» (*in loc.*). Nesse caso, seria uma espécie de instrumento santificador do altar. Em seguida, John Gill sugere que as varas não ficavam na grelha, mas passavam *por* ela, na parte inferior da mesma.

GRENZSITUATIONEN

No alemão, essa palavra significa «situações últimas», ou seja, situações que limitam a liberdade do indivíduo e alteram o curso de sua vida. Ver o artigo sobre *Jaspers*, sétimo ponto. O homem é livre em seu pensamento, mas sua liberdade está contida dentro de limites de certas «situações últimas», como a morte, o sofrimento, o conflito e o senso de culpa.

GRICE, H.P.

Ver sobre **Significado,** em seu quarto item.

GRILHÕES

Há três palavras hebraicas e uma palavra grega que devem ser consideradas neste verbete, a saber:

1. *Kebel*, «grilhão». Esse termo hebraico ocorre por somente duas vezes: Sal. 105:18 e 149:8.

2. *Ziqqim*, «cadeias», «grilhões». Palavra hebraica usada por quatro vezes com esse sentido: Jó 36:8; Sal. 149:8; Isa. 45:14 e Naum 3:10.

3. *Nechosheth*, «bronze», mas, algumas vezes, palavra hebraica empregada com o sentido de grilhões, como em II Sam. 3:34; II Crô. 33:11; 36:6; Juí. 16:21 e II Reis 25:7.

4. *Péde*, «grilhões (para os pés)», pois até se deriva da palavra grega que significa pé, *pós podós*. É vocábulo grego usado por três vezes somente: Mar. 5:4 e Luc. 8:29.

Os grilhões eram algemas, amarras ou qualquer outra coisa que prendesse as mãos ou os pés, ou mesmo o corpo inteiro de uma pessoa. Os arqueólogos têm descoberto dois tipos básicos de grilhões: aqueles para as mãos, que as amarravam ao pescoço do indivíduo; e aqueles para os pés, que ligavam um pé ao outro, para que não tivessem movimentos. Nos trechos de Juí. 16:21; II Sam. 3:34; II Reis 25:7 e II Crô. 33:11 temos grilhões feitos de bronze. O ferro, mencionado em Miq. 5:4 e em Luc. 8:29, sem dúvida, aponta para grilhões feitos desse metal ainda mais forte que o bronze. Na Bíblia temos a trágica história de Sansão, ligado com grilhões de cobre ou de bronze (ver Juí. 16:21); Manassés e Zedequias foram reis de Judá presos com grilhões, pelos caldeus, e transportados para a Babilônia (II Crô. 33:11); e também o homem possuído por um espírito imundo, que era amarrado com grilhões para não atacar outras pessoas (Mar. 5:4). Os egípcios empregavam grilhões de madeira, bem como aqueles feitos de metal. O trecho de Atos 28:20 refere-se a uma cadeia, usada como grilhões.

Usos Figurados. A passagem de Eclesiastes 7:26 encerra uma descrição gráfica sobre a mulher imoral. Seu coração assemelha-se a redes e armadilhas, e as suas mãos são como grilhões de ferro, que prendem e aprisionam. O homem que procura agradar a Deus, haverá de escapar de tal mulher. Assim também, todos os vícios e todas as doutrinas falsas podem atuar como grilhões, por serem imoralidades espirituais e, portanto, **cadeias.** A missão de Cristo liberta os

GRILO — GROTIUS, HUGO

cativos (Efé. 4:8). Jesus veio a este mundo anunciando o livramento aos cativos do pecado e da degradação. Essa é a mensagem central do evangelho. Ver Luc. 4:18.

GRILO

No hebraico, **chargol**, vocábulo que aparece exclusivamente em Lev. 11:22. Os nomes dos insetos na Bíblia usualmente se encontram em contextos que abordam animais puros e imundos. Ver o artigo sobre os *Alimentos*, onde há uma seção que trata desses alimentos permitidos ou não. Ver também o artigo intitulado *Limpo e Imundo*, que acrescenta algo mais àquelas informações, destacando o problema inteiro da pureza ou impureza cerimonial e alimentar. É muito difícil identificar os insetos específicos mencionados, pois os antigos não usavam uma linguagem científica quando se referiam à fauna e à flora. O artigo sobre *Gafanhoto* ilustra essa dificuldade. O *chargol* pertence à família do gafanhoto, visto que possuía asas e saltava em vez de arrastar-se. As três famílias dos insetos saltadores são classificadas entre os orthopera (gafanhotos, locustas e grilos). É evidente que a palavra hebraica em questão refere-se a um desses insetos, embora não haja certeza acerca de qual dos três. Mas o besouro está fora da questão, visto que não salta.

GRINALDAS

No Novo Testamento, essa é a tradução, em português, da palavra grega *stémma*, «círculo», «coroa», «grinalda». Esse vocábulo aparece somente em Atos 14:13, apontando para um dos objetos que os sacerdotes de Zeus trouxeram para adornar a Paulo e a Barnabé, julgando que eles fossem deuses em figura humana.

Uma palavra hebraica que talvez signifique a mesma coisa é *livyah*, que ocorre somente por duas vezes, em Pro. 1:9 e 4:9. No entanto, a maioria dos estudiosos pensa que o sentido dessa palavra hebraica é «diadema», o que já seria coisa diferente. Ver o verbete *Diadema*. Ver também sobre *Ornamento*.

GRITO DE ABANDONO (Mat. 27:46).

Ver o artigo sobre *Eli, Eli, lamá sabactani*, e também o artigo sobre as *Sete Declarações da Cruz*.

GROOTE, GERARD

Suas datas foram 1340—1384. Foi um filósofo e líder religioso holandês. Nasceu em Deventer, perto de Utrecht. Ensinava na cidade de Colônia, na Alemanha. Foi influenciado por Jan van Rusbroeck, um místico flamengo bem conhecido. — Ocupava importantes posições eclesiásticas; mas, com a idade de trinta anos, abandonou honrarias e riquezas. Passou três anos em práticas ascéticas, no mosteiro de Artusiana (vide), onde era prior um antigo amigo seu. Tornou-se pregador itinerante, ouvido por milhares de pessoas. Finalmente, fundou a *Irmandade da Vida Comum* (vide). Essa organização enfatizava a educação da juventude, tendo estabelecido muitas escolas com esse propósito. Os irmãos e irmãs desse grupo ocupavam-se de muitas obras sociais que atualmente são uma atribuição do Estado.

Groote teve muitas experiências místicas e espirituais, que ofendiam a outras pessoas, sobretudo a outros clérigos. Quando foi proibido de pregar, entregou-se à produção literária. Dessa forma, tornou-se o pai da *Devotio Moderna* ou *Nova Devoção*, um movimento cujos membros dedicavam-se a pôr em prática os ensinamentos de Cristo. Em 1921, sessenta capítulos de sua obra intitulada *Admoestações* foram encontrados em Lubeque, na Holanda. Esses manuscritos demonstraram que Groote, e não Tomás à Kempis, foi o autor da maior parte do famoso livro *Imitação de Cristo*, que desde há muito vinha sendo associado a este último. Tomás à Kempis, evidentemente, foi apenas o editor da obra, tendo contribuído, contudo, com alguma coisa para a mesma. Ele era membro de uma comunidade religiosa que foi fundada por Florêncio Radewyns, que era discípulo de Groote, o que explica a ligação entre os dois homens.

GROSSETESTE, ROBERT

Suas datas foram 1168—1253. Foi um filósofo inglês, cientista e teólogo. Nasceu em Stradbrook, Suffolk. Educou-se em Oxford. Ensinou na mesma escola. Foi bispo de Lincoln; influenciou Rogério Bacon e João Wycliff (vide). Foi professor secular da escola franciscana em Oxford. Promoveu o interesse pela linguagem, pelas ciências físicas, pela teologia e pela filosofia. Frisava a necessidade de disciplina e de santidade. Pregava a Bíblia. Foi um excelente pastor. Defendia a liberdade da Igreja inglesa, contra as imposições da monarquia e do papado. Foi o melhor matemático e físico de sua época. Ensinava que a *luz* é o elemento primário do Universo, e supunha que a mesma podia transformar-se em outros elementos.

GROTE, JOHN

Suas datas foram 1813—1866. Foi um filósofo inglês que ensinou em Cambridge. Defendia a teoria da coerência da verdade. Ver sobre *Coerência, Teoria da Verdade*. Criticava o *utilitarismo* (vide), porquanto omitia o elemento do *ideal* em suas formulações éticas. Seus escritos incluem os títulos *Exploratio Philosophica* (2 vols.); *Exame da Filosofia Utilitarista* e *Tratado sobre os Ideais Morais*.

GROTIUS, HUGO

Suas datas foram 1583-1645. Seu nome holandês era Huig de Groot. A forma latinizada do mesmo é Hugo Grotius. — Ele foi um jurista holandês que tem sido apodado pai da moderna lei internacional, mas cujas atividades também o envolveram em coisas importantes para a Bíblia e para a religião. Nasceu na cidade de Delft, de uma família distinta. Desde cedo a sua genialidade mental tornou-se evidente. Ele lia versos em latim aos oito anos de idade, e ingressou na Universidade de Leiden com catorze anos. Aos quinze anos, acompanhou o estadista holandês Jan van Oldenbarneveldt em uma missão diplomática, à corte do rei Henrique IV, da França. O monarca chamou Grotius de «o milagre da Holanda», tanto se notabilizava ele em sua inteligência e preparo. Grotius ficou na França e com apenas dezesseis anos de idade, formou-se como doutor em leis pela Universidade de Orleães. Voltando à Holanda, entrou na prática da advocacia. Tornou-se historiador oficial da província da Holanda, e foi procurador geral da Holanda, em cerca de 1607.

Em 1613, viu-se envolvido em um conflito religioso e político muito *amargo*, entre os arminianos e os calvinistas. Os que dissentiam da posição calvinista (os arminianos) tiveram o apoio de Grotius. O outro lado contava com a maioria dos políticos e o próprio exército em seu favor. Grotius foi aprisionado e

GRUNDTVIG — GUARDA PESSOAL

condenado, sob a acusação de traição, tendo sido sentenciado à prisão perpétua. Foi deixado preso na fortaleza de Loevestein. Entretanto, com a ajuda de sua esposa (minhas fontes informativas não dizem como!), dois anos mais tarde ele conseguiu escapar, oculto em uma caixa para roupas sujas, que foi tirada da prisão. Fugiu para a França, onde foi recebido como herói. E, em 1634, tornou-se representante da Suécia, diante da corte francesa. Finalmente, recebéu permissão de regressar à Holanda; mas, a caminho, estando em território alemão, faleceu.

Ele cria nas leis naturais e sentia que os Estados, e não apenas os indivíduos, estão sujeitos a um código de deveres e responsabilidades, além de certos direitos ditados pela própria natureza. Ele negava o direito de uma nação atacar militarmente a outra; no entanto, um Estado poderia usar armamentos para defender-se e para castigar qualquer ato criminoso. Uma espécie de manual de conduta na guerra foi seu livro *De Jure Belli et Pacis*. Ele também escreveu vários volumes sobre a lei geral, como *De Jure Praedae Commentarius* e *Mare Liberum* (Liberdade nos Mares). Também escreveu vários livros de poesia, contos, história, teologia e filologia. Um desses livros intitulava-se *Sobre a Verdade da Religião Cristã*.

Especificamente, quanto à fé religiosa, ele advogava a teoria *governamental* da expiação, que assevera que os sofrimentos e a morte do Filho de Deus não foram uma expiação diante da *ira* de Deus, mas apenas uma demonstração do ódio divino ao mal moral. Essa lição, conforme ele sentia, deveria servir de base ao governo divino no mundo. Ver o artigo geral sobre a *Expiação*. Ele defendia a superioridade histórica do cristianismo, promovendo ainda um ambicioso esquema para tentar chegar à unidade da Igreja cristã. Pregava a tolerância e o respeito mútuo, como base de uma possível reconciliação entre os protestantes e os católicos. (AM C E P)

GRUNDTVIG, NICOLAI FREDERICK SEVERIN

Suas datas foram 1783—1872. Foi um líder patriota dinamarquês, grande conhecedor da mitologia nórdica. Foi o fundador do Ginásio Folk Dinamarquês. Aceitava o Credo dos Apóstolos (vide) como o sumário do cristianismo; e lutava em prol da liberdade de religião e de expressão. Enfatizava a comunhão pessoal com Cristo como o requisito da religião vital. Escreveu mais de mil hinos. Trabalhou como pastor paroquiano a maior parte de sua vida, sendo considerado uma das principais personalidades dinamarquesas do século XIX, tendo exercido grande influência sobre a vida do Estado e da Igreja dinamarqueses.

GUARDA

Uma **guarda** podia ser constituída por um único indivíduo ou por vários indivíduos encarregados de vigiar e proteger outra pessoa, outras pessoas, ou apenas coisas ou lugares. No Antigo Testamento, quatro palavras hebraicas estão envolvidas:

1. *Tabbah*. A princípio, essa palavra hebraica significava *executor real*; mas, com o tempo, passou a indicar uma «guarda pessoal», como a de Faraó (Gên. 37:36; 39:1) ou a de Nabucodonosor (II Reis 25:8-10). Davi contava com um grupo de seiscentos mercenários estrangeiros, representantes dos queretitas e dos peletitas. Benaia era um desses homens, atuando como capitão deles (II Sam. 20:23). Eles acompanharam a Davi em sua fuga de Absalão (II Sam. 15:18), e, posteriormente, formaram a escolta de Salomão, no dia em que foi coroado (I Reis

1:38,44). Davi tinha trinta guerreiros poderosos, que agiam como guarda pessoal especial (II Sam. 23:8 *ss*). O número deles é dado em II Sam. 23:18.

2. *Mishmaath*, que vem da raiz *sama*, «ouvir», «responder». Essa palavra aparece em II Sam. 23:23, indicando uma guarda pessoal, embora algumas traduções digam «concílio».

3. *Mishmar*, «guarda», «vigia». Ocorre por um total de vinte e duas vezes, com sentidos como «prisão», «cárcere», etc. Com o sentido de «guarda», porém, ocorre por três vezes: Nee. 4:22,23; Eze. 38:7.

4. *Ratsim*, «corredores». Eram mensageiros e guardas do rei, conforme se vê em I Sam. 22:17.

No Novo Testamento, em Atos 28:16, lemos que Paulo foi entregue a um «soldado que o guardava». O termo grego *stratopedarches* é usado ali. Esse vocábulo indicava um tribuno legionário ou capitão de tropas. Porém, os melhores manuscritos omitem essa palavra, dizendo que Paulo ficou ali em companhia de um soldado que o guardava.

Também sabemos que o templo de Jerusalém dispunha de guardas, ou seja, de uma polícia do templo, escolhidos de elementos dentre os levitas. Eles mantinham a ordem no templo, e impediam que os gentios entrassem em áreas proibidas (ver Mat. 27:65). A Mishnah informa-nos que havia vinte e quatro pontos, no templo e na área circundante, que eram vigiados. Em Marcos 6:27, encontramos menção ao «executor». No original grego temos o termo *specoulator*, um latinismo que só aparece nesse texto. **Esses executores** não só agiam como guardas, **correios, mas também como executores.** No latim clássico, entretanto, essa palavra significava um «espião», «observador» ou «vigia». A raiz verbal da mesma era *specio*, «olhar», «observar». O termo grego cognato é *spekto*. Herodes Ântipas, pois, ordenou que um homem com esse título trouxesse até ele a cabeça de João Batista, em uma bandeja, conforme se lê em Marcos 6:27. Finalmente, encontramos o vocábulo grego *koustodia*, para indicar a guarda que ficou vigiando o túmulo de Jesus, conforme se lê em Mateus 27:66.

Usos Espirituais e Metafóricos

1. O poder preservador e guardador de Deus cuida de seu povo (Sal. 17:8; 33:13; Pro. 3:26; Isa. 26:3).

2. Os anjos estão encarregados de guardar os santos (Luc. 4:10 e Sal. 9:11,12).

3. O trecho de Colossenses 3:3 ensina-nos que as vidas dos crentes estão ocultas com Cristo, em Deus, o que indica total proteção. Devemos entender essa proteção principalmente em sentido espiritual, e não tanto em sentido físico. Ver o artigo sobre *Anjo da Guarda*.

GUARDA PESSOAL

Uma pessoa ou grupo de pessoas que interpõem seus corpos entre a pessoa a ser guardada de alguma ameaça, potencial ou real. Além disso, a expressão dá a entender a guarda da segurança física de outrem. Nas Escrituras, Davi é a primeira pessoa mencionada a ocupar tal ofício. De fato, ele era o capitão de um grupo de militares que protegiam o rei Saul (I Sam. 22:14). Aquis, rei de Gate, declarou que Davi poderia ser sua guarda pessoal. Isso sucedeu quando Saul buscava Davi para tirar-lhe a vida (I Sam. 28:2). Posteriormente, o próprio Davi contou com uma guarda pessoal, composta de trinta guerreiros, tendo por comandante Benaia (II Sam. 23:23). Nabuzaradã era capitão da guarda pessoal do rei da Babilônia. Ele veio com tropas a Jerusalém e destruiu, mediante incêndio provocado, praticamente a cidade inteira (II

GUARDA, PORTA DA — GUARNIÇÃO

Reis 25:8). (Z)

GUARDA, PORTA DA

Algumas traduções dizem **Porta da Prisão**. O item em questão era uma porta existente na cidade de Jerusalém, referida em Nee. 3:31 e 12:39. Ficava na esquina nordeste da cidade. O trecho de Neemias 12:39 diz-nos que o segundo grupo enviado por Neemias, por ocasião da dedicação das muralhas da cidade, estacou diante dessa porta. No entanto, John Gill informa-nos de que esse não era, propriamente, um portão da cidade, mas do átrio da prisão, levando o leitor ao trecho de Nee. 3:25. Ver o artigo intitulado *Pátio do Cárcere, Pátio da Guarda*. Isso ficava perto do palácio do rei (Jer. 20:1,2; 32:2).

GUARDA PRETORIANA Ver **Pretoreana, Guarda**.

GUARDAR, GUARDADOR

Há treze palavras hebraicas e quinze palavras gregas que, de algum modo ou de outro, têm sido usadas nas traduções com o sentido de «guardar». Damos aqui apenas as principais:

1. *Natar*, «guardar», «vigiar». Palavra hebraica usada por seis vezes com esse sentido, como, por exemplo, em Sal. 103:9; Can. 1:6; 8:12; Jer. 3:12.

2. *Natsar*, «guardar», «reservar». Palavra hebraica usada por cinqüenta e oito vezes, se incluirmos a idéia de «vigia». Por exemplo: Deu. 32:10; Sal. 25:10; 34:13; 141:3; Pro. 2:8,11; 28:7; Isa. 26:3; Naum 2:1.

3. *Asah*, «fazer», «realizar». Palavra hebraica empregada por cerca de duas mil e seiscentas vezes. Por exemplo: Êxo. 12:47; Núm. 9:2-14; Deu. 5:15; Jos. 5:10; II Reis 23:21; I Crô. 4:10; II Crô. 30:1—3.

4. *Shamar*, «guardar», «observar», «dar ouvidos». Palavra hebraica que ocorre por cerca de quatrocentas e setenta vezes. Por exemplo: Gên. 2:15; Êxo. 12:25; Núm. 1:53; II Sam. 15:16; I Reis 2:3,43; I Crô. 10:13; Sal. 12:7; Pro. 2:20; Ecl. 3:6; Dan. 9:4.

5. *Teréo*, «guardar», «vigiar», «observar». Palavra grega usada por cerca de setenta vezes, como por exemplo: Mat. 19:17; Mar. 7:9; João 2:10; Atos 12:5,6; I Tes. 5:23; I Tim. 5:22; I Ped. 2:4.

6. *Phulásso*, «guardar», «vigiar», «cuidar». Palavra grega usada por trinta e duas vezes, por exemplo: Mat. 19:20; Mar. 10:20; João 12:25,47; Jud.24.

7. *Prouréo*, «guardar», «cuidar de». Palavra grega usada por quatro vezes: II Cor. 11:12; Gál. 3:23; Fil. 4:7; I Ped. 1:5.

O mais importante uso dessa palavra é aquele que retrata certo aspecto da missão de Cristo, que é o guardador por excelência das almas daqueles que se confiam aos seus cuidados. Esse aspecto é destacado por Paulo, em II Timóteo 1:12, que diz: «...sei em quem tenho crido, e estou certo de que ele é poderoso para guardar o meu depósito até aquele dia». A linda doxologia de Judas 24,25 é um paralelo: «Ora, àquele que é poderoso para vos guardar de tropeços e para vos apresentar com exultação, imaculados diante da sua glória, ao único Deus, nosso Salvador, mediante Jesus Cristo, Senhor nosso, glória, majestade, império e soberania, antes de todas as eras, e agora, e por todos os séculos. Amém».

Vivemos em uma época de superficialidade doutrinária, e, conseqüentemente, de superficialidade de fé. Fatores importantes da doutrina cristã são esquecidos, em uma lamentável simplificação do ensino bíblico, por causa do que muita riqueza espiritual permanece inconquistada pelos crentes, da mesma forma que uma parte dos territórios da Terra

Prometida jamais foi conquistada pelos filhos de Israel. Essa deficiência deve-se ao fato de que o princípio bíblico da polaridade é esquecido. Explico: visto que a salvação consiste em um novo relacionamento entre Deus e o homem, há tanto o lado divino quanto o lado humano a considerar. Porém, em muitas igrejas evangélicas de nossos dias, salienta-se apenas o lado humano de certas fases da experiência cristã, como a santificação, a perseverança, o livre-arbítrio, etc., e olvida-se o lado divino correspondente. No entanto, a Bíblia, quando requer que o homem se consagre ao Senhor, também ensina que isso só se torna realidade mediante a operação do Espírito, que nos distingue e separa para o Senhor: «O mesmo Deus da paz vos santifique em tudo; e o vosso espírito, alma e corpo sejam conservados íntegros e irrepreensíveis na vinda de nosso Senhor Jesus Cristo. Fiel é o que vos chama, o qual também o fará» (I Tes. 5:23,24). Outro tanto se dá com o livre-arbítrio, pois a Bíblia ensina que o fator limitador da liberdade humana é a vontade controladora de Deus, tanto no caso dos perdidos, como, especialmente, no caso dos crentes. Deus só permite que o mal se manifeste até onde ele quer. E o coração do crente foi inclinado para ser obediente ao Senhor, por atuação do Espírito. «Dar-vos-ei coração novo, e porei dentro de vós espírito novo; tirarei de vós o coração de pedra e vos darei coração de carne. Porei dentro de vós o meu Espírito, e farei que andeis nos meus estatutos, guardeis os meus juízos e os observeis» (Eze. 36:26,27).

No que concerne ao nosso verbete, onde se aprende que Deus nos guarda de tropeçar e do próprio Maligno, esse ensino corresponde ao pólo divino — a preservação — cujo pólo humano é a perseverança. Não há que duvidar que a Bíblia exige a nossa perseverança, e até o fim (ver Mat. 24:13). Porém, quem cuidará para que isso se cumpra cabalmente na vida do crente é o próprio Senhor Jesus, garantindo o bom resultado final da empreitada. As Escrituras jamais dão a entender que a obra de Deus em um coração humano, uma vez iniciada, possa cessar a meio caminho. Antes, todos os escolhidos serão seguramente levados à presença gloriosa do Senhor, salvos, ressuscitados e glorificados. «Estou plenamente certo de que aquele que começou boa obra em vós há de completá-la até ao dia de Cristo Jesus» (Fil. 1:6). «E a vontade de quem me enviou é esta: Que nenhum eu perca de todos os que me deu; pelo contrário, eu o ressuscitarei no último dia» (João 6:39). A doutrina da preservação, tão claramente expressa nessas citações por Paulo e por Jesus, garante que perseveraremos até o fim, pois, se Deus já começou em alguém a sua obra salvatícia, haverá de levá-la a bom termo! Ver também sobre *Perseverança* e *Segurança Eterna do Crente*.

GUARNIÇÃO

Há duas palavras hebraicas (com variantes) e uma palavra grega envolvidas neste verbete, a saber:

1. *Matstsab*, «posto», «guarnição». Com o sentido de «guarnição», ocorre por sete vezes: I Sam. 13:23; 14:1,4,6,11,15; II Sam. 23:14. Sob a forma *matstsabah*, «posto», aparece por somente uma vez, em I Sam. 14:12. A mesma coisa se diz acerca da forma *matstsebah*, que ocorre somente em Eze. 26:11.

2. *Netsib*, «posto», «guarnição». Esse vocábulo hebraico é utilizado por nove vezes, com o sentido de «guarnição»: I Sam. 10:5; 13:3,4; II Sam. 8:6,14; I Crô. 11:16; 18:13; II Crô. 17:2.

GUDGODÁ — GUERRA

3. *Phrouréo*, «montar guarda». Essa palavra grega ocorre apenas em II Cor. 11:32; Gál. 3:23; Fil. 4:7 e I Ped. 1:5.

A palavra hebraica *netsib* também indica um «oficial» que é colocado sobre algum posto conquistado, dando a entender que ele contava com uma guarnição militar. Uma guarnição consiste em um destacamento de tropas armadas, usualmente tendo a seu encargo alguma fortaleza ou área fronteiriça estratégica. Assim, os filisteus puseram guarnições na região de Judá; mas Davi, após muita luta contra eles, foi capaz de submetê-los, conforme lemos no décimo quarto capítulo de I Samuel. Tendo feito isso, ele mesmo postou guarnições de israelitas em Edom e na Síria. Em tempos posteriores houve uma guarnição em Jerusalém, conhecida como as barracas ou acrópolis. Ver sobre *Antônia, Torre de*. Sua posição estratégica explica como o comandante da guarnição (em grego, *chiliarchos*) foi capaz de intervir tão prontamente, livrando Paulo das mãos da turba, que o ameaçava (ver Atos 22:3 *ss*). Damasco também contava com uma guarnição de soldados romanos (ver II Cor. 11:32), a qual foi empregada, inutilmente, para impedir o escape de Paulo.

GUDGODÁ

No hebraico, «incisão», «perfuração». Os israelitas estiveram nesse local, nas circunvizinhanças de Cades-Barnéia, quando vagueavam pelo deserto, antes de conquistarem a Terra Prometida. Sob essa forma, o nome aparece por duas vezes em Deu. 10:7. Em Núm. 33:33, o nome do mesmo lugar aparece como Hor-Gidgade, um nome que, aparentemente, significa «caverna de Gidgade». Os eruditos sugerem que ficava perto do wadi Hadahid. É possível que a diferença de grafia, entre o trecho de Deuteronômio e o de Números, deva-se, principalmente, a sinais vocálicos, escolhidos pelos massoretas (vide).

GUEL

No hebraico, «majestade de Gade». Esse era o nome do filho de Maqui, dirigente da tribo de Gade. Ele esteve entre os doze espias que foram enviados para explorar a Terra Prometida (Núm. 13:15), em cerca de 1440 A.C. Ele foi o representante da tribo de Gade, e esteve entre aqueles que apresentaram um relatório pessimista, calcado sobre a incredulidade.

GUERRA

Há dois artigos, nesta enciclopédia, que fornecem muitas informações sobre as guerras da antiguidade: *Armaduras e Armas* e *Forte, Fortificação*. Além das informações ali prestadas, oferecemos o que se acha neste verbete.

Esboço:

Declaração Introdutória
I. Descrições Vívidas
II. Guerra entre Várias Nações Antigas
III. Guerra entre os Hebreus
IV. Métodos e Costumes das Guerras dos Hebreus
V. Alexandre e a Guerra
VI. Os Romanos e a Guerra
VII. A Guerra nas Páginas do Novo Testamento
VIII. A Guerra e a Religião
IX. Usos Figurados

Declaração Introdutória

O general George Patton, um grande militar norte-americano da Segunda Guerra Mundial, escreveu à sua esposa, diretamente do campo de batalha, asseverando: «Gosto da guerra e estou me divertindo muito». Ele e o general Bradley chegaram a uma cena onde se dera uma batalha, com muita destruição, destroços, veículos incendiados e cadáveres atirados por todo o lado. Patton exclamou: «Que Deus me ajude! mas eu gosto disto!» Noutra ocasião, Bradley disse a Patton: «Eu fui treinado para a guerra. Mas você gosta da guerra». Um famoso personagem dos desenhos animados, o marinheiro Popeye, disse em uma cena: «Luto pelo que é direito, e também como diversão». O zelo com que os homens guerreiam reflete a depravação da natureza humana. Quedamo-nos admirados diante da brilhante e nobre literatura de Homero, quando ele compôs a Ilíada e a Odisséia; mas ficamos perplexos diante do fato de que a guerra é o pano de fundo de tudo quanto ele escreveu. Também ficamos admirados quando lemos sobre as matanças em que os hebreus estiveram envolvidos, e grande parcela do Antigo Testamento está voltada para os temas guerreiros. Houve, então, tantas matanças que nos parecem sem sentido! É notável que tal literatura, como é a do Antigo Testamento, tenha provindo de um contexto desses. O próprio Deus é ali retratado como o Grande General, que ordenou aqueles carnificínios. Mas, mesmo admitindo-se que os povos vizinhos a Israel mereciam ser julgados, por causa de suas inúmeras corrupções, ainda assim é difícil ver Deus como o promotor desses combates. Mas, nem sempre Deus faz aquilo que os homens (até mesmo homens piedosos) supõem que ele faz. Os homens imaginam Deus segundo a própria imagem deles.

Além disso, há a questão dos valores. É verdade que a guerra tem feito os homens inventarem coisas que chegam a ser úteis, em tempos de paz. Posto que a necessidade é a mãe das invenções, com freqüência, as guerras têm dado motivo para a invenção de coisas que, depois, já em tempos de paz, mostram ser de utilidade. Mas, nem por isso a guerra é justificada. Noutras ocasiões, é necessário que pessoas religiosas se armem, a fim de se defenderem. Ver o artigo separado sobre as *Guerras Religiosas*. Porém, coisas que algumas vezes são necessárias, não são reflexos necessários da santidade e nem mesmo daquilo que é desejável.

O Comandante Sangüinário

Não é mau. Que toquem.
Que os canhões estrondem e os aviões bombar-
      deiem,
Proferindo suas prodigiosas blasfêmias.
Não é mau, é chegado o tempo.
A maior violência ainda é o comandante para
Gerar valores neste mundo.
Quem se lembraria do rosto de Helena,
Se lhe faltasse o terrível halo de lanças?
......
Não choreis, deixai-os tocar,
A velha violência não é antiga demais
Para gerar novos valores.
      (Robinson Jeffers).

I. Descrições Vívidas

Na Bíblia não faltam descrições sobre como os homens matam ou são mortos. Uma das primeiras expressões do pecado, entre os homens, foi o homicídio (ver o terceiro capítulo de Gênesis). Na primeira profecia messiânica há menção a uma contínua hostilidade (Gên. 3:15). A consumação desse drama é retratada como a vinda do Rei

GUERRA

guerreiro, que porá fim a todo o mal que há na terra (Apo. 19:11-21). O próprio milênio, inaugurado em seguida, não será capaz de eliminar a guerra das mentes dos homens. Além disso, antes do milênio, haverá a maligna missão do anticristo (vide), o qual provocará, pelo menos, uma guerra mundial, ou mesmo duas ou três. Ver o artigo sobre *Profecia, Tradição da, e a Nossa Época*.

Se tivéssemos de escolher um texto do Antigo Testamento que melhor refletisse uma selvageria desnecessária, parece que I Samuel 27:8 *ss* teria de ser selecionado. Vemos ali que Davi (durante o período em que procurava se esconder de Saul) encabeçou vários ataques contra populações em redor, não deixando a ninguém com vida, que pudesse servir de testemunha de suas matanças. Naturalmente, nesse processo, ele ajuntou a maior quantidade possível de despojos. No texto sagrado aprendemos que pelo menos alguns desses ataques foram efetuados meramente para enganar a Aquis, que estava dando abrigo e proteção a Davi. Esse homem, pois, supunha que Davi estava combatendo contra os seus próprios compatriotas hebreus, sendo essa, precisamente, a impressão que Davi queria dar-lhe, a fim de que o asilo não lhe fosse negado. Lemos em I Samuel 26:11: «Este era o seu (de Davi) proceder por todos os dias que habitou na terra dos filisteus».

II. Guerra Entre Várias Nações Antigas

1. Os Sumérios

Evidências literárias e arqueológicas confirmam a habilidade com que os sumérios guerreavam. Eles foram um povo semita que ocupara o sul da Babilônia antes de 3000 A.C. Eles dispunham de carros de guerra com quatro rodas, arcos e flechas de guerra e outros equipamentos militares. As armaduras deles eram, realmente, impressionantes. Ver sobre *Armadura, Armas*. Foi encontrado um capacete de ouro sólido, com data de antes de 2500 A.C., feito com grande arte. Adagas com lâmina de ouro, flechas com ponta de pederneira, cabeças duplas de machado e lanças com ponta de cobre têm sido encontrados entre os artefatos fabricados pelos sumérios. A famosa *falange* dos gregos, está provado, foi uma formação de combate criada pelos sumérios.

2. Os Egípcios

Os egípcios, que eram camitas, contavam com grandes exércitos; mas eles também alugavam mercenários, como os núbios, de pele negra, que os ajudavam em suas expedições ao estrangeiro. O soldado egípcio comum contava com um equipamento militar incrível. Ele levava consigo um escudo de couro, um arco de guerra composto, com flechas de ponta de pederneira, uma longa lança, uma espada recurva e, algumas vezes, adicionava a isso um machado de guerra. Os soldados egípcios usavam uniforme. A partir de cerca de 1550 A.C., os egípcios começaram a usar cavalos em suas batalhas, juntamente com carros de combate. Foram criados entre eles muitos modelos de dardos, de lanças, de flechas e de adagas.

Os egípcios também levantaram grandes fortalezas, na tentativa de impedir o avanço de exércitos invasores inimigos. Ver o artigo separado sobre *Forte, Fortificação*. A região das cataratas do Nilo, no Alto Egito, era protegida por muitas fortalezas, o que também se verificava na área do delta desse rio. As minas egípcias de turquesas e de cobre, na península do Sinai, também eram protegidas por fortalezas. Os egípcios não eram grandes marinheiros, mas sabemos que Ramsés III usou uma flotilha de guerra contra a confederação líbia, no século XII A.C.

3. Os Assírios

A narrativa bíblica dá uma atenção particular aos assírios, visto que o primeiro grande cativeiro (do norte de Israel), foi efetuado por esse povo semita. Durante algum tempo eles dominaram a região dos rios Tigre e Eufrates, tendo ampliado as suas fronteiras, mediante ataques selvagens contra os povos circunvizinhos. Nínive (vide) era uma de suas capitais. A começar pelo século IX A.C., nos tempos de Assurnasirpal II, depois dele vieram outros monarcas, como Salmaneser III e, um pouco mais tarde, Tiglate-Pileser III, Sargão II, Senaqueribe e Esar-Hadom, os assírios impuseram a sua hegemonia sobre aquela porção geográfica do mundo antigo. Seus ataques cruéis e incansáveis faziam os outros povos tremerem. Eles eram muito habilidosos no emprego de toda a espécie de armamento, tendo-se tornado famosos por seus precisos ataques de cavalaria ligeira e por seus ataques com carros de combate. Ver sobre o *Cativeiro Assírio*.

4. Os Caldeus Babilônios

Esse povo foi o responsável pelo segundo cativeiro de Israel (que envolveu o reino do sul, Judá). Ver o artigo separado sobre o *Cativeiro Babilônico*. Os babilônios, que eram uma miscigenação de povos semitas, camitas e jafetitas, mas com preponderância semita, ainda eram guerreiros mais hábeis do que os assírios, embora talvez não fossem tão cruéis. Por isso mesmo, eram mais temidos do que os assírios tinham sido. Eram grandes mestres no uso da cavalaria e dos carros de combate. O trecho de Habacuque 1:6-9 revela as habilidades deles. Ezequiel, por sua vez, nos fornece uma impressionante lista sobre o equipamento militar deles: eles usavam armadura que protegia o corpo inteiro, contavam com cavaleiros treinados, com condutores de carros de combate e de bastões, e atacavam em grandes números. Tinham capacetes, escudos e paveses (ver Eze. 23:24).

III. Guerra Entre os Hebreus

É pensamento solene que podemos ser mortos em um instante, não chegando a ver o fim do dia. Os leitores das obras clássicas estão familiarizados às elaboradas preces e rituais religiosos que os gregos faziam, quando estavam em guerra. Entre eles, os heróis eram imortais que se tinham imortalizado, deidades secundárias cuja maior glória é que haviam combatido com valentia. Destarte, a guerra era considerada uma virtude. Os hebreus, por igual modo, faziam da guerra um aspecto de sua teologia. Para eles, Deus era um grande General; e outros generais eram aqueles indivíduos que fossem capazes de eliminar algum inimigo por meio da violência. A Terra Prometida foi conquistada por ordem expressa de Yahweh, conforme o livro de Josué nos informa. Os hebreus buscavam orientação divina acerca da guerra, mediante o Urim e o Tumim (vide) (ver Juí. 1:1; 20:2,27,28; I Sam. 14:37; 23:3; 28:6 e 30:8). Outras vezes, era algum profeta quem dava instruções sobre essas questões (ver I Reis 22:6; II Crô. 18:5). A arca da aliança chegou a ser levada, em certas ocasiões, aos campos de batalha, na esperança de que ajudasse na matança dos inimigos, por ser um símbolo da presença de Yahweh (I Sam. 4:4,18; 14:18). Os antigos não se incomodavam em declarar guerra. Usualmente, um ataque traiçoeiro começava as hostilidades. Quando muito, alguns espiões eram enviados previamente, para obterem conhecimento sobre as forças e as defesas do inimigo. Ver Núm. 13:7; Jos. 2:1; Juí. 7:10; I Sam. 26:4. Assim como Israel conquistara a Terra Prometida mediante campanhas militares, assim também a perdeu, mediante a guerra, com dois cativeiros conseqüentes.

GUERRA

As profecias bíblicas põem Israel no meio de mais guerras futuras. Os místicos modernos dizem-nos que o povo de Israel converter-se-á ao cristianismo como resultado da Terceira Guerra Mundial. Essa e a Quarta Guerra Mundial reduzirão de tal maneira o número dos povos gentílicos — ao ponto que, no milênio(vide), Israel tornar-se-á a cabeça das nações.

IV. Métodos e Costumes das Guerras dos Hebreus
Poderíamos alistar aqui nove pontos, quanto a esse aspecto da questão:

1. Da mesma maneira que se fazia entre os gregos, os hebreus também faziam sacrifícios de animais, antes de suas batalhas (I Sam. 7:9 e 13:9).

2. Um discurso bem-feito pelo comandante tinha o intuito de preparar psicologicamente os soldados para a refrega (II Crô. 20:20). Esse discurso, entre os hebreus, também podia ser feito por um sacerdote (Deu. 20:2).

3. Era dado um sinal para marcar o começo da luta (I Sam. 17:42; Isa. 42:13 e Eze. 21:22).

4. Nos primeiros tempos, a nação de Israel não contava com cavalos ou com carros de guerra, mas essas coisas acabaram sendo incorporadas, em imitação a povos circunvizinhos. Havia combates corpo a corpo, e também pelejas à distância, mediante dardos atirados com arcos. Portanto, a agilidade e a força física eram qualidades quase indispensáveis a um bom soldado (II Sam. 1:23; 2:18 e I Crô. 12:8).

5. Várias estratégias eram empregadas, como, por exemplo, as emboscadas (ver Jos. 8:2,12; Juí. 20:26), e o elemento surpresa também era considerado muito útil (Juí. 7:16).

6. Algumas vezes, a fim de poupar tempo e alguns poucos milhares de vidas, eram escolhidos campeões ou representantes, de ambos os lados contendores, para resolverem a disputa (I Sam. 17; II Sam. 2:14). É curioso que, na década de 1970, o ditador africano, Idi Amim, propôs a solução de uma disputa, com um dos países vizinhos, mediante uma luta de boxe entre ele e o governante do outro país. Ele era um bom boxeador, com muita experiência nesse esporte e, além disso, pesava cerca do dobro de seu oponente. Desnecessário é dizer que nunca houve o tal encontro de boxe. Uma violência muito maior foi necessária para resolver aquelas diferenças.

7. Quando uma cidade ou fortaleza era cercada, o lugar em redor ficava coalhado de tropas (Eze. 4:4; Miq. 5:1). A linha do círculo assim formada servia de linha básica de operações. Eram feitas rampas de terra, que davam para o alto das muralhas da localidade cercada (II Sam. 20:15; II Reis 19:32). Dessas rampas, os atacantes atiravam dardos e outros projéteis (II Reis 25:1; Jer. 52:4; Eze. 4:2 e 26:8). Aríetes eram empregados para abrir brechas nas muralhas e, se isso fosse impossível, eram feitas escadas por onde os soldados atacantes subiam, até o alto das muralhas. Naturalmente, os defensores resistiam com todas as suas forças. Ver Eze. 4:2 e 21:22. O povo de Israel só começou a usar os carros de guerra e as armaduras pesadas bem tarde, coisas essas com que os seus adversários já estavam bem acostumados muito antes dos hebreus. Cavalos também eram criados e treinados, especialmente, para a guerra. A multiplicação de cavalos foi, originalmente, proibida a Israel e a seus reis (Deu. 17:16). Mas essa proibição acabou sendo arredada para um lado.

8. *Maus Tratos Dados aos Prisioneiros de Guerra*. Apesar de todas as leis que regulamentavam o tratamento dado aos prisioneiros, muitas atrocidades eram cometidas contra eles. Mas, os povos antigos em geral não tinham leis que protegessem os prisioneiros de guerra. Os corpos dos mortos eram mutilados e saqueados (I Sam. 31:8; II Macabeus 8:27). Os sobreviventes das batalhas eram, com freqüência, torturados, mutilados ou mortos (Juí. 9:45; II Sam. 12:31; Juí. 1:6). Também eram levados em cativeiro ou vendidos como escravos. Os povos conquistados também recebiam a mesma sorte. Ver os artigos sobre os cativeiros assírio e babilônico.

9. *Celebração da Vitória*. Monumentos eram erigidos, usualmente na forma de uma grande pilha de pedras, em comemoração aos triunfos na guerra (ver I Sam. 7:12; II Sam. 8:13). Troféus tomados dentre os despojos eram exibidos em lugares conspícuos (I Sam. 21:9; II Reis 11:10). Cânticos e danças comemoravam as vitórias, e grande parte da população vitoriosa participava dos festejos (Êxo. 15:1-21; Juí. 5; Judite 16:2-17; I Macabeus 4:24).

V. Alexandre e a Guerra
Ver o artigo separado sobre Alexandre, o Grande, que descreve a sua incrível habilidade guerreira, e as conseqüências disso para o mundo. No que tange às Escrituras, podemos afirmar que duas coisas principais resultaram das conquistas militares de Alexandre. A primeira foi que ele espalhou a cultura grega a todos os lugares do mundo então conhecido, conseguindo homogeneizar a humanidade, culturalmente falando, como um preparativo para o advento do evangelho cristão. O Novo Testamento reverbera isso até certo ponto, manifestando o sincretismo de idéias que resultou dessa homogenização cultural. Para exemplificar, a doutrina do *Logos*, e o ponto de vista platônico do mundo, proeminentes nos escritos de João e na epístola aos Hebreus, respectivamente. Acresça-se a isso que o grego *koiné* tornou-se a língua franca, que agiu como veículo de comunicação que espalhou a todo o mundo greco-romano e até mesmo para fora do mesmo, a mensagem do cristianismo, tanto sob a forma do volume escrito do Novo Testamento, como verbalmente, através das atividades dos missionários cristãos.

VI. Os Romanos e a Guerra
Os romanos nunca foram pensadores originais, mas eram muito bons na utilização e desenvolvimento de idéias alheias. Isso tanto sucedia no terreno das operações bélicas, como em tudo o mais. Assim, aos povos que iam conquistando, também iam-nos unificando e agregando ao seu império. Todos os territórios conquistados tornavam-se províncias romanas, uma parte do todo. Para tanto, eram empregados todos os recursos de guerra dos impérios anteriores, como o uso de armaduras, os estratagemas, a conquista de fortalezas, o emprego de novas armas e de novos métodos de combate, um bom suprimento fornecido às linhas de frente, etc. A fim de manterem e consolidarem as suas conquistas, as legiões romanas eram postadas em todos os pontos estratégicos, de onde podiam controlar as fronteiras e os interiores do império. O Novo Testamento demonstra a quase onipresença da força militar romana. Jesus e seus discípulos podiam contemplar, ao redor deles, o poder de Roma. Estando já encravado na cruz, o lado de Jesus foi transpassado pela lança de um soldado romano, e outros soldados haviam jogado sortes ao pé de sua cruz. Paulo, em diversas ocasiões, esteve em contacto com acampamentos ou destacamentos romanos. Em todas as cidades por onde ele pregou, havia a presença das legiões romanas. Cláudio Lísias, a fim de proteger a esse apóstolo, quando foi enviado a Cesaréia, a fim de ali ser julgado civilmente, enviou duzentos infantes,

GUERRA

duzentos lanceiros e setenta cavaleiros, a fim de garantir a chegada segura de Paulo. E Paulo nos fornece uma detalhada descrição do exército romano, na sua época, em Efésios 6:10-20, aplicando isso para nos ensinar lições espirituais muito proveitosas.

VII. A Guerra nas Páginas do Novo Testamento

Nos dias do Antigo Testamento, a guerra era uma atividade de Deus. Ver a oitava seção, intitulada *A Guerra e a Religião*. Assim era porque esse era um meio de ameaçar, punir ou dar a vitória à *nação* de Israel, pelo que fazia parte integral da vida da comunidade religiosa e política de Israel. Porém, nos dias do Novo Testamento, o elo nacional se rompera, e então a guerra se tornara uma questão do poder do vencedor sobre o vencido. Um soldado não era mais o «meu filho», ou o «filho do vizinho», mas era o conquistador, o *opressor*.

1. O trecho de Luc. 3:14 nem condena e nem elogia ao soldado, mas apenas busca regulamentar a sua conduta.

2. Jesus encarava a guerra como uma parte inevitável da depravada sociedade humana, um sinal dos tempos, uma constante na vida humana (Mat. 24:6).

3. Porém, os violentos sofrerão violência, sendo essa uma lei ética universal (Mat. 26:52).

4. O poder militar avulta por detrás da lei, sendo essa uma das razões pelas quais as autoridades civis precisam ser obedecidas, embora haja melhores razões do que isso (Rom. 13:1-6), das quais a Bíblia também fala.

5. No Novo Testamento há várias *metáforas militares*, que nos fornecem lições espirituais. Ver a nona seção, onde essas metáforas são alistadas.

6. O Armagedom (vide) será uma oportunidade em que a guerra reduzirá as potências pagãs a zero, de tal modo que Israel poderá guindar à posição de cabeça das nações.

VIII. A Guerra e a Religião

1. *A Guerra na Sociedade do Antigo Testamento.* Em Israel, a vida nacional começou por meio de uma conquista militar, que teria sido determinada por Yahweh, sendo essa a mensagem central do livro de Josué. Essa conquista foi mantida por meio de inúmeros **ataques e contra-ataques**, matanças intermináveis de parte a parte. Em todas as páginas do Antigo Testamento, vemos Yahweh a encorajar o seu povo terreno nesse empreendimento. Vários nomes e descrições de Deus, note-se, assumem uma natureza militar como *Homem de Guerra* (Êxo. 15:3; Isa. 42:13), Senhor dos Exércitos (Êxo. 12:41; I Sam. 17:45), etc. É provável que essa expressão tenha em vista tanto exércitos terrenos quanto exércitos celestiais. A guerra era algo tão importante em Israel que veio à existência um documento chamado *Guerras do Senhor*. Ver sob o título *Guerras do Senhor, Livro das*. O Senhor é um Capitão militar que encabeça um exército (II Crô. 13:12). Ele é quem envia Seu povo a lutar (II Crô. 20:22; Sal. 144:1). Algumas vezes, Deus luta sozinho, enquanto seu povo contempla (II Crô. 20:17). É Deus quem debilita um inimigo e livra o seu povo (Deu. 20:13).

A arca da aliança era considerada um sinal da presença de Deus, sendo levada à batalha a fim de garantir a ajuda e a proteção de Deus. Os preparativos para a guerra, e a guerra propriamente dita, eram santificados (Jer. 6:4; Joel 3:9). Eram feitos os sacrifícios apropriados (Juí. 6:20,26). O grito de guerra incluía o nome divino (Juí. 7:18,20). Deus cumpria a sua vontade, entre as nações, por meio da guerra. O povo de Deus, Israel, sobrevivia a tudo. Por

outro lado, a guerra também era usada como um instrumento de punição do povo de Deus (Hab. 1:6; Isa. 10:5 *ss*; Jer. 25:1-9; Eze. 21:8-23). Os falsos profetas previam a paz, quando a guerra estava iminente (Jer. 28). Em meio a toda essa glorificação da guerra (pois quem era maior herói do que o prodigioso matador?), houve momentos em que a consciência humana protestou. Assim, a Davi, não foi permitido edificar o templo, por causa de seu envolvimento em tantas matanças (I Reis 5:3). O profeta Isaías predisse um dia melhor, quando, finalmente, a paz prevaleceria, e as armas de guerra seriam transformadas em instrumentos pacíficos (Isa. 2:4; ver também Miq. 4:3). O Messias é o Príncipe da Paz (Isa. 9:6). Os inimigos de Deus haverão de sofrer uma derrota definitiva (Dan. 7 e 10; Zac. 14; Sal. 110).

2. O Novo Testamento distancia os crentes dessa filosofia bélica, porque não havia mais uma *nação* protegida que se envolva em guerras. Como é óbvio, Jesus inaugurou uma nova atitude, chegando mesmo a recomendar o amor aos nossos inimigos (Mat. 5:44). Ver a seção sétima quanto a outras idéias, que abordam a questão da guerra sob o ponto de vista do Novo Testamento.

3. *O Pacifismo.* Oferecemos um artigo separado, nesta enciclopédia, sobre esse assunto. Há algo de radicalmente errado com as nações que enviam homens para matar os homens de outra nação. Há algo de gigantescamente absurdo no empenho com que as armas são estocadas com o propósito específico de espalhar a morte, gastando importâncias colossais, que poderiam solucionar os principais problemas econômicos e sociais. Portanto, o *pacifismo* é um nobre ideal. A dificuldade é que, por enquanto, o pacifismo anda cada vez mais desacreditado. Antes da Segunda Guerra Mundial, o pacifismo era bastante forte na Inglaterra. Porém, quando as hordas nazistas começaram a se apossar de grandes pedaços da Europa continental, e a existência da própria Inglaterra era ameaçada, os pacifistas ingleses deixaram de ser pacifistas. Eles reconheceram que somente a violência poderia pôr cobro à violência. Alguns pacifistas, mesmo em nossos dias, têm-se oferecido para servir em exércitos, contanto que não peguem em armas. E muitos desses têm demonstrado grande coragem, tendo até sido condecorados por sua bravura. Esses têm servido em corpos médicos, hospitais ou dirigindo caminhões até à linha de frente da batalha.

IX. Usos Figurados

1. O conflito do homem contra a morte é retratado como uma guerra (Ecl. 8:8).

2. Deus é descrito como um homem de guerra e como capitão de exércitos (Êxo. 15:3; II Crô. 13:12).

3. As atividades bélicas demonstram a malignidade dos ímpios (Sal. 55:21).

4. Uma armadura, com seus diferentes itens, fornece uma elaborada metáfora das virtudes espirituais e do uso das mesmas (Efé. 6:12 *ss*).

5. Os inimigos de nossa salvação precisam ser derrotados (Rom. 7:23; II Cor. 10:3; Efé. 6:12; I Tim. 1:18).

6. O anticristo fará guerra contra os santos de Deus (Apo. 11:7).

7. O crente individual é um soldado de Cristo que precisa manter a disciplina apropriada, e a firmeza de propósitos que lhe convém, se tiver de ser bem-sucedido (I Tim. 1:18; II Tim. 2:3,4).

8. A cruz proveu uma retumbante vitória sobre os inimigos da alma (Col. 2:15).

989

GUERRA — GUERRAS RELIGIOSAS

9. O Armagedom (vide), embora se espera que seja uma batalha literal que, finalmente, derrote os poderes malignos deste mundo, sendo uma das causas do soerguimento de Israel como cabeça das nações, também deve ser entendido figuradamente, como representação de qualquer grande conflito entre o bem e o mal.

10. O último inimigo a ser derrotado é a própria morte (I Cor. 15:26).

Bibliografia. AL I IB ND NTI UN YAD Z

GUERRA DOS CAMPONESES

Esse foi o nome de uma rebelião armada que ocorreu na Alemanha, em 1525. Alguns relacionam o levante aos reclamos por liberdade, provocados pelo exemplo de liberdade dado pela Reforma Protestante. Porém, causas sociais e econômicas foram os impulsos básicos por detrás do movimento. O *feudalismo* (vide) havia reduzido a classe dos camponeses à virtual escravidão, e as leis pouco efeito exerciam na proteção deles, vítimas de muitos e grandes abusos da parte dos proprietários de terras.

A Guerra dos Camponeses foi o primeiro claro esforço para organizar toda a classe dos camponeses da Alemanha, a fim de se protegerem de seus opressores. Na Suábia ficava o centro mais forte do movimento. Do ponto de vista religioso, essa revolta inspirou-se nos princípios bíblicos da justiça; e, entre outras coisas, defendia o princípio comunal. Os camponeses exprimiram os seus desejos através de doze artigos. Alguns membros da nobreza mostravam-se sérios nas negociações, mas outros preferiam lançar mão da violência e da opressão, a fim de resolver os problemas. Truchsess, um líder da liga de nobres da Suábia, procurou dividir os camponeses, resolvido a derrotá-los totalmente, sem fazer qualquer concessão. A reforma agrária era o alvo principal dos camponeses; mas havia questões menores, que incluíam aspectos políticos. O movimento dos camponeses, entretanto, não era homogêneo. Também incluía alguns elementos radicais. Uma ala extrema desse movimento foi o comunismo teocrático de Muenzer (vide). Conforme já seria de esperar, os camponeses foram rápida e facilmente derrotados.

Significado Dessa Revolta. Poderíamos enumerar três conseqüências principais, a saber: 1. Foi a primeira clara tentativa, feita pelos aldeões alemães, em prol da unidade ou de qualquer outra causa. 2. Contrariamente às esperanças afagadas, o desastre social e econômico que sobreveio aos camponeses, em resultado da revolta deles, foi estarrecedor. Eles foram rudemente reprimidos, e as condições finais deles tornaram-se muito piores do que antes. 3. *Questões religiosas.* Lutero procurou reconciliar as facções em luta, tendo promovido negociações, em busca de uma solução. Porém, quando a violência irrompeu, ele acabou denunciando os camponeses. O ponto de vista de Lutero foi, essencialmente, uma posição erastiana (ver sobre o *Erastianismo*). Os magistrados eram encarados como autoridades que Deus investira com poderes disciplinadores. Ver o artigo separado sobre *Governo, Instituição de Deus.* Filipe de Hesse (vide), foi um dos cabeças principais no esmagamento dos camponeses. Ele tornou-se adepto da fé protestante e procurou unir os vários grupos protestantes.

GUERRA DOS TRINTA ANOS

As datas dessa série de conflitos armados, com grandes matanças, são 1618 — 1648. Esse período viu um banho de sangue que envolveu católicos contra protestantes. Suas batalhas mais notáveis foram dadas em Leipzig e Breitenfeld, em 1631, e em Lutzen, em 1632. Finalmente, chegou-se a um tratado, assinado em Westphalia, em 1648. As batalhas dessa guerra tiveram lugar, principalmente, em território alemão, embora a maior parte da Europa se tivesse envolvido, de uma maneira ou de outra.

Toda essa guerra ocorreu como uma das conseqüências da Reforma Protestante. A paz de Augsburg, assinada em 1555, deixara muitas questões sem solução. Com a passagem dos decênios, os católicos romanos reconquistaram muito do que haviam perdido, com a sua contra-reforma (vide). Além das questões religiosas, houve rivalidades nacionais e políticas, que também foram causas. Motivos políticos e religiosos estavam entretecidos entre si. Tudo começou com uma revolta religiosa e nacional na Boêmia. A revolta foi suprimida, mas as hostilidades foram-se multiplicando. Os protestantes se concentraram sob o rei da Dinamarca, Cristiano IV, mas foram derrotados, seguindo-se então a paz de Lubeck. O edito da Restituição, que ordenava a restauração das propriedades católicas romanas, que haviam sido secularizadas desde 1552, provocou a renovação dos conflitos. O rei Gustavo Adolfo, da Suécia, interveio em apoio à causa protestante, e a fim de proteger os interesses nacionais suecos. Ele derrotou os exércitos imperiais encabeçados por Tilly, em Breitenfeld e Wallenstein, em Lutzen. Porém, a morte do rei sueco, em batalha, foi um severo golpe para a causa protestante. Os protestantes foram derrotados em Nordlingen, o que levou a uma paz temporária (paz de Praga, 1635).

Nos estágios finais dos intermináveis conflitos, as questões políticas já eram consideradas muito mais importantes do que as questões religiosas. A paz de Westphalia (vide) que teve lugar em 1648, incluiu alguns ajustes políticos secundários. Quanto à religião, o calvinismo, o catolicismo romano e o luteranismo tornaram-se alternativas reconhecidas para as pessoas religiosas seguirem.

GUERRA JUSTA, CRITÉRIOS DE UMA

Ver **Critérios de uma Guerra Justa.**

GUERRAS DO SENHOR, LIVRO DAS

O trecho de Números 21:14 se refere-se a um antigo livro com esse título, tendo feito algumas citações do mesmo. A citação termina mencionando *Moabe*, mas é possível que os vs. 17 e 18, como também 27-30, contenham alguns fragmentos desse mesmo livro. Parece que essa obra era uma espécie de coletânea de canções populares, onde eram comemoradas várias vitórias. Yahweh é o Capitão dos Exércitos, e também Aquele que dá a vitória ao seu povo. O Livro dos Justos, mencionado em II Sam. 1:18, aparentemente, era uma obra similar. Os eruditos pensam que ambas as obras pertenciam à época de Davi. A Septuaginta apaga a referência ao livro, havendo até estudiosos que dizem que a omissão representa o texto em sua forma original.

GUERRAS RELIGIOSAS

Ver o artigo separado sobre a *Guerra dos Trinta Anos.* O título *Guerras Religiosas,* apesar de amplo, é usado para referir-se ao ato de se armar, por parte dos huguenotes franceses, na tentativa de obter a sua

GUERRAS — GUIADOS PELO ESPÍRITO

liberdade religiosa. Eles haviam sofrido consideráveis perseguições e perdas de vidas, e assim, em 1562, tomaram armas. Oito guerras distintas foram efetuadas contra os católicos romanos, durante um período de cerca de trinta anos. O momento mais devastador foi o massacre de São Bartolomeu (vide), que teve lugar a 24 de agosto de 1572, quando trinta mil huguenotes perderam a vida. No lado católico romano, os líderes principais eram Catarina de Medici (vide) e os duques de Guise. Quanto ao lado protestante, as figuras mais proeminentes eram o conde de Coligny e o rei Henrique de Navarra. Posteriormente, Henrique IV concedeu aos huguenotes certa medida de liberdade religiosa, através do tratado de Nantes (vide), baixado em 1598. Porém, assim que ele morreu, as perseguições se reiniciaram. O edito de Nantes foi revogado em 1698. Por causa disso, milhares de huguenotes, muitos deles artesãos de grande habilidade, ou notáveis intelectuais, fugiram da França. A tolerância religiosa na França, no caso dos grupos protestantes, não foi concedida senão já em 1787.

GUERREIRO

No hebraico, **gibbor**, «poderoso». Palavra que aparece por cento e sessenta vezes no Antigo Testamento (por exemplo: Gên. 6:4; Jos. 1:14; Juí. 6:12; I Sam. 9:1; II Sam. 10:7; 23:8,9,16,17,22; I Reis 1:8; I Crô. 7:7,9,11,40; II Crô. 13:3; Sal. 33:16; Isa. 3:2; Jer. 5:16; 9:23; 14:9; Joel 2:7; Zac. 9:13). A palavra tem sido variegadamente traduzida. Em I Sam. 17:4,23, há uma expressão hebraica que significa «homem que intervém», isto é, que defende uma causa. Um dos casos mais representativos foi o do combate singular entre Golias, o gigante filisteu e Davi, o pastorzinho de Judá, relatado nesse capítulo do primeiro livro de Samuel. Era comum, na antiguidade, decidir-se uma questão enviando dois representantes, um de cada facção em conflito, para lutarem em lugar do grupo inteiro. Isso evitava o derramamento de muito sangue em batalha. Há um exemplo desse costume na *Ilíada* de Homero (3:69; 7:65 *ss*). Páris solicitou de Heitor que o pusesse «no meio», a fim de lutar contra Menelau e decidir a questão.

GUIA, (AIO)

Tradução do termo grego **paidagogós**, «guia de crianças», «professor», e que tem diversas aplicações no Novo Testamento. O termo ocorre por três vezes: I Cor. 4:15; Gál. 3:24,25. As aplicações são as seguintes:

1. O supervisor de um menino, homem de confiança, geralmente bem-educado, que dirigia a educação do jovem dos seis aos dezesseis anos de idade, aproximadamente. Por muitas vezes, esse guardião ou guia era um escravo. No tempo antigo, os escravos não provinham somente de alguma raça, e muitos deles eram bem-educados, havendo entre eles até mesmo filósofos, médicos, músicos, etc. A tarefa do guia era cuidar para que o menino sob os seus cuidados recebesse uma boa educação, aprendesse boas maneiras e costumes, etc.

2. Paulo emprega o termo, em Gálatas 3:24, a fim de mostrar que a lei mosaica serviu de supervisor que, finalmente, conduzia homens a Cristo, amadurecendo eles de um estágio para outro do desenvolvimento espiritual, ou seja, da lei para a graça. Paulo repelia a idéia judaica da lei como meio de justificação, apresentando a lei sob um outro prisma, isto é, o

prisma da educação. Isso ele fez ao descrever a natureza do pecado. Ver Rom. 3:20 quanto a essa conexão.

3. *O uso grego*. Os pais gregos da Igreja acreditavam que a melhor porção da filosofia tinha a mesma função de *paidagogós* em relação à cultura greco-romana, que a lei mosaica tivera em relação aos israelitas.

4. Em I Coríntios 4:15, Paulo usa a palavra concernente aos muitos «guias» que os crentes de Corinto tinham, os quais, presumivelmente, estariam orientando a eles nas questões espirituais. Paulo contrastou-se com eles, intitulando-se de «pai» espiritual deles, porquanto ganhara-os para Cristo.

GUIADOS PELO ESPÍRITO

Rom. 8:14: *Pois todos os que são guiados pelo Espírito de Deus, esses são filhos de Deus*.

No décimo quarto versículo nos é assegurada a orientação do Espírito Santo em nossa vida, o que será evidenciado por uma participação crescente na santidade, bem como em uma vitória cada vez mais intensa sobre o pecado que procura utilizar-se de nossos corpos, o que é, tão-somente, uma manifestação do princípio do pecado-morte na personalidade humana. Neste ponto é introduzido na discussão o grande conceito de ser o crente um «filho de Deus». Essa é a mais exaltada explanação possível pela qual, tendo nós sido conduzidos aos pés de Cristo, dentro do sistema da graça divina, não podemos mais continuar no pecado. Assim sendo, descobre-se certa *progressão* de pensamento na resposta à pergunta que aparece em Rom. 6:1: «Permaneceremos no pecado, para que seja a graça mais abundante?»

É-nos apresentado aqui *o maior* de todos esses conceitos, o qual também, sem dúvida, é a mais profunda demonstração de que o indivíduo regenerado não pode continuar no pecado, mas antes, precisa ter uma vida vitoriosa, vitória essa que lhe é conferida através do sistema da graça. E o conceito que garante isso é o fato de que SOMOS FILHOS DE Deus.

Guiados pelo Espírito. Essas palavras podem ser melhor compreendidas se as desdobrarmos **nos pontos abaixo:**

1. Somos guiados pelo Espírito Santo na vida diária de santidade, acima das exigências da carne e livres das mesmas.

2. Em contraste com a liderança moral da lei, somos guiados pelo Espírito Santo. Os crentes possuem uma *nova* «regra de vida», muito superior à antiga regra legal de conduta, que foi dada aos israelitas.

3. Em sentido absoluto, através dessa orientação do Espírito, somos levados cada vez mais perto da imagem de Cristo, e somos levados a entrar na posse de nossa herança espiritual.

4. Mediante a orientação do Espírito Santo, entramos na relação de Membros da nova família celeste, sendo *filhos* reconhecidos e feitos tais por nosso Pai, mediante o poder divino, algo que a lei jamais poderia fazer. A elevada «posição» e «categoria» do crente são assim salientadas. Tal crente não pode mesmo ser escravo do pecado.

5. A relação para com a lei consistia de *escravidão*, de terror e servitude. A posição de «filho de Deus», em contraste com isso, é de *liberdade* e privilégio. Temos deixado a posição de servos na casa, tendo-nos tornado filhos favorecidos. Isso é o que a graça divina faz a nosso favor.

6. O termo «filho» subentende *responsabilidade* do crente para com o Pai celeste, de que não será

991

GUILDAS COMERCIAIS

desgraçado e vilipendiado **ó** nome da família. Portanto, esse termo nos impõe esse dever.

7. Ser conduzido pelo Espírito é algo que envolve «o poder e a energia» da nova vida, o que era impossível para a lei conferir-nos.

8. Ser «filho de Deus» também subentende que a santidade é o resultado natural de uma realidade espiritual, e não o resultado do esforço humano para que o alvo da santidade seja atingido, por meio de alguma exigência legalista.

9. A nossa posição de «filhos de Deus», requer motivos de *gratidão e amor*. «Esse favor é um exemplo de graça divina surpreendente, que excede a todas as outras bênçãos, tornando os santos honrosos. E isso é acompanhado por muitos privilégios, que perduram para sempre, para aqueles que estão nessa relação para com o Senhor Deus, os quais devem colocar-se sob essa graça divina, solicitando, com gratidão, que essa se torne a sua maneira de viver, sendo seguidores dele, amando-o, honrando-o e sendo-lhe obedientes». (John Gill, *in loc.*).

GUILDAS COMERCIAIS

As guildas eram associações de indivíduos ocupados em um mesmo negócio ou profissão, que se tinham organizado para fins de proteção mútua, ou para obterem vantagens e benefícios sociais e religiosos. Essas guildas existiram desde a remota antiguidade até mesmo dentro da Idade Média. Naturalmente, do nosso ponto de vista bíblico, pouco diremos sobre as guildas após a época coberta pelo Novo Testamento, pois esta é uma enciclopédia bíblica.

Nos tempos antigos, as guildas se assemelhavam mais a ordens fraternais do que mesmo a uniões trabalhistas. Essas associações, dificilmente, se preocupavam com questões como salários, horas de trabalho ou condições de trabalho. Muitas delas eram sociedades de benefícios mútuos, como, por exemplo, a fim de diminuir os custos de um funeral. Mas o propósito principal das guildas visava aos contactos sociais e à obtenção de lazer e prazer. Guildas podiam ser encontradas por todo o mundo antigo, como no Egito, na Assíria, na Babilônia, na Grécia, em Roma, na Síria, na Pérsia e até na Palestina.

Em Roma, tão cedo quanto o século VII A.C., havia guildas de tocadores de flauta, de ourives, de trabalhadores em cobre, de lavandeiros, de sapateiros, de tintureiros, e de carpinteiros. — No século II A.C., havia guildas de cozinheiros, de curtidores, de construtores, de artífices em bronze, de artífices em ferro, de artífices em cobre, de tecelões e até de sacerdotes pagãos. De fato, tornara-se compulsório a qualquer profissional tornar-se membro de uma guilda. Uma pessoa não podia mais sair da guilda onde tivesse sido registrada, e um filho estava obrigado a seguir a mesma profissão de seu pai. Isso contribuía para a fixidez das profissões e para a manutenção das classes sociais existentes. Assim, na Assíria, para exemplificar, o povo era dividido em cinco classes: os patrícios ou nobres encontravam-se no topo; e os artífices e profissionais organizados em guildas vinham logo em seguida. A última classe, como sempre, era formada pelos escravos. Outra curiosidade é que na Pérsia havia uma guilda de médicos e cirurgiões bem organizada, cujos proventos eram regulamentados por lei.

Na Palestina antiga, os centros manufatureiros estavam sempre localizados em lugares onde havia abundância de matéria bruta necessária para alguma produção. Assim, a região em redor de Tell Beit Mirsim era excelente para a criação de ovelhas, razão pela qual o lugar tornou-se um centro de fiação e tingimento de tecidos de lã. Por igual modo, havia abundantes minérios em Edom; e, em conseqüência, desenvolveu-se uma indústria de mineração e fundição de metais naquele país. Por semelhante modo, Bate-Asbea, no sul da Palestina, tornou-se um centro da indústria de linho. Ver I Crô. 4:21.

Nas cidades maiores do Oriente Próximo, tornou-se costumeiro os artífices e negociantes viverem em quarteirões separados. Para exemplificar, Ierusalém contava com uma rua dos padeiros (Jer. 37:21), e também com um bairro dos ourives (Nee. 3:32).

Os indivíduos que seguiam alguma profissão ou negócio definido, com freqüência eram designados de acordo com sua ocupação. Por exemplo: «José, membro dos perfumistas», «Natã, o ourives», etc. Cada guilda contava com seu oficial superior, ou presidente. A passagem de I Crônicas 2:55 revela-nos que nada menos de três famílias de escribas viviam numa mesma cidade. Portanto, ao menos, ocasionalmente, o Antigo Testamento refere-se às guildas, embora sem nunca usar o vocábulo específico. E, conforme veremos, o Novo Testamento faz a mesma coisa.

No período pós-exílico, as guildas tornaram-se poderosas organizações, reconhecidas oficialmente pelos governos. Uma guilda podia impedir que um artífice qualquer, de outra região, viesse trabalhar em seu território. Também exercia uma espécie de monopólio local sobre a comercialização do produto ou produtos com os quais trabalhava. Um ponto interessante é que os membros das guildas eram beneficiários de seguros contra a perda de ferramentas, de animais, de embarcações, de veículos, etc., usados em seus respectivos negócios, a menos que ficasse provado que tal perda se devera à própria negligência deles.

Conforme já dissemos, as guildas também envolviam interesses religiosos. E isso sempre dificultou muito a vida dos cristãos, a partir do tempo em que surgiu o cristianismo. As guildas contavam com suas próprias instituições religiosas e sociais. No caso de guildas judaicas, elas contavam com suas próprias sinagogas e contíguas às mesmas havia cemitérios para os membros. Em alguns casos, os membros de uma guilda organizavam e operavam os seus próprios negócios. Há menção indireta a guildas, nos dias do Novo Testamento, sem nunca mencionar esse nome, como, por exemplo, em Atos 19:24,25, onde se lê: «Pois um ourives, chamado Demétrio, que fazia de prata nichos de Diana, e que dava muito lucro aos artífices, convocando-os juntamente com outros da mesma profissão...»

Guildas Medievais. Foi na Europa da época medieval que as guildas atingiram o seu zênite, mormente nas cidades de grande movimento comercial, como nas cidades cosmopolitas de então, Estrasburgo, Bruges, Ghent, Barcelona, Florença e Milão. Há duas teorias principais acerca da origem dessas guildas medievais. A primeira traça o sistema até às associações fraternais romanas e bizantinas, chamadas, em latim, *collegia* e *scholae*. A segunda pensa que o sistema derivava-se de associações germânicas cujos membros estavam no dever de se ajudarem mutuamente, sob certas condições ou circunstâncias. O mais provável, porém, é que ambas essas teorias estejam com a razão, se a isso ajuntarmos as guildas babilônicas, persas, judaicas, etc., ou seja, muito mais antigas. O fato é que, na Idade Média, as guildas já se tinham dividido em três classes: as guildas comerciais, as guildas profissionais

GUILDAS COMERCIAIS — GUNA

e as guildas religiosas, de acordo com o tipo de indivíduo que viria associar-se a elas. Mas em todas havia um mesmo padrão de funcionamento, de deveres e de propósitos. Geralmente um membro fazia um juramento de admissão, pagava uma pequena taxa de matrícula e contribuía, anualmente, com uma certa quantia, para o fundo comum. As duas primeiras formas de guildas visavam a propósitos de negócios. As guildas religiosas, como o próprio nome está dizendo, voltavam-se para as atividades religiosas, e geralmente, se punham sob a suposta proteção de algum santo patrono. Além de acenderem velas e fazerem outras oblações especiais em honra ao santo patrono, os membros deveriam orar pelas almas dos membros já falecidos e ajudar financeiramente para as peregrinações. Tudo isso impunha um ônus desinteressante sobre os dissidentes do catolicismo, que sentiam que tais práticas eram contrárias aos ensinos neotestamentários. Todavia, havia vantagens positivas para seus membros, como, por exemplo, qualquer membro que empobrecesse seria ajudado. Havia até mesmo guildas que assumiam a responsabilidade pelo cuidado quanto à manutenção de estradas, muralhas e pontes; e outras que cuidavam da educação de seus membros e familiares. Interessante é observar que as guildas religiosas eram mais antigas que as comerciais ou profissionais.

As guildas religiosas são mencionadas pela primeira vez na história secular nos **capitulares** carolíngios de 777 e 789 D.C., bem como nos capitulares do arcebispo Hincmar, de Rheims, na França (858 D.C.). Havia duas variedades de guildas religiosas, as eclesiásticas e as laicas. As guildas eclesiásticas compunham-se de «padres» locais, que se reuniam regularmente a fim de rezar, comer e discutir sobre problemas comuns. As guildas religiosas laicas eram numerosas por toda a Europa católica. Mais de cem delas podiam ser encontradas na cidade de Hamburgo, na Alemanha. Com o tempo, membros das guildas religiosas laicas foram admitidos nas guildas religiosas eclesiásticas. E a única diferença entre elas é que, nestas últimas, preponderava o número de eclesiásticos sobre os leigos, ao passo que as guildas religiosas laicas não contavam com membros que também fossem prelados.

Com a passagem do tempo, o propósito original das guildas medievais se foi modificando. A democracia ali reinante, no começo, acabou cedendo lugar à formação de verdadeiras dinastias controladoras. Destarte, os injustiçados começaram a apelar para a formação de outras associações, onde pudessem defender melhor os seus interesses. A formação do espírito nacionalista, em contraposição à idéia municipalista, também foi outro fator do enfraquecimento das guildas. Finalmente, já nos séculos XVII e XVIII, o aparecimento das grandes indústrias e a nova filosofia do *laissez-faire* (vide) aplicaram o golpe final sobre esse sistema, que então já se tornara inteiramente obsoleto. Em seu lugar, surgiram os sindicatos.

Uma compilação do século X, chamado de *Livro do Prefeito*, contém uma descrição detalhada da organização das guildas da cidade de Constantinopla, capital do Império Romano do Oriente. Por ali se deduz que o controle governamental sobre as guildas era bastante rígido.

Na época medieval, muitas guildas incluíam artífices de muitas profissões diversas. Ver também o artigo intitulado *Maçonaria*. Como já dissemos, havia guildas comerciais, profissionais e religiosas. As guildas dos primeiros dois tipos tinham três classes de membros: os mestres, os jornaleiros e os aprendizes. Os mestres eram altamente habilidosos em seu trabalho. Para que alguém se tornasse mestre, eram necessários dois a sete anos de experiência, além de uma educação formal e informal, relacionada ao ofício, mas que também incluía cultura e instrução de ordem geral. Aqueles que aspiravam se tornar mestres, eram chamados jornaleiros. Assim, os mestres, geralmente, encabeçavam os seus próprios negócios, ajudados pelos jornaleiros. Os aprendizes, porém, eram principiantes.

O declínio do sistema começou a acentuar-se no século XIV, quando os empreendimentos capitalistas assumiram maior importância e a independência econômica começou a ser mais valorizada do que antes. A maioria dos artífices foi-se tornando empregados pagos. Os ofícios eram uma fonte de renda para o governo e até para as empresas eclesiásticas, isto é, dirigidas por prelados. Muitos dos excelentes vitrais das catedrais góticas foram doados pelas guildas.

Se o trecho de Atos 18:3 sugere que existiam guildas comerciais nos dias do Novo Testamento, tanto entre os judeus quanto entre os cristãos, por outro lado é ver demais, nessa informação, quando se supõe que isso ensina que Paulo pertencia a uma organização dessas, conforme pensam alguns estudiosos, posto que outros acham precisamente o oposto. Sabemos, tão somente, que indivíduos que seguiam uma mesma profissão, geralmente, trabalhavam juntos. Edersheim, em sua obra, *Jewish Social Life* (sem título em português), diz o seguinte: «As guildas judaicas sempre se mantinham unidas, sem importar se o faziam nas ruas ou nas sinagogas. Em Alexandria, os indivíduos de diferentes negócios se assentavam nas sinagogas, arranjados em guildas; e assim o apóstolo Paulo não deve ter tido qualquer dificuldade em se encontrar, no bazar de seu negócio, com Áquila e Priscila, que eram da mesma formação que ele».

As profissões se revestiam de **extraordinária importância na cultura judaica. Todos os judeus** tinham de aprender alguma profissão. O Talmude assegura-nos de que se esperava de um pai que ensinasse duas coisas importantes a seu filho: a lei e algum negócio. Os sentimentos acerca disso eram fortíssimos, visto que se pensava que o homem que não ensina a seu filho alguma profissão, dá-lhe razão para tornar-se um ladrão. Por essa razão, famosos rabinos também eram artífices em algum ofício. Hilell era madeireiro e Shammai era carpinteiro. Paulo ganhava a vida com o seu trabalho manual — ele era fabricante de tendas. Vemos indicações sobre isso em trechos como I Cor. 9:12 *ss*; II Cor. 7:2; I Tes. 2:9 e II Tes. 2:8. Isso não significa que ele não aprovasse que os ministros do evangelho devam ser pagos pelas igrejas locais, pelo seu trabalho. Ver I Cor. 9:12 *ss*. Mas significa que ele dava valor ao trabalho manual, e não somente ao trabalho intelectual ou religioso.

GUIZOT, FRANCIS

Ver sobre **Tolerância**, décimo ponto.

GUNA

Dentro da filosofia **sankhya** (vide), a **guna é a** substância ou qualidade de alguma coisa. De acordo com essa filosofia, a matéria compor-se-ia de três *gunas*, que seriam a *sattva*, a *rajas* e a *tamas*, que poderíamos traduzir, respectivamente, por «bondade», «paixão» e «trevas».

Quando a matéria primitiva está em descanso,

GUNDISALVO — GURU

então essas qualidades permaneceriam em estado de equilíbrio; mas, quando ela fica agitada pelas más ações das almas, então as *gunas* tornar-se-iam ativas, cada qual buscando prioridade sobre as outras duas. Logo, a natureza de qualquer coisa seria determinada pela *guna* predominante no momento. No momento dos seres divinos, a *sattva* seria a qualidade predominante; no mundo dos homens, dominaria a qualidade chamada *rajas*; e nos mundos inferiores, da matéria crua, predominaria o elemento chamado *tamas*.

GUNDISALVO, DOMINIC

Sabe-se somente que viveu no século XII D.C. Foi um filósofo escolástico, lembrado, principalmente, por haver classificado as ciências com base na interpretação árabe das idéias de Aristóteles. A divisão geral das ciências era: ciências *divinas* e ciências *humanas*. As primeiras seriam conhecidas através da revelação; e as segundas através das faculdades humanas. As ciências humanas foram por ele alistadas como a eloqüência, a matemática e a sabedoria. Esta última, a sabedoria, corresponde à filosofia, a qual teria um aspecto teórico e um aspecto prático. O aspecto teórico incluiria a física, a matemática e a metafísica, também chamada de primeira filosofia. E o aspecto prático incluiria a política, o governo doméstico e a ética. No campo da metafísica, ele alistava uma certa gradação do ser. Suas obras publicadas intitulavam-se: *Sobre as Divisões da Filosofia; Sobre a Procedência do Mundo; Sobre a Unidade e Sobre a Alma*.

GUNI

No hebraico, «protegido». Há dois indivíduos com esse nome, nas páginas do Antigo Testamento, a saber:

1. O segundo filho de Naftali, fundador da família dos gunitas. Seu nome é mencionado por três vezes no Antigo Testamento: Gên. 46:24; Núm. 26:48 e I Crô. 7:13. Seus descendentes, os gunitas (vide), são mencionados em Núm. 26:48. Eles tornaram-se parte da tribo de Gade, que herdou o Gileade. Guni viveu por volta de 1700 A.C.

2. O pai de Abdiel, e um dos chefes entre os gaditas. Mencionado somente em Núm. 26:48. Viveu por volta de 1400 A.C.

GUNITAS

Eram os descendentes de Guni (vide). Esse adjetivo pátrio aparece somente em Núm. 26:48. Com o tempo, vieram a fazer parte da tribo de Gade, e habitaram em Gileade.

GUNKEL, HERMANN

Suas datas foram 1862-1932. Ele ensinou em Giessen e em Halle. Estudava a história e a literatura dos israelitas, buscando novas maneiras de compreender a literatura bíblica e religiosa, e tendo-se tornado um dos principais mentores da variedade de crítica chamada *crítica da forma*. Ver o artigo geral sobre a *Crítica da Bíblia*. Ver especialmente o quarto ponto. Gunkel também desenvolveu vários tipos de discurso e de estilo literário escrito.

GUNNERUS, JOHN ERNST

Foi professor de teologia na Dinamarca, entre 1718 e 1733. Era bispo de Trondheim. Foi o autor da obra *Flora Norvegica*. Foi o grande líder cultural da Noruega e fundador de sua Sociedade Científica.

GUNTHER, ANTON

Suas datas foram 1785-1863. Ele foi um sacerdote secular que foi o centro de muitas controvérsias. Suas idéias e seus escritos foram condenados pela sé de Roma. Ele empregou idéias de Schelling e de Hegel, mas procurou anular o panteísmo inerente nas mesmas, utilizando-se de certa forma de dualismo e de teísmo, paralelamente a conceitos cartesianos. Para ele, a famosa declaração de Descartes, *Cogito ergo sum*, era não meramente um discernimento intuitivo, mas também estaria envolvida em inferências ontológicas, metafísicas e racionais. Em torno dele surgiu uma volumosa literatura, que discutia os seus pontos de vista. Ele escreveu a obra em quatro volumes, *Gesammelte Schriften*, além de outras obras.

GUR

No hebraico, «filhote». Uma subida na qual Acazias foi ferido, ao fugir de Jeú (ver II Reis 9:27), em cerca de 883 A.C. A Septuaginta, porém, interpreta que esse era o nome de um vale. Por outro lado, W.F. Albright, grande estudioso moderno, identificou esse nome com uma cidade cananéia, também chamada Gurar. Esse nome foi encontrado em um tablete escrito no século XV A.C., descoberto em Taanaque. É possível que essa *subida* fosse para a cidade desse nome. Somente maiores estudos locais poderão tirar todas as dúvidas que ainda cercam o assunto.

GUR-BAAL

No hebraico, «filhote de Baal», ou então, segundo outros estudiosos, «habitação ou jornada de Baal». A Septuaginta interpreta o nome como «sobre a rocha». Esse era o nome de uma cidade ou distrito do Neguebe, habitado por árabes. Uzias conquistou o local (ver II Crô. 26:7). Parece que esse local ficava situado entre a Palestina e a Península Arábica, mas ainda não foi identificada com certeza.

GURNEY, JOSEPH JOHN

Nasceu em 1788 e faleceu em 1847. Filantropo e ministro quacre inglês. Ele era um evangélico que enfatizava a doutrina quacre da necessidade de comunhão com o Espírito Santo, deixando-se de lado a religião meramente formal e credal. Sua influência chegou aos Estados Unidos da América, onde se tornou maior do que na própria Inglaterra. Seus seguidores passaram a ser conhecidos como os *gurneyitas*.

GURU

No sanscrito, **guru** significa **pesado, honorado**. No hinduísmo (vide) indica um *mestre* ou *guia*. Quando aparece algum guru dotado de poder e influência especiais, a crença é que ele pode ser encarnação de uma divindade e, portanto, um mediador na salvação dos homens. De acordo com a fé dos sikhs (vide), os sucessivos cabeças desse movimento eram conhecidos como GURUS, até o décimo deles, o qual decretou que, dali por diante, o *Granth* (vide), o livro sagrado do movimento, seria o guru ou guia dos membros da seita. Na linguagem popular atual, qualquer pessoa que seja considerada um poder psíquico ou espiritual, e que exerça

GUYAU — GUYON

influência sobre outras pessoas, — é chamada de *guru*.

GUYAU, JEAN-MARIE

Suas datas foram 1854—1888. Foi um filósofo francês. Ele reagia contra a teoria evolutiva de Herbert Spencer (vide), como também contra todas as filosofias que fazem do *dever* um interesse primário da ética. Ele ensinava que a verdadeira base da conduta ideal deve ser a espontaneidade, através da qual são gerados atos criativos. Esse tipo de ato ele pensava ser natural, parte do ser essencial do homem. Ele adotou o conceito de Fouilée, da *força do pensamento*, como o veículo da espontaneidade. E, assim sendo, ele ensinava uma espécie de vitalismo estético. Quando uma pessoa cessa de *exprimir* os seus ideais, então estaria preparada para agir e concretizar os seus ideais. Ele pensava que todos os campos do empreendimento humano, incluindo a religião, estão sujeitos a essa mesma espécie de espontaneidade. No terreno da religião, ele procurava chegar a uma síntese entre o pensamento científico positivista e a metafísica espiritualista. Para ele, a irreligião seria a negação da autoridade, do dogma, dos milagres e dos ritos. Contudo, o seu sistema não era negativista, mas apenas uma forma de *a-religião*, pois ele se opunha a todas as fórmas existentes de religião e postulava uma espécie de religião purifica-da, que estabelecesse a harmonia entre os ideais individuais e os ideais da sociedade. Escreveu diversos livros, cujos títulos em inglês são: *Epicurean Morality; Contemporary English Morality; The Problems of Contemporary Aesthetics; Outline of a Morality Without Obligation or Sanction*, além de várias outras obras.

GUYON, JEANNE MARIE (MADAME)

Suas datas foram 1658 e 1717. Ela foi uma mística francesa e centro do movimento quietista (vide). Seu interesse pelo misticismo (vide) começou quando estava em um convènto, ainda jovem. Ela escreveu de modo convincente e eloqüente sobre o assunto. Mas, visto que os seus livros eram similares aos de seu contemporâneo, Molinos (vide), cujas obras haviam sido condenadas, ao passo que ele mesmo fora aprisionado pela *inquisição* (vide), ela foi compelida a submeter-se a Roma, renunciando à sua doutrina de uma possível perfeição, em resultado da união mística com Deus. De fato, ela também foi aprisionada pelo espaço de cinco anos, e então foi solta; mas esteve sempre sob vigilância, daí por diante. — Mas a propriedade onde ela residia, que pertencia a seu filho, imediatamente, tornou-se um local de peregrinações e pessoas provenientes de toda a Europa vinham ali, em busca de instrução e comunhão espirituais. A sua principal obra literária chamava-se *Obras*, publicada como uma coleção de quarenta volumes.

••• ••• •••

Sua opinião é importante para nós. Por gentileza, envie seus comentários pelo e-mail **editorial@hagnos.com.br**

Visite nosso site:
www.hagnos.com.br

Esta obra foi impressa na Imprensa da Fé.
São Paulo, Brasil.
Outono de 2021.